Yusuf Gülbahçe

4. Nisan 1980

THE OXFORD ENGLISH-TURKISH DICTIONARY

İNGİLİZCE-TÜRKÇE SÖZLÜK

FAHİR İZ ve H. C. HONY

İKİNCİ BASKI

A. D. ALDERSON ve FAHİR İZ

OXFORD UNIVERSITY PRESS

THE OXFORD ENGLISH-TURKISH DICTIONARY

FAHİR İZ and H. C. HONY

SECOND EDITION

A. D. ALDERSON and FAHİR İZ

OXFORD UNIVERSITY PRESS

Oxford University Press, Walton Street, Oxford OX2 6DP

OXFORD LONDON GLASGOW

NEW YORK TORONTO MELBOURNE WELLINGTON

IBADAN NAIROBI DAR ES SALAAM LUSAKA CAPE TOWN

KUALA LUMPUR SINGAPORE JAKARTA HONG KONG TOKYO

DELHI BOMBAY CALCUTTA MADRAS KARACHI

ISBN 0 19 864123 0

First edition 1952
Second edition 1978

Filmset by BAS Printers Limited, Over Wallop, Hampshire
Printed in Great Britain
by Richard Clay & Co. Ltd, Bungay, Suffolk.

PREFACE

For nearly twenty years as a full-time professional translator my 'tools' have been bilingual and multilingual dictionaries; in constant reference to them I have noted, consciously or otherwise, their various merits and defects and these have had an influence on how this second edition of the *Oxford English-Turkish Dictionary* has been prepared. The actual text is some fifty per cent larger than that of the first edition, but the combined English and Turkish vocabulary has probably been doubled; this increase has been achieved by various methods. Some the user will accept without noticing them, others may cause a little difficulty at first; however, a careful reading of the *Introduction* (which is essential) and practice will soon enable him to locate the English word he is seeking.

"For every English-speaking person wishing to learn Turkish there are probably 100 Turks wishing to learn English and, therefore, this dictionary has been compiled mainly with a view to the needs of the Turkish student." This declared aim of the first edition has been carried still further in the second by giving all the guidance material in Turkish and by ensuring that the English words and particularly compounds appear in strict alphabetical order.

"Space is the lexicographer's most precious possession." To make the most of this and to facilitate use of the dictionary every entry has been modified in some way and most have been entirely rewritten.

A work of this scope depends greatly on the work and help of others. It is of course an extension of the original edition by F. İz and H. C. Hony; at the beginning Professor İz indicated what changes should be made in the Turkish vocabulary and put forward many other useful suggestions, and he also read the galley-proofs.

The English text owes much to the *Concise Oxford Dictionary*, both the 5th edition by E. McIntosh and the 6th by Dr. J. B. Sykes, and also to the other Oxford dictionaries. No dictionary about Turkish can be written without constant reference to the standard *Türkçe Sözlük*, the *Yeni Yazım Kılavuzu* and the many specialist glossaries published by the Türk Dil Kurumu. Equally I owe much to the Redhouse publications and their editors; I have happy memories of discussions with the late Dr. J. K. Birge and F. L. MacCallum on the problems connected with writing English-Turkish dictionaries and Mr. R. Avery kindly gave me permission to make use of their *Kuşlarımız* and *Memeli Hayvanlarımız*. My thanks go also to my colleague Bay Z. Gizmen who read the text in manuscript, to Professor E. Toğrol of the Istanbul Technical University who read all the proofs including one set on board a Turkish plane hijacked to Beirut, and most of all to Dr. G. L. Lewis of Oxford University who not only read the proofs but made many useful suggestions for improving the text. I am equally grateful to the staff of the Oxford University Press, and in particular to Mr. D. M. Davin, Mr. R. W. Burchfield and Mr. B. L. Phillips, for their encouragement and understanding over a long and sometimes difficult period. The printer's compositors deserve mention for working in an unfamiliar language and bringing order out of thirty thousand index-cards, the majority of which were in manuscript. Finally, I would express my deep appreciation of my wife's understanding and encouragement; for twelve years both at home and on holiday she has shared life with 'my friend'.

November, 1977 A.D.A.

ÖNSÖZ

Aşağı yukarı yirmi yıldır bütün zamanını çeviriye veren profesyonel bir çevirmen olarak kullandığım 'araçlar' iki dilli ve çok dilli sözlükler olmuştur. Sürekli olarak kullandığım için, bilinçli ya da bilinçsiz, o sözlüklerin değerli yanlarının olduğu kadar, eksik yanlarının da farkına vardım. *Oxford İngilizce-Türkçe Sözlüğü*'nün bu ikinci basımının hazırlanmasında o gözlemlerin etkisi oldu. Sözlük metni,birinci basımdan hemen hemen yüzde elli kadar daha geniş, fakat İngilizce ve Türkçe sözcüklerin toplam sayısı, sanırım, birinci basımdakinin iki katıdır. Bu artış çeşitli yöntemlerle sağlandı. Bu sözlüğü kullananlar, bazı yöntemleri farkına varmadan kabul edecekler; bazı yöntemlerse ilk ağızda güçlük çıkarabilir. Ne var ki, okur, *Giriş*'i dikkatle okursa (ki bu gereklidir), sözlüğü kullana kullana, aradığı İngilizce sözcüğü bulmaya kısa sürede alışacaktır.

"İngilizce konuşan ve Türkçe öğrenmek isteyen her bir kişiye karşılık, her halde, İngilizce öğrenmek isteyen 100 Türk vardır. O nedenle bu sözlük daha çok Türk öğrencinin gereksinimleri göz önünde tutularak hazırlanmıştır." Birinci basımda ortaya konan bu amaç, şimdiki ikinci basımda daha da titizlikle izlenmiş, bütün açıklayıcı bilgiler Türkçe olarak verilmiş, İngilizce sözcüklerin ve özellikle bileşik sözcüklerin kesinlikle abece sırasını izlemesine dikkat edilmiştir.

"Yer, sözlükçünün en değerli mülküdür." O mülkten olabildiği ölçüde yararlanmak ve sözlüğün kullanılışını kolaylaştırmak için bütün maddelerde şu ya da bu türden değişiklikler yapılmış, çoğu da tümüyle yeniden yazılmıştır.

Böylesine kapsamlı bir iş, büyük ölçüde başkalarının çalışma ve yardımına dayanır. Bu sözlük, F. İz'le H. C. Hony'nin hazırladığı ilk basımın genişletilmesiyle ortaya çıkmıştır. İşin başında Profesör İz, Türkçe sözcüklerde yapılması gerekli değişiklikleri göstermiş, yararlı birçok başka öneri ileri sürmüş, sözlüğün ilk düzeltmenliğini yapmıştır.

İngilizce metin, *Concise Oxford Dictionary*'nin, E. McIntosh'un hazırladığı 5'inci baskısıyle, Dr. J. B. Sykes'ın hazırladığı 6'ncı baskısına ve öteki Oxford sözlüklerine çok şey borçludur. Türk Dil Kurumunun yayınladığı *Türkçe Sözlük*'le *Yeni Yazım Kılavuzu*'na ve çok sayıdaki özel terimler sözlüklerine danışmaksızın Türkçe bir sözlük yazmak olanaksızdır. Redhouse yayınlarıyle yazı kuruluna da çok şey borçluyum; aramızdan ayrılmış olan Dr. J. K. Birge'le ve F. L. MacCallum'la, İngilizce-Türkçe sözlük yazmasına ilişkin sorunlar üzerinde yaptığımız tartışmalara dair mutlu anılarım var; Bay R. Avery de, *Kuşlarımız* ve *Memeli Hayvanlarımız* adlı yayınlarından yararlanmama nezaketle izin verdi. Meslektaşlarımdan, ilk taslağı okuyan Bay Z. Gizmen'e, Beyrut'a kaçırılan Türk uçağındaki dizgi provaları dahil bütün provaları okuyan İstanbul Teknik Üniversitesinden Profesör E. Toğrol'a ve herkesin ötesinde, yalnızca provaları okumakla kalmayıp metnin geliştirilmesi için pek çok yararlı öğütler veren Oxford Universitesinden Dr. G. L. Lewis'e de teşekkür borçluyum. Uzun ve zaman zaman güçlüklerle dolu bir dönem boyunca gösterdikleri anlayış ve teşvikten ötürü Oxford Press mensuplarına ve özellikle Bay D. M. Davin, Bay R. W. Burchfield'le Bay B. L. Phillips'e minnettarım. Bilmedikleri bir dil üzerinde çalışan ve çoğu el yazısı olmak üzere otuz bin kadar indeks kartından belli bir düzen içinde bir yapıt ortaya çıkaran basımevi dizmenlerini anmadan geçmemeliyim. Son olarak, on iki yıl boyunca evde olsun tatilde olsun, yaşamı 'dostum'la paylaşan eşimin gösterdiği anlayış ve teşvikten ötürü duyduğum derin takdir duygusunu dile getirmek isterim.

Kasim 1977 A.D.A.

GİRİŞ

Bu sunu, sözlüğü kullanacak olanlara yol göstermek, sözlükte ne bulabileceklerini, nerede bulabileceklerini ve sözcük karşılıklarını nasıl anlamaları gerektiğini açıklamak amacıyle yazıldı.

1. *İngilizce sözcükler*

Bu sözlüğün birinci baskısı günlük, deyimsel (idiomatic) İngilizce'ye olduğu kadar, son üç dört yüzyılın yazın İngilizce'sine çok iyi bir başlangıç oldu. Bu yeni baskı, o temelin tümüne şunları ekledi: Geniş anlayışlı (permissive) toplumun yarattığı sözcükler dahil, son otuz yılın yeni sözcükleri ve sözcüklerin yeni kullanımları; olabildiği ölçüde çok çeşitli konuda temel bir teknik sözcükler kümesi; coğrafya ve tarih terimleri, özellikle Ortadoğu'yla bağlantılı olanlar; bir ülkenin dış ilişkilerinde kullanılan siyasal sözcükler, maliye ve askerlik terimleri; İngiltere'de ve İngilizce metinlerde oldukça sık karşılaşılan Amerikanca'lar ve Amerikan yazımı, Avustralya'da yaşıyan geniş Türk topluluğa yardımcı olabilmek için, Avustralya'lılara özgü bazı sözcükler; öneklerle soneklerin anlamını gösteren bir kılavuz ve çok sayıdaki kısaltmalar alemine giriş. Bütün bunlar, sözlüğün bütünlüğü içinde, eklere başvurulmasına gerek bırakmıyacak biçimde, tek bir abece düzeni çerçevesinde bir araya getirildi.

2. *Türkçe sözcükler*

Bu alanda sözcük seçimi daha güç oldu. Çünkü Türk dili son elli yıldır bir değişim geçiriyor. Yabancı sözcüklerin, özellikle Arapça ve Farsça sözcüklerin kökünü kazıma ve onların yerine var olan Türkçe sözcükleri ya da yeni türetilmiş sözcükleri koymaya dönük süregelen eğilim, ortaya birçok sorun çıkarıyor. On iki yıl önce, bu baskı üzerindeki çalışmalar ilk başladığı sıralarda pekâlâ kabul edilen şeyler, 1978'de biraz eskimiş görünebilir. Gelecek on yıl, daha başka değişikliklere de tanık olabilir. Dahası var, konuşma dilinde ve popüler basının yazı dilinde görülen değişiklikler başka alanlara uymıyabilir. Örneğin son bir teknik şartnamede, tek bir paragrafta, **alternating current** karşılığı olarak *dalgalı akım, alternatif cereyan* ve *mütenavip cereyan* terimleri, bir hukuk belgesinde de **clothing** karşılığı olarak *melbusat, elbiseler* ve *giysiler* sözcükleri yer almıştır.

Artık kullanılmıyan çok eski sözcükleri atmakla birlikte bu basımda izlenen yol, ilk baskıdaki sözcüklerin çoğunu tutma doğrultusunda olmuştur. Aynı zamanda, özellikle teknik konularda, birçok modern sözcüğe yer verilmiştir. Bu alanda, Türk Dil Kurumunca çeşitli terim sözlüklerinden büyük ölçüde yararlanılmıştır. Burada şunu da belirtmeliyiz ki, Türkçe karşılıklarda eski ve yeni Türkçe eşanlamlı sözcüklerin sırası, birinin ötekine yeğ tutulduğunu göstermez; sözlüğün gözden geçirilip yazılması sırasında yeni sözcükleri, ilk baskıda yer alan sözcüğün arkasına eklemek, genellikle daha kolay olmuştur.

İki dilli bir sözlük, özellikle hedef dili konuşanlar içindir. Onlarsa, belli bir konuda, çeşitli anlamlar arasından hangisinin en uygun olduğunu genellikle daha iyi bilirler. Bu durumda sözlükçüye düşen görev, yerin elverdiği oranda, olabildiği ölçüde çok sayıda karşılığı belirtmektir. Sözlükçünün, bunu yaparken, herbir anlamın mutlak kullanılışını göstermesi de gerekmez. Gerçekte karşılığın seçilmesi, yalnızca sözcüğün anlamına bağlı olarak nesnel (objective) değil, ama aynı zamanda, kullananın geldiği kuşağa ve toplumsal sınıfa, eğitimine ve mesleğine ve sözcüğün kullanılma nedenine bağlı olarak özneldir (subjective); örneğin artık kullanılmıyan ya da tantanalı İngilizce bir sözcüğün anlamı, belki de en iyi biçimde, Osmanlıca bir sözcükle belirtilebilir.

Türkçe sözcüklerin yazımı *Yeni İmlâ Kılavuzu*'na (1966) uygun olarak yeniden değiştirilmiş, *Yeni Yazım Kılavuzu*'nda (1975) getirilen bazı değişiklikler de eklenmiştir.

3. *Sözlük düzeninin genel ilkeleri*

Sözlüğün hacmi yaklaşık olarak kararlaştırıldıktan sonra, gerek İngilizce, gerek Türkçe sözcük sayısını artırmanın tek yolu, gereksiz her şeyi sözlükten çıkarmaktır. Yer kazanmak amacıyle başvurulan yolların bazıları aşağıda gösterilmiştir:

(a) Bir eylemin Türkçe karşılığındaki *-mak* eki anlamı açıkça gösterdiği için, İngilizce sözcükte mastar işareti olarak **to** kullanılmamıştır; yalnızca bu yolla kazanılan sayfa sayısı her halde beşi bulur.

(b) **non-**, **re-**, ve **sub-** gibi öneklerle başlıyan sözcüklerle ilgili birçok kısa madde, tek tek gösterilmek yerine gruplar halinde toplanmış ve bu öneklerin her biri için ayrıntılı bir açıklama yapılmıştır.

(c) Sözcükleri ya da sözcük bölümlerini yinelemekten kaçınmak için pek çok yerde (~) işareti kullanılmıştır; ana sözcükte, kökten sonra kalın bir nokta (·) konmuş, artık ondan sonra o sözcükten üretilen öteki sözcüklerde kök yerine (~) işareti kullanılmıştır; aynı biçimde bazı sözcüklerin ya da türevlerin tümü yerine (~) işareti kullanıldığı da olmuştur. Bu durumda, '**boot·jack**. **~lace**. **~leg**: **~ger**. **~less**.' şu sözcükleri gösterir: '**bootjack**. **bootlace**. **bootleg**: **bootlegger**. **bootless**.' Bir başka örnek: '**sleep**. **~er**. **~ily**. **~-in**. **~ing**: **~-bag**: **~-draught**: **~-sickness**. **~less**: **~ness**.' şu sözcükleri gösterir: '**sleep**. **sleeper**. **sleepily**. **sleep-in**. **sleeping**: **sleeping-bag**: **sleeping-draught**: **sleeping-sickness**. **sleepless**: **sleeplessness**.' Bütün bu sözcüklerin kesinlikle abece sırasıyle verildiği unutulmamalıdır. Daha ayrıntılı bilgi, bileşik sözcüklerle ilgili açıklamada bulunabilir.

(d) Gerek İngilizce'de, gerek Türkçe'de eğik çizgi (/) öteki kullanımları ayırır. '**King's/Queen's English**, *en doğru/temiz İngilizce*', '**King's or Queen's English**, *en doğru veya en temiz İngilizce*' anlamına gelir; bunun gibi, '**washing-day/-machine/-powder**, *çamaşır gün/makine/tozu*', '**washing-day**, *çamaşır günü*/**washing-machine**, *çamaşır makinesi*/**washing-powder**, *çamaşır tozu*' demektir; aynı biçimde '**air-to-~/-ground/-sea**, *uçaktan uçak/yer/gemiye*', '**air-to-air**, *uçaktan uçağa*/**air-to-ground**, *uçaktan yere*/**air-to-sea**, *uçaktan gemiye*' anlamındadır; böylece *tozu* ve *gemiye* gibi son sözcükler, her üç durum için doğru olan gramer yapısını gösterir.

(e) Daha küçük puntoyla fakat büyük harfle dizilen sözcükler, kısaltmaların İngilizce anlamını vermek ya da daha açık tanımlaması yapılan eşanlamlı bir sözcüğe başvurulması gerektiğini göstermek için kullanılmıştır. '**SOLAS** = SAFETY OF LIFE AT SEA'; '**stagflation** = STAGNATION + INFLATION'; '**tree-line** = TIMBER-LINE'.

(f) İngilizce bir sıfatın ya da sıfat olarak kullanılan adın, ad tamlaması olarak

Türkçe'ye çevrilmesinde durum şöyle gösterilmiştir: '**Turkish**, *Türk(iye)+*: ~ **pound**, *Türk lirası*'; '**English**, *İngiliz* (+): ~**woman**, *İngiliz kadını*'; '**cardio-**, *kardi(o); yürek+*: ~**logy**, *yürek bilimi*'.

4. *Sözcüklerin dizimi*

Kalın harflerle dizilen İngilizce ana sözcüğü (hâlâ yabancı sayılan ve normal olarak italik dizilen sözcükler siyah italikle dizildi), adların çoğulu, sıfat ve belirteçlerin karşılaştırma ve üstünlük dereceleri, eylemlerin geçmiş zaman ve geçmiş zaman ortacı için kural dışı yazılışlar ayraçlar ( ) içinde izler. Sözcüklerin okunuşu, 6'ncı maddede açıklanan kurallar çerçevesinde, köşeli ayraç [ ] içinde gösterilmiştir. Onun ardından, farklı kullanımlar arasında ayrım yapmanın gerekli olduğu yerlerde, italikle dizilmiş söz bölükleri işaretleri gelmektedir; ayraçlar ( ) içinde verilen italikle dizilmiş öteki işaretler, yabancı sözcüklerin kökeni, ilgili olduğu konu (hukuk, tıp, mühendislik, vb.) ve kullanım düzeyi (argo, lehçe, vb.) hakkındaki bilgileri göstermektedir. Her sözcüğün Türkçe karşılıklarını, o sözcüğün öteki sözcüklerle kurduğu ilişkiden doğmuş türevler, o sözcüğü kapsıyan deyimler ve o sözcükten oluşan bileşik sözcükler izlemektedir. Birinci baskıda olduğu gibi, bu basımda da yaygın eylemlerle (**break**, **get**, **go**, **take**, **vb.**) yapılan birçok belirteç ve edat kuruluşu ayrıca verilmektedir.

5. *Bileşik sözcükler, Önekler, Sonekler*

Ilk ağızda toplu sözcükler, iki ya da daha fazla ayrı sözcükler olarak yazılır; bu ayrı sözcüklerin çevirisinden Türkçe karşılık mantıklı olarak çıkıyorsa, ayrıca özel bir maddeye gerek görülmemiştir. Örneğin **big/black/boot**, *büyük/siyah/ayakkabı*. Eğer sözcükler küçük bir çizgi ile birleştirilmiş ya da birbirine katılarak tek sözcük haline gelmişse, ya ilk sözcük altında açıklanmış, ya da ayrı bir madde olarak verilmiştir. Her iki durumda da doğru abece düzenine uyulmuştur (**boot-black**, *ayakkabı boyacısı*). Bir dizi bileşik sözcüğün abece sırası, zaman zaman, hiç ilgisiz bir sözcükle kesintiye uğrıyabilir. Örneğin **booth** sözcüğü, **bootee** ile **bootjack** arasına girmiştir.

Yerden kazanmak ve bulunmalarını kolaylaştırmak için, başka başka sözcüklerden oluşan ama yazımı aynı olan bileşik sözcükler, aynı abece düzeni altında gruplandırılmıştır.

Özellikle bilim dünyasında, sürekli olarak yeni sözcükler ve sözcük bileşikleri yaratılmaktadır. O kadar ki, bunların hepsini bu sözlükte toplamak olanaksızdır. Bu nedenle olabildiği kadar çok sayıda ön ve sonek, ayrı maddeler halinde verilmiş, kullanılışları, anlamları ve karşılıkları, ayrıntılı olarak açıklanmıştır.

Eğer bileşik bir sözcük ayrı bir madde olarak gösterilmemişse, o sözcüğü oluşturan sözcüklere, özellikle ön ve sonekler maddelerine bakılarak, deneme yoluyle, sözcüğün mantıklı bir anlamı çıkarılabilir ki bu da doğru karşılığı verecektir.

6. *Sözcüklerin söylenişi*

İngilizce sözcüklerin söylenişi, kabil olduğu ölçüde modern Türk abecesiyle verilmiştir. Ancak tam karşılığın olmadığı haller için birkaç fonetik simgeye başvurulmuştur.

Birçok İngilizce sözcükteki ünlüler, Türkçe'deki ünlülerden daha uzundur. Bu durum yatay bir çizgi (¯) ile belirtilmiştir.

Ayraç içindeki harfler, örneğin sözcüğün son harfi olarak 'g' ve 'r', tam olarak okunmazlar.

İkili ünlüler, iki harfi bağlıyan bir işaretle (‿) gösterilmiştir.

Birden fazla heceden kurulan bir sözcükteki esas vurgu, vurgulanan hecenin önüne konan bir aksan işaretiyle (') belirtilmiştir. Bu durum böylece belirtildikten sonra, ikincil vurgular doğal olarak geleceği için, ayrıca gösterilmemiştir.

Birçok bileşik sözcüğü kapsıyan maddelerde, sadece önemli söyleniş değişiklikleri ve/veya vurgular belirtilmiştir.

SÖYLENİŞ SİMGELERİ TABLOSU – TABLE OF PRONUNCIATION SYMBOLS

(i) Ünlüler/Vowels:

a	hat [hat]	çok açık, yayık bir *e*'ye yakın.
ā	car [kā(r)]	*mazi*'deki *a* gibi.
e	set [set]	*ev*'deki *e*'den daha kapalı bir *e*.
i	hit [hit]	*git*'teki *i*'den daha kapalı bir *i*.
ī	bee [bī]	*biçare*'deki *i* gibi.
o	pot [pot]	*ot*'taki *o*'dan daha açık bir *o*.
ō	form [fōm]	*portakal*'daki *o*'ya yakın.
u	book [buk]	*çabuk*'taki *u*'dan daha açık bir *u*.
ū	too [tū]	*tufan*'daki *u*'ya yakın.
ʌ	hut [hʌt]	*kat*'taki *a*'ya yakın.
ə	ajar [əca(r)]	yarım bir *e* sesi.
ə̄	fur [fə̄(r)]	uzun bir *e* ile uzun bir *ö* arası bir ses.

(ii) İkili Ünlüler/Diphthongs:

au͜	how [hau͜]	iə͜	near [niə͜(r)]
ay	buy [bay]	ou͜	tow [tou͜]
ey	pay [pey]	oy	toy [toy]
eə͜	fair [feə͜(r)]	uə͜	sure [şuə͜(r)]

(iii) Ünsüzler/Consonants:

Şu dört tane simgeden başka, ünsüzler Türkçe'deki ünsüzler gibi söylenir:

n(g)	sing [sin(g)]	genizden bir *n*; *k* gibi söylenmez.
θ	thin [θin]	peltek *s*.
ð	them [ðem]	peltek *z*.
w	one [wʌn]	*duvar*'daki *uv*'a yakın.

KISALTMALAR

Toplumun, yönetimin ve maliye düzeninin yapısı gittikçe örgünleştiği, bilgi alanları giderek genişlediği, adlar ve unvanlar gittikçe uzadığı için, zamandan kazanmak üzere ad ve unvanların baş harfleri kullanılmaktadır. Zamanla, bu baş harflerden oluşan sözcükler ad haline dönüşmektedir. Örneğin 'North Atlantic Treaty Organization', 'NATO' haline gelmiş, sonra da 'Nato' olmuştur. Aynı biçimde 'radio detection and ranging', 'radar' haline gelmiştir. Bugün, bir araya getirilirse, hiç değilse elinizdeki bu cilt büyüklüğünde bir cildi doldurabilecek kadar çok olan bu kısaltmaları ve adlaşmış kısaltmaları kapsıyan sözlükler vardır. Bu sözlükte, ancak, gündelik yaşamda daha sık karşılaşılan kısaltmalara yer verilebilmiştir. Ne var ki, aradığı kısaltmanın öncesini sonrasını bilen bir okur, öğelerini bir bütün içinde toplıyabilir. Örneğin 'F + RI + C = Fellow of the Royal Institute of Chemistry'.

KISALTMALAR – ABBREVIATIONS

ABD	Amerika Birleşik Devletleri	United States of America
Afr.	Afrika	Africa
alay	alay yollu söylenir	jokingly
Alm.	Almanca, Almanya	German(y)
Am.	Amerika(n İngilizcesi)	America(n English)
a.o.	bir kimse	anyone
Ar.	Arapça	Arabic
arg.	argo	slang
ark.	arkeoloji	archaeology
ask.	askerlik	military
ast.	astronomi	astronomy
ata.	atasözü	proverb
Avus.	Avustralya ile Yeni Zelanda	Australia & New Zealand
B.	Batı	West
b.	bağlaç	conjunction
bas.	basın, basmacılık	press & printing
bil.	bilhassa	especially
biy.	biyoloji	biology
bot.	botanik	botany
Brit.	Büyük Britanya	Great Britain
coğ.	coğrafya	geography
ç.	çoğul	plural
çoc.	çocuk dili	children's language
D.	Doğu	East
dem.	demiryolları	railways

den.	denizcilik	seamanship & navy
dil.	dilbilgisi, dilbilim, sesbilim	grammar, linguistics, phonetics
din.	din	religion
diş.	dişil	feminine
dok.	dokumacılık	textiles & weaving
e.	edat	preposition
edeb.	edebiyat	literature
eğit.	eğitim	education
elek.	elektrik, elektronik	electricity & electronics
er.	eril	masculine
etm.	etmek	to do
ev.	evcil	domestic
f.	fiil (eylem)	verb
fel.	felsefe	philosophy
fiz.	fizik	physics
Fr.	Fransızca	French
G.	Güney	South
gen.	genellikle	generally
g.z.	geçmiş zaman	past tense
g.z.o.	geçmiş zaman ortacı	past participle
hal. o.	hal ortacı	present participle
hav.	havacılık, astronotik	aeronautics & astronautics
Hint.	Hindistan	India
H.K.	Hava Kuvvetleri	Air Force
huk.	hukuk	law
i.	isim (ad)	noun
id.	idarecilik, politika	administration & politics
İrl.	İrlandaca	Irish
İsk.	İskoçça	Scotch
İsp.	İspanyolca	Spanish
İt.	İtalyanca	Italian
K.	Kuzey	North
kaba.	kaba	vulgar
kıs.	kısaltma	abbreviation
kim.	kimya, eczacılık	chemistry & pharmacy
kim.s.	kimya simgesi	chemical symbol
kon.	konuşma dili	colloquial
köt.	kötüleyici	pejorative
krş.	karşılaştırınız	compare
krş.d.	karşılaştırma derecesi	comparative degree
küç.	küçültme	diminutive
Lat.	Latince	Latin
leh.	lehçe	dialect
M.	bir malın firma adı	proprietary name
mad.	madencilik	mining
mal.	maliye, ekonomi, ticaret	finance, economics & commerce
mar.	marangozluk	carpentry

mat.	matematik	mathematics
mec.	mecaz olarak	figuratively
mer.	meriyetsiz (kullanılmıyor)	obsolete
mes.	meselâ (örneğin)	for example
mim.	mimarlık, inşaatçılık	architecture & building
mod.	moda, elbise	fashion, clothing
müh.	mühendislik, mekanik	engineering & mechanics
müz.	müzik	music
nük.	nükleer fizik	nuclear physics
O.	Orta	Central
olm.	olmak	to be
oto.	otomobil	motor vehicles
ön.	önek	prefix
rad.	radyo, TV, radar	radio, TV & radar
Rus.	Rusça	Russian
s.	sıfat	adjective
san.	sanat	art
sin.	sinema, fotoğrafçılık	cinema & photography
s.o.	bir kimse	someone
son.	sonek	suffix
sos.	sosyoloji	sociology
sp.	spor	sport
stg.	bir şey	something
şah.	şahıs	person
şiir.	şiirde kullanılır	poetic
şim.	şimdi(ki zaman)	present (tense)
t.	tekil	singular
tar.	tarih	history
tıp.	tıp, dişhekimliği	medicine & dentistry
tiy.	tiyatro	theatre
Tk.	Türkçe, Türkiye	Turkish, Turkey
ünl.	ünlem	interjection
üst.	üstünlük derecesi	superlative degree
vb.	ve benzerleri	et cetera
yan.	yansıma	echoic
yar.	yardımcı fiil	auxiliary verb
yer.	yerbilim	geology
Yun.	Yunanca, Yunanistan	Greek, Greece
yy.	yüzyıl	century
zf.	zarf (belirteç)	adverb
zir.	ziraat	agriculture
zm.	zamir (adıl)	pronoun
zoo.	zooloji	zoology

İŞARETLER – SIGNS

*	Başlıca ABD'nde kullanılır	Chiefly used in the USA
†	ABD'nde kullanılmaz	Not used in the USA
~	Bir sözcük veya kökü tekrarlamamak için	In place of repeating a word or root
=	demek; küçük punto büyük harfle yazılan sözcük(ler)e ayrıca bakınız	equals; see word(s) in small capitals separately
../..	'ya da' anlamındadır; ayrı kullanılış bildirir	separates alternatives
·	sözcük kökünden sonra konur	indicates end of word-root
+	Türkçe adın, bir ad tamlamasında kullanılmasını gösterir	indicates a Turkish noun to be used in the possessive ('izafet') construction.

A

A, a[1] [ey]. A harfi. **not to know A from B**, kara cahil olm.: (*müz*) La notası, ve onun gamı: **A1** [-'wʌn], (*den.*) LLOYD'S REGISTER'deki birinci sınıf bir geminin işareti; (*mec.*) mükemmel, en iyi: **A1, A2,** *etc.*, (*bas.*) kâğıt büyüklükleri.

a[2] [ə ; ey] *s.* (*Genellikle ünlü harf veya okunmayan 'h' ile başlıyan bir kelimeden önce* **an** [an] *olur.*) 1. (*Belgisiz sıfat:*) Bir. ~ **man**, bir adam: ~ **man and** ~ **woman**, bir erkekle bir kadın. 2. (*Genelleştirici anlamda:*) ~ **woman takes life too seriously**, kadınlar hayatı fazla ciddiye alırlar. 3. (*Dağıtma anlamında:*) **apples at sixpence** ~ **pound**, libresi altı peni'ye elma: **I said** ***a*** [ey] **potato**, *bir* tane patates dedim (yani iki, üç değil). 4. (*Sınıf anlamında:*) ~ **Napoleon/Shakespeare**, Napoleon/Shakespeare gibi bir adam.

a[3] [ə] *e.* -ye, içine, üstüne; de, içinde, üstünde [ABED, ASHORE, TWICE A DAY, *vb.*] (*Genellikle ön ek olarak yazılır; bununla başlayan ayrı ayrı gösterilmiyen kelimeler için, onların köklerine bakınız.*)

a- [a-; ə-] *ön.* 1. = A[3] [ASHORE]. 2. = AB-; -dan [ABRIDGE]. 3. = AD-; -e, -ye [ASCEND]. 4. = AN-; IN-; -sız; . . . olmayan [AMORAL]. 5. = EX-; -dan; içinden; tamamen [AMEND]. (*Bununla başlayan ayrı ayrı gösterilmiyen kelimeler için, onların köklerine bakınız.*)

A, a. = ABSOLUTE; ACADEMY; ADJECTIVE; ADULT; AFRICA(N); AIR; AMALGAMATED; AMATEUR; AMERICA(N); AMPERE; ANGLO-; ÅNGSTROM; ARGON; ARMY; ASSISTANT; ASSOCIAT·E/-ION; ATOM(IC); ATTO-; AUXILIARY; AVIATION.

AA = ALCOHOLICS ANONYMOUS; ANTI-AIRCRAFT; AUTOMOBILE ASSOCIATION. ~**A** = AGAINST ALL RISKS; AMATEUR ATHLETIC ASSOCIATION; AMERICAN AUTOMOBILE ASSOCIATION. ~**F** = AUXILIARY AIR FORCE. ~**M** = AIR-TO-AIR MISSILE.

A & M = ANCIENT AND MODERN.

aard·vark ['ādvāk]. Yerdomuzu. ~**wolf** [-wulf], yeleli sırtlan.

ab- [ab-, əb] *ön.* -dan (uzak) [ABDUCT].

AB = ABLE-BODIED; ARTIUM BACCALAUREUS (*krş.* BA).

aba ['abə]. Aba (kumaş/elbise).

abaca ['abəkə]. Manila kendiri.

aback [ə'bak]. Geride; geriye: **be taken** ~, şaşalamak, şaşırıp kalmak, bozulmak: **take** ~, şaşırtmak.

abac·us, *ç.* **-i** ['abəkəs, -say]. Hesap cetveli, abak; (*mim.*) sütun başlığı.

abaft [ə'baft] (*den.*) Kıç tarafına (yakın); kıç tarafında, geride.

***abalone** [abə'louni]. Yenir bir yumuşakça.

abandon [ə'bandən] *i.* Serbestlik, kayıtsızlık, kendini bırakma. *f.* Terketmek, bırakmak, çekilmek; vaz geçmek: ~**oneself to . . .**, -e kapılmak. ~**ed**, terkedilmiş; atılan, vazgeçilen; (*mec.*) sefih, hovarda; metruk. ~**ment**, terk, bırak(ıl)ma; vazgeçme; hovardalık; metrukiyet.

abase [ə'beys]. Alçaltmak, tezlil etm., küçük düşürmek. ~**ment**, alçaltma, tezlil, zillet.

abash [ə'baş]. Bozmak, utandırmak. ~**ed** [-t] *s.* mahcup, utanmış; şaşırmış.

abate [ə'beyt]. İn(dir)mek, azal(t)mak, hafifle(t)mek, kesmek. ~**ment**, azal(t)ma, hafifle(t)me; tenkis; tenzilât, indirim: **noise** ~, sesi azaltma.

abat(t)is [ə'batis] (*ask.*) Ağaç gövdeleri ile yapılmış engel.

abattoir [abə'tuar]. Mezbaha, salhane.

abb(r). = ABBREVIATION.

abb·acy ['abəsi]. Başkeşişlik. ~**ess** ['abes], baş rahibe. ~**ey** ['abi], manastır. ~**ot** ['abət], baş keşiş.

abbreviat·e [ə'brīvieyt]. İhtisar etm.; kısaltmak. ~**ion** [-'eyşn], ihtisar; kısaltma; simge, remiz. ~**or**, (kitap vb.) kısaltan.

ABC[1] [eybī'sī]. Alfabe; harf sırasıyle düzenlenmiş kılavuz vb.; evveliyât, işin öncesi: **as easy as** ~, çok kolay.

ABC[2] = AMERICAN/AUSTRALIAN BROADCASTING COMPANY. ~**C** = ASSOCIATION OF BRITISH CHAMBERS OF COMMERCE.

abdicat·e ['abdikeyt]. Saltanat/taht/erki terketmek; (hakkından) vazgeçmek; istifa etm.; çekilmek. ~**ion** [-'keyşn], tahttan çekilme; hakkından vazgeçme.

abdom·en ['abdəmən]. Karın, batın. ~**inal** [-'dominl], karna ait, karın +, batnî.

abduct [ab'dʌkt]. (Birisini) kaçırmak. ~**ion** [-kşn], kaçırma; dağa kaldırma. ~**or** [-tə(r)], kaçıran; dağa kaldıran; (*zoo.*) abdüktör, uzaklaştırıcı.

abeam [ə'bīm] (*den.*) Bordada, yanda; geminin enine.

abecedarian [eybisi'deəriən] *s.* Alfabe sırasıyle düzenlenmiş; (*mec.*) çok kolay. *i.** alfabeyi öğrenen biri.

abed [ə'bed]. Yatakta.

abele [a'bīl]. Ak kavak.

Aber·deen [abə(r)'dīn]. İskoçya'da bir şehir: ~ **(terrier)**, küçük bir köpek. ~**deenshire** [-şə(r)], Brit.'nın bir kontluğu. ~**donian** [-'douniən], Aberdeen şehirli.

abberra·nce/~**ncy** ['aberəns(i)]. Sapma; sapınç; anormallik. ~**nt**, sapık, anormal. ~**tion** [abə'reyşn], inhiraf; dalâlet; yoldan çıkma, sapıtma; anormallik; (*ast.*) sapınç, aberasyon; (*tıp.*) geçici aklî hastalık: **in a fit of** ~, dalgınlıkla: **mental** ~, delilik.

abet [ə'bet]. Suça katılmak/iştirak etm.: **aid and** ~, suç ortağı olm. ~**ment**, suça katılma/iştirak, suç ortaklığı. ~**tor**, suç ortağı.

abeyance [ə'beyəns]. (Geçici olarak) yürürlükte

olmama; kullanılmama: **in** ~, geçerli değil: **fall into** ~, daha kullanılmamak.

abhor [əb'hō(r)]. Nefret etm. ~**rence** [-'horəns], nefret, tiksinme. ~**rent**, nefret verici, tiksindirici.

abid·e (*g.z.(o.)* **abode**) [ə'bayd, ə'boud]. Kalmak, ikamet etm.; devam etm.; netice/sonucunu beklemek: ~ **by one's word**, sözünde durmak: **I can't** ~ **him**, ona tahammül edemem. ~**ing**, daimî. ~**ingly**, devamlı olarak.

abilit·y, *ç.* ~**ies** [ə'biliti(z)]. İktidar, kabiliyet, maharet, ustalık; güç; marifet; kanunî yetki, yeterlik, ehliyet; meziyet: **do stg. to the best of one's** ~, elinden geldiği/yapabildiği kadar yapmak.

-ability, *son.* Mümkün olma; ... kabiliyeti, -edilebilme [READABILITY].

ab initio [ab i'nişiou] (*Lat.*) Başlangıçtan.

abio·genesis [eybio'cenisis]. Kendiliğinden doğma. ~**sis** [-'ousis], cansızlık.

abject ['abcekt]. Zelil, sefil, düşkün; aşağı. ~**ion** [-'cekşn], aşağılık. ~**ly**, sefilce, alçakça.

abjur·ation [abcuə'reyşn]. Bir kanaat/talep/iddiadan yemin ederek vazgeçme. ~**e** [əb'cuə(r)], bir kanaat vb. den yemin ederek vazgeçmek; bir yere bir daha dönmiyeceğine yemin etm.

abl. = ABLATIVE.

ablation [ə'bleyşn]. Ablasyon, yüzel erime.

ablative ['ablətiv] *i., s.* Ablatif, -den çıkma: ~ **case**, çıkma durumu, -den hali.

ablaze [ə'bleyz]. Tutuşmuş, yanmakta, alev almış; parıl parıl; heyecanlanmış, kızgın.

able [eybl] *s.* Muktedir, güçlü, yapabilen, iktidarlı; maharetli, becerikli, usta, elverişli: **an** ~ **piece of work**, usta işi, mükemmel eser, yetkin yapıt: **be** ~ **to**, *fiillerde yeterlik anlamı gösterir*: **be** ~ **to do**, yapabilmek.

-able [-əbl], *son.* Mümkün, -edilebilir; olunur, yapılır [CAPABLE, EATABLE].

able-bodied [eybl'bodid]. Sağlam, dinç; elverişli: ~ **rating/seaman**, deniz onbaşısı.

abloom [ə'blūm]. Çiçekte, çiçek açmış.

ablution [ə'blūşn]. Dinî bir tören için yıkanma; aptes: ~**s**, olağan yıkanma; (*ask.*) apteshane.

ably ['eybli] *s.* Hüner/maharet/ustalıkla.

-ably [-əbli] *son.* Mümkün olarak [CAPABLY].

ABM = ANTI-BALLISTIC-MISSILE MISSILE.

abnegat·e ['abnigeyt]. İnkâr etm., reddetmek. ~**ion** ['geyşn], inkâr, ret.

abnorm·al [ab'nōml]. Anormal, düzensiz, düzgüsüz; istisnaî; doğaya aykırı; olağan·dışı/üstü, fevkalade; sapık. ~**ality** [-'maləti], anormallik, düzensizlik; doğaya aykırılık; olağandışılık; sapıklık. ~**ally** [-nōməli], anormal/doğaya aykırı olarak. ~**ity** [-nōmiti], ucube, doğaya aykırılık.

Abo ['abou] (*Avus.*) = ABORIGINAL.

aboard [ə'bōd]. Gemide; gemiye: **all** ~!, herkes (gemi/tren vb.) içerisine girsin!: **lay** ~, (*den.*) borda bordaya getirmek.

abode[1] [ə'boud] *i.* Oturulan yer, ikametgâh: **make one's** ~ **in a place**, bir yerde ikamet etm.

abode[2], *g.z.(o)* = ABIDE.

aboli·sh [ə'bolişl]. İlga etm.; lâğvetmek; kaldırmak. ~**tion** [abə'lişn], ilga, lâğv; kaldırılma. ~**tionist**, zenci esareti vb.'nin ilgası taraftarı.

A-bomb ['eybom] = ATOMIC BOMB.

abomin·able [ə'bominəbl]. İğrenç/nefret verici; berbat, kötü, fena, bozuk. ~**ably**, çok kötü bir surette. ~**ate** [-neyt], nefret etm., iğrenmek. ~**ation** [-'neyşn], nefret, iğrenme; melun şey: **that** ~ **of a...**, o melun..., o Allahın belâsı.

aborigin·al [abə'ricinl]. Tarihin bildiği en eski devirlerde/sömürgecilerin geldiklerinde mevcut olan; yerli, aslî. ~**al**/~**e** [-nī], asıl yerli.

abort [ə'bōt]. Çocuk düşürmek; dumura uğramak; (*mec.*) gelişememek; (*ask.*) akim kalmak, yarıda bırakmak; (*hav.*) işletmeyi iptal etm. ~**ion** [ə'bōşn], çocuk düşürme, dumura uğrama, kürtaj; (tasavvur/plan vb.) başarısızlık; (*kon.*) pek çirkin/biçimsiz şey: **have an** ~ çocuğunu düşürtmek; kürtaj yaptırmak: **procure an** ~, çocuk aldırmak. ~**ionist**, çocuk düşürten. ~**ive** [-tiv], vakitsiz ve ölü doğmuş; akim/verimsiz kalmış.

abound [ə'baund]. Bol olm.; bolca bulunmak: **tigers** ~ **in the forest/the forest** ~**s in tigers**, ormanda kaplan boldur. ~**ing**, bol.

about[1] [ə'baut] *e., zf.* Etrafında, civarda, yakında, sularında; aşağı yukarı, hemen hemen; hakkında, dair; üzere. *Bir fiille kullanıldığı zaman* sağa sola *ve* etrafa *anlamlarına gelir*: **he is** ~ **again**, kalktı, iyileşti: **there is a lot of influenza** ~, ortada pek çok grip var: **there were very few people** ~, ortalıkta pek az kimse vardı: **be** ~ **to do stg.**, bir şeyi yapmak üzere olm.: **go** ~, dolaşmak; (*den.*) tiramola etm., geriye dönmek: **he doesn't go** ~ **much**, pek ortaya çıkmıyor: **go** ~ **singing**, şarkı söyleyerek dolaşmak: **go** ~ **one's business**, kendi işine bakmak: **send s.o.** ~ **his business**, birini kovmak: ~ **here**, bu taraflarda, bu civarda: **how/what** ~ **going to the cinema?**, sinemaya gidelim mi? (ne dersiniz?): **know what one is** ~, işini bilmek; ne yaptığını bilmek: **I haven't a penny** ~ **me**, üstümde on para yok: **move** ~, dolaşıp durmak: **order s.o.** ~, birisine emir vermek, kumanda etm.: **ready** ~!, (*den.*) alesta tiramola!: **you must do something** ~ **it!**, bunun bir çaresini bulmalısınız!: **there is something** ~ **him I don't like**, her nedense bu adamdan hoşlanamıyorum: **there's something** ~ **a bird that...**, kuşlarda öyle bir şey/hal vardır ki...: **there's something wrong** ~ **it**, bunun bozuk bir tarafı var: **it's** ~ **time to go**, artık gitmeliyiz: **it's** ~ **time the post came**, posta nerede kaldı?: **(right)** ~ **turn!**, geriye dön!: **walk** ~ **the streets**, sokaklarda gezmek/dolaşmak: **he went a long way** ~, çok dolaştı (kestirmeden gelmedi): **what are you** ~?, neler yapıyorsunuz (bakalım)?

about[2] *f.* (*den.*) ~ **ship**, tiramola etm.: ~**-turn/-face**, geriye dönmek.

above [ə'bʌv] *e., s., zf.* Yukarı, üst; üstün; fazla, fevkında; yukarıda, üstünde; gökte, göklerde: ~ **all**, her şeyden evvel, bilhassa: ~ **criticism/suspicion**, tenkit/şüpheden azade: ~ **oneself**, haddini bilmez: **I am** ~ **doing that**, bunu yapacak kadar küçülmem: **over and** ~ **that**, fazla olarak. ~**-board**, açıkça, dürüst. ~**-mentioned**, yukarıda zikredilen/anılan/sözü edilen; adı geçen.

Abp = ARCHBISHOP.

abracadabra [abrəkə'dabrə]. Sihirli kelime, muska; anlamsız söz.

abra·de [ə'breyd]. Aşındırmak; (deri) sıyırmak. ~**sion** [ə'breyjn], aşın(dır)ma, sıyırma; çizinti; sıyrık. ~**sive** [-ziv], aşındırıcı (madde), aşındırgan, abrasif, zımpara; törpüleyici.

abreast [ə'brest]. Yanyana; bir hizada; geride

kalmıyan: **be/keep/stay ~ of the times**, devre/zamana uygun olm.; zamanın adamı olm.: **march two ~**, ikişer ikişer yürümek.

abridge [ə'bric]. Telhis etm., icmal etm., kısaltmak, özetlemek; tahdit etm., sınırlamak, kısmak: **~d version**, kısaltılmış metin. **~ment**, icmal, hülâsa, kısaltma, öz(et).

abroad [ə'brōd]. Yabancı memlekette; hariçte; her taraf(t)a; dışarıda, evde değil: **go ~**, tatillerini hariçte geçirmek; evini terk edip hariçte yerleşmek: **there is a rumour ~ that**, çevrede dolaşan söylentilere göre.

abrogat·e ['abrəgeyt]. Fesh/ilga etm., bozmak, yürürlükten çıkarmak/kaldırmak. **~ion** [-'geyşn], fesih, ilga, kaldırma.

abrupt [ə'brʌpt]. Anî; birdenbire; sert ve kısa; kesik; dik; sarp, yalçın. **~ly**, anî olarak, birdenbire: **he spoke ~**, çok sert konuştu. **~ness** [-nis], acele, sertlik.

abs. = ABSOLUTE.

abscess ['abses]. Apse, çıban, irin.

abscissa *ç.* **~s**/**~e** [ab'sisə(z), -sī]. Apsis.

abscission [ab'sişn]. Kes(il)me; (*mec.*) anî bitiş.

abscond [əb'skond]. Sıvışmak, ortadan kaybolmak; kanundan kaçmak; yakayı kurtarmak: **~ with the money**, parayı çalıp kaçmak. **~er**, kaçkın.

absence ['absəns]. Yokluk; bulunmayış; noksan, eksiklik: **~ of mind**, dalgınlık: **be conspicuous by one's ~**, bulunmayışıyle göze çarpmak: **leave of ~**, izin: **sentenced in his ~**, gıyaben mahkûm.

absent ['absnt] *s.* Yok; hazır bulunmıyan, yerinde olmıyan, namevcut; eksik: **~ without leave**, (*ask.*) izinsiz. [-'sent] *f.* **~ oneself**, gitmemek; çekilmek; hazır bulunmamak. **~ee** [-'tī], (yoklamada vb.) bulunmıyan kimse; yitimli, gaip: **~ landlord**, toprağında yaşamıyan toprak sahibi: **~ism**, (sahip) dışarda yaşama; (işçi) işe gelmeme, devamsızlık. **~ly**, dalgın olarak, dikkatsizce. **~-minded** [-'mayndid], dalgın; unutkan: **~ly**, dalgın olarak: **~ness**, dalgınlık.

absinth(e) ['absinθ]. Pelinotu; apsent.

absolute ['absəlūt]. Mutlak, kesin, katî, salt; tam, mükemmel; sade, saf; (*dil.*) mücerret; (*id.*) otoriter, tam yetkili; (*tiy.*) salt: **~ alcohol**, saf ispirto: **~ ceiling**, (*hav.*) mutlak tavan: **~ scale**, (*fiz.*) mutlak ölçü/terazi: **~ zero**, sıcaklıkta −273°C. **~ly**, mutlaka, kesin olarak; tamamen; (*kon.*) hayhay; evet. **~ness**, mutlakiyet, kesinlik.

absolution [absə'lūşn]. Günahların kilise tarafından bağışlanması.

absolutis·m ['absəlūtizm]. Mutlaklık hal/teorisi; saltçılık; salt idare, idarecinin şartsız hâkimiyet/egemenliği; (*din.*) kesin takdir; (*tiy.*) saltçılık. **~t**, salt idarenin taraftarı.

absolve [əb'zolv]. Günahlarını kilise tarafından bağışlamak; beraet ettirmek; serbest bırakmak; taahhüt/yüklenme ve vazifesinden affetmek.

absor·b [əb'sōb]. Massetmek, emmek, soğurmak, absorbe etm.; içine çekmek, yutmak; hızını kesmek; tamamen meşgul etm.: **become ~ed in stg.**, bir şeye dalmak/kapanmak. **~bent**, emici, massedici, soğurucu: **~ cotton-wool**, idrofil pamuk. **~ber**, emici, yutucu; amortisör. **~bing**, kavrayıcı, meraklı. **~ption** [-'sōpşn], emilme, massedilme, absorpsiyon, soğurma; yutma; zihnî meşguliyet, dalma. **~ptive**, emici, massedici.

abstain [əb'steyn]. Çekinmek, geri durmak, istinkâf etm.: **~ from...**, -den imtina etm.: **~ from voting**, seçimde oy vermemek. **~er**, çekimser, müstenkif; içki içmiyen: **total ~**, içkiye tövbeli.

abstemious [əb'stīmiəs]. (Özellikle yemek/içmekte) azla yetinen, kanaatkâr; mümsik; gösterişsiz (sofra).

abstention [əb'stenşn]. Çekinme, geri durma; istinkâf: **~ from voting**, seçimde oy vermeme.

abstinen·ce ['abstinəns]. Zevkten geri durma; perhiz; imsak, rivayet. **~t**, yemede içmede imsaklı, perhizkâr.

abstract [əb'strakt] *f.* Çıkarmak, ayırmak; tecrit etm.; hülâsa etm., özetlemek; aşırmak. ['abstrakt] *i.* Hülâsa, icmal, öz(et); bir kitabın özeti. *s.* Mücerret, abstre, nazarî, kuramsal, soyut, yalın; muğlak, çapraşık, karmakarışık. **~ of account**, hesap özeti: **in the ~**, nazarî olarak: **~ art/noun/number/theatre**, soyut sanat/isim/sayı/tiyatro. **~ed(ly)** [-'straktid(li)], dalgın (olarak). **~ion** [-'strakşn], mücerret/soyut düşünce; hayal; dalgınlık; ayırma; çıkarma; tecrit; aşırma: **~ism**, soyutçuluk. **~ly**, yalın olarak. **~or**, (*bas.*) hülâsa eden, özetleyen.

abstruse [əb'strūs]. Muğlak, çapraşık; derin, anlaşılması güç. **~ly**, muğlak olarak. **~ness**, muğlaklık, çapraşıklık.

absurd [əb'sə̄d]. Gülünç; mânasız, saçma, abes; (*tiy.*) absürt. **~ity/ness**, gülünçlük; mânasızlık; saçmalık. **~ly**, mânasız olarak: **~ cheap**, fevkalade ucuz.

ABTA = ASSOCIATION OF BRITISH TRAVEL AGENTS.

abund·ance [ə'bʌndəns]. Bolluk, mebzuliyet, bereket, zenginlik; bir çokları: **live in ~**, refah içinde yaşamak. **~ant**, bol, mebzul, bereketli; çok. **~antly**, bol bol: **~ clear**, besbelli.

abus·e [ə'byūs] *i.* Suiistimal; kötüye kullanma; küfür, sövüp sayma. [ə'byūz] *f.* Suiistimal etm.; kötüye/fena kullanmak; küfretmek; ırzına tecavuz etm. **~ive** [-siv], ağzı bozuk; tahkir edici; yolsuz.

abut [ə'bʌt]. **~ on/against ...**, -e bitişik olm., sınırları bir olm., bitişmek; dayanmak, yaslanmak. **~ment**, mesnet, dayanak; (*mim.*) kenar/köprü/kubbe ayağı.

abysm [ə'bizm] = ABYSS. **~al**, dipsiz; (*kon.*) çok kötü.

abyss [ə'bis]. Yerin dibi; cehennem; abis, yar, uçurum, obruk; boşluk; gayya. **~al** [-səl], abisel, çok derin; (*den.*) 300 kulaçtan fazla derin.

Abyssinia [abi'siniə]. Habeşistan. **~n**, *i.* Habeş(î); Habeşçe: *s.* Habeş+.

ac- [ak-] *ön.* = AD + c/k/q. [ACQUIT].

-ac [-ak] *son.* = -ACAL [CARDIAC].

Ac. (*kim.s.*) = ACTINIUM.

a/c. = ACCOUNT.

AC = AIRCRAFTMAN; ALTERNATING CURRENT; ATHLETIC CLUB.

acacia [ə'keyşə]. Akasya (ağacı): **false ~**, yalancı akasya.

academic [akə'demik]. Eflâtun felsefesine ait; üniversiteye ait; akademik; bilgince; nazarî: **a purely ~ question**, tamamen nazarî bir mesele (tatbikî olmıyan). **~al**, üniversite/koleje ait; akademisel. **~ally**, nazarî olarak. **~als**, üniversite elbisesi. **~ian** [əkadə'mişn], akademi (*bilh.* ROYAL ACADEMY) üyesi; akademici.

academy [ə'kadəmi]. Belirli bir fen/sanatın tahsil edildiği yer, akademi; (*İsk.*) orta okul: **Military/Naval** ~, Askerî/Deniz Harp Okulu: **Royal** ~, İngiliz Güzel Sanatlar Akademisi. ~ **of Music**, Konservatuar.
-ac(al) [-ak(l)] *son.* Ait, bağlı; gibi; hakkında [CARDIAC(AL)].
acanth·aster [akən'θastə(r)]. Mercancıl bir denizyıldızı. ~**us** [ə'kanθʌs], ayı yoncası, kenger otu; (*mim.*) bunun yaprağı tezyinatı.
acarid ['akərid] (*zoo.*) Kene.
acarpous [a'kāpəs] (*bot.*) Meyva vermiyen.
acatalepsy [a'katəlepsi]. Anlaşılmazlık.
acaudal [a'kōdl] (*zoo.*) Kuyruksuz.
acc. = ACCOUNT[1]; ACCUSATIVE.
ACC = ALLIED CONTROL COMMISSION.
accede [ak'sīd]. Razı olm., kabul etm.; tahta çıkmak, iktidar mevkine gelmek.
accelerando [akselə'randou] (*It.*, *müz.*) Accelerando, tedricen hız artarak.
acceler·ate [ak'selərеyt]. Hızlan(dır)mak, çabuklaş(tır)mak. ~**ated**, hızlandırılmış; süratli, büyük oranlı. ~**ating**, hızlan(dır)an, artan. ~**ation** [-'reyşn], ivme, hızlan(dır)ma, sürat artması. ~**ator** [-'seləreytə(r)], akseleratör, hızlandırıcı; gaz pedalı; süratlendirici. ~**ometer** [-'romitə(r)], akselerometre.
accent ['aksənt] *i.* Vurgu, aksan; söyleyiş; şive, ağız. [-'sent] *f.* Vurgulamak, aksan koymak. ~**or**, şarkıcı kuşu. ~**uate** [-tyueyt], vurgulamak; vurgu/kuvvetli okumak; belirtmek; (*mec.*) kuvvetlendirmek, derinleştirmek. ~**uation** [-tyu'eyşn], vurgulama, aksan koyma; belirtme.
accept [ək'sept]. Kabul etm., almak; tasdik etm., razı olm.; anlamak. ~**able** [-tbl], kabul edilebilir; beğenilir; münasip, uygun. ~**ance** [-təns], kabul, razı olma; iyi karşılanma; tesellüm, (poliçe) aracılı kabul: **general** ~, kayıtsız şartsız kabul. ~**ation** [-'teyşn], bir kelime/deyimin genellikle kabul edilen anlamı. ~**ed** [-tid], **generally** ~, genellikle kabul edilmiş. ~**or** [-tə(r)], alıcı, akseptör, kabulcü, kabul eden.
access ['akses]. Giriş, girme; yol, geçit; (*tıp.*) nöbet; artma, çoğalma: **have** ~ **to**, bir yer/birisinin yanına girebilmek/ulaşmak: **within easy** ~ **of**, -e kolayca gidilebilir. ~**ary** [-'sesəri] (*huk.*) (suçta) ortak. ~**ibility** [-'biliti], yaklaşılabilme, girilebilme, erişilebilme. ~**ible** [-'sesibl], erişilebilir; elde edilebilir; tesir edilebilir.
accession [ak'seşn]. Tahta çıkış, cülûs; memuriyete girme; zam, ek, ilâve; varış, vusul.
accessor·y, *ç.* ~**ies** [ak'sesəri(z)] *i.* Takım, eklenti, ayrıntı, aksesuvar; yardımcı şey; (*müh.*) yedek parça; (*huk.*) (suçta) ortak. *s.* Ferî, talî; ikinci derecede; yardımcı.
accidence ['aksidəns] (*dil.*) Çekimler bahsi, morfoloji.
accident ['aksidənt]. Kaza; tesadüf; arıza, engebe; esası olmıyan cins/hal: ~**s will happen**, kazanın önüne geçilmez: **a whole chapter of** ~**s**, bir sıra kazalar: **by** ~, tesadüfen: **industrial** ~, iş kazası: **meet with an** ~, bir kazaya uğramak. ~**al** [-'dentl], tesadüfî, ârızî; kazaen; rasgele, talî; (*müz.*) tesadüfen gelen diyez/bemol. ~**ally**, tesadüfen. ~**ed**, ârızalı/engebeli (yer). ~**-insurance**, kaza sigortası. ~**-prone**, daima kazaya uğrayan (kimse).
accidie ['aksidi]. Tembellik, uyuşukluk; yeis.
accipiter [ak'sipitə(r)]. Atmaca kuşu.
acclaim [ə'kleym] *i.* Alkış. *f.* Alkışlamak; çok beğenmek; (alkışlarla) ilân etm.
acclamation [aklə'meyşn]. Alkış; alkışlarla kabul etme; şifahen oy verme.
***acclimate** = ACCLIMATIZE.
acclimatiz·ation [əklaymətay'zeyşn]. Hava/yeni şartlara uydurma; yabancı iklime alış(tır)ma. ~**e** [ə'klay-], yabancı iklim/çevreye alış(tır)mak: **get/ become** ~**d**, yeni iklim/çevreye alışmak.
acclivity [ə'kliviti]. Yokuş, bayır.
accolade ['akəleyd]. (Şövalyelik unvanı verirken) kucaklama/öpme; kılıcın yassı tarafiyle omuza vurma; (*müz.*) rabıta.
accommodat·e [ə'komədeyt]. Uydurmak, telif etm.; uzlaştırmak; düzenlemek, tanzim etm.; yerleştirmek: ~ **s.o. with**..., birine -yi vermek/ tedarik etm.: ~ **oneself**, uymak: ~ **to circumstances**, ayağını yorganına göre uzatmak. ~**ing**, uysal, güçlük çıkarmıyan; uygun, elverişli; geniş mezhepli: ~**ly**, uysal olarak. ~**ion** [-'deyşn], yatacak/kalacak yer, pansiyon; tatbik; (*mal.*) ödünç para; hatır, destekleme; uyma, uyum, uyuşma: ~**-ladder**, (*den.*) borda iskelesi: ~**-road**, hususî yol: ~**-unit**, (*sos.*) bir ev/daire.
accompan·iment [ə'kʌmpənimnt]. Refakat; tetimmat, beraber bulunan şey; (*müz.*) sesle beraber çalınan parça. ~**ist**, (*müz.*) refakat eden/beraber çalan kimse, akompanist. ~**y**, arkadaşlık/refakat etm.; beraber/maiyetinde/yanında bulunmak/ dolaşmak; eşlik etm.; (*müz.*) beraber çalmak, -ye katılmak.
accomplice [ə'komplis]. Suç ortağı.
accomplish [ə'kompliş]. Yapmak, yapıp bitirmek; meydana getirmek; tahakkuk ettirmek; başarmak. ~**ed** [-plişt], başarılmış; hünerli, usta; incelmiş. ~**ment**, yapıp bitirme, meydana getirme; başarılmış eser; başarı, hüner, muvaffakiyet; sathî malûmat, yaldız; marifet.
accord [ə'kōd] *i.* Muvafakat, razı olma; ittihat, anlaşma, konkordato; uygunluk; akord; istek. *f.* Uzlaştırmak, ahenk vermek; teslim etm.; uymak, hemahenk olm. **of one's own** ~, kendiliğinden, kendi gayretiyle: **with one** ~, hep birlikte.
accordan·ce [ə'kōdəns]. Uygunluk: **in** ~ **with**, -e göre/uygun olarak/uyarınca; mucibince, gereğince. ~**t**, uygun.
according [ə'kōdin(g)]. Uygun olarak: ~ **as**, göre, aynen: ~ **to**, -e göre/nazaran. ~**ly**, bundan dolayı, bu sebeple, gereğince.
accordion [ə'kōdiən]. Akordeon; körüklü bir aygıt: ~**-pleats**, (*mod.*) körük şeklinde kırmalar.
accost [ə'kost]. Yanaşmak; yaklaşıp söz açmak; sarkıntılık etm.; (fahişe/dilenci) taciz etm.
accouche·ment [a'küşma(n)] (*Fr.*) Doğum. ~**ur/ -use** [-'şə(r)/-'şəz], erkek/kadın ebe.
account[1] [ə'kaunt] *i.* Hesap; önem, itibar; rapor, hikâye, anlatış; sebep: ~ **payable/receivable**, borçlu/alacaklı hesap: **cash** ~, kasa hesabı: **current** ~, cari hesap: **deposit** ~, mevduat/yatırma hesabı: **joint** ~, müşterek/birleşik hesap: **numbered** ~, yalnız numarasıyla bilinen hesap: **outstanding** ~, kalmış hesap: **overdrawn** ~, karşılıksız hesap: **by all** ~**s**, herkesin söylediğine göre: **by his own** ~, kendi söylediğine göre: **bring/call s.o. to** ~,

birisinden hesap sormak: **for** ~, süreli, vadeli: **for the** ~ **of**, hesabına: **give an** ~ **of**, anlatmak: **give an** ~ **of oneself**, nerede bulduğunu/ne yaptığını anlatmak: **give a good** ~ **of oneself**, başarılı olm.: **go to one's last** ~, ölmek: **the great** ~, kıyamet günü: **hold of great** ~, büyük önem vermek: **hold of little** ~, saymamak: **keep the** ~**s**, hesap tutmak: **leave out of** ~/**take no** ~ **of**, saymamak: **of no** ~, önemsiz, sayılmaz: **on** ~, veresiye, kredi ile: **on** ~ **of**, -den dolayı, yüzünden, sebebiyle; adına, yerine: **on every** ~, her bakımdan: **on his own** ~, kendiliğinden, kendi başına; kendi söylediğine göre: **on no/not on any** ~, hiç bir suretle, katiyen; sakın: **pay/settle an** ~, hesabı kapatmak; (*mec.*) hesabını görmek: **pay on** ~, mahsuben ödemek: **render an** ~, hesabı göndermek: **settle** ~**s**, hesaplaşmak: **take** ~ **of/into** ~, göz önünde tutmak, nazarı itibara almak: **turn/put to** ~, faydalanmak, istifade temin etm., kullanmak.

account[2] *f.* Addetmek, tutmak: **be** ~**ed of**, sayılmak, itibar edilmek: ~ **for**, hesap vermek; mesul tutulmak; sebebi . . . olm.; izah etm.; işini bitirmek: **there is no** ~**ing for tastes**, herkesin zevkine karışılmaz; bu zevk meselesidir: **that** ~**s for it**, şimdi anlaşıldı. ~**ability** [-ə'biliti], mesuliyet. ~**able** [-əbl], mesul, sorumlu; izah edilebilir.

account·ancy [ə'kauntənsi]. Defter tutma; muhasebe(cilik), saymanlık. ~**ant**, muhasip, muhasebeci, sayman: **chartered** ~, hesap/muhasebe mütehassısı, saymanlık uzmanı. ~**-book**, hesap defteri. ~**ing**, *i.* muhasebe, hesap tutma, saymanlık.

accoutre [ə'kūtə(r)]. Donatmak, techiz etm. ~**ment** [-təmnt], techizat; koşum; donatma; askerî eşya.

accredit [ə'kredit]. İtimatnameli elçi göndermek; yetki vermek, atfetmek; itimat etm. ~**ed**, resmen tanınmış (şahıs); herkesçe kabul edilmiş (fikir vb.).

accret·e [a'krīt]. Gelişerek birleşmek. ~**ion** [a'krīşn], ilâve, gelişme; gelişerek birleşme; yapışma; iktisadî kıymetteki artma.

accru·al [ə'krūəl]. Çoğalma, hâsıl, tahakkuk. ~**e**, çoğalmak, hâsıl olm., tahakkuk etm.; eklenmek.

accumulat·e [ə'kyūmyuleyt]. Birik(tir)mek, yığ(ıl)mak, topla(n)mak, art(ır)mak; teraküm etm. ~**ed**, (*mal.*) dağıtılmamış, birikmiş. ~**ion** [-'leyşn], birik(tir)me, birikim, birikinti, topla(n)ma; yığın(tı); birleştirim; tasarruf. ~**ive**, [ə'kyu-] biriktirici; artan, biriken; toplanmış. ~**or**, biriktiren (adam); (*elek.*) akü(mülatör), akımtoplar, toplaç; toplayıcı: ~**-bet**, (*sp.*) (bir seri yarışlarda) tedricen çoğalan bahis.

accura·cy ['akyurəsi]. Doğruluk, dikkat, incelik, kesinlik, sadıklık, belginlik. ~**te** [-rit], doğru, kesin, sahih, sadık; dikkatli. ~**tely**, doğru olarak, kusursuz. ~**teness** = ~CY.

accurs·ed/~**t** [ə'kāsid, -st]. Melun, uğursuz; berbat. ~**edly**, uğursuzca; (*kon.*) çok.

accus·able [ə'kyūzəbl]. İtham edilebilen, suçlandırılabilen. ~**ation** [akyu'zeyşn], itham, suçlama; ithamname, iddia, sav. ~**ative** [ə'kyū-], (*dil.*) yükleme, ismin -i durumu. ~**atory** [-'zeytəri], itham eden, suçlandıran. ~**e** [ə'kyūz], suçla(ndır)mak, itham etm.; -e kabahat bulmak. ~**ed**, sanık, maznun; suçlu. ~**er**, itham eden/suçlayan biri.

accustom [ə'kʌstəm]. Alıştırmak: ~ **oneself**, alışmak. ~**ed**, alışık, alışkan; mutat; her zamanki.

ace [eys]. (İskambil) as(o), bey, birli; (zar) yek; çok düşman uçağı düşüren havacı; mükemmel olan/yapan: **within an** ~ **of**, kıl kaldı.

ACE = ALLIED COMMAND EUROPE.

-ace·a [-'eyşə] *son.* (*zoo.*) -giller. ~**ae** [-'eyşiī], (*bot.*) -giller. ~**an**/~**ous**, -gillere ait.

acephalous [a'sefələs]. Başsız.

acer ['eysə(r)]. Akçaağaç(giller).

acerb·ate ['asəbeyt]. Sabrını tüketmek; huysuz yapmak. ~**ic** [ə'sābik], buruk; acı; haşin. ~**ity**, burukluk; (söz) acılık, zehirlilik, haşinlik.

acet·ate ['asiteyt]. Asetat, sirke. ~**ic** [ə'sītik], asetik; sirkeye ait; ekşi. ~**ify** [-fay], ekşi(let)mek, sirkeleş(tir)mek. ~**one** ['asitoun], aseton. ~**ylene** [ə'setilīn], asetilen.

ACF = ARMY CADET FORCE.

Achaea [ə'kīə]. Eski Yunanistan. ~**n**, ona ait.

ache [eyk], *i.* Ağrı, acı, sızı. *f.* Ağrımak, acımak, sızlamak. **all** ~**s and pains**, inliye sıklıya: **it makes my heart** ~, içim parçalanıyor.

Achilles [a'kilīz]. Aşil: **one's** ~ **heel**, insanın en/tek zayıf noktası.

achiev·e [ə'çīv]. Yapıp bitirmek, meydana çıkarmak, gerçekleştirmek; başarmak, kavuşmak, erişmek, elde etm., nail olm., kazanmak. ~**able** [-vəbl], elde edilebilir, erişilir. ~**ement** [-vmnt], meydana çıkarılan eser; muvaffakiyet, başarı.

achromatic [akro'matik]. Renksiz, akromatik.

acid ['asid], *i.* Asit, hamız; *(*arg.*) = LSD. *s.* Asit +, asitli, ekşi, hamızî. *~**-head**, (*arg.*) LSD tiryakisi. ~**ify** [ə'sidifay], aside çevirmek, ekşi yapmak. ~**ity**, ekşilik, asitlik. ~**osis** [asi'dousis], kanın asitli hali, asidoz. ~**-proof/-resistant**, asit dirençli. ~**-test**, asit deneme/muayenesi; (*kon.*) çok keskin ve zor bir deneme/tecrübe. ~**ulated**/~**ulous** [ə'sidyuleytid, -yuləs], bir az ekşi, mayhoş.

-aci·ous/~**ty** [-eyşəs, -asiti] *son.*, *s.*/*i.* *Bir hususiyete temayül etme anlamı verilir* [VORACI·OUS/~TY].

ack·-ack [ak'ak] (*ask.*) = ANTI-AIRCRAFT. ~**-emma** (-'emə] (*ask.*) = ANTE MERIDIEM.

acknowledge [ak'nolic]. İtiraf etm., kabul etm.; tasdik etm.; tanımak; takdir etm.; mukabele etm.: ~ **receipt of**, (mektubun vb.) alındığını bildirmek: ~ **books consulted**, müracaat edilen kitapları saymak/zikretmek. ~**d**, tanınmış; mukarrer; usulü dairesinde; muteber: ~ **authority**, salâhiyeti muteber kitap/yazar. ~**ment**, kabul, itiraf; onay, tasdik; tanıma; ibraz; anma, zikretme: **by way of** ~, karşılık olarak; teşekkür için.

aclinic [a'klinik]. Meyilsiz: ~ **line**, mıknatısî ekvator.

acme ['akmi]. En yüksek yer; zirve, evc; (*tıp.*) hastalığın krizi.

acne ['akni]. Ergenlik, yüz sivilcesi, akne.

a-cock-bill [ə'kokbil] (*den.*) Fişkada.

acolyte ['akəlayt]. Kilisede küçük memur; yardımcı, muavin, peyk.

aconit·e ['akənayt]. Kurtboğan. ~**ine** [ə'konitin], akonitin.

acorn ['eykōn]. Meşe palamudu, pelit.

acoustic [ə'kūstik]. Ses/akustiğe ait. ~**-mine**, sesiyle patlatılan mayn. ~**s**, akustik; ses dağılım/tertibatı; akustik bakımından yapı ilmi, sesbilim.

acquaint [ə'kweynt]. Tanıtmak, bildirmek, bilgi/

haber vermek: **become/make oneself ~ed with . . .**, -le tanışmak, ahbap olm.; öğrenmek, alışmak, istinas peyda etm. **~ance** [-t(ə)ns], tanı(ş)ma; bilgi; tanıdık, bildik: **make ~ with . . .**, -le tanışmak: **he improves upon ~**, tanıdıkça daha iyidir: **have a wide ~**, eşi dostu çok olm.: **have a wide ~ with French**, Fransızcadaki bilgisi derin olm. **~anceship**, tanışıklık; tanıdıklar, eş dost.

acquiesce [akwi'es]. Muvafakat etm.; kabul etm., razı olm.; ses çıkarmamak. **~nce** [-'esns], muvafakat, rıza, kabul; teslimiyet. **~nt**, kabul eden; uysal.

acquire [ə'kwayə(r)]. Elde etm., ele geçirmek; kazanmak, edinmek; sahip olm. **~d**, kazanılmış, edinilmiş: **~characteristic**, doğuştan sonra kazanılan hususiyet: **~taste**, yavaş yavaş kazanılan zevk. **~ment**, kazanma, elde edilme; kazanç; başarı, hüner.

acquisi·tion [akwi'zişn]. Elde etme; iktisap; elde edilen şey; kazanç. **~tive** [ə'kwizitiv], haris, para canlısı, dünya malına düşkün. **~tiveness**, edinme insiyak/temayülü.

acquit [ə'kwit]. Beraet ettirmek; suçsuz çıkarmak; (borcunu) ödemek: **~ oneself**, davranmak, hareket etm.: **~ oneself well**, vazifesini iyi yapmak: **be ~ted**, beraet etm., aklanmak. **~tal** [-tl], beraet, aklanma; yerine getirme, ifa; ödeme. **~tance** [-tns], borcun ödenmesi; makbuz.

acre ['eykə(r)]. İngiliz dönümü (0,4 hektar): **God's ~**, mezarlık: **a man of broad ~s**, zengin arazi sahibi. **~age** [-kric], dönüm miktarı; saha, alan; yüzölçümü.

acrid ['akrid]. Kekre, buruk; (uslûp) acı, zehirli.

acrimon·ious [akri'mo̤unịəs]. Haşin, hırçın, sert: **~ly**, haşin/hırçın/sert olarak. **~y** ['akriməni], hırçınlık, sertlik.

acro- ['akro̤u-, ə'kro-] *ön.* Yükseklikte; yüksekliğe dair; ucunda; uçlu. **~bat** [-əbat], cambaz, taklabaz, akrobat: **~ic** [-'batik], cambaza ait, cambazca: **~ics**, cambazlık, akrobasi. **~megaly** [-'megəli] (*tıp.*) el/ayak/yüzün aşırı büyümesi. **~nyc(h)al** [ə'kronikl], geceleyin vuku bulan. **~nym** [-nim], *bir kaç kelimenin ilk harfleriyle teşkil edilen başka bir kelime*: NATO→NATO; RADAR. **~petal** [ə'kropitl] (*bot.*) aşağıdan yukarıya büyüyen. **~phobia** [akro̤u'fo̤ubịə], yükseklikten korku. **~polis** [ə'kropəlis], bir şehrin en yüksek yerindeki hisar, akropol.

across [ə'kros]. Ortasından, bir yandan bir yana, karşıdan karşıya; çapraz, çaprazlamasına; genişliğine; öbür taraf(t)a: **we shall soon be ~**, bir az sonra karşıda olacağız: **come ~ s.o.**, birisiyle karşılaşmak, rastlamak: **go ~ a bridge**, bir köprüden geçmek: **put it ~ s.o.**, (*arg.*) aldatmak; intikam almak: **put stg. ~**, (*kon.*) anlatmak: **the river is a mile ~**, nehrin genişliği bir mildir: **walk ~ the street**, sokakta karşıya geçmek. **~-the-board**, genel, her şeyi kavrayan: **~ agreement**, işkolu toplu sözleşme.

acrostic [ə'krostik]. Akrostiş.

act[1] [akt] *i.* Yapılan şey, iş; edim, fiil; hareket; vesika; (*tiy.*) bölüm, perde: **~ of God**, tabiî/doğal/mücbir sebep; fevkalade hal: **~ of Parliament**, kanun: **~s of the Apostles**, Resullerin İşleri kitabı: **catch s.o. in the (very) ~**, birisini suçüstü yakalamak: **put on an ~**, (*arg.*) fiyaka satmak.

act[2] *f.* Hareket etm., harekete geçmek, davranmak; vazife görmek; işlemek, tesir etm.; etkimek; rol oynamak, temsil etm.: **~ as/for s.o.**, birinin adına hareket etm., vekili olm.: **~ as interpreter**, tercümanlık etm.: **he is only ~ing**, (i) numara yapıyor; (ii) sade vekillik yapıyor: **~ up** (*kon.*), yaramazlık etm.: **~ up to one's principles**, prensiplerine uygun olarak yaşamak/hareket etm.: **~ upon instructions/a suggestion**, talimat/teklif ile hareket etm.

act. = ACTING[2]; ACTIVE.

ACT = AUSTRALIAN CAPITAL TERRITORY.

acting ['aktin(g)] *i.* Temsil, oyun; oynama, oynayış: **it's mere ~**, komediden ibaret. *s.* (Geçici olarak) vekil olan: **~ for s.o.**, birinin vazifesini gören, onun yerine kalan.

actin·ic [ak'tinik]. Işınlı, aktinik; şua enerjisinin kimyasal tesirine ait, ışın tesirine ait. **~ium** [-nịəm], aktinyum. **~o-**, *ön.* bu şualara ait, aktino-, ışın+.

action ['akşn]. Fiil, hareket, iş; işleyiş, tesir, etki(me); (*müh.*) cihaz, mekanizma; eylem, davranış; dava; muharebe, çarpışma; (*tiy.*) aksiyon, hadiseler; (*sin.*) olgu, "başla!": **~ at law**, dava: **~ stations**, (*den.*) savaşta nöbet yerleri: **bring an ~ against s.o.**, birisine karşı dava açmak: **civil ~**, kişisel/şahsî dava: **go into ~**, çarpışmaya girişmek: **be killed in ~**, savaşta ölmek: **a man of ~**, faal adam, eylem adamı: **out of ~**, saf dışı; (*müh.*) işlemiyen: **put out of ~**, durdurmak, kesmek; savaş edemiyecek hale koymak: **take ~**, harekete geçmek, eyleme geçmek. **~able**, (*huk.*) davaya sebep olabilir.

activat·e ['aktiveyt]. Faal bir hale getirmek; canlandırmak; etkinleştirmek; kaynaştırmak; tazelendirmek; mayalamak; radyoaktif hale koymak. **~ion** [-'veyşn], canlandırma, etkinleştirme, vb. **~or** ['ak-], canlandırıcı, harekete getirici; maya.

active ['aktiv]. Faal, devinimli, etkin, enerjik, hamarat, hareketli, canlı; hareket seven; durup dinlenmesi olmıyan; çevik; faaliyette, iş başında, vazifede; (*kim.*) tesirli, aktif, etkin; (*mal.*) faiz getiren; (*dil.*) aktif, etken, geçişli: **~ circulation**, tedavüldeki para: **~ list/officer**, (*ask.*) muvazzaf kadro/subay: **~ service**, cephe hizmeti: **~ volcano**, iştial halinde/püsküren yanardağ. **~ly**, faal/canlı/hareketli bir şekilde. **~ness**, faal/canlı/hareketli olma.

activ·ism ['aktivizm]. Aktivizm; etkincilik, fiiliyat. **~ist**, aktivist; etkinci. **~ity** [-'tiviti], faaliyet, hareketlik, hamaratlık, canlılık, çeviklik, etkinlik, eylem; (*yer.*) püskürme.

act·or ['aktə(r)]. Aktör; erkek oyuncu; rol oynayan; (*id.*) önemli kişi; (*mec.*) numaracı: **~-manager**, (*tiy.*) oyuncu-yönetmen. **~ress** [-tris], aktris, kadın oyuncu.

ACTU = AUSTRALIAN COUNCIL OF TRADE-UNIONS.

actual ['aktyu̥əl, -çu̥əl]. Gerçek, hakikî, fiilî; elle tutulabilir; asıl; güncel. **~ity** [-'aliti], gerçek, hakikat, hakikî vaziyet; güncellik. **~ize** [-layz], hakikî kılmak, kuvveden fiile getirmek. **~ly**, gerçek, hakikaten, bilfiil; hattâ (çok garip ama).

actuar·ial [aktyu'e̥ərịəl]. Sigorta istatistiklerine ait. **~y** ['aktyu̥əri], muhasip, aktüer; hayat sigortası mütehassısı; (*mer.*) mahkeme kâtibi.

actuat·e ['aktyueyt]. İşletmek, tahrik etm., harekete

getirmek, çalıştırmak. **~ing**, çalıştırma+, işletici. **~or**, aktüatör, çalıştırıcı, harekete getirici.
acuity [ə'kyūiti]. Sivrilik; keskinlik.
aculeate [a'kyūliət]. Sivri uçlu; keskin; (*biy.*) iğneli, dikenli.
acum·en [ə'kyūmen]. Zekâ (keskinliği), feraset. **~inate** [-mineyt], sivrileşen.
acupuncture ['akyupʌn(g)kçə(r)]. Akupunktur.
acute [ə'kyūt]. Keskin, sivri; keskin zekâlı, çabuk anlayışlı; (*tıp.*) şiddetli, hâd, evecen; dar (açı). **~ly**, zekâ ile: **be ~ aware of**, hakikaten farkında olm. **~ness**, keskinlik, zekâ.
AC·V = AIR-CUSHION VEHICLE. **~W** = AIRCRAFT-WOMAN.
-acy [-əsi] *son.* -asi, -lik [ACCURACY].
acyclic [ə'sayklik]. Devresiz, dolamsız; düz; tek kutuplu.
ad [ad] (*Lat.*) = AD HOC; AD HOMINEM, vb.
ad- [ad-, əd] *ön.* -e, cihetine [ADJACENT].
ad. [ad] *kıs.* = ADVERTISEMENT. **small ~s**, küçük ilânlar: **~-man**, (*kon.*) propagandacı.
AD = AIR DEFENCE; AIRWORTHINESS DIRECTIVE; ANNO DOMINI.
ad absurdum [adab'sədəm] (*Lat.*) Mânasız/saçma hale gelinceye kadar.
adage ['adic]. Mesel, atasözü.
adagio [ə'dācioụ] (*It., müz.*) Adagio, yavaş(ça), ağır.
Adam ['adəm]. Hazreti Âdem; dünyanın ilk adamı: **the old ~**, günaha fıtrî temayül: **not know s.o. from ~**, birini hiç tanımamak: **~'s ale**, su: **~'s apple**, gırtlak çıkıntısı, Âdem elması.
adamant ['adəmənt] *i.* Son derece sert bir şey. *s.* Eğilmez, müsamahasız, sulha süphana yatmaz. **~ine** [-'mantayn], pulat/elmas gibi çok sert; çok inatçı ve azimli, yaman.
adapt [ə'dapt]. İntibak et(tir)mek, uyarlamak, uy(dur)mak, alış(tır)mak, uygun bir hale getirmek, tatbik etm.; iktibas/adapte etm.; adapte olm.; (*tiy.*) (kitap) oyunlaştırmak; takmak. **~ability** [-təbiliti], intibak kabiliyeti, uyma. **~able** [ə'daptəbl], uy(arlan)abilir, uydurabilir, intibak edilebilir, kullanılabilir. **~ation** [-'teyşn], uy(arla)ma, intibak; alıntı, iktibas; adaptasyon; şekil değişmesi; adapte olma. **~or**, adaptör; uyarlayıcı; (*tek.*) ara/geçme/uzatma parçası.
ADC = AIDE-DE-CAMP; AMATEUR DRAMATIC CLUB.
add [ad]. Katmak, eklemek, ilâve etm., zammetmek, üstüne koymak; toplamak, cemetmek: **to ~ to my work**, işim kâfi değilmiş gibi, üstelik bir de...: **~ up**, toplamak; baliğ olm., yekûn tutmak: **it all ~s up to this**, bunun neticesi... dir; hülâsa, özet. **~ed** ['adid] *s.* eklenen, üstüne konan, fazla.
addend·um, *ç.* **-a** [ə'dendəm, -ə]. Ek, ilâve, zeyl.
adder[1] ['adə(r)]. Cemeden; toplayan.
adder[2]. Bir kaç çeşit zehirli yılan, engerek: **~'s tongue**, (*bot.*) yılan dili.
addict ['adikt] *i.* (Morfine vb.) düşkün, tiryaki, müptelâ. [ə'dikt], *f.* Alıştırmak: **~ oneself/be ~ed to**, -e kendini vermek, düşkün/müptelâ olm.; -in tiryakisi olm. **~ion** [ə'dikşn], düskünlük, tiryakilik, iptilâ. **~ive**, alıştırıcı.
adding ['adin(g)]. Ekleyen, cemeden: **~-machine**, hesap/toplama makinesi.
addition [ə'dişn]. İlâve, ek(leme), zam; toplama; katılma, katım; üstüne koyma, cem: **in ~**, bundan başka, ilâve olarak. **~al**, eklenen, üstüne konan, ilâve, fazla. **~ally**, ilâve olarak.
additive ['aditiv]. İlâve olunacak; çogalan; (*kim.*) katım, katkı maddesi, aditif.
addle ['adl]. (Yumurta) cılk çıkmak; bozuk kılmak: **it's enough to ~ one's brain**, insanın başını sersem eder. **~d**, cılk, iğdin; sersem olmuş. **~-headed/-brain/-pate**, beyinsiz, kuş beyinli.
addnl = ADDITIONAL.
address [ə'dres] *i.* Adres; hitabe, nutuk; hal ve tavır; maharet. *f.* Hitap etm., seslenmek; adres yazmak; hitabede bulunmak, nutuk söylemek. **form of ~**, hitap şekli, ünvan: **pay one's ~es to...**, -e kur yapmak: **~ oneself to s.o.**, birisine hitap etm.: **~ oneself to the task**, işe girişmek/koyulmak: **~ the ball**, (golf) topa nişan almak. **~ed** [-st], adresli. **~ee** [-sī], kendisine mektup gönderilen. **~er**, adresleri toptan yazan kimse. **~ing-machine/~ograph** [-səgraf], adres yazma makinesi.
adduce [ə'dyūs]. Delil olarak ileri sürmek; misal olarak göstermek.
adduct [a'dəkt]. Yaklaştırmak. **~ion** [-kşn], yaklaştır(ıl)ma. **~or**, yaklaştırıcı (kas).
-ade [-eyd] *son.* -lik [DECADE].
adenoid ['adənoyd]. Salgı bezine ait. **~s**, adenoit.
adept ['adept]. Üstat; usta, mahir.
adequa·cy ['adikwəsi]. Yeterlik, kifayet; münasip olma. **~te**, yeterli, yeterince, kâfi; elverişli, kifayetli; uygun, münasip. **~ately**, kâfi olarak; lâyıkıle.
a deux [a'də] (*Fr.*) İki kişi arasında/için.
AD·F = AUTOMATIC DIRECTION FINDER. **~G**, ASSISTANT DIRECTOR-GENERAL.
adhere [əd'hiə(r)]. Yapışmak, yapışık kalmak, tutmak; katılmak, iltihak etm.; ısrar etm. **~nce**, yapışma; iltihak, katılma. **~nt**, *s.* yapışık, yapışkan: *i.* taraftar; parti/kilisenin mensup/üyesi.
adhes·ion [əd'hījn]. Yapışma, yapışkanlık, tutma, adezyon; katılma, iltihak; iltihap neticesi. **~ive** [-siv], yapışkan; yapışıcı, adeziv, tutkal: **~-plaster**, yakı: **~-tape**, yapışkan şerit.
ad·hoc [ad'hok] (*Lat.*) Bilhassa bunun için: **~ committee**, özel bir mesele için kurulan heyet. **~ *hominem***, özel, şahsî: **argument ~**, mantığa değil şahsî hislere hitap eden delil.
adiabatic [adiə'batik]. Harareti geçirmez, adiyabatik.
adieu, *ç.* **-x** [ə'dyū(z)]. Allaha ısmarladık!; elveda!: **bid/make one's ~x**, vedalaşmak.
ad·infinitum [adinfi'naytəm] (*Lat.*) Ebediyen, sonsuz/nihayetsiz olarak. **~ *initium***, başlangıçtan. **~ *interim***, muvakkaten, geçici olarak: **~ committee**, işleri muvakkaten gören heyet.
adipos·e ['adipoụs] *i.* Yağ. *s.* Yağlı, şahmî. **~ity** [-'positi], yağlılık; şişmanlık.
adit ['adit]. Giriş lağımı; (maden) yatay geçit.
adj. = ADJECTIVE; ADJUTANT.
adjacen·cy [ə'ceysnsi]. Bitişik olma, yakınlık. **~t**, bitişik, komşu, yakın, yan yana olan.
adjectiv·al [acik'tayvl]. Sıfat+: **~ construction**, sıfat tamamlaması. **~ally**, sıfat olarak. **~e** ['aciktiv], sıfat; bağlı, tabi.
adjoin [ə'coyn]. Bitişik olm. **~ing**, bitişik, yan yana.
adjourn [ə'cən]. Geri bırakmak, tehir etm., talik etm., ertelemek; celseye son vermek; başka yere gitmek. **~ment**, tehir, talik, erteleme, sonraya

bırakma; celseye son verme; iki celse arasındaki müddet.
Adjt = ADJUTANT.
adjudge [ə'cʌc]. Hüküm/karar vermek, hükmetmek; (ödül vb.) vermek.
adjudicat·e [ə'cūdikeyt]. Karar/hüküm vermek; eksiltmek; ihale etm. **~ion** [-'keyşn], karar/hüküm verme; eksiltme, münakaşa; mukayese. **~or**, karar/hüküm veren, hakem.
adjunct ['acʌn(g)kt]. İkinci derecede olan şey; ilâve; muavin.
adjur·ation [acū'reyşn]. Yemin; emir. **~e** [ə'cuə(r)], ant vererek istemek; inkisarla tehdit ederek/ısrarla talep etm.
adjust [ə'cʌst]. Doğrultmak, düzeltmek, tertibe koymak, tadil etm., intibak ettirmek; halletmek; ayar/tashih etm.; tanzim etm.; alıştırmak: **~ oneself to**, -e intibak etm., alışmak. **~able**, ayarlı, tanzim edilebilir; ayarlanabilen. **~er**, düzenci, ayar usta/tertibatı; (sigorta) dispeççi. **~ment**, uydurma, tatbik etme; tanzim etme; düzeltme; ayar(lama); (bir anlaşmazlığı) ortadan kaldırma; dispeç; (*huk.*) düzeltme, tashih.
adjutan·cy ['acutənsi]. Emir subaylığı. **~t**, muavin; yaver, emir subayı: **~-general**, (*ask.*) zat işlerine bakan general: **~-stork**, Hindistan'da bulunan büyük bir leylek.
adjuvant ['acūvənt]. Kolaylaştırıcı; yardım eden kimse/şey.
ad-lib [ad'lib] (*tiy.*) Düşünmeksizin söylemek/oynamak. **~(*itum*)**, (*Lat.*) istenildiği gibi, arzu olunduğu kadar.
Adm. = ADMIRAL.
ad·man, *ç.* **~men** ['adman, -men] (*mal.*) Reklâm hazırlayan. **~mass**, reklâm/televizyon vb. genel vasıtaların kolayca tesiri altında kalan halk bölümü.
admeasure [ad'mejə(r)]. Ölçmek, hisse vermek. **~ment**, ölçme; ölçüler.
admin. = ADMINISTRAT·ION/~IVE.
administer [əd'ministə(r)]. İdare etm., yönetmek; tayin etm.; tatbik etm.; yerine getirmek; (ilâç vb.) vermek; (yemin) verdirmek/ettirmek.
administrat·ion [ədminis'treyşn]. İdare; hükûmet, vekiller heyeti; tatbik; yönetim; (ilâç) verme; (yemin) verdirme; vasilik: **letters of ~**, (vasi) salahiyetname. **~ive** [-'ministrətiv], yönetsel, idareye ait, idarî. **~or** [-treytə(r)], yönetmen, müdür, idareci; tatbik eden; veren; vasi. **~rix** [-triks], kadın yönetmen vb.
admirabl·e ['adm(ə)rəbl]. Takdire lâyık; beğenilmeye değer, pek beğenilecek; çok güzel. **~y**, fevkalade olarak, beğenilecek şekilde.
admiral ['admərəl]. Amiral; oramiral: **rear-~**, koramiral: **vice-~**, tümamiral: **~ of the Fleet**, büyük amiral. **~ty**, Amirallik Dairesi (İngiliz Bahriye Bakanlığı): **First Lord of the ~**, Bahriye Bakanı: **Court of ~**, deniz mahkemesi: **the price of ~**, deniz hakimiyetinin bedeli: **~-brass/gunmetal**, gemici pirinç/topmetalı.
admir·ation [admə'reyşn]. Hayranlık, takdir: **be the ~ of everyone**, herkesin takdir/hayranlığını çekmek: **be struck with ~**, hayran kalmak: **note of ~**, (!). **~e** [əd'mayə(r)], hayran olm., takdir etm.; çok beğenmek; hayranlığını ifade etm. **~er**, hayran olan kimse, meraklı; âşık. **~ing**, hayran olan, takdir eden: **~ly**, hayran olarak, beğenerek.
admissib·le [əd'misəbl]. Kabul/müsaade olunabilir; (*huk.*) dinlenebilir. **~ility** [-si'biliti], kabul olunabilme; dinlenme.
admissi·on [əd'mişn]. İtiraf; ikrar; kabul; girme, giriş, duhul; giriş ücreti: **~ free**, giriş serbesttir: **no ~**, girilmez. **~ve**, müsaadekâr.
admit [əd'mit]. İtiraf/ikrar etm.; kabul etm.; içeri almak; imkân vermek: **let it be ~ted that**, itiraf edelim ki. **~table**, içeriye alınır; kabul olunur. **~tance**, (bir yere) kabul; giriş; duhuliye: **no ~**, girilmez. **~tedly**, herkesin itiraf edeceği gibi, muhakkak.
admix [əd'miks]. Katıp karıştırmak. **~ture** [-çə(r)], katma, ilâve; katılıp karıştırılmış şey.
admon·ish [əd'moniş]. İhtar/tenbih etm., azarlamak. **~ishment**/**~ition** [-mnt, admə'nişn], ihtar, tenbih, öğüt. **~itory** [əd'mon-], ihtarî, öğütleyen.
ad nauseam [ad'nōsiəm] (*Lat.*) Bıktırıncaya kadar.
ad·nominal [ad'nominl]. İsme bağlı. **~noun** ['adnaun], (isim gibi kullanılan) sıfat.
ado [ə'dū]. Telâş, gürültü, patırtı: **make an ~ about stg.**, mesele yapmak: **much ~ about nothing**, küçük bir şeyi mesele yapmak: **without more ~**, hemen; ses çıkarmadan.
adobe [a'doub(i)]. Kerpiç(ten yapılmış).
adolescen·ce [adə'lesəns]. Gençlik. **~t**, 15 ile 20 yaş arasında olan; büluğa varmamış; çocukça.
Adonis [a'dounis]. Güzel bir genç adam; fazla şık. **~e** [-nayz], kendini süslemek.
adopt [ə'dopt]. Benimsemek; kabul etm.; evlât edinmek; seçmek. **~ed**/**~ive child**, manevî evlât, evlâtlık. **~ion** [-pşn], evlât edinme; benimseme, kabul etme; seçme.
ador·able [ə'dōrəbl]. Tapınılacak, tapılacak kadar güzel/iyi. **~ation** [adə'reyşn], tap(ın)ma, aşk. **~e** [ə'dō(r)], tap(ın)mak, taparcasına sevgi ve şefkat göstermek. **~er**, tapınan; âşık.
adorn [ə'dōn]. Süslemek, tezyin etm. **~ment**, süs, ziynet.
adown [ə'daun] (*mer.*) Aşağı(ya doğru).
ADP = AUTOMATIC DATA PROCESSING.
ad rem [ad'rem] (*Lat.*) Mevzua.
adrenal [ə'drīnl]. Böbrek üstü guddesi(ne ait): **~gland**, bu gudde. **~in(e)** [ə'drenəlin], adrenalin.
Adria·nople [eydriə'noupl]. Edirne, **~tic** [-i'atik], Adriyatik, Adriya Denizi.
adrift [ə'drift]. Sularla sürüklenen, rüzgâr/akıntıya tabi: **cut (a boat) ~**, palamarı çözmek: **cut oneself ~ from**, -le ilişkiyi kesmek: **turn s.o. ~**, birisini ortada bırakmak, kendi haline terketmek.
adroit [ə'droyt]. Maharetli, usta, becerikli. **~ly**, becerikli olarak. **~ness**, beceriklilik.
adsor·b [ad'sōb]. Yüze çekmek/içmek. **~bent**, yüze çekici. **~ption** [-pşn], yüze çekme/içme.
adulat·e ['adyuleyt]. Yaltaklanmak. **~ion** [-'leyşn], fazla methetme; yaltaklanma; müdahene. **~ory** [-'leytəri], fazla metheden, yaltaklanan, mütebasbıs.
adult ['adʌlt]. Büyük (*çocuğun aksi olarak*); yetişkin, büluğa varmış; ergin, olgun.
adulter·ant [ə'dʌltərənt]. Karıştırılmış madde. **~ate** [-reyt], içine kötü şeyler karıştırmak, tağşiş etm.; kalitesini düşürmek, bozmak. **~ated**, karışık, tağşiş edilmiş, bozuk. **~ation** [-'reysn], karıştırma, tağşiş, niteliği bozma.
adulter·er [ə'dʌltərə(r)]. Zina işleyen (erkek).

~**ess**, zina işleyen (kadın). ~**ine** [-in], *s.* piç; gayrimeşru. ~**ous**, zina işleyen; zinaya ait: ~**ly**, zina işleyerek. ~**y**, zina.

adumbrat·e ['adʌmbreyt]. Taslağını çizmek; müphem bir şekilde sezdirmek. ~**ion** [-'breyşn], kinaye, ima.

adv. = ADVERB.

ad valorem [advə'lōrəm] (*Lat.*) Değere göre: ~**duty**, kıymet/değer üzerinden resim.

advance[1] [əd'vāns] *i.* İlerleme; gelişme; terakki; (*mal.*) avans, borç, öndelik; *(*id.*) önceden yapılan hazırlıklar. **in** ~, önce(den); peşin(en): **book in** ~, önceden yer tutmak, peylemek: **make an** ~, (i) avans vermek; (ii) ileri doğru bir adım atmak: **make** ~**s**, ilk adımı atmak; işvebazlıkla cezbetmek: **respond to s.o.'s** ~**s**, yapılan avansa mukabele etm.

advance[2] *f.* İlerle(t)mek, ileri gelmek/gitmek/götürmek; terakki etm.; yürütmek; ileri sürmek; art(ır)mak; avans vermek. ~**d**, ileri, ilerlemiş; yüksek, yükselen: ~ **in years**, yaşlı: ~ **research/studies**, ileri/yüksek araştırma: **at an** ~ **stage**, ilerlemiş durumda. ~**-guard**, öncü, pişdar. ~**ment**, ilerleme, terakki; ilerletme; terfi.

advantage [əd'vantic] *i.* Menfaat, fayda; kâr, kazanç; çıkar, yarar; üstünlük, daha iyi/müsait durum; (*sp.*) avantaj, öncelik. *f.* Faydalı olm.; bir fayda/kazanç/üstünlük sağlamak. ~ **in/server**, (tenis) atan ilerde: ~ **out/receiver**, karşılayan ilerde: **be heard/seen to** ~ müsait şekilde işitilmek/görülmek: **to the best** ~, en kârlı/istifadeli surette: **have the** ~ **of/gain an** ~ **over s.o.**, birisinden daha kuvvetli olm.: **you have the** ~ **of me**, siz beni tanırken ben sizi tanımıyorum: **mutual** ~, karşılıklı çıkar: **show to** ~, en iyi/müsait şekilde göstermek/görünmek: **take** ~ **of s.o.**, bir kimsenin za'fından istifade etm.: **take** ~ **of stg.**, bir şey/fırsattan istifade etm.: **turn out to s.o.'s** ~, birisinin işine yaramak/istifadesine sebep olm.: **turn stg. to** ~, bir şeyden fayda çıkarmak. ~**ous** [advən'teycəs], faydalı, kârlı; üstünlük sağlıyan. ~**ously**, faydalı olarak.

advection [əd'vekşn]. Adveksiyon.

advent ['advənt]. Gelme, baş gösterme; İsa'nın zuhuru; Noel yortusundan evvelki dört hafta: ~ **Sunday**, bu müddetin ilk pazar günü: **the second** ~, Hıristiyan inançlarına göre İsa'nın dünyaya ikinci defa gelişi.

adventitious [advən'tişəs]. Arızî, tesadüfî.

adventur·e [əd'vençə(r)] *i.* Başa gelen şey, macera, serüven, sergüzeşt, teşebbüs. *f.* Tehlikeye koymak, riske etm.; cesaret etm., atılmak: ~ **into/upon**, tehlikeye bakmadan ilerlemek. ~**e-playground**, çocukların maceralarına müsait oyun sahası. ~**er**/~**ess**, (erkek/kadın) sergüzeştçi, macera meraklısı, serüven düşkünü; dolandırıcı: **merchant-**~, 17 ci asırdaki dış ticaretle meşgul olan tüccar. ~**esome**/~**ous**, macera arıyan; atılgan, gözü pek; tehlikeli. ~**ously**, cesaretle.

adverb ['advəb]. Zarf, belirteç. ~ **of manner/place/quantity/time**, niteleme/yer/ölçü/zaman zarfı. ~**ial** [əd'vəbiəl], zarfa ait, zarf yerine geçen: ~ **phrase**, zarf gibi kullanılan deyim: ~**ly**, zarf gibi kullanılarak.

advers·ary ['advəsəri]. Muhalif, düşman: **the A**~, şeytan. ~**ative** [-'vəs-], zıddı ifade eden. ~**e** [-'vəs], zıt, ters, aksi; karşı; müsait olmıyan: ~**ly**, ters surette; müsait olmıyarak. ~**ity**, felâket, belâ, kaza, talihin ters gitmesi; düşkünlük; sıkıntı.

advert[1] [əd'vət]. Zikretmek.

advert[2] ['advət] *kıs.* = ADVERTISEMENT.

advertis·e ['advətayz]. İlân etm.; reklâmını yapmak; tanıtmak; âleme yaymak: ~ **for s.o./stg.**, bir kimse/şeyi ilânla aramak/istemek. ~**ement** [əd'vətismnt], ilân, reklâm, tanıtı: **classified** ~**s**, küçük ilânlar. ~**er** ['advətayzə(r)], ilân eden, reklâm yapan, tanıtıcı; ilân/reklâmlarla dolu bir gazete. ~**ing**, ilâncılık, reklâm(cılık), tanıtıcılık, tanıtma: ~**-agency**, ilân acentası.

advice [əd'vays]. Öğüt, nasihat, fikir, tavsiye; bildirme, ihbar; bildirge, avi: ~**s**, haber, malûmat, bilgi: **do stg. on s.o.'s** ~, birisinin tavsiyesine göre hareket etm.: **take medical** ~, doktora sormak: **take s.o.'s** ~, birisinin sözünü dinlemek. ~**-note**, ihbar mektubu, bildirme yazılımı.

advisab·ility [advayzə'biliti]. Muvafık olma; uygunluk. ~**le** [-'vayzəbl], tavsiye edilir; uygun, makul; münasip.

advis·e [əd'vayz]. Tavsiye etm.; fikir/öğüt vermek; haber/malumat vermek: ~ **s.o. of stg.**, birisini bir şey hakkında uyarmak/haber vermek: **you would be well** ~**d to obey him**, ona itaat etseniz daha iyi olur: **be** ~**d by me**, dediğimi/diyeceğimi dinle!: **ill-**~**d**, akılsız, tedbirsiz: **well-**~**d**, akıllı, tedbirli. ~**edly**, mahsus, bile bile; düşünüp taşındıktan sonra. ~**ement**, danışma, düşünme. ~**er**/~**or**, öğüt ve fikir veren, tavsiye eden; müşavir, danışman: **legal/medical** ~, hukuk/tıp müşaviri; şahsî avukat/doktor. ~**ory**, istişarî, tavsiye kabilinden.

advoc·acy ['advəkəsi]. Avukatlık; tarafını tutma; müdafaa, savunma. ~**ate**[1] [-vəkit] *i.* Bir şeyin taraftarı, bir şeyi tutan; müdafaa/savunmasını yapan; avukat: **judge-**~, (*ask.*) sorgu yargıcı: **Lord-**~, (*İsk.*) baş savcı: **devil's** ~, kötü/zayıf tarafı müdafaa eden kimse. ~**ate**[2] [-vəkeyt] *f.* tarafını tutmak, müdafaa etm.; tavsiye etm.

advt *kıs.* = ADVERTISEMENT.

advowson [əd'vaṷsn]. Münhal papazlığa tayin hakkı.

adynami·a [adi'namiə̯]. Bedenî zayıflık. ~**c**, zayıf, kuvvetsiz.

adytum ['aditəm]. Bir mabedin en içerisindeki oda; hususî oda.

adze [adz]. Keser.

Ae. = AERONAUTICAL.

Æ. LLOYD'S REGISTER'deki üçüncü mevki bir geminin işareti.

-ae [-ī] *son.* -ler; (*biy.*) -giller.

AE·A/~**C** = ATOMIC ENERGY AUTHORITY/COMMISSION.

aedile ['īdayl] (*tar.*) (Roma) nafia memuru.

Ae.E = AERONAUTICAL ENGINEER.

AEF = ALLIED EXPEDITIONARY FORCE.

Aegean [ī'ciə̯n]. Ege Denizi(ne ait). ~ **Archipelago**, Adalar. ~ **Sea**, Ege/Adalar Denizi.

aegis ['īcis]. Zeus'un kalkanı; siper, koruma, himaye.

-aemia [-īmiə̯] *son.* Kanın hali, -emi [ANAEMIA].

Aeolian [ī'o̯uliə̯n]. (Eski Anadolu'da) Aeolis mıntıkasına ait; rüzgâr ilâhi Aeolus'a ait; rüzgâr+: ~ **harp**, rüzgârla çalınan bir çenk.

aeon ['īən]. Kâinat/evrenin yaşı; sonsuzluk, ebediyet.

aerat·e ['eəreyt]. Havalandırmak, hava vermek; karbon asidi ile doldurmak. **~ion** [-'reyşn], havalandırma. **~or**, havalandırma cihazı.

aerial ['eəriəl] *s.* Havaî, havaya ait, havada yapılan; hava+, gök+; uçak+. *i.* Telsiz anteni: **loop ~**, çerçeve anteni: **whip ~**, serbest askılı anten. **~-car**, hava hattı arabası. **~-navigation**, hava yolculuk/sefer/işletmesi, uçak trafiği. **~-reconnaissance**, hava keşfi. **~-root**, (*bot.*) havada yetişen kök. **~-survey**, havadan foto alımı, aerofotogrametri.

aerie = EYRIE.

aeri·fication [eərifi'keyşn]. Havalandırma. **~form**, hava/gaz halinde; (*mec.*) hayalî. **~fy** [-fay], havalandırmak.

aero- [eəro-, eərə-] *ön.* Hava-, aero-, hava+. *kıs.* = AERONAUTICAL. **~batics** [-'batiks], havada akrobasi, cambazlık uçuşları. **~be** [-'roub] (*biy.*) havacıl. **~car**, hem uçak hem otomobil. **~drome** [-droum], askerî hava alan/meydanı. **~dynamic**, [-day'namik], hava dinamiğine ait, aerodinamik: **~s**, hava dinamiği. **~dyne** [-dayn], havadan ağır uçak. **~foil** [-foyl], uçak kanadı(nın şekli). **~graphy** [-'rogrəfi], hava rasat bilgisi. **~gram**, telsiz telgraf. **~lite/~lith** [-layt, -liθ], göktaşı, meteorit. **~mechanics** [-mi'kaniks], aeromihanik, hava mihaniği. **~meter** [-'romitə(r)], hava (koyuluk) ölçeği. **~naut** [-nōt], uçakçı, baloncu: **~ic(al)**, havacılık/uçakçılığa ait: **~ics**, havacılık, uçakçılık; uçuş ilmi, hava sefer ilmi. **~nomy**, stratosfer fizik/kimyası. **~phore** [-fō(r)], oksijen/nefes verme cihazı. **~plane** [-pleyn], uçak, tayyare. **~sol**, duman/buğu/toz vb.nin havada salıntısı; bunun kabı, aerosol. **~space** [-speys], dünya atmosferi(ne ait); uçakçılık teknolojisi. **~stat**, havadan hafif uçak (balon, zeplin): **~ics**, hava denkliği, aerostatik (bahsi).

Aesculapian [īskyu'lapiən]. (Eski Roma) tıp ilâhına ait; tıp mesleğine ait.

aestheso- [is'θīzo-] *ön.* Duygu organlarına ait.

(a)esthet·e ['īsθīt]. Estetikçi, güzelden anlıyan; (*köt.*) sanat züppesi. **~ic** [-'θetik], estetiğe ait; iyi zevke uygun: **~s**, estetik, bediiyat, güzellik ilmi.

(a)estiv·al ['estivəl]. Yaza ait. **~ate** [-veyt], yazı geçirmek; (*zoo.*) yazı uykuda geçirmek. **~ation** [-'veyşn], yaz uykusu.

aetatis [ī'tātis] (*Lat.*) Yaşında.

(a)etiology [īti'oləci]. Sebepler bilgi/felsefesi, nedenbilim; (*tıp.*) hastalığın sebebini anlama ilmi.

AEU = AMALGAMATED ENGINEERING UNION.

AF = (*müh.*) ACROSS FLATS; ADMIRAL OF THE FLEET; ALLIED FORCES; AUDIO-FREQUENCY. **~A** = AMATEUR FOOTBALL ASSOCIATION.

afar [ə'fā(r)]. Uzak: **~ off**, uzakta(n).

AFC = AIR FORCE CROSS; ASSOCIATION FOOTBALL CLUB.

affab·ility [afə'biliti]. Lütufkârlık, nezaket, incelik. **~le** ['af-], nazik, hoş, çelebi, lütufkâr. **~ly**, nezaketle.

affair [ə'feə(r)]. İş, mesele: **~ of honour**, şeref meselesi, düello: **love ~**, aşk macerası: **that is my ~**, bu benim bileceğim şey; bu mesele bana ait. **~s**, iş: **(Secretary of State for) Foreign/Home ~**, Dış/İç İşleri (Bakanı): **at the head of ~**, iş başında olan (kimse).

affaire [ə'feər] (*Fr.*) Aşk macerası.

affect[1] [ə'fekt] *f.* Tesir etm., etkilemek; değiştirmek; işlemek; dokunmak, müteessir etm. **~ed with a disease**, bir hastalığa tutulmuş: **his eyes are ~ed**, hastalık gözlerine yayıldı.

affect[2] *f.* Yalancıktan yapmak; gibi görünmek; taslamak; hoşlanmak, dadanmak: **~ ignorance**, bilmemezlikten gelmek: **children ~ bright colours**, çocuklar parlak renklerden hoşlanırlar.

affect[3] *i.* (*tıp.*) His, heyecan; arzu.

affect·ation [afek'teyşn]. Yapmacık, gösteriş; sunîlik; naz. **~ed** [-'fektid] *s.* yapmacıklı, yalancıktan, sunî, yapma; etkilenmiş; müteessir: **well/ill ~ towards**, leh/aleyhine mütemayil: **~ly**, sahte tavırla. **~ing**, *s.* etkili, dokunaklı, tesirli, içli; taklitçi, sahte tavırlı: **~ly**, etkili olarak; etkin şekilde.

affection [ə'fekşn]. Şefkat, muhabbet, sevgi; ârıza, hastalık: **win s.o.'s ~**, birinin sevgisini kazanmak. **~ate**, şefkatli, kalpten bağlı; muhabbetli: **yours ~ly**, (mektup sonunda) sevgilerle.

affective [ə'fektiv]. Tesirli; hislere ait.

afferent ['afərənt]. İçeri götüren (sinir); getirici.

affiance [ə'fayəns]. Yemin (etm.); nişan(lamak). **~d** [-t], nişanlı; nişanlanmış.

affidavit [afi'deyvit]. Yeminli ve yazılı ifade/bildiri: **draw up an ~**, bu ifadeyi yazmak.

affiliat·e [ə'filieyt] *i.* Şube, müessese. *f.* Evlâtlık edinmek; babalığı ispat etm.; sıkı ilişki kurmak: **~ oneself/be ~ed to**, (bir cemiyet vb.) başka bir cemiyete bağlanmak; üye olm.: **~ed firms**, birbirine bağlı firmalar. **~ion** [-'eyşn], (bir cemiyet vb.) başka bir cemiyete bağlanması; (bir çocuk) nesebini ispat: **~-order**, (bir çocuk) nesebini ispat eden mahkeme kararı.

affinity [ə'finiti]. Yakınlık; benzeşme, birbirini çekme; (*kim.*) alâka, ilişki, cazibe; cisimlerin birleşme eğilimi; sıhriyet.

affirm [ə'fəm]. İddia/tasdik etm., doğrulamak; tasvip etm., söz vermek. **~ation** [afə'meyşn], iddia, tasdik, doğrulama; (*huk.*) yemin yerine söz verme. **~ative** [-mətiv], olumlu, müspet; tasdik eden, doğrulayan: **answer in the ~**, olumlu/müspet bir cevap (vermek): **~ly**, olumlu olarak.

affix ['afiks] *i.* (Kelimenin baş/sonundaki) ek, ilâve. [ə'fiks] *f.* Bağlamak, raptetmek; takmak, iliştirmek; (mühür) basmak; (pul) yapıştırmak; eklemek, ilâve etm.

afflatus [ə'fleytəs]. Nefes alma; (*mec.*) ilham.

afflict [ə'flikt]. Istırap vermek; acı vermek: **be ~ed by**, -e duçar olm., müptela olm. **~ion** [-kşn], ıstırap, dert, keder.

affluen·ce ['afluəns]. Zenginlik, bolluk. **~t**[1], *s.* zengin; refah içinde; bol: **the ~ society**, refah içindeki toplum. **~t**[2], *i.* bir nehrin ayağı.

afflux ['afləks]. -e doğru akış; yığılma.

afford [ə'fōd]. Vermek, vesile olm.; (paraca vb.) gücü yetmek, muktedir olm., hali ve vaziyeti uygun olm.: **be unable to ~**, harcı olmamak: **can you ~ the time?**, vaktiniz var/müsait mi?

afforest [a'forist]. Orman kurmak, ormanlaştırmak; ağaçlandırmak. **~ation** [-'teyşn], ormanlaştırma.

affranchise [ə'françayz]. Azat etm., serbest bırakmak.

affray [ə'frey]. Arbede, kavga, dövüşme.

affreightment [ə'freytmnt]. (Gemi) kiralama; deniz nakliye mukavelesi.
affricative [a'frikətiv] (*dil.*) Islıklı.
affright [ə'frayt]. Korku(tmak).
affront [ə'frʌnt] *i.* (Açıkça) hakaret, tahkir. *f.* ~/ **give** ~ **to**, hakaret etm.; kızdırmak; gücendirmek: **suffer an** ~, hakarete uğramak. ~**ed**, hakaret görmüş.
Afghan ['afgan] *i.* Afganlı. *s.* Afgan+: ~ **hound**, bir cins av köpeği. ~**istan** [-'ganistan], Afganistan.
aficionado [afisyo'nādou] (*İsp.*) Meraklı.
afield [ə'fīld]. Kırda; evden uzak: **be** ~, iş başında olm.: **go far/farther** ~, çok/daha uzağa gitmek.
afire [ə'fayə(r)]. Yanan, tutuşmuş.
AFL = AMERICAN FEDERATION OF LABOUR.
aflame [ə'fleym]. Alev içinde, tutuşmuş.
afloat [ə'flout]. Su üzerinde; sabih, yüzen; denizde; havada; (*mal.*) borçtan kurtulmuş, masrafını çıkaran: **be** ~, (*mec.*) (rivayet) dolaşmak: **keep** ~, su üzerinde durmak: **set a ship** ~, bir gemiyi yüzdürmek: **service** ~, gemi hizmeti.
AFM = AIR FORCE MEDAL. ~**ED** = ALLIED FORCES MEDITERRANEAN.
afoot [ə'fut]. Yaya; ayakta; kalkmış; hazırlanmakta, kurulmakta: **there is something** ~, bir şeyler dönüyor.
afore- [ə'fō(r)] *ön.* Önceden; yukarıda; (*den.*) önde, başta. ~**-mentioned/named/said**, yukarıda zikredilen; ismi geçen: **as** ~**said**, evvelce denildiği gibi. ~**thought** [-θōt], önceden düşünülmüş: **with malice** ~, kasten, taammüden; tasarlayıp kurarak (suç işleme). ~**time**, evvelden.
a fortiori [eyfōti'oray] (*Lat.*, *fel.*) Daha kuvvetli bir sebepten; daha ziyade.
Afr. = AFRICA(N).
afraid [ə'freyd]. Korkmuş: **be** ~ **of**, -den korkmak: **I am** ~, korkarım, korkuyorum; (*mec.*) maalesef, yazık ki.
afreet ['afrīt] (*Ar.*) İfrit.
afresh [ə'freş]. Yeniden, yeni baştan, tekrar.
Africa ['afrikə]. Afrika: **(Union of) South** ~, Güney Afrika (Birliği). ~**n**, *i.* Afrikalı: *s.* Afrika+. ~**nization** [-nay'zeyşn], Afrikalılaş(tır)ma.
Afrika·ans [afri'kānz]. Güney Afrika'da konuşulan felemenkçe. ~**n(d)er** [-'kānə(r), -'kandə(r)], G.Afr.'daki Avrupalı (bilh. Felemenkli) menşeden doğan bir kimse.
Afro- ['afro-] *ön.* Afrika(lı)+. ~**-American**, ABD'ndeki Afrikalı menşeden doğan bir kimse. ~**-Asian** [-eyjn], Afrika'daki Hindistanlı menşeden doğan bir kimse. ~**-Saxon**, Afrika'daki İngiliz; onların taraftarı olan Zenci.
aft [āft] (*den.*) Kıç tarafın(d)a: **fore and** ~, baştan kıça kadar.
after ['āftə(r)] *e.*, *zf.*, *b.* Sonra, bundan sonra; bunun üzerine; sonradan; ertesi; arkasından, peşi sıra, peşinde; dununda; göre, nazaran; tarzında, üslûbunda. ~ **all (is said and done)**, sonunda, netice itibarile; ne de olsa. ~ **you, sir,** (önce) siz buyurunuz, efendim: **in** ~ **days**, ileride, gelecekte: **in** ~ **life**, yaşlandıkça; sonradan: **the day** ~ **tomorrow**, öbürgün: **it is** ~ **one o'clock**, saat biri geçiyor: **on and** ~, -den itibaren: **time** ~ **time**, kırk defa: **for years** ~, bundan sonra senelerce: **what are you** ~**?**, ne arıyorsunuz?; maksadınız nedir? ~**-**, *ön.* sonra(ki); ikinci; art-; (*den.*) kıçta(ki). ~**birth**, döleşi, plâsenta. ~**body**, arka/kalan taraf. ~**-burner**, muavin yakıcı. ~**-care**, (doğum/hastalıktan vb.) sonraki bakım. ~**-crop**, ikinci mahsul/ürün. ~**-deck**, arka güverte. ~**-effects**, neticeleri, tesirleri; serpintileri. ~**glow**, son parıltı; batmış güneşin son ışıkları. ~**heat** (*nük.*) kalan sıcaklık. ~**-hours**, iş saatlerinden sonraki müddet(te). ~**-life**, ahret; ömrün sonraki vakitleri. ~**math** [-māθ], ilk üründen sonraki biçilen ot; (*mec.*) netice, âkibet, son. ~**most**, en son, en geri; (*den.*) kıça en yakın. ~**noon** [-nūn], öğleden sonra, ikindi üstü: **this** ~, bugün öğleden sonra: **the** ~ **of life**, bir hayatın son seneleri. ~**piece** [-pīs], (*tiy.*) art/ek oyun. ~**s** ['āftəz] (*kon.*) bir yemeğin son tabağı. ~**-sales service**, malları satıldıktan sonra fabrika/satıcı tarafından alıcısına tedarik edilen servis. ~**-shave**, tıraş etme/olmadan sonra kullanılan losyon. ~**-taste**, bir şeyin asıl tadı gittikten sonra ağızda hissedilen tat. ~**thought** [-θōt], sonradan hatır/akla gelen fikir. ~**ward(s)** [-wəd(z)], sonra(dan).
AFV = ARMOURED/ARTICULATED FIGHTING VEHICLE.
Ag. (*kim.s.*) = SILVER.
AG = ADJUTANT-GENERAL.
aga, agha ['āgə] (*Tk.*) Ağa.
again [ə'gen, ə'geyn]. Yine, tekrar, yeniden, daha; bundan başka, diğer taraftan: ~ **and** ~, tekrar tekrar: **as much** ~, iki misli: **back** ~, ilk vaziyetine dönmüş: **half as much** ~, bir buçuk misli: **(every) now and** ~, ara sıra: **time and** ~, tekrar tekrar, kaç defa: **what's his name** ~**?**, ismi ne idi bakayım?
against [ə'genst, ə'geynst]. Karşı, mukabil; aleyhte, muhalif; karşısında; aykırı; rağmen: **be** ~ **s.o./stg.**, bir kimse/şeyin muhalifi olm.: **be ready** ~ **his coming**, geleceği zaman hazır olm.: **buy provisions** ~ **the winter**, kış için erzak almak: **put stg. by** ~ **a rainy day**, kara güne karşı para biriktirmek: **run up** ~ **s.o.**, birisine rastlamak.
agam·ic/-ous [ə'gamik, 'agəməs] (*zoo.*) Eşeysiz.
agape[1] [ə'geyp]. (Hayretle) ağzı açık.
agape[2] ['agəpi] (*Yun.*) Merhamet, hayırseverlik; dinî şölen.
agaric ['agərik]. Çayır mantarı.
agate ['agət]. Akik/kan taşı, agat.
age[1] [eyc] *i.* Yaş, ömür; çağ; devir; uzun zaman: **the Dark** ~**s**, karanlık çağlar: **the Golden** ~, altın/saadet devri: **the Ice** ~, buz çağı: **the Middle** ~**s**, Ortaçağ: **at his** ~, o yaşta, onun yaşında: **be/come of** ~, reşit olm., muayyen bir yaşa gelmiş olm.: **be of an** ~, aynı yaşta olm.: **be of an** ~ **to marry**, evlenecek yaşta olm.: **at the** ~ **of 21**, 21 yaşında: **be over** ~, yaşını geçirmiş olm.: **be under** ~, küçük olm.: **I haven't seen him for** ~**s**, onu hanidir görmedim: **it will last for** ~**s**, çok zaman sürer/dayanır.
age[2] *f.* Yaşlan(dır)mak, koca(t)mak; eskitmek; olgunlaş(tır)mak; geliş(tir)mek.
-age [-ic] *son.* -lik, -me [MARRIAGE].
age·d[1] [eycid]. Yaşlı, yaslanmış: **the** ~, yaşlılar, ihtiyarlar. ~**d**[2] [eycd], yaşında; (*tek.*) yaşlandırılmış; (at) yaşı altıdan fazla. ~**ing**, yaşlanan, ihtiyarlıyan; (*tek.*) yaşlan(dır)ma. ~**less**, ihtiyarlamaz; herdemtaze. ~**-limit**, yaş haddi. ~**long**, asırlık, uzun zaman süren.
agency ['eycənsi]. Vasıta, delâlet; vekillik; acen-

telik, tecimyerlik; daire; ajans, aracılık: **news-~**, haber ajansı.
agenda [ə'cendə]. Ruzname, gündem; görülecek işler: **what's on the ~?**, (*kon.*) ne yapacağız?
agent ['eycənt]. Vasıta, âmil; vekil; komisyoncu; acente, tecimyer; görevli; ajan, aracı: **be a free ~**, hareket serbestisine malik olm.: **chemical ~**, kimyasal madde: **secret ~**, gizli ajan/görevli. **~-provocateur** [a'jan provoka'tör], (*Fr.*) (maskeli) kışkırtıcı.
agglomerat·e [ə'gloməreyt] *i.* Toplama; aglomera, yığışım; volkanik parçaların yığını. *f.* Topla(n)mak, yığ(ıl)mak, külçele(n)mek. **~ion** [-'reyşn], toplanma, yığışım, yığılma; küme, yığın.
agglutinat·e [ə'glūtineyt] *s.* Yapıştırılmış, birleştirilmiş. *f.* Yapıştırmak, birleştirmek. **~ion** [-'neyşn], yapıştırma; (*dil.*) bitişkenlik; mürekkep kelime; (*tıp.*) aglütinasyon.
aggrandize [ə'grandayz]. Büyütmek, yükseltmek. **~ment** [-dizmnt], büyütme, yükselme.
aggravat·e ['agrəveyt]. Daha kötüleştirmek, şiddetlendirmek, ağırlaştırmak; çok ağır bir duruma getirmek; sarpa sardırmak; sabrını tüketmek, kızdırmak. **~ing circumstance**, (*huk.*) şiddetlendirici/ağırlaştırıcı sebep/hal. **~ion** [-'veyşn], şiddetlendirme, ağırlatma, kötüleştirme; kızdırma; hiddet; (*huk.*) ağırlaştırıcı sebep.
aggregat·e ['agrigit] *i., s.* Toplu(luk), bütün(lük); toplam, mecmu; küme; toplanmış/bir araya getirilmiş şey; kütle; (*müh.*) çakıllı kum/taşkırığı vb., katışmaç. *f.* Birleştirmek, toplamak; yekûn tutmak. **in the ~**, bir bütün olarak. **~ion** [-'geyşn], toplanma.
aggress [ə'gres]. Saldırmak, tecavüz etm. **~ion** [ə'greşn], saldırma, tecavüz. **~ive** [-siv], tecavüzkâr, kavgacı: **~ly**, kavgacı olarak: **~ness**, kavgacı/saldırıcı olma. **~or**, saldıran, saldırgan.
aggrieve [ə'grīv]. Keder vermek, mağdur etm.; incitmek: **~d**, mağdur, mazlum.
aggro ['agro͡u] (*arg.*) = AGGRAVATION; kasten kızdırma, dalaş, asayişin ihlâlı.
aghast [ə'gāst]. Dehşet içinde: **stand ~**, donup kalmak.
agil·e ['acayl]. Çevik, atik, tetik; faal, becerikli. **~ity** [ə'ciliti], çeviklik, atiklik, faaliyet; beceri(k), yordam.
agio ['acio͡u]. Acyo, kambiyo, ara değer; para farkı. **~tage**, borsa/kambiyo işi; acyoculuk.
agitat·e ['aciteyt]. Oynatmak, kımıldatmak, sallamak; rahatsız etm., heyecan vermek; tahrik etm.; düşünmek; karıştırmak: **~ for stg.**, bir şeyi elde etmek için ısrarla uğraşmak. **~ed**, rahatsız, endişeli. **~ion** [-'teyşn], sallama; heyecana getirme; heyecan, endişe; tahrik, çalkala(n)ma; kaynaşma; ısrarla isteme. **~o** [-'tātou] (*İt., müz.*) agitato, acele ve coşkunca çalınan/söylenen. **~or** [-'teytə(r)], heyecana getiren; tahrikçı, kışkırtıcı, çalkalayıcı, körükçü.
agitprop ['acitprop] = AGITATION + PROPAGANDA.
agley ['agli] (*İsk.*) Çarpık, ters, yanlış.
aglow [ə'glo͡u]. Parlıyan, yanan; ateş içinde; kıpkırmızı.
AGM = ANNUAL GENERAL MEETING.
agnate ['agneyt]. (Baba tarafından) akraba.
agnostic [ag'nostik]. Allah/hakikatin bilinemiyeceğine inanan; agnostik. **~ism** [-'nostisizm], bilinemezcilik, agnostisizm.
ago [ə'go͡u]. Önce, evvel: **a little while ~**, bir az evvel: **ages/long ~**, çok eskiden, çok evvel: **so/as long ~ as 1880**, daha 1880'de: **no longer ~ than last week**, daha geçen hafta.
agog [ə'gog]. **be ~ for**, şiddetle ummak, can atmak: **be (all) ~**, heyecanlanmak; telaş içinde olm.
agoing [ə'go͡uin(g)] *kon.* Harekette: **set ~**, işletmek, yürütmek: **just ~ to begin**, eli kulağında.
agonic [a'gonik]. Zaviye/köşesiz.
agonistic [agə'nistik]. Pehlivanlığa ait; pehlivan gibi.
agoniz·e ['agənayz]. İşkence etm.; ıstıraptan kıvrandırmak; işkence görmek/çekmek; ıstırap çekmek. **~ing**, ıstırap verici: **~ly**, şiddetle.
agony ['agəni]. Istıraptan kıvranma; şiddetli acı/ağrı; çok şiddetli heyecan/sevinç/mücadele: **be in the death ~**, can çekişmek. **~-column**, (*bas.*) şahsî ilânlar sütunu.
agora ['agərə]. Pazar yeri; meclis yeri. **~phobia** [-'fo͡ubiə], açık yerlerden korku, meydan korkusu, agorafobi.
agout·i/~y [ə'gūti]. Aguti.
agr. = AGRICULTURE.
AGR = (*nük.*) ADVANCED GAS-COOLED REACTOR.
agrarian [ə'greəriən]. Ziraat/çiftçiye dair; toprağa ait; toprağın çiftçiye dağıtılması taraftarı.
agree [ə'grī]. Uyuşmak, anlaşmak, uzlaşmak; antlaşmak, sözleşmek; hak vermek; razı olm.: **~ to**, kabul etm.; -e razı olm., tasdik etm.: **~ with**, -e uygun olm.; -le bir fikirde olm.; (*dil*) -e mutabakat etm.: **this climate does not ~ with him**, bu iklim ona dolunuyor/iyi gelmiyor. **~able** [ə'griəbl], hoş, nazik; uygun, münasip; razı. **~ably**, hoş surette: **~ surprised**, hoşça hayrete düşmüş. **~d!**, olur!, tamam!, hay hay! **~ment**, uyuşma, anlaşma, sözleşme; mukavele; antlaşma, ahit; akort, uyum, birlik: **a gentleman's ~**, sözlü yani yazılmamış bir anlaşma: **be in ~ with**, aynı fikirde olm.; mutabık olm.; razı olm.: **enter into an ~ with s.o.**, birisiyle bir mukavele/anlaşma yapmak: **reach an ~**, uyuşmak, anlaşmak.
agricultur·al [agri'kʌlç(ə)r(ə)l]. Tarım +, tarımsal, ziraat +, ziraî; ziraatçı (millet). **~alist**, tarımcı, ziraatçı. **~e**, tarım, ziraat.
agrimony ['agriməni]. Kasık otu.
agrimotor ['agrimo͡utə(r)]. Motorlu ziraat traktörü.
agro- [agro-] *ön.* Tarım +, ziraat +.
agronom·ic(al) [agrə'nomik(l)]. Ziraat/tarım/çiftçiliğe ait. **~ics**, fennî ziraat/tarım/çiftçilik. **~ist** [ə'gronəmist], tarım uzmanı. **~y** = **~**ICS.
aground [ə'gra͡und]. Karaya oturmuş: **run ~**, karaya oturmak: **run a ship ~**, bir gemiyi oturtmak.
agu·e ['eygyū]. Sıtma; bataklık humması. **~ish** [-iş], sıtmalı; sıtma +.
ah [ah]. (*Bir çok his ifade eden bir ünlem.*) Ey!, oh!, ah!
AH = AMPERE-HOUR; ANNO HEGIRAE.
aha [a'hā, ə'hā]. Ha!; tamam!
ahead [ə'hed]. İleri(sin)de; önde; ileriye, öne: **draw ~**, daha öne gitmek: **go ~**, önden gitmek; ilerlemek; (*sp.*) savuşmak: **go ~!**, yürüyünüz!, devam ediniz!; siz buyurunuz!: **~ of one's time**, zamanına göre ileri.
ahem [ə'hem] *ünl.* Hım!

ahoy [ə'hoy] (*den.*) Hey! ey!: **boat** ~!, hey gemidekiler!
AHQ = AIR/ALLIED/ARMY HEADQUARTERS.
AHRGB = ASSOCIATION OF HOTELS AND RESTAURANTS OF GREAT BRITAIN.
AI . . . = ASSOCIATE OF THE INSTITUTE OF . . .
aid [eyd] *i.* Yardım, muavenet, destek; imdat; yardımcı. *f.* Yardım etm., yetişmek, muzaheret etm.; (*mal.*) desteklemek, dayatmak. **in** ~ **of,** menfaat/yararına: **what's all this in** ~ **of,** (*kon.*) ne yapıyorsunuz?: **mutual** ~, dayanışma.
AID = AGENCY FOR INTERNATIONAL DEVELOPMENT; ARTIFICIAL INSEMINATION BY DONOR.
aide·-de-camp, *ç.* **aides-** ['eyd(z)də-'kā(n)] (*Fr.*) Yaver. ~**-mémoire,** (*id.*) hatırlatıcı mahiyeti olan (diplomatik) kitap/vesika.
aigrette ['eygret]. Sorguç, tuğ.
AIH = ARTIFICIAL INSEMINATION BY HUSBAND.
ail [eyl]. Rahatsız etm.; keyifsiz olm.: **what's** ~**ing you?,** neniz var?
aileron ['eylərοn] (*hav.*) Kanatçık.
ail·ing ['eylin(g)]. Rahatsız, keyifsiz; ölmeğe yakın. ~**ment,** hastalık, illet, rahatsızlık.
aim [eym] *i.* Nişan alma; hedef; maksat, gaye, amaç. *f.* (Bir silâhı) nişan vaziyetine getirmek; çevirmek; nişan almak. **take** ~, nişan almak: ~ **at/for,** kasdetmek, çalışmak; gayret etm.; arzu etm.; istihdaf etm.: ~ **to . . .,** -yi amaç edinmek. ~**less,** maksatsız, gayesiz, neticesiz: ~**ly,** maksatsız olarak: ~**ness,** maksatsızlık.
ain't [eynt] = AM/ARE/IS NOT (*şim. yalnız argoda kullanılan eski tabir*).
air[1] [eə(r)] *i.* Hava, nefes; tavır, hal, eda; nağme, ahenk: **beat the** ~, akıntıya kürek çekmek: **there is an** ~ **of comfort in this house,** insan bu evde kendinî rahat hissediyor: **give oneself/put on** ~**s,** bir takım haller/tavırlar takınmak, numara yapmak: **have an/the** ~ **of,** gibi görünmek: **he has an** ~ **about him,** şahsiyet sahibidir; onun tesirli bir hali var: **it is all in the** ~ **as yet,** daha ortada bir şey yok, fol yok yumurta yok: **there are lots of rumours in the** ~, etrafta bir çok rivayetler dolaşıyor: **our left flank was in the** ~, (*ask.*) sol kanadımız açıkta kaldı: **there's stg. in the** ~, ortada bir şeyler oluyor/dönüyor: **be on the** ~, radyoda konuşmak: **melt/vanish into thin** ~, ansızın yok olm.; kayıplara karışmak: **put on the** ~, radyo ile neşretmek: **take the** ~, dışarıya çıkmak: **take to the** ~, havalanmak.
air[2] *f.* Havalandırmak; güneşe sermek, ateşe göstermek; ilân etm.: ~ **clothing/room,** elbiseler/odayı havalandırmak: ~ **one's grievances,** derdini ortaya dökmek: ~ **one's knowledge,** bilgi satmak: **this question needs to be** ~**ed,** bu mesele ortada münakaşa edilmelidir: ~ **one's views,** fikirlerini açmak.
air-[3] *ön.* Hava+; havalı; havada; uçak+; * = AERO-. ~**-arm,** hava kuvvetleri. ~**bag,** (*oto.*) emniyet cihazı olan hava yastığı. ~**-bearing,** (*müh.*) havalı yatak. ~**-bed,** hava ile dolu minder. ~**-bladder,** iç lastiği. ~**-blast,** anî rüzgâr, hava püskürülmesi. ~**-borne,** uçuşa elverişli; havadan taşınan: ~**-troops,** hava kıtaları: **the plane is** ~, uçak havalandı. ~**-brick,** delikli havalandırma tuğlası. ~**-bridge,** uçaklarla sağlanan irtibat, hava köprüsü. ~**-bus,** kısa hatlarda büyük turist mevkili uçak. † ~ **Chief Marshal,** H.K.'deki (or)general. † ~ **Commodore,** H.K.'deki tuğgeneral. ~**-condition,** iklimlemek, klimatize etm.: ~**ed,** klimatize edilmiş: ~**er,** klima(tizasyon) cihazı, iklimleme aygıtı, hava düzenleyici: ~**ing,** klimatizasyon, iklimleme (döşeme), serinletme. ~**-cool** (*müh.*) hava ile soğutmak. ~**-cover,** (*ask.*) uçak himayesi. ~**craft,** uçak(lar), tayyare(ler); hava vasıtası; hava taşıt(lar)ı; uçak+: ~**-carrier,** uçak (ana) gemisi: ~**man,** uçakçı: ~**woman,** kadın uçakçı. ~**-crew,** uçak personeli. ~**-cured,** havada kurutulmuş. ~**-cushion,** hava amortisör/yastığı: ~**-vehicle** = HOVERCRAFT. ~**-defence,** hava savunması. ~**-dispatcher,** uçakları sevk memuru. ~**-driven,** hava ile çalışır/sevk edilir. ~**-drop,** paraşütle personel/malzeme atılması. ~**-evacuation,** hava yolu ile tahliye. ~**-field,** hava meydanı. ~**-foil,** kanat, aerodinamik profil. ~**-force,** hava kuvveti; Hava Kuvvetleri: **Royal** ~, İngiliz Hava Kuvvetleri: ~ **ranks,** İngiliz H.K.'deki aşamalar (MARSHAL OF THE RAF, AIR CHIEF MARSHAL, AIR MARSHAL, AIR VICE-MARSHAL, AIR COMMODORE, GROUP CAPTAIN, WING COMMANDER, SQUADRON LEADER, FLIGHT LIEUTENANT, FLYING OFFICER, PILOT OFFICER). ~ **frame,** uçak çatkısı. ~**-freight,** hava navlun/yükü. ~**-heating,** hava ile ısıtma; havayı ısıtma. ~**-hostess,** uçak hostesi. ~**ily,** hafif olarak: **talk** ~, dem vurmak. ~**iness,** hafiflik. ~**ing,** havalandırma, havaya gösterme; (*kön.*) gezinti: **go for an** ~, gezmeye gitmek: ~**-cupboard,** çamaşır kurutma dolabı. ~**-intake,** hava giriş(i) (aralığı). ~**-lane,** hava geçidi. ~**less,** havasız. ~**-lift,** hava kaldırma kuvveti; uçakla taşıma/besleme. ~**-line,** hava hat/yolu; hava yolları. ~**-liner,** büyük yolcu uçağı. ~**-lock,** hava kompartıman/sürgü/valfı. ~**mail,** hava/uçak postası: **by** ~, uçakla. ~**man,** tayyareci, uçakçı, pilot: ~**ship,** havacılık. † ~ **Marshal,** H.K.'de korgeneral. ~**-minded,** havacılığın önemine inanan. † ~ **Minist·er/-try,** Hava Bakan(lığ)ı. ~**-miss,** az kaldı iki uçağın çarpışması. † ~ **Officer,** H.K.'de yüksek aşamalı subay. ~**-piracy,** hava korsanlığı. * ~**plane,** uçak; AEROPLANE. ~**-pocket,** hava boşluğu. ~**port,** hava limanı. ~**-power,** (memleket) hava kuvveti. ~**proof,** hava geçmez. ~**-raid,** hava hücumu, uçak saldırışı: ~ **precautions,** pasif korunma tedbirleri: ~ **shelter,** sığınak: ~ **warden,** pasif korunma muhafızı: ~ **warning,** hava hücumu ikaz işareti. ~**screw,** uçak pervanesi. ~**-sea rescue,** helikopterle birisini(n) denizden kurtar(ıl)ma(sı). ~**ship,** hava gemisi, zeplin. ~**-sickness,** hava tutması. ~**side,** (hava limanında) gümrük kontrolundan ötürü. ~**-space,** (*huk.*) (memleket üstündeki) hava bölgesi. ~**speed,** havaya nazaran sürat. ~**-stop,** helikopter yolcu istasyonu. ~**-strike,** hava hücum/saldırısı. ~**strip,** hava pisti, iniş yolu. ~**-terminal,** (hava yolları) şehirdeki yolcu istasyonu; hava limanı binası. ~**tight** [-tayt], hava geç(ir)mez/sızdırmaz. ~**-to-·**~**/-ground/-sea,** uçaktan uçak/yer/gemiye. ~**-traffic,** hava trafiği. ~**-tube,** (*oto.*) iç lastiği. ~**-umbrella,** askerî hareketi himaye eden uçaklar. † ~ **Vice-Marshal,** H.K.'de tümgeneral. ~**-vessel,** (*zoo.*) nefes borusu. ~**way,** hava yolu. ~**worth·iness,** uçuşa elverişlilik: ~**y,** uçuşa elverişli. ~**y,** havalı, havadar; hafif; havaî, sudan (vaat).

AISI = AMERICAN IRON & STEEL INSTITUTE.
aisle [ayl]. (Kilise, tiyatro) sütunlarla ayrılmış/iskemleler arasındaki geçit/ara yol: **walk down the ~**, (*kon.*) evlenmek.
aitch [eyç]. 'H' harfinin İngilizce adı: **drop one's ~es**, 'h' harfini telaffuz etmemek (*ki İngiltere'de iyi tahsil ve terbiye görmemiş tabakadan olma anlamına gelir*). **~-bone**, sığır budu.
ajar[1] [ə'cā(r)]. Yarı açık, aralık (kapı).
ajar[2]. Sarsıntılı/ahenksiz olarak.
akimbo [ə'kimbou]. **with arms ~**, elleri kalçasına dayalı.
akin [ə'kin]. **~ to**, akraba, hısım; yakın, benzeyen; yakın ilişkili olan.
al- [al-] *ön.* (*Arapçadaki harf-i tarif*) al- [ALGEBRA].
Al. (*kim.s.*) = ALUMINIUM.
Ala(bama) [alə'bamə]. ABD'nden biri.
alabaster ['aləbāstə(r)]. Ak mermer, su mermeri.
à la carte [ala'kāt] (*Fr.*) Yemek listesi(nden seçilebilir).
alack [ə'lak] *ünl.* Yazık, eyvah, heyhat.
alacrity [ə'lakriti]. Çeviklik, canlılık; isteklilik, can atma.
à la · minute [alami'nüt] (*Fr.*) Alaminüt; çarçabuk, şıpşak. **~ mode** [-'mod], modaya göre.
alar ['eylə(r)]. Kanatlara ait; kanat gibi/şeklinde.
alarm [ə'lām] *i.* Silâh başı işareti; alarm, tehlike işareti, uyarma; endişe, korku, telaş. *f.* Tehlikeyi bildirmek/haber vermek; telaşa düşürmek, birdenbire korkutmak; endişeye kapılmak. **give/raise the ~**, tehlikeyi haber vermek: **take ~**, telaşlanmak, telaşa düşmek: **be ~ed at**, -den telâşa düşmek/korkmak. **~-bell**, tehlikeyi bildiren çan. **~-clock**, çalar/uyandırma saat. **~ing**, ortalığı telaşa düşüren; endişe veren: **~ly**, korku verecek şekilde. **~ist**, ortalığı her zaman telâşa düşüren; çabuk telaşlanan.
alarum [ə'larəm] (*şiir*) = ALARM.
alas [ə'lās] *ünl.* Vay!, yazık!; maalesef.
Alas(ka) [ə'laskə]. ABD'nden biri. **~n**, *i.* Alaska'lı: *s.* Alaska'ya ait.
alate(d) ['aleyt(id)]. Kanatlı.
alb [alb]. Rahibin beyaz bir elbisesi.
Albania [al'beyniə]. Arnavutluk. **~n**, *i.* Arnavut; Arnavutça: *s.* Arnavut+.
albatross ['albətros]. Albatros.
albeit [ōl'biit]. Her ne kadar, gerçi, vakıa; fakat.
albert ['albət]. Bir nevi saat köstеği. **~a** [al'bǝtə], Kanada'nın bir ili.
albescent [al'besənt]. Beyazlaşan.
albin·ism ['albinizm]. Akşınlık. **~o** ['bīnou], akşın, albinos.
Albion ['albiən] (*şiir.*) İngiltere.
ALBM = AIR-LAUNCHED BALLISTIC MISSILE.
album ['albəm]. Albüm, misafir defteri; fotoğraf kitabı.
album·en ['albyumən]. Yumurta akı; albümin. **~in**, albümin: **~ous**, albüminli.
alcali = ALKALI.
alchem·ist ['alkəmist]. Simyager, alşimist. **~y**, eski kimya, simya, alşimi.
alcohol ['alkəhol]. Alkol, ispirto; alkollu içki: **absolute ~**, saf ispirto. **~ic** [-'holik] *i.* ayyaş: *s.* alkollu, alkolik. **~ism** ['alkəholizm], alkolik olma; alkolizm; ayyaşlık, içkiye düşkünlük. **~ize** [-layz], alkol haline getirmek.
Alcoran [alkə'ran] = KORAN.
alcove ['alkouv]. Bir odanın içerlek kısmı; cumba; duvar içindeki yuva gibi girinti.
Ald. = ALDERMAN.
aldehyde ['aldihayd]. Aldehit.
alder ['ōldə(r)]. Akça ağaç; kızıl ağaç.
alder·man, *ç.* **-men** ['ōldəmən, -men]. Belediye meclisinin kıdemli üyesi: **~ic** [-'manik], bu üyeye ait: **~ry**/**~ship**, bu üyelik.
Aldis ['ōldis]. **~ lamp**, (*den.*) işaret lambası.
ale [eyl]. Bira. **~house**, birahane.
aleatory ['eyliətəri]. Talih/şansa bağlı.
Aleck ['alik]. ALEXANDER'in kısaltılmış şekli: **smart ~**, kurnaz, tilki; bilmediği yok.
alee [ə'lī] (*den.*) Rüzgâr altın(d)a.
alembic [ə'lembik]. İmbik.
Aleppo [ə'lepou]. Halep: **~ button**, Halep çıbanı.
alert [ə'lət] *s.* Uyanık, gözü açık, dikkatli, tetik. *i.* Alarm işareti. *f.* Uyandırmak. **be on the ~**, tetikte olm.: **sound the ~**, alarm işaretini çalmak. **~ly**, uyanık olarak. **~ness**, göz açıklığı.
ale-wife ['eylwayf]. Kadın birahaneci.
-aleş [-'eylīz] *son.* (*bot.*) -giller.
Alexand·er [alig'zāndə(r)]. İskender. **~retta** [-'dretə], İskenderun. **~ria** [-'zāndriə], İskendiriye: **~n**, İskender+; İskendiriyeli. **~rine** [-drayn], mısraları on iki heceli bir şiir.
alfalfa [al'falfə]. Kabayonca, alfalfa.
alfresco [al'fresko]. Açık hava(da).
alg. = ALGEBRA.
alga, *ç.* **~e** ['algə, -ci]. Suyosunu.
algebra ['alcibrə]. Cebir. **~ical** [-'breyikl], cebre ait, cebirsel.
Algeria [al'cīriə]. Cezayir (memleketi). **~n**, *i.* Cezayirli: *s.* Cezayir+.
-algia [-alc(i)ə] *son.* (*tıp.*), -ağrısı, -alji [NEURALGIA].
algid ['alcid] (*tıp.*) Soğuk; hep üşüyen.
Algiers [al'ciəz]. Cezayir (şehri).
ALGOL/Algol ['algol] = ALGORITHMIC LANGUAGE (*bir bilgisayar dili*).
algology [al'goləci]. Su yosunları bilmi.
algori·sm/thm ['algərizm, -iðm]. Arap rakamları (sistemi).
alias ['eyliəs]. Takma ad; başka ad; öteki ad, yahut: **Smith ~ Jones**, Smith yahut Jones.
alibi ['alibay]. Suç işlendiği zaman başka yerde bulunduğu iddiası; (*kon.*) mazeret.
alidade ['alideyd]. Mastara, alidat.
alien ['eyliən]. Ecnebi, yabancı; uymıyan: **undesirable ~**, hükümetçe istenilmiyen yabancı. **~ate** [-neyt], uzaklaştırmak, soğutmak; (bir malı) başkasına bırakmak, devretmek. **~ation** [-'neyşn], uzaklaşma, soğuma; ferağ ve temlik; saptanma: **mental ~**, cinnet. **~ism** [-nizm], akıl hastalıkları. **~ist**, akıl hastalıkları hekimi.
aliform ['alifōm]. Kanat şeklinde.
alight[1] [ə'layt] *s.* Yanmakta, tutuşmuş, ateş içinde; aydınlanmış, ışıkları yanmış: **catch ~**, tutuşmak: **set ~**, tutuşturmak.
alight[2] *f.* İnmek; konmak: **~ upon**, birdenbire bulmak. **~ing**, iniş.
align [ə'layn]. Sıraya koymak, dizmek, hizaya sokmak; sıralamak; hizaya gelmek. **~ment**, dizilme, sıraya girme, hiza; ayarlama: **out of ~**, ayar bozukluğu, hizadan çıkmış.
alike [ə'layk]. Benzer; aynı; farksız: **~ as two peas**,

hiç fark yok: **summer and winter ~**, hem yaz hem kış.

aliment ['alımnt]. Yiyecek, gıda. **~ary** [-'mentəri], yiyecek/gıdaya dair; sindirim + ; besleyici. **~ation** [-'teyşn], gıda verme, besleme.

alimony ['alimənі]. Nafaka.

aline [ə'layn] = ALIGN.

A-line ['eylayn] (*mod.*) 'A' şeklinde.

aliphatic [ali'fatik]. Alifatik.

aliquot ['alikwot]. Tam bölen, sahih kesir.

-ality [-'aliti] *son.* -lik [BANALITY].

alive [ə'layv]. Canlı, diri, hayatta; cereyan açılmış; kaynaşan: **be ~ to**, hissetmek, farkında olm.: **keep stg. ~**, yaşatmak, muhafaza etm.: **look ~!**, çabuk ol, sallanma!: **man ~!**, nasıl olur!, yok canım!: **the kindest man ~**, dünyada en iyi insan: **the river is ~ with fish**, nehirde balık kaynıyor.

alkal·i ['alkəlay]. Alkali. **~ine**, alkalik, alkalinli, kalevî. **~inity** [-'liniti], alkalilik; alkali miktarı. **~oid**, alkaloit.

all [ōl] *s., zm., zf.* Bütün, hep(si), her(kes); tamamen; (*sıfat başında gelirse üsteleme anlatır, mes.*: **~-powerful**, çok güçlü): **clever and ~ as he is**, bu kadar zeki filân olduğu halde: **he's not as rich as ~ that**, o kadar da zengin değil: **do you see him at ~?**, onu hiç görüyor musunuz?: **if you go there at ~**, eğer oraya gidecek olursanız: **he will come today if at ~**, şayet gelirse bugün gelecek: **if it is at ~ cold**, bir parça soğuk olsa: **not at ~**, hiç; hiç değil; bir şey değil: **for ~ he may say**, ne söylerse söylesin; söylediklerine rağmen: **for ~ his talent**, bütün kabiliyetine rağmen: **for ~ I know**, (kesin haberim yok, ama) belki: **for ~ the world**, ne pahasına olursa olsun, dünyada; tıpkı: **in ~ its beauty/horror**, bütün güzellik/dehşetliği ile: **they are forty in ~**, hepsi kırk kişidir: **lose one's ~**, varını yoğunu kaybetmek: **my ~**, varım yoğum: **the score was two ~**, (*sp.*) iki berabere kaldılar: **with ~ haste**, bütün hızı ile: **~ aboard!**, herkes gemi/trene!: **~ alone**, yapyalnız: **I knew it ~ along**, onu başındanberi biliyordum: **~ at once**, birdenbire: **~ the better**, çok daha iyi; iyi ya!, isabet!: **he ~ but died**, az kaldı/hemen hemen ölüyordu: **it's ~ but done**, yapıldı bitti sayılır: **~ by myself**, kendi başıma, yapyalnız: **be ~ for**, -in taraftarı olm.: **~ hail!**, sağ ol!, yaşa! merhaba!: **his son was ~ in ~ to him**, oğlu onun için hayatta her şey idi: **taking it ~ in ~**, bütünüyle: **~ of a sudden**, birdenbire: **it cost him ~ of fifty pounds**, bu ona en aşağı elli liraya mal oldu: **~ of us/you/them**, hep·imiz/-iniz/-si: **~ out**, (*sp.*) takım yandı: **~ over**, her tarafta; tamamen bitti; tekrar, baştan: **~ present (and correct)**, (*ask.*) hepsi hazır: **~ right**, pek iyi; hay hay: **he's ~ right (but . . .)**, şöyle böyle dir: **~ round**, her tarafta(n); her bakımdan: **~ the same but . . .**, buna rağmen: **it's ~ the same to me**, bence hepsi bir: **if it's ~ the same to you**, sizin için aynı şeyse/fark etmezse: **he's ~ there**, sen onu hiç merak etme, o açıkgözdür: **he's not ~ there**, (*arg.*) pek aklı başında değil, terelelli: **~ told**, yekûn: **~ too soon**, pek erken, fazla çabuk: **~ up**, her şey bitti: **~ the way**, yol boyunca; yolun sonuna kadar.

Allah [a'la(h)]. Allah.

allay [ə'ley]. Azaltmak, hafifletmek, yatıştırmak, teskin etm., bastırmak.

all·-clear [ōl'kliə(r)]. Tehlike geçti (işareti). **~-conquering**, cihangir. **~-duty**, her şeyi saran; her işe uygun.

alleg·ation [ali'geyşn]. İleri sürme, sav, iddia. **~e** [ə'lec], ileri sürmek, iddia etm., bahane etm.: **on the ~d day**, (*huk.*) söylendiği günde: **~dly**, dediklerine göre, gûya.

allegiance [ə'līcəns]. Biat, sadakat; tabiiyet, bağlılık.

allegor·ic(al) [ali'gorik(l)]. Remzî, kinaye yoluyle, kinayeli, alegorik, simgeli. **~ist** ['aligərist], kinaye yazarı. **~ize**, kinaye yazmak. **~y**, remzî hikâye, kinaye, alegori.

allegr·etto [ali'gretou] (*It., müz.*). Allegretto. **~o** [ə'legrou], allegro.

alleluia [ali'lūyə] = HALLELUJAH.

allerg·en ['aləcen]. Al(l)erji veren madde. **~ic** [ə'lə̄cik], al(l)erjik; çok fazla hassas/duygun: **~ to**, -e alerjisi var. **~y** ['al-], al(l)erji.

alleviat·e [ə'līvieyt]. Azaltmak, hafifletmek, yatıştırmak, teskin etm. **~ion** [-'eyşn], hafifleme, teselli, azalma.

alley ['ali]. (Şehirde) dar yol, aralık; (parkta) ağaçlıklı yol: **blind ~**, çıkmaz sokak; (*mec.*) bu yol/meslekten istikbali yok, bu işin sonu çıkmaz/yok.

All·-Fools' Day [ōl-]. 1 nisan. **~-fours**, dört ayak: **on ~**, dört ayak üzerinde; (insan) hem ayak hem de ellerle yürüyerek: **on ~ with**, (*kon.*) -a kıyas edilebilir. **~-Hallows**, 1 kasım: **~ Eve**, 31 ekim.

alliacious [ali'eyşəs]. Soğan/sarımsak vb. bitkilere ait.

alli·ance [ə'layəns]. İttifak, birlik; (*id.*) güç birliği. **~ed** [ə'layd, 'alayd], *g.z.(o.)* = ALLY: *s.* müttefik; yakın; ilişkisi olan; (*mal.*) filyal. **~es**, *ç.* müttefikler; = ALLY.

alligator ['aligeytə(r)]. Amerika timsahı. **~-clip**, (*elek.*) krokodil pensi.

all·-in ['ōlin]. Yüzde yüz; her şey dahil; serbest (güreş); (*kon.*) çok yorgun, bitkin. **~-inclusive**, her şeyihavi/kapsayan, hiç zam yok.

alliterat·e [ə'litəreyt]. Bir kelime grubunda baş harf/aynı sesi tekrarlamak. **~ion** [-'reyşn], bu harf/sesin tekrarlanması. **~ive**, bu tekrarlanmaya ait.

all·-metal [ōl'metl]. Komple metal. **~-night** [-nayt], bütün gece süren; hiç kapanmaz (lokanta, vb.): **~er**, bütün gece süren.

allo- [alə-, alo-] *ön.* Alo-; başka; anormal.

allocat·e ['aləkeyt]. Tahsis etm.; pay etm./vermek, ayırmak; dağıtmak. **~ion** [-'keyşn], tahsis etme; tahsis, ayırma, ayırım, ödenek; hisse.

allocution [alə'kyūşn]. Hitabe, nutuk, söylev.

allo·gamy ['aləgami] (*bot.*) Melez yetiştirme. **~pathy** [ə'lopəθi] (*tıp.*) zıt tedavi usulü.

allot [ə'lot]. Tahsis etm.; hisselere ayırmak/taksim etm.; bölmek; vermek; ayırmak; ifraz etm. **~ment**, hisselere ayırma, tahsis; taksim etme; hisse, pay; idarelerce kiraya verilen küçük bostan.

allotrop·e [alə'troup] (*kim.*) Eşözdek. **~ic**, eşözdekli, alotropik. **~y**, eşözdeklilik, alotropi.

all-out ['ōlaut]. Bütün kuvvetiyle.

allow [ə'lau]. Müsaade etm., izin vermek; bırakmak, razı olm.; kabul etm.; hoş görmek; vermek; tahsis etm.: **~ for**, hesabetmek: **~ing for the circumstances**, vaziyeti göz önünde tutarak, şartları hesaba katarak: **the matter ~s of no delay**, işin beklemeğe tahammülü yok: **~ me!**, müsaade edin ben onu yapayım! **~able**, kabul edilebilir, hoş görülebilir; caiz, meşru, mubah. ~**ance** [-əns], tahsisat, ödenek, istihkak; tahsis, aylık bağlama; tenzilât; ihtiyat payı: **children's/family** ~, çocuk/aile yardım/zammı: **make** ~**(s) for**, hesaba katmak, göz önünde tutmak; -e bağışlamak: **put s.o. on short** ~, istihkakını kısmak: **travelling** ~, yolluk, harcırah. ~**edly**, herkesin kabul/itiraf ettiği üzere.

alloy ['aloy] *i.* Halita, alaşım; halitadaki değersiz maden; bir şeyin kiymetini bozan eleman. [ə'loy] *f.* Halita yapmak, alaşımlamak; madenleri karıştırmak; değerini bozmak.

all·-powerful ['ōl-]. Çok güçlü. ~**-purpose**, her şey/işe yarıyan. ~**-round(er)**, (*sp.*) her sahada mükemmel (olan). ~**-Saints' Day**, 1 kasım. ~**-Souls' Day**, 2 kasım. ~**spice** [-spays], yeni bahar. ~**-time**, (*sp.*) başlangıçtan şimdiye kadar (rekor).

allude [ə'l(y)ūd]. ~ **to**, ima etm., taş atmak; kısaca zikretmek.

all-up ['ōlʌp]. ~ **weight**, (*hav.*) azamî uçuş ağırlığı.

allur·e [ə'lyu̯ə(r)]. Çekmek, cezbetmek; kandırmak. ~**ement**, cezbeden şey. ~**ing**, çekici, cazip.

allus·ion [ə'lūjn]. İma, taş; kinaye; zikretme. ~**ive** [ə'lūsiv], ima eden; zikreden.

alluvi·al [ə'lūvi̯əl]. Taşan suların bıraktığı toprağa ait, lığlı; sel+. ~**on**, kıyıya karşı su akışı; sel; selin bıraktığı toprak, alüvyon; bu topraktan hâsıl olan arazi. ~**um**, selin bıraktığı toprak, alüvyon, lığ.

all-weather ['ōlweðə(r)]. Her havaya elverişli.

ally ['alay] *i.* Müttefik; dost; arkadaş. [ə'lay] *f.* Birleş(tir)mek, ittifak et(tir)mek.

-ally [-ali] *son.* . . . olarak [GENERALLY].

alma mater ['almə'meytə(r)] (*Lat.*) Bir kimsenin tahsilini görüp yetiştiği okul/üniversite.

almanac(k) ['ōlmənak]. Takvim, almanak; sâlname, yıllık.

almighty [ōl'mayti]. Her şeye kadir (olan Allah), Kadir-i Mutlak; (*kon.*) tam; büyük.

almond ['āmənd]. Badem: **bitter** ~, acı badem: **sugar** ~, badem şekeri. ~**-eyed**, badem/çekik gözlü.

almon·er ['āmənə(r), 'al-]. Sadaka tevzi eden memur; hastanede hastaların sosyal zorluklarına bakan memur. ~**ry**, bu memurun ev/dairesi.

almost ['ōlmou̯st]. Hemen hemen, aşağı yukarı; az kaldı.

alms [āmz] *i., ç.* Sadaka: **ask for** ~, dilenmek. ~**giving**, sadaka verme. ~**house**, darülâceze, imarethane.

aloe ['alou̯]. Sarısabır, ödağacı: ~**s**, sarısabır (ilâcı).

aloft [ə'loft]. Yukarıda, yükseklerde; gemi direğinde: **go** ~, direğe çıkmak.

aloha [a'lou̯hə]. (Hawaii'de) selâm.

alone [ə'lou̯n]. Yalnız; tek başına; yalnız olarak; sade: **let** ~, şöyle dursun: **he can't speak his own language, let** ~ **English**, İngilizce şöyle dursun kendi dilini bile konuşamaz: **let** ~, kendi haline bırakmak; rahat bırakmak; ilişmemek: **let well** ~, iyidir, fazla kurcalama: **with that courtesy which is his** ~, kendine mahsus nezaketle.

along [ə'lon(g)]. Boyunca; uzunluğuna; ileriye: **all** ~, başından itibaren, ta başından: **come** ~!, haydi bakalım, haydi gel!: ~ **with**, beraber: **get** ~ **with**, -le geçinmek, uyuşmak: **get** ~ **with you!**, (*kon.*) haydi git!; haydi canım!; amma yaptın ha! ~**shore**, sahil boyunca, kıyı sıra. ~**side**, yanyana; borda bordaya; bordada: ~ **the quay**, rıhtım yanında: **come/go** ~, aborda etm.; (iskele/başka bir gemiye) yanaşmak.

aloof [ə'lūf]. Uzakta, alargada; sokulmaz: **hold/keep/stand** ~, çekinmek, uzak durmak, sokulmamak. ~**ness**, çekingenlik, sokulmayış.

alopecia [alou̯'pesi̯ə] (*tıp.*) Saçsızlık.

aloud [ə'lau̯d]. Yüksek sesle.

alp [alp]. Yüksek dağ, alp.

alpaca [al'pakə]. Alpaka; alpaka yünü(nden yapılan kumaş).

alpenstock ['alpinstok]. Dağcılara mahsus ucu demirli değnek.

alpha ['alfə]. Yunancanın birinci harfi (A, α); birinci derece; (*biy.*) tek: ~ **and omega**, ilk ve son; başı ve sonu. ~**bet**, alfabe. ~**betic(al)** [-'betik(l)], alfabeye ait; alfabe sırasıyle. ~**(nu)meric(al)** [-(nyū)-'merik(l)], hem harf hem de rakamlarla. ~**-plus**, mükemmel derece/not.

alp·ine ['alpayn]. Alp+; yüksek dağlara ait. ~**inist** [-pinist], dağcı, alpinist. ~**s**, Alp dağları.

already [ōl'redi]. Daha; daha şimdiden; şimdiye kadar; kadar; zaten: **I've been here an hour** ~, buraya geleli tam bir saat oldu; tam bir saattir seni bekliyorum: **two o'clock** ~!, saat ne çabuk iki olmuş!; saat iki olmuş bile!

Alsa·ce ['alsas]. Alsas. ~**tian** [al'seyşn], Alsas+; Alsaslı; Alsas çoban köpeği.

also ['ōlsou̯]. De; dahi; aynı zamanda; bir de. ~**-ran(s)**, (*sp.*) yarışta kazanmıyan(lar); (*mec.*) başarısız(lar).

alt. = ALTERNATING; ALTITUDE.

Alta. = ALBERTA.

altar ['ōltə(r)]. Mabedin en kutsal yeri; sunak, altar; kurban taşı, mezbah: **lead s.o. to the** ~, (*kon.*) biriyle evlenmek. ~**-stone**, sunak/kurban taşı.

alter ['ōltə(r)]. Değiş(tir)mek, tadil etm., başka şekle sokmak/girmek: ~ **course**, (*den.*) rota değiş(tir)mek: **that** ~**s matters/the case**, o zaman iş değişir: ~ **for the better/worse**, daha iyi/kötü olm. ~**able**, değiş(tirilebil)ir. ~**ation** [-'reyşn], değiş(tir)me; değişiklik; tadilat; tahrifat. ~**ative** ['ōl-], değiştirici; (*tıp.*) değiştiren ilâç. ~**ed**, değiş(tiril)miş, bozulmuş.

altercat·e ['ōltəkeyt]. Kavga etm., münakaşa etm., atışmak. ~**ion** [-'keyşn], atışma, münakaşa.

alter ego [altər'egou̯] (*Lat.*) Bir kimsenin ikinci şahsiyeti; çok yakın dost.

alternate [ōl'tānit] *i.* Muavin, vekil. *s.* Nöbetleşe değişen, münavebe ile; mütenavip, karşılıklı; çapraz: **every** ~ **house**, her ikinci ev: **on** ~ **days**, gün aşırı. ['ōltəneyt] *f.* Nöbetleşe değiş(tir)mek/yap(tır)mak; birbirini takip etm. ~**ly** [-'tānitli], nöbetle.

alternat·ing ['ōltəneytin(g)]. Değişik, mütenavip, nöbetle: ~ **current**, mütenavip cereyan, dalgalı/değişik akım. ~**ion** [-'neyşn], münavebe; değişim. ~**ive**[1] [-'tānətiv], *i.* ikisinden birini verme/seçme; iki hal/şıktan birisi (olan): **I have no** ~ **but to . . .**, bundan başka bir şey yapamam, başka çarem yok: **there is no** ~, ikinci/başka bir şık yoktur, tek çare/şekil budur: **the only** ~ **(plan) would be . . .**, yegâne mümkün olan diğer şekil budur. ~**ive**[2], *s.* değişik, alternatif, diğer. ~**or** ['ōl-], dalgalı akım dinamosu, alternatör.

although [ōl'ðou̯] = THOUGH.

alti·meter [alti'mītə(r)]. İrtifa saati, altimetre. **~tude** ['altityūd], yükseklik, irtifa; deniz sathından irtifa/rakım: **cruising** ~, (*hav.*) seyahat irtifaı.
alto ['altou] (*müz.*) Kadın/çocuk seslerinin en pesi; alto.
alto- [altou-] *ön.* Yüksek, üst; yükseklik +; alto- [ALTOSTRATUS].
altogether [ōltə'geðə(r)]. Tamamen, büsbütün; hepsi; umumiyetle; ('ALL TOGETHER' *yerine yanlış kullanılarak*) hep beraber: **in the** ~, (*san.*) çıplak olarak.
altruis·m ['altruizm]. Başkalarını düşünme, diğergâmlık, özgecilik, altruizm. **~t**, diğergâm, özgeci, altruist. **~tic** [-'istik], diğergâm, özgecil.
alum ['aləm]. Şap.
alumin·a [ə'lyūminə]. Alümina, alüminyum oksidi. †**~ium** [alyu'miniəm], ***~um** [ə'lūminəm], alüminyum: **~-bronze**, alüminyum ile bakır alaşımı. **~ize**, alüminyumla kaplamak.
alumn·us, *ç.* **-i** [ə'lʌmnʌs, -nay]. Bir okul/kolej mezunu.
alveolus [al'viələs] (*tıp.*) Küçük çukur; diş çukuru; bal peteğindeki göz.
always ['ōlweyz, -wiz]. Her zaman, daima; bütün zaman; evvelden beri: **there's** ~ **tomorrow**, bugün olmazsa yarın olur; vaktimiz var: **there is** ~ **your car**, olmazsa/sıkışınca sizin otomobiliniz var.
am [am] *şim.* 1*nci şah. tek.* = BE. **I** ~ **here**, ben buradayım: **I** ~ **what I** ~, ben böyleyim, hiç değişemem, nasılsam öyleyim.
Am. = AMERICA(N); (*kim.s.*) AMERICIUM.
AM = AIR MARSHAL/MINISTRY; ALBERT MEDAL; AMPLITUDE MODULATION; ASSOCIATE MEMBER.
a.m. = ANTE MERIDIEM.
AMA = AMERICAN/AUSTRALIAN MEDICAL ASSOCIATION.
amadou ['amədū]. Kav, mantar kavı.
amah ['āmə]. (Uzak Doğu'da) yerli çocuk dadısı.
amain [ə'meyn] (*mer.*) Şiddetle; var kuvvetle.
amal. = AMALGAMATED.
amalgam [ə'malgəm]. Malgama; mahlût; (*mec.*) karışma. **~ate** [-meyt], mezcetmek, terkip etm., karıştırıp birleştirmek; birleşmek; mezcedilmek. **~ated**, birleşmiş. **~ation** [-'meyşn], karış(tır)ma; birleş(tir)mesinden hâsıl olan cemiyet/şirket; katılma, iltihak; toplu işletme, amalgamasyon.
amanuensis [əmanyu'ensis]. Kâtip, yazman.
amaranth ['amərənθ] (*şiir.*) Muhayyel solmaz çiçek; mor (renk). **~ine** [-'θayn], solmaz, ebedî; mor.
amaryllis [amə'rilis] (*şiir.*) Köylü güzeli; (*bot.*) zambak tipinden bazı bitkiler.
amass [ə'mas]. Yığmak, toplamak: ~ **riches/wealth**, zenginliği biriktirmek, para/mal mülk yığmak.
AMAT = AMERICAN MISSION FOR AID TO TURKEY.
amateur ['amətə(r), -tyuə(r)]. Meraklı, amatör, heveskâr, özenci; profesyonel olmayan. **~ish** [-'tōriş], (*köt.*) amatör işi, amatörce, acemi.
amatol ['amətol] (*kim.*) Amatol.
amatory ['amətəri]. Âşıkane.
amaurosis [amə'rousis] (*tıp.*) Amoroz.
amaz·e [ə'meyz]. Hayrette bırakmak, şaşırtmak: **I was** **~d**, ağzım açık kaldı. **~ement**, şaşkınlık, hayret, ağzı açık kalma. **~ing**, şaşılacak, garip: **~ly**, şaşılacak surette; (*kon.*) çok.

Amazon ['aməzən]. Amazon nehri; (*mit.*) savaşçı kadın; erkek yapı/halli kadın. **~ian** [-'zouniən], bu nehir/kadına ait; savaşçı, erkil.
ambassad·or [am'basədə(r)]. Büyük elçi, sefir: ~ **Extraordinary**, olağanüstü elçi: ~ **Plenipotentiary**, muahedeleri vb. imzalamaya tam yetkili elçi. **~orial** [-'dōriəl], elçi/sefarete ait. **~ress** [-'basədris], büyük elçinin eşi; sefire, kadın elçi.
amber ['ambə(r)]. Kehribar (rengi). **~gris** [-gris], amber. **~-light**, (*oto.*) sarı ışık.
amb(i)- [amb(i)-] *ön.* İki.
ambiance [āmbi'ā(n)s] (*Fr.*) Muhit, çevre.
ambidext·erity [ambideks'teriti]. İki elini de kullanabilme; ustalık; (*köt.*) iki yüzlülük. **~rous** [-'dekstrəs], iki elini de kullanabilen, sağlı sollu.
ambien·ce ['ambiəns]. Muhit, çevre, ihata. **~t**, muhit/çevre +, ihata eden; yerel: ~ **temperature**, çevre sıcaklık derecesi.
ambigu·ity [ambi'gyūiti]. Başka/iki anlama da gelebilme; anlamdaşlık; andırışma, karışma; şüphe; belirsizlik. **~ous** [-'bigyuəs], iki anlamlı, başka anlama da gelebilen; andırışmalı; şüpheli, belirsiz; çapraşık: **~ly**, belirsiz/kesin anlamsız olarak.
ambit ['ambit]. Muhit, çevre, etraf.
ambiti·on [am'bişn]. İhtiras, yükselme ihtirası; şiddetle arzu edilen şey. **~ous**, gözü ileride, büyük emeller peşinde; ihtiras sahibi; ikbale tapan; şiddetle arzu eden; fazla iddialı: **~ly**, ihtirasla.
ambivalen·ce [ambi'veyləns, -'bivə-]. Bir şahısta birisine karşı zıt hislerin bulunması; çelişik duygu; ikiz değer. **~t**, çelişik duygulu; ikiz değerli.
ambl·e ['ambl] *i.* Rahvan, rahat yürüyüş. *f.* Rahvan gitmek; rahat/sakin yürümek; sallana sallana yürümek. **~er**, rahat/sakin yürüyen binek hayvan. **~ing**, yavaş yavaş yürüyen.
ambo ['ambou]. Vaiz kürsüsü.
ambrosia [am'brouziə] (*mit.*) Tanrılara mahsus gıda, ambrosia; çok nefis/güzel kokulu yiyecek. **~l**, nefis/güzel kokulu.
ambula·nce ['ambyuləns]. Seyyar hastane; ambulans, cankurtaran: **~-attendant/man**, cankurtaran memuru. **~nt**, seyyar, gezici; (*tıp.*) vücudun içinde gezgin (hastalık); ayakta tedaviye ait, yatakta tutulmıyan (hasta). **~tory**, *i.* gezinti yeri, kemerli yol: *s.* seyyar, gezici.
ambuscade [ambəs'keyd] = AMBUSH.
ambush ['ambuş]. Pusu(ya düşürmek/yatırmak): **lay an** ~, pusu kurmak: **be/lie in** ~, pusuya yatmak.
ameer [a'mīr] = EMIR.
ameliorat·e [ə'mīlyəreyt]. İyileş(tir)mek, düzel(t)mek, onmak. **~ion** [-'reyşn], iyileş(tir)me, düzel(t)me.
amen ['āmen, 'eymen]. Amin. **say** ~ **to stg.**, bir şeyi kabul etm.
amenab·ility [əmīnə'biliti]. Uysallık; yumuşaklık. **~le** [ə'mīnəbl], tabi; makul, uysal, yumuşak başlı: ~ **to reason**, sulha suphana yatar; cevap verilebilir.
amend [ə'mend]. Düzel(t)mek, değiş(tir)mek; tadil/ıslah etm.: ~ **one's ways**, gidiş/hal/hareketini düzeltmek. **~able**, düzel(til)ebilir; tadil edilebilir. **~ment**, düzel(t)me, değiş(tir)me; tadil, muaddel şekil. **~s**, tazminat: **make** ~, tazmin/telâfi etm.
amenit·y [ə'mīniti, ə'men-]. Hoşluk, lâtiflik, güzel-

lik: **the ~ies of a country/house**, bir memleket/evin hoşluk/rahatlık/kolaylığını artıran şeyler: **the ~ies of life**, hayatın zevk/güzel tarafı.

amentia [ey'menşə]. Ahmaklık.

Amer. = AMERICA(N). **~asian** [amə'reyjn], hem Amerikalı hem de Asyalı menşeden doğan bir kimse.

amerce [a'məs]. Para cezasına çarptırmak; ceza koymak. **~ment**, para cezası verme; bu cezanın miktarı.

America [ə'merikə]. Amerika. **Latin/Spanish ~**, Orta ile Güney Amerika: **United States of ~**, Amerika Birleşik Devletleri. **~n**, *i.* Amerikalı: *s.* Amerika+, Amerikan+. **~nism**, Amerikalılara has söz/âdet; A.B.D.'ne bağlılık. **~nize** [-nayz], Amerikalılaş(tır)mak.

ameri·cium [amə'risiəm]. Amerikyum. **~ndian** [-'rindiən], Amerika'nın asıl yerlilerinin biri.

amethyst ['aməθist]. Mor yakut, mortaş, ametist; mor renk.

AMG(OT) = ALLIED MILITARY GOVERNMENT (OF OCCUPIED TERRITORIES).

Amharic [am'harik]. Habeşistan'daki resmî dil.

AMI . . . = ASSOCIATE MEMBER OF THE INSTITUTE OF . . .

amiab·ility [eymiə'biliti]. Sevimlilik, tatlılık. **~le** ['eymiəbl], kendini sevdirir, cana yakın, hoş, sokulgan. **~ly**, hoş surette.

amianthus [ami'anθəs]. Bir nevi amyant.

amicab·ility [amikə'biliti]. Dostçalık, dostça davranış. **~le** ['amikəbl], dostça, ahbapça. **~ly**, dostça bir surette.

amice ['amis] (*din.*) Beyaz keten örtü.

amid(st) [ə'mid(st)]. Ortasında.

amide ['amayd]. Amit, nişasta.

amidships [ə'midşips]. Geminin ortasında: **helm ~!**, dümeni viyasına!

amidst = AMID.

amin·e ['eymīn] (*kim.*) Amin. **~o-** ['amīno-] *ön.* amino-.

amir [a'mīr] = EMIR.

amiss [ə'mis]. Eksik, yanlış; ters; bozuk: **take stg. ~**, bir şeyi kötüye almak: **don't take it ~!**, hatırınız kalmasın!: **a glass of beer wouldn't be/come ~**, şimdi bir bardak bira olsa fena olmaz.

amity ['amiti]. Dostluk; iyi münasebet.

ammeter ['amitə(r)]. Amper·metre/-ölçer.

ammo. ['amou] (*kon.*) = AMMUNITION.

ammon·al ['amonəl]. Ağır patlayıcı madde; amonal. **~ia** [ə'mouniə], amonyak, nışadır ruhu. **~iac** [-niak], nışadır ruhu, amonyak(+). **~iated** [-nieytid], amonyaklı. **~ite** ['amənayt], amonit. **~ium** [ə'mouniəm], amonyum.

ammunition [amyu'nişn]. Cephane; mühimmat, savaş gereçleri; (*mec.*) (müdafaa için) deliller. **~ dump**, cephanelik.

amnesia [am'nīziə] (*tıp.*) Hafıza/belleğin kaybolması; unutkanlık. **~c** [-ziak], unutkan.

amnesty ['amnesti]. Genel af (ilân etm.); af(fetmek).

amnion ['amnion] (*tıp.*) Amnios.

amoeb·a [ə'mībə]. Amip. **~ic**, amibik, amip+.

amok [ə'mok]. **run ~**, kudurmuş gibi etrafa saldırmak; tepesi atmak.

among(st) [ə'mʌn(g)(st)]. Arasın(d)a; için(d)e; içerisin(d)e: **~ you**, aranızda.

amoral [a'morəl]. Ahlâkla ilişiği olmıyan; ahlâk/töre dışı, amoral.

amorous ['amərəs]. Âşık, âşıkane; aşk+. **~ly**, âşıkane.

amorph·ism [ə'mōfizm]. Şekilsizlik. **~ous** [-fəs], şekilsiz; hiç bir hususiyeti olmıyan; donuk.

amortiz·ation [əmōti'zeyşn]. İtfa, amortisman, aşınma. **~e** [ə'mōtayz], taksitlerle ödemek, amortize etm.

amount [ə'maunt] *i.* Miktar; tutar, meblağ; yekûn. *f.* (Para vb.) baliğ olm., varmak, tutmak. **~ brought/carried forward**, nakli yekûn: **it ~s to the same thing**, aynı hesaba gelir, aynı şeydir: **he will never ~ to much**, onun adam olacağı yok; ondan mühim bir şey beklenmez.

amour [a'muə(r)] (*Fr.*) Aşk (macerası). ***~-propre***, izzetinefis, onur.

amp. = AMPERE; AMPLIFIER.

amper·age ['ampəric]. Amper miktarı. **~e** [-peə(r)], amper.

ampersand ['ampəsand]. & (= AND) işareti.

amphetamine [am'fetəmin]. Emfetamin.

amphi- [amfi-] *ön.* İkisi; iki şeklinden; iki tarafta; etrafında; amfi-. **~bian** [-'fibiən], hem karada hem de suda yaşıyan (hayvan)/giden (vasıta); amfibyum; iki yaşayışlı. **~bious** [-biəs], iki yaşayışlı; su-kara: **~ forces**, su-karada savaşan kuvvetler: **~ operation**, (*ask.*) amfibi harekât. **~theatre** [-θiətə(r)], amfiteatr, basamaklı tiyatro.

amphora ['amfərə] (*ark.*) İki kulplu bir küp.

ample ['ampl]. Geniş, bol; kâfi, yeter.

amplif·ication [amplifi'keyşn]. Amplifikasyon, gürleştirme, yükseltme; ilâve, genişletme; büyültme. **~ier** ['amplifayə(r)], amplifikatör; gürleştirici cihaz; yükselteç. **~y**, büyü(lt)mek, genişletmek; gürleştirmek; kuvvetini artırmak; tafsil/ilâve etm.

amplitude ['amplityud]. Genişlik; bolluk; (üslûp) zenginlik; vusat; (*ast., fiz.*) genlik.

amply ['ampli]. Kâfi derecede; bol bol.

ampoule ['ampūl]. Küçük cam şişe, ampul.

amputat·e ['ampyuteyt]. (Bir uzvu) kesmek. **~ion** [-'teyşn], ampütasyon.

amuck [ə'mʌk] = AMOK.

amulet ['amyulit]. Muska, tılsım.

amus·e [ə'myūz]. Eğlendirmek; oyalamak; güldürmek: **~ oneself (by/with)**, eğlenmek; eğlence bulmak. **~ement**, eğlence: **~-arcade**, oyun makineleriyle dolu pasaj. **~-park**, eğlence yeri, Luna park. **~ing**, eğlenceli, güldürücü; tuhaf: **the ~ thing about it**, işin tuhafı: **~ly**, eğlenceli olarak/şekilde.

amyl ['amil]. Nişasta, amil. **~o-**, *ön.* nişasta+, amilo-.

an¹ [an, ən] *s.* = A¹. **~²** *b.* (*mer.*) = AND.

an- *ön.* = A- (4); -suz [ANHYDROUS].

-an [ən] *son.* -a ait, -li [ITALIAN].

AN = ANGLO-NORMAN; ATOMIC NUMBER.

ana ['eynə] (*edeb.*) Bir kişinin derlenmiş ünlü sözleri.

ana- [anə-] *ön.* Yukarıya; tekrar; geriye; fazla [ANABATIC].

-ana [-ānə] *son.* = ANA [Dickensiana].

anabatic [anə'batik]. **~ winds**, yukarıya esen/anabatik rüzgârlar.

anabaptism [anə'baptizm]. Tekrar vaftiz edilme taraflılığı.

anachronis·m [ə'nakrənizm]. Bir kişi/olay/şeyi ilişkili olmadığı zamana koyma; tarih hatası. **~tic,** tarih hatasını saran.
anacoluthon [anəkə'lūθon] (*dil.*) Kovuşturmazlık.
anaconda [anə'kondə]. Anakonda.
anaem·ia [ə'nīmiə]. Kansızlık, anemi. **~ic,** kansız, anemik; zayif.
anaesthe·sia [anis'θīziə]. Hissi uyuşturma/iptal, duyumsuzlaştırma, anestezi. **~tic** [-'θetik], hissi uyuşturan/iptal eden madde, bayıltıcı ilâç; uyuşturucu, duyumsuzlaştırıcı. **~tist** [a'nīsθətist], hissi iptal eden/anestezi veren kimse. **~tize** [-tayz], hissi uyuşturmak, duyumsuzlaştırmak; uyutmak, bayıltmak; narkoz vermek.
anagram ['anəgram]. Başka bir kelime/cümlenin harfleriyle meydana getirilen kelime/cümle.
anal ['eynəl]. Anusa ait; şercî.
anal. = ANALYSIS.
analects ['anəlekts] *ç.* (*edeb.*) Seçme eserler.
analges·ia [anal'cīziə]. Ağrı duymayış, acı yiti(ri)mi, analjezi. **~ic** [-zik], analjezi+; acıyitirimsel; ağrıyı kesen ilâç.
analog·ic(al) [anə'locik(l)]. Kıyas/karşılaştırmaya ait; kıyas yoluyla (olan), benzeterek (yapılan). **~ist** [ə'naləcist], kıyasla düşünen. **~ize** [-cayz], kıyasla/benzeterek düşünmek. **~ous** [-gəs], benzer; karşılaştırılabılır, kıyas edilebilir. **~(ue)** ['anəlog], analog, benzer, eş: **~-computer,** eşitleyici bilgisayar. **~y** [ə'naləci], kıyas, benzerlik, analoji, karşılaştırma; münasebet, ilişki; andırma, örnekseme: **by ~,** kıyasen.
analphabetic [analfə'betik]. Alfabe dışı; okuma/yazma bilmiyen.
analy·se ['anəlayz]. Tahlil/tetkik etm.; analiz etm., incelemek; hülâsa etm.; çözümlemek. **~ser,** tahlil cihazı; çözümleyici. **~sis** [ə'naləsis], tahlil, analiz, çözümleme: **qualitative/quantitative ~,** madde/miktar analizi. **~st** ['anəlist], tahlilci, çözümleyici. **~tic(al)** [-'litik(l)], tahlilî; analitik; çözümsel: **~ geometry,** çözümsel geometri. ***~ze** = **~**SE.
anandrous [ə'nandrəs] (*bot.*) Erkeklik organ olmıyan, erciksiz.
anapaest ['anəpīst] (*edeb.*) İki kısa ile bir uzun heceli vezin.
anarch·ic(al) [a'nākik(l)]. Anarşik, kargaşalı; (iş vb.) karmakarışık. **~ism** ['anəkizm], anarşizm, kargaşa(cı)lık; anarşi teorisi. **~ist,** anarşist, kargaşacı: **~ic,** anarşistik. **~o-,** *ön.* anarşiye ait. **~y** [-ki], anarşi, kargaşa; karmakarışıklık.
anastigmatic [anəstig'matik] (*fiz.*) Yayık, anastigmatik.
anat. = ANATOMY.
anathema [ə'naθimə]. Lânet, lânetleme (şahıs); aforoz etme: **be ~ to s.o.,** nefretini mucip olm. **~tize** [-tayz], lânetlemek; aforoz etm.
Anatolia [anə'touliə]. Anadolu. **~n,** *i.* Anadol(u)lu: *s.* Anadolu+.
anatom·ical [anə'tomikl]. Anatomiye ait, teşrihî. **~ist** [ə'natəmist], teşrihci. **~ize,** teşrih etm.; dikkatle ayırmak. **~y,** teşrih, anatomi, yapı bilimi, gövde yapısı.
anc. = ANCIENT.
-ance [-əns] *son.* -lik [IMPORTANCE].
ancest·or ['ansestə(r)]. Ata, cet. **~ral** [-'sestrəl], atadan kalma, atalara ait, irsî. **~ress,** nine, kadın cet. **~ry,** soy, dedeler, atalar, nesep.
anchor[1] ['an(g)kə(r)] *i.* Gemi demiri, çapa; emniyet veren şey: **bower/kedge/sheet ~,** göz/tonoz/ocaklık demiri: **cast ~,** demirlemek: **cat the ~,** demiri grivaya vurmak: **drag the ~,** demiri sürüklemek: **drop ~,** demir atmak: **let go the ~,** demiri funda etm.: **lie/ride at ~,** demirli olm.: **weigh ~,** demiri vira etm.
anchor[2] *f.* Demirlemek, demir atmak; iyice tespit etm. **~age** [-ric], demirleme yeri; demirleme ücreti; (kancalarla) tutturma.
anchor·ess (*diş.*), **~ite** (*er.*) ['an(g)kəres, -rayt]. Münzevi, târik-i dünya; köşeye çekilmiş, kaçıngan.
anchor·-man ['an(g)kəmən]. Dayanılacak kimse. **~-watch,** demirlenmiş gemideki nöbet.
anchovy ['ançouvi]. **fresh ~,** hamsi: **tinned ~,** ançüez. **~-paste,** ançüez ezmesi.
anchylosis [an(g)ki'lousis] = ANKYLOSIS.
ancient ['eynşnt]. Eski, kadîm; ihtiyar: **the A~ of Days,** Allah: **the ~s,** eski Yunan/Roma gibi kadîm milletler: **~ lights,** (pencere için) ışık hakkı: **~ monument,** tarihî anıt.
ancillary [an'siləri]. Yardımcı; bağlı.
-ancy [-ənsi] *son.* -lik [INFANCY].
and [and, ənd]. Ve, ile, birde, de, daha: **better ~ better,** gittikçe daha iyi: **four ~ twenty,** (*mer.*) yirmidört: **four hundred ~ twenty,** dört yüz yirmi: **miles ~ miles,** fersah fersah; ta uzağa: **nice ~ thin,** çok ince, incecik: **he's rich ~ how!,** (*kon.*) o son derece zengindir!: **stir ~ you are a dead man,** kımıldarsan öldürürüm: **there are books ~ books,** hem iyi hem de kötü kitaplar var: **try ~ come!,** gelmeğe çalışın!: **two ~ two,** ikişer ikişer: **you may give food ~/or money,** gıda ile/veya para verebilirsiniz.
andante [an'danti] (*It., müz.*) Andante, yavaşça.
Anderson ['andəsən]. **~ shelter,** hava baskınına karşı küçük sığınak.
andiron ['andayən]. Ocağın demir ayaklığı.
andro- ['andro-] *ön.* Andro-, erkek+, eril. **~gen,** erkek hormonu. **~gyne** [-cayn], erselik, hünsa. **~gynous** [-'drocinəs] (*bot.*) iki eşeyli.
anecdot·age ['anikdoutic]. Fıkra/letaif kitabı; (*mec.*) bunamağa başlamış hal. **~al,** fıkraya ait. **~e,** fıkra, lâtife, hikâye.
anechoic [an'ekouik]. Yankısız; (*rad.*) akissiz (stüdyo).
***anemia** [ə'nīmiə] = ANAEMIA.
anemo- [ə'nemo-] *ön.* Rüzgâr/yel+. **~graph** [-graf], yazıcı yel ölçeği. **~meter** [ani'momitə(r)], yel ölçeği, anemometre. **~ne** [ə'nemoni], numan çiçeği: **sea-~,** deniz/incir şakayıkı: **wood-~,** Manisa lâlesi, Girit şakayıkı.
anent [ə'nent] (*mer.*) Hakkında; ait; yakında.
aneroid ['anəroyd]. **~ barometer,** aneroit/körüklü/kuru barometre.
***anesthesia** [anis'θīziə] = ANAESTHESIA.
aneurism ['anyurizm]. Damar genişlemesi, anevrizm.
anew [ə'nyū]. Yeniden, tekrar.
angary ['an(g)gəri] (*huk.*) (Savaşta) tarafsızların emlâkini zaptetme hakkı.
angel ['eyncəl]. Melek; melek gibi güzel/iyi şahıs; eski İng. altın sikkesi: **be an ~ and . . .,** ne olursun . . .: **fools rush in where ~s fear to tread,** akıllının ayağını atmıyacağı yere deliler koşar. **~-fish,** keler. **~ic** [an'celik], melek gibi, meleksi; meleklere ait/

özel. ~**ica**, melek otu. ~**us** ['ancilʌs], (katoliklerce) sabah/öğle/akşam çan çaldığı zaman okunan bir dua; bu çan.
anger ['an(g)gə(r)] *i.* Hiddet, öfke, darılma. *f.* Kızdırmak, darıltmak, öfkelendirmek: **he is easily ~ed**, pek çabuk kızar.
Angevin ['ancivin]. Anjou'dan gelen İngiliz kralları(na ait).
angina [an'caynə]. Anjin; boğak: ~ **pectoris**, göğüs anjini, hunnak-ı sadır.
angio- ['ancio-] *ön.* (*bot.*) Tohum zarına ait; (*tıp*) damara ait.
angle[1] ['an(g)gl] *i.* Açı, zaviye; köşe: **acute** ~, dar açı: **adjacent/alternate** ~**s**, komşu/ters açılar: **inscribed** ~, çevre açısı: **oblique/obtuse/right** ~, eğri/geniş/dik açı: **at an ~ of 60°**, 60° açı ile: **from the ~ of...**, -in açısından.
angle[2] *f.* Eğik olarak koymak; (haberler vb.) özel bir bakımdan ibraz etm.
angle[3] *f.* Olta ile balık tutmak/avlamak: ~ **for**, tutmağa çalışmak.
Angle[4] *i.* Altıncı asırda İngiltere'de yerleşen bir Cermen kabilesi.
angle-[5] *ön.* ~**-bracket**, köşeli mesnet: ~**s**, (*bas.*) köşeli parantez. ~**d**, açılı, zaviyeli, köşeli. ~**-dozer** [-dou̯zə(r)], köşeli tesviye makinesi/sıyırıcı. ~**-iron** köşebent. ~**r**, balık avcısı; (*zoo.*) fener balığı. ~**wise** [-wayz], köşeleme.
Anglican ['an(g)glikən]. Anglikan, İng. kilisesine ait/mensup.
anglic·e ['an(g)glisi]. İngilizcede. ~**ism** [-sizm], İngilizceye has deyim(ler kullanma). ~**ize** [-sayz], İngilizleş(tir)mek.
Anglo- ['an(g)glou̯-]. İngiliz. ~**-Catholic**, İng. kilisesinin Katoliklere yakın kısmı. ~**-Indian**, İngilizle Hintli melezi; Hindistan'da doğmuş İngiliz; Hindistan'da vazife gören/görmüş. ~**maniac**, aşırı İngiliz hayranı. ~**-Norman**, Normandiyalı olup İngiltere'de yaşıyan kimse; ona mensup dil/sanat. ~**phil** [-fil], İngiliz dostu. ~**phobe** [-fou̯b], İngiliz düşman/aleyhtarı. ~**phone** [-fou̯n], İngilizce konuşan. ~**-Saxon**, 6cı asırda İngiltere'de yerleşen ANGLE ve SAXON kabileler; bu insanlara ait; onların dili, Eski İngilizce; (herhangi bir memlekette) İngiliz neslinden olan.
Angora ['an(g)gərə] = ANKARA. [-'gōrə], ~ **cat/goat**, Ankara kedi/keçisi: ~ **wool**, tiftik.
angr·ily ['an(g)grili]. Hiddetle; öfke ile. ~**iness**, hiddet, öfke. ~**y**, hiddetli, öfkeli, dargın; (*tıp*) iltihaplı: **be** ~, darılmak, gücenmek: **be ~ about stg.**, bir şeye kızmak: **be ~ with s.o.**, birisine kızmak: **get** ~, kızmak: **make** ~, kızdırmak.
Angst [an(g)gst] (*Alm.*) Acı/korku duygusu.
Ångström ['an(g)ström]. ~ **unit**, Angstrom vahit/birimi.
anguish ['an(g)gwiş]. Müthiş acı/keder. ~**ed** [-işt], kederli.
angular ['an(g)gyulə(r)]. Açı·lı/-sal, açı yapan, açı+, köşeli, köşe+, zaviye·li/-vî, zaviye+; dar açılı; (şahıs) zayıf; (*mec.*) huysuz. ~**ity** [-'lariti], köşeli/zaviyeli olma; *ç.* sivri köşeler.
anhydr·ide [an'haydrayd]. Anhidrid. ~**ite**, anhidrit, sert alçıtaşı. ~**drous**, susuz, suyu giderilmiş.
anights [ə'nayts] (*mer.*) Geceleyin.
anil ['anil]. Çivit otu, nil. ~**ine** [-līn], anilin.
anima ['animə]. İç şahsiyet.
animadver·sion [animad'vəşn]. Tenkit; çekiştirme. ~**t (on)**, tenkit etm.; çekiştirmek.
animal ['animəl] *i.* Hayvan. *s.* Hayvan+, hayvan·î/-sal, diriksel. **domestic** ~, ev hayvanı; ehlî hayvan: **wild** ~, yaban hayvanı; vahşi hayvan: ~ **heat**, beden sıcaklığı: ~ **kingdom**, hayvanat âlemi: ~ **spirits**, canlılık, neşat. ~**cule** [-'malkyūl], mikroskopik hayvancık. ~**ism** ['animəlizm], hayvanilik; şehvet düşkünlüğü.
animat·e ['animit] *s.* Canlı. [-meyt] *f.* Canlandırmak; harekete getirmek. ~**ed**, canlı, hareketli: ~ **cartoon**, canlı resim/filim: ~ **discussion**, canlı müzakere, münakaşa. ~**ion** [-'meyşn], canlılık, hareket, heyecan; canlandırma. ~**or** ['ani-] (*sin.*) canlandırıcı.
animism ['animizm]. Animizm, ruhîlik.
anim·osity [ani'mositi]. Düsmanlık, nefret. ~**us** [-mʌs], mizaç; düşmanlık.
anion ['anayən] (*fiz.*) An(i)yon. ~**ic** [ani'onik], anyona ait; anyonlu.
aniseed ['anisīd]. Anason.
aniso- [anayso-] *ön.* Anizo-, değişik, eş olmıyan; [ANISOTHERMAL].
Ankara ['an(g)kərə]. Ankara.
ankle ['an(g)kl]. Topuğun yan kemiği; ayak bileği. ~**t** [-klit], ayak bileziği; halhal; bukağı; tozluk.
ankylosis [an(g)ki'lou̯sis] (*tıp.*) Ankiloz, eklem sertleşmesi.
anna ['ana]. Bir rupyenin on altıda biri (Hint parası).
annal·ist ['anəlist]. Vak'anüvis, tarihçi. ~**s**, vakayiname, tarih.
annates ['aneyts] *ç.* (*tar.*) Bir nevi kilise vergisi.
Anne ['an]. **Queen ~'s dead!**, bu (ta) ne zamanın hikâyesi; bu artık bayatladı: **Queen ~ house**, kraliçe Anne zaman/üslûbunda inşa edilmiş ev.
anneal [ə'nīl]. Sıcağı yavaş yavaş azaltarak (bir madeni) yumuşatmak, tavlamak. ~**ed**, tavlanmış. ~**er**, tav veren işçi. ~**ing**, tav(lama)+.
annex [ə'neks] *f.* İlhak etm.; eklemek, katmak, ilâve etm. ~**ation** [anek'seyşn], ilhak, müsadere. ~**(e)** ['aneks] *i.* ilâve kısım; ek; (*mim.*) yan yapı; zeyil; *ç.* müştemilât, eklentiler. ~**ed**, ekli; ilişik.
annihilat·e [ə'nayhileyt]. Yok/imha etm.; feshetmek. ~**ion** [-'leyşn], mahvetme, imha.
anniversary [ani'vəsəri]. Yıldönümü.
Anno·Domini ['anou̯'dominay] (*Lat.*) Milâdî senede; (*mec.*) ihtiyarlık. ~ ***Hegirae***, [-he'ciri], hicrî senede. ~ ***Mundi*** [-'mʌnday], dünya yaratılışından hesap edilen yılda.
annotat·e ['anoteyt]. (Bir kitabın kenarına) haşiye/açımlama yazmak; (bir metni) şerh ve izah etm., açımlamak; dip notu vermek. ~**ion** [-'teyşn], haşiye, not, açımlama. ~**or**, notlar yazan.
announce [ə'nau̯ns]. Haber vermek, bildirmek, duyurmak; anons etm./vermek. ~**ment**, haber verme, duyuru; tebliğ, ilân, anons. ~**r**, haber veren; (*rad.*) spiker.
annoy [ə'noy]. Taciz etm., rahatsız etm., kızdırmak, canını sıkmak. ~**ance**, kızıp canı sıkılma, iğbirar, üzülme; taciz eden kimse/şey. ~**ed**, sıkıntılı, öfkeli. ~**ing**, can sıkıcı.
annual ['anyu̯əl]. Yıllık, senelik; bir mevsim/yıl süren (bitki); yılda bir defa neşredilen (kitap); senevî.
annuit·ant [ə'nyuitənt]. Yıllık tahsisat/ücreti alan.

~**ity**, yıllık tahsisat/ücret/ödenek: **life** ~, ömür boyunca gelir.
annul [ə'nʌl]. Feshetmek, bozmak, iptal etm., silmek. ~**ment**, fesih, bozma, iptal, silme.
annul·ar ['anyulə(r)]. Halka+, halkalı; halka biçimli, yuvarlak; içten, içiçe: ~ **eclipse**, halkalı güneş tutulması. ~**ate**, halkalı. ~**us**, halka.
annum ['anəm] (*Lat.*) ***per*** ~, yılda.
annunciat·e [ə'nʌnşieyt]. İlân etm., haber vermek. ~**ion** [-si'eyşn], haber: **the A**~, İsa'ya hamile olduğunun Meryem'e haber verilmesi. ~**or** [-şieytə(r)], haber veren; (*elek.*) işaret cihazı.
anod·e ['anoud]. Anot, müspet kutup. ~**ic**, anot+, anotsal. ~**ize**, anotla(ştır)mak: ~**r**, anotlaştırma işçisi.
anodyne ['anədayn]. Teskin edici/ağrıyı kesici (ilâç/şey).
anoint [ə'noynt]. Yağlamak; (bir kralı vb. merasim icabi) yağlıyarak takdis etm. ~**ment**, yağlama.
anomal·istic [ə'nomalistik] (*ast.*) Ayrıksı (ay/yıl). ~**ous** [-lʌs], kaideye uymıyan; müstesna; anormal, kuralsız, aykırı. ~**y**, usulsüzlük; istisna; (*coğ.*) aykırılık; (*ast.*) ayrıklık.
anon [ə'non] (*mer.*) Hemen, bir az sonra: **ever and** ~, ikide birde, sık sık.
anon. [a'non] = ANONYMOUS.
anonym ['anənim]. İsmi meçhul olan; müstear isim. ~**ity** [-'nimiti], anonimlik. ~**ous** [ə'noniməs], adsız, isimsiz, imzasız, anonim, sahipsiz: ~**ly**, isimsiz/anonim olarak.
anopheles [ə'nofəlīz]. ~ **mosquito**, sıtma sivrisineği.
anorak ['anərak]. (Eskimo) başlıklı ceket, anorak, parka.
anorexia [anə'reksiə]. İştah/isteksizlik.
anosmia [a'nozmiə]. Koku duygusuzluğu.
another [ə'nʌðə(r)]. Başka; bir başka; (bir) daha: **one** ~, birbirini: **one after** ~, birbiri arkasından, sırayla: **in** ~ **ten years**, bundan on sene sonra: **that's (quite)** ~ **matter**, o zaman iş değişir; o baska bir bahis: **science is one thing, art is** ~, ilim başka, sanat başka: **taking one year with** ~, orta hesapla senede: **taking one thing with** ~, sonunda; ortalama olarak, umumiyetle.
anox(aem)ia [a'noks(īm)iə]. Kan/dokuda oksijen azlığı.
ans. = ANSWER.
Anschluss ['anşlus] (*Alm.*) İttihat, birleşme.
anserine ['ansərīn]. Kaz gibi, kaza ait.
answer ['ansə(r)] *i.* Cevap; (*huk.*) yanıt; karşılık. *f.* Cevap vermek; karşılamak. **in** ~, cevap olarak, cevaben: ~ **back**, hürmetsizce cevap vermek; karşılık vermek: ~ **to a description**, bir tasvir/tarife uymak: ~ **to the name of John**, ismi John olm.: ~ **the door**, gelip/gidip kapıyı açmak: ~ **for s.o./stg.**, bir şahıs/şeyin namına söz soylemek; tekeffül etm.; sorumlu/mesul olm.: ~ **the helm** (*den.*), dümeni dinlemek: **he has a lot to** ~ **for**, yaptığı bir çok şeylerden mesul tutulacak: ~ **the purpose**, maksada kâfi gelmek: **that will** ~ **my purpose**, bu işimi görür: ~ **by return (of post)**, ilk posta ile cevap vermek: **his scheme didn't** ~, projesi başarılı olmadı/netice vermedi. ~**able**, mesul, sorumlu; cevap verilebilir. ~**ing**, cevap veren: ~**-machine**, (evde yok iken) telefona bağlı cevap verme makinesi.
ant [ant]. Karınca: **harvester** ~, buğday karıncası: **red** ~, orman karıncası: **white** ~, termit.
ant- [ant-] *ön.* = ANTI- [ANTARCTIC].
-ant [-(ə)nt] *son.* -yapıcı, -edici [DEFENDANT].
ant. = ANTIQUE; ANTONYM.
antacid [an'tasid]. Mide ekşiliğini tedavi eden.
antagon·ism [an'tagənizm]. Düşmanlık; karşıtlık; zıtlık; rekabet. ~**ist**, muhalif, düşman; karşıt; rakip: ~**ic** [-'nistik], zıt/muhalif/düşman/karşıt olan. ~**ize** [-'tagənayz], düşman etm.; zıtlık yaratmak; aleyhine çevirmek.
antarctic [an'tāktik]. Güney kutbuna ait. ~ **circle**, güney kutbu medarı: ~ **pole**, güney kutbu. ~**(a)**, güney kutbu bölgesi, Antarktika.
ante ['anti]. (Poker) oynamadan evvel ortaya konulan para.
ante- [anti-] *ön.* -den önce; öncesi; önceki; önündeki; [ANTEDATE].
anteater ['antītə(r)]. Karıncayiyen.
ante-bellum [anti'beləm] (*Lat.*) Savaştan önce(ki): ***status quo*** ~, savaştan önceki durum.
anteceden·ce [anti'sīdns]. Evvellik, öncelik. ~**t**, önceki, önce olan (şey); öncel; (*dil*) (zamirin) işaret ettiği nesne: **s.o.'s** ~**s**, birisinin geçmiş/soyu.
ante·chamber ['antiçeymbə(r)]. İçinden başka bir oda/daireye geçilen oda; dış oda. ~**date** [-deyt], önceki tarihi koymak; daha evvel gelmek. ~**diluvian** [-di'lūviən], tufandan önceye ait; çok eski/yaşlı; Nuhtan kalma.
antelope ['antiloup]. Antilop. **royal** ~, cüce antilop.
ante meridiem ['anti me'ridiəm] (*Lat.*) Öğleden önce.
ante-natal [anti'neytl]. Doğumdan önce: ~ **clinic**, gebe kadınlara mahsus klinik.
antenn·a, *ç.* ~**ae**/~**as** [an'tenə(z), ~nī] (*zoo.*) Duyarga; (*rad.*) anten.
ante·nuptial [anti'nʌpşəl]. Evlenmeden önce. ~**penultimate** [-pi'nʌltimit], sondan üçüncü hece(ye ait). ~**prandial**, yemekten evvel.
anterior [an'tīriə(r)]. Ön, önceki; evvelki; eski.
ante-room ['antirūm]. İçinden başka odaya geçilen oda; bekleme odası.
antheap ['anthīp] = ANTHILL.
anthem ['anθəm]. İlâhi, dinî şarkı: **National** ~, millî marş.
anther ['anθə(r)] (*bot.*) Başçık.
anthill ['anthil]. Karınca yuvası; (*mec.*) kalabalık bina.
antholog·ist [an'θoləcist]. Antolojiyi tertip eden. ~**y**, seçme yazılar kitabı; antoloji, seçmeler.
anthr. = ANTHROPOLOGY.
anthracite ['anθrəsayt]. Antrasit, parlak kömür, kardif.
anthrax ['anθraks]. (Hayvanlarda) şarbon hastalığı; şirpençe.
anthropo- [anθrəpo-] *ön.* Beşeri, antropo-, insana ait. ~**id** [-'poyd], insanımsı; insana benzer (maymun). ~**logist** ['poləcist], antropolog. ~**logy**, antropoloji, insanbilim. ~**metry**, insan gövdelerini ölçmek bilimi. ~**morphism** [-'mōfizm], (*din*) insanbiçimcilik. ~**phagy** [-'pofəci], yamyamlık.
anti- ['anti-] *ön.* Anti-; -e karşı/mukavemet/muhalif; aleyh, zıt; -bozan; -öldürücü; -önle·me/-yici; -i yokeden; -savar; -i sevmiyen; -normalinin karşıtı. ~**-aircraft** [-'eəkrāft], uçak defi, uçaksavar. ~**biotic** [-bay'otik], antibiyotik, bakteri öldürücü. ~**body** [-bodi], antikor, karşıntan.

antic ['antik] *s.* (*mer.*) Garip, gülünç; soytarı: ~**s**, maskaralık, tuhaflık, soytarılık.
antichrist ['antikrayst]. Deccal. ~**ian** [-'kristiən], Hıristiyan dinine muhalif.
anticipat·e [an'tisipeyt]. Ummak, merakla beklemek; başkalarından evvel davranmak; önceden yapmak/görmek; tahmin etm.; önlemek. ~**ion** [-'peyşn], umma, ümit, besleme, merakla bekleme; tahmin: **in** ~, önceden, peşin olarak: **in** ~ **of stg.**, ilerdeki bir şeyi düşünerek/göz önünde tutarak. ~**ory** [-'peytəri], ilerisini düşünerek.
anti·clerical [anti'klerikl]. Rahip sınıfı aleyhinde. ~**climax** [-'klaymaks], yüksek/güzel bir düşünce vb.den (beklenmedik bir şekilde) birdenbire gülünç/değersiz/adiye düşme; (*tiy.*) kerteleme gediği; fena tezat. ~**cline** [-klayn] (*yer.*) kemer, yukaç. ~**clockwise** [-'klokwayz], saat yelkovanının tersine, sola dönen. ~**corrosive** [-kə'rousiv], paslanmayı önleyici, karşıyenimli. ~**cyclone** [-'saykloun], antikiklon. ~**-depressant** [-di'presnt], kederi önleyici (ilâç). ~**dote** [-dout], panzehir, çare. ~**foaming** [-'foumin(g)], karşıköpürme. ~**friction** [-'frikşn], karşısürtünme. ~**freeze** [-frīz], donmaönler, donmaz madde, antifriz. ~**gen** [-cen], antikor hâsıl eden madde. ~**histamine**, [-'histamin], soğuk algınlığı/alerji önleyici ilâç. ~**knock** [-nok] (*oto.*) patlamayı azaltan yakıt. ~**log(arithm)** [-'log(əriðm)], antilogaritma. ~**macassar** [-mə'kasə(r)], koltuk arkalığını koruyan örtü. ~**missile** [-'misayl], füze-/misilsavar.
antimony ['antiməni]. Antimon madeni; sürme taşı.
antinomy [an'tinəmi]. İki kanun/prensip arasındaki zıtlık.
Antioch ['antiok]. Antakya.
antipath·etic(al) [antipə'θetik(l)]. Sevimsiz, soğuk, antipatik. ~**y** [-'tipəθi], hoşlanmama, antipati; soğukluk, sevimsizlik.
anti·-personnel [antipə̄sə'nel]. Kişilere karşı (bomba vb.). ~**perspirant** [-'pə̄spirənt], terleme önleyici. ~**phony** [-'tifəni], karşılıklı okunan (dua, ilâhi). ~**podes** [-'tipədīz], semtikadem; yer yüzünde herhangi bir noktanın karşılığı olan nokta; taban karşısı: **the A**~, Avustralya ve Yeni Zelanda.
antiqu·arian [anti'kweəriən]. Antikaya ait; antika meraklısı; antikacı. ~**ary** ['antikwəri], antika meraklısı, antikacı. ~**ated** [-kweytid], eskimiş, modası geçmiş; külüstür. ~**e** [-'tīk], çok eski; modası geçmiş; antik(a): ~**-dealer**, antikacı. ~**ity** [-'tikwiti], eskilik; ilk çağ; eski zamana ait şey; antika.
antirrhinum [anti'raynəm]. Aslanağzı.
anti·sabbatarian [antisabə'teəriən] (*din.*) Sebt/Pazar gününe hürmet etmiyen (kimse). ~**semit·e** [-'simayt], Yahudi düşmanı: ~**ism** [-'semitizm], Yahudi düşmanlığı. ~**septic**, kokuşmayı önleyen, antiseptik. ~**-slavery** [-'sleyvəri], köleliğe karşı olma. ~**social** [-'souşəl], cemiyete karşı (hareket vb.) ~**spasmodic** [-spaz'modik], spazm giderici (ilâç). ~**submarine** [-'sʌbmərīn], denizaltılara karşı (gemi/mayın/savaş). ~**tank**, tanksavar.
antithe·sis, *ç.* **-ses** [an'tiθəsis, -sīz]. Tezat; zıt; aykırılık; karşısav, antitez. ~**tic(al)** [-'θetik(l)], zıt olan.
anti·toxic [anti'toksik]. Antitoksik. ~**toxin**, antitoksin. ~**trade (wind)**, üstalize. *~**-trust** [-'trʌst], (*huk.*) tekelci şirketlere karşı.
antler ['antlə(r)]. Geyik boynuzu.
antonym ['antənim]. Zıt; karşıt anlamlı.
antrum ['antrəm] (*tıp.*) Vücuttaki oyuk.
Antwerp ['antwə̄p]. Anvers.
anus ['eynəs]. Anus, şerç.
anvil ['anvil]. Örs; (*zoo.*) örs kemiği.
anxi·ety [an(g)'zayəti]. Endişe, kaygı; şiddetli arzu. ~**ous** ['an(g)kşəs], endişeli, düşünceli, merak içinde; üzüntülü; istekli, hevesli: **be** ~ **about**, -i merak etm., -den endişe etm.: **be** ~ **to**, arzu etm., -e can atmak, önem vermek: **I am not very** ~ **to go out**, sokağa çıkmayı pek canım istemiyor: **it's an** ~ **business**, endişe verici/belâlı bir meseledir.
any ['eni]. Bir; her hangi; her hangi bir; rastgele; her; bir az, bir miktar, bir dereceye kadar: **not** ~, hiç: [*Olumsuz ve sorulu cümlelerde* SOME(ONE) *yerine kullanılır*] ~ **but he**, ondan başka herkes: ~ **longer/further**, artık, daha fazla: ~ **more**, daha fazla, başka: **have you** ~?, (ondan) sizde var mı?: **I haven't** ~, bende hiç yok: **I'm not having** ~, (*kon.*) yağma yok, kandıramazsın: **there is little if** ~, olsa bile/varsa da pek az: **he knows English if** ~ **man does**, İngilizceyi bilse bilse o bilir; İngilizceyi onun gibi bilen yoktur: **he may come** ~ **minute**, nerede ise gelir, her an gelebilir: **not** ~ **too well**, pek o kadar iyi değil: **is the patient** ~ **better?**, hasta bir az daha iyi mi?: **come** ~ **time**, ne zaman istersen gel: **would** ~ **forget such an adventure?**, böyle bir macerayı kim unutabilir?: **are you** ~ **wiser now?**, şimdi daha iyi anlıyor musun? [*Bazı hallerde* **any***'nin anlamı cümle içinde vurgulu olup olmadığına göre değişir, mes.*: **a good dentist is to be found in any *town* of any *size***, her hangi bir büyük şehirde iyi bir dişçi bulunabilir; *fakat*: **a dentist of some sort is to be found in *any* town of *any* size**, her hangi büyüklükte rastgele bir şehirde şöyle böyle bir dişçi bulunabilir.]
any·body/-one ['enibodi, -wʌn]. Biri, bir kimse, kim; herkes; kim olsa; rastgele; [*Olumsuz ve sorulu cümlelerde*] hiç kimse: ~ **but he**, ondan başka kim olsa: **is he** ~?, hatırı sayılır/önemli bir adam mı?: **he isn't just** ~, o rastgele bir adam değildir: **he will never be** ~, onun mühim bir adam olmasına imkân yok: **everybody who is** ~ **was there**, bellibaşlı/hatırı sayılır herkes orada idi: **to look at him** ~ **would think that he was an old man**, onu gören ihtiyar zanneder: **he is a poet if** ~ **is**, şair diye ona denir.
any·how/-way ['enihau, -wey]. Nasıl olursa, nasıl olsa, nasılsa; hoş . . . ya!; olsun, her halde, ne ise, yine: **things are (going) all** ~, işler karmakarışık: **you can't do this** ~, (i) bu işi siz nasıl olsa yapamazsınız; (ii) bu işi rastgele/üstünkörü yapamazsınız.
any·one ['eniwʌn] = ~BODY. *~**place** = ~WHERE.
anything ['eniθin(g)]. Bir şey, her hangi bir şey, her şey; ne olsa; [*Olumsuz ve sorulu cümlelerde*] hiç bir şey: ~ **but that**, (tek) bu olmasın de ne olursa olsun: **like** ~, şiddetle, var kuvvetiyle: **do you ever see** ~ **of him?**, onu gördüğünüz var mı?: **if he is** ~ **of a gentleman he will apologize**, efendi adamsa özür diler: **are you** ~ **of a musician?**, musikiden anlar mısınız?: **he's** ~ **but a fool**, hiç te aptal değildir: **it's as easy as** ~, bundan kolay bir şey yok.

anyway ['eniwey] = ANYHOW.
anywhere ['eniweə(r)]. Her yerde, nerede olursa olsun; [*Olumsuz ve sorulu cümlelerde*] hiç bir yerde: ~ **but there**, oradan başka her yerde; orada olmasın da nerede olursa olsun: **this won't get you** ~, bu işin sonu yok (size bir faydası yok).
anywise ['eniwayz]. ~/**in** ~, her hangi bir şekilde; [*Olumsuz cümlede*] hiç bir suretle.
ANZAC/Anzac ['anzak] = AUSTRALIAN AND NEW ZEALAND ARMY CORPS; 1914–18 savaşında (bilh. Gelibolu'da) savaşan Avustralya ve Yeni Zelanda askerleri(nden biri): ~ **Day**, 25 nisan.
a.o. = ACCOUNT OF.
AOB = ANY OTHER BUSINESS.
AOC (-in-C) = AIR OFFICER COMMANDING (-IN-CHIEF).
aorist ['eyorist] (*dil.*) Muzari, geniş zaman.
aorta [ey'ōtə]. Şah/yürek damarı.
AP = ARITHMETICAL PROGRESSION; ARMOUR-PIERCING; ASSOCIATED PRESS; AUTOMATIC PILOT.
apace [ə'peys]. Süratle, çabucak.
apache [ə'pāş]. Külhanbeyi, apaş.
apanage ['apənic]. (Kral) oğullarına tahsis olunan arazi/para; has tımar.
apart [ə'pāt]. Ayrı ayrı; ayrı, bir tarafta; ayrılmış; açılı: ~ **from**, -den başka, cayma; ... bir tarafa: **joking** ~, şaka bertaraf: **it is difficult to tell them** ~, onları birbirinden ayırmak/ayırt etm. güçtür: **move** ~, ayrılmak; ayırmak: **set** ~, ayırmak; saklamak: **take a machine** ~, bir makineyi sökmek.
apartment [ə'pātmnt]. Oda; salon; *apartman dairesi. ~**-house**, apartman; daireli ev. ~**s**, daire.
apartheid [ə'pātheyt] (*G.Afr.*) Irksal ayrılma, ayrım.
apath·etic [apə'θetik]. His/duygusuz; uyuşuk; miskin; alâka/ilgisiz. ~**y** ['apəθi], his/duygusuzluk; uyuşukluk; alâka/ilgisizlik.
ape [eyp] *i.* Gerçek-maymun; (*kon.*) taklitçi; (*köt.*) ahmak. *f.* Taklit etm.; taklidini yapmak. ~**-man**, (*zoo.*) Cava insanı.
aperient [ə'piəriənt]. Müshil (ilâç).
aperiodic [a'pīriodik] (*ast.*) Devirsiz, aperiyodik, titremesiz.
aperitif [ə'peritif]. Aperitif, (iştah) açar.
aperture ['apətyuə(r), -çə(r)]. Aralık, delik; açıklık; (*sin.*) adese daire büyüklüğü; (*mim.*) kapı/pencere boşluğu.
apery ['eypəri]. Taklit, yansılama. maymunlar kafesi.
apetalous [a'petəlʌs] (*bot.*) Taçsız.
apex, *ç.* ~**es/apices** ['eypeks, -iz; 'eypisīz]. Zirve, doruk, tepe; apeks, yücelim noktası; (*ast.*) günerek.
aphasia [a'feyziə] (*tıp.*) Söz söylemek yeteneğini kaybetme, afazi.
aphelion [a'fīliən] (*ast.*) (Gezegen/kuyruklu yıldız) günöte.
aphi·s, *ç.* ~**des** ['eyfis, -fidīz]. Yaprak biti: **woolly** ~, pamuklu bit.
aphon·ia/~**y** [a'founiə, 'afouni]. Afoni.
aphorism ['afərizm]. Vecize; özdeyiş, hikmet.
aphrodisiac [afrə'diziak]. Cinsî iştahı artıran, mukavvi, şehvetengiz.
aphtha ['afθə] (*tıp.*) Aft(a).
aphyllous [a'filəs] (*bot.*) Yapraksız.
api·arist ['eypiərist]. Arıcı. ~**ary** [-ri], arıkovanlarının bulunduğu yer. ~**culture** [-'kʌlçə(r)], arıcılık.
apices ['eypisīz] *ç.* = APEX.
apiece [ə'pīs]. Her biri; adam başına.
apish ['eypiş]. Maymun gibi, maymunca.
apivorous [ey'pivərəs]. Arıçıl.
aplanatic [aplə'natik]. İnhirafsız, aplanatik.
aplenty [ə'plenti]. Bol bol olarak.
aplomb [a'plō(n)] (*Fr.*) Dikey oluş; muvazene, denge: **with** ~, kendine hâkim olarak, istifini bozmadan.
apo- [apo-, əpo-] *ön.* -den; ayrı.
APO = ARMY POST OFFICE.
apocalyp·se [ə'pokəlips]. Vahiy; İncilin sonuncu faslı. ~**tic** [-'liptik], vahye ait.
apocop·ate [ə'pokəpeyt] (*dil.*) (Kelime) son hece/sesi kaldırmak. ~**e** [-pi], son hece/ses düşmesi.
Apocrypha [ə'pokrifə]. Kitabı Mukaddesine kabul edilmemiş bazı fasıllar, apokrifa. ~**l**, apokrifaya ait; hakikati şüpheli; uydurma.
apod(al) ['apoud(l)] (*zoo.*) Ayaksız (hayvan); kanatsız (balık).
apodosis [ə'podisis] (*dil.*) Cümlenin son kısmı; şartlı cümlenin ikinci kısmı.
apogee ['apoucī] (*ast.*) Yeröte; (*mec.*) en uzak/yüksek aşama, doruk.
apolitical [eypə'litikl]. Politika ile hiç uğraşmıyan.
Apollo [ə'polou] (*mit.*) Yunan güneş mabudu; (*mec.*) güneş; çok güzel bir adam.
apolog·etic [əpolə'cetik]. Özür dileyen, itizarlı; (söz/yazı ile) müdafaa eden. ~**ia** [apə'loucia], yazılı müdafaa. ~**ist** [ə'poləcist], bir fikir/davayı müdafaa eden. ~**ize** [-cayz], özür/af dilemek, itizar etm.
apologue ['apəloug]. Ahlâkî hikâye.
apology [ə'poləci]. Özür/af dileme, itizar, tarziye; müdafaa: **make an** ~, özür dilemek: **demand an** ~, tarziye/özür dilenmesini istemek: **this** ~ **for a letter**, bu mektup kusur/bozması: **this** ~ **of a man**, bu adam müsveddesi.
apo(ph)thegm [a'po(f)θem]. Vecize, fıkra.
apople·ctic [apə'plektik]. İnmeli, mefluç; felce ait; (*mec.*) öfkesi burnunda, çabuk kızar: ~ **fit**, felç nöbeti. ~**xy** [-pleksi], inme, felç: **heat** ~, güneş çarpması.
aposiopesis [aposiə'pīsis] (*dil.*) Sözü yarıda bırakma.
apost·asy [ə'postəsi]. Din/akidesinden dönme, irtidat. ~**ate**, din/akidesinden dönmüş, mürtet. ~**atize** [-tətayz], irtidat etm.
a posteriori [eyposteri'ōray] (*Lat.*) Tecrübî, sonsal.
apost·le [ə'posl]. İsa'nın on iki şakirdinden biri, havari; din lideri, misyoner; bir hareketin lideri. ~**leship**/~**olate** [ə'postəleyt], havarilik. ~**olic** [apəs'tolik], havariler/papaya ait.
apostroph·e[1] [ə'postrəfi] (*dil.*) Apostrof, kesme işareti ('). ~[2]. Nutukta bir şahıs/şeye hitabetme. ~**ize** [-fayz], böyle hitabetmek.
apothecary [ə'poθikəri]. Eczacı: ~**'s measure/weight**, eczacı ölçü/tartısı.
apotheosis [əpoθi'ousis]. Tanrılaştırma; yüce ve kutsal sayma.
app. = APPENDIX.
appal [ə'pōl]. Dehşet içinde bırakmak, korkutmak. ~**ling**, müthiş, korkunç.

apparatus, *ç.* ~**(es)** [apə'reytəs(iz)]. Alet, cihaz, vasıta, aygıt, aparat, araç(lar), ekipman, teçhizat.
apparel [ə'parəl] *i.* Elbise, üst baş, giyim, örgü. *f.* Giydirip kuşatmak; süslemek.
apparent [ə'parənt, ə'peərənt]. Besbelli; ortada; aşikâr; zahirî; görünür, görünüşteki: **heir** ~, veliaht. ~**ly**, görünüşe göre; meğer; her halde (olmalı).
apparition [apə'rişn]. Hayalet; görünme, çıkıverme; (*ast.*) tutulmasından sonra ilk görünüş.
appeal [ə'pīl] *i.* Başvurma; ısrarla isteme; daha yüksek mahkeme/makama müracaat, temyiz, istinaf, üstyargı yolu; çağırma, cazibe. *f.* Başvurmak; ısrarla istemek, yalvarmak; daha yüksek mahkemeye müracaat/istinaf/temyiz etm.; çekmek, cezbetmek, hoşa gitmek, mülâyim gelmek: ~ **to the country**, genel seçim istemek, genel seçime karar vermek: **this does not** ~ **to me**, bu beni sarmıyor: **Court of** ~, temyiz mahkemesi, yargıtay. ~**able**, istinaf/temyiz edilebilir. ~**ing**, (bakış vb.) yalvaran; dokunaklı; sevimli, cazip, çekici: ~**ly**, yalvararak; sevimli olarak.
appear [ə'piə(r)]. Görünmek, çıkmak, meydana çıkmak; gibi görünmek, benzemek; ispatı vücut etm.: **it** ~**s**, öyle görünüyor, anlaşıldığına göre; (*bazen Türkçedeki belirsiz geçmiş* '-miş' *yerine kullanılır*).
appearance [ə'piərəns]. Görünme, zuhur; (sahneye vb.) çıkma; ispatı vücut etme; görünüş, suret, zevahir; (kitap vb.) intişar, yayılma: **to/by all** ~**s**, görünüşe nazaran: **for the sake of/to save/to keep up** ~**s**, zevahiri kurtarmak için: **his** ~ **is against him**, zevahir/görünüş onun lehine değil: **in** ~, haricen, görünüşten: **put in an** ~, ispatı vücut etm., şöyle bir görünmek; bulunmak.
appease [ə'pīz]. Yatıştırmak, teskin etm.; bastırmak; gönlünü almak. ~**ment**, yatıştırma.
appell·ant [ə'pelənt]. Başvuran; temyiz eden. ~**ate**, başka mahkemeye müracaat/temyiz etmeye ait: ~ **Court**, temyiz mahkemesi, yargıtay.
appellat·ion [apə'leyşn]. İsim; ünvan; isim verme. ~**ive** [a'pelətiv], isim (verme).
append [ə'pend]. Eklemek, ilâve etm.; imza basmak. ~**age** [-dic], bir şeyin tali kısım/parçası, ek. ~**ant**, bağlı, tali.
append·ectomy [apen'dektəmi]. Apandisit ameliyatı. ~**ices**, *ç.* = ~IX. ~**icitis** [əpendi'saytis], apandisit. ~**ix**, *ç.* ~**ixes**/~**ices** [ə'pendiks(iz), -disīz], ek, ilâve, zeyil; (*tıp.*) körbağırsak, apandis.
appertain [apə'teyn]. Ait olm. ~**ing to**, ilgili, ilişkin, bağlı. ~**ment**, ilgili/ilişkin olma, bağlılık.
appeti·te ['apitayt]. İştah; istek: **depraved** ~, kötü iştah: **ravenous** ~, kurt iştahı: **lose the** ~, iştahı kesilmek: **sharpen/whet the** ~, iştah açmak. ~**zer**, iştah açan şey/ilâç; meze; aperitif: ~**zing**, iştah açan/uyandıran; nefis.
applau·d [ə'plōd]. Alkışlamak; takdir etm., medhetmek; beğenmek. ~**se** [-ōz], alkış; medih: **spontaneous** ~, ara alkışı.
apple [apl]. Elma: ~ **of the eye**, gözbebeği: ~ **of discord**, hakkında kavga edilen şey. ~**-cart**, (sokak satıcılarının kullandığı) el arabası: **upset the** ~, bir çuval inciri berbat etm. ~**-pie**, üstü hamurlu elma tortası: ~ **bed**, muziplik için karmakarışık edilen yatak: **in** ~ **order**, gayet muntazam. ~**-tree/wood**, elma ağacı.
appliance [ə'playəns]. Alet; cihaz; vasıta; tertibat; uygulama.
applic·able [ə'plikəbl]. Tatbik edilebilir; uygun, uyar. ~**ant** ['a-], müracaat/isteme sahibi; dilekçi; aday. ~**ation** [-'keyşn], tatbik etme; uydurma; başvurma, müracaat; istida, isteme, talep, dilekçe; (*mal.*) tatbikat, uygula(n)ma; çok dikkat ve gayret; (*tıp*) sürme, koyma: **on** ~, istek karşısında: ~**-form**, talep/isteme kağıdı, müracaat formu, dilekçe. ~**ator**, sürme/takma cihazı.
applied [ə'playd] *g.z.(o.)* = APPLY. *s.* Amelî, tatbikî, pratik, uygulamalı.
appliqué [a'plikey] (*Fr.*) Takma (süs); aplike.
apply [ə'play]. Üstüne koymak; tatbik etm., uydurmak, kullanmak; yürütmek; tahsis etm.; başvurmak, talep/müracaat etm.; uygun düşmek, varit olm.: ~ **oneself to**, kendini bir işe vermek; çok dikkat ve gayret sarfetmek: ~ **to s.o.**, -e müracaat etm., başvurmak: ~ **for s.o.**, birisini talep etm.: ~ **for a post**, bir iş için müracaat etm., bir işe talip olm.
appoint [ə'poynt]. Tayin etm.; kararlaştırmak. ~**ed**, tayin edilen: **well** ~, iyi döşenmiş (ev vb.). ~**ment**, tayin; memuriyet; randevu, buluşma: **keep/break an** ~, (buluşma) sözünü tut(ma)mak, sözünde dur(ma)mak: **make an** ~, gün almak: ~**s**, döşeme, teçhizat.
apportion [ə'pōşn]. Hisseleri taksim etm.; dağıtmak, tahsis etm.; (masrafı) paylaşmak. ~**ment**, taksim; hisse, kısım; tahsis, tevzi, dağıtım.
appose [a'pouz]. (Mühür/imza) koymak.
apposite ['apəzit]. Uygun, münasip. ~**ly**, uygun şekilde. ~**ness**, uygunluk.
apposition [apə'zişn]. (Mühür/imza) koy(ul)ma: **in** ~, (*dil.*) açıklayıcı olarak: **noun in** ~, koşulan isim.
apprais·al/~**ement** [ə'preyzl, -mənt]. Kıymet takdiri, değerlendirme; dispeç, ekspertiz. ~**e**, kıymet takdir etm., değerlendirmek. ~**er**, muhammin, değer biçici, dispeççi, oranlayıcı.
appreci·able [ə'prişəbl]. Takdir ve tahmin edilebilir; farkedilir (derecede); göze çarpacak. ~**ate** [-ieyt], kıymet biçmek; takdir etm.; takdir ve teşekkür etm.; beğenmek; değerini anlamak; farketmek; kıymetini arttırmak; kıymeti artmak. ~**ation** [-i'eyşn], kıymet biçme; takdir; değerini anlama ve beğenme; kıymetin yükselmesi: **write an** ~ **of a book**, bir kitap hakkında bir tenkit yazmak. ~**ative,** ~**atory**, takdir eden, kadirşinas; anlıyarak beğenen; **be** ~**ative of poetry**, şiirden anlamak/zevk duymak.
apprehen·d [apri'hend]. Yakalamak, tevkif etm.; anlamak, kavramak; korkmak. ~**sible**, anlaşılabilir. ~**sion** [-'henşn], yakalama, tevkif; anlama, kavrama; korku, vehim. ~**sive**, korkan, endişe eden, vehimli, vesveseli; çabuk kavrıyan.
apprentice [ə'prentis] *i.* Çırak; acemi talebe, yetişmen; müptedi. *f.* (Usta yanına) çırak olarak koymak/vermek: **be** ~**d**, çırak olarak verilmek. ~**ship**, çıraklık.
apprise [ə'prayz]. Haber/bilgi vermek.
apprize [ə'prayz] = APPRAISE.
appro. ['aprou] = APPROVAL: **on** ~, beğenmeye bağlı; muhayyer olarak, tecrübe ile satış.
approach [ə'prouç] *i.* Yaklaşma, yanaşma; bir yere getiren yol; (*den.*) civar. *f.* Yaklaşmak, yanaşmak; müracaat etm. **make** ~**es to s.o.**, birine avans yapmak: **I'll** ~ **him on the matter**, bu meseleyi

kendisine açacağım: ~ **a question**, bir meseleyi ele almak, bir bahse girişmek. ~**able**, yaklaşılabilir, yanaşılabilir.

approbat·ion [aprə'beyşn]. Kabul, tasvip, beğenme: **on** ~, beğenmeye bağlı; muhayyer (mal); tecrübe edilen (hizmetçi vb.). ~**ory** [-'beytəri], kabul eden; beğenme gösteren.

appropriat·e [ə'proupriət] *s.* Uygun, münasip. [-prieyt] *f.* Kendine mal etm.; tasarruf etm.; tahsis etm., benimsemek. ~**ely** [-iətli], uygun olarak. ~**ion** [-'eyşn], kendine mal etme; gider, sarf, tasarruf; mal edinme; tahsis(at), ödenek. ~**or**, mal eden.

approv·al [ə'prūvl]. Muvafık/uygun bulma, tasvip; kabul, razı olma; tasdik, onay(lılık): **goods on** ~, muhayyer/tecrübe ile satılan mal. ~**e**, muvafık/uygun bulmak, tasvip etm.; beğenmek; yaraştırmak; kabul etm., razı olm.; tasdik etm. ~**ed**, tasdikli, uygun görülmüş, kabul edilmiş: ~ **school**, (hapishane yerinde) genç canilere mahsus ıslahevi.

approx. [ə'proks] = APPROXIMATE(LY).

approximat·e [ə'proksimit] *s.* Takribî, yaklaşan; tahminî, oranlama; yaklaşık, proksimal. [-meyt] *f.* Çok yaklaşmak; yaklaştırmak. ~**ely**, yaklaşık olarak, takriben. ~**ion** [-'meyşn], yaklaşma; takrip; hakikate yakın tahmin; kararlama.

appurtenan·ce [ə'pötənəns]. İlâve edilen/eklenen talî şey. ~**ces**, teferruat, tetimmat; müştemilat, eklentiler. ~**t**, ilâve edilen/eklenen (şey).

Apr. = APRIL.

apricot ['eyprikot]. Kayısı (ağaç/rengi).

April ['eypril]. Nisan. ~**-fool, make an** ~ **of s.o.**, nisanın 1ci günü birisine muziplik yapmak: ~**'s day**, nisanın 1ci günü.

a priori [eypray'öray] (*Lat.*) Öncüllerden sonuç olunan; önsel, apriori.

apron ['eyprən]. Önlük; (*hav.*) apron, yükleme sahası; (*tiy.*) önsahne: **be tied to her** ~**-strings**, anne/karısına fazla bağlı olm., ağzı süt kokmak, kılıbık olm.

apropos ['aprəpou]. Vaktinde, uygun, münasip: ~ **of**, o münasebetle.

aps·e [aps] (*mim.*) Yarım kubbe/çember, apsis. ~**idal**, çember şeklinde; gun·beri/-öteye ait. ~**is**, *ç.* ~**ides** [-idīz] (*ast.*) (gezegen) gün·beri/-öte; (ay) yer·beri/-öte.

apt [apt]. Uygun, elverişli; yerinde; meyyal, mütemayil; zeki, istidatlı, yetenekli: **he is** ~ **to come back in the afternoon**, öğleden sonra gelmesi muhtemeldir: **glass is** ~ **to break**, cam kırılır: **this train is** ~ **to be late**, bu tren gecikirse şaşmam, geciktiğini çok gördüm.

apt. = APARTMENT.

APT = AUTOMATIC PICTURE TRANSMISSION; AUTOMATICALLY PROGRAMMED TOOL.

apter·ous ['aptərəs] (*zoo.*) Kanatsız. ~**yx** [-riks], kivi(giller).

apt·itude ['aptityūd]. İstidat, kabiliyet, yetenek, eğilim. ~**ly**, uygun şekilde; yerinde. ~**ness**, uygunluk; istidat.

APU = AUXILIARY POWER UNIT.

aqua- ['akwə-] *ön.* Su+, deniz+. ~**cade** [-keyd], denizdeki gösterişli tören. ~**culture**, su içinde yetiştirme. ~**farm**, balık yetiştirmeye mahsus havuz. ~ ***fortis***, (*Lat.*) kezzap suyu, nitrik asit. ~**lung** [-lʌn(g)], (dalgıç) taşınır hava tulumu. ~**marine** [-mə'rīn], mavimsi yeşil; gök zümrüt. ~**naut** [-nōt], deniz dibini araştıran dalgıç. ~**plane** [-pleyn], deniz kızağı(nda çekilmek). ~ ***regia*** [-rīciə] (*Lat.*) altın suyu. ~**relle** [-rel], suluboya resim. ~**rium** [ə'kweəriəm], su içinde yaşıyan hayvanlar müzesi/cam dolabı, akvaryom. ~**rius** [-riəs] (*ast.*) Delv burcu; Saka takımyıldızı. ~**tic** [-'kwatik], susal; su+; suda yetişen/yaşıyan (hayvan/bitki); suda yapılan (spor). ~**tint** ['akwə-] (*san.*) lekebaskı. ~***vitae*** [-'vayti] (*Lat.*) ispirto, sert içki.

aqu·educt ['akwidʌkt]. Su kemeri. ~**eous** ['akwiəs], sulu; su gibi, su tesiriyle yapılmış. ~**ifer**, (*yer.*) su taşır.

aquiline ['akwilayn]. Kartal gibi; kartal gagası gibi; kemerli (burun).

Ar. (*kim.s.*) = ARGON.

AR = ALL RISKS. ~**A(...)** = ASSOCIATE OF THE ROYAL ACADEMY (OF...).

Arab ['arəb]. Arap; ak (zenci olmıyan) Arap; Arabistanlı; arap atı: **street** ~, kimsesiz çocuk. ~**esque** [-'besk], arabesk, girişik bezeme. ~**ia** [ə'reybiə], Arabistan: **Saudi** ~, Suudî Arabistan. ~**ian**, Arap+; Arabistan+: ~**Nights**, Binbirgece Masalları: ~ **Sea**, Umman Denizi. ~**ic** ['arəbik] *i.* Arapça: *s.* Arabî, Arap+. ~**ist**, Arapça âlim/bilgini.

arable ['arəbl]. Sürülebilir; ziraat/tarımlığa elverişli; sürülmüş toprak; tarımlık+.

Araby ['arəbi] (*şiir*). Arabistan.

arachn- [ə'rakn-] *ön.* Örümcek+. ~**id**, örümceğimsi(ler). ~**oid** [-oyd], örümceksi.

arak [a'rak] = ARRACK.

Aramaic [arə'meyik] *i.* Aramî dili: *s.* Aram+, Eski Suriye'ye ait.

Ararat ['arərat]. **Mount** ~, Ağrıdağı.

arbalest ['ābəlest] (*ask.*) Kuvvetli mancınık.

arbit·er ['ābitə(r)]. Hakem; = ~RATOR. ~**rage** [-tric], arbitraj; = ~RATION. ~**ral** [-trəl], hakem usulüne ait. ~**rament** [-'bitrəmnt], hakem kararı. ~**rarily** ['ābitrərili], keyfî olarak. ~**rariness**, keyfî hareket. ~**rary**, keyfî, ihtiyarî, indî. ~**rate** [-treyt], hakemlik etm.; hakem olarak karar vermek; hakeme müracaat etm. ~**ration** [-'treyşn], hakem usulü; hakem kararı ile hal: ~ **award**, haken kararı: **court of** ~/~ **court**, hakem mahkemesi: **go to** ~, hakeme müracaat etm. ~**rator** [-treytə(r)], (özel) hakem, yargıcı, yansız aracı; (*mal.*) dava hakkında katî karar veren tarafsız kimse: **panel of** ~**s**, hakem heyeti. ~**ress**, kadın hakem.

arbor ['ābə(r)]. Malafa; dingil, mil; ARBOUR.

arbor·eal [ā'bōriəl]. Ağaç+; ağaçlara ait; ağaçlarda yaşıyan. ~**etum** [ābə'rītəm], botanik ağaç bahçesi. ~**iculture** ['ābərikʌlçə(r)], ağaççılık. ~***-vitae*** [-'vayti] (*Lat.*) hayat/yaşay ağacı.

arbo(u)r ['ābə(r)]. Ormanda gölgelik yer; kameriye; çardak.

arbutus [ā'byūtəs]. Kocayemiş (ağacı).

arc [āk] *i.* Kavis, yay; şimşek; ark; parlak şua. *f.* Ark yapmak; atlamak. ~**-lamp**, ark lâmbası, akkor ışıldak.

ARC ... = ASSOCIATE OF THE ROYAL COLLEGE OF...

arcade [ā'keyd]. Bir sıra kemer; kemeraltı; dükkânlı pasaj; direkler arası.

Arcad·ia, ~**y** [ā'keydiə, 'ākədi] (*mit.*) Dağlardaki

mesut/sakin bir memleket; (*mec.*) kırlarda bir cennet. **~ian**, bu cennet hayatına mahsus; bu cennette yaşıyan kimse.

arcane [ā'keyn]. Esrarengiz; gizli; sır saklayan.

arch[1] [āç] *i.* Kemer, yay, tak; taban çukuru. *f.* Kemer yapmak, kıvırmak; kemer şeklinde tavan yapmak. **fallen ~**, düz taban: **railway ~**, (şehirde) demiryolu köprüsü: **triumphal ~**, yengi/zafer takı: **~ the back**, (kedi) sırtını kamburlaştırmak.

arch[2] *s.* (*Yalnız kadın/çocuk dair*) açıkgöz, şeytan gibi.

arch-[3] [āç-, āk-] *ön.* Baş-, en büyük/önemli;... şahı; (*köt.*) en kötü.

arch. = ARCHAEOLOGY; ARCHIPELAGO; ARCHITECT(URE).

archaeolog·ical [ākiə'locikl]. Arkeoloji+; eski eserler/hafriyata ait. **~ist** [-'oləcist], arkeolog. **~y**, arkeoloji.

archa·ic [ā'keyik]. Çok eski, eskimiş; modası geçmiş; kullanılmaz olmuş. **~ism**, çok eskilik; çok eski ve unutulmuş deyim vb.

arch·angel ['ākeyncəl]. En büyük melek. **~bishop** ['āçbişəp], başpiskopos: **~ric**, başpiskoposluk. **~deacon** [-dīkən], başdiyakos. **~ducal** [-dyukl], arşidüke ait. **~duchess** [-dʌçis], arşidüşes. **~duchy** [-dʌçi], arşidükün arsaları. **~duke**, [-dyūk], arşidük: **~dom**, arşidüklük.

arched [āçt]. Kemerli.

arch-enemy [āç'enəmi]. Başdüşman; (*din.*) şeytan.

archer ['āçə(r)]. Okçu. **~y**, okçuluk.

archetype ['ākitayp]. Asıl nümune, ilk örnek.

archfiend ['āçfīnd]. İblis, şeytan.

archi- [āki-] *ön.* = ARCH-. **~episcopal** [-e'piskəpəl], başpiskoposa ait. **~mandrite** [-'mandrayt], arşimandrit. **~pelago** [-'peləgou], Adalar Denizi; takım adalar.

architect ['ākitekt]. Mimar: **naval ~**, deniz inşaat mühendisi. **~onic** [-'tonik], mimarlığa ait; bilim yapısına ait. **~ural** [-'tekçərəl], mimarî. **~ure**, mimarlık; inşaat, yapı.

architrave ['ākitreyv]. Sütun teknesi, başkiriş/taban; (*tiy.*) çerçeve.

archiv·es ['ākayvz] *ç.* Evrak hazine/mahzeni, arşiv, belgelik. **~ist** ['ākivist], evrak/sicil memuru, arşivci.

archpriest [āç'prīst]. Başrahip; (*mec.*) lider.

archway ['āçwey]. Kemer; kemerli geçit.

arctic [āktik]. Arktik; kuzey kutbu(na ait); kutup gibi: **~ circle**, kuzey kutbu medarı. **~ Ocean**, Kuzey Buz Denizi.

-ard [-əd] *son.* -ci [WIZARD].

arden·cy ['ādənsi]. Gayret; istek; hiddet, şiddet. **~t**, ateşli; heyecanlı, coşkun; çok gayretli; şiddetli: **wish ~ly**, şiddetle arzu etm.

ardo(u)r ['ādə(r)]. Ateşlilik, gayret; heyecan; şiddetli sıcak.

arduous ['ādyuəs]. Zahmetli, güç; sarp, dik (yol).

are[1] [ā(r)] *şim., ç.* = BE. **we/you/they ~**, -iz/-siniz/-dirler.

are[2] (*zir.*) Ar; 100 m^2.

area ['eəriə]. Mesaha, yüzey; yüz ölçüsü; saha, alan; bölge, mıntıka; avlu, aydınlık: **landing ~**, iniş sahası: **prohibited ~**, yasak bölge. * **~-code**, (telefon) bölge kodu.

arena [ə'rīnə]. Oyun sahası, spor meydanı; faaliyet sahası; kum alanı: **indoor ~**, kapalı alan. **~ceous** [ari'neyşəs], kumlu, kum gibi.

aren't [ānt] = ARE NOT.

areola [a'riələ] (*biy.*) Çok küçük yer/saha/halka.

argent ['ācənt]. Gümüş (rengi); parlak. **~iferous** [-'tifərəs], gümüşlü, gümüş hâsıl eden. **~ine**[1] [-tayn], gümüşten yapılmış; gümüş gibi.

Argentin·a/**~e**[2] [ācən'tīnə, 'ācəntāyn]. Arjantin. **~ian** [-'tiniən] *i.* Arjantinli: *s.* Arjantin+.

argil ['ācil]. Kil, balçık. **~laceous** [-'leyşəs], kil gibi; killi.

argon ['āgən]. Argon.

argo·naut ['āgənōt] (*mit.*) Yason'un kahraman gemicilerinin biri. **~sy**, (*şiir*) büyük tüccar gemisi.

argot ['āgou]. Herhangi bir sınıfın (*bilh.* hırsızların) kullandığı hususî lehçe; argo.

argu·able ['āgyuəbl]. Muhtemel, olabilir; münakaşa edilebilir. **~e** [-yū], münakaşa etm.; delil/sebep göstermek, bir fikir ileri sürmek; itiraz etm.: **~ down**, ilzam etm., (delil üstünlüğü ile) susturmak: **~ s.o. into/out of doing stg.**, birisini bir şeyi yap(ma)mağa ikna etm. **~fy** [-fay], lüzumsuz yere münakaşa etm., ukalâlık etm. **~ment**, münakaşa; muhakeme; delil, fikir, tez; hulâsa; (*tiy.*) belge; (*fel.*) kanıt. **~mentative** [-'mentətiv], münakaşa meraklısı, münakaşacı; (eser) tenkit ve muhakemeli.

Argus ['āgəs] (*mit.*) Yüz gözlü bir şahıs; (*mec.*) uyanık adam: **~-eyed**, uyanık.

Argyl(lshire) [ā'gayl(şə)]. Brit.'nın bir kontluğu.

ARI ... = ASSOCIATE OF THE ROYAL INSTITUTE OF...

aria ['āriə] (*İt., müz.*) Hava, aria, arya.

Arian ['eəriən]. Arian; (*din.*) Arius'un doktrinlerini kabul eden.

-arian [-eəriən] *son.* Bir doktrini kabul eden; bir tarikatın üyesi [HUMANITARIAN].

arid ['arid]. Kurak, çorak; kavruk; kuru. **~ity** [ə'riditi], kuraklık, çoraklık.

Aries ['eərīz]. Hamel burcu; Koç takımyıldızı.

aright [ə'rayt]. Doğru/hatasız olarak.

arise (*g.z.* **arose**, *g.z.o.* **arisen**) [ə'rayz, -'rouz, -'rizn]. Kalkmak; çıkmak; zuhur etm., hasıl olm., doğmak: **~ from the dead**, (ölüler) dirilmek: **should the occasion ~**, fırsat çıktığında; icap ederse.

aristocra·cy [aris'tokrəsi]. Aristokrasi, asiller sınıfı; bu sınıftan teşkil edilmiş hükümet. **~t** ['aristəkrat], aristokrat, asilzade, soylu kişi; hâkim sınıftan biri; kibar. **~tic** [-'kratik], aristokratça; kibarca.

Aristotelian [aristə'tīliən]. Aristo'nun felsefesine ait; onun nazariyeleri taraftarı.

Ariz(ona) [ari'zounə]. ABD'nden biri.

arithmetic [ə'riθmətik]. Hesap, aritmetik: **mental ~**, zihnî hesap. **~al** [-'metikəl], hesaba ait, adedî. **~ian** [-'tişn], hesapçı.

-arium [-eəriəm] *son.* -yeri [AQUARIUM].

ark [āk]. Tahta sandık: **the ~ of the Covenant**, İbranilerin Ahit Sandığı: **Noah's ~**, Nuh'un gemisi.

Ark(ansas) ['ākənsō]. ABD'nden biri.

arm[1] [ām] *i.* Kol; mil; dal; şube: **carry a child in one's ~s**, bir çocuğu kucakta taşımak: **~'s length**, kol boyu: **carry stg. at ~'s length**, bir şeyi kolunu uzatarak taşımak: **keep s.o. at ~'s length**, birini yanına yaklaştırmamak: **give one's ~ to s.o./take**

s.o.'s ~, birinin koluna girmek: **have s.o. on one's** ~, kolunda birisi olm.: **walk** ~ **in** ~, kol kola yürümek: **within** ~**'s reach**, elin yetişeceği uzaklıkta; çok yakın: **the** ~ **of the law**, polisler: **by the long** ~ **of coincidence**, tamamen tesadüfen olarak: **twist s.o.'s** ~, kolunu bükmek; (*mec.*) zorla kandırmak.

arm[2] *i.* Silâh: ~**s**, silâhlar, savutlar: **small** ~**s**, taşınabilen silâhlar: **to** ~**s!**, silâh başına!: **bear** ~**s**, askerlik yapmak: **call to** ~**s**, askerliğe çağırmak: **lay down one's** ~**s**, teslim olm.: **a nation under** ~**s**, silâhlanmış millet: **present** ~**s!**, selâm dur!: **rise up in/take up** ~**s**, silâha sarılmak: **be up in** ~**s**, ayaklanmak: **be up in** ~**s against stg.**, bir şeyin aleyhine protesto yapmak.

arm[3] *f.* Silâh vermek, silâhlandırmak, teçhiz etm.; müdafaa hazırlamak; (roket vb.) tapa takmak; silâhlanmak.

arm[4] *i.* ~**s**, (*tar.*) Arma; pazı.

armada [ā'mādə]. Büyük donanma: **the Invincible/Spanish** ~, 1588'de İngilizlerin yendiği İspanyolların Yenilmez denilen donanması.

armadillo [āmə'dilou]. Tatu. ~**s**, kemerlihayvangiller.

Armageddon [āmə'gedn]. Milletler arasında büyük ve müthiş mücadele.

armament ['āməmənt]. Silâhlar; teçhizat; teslihat; cephane: ~ **depot**, cephane deposu.

armature ['āmətyuə(r)]. Silâhlar, zırh; hayvan/nebatı koruyan kabuk; (*elek.*) armatür, endui, bobin.

arm·-badge [ām'bac]. Pazubent. ~**band**, kolluk. ~**chair** [-'çeə(r)], koltuk.

armed [āmd]. Silâhlı; (*mec.*) her şeye hazır: ~ **to the teeth**, tepeden tırnağa kadar silâhlı: ~ **neutrality** silâhlı/her şeye hazır olarak tarafsızlık.

-armed [-āmd] *son.* -kollu: **long-/one-**~, uzun/tek kollu.

Armenia [ā'mīniə]. Ermenistan. ~**n**, *i.* Ermeni; Ermenice: *s.* Ermeni(stan)+.

armful ['āmful]. Kucak dolusu: **in** ~**s**, bol bol.

armiger ['āmigə(r)]. Armayı kullanmağa salâhiyetli biri.

armillary [ā'miləri]. Bileziğe benzer/ait; halka halka olan.

arming ['āmin(g)]. Silâhlanma; silâh verme; teçhiz(at); silâh.

armistice ['āmistis]. Mütareke, savaşın bırakılması: ~**-day**, 1918 mütarekesinin yıldönümü (11 kasım).

***armor** ['āmə(r)] = ARMOUR. ~**ial** [ā'mōriəl], armaya ait: ~ **bearings**, arma.

armour ['āmə(r)] *i.* Zırh. *f.* Zırhla kaplamak. **in full** ~, tepeden tırnağa zırhlı/silâhlı. ~**-clad** [-klad], zırhlı. ~**ed**, zırhlı (gemi/kablo, kuvvetler, vasıta vb.) ~**er** [-rə(r)], zırhcı, silâhcı; tüfekçi. ~**-piercing** [-'pī(r)sin(g)], zırh delici. ~**-plate/plating** [-'pleyt(in(g))], zırh levhası. ~**y** [-ri], silâh-hane/-deposu; tüfekhane.

arm-rest ['āmrest]. Kol dayanacak yer. ~**-twisting**, zorla kandırış.

army ['āmi]. Ordu; or; kalabalık: **regular** ~, muvazzaf ordu: **standing** ~, barış ordusu: **be in the** ~, askerde olm.; (meslekçe) asker olm.: **join the** ~, askere gitmek, asker olm. ~**-corps**, kolordu. ~**-list**, ordu subay listesi. ~**-ranks**, İngiliz ordu aşamaları (FIELD MARSHAL, GENERAL, LIEUTENANT-GENERAL, MAJOR-GENERAL, BRIGADIER, COLONEL, LIEUTENANT-COLONEL, MAJOR, CAPTAIN, LIEUTENANT, SECOND LIEUTENANT).

arnica ['ānikə]. Öküzgözü.

aroint [ə'roynt] (*mer.*) ~ **thee!** Haydi git!

aroma [ə'rouma]. Güzel koku; baharlı koku; ıtır. ~**tic** [arou'matik], güzel kokulu; baharlı koku saçan; ıtırlı; (*kim.*) aromatik.

arose [ə'rouz] *g.z.* = ARISE.

around [ə'raund]. Çevresin(d)e, etrafın(d)a; civarında; sularında: **all** ~, çepeçevre, dört taraftan

arouse [ə'rauz]. Uyandırmak; canlandırmak, teşvik etm.; sebep olm., mucip olm.

ARP = AIR-RAID PRECAUTIONS.

arpeggio [ā'peciou] (*İt.*, *müz.*) Notları hızla ve kesik çalma; arpej.

arquebus ['ākwibəs]. Eski bir çakmaklı tüfek.

arr. = ARRANGED BY; ARRIVAL; ARRIVING.

arrack ['arak]. Hurma/pirinç rakısı.

arraign [ə'reyn]. İttiham etm., mahkemeye vermek; kabahat bulmak; suçlamak; (bir fikre vb.) hücum etm. ~**ment**, davayı resmen tebliğ etme.

arrange [ə'reync]. Sıraya koymak; düzeltmek; tertip etm., tertibat almak, hazırlık yapmak; tanzim etm.; yoluna koymak; kararlaştırmak; anlaşarak halletmek; (*müz.*) tatbik etm., uydurmak: **one cannot** ~ **for everything**, insan her şeyi (önceden) düzenliyemez. ~**ment**, sıraya koyma, tanzim, düzenleme, aranjman; düzeltme; hal; tertip; sıra; hazırlık; anlaşma, uyuşma; (*köt.*) düzen: **come to an** ~, anlaşarak halletmek: ~**s**, tertibat. ~**r**, (*müz.*) bir parçayı tatbik eden kimse.

arrant ['arənt]. Tamamen, son derece, katıksız: ~ **nonsense**, deli saçması. ~**ly**, rezil olarak.

arras ['arəs]. Nakışlı duvar perdesi, tapisöri.

array [ə'rey] *i.* Sıra, saf; teşhir; gösterişli manzara; süslü elbise; (*rad.*) anten dizisi. *f.* Sıraya koymak, tanzim etm.; giydirmek, süslemek. **in battle** ~, muharebe nizamında.

arrear·age [ə'riəric]. Geri kalma; ödenmemiş bakiye. ~**s** [ə'riəz], geri kalan (iş vb.); vaktinde ödenmemiş (borç vb.); artık, kalıntı(lar), bakaya: **get/fall into** ~, (tediye vb.) gecikmek, geri kalmak.

arrest [ə'rest] *f.* Yakalamak, tevkif etm.; tutmak, alıkomak; durdurmak. *i.* Yakalama, tutuklama, tevkif; durdurma: **house/open** ~, göz hapsi: **under** ~, mevkuf, tutuklu. ~**er**, durdurucu; siper; süzgeç: ~**-gear**, (*hav.*) durdurma düzen/tertibatı. ~**ing**, *s.* dikkat çekici, göze çarpıcı.

arrière ['arier] (*Fr.*) Arkadaki, gerideki. ~***-pensée*** [-'pa(n)se], gizli düşünce/maksat, artdüşünce.

arris ['aris] (*mim.*) Sivri kenar. ~**-rail**, (parmaklık) düzey çıta.

arriv·al [ə'rayvl]. Varış, gelme, vasıl olma: **a new** ~, yeni gelen şahıs. ~**e**, ulaşmak, varmak, gelmek; muvaffak olm., başarmak, yetişmek: ~ **at a conclusion**, karara varmak; anlamak: ~ **at the age of discretion**, reşit/baliğ olm.: ~ **(up)on the scene**, çıkagelmek.

arrogan·ce ['arəgəns]. Kibir(lilik), küstahça gurur, böbürlenme, ölçüm. ~**t**, kibirli, küstahça mağrur: ~**ly**, kibirlice, mağrurane.

arrogat·e ['arougeyt]. ~ **to oneself**, (haksız yere) benimsemek, kendine maletmek: ~ **stg. to s.o.**, bir şeyi birine maletmek. ~**ion** [-'geyşn], haksız maletme.

arrow ['arou]. Ok; ok işareti: **broad ~**, (İng.'de) hükümet malları/hapishane elbiselerine konan işaret. **~-head**, ok başı, temren: **~ed**, ok başı şeklinde. **~root** ['arərut], ararot.
†**arse**/***ass** [ā(r)s, as] (*kaba.*) Göt, kıç. **~-licking**, dalkavukluk.
arsenal ['āsənəl]. Tersane; silâh-/tüfekhane; cephanelik; silâh fabrikası.
arsenic ['āsənik]. Arsenik; sıçanotu; zırnık. **~al** [ā'senikl], arsenikli.
arson ['āsən]. Kundakçılık. **~ist**, kundakçı.
art[1] [āt] *şim., 2ci şah., tek.* (*mer.*) = BE.
art[2] *i.* Sanat; hüner, maharet; zanaat; toplumsal bilim; resim ve heykeltraşlık: **a work of ~**, sanat eseri/yapıtı: **applied ~s**, uygulamalı/tatbikî sanatlar: **the black ~**, büyü: **the fine ~s**, güzel sanatlar: **the noble ~ (of self-defence)**, boks: **the plastic ~s**, yoğrumlu sanatlar: **I had no ~ or part in it**: ben işin içinde değildim: **he is studying ~**, resim tahsil ediyor: **~s and crafts**, sanatlar ve el işleri: **~s faculty**, (fen olmıyan) edebiyat vb. fakültesi.
art. = ARTICLE.
artefact/arti- ['ātifakt] (*ark.*) İnsan eliyle yapılan şey, artefakt, *bilh.* sanat eseri.
arter·ial [ā'tīriəl]. Kan damarı/şiryana ait; damara benzeyen: **~ road**, ana yol. **~io-** [-riou-], *ön.* damar+: **~sclerosis** [-skli'rousis], damar katılığı. **~y** ['ātəri], kırmızı kan damarı, atardamar; (*mec.*) önemli yol; büyük nehir.
artesian [ā'tīziən]. **~-well**, arteziyen/burgu kuyusu.
artful ['ātfəl]. Kurnaz; hilekâr; usta: **~ly**, kurnazca: **~ness**, kurnazlık.
arthr·itic [ā'θritik]. Mafsal/eklem (iltihabına) ait. **~itis** [ā'θraytis], mafsal/eklem iltihabı: **rheumatoid ~**, mafsal romatizması. **~o-**, *ön.* eklem+, mafsal+: **~pod**, eklembacaklı.
artic ['ātik] = ARTICULATED LORRY.
artichoke ['ātiçouk]. **(globe) ~**, enginar: **Jerusalem ~**, yer elması.
article ['ātikl] *i.* Makale, fıkra, yazı; madde, başçık; eşya, parça, nesne; (*dil.*) harfi-tarif/-tenkir. *f.* Birisini (öğrenci olarak) noter vb.nin yanına vermek. **definite ~**, harfitarif [THE]: **indefinite ~**, harfitenkir [A(N)]: **leading ~**, (*bas.*) başmakale: **~d clerk**, staj gören kâtip. **~s**, akide, mukavele; (*mal.*) anatüzük, esas nizamname: **~ of apprenticeship**, usta ile çırak arasındaki mukavele: **~ of association/incorporation**, şirket mukavelenamesi, ortaklık sözleşmesi: **~ of faith**, akide, iman edilen şey: **~ of war**, askerî ceza kanunu ve nizamnamesi: **ship's ~**, (*den.*) hizmet sözleşmesi.
articulat·e [ā'tikyulit] *s.* Mafsallı; seçkin/tane tane söylenen; lâkırdısı anlaşılır. *f.* [-leyt], Mafsal ile birleştirmek; eklemlenmek, mafsal teşkil etm.; tane tane telâffuz etm., seçkin konuşmak. **~ed**, mafsallı, eklemli; oynaklı: **~ lorry/vehicle**, römorklu/oynaklı kamyon. **~ion** [-'leyşn], mafsal, eklem, oynak yeri; birleştirme; heceleme, boğumlama; seçkin konuşma.
artifact = ARTEFACT.
artifice ['ātifis]. Hile, oyun, kurnazlık, desise; ustalık, marifet. **~r** [ā'tifisə(r)], usta işçi; büyük bir teşebbüs/hareketin yaratıcısı; (*ask., den.*) bazı zanaatlerde uzman olan er.
artificial [āti'fişəl]. Yapma(cıklı), takma, sunî; taklit, yalan(cı), sahte: **~ insemination**, (doğal olmıyan) tohumla(n)ma: **~ kidney**, böbrek yerinde işleyen makine: **~ respiration**, sunî teneffüs. **~ity** [-şi'aliti], sunîlik. **~ly**, sunî olarak/bir şekilde.
artillery [ā'tiləri]. Toplar; topçu(luk): **~ barrage**, tevkif ateşi: **~man**, topçu eri.
artisan [āti'zan]. Zanaatkâr, zanaatçı, el işçisi, usta.
artist ['ātist]. Sanatkâr, sanatçı; ressam; desinatör; (*tiy.*) oyuncu, artist. **~e** [ā'tīst] (*tiy.*) profesyonel dansöz vb. **~ic** [ā'tistik], sanat+; sanatkârca, sanatkâr ruhlu; artistik; güzel, hüsnü-: **~ally**, sanatkârca. **~ry**, sanat eserleri; sanatkârlık; sanatkâr kabiliyeti.
art·less ['ātlis]. Sade, tabiî, saf; hüner/oyunsuz; işlenmemiş. **~s** = ART[2]. **~-school**, resim ve heykeltraş okulu [sanat okulu = TRADES SCHOOL]. **~-union**, (*Avus.*) piyango. **~-work**, (*bas.*) resimler. **~y**, (*kon.*) artistlik/sanatkârlık taslayan: **~-crafty**, (*kon., köt.*) gösterişli ama çürük çarık.
arum ['eərəm]. **~ (lily)**, yılan yastığı.
Aryan ['eəriən] *i., s.* Ari.
as [az]. Gibi; kadar; olarak; sıfatla, sıfatıyle; için; -diği için; -dikçe; -ince; -diğinden: **~ if/though**, sanki. [*Sözü güçlendirmek için bazı cümlelerde yemin yerine kullanılır, örn.* **~ I live; ~ I am an honest man; ~ sure ~ my name is...**]. **~ I do not know I cannot tell**, bilmediğim için söyliyemem: **~ a nation the English are nature-lovers**, İngiliz milleti genellikle tabiata düşkündür: **A is to B ~ C is to D**, A'nın B'ye oranı ne ise C'nın D'ye oranı da odur: **~ big ~...,...** kadar büyük; [*olumsuz kıyaslarda* **as** *genellikle* SO *olur*: **not so big ~...,...** kadar büyük değil]: **twice ~ big ~ this**, bunun iki misli büyüklükte: "**~ hard ~ steel**" *gibi deyimlerdeki kıyaslar için isim ya da sıfata bakınız*: **is it ~ difficult ~ that?**, bu kadar güç mü?: **~ far ~ I can**, elimden geldiği kadar: **he is ~ industrious ~ he is intelligent**, zeki olduğu kadar çalışkandır: **by day ~ well ~ by night**, hem gece hem gündüz: **~ you like**, nasıl isterseniz: **do ~ you like!**, istediğiniz gibi yapın!: **~ for/regards/to that**, buna gelince: **~ for/to you**, size gelince: **~ a child I used to think so**, çocukken böyle düşünürdüm: **~ often happens**, çoğunlukla/olduğu gibi: **~ soon ~ he comes**, o gelir gelmez: **he came ~ I left**, ben giderken o geldi: **~ he spoke a bomb fell**, bunu söyler söylemez/söylediği anda bir bomba düştü: **~ the season advances so the days get longer**, mevsim ilerledikçe günler uzuyor: **~ at/of...**, -de, ... tarihinde: **~ from Saturday**, cumartesiden itibaren: **~ you treat others so will they treat you**, başkalarına nasıl muamele edersen onlar da sana öyle muamele ederler: **leave it ~ it is!**, olduğu gibi bırakınız!: **I should like to come but ~ it is I cannot**, gelmek isterdim fakat bu durumda mümkün değil: **we should like more pupils but, ~ it is, the school is full up**, daha fazla öğrenci isterdik fakat okul daha şimdiden doldu: **cold ~ it is I'll have a swim**, soğuğa rağmen yüzmeğe gideceğim: **strive ~ they would they could not move the stone**, ne kadar çabaladılarsa da taşı kımıldatamadılar: **if I had seen it, ~ I did not, I would have told the police**, eğer ben görseydim—ki görmedim—polise haber verirdim: **I had him ~ a partner**, o benim ortağımdı: **I remember him ~ having been a good tennis player**, ben onun iyi bir tenisçi olduğunu hatırlıyorum: **will you be so kind ~ to tell me?**, lüften bana söylermisiniz?: **this child is**

lazy ~ **lazy**, bu çocuk tembel mi tembel: ~ **you were!**, *evvelce verilen bir emri hükümsüz bırakmak için verilen emir*: **the train is at 6.30**; ~ **you were! 7.30**, tren altı buçukta, pardon!, yedi buçukta.
As. (*kim.s.*) = ARSENIC.
A/S, a/s = ALONGSIDE; AT SIGHT.
AS = ANGLO-SAXON; ANTI-SUBMARINE. ~**A** = AMATEUR SWIMMING ASSOCIATION; AMERICAN STANDARDS ASSOCIATION.
asafoetida [asə'fetidə]. Sarmısak kokulu bir sakız.
a.s.a.p. = AS SOON AS POSSIBLE.
ASB = (*hav.*) ALERT SERVICE BULLETIN.
asbestos [az'bestos]. Asbest, amyant, yanmaz taş.
ascend [ə'send]. Çıkmak, yükselmek; artmak; tırmanmak: ~ **a river**, nehrin yukarı boyunca çıkmak: ~ **the throne**, tahta çıkmak, kral(içe) olm.
ascendan·cy [ə'sendənsi]. Üstünlük; hâkimiyet; nüfuz. ~**t**, yükselen, çıkan; hâkim olan, nüfuz kazanan; cet, ata: **be in the** ~, yıldızı parlamak/yükselmek; talih ve itibarı artmak; galip olm.
ascen·sion [ə'senşən]. Yükselme; İsa'nın göğe çıkışı, miraç: **right** ~, açılım, yükselim. ~**t** [ə'sent], (dağa vb.) çıkış, tırmanma; yokuş; yükselme.
ascertain [asə'teyn]. Doğrusunu öğrenmek; anlamak; tahkik ve tayin etm. ~**able**, anlaşılabilir. ~**ment**, soruşturma.
ascetic [ə'setik]. Zevklerden el çekmiş, zahit. ~**ism** [-sizm], zahitlik, riyazet.
ascorbic [əs'kōbik]. Askorbik.
ascri·bable [əs'kraybəbl]. Atfolunabilir. ~**be**, atfetmek; irca etm., isnat etm., üstüne atmak. ~**ption** [-'kripşn], hamil, isnat.
asdic ['azdik]. Bir cins hidrofon, denizaltılar detektörü, azdik.
asep·sis [a'sepsis]. Mikropsuzluk, asepsi. ~**tic**, ilâç kullanmadan mikropların önüne geçen, aseptik.
asexual [ey'seksyuəl]. Eşeysiz; cinsiyeti belli olmıyan; ne kız ne erkek. ~**ity** [-'aliti], eşeysizlik.
ash[1] [aş]. Dişbudak ağacı: **mountain** ~, üvez ağacı.
ash[2]. Kül: **a person's** ~**es**, yakılan cesedin külleri: ~**es to** ~**es dust to dust**, (*din*) *tabutun üzerine toprak atılırken söylenir*; ölmüştür.
ashamed [ə'şeymd]. Utanmış, mahcup; utangaç; çekingen: **be** ~, utanmak. ~**ly** [-mədli], utanarak, utançla; çekingenlikle.
ash·-bin ['aşbin]. Kül/çöp tenekesi. ~**en**[1] ['aşən], dişbudaktan yapılmış. ~**en**[2], kül gibi; kül rengi, soluk.
ashlar ['aşlə(r)]. Yontulmuş/dört köşeli yapı taşı; bu taşlardan yapılmış yapı.
ashore [ə'şō(r)]. Sahil(d)e, karaya, karada: **get/put** ~, karaya çıkarmak: **go** ~, karaya çıkmak: **run** ~, karaya otur(t)mak.
ash·pit ['aşpit]. Küllük. ~**tray** [-trey], sigara tablası. ~**-Wednesday**, [-wenzdi], büyük perhizin ilk günü. ~**y**, küllü, kül gibi; kül rengi, soluk.
Asia ['eyşə]. Asya: **Central** ~, Orta Asya: ~ **Minor**, Anadolu. ~**n**/~**tic** [-n, -şi'atik], *i.* Asyalı: *s.* Asya+.
aside [ə'sayd]. Bir taraf/kenara; köşeye, yana; kendi kendine; (*tiy.*) alçak sesle söylenen söz, apar: ~ **from**, -dan başka: **lay** ~, bir tarafa koymak, saklamak: **set** ~, bir tarafa koymak; (*huk.*) kararı iptal etm.: **stand** ~, bir yana çekilmek: **turn** ~, bir yana sap(tır)mak.
asinine ['asənayn]. Eşek cinsi; eşekçe, ahmakça.
-asis [-əsis] *son.* (*tıp.*) -hastalığı, . . . durumu [PSORIASIS].
ask [āsk]. Sormak; davet etm.: ~ **for**, istemek; talep etm., dilemek: **I** ~**ed the director**, müdüre sordum: **I** ~**ed about the director**, müdürü sordum: **I** ~**ed for the director**, müdürü görmek istedim: ~ **after s.o.('s health)**, hatırını sormak: ~ **a favour**, bir şeyi rica etm.: ~ **a question**, bir sual sormak: ~ **the time**, saati sormak: ~ **s.o. in**, birini ev/içeriye davet etm.: ~ **s.o. out**, birini (lokanta vb. ev dışında) bir yere davet etm.: ~ **s.o. up**, birini yukarıda bulunan (apartıman vb.) bir yere davet etm.: ~ **back**, geri istemek: ~ **s.o. back**, (i) mukabele olarak davet etm.; (ii) tekrar davet etm.: **he** ~**ed for it**, çanak tuttu: **he** ~**ed for a beating**, (dayak yemek için) kaşınıyor: **if you** ~ **me**, bence, fikrimce.
askance [ə'skans]. Yan; yan gözle, göz ucu ile: **look** ~ **on**, -e şüphe/itimatsızlıkla bakmak.
askari [as'kari] (*Ar.*) (D.Afr.'da) asker.
askew [ə'skyū]. Yana doğru; çarpık, eğri.
asking ['āskin(g)] *i.* **you may have it/it's yours for the** ~, dilediğin zaman senindir.
aslant [ə'slānt]. Bir yana doğru, eğri.
asleep [ə'slīp]. Uykuda, uyumuş: **be** ~, uyumak, uykuda olm.: **fall** ~, uykuya dalmak: **fast** ~, derin uykuda: **my foot is** ~, ayağım uyuşmuş.
ASLEF/Aslef ['azlef] = ASSOCIATED SOCIETY OF LOCOMOTIVE ENGINEERS AND FIREMEN.
ASLIB/Aslib ['azlib] = ASSOCIATION OF SPECIAL LIBRARIES AND INFORMATION BUREAUX.
aslope [ə'sloup]. Yatık, eğri, mail(en).
ASM = AIR-TO-SURFACE MISSILE. ~**E** = AMERICAN SOCIETY OF MECHANICAL ENGINEERS.
asocial [ey'souşəl]. Sokulgan olmıyan; cemiyete karşı; saygısız.
asp [asp]. Küçük ve zehirli bir cins yılan; Mısır yılanı.
***ASP** = AMERICAN SELLING PRICE; ANGLO-SAXON PROTESTANT.
asparagus [əs'parəgʌs]. Kuşkonmaz.
aspect ['aspekt]. Görünüş; manzara; yüz; bakım; hal, vaziyet; cephe, taraf: **the house has a south** ~, ev güneye bakıyor. ~**-ratio**, (*hav.*) uzunluk oranı.
asp(en) ['aspən]. Titrek kavak: **tremble like an** ~ **leaf**, tir tir/hazan yaprağı gibi titremek.
asperity [əs'periti]. Sertlik, haşinlik.
aspers·e [əs'pəs]. Serpmek; iftira etm., çamura bulamak. ~**ion** [-'pəşn], serpme; iftira: **cast** ~**s upon s.o.**, birisinin üzerine iftira atmak.
asphalt ['asfalt] *i.* Asfalt, zift. *s.* Asfalt+, asfaltlı. *f.* Asfaltla döşemek/kaplamak. ~**ic** [-'faltik], asfaltlı.
asphodel ['asfədel] (*bot.*) Zambakgillerin bir kaç cinsi; çirişotu; (*mit., şiir*) cennette yetişen ölmez çiçek.
asphyxia/~**tion** [as'fiksiə, -si'eyşn]. Oksijen yokluğundan boğulma; nefes kesilmesi, tıknefes. ~**te**, boğmak.
aspic ['aspik]. İçinde balık/et vb. bulunan lezzetli bir pelte.
aspidistra [aspi'distrə]. Aspidistra.
aspirant ['aspirənt]. Talip; şiddetle heves ve arzu eden; istekli.
aspirat·e ['aspəreyt] *f.* (Harf) solukla telâffuz etm.; (hava/su vb.) içine çekmek/emmek. [-rit] *s., i.* Solukla telâffuz edilen (harf); 'h' harfi: **drop one's** ~**s**, 'h' harfini telâffuz etmemek (*ki halk tabakasına mensubiyeti gösterir*). ~**ion** [-reyşn],

emel, özlem; (hava vb.) içine çekme/emme; (harf) solukla telâffuz etme. ~**or**, emmeç, aspiratör.

aspire [əs'payə(r)]. ~ **to**, emel beslemek; şiddetle arzu etm., talip olm., peşinde olm.

aspirin ['asp(ə)rin] (*M.*) Aspirin.

asquint [ə'skwint]. Yan, şaşı gibi.

ass[1] [as]. Eşek, merkep; (*mec.*) ahmak/aptal/budala kimse: **make an ~ of oneself**, aptallık/budalalık etm., gülünç olm. [*İng.de mecazî anlamı Tk.deki kadar ağır olmayıp şaka olarak kullanılır.*]

***ass**[2] = ARSE.

Ass. = ASSISTANT; ASSOCIATE.

assail [ə'seyl]. Saldırmak, hücum etm.; dil uzatmak. ~**able**, hücum edilebilir. ~**ant**, saldırgan, tecavüz eden.

assassin [əsasin] (*tar.*) Haşşaşîn mezhebine mensup olan; kaatil. ~**ate**, katletmek, öldürmek. ~**ation** [-'neyşn], tasarlayarak katil/öldürme: **character ~**, birinin şöhretine dokunma.

assault [ə'sōlt]. Hücum (etm.), birdenbire saldırma(k), tecavüz (etm.): **indecent ~**, zorla ilişme, cebren ırza geçme: ~ **and battery**, etkili eylem, müessir fiil.

assay [ə'sey]. Bir maden halitası/külçe ayarını tayin etme(k); deneme(k), tecrübe etme(k). ~**er**, ayarcı; muayeneci. ~**-office**, ayar dairesi.

assegai ['asəgay]. Zulu mızrağı.

assembl·age [ə'semblic]. Toplantı; toplama; birleştirme. ~**e**, topla(n)mak, birleş(tir)mek; kurmak, takmak, montaj yapmak, çalmak. ~**er**, montör, kurucu, çatkıcı. ~**y**, meclis; kurul, heyet; içtima, toplantı, grup; montaj, dizilme, çatma, kurgu, kur(ul)ma, tak(ıl)ma; çatkı, takım, tertibat: **right of ~**, içtima hakki: ~**-hall/room**, toplantı/balo salonu: ~**-line**, montaj hattı, çatma kolu: ~**-room/shop**, montaj/çatma dairesi.

assent [ə'sent] *i.* Rıza (gösterme), onaşma, uygun görme, tasvip. *f.* Razı olm., rıza göstermek, onaşmak, tasvip etm.; kabul/muvafakat etm. **receive the Royal ~**, (kanun) kraliçe tarafından tasdik edilmek. ~**ient**, kabul eden.

assert [ə'sət]. İleri sürmek, iddia etm.; ısrar etm.: ~ **oneself**, kendini/otoritesini göstermek. ~**ion** [ə'səşn], ileri sürme, iddia, sav; ısrar; hakkını kullanma. ~**ive**, fazla iddialı/kesin; kendine fazla güvenir. ~**or**, ileri süren/iddia eden kimse.

assess [ə'ses]. (Vergi vb.) miktarını tayin etm.; kıymet biçmek; değerle(ndir)mek; keşif ve takdir etm.; takdir ve tahmin etm., ekspertiz yapmak. ~**able**, zarar ve ziyan keşif ve takdir olunabilir; vergi tarh olunabilir; kıymeti takdir olunabilir. ~**ment**, keşif ve takdir etme; değerle(ndir)me; takdir edilen miktar/meblağ: **special ~**, şerefiye vergisi. ~**or**, muhammin; tahakkuk memuru; hâkim muavin/müşaviri.

asset ['aset]. Fayda sağlıyan şey; kazanç; matlup, aktif: **he is an ~ to**..., ... için çok faydalı/kıymetli bir şahıstır. ~**s**, aktifler, mevcudat, varlıklar, değerler, kıymetler; bir şirket/ölünün malları; borçları ödeyecek karşılık: ~ **and liabilities**, alacak ve verecek: **current/fixed ~**, cari/sabit kıymetler: **personal ~**, menkul mallar: **real ~**, gayrimenkul mallar. ~**-stripping**, bir firmayı satın aldıktan sonra bütün mallarını elde edip onun kapatılması.

asseverat·e [ə'sevəreyt]. Resmen beyan etm.; kesinlikle bildirmek. ~**ion** [-'reyşn], resmen/kesin bir beyan.

assidu·ity [asi'dyuiti]. Dikkat ve devamla çalışma; gayret. ~**ous** [ə'sidyuəs], dikkatli ve devamlı (çalışan, çalışma); gayretle.

assign [ə'sayn]. Ayırmak, tahsis/tayin etm.; temlik etm., devretmek; (*huk.*) (bir mal) başkasının üstüne çevirmek/ferağ etm.; atfetmek. ~**ation** [asig'neyşn], tayin/tahsis (edilmiş şey); devir ve temlik; ferağ; randevu. ~**(ee)** [ə'sayn, -'nī], tayin olunan vekil. ~**ment** [-'saynmnt], tayin etme; tayin edilen şey/iş; nakil ve ferağ etme. ~**or**, tayin/tahsis eden; fariğ.

assimila·ble [ə'similəbl]. Hazmedilebilir; özümlenebilir. ~**te** [-leyt], hazmetmek; emmek, sindirmek; benzetmek, benimsemek, özümlemek. ~**tion** [-'leyşn], hazım, sindirme; benzeyiş, benimseme, özümle(n)me; temsil; (*dil.*) benzeşme.

assist [ə'sist]. Yardım etm., yardımda bulunmak; iştirak etm., katılmak: ~ **at**, -de hazır bulunmak. ~**ance** [-t(ə)ns], yardım, destek, iane, muavenet: **social ~**, güvenceli yardımlar. ~**ant**, yardımcı, muavin, asistan; (bir mağazada vb.) satıcı, tezgâhtar; memur; hizmetli: ~ **professor**, asistan profesör.

assizes [ə'sayzəz] *ç.* İng.'deki kontluklarda seyyar hâkimler tarafından teşkil edilen geçiçi mahkemeler.

Assoc. = ASSOCIATE; ASSOCIATION.

associat·e [ə'souşieyt] *f.* Birleştirmek; ortak olm.; düşüp kalkmak; iştirak etm.; akla getirmek, tedai etm. [-şi·it] *i.* Ortak, şerik; tabî (şirket vb.); yarı/muhabir üye; arkadaş, yardımcı. ~**ed**, birleşmiş; yakın; yardımcı: ~ **with**, -le alâkalı/ilgili olan. ~**eship**, arkadaşlık; şeriklik, ortaklık; yarı üyelik. ~**ion** [-si'eyşn], birleşme, ortaklık, iştirak, münasebet; hatıra, tedai, çağrışım; birlik, cemiyet, örgüt, dernek, kooperatif; (*ast.*) oymak; (*coğ.*) topluluk: ~ **football** (*kıs.* SOCCER), yalnız ayakla oynanan futbol. ~**ive**, birliğe ait; tedai edilebilen.

assonan·ce ['asənəns]. Ses benzeyişi; yarım kafiye. ~**t**, kafiyeli.

assort [ə'sōt]. Cins/çeşitlere ayırmak, tasnif etm.; uymak, tutmak. ~**ed**, çeşitli; uygun. ~**ment**, cins/çeşitlere ayırma, tasnif; muhtelif çeşitlerden mürekkep takım.

Asst. = ASSISTANT.

assuage [ə'sweyc]. Yumuşatmak, yatıştırmak; gidermek; azaltmak.

assum·e [ə'syūm]. Üstüne almak; giymek, takınmak, almak; halini almak; (iktidarı vb.) eline almak; sahip olm.; farzetmek, sanmak, saymak, addetmek; (şüphe götürmez şekilde) telakki etm.; istintaç etm., hükmetmek; deruhde etm. ~**ed**, alınmış; farazi. ~**ing**, kendini satan, fodul: ~ **that** ..., farzedelim ki .... ~**ption** [ə'sʌm(p)şn], üstüne alma; takınma; farzetme, sanma; kendini satma, fodulluk: **(feast of) the ~**, Meryemana'nın göğe kabulü (yortusu, 15 ağustos).

assur·ance [ə'şuərəns]. Temin; emniyet; itimat; kendine güvenme; teminat, vait, pişkinlik; kendini beğenmişlik; sigorta [*krş.* INSURANCE]. ~**e**, temin etm.; teminatta bulunmak; sağlamak; sigorta etm. [*krş.* INSURE]. ~**ed**, sağlanmış; sigorta edilen. ~**edly**, muhakkak, şüphesiz.

Assyri·a [ə'siriə]. Asur. ~**n**, *i.* Asurlu; Asur dili: *s.* Asur+. ~**ology**, Asur medeniyeti ilmi.
AST = ATLANTIC STANDARD TIME.
astable [ey'steybl]. Denksiz, sabit olmıyan.
astatic [ə'statik]. Gayri sabit, astatik.
astatine ['astatin]. Astatin.
aster ['astə(r)]. Yıldız çiçeği. **China** ~, saraypatı.
-aster [-astə(r)] *son.* (*köt.*) -e benzeyen (fakat ikinci derecede) [POETASTER].
asteris·k ['astərisk] (*bas.*) Yıldız işareti (*). ~**m**, (*ast.*) yıldızlar kümesi; (*bas.*) üç yıldız işareti (*⁎*).
astern [ə'stōn] (*den.*) Kıç tarafın(d)a; kıçınkıçın; arkada: **fall** ~, gerisine kalmak: **go** ~, geri geri gitmek, tornistan etm.: **leave** ~, geride bırakmak: **take stations** ~, geride mevki almak.
asteroid ['astəroyd]. Yıldız şeklinde; küçük gezegen/seyyare.
astheni·a [as'θīniə]. Kuvvetsizlik, kuvvetten düşme. ~**c** [-'θenik], kuvvetsiz.
asthma ['asθmə]. Nefes darlığı, astım, astma. ~**tic** [-'matik], nefes darlığına ait; nefes darlığı çeken.
astigmat·ic [astig'matik]. Astigmat. ~**ism** [-'tigmətizm], astigmatizm.
astir [ə'stə(r)]. Hareket/faaliyet halinde; harekette; heyecanlı: **set** ~, harekete getirmek, kımıldatmak.
ASTM = AMERICAN SOCIETY FOR TESTING MATERIALS. ~**S**, ASSOCIATION OF SCIENTIFIC, TECHNICAL AND MANAGERIAL STAFFS.
astonish [əs'toniş]. Hayrette bırakmak, hayrete düşürmek, şaşırtmak. ~**ed** [-nişt], şaşkın, şaşmış, hayran: **be** ~ **(at)**, hayret etm., şaşmak. ~**ing**, acayip, şaşırtıcı, hayret verici, şaşılacak: ~**ly**, şaşılacak şekilde. ~**ment**, hayret, şaşkınlık, şaşırma: **fill with** ~, şaşırtmak.
astound [ə'staund]. Hayretten dondurmak, şaşkınlıktan serseme çevirmek. ~**ing**, sersemletici; müthiş.
astr. = ASTRONOMY.
astraddle [ə'stradl]. Apışmış olarak; (bir şeyin üzerinde) ata biner gibi.
astragalus [əs'tragələs] (*tıp*). Aşık kemiği, astragal.
Astrakhan [astrə'kan]. Astrahan; astragan kuzu deri/kürkü.
astral ['astrəl]. Yıldızlı, yıldız gibi. ~**-body**, vücudun ruhanî şekli. ~**-hatch** = ASTRODOME.
astray [ə'strey]. Yolunu şaşırmış, doğru yoldan çıkmış: **go** ~, yolunu şaşırmak; baştan çıkmak: **lead** ~, baştan çıkarmak.
astrict [ə'strikt] (*mer.*) Sıkı tutmak/bağlamak; büzmek, buruşturmak. ~**ion** [-kşn], sıkma; kabız, buruşturma. ~**ive**, sıkıcı; kabız, buruşturucu.
astride [ə'strayd]. Bacakları ayrılmış, ata biner (gibi), apışık.
astringent [ə'strincənt]. (Damarları büzerek) kanı durduran (ilâç); kabız; ağız buruşturucu.
astro- ['astrə-, əs'tro-] *ön.* Astro-, uzay+; yıldızlar/uzaya ait/bağlı. ~**dome** ['astrədoum] (*hav.*) uzay gözetme kubbesi. *~**gate** [-geyt], uzay yolculuğu yapmak. ~**graph**, fotoğraf teleskopu. ~**labe** [-leyb], usturlap.
astrolog·er [əs'troləcə(r)]. Müneccim, astrolog. ~**y**, yıldızlardan talihi okuma, müneccimlik.
astromet·er [as'tromitə(r)]. Yıldız aydınlık ölçeği. ~**ry**, astrometri.
astronaut ['astrənōt]. Astronot, feza/uzay adamı, uzaycı. ~**ics**, uzaycılık, feza/uzay uçuş bilgisi.
astronom·er [as'tronəmə(r)]. Gökbilimci, astronom; heyet âlimi. ~**ic(al)** [-'nomik(l)], gök(bilim)+, yıldız+, rasathane+; (*mec.*) müthiş: **prices are** ~, fiyatlar akla durgunluk verir. ~**y**, gökbilim, heyet ilmi, astronomi.
astrophysics [astro'fiziks]. Astrofizik, gök fiziği.
astute [əs'tyūt]. Keskin zekâlı, ferasetli; cin fikirli, kurnaz. ~**ly**, kurnazcasına. ~**ness**, kurnazlık.
asunder [ə'sʌndə(r)]. (Birbirinden) ayrı, ayrılmış; parçalara ayrılmış: **come** ~, ayrılmak, kopmak: **tear** ~, ikiye ayırmak, iki parça etm.: **put** ~, ayırmak.
ASW = ANTI-SUBMARINE WARFARE.
asylum [ə'sayləm]. Sığınak, melce, barınak, barınacak yer: **(lunatic)** ~, tımarhane: **ask for** ~, (*id.*) barınmasını istemek: **give** ~ **to**, -i barındırmak: **right of** ~, barınma hakkı: **take** ~ **in**, -e barınmak, iltica etm.
asymmetr·ic(al) [asi'metrik(l)]. Oransız, nispetsiz, bakışımsız; simetrik olmıyan, asimetrik. ~**y** [a'simitri], oran-/nispet-/bakışımsızlık.
asymptote ['asim(p)tout]. Yaklaşma çizgisi, sonuşmaz, asimtot.
asynchronous [a'sin(g)krənəs]. Demsiz, asinkron.
at [at]. -de, -ye; üzere, halinde; nezdinde; yanında, evinde; ile meşgul; hususunda: **be** ~ **s.o.**, başının etini yemek: **be (always)** ~ **stg.**, bir şey ile (daima) meşgul olm.: **he is** ~ **it again**, (işte) gene başladı: **while we are** ~ **it**, hazır bu iş üzerinde iken: ~ **night**, geceleyin: ~ **your request**, isteğiniz üzerine: ~ **them!**, ileri!, hücum!: **not** ~ **all**, hiç (bir suretle); (*kon.*) bir sey değil!
At. (*kim.s.*) = ASTATINE.
at. = ATOMIC.
A/T = AMERICAN TERMS.
atavis·m ['atəvizm]. Atalara çekiş, atacılık, atavizm. ~**t**, atacı. ~**tic**, atalara çeken, ataç; atavizme ait.
ATC = AIR TRAFFIC CONTROL/TRAINING CORPS.
ate [et, eyt] *g.z.* = EAT.
atelier [a'təlye] (*Fr.*) İmalâthane, atelye.
athanasia [aθə'neyziə]. Ölümsüzlük; ebediyet.
atheis·m ['eyθi·izm]. Allahı inkâr etme, tanrısızlık, dinsizlik. ~**t**, Allahı inkâr eden, dinsiz, tanrısız. ~**tic(al)** [-'istik(l)], Allahı inkâr eden, dinsiz olan.
athenaeum [aθə'niəm]. Fen/edebiyat kulübü; kütüphane.
Athen·ian [ə'θīniən] *i.* Atinalı: *s.* Atina+. ~**s** ['aθənz], Atina.
athirst [ə'θəst]. ~ **for**, -e susamış, teşne.
athlet·e ['aθlīt]. Atlet, sporcu: ~**'s foot**, bulaşık bir ayak hastalığı. ~**ic** [aθ'letik], atletik; spora ait; gürbüz ve çevik. ~**ics**, atletik sporlar; spor.
at-home [ət'houm]. Misafir kabulü; (*sp.*) kendi alanında: ~ **day**, kabul günü: ~ **match**, kendi alanında oynanan maç.
Athos ['aθos]. **Mount** ~, Aynoros, Atos Dağı.
athwart [ə'θwōt]. Bir yandan bir yana; enine; karşıdan geçerek; çaprazlama. ~**ships**, alabandadan alabandaya.
atilt [ə'tilt]. Eğilmiş, çarpık, yana yatmış.
-ation [-'eyşn] *son.* -lik; -me: [AVIATION].
atishoo [ə'tişu] (*yan.*) Hapşu!
Atlantic [ət'lantik]. **the** ~ **(Ocean)**, Atlas Okyanusu, Atlantik: **mid-**~, hem İng.'ye hem de

ABD'ne uygun (TV programı). ~**ism** [-sizm], NATO milletlerinin işbirliği politakası.
atlas ['atləs]. Atlas; harita. **star** ~, gök atlası.
atm. = ATMOSPHERE.
atmospher·e ['atməsfiə(r)]. Atmosfer, (açık) hava; havaküre; (*mec.*) muhit, hava: **create an** ~, havayı yaratmak. ~**ic(al)** [-'ferik(l)], atmosferik, atmosfer+, hava+. ~**ics**, (*rad.*) hava parazitleri.
at. no. = ATOMIC NUMBER.
atoll ['atol]. Atol, halka/mercan adası.
atom ['atəm]. Atom; zerre, en ufacık parça/tane: **there's not an** ~ **of truth in it**, tam bir yalan dır. ~**-bomb** [-'bom], atom bombası. ~**ic** [ə'tomik], atom+; atomla ilgili: ~ **energy/weight etc.**, atom enerji/ağırlığı vb. ~**ize** ['atəmayz], mayii toz haline getirmek, püskürmek; atomlara ayırmak: ~**r**, püskürgeç, fıskı, pülverizatör. ~**y**[1], (*tıp*) iskelet; çok zayıf. ~**y**[2], atom, zerre.
atonal [a'tounəl]. Ahenksiz; atonal.
atone [ə'toun]. ~ **for**, kefaret vermek, (yapılan bir kötülüğü) telâfi etm.; ödemek; tarziye vermek. ~**ment**, kefaret, telâfi; tarziye.
atonic [a'tonik] (*tıp.*) Dermansız, zayıf; (*dil*) vurgusuz, sessiz.
atop [ə'top]. Üstte, üstünde; üzerin(d)e.
atrabilious [atrə'bilyəs]. Karasevdaya müptelâ; safravî.
atrip [ə'trip] (*den.*) (Çapa) deniz dibinden ayrılmak üzere.
atrium ['atriəm] (*ark.*) Orta avlu; (*tıp.*) kulakçık, atriyum.
atroci·ous [ə'trouşəs]. Vahşîce; tüyler ürpertici (cinayet); şeni, gaddar; çok çirkin/kötü; berbat. ~**ously**, vahşîcesine; berbat olarak. ~**ty** [ə'trositi], vahşet, tüyler ürpertici hareket; zulüm, gaddarlık; *ç.* (savaşta) zulümler.
atroph·ied ['atrəfid]. Körelmiş. ~**y**, *i.* dumur; körelme, (gıdasızlıktan) zayıf/dermansızlık: *f.* dumura uğra(t)mak; zayıf/dermansız düş(ür)mek, körelmek.
atropine ['atrəpin]. Atropin.
ATS/Ats [ats] = AUXILIARY TERRITORIAL SERVICE.
Att. = ATTACHÉ.
attach [ə'taç]. Bağlamak, birleştirmek; (imza) basmak; (*huk.*) haczetmek, elkoymak; tevkif etm.; bağlı/merbut olm.; iliştirmek; eklemek, takmak: ~ **oneself to**, -e iltihak etm., takılmak. ~**able**, bağlanabilir; takma, takılır.
attaché [ə'taşey] (*Fr.*) Ataşe. ~**-case**, evrak çantası, valiz.
attach·ed [ə'taçt]. Bağlı, ekli, merbut; mensup, ilişik; meraklı: **be** ~ **to**, -e bağlı/merbut olm.; sevmek. ~**ment**, bağlılık, bağlama (takımı); bağ(lantı), rabıta; takma parça; ilgi; dostluk, sevgi; (*huk.*) tevkif, haciz.
attack [ə'tak] *f.* Saldırmak, hücum etm., biriyle uğraşmak, tecavüz etm.; bir işe girişmek. *i.* Saldırı(ş), hücum, taarruz, tecavüz; (*sp.*) atak, saldırı, hamle; (*tıp*) nöbet: **make an** ~ **(up)on**, -e hücum etm.: **return to the** ~, (yarıda bırakılan mücadele/iş hakkında) tekrar saldırıya geçmek. ~**er**, saldırıcı, hücum eden.
attain [ə'teyn]. Varmak, vasıl olm., ermek, erişmek, elde etm., kazanmak: ~ **to man's estate**, reşit olm. ~**able**, ele geçirilir, varılır, kazanılır.
attainder [ə'teyndə(r)]. Birini medenî haklardan mahrum ve mallarını müsadere eden karar.
attainment [ə'teynmnt]. Varma, erişme, elde etme; hüner, bilgi: ~**s**, müktesebat; elde edilen hüner ve marifetler.
attaint [ə'teynt]. Birinin medenî haklarını kaldırmak; itham etm.; lekelemek: ~**ed**, itham edilmiş; lekelenmiş.
attar ['atə(r)]. ~ **of roses**, gülyağı.
attempt [ə'tempt] *f.* Teşebbüs etm., çalışmak; davranmak; gayret etm.; tecrübe etm. *i.* Teşebbüs, girişme, çalışma, deneme; gayret; tecrübe: **I'll do it or perish in the** ~, ne olursa olsun onu yapacağım: **make an** ~ **on s.o.'s life**, birinin hayatına kasdetmek: ~**ed murder/suicide**, cinayet/intihar teşebbüsü.
attend [ə'tend]. Gidip hazır bulunmak; (bir derse vb.) gitmek; hizmet etm., refakatinde bulunmak; beraber olm.; tedavi etm.; dikkat etm., dinlemek: ~ **to**, dinlemek; bakmak; -e hizmet etm.; -le meşgul olm.: ~ **on s.o.**, refakatinde bulunmak.
attendan·ce [ə'tendəns]. Hazır bulunma; devam; dikkatle meşgul olma; hizmet; ziyaret, refakat; tedavi: **dance** ~ **on s.o.**, istekleriyle çok dikkatle meşgul olm.: **there was a small** ~, gelenler azdı: ~**-centre**, (gençler için) islah evi. ~**t**[1], *s.* başkasının refakat/hizmetinde bulunan; beraber olan, refakat eden, hazır ve var olan; devam eden. ~**t**[2], *i.* hizmetçi; (mağazada) tezgâhtar; (tiyatro/müzede vb.) memur: **medical** ~, (müessese/şahıs/aile) özel doktor.
attention [ə'tenşn]. Dikkat; ihtimam; özen; meşgul olma; alâka gösterme; nezaket: ~!, hazırol!; bak!: **attract** ~ **to**, dikkati çekmek: **call** ~ **to**, dikkati celbetmek: **give/pay** ~, dikkat etm.: **pay one's** ~**s to**, -e kur yapmak: **press one's** ~**s on**, -e hulûs göstermek: **stand at/to** ~, hazırol vaziyetinde durmak.
attentive [ə'tentiv]. Dikkatli; özenli; ihtimamlı; riayetkâr; nazik. ~**ly**, dikkatlice, vb. ~**ness**, dikkat; özen; nezaket.
attenuat·e [ə'tenyueyt]. İnceltmek; azaltmak; sindirmek; hafifleştirmek. ~**ion** [-'eyşn], inceltme; azaltma; incelmiş olma; kısılma. ~**or**, zayıflatıcı, sindirici.
attest [ə'test]. Şahit/tanık olm., göstermek, beyan etm.; doğrulamak, tanıklık etm.; tasdik etm. ~**ation** [ates'teyşn], şehadet, tanıklık; tasdik; yemin.
attic[1] ['atik]. Tavan arası, çatı odası.
Attic[2]. Atika/Atina'ya ait: ~ **salt**, nüktecilik. ~**ism** [-sizm], Atika üslûbu.
attire [ə'tayə(r)] *i.* Elbise; üstbaş; örtü. *f.* Giydirmek; süslemek.
attitud·e ['atityūd]. Davranış, tavır, vaziyet, duruş: **strike an** ~, poz almak. ~**inize** [-'tyūdinayz], tavır takınmak, poz yapmak.
attn. = (FOR THE) ATTENTION (OF).
atto- [ato-] *ön.* (*mat.*) Atto-, 10^{-18}.
attorney [ə'tə̄ni]. Vekil, yetkili, mümessil; avukat, dava vekili: ***district** ~, mıntıka savcısı: **power of** ~, vekâlet(name). ~**-general**, başsavcı.
attract [ə'trakt]. Çekmek, cezbetmek. ~**ion** [-kşn], çekme, cazibe; cezbeden şey; (*ast.*) çekim; (*dil*) yakıştırma; alım. ~**ive**, çeken, cazip; alımlı, çekici, göz alıcı; ince, sevimli: ~**ly**, güzel/cazip/alımlı bir şekilde.

attribut·e ['atribyūt] *i.* Vasıf, sıfat, hassa, nitelik; yüklem, mahmul; remiz. [ə'tribyūt] *f.* Atfetmek, hamletmek, yormak; maletmek. ~**able**, atfolunur. ~**ion** [atri'byūşn], atfetme, hamletme, yorma; hassa. ~**ive** [ə'tribyutiv], vasıflandıran; sıfat.
attrition [ə'trişn]. Aşınma; yenme; yıpratma: **war of** ~, aşındırma savaşı.
attune [ə'tyūn]. Akord etm.; uydurmak.
atty = ATTORNEY.
ATV = ALL-TERRAIN VEHICLE; ASSOCIATED TELEVISION.
atypical [a'tipikl]. Tipik olmıyan.
Au. (*kim.s.*) = GOLD.
AU = ÅNGSTROM/ASTRONOMICAL UNIT.
aubade [ou'beyd] (*Fr.*) Şafak serenadı; (kuşlar) şafak ötüşü.
aubergine ['oubəjīn]. Patlıcan (rengi).
auburn ['ōbən]. Kestane rengi, kumral.
auction ['ōkşn] *i.* Mezat, müzayede, (açık) artırma (ile satış). *f.* Artırma/müzayede ile satmak, mezada çıkarmak. **Dutch** ~, indirilen fiyatlarla satış: **public** ~, açık artırma: **put up to** ~, mezada çıkarmak: **sell by** ~, artırma ile satmak. ~**-bridge**, okşın briç. ~**eer** [-'niə(r)], mezatçı, tellal: ~**ing**, mezatçılık.
audaci·ous [ō'deyşəs]. Cüretli; atılgan; küstah. ~**ty** [ō'dasiti], cüret, cesaret; küstahlık.
audib·ility [ōdi'biliti]. İşitilebilme. ~**le** ['ōdibl], işitilebilir, işitilir, kulakla duyulur. ~**ly**, işitilir halde.
audience ['ōdiəns]. Dinleyiciler; seyirciler; (kitap) okuyanlar; dinleme; huzura kabul, mülâkat: **give/grant an** ~, huzura kabul etm.: **be received in** ~ **by/have an** ~ **of/with**, huzura kabul olunmak. ~**-chamber**, kabul salonu. ~**-participation**, (*tiy.*) seyircilerin piyese iştirak et(tiril)mesi.
audio- ['ōdiou-] *ön.* Ses+, işitme+, duyulma+. ~**-frequency**, duyulma frekansı. ~**-lingual** [-'lin(g)gwəl], işitme-konuşma+. ~**tape** [-teyp], ses kuşağı. ~**typing** [-'taypin(g)], ses kuşağından daktilografi. ~**-visual** [-'vizyuəl], görme-işitme+, görsel-işitsel, dinlemelik-seyirlik+.
audit ['ōdit] *i.* Hesaplar/muhasebeyi teftiş etme; murakabe, denetim, kontrol. *f.* Hesaplar/muhasebeyi teftiş etm., denetlemek. ~ **office**, divanı muhasebet, sayıştay.
audit·ion [ō'dişn]. Dinleme; (*sin., tiy.*) giriş sınavı. ~**ive**, işitmeye ait.
auditor ['ōditə(r)]. Hesap müfettişi, murakıp, kontrolör, denetçi; dinleyici. ~**ium** [-'tōriəm], dinleyici/konferans salonu, oditoryum. ~**y** [-təri], işitme+, işitsel, kulak+.
AUEW = AMALGAMATED UNION OF ENGINEERING WORKERS.
Aug. = AUGUST.
Augean [ō'ciən]. ~ **stables**, pislik içinde yüzen yer vb.; (*mec.*) namus/ahlâksızlık içinde yüzen idare vb.
auger ['ōgə(r)]. Burgu, delgi, matkap.
aught [ōt]. Bir şey, her hangi bir şey: **for** ~ **I care**, bana ne?
augment [ōg'ment]. Artırmak, çoğaltmak. ~**able**, artırılabilir. ~**ation** [-'teyşn], artırma, çoğaltma, uzatma. ~**ative** [-'mentətiv], art(ır)ma kuvveti olan; çoğalan; (*dil*) mübalağa edatı. ~**ed interval**, (*müz.*) artırılmış mesafe.
augur ['ōgə(r)]. *i.* Kâhin, falcı. *f.* (Fala bakarak vb.) haber vermek, önceden söylemek; (bir şeye) alâmet olm.: **it** ~**s no good**, hayra alâmet değil: **it** ~**s well**, hayra alâmettir. ~**y** ['ōgyuri], kehanet, fal; alâmet; falcılık: **take the** ~**ies**, fala bakmak.
August[1] ['ōgəst] *i.* Ağustos ayı.
august[2] [ō'gʌst] *s.* Mübeccel; muhteşem. ~**an**, Kayser Ogüst'ün zamanlarına ait/benzeyen; yüksek zevkli; klâsik. ~**ly**, muhteşem olarak.
auk [ōk]. Bir cins deniz kuşu.
auld [ōld] (*İsk.*) Eski; ihtiyar. **for** ~ **lang syne**, geçmiş zamanlar aşkına.
aunt [ānt]. **(maternal)** ~, teyze: **(paternal)** ~, hala: ~**(-in-law)**, yenge (dayı/amca karısı). ~**-sally**, (*mec.*) herkesin takıldığı kimse; (*id.*) kolayca tenkit edilebilen kimse/şey.
au pair [ou'peə(r)] (*Fr.*) ~ **girl**, (dili öğrenmek için) ücretsiz olarak evde yaşayıp çalışan yabancı kız.
aura ['ōrə]. Ruh; bir insan/cisimden etrafa yayılan buhar/koku/soğuk hava vb. ~**l**[1], bu yayılmaya ait.
aural[2] ['ōrəl]. Kulak/işitmeye ait; işitsel. ~**ly**, kulakla.
aureate ['ōrieyt]. Altın rengi; parlak.
aureol·a/~**e** ['ōrioul(ə)]. Hale; nur; ışık aylası; kuşak.
aureomycin [ōriə'maysin]. Oreomisin.
au revoir [ourə'vuar] (*Fr.*) Allaha ısmarladık; güle güle.
auric ['ōrik]. Altına ait.
auric·le ['ōrikl]. Kulakçık; kulak kepçesi. ~**ular** [ō'rikyulə(r)], kulak/işitmeye ait; kulağa/mahrem söylenmiş; kulaktan kulağa. ~**ulate** [-lit], kulak şeklinde.
auriferous [ō'rifərəs]. Altınlı (toprak/maden).
aurist ['ōrist]. Kulak uzmanı.
aurochs ['ōroks]. Halen mevcut olmıyan yabanî öküz, Avrupa bizonu.
Aurora [ō'rōrə] (*mit.*) Şafak tanrıçası; (*ast.*) fecir. ~ **australis/borealis** [-ōs'tralis/bōri'eylis], güney/kuzey fecri.
aurum ['ōrəm] (*kim.*) Altın.
auscultation [ōskəl'teyşn]. (Kalbi) dinleme.
auspic·e ['ōspis]. Fal; *ç.* himaye: **under the** ~**s of**, -in himayesi altında; sayesinde. ~**ious** [-'pişəs], müsait, uygun; uğurlu; mutlu: ~**ly**, uğurlu olarak.
Aussie ['ozi] (*arg.*) = AUSTRALIAN.
austenite ['ōstinayt]. Ostenit.
auster·e [ōs'tiə(r)]. Sert; haşin; müsamahasız; sade, süssüz; mümsik. ~**ity** [-'teriti], sadelik; süssüzlük; imsâk.
austral ['ōstrəl] *s.* Güney. ~**asia** [ostrə'leyzyə], Avustralya + Yeni Zelanda ile civarındaki adalar: ~**n**, *i.* bu adaların yerlisi: *s.* bu adalara ait. ~**ia** [os'treyliə], Avustralya: ~**n**, *i.* Avustralyalı: *s.* Avustralya+: ~**nism**, Avustralya İngilizcesinin bir kelime/deyimi. ~**oid** ['ostrəloyd], Avustralya yerlilerine ait.
Austr·ia ['ostriə]. Avusturya; (*tar.*) Nemçe. ~**ian**, *i.* Avusturyalı: *s.* Avusturya+. ~**o-Hungarian**, Avusturya-Macaristan'a ait.
autarchy ['ōtāki]. Mutlak hâkimiyet, otarşi.
authentic [ō'θentik]. Mevsuk; hakikî, doğru, gerçek, inanılır. ~**ate** [-keyt], tevsik etm., belgeyle doğrulamak; hakikî olduğunu göstermek; yazarını tespit etm. ~**ation** ['keyşn], tevsik etme; resmî şekil. ~**ity** [-'tisiti], mevsukiyet; doğruluk; gerçek olma.

author ['ōθə(r)]. Yazar, müellif; fail, amil, saik; sebep olan: **technical** ~, teknik yazar. ~**ess**, kadın yazar.

authorita·rian [ōθori'teəriən]. Otoriter; otorite/ yetke taraftarı. ~**tive** [ō'θoritətiv], otorite sahibi olan; resmî; âmirane; salahiyet/yetkili; mevsuk.

authority [ō'θoriti]. Salâhiyet, yetki; nüfuz; otorite; salâhiyet ve hüküm sahibi şahıs; izin, müsaade; bilgin; salâhiyeti muteber kitap/yazar: **the** ~**ies**, idare, makamlar: **competent** ~, alâkalı/ilgili makam, vazifeli şahıs: **local/public** ~, vilâyet/ belediye vb. meclisi: **delegation of** ~, salâhiyet verme, delege edilmesi: **have** ~, nüfuz sahibi olm., hükmü geçmek: **act on s.o.'s** ~, birinin müsaade/ verdiği salâhiyetle hareket etm.: **be an** ~ **on stg.**, bir meselede ihtisas sahibi/bilgin olm.: **have stg. on good** ~, bir şeyi güvenilir/mevsuk kaynaktan öğrenmek: **be under s.o.'s** ~, birinin emrinde olm.

authoriz·ation [ōθəray'zeyşn]. Salâhiyet/yetki (verme); mezuniyet (verme); müsaade, izin. ~**e** ['ō-], salâhiyet/yetki vermek; mezuniyet vermek; müsaade etm., izin vermek; tasdik etm. ~**ed**, yetkili, salâhiyetli; izinli; resmî: **the** ~ **Version (of the Bible)**, Kitabı Mukaddes'in 1611'de yapılan İngilizce resmî tercümesi.

authorship ['ōθəşip]. Yazarlık, müelliflik.

autis·m ['ōtizm] (*tıp.*) İçekapanış. ~**tic** [ō'tistik], içekapanık.

auto- [ōtə-, ōtou-] *ön.* Oto-; kendi kendine, kendiliğinden; öz-; otomatik (olarak).

auto. ['ōtou] = AUTOMATIC; AUTOMOBILE.

autobahn ['ōtoubān] (*Alm.*) Otoban, oto(mobil)-yolu, ekspres yol.

autobiograph·er [ōtoubay'ografə(r)]. Kendi tercümeihal/olumluk/biyografiyi yazan. ~**ical** [-bayə'grafikl], kendi biyografisine ait; kendi hayatından. ~**y** [-'ografi], hatırat, bir kemsenin kendisi yazdığı biyografisi, özyaşamöyküsü, özgeçmiş.

***auto·cade** ['ōtoukeyd]. Otomobil alayı. ~**car** [-kā(r)], otomobil, otokar.

autocephalous [ōtə'sefələs] (*din.*) Müstakil/ bağımsız (kilise, piskopos).

autochthon [ō'tokθən]. Asıl yerli. ~**ous**, asıl yerlilere ait, aslî, yerli.

auto·cide ['ōtousayd]. Kendini yok etme; otomobille intihar etm. ~**clave** [-kleyv], otoklav.

autocra·cy [ō'tokrəsi]. İstibdat, otokrasi. ~**t** ['ōtəkrat], müstebit, otokrat. ~**tic** [-'kratik], istibdada ait; müstebit; mütehakkim; zorbalık eden.

auto·cross ['ōtoukros]. Otomobillerle kırkoşusu. ~**cycle**, motorlu bisiklet. ~**cue** [-kyū], (TV'de) elektronik suflör cihazı. ~**drome** [-droum], otomobil yarış pisti. ~**dyne** [-dayn], otodin. ~**gamy** [ō'togəmi] (*biy.*) otogami. ~**genesis** [-'cenisis], kendiliğinden çoğalma. ~**giro/gyro** [-'cayrou], otojiro.

autograph ['ōtəgraf] *i.* Kendi elyazı/imzası; kendi eli ile yazılmış. *f.* Kendi eli ile yazmak; imzasını atmak; ithaf etm. ~**y** [ō'togrəfi], kendi eli ile yazma; el yazısı bilmek ilmi.

automat ['ōtəmat]. Otomat; otomatik büfe/ lokanta. ~**e** [-meyt], otomatikleştirmek. ~**ic** [-'matik], otomatik, kendiliğinden hareket eden, özdevimsel; gayri ihtiyarî: ~ **machine**, otomatik makine; para atınca bileti vb. veren makine. ~**ically**, otomatik olarak, kendiliğinden. ~**ion** [-'meyşn], otomatikleştirme, otomasyon, makine ile üretim. ~**ism** [ō'tomətizm], otomatiklik; gayri ihtiyarî hareket. ~**on**, kendi kendine hareket eden makine vb., otomat.

automobile [ōtə'moubayl] *s.* Kendiliğinden hareket eden. *[ōtəmə'bīl] *i.* Otomobil.

autonom·ist [ō'tonəmist]. Muhtariyet/erkinlik taraftarı. ~**ous** [-məs], kendi kendini idare eden, muhtar, erkin, otonom, özerk, özgür. ~**y**, kendi kendini yönetim yetkisi, muhtariyet, otonomi, erkinlik, özerklik, vb.

auto·pilot ['ōtoupaylət] (*hav.*) Otopilot. ~**plastic**, otoplastiye ait. ~**plasty**, otoplasti. ~**psy** [ō'topsi], bizzat muayene; (*tıp.*) otopsi, ölü açımı; (*mec.*) (harekât vb.) sonraki tenkitli inceleme. ~**suggestion**, (*tıp*) kendi kendine telkin. ~**timer** [-taymər], saate bağlı otomatik şalter.

autumn ['ōtəm]. Güz, hazan, sonbahar: **in the** ~ **of one's days**, (*mec.*) ihtiyarlığında. ~**al** [ō'tʌmnl], güz+, güzün: ~ **equinox**, güz noktası.

aux. = **auxiliar·y** [ōg'ziliəri]. Yardımcı, muavin; yedek, tali: ~ **verb**, yardımcı fiil. ~**ies**, (*ask.*) yardımcı kuvvetler.

Av. = AVIATION.

AV = AUTHORIZED VERSION.

avail [ə'veyl] *i.* **without/of no** ~, beyhude, faydasız. *f.* Faydası olm., fayda etm., işine yaramak: ~ **oneself of**, -den istifade etm., kullanmak, -den yararlanmak. ~**ability** [-lə'biliti], elde edilebilme, kullanılabilme, elverişlilik. ~**able** [-ləbl], mevcut, elde edilebilir; emre hazır; (bilet vb.) muteber; geçer, kullanılabilir; elverişli.

avalanche ['avəlanş]. Çığ, heyelan: **an** ~ **of**, (*mec.*) pek çok, bol bol.

avant-garde [a'vā(n)gard] (*Fr.*) Yenilik/en son moda taraftarı olan; (*tiy.*) öncü.

avaric·e ['avəris]. Tamah; para hırsı. ~**ious** [avə'rişəs], tamahkâr, paraya haris.

avast [ə'vāst] (*den.*) Dur!

avatar ['avətā(r)] (*mit.*) Bir mabudun tecessütü.

avaunt [ə'vō(n)t] (*mer.*) Haydi git!

avdp. = AVOIRDUPOIS.

ave ['āve] (*Lat.*) Selâm (duası).

ave. = AVENUE.

avenge [ə'venc]. İntikam/öcünü almak, acısını çıkarmak: ~ **on**, -den öç almak. ~**r**, intikam/ öcünü alan.

avenue ['avənyu]. Ağaçlıklı cadde; geniş cadde; (*mec.*) bir yere eriştiren yol: **explore every** ~, her imkânı tetkik etm./aramak.

aver [ə'və(r)]. Doğru olduğunu ileri sürmek; iddia etm.

average ['avəric] *i., s.* Orta, vasat; adi ölçü; vasatî, ortalama, ortanca; (*den.*) hasar, avarya, dokunca, yitirce, tazminat. *f.* Vasat/ortasını almak/bulmak; ortalama olarak almak/yapmak; vasatî yekûn olm. **general** ~, büyük avarya vb.: **particular** ~, küçük/ hususi/özel avarya: **an** ~ **pupil**, orta derecede bir öğrenci: **above/below the** ~, vasattan yukarı/aşağı: **on an** ~, ortalama olarak: **strike an** ~, vasat/ ortasını çıkarmak. ~**-adjuster**, avarya muhammini, dispeççi. ~**-clause**, tazminat miktarını tahdit eden madde.

averse [ə'vəs]. Muhalif, zıt, karşıt; hazzetmez: ~ **to**

doing, yapmak istemeyen, yapmaktan çekinen. ~ness, çekingenlik.

aversion [ə'vǝ̄şn]. Nefret; hoşlanmayış; zıddiyet; nefret edilen şey: **pet** ~, en çok nefret edilen kimse/şey: **take an ~ to**, -i sevmemek, hoşlanmamak: ~ **therapy**, nefret yaratılışı ile bir tiryakiliği tedavi etme.

avert [ə'vǝ̄t]. Başka tarafa çevirmek; önüne geçmek; önlemek; bertaraf etm. ~**ed**, önlenmiş.

avi- [eyvi-] *ön.* Küş+; uçak+. ~**ary** ['eyviəri], kuşhane.

aviat·ion [eyvi'eyşn]. Uçakçılık, havacılık; uçak+. ~**or** ['eyvieytə(r)], uçakçı, havacı, pilot. ~**rix** [-triks], kadın uçakçı.

aviculture ['eyvikʌlçə(r)]. Kuş yetiştirme.

avid ['avid]. Haris, açgözlü; doymaz; arzulu. ~**ity** [ə'viditi], istek, arzu, hırs.

avifauna ['eyvifōnə]. (Bir bölgede) kuşlar.

avionics [eyvi'oniks]. Uçakçılık elektroniği.

avocado [avə'kādou]. ~ **(pear)**, perse ağacının meyvası, Amerika armudu.

avocation [avo'keyşn]. Meşgale; meslek.

avocet ['avoset]. Avoset(kuşu), kılıçgagalı.

avoid [ə'voyd]. İçtinap etm.; -den kaçınmak/sakınmak; -den geri durmak; kurtulmak; önlemek; (*huk.*) iptal etm. ~**able**, kaçınabilir, önlenebilir. ~**ance**, geri durma; kaçınma; önleme; iptal.

avoirdupois [avədə'poyz]. İngiliz ağırlık ölçüsü sistemi; ağırlık.

avouch [ə'vauç]. Tasdik etm., garanti etm.; itiraf etm.

avow [ə'vau]. Açık söylemek, itiraf etm.; beyan/ilân etm.; ikrar etm.; kabul etm. ~**able**, söylenir, ilân/ikrar/kabul olunur. ~**al**, beyan, ilân, itiraf. ~**edly**, herkesin kabul ettiği gibi; açıkça.

avulsion [ə'vʌlşn]. Koparma, sökme; (*huk.*) selden vb. bir mülkün parçasının başka bir sahibine geçmesi.

avuncular [ə'vʌn(g)kyulə(r)]. Amca gibi, amcaya ait.

AW = ALL-WEATHER; ATOMIC WEIGHT; AUTOMATIC WEAPONS.

await [ə'weyt]. Beklemek; hazır olm.

awake (*g.z.* **awoke**, *g.z.o.* **awaked/awoken**) [ə'weyk(t), ə'wouk(n)] *f.* Uyan(dır)mak. *s.* Uyanmış; uyanık: **be ~ to a danger**, bir tehlikenin farkında olm.: **wide** ~, tamamen uyanmış; gözü açık. ~**n**, Uyandırmak; birinin gözünü açmak. ~**ning**, uyanma; kendine gelme; gözü açılma: **a rude** ~, acı bir hayal kırıklığı.

award [ə'wōd] *i.* Hüküm; karar, yargı; tazminat, mükâfat, ödül. *f.* (Tazminat/ödül olarak) vermek; ihale etm.; karar vermek; hükmetmek. **arbitration** ~, hakem/yargıç kararı: **make an** ~, hükmetmek; ödül vermek.

aware [ə'weə(r)]. Haberdar, farkında, bilir, agâh: **become ~ of**, öğrenmek, haberdar olm., farkına varmak: **not that I am ~ of**, benim bildiğime göre (böyle) değil; benim haberim yok. ~**ness** [-nis], farkında olma.

awash [ə'woş]. Su ile beraber, su seviyesinde; su üzerinde yüzen; dalgalarla yıkanan.

away [ə'wey]. Uzağa, uzakta; ötede, öteye; bir tarafa; bir düziye. [*Bir fiil sonuna gelince şu anlamları ifade eder:–* (i) uzaklaşma, değiştirme: **walk** ~, yürüyüp uzaklaşmak; **fly** ~, uçup gitmek: (ii) devam: **write** ~, yazmağa devam etm.: (iii) tüketmek: **the sea is eating ~ the rocks**, deniz kayaları aşındırıyor; **waste** ~, eriyip bitmek. *Başka misaller için ayrı ayrı fiillere bakınız.*] ~ **back in the past**, çok uzak bir mazide: ~ **back in 1900**, daha/tâ 1900'de: ~ **with you!**, defol!: ~ **with it!**, kaldır!, götür!: **he is** ~, evde değil, seyahattedir: **far** ~, çok uzakta: **he is far/out and ~ the cleverest boy in the school**, o okuldaki çocukların fersah fersah en zekisidir: **I must** ~, gitmeliyim: **one, two, three and ~!**, (bir yarışa başlarken) bir, iki, üç: **right** ~, hemen: **stay** ~, (i) orada bulunmamak; (ii) başka yerde kalmak: ~ **match**, deplasman maçı: ~ **win**, kazanılmış deplasman maçı.

awe [ō] *f.* Huşu telkin etm., korku vermek. *i.* Hürmet/hayranlıkla karışık korku, huşu; korku, dehşet: **stand in ~ of**, huşu duymak, -den korkmak: **strike with** ~, -e huşu telkin etm., korku vermek. ~**-inspiring**, huşu telkin eden; korku veren. ~**-some** ['ōsəm], dehşet veren. ~**-struck**, huşuyla telkin edilmiş.

aweary [ə'wiəri] (*şiir.*) Yorgun.

aweigh [ə'wey] (*den.*) **anchor(s)** ~, çapa(lar) dipten ayrılmış; apiko.

awful ['ōful]. Korkunç, müthiş; heybetli; (*kon.*) berbat; (*kon.*) son derece: **he's an ~ bore**, o müthiş can sıkıcı bir adam: **the house is in an ~ state**, ev berbat bir halde. ~**ly**, korkunç/müthiş bir şekilde; (*kon.*) çok: **thanks** ~, sonsuz teşekkürler: **he's ~ ill**, çok kötü bir halde hastadır: **he's ~ kind**, son derece naziktir.

AWG = AMERICAN WIRE GAUGE.

awhile [ə'wayl]. Bir müddet, bir az.

awkward ['ōkwəd]. Acemi, beceriksiz; çolpa; hantal; garip; aksi; sıkıntılı; müşkül vaziyette bırakan (şey/hadise vb.). **the ~ age**, çocukluktan çıkma çağı: **an ~ customer**, tehlikeli adam; Allahın belâsı adam; tekin değil. ~**ly**, beceriksiz bir suretle. ~**ness**, beceriksizlik; aksilik.

awl [ōl]. Biz, tığ.

awn [ōn]. Başak bıyığı; kılçık.

awning ['ōnin(g)]. Tente, gölge-/güneşlik.

awoke(n) [ə'wouk(n)] *g.z.(o.)* = AWAKE.

AWOL/awol [a'wol] (*ask.*) = ABSENT WITHOUT LEAVE.

awry [ə'ray]. Çarpık, iğri; yanlış: **go** ~, ters gitmek, bozulmak.

ax(e) [aks] *i.* Balta. *f.* Balta ile kesmek, baltalamak; (*mec.*) (para biriktirmek için) bir işçiyi kovmak/servisi kaldırmak. **have an ~ to grind**, bir işte çıkarı olm.

axes ['aksəz, -sīz] *ç.* = AXE; AXIS.

axial ['aksiəl]. Mihver+; merkezî, mihverî; eksen+, eksenel, dönel, aksiyal.

axil ['aksil] (*bot.*) Dal ile sap/yaprak ile dal arasındaki köşe. ~**la** [-'silə] (*zoo.*) koltuk (altı); AXIL. ~**lary**, AXIL(LA)'ya ait.

axiom ['aksiəm]. Mütearife, aksiyom, belit. ~**atic** [-'matik], mütearife gibi, bedihî, besbelli, belitsel.

ax·is, *ç.* ~**es** ['aksis, -īz]. Mihver; eksen; dingil: ~ **of rotation**, dönüş ekseni: ~ **of x/y**, absis/ordone ekseni: **optical** ~, optik mihveri: **Rome-Berlin** ~, (*id.*) 1937'deki Italya-Almanya birliği: **the ~ Powers**, bu birliğe iltihak eden devletler.

axle ['aksl]. Dingil, mil, aks. ~**-tree**, araba dingili.

ayah ['ayə]. (Hindistan'daki Avrupalı çocukların) yerli dadısı.

ay(e)[1] [ay]. Evet; hayhay; (*id.*) kabul oyu: **the ~s have it**, kabul edilmiştir.

aye[2]. [ey] (*mer.*) Daima, her zaman: **for (ever and) ~**, bütün bütün; ebediyen.

Ayrs(hire) ['e̥ə(r)şə(r)]. Brit.'nın bir kontluğu.

A–Z ['eytuzed,* -zī] *s.* Her şeyi ihtiva eden.

azalea [ə'zeylyə]. Açalya.

Azerbaijan [azərbay'can]. Azerbaycan. **~i**, Azerbaycanlı, Azerî.

azimuth ['azimәθ]. Semt, azimut. **~al**, azımuta ait.

azoic [ə'zo̯uik]. Hayatsız (çağa ait).

Azores [ə'zōz]. Asor Adaları.

azote [ə'zo̯ut] (*mer.*) Azot, nitrojen.

Azov ['āzof]. **Sea of ~**, Azak Denizi.

azure ['ajə(r), 'eyjə(r)]. Gök mavisi; mavi gök; (*mec.*) bulutsuz, sakin.

azygous ['azigəs] (*zoo.*) Bir çiftin birisi olmıyan.

& = AND. **&c** = ET CETERA.

B

B, b [bī]. B harfi; (*fel.*) varsayılı kimse/şeylerin ikincisi; (*mat.*) belli sayıların ikincisi; (*müz.*) si.
B., b. = BACHELOR; BANK; BASE; BATTLE; BAY; BEL; BLACK; BOARD; BORN; (*kim.s.*) BORON; BRIT·AIN/-ISH.
Ba. (*kim.s.*) = BARIUM.
BA = BACHELOR OF ARTS; BRITISH ACADEMY/AIRWAYS/ASSOCIATION.
baa [bā] (*yan.*) Meleme(k). **~-lamb,** (*çoc.*) küçük kuzu.
baas [bās] (*Afr.*) Usta, patron; sahip.
Babbitt ['babit] (*edeb.*) Tipik bir tüccar. **~-metal,** bebit metal, yatak madeni.
babble ['babl]. (Çocuk gibi) manasız sesler çıkarma(k); saçma sapan konuşma(k); şırıldamak; dili dolaşmak; şırıltı: **~ out stg.,** boşboğazlık etm. **~r,** boşboğaz, geveze; (*zoo.*) timalyakuşu.
babe [beyb]. Küçük çocuk, bebek.
Babel ['beybl]. Babil (kulesi); büyük bina; ana baba günü, kargaşalık: **a ~ of talk,** gürültülü konuşma.
Babism ['bābizm] (*din.*) Babîlik.
baboo = BABU.
baboon [bə'būn]. Babuin.
babu ['bābū] (*Hint.*) Bey, efendi; İngilizce bilen Hintli kâtip; (*köt.*) yarı ingilizleşmiş Hintli.
baby ['beybi]. Bebek, küçük çocuk; küçük: **he left me to carry the ~,** her şeyi benim üstüme bıraktı (o işin içinden sıyrıldı): **have a ~,** doğurmak: **she is going to have a ~,** gebe/hamiledir. **~-bottle** [-botl], biberon. **~-farm** [-fām], (*köt.*) (ücretli) çocuk bakımevi. **~-grand,** kısa kuyruklu piyano. **~hood** [-hud], bebeklik, çocukluk. **~ish** [-iş], çocukça, bebekçe. **~like** [-layk], bebek gibi. **~-sitt·er** [-sitə(r)], ana babası evde yokken bebeğe bakan kimse: **~ing,** böyle bakma. **~-talk,** çocuk dili.
Babylon ['babilən]. Babil; (*mec.*) büyük bir imparatorluk, fasit bir şehir. **~ia** [-'lo̰uni̭ə], Babilonya. **~ian,** *i.* Babil(onya)lı: *s.* Babil(onya)+.
BAC = BRITISH AIRCRAFT CORPORATION.
baccalaureate [bakə'lōriət] (*Fr.*) Bakalorya.
baccarat ['bakərā]. Bakara.
baccate ['bakeyt]. Çilek gibi meyva (veren).
Bacchan·al ['bakənəl] (*mit.*) Şarap tanrısı Baküs'e ait; içki âlemi, cümbüş; ayyaş. **~alia** [-'neyli̭ə], Baküs festivali; içki âlemi: **~n,** Baküs festivaline ait; işrete ait. **~t** ['bakənt], Baküs rahibi; sarhoş. **~te** [bə'kanti], Baküs rahibesi; sarhoş kadın.
Bacch·ic ['bakik] = BACCHANAL. **~us** [-əs], Baküs; (*mit.*) şarap mabudu.
bacci- [baksi-] *ön.* Çilek gibi meyvaya ait.
baccy ['baki] (*kıs., kon.*) = TOBACCO.
bachelor ['baçələ(r)]. Bekâr; ergen: **~ of Arts/Science,** Edebiyat/Fen Fakültesi mezunu: **~'s button,** dikişsiz düğme. **~-girl,** evlenmemiş ve müstakil genç kadın. **~hood** [-hud], bekârlık.
baccill·ary [bə'siləri]. Basilli; basillere ait. **~i,** *ç.* = **~US.** **~iform,** basil şeklinde. **~us,** *ç.* **~i** [-ləs, -lay], basil.
back[1] [bak] *i.* Arka; sırt, art; ters; öte; (*sp.*) bek, müdafi. *s.* Arkada bulunan; karşı. *zf.* Geri, geride(n), geriye; karşılık olarak; önce: *bu kelime ile başlıyan fiillere bak.* **~ to ~,** arka arkaya: **answer ~,** karşılık vermek: **be at the ~ of,** desteklemek, arka olm.; tahrik etm., kışkırtmak: **when will he be ~?** ne zaman dönecek?: **~ and forth,** ileri geri: **behind one's ~,** gıyabında, yok iken: **~ to front,** ters: **be on one's ~,** arka üstü yatmak; hasta yatmak: **break one's ~,** belini kırmak: **break the ~ of the work,** bir işin çoğunu bitirmek (çoğu gitti azı kaldı): **break her ~,** (gemi) omurgasını kırmak: **it all comes ~ to me now,** şimdi her şeyi tekrar hatırlıyorum: **get at the ~ of stg.,** işin içyüzünü anlamak: **the idea at the ~ of one's mind,** asıl maksat: **get (a bit of) one's own ~,** acısını çıkarmak: **put one's ~ into stg.,** bir işe kendini tamamen vermek, var kuvvetiyle çalışmak: **put/get s.o.'s ~ up,** birini kızdırmak: **sit with one's ~ to,** arkası -e dönük oturmak: **a house standing ~ from the road,** içerlek ev: **there's stg. at the ~ of it,** bunun içinde bir iş var: **turn one's ~ on s.o.,** birine arkasını çevirmek; birinden yüz çevirmek; terketmek: **with one's ~ to the wall,** (çarpışma vb.) ricat hattı kesilmiş olarak; mezbuhane, son umut ve son güçle.
back[2] *f.* Arka olm.; müzaheret etm., lehinde söylemek; himaye etm.; korumak; geri yürütmek; geri geri gitmek; arkadan desteklemek; (rüzgâr) sağdan sola değişmek: **~ a bill,** (*mal.*) aval vermek: **~ a horse,** (yarışta) bir ata para yatırmak: **~ sails,** yelkenleri faça etm.: **~ water,** kürekleri siya etm. **~ down,** yelkenleri indirmek; (*mec.*) iddiasından vazgeçmek, teslim etm. **~ out,** geri geri gitmek: **~ out of a promise,** sözünden dönmek. **~ up,** lehinde söylemek; arka olm.; sağlamlaştırmak; (nehir) taşmak, tıkanıp kabarmak.
back-[3] *ön.* **~-ache** [-eyk], sırt/bel ağrısı. **~-bencher,** Parlamentonun kabinede yahut ön safta bulunmayan üyesi. **~bite** [-'bayt], birini gıyabında zemmetmek; arkasından çekiştirmek. **~board,** arka, arkalık (tahtası). **~bone** [-bo̰un], belkemiği; omurga; (*mec.*) karakter, dayanıklık, metanet: **English to the ~,** sapına kadar İngiliz: **he has no ~,** (*mec.*) çok zayıf bir adam: **~ of the country,** memleketin belkemiği/gerçek kuvveti. **~-breaking,** insanın belini kıran, çok yorucu. **~-chat** [-çat], karşılık verme. **~cloth,** (*tiy.*) geri perdesi. **~ comb** [-ko̰um], saçlarını köklerine doğru taramak/fırçalamak. **~-construction/formation,** (*dil.*) asıl görünen fakat ikinci dereceli ve kıyasla teşkil edilen bir kelime türü. **~-country,** başkentten uzak ve medeniyetçe geri kalmış bölge. **~dating,** öngün-

leme. ~**door**, arka kapı; (*mec.*) hususi/gizli yol; entrika yolu. ~**ed** [bakt] *g.z.(o.)* = BACK²: *s.* arkalı, sırtlı; astarlı; desteklenmiş: **hunch-~**, kamburlu. ~**-end**, (*leh.*) son baharın sonu. ~**er**, taraf tutan, taraftar, patron, destekleyen; (yarış) bir ata para koyan. ~**fire** [-'fayə(r)], geri tepme(k), yanlış infilâk (olm.): **the plan ~d**, plan kötü halde gelişti. ~**flow**, geri akış. ~**gammon** [-gamən], tavla oyunu. ~**ground**, arka plan/resim, diplik, dip dekoru; geri, fon; (*sos.*) aile/eğitim/politika çevresi: **keep in the ~**, arkada kalmak, kendini göstermemek: *~**er**, (*id.*) bir politikanın çevre/sebeplerini anlatış: ~**-music**, fon müziği, uğultu: ~**-noise**, (*sin.*) dip gürültüsü. ~**hand**, (tenis) ters vuruş, soldan vurma: ~**ed**, elinin tersiyle: ~**ed compliment**, hoşa gitmiyen kompliman. ~**ing**, *i.* arka astar; destek, yardım; tasdik; (*sin.*) diplik; (*müz.*) destek(leme). ~**-land**, arka ülke. ~**lash**, (*müh.*) boşluk, laçka, salgı; diş aralığı; (*id.*) karşıt etki; (*mec.*) beklenmemiş/istenilmemiş netice. ~**log**, ihtiyat, birikme; yedek; birikmiş (iş/siparişler). ~**-marker**, (bir yarışta) avantajsız olan koşucu. ~**most** [-moust], en arkada bulunan. ~**-number**, eski nüsha; günü/modası geçmiş. ~**pay** [-pey], ödemesi gecikmiş aylık; bekaya; tedahülat; ödenmeden birikmiş. ~**-pressure**, geri baskı, karşı tazyik. ~**-projection**, (*sin.*) geriden gösterim. ~**-room**, arkadaki/yola bakmıyan oda: ~ **boys**, (*kon.*) gizli hizmette çalışan fen adamları/bilginler/araştırıcılar. ~**-scratching/slapping**, (*id.*) piyaz, karşılıklı pohpoh. ~**-seat**, arka kanape/yer: **take a ~**, arkada oturmak; (*mec.*) baş eğmek, küçülmek: ~**-driver**, sorumsuz olarak idare etmeğe kalkışan kimse. ~**set**, geriye akıntı; kötüleşme. ~**side** [-sayd], (*kaba*) kıç;* arka tarafı. ~**sight** [-sayt], gez. ~**slid·e** [-slayd], kötü yola sapmak: ~**ing**, kötü yola sapma; tekrar hata/günaha düşme. ~**-spacer** [-speysə(r)], (yazı makinesi) geri tuşu. ~**stage** [-steyc] (*tiy.*) sahne arkası; perdenin ötesinde; kulis; (*mec.*) görünmez (tesir vb.). ~**stair(s)** [-steə(r)(z)], arka merdiven; (*mec.*) hususi/gizli yol; entrika yolu: ~**-gossip**, hizmetçi dedikodusu. ~**stay** [-stey], (*den.*) patrisa. ~**stitch** [stiç], teyel dikişi. ~**stop**, (*sp.*) (beysbol) topu durduran çıt; (kriket) müdafi. ~**stream** = ~WATER. ~**street**, *i.* arka sokak: *s.* gizli, memnu, yolsuz. ~**stroke** [-strouk], (tenis) ters vuruş; sırt üstü yüzüş. ~**-tooth** [-tūθ], azı dişi. ~**up** [-ʌp], ihtiyat/bedel olarak saklanan şey; destek: ~ **troops**, yedek kuvvetler. ~**ward** [-wəd], geri; gecikmiş; gelişmemiş/geri kalmış/inkişaf etmemiş (bölge); yavaş yavaş büyüyen/öğrenen (çocuk); isteksiz, çekingen: ~**s** [-dz], geriye doğru; geri; tersine: ~ **and forwards**, bir ileri bir geri; ileriye ve geriye doğru. ~**wash** [-woş], geriye gelen dalga; geminin akıntısı; (*mec.*) bir olayın yankıları/tortusu. ~**water/stream**, *i.* akıntı dışındaki yer; ürgün; sakin bir yer: *f.* küreği tersine çekmek: **in a ~**, durgun bir halde; kenarda kalmış; geleceği yok. ~**woods**, balta görmemiş orman: ~**man**, şu ormanda yerleşmiş kimse; (*id.*) Lordlar Kamarasına seyrek gelen üye. ~**yard**, (bir evin) arka avlusu.

bacon ['beykən]. Tuzlanmış ve tütsülenmiş domuz eti: **bring home the ~**, kazanmak; başarılı olm.: **save one's ~**, yakayı kurtarmak; savuşturmak: **side of ~**, tuzlanmış yarım domuz.

Baconian [bey'kouniən]. Francis Bacon/onun felsefesine ait.

bacteri·a [bak'tiəriə] *ç.* Bakteriler. ~**al**, bakterilere ait. ~**cide** [-risayd], bakterileri yok eden madde; antiseptik. ~**o-**, *ön.* bakteri+. ~**ologist** [-'oləcist], bakteriyolog. ~**ology**, bakteriyoloji. ~**um** [-riəm], bakteri.

bad (*krş.d.* **worse**, *üst.* **worst**) [bad, wəs(t)] *s.* Kötü, fena; münasebetsiz, uygunsuz; bozuk, kokmuş; kusurlu; kalp; değersiz; berbat; (delil vb.) yetersiz. *i.* Fenalık; kötülük. **be ~ at stg.**, bir şeyde iyi olmamak, becerememek: **there is ~ blood between them**, aralarında dargınlık var: **call s.o. ~ names**, birine karşı kötü sözler sarfetmek: ~ **debt**, tahsili kabil olmıyan alacak: ~ **for you**, size zararlı: **go ~**, bozulmak, kokmak, çürümek: **go from ~ to worse**, gittikçe kötüleşmek: **go to the ~**, baştan çıkmak; kötü yola sapmak: ~ **law**, tatbik edilemiyen kanun: **my ~ leg**, ağrıyan/sakat vb. bacağım: **in a ~ sense**, kötü bir anlam verilerek: **a ~ shot**, fena nişancı; yanlış tahmin: **take the ~ with the good**, iyiler arasında kötüyü de kabul etm.: **be taken ~**, (*arg.*) üzerine kötülük gelmek; hastalanmak: **I am £100 to the ~**, yüz lira kaybım var: **it is very ~ of you to...**, -diğiniz için çok kabahatlisiniz. ~**dish** ['badiş] (*kon.*) oldukça kötü.

bade [bad, beyd] *g.z.* = BID².

badge [bac]. Alâmet, işaret, belirti, iz; plâka; rozet, beç.

badger ['bacə(r)] *i.* Porsuk. *f.* Başının etini yemek.

badinage ['badināj] (*Fr.*) Lâtife, şaka.

***bad·lands** ['badlandz]. Kıraç arazi, kırgı/yarıntılı bayır. ~**-looking, he is not ~**, çirkin denmez. ~**ly**, kötü olarak; kötü bir halde: **it is ~ needed**, buna çok büyük ihtiyaç var: **want stg. ~**, bir şeyi pek çok istemek.

badminton ['badmintən]. Tüylü topla oynanan bir oyun; = SHUTTLECOCK.

***bad·mouth** [-mauθ] (*arg.*) İftira etm. ~**ness**, fenalık, kötülük. ~**-tempered**, huysuz, aksi, ters.

baffl·e ['bafl] *i.* Sürgü, perde, bölme (levhası); deflektör; palet; hoparlör ekranı. *f.* Şaşırtmak, bozmak; âciz bırakmak; atlatmak; (*den.*) (rüzgarı) durdurmak: ~ **description**, tarifi imkânsız olm. ~**ed, be ~**, apışıp kalmak. ~**ing**, şaşırtıcı; zor anlaşılır. ~**ment**, şaşkınlık.

bag [bag] *i.* Torba; çuval; çanta; kese (kâğıdı); (*id.*)† kuriye çantası. *f.* Torba/çantaya koymak; çuval doldurmak; (elbise) şişmek, sarkmak; (*kon.*) aşırmak. ~ **and baggage**, tası tarağı toplıyarak, her şeyi ile: **there's ~s of food**, bol yemek var: **a ~ of bones**, çok zayıf bir kimse: **let the cat out of the ~**, bir sırrı ağzından kaçırmak: **it's in the ~!**, her şey tamam, kazandık: **the whole ~ of tricks**, her hüner/hile ile; her şey ile: ~**s**, (*arg.*) (geniş) pantolon.

bagatelle [bagə'tel]. Önemsiz şey; bir nevi bilârdo oyunu.

baggage ['bagic]. Bagaj, taşıncak; yolcu eşyası; ordu ağırlığı; (*köt.*) yüzsüz/şımarık kadın.

bagg·iness ['baginis]. (Elbise) bolluk. ~**y**, (elbise) çok bol, üstten sarkan; (yanak) sarkık; gevşek.

***bagman** ['bagmən] (*kon.*) Seyyar tüccar/ticaret acentesi.

bagnio ['banyou] (*It.*) Banyo; (Doğu'da) hapishane; genelev.

bagpipe ['bagpayp]. Gayda: ~**s**, (*İsk.*) tulum çalgısı.
bah [bā(h)]. *Hakaret ifade eden nida.*
bail[1] [beyl]. Kefalet (senedi), teminat; kefil; borçlanım/kefalete bağlama(k): ~ **out**, kefalet vererek tahliye ettirmek: ~ **out a company**, bir ortaklığa anamal vererek iflâsını önlemek: **forfeit** ~, kefaleti kaybetmek: **go** ~ **for s.o.**, birine kefil olm., birisi için kefalet vermek: **on** ~, kefaletle hapishaneden çıkmış.
bail[2]. (Sandal) suyunu boşaltmak: ~ **out**, (*hav.*) paraşütle atlamak.
bail[3]. (Kriket) ufak çubuk.
bail-[4] *ön.* ~**-bond**, kefalet senedi. ~**ee** [-ī], emanetçi, emin. ~**er**[1], = ~SMAN: ~[2], (sandal) suyunu boşaltan kimse/boşaltacak kap.
bailey ['beyli). (Hisar) dış duvar/iç avlu: **Old B**~, Londra cinayet mahkemesi. **B**~**-bridge**, icabında geçici olarak kurulan bir köprü.
bailie ['beyli] (*İsk.*) Sulh hâkimi.
bail·iff ['beylif]. Kraliçe/hükümeti temsil eden memur; icra memuru; çiftlik kâhyası. ~**iwick** [-wik], BAILIE/BAILIFF'in idaresi altındaki bölge: **in my own** ~, (*kon.*) evimde. ~**ment**, (eşyalar) emanete verilmesi. ~**or**, (eşyalar) emanete veren kimse. ~**sman**, kefalet veren.
bail-out ['beylaut] (*hav.*) Paraşütle iniş; (*mal.*) (iflâs tehlikesinde) yardım hareketi.
bairam ['bayram] (*Ar.*) Bayram.
bairn [beərn] (*İsk.*) Çocuk.
bait [beyt] *i.* (Olta/kapan için) yem; tuzak; çekici/aldatıcı şey. *f.* Oltaya yem koymak; eziyet etm.; musallat olm.; yem vermek. **rise to the** ~, yemi yemek; aldatılmak: ~ **s.o.**, tutkularına gem vurmak.
baize [beyz]. Kaba yünlü kumaş (bilârdo/oyun masaları için).
bake [beyk]. (Fırında) piş(ir)mek; (güneşte) yer sertleşmek. ~**d** [-kt], pişmiş; sertleşmiş: ~-. . ., . . . fırın(da): **half-**~, yarı pişmiş; ham; (*arg.*) eksik; gelişmemiş. ~**house**, fırın, ekmekçi dükkânı.
bakelite ['beykəlayt]. Bakalit.
bak·er ['beykə(r)]. Fırıncı, ekmekçi: ~**'s dozen**, on üç. ~**ery**, fırın, ekmekçi dükkânı; ekmekçilik. ~**ing**, pişirme, kızartma: ~**-powder**, maya tozu.
baksheesh ['bakşīş] (*Fars.*) Bahşiş.
Balaclava [balək'lāvə]. Balaklava: ~ **(helmet)**, (*ask.*) baş ve omuzları örten yünlü kasket.
balalaika [balə'laykə]. Balalayka.
balance ['baləns] *i.* Terazi, kantar, balans; rakkas; denge, muvazene; mizan, bakiye, kalıntı, artık; hesap farkı; bilanço, dengelem. *f.* Denketmek; denge kurmak; karşılaştırmak; denk gelmek; denge bulmak. **credit/debit** ~, matlûp/zimmet bakiyesi: **trial** ~, mizan: ~ **of payments/trade**, tediyeler/ticaret muvazenesi: ~ **of power**, devletler arasındaki kuvvet dengesi: **hang in the** ~, muallâk/nazik bir durumda bulunmak: **keep/lose one's** ~, dengesini korumak/kaybetmek; kendine hâkim ol(ma)mak: **off/out of** ~, dengesiz, düzensiz: **strike a** ~, bilanço çıkarmak: **throw s.o. off his** ~, birinin dengesini kaybettirmek, bozmak, şaşırtmak: **turn the** ~, terazinin bir kolunu eğdirmek; durumu değiştirmek. ~**d**, dengeli. ~**-sheet** [-şīt], bilanço, dengelem: **get out a** ~, bilanço düzenlemek. ~**-wheel** [-wīl], saat rakkası.
balcony ['balkəni]. Balkon.
bald [bōld]. Saçları dökülmüş, dazlak, kel; çıplak, çorak: ~ **as a coot**, tamamen kel, dımdızlak: **a** ~ **statement**, açık ifade.
balda·chin/~**quin** ['bōldəkin]. İpek tente, sayvan, sunak tepeliği.
balderdash ['bōldədaş]. Saçma sapan söz.
bald·headed ['bōldhedid]. Kel: **go at it** ~, düşüncesizce atılmak. ~**ing**, saçları yavaş yavaş döken. ~**ish**, oldukça kel. ~**ly**, açık/basit olarak. ~**ness**, saçsızlık, daz, çıplaklık.
baldric(k) ['bōldrik]. Omuzdan asılan kılıç vb. kayışı.
bale[1] [beyl]. Balya (yapmak); denk (bağlamak).
bale[2]. Belâ, keder, zarar: ~**ful**, zararlı; uğursuz, netameli.
bale[3] = BAIL[2].
balk, baulk [bōlk] *i.* Kiriş, hatıl; engel; (iki tarla arasında) sürülmemiş kısım. *f.* Engel olm.; bozmak; önüne geçmek; kaçınmak; kaçırmak; durup ileri gitmemek: ~ **at stg.**, bir şey karşısında durmak; duralamak, tereddüt etm.
Balkan ['bōlkən]. Balkan+. ~**s**, Balkan memleketleri. ~**ize** [-nayz], (bir bölge) küçük muhasım devletlere taksim etm., balkanlaştırmak.
ball[1] [bōl] *i.* Top, gülle, mermi; bilye; yuvarlak; küre; yumak. ~**s**, (*kaba*) saçma, ahmaklık: **make a** ~**s of stg.**, işleri berbat etm.: **three** ~**s**, rehinci tabelâsı: **be on the** ~, her şeye hazır olm.: **have the** ~ **at one's feet**, eline fırsat geçmek, yolu açılmak: **keep the** ~ **rolling**, sohbet/işi devam ettirmek: **slice a** ~, (*sp.*) kesmek: **start the** ~ **rolling**, sohbet/işi açmak: ~ **and socket**, yuvalı (mafsal).
ball[2] *i.* Balo: **open the** ~, baloda birinci olarak dans etm.; (*mec.*) faaliyete girmek.
ball[3] *f.* ~ **up**, top haline gelmek.
ball. = BALLISTICS.
ballad(e) ['baləd]. Basit şarkı/şiir, türkü. ~**monger** [-mʌn(g)gə(r)], şarkı yazar/satıcısı; (*köt.*) şair.
ballast ['baləst] *i.* Safra; kırmataş; (*dem.*) yapımda kullanılan çakıl. *f.* Safra koymak; çakıl döşemek; dengesini sağlamak. **have** ~, temkinli olm.: **in** ~, (gemi) yüksüz hareket eden.
ball·-bearing [bōl'beərin(g)]. Bilye(li yatak), rulman. ~**boy**, (*sp.*) top toplayıcı. ~**-cartridge**, dolu/kurşunlu fişek. ~**cock**, bilyeli valf.
balle·rina [balə'rīnə] (*It.*) Bale dansözü, balerin. ~**t** ['baley], bale: ~**-dancer**, bale dansö·r/zü: ~**oman·e/-ia** [-litəmeyn(iə)], bale hayran(lığ)ı.
ballistic [bə'listik]. Balistik, atış+. ~**-missile**, güdümlü mermi, roket, atma füze. ~**s**, atış ilmi, balistik.
ball-joint ['bōlcoynt]. Oylak, bilyeli mafsal.
balloon [bə'lūn] *i.* Balon. *f.* Balon gibi şişmek; balonla çıkmak: **the** ~ **went up**, (*kon.*) savaş/hareket başladı. ~**-barrage**, balonlardan asılmış uçaksavar barajı. ~**ist**, baloncu. ~**-tyre**, alçak basınçlı/balonlu lastik.
ballot ['balət] *i.* Kur'a; ad çekme, oy; oyların toplamı. *f.* Kur'a cekmek; ad çekmek: ~ **for**, için ad çekmek; oy ile seçmek: **take a** ~, ad çekmek; oya koymak. ~**-box**/**-paper**, oy sandık/kâğıdı. ~**-rigging**, oylarda hile yapma.
ball·point ['bōlpoynt]. ~**(-pen)**, bilyeli/tükenmez kalem. ~**race** [-reys], bilye yatak/yuvası. ~**room**, dans salonu.

bally ['bali] (*arg.*) (*Nefret gösteren bir sıfat*): **it was your ~ fault**, sen çok kabahatli idin. **~hoo** [-hū], heyecanlı propaganda.
balm [bām]. Oğul otu; teskin eden/huzur veren şey; merhem. **~ily**, güzel/lâtif olarak. **~iness**, iyilik, sıcaklık; kaçıklık. **~y**, güzel ve ağır kokulu; sıcak ve lâtif (rüzgâr/gün vb.); (*kon.*) kaçık.
balmoral [bal'morəl] (*İsk.*) Bir çeşit kasket.
balne- [balni-] *ön.* Banyo/kaplıcalara ait.
baloney [bə'louni] = BOLONEY.
BALPA = BRITISH AIR-LINE PILOTS' ASSOCIATION.
balsa ['balsə]. Balza ağacı.
balsam ['bōlsəm]. Pelesenk (ağacı); kabuk reçinesi; belsem.
Baltik ['bōltik] *i.* Baltık Denizi. *s.* Baltık+.
balust·er ['baləstə(r)]. Korkuluk teşkil eden direklerden biri. **~rade**, [-'treyd], korkuluk, tırabzan parmaklığı.
bamboo [bam'bū] *i.* Bambu (ağacı), Hint kamışı, hezaran. *s.* Bambudan yapılmış. **~-curtain**, (*id.*) 'bambu perdeli' sınır.
bamboozle [bam'būzl]. Aldatmak; kafese koymak.
ban[1] [ban] *i.* Aforoz; kamu oyu tarafından mahkûmiyet; yasak. *f.* Yasak etm.; aforoz etm. **put a ~ on/under a ~**, yasak etm.; aforoz etm.
ban[2] (*tar.*) (Macar.) vali.
banal ['beynəl]. Adi, bayağı, orta malı; müptezel; basmakalıp; yavan. **~ity** [bə'naliti], basmakalıp söz vb. **~ize** ['beynəlayz], adileştirmek.
banana [bə'nānə]. Muz: **~ republic**, (*köt.*) G.Am.' dakiler gibi idaresi bozulmuş ve sık sık değişen bir cumhuriyet.
banat [banat]. (Macar.) vilâyet.
band[1] [band] *i.* Bağ; şerit; (*rad.*) bant; kuşak, kayış, kemer. *f.* Bağlamak.
band[2]. Takım; güruh: **~ together**, birleşmek; bir araya gelmek.
band[3]. Bando; çalgıcılar heyeti.
bandage ['bandic] *i.* Sargı, bağ. *f.* Sarmak, sargıya koymak, sargılamak.
bandan(n)a [ban'danə]. Parlak renkli ve benekli mendil.
b. and b. = BED AND BREAKFAST.
bandbox ['bandboks]. Mukavva şapka kutusu: **look as if one has just stepped out of a ~**, iki dirhem bir çekirdek olm.
band·ed ['bandid], *g.z.(o.)* = BAND[1, 2]: *s.* çizgili, kemerli. **~-fish**, kurdelâ balığı.
bandicoot ['bandikūt]. Bandikut, keseli porsuk.
bandit ['bandit]. Haydut, şaki: **one-armed ~**, (*kon.*) manivela ile işletilen kumar makinesi. **~ry**, haydutluk.
bandmaster ['bandmāstə(r)]. Bando şefi.
bandolier [bandə'liə(r)]. Omuz kayışı; fişeklik, palaska.
band·-pass ['bandpas] (*rad.*) Bant geçirici. **~saw** [-sō], şerit testere. **~sman**, *ç.* **~smen**, bando çalgıcısı, mızıkacı. **~stand**, bando yeri. **~wagon**, bando arabası: **climb on the ~**, galip gelenler ile birleşmeğe teşebbüs etm.
bandy[1] ['bandi]. *f.* Öteye beriye atmak; alıp vermek, teati etm.: **~ words**, ağız kavgası etm.
bandy[2] *s.* **~(-legged)**, çarpık, paytak; kılıçbacaklı.
bane [beyn]. Afet, felâket; zehir. **~ful**, mahvedici, öldürücü; zehirli.
bang[1] [ban(g)] *i.* (*yan.*) Bum, çat; vuruş; gürültü; patlama. *f.* Gürültü ile vur(ul)mak/kapa(n)mak; çarpmak, patlamak. **~ in the face**, tam yüzüne: **~ on time**, dakikası dakikasına: **go ~**, patlamak.
bang[2]. Düz kâkül/perçem (kesmek).
banger ['ban(g)gə(r)] (*arg.*) Eski ve gürültülü bir otomobil; sosis; bir cins hava fişeği.
bangle ['ban(g)gl]. Bilezik; halka.
***bang-up** ['ban(g)ʌp] (*arg.*) Mükemmel.
banish ['baniş]. Sürgün etm., kovmak, uzaklaştırmak. **~ment**, sürgün.
banister ['banistə(r)]. Tırabzan.
banjo ['bancou]. Bir çeşit kitar, banco. **~ist**, banco çalan.
bank[1] [ban(g)k] *i.* Set; kıyı, kenar, yaka, sahil. *f.* Set çekmek; (uçak) bir tarafa yatmak: **~ up**, yığ(ıl)mak: **~ up a fire**, ateşi üzerine kömür yığarak örtmek.
bank[2] *i.* Banka; (kumar) banko. *f.* Bankaya koymak/yatırmak. **a run on the ~**, herkes tarafından aynı günde yatırım çekilmesi: **~ on s.o./stg.**, bir kimse/şeye güvenmek/umut bağlamak: **central ~**, devlet/merkez bankası: **merchant ~**: ticaret bankası: **savings ~**, yatırım/tasarruf bankası.
bank[3]. Bir kadırgada kürekçi yeri/kürek sırası; org klavyesi.
bank-[4], *ön.* **~-account**, banka hesabı. **~-bill**, banka ödeği. **~-book**, hesap cüzdanı. **~-card**, kredi kartı. **~-charge**, banka tarafından alınan komisyon. **~ed** [ban(g)kt], setli; yükseltilmiş (viraj). **~er**, bankacı; (kumar) banko tutan. **~-holiday**, resmî tatil günü. **~ing**[1], bankacılık; banka işlemleri; banka+. **~ing**[2], dönemeç/viraj yüksekliği. **~note** [-nout], bankınot, kağıt para. **~-rate** [-reyt], banka faiz iskonto/haddi; banka indirim sınırı.
bankrupt ['ban(g)krʌpt] *i., s.* Müflis, batkın; meteliksiz. *f.* İflâs ettirmek. **go ~**, iflâs etm., batmak. **~cy** [-si], iflâs, batkı(nlık); mahvolma.
banksia ['ban(g)ksiə]. Yaban hanımeli.
banner ['banə(r)]. Bayrak, sancak; döviz. **~-bearer**, bayraktar. **~-headline**, (*bas.*) bütün enli manşet, önbaşlık.
bannock ['banək] (*İsk.*) Bir nevi pide.
banns [banz]. Evlenme ilânı: **forbid the ~**, evlenmelerine itiraz etm.: **put up the ~**, evlenme ilânını kilise/resmî yerde teşhir etm.
banquet ['ban(g)kwit]. (Resmî) ziyafet (vermek/çekmek): **a ~ fit for a king**, mükemmel bir yemek. **~ing-chamber**, ziyafet salonu.
banshee ['banşī] (*İrl.*) Ağlaması o evden bir ölü çıkacağına işaret sayılan bir peri.
bantam ['bantəm]. Çakşırlı tavuk, ispenç: **~-weight**, (*sp.*) horoz ağırlık.
banter ['bantə(r)]. Şaka/latife/alay (etm.); istihza (etm.).
banting ['bantin(g)]. Hususi bir diyet.
bantling ['bantlin(g)]. Çocuk, yumurcak.
Bantu ['bantū]. (G. Afr.'da) dil grubu; bu dili konuşan ırklar(a ait).
banyan ['banyən]. Hint tüccarı. **~(-tree)**, banyan ağacı.
baobab ['beyobab]. Baobap (ağacı).
BAOR = BRITISH ARMY OF THE RHINE.
bap [bap] (*İsk.*) Küçük ekmek.
bapti·sm ['baptizm]. Vaftiz: **receive ~**, vaftiz

edilmek. ~**smal** [-'tizməl], vaftize ait. ~**st**, bir Hıristiyan mezhebinin adı. ~**stry**, vaftizevi. ~**ze** [-'tayz], vaftiz etm., isim vermek.

bar[1] [bā(r)] *i.* Çizgi; çubuk; manivela, kol; engel, mania; çıta; kalıp (sabun); (mahkemede) suçlu yeri; baro, savunmalar kurumu; mahkeme; içki dağıtılan/satılan tezgâh/oda, bar; (*coğ.*) set, nehir ağzındaki kum seti. **colour** ~, beyaz ile renkli ırklar arasındaki ayrım gözetme: **harbour** ~, liman sığlığı: **horizontal** ~, (*sp.*) barfiks: **be admitted/called to the** ~, baroya kabul edilmek/yazılmak: **behind (the)** ~**s**, mahpus; hapishanede: **plea in** ~, (*huk.*) davayı reddeden müracaat: **practise at the** ~, (avukat) mahkemede çalışmak: **V.C. with** ~, (*ask.*) V.C. vb. nişanı 2ci defa kazanılmış gösteren alâmet: ~ **sinister**, (armada) piçlik işareti.

bar[2] *f.* Kol demiri ile kapamak, demirlemek, kapatmak; engel olm.; yasak etm.

bar[3]/~**ring** [bā(r), 'bārin(g)] *e.* Maada, müstesna, -den baska: ~ **none**, istisnasız, ayrıksız.

bar[4] *i.* Levrek balığı.

bar[5] *i.* (*fiz.*) Basınç birimi, bar.

barathea [barə'tiə]. İnce yün kumaş.

barb[1] [bāb] *i.* Ok ucu; olta kancası; diken; ramus. *f.* Oka uç takmak; kanca getirmek.

barb[2] *i.* BARBARY'den gelen bir cins at.

barbar·ian [bā'beəriən]. Barbar, vahşi; zalim kimse; yabancı. ~**ic**, [-'barik], barbar, vahşi. ~**ism** ['bābərizm], barbarlık; (*dil.*) alışılmamış kelime/deyim. ~**ity** [-'bariti], barbarlık, vahşet. ~**ize** ['bābərayz], vahşileştirmek. ~**ous(ly)**, barbar(ca), vahşi(ce); gaddar(ca), zalim(ce).

Barbary ['bābəri]. Berberî; Berberistan. ~**-ape** [-eyp], berber maymunu. ~**-coast**, K. Afr. memleketleri.

barbate ['bābeyt] (*biy.*) Sakallı: kıllı.

barbecue ['bābikyū]. Bütün olarak kızartılmış hayvan çevirmesi; bunun yendiği toplantı; baharlı salçalı bir nevi et yemeği.

barbed [bābd]. Dikenli, kancalı; (*mec.*) keskin, incitici. ~**-wire**, dikenli tel: ~ **entanglement**, (*ask.*) tel örgü.

barbel ['bābl]. Bıyık(lı balık).

barber ['bābə(r)] *i.* Berber, perükâr. *f.* Saçı kesmek.

barberry ['bābəri]. Kadıntuzluğu, sarıçalı.

barbette [bā'bet] (*den.*) Top siperi.

barbican ['bābikən]. Barbakan, çıkan kule.

barbiturate [bā'bityurit]. Barbiturat.

barbule ['bābyul]. Radyus.

bard [bād]. Saz şairi; şair, ozan: **the** ~ **of Avon**, Shakespeare. ~**ic**, şaire ait.

bare[1] [beə(r)] *s., zf.* Çıplak; açık; çorak; boş; sade; süssüz; ancak kâfi. **a** ~ **majority**, zayıf bir çoğunluk: **a** ~ **suggestion**, ufak ima: **a** ~ **living**, zoraki geçim: **earn a** ~ **living**, ancak hayatını kazanabilmek: **lay** ~, açmak, açığa vurmak; yakıp yıkmak: **run under** ~ **poles**, (gemi) bütün yelkenler inik olarak ilerlemek.

bare[2] *f.* Soymak; açmak.

bare[3] *g.z.* (*mer.*) = BEAR[2].

bare-[4] *ön.* ~**back**, eyersiz at: **ride** ~, ata eyersiz binmek. ~**-bones** [-bounz], kemikleri çıkık adam. ~**faced** [-feyst], arsız, yüzsüz, hayasız. ~**foot(ed)** [-fut(id)], yalınayak. ~**headed** [-hedid], başı açık, şapkasız. ~**legged** [-legid] baldırı çıplak; çorapsız. ~**ly**, hemen hemen, ancak. ~**ness**, çıplaklık.

bargain ['bāgin]. *i.* Ticarî anlaşma, iş; pazarlık; kelepir, elden düşme; fırsat, okazyon, tenzilâtlı satış. *f.* Ticarî bir işe girişmek; pazarlık etm., pazarlığa girişmek. **It's a** ~, (i) uyuştuk!; (ii) kelepirdir: **into the** ~, üstelik, caba: **I didn't** ~ **for that**, bu hesapta yoktu; bunu hiç beklemedim: **he got more than he** ~**ed for**, başına belâyı satın aldı: **make a good** ~, kazançlı bir iş yapmak: **drive/strike a** ~, biriyle pazarlığı uydurmak, anlaşmak. ~**-basement**, ucuzluk bölümü, ucuz eşya rayonu. ~**-hunter**, kelepir arayan. ~**ing**, pazarlık+, pazarlık etme.

barge[1] [bāc] *f.* ~ **against/into**, -e çarpmak; şiddetle tos vurmak: ~ **in**, yersiz müdahale etm.

barge[2] *i.* Mavna, salapurya; yük dubası; ev gibi kullanılan duba; düz tekneli büyük yelkenli. **admiral's** ~, amirale mahsus sandal/motör: **state** ~, saltanat kayığı. ~**board** [-bōd], saçak pervazı. ~**e** [bā'cī], mavnacı, dubacı. ~**pole** [-poul], uzun avara gönderi: **I wouldn't touch it with a** ~, (aman istemem, lüzumu yok), kırk yıl görmesem aramam.

bariatrics [bari'atriks]. Fazla şişmanlığın tıbbî tedavisi.

baritone ['baritoun] (*müz.*) Bariton.

barium ['beəriəm]. Baryum.

bark[1] [bāk] *i.* Kabuk; ağac kabuğu. *f.* Ağacın kabuğunu soymak: ~ **one's shins**, incik kemiği sıyrılmak: **Peruvian** ~, kınakına.

bark[2]. Havlama(k); haşin bir sesle söylemek: **his** ~ **is worse than his bite**, sen onun bağırıp çağırmasına bakma; tehditleri hep kurusıkıdır: ~ **up the wrong tree**, birinin günahına girmek; suçu yanlış yerde aramak.

bark[3]/**barque** [bāk]. Üç direkli yelkenli gemi; (*şiir*) sandal, gemi.

bar-keeper ['bākīpə(r)]. Meyhane patronu; BARMAN.

bark·er ['bākə(r)]. Havlayan köpek; (*kon.*) (dükkân/sirkte) müşteri/seyircileri içeriye çağıran kimse, çağırtkan; (*arg.*) tabanca; kabuk soyan adam. ~**ing**, havlama.

barley ['bāli]. Arpa: **pearl** ~, ince öğütülmüş arpa. ~**corn**, arpa tanesi: **John** ~, içki (*bilh.* viski). ~**sugar**, nebat şekeri. ~**water**, arpa şırası.

barm [bām]. Bira mayası.

bar·maid/~**man** ['bāmeyd, -mən]. İçki tezgâhında çalışan kadın/garson, barmen.

barmy ['bāmi]. Köpüklü; (*arg.*) zıpır, kaçık.

barn[1] [bān]. Aşlık ambarı, samanlık; ahır.

barn[2] (*nük.*) (Çekirdek) kesitin yüzey birimi; barn.

barnacle ['bānəkl]. Kayalar/gemi diplerine yapışan bir nevi midye. ~**-goose**, yabanî bir kaz.

barney ['bāni] (*arg.*) Kavga.

barn·storm ['bānstōm] (*tiy.*) Taşrada temsil vermek: ~**er**, seyyar aktör. ~**yard** [-yād], çiftlik avlusu, kümes.

baro- ['barə-] *ön.* Basınç+, tazyik+, baro-. ~**graph** [-graf], yazıcı barometre, barograf. ~**meter** [bə'romitə(r)], barometre, basınçölçer. ~**metric(al)** [-'metrik(l)], barometre+, barometrik.

baron ['barən]. Baron: ~ **of beef**, çift sığır filetosu. ~**ess**, barones. ~**et**, barondan bir derece aşağı olan rütbe. ~**etcy** [-nətsi], baronetlik. ~**ial** [bə'rouniəl], barona ait; debdebeli (ev). ~**y**, baronluk.

baroque [bə'rǫuk] (*san.*) Barok.
baroscope ['baroskǫup]. Baroskop.
barouche [ba'rūş]. Fayton gibi bir araba.
barque [bāk] = BARK³. **~ntine** [-kəntīn], üç direkli gemi.
barrack(s)¹ ['barək(s)] *i.* Kışla; kışla gibi bina; baraka: **confined to ~**, kışla hapsi.
barrack² *f.* Sarakaya almak; yuhaya tutmak.
barracuda [barə'kūdə]. İskarmos.
barrage ['barāj]. Nehir barajı, bent; (*ask.*) baraj atış/ateşi, salvo: **creeping ~**, düşmanla ilerleyen baraj atışı. **~-balloon**, uçaksavar baraj balonu.
barratry ['barətri]. Baratarya, amaçlı dokunca, bile bile ve hile ile yapılan zarar.
barred [bād] *g.z.(o.)* = BAR². *s.* Çizgili; çubuklu, kafesli; çubukla kapatılmış.
barrel ['barəl] *i.* Fıçı, varil; kovan, dolap; namlu. *f.* Fıçıya koymak. **~-**, *ön.* fıçı +, fıçıda. **double-~ed**, çifte namlulu: **~ name**. (*kon.*) 'Smith-Jones' gibi mürekkep soyadı. **~-organ**, laterna. **~-vault** [-vōlt], beşik tonoz.
barren ['barən]. Kısır; kıraç, çorak; verimsiz, meyvasız; (*mec.*) boş, anlamsız. **~s**, kıraç arazi.
barricade [bari'keyd] *i.* Mania, engel; siper; barikat. *f.* Sokak siperleri/barikatlar kurmak; engelle kapatmak.
barrier ['barịə(r)]. Mania; engel; çit; set; korkuluk: **the sound ~**, (*hav.*) ses duvarı. **~-reef** [-rīf], set resifi.
barring ['bārin(g)] = BAR³.
barrister ['baristə(r)]. (Yüksek mahkemelere çıkabilen) avukat, dava vekili, savunman.
barrow¹ ['barǫu] (*ark.*) Höyük, mezar tümseği.
barrow². Elarabası. **~-boy**, seyyar satıcı.
Bart. [bāt] (*kıs.*) = BARONET.
barter ['bātə(r)] *i.* Mübadele, takas, değiş tokuş, trampa. *f.* Trampa etm.: **~ away**, şerefini vb. satmak.
bar-tender ['bātendə(r)]. = BARMAN.
bary- ['bari-] *ön.* Ağır; ağırlık +. **~sphere** [-sfịə(r)], (*fiz.*) ağır küre, dünya orta göbeği, barisfer.
basal ['beysəl]. Kural/esasa ait; en küçük, asgarî; taban +.
basalt ['basōlt]. Bazalt, siyah mermer.
bascule ['baskyūl]. Baskül; kapak. **~ bridge**, baskül/kalkar köprü.
base¹ [beys] *i.* Taban, temel, dip, yatak; esas, kural, kaide; oturak; altlık; (*kim.*) baz; (*hav.*) üs. *f.* Kurmak, esasını koymak; temelini atmak; istinat etm. *s.* Alçak, adi, aşağılık; ana, esas; mağşus, hileli.
base-² *ön.* Temelli; us +. **~ball**, beysbol. **~-born**, soysuz; gayrimeşru. **~-cream** [-krīm], ten boyası. **~less**, esas/asılsız; temelsiz. **~-line**, ana hat. **~ly**, alçakça; hileli olarak. **~ment**, bodrum katı; oturtmalık. **~ness**, aşağılık, adilik, alçaklık: **~ of birth**, soysuzluk; gayrimeşruluk. **~s**, *ç.* = BASE¹; BASIS.
bash [baş]. Ağır/şiddetli vurma(k): **have a ~**, (*kon.*) teşebbüs etm., girişmek.
bashaw ['başō] (*tar.*) Paşa.
bashful ['başfəl]. Utangaç, çekingen; mahcup; kızarıp bozaran. **~ly**, utangaç vb. olarak. **~ness**, utangaçlık, çekingenlik.
bashi-bazouk ['başibazūk] (*tar.*) Başıbozuk.
basic ['beysik]. Esas/temel olan, en esaslı, esas teşkil eden; ana, basit, başlıca; (*kim.*) baz +: **~ English**, basit İngilizce. **~ally** [-kəli], esaslı olarak.
basil ['bazəl]. **sweet ~**, fesleğen.
basilica [bə'silıkə] (*tar.*) Divanhane, saray; (*din.*) bazilika, büyük kilise.
basilisk ['bazilisk] (*mit.*) Bakışları muzir bir yılan; (*zoo.*) G. Am. kertenkelesi.
basin ['beysn]. Çanak, tas, küvet, leğen; aptesane çukuru; (*coğ.*) havuz, tekne, havza.
basipetal [bey'sipitl]. Yukarıdan aşağıya büyüyen.
bas·is, *ç.* **~es** ['beysis, -sīz]. Esas, ilke, kural, temel; prensip; menşe; kök(en).
bask [bāsk]. Güneşlenmek; ısınmak için ateş/güneşe karşı oturmak/yatmak: **~ing shark**, en büyük fakat zararsız köpekbalığı.
basket ['bāskit]. Sepet, küfe; sepet gibi örülü şey. **~ball**, basketbol. **~ful**, sepet dolusu. **~ry/-weave/-work**, sepet örgüsü.
Basque [bāsk]. Bask; Baskça.
bas-relief ['basrilīf] (*san.*) Alçak/yarı kabartma.
bass¹ [bas] (*zoo.*) Levrek.
bass² [beys] (*müz.*) Bas; baso; kalın sesli, pes perdeli.
bass³ = BAST.
basset ['basit]. Kısa bacaklı bir köpek.
bassinet [basi'net]. Sepet beşik; sepet işi çocuk arabası.
bassoon [bə'sūn]. Çifte kamışlı bir çalgı, bason. **~ist**, bason çalan.
basswood ['baswud]. Ihlamur ağacı.
bast [bast]. (Hasır işi için kullanılan) ıhlamur kabuğunun lifi.
bastard ['bastəd]. Piç; gayrimeşru (çocuk); (*mec.*) sahte, yılan gibi. **~ize** [-dayz], piç olduğunu ispat etm. **~-size**, müstesna şekil/büyüklük(te). **~ry** [-dri], piçlik, gayrimeşruluk.
baste¹ [beyst]. Teyellemek, iliştirmek, oyulgalamak.
baste². Et kızartırken üzerine erimiş yağ dökmek; (*kon.*) ıslatmak, dayak atmak.
bastinado [basti'neydǫu], Falaka (çekmek), dövme(k).
basting ['beystin(g)] 1. Teyel. 2. Dayak atma.
bastion ['bastịən]. Kale burcu, tabya; müdafaa, savunma.
bat¹ [bat]. Yarasa: **seratine ~**, geniş kanatlı yarasa: **like a ~ out of hell**, (*kon.*) yel/şimşek gibi, çarçabuk.
bat² *i.* Kriket vb. sopası; çomak; raket; tokaç. *f.* Kriket oyununda sopa kullanma sırası kendisinde olm.; vurmak. **carry one's ~**, (*sp. ve mec.*) yenilmemek: **do stg. off one's own ~**, bir işi kendiliğinden/yalnız başına yapmak.
bat³ (*kon.*) Sürat, hız. **he went off at a rare ~**, rüzgâr gibi gitti.
batch [baç]. Bir ağız (fırın) ekmek; takım, alay, yığın; bölüm; bölüt, parti.
bate¹ [beyt] *f.* = ABATE: **with ~d breath**, soluğu kesilerek.
bate² *i.* (*kon.*) Hiddet, öfke.
bath¹ [bāθ, *ç.* bāðz] *i.* Banyo; banyo/yıkanma yeri; (*müh.*) tekne, yunak; yıkanma. *f.* Banyo yap(tır)mak; yıkamak. **Order of the B~**, bir şövalyelik nişanı: **public ~(s)**, hamam; yüzme havuzu: **sauna ~** ['sōnə], Fin hamamı: **Turkish ~**, hamam.
Bath². (İng'de) bir kaplıca şehri. **~-brick**, arina.

~**-bun**, üzeri şekerli çörek. ~**-chair**, tekerlekli hasta sandalyesi, malûl arabası.
bath·e [beyð] *i.* (Nehir/denizde) banyo; yüzme. *f.* Banyo etm./yap(tır)mak; yüzmek; ıslatmak, sulamak. ~**er**, banyo eden/yüzen kimse: ~**s**, (*Avus.*) mayo. ~**ing**[1] ['baθin(g)], banyo yapma. ~**ing**[2] ['beyðin(g)], banyo etme/yapma; ıslatma; deniz banyosu: ~**-beach**, plaj: ~**-costume/-dress/-suit**, mayo: ~**-machine** (*mer.*) denize giren tekerlekli soyunma kulübesi. ~**-mat**, banyo yanındaki ayaklık.
batho- ['baθo-] *ön.* Dipsiz-. ~**lite** [-əlayt], dipsiz kaya(ç). ~**meter** [-'θomitə(r)], derinlik ölçeği.
bathos ['beyθos]. Üslûpta yüksekten gülünce düşme.
bath·robe ['bāθroub]. Bornuz. ~**room**, banyo (odası), tuvalet. ~**towel** [-tauəl], silecek, büyük havlu. ~**tub** [-tʌb], yıkanma teknesi.
bathy- ['baθi-] *ön.* Derin; derinlik +. ~**meter**, deniz derinliği ölçeği. ~**sphere**, derin deniz küresi.
batiste [ba'tīst]. Batista.
bat·man, *ç.* ~**men** ['batmən]. Emir eri.
baton [ba'ton] (*id.*) Memuriyet alâmeti, asâ; (*müz.*) baton, değnek: **rubber-**~, kauçuk sopa/çomak.
batrachian [bə'treykiən]. Kurbağagil(ler)(e ait).
bats [bats] (*arg.*) Deli, kaçık.
bats·man, *ç.* ~**men** ['batsmən]. (Kriket) sopa ile topa vuran oyuncu; (*hav.*) inen uçağa raketle işaret eden adam.
battalion [bə'talyən] (*ask.*) Tabur.
batten[1] ['batən] *i.* Tiriz; takoz, tespit çubuğu; lata. *f.* Tiriz çekmek: ~ **down** (*den.*) lombar kapaklarını sımsıkı kapatmak.
batten[2]. Semirmek, tüylenmek, gelişmek: ~ **on s.o./stg.**, (*kon.*) asalak gibi başkasının sırtından geçinmek.
batter[1] ['batə(r)] *i.* Sulu hamur.
batter[2] *i.* = BATSMAN.
batter[3] *f.* Durmadan vurmak/dövmek; hırpalamak. ~**ed**, harap, köhne; kılıksız: ~**-baby**, şiddetle dövülmüş bebek. ~**ing**, şiddetle dövme/vurma: ~**-ram**, (*ask.*) şahmerdan. ~**y**,[1] (*huk.*) dövme, vurma.
battery[2] (*ask.*) Batarya; (*elek.*) pil, akü(mülatör). ~**-farming**, (bina içinde) dar bir yerde çok mahsul/hayvan yetiştirme usulü. ~**-hen**, böyle yetiştirilen tavuk. ~**-house**, bu yetiştirilme usulü için kullanılan bina.
batting ['batin(g)] (*sp.*) Sopa ile topa vurma.
battle [batl] *i.* Muharebe; mücadele; savaş; çarpışma. *f.* Dövüşmek, mücadele etm., savaşmak, çarpışmak. **fight s.o.'s** ~**(s)**, birinin tarafını tutmak: **that's half the** ~, savaş yarı kazanıldı sayılır: **join** ~, savaşa katılmak: **pitched** ~, meydan muharebesi. ~**-axe** [-aks], savaş baltası; (*kon.*) hiddetli/huysuz olan yaşlı kadın. ~**-cruiser**, ağır kruvazör. ~**-cry**, savaş parolası. ~**dore** [-dō(r)], deri gerilmiş raket. ~**dress**, (*ask.*) her günkü üniforma. ~**field**, savaş meydanı. ~**ment(s)**, kale burcunda mazgallı siperler; (*şiir*) kale. ~**r**, (*kon.*) hayatla daima uğraşan kimse. ~**-royal**, genel ve meşhur savaş/mücadele. ~**ship**, zırhlı; savaş gemisi. ~**wag(g)on**, (*kon.*) = ~SHIP.
battology [ba'toləci] (*dil.*) Kelimelerin fazla/lüzumsuz tekrarlanması.
battue ['batyū] (*Fr.*) Sürgün avı; katliam.
bauble [bōbl]. Süslü ama değersiz şey.
baud [bōd] (*elek.*) Hız birimi (telgraf: san.'de nokta; bilgisayar: san.'de BIT[3]).
baulk [bōlk] = BALK.
bauxite ['bōksayt]. Boksit, alüminyumtaşı.
bawd [bōd]. Pezevenk. ~**ry**, pezevenklik. ~**y**, açıksaçık, müstehcen: ~**-house**, genel ev.
bawl [bōl] (*yan.*) Haykırma(k), bar bar bağırma(k); feryat (etm.): ~ **s.o. out**, -i kötü azarlamak.
bay[1] [bey] *i.* Defne ağacı.
bay[2] *i.* Köy, körfez.
bay[3] *i.* Cumba; bölme; duvar bölmesi; kemer gözü: **sick-**~, (*den.*) gemi hastanesi; revir.
bay[4] *f.* (Köpek) havlama(k). **be/stand at** ~, son umut ve güçle mücadeleye girişmek: **keep at** ~, (zulüm gören kimse) düşmanına mertçe saldırmak.
bay[5] *s.* Doru (at).
bayleaf ['beylīf]. Defne (yaprağı).
bayonet ['beənit] *i.* Süngü; kasatura. *f.* Süngülemek. ~**-socket**, (*elek.*) çivili duy.
bayou ['bayū]. G. ABD'ndeki bataklık.
bay·-rum [bey'rʌm]. Güzel kokulu bir saç suyu. ~**-salt**, kaba tuz. ~**-window**, cumba (penceresi).
bazaar [bə'zā(r)]. Çarşı, pazar; hayır işleri için çeşitli eşya satılan yer.
bazooka [bə'zūkə]. Bazuka.
BB = DOUBLE-BLACK (PENCIL). * ~**B** = BETTER BUSINESS BUREAU. ~**C** = BOXING BOARD OF CONTROL; BRITISH BROADCASTING CORPORATION.
bbl = BARRELS.
BC = BEFORE CHRIST; BRITISH COLUMBIA/COUNCIL.
B·Ch/D = BACHELOR OF SURGERY/DIVINITY.
Bde = (*ask.*) BRIGADE.
b.d.i. = BOTH DAYS INCLUSIVE.
bdry = BOUNDARY.
BDS = BACHELOR OF DENTAL SURGERY.
be[1] [bī] (*şim.*: **am, art, is**, *ç.* **are**; *g.z.*: **was, wast, was**, *ç.* **were**; *şim. isteme*: **be**; *g.z. isteme*: **were, wert, were**; *hal o.*: **being**; *g.z.o.* **been**; *emir*: **be**—*bu kelimelere ayrı ayrı bakınız.*) Olmak; imek; var olm., mevcut olm.; bulunmak; hazır olm.; kâin olm. (*Edilgen fiil yapımına yarıyan yardımcı fiil*: **love**, sevmek; **be loved**, sevilmek.) **let** ~, bırakmak: **so** ~ **it**, öyle olsun: ~ **at/about/after**, etmek, yapmak, koyulmak: ~ **off**, def olm.
be-[2] [bi-] *ön.* 1. *Geçişsiz fiili geçişli eder*: MOAN—BEMOAN. 2. *Kuvvetlendirir*: LABOUR—BELABOUR. 3. *İsimle fiil yaratır*: JEWEL—BEJEWEL.
Be. (*kim.s.*) = BERYLLIUM.
BE = BACHELOR OF EDUCATION/ENGINEERING; BILL OF EXCHANGE; BRITISH EMPIRE. ~**A** = BRITISH EUROPEAN AIRWAYS.
beach [bīç] *i.* Kumsal, sahil; plaj. *f.* Karaya oturtmak; karaya çekmek. ~**-comber** [-koumə(r)], karaya duşen değerlı eşyayı arıyan. ~**head**, (*ask.*) çıkarma sahili. ~**-martin**, kaya sansarı. ~**-master**, (*ask.*) çıkarma sahili komutanı.
beacon ['bīkən]. Yükseklerde yakılan işaret ateşi; işaret kulesi; (*den.*) işaret kazığı; baliz; far, radyo farı.
bead [bīd] *i.* Tespih/gerdanlık tanesi; boncuk; tane; arpacık. *f.* İnci vb. ile süslemek; dizmek; (ter vb.) tane tane toplanmak. **draw a** ~ **on**, -e nişan almak. ~**ing**, boncuk/çubuk işi.
beadle ['bīdl]. Bir kilise memuru; mübaşir.

beady ['bīdi]. Boncuk gibi: ~**-eyed**, küçük parlak ve çıkık gözlü.
beagl·e ['bīgl]. (Tavşan avında) küçük av köpeği. ~**ing**, bu köpekle tavşan avlaması.
beak [bīk]. Gaga; gagaya benziyen şey; (*arg.*) sulh hâkimi; (*okul arg.*) muallim, baş öğretmen. ~**ed**/~**y**, gagalı (hayvan); kartal/kemerli (burun).
beaker ['bīkə(r)]. Büyük/ağzı yayvan bardak.
beam[1] [bīm] *i.* Bim, şua, ışın, huzme, ışık, ışın demeti. *f.* Işık saçmak; yöneltmek; (neşeden vb.) gözleri parlamak. **a ~ of delight**, geniş gülümseme: **off the ~**, (*kon.*) yolundan çıkmış (uçak/gemi).
beam[2] *i.* Kiriş, hatıl, putrel, kemer; azman; bağlam; terazi kolu; geminin eni; (*sp.*) kalas, yatay ağaç. **a ~ wind**, yandan gelen rüzgâr: **on the starboard/port ~**, sancak/iskele tarafında: **broad in the ~**, geniş kalçalı (kimse): **be on her ~ ends**, (gemi) küpeştesine kadar yana yatmak: **be on one's ~ ends**, (kimse) sıfırı tüketmek. ~**-compass**, kollu pergel.
bean [bīn]. Bakla/fasulya gibi bitkilerin genel adı; (*arg.*) kafa, baş; (*arg.*) adam. **broad ~**, bakla: **brown ~**, barbunya fasulyası: **butter ~**, kuru fasulyası: **French ~**, Ayşekadın fasulyası: **haricot ~**, taze fasulya; kuru fasulya: **runner ~**, çalı fasulya: **he hasn't a ~ to his name**, hiç meteliği yok: **be full of ~s**, kanlı canlı olm.; pürneşe olm.: **give s.o. ~s**, (*arg.*) dünyanın kaç bucak olduğunu göstermek: **it gave me ~s**, (yaram) çok acıyordu: **hit him on the ~!**, (*arg.*) başına vur!: **I say, old ~!**, (*kon.*) hey, dostum!: **spill the ~s**, baklayı ağzından çıkarmak. ~**-feast**, [-fīst], cümbüş. ~**-pole**, fasulya sırığı: **as thin as a ~**, bir deri bir kemik.
bear[1] [bẹə(r)] *i.* Ayı; (borsa) açıkçı, fiyatları düşürerek hava oyunu oynayan kimse (tersi = BULL): **Asiatic ~**, Tibet ayısı: **brown/Syrian ~**, boz ayı, Suriye ayısı: **Great ~**, Yedigir: **grizzly ~**, korkunç ayı: **polar ~**, beyaz ayı, kutup ayısı.
bear[2] (*g.z.* **bore**/**bare**; *g.z.o.* **born(e)** [bō(r), bẹə(r), bōn]) *f.* Taşımak; kaldırmak; tahammül etm.; dayanmak; hamil olm., doğurmak; (meyva) vermek; malik olm.; yönelmek, cihetine dönmek: **~ oneself well**, (i) vücudunu dik tutmak; (ii) hal ve hareketi iyi olm.: **she has borne him many children**, ondan bir çok çocuğu oldu: **it was gradually borne in upon him that...**, yavaş yavaş şuna inandı ki...: **~ with**, tahammül etm., karşı sabırlı olm.: **bring to ~**, kullanmak: **bring all one's guns to ~ on...**, bütün toplarını -in üzerine çevirmek: **at this point the road ~s north**, bu noktada yol kuzeye döner/yönelir: **the lighthouse ~s due west**, fenerin kerterizi tam batıdadır: **how does the land ~?**, kara hangi yönde?: **here we ~ to the right**, burada bir az sağa döneceğiz. **~ away**, götürmek; meyletmek: **~ away the prize**, ödülü kazanmak. **~ down**, bastırmak, ezmek: **~ down upon s.o.**, (gemi vb.) hücum etm. için yaklaşmak; heybetle üzerine gelmek. **~ off**, alıp götürmek, kazanmak: **~ off from the land**, (*den.*) karadan uzaklaşmak için rotayı çevirmek. **~ on**, üstüne basmak; üstüne çökmek; ilişkisi olm.: **bring a gun/telescope, etc., to ~ on stg.**, top/dürbün vb.ni bir şeyin üzerine meylettirmek: **bring all one's strength to ~ on stg.**, bir şeyin üzerine bütün kuvvetiyle basmak. **~ out**, dışarıya götürmek: **~ s.o. out**, birinin sözünü tasdik etm.: **this ~s out what I said**, bu benim söylediğimi doğruluyor. **~ up**, yukarıya taşımak; desteklemek; sabır ve tahammül etm.: **~ up!**, cesaret!
bearable ['bẹərəbl]. Taşınabilir; dayanılabilir, tahammül edilebilir.
bear-baiting ['bẹə(r)beytin(g)] (*sp.*) Ayı üzerine köpekler saldırtma.
beard [biə̣d] *i.* Sakal; başak dikeni, kılçık; (*müh.*) çapak. *f.* Sakalından yakalamak; meydan okumak, karşı gelmek: **~ the lion in his den**, bir şey istemek/meydan okumak için korkulan birinin yanına gitmek. ~**ed**, sakallı; bıyıklı; püsküllü. ~**ie**, (*kon.*) sakallı. ~**less**, sakalsız, püskülsüz.
bearer ['bẹərə(r)]. Taşıyan; hamil; getiren; meyvası bol (ağaç); tabut taşıyan (adam); ağır bir makinenin kaidesi; (Hindistanda) şahsî hizmetçi: **to ~**, hamil/taşıyanına yazılı. ~**-bond/cheque/share**, hamile yazılı senet/çek/hisse.
bear·-fight ['bẹə(r)fayt]. Büyük kakışma/kargaşalık. ~**-garden**, büyük kargaşalık.
bearing ['bẹərin(g)]. İlişki; anlam, mana; şümul; doğurma; tavır; (*den.*) kerteriz, rota; (*müh.*) rulman, yatak: **beyond all ~**, dayanılmaz: **in full ~**, (meyva ağacı) tam kıvamında: **lose one's ~s**, nerede bulunduğunu bilmemek; yolunu yordamını şaşırmak: **take one's ~s**, yönünü tayin etm. ~**-surface**, yuvarlanma yüzü.
bear·ish ['bẹəriş]. Hamhalat; kaba; huysuz; yontulmamış. ~**-leader**, ayı oynatıcısı; (*şaka*) çocuk mürebbisi. ~**-market**, (*mal.*) kötümser piyasa. ~**-ring**, ayı saldırtılan yer. ~**-sale**, (*mal.*) açıktan satış. ~**skin**, ayı postu; İng. hassa alayı erlerinin giydiği çok uzun bir kürk kalpak.
beast [bīst]. (Dört ayaklı) hayvan; canavar; sığır; kaba ve iğrenç adam; hınzır. ~**ly**, hayvanca; iğrenç; berbat; hınzırca (hareket vb.); (*kon.*) çok kötü bir halde.
beat[1] [bīt] *i.* Vurma, çarpma; (davul vb.) çalma; tempo; (polis vb.) devir, alan, nöbet yeri; bir nevi müzik; (*müh.*) salınım; (*elek.*) girişim.
beat[2] (*g.z.* ~; *g.z.o.* ~**en** [bīt(n)]) *f.* Dövmek; vurmak; (kalp) atmak, çarpmak; (kanat) çırpmak; (davul vb.) çalmak; yenmek, mağlup etm.; (yumurta vb.) çalkamak; hayrette bırakmak, pes dedirmek. **that ~s me!**, aklım ermez!: **that ~s everything!**, bu tüy dikti!, bu hepsinden beter!, bir bu eksikti; (*bazan*) atma Recep!: **now then, ~ it!**, haydı bakalım çek arabanı!: **strawberries ~ cherries (any day)**, çilek kirazdan kat kat üstündür: **~ to arms**, silâh başı çalmak: **~ the record**, rekor kırmak: **~ a retreat**, ricat etm., geri çekilmek: **~ the retreat**, (trampetle) ricat emri vermek: **~ time**, tempo tutmak: **~ a wood**, (av için) ormanı taramak: **~ to windward**, (*den.*) rüzgâra karşı yol almak. **~ back**, püskürtmek, geri çevirmek; durdurmak. **~ down**, indirmek, pazarlıkla indirmek; ezmek, çiğnemek: **the sun ~ down upon our heads**, güneş başımızda kaynıyordu. **~ in**, **~ in a door**, kapıyı kırıp girmek. **~ off**, püskürtmek; silkmek. **~ out**, vurup çıkarmak; bir şeyi dövüp yassıltmak: **~ out s.o.'s brains**, birinin beynini patlatmak: **~ out a path**, bir fundalıkta vb. yol açmak. **~ up**, **~ up eggs, etc.**, yumurta vb. çalkamak: **~ up game**, ormanda avlanırken kuşları havalandırmak: [**~ up** *fiili* 'dövmek' *anlamına* **beat** *yerine kullanılan yeni deyimdir*].

beat[3] *i.*, *s.* Teklifsiz gençler·den biri/-e ait.
beaten ['bītn] *g.z.o.* = BEAT[2]. *s.* **the ~ track**, çiğnenmiş yol; (*mec.*) herkesin gittiği yol: **off the ~ track**, çiğnenmiş yoldan uzak: **~ gold, etc.**, dövme altın vb.
beater ['bītə(r)]. Döven (kimse); sürek avında kuşları vb. yerinden çıkaran adam; tokmak; (*müh.*) vurucu, dövücü; (*ev.*) çalkalama cihazı.
beatif·ic [biə'tifik]. Pürneşe; büyük mutluluk ifade eden; mesut eden, mutlu kılan. **~ication** [biatifi'keyşn], takdis etme; azizliğe çıkarma. **~y** [bi'atifay], (papa) birini azizler sırasına sokmak.
beating ['bītin(g)]. Dövme, dayak, vuruş: **give a ~ to ...**, -e dayak atmak: **take a ~**, dayak yemek.
beatitude [bi'atityūd]. Ahiret saadeti; tam ve mutlak saadet, üsmut.
beatnik ['bītnik]. 'Beat' müziği seven bir genç; (*köt.*) genç avare.
beau, *ç.* **-s**/**-x** [bou(z)]. Şık, züppe; âşık.
Beaufort ['boufət]. **~ scale**, Bofor rüzgâr cetveli.
beaut [byūt] (*Avus. arg.*) Güzel bir kimse/şey. **~eous** [-yəs], çok güzel. ***~ician** [-'tişn], kadın güzellikçisi, makyaj eksperi(nin salonu). **~iful** [-tiful], (çok) güzel; latif. **~ify** [-fay], güzelleştirmek. **~y** [-ti], güzellik; güzel kimse; (*kon.*) mükemmel, nefis şey: **the ~ of it is...**, işin en güzel tarafı ...; üstelik ...: **~-parlour**, kadın güzellik salonu: **~-queen**, güzellik kraliçesi: **~-sleep**, gece yarısından önceki (tatlı) uyku: **~-spot**, (yüzdeki) ben; güzel manzaralı yer.
beaver[1] ['bīvə(r)]. Kunduz, kastor: **be busy as/work like a ~**, çok ve devamlı olarak çalışmak.
beaver[2] (*arg.*) Sakal(lı).
bebop ['bībop]. Bir cins caz müziği.
becalm [bi'kām]. Rüzgârsızlıktan kımıldatamamak; yatıştırmak: **be ~ed**, (yelkenli) rüzgârsızlıktan kımıldanamamak.
became [bi'keym] *g.z.* = BECOME.
because [bi'kōz]. Çünkü, zira: **~ of**, -den dolayı; için, sebebiyle.
bechamel [beşə'mel]. Bir nevi beyaz salça.
beck[1] [bek]. Dere, çay.
beck[2]. **be at s.o.'s ~ and call**, birinin eli altında (emrine hazır) bulunmak.
becket ['bekit] (*den.*) İp halkası; sancak/ıskota bağı.
beckon ['bekən]. (Birine) işaret etm.: **~ s.o. in**, birine içeri girmesi için işaret etm.
becom·e (*g.z.* **became**, *g.z.o.* **become**) [bi'kʌm, -keym]. Olmak; gittikçe ... olmak; yakışmak; *sıfatlardan fiil yapmağa yarar, mes.*: **~ old**, ihtiyarlamak; **~ ill**, hastalanmak. **what has ~ of him?**, o ne oldu?: **that hat does not ~ you**, o şapka size yakışmaz. **~ing**, *s.* uygun, yakışık alır; yakışan: **~ly**, uygun olarak.
bed[1] [bed] *i.* Yatak, yatacak yer; bahçe tarhı; nehir yatağı; tabaka, kat(man); temel, zemin: **~ and board**, yatmak ve yiyip içmek: **~ and breakfast**, (otelde) yalnız yatak ile kahvaltı servisi: **~-and-breakfast dealings**, (*mal.*) (vergiden kurtulmak için) bir gün satılan hisselerin ertesi gün geri satın alınması: **~ of ashes/coal**, kül/kor yığını: **~ of roses**, rahat bir yer, rahat vaziyet: **be brought to ~ of a child**, bir çocuk dünyaya getirmek: **confined to ~**, yataktan kalkamaz halde olan, yatağa düşmüş: **die in one's ~**, eceliyle ölmek: **go to ~**, (uyumak üzere) yatmak: **keep to one's ~**, yatakta hasta olm.: **make a ~**, yatağı düzeltmek: **as you make your ~ so you must lie on it**, kendi yaptığını çekmeli: **marriage ~**, gelin yatağı: **river ~**, nehir yatağı: **spare ~**, misafir yatağı: **spring ~**, somye: **take to one's ~**, yatağa düşmek.
bed[2] *f.* Bir tarh içine dikmek: **~ down a horse**, at için ahıra samandan yatak yapmak: **~ down a machine**, makineyi sağlam bir kaide üzerine yerleştirmek.
BEd. = BACHELOR OF EDUCATION.
be·dabble [bi'dabl]. Bulaştırmak. **~daub** [-'dōb], boya ile bulaştırmak. **~dazzle**, kamaştırmak.
bed·bug ['bedbʌg]. Tahtakurusu. **~chair**, yatağa takılan arkalık. **~-chamber** [-çeymbə(r)], yatak odası: **gentleman/lady of the ~**, kral(içen)in şahsî hizmetinde bulunan asilzade (kadın). **~clothes** [-klouðz], yatak takımı. **~dable** ['bedəbl], kösnü bakımından cazibeli. **~der**, kolej hizmetçisi. **~ding**, yatak takımı; hayvan yatağı: **~-out**, fidanları tarha koyma: **~-plants**, tarha hazır/uygun fidanlar.
bedeck [bi'dek]. Süslemek.
bedel(l) [be'del]. = BEADLE.
be·devil [bi'devil]. Çıldırtmak; şaşırtmak; bozmak. **~dew** [-'dyū], çiy taneleriyle ıslatmak.
bedfellow ['bedfelou]. Yatak arkadaşı, karı; (*mec.*) ortak, arkadaş.
Bedfordshire ['bedfədşə]. Brit.'nın bir kontluğu.
be·dight [bi'dayt] (*mer.*) (-ile) süslenmiş. **~dim**, karartmak, bulutlandırmak. **~dizen** [-'dayzn], süsleyip püslemek; gösterişli bir şekilde giydirip kuşatmak.
Bedlam ['bedləm]. Tımarhane; (*mec.*) gürültü, çıfıt çarşısı; 'Toptaşı'. **~ite**, kaçık.
bed-linen ['bedlinin]. Yatak çarsafı ve yastık kılıfı.
Bedouin ['beduin]. Bedevî.
bed·pan ['bedpan]. (Hasta için) ördek, yatak lâzımlığı. **~post** [-poust], karyola direği: **between you and me and the ~**, söz aramızda.
be·drabble/**~draggle** [bi'drabl, -dragl]. (Etekleri vb.) sürüyerek ıslatmak/çamura bulaştırmak. **~drench** [-'drenç], iyice ıslatmak.
bed·ridden ['bedridn]. Yatalak, yatak esiri. **~-rock**, dip kaya: **get down to ~**, bir işin esasına gelmek: **~ prices**, (fiyat) olacağı. **~room**, yatak odası: **spare ~**, misafir yatak odası.
Beds. = BEDFORDSHIRE.
bed·side ['bedsayd]. Yatak yanı, başucu: **~ manner**, (doktorlar hakkında) hastalara davranış şekli. **~sit(ter)** (*kon.*)/**~-sitting-room**, hem yatak odası hem de salon. **~sore** [-sō(r)], çok yatmaktan vücudun soyulması. **~spread** [-spred], yatak örtüsü. **~stead** [-sted], karyola, kerevet. **~straw** [-strō], kıtık. **~time**, yatsı: **~ story**, çocuklara yatarken anlatılan hikâye. **~-wetting**, sidiğini tutamama, yatağını ıslatma.
bee [bī]. Arı, bal arısı; *(birlikte çalışmak için) toplantı: **busy (as a) ~**, çok çalışkan: **have a ~ in one's bonnet**, bir şeyle bozmak.
beech [bīç]. Kayın ağacı. **~-mast/-nut**, kayın palamudu.
bee-eater ['bī-ītə(r)]. Arı kuşu.
beef [bīf]. Sığır eti; (*kon.*) kuvvet, iriyarılık: **~ about stg.** (*arg.*), -den şikâyet etm.: **corned ~**, konserve sığır eti. **~eater** [-ītə(r)], Londra kalesi bekçisi. **~-extract**, sığır eti hulâsası. **~steak**

[-'steyk], biftek. ~**-tea**, sığır eti suyu. ~**y**, (*kon.*) etli butlu, iriyarı.
bee·hive ['bīhayv]. Arıkovanı. ~**keeper** [-kīpə(r)], arıcı. ~**line** [-layn], en kısa/doğru yol: **make a ~ for**, . . . cihetine doğru gitmek.
Beelzebub [bi'elzibʌb]. Şeytan, iblis.
been [bīn] *g.z.o.* = BE. Olmuş, imiş; gitmiş. **where have you ~?**, nerede idiniz?, nereye gittiniz?: **I have ~ ill**, (şimdiye kadar) hasta idim: **he has ~ punished**, cezalandırıldı: **I have ~ to London**, Londraya gittim; Londrada bulundum.
beep [bīp] (*yan.*) Klakson vb. sesi(ni çıkarmak).
beer [biə(r)]. Bira: **draught ~**, fıçı birası: **small ~**, hafif bira; (*mec.*) önemsiz şeyler: **think no small ~ of oneself**, küçük dağları ben yarattım demek. ~**house**, birahane, meyhane. ~**y**, bira kokan; çakırkeyf.
beeswax ['bīzwaks]. Balmumu.
beet [bīt]. Pancar: **sugar/white ~**, şeker pancarı. ~**-sugar**, pancardan elde edilen şeker.
beetle[1] [bītl] *i.* Kınkanatlı(lar), böcek: **long-horned ~**, tekeböceği: **sacred ~**, bok/pislik böceği: **whirligig ~**, girinus.
beetle[2] *i.* Tokmak, şahmerdan.
beetle[3] *f.* Asılmak, sarkmak; çıkıntı teşkil etm. *s.* Sarkık; kaba tüylü, dargın bakışlı.
beetle-[4] *ön.* ~**-browed**, sarkık kaşlı. ~**-crushers**, (*arg.*) büyük ayakkapları/çizmeler.
beetroot ['bītrūt] = BEET.
BEF = BRITISH EXPEDITIONARY FORCE.
be·fall [bi'fōl]. Zuhur etm., vuku bulmak; başa gelmek, gelip çatmak. ~**fit**, uymak, münasip olm., yakışmak: ~**ting**, uygun, yakışır. ~**fog**, sis kaplamak; bulandırmak; karartmak; (*mec.*) şaşırtmak.
before [bi'fō(r)]. Önce, evvel; önde, önünde; bir önceki: **the day ~**, bir gün önce: **~ Christ**, Milâttan önce: **it ought to have been done ~ now**, şimdiye kadar yapılmış olmalıydı: **it was long ~ he came**, (i) gelmesi uzun sürdü, uzadı; (ii) o buraya gelmeden çok önceydi: **I will die ~ I give in**, teslim olmaktansa ölürüm (ölmeyi tercih ederim). ~**hand**, önceden, daha evvel. **~ long**, çok geçmeden, yakında. ~**-mentioned**, önceden zikredilen. ~**-tax**, vergisi ödenmeden evvel.
be·foul [bi'faul]. Kirletmek, bulaştırmak. ~**friend** [-'frend], -e dostça hareket etm.; yardım etm. ~**fuddle** ['fʌdl], sarhoş gibi etm., şaşırtmak.
beg [beg]. Dilenmek; istemek; dilemek; yalvarmak; (köpek) salta durmak: **I ~ your pardon**, özür dilerim: **I ~ to...**, hürmetle...: **I ~ of you, do not be angry**, rica ederim, kızmayınız: **I ~ to differ**, izninizle ben bu fikirde değilim: **~ the question**, dava/iddiayı ispat olunmuş farzetmek: **~ s.o. off**, birini affettirmek: **these jobs go (a-) ~ging**, bu işlere pek istekli yok.
began [bi'gan] *g.z.* = BEGIN.
be·get (*g.z.* ~**got**, *g.z.o.* ~**gotten**) [bi'get, -got(n)]. -e baba olm.; vücude getirmek; (*mec.*) doğurmak. ~**ter**, baba; doğuran kimse.
beggar ['begə(r)] *i.* Dilenci; çok fakir kimse *f.* Dilenciye çevirmek; iflâs ettirmek. **lucky ~!**, köftehor!: **poor ~!**, zavallı adamcağız!: ~**s cannot be choosers**, (i) 'dilenciye hıyar vermişler, eğridir diye beğenmemiş'; (ii) oluru ile yetinmeli *gibilerden*: **the beauty of the scene ~s description**, manzaranın güzelliği tarife sığmaz. ~**ly**, dilenciye verir gibi; gülünç (miktarda az). ~**y**, dilencilik.
begging ['begin(g)]. Dilenme, yalvarma; = BEG.
begin (*g.z.* **began**, *g.z.o.* **begun**) [bi'gin, -'gan, -'gʌn]. Başlamak: **to ~ with**, evvelâ, ilk önce. ~**ner**, başlayıcı, müptedi; acemi. ~**ning**, başlangıç, iptida; baş; esas.
begone [bi'gon]. Defol!, yıkıl!, çekil!
begonia [bi'gounyə]. Begonya.
begot(ten) [bi'got(n)] *g.z.(o.)* = BEGET.
be·grime [bi'graym]. İsletmek, kirletmek. ~**grudge** [-'grʌc]. Vermek istememek; çok görmek; -den bir şeyi esirgemek.
beguile [bi'gayl]. Aldatmak; baştan çıkarmak; oyalamak; eğlendirmek: **~ s.o. out of stg.**, birini kandırarak elinden bir şeyi almak: **~ the time**, vakit geçirmek, can sıkıntısını geçirmek. ~**ment**, aldatma; tuzak. ~**r**, aldatıcı.
begum ['bīgʌm] (*Hint.*) Asil kadın.
begun [bi'gʌn] *g.z.o.* = BEGIN.
behalf [bi'hāf]. **on ~ of s.o./on s.o.'s ~**, birinin ad/namına; tarafından; birinin yerine; birinin lehinde.
behav·e [bi'heyv]. Davranmak; hareket etm.: **~ yourself!**, uslu otur!; terbiyeni takın!: **know how to ~**, nasıl hareket edileceğini bilmek; görgü kurallarını bilmek: **well ~ed**, uslu, terbiyeli. ~**iour** [-vyə(r)], tavır, hareket, muamele, davranım, davranış; muaşeret; işleyiş: ~**-therapy**, (*tıp.*) davranışları değiştirmeyle tedavi.
behead [bi'hed]. Başını kesmek; idam etm.
beheld [bi'held] *g.z.(o.)* = BEHOLD.
behemoth ['bihimoθ] (*mit.*) Su aygırı; (*mec.*) canavar, dev.
behest [bi'hest]. Emir, irade, buyruk.
behind[1] [bi'haynd] *i.* Kıç; arka.
behind[2] *e.* Arkada, arkasında; arkadan; geride: **~ the scenes**, gizli/hususî olarak: **~ time**, geç: **be ~ the times**, eski kafalı olm.; yeni durumdan haberi olmamak: **~ s.o.'s back**, o yok iken, gizli olarak. ~**hand**, gecikmiş; geride.
behold (*g.z.(o.)* **beheld**) [bi'hould, -'held]. Bakmak, görmek, seyirmek. ~**en**, borçlu, medyun. ~**er**, seyirci; şahit.
be·hoof [bi'hūf]. **to/for/on s.o.'s ~**, birinin yararına. ~**hove** [-'houv], yakışık almak; lâzım gelmek, gerekmek.
beige [beyj]. (Yün kumaş) tabiî renkte; bej.
being [bīin(g)] *hal. o.* = BE. *i.* Mevcudiyet; varlık; mahluk: **human ~**, insan: **come into ~**, meydana çıkmak, vücut bulmak; tahakkuk etm.: **in ~**, bilfiil, mevcut: **for the time ~**, şimdilik; **you are ~ obstinate**, (şu anda) inat ediyorsunuz.
Beirut [bēy'rut]. Beyrut.
bejewelled [bi'cūəld]. Cevahirle süslenmiş.
bel [bel] (*elek.*) Bel.
belabour [bi'leybə(r)]. Dövmek, dayak atmak; (*mec.*) (bir mevzu üzere) uzun uzun konuşmak.
belated [bi'leytid]. Geç/geceye kalmış; gecikmiş.
belay [bi'ley] (*den.*) Sarıp bağlamak: ~**!**, stop! ~**ing pin**, armadora çeliği.
belch [belç]. Geğirme(k); püskürtme(k).
beldam ['beldam]. Kocakarı, acuze.
beleaguer [bi'līgə(r)]. Kuşatmak, muhasara etm.
Belfast [bel'fāst]. K. İrlanda'nın başkenti.
belfry ['belfri]. Çan kulesi (sahanlığı): **have bats in the ~**, bir tahtası eksik olm.

Belgi·an ['belcən] *i.* Belçikalı: *s.* Belçika+. **~um** [-cəm], Belçika.
Belgrade [bel'grēyd]. Belgrad.
belie [bi'lay]. Yalancı çıkarmak; yalanlamak.
belief [bi'līf]. İnanma; iman; kanaat; inanç, akide: **to the best of my ~**, benim bildiğime göre.
believ·able [bi'līvəbl]. İnanılır, güvenilir. **~e**, inanmak; iman etm., zannetmek: **~ in . . .**, -e iman etm., -e itimat etm., güvenmek: **make ~ to do stg.**, bir şeyi yapıyor gibi görünmek. **~er**, inanan; mümin, mutekit.
belike [bi'layk]. Belki, ihtimali var.
Belisha [be'līşə]. **~ beacon**, yaya geçidi işareti.
belittle [bi'litl]. Küçültmek, alçaltmak.
bell[1] [bel] *i.* Çan; kampana; çıngırak; zil. *f.* Zil/çıngırak takmak; (etek vb.) şişmek, havalanmak. **~ the cat**, kimsenin yanaşamadığı tehlikeli bir işi üzerine almak: **by ~ book and candle**, (*din*) resmî lânetleme: **there's (a ring at) the ~**, zil çalıyor.
bell[2]. (Geyik) bağırma(k).
belladonna [belə'donə]. Güzelavrat otu.
bell·-bottomed ['belbotəmd]. Geniş/çan şeklinde (pantolon). **~boy**, (otelde) haber götüren çocuk, komi. **~-buoy** [-boy], çan şamandırası.
belle [bel]. Güzel kadın, dilber. **~*s-lettres*** [-letr] (*Fr.*) edebiyat, güzel yazılar.
bell·flower ['belflauə(r)]. Çançiçeği. **~-foundry**, çan dökümhanesi. * **~hop** (otelde) haber götüren çocuk, komi.
bellicos·e ['belikouz]. Savaşçı, harbi seven. **~ity** [-'kositi], savaşçılık; kavgacılık.
-bellied [-'belid] *son.* (*zoo.*) -göğüslü.
belligeren·cy [bi'licərənsi]. Savaşçı hali, savaşçılık; kavgacılık, dövüşkenlik. **~t**, muharip, savaşçı; kavgacı.
bell·jar ['belcā(r)] (*kim.*) Fanus. **~-mouthed** [-mauðd], geniş ağızlı.
bellow ['belou]. Böğürme(k); kükreme(k); bağırma(k).
bellows ['belouz]. Körük.
bell·pull/~push ['belpul/-puş]. Zil kordon/düğmesi. **~-ringer**, çan çalan. **~-tent**, konik çadır. **~-tower**, çan kulesi. **~-wether** [-weðə(r)], kösemen.
belly ['beli] *i.* Karın, göbek. *f.* Şiş(ir)mek. **~ache** [-eyk], karın ağrısı; *(*kaba*) şikâyet etm. **~ful**, karın dolusu: **have a/one's ~**, (*kaba*) tıkabasa/doyuncaya kadar yemek; (*mec.*) bıkmak. **~-hold** [-hould] (*hav.*) uçak gövdesindeki ambar. **~-landing**, (*hav.*) iniş tertibatı kullanamıyarak iniş. **~-tank**, (*hav.*) havada atılabilir benzin deposu.
belong [bi'lon(g)]. Ait olm., -nin olm., mensup olm.; sakinlerinden olm.: **I ~ here**, buralıyım. **~ings**, ait olan şeyler, eşya; pılıpırtı.
beloved [bi'lʌvd] *g.z.(o.)* Sevilmiş; sevilen. [-vid], *i., s.* (*şiir.*) sevgili, aziz; canım.
below [bi'lou]. Aşağı; aşağıda; aşağısında; altında. **~-deck**, güverte altı. **~-stairs**, hizmetçilere mahsus bodrum odaları; (*mec.*) hizmetçiler.
belt [belt] *i.* Kemer; kuşak; bel kayışı; bant, kolan; bölge; şerit. *f.* (Kayışla) bağlamak/dövmek. **hit below the ~**, (boks) belden aşağı (usulsüz) vurmak; (*mec.*) alçakça/kahpece hareket etm.: **~ up**, emniyet kemerini bağlamak; (*arg.*) susmak. **~ed**, kemerli.
beluga [be'lūgə]. Küçük yüzgeçli yunus balığı.
belvedere ['belvidiə(r)]. Köşk.
belying [bi'layin(g)] *hal o.* = BELIE.
BEM = BRITISH EMPIRE MEDAL.
be·moan [bi'moun]. (Bir şeyden) inliyerek şikâyet etm.; ah ve figan etm. **~muse** [-'myūz], sersemletmek: **~d**, (içki/uyuşturucu maddelerle) sersemletilmiş.
Ben[1] [ben] (*İsk.*) Dağ (tepesi).
Ben[2] = BENJAMIN. **Big ~**, (Londra) Parlamento Sarayındaki saat kulesi çanı.
bench [benç]. Sıra, kanepe, peyke; tezgâh; hâkim kürsüsü; mahkeme: **Front ~**, Avam Kamarasında (eski) bakanlara ayrılan ön sıra: **back ~es**, diğer mebusların oturduğu sıralar: **Queen's ~**, bir yüksek İngiliz mahkemesi. **~er**, kıdemlı avukat. **~-mark**, (haritacılık) seviye işareti.
bend[1] [bend] *i.* Eğilme, inhina; dirsek; köşe, viraj; dönemeç; düğüm; (*müh.*) bükülme; (armada) şerit, çizgi: **~ sinister**, (armada) gayrimeşruluk belirtisi olan paralel çizgiler: **return ~**, (*müh.*) çift dirsek: **round the ~**, (*arg.*) deli: **sharp ~**, (*oto.*) keskin viraj: **take a ~**, (*oto.*) virajı dönmek: **the ~s**, (*den.*) vurgun.
bend[2] (*g.z.(o.)* **bent**) *f.* Eğ(il)mek; bük(ül)mek; kavislen(dir)mek; kıvırmak; kıvrılmak; germek; bir tarafa çevirmek/çevrilmek; yönel(t)mek; (*den.*) bağlamak. **~ed**, eğilmiş. **~ing**, eğ(il)me.
bene- [beni-] *ön.* İyi- [BENEFIT].
beneath [bi'nīθ]. Altında, altta; dununda: **it is ~ him to . . .**, -e tenezzül etmez: **~ one's dignity**, kendine yakışmaz.
benedic·tine [beni'diktīn]. Benediktin rahibi; bir likör adı. **~tion** [-'dikşn], hayır dua; takdis. **~tory** [-təri], hayır/bereket ifade eden; takdis edici.
benefact·ion [beni'fakşn]. İyilik, ihsan, hayır. **~or** ['benifaktə(r)], iyilik eden; velinimet; hayır sahibi. **~ress** [-tris], iyilik eden kadın, vb.
benefice ['benifis]. Aidatlı papazlık mesnedi. **~d**, aidatlı (papaz).
beneficen·ce [bi'nefisns]. İyilik, lûtuf, hayır. **~t**, iyi, hayır sahibi, lûtufkâr; mubarek.
benefici·al [beni'fişl]. Faydalı; yararlı. **~ary**, aidat alan; faydalanan, yararlanan, lehtar.
benefit ['benifit] *f.* Yaramak, faydalı olm., fayda etm. *i.* Fayda; istifade, kâr, menfaat; ödence, tazminat: **the ~ of the doubt**, (*huk.*) şüphe halinde sanık lehine karar: **fringe ~**, maaş dışında verilen para/mal/hizmet yardımı; avanta: **social ~**, sosyal sigortadan verilen para. **~-match**, (*sp.*) bir sporcunun menfaatına oynanan maç. **~-society**, karşılıklı yardım kurumu.
Benelux ['beniləks] = BELGIUM + THE NETHERLANDS + LUXEMBURG.
benevolen·ce [bi'nevələns]. İyilik, hayırhahlık, ihsan; (*tar.*) bir nevi vergi. **~t**, iyi kalpi, hayırhah, iyiliksever.
BEng. = BACHELOR OF ENGINEERING.
Bengal [ben'gōl]. Bengal. **~i**, Bengallı; Bengal dili. **~-light**, bir nevi hava fişeği; imdat işareti.
benighted [bi'naytəd]. (Mecburen) geceye kalmış; karanlıkta kalmış; (*mec.*) cahil.
benign [bi'nayn]. Yumuşak huylu; iyi kalpli, halim; mülâyim; müsait; (*tıp.*) tehlikesiz; selim. **~ant** [bi'nignənt], iyi kalpli; yumuşak huylu; müsait. **~ity** [-niti], yumuşaklık, iyi kalplilik; (*tıp.*) zararsızlık. **~ly**, yumuşak huylu vb. olarak.

benison ['benizn]. Hayır dua, kutsama.
Benjamin ['bencəmin]. Benyamin: **the ~**, ailenin en küçüğü; en sevilen, şımartılan.
bent[1] [bent] *g.z.(o.)* = BEND[2]. *s.* Eğilmiş, bükülmüş, eğri; bükük; aklına koymuş; (*mec.*) rüşvetçi, dalavereci. *i.* Meyil; temayül, eğilim. **be ~ on doing stg.**, bir seyi yapmağa azmetmek: **have a ~ for**, -e istidadı olm.: **to the top of one's ~**, doya doya: **be homeward ~**, eve doğru yolunda olm.
bent[2] *i.* Bir çok nevi sert çimen.
bentwood ['bentwud]. Bükülmüş ağaç, hezaran.
benumb [bi'nʌm]. Uyuşturmak, hissini yoketmek.
benz·ene [ben'zīn] (*kim.*) Benzin. **~ine**, yağ lekesini çıkaran bir nevi benzin. **~oic** [-zouik], benzoik. **~oin**, (*bot.*) asılbent. **~ol** ['benzəl], benzol. **~oline** [-līn], = ~ENE.
beque·ath [bi'kwīð, -īθ]. Vasiyetle bırakmak; vasiyet etm. **~st** [-'kwest], vasiyetle bırakılan şey.
berate [bi'reyt]. Azarlamak, haşlamak.
Berber ['bəbə]. Berberî.
bereave (*g.z.* **~d**, *g.z.o.* **bereft**) [bi'rīv(d), -'reft]. (Ölüm hakkında) birisini bir sevdiğinden mahrum etm., elinden almak. **~ment**, büyük kayıp (ölüm), yoksun olma; matem, keder.
bereft [bi'reft] *g.z.o.* = BEREAVE. *s.* **~ of his senses/utterly ~**, deli, çıldırmış.
beret ['berey]. Bere.
berg [bəg] = ICEBERG.
bergamot ['bəgəmot]. (i) Beyarmudu; (ii) bergamot; (iii) güzel kokulu bir çiçek.
beribboned [bi'ribənd]. Şeritli.
beriberi ['beriberi]. Beriberi.
berkelium [bə'kīlyəm]. Berkelyum.
Berks(hire) ['bākşə(r)]. Brit.'nın bir kontluğu.
Berlin [bə'lin]. Berlin; arkayeri örtülü olan dört tekerlekli araba. **~er**, Berlinli.
Bermuda [bə'myudə]. **~ shorts**, (*mod.*) uzun şort.
Bern(e) ['beən]. Bern.
berry ['beri] *i.* Çekirdeksiz sulu küçük meyva (çilek, frenküzümü, böğürtlen vb. gibi); tane. *f.* (Böğürtlen vb. gibi) meyva vermek.
berserk ['bəsək]. Vahşi savaşçı: **go ~**, çıldırmak, kudurmak.
berth [bəθ] *i.* (Vapur/tren/uçakta) kuşet, yatak, ranza; (geminin) demir/rıhtımdaki yeri; yer, memuriyet. *f.* Demir yeri vermek; yanaştırmak; rıhtıma yanaşmak; yatak bulmak; yatmak. **give a wide ~ to**, -den uzak durmak, çekinmek; (*den.*) alarga durmak.
beryl ['beril]. Beril, gök zümrüt. **~lium** [-'rilyəm], berilyum.
beseech (*g.z.(o.)* **~ed/besought**) [bi'sīç(t), -'sōt]. Yalvarmak, istirham etm., rica etm. **~ing**, yalvarış, yalvaran: **~ly**, yalvararak.
beseem [bi'sīm]. Uygun olm., yakışık almak.
beset (*g.z.(o.)* **~**) [bi'set]. Kuşatmak, sarmak; hücum etm.: **~ting sin**, insanın daima düştüğü hata/işlediği günah.
beside [bi'sayd]. Yanın(d)a; dışında, haricinde: **be ~ oneself**, (hiddetten vb.) kendini kaybetmek. **~s** [-dz], bundan başka/maada; ayrıca; zaten; bir de, hem de.
besiege [bi'sīc]. Kuşatmak, muhasara etm.: **~d**, kuşatılmış, mahsur.
be·slobber [bi'slobə(r)]. Salya bulaştırmak. **~smear** [-'smiə(r)], kirletmek, bulaştırmak. **~smirch** [-'sməç], (şöhret vb.) kirletmek, pisletmek.
besom[1] ['bīzm]. Çalı süpürgesi. **~**[2], (*köt.*) öfkeli kadın.
besotted [bi'sotid]. (İçki vb.den) çürümüş.
besought [bi'sōt] *g.z.(o.)* = BESEECH.
be·spangle [bi'span(g)gl]. Pullarla süslemek: **~ed**, pullarla süslenmiş. **~spatter** [-'spatə(r)], zifos/çamurlatmak.
bespeak (*g.z.(o.)* **bespoke(n)**) [bi'spīk, -'spouk(n)]. Ismarlamak; önceden almak, tutmak: **the girl is bespoke**, nişanlıdır: **bespoke-tailoring**, ısmarlama terzilik.
besprinkle [bi'sprin(g)kl]. Serpmek; islatmak.
Bessarabia [besə'reybiə]. Besarabya.
Bessemer ['besimə(r)]. **~ process/steel**, Bessemer usul/çeliği.
best[1] [best] *s., zf.* (GOOD/WELL'*in üst.*) En iyi; en çok: **at (the) ~ he is not rich**, en hafif deyimle zengin değildir: **at his ~ he is unsurpassed**, iyi yaptığı zaman onu kimse geçemez: **get/have the ~ of it/come off the ~**, üstün olm., galip gelmek: **do one's ~**, elinden gelen her şeyi yapmak: **in one's (Sunday) ~**, en iyi elbisesiyle: **she is not at/looking her ~ today**, bugün her zamanki gibi güzel değil: **he looks his ~ in uniform**, ona en çok yakışan üniformadır: **make the ~ of it/a bad job**, oluru ile yetinmek; aza çoğa bakmamak: **to the ~ of my belief/knowledge**, benim bildiğime göre: **he spends the ~ part of the year in the country**, yılın önemli bir kısmı/en güzel mevsimini sayfiyede geçirir: **he can lie with the ~**, yalancılıkta eşsizdir: **you had ~ do this**, bunu yapmalısınız; bunu yapsanız daha iyi olur.
best[2] *f.* Birini mağlup etm., yenmek, hakkından gelmek.
bestial ['bestiəl]. Hayvan·î/-sal/-ca. **~ity** [-i'aliti], hayvanlık. **~ize** [-iə'layz], hayvanlaştırmak.
bestir [bi'stə(r)]. **~ oneself**, harekete gelmek, kımıldamak.
best-man ['bestman]. Sağdıç.
bestow [bi'stou]. Vermek, bağışlamak, ihsan etm. **~al**, verme, ihsan.
be·stride (*g.z.* **~strode**, *g.z.o.* **~stridden**) [bi'strayd, -'stroud, -'stridn]. Ata biner gibi binmek; apışarak -de oturmak: **he ~s the world**, bütün çağdaşların üstündür.
best-seller ['bestselə(r)]. (Kitap vb.) en çok satılan.
bet [bet] *i.* Bahis, iddia. *f.* Bahse girmek, bahis tutuşmak. **make/lay a ~**, bahse girmek: **take (up) a ~**, bahsi kabul etm.: **you ~ (your life)!**, elbette, ne zannettiniz!
beta ['bītə]. Yunancanın ikinci harfi (B, β), beta; ikinci derece: **~minus/plus**, ikinci dereceden daha zayıf/iyi: **~ particle/rays**, betazerre/ışınları. **~tron**, betatron.
be·take (*g.z.* **~took**, *g.z.o.* **~taken**) [bi'teyk(n), -'tuk]. Gitmek; müracaat etm., baş vurmak: **~ oneself to**, -e gitmek.
betel [bītl]. Tembul. **~-nut**, fufel.
bête noire ['beytnwā(r)] (*Fr.*) Nefret edilen adam/şey.
bethink (*g.z.(o.)* **bethought**) [bi'θin(g)k, -'θōt]. **~ oneself**, düşünmek, hatırlamak.
betide [bi'tayd]. Vaki olm., çıkmak: **woe ~ you ...!**, ne belânız çıkacak ...!

betimes [bi'taymz]. Erken, erkenden.
betony ['betəni]. Nane gibi bir bitki.
betook [bi'tûk] *g.z.* = BETAKE.
betray [bi'trey]. Hiyanet etm., aldatmak, ihanet etm.; yanlış yola sevketmek; göstermek, ifşa etm. ~**al**, ihanet, düşmana teslim; ifşa; açığa vurma. ~**er**, ihanet eden, hain.
betroth [bi'troụð]. Nişanlamak, yavuklamak. ~**al**, nişan(lama)/(-lanma), yavuk(lama). ~**ed** [-θt], nişanlı, yavuklu.
better[1] ['betə(r)] *s., zf., i.* (GOOD/WELL'*in krş. d.*). Daha iyi; üstün; üst; mafevk. ~ **and** ~, gittikçe daha iyi: ~ **still...**, daha iyisi...: **that's** ~**!**, hah şöyle; işte şimdi oldu; bu çok daha iyi: **a change for the** ~, iyileşme, düzelme: **he has seen** ~ **days**, şimdiki hali fena fakat ne günler görmüştür: önceden hali vakti yerinde idi: **do stg. for** ~ **or worse**, bir şeyi (neticesi) ne olursa olsun yapmak: **take s.o. for** ~ **or worse**, birini olduğu gibi (iyi ve kötü yanlarıyla) kabul etm.: **get the** ~ **of s.o.**, birini mağlup etm., hakkından gelmek: **go one** ~, pey sürmek, artırmak; (birini bir şeyde) bastırmak: **you had** ~ **tell him**, ona söyleseniz daha iyi olur: **so much the** ~**!**, daha iyi ya!; olsun!: **for the** ~ **part of the year**, yılın yarısından fazlası/önemli bir kısmında: **you are** ~ **off than I am**, sizin durumunuz benimkinden daha iyidir: **think** ~ **of it**, fikrini değiştirmek, vazgeçmek.
better[2] *f.* Daha iyi yapmak/olmak, düzeltmek; iyileş(tir)mek.
bett·er[3], ~**or**, *i.* Bahse giren; bahis tutan.
betterment ['betə(r)mnt. İyileştirme (için yapılan masraflar), devamlı ıslahat: ~ **levy/tax**, şerefiye (vergisi).
betting ['betin(g)]. Bahis, bahse girme: ~**-shop**, bahisleri kabul eden büro.
between [bi'twīn]. (*İki kişi/şey için.*) Ara(da), arasında: **you must choose** ~ **them**, ikisinden birini seçmeniz lâzım: ~ **you and me**, çekinmeden söyleyiniz/yazınız; gizli/saklı olsun, söz aramızda.
betwixt [bi'twikst] = BETWEEN. ~ **and between**, ikisinin ortası.
bevel ['bevl] *i.* Eğrilik, meyil, şev. *f.* Şev vermek. ~**led**, eğri, şevli, konik, yansı. ~**-edge**, şevli kenar. ~**-gear**, konik dişli.
beverage ['bevəric]. İçecek, içki, meşrubat: **alcoholic** ~, içki: **soft** ~, hafif/ispirtosuz içecek.
bevy ['bevi]. Küme, grup, takım, sürü.
bewail [bi'weyl]. (Bir şeye) ağlamak; hayıflanmak.
beware [bi'weə̣(r)]. ~ **(of)**, (-den) sakınmak/korunmak: ~**!** dikkat!
bewilder [bi'wildə(r)]. Şaşırtmak, sersemletmek; hayrette bırakmak. ~**ing**, sersemletici vb. ~**ment**, şaşkınlık, sersemlik, hayret.
bey [bey] (*Tk.*) Bey. ~**lic** [-lik], beylik.
beyond [bi'yond]. İleri; daha uzak; öte, öteye, ötede, ötesinde; sonra; dışında; üstünde; aşarak: **the** ~, öte, mavera: ~ **belief**, inanılmıyacak: ~ **doubt**, şüphe/su götürmez: ~ **words**, tarif edilmez: **at the back of** ~, dünyanın öteki ucunda: **it's** ~ **me**, buna aklım ermez; buna pes derim: **that's (going)** ~ **a joke**, iş şaka olmaktan çıkıyor.
bezant [bi'zant]. Bizans (altın) sikkesi.
bezel ['bezl]. Şev; (mühür vb.) kaş; faseta.
bezique [bi'zīk]. Bezik.
BF = BELGIAN FRANC(S).

b.f. = BLOODY FOOL; BOLD FACE; BROUGHT FORWARD.
BF·BS = BRITISH AND FOREIGN BIBLE SOCIETY. ~**I** = BRITISH FEDERATION OF INDUSTRIES. ~**PO** = BRITISH FORCES POST OFFICE.
B/H = BILL OF HEALTH.
B'ham = BIRMINGHAM.
b.h.p. = BRAKE HORSEPOWER.
Bi. (*kim.s.*) = BISMUTH.
bi- [bay-] *ön.* Bi-, iki (defa), çift(e).
bias ['bayəs] *i.* Meyil, eğilim; önyargı, peşin hüküm; bir tarafı tercih; çapraz (kesme), verev. *f.* Bir tarafa etki etm., tarafsızlığını bozmak. **be** ~**ed**, tarafgir olm.: **be** ~**ed against s.o.**, birine karşı tarafsız olmamak; birinin aleyhinde olmağa meyletmek.
bib [bib]. Çocuk göğüslüğü; önlüğün göğse gelen kısmı: **put on one's best** ~ **and tucker**, takıp takıştırmak; iki dirhem bir çekirdek olm.
bibber ['bibə(r)]. Ayyaş.
bibelot ['bīblọụ] (*Fr.*) Biblo.
bibl. = BIBLICAL; BIBLIOGRAPHY.
Bibl·e ['baybl]. Mukaddes Kitap; Tevrat ile İncil: ~ **belt**, ABD'ndeki müteassıp Protestan bölgesi: ~ **class**, din dersi: ~ **thumper**, müteassıp ve palavracı hatip. ~**ical** ['biblikl], Mukaddes Kitaba ait, tevratî.
biblio- ['biblio-] *ön.* Biblio-, kitap+. ~**graphy** [-'ogrəfi], bibliyografya, kaynakça. ~**maniac** [-'meyniak], kitap meraklı/delisi. ~**phile** [-'fayl], kitap seven, kitapsever.
bibulous ['bibyuləs]. Ayyaş.
bicameral [bay'kamərəl]. İki odalı (meclis).
bicarb(onate) [bay'kāb(əneyt)]. Bikarbonat.
bicenten·ary [baysən'tīnəri]. İki yüzüncü yıldönümü. ~**nnial** [-'teniə̣l], iki yüz sene süren, her iki yüz sene vuku bulan.
biceps ['bayseps]. İki başlı adale; pazı.
bi·chloride [bay'klōrayd]. Biklorid. ~**chromate** [-'krọụmeyt], bikromat.
bicker ['bikə(r)]. Atışmak, çekişmek; (dere) şırıldamak; (ışık) pırıldamak. ~**ing**, ağız dalaşı.
bicuspid [bay'kʌspid]. Çift uçlu (diş).
bicycl·e [baysikl]. Bisiklet(le gitmek). ~**ist**, bisiklete binen, bisikletçi.
bid[1] [bid] *i.* Fiyat teklifi, pey, sürme; teklif: **in a** ~ **to**, -e teşebbüs ederek: **make a** ~ **for power**, iktidarı ele geçirmeğe teşebbüs etm.
bid[2] (*g.z.* ~**/bade**, *g.z.o.* **bidden**) [beyd, bidn] *f.* Emretmek, kumanda etm.; davet etm.; temenni etm.; fiyat teklif etm., pey sürmek; vermek: **he** ~**s fair to be a ...**, bir ... olacağa benziyor.
bidd·able ['bidəbl] (*mer.*) İtaatli; uslu; kolay inandırılır. ~**en**, *g.z.o.* = BID[2]: **do as you are** ~, itaat et! ~**er**, pey süren, artıran, teklif sahibi. ~**ing**, mezatta artırma; emir, davet: **be at s.o.'s** ~, birinin emrinde olm.
biddy ['bidi] (*köt.*) Kadın.
bide [bayd] = ABIDE: ~ **one's time**, zaman/fırsatını beklemek.
bidet ['bide] (*Fr.*) Bide.
biennial [bay'eniə̣l]. İki yıllık; iki yılda bir olan (bitki vb.).
bier ['biə̣(r)]. Cenaze (tekerlekli) sedyesi, tabut sehpası, sal.
BIF = BRITISH INDUSTRIES FAIR.

biff [bif]. (*arg.*) Yumruk (vurmak).
bi·fid ['bayfid] (*bot.*) İki eşit parçalı. ~**focal** [-'foukl] (*fiz.*) çift odak/mihraklı. ~**foliate** [-'foulieyt] (*bot.*) çift yapraklı.
bifurcat·e ['bayfəkeyt]. İki kola ayırmak/ayrılmak; çatal yapmak/olm. ~**ion** [-'keyşn], çatallanma; çatal yeri.
big [big]. İri, büyük, kocaman; büyümüş; mühim, önemli. ~ **with child**, gebe, hamile: ~ **with consequences**, ağır sonuçlar doğurabilir: **talk** ~, yüksekten atmak, atıp tutmak, övünmek: ~ **business**, büyük sermayeli ticaret: **too** ~ **for his boots**, kendini beğenmiş, devaynasında gören: **a** ~ **man**, önemli.
bigam·ist ['bigəmist]. Evli iken *kanuna aykırı olarak* tekrar evlenen kimse. ~**ous**, iki karı/kocalılığa ait. ~**y**, evli iken tekrar evlenme, iki karı/kocalılık.
big·-end ['bigend] (*oto.*) Piston kolu başı. ~**-game**, büyük av hayvanları: ~**-hunting**, büyük av. ~**ger**, (*krş.d.*) = BIG; daha büyük. ~**gest**, (*üst.*) = BIG; en büyük. ~**-head(ed)**, kendini beğenmiş. ~**-hearted**, cömert.
bight [bayt]. Küçük körfez; (*den.*) halat bedeni.
bigot ['bigət]. Kaba sofu, yobaz. ~**ed**, müteassıp, darkafalı (kimse); softa. ~**ry**, taassup, darkafalılık, yobazlık.
big·-shot ['bigşot] (*arg.*) Önemli, kodaman. ~**-stick**, (*arg.*) zorlama. ~**-time**, (*tiy.*) önemli. ~**-top**, (sirkte) büyük çadır. ~**wig**, (*arg.*) kodaman.
bijou ['bījū] (*Fr.*) Küçük fakat mükemmel.
bike [bayk] (*kon.*) = BICYCLE.
bikini [bi'kīni]. İki parçalı mayo, bikini.
bilateral [bay'latərəl]. İki taraf/yön/yüzlü, ikili.
bilberry ['bilbəri]. Dağ mersini; çay/ayı üzümü (?).
bile [bayl]. Öt, safra; (*mec.*) huysuzluk, öfke: **stir s.o.'s** ~, birinin damarına basmak. ~**stone**, öt/safra kesesinde bulunan taş.
bilge [bilc] (*den.*) Sintine, karina; fıçı karnı; (*kon.*) herze. ~**-keel**, yalpa omurgası. ~**-pump**, sintine tulumbası. ~**ways** [-weyz], kızak felenkleri.
biliary ['biliəri]. Safra+, öt+.
bilingual [bay'lin(g)gwəl]. İki (ana) dilli; iki dil konuşan.
bilious ['bilyəs]. Safralı; (*mec.*) huysuz, titiz.
-bility [-'biliti] *son.* -yap(ıl)abilme; ... ehliyet/yeteneği [NAVIGABILITY].
bilk [bilk]. Para vermeden sıyrılmak; dolandırmak. ~**er**, dolandırıcı.
bill[1] [bil] *i.* Gaga; ağız; (*mer.*) teber. *f.* Gaga gagaya sürüşmek: ~ **and coo**, sevişip koklaşmak.
bill[2] *i.* Hesap, fatura; senet; poliçe; afiş, ilân; kanun tasarısı; kâğıt para. *f.* Faturasını yapmak; ilân yapıştırmak. ~ **of exchange**, ödek, poliçe; kambiyo senedi: ~ **of fare**, yemek listesi: ~ **of health**, pratika: **have a clean** ~ **of health**, sihhatı iyi olm.: ~ **of lading**, konişmento/konşimento, yükleme kâğıdı: ~ **of materials/quantities**, malzeme cetveli: ~ **of sale**, satış bordrosu: **stick no** ~**s!**, ilân yapıştırmak yasaktır!: **pick up the** ~, (*kon.*) lokanta vb.de hesap ödemek. ~**-board**, ilân tahtası. ~**-broker**, kambiyo tellâlı. *~**-case**, belgitlik, portföy, cüzdan.
-billed [-'bild] *son.* (*zoo.*) -gagalı.
billet[1] ['bilit] *i.* Kütük; demir/çelik çubuk; takoz.
billet[2] *i.* (Seferber askerin) konak tezkeresi; konut konak yeri; iş, vazife. *f.* Konakla(t)mak; yerleş(tir)mek. **every bullet has its** ~, (*ata.*) kaderin önüne geçilmez.
billet-doux [bile'dū] (*Fr.*) Aşk mektubu.
billeting ['bilitin(g)]. Konakçılık: ~ **officer**, konakçı.
billhook ['bilhuk]. Bağcı bıçağı, küçük orak.
billiard ['bilyəd]. ~**-ball/-cloth/-cue**, bilardo bil(y)e/çuha/istekası. ~**-marker**, puvanları kaydeden kimse. ~**s**, bilardo (oyunu). ~**-table**, bilardo masası.
Billingsgate ['bilin(g)zgeyt]. Londra balık pazarı; ağız bozukluğu (Kasımpaşa ağzı).
billion ['bilyən]. †Trilyon, 10^{12}; *bilyon, milyar, 10^9.
billow ['bilou] *i.* Büyük dalga; (*şair*) deniz. *f.* Dalgalanmak; şişir(il)mek. ~**y**, dalgalı.
bill-poster/-sticker ['bilpoustə(r)/-stikə(r)]. İlân yapıştırıcı.
Billy ['bili] (*kıs.*) = WILLIAM; (*Avus.*) teneke, ibrik. ~ **cock** [-kok], (*kon.*) melon şapka. ~ **goat** [-gout], teke. ~**-(h)o** [-(h)ou], **like** ~, (*kon.*) çok; -ebildiği kadar; ağır.
biltong ['bilton(g)]. (G.Afr.'da) güneşte kurutulmuş et.
BIM = BRITISH INSTITUTE OF MANAGEMENT.
bimbashi ['bimbaşi] (*Tk.*) Binbaşı.
bimetall·ic [baymi'talik]. Çift maden/metallı, bimetalik. ~**ism** [-'metəlizm], hem altın hem de gümüş sikke kullanılma; çift değer ilkesi.
bi-monthly [bay'mʌnθli]. İki ayda bir.
bin [bin] *i.* Kap; kutu; sandık; ambar; depo, silo; (*arg.*) tımarhane. *f.* Ambar/kutu vb.ne koymak.
bin·ary ['baynəri]. İkili, çift; ikiz: ~ **digit**, ikili rakam. ~**ate** [-neyt], çift; iki eşit parçalı.
bind[1] (*g.z.(o.)* **bound**) [baynd, baund]. Bağlamak, raptetmek; sarmak; mukayyet etm.; mecbur etm.; kabız vermek; ciltlemek; (çimento vb.) tutmak, donmak; (makine vb.) sıkışmak: ~ **a bargain**, bir muameleyi tasdik etm.: **be bound to do stg.**, bir şeyi yapmağa mecbur olm. ~ **down**, mecbur etm., mukayyet etm. ~ **oneself**, borçlanımda bulunmak. ~ **over**, (*huk.*) birinin cezasını ertelemek.
bind[2] (*arg.*) Usandırmak; yormak. **what a** ~, Allahın belâsı.
binder ['bayndə(r)]. Bağlayıcı/yapıştırıcı madde; ciltçi; (*zir.*) biçer bağlar demetleme makinesi; fiksatif; kap, klasör; kuşak. ~**y**, ciltçi atelyesi.
binding ['bayndin(g)] *s.* Bağlayıcı; yapıştırıcı; tutucu; muteber, cari, geçerli; vâcip; kabız verici. *i.* cilt(leme).
bindweed ['bayndwīd]. Kahkaha çiçeği, uleyk, çitsarmaşığı.
bine [bayn]. Sarılgan otların sapı.
binge [binc]. (*arg.*) Âlem, cümbüş.
bingo ['bin(g)gou]. Tombola oyunu.
binnacle ['binəkl]. Pusula dolabı.
binocular [bay'nokyulə(r)]. İki gözle kullanılan: ~**s** [bi-], çift gözlü dürbün.
bi·nomial [bay'noumiəl]. Binom, iki terimli. ~**nominal** [-'nominl], (*biy.*) çift isimli.
bio- [bayo-, bayə-] *ön.* Bi(y)o-, dirim-, hayat+, yaşayış+. ~**chemist** [-'kemist], biyoşimist, biyokimyacı: ~**ry**, biyoşimi, biyokimya. ~**cide** [-sayd], hayat yok edilmesi. ~**degradable** [-di'greydbl], bakteri ile elemanlarına ayrılabilir.

~**-engineering**, (sunî uzuv, vb.) tıp mühendisliği. ~**ethics**, biyolojik/tıbbî araştırmalara ait ahlâk ilmi. ~**genic** ['cenik], canlı maddeden gelen.
biograph·er [bay'ogrə(r)]. Birinin tercümeihal/özgeçmiş/biyografyasını yazan. ~**ical** [-ə'grafikl], özgeçmiş vb.ne ait. ~**y** [-'ogrəfi], tercümeihal, olumluk, özgeçmiş, biyografya; hayat.
biolog·ical [bayə'locikl]. Biyolojik, dirim(bilim)sel, hayatî: ~**-clock** = BODYCLOCK: ~**-warfare**, bakterilerle savaşma. ~**ist** [-'oləcist], biyolojist, biyolog, dirimbilimci. ~**y**, biyoloji, dirimbilim.
bio·nics [bay'oniks]. Biyoelektronik bilgisi. ~**physic·ist**, biyofizikçi: ~**s**, biyofizik bilgisi. ~**psy**, (*tıp.*) biyopsi.
biparous ['bipərəs]. İkiz doğuran.
bi·partisan [bay'pātizən]. İki parti tarafından takip edilen (politika vb.). ~**partite** [-'pātayt], iki kısımlı. ~**ped** [-ped], iki ayaklı hayvan. ~**pennate** [-'penət], iki kanatlı. ~**petalous** [-'petələs], iki taç yapraklı. ~**plane** [-pleyn], çift yüzeyli uçak. ~**polar** [-'poulə(r)], iki kutuplu.
birch [bə̄ç] *i.* Huş (ağacı); huş dallarından kamçı. *f.* Huş dalı ile dövmek. ~**en**, huş ağacından yapılmış.
bird [bə̄d]. Kuş; (*arg.*) herif; (*arg.*) kız, genç kadın: **cock** ~, erkek kuş: **game** ~, av kuşu: **hen** ~, dişi kuş: **song** ~, ötücü kuş: ~ **of paradise**, cennetkuşu: ~ **of passage**, göçmen kuşu; (*mec.*) bir yerde geçici olarak kalan kimse: ~ **of peace**, güvercin: ~**s of prey**, kartallar, avcı kuşlar: ~**s of a feather**, (*arg.*) aynı huylu kimseler: **give s.o. the** ~, (*arg.*) birine yuha çekmek: **kill two** ~**s with one stone**, iki işi birden görmek: **like a** ~, kolay kolay: **a little** ~ **told me**, gizlice öğrendim. ~**-brain(ed)**, kuş beyinli. ~**-cage** [-keyc], kafes. ~**-call**, kuş ötüşü; kuş gibi öten düdük. ~**-dealer**, kuşçu. ~**-fancier**, kuşbaz. ~**ie**, küçük kuş. ~**-lime**, ökse. ~**-louse**, tüybiti. ~**-marking/-ringing**, küş markalaması. ~**-seed**, kuş yemi. ~**'s-eye view**, kuş bakışı; genel/üstten görüş/manzara. ~**'s nest**, kuş yuvası: **go** ~**ing**, kuş yuvalarını aramak. ~**-spotting/-watching**, kuş gözlemi. ~**-strike**, (*hav.*) bir uçağın bir sürü kuşla çarpışması. ~**-watcher**, kuş gözlemcisi.
bireme ['bayrīm] (*tar.*) Üstüste iki sıra kürekli kadırga.
biretta [bi'retə]. Dört köşeli papaz şapkası.
Birmingham ['bə̄min(g)əm]. Birmingham.
biro ['bayrou] (*M.*) Tükenmez/bilyeli kalem.
birth [bə̄θ]. Doğum; doğma: **give** ~ **to**, doğurmak; meydana çıkarmak. ~**-certificate**, nüfus/hüviyet cüzdanı, kimlik belgesi. ~**-control**, doğumun tahdidi, doğum kontrolu. ~**day**, doğum günü; doğum yıldönümü: ~**-honours**, kral(içen)in yıldönümünde verilen şerefler: **in one's** ~ **suit**, çırçıplak. ~**-mark**, doğuşta mevcut yüz/vücut lekesi. ~**place**, doğum yeri. ~**-rate**, doğum oranı. ~**right**, kıdem hakkı; doğum dolayısıyle hak; doğuşta kazanılan hak.
bis [bis] (*Fr.*) İki defa; tekrar.
BIS = BANK FOR INTERNATIONAL SETTLEMENTS.
Biscay ['biskey]. **the Bay of** ~, Gaskonya körfezi.
biscuit ['biskit]. Bisküvi(t): **that takes the** ~, (*arg.*) artık bu kadarı da fazla; bir bu eksikti: BISQUE.
bisect [bay'sekt]. İkiye biçmek; iki eşit parçaya bölmek. ~**ion** [-'sekşn], ikiye biç(il)me. ~**or**, açıortay.
bisexual [bay'seksyuəl]. İkieşeyli.
BISF = BRITISH IRON AND STEEL FEDERATION.
bishop ['bişəp]. Piskopos; satranç oyununda fil. ~**ric**, piskoposluk.
bismuth ['bizməθ]. Bizmut.
bison ['baysən]. Amerika'ya mahsus bir nevi manda, bizon.
bisque [bisk]. Sırsız beyaz porselen.
bissextile [bi'sekstayl]. Artıkyıl, kebise sene.
bistable [bay'steybl] (*elek.*) Bir anda iki durum/halden yalnız birini sağlıyabilen.
bistouri ['bisturi]. Neşter.
bistre ['bistə(r)]. Kurum boyası; sarımsı kahve rengi.
bistro ['bistrou] (*Fr.*) Küçük meyhane.
bit[1] [bit] *i.* Gem: **champ the** ~, gemini ısırmak; öfke/sabırsızlıktan kudurmak: **take the** ~ **between its/one's teeth**, gemi azıya almak.
bit[2] *i.* Parça; lokma, kırıntı; delgi, matkap. **a** ~, bir parça, bir az: **a good** ~, oldukça: **not a** ~, hiç değil; estağfurullah!: **not a** ~ **of it!** ne gezer: **a** ~ **of luck**, talih; devlet kuşu: **he's a** ~ **of a liar**, o bir az yalancıdır.
bit[3] = BINARY DIGIT.
bit[4] *g.z.* = BITE[1].
bitch [biç] *i.* Dişi köpek; kahpe. *f.* (*arg.*) Şikâyet etm.
bite[1] (*g.z.(o.)* **bit(ten)**) [bayt, bit(n)] *f.* Isırmak, dişlemek; (balık) oltaya vurmak; (biber, soğuk) yakmak; (rüzgâr) kesmek; aşındırmak: ~ **the dust**, savaş/mücadelede ölmek; (*mec.*) yenilmek: **once bitten twice shy**, (*ata.*) çorbadan ağzı yanan ayranı üfler de içer: **be bitten with a desire to . . .**, . . . isteğiyle yanmak/kıvranmak: ~ **in**, (asit) kesip içine girmek: ~ **off**, ısırıp koparmak: ~ **off more than one can chew**, (*kon.*) başından büyük işe girmek: ~ **s.o.'s head off**, birine ters ve şiddetli cevap vermek.
bite[2] *i.* Isırış; ısırma; dişleme; oltaya vurma; lokma; ısırılmış yer; diş yarası; (rüzgâr, biber vb.) keskinlik.
bit·er ['baytə(r)]. Isırıcı, yiyen: **the** ~ **bit(ten)**, men dakka dukka. ~**ing**, *s.* acı, keskin, ısırıcı, zehirli. ~**ten** ['bitn] *g.z.o.* = BITE[1].
bitter ['bitə(r)]. Acı, keskin; sert, şiddetli, meraretli, amansız: ~ **enemies**, can düşmanları: **be** ~**/feel** ~**ly about stg.**, bir şey için kin beslemek; kendini mağdur hissetmek; bir şey içine ukde olm.: **to the** ~ **end**, en sonuna kadar. ~**ling**, acı balık. ~**ly**, acı/keskin/sert vb. olarak.
bittern ['bitə̄n]. Balaban kuşu.
bitter·ness ['bitənis]. Acılık, sertlik, vb.; kin. ~**s**, acı olan iştah açıcı bir içki. ~**-sweet**, hem acı hem de tatlı olan; mayhoş; (*bot.*) yabanî yasemin.
bitts [bits]. (*den.*) Bite; baba.
bitty ['biti]. Parça halinde; (*mec.*) bağımsız.
bitum·en ['bityumən]. Kara sakız, bitüm(en), zift, katran. ~**inous** [-'yuminəs], bitümlü, yağlı, ziftli, katranlı: ~ **coal**, bitümlü taş kömür. ~**inize**, bitüm/asfaltlaş(tır)mak.
bivalen·ce [bay'veyləns, 'bivə-], (*kim.*) İki değerlilik/valans. ~**t**, iki değer/valanslı.
bivalve ['bayvalv]. Yumuşakçalardan çift kabuklu bir hayvan cinsi.
biv·ouac ['bivuak]. Açıkta (çadırsız) ordugâh (kurmak); açıkta yatmak. ~**vy**, (*arg.*) sığınmak; küçük çadır.
bi·weekly/yearly [bay'wīkli/yiə(r)li]. İki hafta/yıllık; iki hafta/yılda bir olan.

biz [biz] (*arg.*) = BUSINESS: **show ~**, tiyatro/sinema hayatı.
bizarre [bi'zā(r)]. Garip, acayip; biçimsiz.
Bk. = (*kim.s.*) BERKELIUM; BOOK.
BL = BACHELOR OF LAW; BILL OF LADING; BRITISH LIBRARY.
bl. = BARREL; BLACK.
blab(ber) ['blab(ər)]. Geveze(lik etm.); boşboğaz(lık etm.): **~ out**, ağzından kaçırmak.
black[1] [blak] *s.* Kara, siyah; zenci; kirli; dargın, kızgın, uğursuz, ümit/umutsuz; (*mal.*) gayrimeşru, hak/kanunsuz: **be ~ and blue (all over)**, vücudu mosmor olm.: **beat s.o. ~ and blue**, birinin pestilini çıkarmak: **be ~ in the face**, (hiddetten vb.) morarmak: **have a ~ eye**, gözü şişmek/morarmak: **give s.o. a ~ eye**, birinin göz/yüzüne vurmak: **~ ingratitude**, tuz ekmek hainliği, nankörlük: **look ~**, surat asmak: **look (as) ~ as thunder**, yüzü tehditkâr olm.: **things look ~**, gök bulutludur; istikbalimiz endişelidir: **set stg. down in ~ and white**, yazıya geçirmek.
black[2] *i.* Siyah renk; kara boya; siyah elbise; zenci: **wear ~**, siyah elbise giymek; matemini tutmak.
black[3] *f.* Karartmak; boyamak; silmek; (grevciler) yasak etm. **~ out** = ~OUT.
black-[4] *on.* **~amoor** [-ə'mō(r)], zenci. **~-and-Tans**, (*tar.*) 1920–22'de İrlanda'daki İng. askerî kuvvetleri. **~-art**, büyü, sihirbazlık. **~back**, kara martı. **~ball** [-bōl], (klüp üyesi seçilirken) aleyhte oy (vermek). **~beetle** [-bītl], karafatma, hamam böceği. **~berry** [-bəri], böğürtlen, dikendudu. **~bird**, karatavuk; (*tar.*) Zenci/Polinezyalı köle. **~board**, yazı tahtası, kara tahta: **~-jungle**, tamamen disiplinsiz bir okul; okullardaki disiplinsizlik. **~-body**, (*ast.*) kovuk. **~-book**, cezalandırılanlar listesi: **be in s.o.'s ~**, gözünden düşmek. **~-box**, (*hav.*) uçuş kaydı cihazı. **~-buck**, kara antilop. **~cap**, karabaşlı yalı bülbülü; = CAP. **~-coated** [-koutid], siyah elbiseli: **~ workers**, kâtip vb. gibi elişi yapmıyan memur sınıfı. **~cock**, kayın tavuğu erkeği, siyah keklik. **~currant** = CURRANT. **~-Country**, İng.'nın Staffordshire ile Warwickshire'deki sanayi bölgesi. **~-Death**, büyük veba. **~en**, karalaş(tır)mak, karartmak, karalamak; lekelemek, iftira etm. **~-eye** = BLACK[1]. **~-frost**, hiç gözükmiyen şiddetli ayaz. **~guard** ['blagād], edepsiz, rezil: sövüp saymak: **~ly**, edepsiz (olarak). **~head**, yüzde siyah benek; küçük şiş. **~-hearted** [-hātid], kötü/muzip/habis huylu. **~-ice**, (*den., oto.*) hiç gözükmiyen buz. **~ing**, ayakkabı boyası; kurşun tozu: **~-brush**, ayakkabı fırçası. **~ish** [-iş], siyahımsı. **~lead** [-led], grafit; kurşun tozu (ile boyamak). **~leg**, (*kon.*) greve katılmıyan işçi. **~-letter** (*bas.*) gotik harf(lerle yazılan). **~list**, kara/yasak liste(ye koymak). **~ly**, siyahca; dargın, kızgın (olarak). **~mail** [-meyl], şantaj (etm.); para koparmak için iskandalla tehdit (etm.): **~er**, şantajcı. **~-Maria** [mə'rayə] (*arg.*) hapishane arabası. **~-market**, karaborsa: **~eer**, karaborsacı. **~-money**, haksız olarak kazanılmış para. **~ness** [-nis], siyahlık, karanlık. **~out** [-aut], karartma(k); kendini kaybetme(k), bayılma(k); (savaşta) şehir ışıklarını maskeleme(k). **~-paper**, yetkili hükümeti tenkit eden bir rapor. * **~-power**, zenciler kuvveti. **~-pudding**, bir nevi sucuk. **~-rot/rust**, bitki hastalıkları. **~-Sea**, Kara Deniz. **~-sheep** = SHEEP. **~shirt** [-sōt], karagömlekli; faşist. **~smith** [-smiθ], demirci, nalbant. **~spot**, gülpası, karabenek. **~thorn** [-θōn], karadiken, çakaleriği. **~water-fever**, kara su humması. **~-widow**, (*zoo.*) karadul.
bladder ['bladə(r)]. Mesane, sidik torbası; kabarcık; kese; (top vb.) iç lastik: **~worm**, keseli kurt. **~wrack** [-rak], deniz yosunu.
blade [bleyd]. Bıçak vb. ağzı; kılıç; kürek palası; pervane kanadı; bleyt; arpa vb.nin ince yaprağı; bir şeyin yassı ve geniş tarafı: **razor ~**, jilet bıçağı. **~-bone**, kürek kemiği. **~d**, ağızlı, kanatlı.
***blah** [blā] (*arg.*) Saçma.
blain [bleyn]. Küçük benek/şiş, çıban.
blame [bleym] *i.* Ayıplama, kabahat bulma; kabahat; sorumluluk, mesuliyet. *f.* -e kabahat bulmak, ayıplamak; sorumlu/mesul tutmak. **bear the ~**, kabahati üzerine almak: **lay/put the ~ on s.o.**, birine kabahat bulmak; kabahati birinin üzerine atmak: **they ~ each other**, kabahati birbirinin üzerine atıyorlar: **~ stg. for an accident**, kazayı bir şeye atfetmek: **you have only yourself to ~**, kabahati başkasında arama. **~less**, lekesiz; tertemiz; kusursuz, masum. **~worthy**, tekdire lâyık, ayıplanmağa müstahak.
blanch [blānç]. Ağar(t)mak; beyazlatmak, beyazlanmak; sararmak; bazı sebzelerin üstünü toprakla örterek beyaz kalmalarını sağlamak.
blancmange [blə'mānj/-'mōnc]. Sütlü pelte.
bland [bland]. Yumuşak, tatlı; mülâyim, nazik; (*çoğunlukla biraz sunî ve müstehzi anlamına gelir*).
blandish ['blandiş]. Dil dökmek; tatlı dil kullanmak, okşamak. **~ment**, yaltaklanma.
bland·ly ['blandli]. Yumuşak/nazik olarak. **~ness**, yumuşaklık; nezaket.
blank[1] [blan(g)k] *s.* Boş, açık; (*müh.*) kör; yazısız; mana/anlamsız; şaşkın; (*kaba*) *açık bir küfürün yerine kullanılır. i.* Boşluk; işlenmemiş parça: **draw a ~**, (piyangoda) boş çekmek; (*mec.*) becerememek, başarısız olm.: **look ~**, şaşkın şaşkın bakmak: **~ cartridge/shot**, kuru sıkı: **~ cheque**, açık bono: **~ verse**, kafiyesiz şiir, serbest nazım.
blank[2] *f.* **~ off/out**, ilga etm.; kapatmak; siper etm.
blanket ['blan(g)kit] *i.* Yün yorgan, battaniye. *s.* Umumî, genel; her şeyi örten/ihtiva eden (emir vb.). *f.* Yorgan·la/gibi örtmek: **toss s.o. in a ~**, birini bir battaniyeye koyarak altı okka etm. **~-coverage**, her şey/olayı ihtiva etme. **~-powers**, genel/tam yetki.
blank·ly ['blan(g)kli]. Şaşkın bir durumda; kesinlikle; olduğu gibi: **he ~ denied it**, tamamen ve kesinlikle inkâr etti. **~ness**, boşluk; şaşkınlık.
blare [bleə(r)] *i.* Boru sesi; şiddetli ve sert ses. *f.* (Boru) ötmek; şiddetli ve sert ses çıkarmak.
blarney ['blāni]. Dil dökme(k); piyazlama(k).
blasé ['blāzey] (*Fr.*) Her zevk/eğlenceden usanmış.
blasphem·e [blas'fīm]. (Kutsal şeylere) saygısızlıkta bulunmak; küfretmek. **~er**, saygısızlıkla konuşan; küfreden kimse. **~ous** ['blasfəməs], (kutsal şeylere) hürmetsiz; dinsiz; imansız. **~y** [-fəmi], kutsal şeylere saygısızlık; küfür.
blast [blāst] *i.* Rüzgârın anî ve şiddetli esmesi, üfürme, bora; şiddetli ve anî hava akımı; boru/düdük sesi; patlama, infilâk; (roket) alev; lağım; (fırın) bir çalışma devresi. *f.* (Dinamitle) atmak; patlatmak; kavurmak; kırıp geçirmek; mahvetmek; (*kon.*) -e lânet etm.: **~ you!**, Allah belânı

versin!: ~ **(it)!**, lânet olsun!: **be in** ~, (yüksek fırın) yanmak, faaliyette olm.: **be in full** ~, (*kon.*) tam faaliyette olm.
-blast[3] *son.* (*biy.*) . . . hücre(si), -blast.
blast-[4] *ön.* **~-furnace**, izabe ocağı, yüksek fırın. **~ing**, patla(t)ma, lağım atma; berhava etm.: **~-powder**, lağım barutu. **~-off**, (roket) alevlen-(dir)me(k). **~-pipe**, üfürme borusu.
blasto- ['blastə-] *ön.* Blasto-; tomurcuk+. **~derm** [-dəm], blastoderm, derm yaprağı. **~pore** [-pō(r)], ilkağız.
blatan·cy ['bleytənsi]. Göze çarpma, pervasızlık. **~t**, göze çarpan, pervasızca; şamatalı: ~ **injustice**, göz göre göre büyük haksızlık: **~ly**, göze çarpan bir şekilde.
blather ['blaðə(r)] = BLETHER.
blaze[1] [bleyz] *i.* Alev; alev parıltısı; ateş; parlama; ışık bolluğu; alevlenme. *f.* Alevlenmek, tutuşmak; parlamak, parıldamak. **in a** ~, alevler içinde; tutuşmuş: **go to ~s!**, cehennem ol!, defol!: **what the ~s!**, ne haltetmeğe . . .: **like ~s**, çılgınca, son derecede, alabildiğine. ~ **away**, tutuşup gitmek; sürekli bir ateş atmak. ~ **down**, (güneş) ışıklarını vurmak. ~ **out**, (ateş) parlamak; (güneş) buluttan çıkmak. ~ **up**, birdenbire parlamak; hiddetten parlamak.
blaze[2]. (At, öküz vb.nin alınlarındaki) akıtma.
blaze[3]. Bir ağacı kabuğunu keserek işaretlemek: ~ **a trail**, yol çizmek/açmak; çığır açmak.
blaze[4]. İlân etm., yaymak: ~ **abroad**, davul zurna ile ilân etm.
blazer ['bleyzə(r)]. Renkli spor ceketi.
blazon ['bleyzn] *i.* Arma; armalı kalkan/sancak. *f.* Arma çizmek; işaret koymak; ilân etm.: ~ **forth**, davul zurna ile ilân etm. **~ry**, arma (sanatı).
bldg = BUILDING.
-ble [-bl, -bəl] *son.* = -ABLE.
bleach [blīç]. Ağartan/beyazlatan/rengi gideren madde. *f.* Ağartmak, beyazlatmak, rengi gidermek. **~ed** [-çt], ağartılmış. **~ing-powder**, çamaşır/leke tozu.
bleak[1] [blīk] *i.* İnci balığı, tatlısu sardalyası.
bleak[2] *s.* Çıplak, rüzgâra maruz; soğuk; (*mec.*) umutsuz. **~ly**, soğuk olarak. **~ness**, çıplaklık; soğukluk; umutsuzluk.
blear, ~y [bliə(r), -ri] *s.* Sulanmış ve kızarmış (göz). *f.* (Gözleri) sulandırmak, kızartmak. **~-eyed**, donuk gözlü.
bleat [blīt]. Meleme(k). **~er**, çekingen/korkak bir kimse. **~ing**, meleme; boş söz, saçma.
bleb [bleb]. Uçuk; cam içindeki kabarcık.
bled [bled] *g.z.(o.)* = BLEED.
bleed (*g.z.(o.)* **bled**) [blīd, bled]. (*geçişli*) Kan almak, kanatmak; kanını dökmek; (*oto.*) hava boşaltmak; su vb. çekmek; sızdırmak; kaçırmak. *f.* (*geçişsiz*) Kanamak; sızmak; akmak. ~ **s.o.**, (*kon.*) birinin parasını sızdırmak: ~ **s.o. white**, birinin varını yoğunu elinden almak: **my heart ~s**, içim paralanıyor. **~er**, (*kon.*) hemofili hastası. **~ing**, *i.* kana(t)ma: *s.* (*arg.*) büyük; çok.
bleep [blīp] (*yan.*) (Radyo) işaret sesi.
blemish ['blemiş] *i.* Kusur; leke. *f.* Hafifçe bozmak; dokunmak.
blench [blenç]. Ürkmek, çekinmek; sararmak, benzi atmak.
blend [blend] *i.* (Çay vb.) harman; halita. *f.* Karıştırmak; harman etm./olm., harmanlamak; (renkler) uy(dur)mak. **~ed**, karışık; harmanlanmış. **~er**, harmancı, karmacı; karma makinesi. **~ing**, harman etme.
Blenheim ['blenim]. Marlborough dükünün sarayı. **~-orange**, büyük kırmızı bir elma. **~-spaniel**, bir cins mini epanyöl köpeği.
blenno- ['blenə-]. Balgam'a ait.
blenny ['bleni]. Horozbina. **viviparous** ~, yılan balığı anası.
blephar(o)- ['blefərə-] *ön.* Blefaro-, göz kapakları+.
bless (*g.z.(o.)* **blessed/blest**) [bles(t)]. Takdis etm., hayır dua etm.; (Allaha) hamdetmek: **God ~ you!**, (veda ederken) Allaha emanet ol!: **(God) ~ me/you!, I'm blest!**, ~ **my soul!**, ~ **the boy!**, *hayret/hiddet ifade eden deyimler*: **be ~ed with stg.**, nasip olm.: **I ~ my stars that. . .**, çok şükür olsun ki . . .: **I'm blest if I know**, hiç bilmiyorum; nereden bileyim!
bless·ed ['blesid] *s.* Mübarek; mesut; kutsal; Allahlık: **the ~ Virgin**, Meryem ana: **every ~ day**, Allahın günü: **~ness**, mesutluk, kutsallık. **~ing**, *i.* hayır dua: **the ~s of civilization**, medeniyetin nimetleri: **give/announce the ~**, ayinin sonunda Allahtan takdis istiyen dua okumak: **that's a ~!**, çok şükür; hamdolsun!, isabet!: **a mixed ~**, bir hadise/halin hem iyi hem de kötü tarafları olma.
blest [blest] *g.z.(o.)* = BLESS; *s.* = BLESSED.
blether [bleðə(r)]. Manasız/boş sözler (söylemek).
blew [blū] *g.z.* = BLOW[2].
blight [blayt] *i.* (Bitkiler) sürme/şarbon/yanık; samyeli; kavrulma, yanma, külleme vb. gibi her hangi bir kötü tesir. *f.* (Güneş, rüzgâr vb.) yakmak, kavurmak; bozmak, mahvetmek: ~ **s.o.'s hopes**, birinin umutlarını boşa çıkarmak. **~ed** [-tid], yanmış, kavrulmuş; (umut) boşa çıkmış.
blighter ['blaytə(r)]. (*arg.*) Herif; Allahın belâsı: **poor ~!**, zavallı: **you lucky ~!**, seni köftehor!
blighty ['blayti] (*ask. arg.*) İngiltere; vatan, yurt.
blimp[1] [blimp]. Keşif balonu.
blimp[2]. **Colonel** ~, (bir karikatürden) gösterişli ve tutucu şişman bir kişi tipi.
blind[1] [blaynd] *s.* Kör; iyi görmez; deliksiz (duvar); çıkmaz (yol). *f.* Kör etm., körleştirmek. **the ~**, körler: **can the ~ lead the ~?**, kelden köseye yardım olur mu?: **be ~ to the consequences**, sonucunu düşünmemek: **do stg. ~ly**, (*arg.*) görmeden yapmak: **go at stg. ~ (ly)**, bir işe körükörüne girişmek: **turn a ~ eye on/to stg.**, görmemezlikten gelmek, göz yummak.
blind[2] *i.* Abajur; istor: **roller** ~, yaylı perde: **Venetian** ~, jaluzi.
blind-[3] *ön.* **~-alley** [-ali], çıkmaz sokak: ~ **(job)**, gelecek/kazançsız bir iş. **~-date**, tanımadığı bir kızla randevu. **~-flying**, kör uçuş. **~fold** [-fould] *s.* gözleri bağlı; körükörüne; gözleri bağlanmış: *f.* gözlerini bağlamak. **~ing**, körletme; körleten, göz kamaştırıcı. **~ly**, kör olarak; körükörüne; vb. **~man's-buff** [-bʌf], körebe. **~ness**, körlük; aydınlanmamışlık; atılganlık. **~-spot**, (*oto., mec.*) kör nokta. **~-window**, sağır pencere. **~worm** = SLOW-WORM.
blink [blin(g)k]. Göz kırpmak; ışıldamak; kesik kesik parıldamak: ~ **the facts**, gerçeğe gözlerini yummak: ~ **the question**, soruna yanaşmamak.

~**er**, çakar/kırpıcı fener/lamba; atın göz siperi: **in ~s**, hiç bir şey göremiyen ve görmeği istemiyen. ~**ing**, kırpan; ışıldayan; (*kaba.*) *açık küfürün yerine kullanılır.*
blip [blip] (*yan.*) (Radar) işaret noktası, eko.
bliss [blis]. Saadet, bahtiyarlık, mutluluk. ~**ful**, mesut, mutlu, bahtiyar: ~**ly**, mesut vb. olarak: ~**ness** = BLISS.
blister ['blistə(r)] *i.* Kabarcık; su kapma; yakı; (*hav.*) rasat kulesi. *f.* Kabartmak, su kapmasına sebep olm.; yakı koymak. ~**ing (language,** *vb.*) zehirli.
B.Lit./Litt. = BACHELOR OF LITERATURE/LETTERS.
blithe·(some) [blayð(sʌm)]. Şen, neşeli; delişmen. ~**ly**, neşeli olarak.
blithering ['bliðərin(g)] (*arg.*) ~ **idiot**, hebenneka.
blitz [blits] (*Alm.*). Yıldırım savaşı (etm.). ~**krieg** [-krīg], yıldırım savaşı.
blizzard ['blızəd]. Tipi, şiddetli kar fırtınası.
bloat [bloṷt]. Şişirmek, kabartmak; tuzlamak ve tütsülemek. ~**ed**, *s.* göbeği yağ bağlamış: ~ **armaments**, kabarık teslihat. ~**er**, tuzlanmış ve tütsülenmiş ringa balığı.
blob [blob]. Benek, leke, su damlası; (*arg.*) sıfır.
bloc [blok] (*Fr.*) = BLOCK.
block [blok] *i.* Kütük; kütle; kaya vb. parçası; daire, bina bloku; arsa parçası, *iki sokak arasındaki bina grubu; bir bütün teşkil eden şeyler; (*bas.*) klişe, kalıp; (*müh., den.*) makara, palanga, torno; tomruk; tıkanma; bloknot. *f.* Tıkamak; kapamak; engel olm.; (*mal.*) bloke etm., bekletmek; kalıplamak; (*sp.*) karşılamak, tutmak, bekletmek. **go to/perish on the** ~, (*tar.*) başı kesilerek idam edilmek: **traffic** ~, yolun tıkanması. ~ **out**, kaba taslak çizmek; (sansör vb.) karalamak, çıkarmak. ~ **up**, bir kapı/pencereyi örmek; (delik vb.) tıkamak.
blockade [blo'keyd]. Abluka (etm.); kuşatma(k); (*oto.*) blokaj, yığım: **run the** ~, ablukayı yarmak. ~**d**, mahsur, tutuklu. ~**-runner**, ablukayı yaran gemi.
block·-booking [blok'bukin(g)]. Toptan kirala(n)ma. ~**-buster** [-bʌstə(r)] (*hav.*) çok kuvvetli bir bomba. ~**head**, mankafa, ahmak. ~**house**, gözetleme kulesi, blokhavz. ~**ish** [-iş], ahmakça. ~**-release**, (*mal.*) işçilere grup halinde yüksek öğretim için izin verilmesi. ~**-speed/time**, (*hav.*) takozdan takoza/uçuş ortalama hız/müddeti. ~**-system**, (*dem.*) blok sistemi tesisatı.
bloke [bloṷk] (*kon.*) Herif, adam.
blond *erk.*; ~**e**, *diş.* [blond]. Sarışın (bir kimse).
blood[1] [blʌd] *i.* Kan; soy, asalet, soyluluk. *f.* Av köpeğini kana alıştırmak. **there is bad** ~ **between them**, aralarında husumet var: **cause bad** ~, aralarını bozmak: **blue** ~, hanedandan, aristokrat: **it made my** ~ **boil**, tepem attı; kan başıma çıktı: **in cold** ~, teammüden, bile bile, merhametsizce; önceden hesaplı: **his** ~ **ran cold**, tüyleri diken diken oldu: **draw** ~, kanatmak: **fresh/new** ~, (bir cemiyet/işe alınan) yeni unsurlar: **his** ~ **is on his own head**, vebali kendi boynuna: ~ **horse**, cins at: **they are near in** ~, yakın akrabadırlar: **he is out for** ~, kana susamış; (*mec.*) yanına yanaşılmaz: **it runs in the** ~, soyunda vardır: **get** ~ **out of a stone**, merhametsizden merhamet beklemek: ~ **will tell**, asalet bellidir: ~ **is thicker than water**, kan bağı her şeyden kuvvetlidir: **his** ~ **is up**, kızıştı: **young** ~, (i) genç unsur; (ii) genç ve kibar delikanlı; köyün kabadayısı: **venous** ~, kirli/kara kan.
blood-[2] *ön.* ~**-and-iron**, (*id.*) kuvvetlerini merhametsizce kullanma politikası. ~**-bank**, (*tıp.*) kan sarfedilen yer/miktar, kan bankası. ~**-bath** [-bāθ], katliam. ~**-corpuscle** [-'kōpʌsl], kan gözesi. ~**-count** [-kaṷnt], kan gözeleri sayılma. ~**-curdling** [-kədlin(g)], tüyler ürpertici (hikâye vb.). ~**-donor**, (*tıp.*) (hastalar için) kan verici. ~**-feud** [-fyūd], kan gütme. ~**-group/type**, kan tip/grubu. ~**hound**, koklama duygusu çok keskin olan bir cins av köpeği; (*mec.*) detektif. ~**ily**, kanlı bir şekilde/olarak. ~**less**, kansız; kan dökmeden; (*mec.*) cansız, duygusuz. ~**-letting**, (*tıp.*) kanı akıtma/alma; katliam. ~**-money**, diyet; bir katilin mahkemeye tesliminin karşılığı. ~**-orange**, kanrengi sulu portakal. ~**-poisoning**, kan zehirlenmesi. ~**-pressure**, kan tazyiki, tansiyon. ~**-pudding**, bir nevi sucuk. ~**-red**, kan rengi. ~**shed**, katliam; kan dökme. ~**shot**, kanlanmış (göz). ~**-sport**, eğlence olan avcılık. ~**stained** [-steynd], kanla lekelenmiş. ~**stone**, kantaşı. ~**stock**, cins atlar. ~**sucker** [-sʌkə(r)], sülük; (*mec.*) insanın kanını emen tefeci vb. ~**-test**, (*oto.*) kandaki alkol miktarı deneti. ~**thirsty** [-θəsti], kana susamış, hunhar. ~**-transfusion**, (*tıp.*) kan nakletme/ver(il)mesi. ~**-typing**, kan tipinin tasdik edilmesi. ~**-vessel**, kan damarı. ~**y**, *s.* kanlı, kanlanmış; (*arg.*) melun, Allahın belâsı; (*kaba*) çok: *f.* kana bulamak; kanla lekelemek: ~**-minded**, zalim, hunhar; (*mec.*) çok aksi.
bloom[1] [blūm] *i.* Çiçek; tazelik, gençlik; meyva dumanı. *f.* Çiçek açmak, çiçekte olm.; gelişmek. **burst into** ~, çiçek açmak: **in full** ~, tamamen çiçek açmış; çiçekli; (*mec.*) tam gelişme halinde.
bloom[2] *i.* Ham demir; demir kütüğü. *f.* Ham demirden kütük yapmak.
bloomer ['blūmə(r)] (*kon.*) Gaf.
bloomers ['blūməz] (*mod.*) (Kadın) dizden bağlı bol pantolon; (kız) jimnastik külotu.
blooming ['blūmin(g)]. Çiçek açmış; bereketli, mamur; taze; (*arg., şak.*) Allahın belâsı.
***blooper** ['blupə(r)]. (Radyo/televizyon) program zarfında yapılan gaf.
blossom ['blosəm]. *i.* Ağaç çiçeği. *f.* (Ağaç) çiçek açmak. ~ **out**, açılmak; gelişip güzelleşmek.
blot [blot] *i.* Mürekkep lekesi; leke. *f.* Lekelemek; kirletmek; mürekkebini kurutmak. ~ **one's copybook**, küçük bir hata ile şöhretine halel getirmek. ~ **out**, silmek; örtmek.
blotch [bloç] *i.* Mürekkep/boya vb. lekesi; deri üzerinde kırmızı leke. *f.* Büyük lekelerle kaplamak. ~**y**, lekeli.
blott·er ['blotə(r)]. Kurutma kâğıdı defter/tamponu; not defteri. ~**ing-paper**, kurutma kâğıdı.
blotto ['blotoṷ] (*arg.*) İçkiden zihni bulanmış.
blouse [blaṷz]. Bluz; işçi gömleği.
blow[1] [bloṷ] *i.* Darbe; vuruş, vurma: **come to** ~**s**, yumruk yumruğa/kavgaya tutuşmak: **strike a** ~ **for liberty**, hürriyet için bir hamle yapmak: **direct** ~, düz vuruş: **at one** ~, bir darbe ile.
blow[2] (*g.z.* **blew**, *g.z.o.* **blown**) [bloṷ, blū, bloṷn] *f.* Esmek; solumak; üflemek; hohlamak; (ampul, sigorta) yanmak; (rüzgâr) esmek, uçmak; uçurmak, atmak, fırlatmak; (boru vb.) çalmak;

çalınmak; körüklemek; (sinek) yumurtlamak; (balina) su fışkırtmak; (sır vb.ni) ifşa etm.; (çiçek) açmak. **be ~n**, soluğu kesilmek: **you be ~ed!**, (*arg.*) sen vız gelirsin!; artık senden bıktım!: **I'll be ~ed if I will/do!**, -sam bana da adam demesinler!: **well I'm ~ed!**, deme, Allah aşkına!: **~ a boiler**, bir kazandan istim boşaltmak: **~ the tanks of a submarine**, bir denizaltının su haznelerini boşaltmak (çıkış yapmak): **~ the expense** (*kon.*) masrafa aldırma!: **it is ~ing a gale**, fırtına var: **let the horses ~**, atlara soluk aldırmak: **~ hot and cold**, (bir şey hakkında) bir dediği bir dediğine uymamak: **~ a kiss**, işaretle öpücük göndermek: **~ one's nose**, sümkürmek, burnunu silmek: **the door blew open**, kapı rüzgârla açıldı. **~ about**, oraya buraya uç(ur)mak. **~ down**, devirmek, yere yatırmak; istim boşaltmak. **~ in**, (rüzgâr) kırmak, sökmek; içeri girmek; (*kon.*) çıkagelmek; uğramak. **~ off**, rüzgârdan uçmak; (rüzgar) uçurmak; (tozu vb.ni) üflemek; **~ off steam**, istim salıvermek. **~ out**, üfleyip söndürmek; üfleyip çıkarmak; (rüzgâr) dışarı uçurmak; (rüzgârdan) sönmek; **~ out one's cheeks**, avurtlarını şişirmek. **~ over**, (rüzgâr) devirmek; **the storm has ~n over**, fırtına geçti: **the scandal soon blew over**, rezalet çabucak unutuldu. **~ up**, berhava etm.; atmak; şişirmek; berhava olm., patlamak; (*kon.*) haşlamak; **it's ~ing up for rain**, rüzgâr yağmur getirecek; **be ~n up with conceit**, kibirden kabarmak.

blow[3] *i.* (Rüzgâr) üfleme; sümkürme; (boru vb.) çalma: **go for a ~**, hava almak için bir gezinti yapmak.

blow-[4] *ön.* **~back**, geri tepme. **~er**, üfleyici, esici; hava üfleyen makine; vantilatör, körük; (*arg.*) telefon. **~fly**, göksinek, et sineği. **~hole** (-houl], hava deliği; nefeslik. **~lamp**, alev/lehim lambası; = ~PIPE. **~mould**, üfleme kalıbı. **~n**, *g.z.o.* = BLOW[2]; atılmış; üfürülmüş; şişirilmiş. **~pipe** [-payp], kuyumcu lamba/borusu; üfleç; üfliyerek ok atmak için boru. **~torch**, primüs lambası, üfleç. **~-up** [-ʌp], patlama, infilâk; (*mec.*) kavga; (*sin.*) agrandisman. **~y** ['bloui], rüzgârlı, fırtınalı.

blowzy ['blauzi]. Kırmızı yüzlü; saçları karışık (kadın).

blubber[1] ['blʌbə(r)] *i.* Balina yağı.

blubber[2] *f.* Gürültü ile ağlamak, zırlamak.

bludgeon ['blʌcən]. Kalın ve kısa sopa, matrak. Matrak ile vurmak.

blue[1] [blū] *s.* Mavi, lâcivert; (*mec.*) kederli. *i.* Mavi renk; çivit; Oxford/Cambridge üniversitesini temsil eden spor takımından biri. *f.* Mavileştirmek; çivitlemek. **baby ~**, çok açık mavi: **Cambridge ~**, açık mavi: **dark ~**, koyu mavi; Oxford takımından biri: **deep ~**, koyu mavi; lâcivert: **light ~**, açık mavi; Cambridge takımından biri: **navy ~**, koyu lâcivert: **Oxford ~**, koyu mavi: **royal ~**, açık lâcivert: **~ film/story**, müstehcen bir filim/hikâye vb.: **~ water**, deniz: **the ~**, deniz; gök: **the ~s**, cansıkıntısı, neşesizlik; kederli bir caz müziği: **get one's ~**, Oxford/Cambridge üniversitesini sporda temsil etm.: **go ~**, morarmak: **look ~**, neşesiz görünmek; bozulmak: **things are looking ~**, durum kötü görünüyor: **out of the ~**, damdan düşer gibi; beklenmedik bir şekilde: **true ~**, sadık: **you may talk till you are ~ in the face**, konuşabildiği kadar konuş! (faydası yok).

blue[2] *f.* (*arg.*) İsraf etm.; heba etm.: **~ one's money**, (*kon.*) parasını çarçur etm., har vurup harman savurmak.

blue-[3] *ön.* **~-baby**, kalp/ciğer hastalığından mavimsi deriyle doğmuş bebek. **~beard** [-biəd], mavi sakal(lı); karılarını öldüren adam. **~bell**, yabanî sümbül. **~-black**, siyaha çalan mavi; mavi yazıp kuruyunca siyah olan (mürekkep). **~-blood(ed)**, asil kan(lı); aristokrat. **~-book**, bir nevi Parlamento raporu. **~bottle**, gök etsineği; peygamber çiçeği. **~-chip shares**, güvençli/itimat edilir hisse senedi. **~-coat school**, hayrat okulu. **~-collar** = COLLAR. **~-eyed boy**, sevgili çocuk. **~-fish**, bir nevi lüfer. **~-gum** [-gʌm], mavimsi ökaliptüs. **~-helmet**, Birleşmiş Milletler kuvvetlerine mensup. **~ing**, çivit. **~ish** [-iş], mavimsi. **~-jacket**, deniz eri. **~-jeans** [-cīnz], blucin. **~-moon**, **once in a ~**, kırk yılda bir. **~-movie**, müstehcen filim. **~-murder**, **like ~**, tam hız ile: **scream ~**, acı acı feryat etm. **~-pencil**, (mavi kalemle) tashih etm., çizmek; sansür etm. **~-peter**, (*den.*) hareket flâması. **~print**, ozalit kağıdı, helyograf/mavi kopya (yapmak): **~ for the future**, gelecek için hazırlanmış bir plan. **~-ribbon**, GARTER'in şeridi; en büyük şeref alâmeti. **~-stocking**, (fazla) okumuş kadın. **~stone**, göztaşı. **~throat**, buğdayçıl bülbül. **~-water**, deniz+: **~ school**, İng.'de denizciliğin her şeyden önemli olduğuna inananlar. **~-whale**, gök balina.

bluff[1] [blʌf] *s.* Dik, sarp; toksözlü, açık. *i.* Sarp kayalık, dağ yalımı.

bluff[2] *i.* Blöf, kuru sıkı tehdit. *f.* Blöf yapmak: **call s.o.'s ~**, blöfe aldırmamak. **~er**, blöf yapan.

bluffness ['blʌfnis]. Diklik, sarplık; açıklık.

bluish ['blūiş] = BLUEISH.

blunder ['blʌndə(r)] *i.* Büyük hata, ahmakça bir hata; pot, gaf, falso; yanlış davranış. *f.* Büyük/ahmakça bir hata yapmak; pot kırmak; yanlış olarak davranmak: **~ against/into s.o.**, birine çarpmak: **~ about**, çarpa çarpa dolaşmak: **~ through**, iyi kötü işi başarmak: **~ upon the truth**, gerçeği tesadüfen keşfetmek: **~ one's way along**, çarpa çarpa ilerlemek. **~buss** [-bʌs], ağzı yayvan eski zaman karabinası. **~er**, pot kıran. **~head**, şaşkın. **~ing**, hantal, ahmakça, patavatsız.

blunt [blʌnt] *s.* Kör (bıçak vb.), körleşmiş, kesmez; lâfını sakınmaz (kimse); açık/pervasız (söz). *f.* Körleştirmek; hassasiyetini gidermek. **~head**, karina başlı yılan. **~ly**, açıkça. **~ness**, körlük; pervasızlık.

blur [blə̄(r)] *i.* Hayal meyal görülen şey, bulaşık şey; leke, bulaşık. *f.* (Yazı vb.) bulaştırmak, yaymak; bulandırmak. **~ out**, bulandırıp gizlemek.

blurb [blə̄b]. (Kitap vb. hakkında) övgü ilânı.

blurred [blə̄d]. Bulanık; (*sin.*) flu.

blurt ([blə̄t]. **~ out**, birdenbire söylemek, ağzından kaçırmak; düşünmeden söylemek, yumurtlamak.

blush [blʌş]. Kızarma(k); utanma(k): **at the first ~**, ilk bakışta: **in the first ~ of youth**, gençliğin ilk çağlarında: **put s.o. to the ~**, birinin yüzünü kızartmak, utandırmak: **~ to the roots of one's hair**, kulaklarına kadar kızarmak: **~ for s.o.**, biri namına utanmak. **~ing**, kızaran; (*mec.*) mahcup: **~ly**, kızarak; mahcup olarak.

bluster ['blʌstə(r)] *i.* Yüksekten atma; kabadayılık.

f. Sert esmek; bağırıp çağırmak; yüksekten atmak. ~ **out threats**, tehdit savurmak. ~**er**, yüksekten atan, kabadayı; avurt zavurt eden, avurtlu.
blvd. = BOULEVARD.
BM = BACHELOR OF MEDICINE; BALLISTIC MISSILE; BEACHMASTER; BLESSED MARY; BRITISH MUSEUM. **A/J** = BRITISH MEDICAL ASSOCIATION/JOURNAL. ~**EWS** = BALLISTIC MISSILE EARLY WARNING SYSTEM.
BMus. = BACHELOR OF MUSIC.
Bn = (*ask.*) BATTALION.
BN·A = BRITISH NORTH AMERICA. ~**C** = BRASENOSE COLLEGE (OXFORD). ~**EC** = BRITISH NATIONAL EXPORT COUNCIL. ~**OC** = BRITISH NATIONAL OIL CORPORATION.
bo(h) [bou]. *Korkutmak için bir nida.* **he couldn't say ~ to a goose**, çok çekingen; ağzına vur lokmasını al!
b.o. = BODY ODOUR.
boa ['bouə]. ~**(-constrictor)**, boa yılanı: **feather ~**, boa (boyun kürkü).
BOAC = BRITISH OVERSEAS AIRWAYS CORPORATION.
boar [bō(r)]. Erkek domuz: **wild ~**, yaban domuzu.
board [bōd] *i.* Tahta; levha; pano; karton; masa, sofra, yemek; pansiyon; idare meclisi, kurul; daire. *f.* Tahta ile kaplamak; döşemek; (kitaba) mukavva kaplamak; birine yemeğini vermek; (gemiye vb.) binmek; (gemiye) hücum edip girmek, borda etm., bordalamak; deniz taşıtları denetlemek; pansiyon olm. **the ~s**, tiyatro sahne/mesleği: **full ~/bed and ~/~ and lodging**, iaşe ve ibate; tam pansiyon: **half ~**, yarım pansiyon: **~ of directors**, idare meclis/heyeti, yönetim kurulu: **~ of Education/Trade**, Eğitim/Ticaret Bakanlığı: **above ~**, açıkça, dürüst: **across the ~**, her şeyi ihtiva eden (anlaşma): **go by the ~**, (*den.*) direk vb. güverteden denize düşmek; (*mec.*) büsbütün elden çıkmak: **let go by the ~**, elden çıkarmak, göz önünde tutmamak: **sweep the ~**, kumarda masadaki bütün parayı kazanmak; bir müsabaka vb.de bütün ödülleri kazanmak: **work for one's ~**, boğaz tokluğuna çalışmak. **~ out**, pansiyona yerleştirmek. **~ up**, tahta ile kapatmak.
board·er ['bōdə(r)]. Pansiyon kiracısı; (yatılı) öğrenci. ~**ing**, tahta perde; tahta kaplama; binme: ~**-card**, biniş kartı: ~**-house**, pansiyon: ~**-school**, yatılı okul. ~**-meeting**, idare meclisinin toplantısı. ~**room**, idare meclisi/direktörler odası. ~**-school**, (eski) ilk okul. ~**-wages** [-weyciz], yemek parası dahil olarak verilen ücret. *~**walk**, (yayalar için) tahta kaldırım.
boar·hound ['bōhaund]. Domuz avına mahsus bir zağar. ~**-hunt** [-hʌnt], domuz avı. ~**ish**, domuz gibi, canavarca.
boast [boust]. Övünme(k), iftihar (etm.). **~ about/of**, -le böbürlenmek: **without wishing to ~**, övünmek gibi olmasın ama .... ~**er**, övünen, tefahür eden. ~**ful**, övüngen, palavracı: ~**ly**, tefahürle: ~**ness**, övüngenlik.
boat [bout] *i.* Sandal, kayık, filika; gemi. *f.* Sandalla gezmek. **be all in the same ~**, aynı hal/durumda olm.: **burn one's ~s**, gemilerini yakmak; (*mec.*) ölmek var dönmek yok: **narrow ~**, şat. ~**-deck**, filika güvertesi. ~**el** = BOTEL. ~**er**, (sert) hasır şapka, kanotye. ~**ful**, (tayfa ile yolcular) kayık dolusu. ~**hook** [-huk], kayık kancası. ~**house/shed**, kayıkhane. ~**ing**, kayıkçılık: **go ~**, kayıkla gezintiye gitmek. ~**man**, kayıkçı, sandalcı. ~**-race** [-reys], kayık yarışı. ~**swain/bosun** ['bousn], porsun, lostromo: ~**'s chair/cradle**, gemi işleri için asılı iskemle: ~**'s mate**, lostromo muavini: ~**'s pipe**, sipsi. ~**-train**, vapur bağlantılı tren.
bob[1] [bob] *i.* Saç lülesi; kesik kuyruk: **~ one's hair/have a ~**, (kadın) saçlarını kısa kestirmek: **~ a horse's tail**, atın kuyruğunu kesmek.
bob[2] *i.* Hafif hareket, kımıldama; hafifçe eğilme, baş hareketi. *f.* Oynamak, kımıldamak; hafifçe eğilmek. **~ down**, sakınmak için birdenbire eğilmek. **~ under**, (olta mantarı) suya batmak. **~ up**, birdenbire meydana çıkmak.
bob[3]. Ufak top; yuvarlak kantar taşı vb., çekül.
bob[4] (*arg.*) Şilin.
bob[5] (*arg.*) ~**'s your uncle**, hepsi iyi hoş.
bobbed [bobd]. Kesilmiş (saç, kuyruk).
bobbery ['bobəri]. Kavga; kargaşılık.
bobbin ['bobin]. Makara, masura, bobin; pamuk iği.
bobbish [bobiş] (*arg.*) Canlı, neşeli.
bobble [bobl] (*mod.*) Küçük yün top.
bobby ['bobi] = ROBERT; †(*kon.*) polis. *~**-sox**, çok kısa çorap: ~**er**, genç (kız).
***bob·cat** ['bobkat]. Vaşak, karakulak. ~**olink** [-əlin(g)k], pirinç kuşu. ~**sled/sleigh** [-sley], (*sp.*) uzun kızak. ~**stay** [-stey] (*den.*) mistaço. ~**tail** [-teyl], kısa/kesik kuyruk: **rag, tag and ~**, ayaktakımı(ndan ibaret olan kalabalık). ~**-white** [-wayt], Amerika bıldırcını.
Boche [boş] (*arg., köt.*) Alman.
bod [bod] (*arg.*) Insan; herif.
bode [boud]. İşaret olm., delâlet etm.: **it ~s no good**, hayra alâmet değil. ~**ful**, uğursuz.
bodega [bo'dīgə] (*İsp.*) Şaraphane.
bodge [boc] = BOTCH.
bodice ['bodis]. Korsaj: **under ~**, kaşkorse.
bodi·ed [-'bodid] *son.* -vücutlu: **able-~**, sağlam. ~**less**, vücutsuz; gayrimaddî. ~**ly**, vücuda ait; cismanî; tamamıyle, kâmilen.
boding ['boudin(g)]. Uğursuz.
bodkin ['bodkin]. Şerit geçirmek için şiş; biz; büyük firkete.
body [bodi]. Vücut; gövde; beden, ten; ceset; cisim; şahıs; grup, heyet, kütle, cemiyet, topluluk, encümen; takım, mecmu; esas; (oto vb.) karoseri: **~ and soul**, bütün varlığıyla: **keep ~ and soul together**, kıtakıt yaşamak, zorla geçinmek: **foreign ~**, yabancı cisim: **heavenly ~**, gökcismi, yıldız. ~**-builder**, (*oto.*) karoserici; (*tıp.*) vücudu kuvvetlendiren ilâç/idman. ~**-burden**, (*nük.*) vücudun tehlikesizce kabul edilebilen nükleer ışınlanması. ~**-clock**, (*biy.*) vücudun hareketlerini ayarlıyan doğal mekanizması. ~**-colour**, kesif sulu boya; ten rengi. ~**-corporate**, hukukî şahıs. ~**-count**, (*ask.*) (savaşta) düşman ölüleri sayısı. ~**guard** [-gād], hassa askeri; muhafız asker/detektif. ~**-linen**, iç çamaşır. ~**-louse**, giyim biti. ~**-snatcher**, ceset hırsızı. ~**-stocking**, (*mod.*) (kadın) mayolu çorap. ~**work**, (*oto.*) karoseri.
Boer ['bouə(r)]. Holandalı soydan G.Afrika'da doğan ve oturan bir kimse.
B of E = BANK OF ENGLAND.
boffin ['bofin] (*arg.*) Araştırma/fen adamı.

Bofors ['bo̱ufəz]. ~ **gun**, bir nevi uçaksavar topu.
bog [bog] *i.* Batak, bataklık; (*arg.*) ayakyolu. *f.* Batağa saplamak (batırmak).
bogey ['bo̱ugi] (*golf.*) Bogi; = BOGY.
boggle ['bogl]. Ürkmek, duraklamak; beceremernek: ~ **at doing stg.**, bir işe yanaşmamak.
bogie ['bo̱ugi] (*dem.*) Vagon alt düzeni, boji.
bog-trotter ['bogtrotə(r)] (*köt.*) İrlandalı.
bogus ['bo̱ugəs]. Sahte, taklit.
bog·y/~**ey** [bo̱ugi]. Şeytan: **the** ~ **man**, umacı.
Bohemia [bo'hīmi̱ə]. Bohemya. ~**n**, *i.* Bohem(yali); (*kon.*) derbeder, kalender; çingene: *s.* Bohemya + ; (*kon.*) çingene gibi.
boil[1] [boyl] *i.* Çıban, yumru.
boil[2] *f.* Kaynama(k); kaynatmak; haşlamak; suda pişirmek: **be on the** ~, kaynamak: **come to the** ~, kaynamağa başlamak: **go off the** ~, kaynaması durmak: **keep the pot** ~**ing**, aileyi geçindirmek. ~ **away**, kaynayıp buhar olm. ~ **down**, kaynaya kaynaya azaltmak; suyunu çekmek; hulâsa etm.: **it all** ~**s down to this**, özeti budur, sözün kısası. ~ **over**, kaynayıp taşmak: ~ **over with rage**, hiddetten köpürmek/kudurmak. ~ **up**, (süt vb.) kaynayıp kabarmak.
boil-[3] *ön.* ~**ed**, kayna(tıl)mış: ~ **egg**, rafadan yumurta: **hard-**~, (*arg.*) sert, kolay kanmaz: **hard-**~ **egg**, hazırlop yumurta. ~**er**, kazan; sıcak su deposu: ~**-house**, kazan dairesi: ~**-maker**, kazancı. ~**ing**, kayna(t)ma; kaynar; çok sıcak: **the whole** ~, (*kon.*) takım taklavat: ~**-point**, kaynama derece/noktası; (*mec.*) patlama durumu.
boisterous ['boystərəs]. Şiddetli; gürültülü; taşkın.
Bokhara [bo'kārə]. Buhara (halısı).
boko ['bo̱uko̱u] (*arg.*) (İnsan) baş.
bold [bo̱uld]. Cesur, atılgan; kendinden emin; haddini bilmez, küstah; kalın (harf): **as** ~ **as brass**, çok yüzsüz: **make** ~, cüret etm.: **put a** ~ **face on the matter**, haklı imiş gibi cesaret takınmak. ~**-face/type**, (*bas.*) kalın harf. ~**-faced**, yüsüz, küstah. ~**ly**, cesur olarak. ~**ness**, cesaret; yüzsüzlük.
bole [bo̱ul]. Ağaç gövdesi.
bolero [bə'le̱əro̱u]. Bolero; bir İspanyol dansı; ['bolə-], kısa kadın caketi.
boletus [bo̱u'lītəs]. Bir nevi mantar.
bolide ['bo̱ulīd]. Havataşı; yarış otomobili.
Bolivia [bo'livi̱ə]. Bolivya. ~**n**, *i.* Bolivyalı: *s.* Bolivya +.
boll [bol]. Pamuk/keten kozası: ~ **weevil/worm**, pamuk kurdu.
bollard ['boləd], (*den.*) Baba; bite; (yolda) kısa ışıklı direk.
bolomet·er [bo'lomitə(r)]. Işınımölçer. ~**ric**, tümışınım.
boloney [bə'lo̱uni] (*arg.*) Saçma, ahmaklık.
Bolsh·evik ['bolşivik]. Bolşevik. ~**evism**, Bolşeviklik. ~**evist**, *i.* Bolşevik. ~**ie/y**, (*kon.*) Bolşevik(lere ait); solcu.
bolster ['bo̱ulstə(r)]. Uzun yastık, alt yastık: ~ **up**, yastık koymak; desteklemek.
bolt[1] [bo̱ult] *i.* Cıvata, bulon; sürme, sürgü; kumaş topu; tüfek mekanizması; kısa ok; yıldırım. *f.* Sürmelemek; cıvata ile bağlamak. ~ **upright**, dimdik: **a** ~ **from the blue**, bulutsuz havada şimşek kadar umulmadık ve anî vaka: **he has shot his last** ~, son kurşununu attı. ~**-on**, cıvata ile bağlamağa hazır.
bolt[2] *i.* Kaçma, firar; atılma. *f.* Kaçmak; birdenbire fırlayıp gitmek; (at) gemi azıya alıp kaçmak; (bitki) tohuma kaçmak, tohumlamak; çiğnemeden yutmak, pek acele yemek. **make a** ~ **for it**, tabanları kaldırmak: **make a** ~ **for stg.**, bir şeye doğru atılmak/koşmak.
bolt[3] *f.* Elemek, kalburdan geçirmek.
bolus ['bo̱uləs] (*tıp.*) Büyük hap.
bomb [bom] *i.* Bomba; nükleer silâh(lar); (*arg.*) servet. *f.* Bombalamak. **drop a** ~, (*mec.*) bir şeyi söyleyerek şaşırtmak: **flying/robot** ~, uçan bomba.
bombard [bom'bād]. Bombardıman etm., topa tutmak. ~**ier** [-bədi̱ə(r)], kumbaracı: ~ **beetle**, osurgan böceği. ~**ment**, bombardıman.
Bombay ['bombey]. Bombay: ~**-duck**, çiroz.
bomb·-bay ['bombey] (*hav.*) Bomba yuvası. ~**-disposal**, bomba körletme/yoketmesi. ~**-door**, (*hav.*) bomba deliği. ~**er** ['bomə(r)], (*ask.*) kumbaracı; bomba(rdıman) uçağı: **dive** ~, pike bomba uçağı. ~**ing** ['bomin(g)], bombalama, bombardıman. ~**proof**, bombaya dayanır. ~**shell**, mermi: **it came like a** ~, onu hiç beklemedik. ~**-sight**, bombalama vizörü. ~**-site**, bombalanmış yer.
bombast ['bombast]. Tumturaklı söz. ~**ic** [-'bastik] tumturaklı.
bombasine [bombə'zīn]. İpekli yün kumaş.
bona fide ['bo̱unə 'faydi] (*Lat.*) Hakikî, gerçek. ~***s***, iyi niyet.
bonanza [bo̱u'nanzə]. Zengin bir maden damarı; büyük bir kazanç kaynağı.
bonbon [bō(n)'bō(n)] (*Fr.*) Şekerleme.
bond [bond] *i.* Bağ, rabıta; kayıt; senet, mukavele, sözleşme; bono, tahvilat, obligasyon; kefalet yüklenmelik; ilişki, münasebet; yapışma; yapıştırıcı madde, tutkal; tuğla/taşla inşaat usulü. *f.* Tuğlaları harçla birbirine bağlamak; yapış(tır)mak, tutmak; eşyayı antrepoya koymak. **be in** ~, antrepoda bulunmak, gümrüğe tabi olm.: **take out of** ~, gümrükten çıkarmak. ~**age** [-dic], kölelik, esirlik, serflik. ~**ed** [-did], ~ **debt**, rehinli borç: ~ **goods**, antrepoya konulmuş eşya: ~**-warehouse**, gümrük antreposu. ~**erize** [-də'rayz], bonderlemek. ~**-holder**, tahvilat vb. hamili. ~**ing**, yapışma, tutturma; tutturucu. ~**-note**, inanca, teminat. ~**-paper**, iyi cins mektup kâğıdı. ~**s**, zincirler: **in** ~**s**, zincire vurulmuş; hapishanede. ~**(s)man**, köle, serf; kefil. ~**-servant/slave**, köle, cariye.
bone [bo̱un] *i.* Kemik; kılçık. *s.* Kemikten yapılmış. *f.* Kemiklerini ayırmak; kılçıklarını ayıklamak; (*arg.*) aşırmak. **to the** ~, iliklerine kadar: **a bag of** ~**s/all skin and** ~, bir deri bir kemik: **feel stg. in one's** ~**s**, (niçin olduğunu bilmeden) emin olm.: **hard words break no** ~**s**, sert sözler insanın bir yerini kırmaz: **I have a** ~ **to pick with you**, seninle paylaşılacak kozum var: **make no** ~**s about...**, -de hiç tereddüt etmemek, -den çekinmemek, numara yapmamak: ~ **up on stg.**, (*arg.*) bir mevzu/derse çok çalışmak: **funny** ~, pazı kemiği. ~**-black**, kemik kömürü tozu. ~**-china**, ince porselen. ~**d**, (balık vb.) kemikleri ayrılmış, kemiksiz. -~**d**, (*son.*) kemikli: **big-**~, iri kemikli. ~**-dry**, kupkuru. ~**head**, (*arg.*) mankafa, ahmak. ~**-idle/-lazy**, çok tembel. ~**meal**, kemik gübre/yemi. ~**r**, (et/balık) kemikleri kaldıran kimse; (*arg.*) pot: **make a** ~, pot kırmak. ~**setter**, çıkıkçı, kırıkçı. ~**-shaker**,

(*köt.*) köhne otomobil/bisiklet. ~**weary**, çok yorgun. ~**yard**, (*arg.*) mezarlık.
bonfire ['bonfayə(r)]. Şenlik/işaret ateşi; bahçe süprüntüsünü ortadan kaldırmak için açıkta yakılan ateş.
bonhomie ['bonəmi] (*Fr.*) Hoşluk.
bonito [boụ'nitoụ]. Bir nevi orkinos/ton balığı/palamut.
bonkers ['bon(g)kəz] (*arg.*) Deli, aklını kaçırmış.
bon mot [bō(n)'moụ] (*Fr.*) Nükteli söz.
bonnet ['bonit]. Çocuk/kadınların giydiği başlık; İskoç beresi; motor kapağı; kaporta; baca şapkası; lamba başlığı. ~**-monkey**, şapkalı maymun.
bonny ['boni] (*İsk.*) Güzel, hoş.
bonsai ['bonsay]. Cüce ağacı(nı yetiştirme usulü).
bonspiel ['bonspīl] (*İsk.*) Maç.
bonus ['boụnəs]. İkramiye, özence, kâr payı, prim, temettü: **cost-of-living** ~, hayat pahalılığı zammı. ~**-share**, temettü hissesi.
bony ['boụni]. Kemikleri görünen; kılçıklı.
bonzer ['bonzə(r)] (*Avus. arg.*) Mükemmel.
boo [bū]. Yuha; = BO. ~ **(at)**, -e yuha diye bağırmak; ıslık çalmak.
booby ['būbi]. Ahmak; şaşkın; (*zoo.*) kırmızı ayaklı sümsükkuşu. ~**ish**, ahmakça. ~**-prize**, sonuncu gelene verilen ödül. ~**-trap**, tuzaklı oyun; (*ask.*) kamuflajlanmış küçük bomba (koymak).
boodle [būdl] (*arg.*) Para.
boohoo [bu'hu] *i.* Ağlama sesi, uu!; yalancıktan/şımarıkça ağlama. *f.* Yüksek sesle ağlamak; yalancıktan ağlamak.
book[1] [buk] *i.* Kitap; yazılık, defter; bap, kısım; libreto: **the B**~, Mukaddes Kitap: **swear on the B**~, Mukaddes Kitabın üzerine el koyarak yemin etm.: **be in s.o.'s good/bad** ~**s**, birinin gözünde ol(ma)mak: **bring s.o. to** ~, birini hesap vermeğe mecbur etmek; birini sorumlu tutmak: **keep the** ~**s of a firm**, bir firmanın defterini tutmak: **make a** ~, bahis defterini tutmak: **a** ~ **of needles**, defter şeklinde iğne mahfazası: **on the** ~**s**, bir klüp vb. üyesi olarak ismi defterde yazılı olm.: **speak like a** ~, kitabî konuşmak: **speak by the** ~, kesin olarak bilip söylemek: **it won't suit my** ~, bu işime gelmez.
book[2] *f.* Hesaba yazmak; peylemek, kiralamak, (yer vb.) tutmak; bilet almak; (polis) suçlu olarak defterine ismini yazmak: **be** ~**ed up**, (doktor/iş adamı vb.) vakti dolu olm., ilerisi için meşgul olm.; (otel vb.) bütün yerler tutulmuş olm.
book-[3] *ön.* ~**-binder**, ciltçi. ~**binding**, ciltçilik. ~**case** [-keys], kitap dolabı, kitaplık. ~**-club**, kitap derneği. ~**ed (up)**, tutulmuş; meşgul. ~**end(s)**, kitap dayağı. ~**ie** [-ki], (*kon.*) = ~MAKER. ~**ing**, yaz(ıl)ma; tut(ul)ma; kaydetme: ~**-clerk**, gişedeki biletçi: ~**-office**, gişe. ~**ish**, okumağa meraklı; kendini kitaplara vermiş; kitabî. ~**-jacket**, kitap gömleği. ~**keeper** [-kīpə(r)], defter tutan, muhasip, muhasebeci, say(ış)man. ~**keeping**, defter tutma, muhasebe, say(ış)manlık. ~**-learning**, kitap bilgisi. ~**-length**, kitap kadar uzun (hikâye vb.) ~**let**, küçük kitap; risale. ~**maker**, (yarışlar) bahis defterini tutan adam. ~**making**, bahis defteri tutulması. ~**man**, bilgin, âlim. ~**mark(er)**, sayfa işareti. *~**mobile** [-mobayl], seyyar kütüphane. ~**plate** [-pleyt], kimlik simgesi. ~**-post**, kitap postası(na ait tarife). ~**rest**, kitap rahlesi. ~**-review** [-rivyū], kitap tenkidi. ~**seller**, kitapçı. ~**selling**, kitapçılık. ~**shelf/stack**, kitap rafı. ~**shop**, kitabevi. ~**stall** [-stōl], kitap sergisi; (*dem.*) istasyondaki kitapçı dükkânı. ~**-token** [-toụkn], kitap satın almak için hediye olarak verilen bono. ~**trade**, kitapçılık. ~**-value** [-valyū] (*mal.*) defterde gösterilen kıymet. ~**-work**, öğrenim, okuma. ~**worm**, kitap kurdu; (*mec.*) daima kitap okuyan bir kimse.
boom[1] [būm] *i.* Bumba; seren; liman ağzındaki mania; bum, uzun putrel; gövdecik; (*tiy.*) ışık direği; (*sin.*) mikrofon kolu.
boom[2] (*yan.*) *i.* (Top vb.) gürleme; (rüzgâr) uğultu. *f.* Gürlemek; uğuldamak.
boom[3] (*mal.*) *i.* Fiyatlarda anî yükselme; piyasada canlılık; büyük rağbet. *f.* Reklam yapmak; methederek tanıtmak; yükselmek; gelişmek; *çabuk büyümek.
boomerang ['būməran(g)] *i.* (*Avus.*) Bir tahta silâh ki fırlatıldığı yere geri döner; (*mec.*) yapanın üstüne dönen kötü hareket. *f.* Kötü bir hareket üstüne dönmek.
boom-town ['būmtaụn]. Çabuk büyümüş şehir.
boon[1] [būn] *i.* Nimet; lütuf, iyilik.
boon[2] *s.* (*şiir*) Şen, neşeli: ~ **companion**, içki/eğlence arkadaşı; çok yakın dost, nedim.
***boondoggle** ['būndogl]. Güç/para boşa harcama(k).
boor ['buə(r)]. Kaba/yontulmamış adam; yobaz. ~**ish**, kaba, hoyrat: ~**ness**, kabalık, yobazlık.
boost [būst]. Yardım için itme(k); destekleme(k); kuvvetini artırma(k); yükseltme(k); propaganda/reklamını yapma(k). ~**er**, artırıcı, yükseltici; yardım(cı); (roket) yardak: ~**-pump**, yardımcı tulumba: ~**-rocket**, yardak roket.
boot[1] [būt] *i.* Potin, ayakkabı; çizme. *f.* Tepmek. **rubber** ~**s**, çizme, lastik ayakkabı: **Wellington** ~**s**, uzun deri çizme: **the** ~ **is on the other leg**, durum tam aksi: **die in one's** ~**s**, eceli kaza ile ölmek: **get the** ~, pabucu eline verilmek, sepetlenmek: **give s.o. the (order of the)** ~/~ **s.o. out**, birinin pabucunu eline vermek: **have one's heart in one's** ~**s**, ödü kopmak.
†**boot**[2] *i.* (Araba, otomobil) arkasındaki eşya yer/bölgesi.
boot[3] *i.* **to** ~, üstelik, fazla olarak.
boot[4] *f.* **what** ~**s it to . . .?**, . . . neye yarar?, -nin ne faydası var?
boot-[5] *ön.* ~**black**, ayakkabı boyacısı. ~**ed** [-tid], çizmeli: ~ **and spurred**, harekete hazır. ~**ee** [-'tī], küçük çizme.
booth [būð]. Baraka; kulübe; kabin; odacık.
boot·jack ['būtcak]. Çizme çekeceği. ~**lace**, ayakkabı bağı. *~**leg**, *s.* kaçak (içki); *f.* içki kaçakçılığı etm.: ~**ger**, içki kaçakçısı. ~**less**, ayakkabısız; (*mec.*) yararsız, gereksiz. ~**licker**, dalkavuk. ~**-polish**, ayakkabı boyası. ~**s**, otel hademesi; ayakkabı boyacısı, lostracı. ~**strap**, **pull o.self up by one's** ~**s**, kendi gayretiyle ilerlemek/terakki etm. ~**-topping**, (*den.*) gemi bordası. ~**-tree**, çizme kalıbı.
booty ['būti]. Ganimet; çapul, yağma; kazanç.
booz·e [būz] *i.* (*kaba*) İçki; çakıntı. *f.* Kafayı tütsülemek/çekmek. **be on the** ~, kafayı çekmek. ~**ed**, sarhoş. ~**er**, ayyaş; birahane. ~**e-up**, içkili cümbüş. ~**y**, fazla içkiler içen; sarhoş.
bo-peep [boụ'pīp]. **play at** ~ (küçük çocuklar

arasında) bir yere saklanıp birdenbire başını uzatmak.
bor. = BOROUGH.
boracic [bo'rasik]. Boraksli, borik, borasik.
borage ['boric]. Hodan.
borak ['borak] (*Avus. arg.*) Saçma.
bora·te ['bōreyt]. Borat. ~**x** [-raks], boraks.
***bordel(lo)** [bō'del(ou)]. Genelev.
border ['bōdə(r)] *i.* Kenar; pervaz; tiriz; çizgi; sınır, hudut. *f.* Etrafını çevirmek; kenar yapmak: ~ **on**, -e sınır teşkil etm.; bitişik olm.; (*mec.*) çok yaklaşmak: **colour ~ing on red**, kırmızıya çalan renk: **the B~**, İngiltere ile İskoçya/Galler Memleketi arasındaki sınır. ~**er**, sınırda oturan; İskoçya/Galler Memleketi sınırında oturan. ~**land**, sınırdaş memleket; iki memleket arası; (*mec.*) iki bilim/şey arası.
bore[1] [bō(r)] *i.* Delik; (iç) çap, kalibre; burgu; sondaj (deliği). *f.* Delmek; delik açmak; sondaj yapmak.
bore[2] *i.* Can sıkıcı kimse; usandırıcı şey. *f.* Can sıkmak, usandırmak, taciz etm.: **be ~d stiff**, can sıkıntısından patlamak.
bore[3] *i.* (Nehirde) yüksek met dalgası.
bore[4] *g.z.* = BEAR[2].
boreal ['bōriəl]. Kuzey +, kuzeysel.
bore·d [bōd]. Canı sıkılmış, usanmış. ~**dom** [-dəm], can sıkıntısı.
bore·hole ['bōhoul]. Sondaj deliği; kuyu. ~**r**, matkap, burgu; lağım mili; (*biy.*) kurt, ağaç kurdu, oyan; delikçi; sondajcı.
boric ['borik]. Bor/boraksa ait.
boring[1] ['bōrin(g)] *i.* Burgu salma, delme; sondaj, delik.
boring[2] *s.* Can sıkıcı.
born [bōn] *g.z.o.* = BEAR[2]. *s.* Doğmuş: **be ~**, doğmak: **he is a ~ poet**, doğuştan şairdir: **in all my ~ days**, bütün ömrümde: **her latest ~**, son doğan çocuğu: **London-~**, Londra'da doğmuş: **a Londoner ~ and bred**, doğma büyüme Londralı: ~ **tired**, daima yorgun; yaradılıştan tembel ve uyuşuk: **not ~ yesterday**, (*mec.*) aptal olmıyan.
borne [bōn] *g.z.o.* = BEAR[2]; taşınmış; götürülmüş.
borné ['bōney] (*Fr.*) Dar fikirli/kafalı.
boro' = BOROUGH.
boro- ['bōro-] *ön.* Bor +. ~**n**, Bor.
borough ['bʌrə]. Kasaba; belediyesi olan şehir; parlamentoya mebus gönderen şehir: **pocket ~**, (*tar.*) hakikaten bir kişi tarafından seçilmiş olan mebus gönderen şehir: **rotten ~**, (*tar.*) terkedilmiş fakat hâlâ mebus gönderen şehir.
borrow ['borou]. Ödünç/borç almak, borçlanmak; eğreti almak; almak. ~**ed**, ~ **light**, aksettirilmiş ışıklı pencere: ~ **word**, yabancı kelime. ~**er**, ödünç alan. ~**ing**, borçlanma.
borsch [bōş]. Bir nevi Rus çorbası.
†**borstal** ['bōstəl]. Suçlu çocuklara mahsus ıslahevi.
bort [bōt]. Elmas kırıntıları.
borzoi ['bōzoy]. Rus kurt köpeği.
boscage ['boskic]. Ağaçlık, çalılık.
bosh [boş] (*Tk.*) Boş şey, saçma.
bosk·(et) ['bosk(it)]. Çalılık. ~**y**, ağaçlıklı.
bo's'n ['bousn] = BOATSWAIN.
Bosnia ['bozniə]. Bosna. ~**n**, *i.* Boşnak(ça), Bosnalı: *s.* Bosna +.
bosom ['buzəm]. Göğüs, koyun; kucak: **the child of his ~**, sevgili yavrusu: ~ **friend**, candan dost. ~**ed**, göğüslü; kucaklanmış.
Bosphorus ['bosfərəs]. Boğaziçi.
boss[1] [bos]. Yumru; çıkıntı; göbek, damlataşı; kabara.
boss[2] (*kon.*) *i.* Patron; sözü geçen. *f.* (Bir daireyi vb.) idare etm.; birisine hâkim olm.: **she's the ~**, evde karısının sözü geçer.
boss-eyed ['bosayd] (*arg.*) Şaşı (gözlü).
bossy ['bosi]. Zorba; mütehakkim.
bo'sun ['bousn] = BOATSWAIN.
bot [bot]. Sinek kurtçuğu.
bot. = BOTANY; BOTTLE; BOUGHT.
†**BOT** = BOARD OF TRADE.
botan·ic(al) [bə'tanik(l)]. Bitki bilimine ait, bitkisel, botanik +. ~**ist**, ['botənist], bitkilerle uğraşan, bitki bilgini, botanik âlimi: ~**ize** [-nayz], bitki örneklerini toplamak. ~**y**, bitki bilimi, botanik: ~**-wool**, Avustralya yünü.
botargo [bo'tāgou]. Tuna havyarı.
botch [boç] *i.* Biçimsiz yama; kaba iş. *f.* Baştan savma yapmak; kabaca yamamak. ~**er**, hantal işçi.
botel [bou'tel]. Yat sahiplerine mahsus otel.
botfly ['botflay]. Mide sineği.
both [bouθ]. İkisi de; her ikisi de; iki, her iki: ~ **... and ...**, hem ... hem ...: ~ **of you**, her ikiniz: **you can't have it ~ ways**, ikisinin ortası olmaz, ya öyle ya böyle.
bother ['boðə(r)] *i.* Canını sıkma, taciz etme; üzüntülü iş; kavga(cılık). *f.* Canını sıkmak, taciz etm., üzmek; tasdi etm. ~ **it!**, Allah müstahakkını versin!: **I can't be ~ed!**, hiç işim yoktu ..., bana ne?: **he couldn't ~/be ~ed to do it**, yapmağa üşendi: **don't ~ me!**, beni rahat bırak! **don't ~ about me**, beni düşünme: **he doesn't ~ about anything**, hiç bir şeye aldırmıyor. ~**ation**, ~**!**, Allah müstahakkını versin! ~**some**, can sıkıcı, müziç, üzüntülü.
bothy ['boθi] (*İsk.*) Baraka, kulübe.
bottle [botl] *i.* Şişe; sürahi; biberon; (*tıp*) ördek. *f.* Şişe/kavanoza koymak: ~ **up one's feelings**, hislerini vb. tutmak: ~ **up a fleet**, filoyu çıkma yolunu tutarak sıkıştırmak. ~**d**, şişe/kavanoza konmuş (konserve). ~**-green**, çok koyu yeşil. ~**head**, bir nevi küçük balina. ~**-neck**, şişe boğazı; dar boğaz/geçit; taşıt araçlarının izdihamdan saplanıp kalması; bir işi çıkmaza sokan/duraklatan şey. ~**-nose**, bir nevi yunusbalığı. ~**-nosed**, patlıcan burunlu. ~**-opener**, şişe açacağı. ~**-party**, (misafirlerin birer şişe içki getirdikleri) içkili cümbüş. ~**-rack**, şişe askısı. ~**-washer**, şişe yıkayıcı; (*mec.*) her işe bakan adam.
bottling ['botlin(g)]. Şişe doldurma, şişeleme (sanayii).
bottom[1] ['botəm] *i.* Dip; aşağı taraf; alt; kıç; asıl, esas; dere; kuvvet, can; (*den.*) karine; (*mer.*) gemi. *s.* Alt; asgarî. *f.* Dibe dokunmak/ulaşmak; dip koymak; (iskemleye) oturak geçirmek; istinad ettirmek, dayanmak. **at ~**, hakikatte, esas itibarıyle: **he is at the ~ of all this**, bütün bunların arkasında o var: **I bet my ~ dollar**, nesine istersen bahse girerim: **the ~ has fallen out of the market**, piyasa çöktü: **get to the ~ of the matter**, bir meselenin içyüzünü öğrenmek: **from the ~ of one's heart**, en kalpten, çok samimî: **knock the ~ out of an argument**, bir muhakemeyi cerhetmek/yıkmak:

reach rock ~, ta aşağıda bulunmak, en kötü duruma düşmek: **stand on one's own** ~, kendi yağıyle kavrulmak: **touch** ~, (i) (gemi) dibi karaya dokunmak; (ii) en aşağı dereceye varmak.
bottom-[2] *ön.* ~**ed**, . . . dipli; tabanlı: **flat** ~, dibi düz. ~**-heat**, (*zir.*) gübre ile bitki köklerinin ısıtılması. ~**less**, dipsiz; çok derin; sonsuz: **the** ~ **pit**, gayya. ~**most**, en aşağı. ~**ry**, deniz ödüncü; gemiye konan ipotek.
botulism ['botyulizm]. Botulizm.
boudoir ['būdwā(r)]. Kadın odası, buduvar.
bough [bau̯]. Dal.
bought *g.z.(o.)* = BUY.
bougie ['būji] (*Fr.*) Bal mumu; (*tıp.*) sonda.
boulder ['bou̯ldə(r)]. Tek başına olan kaya parçası, tomruk. ~**-clay**, sel/buz çağı kili.
boulevard ['būlvād]. Bulvar; *ana yol.
bounc·e [bau̯ns] *i.* Zıplama, sıçrama; (*kon.*) yüksekten atma, övünme. *f.* Zıpla(t)mak, sıçra(t)mak: ~ **in/out**, birdenbire girmek/çıkmak: ~ **s.o. into doing stg.**, birini sıkboğaz ederek bir şeyi yaptırmak: ~ **s.o. out**, (otelden vb.) birini dışarı atmak: **this cheque** ~**d**, (*kon.*) ödenmesi reddedildi. ~**er**, (*arg.*) (otelden vb.) terbiyesizleri dışarı atan kimse. ~**ing**, gürbüz, şişman; canlı ve neşeli (bebek).
bound[1] [bau̯nd] *i.* Had, sınır. *f.* Sınır teşkil etm., hudut çizmek. **break** ~**s**, (asker, talebe) yasak edilen yere girmek; kışla/okuldan izinsiz olarak çıkmak: **the town is out of** ~**s**, şehre gitmek yasaktır: **keep within** ~**s**, sınırı aşmamak; ölçülü olm.; haddini aşırmamak: **set** ~**s**, bir had çizmek, sınırlamak.
bound[2] *f.* Atlama(k), sıçrama(k), sekme(k): **at a (single)** ~, bir hamlede: **advance by leaps and** ~**s**, uçar gibi/şaşırtıcı bir hızla ilerlemek: ~ **away**, zıplayarak gitmek.
bound[3] *s.* **ship** ~ **for**. . ., -e gitmek üzere olan gemi: **homeward** ~, kendi limanına doğru; evine doğru: **whither** ~**?**, nereye?
bound[4] *g.z.(o.)* = BIND[1]. *s.* Mecbur, zorunlu; kayıtlı; ciltli.
boundary ['bau̯ndəri]. Hudut, sınır, kenar.
bounden ['bau̯ndən]. ~ **duty**, ödev, boyun borcu.
bounder ['bau̯ndə(r)] (*kon.*) Adi/görgüsüz/pespaye adam; centilmenin aksi.
boundless ['bau̯ndlis]. Sınırsız; sonsuz.
bount·eous/~**iful** ['bau̯ntiəs, -iful]. Cömert, alicenap; bol: ~**ly**, cömert olarak: ~**ness**, cömertlik; bolluk. ~**y**, cömertlik; ihsan; ikramiye, prim, ödenek.
bouquet ['būkey]. Çiçek demeti; buket; (şarap) koku, rayiha.
***bourbon** ['buəbən]. Bir nevi viski.
bourdon ['buədn]. (Org vb.de) pes bir nota/pedal.
bourgeois ['buəjwa]. Orta/ticarî sınıftan biri; burjuva. ~**ie** [-'zī], orta sınıf, burjuvazi.
bourn[1] [bōn]. Dere, çay.
bourn(e)[2]. Gaye, maksat, amaç, erek; sınır.
boustrophedon [bau̯strə'fīdən] (*ark.*) Sıra ile soldan sağa ve sağdan sola (yazı).
bout [bau̯t]. Girişme; nöbet, sıra.
boutique [bū'tīk]. Küçük mağaza, butik.
bovine ['bou̯vayn]. Öküze ait; ahmak; ağır, uyuşuk.
bovver ['bovə(r)] (*arg.*) = BOTHER; sokak kavgacılığı: ~**-boots**, öbürleri yaralamak için giyilen çizme: ~**-boy**, sokak kavgacısı.

bow[1] [bou̯] *i.* Yay; ilmek; fiyonga; kavis; kemer: **have two strings to one's** ~, ikinci bir imkâna malik olm.
bow[2] [bau̯] *i.* Eğilme, başeğme. *f.* Eğilmek, başını eğmek. **make one's** ~ **to the company**, arzı endam etm., görünmek: ~ **and scrape to s.o.**, birine kandilli temenna etm.; yaltaklanmak: ~ **to the inevitable**, kaderi olduğu gibi kabul etm., ('kazaya rıza'): ~ **s.o. in**, birini (selâm ve iltifatla) içeri almak: ~ **out**, mesleği sona ermek.
bow[3] [bau̯] *i.* Geminin başı, pruva, baş omuzluğu; bir sandalın pruvaya en yakın kürekçisi: **cross the** ~**s of a ship**, bir geminin önüne geçmek, yolunu kesmek. ~**-chaser**, pruva topu. ~**-compass** [bou̯-], yaylı pergel.
bowdlerize ['bau̯dlərayz]. Bir eserin açık saçık görülen yerlerini çıkarmak.
bowed [bau̯d]. Eğilmiş; (*mec.*) boynu eğik.
bowel ['bau̯əl]. Bağırsak: ~**s**, bağırsaklar; iç: **in the** ~**s of the ship**, geminin dibinde: **empty the** ~**s**, aptese çıkmak: **the** ~**s of compassion**, (*şiir*) merhamet hissi.
bower[1] ['bau̯ə(r)]. ~ **(anchor)**, gözdemiri.
bower[2]. Çardak, bahçe köşkü: **the lady's** ~, (*şiir*) bir kadının özel dairesi. ~**-bird**, bir nevi cennet kuşu.
bowie (-knife) ['bou̯i (nayf)]. Av bıçağı.
bowing ['bou̯in(g)] (*müz.*) Yay kullanılışı.
bowl[1] [bou̯l] *i.* Kâse, tas, çanak; (pipo) tütün yuvası.
bowl[2] *i.* Tahta top, yuvarlak. *f.* Topu yerde yuvarlamak; (kriket) topu atmak; BOWLS oyununu oynamak; (çember) çevirmek. ~ **along**, (araba vb.) hızla gitmek: ~ **out**, (kriket) birini oyun dışı yapmak; (*mec.*) temizlemek; işini bitirmek; birini bozmak: ~ **over**, devirmek, düşürmek; şaşırtmak.
bowlegged ['bou̯legd, -'legid]. Eğri bacaklı, paytak.
bowler ['bou̯lə(r)]. (Krikette) topu atan oyuncu; BOWLS oyununu oynayan. ~**(-hat)**, melon şapka: **get one's** ~, askerlikten ayrılarak sivil elbiseyi giymek.
bowline ['bou̯lin] (*den.*) İzbarço bağı: **running** ~, hareketli izbarço bağı, leş bağı.
bowling ['bou̯lin(g)]. Topu yuvarlama/atma; BOWLS oyunu. ~**-alley**, top yuvarlama salonu. ~**-green**, BOWLS oyunu çimenliği.
bowls [bou̯lz]. Tahta toplarla oynanan bir oyun.
bow·man, *ç.* ~**men** ['bou̯mən]. Okçu, kemankeş.
bowser ['bau̯zə(r)] (*kon.*) Sarnıçlı kamyon.
bow·shot ['bou̯şot]. Ok atım/menzili. ~**sprit**, civadra. ~**-Street runner**, (*tar.*) polis memuru. ~**string**, yay kirişi; kement (ile boğmak). ~**-tie** [-tay], papyon. ~**-thruster** ['bau̯-θrʌstə(r)] (*den.*) pruvadaki hidrolik direksiyon cihazı. ~**-wave** [-weyv], baş dalgası. ~**-window** [bou̯-], kavisli pencere, cumba.
bow-wow ['bau̯wau̯]. Havhav; kuçukuçu.
bowyer ['bou̯yə(r)]. Okçu, yaycı, kemankeş.
box[1] [boks] *i.* Şimşir ağacı.
box[2] *i.* Kutu, sandık; mahfaza; kasa; (*tiy*) loca; ahırın bölmesi; arabacı yeri; (*huk.*) tanık/sanık yeri; (*sp.*) yumurtalık kalkanı; (*sp.*) kasa: **the (little)** ~, (*kon.*) televizyon alıcısı: **be in the same** ~, aynı durumda bulunmak: **find o.self in the wrong** ~, müşkül bir durumda bulunmak: **play** ~ **and cox**, (iki kişi) hiç bir zaman beraber bulunmamak.

box³ *f.* Kutuya koymak, kutulamak, kaplamak: ~ **the compass**, pusula kertelerini saymak.
box⁴. Yumrukla(ş)ma(k), boks yapma(k): **a ~ on the ears**, bir tokat: ~ **s.o.'s ears**, birine tokat atmak.
box-⁵ *ön.* ~**calf**, vidala. ~**er**, yumrukoyuncusu, boksör. ~**ing**, yumrukoyunu, yumruklaşma, boks: ~**-Day**, Noelin ertesi (26 aralık; İng.'de resmî tatil günü ki postacının vb. CHRISTMAS-BOX denilen hediye/bahşişleri o gün verilir): ~**-glove** [-glʌv], yumruk eldiveni: ~**-match**, yumrukoyunu: ~**-ring**, yumruklaşma alanı. ~**-office**, (tiyatro vb.) bilet satış gişesi: ~**-receipts**, tiyatro vb. geliri. ~**-spanner/wrench**, geçme anahtar. ~**wood**, şimşir tahtası.
boy [boy]. (On sekiz yaşına kadar erkek) çocuk; oğul; çocuk garson; öğrenci; (Dogu'da) yerli uşak: ~**s will be** ~**s**, çocuktur yapacak; çocukluğunu yapacak: **old** ~!, ahbap!: **an old** ~, bir okulun eski mezunu; ihtiyarın biri: **one of the** ~**s**, eğlenceye düşkün, ehli keyiften: **I have known him from a** ~, ben onu çocukluğundan beri tanırım.
boycott ['boykot]. Boykot (etmek); direniş; münasebet/ilişkileri kesmek. ~**er**, boykotçu.
boy·friend ['boyfrend]. Bir kızın sevgilisi. ~**hood** [-hud], çocukluk çağı. ~**ish** [-yiş], erkek çocuğu gibi. ~**-scout**, erkek (çocuk) izci.
Bp. = BISHOP.
BP = BOILING-POINT; BRITISH PETROLEUM; BRITISH PHARMACOPOEIA. ~**C** = BRITISH PHARMACEUTICAL CODEX.
b.pl. = BIRTHPLACE.
Br. = BRITAIN; BRITISH; (*kim.s.*) BROMINE; BROTHER.
BR = BANK RATE; BRITISH RAIL(WAYS).
bra [brā] (*kon.*) = BRASSIÈRE.
brace [breys] *i.* Gergi, bağ, kuşak; askı, germe; destek; köşebent; matkap kolu; (*den.*) prasya; rabıt işareti (}); çift. *f.* Destek vurmak; germek; kuvvet vermek, canlandırmak. ~ **and bit**, matkap ile kolu: **a** ~ **of birds**, avda vurulan iki kuş. ~**let**, bilezik. ~**r**, destek; (*kon.*) kuvvetlendirici (içki/ilâç). †~**s**, pantolon askısı.
brach [braç]. Dişi tazı/av kopeği.
brachi·al ['brakiəl]. Kol+, kol gibi. ~**opod**, kolsuayaklı.
brachy- [braki-] *ön.* Braki-, kısa. ~**cephalous** [-'sefələs], brakisefal.
bracing ['breysin(g)]. Canlandırıcı (hava).
bracken ['brakn]. Kartallı eğreltiotu.
bracket ['brakit] *i.* Kol, dayanak, destek, konsol; kelepçe; (*bas.*) parantez, kere. *f.* Parantez içine almak; bir rabıt işareti ile birleştirmek; bir tutmak; eş tutmak; (topçulukta) hedefi makas içine almak. **round** ~**s**, parantez: **square** ~**s**, köşeli parantez: **place between** ~**s**, parantez içine almak: **remove the** ~**s**, parantezi kaldırmak.
brackish ['brakiş]. Tuzlumsu, acı (su).
bract [brakt]. Konca yaprağı, koruyucu pul.
brad [brad]. Karfiçe çivisi. ~**awl** [-ōl], biz.
†**Bradshaw** ['bradşō]. Tren tarifesi.
brady- [bradi-] *ön.* Bradi-, yavaş.
brae [brey] (*İsk.*) Bayır, tepe.
brag [brag]. Yüksekten atma(k); övünme(k); palavra (savurmak): ~ **about/of**, -le böbürlenmek. ~**gadocio** [-ə'doçiou], palavra. ~**gart**, kendini öven kimse.
brah·min, -man ['brāmən]. Brehmen; *entelektüel.
braid [breyd] *i.* Örgülü şerit/kurdele/kordon. *f.* (Saçı vb.) örmek, kurdele ile bağlamak; kordon takmak. **gold** ~, sırma kordon.
brail [breyl] (*den.*) *i.* Yelken/istinga ipi. *f.* İstinga etm.
braille [breyl]. Körlere mahsus kabartma yazı.
brain [breyn] *i.* Beyin, dimağ; kafa, akıl, us. *f.* Beynini patlatmak. **he has** ~**s**, çok kafalıdır: **a man of** ~**s**, kafalı adam: **get/have stg. on the** ~, bir şeyi aklından çıkaramamak: **cudgel/rack one's** ~**s**, kafa patlatmak: **turn s.o.'s** ~, başını döndürmek (ne oldum delisi etm.). ~**-death**, (*tıp.*) beyin korteksinin ölmesi. ~**-drain**, (bilgin/fen adamlarının para/fırsatlar için) beyin göcü. -~**ed**, *son.* -beyin/kafalı. ~**-fag**, (*kon.*) beyin yorgunluğu. ~**-fever**, beyin iltihabı. ~**pan**, kafatası. ~**-sickness**, yarı akıl hastalığı. ~**-storm**, **have a** ~, bir şey beynine vurmak. ~**s-trust**, eksperler grubu. ~**-wash** [-woş] (*id.*) çok propaganda ile birinin kanaatlerini tamamen değiştirmek, beyin yıkamak. ~**wave**, birdenbire gelen parlak fikir; ilham, doğaç. ~**y**, (*kon.*) kafalı.
braise [breyz]. Kapalı kapta ve ağır ateşte pişirmek.
brake¹ [breyk]. Çalı, çalılık; BRACKEN.
brake². Büyük araba.
brake³. Fren (yapmak), durduraç (-raca basmak), hızkeser: **apply/put on the** ~, fren yapmak. ~**block**, fren patiği. ~**-drum** [-'drʌm], fren makarası. ~**-horsepower**, fren beygir gücü. ~**(s)man**, (*dem.*) frenci, gardıfren. ~**van**, şefdötren/fren vagonu.
braless ['brālis]. Kadınlar hürriyetinin sutyensiz taraftarı olan.
brambl·e [brambl]. Böğürtlen çalısı; funda; ağaç çileği. ~**ing**, dağ ispinozu.
bran [bran]. Kepek.
branch [brānç] *i.* Dal; kol; (*zoo.*) kladus; şube; branş. *f.* Dallanmak; kollara ayırmak/ayrılmak. ~ **out**, dalbudak salmak; şubelere ayrılmak; kol teşkil etm.: ~ **off**, çatallaşıp ayrılmak. ~**ed** [-çt], kollara ayrılmış; -dallı. ~**ing**, kollara ayrılma. ~**-office**, şube (binası); iş şubesi. ~**-road**, ikinci yol. ~**-store**, satış şubesi.
brand [brand] *i.* Ateşli odun, yanık odun parçası; meşale; kızgın demir, dağ; damga; ar, leke; marka, cins, çeşit; (*şiir*) kılıç. *f.* Dağlamak; lekelemek, damgalamak; (hafızaya) nakşetmek, kazımak. **a** ~ **from the burning**, cehennemde yanmaktan kurtulmuş kimse. ~**er**, dağlayıcı. ~**ing**, dağlama: ~**-iron**, dağlama demiri, sıcak demir.
brandish ['brandiş]. Sallamak, savurmak.
brand-new ['brandnyu]. Yepyeni, gıcırgıcır, hiç kullanılmamış.
brandy ['brandi]. Kan-/konyak, brendi. ~**-ball**, bir cins şekerleme. ~**-snap**, bir cins bisküvit.
bran·mash ['branmaş]. Su ile karıştırılmış kepek. ~**pie/tub**, bir toplantıda vb. içinden piyango gibi eşya çekilen kepek dolu kova.
brash¹ [braş] *i.* Kırılmış taş/buz; kırpıntı.
brash² *s.* Atılgan; düşüncesiz; yüzsüz.
brass [brās]. Pirinç; pirinçten yapılmış; pirinç gibi; sarı; (*arg.*) para, mangiz: **the** ~, (*müz.*) pirinçten yapılmış aletler: **the top** ~/~ **hats**, (*ask., arg.*) yüksek aşamalı subaylar: **I don't care a** ~ **farthing**, bana ne?

brassard ['brasād]. Kol zırhı; pazıbent.
brass-band ['brasband]. Bando, mızıka.
brasserie ['brasəri] (*Fr.*) Bira salonu.
brassica ['brasikə] (*bot.*) Lahana cinsi bitkileri.
brass·ie/ ~**y**[1] ['brasi]. (Golf) pirinç kaplı odun başlı değnek.
brassière ['brasieə(r)] (*Fr.*) Sutyen.
brass·-plate ['braspleyt]. Bir doktorun vb. tabelâsı. ~**y**[2], *s.* (*mad.*) pirinç gibi; pirinç rengi, sarı.
brat [brat]. Yumurcak, velet.
bravado [brə'vādou]. Kurusıkı kabadayılık; palavra.
brave [breyv] *s.* Cesur, yiğit; yakışıklı, güzel. *i.* Muharip. *f.* Karşı gelmek; meydan okumak. ~**ly**, cesur olarak. ~**ry**, cesaret, kahramanlık; güzellik, gösterişlilik.
bravo[1] ['brāvou] *i.* Haydut; (ücretli) katil.
bravo[2] [brā'vou] *ünl.* Aferin!, bravo!; alkış.
bravura [brə'vūrə]. Cesaret gösterişi; (*müz.*) canlı hava.
brawl [brōl] *i.* Gürültülü kavga, dalaş, dövüşme. *f.* Gürültülü kavga etm. ~**er**, kavgacı. ~**ing**, kavga(cılık), dövüşme.
brawn [brōn]. Kaba et; adale, kuvvet; paça gibi dondurulmuş domuz eti. ~**-drain**, sağlam gençler/işçiler göçü. ~**y**, kuvvetli, adaleli.
bray [brey]. Anırma(k).
braze [breyz]. Pirinç ile/sert lehimlemek. ~**n**, pirinç/tunçtan; (*mec.*) yüzsüz, utanmaz: ~ **it out**, yüzsüzlükle bastırmak, pişkinlik etm.: ~**-faced**, yüzüpek, pek yüzlü, sırnaşık.
brazier[1] ['breyziə(r)]. Mangal.
brazier[2]. Pirinç işçisi.
Brazil [brə'zil]. Brezilya. ~**ian** [-yən] *n.* Brezilyalı: *a.* Brezilya+. ~**-nut**, Brezilya kestanesi.
BRCS = British Red Cross Society.
brd = board.
breach [brīç] *i.* Yarık; kırık; (*coğ.*) breş; aralık; kırma, bozma; kural dışı, riayetsizlik, ihmal. *f.* Kırmak, yarmak, bozmak. ~ **of faith**, sözünü tutmama: ~ **of promise**, evlenme sözünü bozma: ~ **of the peace**, kargaşılık; ayaklanma: ~ **of trust**, emanete hiyanet.
bread [bred]. Ekmek: ~ **and butter**, tereyağlı ekmek; rızk, geçim yolu: **quarrel with one's** ~ **and butter**, ekmeğiyle oynamak: **cast one's** ~ **upon the waters**, iyiliği yap, denize at, balık bilmezse hâlik bilir *gibilerden*: **he knows on which side his** ~ **is buttered**, çıkarının hangi tarafta olduğunu biliyor: **his** ~ **is buttered on both sides**, o refah içinde yaşıyor: **daily** ~, maişet, geçinme: **French** ~, francala. ~**-basket**, (*arg.*) mide. ~**-crumb**, ekmek kırıntısı. ~**-fruit (tree)**, ekmek ağacı. ~**-line**, bedava verilen yiyecek almak için fukara/işsizlerin sırası. ~**-sauce**, ekmek kırıntısıyla yapılan salça.
breadth [bredθ]. Genişlik, en. ~**ways/wise** [-weyz, -wayz], en/genişliğine.
bread-winner ['bredwinə(r)]. (Aile) ekmeğini kazanan; geçim aracı.
break[1] (*g.z.* **broke**, *g.z.o.* **broken**) [breyk, brouk(n)] *f.* Kırmak; bozmak; bitirmek; tutmamak; hilâfına hareket etm.; kesmek; (*elek.*) açmak; (hayvan) alıştırmak; mahvetmek, işini bitirmek; kırılmak; (top) gidiş/yönü değiş(tir)mek; (boks) ayrılmak: ~ **a blow/fall, etc.**, bir darbe vb.nin şiddetini azaltmak: ~ **ground**, toprak sürmek: ~ **fresh ground**, çığır açmak; (*mec.*) ılk adımı atmak: ~ **s.o. of a habit**, birini bir âdetten vazgeçirmek: ~ **s.o.'s heart**, birine keder ve acı vermek; umudunu kırmak; ~ **one's journey**, uzun bir seyahatte mola vermek/bir yerde kalmak: **a cry broke from his lips**, o bir çığlık kopardı: ~ **the news**, haber vermek: ~ **the news (gently)**, uygun bir dille haber vermek; alıştıra alıştıra haber vermek: ~ **an officer**, bir subayın aşamasını indirmek: ~ **a set**, (gümüş vb.) takımını bozmak: ~ **wind**, osurmak. ~ **away**, koparmak; kaçıp kurtulmak; kırılıp kopmak; dağılmak; ayrılmak. ~ **down**, yıkmak, kırmak; ayırmak; inhilâl ettirmek; yıkılmak, sakatlanmak, bozulmak, sarsılmak; büyük bir üzüntüden dolayı ağlamak. ~ **even**, (*mal.*) ne kazanmak ne de kaybetmek. ~ **forth**, fışkırmak; kopmak, patlamak. ~ **in**, kırıp girmek, kırmak, zorla girmek; alıştırmak; çökmek; söze karışmak: ~ **in (up)on a company**, bir gruba birdenbire karışmak/çıkıvermek: ~ **into**, zorla girmek; birdenbire bir şeye başlamak: ~ **into one's reserves**, yedekten sarfetmek. ~ **off**, koparmak; kesmek; ayrılmak; kopmak: ~ **off an engagement**, nişanı bozmak. ~ **out**, patlamak, patlak vermek; açmak; çıkmak, kaçmak; kendini kaptırmak: ~ **out the cargo**, yükü gemiden çıkarmak: ~ **out into pimples**, yüzü sivilce ile kaplanmak: ~ **out into a sweat**, ter basmak. ~ **through**, yarmak, çıkmak; zuhur etm. ~ **up**, parçalanmak; dağıtmak; sökmek, yıkmak; toprağı sürmek; parçalanmak; çökmek; dağılmak; (okul) devre sonunda tatil olm.: (hava) bozulmak. ~ **with**, ~ **with the past**, tamamen yeni bir hayata başlamak: ~ **with s.o.**, birisiyle bozuşmak, ilişkisini kesmek.
break[2] *i.* Kırık(lık); kırılma; açıklık; ara, fasıla, teneffüs; (erkek) sesi değişme; (*sp.*) top sapması; (bilardo) aralıksız kazanılan puanlar: **the** ~ **of day**, şafak: **a** ~ **in the weather**, hava değişmesi: **give s.o. a** ~, (*kon.*) birine bir fırsat vermek: **a good/bad** ~, bir seri şanslı/sız işler: **make a** ~ **for it**, (esir vb.) kaçmağa teşebbüs etm.: **take a** ~, biraz dinlenmek, nefes almak; izin almak, seyahata gitmek.
break[3] *i.* Gezintiye mahsus büyük yolcu arabası.
break-[4] *ön.* ~**able**, kırılır; kırılacak (şey): **the** ~**s**, kırılacak eşya. ~**age** [-kic], kırılma, kırık; kırılma kaybı. ~**away**, *i.* ayrılma, bırakıp gitme; dağılıp kaçma, kaçış: *s.* ayrılan. ~**down**, bozulma, pan, çalışma arızası; imdat+, enkaz+; (*tıp.*) çökme; (*mal.*) döküm, (muamele) çeşitlere göre analiz. ~**er**, kırıcı, ezici; kırma makinesi; kesici, açıcı; kıyıya çarpan/kırılan dalga. ~**fast** ['brekfəst], sabah kahvaltısı: kahvaltı etm. ~**-in**, ev soyma. ~**ing**, kır(ıl)ma, parçala(n)ma; kıran. ~**neck**, çok tehlikeli; kafa göz yaran. ~**-through** [-θrū], yarıp geçme; bir keşfin ilk adımı. ~**-up**, parçalanma. ~**water**, dalgakıran, mendirek.
bream [brīm]. **fresh-water** ~, çapak balığı: **sea-**~, (mandagöz) mercan balığı, çipura, sinagrit: **sea-**~**s**, izmaritgiller.
breast [brest] *i.* Göğüs; meme; (*mec.*) iç, kalp. *f.* Göğüslemek, göğüs germek; (tepeye) tırmanmak. **make a clean** ~ **of it**, her şeyi itiraf etm. ~**band**, (at) göğüs kayışı. ~**bone**, göğüs kemiği. ~**-high**, göğse kadar yüksek/derin, göğüs boyu. ~**plate**, göğüs zırhı. ~**stroke**, kurbağalama yüzüş. ~**work**, göğüs/omuz siperi, korkuluk.

breath [breθ] *i.* Soluk, nefes, nefes alma; hafifçe esme; buğu; püfürtü. **all in the same ~**, aynı zamanda: **have bad ~**, ağzı kokmak: **draw ~**, nefes almak: **it is the very ~ of life to me**, bu benim için canım kadar azizdir: **hold one's ~**, soluğunu tutmak: **lose one's ~**, nefesi kesilmek, tıkanmak: **out of ~**, nefes nefese, nefesi kesilmiş bir halde: **save one's ~**, nefes tüketmemek: **speak below/under one's ~**, alçak sesle konuşmak, fısıldamak. **~alyser** [-ə'layzə(r)], soluktaki alkol oranını tahlil cihazı.

breathe [brīð] *f.* Nefes almak; solunmak, teneffüs etm.; hohlamak; nefhetmek; mırıldanmak; söylemek. **~ courage into s.o.**, birine cesaret vermek: **~ freely again**, rahat bir nefes almak; ferahlanmak: **~ heavily**, zahmetle nefes almak: **~ one's last**, son nefesini vermek: **~ forth/out threats**, tehdit savurmak: **~ in/out**, soluk almak/vermek.

breath·er ['brīðə(r)]. Soluk alan; nefesi kesen idman; tennefüs; (*müh.*) hava deliği: **go for a ~**, kısa gezintiye gitmek: **have/take a ~**, dinlenmek. **~ing**, teneffüs (etme), soluk alma; söyleme; 'h' harfinin sesi: **~-space**, nefes alacak vakit/yer; dinlenme fırsatı. **~less** ['breθlis], nefesi kesilmiş, nefes nefese; cansız: **~ly** nefes nefese, soluksuz olarak: **~ness**, nefesi kesilmiş hal.

breccia ['breçiə] (*yer.*) Köşeli yığışım, breş.

bred [bred] *g.z.(o.)* = BREED[2]: **well/ill-~**, terbiyeli/-siz: **well-~ horse**, cins at.

breech [brīç] *i.* Kıç; kaynak yeri; top kuyruğu. *f.* Erkek çocuga pantolon giydirmek. **slip a cartridge into the ~**, silâha fişek sürmek. **~-block**, kama. **~ed** [-çt], pantolon giyinmiş. **~es**, dizin altından bağlanan kısa pantolon; (*kon.*) pantolon: **~-buoy**, (*den.*) pantolon şeklinde cankurtaran varagelesi. **~- loading**, (*ask.*) kuyruktan dolma (top).

breed[1] [brīd] *i.* Soy, cins.

breed[2] (*g.z.(o.)* **bred**) *f.* Doğurmak; yetiştirmek, üretmek, kuluçkaya yatmak, beslemek; hâsıl etm.; çoğalmak; yayılmak: **he was bred to the law**, avukat olarak yetiştirildi. **~er**, kuluçka; üretici; yetiştirici, üretmen. **~ing**, yetiştirme, üretme, üretim; hayvancılık; soy; terbiye; görgü, muaşeret.

breez·e[1] [brīz] *i.* Hafif rüzgâr, briz, frişka, meltem; (*kon.*) atışma. **~y**, hafif rüzgârlı, havadar; neşeli, canlı.

breeze[2] *i.* Kömür mucuru; cüruf. **~block**, bu mucur ile yapılan yapı bloku.

Bren [bren]. **~-carrier**, hafif zırhlı savaş arabası. **~-gun**, hafif makineli tüfek.

brent [brent]. **~-goose**, boynuhilâlli kaz.

brethren ['breðrən] *ç.* (*mer.; din.*) = BROTHERS.

Breton ['bretən]. Bretanyalı.

breve [brīv] (*huk.*) Resmî yazı; (*müz.*) iki tam notaya eşit bir nota; kısa sesli harfi gösteren (˘) işareti.

brevet ['brevit]. Bir subayı maaşını artırmadan terfi ettiren vesika; fahrî terfi vesikası.

breviary ['brīvyəri]. Katolik dua kitabı.

brevier [bri'viə(r)] (*bas.*) Sekiz puntolu harf.

brevity ['breviti]. Kısalık.

brew [brū] *f.* Kaynatıp mayalandırarak bira vb. yapmak; (çay) demlemek; hazırlamak; kaynatmak. *i.* Hazırlanmış meşrup. **there's stg. ~ing**, bir şeyler dönüyor. **~er**, biracı. **~ery/-house**, bira fabrikası, birahane.

briar = BRIER.

brib·able ['braybəbl]. Rüşvet alır. **~e**, rüşvet (vermek). **~ery**, rüşvet verme/alma, rüşvetçilik, yedirim.

bric-a-brac ['brikəbrak]. Zarif süs eşyası; biblolar.

brick [brik] *i.* Tuğla; tuğladan yapılmış; kalıp. *f.* Tuğla döşemek. **~ up**, tuğla ile örmek/kapatmak: **drop a ~**, (*kon.*) çam devirmek, pot kırmak: **he's a ~**, (*kon.*) dört yüz dirhem adamdır. **~bat/end**, tuğla parçası. **~et**, briket. **~field/yard**, tuğla harman/ocağı. **~layer**, duvarcı. **~maker**, tuğlacı. **~work**, tuğla işi: **~s**, tuğla fabrikası.

bridal ['braydl]. Gelin/düğün/evlenmeğe ait.

bride [brayd]. Gelin: **give away the ~**, (düğünde) gelini güveye teslim etm. **~cake**, düğün pastası. **~-chamber**, zifaf odası. **~groom** [-grūm], güvey. **~smaid**, (düğünde) gelinin arkasında bulunan genç kız. **~well**, (*tar.*) hapishane.

bridge [bric] *i.* Köprü; (*den.*) kaptan köprüsü; briç oyunu. *f.* Üzerine köprü kurmak; bağlamak. **~-builder** [-bildə(r)], barıştırıcı. **~head**, (*ask.*) köprübaşı. **~-roll**, küçük ekmek.

bridging ['bricin(g)]. Köprü işi; köprü kur(ul)ması; bağla(n)ma: **~ loan**, (bir müşkülü halletmek için) kısa süreli ödünç (verilmesi).

bridle[1] ['braydl] *i.* At başlığı, yular; (*den.*) iki gemi demirini birleştiren zincir/halat; (*hav.*) çok uçlu halat. *f.* Gem vurmak, dizgin takmak.

bridle[2]. Birdenbire aksilenmek, huylanmak.

bridle-[3] *ön.* **~path**, atlılara mahsus dar yol. **~-rein** [-reyn], dizgin.

brief[1] [brīf] *s.* Kısa, mücmel: **in ~**, hülâsa olarak: **to be ~**, sözün kısası.

brief[2] *i.* Dava dosyası. *f.* **~ a barrister**, bir davayı bir avukata vermek: **~ a case**, bir davanın dosyasını düzenlemek: **~ an officer/pilot**, (*ask.*) hücum hakkında bilgi vermek: **hold a ~ for s.o.**, birini (mahkemede) savunmak: **I don't hold any ~ for him but ...**, onu savunmak benim vazifem değil fakat .... **~-case**, evrak çantası. **~ing**, (*ask.*) brifing, özetleyim. **~less**, dava/işsiz (avukat). **~ly**, kısaca. **~ness**, kısalık.

brier/briar ['brayə(r)]. Yabanî gül; kökünden pipo yapılan bir nevi funda; bu pipo.

brig [brig]. İki direkli yelkenli, brik; *hapishane.

brig. = BRIGAD·E/-IER. **~ade** [bri'geyd], tugay, liva; yangın vb. için teşkil edilmiş işçi grubu; müfreze: **~-major**, (*ask.*) tugayın kurmay subayı: **~ of guards**, hassa alayı. **~adier** [-gə'diə(r)], tuğgeneral, tuğbay, mirliva.

brigalow ['brigəlou] (*Avus.*) Bir cins akasya ağacı.

brigand ['brigənd]. Haydut, eşkiya, soyguncu. **~age/~ry**, haydutluk, eşkiyalık, soygunculuk.

brigantine ['brigəntīn]. Gulet, brigantin.

bright [brayt]. Parlak; aydın; (hava) açık; uyanık, zeki; canlı, neşeli. **~en**, parla(t)mak, parlaklaştırmak, aydınlanmak, aydınlatmak; canlan(dır)mak; neşelen(dir)mek. **~ly**, parlakça; uyanık/canlı olarak. **~ness**, parlaklık, aydınlık, ışıklılık; zekâ, uyanıklık.

brill [bril]. Çivisiz kalkan balığı.

brillian·ce/cy ['brilyəns(i)]. Fevkalâde parlaklık, şaşaa. **~t**, fevkalâde parlak; pırlanta. **~tine** [-tīn], briyantin.

brim [brim]. Bardak vb. ağzı, kenar; siper: **~ over**, taşmak. **~-full**, ağız ağza dolu.

brimstone ['brimstoun]. Kükürt.
brindle(d) ['brindl(d)]. Siyah/koyu lekeli kahve renkli (inek vb.).
brine [brayn]. Tuzlu su, salamura. **~-pan**, tuzla.
bring (*g.z.(o.)* **brought**) [brin(g), brōt]. Getirmek; irca etm.; bir hale getirmek. **~ into action/play**, ortaya koymak, göstermek; harekete geçirmek: **~ guns to bear on stg.**, topları bir şey üzerine çevirmek: **he brought it on himself**, kendi sebep oldu, bunu başına kendi getirdi: **I could not ~ myself to tell him**, ona söylemeğe dilim varmadı: **he couldn't ~ himself to leave home**, evden ayrılmağa gönlü razı olmadı: **~ to pass**, vukua getirmek; iras etm. **~ about**, vukua getirmek, hâsıl etm., sebep olm.; (gemiyi) çevirmek. **~ along**, yanında getirmek. **~ down**, düşürmek, indirmek; yıkmak; alaşağı etm.: **~ down the house**, alkış tufanı koparmak. **~ forth**, doğurmak; meydana çıkarmak; mahsul vermek. **~ forward**, ileri getirmek; ileri sürmek; göstermek; hesap yekûnunu nakletmek. **~ in**, içeri getirmek, içeri almak; irat vermek, getirmek; ithal etm. **~ off**, alıp götürmek; (gemiyi) yüzdürmek: **~ off a success**, başarmak; **~ it off**, (*kon.*) muvaffak olm., başarmak. **~ on**, sahneye koymak; sebep olm., hâsıl etm.: **this warm weather will ~ on the strawberries**, bu sıcak havada çilekler çabuk olacak. **~ out**, meydana koymak; belli etm.; göstermek; (*mod.*) çıkarmak, ortaya atmak; neşretmek: **~ a girl out**, bir genç kızı ilk defa sosyeteye çıkarmak. **~ over**, başka tarafa çekmek. **~ round**, ayıltmak; iyileştirmek; kandırmak; yola getirmek; teskin etm. **~ through**, **~ a patient through**, bir hastayı kurtarmak. **~ to**, ayıltmak; (*den.*) geminin başını rüzgâra çevirmek. **~ under**, rametmek; boyun eğdirmek. **~ up**, yaklaştırmak; büyütmek, terbiye etm.; mahkemeye çağırmak; ileri sürmek; birdenbire durdurmak; (gemi) durmak: **~ up one's food**, kusmak: **~ up alongside the quay**, rıhtıma yanaşmak: **~ stg. up against s.o.**, birinin aleyhine bir şeyi ileri sürmek: **be brought up short by stg.**, bir şeye çarpıp birdenbire durmak.
brink [brin(g)k]. Kenar (nehir, uçurum): **on the ~ of**, hemen hemen, üzere, kıl kalmış. **~manship**, ramak kalma politikası.
briny ['brayni] *s.* Tuzlu. *i.* (*arg.*) deniz.
brio ['briou] (*İt., müz.*) Şevk(le).
briquet(te) [bri'ket]. Briket.
brisk [brisk]. Faal; canlı; uyanık; işlek; canlandırıcı; sert (rüzgâr).
brisket ['briskit]. Kasaplık hayvanın göğsü, döş.
brisling ['brislin(g)]. Küçük ringa balığı.
bristl·e ['brisl] *i.* Domuz kılı; sert kıl/tüy. *f.* Tüylerini kabartmak; tüyleri diken diken/dimdik olm.; (*mec.*) kabarıp kavgaya hazır olm.: **the whole question ~s with difficulties**, mesele baştan başa güçlüklerle kaplıdır. **~y**, kıllı, diken gibi.
Bristol ['bristl]. İng.'de bir şehir. **~-board**, bir cins resim kâğıdı. **~-cream/milk**, (*M.*) SHERRY cinsleri. **~-fashion**, **all shipshape and ~**, her şey yerli yerinde.
Brit·ain ['brit(ə)n]. Britanya: **Great ~**, Büyük Britanya (=İngiltere + Galler memleketi + İskoçya): **North ~**, İskoçya. **~annia**, Büyük Britanya ile İngiliz İmparatorluğunun sembolü olan kadın; Britanya, İngiltere; **~metal**, İngiliz madeni. **~annic**, Britanya+; **Her ~ Majesty**, Britanya Kraliçesi. **~ish** [-iş] *i.* Britanyalılar, İngilizler: *s.* Britanya+, İngiliz+: **~ Columbia** [-kə'lʌmbiə], Kanada'nın bir ili: **~ Commonwealth (of Nations)**=COMMONWEALTH: **~ Council**, İngiliz Kültür Heyeti. ***~isher** *i.* İngiliz. ***~ishism**/**~icism**, ABD'nde kullanılmıyan bir İngiliz deyim/âdeti vb. **~on**, *i.* Britanyalı, İngiliz: **Ancient ~s**, Roma İmparatorluğunun zamanında İngiltere'de oturan halk. **~tany** [-təni], Fransa'daki Bretanya yarımadası.
brittle ['britl]. Kolay kırılır; gevrek.
bro(s). = BROTHER(S).
broach [brouç] *i.* Boşaltma tığı; kebap şişi. *f.* Delik açmak, delmek; şişlemek; söze girişmek. **~ to**, (*den.*) kapanmak.
broad [brōd] *s.* Geniş; enli; yaygın; hoşgörü sahibi; serbest, liberal. *i.* *Fahişe. **~ accent**, kaba telâffuz: **speak ~ Scotch**, koyu bir İskoç şivesiyle konuşmak: **a ~ story**, açık saçık hikâye: **~ly speaking**, genellikle: **the (Norfolk) ~s**, Norfolk kontluğunun göller ve bataklıklar bölgesi. **~-bill**, (*zoo.*) geniş gagalı.
broadcast ['brōdkāst] *s.* Yayılmış, dağıtılmış. *i.* Radyo yayını. *f.* Etrafa serpmek, saçmak; telsiz/radyo ile neşretmek, yayın etm., yaymak. **sow ~**, saçarak ekmek: **~ announcement**, radyo yayını. **~er**, radyo istasyonu; radyo spikeri. **~ing**, radyo yayımı; radyo+: **~-station**, yayım postası.
broad·cloth ['brōdkloθ]. Çok ince ve çift enli bir cins yünlü kumaş. **~en**, genişletmek. **~-gauge**, (*dem.*) geniş hat. **~ly**, geniş bir şekilde. **~-minded** [-mayndid], geniş fikirli, müsamahalı, hoşgörü sahibi. **~ness**=BREADTH; açık saçıklık. **~sheet** [-şīt], yalnız bir tarafı basılmış büyük kâğıt. **~side**, borda, alabanda; borda topları; borda ateşi, salvo, yaylımateş; şiddetli hücum: **~ on**, yanlamasına. **~sword** [-sōd], geniş ağızlı kılıç, pala. **~tail**, karakul koyunu. **~way**, ana yol.
Brobdingnagian [brobding'nagiən]. Çok iri.
brocade [bro'keyd] *i.* İşlemeli kumaş; kılaptanlı çatma. *f.* Kılaptanla işlemek.
broccoli ['brokəli]. Kara lahana, karnabahar.
broch [broğ] (*ark.*) Daire şeklinde kule.
brochette [bro'şet] (*Fr.*) Şiş (kebabı).
brochure ['brouşuə(r)]. Risale, broşür.
brock [brok] (*mer.*) Avrupa porsuğu.
brogue[1] [broug] *i.* Bir nevi kaba kundura.
brogue[2] *i.* İrlandalı şivesi; her hangi bir lehçeye mahsus şive.
broil[1] [broyl] *i.* Kavga; gürültü.
broil[2] *i.* Izgara (et). *f.* Izgarada kızartmak. **~ing hot**, şiddetli sıcak.
broke [brouk] *g.z.* = BREAK[1]: *s.* (*kon.*) cebi delik, meteliksiz. **~n**, *g.z.o.* = BREAK[1]: *s.* kırık, bozuk, çürük; kolu kanadı kırılmış; parçalanmış; kırma: **~-down**, çökük; bozuk; bitkin; kurada: **~-English**, bozuk/hatalı İngilizce: **~ hearted** [-'hātid], umutsuz, kedere kapılmış: **~-winded**, zor ile nefes alan (at).
brok·er ['broukə(r)]. Komisyoncu, işgüder, aracı, simsar, tellâl; acenta. **~erage** [-ric], simsarlık, tellâllık; komisyon (parası). **~ing**, komisyoncu/simsarlık.
brolly ['broli] (*kon.*)=UMBRELLA.
brom·ate ['broumeyt]. Bromat. **~ic**, bromlu: **~ acid**, brom asidi. **~ide** [-mayd], bromür; (*kon.*)

basmakalıp (söz vb.). **~ine** [-mīn], brom, bromin. **~o-**, *ön.* brom(in)+.

bronch·i(a) ['bronki(ə)] *ç.* Soluk borucukları, akciğer kasabaları, bronşlar. **~ial**, bronşlara ait. **~itis** [-'kaytis], bronşit. **~o-**, *ön.* akciğere ait. **~us** [-kəs], soluk borucuğu, bronş.

bronc(o) ['bron(g)k(ou)]. Yabanî/yarı ehli at.

bronze [bronz] *i.* Tunç; tunçtan eşya. *f.* Tunçlaş-(tır)mak; (güneş vb.) deriyi yakmak = MEDAL.

brooch [brouç]. Ziynet iğnesi, broş.

brood [brūd] *i.* Bir defada yumurtadan çıkan civcivler/kuş yavruları; çocuklar, yumurcaklar; güruh. *f.* Kuluçkaya yatmak; üstünü kaplamak; kara kara düşünmek. **~ over/on stg.**, bir şeyi kurmak: **~ mare**, damızlık kısrak. **~er**, civciv büyütme makinesi. **~y**, kuluçka tavuk; dalgın (kimse).

brook[1] [bruk] *i.* Dere, çay.

brook[2] *f.* (*Olumsuz cümlelerde*) tahammül etm., dayanmak. **the matter ~s no delay**, meselenin beklemeğe tahammülü yoktur.

broom [brūm]. Çalı süpürgesi; (*bot.*) katırtırnağı. **a new ~ sweeps clean**, yeni memur vb. iyi iş görür. **~ rape**, canavarotu. **~stick**, süpürge sapı.

bros. = BROTHERS.

broth [broθ]. Etsuyu.

brothel ['broθəl]. Genelev, buluşma evi.

brother ['brʌðə(r)]. Erkek kardeş, birader; bir cemiyet/teşkilât/ırk üyesi (*bu anlamda çoğul* **brethren** ['breðrin]): **older ~**, ağabey. **~hood**, kardeşlik, uhuvvet; arkadaşlık; (ahilik gibi) cemiyet, teşkilât. **~-in-arms**, silâh arkadaşı. **~-in-law**, enişte, bacanak. **~liness**, arkadaşlık. **~ly**, kardeşe ait/uygun; kardeşçe, kardeş gibi.

brougham ['bruəm]. Kapalı araba/otomobil, kupa.

brought [brōt] *g.z.(o.)* = BRING. **~ forward**, (*mal.*) geçim, nakli yekûn.

brouhaha [brū'haha]. Karışıklık, heyecan; velvele.

Broussa ['brūsə] = BRUSA.

brow [brau]. Alın; kaş; bayırın sırtı.

browbeat ['braubīt]. Sert bakarak korkutmak; kuru sıkı tehdit etm., bastırmak.

brown [braun] *s.* Esmer, kahve rengi, kestane rengi. *f.* Esmerletmek; (güneş) yakmak. **be ~ed off**, (*arg.*) usanmak, bıkmak. **~ie**, hizmet/iyilik eden peri; kelebek izci. * **~stone**, (*mim.*) kahverengi bir kum taşı.

browse [brauz]. Otlamak: **~ on**, (yaprak vb.) yemek: **~ among books**, kitap karıştırmak.

BRS = BRITISH ROAD SERVICES.

bruin ['bruin] (*mit.*) Ayı.

bruise [brūz] *i.* Bere, çürük. *f.* Berelemek, çürütmek; (*mec.*) yaralamak. **~r**, (*arg.*) boksör; zorba.

bruit [brūt]. Rivayet/haber (yaymak).

brumby ['brʌmbi] (*Avus.*) Yabanî at.

Brummagem ['brʌmicəm] = BIRMINGHAM. **~-ware** [-weər], (*köt.*) yalancı ve ucuz ziynet eşyası.

brunch [brʌnç]. BREAKFAST ile LUNCH yerine tek bir yemek; kuşluk yemeği.

brunette [bru'net]. Esmer (kadın).

brunt [brʌnt]. En şiddetli darbe/kısım: **bear the ~ of**, sıkıntısını çekmek, acısına katlanmak.

Brusa ['brūsə]. Bursa.

brush [brʌş] *i.* Fırça; süpürge; tüylü kuyruk; hafif çarpışma; (*Avus. arg.*), kız, genç kadın. *f.* Fırçalamak; süpürmek, silmek; sürtmek, hafifçe dokunup geçmek. **sweeping-~**, süpürge. **~ aside/away**, bertaraf etm., itibara almamak. **~ down**, üstünü fırçalamak, (atı) tımar etm. **~ out**, fırça ile temizlemek, süpürmek. **~ over**, boya vb. sürmek. **~ up**, fırçalamak, süpürmek: **~ up one's French**, Fransızcasını tazelemek. **~-fire**, çalılık yangını; küçük savaş. **~-off, give s.o. the ~**, birini kovmak. **~wood**, çalılık, funda. **~-work**, (*san.*) fırça işi.

brusque [brʌsk, -usk]. Haşin; sert; nezaketsiz, saygısız. **~ly**, sertçe; saygısızca. **~ness**, sertlik, vb.

Brussels ['brʌsəlz]. Brüksel. **~ sprouts**, Brüksel lahanası, ufak lahana.

brutal ['brūtl]. Hayvanca; zalim; canavarca. **~ity** [-'taliti], vahşilik, canavarlık, gaddarlık. **~ist**, (*mim.*) çok ağır/iri yapılı. **~ize**, hayvanlaştırmak, kabalaştırmak.

brut·e [brūt]. Hayvan; canavar; zalim: **by ~ force**, sırf kuvvete dayanarak; zorbalıkla. **~ish**, hayvan gibi, hayvanlaşmış, pek kaba.

bryo·logy [bray'oləci]. Yosun bilgisi. **~ny**, şeytan şalgamı, ören gülü. **~zoa** [-ə'zouə], yosun hayvanları.

Brythonic [bri'θonik]. Keltlere ait.

BS = BACHELOR OF SCIENCE/SURGERY; BRITISH STANDARD. **~A** = BOY SCOUTS' ASSOCIATION; BRITISH SCHOOL OF ARCHAEOLOGY/SOUTH AFRICA.

BSc = BACHELOR OF SCIENCE.

bsh. = BUSHEL.

BS·F = BRITISH STANDARD FINE. **~I** = BRITISH STANDARDS INSTITUTE. **~P** = BRITISH STANDARD PIPE. **~T** = BRITISH STANDARD/SUMMER TIME. **~W** = BRITISH STANDARD WHITWORTH.

Bt. = BARONET.

B-test = BLOOD-TEST.

bt·n. = BATTALION. **~ry** = BATTERY.

BT(h)U = BRITISH THERMAL UNIT.

bubbl·e ['bʌbl] *i.* Hava kabarcığı; cam/buz içindeki göz; hayal, olmıyacak şey. *f.* Hava kabarcıkları yapmak; köpürmek, kaynamak, fokurdamak; lıkırdamak. **~ over**, taşmak; coşmak: **prick the ~**, birinin kurduğu hayali yıkmak. **~e-bath**, köpüklü banyo. **~e-car**, küçük yuvarlak otomobil. **~e-top**, (*oto.*) şeffaf üstlü; şeffaf şemsiye. **~ing**, fokur fokur. **~y**, köpüklü; (*arg.*) şampanya.

bubo ['byūbou]. Veba/frengiden hâsıl olan şiş; hıyarcık; köpek memesi: **~nic plague**, veba.

buccal ['bʌkəl]. Ağız içine ait.

buccaneer [bʌkə'niər] *i.* Korsan, deniz hırsızı. *f.* Korsanlık etm.

Bucharest ['byūkərest]. Bükreş.

buck [bʌk] *i.* Erkek karaca/geyik/keçi/tavşan; (*mec.*) şık adam, züppe; *(*arg.*) dolar. *f.* (At) sıçrayıp kıç atmak. **pass the ~**, bir mesuliyet vb. üzerinden atmak: **the ~ stops here**, mesuliyet benim. **~ off**, (at) birini üstünden atmak. **~ up**, (*kon.*) birine kuvvet/cesaret vermek; cesaret bulmak, canlan(dır)mak; harekete gelmek. **~board**, hafif dört tekerlekli araba.

bucket ['bʌkit] *i.* Kova, gode; gerdel; tulumba pistonu; su dolabı gözü. *f.* Şiddetle yağmur yağmak. **kick the ~**, (*arg.*) ölmek. **~-excavator**, kepçeli ekskavatör. **~ful**, kova dolusu: **in ~s**, bol bol olarak. **~-seat**, çanak koltuk. **~-shop**, kumarhane gibi idare edilen bir borsa bürosu.

buckhound ['bʌkhaund]. (Geyik) av köpeği.

Buckinghamshire ['bʌkin(g)əmşə]. Brit.'nın bir kontluğu.
buckle ['bʌkl]. Toka(lamak); buruşma(k), kopça(lamak); takalamak: ~ **to**, (*kon.*) girişmek, çok çalışmak: ~ **up**, (maden) sıcaktan vb. bükülmek, çarpılmak, kabarmak, bel vermek.
buckler ['bʌklə(r)]. Küçük kalkan; siper, himaye.
buckram ['bʌkrəm]. Çirişli keten bezi.
Bucks. = BUCKINGHAMSHIRE.
buckshee ['bʌkşī] *i.* (*arg.*) Tayin edilen miktarına zam. *s.* Bedava, parasız.
buck·shot ['bʌkşot]. (Av için) kurşun. ~**skin**, güderi. ~**thorn** [-θōn], cehri. ~**tooth** [-tūθ], çıkık diş. ~**wheat** [-wīt], karabuğday.
bucolic [byu'kolik]. Kır hayatına dair; rustaî; köylü gibi; dağlı.
bud [bʌd] *i.* Tomurcuk, konca. *f.* Tomurcuklanmak, konca vermek; (bir ağacı) aşılamak. **in** ~, tomurcuklanan: **nip in the** ~, büyümeden/(*mec.*) başlamadan menetmek.
Budapest ['byūdə'pest]. Budapeşte.
Buddh·a ['budə]. Buda. ~**ism**, Buda dini, Budizm. ~**ist**, Budist.
budding ['bʌdin(g)]. Tomurcuklanan; göz/yaprak aşıması. **a** ~ **poet**, yetişmekte olan şair.
***buddy** ['bʌdi] (*kon.*) Arkadaş.
budge [bʌc]. Kımılda(t)mak; fikrini değiştir(t)mek.
budgerigar ['bʌcərigā]. Muhabbet kuşu. [*kıs.* **budgie**].
budget ['bʌcit] *i.* Bütçe, ödeneklik; mecmua, dergi; paket, demet. *f.* Bütçelemek, planlamak: ~ **for**, bütçeye koymak. ~**ary**, bütçeye ait, bütçe+. ~**ing**, bütçeleme, planlama, tahmin.
buff [bʌf] *i.* Meşin; deri asker caketi; *(*arg.*) meraklı; maden parlatmağa mahsus bir yuvarlağa sarılı deri. *s.* Deve tüyü rengi. *f.* Deri ile parlatmak, perdahlamak. **in the** ~, çırılçıplak: **the Buffs**, meşhur bir İngiliz alayı: **blindman's** ~, körebe oyunu.
buffalo ['bʌfəlo̤u]. Manda, sığır. **water** ~, Hint mandası, su sığırı.
buffer ['bʌfə(r)]. Müsademe yayı; tampon; (*mec.*) eski kafalı adam; beceriksiz adam. ~**-state**, (*id.*) iki düşman devlet arasındaki tarafsız devlet; tampon devlet.
buffet[1] ['bufey]. Tabak dolabı; büfe, yemek tezgâhı; (*dem.*) büfe vagonu.
buffet[2] ['bʌfit] *f.* Yumruk(la vurmak); vurmak, çarpmak. ~**ing**, çarpma.
buffoon [bʌ'fūn]. Soytarı, palyaço, maskara. ~**ery**, soytarılık, maskaralık.
bug [bʌg] (*zoo.*) Tahtakurusu; böcek, yarımkanatlı; (*kon.*) mikrop; (*kon.*) gizli olarak konan dinleme cihazı: **big** ~, (*arg.*) yüksek aşamalı adam: ~ **a room**, bir odaya gizli olarak dinleme cihazını koymak: **get the** ~ **for**, aşılanmak, meraklısı olm.
bug·aboo/~**bear** [bʌgə'bū, -be̤ə(r)]. Umacı; korkulan şey; nefret edilen adam/şey.
bugger ['bʌgə(r)] *i.* Kulampara, oğlancı; (*kaba*) çapkın, haylaz. *f.* Sikmek; (*mec., kaba*) bozmak. ~**y**, kulampara/oğlancılık.
†**Buggins** ['bʌginz], (*kon.*) ~**'s turn**, (yalnız yaş/aşamasına göre) terfi.
buggy[1] ['bʌgi]. Bir kişilik hafif araba.
buggy[2]. Bitli.
bugle ['byūgl]. Boru (çalmak). ~**-call**, (*ask.*) boru ile verilen emir/işaret. ~**r**, borazan.
bugloss ['byūglos]. Sığırdili.
buhl [būl]. Bronz ile sedefkâr işi.
build (*g.z.(o.)* **built**) [bild, bilt] *f.* Yapı yapmak, inşa etm.; kurmak; çatmak; yapmak; (*mec.*) güvenmek, dayanmak. *i.* Yapı, biçim, şekil. ~ **in**, örmek; duvarın içinde inşa etm. ~ **up**, takviye etm.; kurmak; (hasta) geliş(tir)mek; doldurmak; tıkamak. ~ **(up)on**, güvenmek, dayanmak. ~**er**, yapıcı, inşaatçı; fabrikatör; usta. ~**ing**, *i.* yapı, inşaat; bina, ev: ~**-line**, (yapı) ön hudut: ~**-society**, yapı ve kredi müessese/kooperatifi.
built [bilt] *g.z.(o.)* = BUILD. **I am** ~ **that way**, ben böyleyim: **I am not** ~ **that way**, bu bana gelmez, bu benim gidişime uymaz: **well-**~ **man**, biçimli adam. ~**-in**, bina/makine vb. ile birlikte yapılmış. ~**-up**, mamur: ~**-area**, yapı yapılmış/meskûn bölge.
bulb [bʌlb]. (Lâle vb. hakkında) soğan; elektrik ampulü; termometre çanağı, civa haznesi. ~**ous**, soğanlı, soğan gibi, şiş.
bulbul ['bulbul]. Tepeli bülbül.
Bulgar ['bʌlgā(r)]. Bulgar. ~**ia** [-'ge̤əri̤ə], Bulgaristan. ~**ian**, *i.* Bulgar; Bulgarca: *s.* Bulgar(istan)+.
bulg·e [bʌlc] *i.* Bel verme, şiş. *f.* Bel vermek, dışarı fırlamak; şiş yapmak; pırtlamak. ~**ing**, pırtlak; fırlayan.
bulimia [bū'limi̤ə]. Hadden aşırı açlık.
bulk [bʌlk]. Hacim, oylum; büyük kısım. ~ **large**, çok yer tutmak: **break** ~, ambar/ambalajdan çıkarmak: **in** ~, toptan; dökme, ambalajsız; götürü. ~**head**, gemi bölmesi: **watertight** ~, sugeçmez bölme. ~**y**, hacimli, kocaman; hantal.
bull[1] [bul] *i.* Boğa; balina/fil vb. gibi iri hayvanların erkeği. *s.* Boğa gibi; çok kuvvetli. *f.* (İnek) kızgın olm. **a** ~ **in a china shop**, sakar, orman kibarı; patavatsız adam: **take the** ~ **by the horns**, bir tehlikeyi önlemek için birden ve cesaretle atılmak: **John B**~, İngiltere/İngilizlere verilen isim; onların sembolü olan adam.
bull[2]. Fiyatların yükseleceğini hesap ederek tahvilat alan kimse, vurguncu, spekülâtör. ~ **the market**, borsada fiyatları yükselterek hava oyunu yapmak.
bull[3]. Papanın emirnamesi/piskopos tayin beratı.
bull[4] (*ask., arg.*) Faydasız iş/hareket: **Irish** ~, mantıksız fakat tuhaf söz.
bull. = BULLETIN.
bullace ['bulis]. Yaban eriği (ağacı), çakal eriği.
bull·dog ['buldog]. Buldok köpeği; (*mec.*) cesur ve inatçı adam. ~**doze** [-do̤uz], engel/enkazı vb. kaldırmak, kayaları parçalamak: ~**r**, engeli vb. kaldıran büyük makine, buldozer.
bullet ['bulit]. Kurşun, mermi, fişek. **bite the** ~, (*mec.*) boyun eğmek. ~**-head(ed)**, yuvarlak kafa(lı).
bulletin ['bulətin]. Kısa haber; tebliğ; ilân, bildiri; bülten, mecmua, dergi, yayınca. ~**-board**, ilân tahtası.
bullet·-proof ['bulitprūf]. Kurşun geçmez/işlemez. ~**-train**, çok hızlı giden tren.
bull·fight ['bulfayt]. Boğa dövüşü. ~**finch**, şakrak kuşu. ~**frog**, iri bir cins kurbağa. ~**head**, dere iskorpiti: ~**ed**, inatçı. * ~**horn**, megafon.
bullion ['bulyən]. Altın/gümüş külçesi.
bull·-market ['bulmākit]. Borsa fiyatlarının yükselmesi. ~**-necked** [nekt], kısa ve kalın boyunlu.

~ock [-ək], genç boğa; iğdiş edilmiş boğa/öküz. **~-ring**, mezbaha halkası; boğa dövüşü sahası. **~'s-eye**, hedefin ortası; tam vuruş; kabarık ışık merceği; yuvarlak pencerecik; bir cins nane şekeri. **~-terrier**, bulteryer (köpeği).

bully[1] ['buli] *i.* Zorba, kabadayı. *f.* Korkutmak, tehditle zorlamak; küçük/zayıflara kötü davranmak.

***bully**[2] *s.* (*arg.*) Mükemmel, nefis. **~ for you/him!**, aferin!

bully-beef ['bulibīf]. Konserve sığır eti.

bulrush ['bulrʌş]. Saz, hasır sazı.

bulwark ['bulwək]. Siper, istihkâm; mendirek; küpeşte.

bum [bʌm] (*kon.*) Kıç; *tembel; işe yaramaz, serseri. **~-bailiff** [-'beylif], icra memuru.

Bumble [bʌmbl]. Kendini beğenmiş memur. **~-bee**, hezen arısı, zina, toprak yabanarısı.

bumboat ['bʌmbo̱u̱t]. Erzak sandalı, manav kayığı.

bumf [bʌmf] (*arg.*) Tuvalet kâğıdı; (*mec.*) evrak, kırtasiyecilik.

bummaree [bʌmə'rī]. Londra'daki et/balık pazarlarında çalışan hamal.

bump [bʌmp] *i.* Çarpma, sadme, vuruş, sarsıntı; yumru, çıkıntı. *f.* Çarp(ış)mak; vurmak, sars(ıl)mak. **~ of invention, etc.**, icat vb. kabiliyeti: **~ s.o. off**, (*arg.*) birini öldürmek: **~s**, (kürekçiler) kovalama yarışı. **~er**, (*oto.*) müsademe tamponu; ağız ağıza dolu bardak; (*mec.*) çok büyük: **~-sticker**, tampona konan etiket/ilân. **~-supper**, kovalama yarışlarından sonra zafer ziyafeti.

bumpkin ['bʌmpkin]. Hödük, ahmak.

bumptious ['bʌmşəs]. Kendini beğenmiş; küstahça ukalâ.

bumpy ['bʌmpi]. Yamrı yumru; çıkıntılı; sallantılı.

bun [bʌn]. Çörek; saç topuzu. **that takes the ~!**, artık bu kadar olur!

buna ['būnə]. Sunî kauçuk.

bunch [bʌnç] *i.* Salkım; deste; demet; sürü; takım. *f.* Bir araya gelmek, toplamak. **he's the best of the ~**, içlerinde en iyisi odur: **~ed together**, hep beraber, sürü gibi.

bund [bʌnd]. Bent, toprak set, rıhtım.

bundle ['bʌndl] *i.* Bohça, çıkın; demet, deste. *f.* Demet vb. yapmak; çıkın yapmak. **~ s.o. off**, birini savmak: **~ s.o. out of the house**, birini kapı dışarı etm.

bung [bʌn(g)] *i.* Fıçı tapası, tıkaç; (*arg.*) martaval. *f.* Tapasını kapamak, tıkamak: **be ~ed up**, tıkanmak, kapanmak. *s.* (*Avus. arg.*) bozuk, faydasız.

bungalow ['bʌn(g)gəlo̱u̱]. Tek katlı kır evi.

bunghole ['bʌn(g)ho̱u̱l]. Fıçı/geçme deliği.

bungl·e ['bʌn(g)gl] *i.* Bozma, berbat etme. *f.* Bozmak, berbat etm.; yüzüne gözüne bulaştırmak. **make a ~ of stg.**, bir şeyi yüzüne gözüne bulaştırmak. **~er**, beceriksiz kimse. **~ing(ly)**, acemi/beceriksiz(ce).

bunion ['bʌnyən]. Ayak parmağının üzerinde hâsıl olan şiş.

bunk[1] [bʌn(g)k] *i.* Duvar içinde dar yatak yeri; kabine yatağı; ranza.

bunk[2] *i.* (*arg.*) Saçma, palavra.

bunk[3] (*arg.*) **~ (off)/do a ~**, sıvışmak, tüymek.

bunker ['bʌn(g)kə(r)] *i.* Kömürlük, hazne, depo; (golf) engel, set; (*ask.*) yeraltı sığınağı. *f.* (*den.*) Kömürlük/hazneyi doldurmak. **be ~ed**, engele rastlamak, çıkmaza gelmek. **~-oil**, petrol gemisinin kendi yakacağı petrol.

bunkum ['bʌn(g)km]. Saçma, palavra.

bunny ['bʌni] (*çoc.*) Tavşan. **~(-girl)**, genç ve cazibeli kız; kulüp hostesi.

Bunsen ['bʌnsən]. **~-burner**, Bunsen bek/lambası.

bunt[1] [bʌnt]. Tos vurma(k); (beysbol) topu hafif vurma(k).

bunt[2] *i.* (*bot.*) Sürme, yanık; balık ağı/yelkenin şişen kısmı.

bunting[1] ['bʌntin(g)] *i.* Kiraz kuşu, yelve(giller). **black-headed ~**, karabaşlı kiraz kuşu: **corn-~**, tarla kiraz kuşu, ekin yelvesi: **ortolan-~**, ortolan: **pine-~**, ak başlı yelve: **reed-~**, sazlık yelvesi. **rock-~**, kaya kiraz kuşu.

bunting[2] *i.* Bayrak kumaşı, şalı; bayraklar.

buntline ['bʌntlayn] (*den.*) Gargafundo.

buoy [boy] *i.* Şamandıra; cankurtaran. *f.* Şamandıra koymak. **~ up**, yüzdürmek, su üzerinde tutmak; (*mec.*) umut/cesaret vermek. **~age**, şamandıra sistemi.

buoyan·cy ['boyənsi]. Yüzme kabiliyeti; yüzdürme kuvveti; özgül ağırlık; (fiyat vb.) yükselme kabiliyeti; heyecan, neşe. **~t**, yüzebilir; hafif; neşeli, canlı.

BUP = British United Press.

bur(r) [bə̄(r)]. Yapışkan tohum/çiçek.

Burberry ['bə̄bəri] (*M.*) Bir nevi sugeçmez kumaş/palto.

burble ['bə̄bl] *i.* Şırıltı, mırıltı. *f.* Şırıldamak, mırıldamak.

burbot ['bə̄bət]. Tatlısu gelinciği.

burden/burthen ['bə̄dən, -ðən] *i.* Yük, ağırlık; elem; geminin yük kabiliyeti; nakarat, ana fikir; mesuliyet. *f.* Yüklemek; ağırlaştırmak; sıkmak. **~ with**, yükletmek: **be a ~ to s.o.**, geçimi birine ait olm.: birine eziyet vermek: **make s.o.'s life a ~**, birini doğduğuna pişman ettirmek: **the ~ of proof**, ispat ödevi. **~some**, yük olan; ağır, sıkıcı.

burdock ['bə̄dok]. Dulavratotu.

bureau ['byuro̱u̱]. Yazı masası; yazıhane; daire, büro, şube, örgüt.

bureaucra·cy [byu'rokrəsi]. Hükümet daireleriyle idare; merkeziyetçilik; bürokrasi; kırtasiyecilik, yazçizçilik. **~t** ['byurəkrat], merkeziyet taraftarı; bürokrat; memur; kırtasiyeci, yazçizçi. **~tic** [-'kratik], bürokrat gibi/olarak; kırtasiyeciliğe ait; bürokrasiye ait.

burette [byu'ret]. Ölçü tübü, büret.

***burg** [bə̄g] (*kon.*) = borough.

burgee [bə̄'cī] (*den.*) Özel bayrak; gidon.

burgeon ['bə̄cən]. Tomruk/filiz vermek.

***burger** ['bə̄gə(r)] = hamburger.

burgess ['bə̄cis]. Kasabalı; şehirli; (*id.*) kasabayı temsil eden parlamento üyesi.

burgh ['bʌrə] (*İsk.*) Kasaba. **~er** ['bə̄gə(r)], kasabalı; şehirli.

burgl·ar ['bə̄glə(r)]. (Eve giren) hırsız: **~-alarm**, hırsızlığa karşı verilen alarm (çanı): **~-detector**, hırsız alarm cihazı: **~proof**, hırsız girmez. **~ary**, (eve girerek) hırsızlık. **~e**, (eve girerek) çalmak.

burgomaster ['bə̄gəmāstə(r)]. Felemenk/Flanders/Almanya'da belediye reisi.

burgundy ['bə̄gəndi]. Burgonya'da yapılan (kırmızı) şarap.

burial ['beriəl]. Gömme, defin, defnetme. ~**-ground**, mezarlık. ~**-service**, cenaze merasimi.
buried ['berid] *g.z.(o.)* = BURY.
burin ['byurin]. Hakkâk kalemi.
burke [bək]. Örtbas etm. ~ **the question**, cevaptan kaçınmak, kaçamaklı cevap vermek.
burl [bəl]. İplik/bezdeki düğüm(ü çıkarmak).
burlap ['bəlap]. Çuvallık bez.
burlesque [bə'lesk] *i.* Komik şekilde taklit; savruklama; tehzil; *striptizli varyete. *s.* Komik, hezel nevinden.
burly ['bəli]. İriyarı, kuvvetli.
Burm·a ['bəmə]. Birmanya. ~**n**, Birmanyalı. ~**ese** [bə'mīz] *i.* Birmanyalı; Birmanyaca: *s.* Birmanya +.
burn[1] (*g.z.(o.)* ~**t**/~**ed**) [bən(t), -(d)] *f.* Yakmak, yanmak, ateş yakmak. *i.* Yanık. **third-degree** ~, (*tıp*) deri tamamen yanmış hal: **be** ~**t to death**, diri diri yanmak: **I hope his ears are** ~**ing**, (birinden bahsederken) kulakları çınlasın!: ~ **one's fingers**, başını belâya sokmak: **money** ~**s a hole in his pocket**, cebinde para durmaz; har vurup harman savurur: **this has** ~**t (itself) into my mind**, bu benim hafızama nakşedildi: **he has money to** ~, denizde kum onda para. ~ **away**, yanıp tükenmek; yakıp yok etm. ~ **down**, yanıp sönmek/kül olm.; (şehri vb.) yakmak, yakıp yıkmak. ~ **dry**, yanıp kurulanmak. ~ **in**, ateşle hakketmek. ~ **off**, (arazi) ağaçları vb. yakıp temizlemek. ~ **out**, sonuna kadar yanıp bitmek/sönmek. ~ **through**, yakıp delmek/geçmek. ~ **up**, tamamen yakmak; (ateş) canlanmak, tutuşmak.
burn[2] *i.* (*İsk.*) Dere.
burn·er ['bənə(r)]. Yakıcı, brülör; gaz memesi, ibik, bek; yakma ocağı; ocakçı. ~**ing**, yakıcı, yakacak; yakan, yakar, yakma; yanan, yanık, yanma; kızgın; kor: **a** ~ **question**, hayatî/pek önemli mesele: ~**-glass**, pertavsız, büyüteç.
burnish ['bəniş]. (Mıskala/bıcırgan ile) parlatmak; perdahlamak; cilalamak. ~**er**, mıskala, bıcırgan; parlatıcı; perdahlayıcı.
burnous [bə'nūs]. Burnuz, bornoz.
burnt [bənt] *g.z.(o.)* = BURN[1]. *s.* Yanık. ~**-offering**, (*din.*) yakılan kurban. ~**-out**, tamamen yanmış: **be** ~ **out**, (evi) tamamen yanmak; tütsülemek: **a** ~ **case**, (adam) bitkin bir halde. ~**-sienna**, siena sarısı.
burp [bəp] (*kon.*) Geğirmek.
burr[1] [bə(r)] *i.* (*dil.*) R harfinin boğazdan sert telaffuzu.
burr[2] *i.* (*müh.*) Kenar pürüzü, çapak. *f.* Bir vidanın dişini körleştirmek.
burr[3] = BUR.
***burro** ['bʌrou]. Küçük eşek.
burrow ['bʌrou] *i.* Tavşan/köstebek vb. yuvası. *f.* İn açmak, delik kazmak; saklanmak; kazmak.
burs·a ['būrsə] (*tıp.*) Kesecik. ~**itis**, kesecik iltihabı.
bursar ['bəsə(r)]. †(Üniversite/okul) muhasebeci; (*İsk.*) burslu öğrenci. ~**y**, kolej muhasebesi; burs, öğrenimlik.
burst (*g.z.(o.)* **burst**) [bəst] *f.* Patla(t)mak; çatla(t)mak; yar(ıl)mak; fırla(t)mak; birdenbire çıkmak, açılmak. *i.* Patlama, fırlama; birdenbire çıkma. ~ **asunder**, kırmak, koparmak; kırılmak: ~ **forth**, birdenbire çıkmak; fışkırmak; birdenbire söylemek: **I was** ~**ing with impatience**, sabırsızlıktan içim içimi yiyordu: **be** ~**ing with laughter**, gülmekten katılmak: ~ **a door open**, bir kapıyı kırıp açmak: ~ **out**, birdenbire bağırmak; çıkışmak; fışkırmak: ~ **out laughing**, kahkaha koparmak: ~ **upon s.o.'s sight**, birisine birdenbire görünmek: ~ **into tears**, gözünden yaşlar boşanmak: **the truth** ~ **(in) upon me**, birdenbire hakikati anladım, kafama dank dedi. ~**ing**, *s.* patlak.
burthen ['bəðən] = BURDEN.
burton ['bətn]. **go for a** ~, (*arg.*) ortadan kaybolmak; hâlâ bulunmamak.
bury (*g.z.(o.)* **buried**) ['beri(d)]. Gömmek, defnetmek; saplamak, daldırmak; örtmek, saklamak; unutmak: **have buried s.o.**, bir akrabayı kaybetmek: ~ **the hatchet**, kavgayı unutup sulh yapmak: ~ **one's sorrows**, kederini gömmek/saklamak. ~**ing-ground/place**, mezarlık.
bus [bʌs]. Otobüs(le gitmek): **miss the** ~, otobüsü kaçırmak; (*mec.*) fırsatı kaçırmak.
bus. = BUSINESS.
busbar ['bʌsbā(r)] (*elek.*) Dağıtma çubuğu.
busby ['bʌzbi] = (*ask.*) BEARSKIN.
bus·-conductor ['bʌs-]. Otobüs biletçisi. ~**-driver**, otobüs şoförü.
bush[1] [buş] *i.* Çalı, çalılık; fundalık; fidan; *krş.* BRUSH: **beat about the** ~, sözü döndürüp dolaştırmak; bir türlü mevzua yanaşmamak: **good wine needs no** ~, (*ata.*) iyi mal için reklama hacet yok.
bush[2] *i.* Madenî zıvana; (*den.*) purinçina.
bush·baby ['buşbeybi]. Galago. ~**ed** [buşt], (*Avus.*) fundalıkta kaybolmuş; şaşırmış; *(*kon.*) çok yorgun.
bushel ['buşəl]. İng. kilesi (takriben 36 litre).
bush·fighting ['buş-]. Fundalıkta savaş, gerilla savaşı. ~**iness**, çalı/fırça gibi olma. ~**-jacket**, kemerli ceket. ~**-lawyer**, (*Avus.*) amatör avukat. ~**man**, (i) G.Afr.'nın bir yerli kabilesine mensup kimse; (ii) Avustralya fundalıklarında yerleşmiş kimse ki vaktiyle ekseriya eşkıyalıkla geçinirdi. ~**master**, sessiz çıngıraklı yılan. ~**ranger** = ~MAN (ii). ~**-telegraph**, dedikodu. ~**y**, çalılıklı; sık, fırça gibi.
busily ['bizili] = BUSY. Meşgul olarak; meşgul gibi tavır ile.
business ['biznis] *i.* İş, sanat, meşguliyet, vazife; muamele; faaliyet; tecim, ticaret; firma; husus, mesele. *s.* Ticarî. ~ **is** ~, alışveriş miskalle; iş başkadır: **the** ~ **end (of a tool, etc.)**, bir alet vb.nin sivri/keskin tarafı: **he is in** ~ **for himself**, kendi hesabına çalışıyor: **he means** ~, ciddîdir, şakası yok: **have no** ~ **to...**, hakkı olmamak: **it's none of your** ~, sizin ne vazifeniz?; size ait bir şey değil: **be out of** ~, işten çekilmek: **good** ~!, hele şükür!: **send s.o. about his** ~, birini defetmek: ~ **as usual**, hiç değişiklik yok. ~**-house**, ticarethane, tecimevi. ~**-like**, işe elverişli; usulü dairesinde; pratik. ~**man**, işadamı, işletmeci, tüccar. ~**woman**, işkadını, kadın tüccar.
busker ['bʌskə(r)]. Seyyar çalgıcı/oyuncu, sokakta oynayan artist.
buskin ['bʌskin]. Potin.
bus·lane ['bʌsleyn]. Otobüslere mahsus pist. ~**man**, *ç.* ~**men**, otobüs şoförü: ~**'s holiday**, hergünkü işi yaparak geçirilen bir tatil. ~**-shelter**, bekleyen yolcular için barınak. ~**-stop**, otobüs durağı.

bust[1] ['bʌst] *i.* Başheykeli, büst; göğüs.
bust[2] (*arg.*) ~ **s.o.**, birini iflâs ettirmek: **go** ~, iflâs etm.
bustard ['bʌstəd]. (Büyük/küçük) toy (kuşu).
bustle[1] ['bʌsl] *i.* Telâş ve acele, telâşlı faaliyet. *f.* Telâş ve acele etm.; telâşa vermek, acele ettirmek.
bustle[2] *i.* (*mod.*) Kadın etekliğinin üst arka tarafını kabartmak için kullanılan yastık.
bustling ['bʌslin(g)]. Meşgul; acele ve telâş içinde.
busy ['bizi] *s.* Meşgul, işi olan; faal, işlek, hareketli; işgüzar. *f.* Meşgul etm. **the** ~ **hours**, en çok faaliyet olan saatler: **get** ~, işe girişmek. ~**body**, işgüzar, her işe burnunu sokan. ~**ness**, meşgul olma.
but [bʌt]. Fakat, ama, lâkin, ancak; başka. ~ **for**, olmasaydı, olmasa: ~ **for that**, bu olmasa: ~ **yet**, böyle olmakla birlikte: **anyone** ~ **me**, benden başka herkes: **anything** ~ **that**, bu olmasın da ne olursa olsun: **he is anything** ~ **a hero**, o kahramandan başka her şeydir: ~ **me no** ~**s**, aması maması yok: **I cannot** ~ **believe**, inanmamak mümkün değildir ki: **had I** ~ **known**, eğer bilseydim: **he knows** ~ **little**, pek az bilir: **never a year passes** ~ **he comes to visit us**, bir sene yoktur ki o bizim ziyaretimize gelmesin: **it was** ~ **last year**, daha geçen sene: **not** ~ **that I pity you**, size acımadığımdan değil.
buta·diene [byutə'dayīn]. Bütadiyen. ~**ne** ['byuteyn], bütan.
butcher ['buçər] *i.* Kasap; katil. *f.* (Kasaplık) hayvan kesmek; kesmek; doğramak. ~**-bird**, kırmızı sırtlı çekirge kuşu. ~**y**, kasaplık; kesip doğrama; katliam; cellâtlık.
butler ['bʌtlə(r)]. Sofra ve kiler işlerine bakan erkek kâhya, sofracı, kilerci.
butt[1] [bʌt] *i.* Büyük fıçı, varil.
butt[2] *i.* Dipçik; kalın dip/uç, sap; uç uca/baş başa ek; alın; kütüğün kalın tarafı; sırt derisi; but; izmarit: ~ **end**, kalın uç: ~ **joint**, düz ek: ~ **weld**, düz kaynak (eki), alın dikişi.
butt[3]. Hedef. **the** ~**s**, atış alanı.
butt[4] *i.* Tos. *f.* Tos vur(dur)mak; süsmek: ~ **in**, sellemehüsselâm girişmek, birdenbire müdahale etm., burnunu sokmak.
***butte** [byūt] (*coğ.*) Tanık/şahit tepe.
butter ['bʌtə(r)] *i.* Tereyağı. *f.* Üzerine tereyağı sürmek; tereyağı ile pişirmek. ~ **up**, dalkavukluk etm.; çok methetmek: **he looks as though** ~ **wouldn't melt in his mouth**, *pek uslu ve masum görünen bir kimse hakkında kullanılır.* ~**-cup**, altın düğün çiçeği. ~**-fingers**, daima elinden bir şeyi (*bilh.* atılan top) düşüren/tutamıyan kimse. ~**fish**, tereyağı balığı. ~**fly**, kelebek, pulkanatlı(lar): **break a** ~ **on the wheel**, lüzumsuz yere büyük çaba sarfetmek: ~**-bone**, temel kemiği: ~**-nut/screw**, kelebek (başlı) somun/vida. ~**-milk**, yayık ayranı. ~**-muslin**, pek ince bir muslin. *~**-nut**, bir cins ceviz. ~**scotch** [-skoç], bir cins şekerleme. ~**y**, *i.* kiler: *s.* tereyağlı.
buttock ['bʌtək]. But, kaba et. ~**s**, kıç.
button ['bʌtən] *i.* Düğme. *f.* Düğmele(n)mek; ilikle(n)mek. **(boy in)** ~**s**, otel/klüpte çocuk garson: **press the** ~, başlatmak. ~**-hole**, *i.* ilik; yakaya takılan çiçek: *f.* ilikleri yapmak; (*mec.*) yakalayıp zorla dinletmek, tıraşa tutmak. ~**-hook**, düğme kancası. ~**-lipped**, [-lipt], ağzı sıkı. ~**-through** [-θrū], boyunca iliklenen (bluz/elbise). *~**-tree/-wood**, çınar ağacı.
buttress ['bʌtris] *i.* Destek; payanda. *f.* Desteklemek, payanda vurmak. **flying** ~, duvar dirseği, dayanma kemeri.
butty ['bʌti] (*kon.*) Arkadaş, ahbap.
butyl ['byūtil]. Bütil. ~**-rubber**, sunî bir kauçuk.
buxom ['bʌksəm]. Toplu, sıhhatli ve neşeli (kadın).
buy (*g.z.(o.)* **bought**) [bay, bōt]. Satın alma(k); almak: **a good/bad** ~, kârlı/zararlı alışveriş: **money cannot** ~ **it**, paha biçilmez; katiyen satılmıyacak: **dearly bought**, pek fazla bir pahasına satın almış. ~ **in**, istok etm.; (mezatta) satıcı namına satın almak. ~ **into**, (bir şirketin) hisselerini satın almak. ~ **off**, -e para vererek kurtulmak; (birini) satın almak. ~ **out**, bütün stok/hissesini vb. satın almak. ~ **over**, rüşvetle birini satın almak. ~ **up**, piyasa mevcudunun hepsini satın almak. ~**er** ['bayə(r)], satın alıcı, müşteri; mubayaacı: **a** ~**'s market**, eşyalar bol bol ve ucuz bulunan bir piyasa. ~**ing**, satın alma; alışveriş; mubayaa.
buzz [bʌz] (*yan.*) *i.* Vızıltı; gürültü. *f.* Vızıldamak; (kulak) çınlamak; (*hav.*) bir yerin üzerine çok alçak/başka bir uçağa çok yakın uçmak: ~ **about**, öteye beriye telâşla gidip gelmek: ~ **off!**, (*arg.*) haydi git!, çek arabayı.
buzzard ['bʌzəd]. Bir kaç cins şahin (doğancılıkta kullanılmaz): **honey-**~, arı yiyen çaylak. **long-/rough-legged** ~, kızıl/paçalı şahin.
buzz·er ['bʌzə(r)]. Buhar düdüğü; telgraf işareti; vibratör. ~**ing**, vızıltı, uğultu; cırcır.
BVM = Blessed Virgin Mary.
BW = biological warfare. ~**G** = Birmingham wire gauge. ~**I** = British West Indies.
by[1] [bay] *e., zf.* Vasıtasıyle; -ile; -den, tarafından; -de, yanında, yakınında, nezdinde; -e kadar; önünden, yakınından; geçmiş; bir tarafa; göre, nazaran; suretiyle. ~ **and** ~, bir azdan; ileride: ~ **air(mail)**, uçakla: ~ **day**, gündüz, gündüzün: ~ **doing that**, bunu yapmak suretiyle: ~ **error**, yanlışlıkla: ~ **far**, çok daha fazla; büyük bir farkla; fersah fersah: ~ **God**, Allah hakkı için: ~ **now/this time**, şimdiye kadar: ~ **oneself**, kendi kendine; bir köşede: ~ **rights**, hakka bakılırsa: ~ **sea**, denizden, deniz yoluyle: ~ **the sea**, deniz kenarında: **do as you would be done** ~, (*ata.*) sana nasıl davranmalarını istiyorsan başkalarına öyle davran!: **do one's duty** ~ **s.o.**, birine karşı olan vazifesini yapmak: **one** ~ **one**, birer birer: **three feet** ~ **two**, boyu üç eni iki kadem: ~ **1500**, 1500 tarihine kadar: **the meeting will be over** ~ **5 o'clock**, toplantı her halde saat beşte biter.
by[2], **bye** *s.* Tali; ikinci derecede. *i.* (*sp.*) Döngü atlama; (müsabakada) oyuncuların tasnifinde tek kalan biri; arasöz. **by the bye**, arasöz olarak, hatırıma gelmişken: **bye-bye** = goodbye: **bye-byes**, (*çoc.*) uyku.
by-[3], *ön.* ~**-election**, (*id.*) ara seçimi. ~**gone** [-gon], geçmiş, eski: **let** ~**s be** ~**s**, geçmişi unutalım. ~**(e)-law**, mahallî idarelerce konan nizam, tüzük. ~**-line**, (*bas.*) imza. ~**-pass**, *i.* tali yol/boru; baypas, türev boru; yan geçit; çevre yolu: *f.* uğramamak, yanından geçmek; bir maksada varmak için (engellerden) kaçınmak. ~**path**, kalabalıktan uzak/tali yol; (*mec.*) az bilinmiş konu. ~**play**, (*tiy.*) tali oyun/hareket. ~**plot**, (*tiy.*) tali hikâye. ~**product**, (*kim.*) tali mahsul/mamul/madde/ürün, türev: ~**s**, ikincil yapımlılar, tali hâsılat.

byre ['bayə(r)]. İnek ahırı.
by·road/way ['bayroud, -wey]. (Kalabalık bölgelerden kaçınmak için) tali yol. ~**stander**, yanında bulunan şahıs; seyirci. ~**street**, arka sokak.
byte [bayt] (*elek.*) BIT[3] grubu.
byword ['baywə̄d]. Atalar sözü olmuş, dillere destan: **be the ~ of the village**, köyün ağzına düşmek.
Byzant·ine ['bizəntayn] *i.* Bizanslı. *s.* Bizans+; (*mec., köt.*) entrikalı/hileli (politika). ~**inism** [bi'zan-] (*san.*) Bizans usulü. ~**ium** [-'zantiəm], Bizans, Bizantion.

C

C [sī]. C harfi; (*fel.*) varsayılı kimse/şeylerin üçüncüsü; (*mat.*) belli sayıların üçüncüsü; (*müz.*) do: **C3**, sıhhatı bozuk; değersiz.
C., c. = CAPE; CALORIE; (*kim.s.*) CARBON; CELSIUS; CENT; CENTI-; CENTIGRADE; CENTRAL; CENTURY; CHAPTER; CHEMISTRY; CHIEF; CHRIST(IAN); CIRCA; COLD; COLLEGE; COMMAND(ER); COMMISSION; CONSERVATIVE; COULOMB; COUNCIL; COUNTY; CUBIC; CURRENT; (*sayı*) 100.
Ca. (*kim.s.*) = CALCIUM.
CA = CENTRAL AMERICA; CHARTERED ACCOUNTANT; CONSUMERS' ASSOCIATION.
ca. = CIRCA.
Caaba/Kaaba ['kābə]. Kâbe.
cab [kab]. Kira arabası; taksi; (*dem.*) makinist/ateşçi yeri; (kamyon) şoför yeri.
CAB = CITIZENS' ADVICE BUREAU; *CIVIL AERONAUTICS BOARD.
cabal [kə'bāl] *i.* Gizli komite; entrika, kumpas; suikast. *f.* Kumpas kurmak, suikast tertip etm.
cabaret ['kabərey]. Dansedilen çalgılı ve içkili lokanta, kabare.
cabbage ['kabic]. Lahana; (*mec.*) (kaza/hastalıktan dolayı) hiç bir şey anlamıyan/hissetmiyen bir kimse. **~-rose**, büyük ve kaba gül. **~-white**, beyaz bir cins kelebek.
cab(b)alistic [kabə'listik]. Esrarlı, gizli.
cabby ['kabi]. (*kon.*) Arabacı.
caber ['keybə(r)] (*İsk.*) Yontulmuş bir çam ağacı gövdesi: **tossing the ~**, (*sp.*) bu gövdenin atılması.
cabin ['kabin]. Kamara, kabin; kulübe. **~-boy**, muço, **~-class**, (*den.*) ikinci mevki. **~-cruiser**, büyük kamaralı motor yatı.
cabinet ['kabinət]. (Cam/çekmeceli) dolap; küçük özel oda; (*id.*) kabine, bakanlar kurulu: **~-council**, kabine toplantısı. **~maker**, ince iş yapan marangoz; (*şak.*) başbakan. **~making**, ince marangozluk. **~-minister/-room**, bakanlar kurulu üye/salonu. **~work**, ince marangozluk.
cable ['keybl] *i.* (*den.*) Kalın (çelik) halat, kordon, palamar; gomene; (*elek.*) kablo, kaplı tel; telgraf. *f.* Kablo ile telgraf çekmek. **~-car**, kablo ile işliyen vagon; teleferik. **~gram**, telgraf. **~'s length**, gomene, yüz kulaç. **~t**, ince halat/gomene. **~-TV**, bir santraldan kablo yolu ile evde TV alınma sistemi. **~way**, teleferik.
cabling ['keyblin(g)]. Halat biçimi oluk/süs; kablaj; telgraf çekmesi.
cabman ['kabmən]. Arabacı; taksi şoförü.
cabob [kə'bob], (*Tk.*) Kebap.
cabochon [kabə'sō(n)]. Yuvarlak fasetasız kıymetli taş.
caboodle [kə'būdl] (*kon.*) **the whole ~**, sürü sepet; cümbür cemaat.
caboose [kə'būs]. Gemi güvertesinde küçük mutfak; *yük treninde bekçi vagonu.
cabotage ['kabətaj]. Kabotaj; karasuları hakkı.
cab·-rank/~stand ['kabran(g)k]. Araba/taksi durağı. **~riolet** [-rio'ley], tek atlı ve körüklü araba, kabriyole.
ca'canny [kā'kani] (*İsk.*) Yavaş yavaş. **(go) ~**, kendini pek sıkmadan çalışmak.
cacao [ka'kaou̯]. Kakao ağaç/tanesi.
cachalot ['kaşəlot]. İspermeçet balinası.
cache [kaş] *i.* Erzak vb. konan gizli yer. *f.* Gizli bir yere erzak vb. koymak.
cachet ['kaşey]. Mühür, damga; hap, kapsül; hususiyet, alâmet, özellik.
cachexy [ka'keksi] (*tıp.*) Beden/akıl zayıflığı.
cachinnate ['kakineyt]. Kahkaha ile gülmek.
cachou [ka'şū]. Hoş kokulu pastil.
cack-handed [kak'handid] (*kon.*)Solak, beceriksiz.
cackle ['kakl]. Gıdaklama(k); lâklâkıyat; gürültü ile gülme(k)/konuşma(k): **cut the ~!**, (*kaba*) sus! **~r**, gıdaklıyan piliç; (*mec.*) geveze.
caco- [kako-] *ön.* Kako-, kötü. **~epy** [-'kou̯epi], kötü telaffuz. **~ethes** [-'īθīz], kötü âdet, manya. **~graphy** [-'kogrəfi], kötü imlâ/yazı. **~logy** [-'koləci], kötü konuşma/telaffuz. **~phon·ous** [-'kofənəs], ahenksiz, bozuk (ses): **~y**, bozuk ses, ahenksizlik.
cact·us *ç.* **~i** ['kaktʌs, -tay]. Etli bitki, kaktüs.
cad [kad]. Aşağılık adam; adi mahluk; centilmenin aksi.
cadastral [kə'dastrəl]. Kadastro/tapuya ait.
***cadaver** [kə'davə(r)]. Ölü, ceset. **-ic/ous**, ceset/ölü gibi; zayıf ve sapsarı.
caddie ['kadi]. Golf oyuncusunun takımlarını taşıyan çocuk.
caddis·-fly ['kadisflay]. Mayıs böceği vb. **~-worm**, bunun tırtılı.
caddish ['kadiş]. Aşağılık, adi; centilmene yakışmaz şekilde. **~ly**, adi vb. olarak.
caddy[1] ['kadi]. Çay kutusu. **~**[2] = CADDIE.
caden·ce/~cy ['keydəns(i)]. Ahenk, vezin; ses perdesi. **~ced** [-st], ahenkli. **~za** [kə'denzə], (*müz.*) solo sonunda fantezi bir ses.
cadet [kə'det]. Küçük kardeş/oğul; askerî (*bilh.* deniz) okul öğrencisi. **~ Corps**, okul taburu. **~ ship**, okul gemisi.
cadge [kac]. Seyyar satıcılık yapmak; dilenmek; dilencilik/madrabazlıkla elde etm.; otlamak. **~r**, dilenci; otlakçı.
cadi ['keydi] (*Ar.*) Kadı.
cadmium ['kadmi̯əm]. Kadmiyum.
cadre [kadr]. Çerçeve, plan; kadro.
caduceus [ka'dyūsi̯əs] (*mit.*) Hermes/habercinin yılan sarılı değneği; hekimlik remzi.
caduc·ity [kə'dyūsiti]. Geçicilik, fânilik; bunaklık. **~ous** [-kəs], geçici.
caecum ['sīkəm]. Kör bağırsak.
Caesar ['sīzə(r)]. Kayser; otokrat. **~ia** [-'ri̯ə],

Kayseri. ~**ian** [-'zeəriən], (*tıp*) sezaryen (ameliyat/doğumu).
caesium ['sīzyəm]. Seziyum.
***CAF**/†**C&F** = COST AND FREIGHT.
café ['kafey]. Kahvehane; pastahane; lokanta. ~**teria** [-fi'tiəriə], kafeterya.
caffeine ['kafīn]. Kafein.
caftan ['kaftan]. Kaftan.
cage [keyc] *i.* Kafes; asansör odası. *f.* Kafese koymak. ~**y** [-ci], açıkgöz, kurnaz; cana yakın olmayan.
CAH = CAMBRIDGE ANCIENT HISTORY.
***cahoot** [kə'hūt]. Ortaklık: **go** ~**s**, paylaşmak: **in** ~**s**, iştirak eden.
Cain [keyn]. Kabil (Âdemin büyük oğlu); kardeş katili. **raise** ~, kargaşılık etm.
caique [kā'īk] (*Tk.*) Kayık.
Cairene ['kayrīn]. Kahireli.
cairn ['keən] (*İsk.*) İşaret/anıt olarak yığılan taş kümesı. ~**gorm** [-gōm], sarı/şarap rengi yarı değerli taş. ~**-terrier**, küçük cins teryer.
Cairo ['kay(ə)rou]. Kahire.
caisson ['keysən]. Cephane sandık/vagonu; su altı temel işlerinde kullanılan sandık, batardo; batan gemileri yüzdürmek için kullanılan duba. ~**-disease**, (*den.*) vurgun.
caitiff ['keytif]. Korkak, alçak, aşağılık.
cajole [kə'coul]. Kandırmak; yatıştırmak; güzel sözlerle aldatmak. ~ **s.o. out of stg.**, birini kandırıp bir şey koparmak. ~**ry**, kandırma, güzel sözlerle aldatma.
cake [keyk] *i.* Pasta, kurabiye, kek, çörek; kızartma; (*kon.*) servet; kalıp, parça. *f.* Katılaşmak, kabuk bağlamak, kurumak. ~**s and ale**, hayatın zevkleri: **you can't eat your** ~ **and have it too**, bir şeyi hem sarfedip hem de ona malik olmak imkânsızdır: **they are selling like hot** ~**s**, kapışılıyor, kapışan kapışana: **a piece of** ~, (*kon.*) çok kolay bir iş: **an equal share of the** ~, (*mal., id.*) servet/varlığın eşit bir hissesi: **take the** ~, bütün şerefleri kazanmak: **that takes the** ~**!**, aşk olsun! ~**walk** [-wōk], bir cins dans.
Cal. = CALIFORNIA; CALORIE.
calabash ['kaləbaş]. Balkabağından yapılan su kabı.
***calaboose** [kalə'būs]. Hapishane.
calamander [kalə'mandə(r)]. Bir cins sert ağaç.
calamary ['kaləməri] (*zoo.*) Kalamar.
calamine ['kaləmayn]. Tutya taşı, kalamin.
calamit·ous [kə'lamitəs]. Felâketli; âfet gibi. ~**y**, âfet, felâket.
calamus ['kaləməs]. Bir cins saz; (*ark.*) saz kalemi.
calash [ka'laş]. Bir cins hafif araba; açılır-kapanır araba örtüsü; (*mod.*) kadın kukuletesi.
calc- [kalk-, kals-]. Kireç+. ~**areous** [-'keəriəs], kireçli, kalkerli, kireç kapsayan.
calceolaria [kalsiə'leəriə]. Çanta çiçeği.
calci·fication [kalsifi'keyşn]. Kireçleşme. ~**fy** [-fay], kireçlen(dir)mek. ~**nation** [-'neyşn], kireçlenme. ~**ne** [-'sīn], yakarak kireçlendirmek; yakıp kül haline getirmek: ~**r**, kireç yakıcısı. ~**um**, kalsiyum, kilis.
calcul·able ['kalkyuləbl]. Hesap/tahmin edilir; muhtemel, olabilir. ~**ate** [-leyt], hesaplamak; tahmin etm.; hesap etm., saymak: ~ **on s.o.**, birine bel bağlamak. ~**ating**, hesap eden, tahmin eden; ihtiyatlı, dikkatli; düzenbaz, egoist: ~**-machine**, hesap makinesi: ~**-table**, hesap cetveli. ~**ation**, [-'leyşn], hesap(lama). ~**ator** [-'leytə(r)], hesap memuru; hesap makinesi. ~**us**[1] ['kalkyuləs] (*tıp.*) mesane taşı. ~**us**[2], (*mat.*) hesap, kalkülüs: **differential** ~, tefazulî/diferansiyel hesap: **integral** ~, tamami/integral hesap.
Calcutta [kal'kətə]. Kalküta.
Caledonia [kali'douniə]. Kaledonya; İskoçya'nın eski ismi. ~**n**, *i.* Kaledonyalı: *s.* Kaledonya+.
calefac·ient [kali'feyşnt]. Isıtıcı (ilâç). ~**tion** [-'fakşn], ısınma; ısı atılması. ~**tory**, ısıtan; sıcak oda.
calendar ['kalendə(r)] *i.* Takvim, günlük, ruzname; salname; kayıt defteri; liste. *f.* Zaman sırasıyle kaydetmek. **Gregorian** ~, efrencî takvim: **Julian** ~, Jülyen/Rumî takvim: **Muslim** ~, İslâm/Hicrî takvim.
calender[1] ['kalendə(r)] *i.* Silindirli ütü/perdah makinesi. *f.* Ütüden geçirmek, perdahlamak.
calender[2] (*din*) Kalender.
calends ['kalends]. Eski Roma takviminde ayın ilk günü. **on the Greek** ~, balık kavağa çıkınca.
calf[1] *ç.* **calves** [kāf, kāvz]. Buzağı; dana; balina/fil vb. yavrusu; dana derisi; beceriksiz, acemi tavırlı çocuk; (*coğ.*) küçük aysberg: **kill the fatted** ~, aile efradından birinin dönüşünü kutlanmak.
calf[2] *ç.* **calves**. Bacağın dizden aşağı arka kısmı; baldır.
calf·-leather ['kāfleðə(r)] Dana derisi; meşin, videla. ~**-love**, ilk aşk. ~**'s foot**, paça.
Caliban ['kalibən]. Vahşi ve sakat adam/canavar.
calibr·ation [kali'breyşn]. Ayar(lama). çaplama, kalibrasyon, kalibre etme. ~**ate** ['kalibreyt], ayarlamak, çaplamak, kalibre etm., çapını bulmak, ölçülemek. ~**ated**, ayarlanmış, ölçülü, taksimatlı. ~**ator** [-breytə(r)], ayarcı, çapçı, kalibratör. ~**e** ['kalibə(r)], çap, delik kutru; (*ask.*) kalibre; mastar; önem, değer; ehliyet.
calic·le ['kalikl] (*biy.*) Kesecik; (*bot.*) çanak. ~**ular**, kesecik şeklinde.
calico ['kalikou]. Pamuk bezi, patiska.
Californi·a [kali'fōniə]. Kalifornya, ABD'nden biri. ~**um**, (*kim.*) kaliforniyum.
caliper ['kalipə(r)] = CALLIPER.
caliph ['kalif, 'key-]. Halife. ~**ate** [-feyt], hilâfet, halifelik.
calix ['kaliks] = CALYX.
calk [kōk] = CAULK.
call[1] [kōl] *i.* Çağırma; bağırma; davet; talep, itfa; apel; (*tiy.*) çağrı; boru sesi; uğrama, ziyaret; telefon etme; yoklama; sebep, vesile, hacet. **answer Nature's** ~, bir içgüdüye uymak (*gen.* aptes bozmak *anlamına gelir*): **at** ~, emre gönderilmiş: **have a close** ~, dar kurtulmak: **come at** ~, çağrıldığı zaman gelmek: **feel a** ~ **to ...**, içinde (vicdanında) duymak: **give a** ~, seslenmek; telefon etm.: **there's no** ~ **to blush**, utanacak bir sebep yok: **there's no** ~ **for rejoicing**, ortada sevinecek bir şey görmüyorum: **on** ~, emre hazır: **pay a** ~ **on s.o.**; birini ziyaret etm.: **port of** ~, geminin uğradığı liman: **put a** ~ **through**, uzak mesafeye telefon etm.: **within** ~, çağırılınca işitebilecek bir mesafede.
call[2] *f.* Çağırmak; bağırmak; adlandırmak, isim vermek; davet etm.; uyandırmak; ziyaret etm.;

uğramak; telefon etm.: saymak, addetmek; tediyesini istemek. **London ~ing!** (*rad.*) burası Londra: **he is ~ed Tom**, ismi Tom'dur: **he ~ed him a liar**, yalancı olduğunu (yüzüne karşı) söyledi: **~ s.o. or stg. after s.o.**, bir kimse/şeye birinin adını vermek: **~ back**, karşılık vermek; cevabını vermek; tekrar uğramak: **~ s.o. back**, birisini geri çağırmak: **~ back to s.o.**, dönüp birini çağırmak; bağırarak birine cevap vermek; **he ~s himself a colonel**, kendisinin albay olduğunu söylüyor. **~ for**, birine seslenmek; birini çağırtmak; istemek; icabetmek; zorunlu kılmak; talep etm.; uğrayıp almak: **'to be (left till) ~ed for'**, gelinip alınacak. **~ forth**, sebep olm., meydan vermek; yol açmak; ortaya çıkarmak. **~ in**, çağırmak; içeri çağırmak; geri isteyip toplamak; (kâğıt para vb.) yeni para çıkarmak için geri çekmek. **~ off**, **~ off a strike**, bir greve son verilmesini emretmek: **~ off a deal**, bir anlaşmayı iptal etm.: **~ off a dog**, köpeği hücumdan vazgeçirmek. **~ on**, **~ on s.o.**, birini ziyaret etm.: **~ on s.o. to do stg.**, = ~ UPON. **~ out**, bağırmak; seslenmek; çağırmak; duelloya davet etm. **~ over**, yoklama yapmak; yanına çağırmak. **~ together**, toplamak; toplantıya çağırmak. **~ up**, yukarıya çağırmak; askere çağırmak, silâh altına almak; hatıra vb. uyandırmak. **~ upon**, **~ upon God, etc.**, Allah/azizlerden istemek: **~ upon s.o. to do stg.**, birinden bir şeyi yapmasını talep etm./emretmek: **~ upon s.o. for help**, yardım için birine başvurmak: **'I now ~ upon Mr. B.'**, şimdi sözü Mr. B.'ye veriyorum.

call-[3] *ön.* **~-back**, (*mal.*) bir kusurun düzeltilmesi için bir seri otomobil vb. geri istenmesi. **~-bird**, (av) tuzak kuşu; (*mal.*) müşterileri cezbetmek için vitrinde gösterilen fevkalâde (ve tek) bir kelepir. **~-boy**, (*tiy.*) çağırıcı; (otel) miço. **~-board**, (*tiy.*) çalışma çizelgesi. **~-box**, telefon hücresi. **~-button**, zil düğmesi. **~er**[1], *i.* ziyaretçi; telefon eden kimse. **~er**[2], *s.* (*İsk.*) taze; serin. **~-girl**, telefonla randevu veren fahişe.

calligraph·er [kəˈlıgrəfə(r)]. Hattat. **~y**, hattatlık, güzel yazı (sanatı), hüsnü hat.

call·-in [ˈkōlin]. Seyircilerin telefonla iştirak ettikleri radyo/TV programı. **~ing**, *i.* çağırma; bağırma; meslek, iş: **~-card**, kartvizit.

callipers [ˈkalipəz]. Çap pergeli; kumpas.

callisthenics [kalisˈθeniks]. Kadın cimnastiği.

call·-letter [ˈkōl-letə(r)] (*rad.*) İşaret harfi. **~-money**, vâdesiz ödünç. **~-note**, kuş/hayvanın eşini çağırma sesi.

call·osity [kaˈlositi]. Nasır. **~ous**, nasırlı; sertleşmiş; katı; hissiz, nasırlaşmış.

call-over [ˈkōlo͡uvə(r)]. (Okul) yoklama.

callow [ˈkalo͡u]. Tüyleri çıkmamış (kuş); tecrübesiz, acemi (genç).

call·-sign [ˈkōlsayn] = ~-LETTER. **~-up**, askere çağırma/çağrılma.

callus [ˈkaləs]. Nasır.

calm [kām] *i.* Sakinlik, sükûnet; durgunluk; huzur; soğukkanlılık. *s.* Sakin; durgun; heyecansız; soğukkanlı. *f.* Teskin etm., yatıştırmak. **~ down**, yatış(tır)mak. **~ative**, yatıştırıcı (ilâç). **~ly**, sakin/soğukkanlı olarak. **~ness**, sakinlik, vb.

calomel [ˈkaləmel]. Kalomel.

calor [ˈkalə(r)]. **~-gas**, propan/tüp gazı. **~escence** [-ˈresəns], ışığın ısı şualarına değiştirilmesi. **~i-**, *ön.* ısı+, sıcaklık+. **~ie/~y** [-əri], ısı ölçüsü birimi, kalori. **~ific** [-ˈrifik], ısı/sıcaklık+, ısıl, ısıtıcı, kalorifik. **~imeter** [-ˈrimitə(r)], ısıölçer, kalorimetre.

calotte [kaˈlot] (*mod.*) Küçük başlık.

***Caltech** [kalˈtek] = CALIFORNIA INSTITUTE OF TECHNOLOGY.

caltrop [ˈkaltrop]. Boğa dikeni.

calumn·iate [kəˈlʌmnieyt]. İftira etm. **~y** [ˈkaləmni], iftira, (suç) atma, isnat, uydurma.

Calvary [ˈkalvəri]. İsa'nın çarmıha gerildiği yer; çarmıha gerilmenin temsilî resmi; (*mec.*) büyük ıstırap.

calve [kāv]. Buzağılamak; (aysberg) parçalanmak. **-~d**, -baldırlı. **~s**, *ç.* = CALF.

Calvinis·m [ˈkalvinizm]. Calvin'in doktrinleri. **~t**, Kalvinist.

calyc(i)- [kalis(i)-] *ön.* Kaliks+

calypso [kaˈlipso]. (Karayib Adalarında) basit şarkı, türkü.

calyx [ˈkeyliks]. Çicek zarfı, çanak, kaliks.

cam [kam]. Kam, eksenter, dirsekli makara.

camaraderie [kaməˈrādərī] (*Fr.*) Arkadaşlık, teklifsizlik.

camarilla [kaməˈrilə] (*İsp.*) Gizli komite; klik; grup.

Camb. = CAMBRIDGE.

camber [ˈkambə(r)]. Eğrilik, kabartı, kabarıklık; dışbükey (tümsek) olma(k); hafif kavis (yapmak); (*den.*) küçük iskele.

cambist [ˈkambist]. Kambiyo eksperi; kambiyo temsilcisi.

cambium [ˈkambi̯əm]. Katman/büyütken doku.

Cambrian [ˈkambri̯ən] *i.*, *s.* Galler memleketine ait; Galli; (*yer.*) Kambriya+, Kambriyum.

cambric [ˈkambrik]. Patiska.

Cambridge [ˈkeymbric]. Cambridge üniversite/şehri. **~shire** [-şə], Brit.' nın bir kontluğu.

Cambs. = CAMBRIDGESHIRE.

came[1] [keym]. Kurşun pencere çerçevesi.

came[2] *g.z.* = COME.

camel [ˈkaməl]. Deve, hecin: **Arabian/Bactrian ~**, tek/çift hörgüçlü deve. **~ corps**, hecinli asker müfrezesi. **~eer**, deveci. **~('s)-hair**, deve tüyü (kumaş/fırça).

camellia [kəˈmīli̯ə]. Kamelya.

camel·opard [kaˈmelo͡upād] (*mer.*) Zürafa. **~ry** [ˈkaməlri], deve kervanı; hecinli askerler.

cameo [ˈkamio͡u]. İşlemeli akik vb.; renkli kabartma; (*mec.*) küçük, mini. **~-role**, (*sin.*) önemli bir artist için küçük özel rol.

camera[1] [ˈkamərə]. Oda, kamara; hâkimin odası: **in ~**, özel/gizli olarak.

camera[2] Fotoğraf makinesi; filim makinesi; televizyon cihazı. **aerial ~**, otomatik uçak filim makinesi: **cine ~**, filim alma makinesi: **studio ~**, kabine/studyo fotoğraf makinesi: **on ~**, çevrilir. **~ crew**, filim makinesi ekipi. **~man**, fotoğrafcı, alıcı yönetmeni.

cami·knickers [kamiˈnikəz] (*mod.*) = CAMISOLE + KNICKERS. **~sole** [-so͡ul], kadın iç gömleği; kaşkorse.

camomile [ˈkaməmayl]. Bir nevi papatya.

camouflage [ˈkamuflāj]. Kamuflaj (yapmak); alalama(k); (*mec.*) gizlemek, örtmek.

camp [kamp] *i.* Karargâh, ordugâh; kamp; aynı fikirlere inanan bir grup; (*arg.*) HOMOSEXUAL(a

ait). *f.* Kamp kurmak. **break** ~, kampı dağıtmak: **holiday** ~, çadırlı kamp.
campaign [kam'peyn] *i.* (Askerî) sefer, kampanya; seferberlik. *f.* Sefer açmak, mücadele etm. ~**er**, tecrübeli asker.
campan·ile [kampə'nīli]. Müstakil çan kulesi. ~**ology** [-'noləci], çanlar ilmi; çan çalmak sanatı. ~**ula** [-'panyulə], çançiçeği. ~**ulate** [-leyt], çan şekli(nde).
camp·-bed/-chair, etc. ['kampbed]. Portatif ve katlanır karyola/iskemle vb. ~**er**, kampçı; (*oto.*) gezer ev. ~**-follower**, ordu ile giden sivil/tüccar/dinî toplantı.
camphor ['kamfə(r)]. Kâfur. ~**ated**, kâfurlu.
camping ['kampin(g)]. Konaklama; çadır kurma: ~**-site**, kamping alanı.
campion ['kampiən]. Bir çeşit karanfil.
***camp-meeting** ['kampmītin(g)]. Çadırda yapılan dinî toplantı.
***campus** ['kampəs]. Kolej/üniversite sahası.
***campy** ['kampi]. Eğlenceli şekilde garip; sunî, sahte tavırlı; fazla zarif; HOMOSEXUAL olan.
camshaft ['kamşāft]. Kamlı mil.
can[1] [kan] *i.* Madenî kap; güğüm, maşrapa; teneke kutu. *f.* Konserve yapmak; kutuya koymak. **carry the** ~, (*arg.*) sorumu kendi üstüne almak.
can[2] f. *Yardımcı fiil*; (*mastar halinde kullanılmaz*; *bunun yerine* TO BE ABLE *kullanılır*). Muktedir olm., -bilmek, bilmek; *fiillerin başına gelerek iktidarî sıygasını teşkil eder*: **I can do**, yapabilirim: **I could not do**, yapamazdım: **it cannot be done**, bu mümkün değildir, bu olamaz: **what** ~ **it be?**, ne olabilir?, nedir acaba?: ~ **you swim?**, yüzmek bilir misiniz?: **I** ~ **see nothing**, hiç bir şey görmüyorum: **I will do what I** ~, elimden geleni yaparım.
Can. = **Canad·a** ['kanədə]. Kanada. ~**ian** [kə'neydiən], *i.* Kanadalı; *s.* Kanada+.
canal [kə'nal]. Kanal, suyolu; geçit. ~**ize** ['kanəlayz], kanal açmak; kanal gibi yapmak.
canapé ['kanəpe] (*Fr.*) Kanape, açık sandviç.
canard [ka'nā(r)] (*Fr.*) Sahte rapor.
canary [kə'neəri]. Kanarya. ~ **Islands**, Kanarya Adaları. ~ **seed**, kuşyemi. ~ **wine**, Kanarya şarabı.
Canasta [ka'nasta]. Kanasta oyunu.
Canberra ['kanb(ə)rə]. Avustralya'nın başkenti.
cancan ['kankan] (*Fr.*) Bir kabare raksı, kankan.
cancel ['kansel]. Silmek, çizmek; feshetmek, bozmak, iptal etm.; kaldırmak; hükümsüz bırakmak; vazgeçmek; (*mat.*) (sıfıra) eşitlemek. ~**late(d)**, (*zoo.*) ağ şeklinde. ~**lation** [-'leyşn], silme, çizme; feshetme, bozma, iptal; kaldırma. ~**led**, iptal edilmiş: ~ **cheque**, ödenmiş çek.
Cancer[1] ['kansə(r)] (*ast.*) Yengeç burcu: **tropic of** ~, Yengeç dönencesi.
cancer[2] (*tıp.*) Kanser. ~**ed**/~**ous**, kanserli.
cancroid ['kankroyd]. Yengeç/kanser gibi.
C&E = COMMISSION AND EXCHANGE.
candela ['kandilə] (*fiz.*) Parlaklık birimi. ~**bra** [-di'labrə], kollu şamdan.
cande·nt/-scent ['kandənt, -'desənt]. Akkor, beyaz kızıl parıldıyan.
C&F = COST AND FREIGHT.
candid ['kandid]. Samimî, içten, açık, riyasız; tarafsız; dobra dobra. ~**-camera**, detektif fotoğraf makinesi. ~**-photograph**, kusurları gösteren fotoğraf.
candida·cy/~**ture** ['kandidəsi, ~diçə(r)]. Namzetlik, adaylık. ~**te** [-dit], namzet, aday, talip.
candied ['kandid]. Şekerli; = CANDY.
candle ['kandl]. Mum. **burn the** ~ **at both ends**, başka başka bir çok işler yaparak gücünü tüketmek: **the game is not worth the** ~, astarı yüzünden pahalı: **he cannot hold a** ~ **to you**, o senin eline su dökemez; senin ayağının pabucu olamaz. ~**-end**, mum artığı. ~**-holder/stick**, şamdan. ~**light**, mum ışığı; akşam alacakaranlığı. ~**mas**, dinî bir bayram (2 şubat). ~**-power**, mum/ışık kuvveti.
candour ['kandə(r)]. Toksözlülük; açık kalplilik; tarafsızlık.
C & W = COUNTRY AND WESTERN.
candy (*g.z.(o.)* **candied**) ['kandi(d)] *f.* Şekerleme yapmak; şeker gibi olm. *i.* Şekerleme, akide şekeri; *her cins yenecek şeker/bonbon vb. ~**-floss**, keten helvası. *~**-store**, şekerleme mağazası. ~**-stripe(d)**, (*mod.*) beyaz ile renkli yollu (kumaş). ~**-tuft**, iberia çiçeği.
cane [keyn] *i.* Baston, değnek, çubuk; kamış. *f.* Dayak atmak. **get the** ~, dayak yemek. ~**-brake**, kamışlık. ~**(-bottomed) chair**, kamış iskemle. ~ **sugar**, kamış şekeri.
canine ['kanayn, 'key-]. Köpeğe ait, köpek gibi: ~ **(tooth)**, köpek dişi.
caning ['keynin(g)]. Dayak atması.
canister ['kanistə(r)]. Teneke kutu; (*ask.*) şarapnel.
canker ['kan(g)kə(r)] *i.* Ağız yarası, karha; ağaç kanseri; at ayaklarına ârız olan bir hastalık; (*mec.*) çürütücü etki. *f.* Kemirmek. ~**ous**, çürütücü.
canna ['kanə]. Tespih çiçeği.
Cannabis ['kanəbis]. Kendir/esrarotu cins bitkiler; = HEMP; bundan elde edilen uyuşturucu ilâç.
cann·ed [kand] = CAN[1]; konserve (edilmiş); (*arg.*) ayyaş; (*müz.*) plâk/şerite alınmış. ~**ery**, konserve fabrikası.
cannibal ['kanibl]. Yamyam. ~**ism** [-bəlizm], yamyamcılık. ~**istic** [-'listik], yamyam gibi. ~**ize** [-layz], eski/bozuk makineden iyi parçalarını alıp yeni makineyi üretmek/tamir etm.
canning ['kannin(g)]. Konserve yapma; konservecilik.
cannon ['kanən] *i.* Top; (bilardoda) karambol. *f.* Karambol yapmak; çarpmak. ~**ade** [-'neyd], top ateşi. ~**-ball**, top güllesi. ~**-fodder**, savaşta malzeme gibi harcanan adam (lar).
cannot = CAN[2] NOT.
cannula ['kanyulə] (*tıp.*) Kanül.
canny ['kani]. Açıkgöz, cinfikirli, hesabî.
canoe [kə'nū]. Hafif sandal/kàno (ile gezmek). **paddle your own** ~!, müstakil ol!
canon ['kanən]. Kilise kanunu, dinî nizam, şeriat, dinî liste; esas; bir rahip rütbesi. ~**ical** [kə'nonikl], kilise kanununa göre; incile göre; meşru, kabul edilmiş; rahiplere mahsus (elbise vb.). ~**ist**, dinî kanun âlimi. ~**ization**/~**ize** [-ay'zeyşn, -ayz], (bir kimseyi) azizler sırasına koyma(k), azizleştirme(k). ~**ry**, katedral heyetinin üyeliği.
***canoodle** [kə'nūdl]. Kucaklaşmak.
canopy ['kanəpi] *i.* Gölgelik; sayvan; kubbe; saçak; (*hav.*) kapak. *f.* Gölgelik/saçakla örtmek.
canorous [kə'nōrəs]. Ahenkli.
canst [kanst] (*mer.*) = CAN[2].
cant[1] [kant]. İki yüzlüce söz; (*mec.*) anlamsız söz: **a** ~ **phrase**, tekerleme.

cant[2] *i.* Meyil; (*den.*) boci. *f.* Meyil vermek, eğmek; meyil etm., eğilmek; yan yat(ır)mak.
can't [kānt] = CAN[2] NOT.
Cantab. ['kantab] = **Cantabrigian** [kantə'briciən], Cambridge üniversitesinin üyesi.
cantaloupe ['kantəlūp]. Ufak bir nevi kavun.
cantankerous [kən'tan(g)kərəs]. Ters, aksi, dirliksiz, huysuz. **~ly**, ters vb. olarak.
cantata [kan'tātə]. Bir koro tarafından okunan bestelenmiş manzume.
canteen [kan'tīn]. Kantin; portatif sofra takımı; askerin üzerinde taşıdığı tabak, aş kabı.
canter ['kantə(r)]. Eşkin (gitmek), tırıs. **win in a ~**, zahmetsiz kazanmak.
Canterbury ['kantəbəri]. **Archbishop of ~**, İngiltere'nin başpiskoposu: **~ bell**, bir nevi çançiçeği.
cantharides [kan'θaridīz]. (Kurutulmuş kunduzböceğinden) bir tahriş ilâcı.
canticle ['kantikl]. Kısa ilâhi; dinî şarkı.
cantilever [kanti'līvə(r)]. Dirsek, destek, baskı kolu, konsol; çıkma. **~-bridge**, konsol/çıkma köprü.
canting ['kantin(g)]. İki yüzlü.
cantle ['kantl]. Parça, kısım, dilim; eyerin arka kısmı.
canto ['kantou]. Uzun şiirin bir bendi; kanto.
canton[1] ['kanton]. İsviçre kantonu.
canton[2] [kan'tūn]. Asker konaklatmak.
canton·al ['kanton(ə)l]. Kanton+. **~ment** [kən'tūnmnt], askerî konak yeri; (*Hint.*) daimî askerî merkez.
cantor ['kantō(r)]. Kilise/havrada baş şarkıcı.
Cantuar ['kantyuə(r)] (*Lat.*) = CANTERBURY; baş piskoposunun imzası.
***Canuck** [kə'nʌk] (*köt.*) Fransız menşesinden Kanadalı.
canvas ['kanvəs]. Yelken bezi, çadır bezi; kanaviçe; yelken; yağlı boya resim, tuval.
canvass ['kanvəs]. Köy köy vb. dolaşarak oy toplama(k)/sipariş kaydetme(k); ahalinin fikirlerini sorma(k). **~er**, oy/sipariş toplamağa çalışan kimse.
canyon ['kanyən]. İki tarafı uçurum dere, kapız, kanyon.
cap[1] [kap] *i.* Kasket; takke; kepi; başlık; tepe; kapak; kapsül, tıpa; (*mim.*) sütun başlığı. **~ and bells**, çıngıraklı soytarı külâhı: **~ and gown**, üniversite hoca/öğrencisine mahsus şapka ve cüppe: **~ in hand**, saygılı bir tavırla: **if the ~ fits wear it!**, yarası olan kocunsun!: **black ~**, İngiltere'de idam kararı verirken hâkimin giydiği şapka: **get one's ~**, (*sp.*) birinci takım için seçilmek: **put one's thinking ~ on**, derin düşünmek. **set one's ~ at a man**, (kadın) bir erkeği avlamak.
cap[2] *f.* Başlık vb. giydirmek/geçirmek; (*sp.*) birinci takıma almak. **that ~s all!**, bu hepsine tüy dikti: **~ a story**, bir hikâyeyi vb. bastırmak (daha iyisini söylemek).
cap. = CAPITAL[2]; (*Lat.*) CHAPTER.
CAP = COMMON (MARKET) AGRICULTURAL POLICY.
capab·ility [keypə'biliti]. Kabiliyet, iktidar, yetenek. **~le** ['keypəbl], muktedir, kabiliyetli, ehliyetli, yeterlikli, yetenekli. **~leness**, kabiliyetli vb. olma. **~ly**, kabiliyetli vb. olarak.
capaci·ous [kə'peyşəs]. Geniş, vâsi, büyük. **~tance** [-'pasitəns], (*elek.*) güçlülük, kapasite, toplama kabiliyeti. **~tive**, toplayıcı. **~tor**, kondansatör. **~ty**, genişlik, alış kabiliyeti, sığa, kapasite; (öz)güç, kudret, verim; iktidar, yetenek, kabiliyet; yeterlik, ehliyet; sıfat: **bearing/carriage ~**, yüklenme/taşıma kabiliyeti: **full to ~**, tamamen dolu, ağız ağıza dolu: **idle ~**, işlemiyen üretim kapasitesi: **seating ~**, yer miktarı.
cap-a-pie [kapə'pī]. Tepeden tırnağa kadar (hazır).
caparison [ke'parisən]. Haşa (örtmek).
cape[1] [keyp] (*mod.*) Pelerin, harmaniye.
cape[2] (*coğ.*) Burun. **~ Dutch** = AFRIKAANS. **~ Horn**, Horn Burnu. **~ (of Good Hope)**, Ümit Burnu. **~town**, Kapşehri.
caper[1] ['keypə(r)] *i.* Gebre (otu).
caper[2]. Sıçrama(k), zıplama(k).
capercail·lie/-zie [kapə'keyli, -zi]. Orman horozu.
capful ['kapful]. Kasket dolusu: **~ of wind**, (*den.*) geçici rüzgâr.
capillar·ity [kapi'lariti]. Kılincelik, kıllık, kapilarite. **~y** [kə'piləri], kılince, kılgibi, kılcal.
capita ['kapitə] (*Lat.*) ***per ~***, adam başına.
capital ['kapitl] *s.* Baş, büyük; son derece önemli; (*kon.*) aferin, fevkalâde! *i.* Büyük harf, majüskül; (*id.*) devlet merkezi, başkent, payitaht; (*mal.*) kapital, sermaye, fon, anamal, anapara; (*mim.*) sütun başlığı, taç. **nominal ~**, kayıtlı sermaye, yazılımlı anamal: **paid-up ~**, ödenmiş sermaye: **working ~**, işletme sermayesi: **make ~ out of stg.**, bir şeyden yararlanmak; bir şeyi istismar etm.: **~ assets**, ana mevcudat: **~ gains**, sermaye kazançları; şerefiye: **~ goods**, imalat malzemesi: **~-intensive**, (bir endüstri) işçilere oranla büyük sermaye istiyen: **~ levy**, servet/varlık vergisi: **~-punishment**, ölüm cezası: **~ ship**, büyük savaş gemisi.
capital·ism ['kapitəlizm]. Özel mülkiyete dayanan iktisadî sistem, kapitalizm, anamalcılık. **~ist**, sermayesini işleten kimse; zengin kimse; kapitalist, anamalcı. **~istic** [-'listik], kapitalizm/kapitaliste ait. **~ization** [-lay'zeyşn], kapitalizasyon, varlıklılaştırma. **~ize** [-layz], sermayeye çevirmek; sermaye olarak kullanmak; (bir şeyi) kendi yararı için kullanmak; bir gelirin sermayesini hesap etm. **~ly**, çok iyi, mükemmel bir şekilde.
capitation [kapi'teyşn]. Adam başına vergi (tarhetme).
***capitol** ['kapitol]. Hükümet binası.
capitular [kə'pityulə(r)]. Bölüm/şubeye ait (*krş.* CHAPTER).
capitulat·e [kə'pityuleyt]. (Şartla) teslim olm. **~ion** [-'leyşn], teslim olma, teslimiyet; teslim anlaşması: **~s**, (*tar.*) kapitülasyon, yabancı ayrıcalığı.
capon ['keypən]. Kısırlaştırılmış horoz. **~ize** [-nayz], kısırlaştırmak.
capric ['kaprik]. **~acid**, kaprin asidi.
capric·e [kə'prīs]. Anî heves; sebatsızlık; kapris. **~ious** [-'prişəs], kaprisli, maymun iştahlı; sebatsız, özençli: **~ly**, kaprisli olarak.
Capricorn ['kaprikōn]. Oğlak burcu: **tropic of ~**, Oğlak dönencesi.
caprine ['kaprayn]. Keçeye ait.
capriole ['kaprioul]. Sıçrama(k).
caproic [ka'prouik]. **~ acid**, kapron asidi.
caps. = CAPITAL LETTER(S).

capsicum ['kapsikəm]. Kırmızı biber nebatı.
capsize [kap'sayz]. (Kayık/gemi) devirmek; devrilmek.
capstan ['kapstən]. Bocurgat, ırgat, vinç: ~**-lathe**, revolver başlı torna.
capsul·e ['kapsyul]. Şişe kapağı; ilâç kapsülü; kuru tohum zarfı; (*tıp.*) zarf, kese; hülâsa. ~**ize** [-layz], (malûmat/tarif) hülâsa etm.
Capt. = CAPTAIN.
captain ['kaptin] *i.* Baş; reis; kaptan; (*ask.*) yüzbaşı; (*den.*) albay; süvari; *baş garson vb. *f.* Bir seferi idare etm., kumanda etm.; kaptanlık etm. **Group** ~, (*hav.*) albay. ~**cy**/~**ship** [-si, -şip], (*ask.*) yüzbaşılık; (*den.*) albaylık; kaptanlık; reislik.
captation [kap'teyşn]. Alkış istenmesi.
caption ['kapşn]. (Makale vb.) başlık, serlevha; (resim/filim vb.) yazı, izahat.
captious ['kapşəs]. Kusur bulan; tenkitçi; titiz: ~**ly**, tenkitçi olarak.
captivat·e ['kaptiveyt]. Teshir etm.; büyülemek, gönlünü kapmak; bendetmek, esir etm. ~**ing**, gönül çelen, cazip. ~**ion** [-veyşn], esir etme; gönül çelme.
capt·ive ['kaptiv] *i*, Esir, tutuk. *s.* Tutsak, sabit, bağlı. ~**ivity** [-'tiviti], esirlik, tutsaklık. ~**or**/~**ress** [-tə(r), -tris], esir eden (kadın). ~**ure** [-çə(r)], esir alma(k); yakalama(k); tutma(k); (*coğ.*) kapma(k); zaptetme(k); zorla/hile ile alma(k); esir; ganimet.
Capuchin ['kapyuşin]. Kukuleteli bir cüppe giyen Fransisken rahibi; (*zoo.*) başlıklı maymun, say.
capybara [kapi'barə]. Sukobayı.
car ['kā(r)]. İki tekerlekli araba; otomobil; vagon; (balon vb.) oda; (*şiir*) zafer arabası.
Car. = **Carolina.**
CAR = CENTRAL AFRICAN REPUBLIC.
carabineer [karəbi'niə(r)]. Karabinalı süvari.
carack ['karak] (*tar.*) Silâhlı tüccar gemisi.
caracole ['karəkoul]. At ile yarım çark hareketi (etm.).
caracul ['karəkūl] (*Tk.*) Karakulak, vaşak.
carafe [ka'rāf]. Sürahi.
caramel ['karəmel]. Karamela.
carapace ['karəpeys]. Kaplumbağa vb.nin kabuğu; tekne.
carat ['karət]. Kırat.
caravan [karə'van] *i.* Kervan; araba şeklinde küçük ev; gezer ev; çingene arabasi. *f.* Böyle bir arabayla seyahat etm. ~**-park**, gezer evler parkı. ~**saray**, kervansaray.
car(a)vel ['karəvel]. Karavelâ.
caraway ['karəwey]. Keraviye.
carbide ['kābayd]. Karbit; karbür.
carbine ['kābayn]. Karabina.
carbo- ['kābo-] *ön.* Karbo-; karbon +.
car-body ['kābodi] (*oto.*) Karoseri.
carbo·hydrate [kābou'haydreyt]. Karbonhidrat. ~**lic (acid)**, asit karbolik, fenol asidi.
carbon ['kābən]. Karbon; kömür; (*id.*) karbon/kopya kâğıdi. ~**aceous** [-'neyşəs], karbonlu, karbon gibi. ~**ate**, karbonat. ~**ation** [-'neyşn], karbonla(t)ma. ~**-black**, karbon siyahı, is. ~**-copy**, karbon/kopya kağıdı; tıpkı bir kopya (etm.) ~**-date**, (*ark.*) (fosil vb.) içindeki radyoaktif karbon miktarına göre yaşını belli etm. ~**-dioxide**, karbon dioksit: ~ **ice**, kuru buz. ~**ic**, karbon +. ~**iferous** [-'nifərəs], karbonlu. ~**ization** [-nay'zeyşn], kömürleş(tir)me; karbonatlaşma. ~**ize**, kömürleş(tir)mek. ~**-paper**, kopya kâğıdı.
car-borne ['kābōn]. Otomobille taşınır/yolculuk eder.
carborundum [kābə'rʌndəm]. Karborund(um), zımpara.
carboy ['kāboy]. Cam balon, damacana.
carbuncle ['kābʌnkl]. Şeytanbaşı; çıban, etçik; şirpençe çıbanı.
carbur·ation [kābyu'reyşn]. Karburasyon, karbonlama. ~**etter**/~**ettor** [-'retə(r)], karbüratör. ~**ization** [-ray'zeyşn], karbonlanma. ~**ize**, karbonlamak: ~**r**, karbonlayıcı.
carcas·s/~**e** ['kākəs]. Leş; ceset; (istihfaf) vücut; enkaz; (*müh.*) iskelet, çatkı, kafes: **save one's** ~, postu kurtarmak. ~**-meat**, pişmemiş et.
carcino·gen ['kāsinəcen]. Kanser yapan bir madde. ~**genic**, kanser yapan. ~**ma** [-'noumə], bir nevi kanser.
card[1] [kād] *i.* Kart; karton; kâğıt; iskambil; mukavva; bilet; fiş; kartvizit; sosyal sigorta/üyelik belgesi: **he's a knowing** ~, o ne tilkidir: **it is (quite) on the** ~**s that**, olabilir, beklenir; haritada var: **get/collect/be given one's** ~**s**, işten çıkarılmak: **play one's** ~**s well**, elindeki kozu iyi oynamak: **he's a queer** ~, antikanın biridir: **he has a** ~ **up his sleeve**, daha son kozunu oynamadı: **lay/put one's** ~**s on the table**, gizlisi kapaklısı olmamak.
card[2] *f.* Yünü vb. tel tarakla taramak, atmak.
Card. = CARDIGANSHIRE; CARDINAL.
cardamom ['kādamom]. Hemame, kakule.
card·board ['kādbōd]. Mukavva, karton. ~**-carrier**, sendika üyesi. ~**-catalogue**/**-index**, fiş usulü dosya/indeks/liste: böyle bir indeksi düzenlemek. ~**ed**, taranmış. ~**er**, tarak makinesi, tarakçı.
cardiac ['kādiak]. Kalbe ait; kalbe kuvvet verici (ilâç), kordiyal.
Cardiff ['kādif]. Galler memleketinin başkenti.
cardigan ['kādigən]. Yün örgüsü ceket. ~**shire** [-şə], Brit.'nın bir kontluğu.
cardinal[1] ['kādinl] *i.* Kardinal. ~ **(bird)**, kardinal kuşu. ~ **red**, al (renk).
cardinal[2] *s.* Baş, esaslı, en önemli. ~ **numbers**, adi sayılar: ~ **points**, ana yönler.
card-index ['kādindeks]. Fiş usulü indeks.
carding ['kādin(g)]. ~**-machine**, tarak makinesi, çırçır.
cardi(o)- [kādio-] *ön.* Kardi(o)-; yürek +. ~**graph**/**-gram**, kardiograf/-gram. ~**logist** [-'oləcist], kardiolog. ~**logy**, kalp/yürek bilimi.
-cardium [-kādiəm] *son.* -kard, -yürek.
card·-party. İskambil oyunu partisi. ~**-player**/**-room**, iskambil oyuncu/odası. ~**s**, iskambil oyunu: **win/lose at** ~, oynıyarak kazanmak/kaybetmek. ~**-sharper**, iskambil oyununda hile yapan; papelci. ~**-table**, iskambil/oyun masası.
care[1] [keə(r)] *i.* Dikkat, ihtimam; endişe, keder; kaygı; himaye, muhafaza. ~ **of (c/o)**, vasıtasiyle, eliyle: ~ **killed the cat**, kendini fazla üzme!: ~**s of State**, devletin sorumlulukları: **take** ~, dikkat etm., ihtimam ve itina etm.: **that matter will take** ~ **of itself**, o iş kendi kendine düzelir; kendi haline bırak!: **want of** ~, ihmal, bakımsızlık: **child in** ~, (*id.*) bakım altına konan çocuk.
care[2] *f.* Endişe etm., düşünmek; kurmak, keder

etm.; umursamak, aldırmak, aldırış etm.: ~ **for**, hoşlanmak, beğenmek; bakmak, ihtimam etm.: **I don't ~!**, (i) bence aynı şey, bana göre hava hoş; (ii) bana ne?, umurumda değil: **I don't ~ for him**, o hoşuma gitmiyor: **who is caring for him?**, ona kim bakıyor?: **I don't ~ to be seen in his company**, onun yanında görülmek istemem: **what do I ~?**, bana ne?: **I don't ~ what he says**, ne söylerse söylesin (aldırmam): **I didn't ~ for that novel**, o roman beni sarmadı: **I don't ~ two hoots/a brass farthing**, bana vız gelir, tırıs gider: ~ **for nothing**, hiç bir şeye aldırmamak/ilgilenmemek; pervasız olm.: **for all I ~**, bana sorarsan; bana kalırsa: **not that I ~**, bana vız gelir, bana göre hava hoş: **that's all he ~s about**, bütün düşündüğü/önem verdiği bu: **if you ~ to...**, ... arzu ederseniz, içinizden geliyorsa: **would you ~ to read this paper?**, bu gazeteyi okumak ister misiniz?

careen [kə'rīn]. (Gemiyi) karina etm., tamir için yan yatırmak. ~**age** [-ic], karina etme.

career[1] [kə'riə(r)] *i.* Meslek; meslek hayatı; hayat. *s.* Meslekten. **take up a ~**, bir mesleğe girmek.

career[2] *i.* Başıboş koşup dolaşma. ~ **about**, delice ve başıboş koşmak: **in full ~**, tam hızla.

career·ist [kə'riərist]. Yalnız meslek başarısını düşünen. ~**-woman**, mesleğine bağlı bir kadın.

care·free ['keəfrī]. Kaygısız; kayıtsız; sıkıntısız. ~**ful**, dikkatli; ihtimamlı, özenli, itinalı, ihtiyatlı, ölçülü: **be ~!**, dikkat et!, sakın!: ~**ly**, dikkatli vb. olarak: ~**ness**, dikkat vb. ~**-laden** = ~WORN. ~**less** [-lis], dikkatsiz, düşüncesiz; tasasız, aldırmaz, umursamaz; ihmalkâr; kayıtsız; mübalâtsız: ~**ly**, dikkatsiz vb. olarak: ~**ness**, dikkatsizlik vb.; ihmal.

caress [kə'res] *i.* Okşayış, okşama, öpme. *f.* Okşamak, öpmek. ~**ing**, sevgiyle; yatıştırıcı: ~**ly**, okşıyarak.

caret ['karət] (*bas.*) Yazıda çıkıntı işareti (∧).

care·taker ['keəteykə(r)]. Kapıcı, muhafız: ~**-government**, yeni seçimlere kadar idare eden geçici bakanlar kurulu. ~**worn** [-wōn], kaygı ve kederden bitkin; mustarip.

Carey ['keəri]. **be in ~ Street**, (*kon.*) uçan kuşa borçlu olm.; iflâs etmek üzere olm.

car-ferry ['kāferi]. Araba vapuru.

cargo ['kāgou]. Yük, hamule; yük eşyası. ~**-boat/ship**, şilep, yük gemisi.

Caribbean [kari'biən]. Karayib Denizi(ne ait).

caribou [kari'bū]. Karibu.

caricatur·e [karikə'çuə(r)] *i.* Karikatür. *f.* Karikatürünü yapmak, tehzil etm., alaya almak; gülünçleştirmek. ~**ist**, karikatürcü.

caries ['keərīz]. Diş çürümesi.

carillon [kə'rilyən]. Belirli havalar çalmak üzere düzenlenmiş çanlar; bu çanlarla çalınan hava.

carina [kə'rīnə] (*biy.*) Karina, omurga. ~**te**, omurga şeklinde.

carioca [kari'oukə]. Samba gibi bir dans.

carious ['keəriəs]. Çürük (diş).

carking ['kākin(g)]. Endişe/keder veren.

carl·(e) [kāl] (*İsk.*) Köylü; herif. ~**ine**[1] [-lin], kocakarı.

carline[2] Karlina; dikenli bir fidan.

Carm. = **Carmarthenshire** [kə'māðənşə]. Brit.'nın bir kontluğu.

carman ['kāmən]. Vatman; şoför; arabacı.

Carmelite ['kāmilayt]. Kermel tarikatine mensup rahip.

carminative [kā'minətiv]. Yel çıkarıcı ilâç.

carmine ['kāmayn]. Lâl, lâlrengi, açık ve parlak kırmızı; vişneçürüğü.

Carn. = **Carnarvonshire** [kə'nāvənşə]. Brit.'nın bir kontluğu.

carnage ['kānic]. Kan dökme, kırım, kıtal.

carnal ['kānəl]. Cinsî; şehvanî; dünyevî, cismanî, nefsanî. ~**-knowledge** (*huk.*) cinsî münasebet. ~**ism**, şehvete uyma. ~**ity** [-'naliti], cismaniyet. ~**ly**, cinsî vb. olarak.

carnation [kā'neyşn]. Karanfil; açık pembe.

carnelian [kā'nīliən]. Kırmızı bir akik.

carnify ['kānifay]. Et haline girmek/getirmek.

carnival ['kāniv(ə)l]. Karnaval; cümbüş; âlem.

carnivor·a [kā'nivərə]. Etçiller. ~**e** ['kānivō(r)], etçil hayvan/bitki. ~**ous** [-'nivərəs], etçil.

carob ['karob]. Harup, keçiboynuzu.

carol ['karəl]. Neşeli/dinî şarkı (söylemek).

Carolin·a [karə'laynə]. **North/South ~**, ABD'nden ikisi. ~**e** ['karəlayn], İngiliz kralları Charles I ve II'nin zamanına ait. ~**gian** [-'lin(g)giən], Büyük Karlos'un hanedanına ait.

carotene ['karətīn]. Karoten, havuç özü.

carotid [kə'rotid] (*tıp.*) Karotis: ~ **artery**, şahdamar, karotis arteri.

carous·al [kə'rauzl]. İçki âlemi. ~**e**, âlem/cümbüş yapmak, işret etm.

carp[1] [kāp] *i.* Sazan.

carp[2] *f.* Kusur bulmak: şikâyet etm. ~ **at**, tutturmak, çekiştirmek.

carp. = CARPENTRY.

carpal ['kāpl]. Bileğe ait.

car-park ['kāpāk]. Park yeri, otopark, park(ing).

Carpathians [ka'peyθiənz]. Karpatlar.

carpel ['kāpəl]. Yemiş yaprağı.

carpent·er ['kāpintə(r)] *i.* Dülger; doğramacı. *f.* Doğramacılık yapmak. ~**ry**, doğramacılık; dülgerlik.

carpet ['kāpit] *i.* Halı; örtü; döşeme. *f.* Halı döşemek; kaplamak. **fitted ~**, duvardan duvara bütün döşemeyi döşeyen halı: **be on the ~**, azarlanmak. ~**-bag**, halı torba: ~**ger**, maceraperest ve prensipsiz politikacı. ~**-bombing**, bütün bir bölgenin bombalanması. ~**-knight**, salon zabiti, ~**-sweeper**, halı süpürgesi.

carpo-[1] [kāpo-] *ön.* Bilek+. ~**-**[2]. Meyva+: ~**logy** [-'poləci], meyva bilimi.

car-port ['kāpōt]. (Evin yanında) kapısız garaj.

carpus ['kāpəs]. Bilek.

carrack ['karək] = CARACK.

carrageen ['karəgīn]. Yenir deniz yosunu.

carriage ['karic]. Araba; (*dem.*) vagon; top arabası; kızak, kundak; (*müh.*) şaryo; taşıma, nakil; taşıma/sevk ücreti, nakliye; tavır, vaziyet. ~**-clock**, taşınır saat. ~**-dog**, araba köpeği. ~**-drive**, hususi yol. ~**-folk**, (*köt.*) araba sahipleri; zenginler. ~**-forward/collect**, nakliye ödenecek. ~**-free**, nakliyesiz. ~**-horse**, araba atı. ~**-paid**, nakliye ödenmiş. ~**-trade**, zenginlerle ticaret. ~**-way**, şose, taşyolu: **dual/single ~**, çift/tek pistli anayol. ~**-works**, (*dem.*) vagon fabrikası.

carried ['karid] *g.z.(o.)* = CARRY[2].

carrier ['kariə(r)]. Taşıyan kimse/şey; taşıyıcı, nakliyeci, hamal; (*müh.*) mesnet; şasi; yüklük;

(*tıp.*) hastalık taşıyan; torna fırdöndüsü. **~-bag**, (alışveriş için) kâğıt/plastik vb. çanta. **~-pigeon**, posta güvercini. **~-wave**, (*rad.*) taşıyıcı dalgası.
carrion ['kariən]. Leş, laşe; pis, kokmuş. **~-beetle**, leş böceği. **~-crow**, kara karga.
carronade [karə'neyd]. Büyük çaplı kısa top.
carrot ['karət]. Havuç. **~-headed**, kızıl saçlı. **~s**, kızıl saçlı. **~y**, kızıl (saç).
carry[1] ['kari] *i.* Menzil, mesafe; taşıma; (sandal vb. ni) bir nehirden bir nehire taşıma: **sword at the ~**, kılıç elde.
carry[2] *f.* Taşımak; götürmek; nakletmek; geçirmek, kaldırmak; tutmak; (kale vb.) zaptetmek; (faiz) getirmek; (top) menzili . . . olm.; (ses) -den işitilmek; . . . kadar gitmek. **~ two** (toplarken) elde var iki: **~ all before one**, her mukavemeti kırmak; bütün rakipleri yenmek: **he carried his audience with him**, dinleyicilerini sürükledi: **~ the day**, muvaffak olm., başarmak: **~ one's liquor well**, içkiye dayanmak: **the motion was carried**, teklif kabul edildi: **~ oneself well**, vücudunu dik tutmak: **~ one's point**, kendi fikrini kabul ettirmek: **(shop) ~ a certain article**, (dükkân) bir eşya üzerinden muamele yapmak: **his word carries no authority**, sözü geçmez; sözünün değeri yoktur. **~ away**, alıp götürmek; coşturmak. **~ forward**, bir yekûnu vb. nakletmek. **~ off**, alıp götürmek; kazanmak; (hastalık) öldürmek: **~ it off well**, becermek, içinden çıkmak. **~ on**, yapmak, devam ettirmek: devam etm., dayanmak; görevinden ayrılan birinin işine bakmak: **~ on!**, devam ediniz!; siz işinize bakınız!: **I don't like the way she carries on**, gidişini pek beğenmiyorum: **she carried on dreadfully**, (*arg.*) kıyamet kopardı: **~ on with s.o.**, (*arg.*) birisiyle mercimeği fırına vermek: **~ on a correspondence with s.o.**, birisiyle mektuplaşmak, haberleşmek. **~ out**, yerine getirmek; icra etm., ifa etm., tatbik etm. **~ through**, başarıyla yerine getirmek; başarmak.
carry·ing ['kari·in(g)] *i.* Taşıma; nakletme: **~ capacity**, istiap, (içine) alma: **I don't like your ~s on**, (*arg.*) ben senin gidişatını beğenmiyorum. **~-on**, *s.* (*hav.*) elde taşınabilir (bagaj). **~-over**, nakliyekûn, repor, uzatma.
car-shop ['kāşop] (*dem.*) Vagon tamirhanesi.
cart [kāt] *i.* İki tekerlekli araba; elle itilen araba. *f.* Araba ile taşımak. **~ about**, taşıyıp durmak: **be in the ~**, hapı yutmak: **put the ~ before the horse**, bir işi tersinden yapmak. **~age**, araba ile taşıma; nakliye parası.
carte·blanche [kāt'blā(n)ş] (*Fr.*) Kayıtsız şartsız salâhiyet, tam yetki. ***~-de-visite***, kartvizit.
cartel [kā'tel]. Fabrikalar arasında anlaşma, kartel.
carter ['kātə(r)]. Nakliyeci; yük arabacısı.
Cartesian [kā'tīziən]. Karteziyen.
Carthag·e ['kāθic]. Kartaca, **~inian** [-θə'ciniən], Kartacalı.
carthorse ['kāthōs]. Yük beygiri.
Carthusian [kā'θūziən]. San Bruno'nun keşiş tarikatının üyesi.
cartilag·e ['kātilic]. Kıkırdak. **~inous** [-'lacinəs], kıkırdağa ait; kıkırdaklı.
cartload ['kātloud]. Araba yük/dolusu.
cartograph·er [kā'tografə(r)]. Haritacı, kartograf. **~y**, haritacılık, kartografya.
cartomancy [kātə'mansi]. Oyun kâğıtları ile falcılık.
carton ['kātən]. Mukavva kutu: mukavva, karton.
cartoon [kā'tūn] *i.* Karikatür; karton üzerine çizilmiş resim. *f.* Karikatürünü yapmak. **animated ~**, canlı resimler (filmi). **~ist**, karikatürcü.
cartouche [kā'tūş]. Kabartma resim/şekil; helezoni ziynet; hartuç.
cartridge ['kātric]. Hartuç; fişek; (*sin.*) filim. **blank ~**, kuru sıkı; kurşunsuz fişek, manevra fişeği. **~-belt/box/case**, fişeklik kemer/kutu/kabı. **~-paper**, kalın ve kabaca bir beyaz kâğıt.
cart-track ['kāt-trak]. Toprak yol.
cartulary ['kātyuləri]. Sicil defter/dairesi.
cart·wheel ['kātwīl] *i.* Araba tekerleği. *f.* Çemberlemek: **turn ~s**, elleri üzerinde havada dönerek taklak atmak. **~wright** [-rayt], araba marangozu.
carve [kāv]. (Sofrada) eti kesip dağıtmak; (*san.*) oymak.
carvel ['kāvl] = CARAVEL. **~-built**, armozlu, birbirine bitişik tahta ile yapılmış (gemi).
carv·er ['kāvə(r)]. Eti kesen; büyük et bıçağı; oymacı; sofra koltuğu. **~ing**, oyma(cılık): **~-fork/knife**, (eti kesmek için) büyük çatal/bıçak.
caryatid [kari'atid]. Kadın heykeli şeklinde sütun; heykelsütun.
cascade [kas'keyd] *i.* Çağlayan, şelâle; (*hav.*) deflektör; (*elek.*) kademe(li dizi). *f.* Çağlayan gibi düşmek.
cascara [kas'kārə]. **~ sagrada**, bir nevi liynet verici (ilâç).
case[1] [keys] *i.* Hal, vaziyet, durum, keyfiyet; mesele, vaka, hadise; dava; (*dil.*) ad durumu; hastalık vakası, hasta, yaralı. **in any ~**, her halde; nasıl olursa olsun; behemehal: **in that ~**, öyleyse: **in this ~**, bu takdirde: **that alters the ~**, o zaman vaziyet değişir: **as in the ~ of. . .**, . . . için olduğu gibi: **in ~ it rains**, belki yağmur yağar: **in ~ he does not come**, gelmemesi ihtimaline karşı: **in ~ he comes**, gelecek olursa: **in no ~**, hiç bir zaman, hiç bir suretle: **just in ~**, ne olur ne olmaz: **you have no ~**, davanız reddedilmiştir; davaya hakkınız yok: **there is no ~ against you**, bu meselede aleyhinize dava açılamaz: **make out a ~**, davayı ispat etm.: **that is not the ~**, durum böyle değildir: **should the ~ occur**, icap ettiği takdirde, gerektiğinde: **the ~ in point**, bahis konusu olan mesele.
case[2] *i.* Kılıf; doku; mahfaza, kapak, kutu; karter; kitap kabı; çanta; kasa, harf kasası. *f.* Kaplamak, örtmek; kutuya koymak. **display ~**, eşya teşhir edilen camekân: **lower/upper ~**, (*bas.*) küçük/büyük harf kasası: **~ the joint**, (*arg.*) (hırsızlar) soyulacak evi vb. tetkik etm. **~-cabinet**, harf kasası. **~-ending**, (*dil*) hal eki. **~-harden**, (*müh.*) doku sertleştirmek, tavlamak, kutuda sulamak: **~ed**, doku sertleştirilmiş, kutuda sulanmış; (*mec.*) nasırlanmış, sıkıntıya alışmış.
casein ['keysīn]. Kazein.
case·-law ['keyslō]. Davalardan hukuk usulü. **~lawyer** [-lōyə(r)], dava vekili, avukat. **~mate** [-meyt], (*ask.*) kazmet; mazgallı siper. **~ment** [-mənt], menteşeli/havalandırma penceresi; telüre. **~-relation(ship)**. (*dil.*) kelimeler arasındaki gramer ilişkisi. **~-shot**, şarapnel (mermisi). **~-study**, (*sos.*) güç durumların incelenmesi. **~-worker**, (*sos.*) bu durumları inceleyen kimse.

caseous ['keysiəs]. Peynir gibi; peynire ait.
cash [kaş] *i.* Para; nakit; efektif, kasa; peşin para; bir Çin parası. *s.* Nakit, nakdî; peşin; kasa+. *f.* Paraya çevirmek; (çeki) bozmak. **petty ~**, küçük kasa: **spot ~**, emre hazır para: **~ in**, çeki paraya para; derhal ödenen para: **~ in**, çeki paraya çevirmek: **~ in on stg.**, -den kâr temin etm., -den istifade etm.: **~ in/on hand**, eldeki nakit, kasa mevcudu: **~ on delivery**, tediyeli/ödemeli olarak gönderme: **be out of ~**, (yanında) parası olmamak. **~-account**, kasa hesabı. **~-and-carry**, peşin para ile satış, peşin para ödeyip götürme. **~-book**, kasa defteri. **~-box**, para kutusu. **~-crop**, peşin satılan mahsul. **~-customer**, peşinci. **~-discount**, peşin ödeme iskonto/tenzilatı.
cashew ['kaşū]. Baladur ağacı.
cash-flow ['kaşflou]. Net kazanç ile aşınma.
cashier[1] [kə'şiə(r)] *i.* Kasadar, veznedar.
cashier[2] *f.* (*ask.*) Hizmetten çıkarmak, tardetmek.
Cashmere[1] ['kaşmiə(r)]. Keşmir; ince yün kumaş, kazmir: **~-shawl**, keşmir şalı.
***cash·omat** ['kaşəmat] (*mal.*) Para dağıtan otomatik makine. **~-price**, peşin fiyat. **~-register**, otomatik kasa.
casing ['keysin(g)]. Mahfaza; örtü, kılıf, zarf; zarf borusu; kaplama; çerçeve; karter; sucuk bağırsağı.
casino [kə'sīnou]. Gazino; iskambil oyunları oynanan bina.
cask [kāsk]. Fıçı, varil.
casket ['kāskit]. Mücevher çekmecesi, değerli eşya kutusu.
Caspian ['kaspiən]. **~ (Sea)**, Hazar Denizi.
casque [kāsk]. Miğfer, sorguç.
cassation [ka'seyşn]. Temyiz.
cassava [kə'sāvə]. Manyok.
casserole ['kasəroul]. Güveç; saplı tencere.
cas(s)ette [kə'set]. Filim/mıknatıs şerit kutusu, kaset.
cassock ['kasək]. Cüppe.
cassowary ['kasəwəri]. Tepeli devekuşu.
cast[1] (*g.z.(o.)* ~) [kāst] *f.* Atmak; saçmak; (demir) dökmek; salmak; (*tiy.*) rol dağıtmak; (hayvan) doğurmak; (hayvanı) özel yere atmak; (olta) atmak: **~ (up) figures**, rakamları toplamak, cemetmek: **~ the lead** [led], iskandil atmak. **~ about**, etrafa atmak: **~ about for stg.**, aramak, aranmak; çare aramak. **~ away**, atmak: **be ~ away**, (gemi) karaya düşmek; kazaya uğramak. **~ down**, aşağı atmak; indirmek: **be ~ down**, neşesiz/keyifsiz/kederli olm. **~ off**, çıkarıp atmak; kaldırıp atmak; reddetmek; (örme işinde) ilmek geçirmek: **~ off!**, alarga!
cast[2] *i.* Atma: atış; dökme; voli; oltanın kancalı ucu; solucanların yerden çıkardığı toprak; bir piyesin kişileri; rol dağıtımı; şehlâ; tip, kalite, kuruluş: **a man of his ~**, bu karakterde bir adam.
cast[3] *s.* Atılmış; dökme.
castanets [kastə'nets]. Çalpara, kastanyet.
castaway ['kāstəwey]. Deniz kazasına uğrayıp hücra bir ada vb.de kalmış; cemiyetten tardedilmiş.
caste [kāst]. (Hint toplumunda) sınıf, kast; yüksek sınıf; sınıf farkı: **lose ~**, toplumdaki yerini ve itibarını kaybetmek.
castella·n ['kastələn]. Kale kumandanı. **~ted** [-tileytid], kale şeklinde; mazgal/kuleli; taçlı.
caster [kāstə(r)]. Atan kimse; dökümcü.
castigat·e ['kastigeyt]. Cezalandırmak; şiddetle tenkit ve tekdir etm. **~ion** [-'geyşn], ceza(landırma); şiddetle tenkit. **~ory** [-'geytəri], ıslaha ait.
Castil·e [kas'tīl]. Bir nevi sert sabun. **~ian** [-iən], İspanyolca; Kastilli.
casting ['kāstin(g)] *i.* Dökme; döküm; (*tiy.*) oyuncu seçimi; tüy dökme; (olta) atma. **~-net**, serpme ağ. **~-vote**, (meclis) oylar berabere geldiği zaman başkanın olağanüstü oyu.
cast·-iron [kāst'ayən]. Dökme demir(den yapılmış), pik demiri, font: **he has a ~ constitution**, bünyesi demir gibi sağlam: **a ~ excuse/alibi**, tam/hakiki bir mazeret. **~-off**, çıkarılıp atılmış; eski (elbise vb.)
castle [kāsl] *i.* Kale, hisar; şato; (satranç) ruh. *f.* (Satranç) şah ile ruhu aşırmak. **build ~s in Spain/the air**, hayal kurmak; olmıyacak şeyler düşünmek: **an Englishman's house is his ~**, (*ata.*) o evinde iken müstakil ve serbesttir. **~-nut**, çentikli somun.
castor[1] ['kāstə(r)] *i.* Makara, ayak makarası; küçük tekerlek, dingil, nakil tekerleği.
castor[2] *i.* Zeytin yağ/sirke/tuzluk vb. takımı.
castor[3] *i.* (*tıp.*) Kunduzdan alınan bir madde. **~-oil**, hint yağı. **~-sugar**, ince toz şeker.
castrat·e [kas'treyt]. Hadım etm., iğdiş etm.; (*kon.*) (kitap) müstehcen sayılan parçaları çıkarmak. **~ed** [-tid], kesik, hadım. **~ion** [-'treyşn], hadım/iğdiş etme, burma. **~o** [-'trātou], hadım şarkıcı.
casual ['kazyuəl] *s.* Tesadüfî, arızî, rastgele; plansız, dikkatsiz, kararsız; kayıtsız, lâübali; muvakkat. *i.* Muvakkat işçi; arasıra belediye teşkilâtından yardım gören kimse. **~-clothes**, teklifsiz elbiseler. **~-labour**, muvakkat işçiler. **~ly**, rastgele vb. olarak.
casualty ['kazyuəlti]. Kaza; malûl; (*ask.*) zayiat, kayıp; ölü, yaralı: **fatal ~**, ölüm. **~-list**, (*ask.*) zayiat listesi **~-ward**, ilk yardım koğuşu.
casuist ['kazyuist]. Ahlâk meselelerinde doğru ile yanlışı inceden inceye araştıran adam; safsatacı. **~ic(al)**, safsatalı. **~ry**, safsata.
casus belli [kāsus'belay] (*Lat.*) Savaş sebebi.
cat[1] [kat] *i.* Kedi; kamçılı kırbaç: **wild ~** = WILD-~: **let the ~ out of the bag**, bir sırrı ağzından kaçırmak: **a ~ may look at a king**, kendini bu kadar büyük görme!, hepimiz insanız: **be like a ~ on hot bricks**, diken üstünde oturmak: **see which way the ~ jumps**, rüzgârın nereden eseceğini beklemek: **there is not room to swing a ~**, kımıldanacak yer yok: **enough to make a ~ laugh**, insan gülmekten bayılır.
cat[2] *f.* **~ the anchor**, demiri grivaya vurmak.
cat. = CATALOGUE.
CAT = CLEAR-AIR TURBULENCE; COLLEGE OF ADVANCED TECHNOLOGY.
cat(a)- [kat(ə)] *ön.* Kat(a)-, alt, asağı·da/-ya. *krş.* KATA-.
cata·bolism [kə'tabəlızm]. Çökme metabolizması. **~chresis** [katə'krīsıs], söz/deyimi yanlış kullanma.
cataclysm [katə'klizm]. Tufan; (*id.*) ihtilâl; afet, umumî felâket. **~ic**, tufan/afet gibi.
catacomb ['katəkoum]. Yer altında dehliz şeklinde mezarlık, katakomb.
catadromous [katə'drouməs] (*biy.*) Katadrom.
catafalque ['katəfalk]. Katafalk.

catalectic [katə'lektik] (*şiir*). Son hecesi eksik olan/olma.
catalep·sy ['katəlepsi]. Nöbet sırasında vücudun kaskatı kesildiği bir hastalık; katalepsi. **~tic** [-'leptik], katalepsi+.
catalogue ['katəlog]. Katalog (yapmak).
cataly·se ['katəlayz]. Katalizlemek, kataliz etm., çözdürmek. **~sis** [ke'talisis], kataliz. **~st/~ser** ['katəlist, -layzə(r)], katalizör. **~tic**, katalitik.
catamaran [katəmə'ran]. Çift tekneli kayık; kütüklerle yapılan sal; (*mec.*) kavgacı kadın.
catamite ['katəmayt]. Oğlan, ibne, puşt.
cata·plasm [katə'plazm] (*tıp.*) Lapa. **~plexy** [-'pleksi], geçici felç.
catapult ['katəpʌlt]. Mancınık (ile atmak); lâstikli sapan; (uçak gemisinde) katapult.
cataract ['katərakt]. Dik şelâle; sel; (gözde) perde, katarakt.
catarrh [kə'tā(r)]. Muhatî zarın iltihabı, ingin; nezle, akıntı, katar.
catastroph·e [kə'tastrəfi]. Felâket; musibet; feci sonuç; yıkım. **~ic** [katə'strofik], felâketli; müthiş; facialı; yok edici; en yıkıcı.
cat·boat ['katbout]. Tek direkli yelkenli gemi. **~-burglar**, kapıyı kırmadan tırmanarak eve girip soyan hırsız. **~ call** [-kōl] (*tiy.*) ıslık (çalmak); (*id.*) yuha(lamak).
catch[1] [kaç] *i.* Tutuş, kapış; sürgü, kol vb. gibi tutan şey; susta; tutulan şey; hile, oyun; birinin başlayıp diğerinin devam ettirdiği şarkı: **a good ~**, (*kon.*) (bir kız bakımından) kelepir koca: **a ~ of the breath**, birdenbire nefesi tutulma: **he/it is no great ~**, bulunmaz hint kumaşı/matah değil: **there's a ~ in it**, 'bir püf noktası vardır' *veya* 'ucuzdur illeti var' *gibilerden*: **a ~ question**, sınavda öğrenciye sorulan ve hatıra gelebilecek ilk cevabı yanlış olan soru.
catch[2] (*g.z.*(*o.*) **caught** [kōt]) *f.* Yakalamak, tutmak, almak, ele geçirmek; kapmak; yetişmek; ilişmek; çarpmak; (kilit vb.) tutmak; (ateş) tutuşmak. **~ at**, tutmağa çalışmak: **~ me (doing such a thing)!**, bunu yapmak mı? ne münasebet!: bunu yaparsam arap olayım: **you don't ~ me!**, ben faka basmam yağma yok!: **~ s.o. a blow**, birine bir yumruk eklemek: **a sound caught my ear**, kulağıma bir ses çarptı: **a picture caught my eye**, bir resim gözüme ilişti: **you'll ~ it!**, paparayı yiyeceksin!: **I didn't quite ~ your name**, isminizi iyi işitemedim. **~ on**, alıp yürümek, rağbeti olmak. **~ out**, gafil avlamak; (yaparken) yakalamak; alt etm., bastırmak. **~ up**, yetişmek; birinin sözünü kesmek: **I'll ~ up with you**, size yetişirim.
catch-[3] *ön.* **~-as-~-can**, serbest güreş. **~-basin** = ~MENT. **~-crop**, iki ana ekin arasında ekilen ve çabuk yetişen bir ekin. **~er**, mandal; avcı, yakalayıcı; kapan. **~ing**, *s.* cazibeli, çekici; (*tıp*) bulaşık, sari. **~-line/phrase**, göze carpacak söz/satır; (*tiy.*) güldürücü bir söz. **~ment** [-mənt], **~area/basin**, beslenme bölgesi; kapma/tutma havzası; su toplama sahası. **~penny**, gösterişli fakat değersiz (mal). **~-points**, (*dem.*) makasında rayların istikamet değiştirdiği nokta. **~-word**, (*id.*) daima tekrar edilen vecize; şiar; göze çarpacak yere konan kelime; tipik kelime. **~y** ['kaçi], (*kon.*) kolay hatırda kalan; cazip.
cat·-davit ['katdavit]. Griva mataforası. **~-door**, kediden açılabilen küçük kapı.
catech·ism ['katikizm]. Soru ve cevap ile öğretme; bu suretle yazılmış din kitabı, kateşizm. **~ize** [-kayz], sual ve cevap usulü ile öğretmek; bir sürü sorular sormak. **~umen**, [-'kyūmen], kateşizm öğrencisi.
categor·ical [kati'gorikl]. Katî, kesin, hamlî; şartsız; kesenkes: **~ly**, şartsız olarak. **~ize** ['katigərayz], sınıflandırmak. **~y**, sınıf, sıra, tabak, kategori.
catena [kə'tīnə]. Dizi, sıra, zincir. **~ry**, zincir çizgi/dizisi, zincir eğrisi. **~te** ['katəneyt], zincir gibi bağlamak/birleştirmek.
cater ['keytə(r)]. **~ for**,... için yemek tedarik etm.; zevk/eğlence vb. temin etm. **~er**, yiyecek tedarik eden, vekilharç, yiyecek müteahhidi, kumanyacı. **~ing**, yemek tedariki.
caterpillar ['katəpilə(r)]. Tırtıl, kurt; (*oto.*) katerpilar. **~ drive**, tırtıllı işletme düzeni. **~ track**, tırtıl çarık zinciri. **~ tractor**, katerpilar/tırtıllı traktör. **~ vehicle**, paletli taşıt.
caterwaul ['katəwōl]. Kedi gibi bağırma(k), miyavlama(k).
cat·fish ['katfiş]. Yayınbalığı, köpek yayını. **~ gut** [-gʌt], kiriş, katgüt.
Cath. = CATHEDRAL; CATHOLIC.
cathar·sis [kə'θāsis]. Liynet, ishal, amel; (*tiy.*) katarsis. **~tic**, müshil (ilâç).
Cathay [ka'θey] (*şiir.*) Çin memleketi.
cathead ['kathed]. Griva mataforası; çıkrık.
cathedral [kə'θīdrəl]. İçinde piskopos kürsüsü bulunan baş kilise, katedral.
Catherine ['kaθərin]. **~ wheel**, tekerlek şeklinde fişek, çarkıfelek.
catheter ['kaθitə(r)] (*tıp.*) Sonda.
cathod·e ['kaθoud]. Katot: **~-ray (tube)**, katot şuaı (tübü). **~ic**, katotsel.
catholic ['kaθəlik]. Âlemşümul, her şeyi ihtiva eden, herkese yarayan/herkesle ilgili olan; geniş fikirli; bütün Hıristiyanları içine alan; katolik. **~ism** [kə'θolisizm], katoliklik. **~ity** [kaθə'lisiti], âlemşümullük; geniş fikirlilik; liberallik. **~ize** [kə'θolisayz], katolikliğe değiştirmek. **~on** [-kən], panzehir; Ortodoks piskoposun kilisesi. **~os**, Ermeni Patriği.
cat·hook ['kathuk]. Kapon çengeli. **~-ice**, (havza üzerinde) çok ince buz.
cation ['katayən]. Katyon, müspet iyon.
cat·kin ['katkin]. Söğüt/fındık çiçeği gibi çiçek. **~like** [-layk], kedi gibi; sinsi(ce), gizli(ce), sessiz(ce). **~mint**, mavi güzel kokulu bir çiçek. **~nap**, tavşan uykusu. **~-o'-nine-tails**, dokuz kamçılı kırbaç.
catoptrics [kə'toptriks]. Işık yansıtma bilimi, katoptrik.
cat's·-cradle ['katskreydl] (*çoc.*) İki elin parmaklarına ip geçirerek oynanan bir oyun. **~-eye** [-ay], bir cins yarı değerli taş; şose ortasını gösteren küçük reflektör, katafot. **~-meat**, kediye verilen et; (*köt.*) hiç iyi olmıyan gıda. **~-paw** [-pō], başkası tarafından alet olarak kullanılan kimse; (*den.*) fırışka. **~-tail**, bir kaç cins ot. **~-whisker**, (*rad.*) arayıcı/detektör teli.
cat·suit ['katsyūt] (*mod.*) (Kadın) tek parçalı ve vücuda sımsıkı oturan tam elbise. **~tery** [-təri], kedilerin yetiştirilme/yatırılma yeri. **~tish** [-tiş], kedi gibi; (*köt.*) sinsi ve müstehzi.

cattle [katl] *ç*. Sığır ve davar; boynuzlugiller. **~-lifter/-rustler**, sığır hırsızı. **~man**, sığır yetiştiren kimse. **~-pen**, sığır ağılı. ***~-range**, sığır otlağı. **~-show**, ziraat/tarım sergisi. **~-truck** [-trʌk], (*dem.*) hayvanlara mahsus vagon.
cat·ty ['kati]. Kedi (gibi); (*köt.*) sinsi ve müstehzi. **~walk** [-wōk], iskele, geçit (kalası), dar köprü.
Caucas·ia [kō'keyzyə]. Kafkasya. **~ian** [-'keyj(ə)n], Kafkasyalı; beyazırk; *Avrupalı ırkından bir kimse. **~us** ['kōkəsəs], Kafkaslar.
caucus ['kōkʌs]. Siyasî parti lider/üyelerinin toplantısı; klik.
cauda·l ['kōdəl]. Kuyruk gibi, kuyruk+, kuyruklu. **~te** [-deyt], kuyruklu.
caudillo [kau'dīlyou] (*İsp.*) Lider.
caudle ['kōdl]. Hastalar için bir çeşit sıcak şerbet.
caught [kōt] *g.z.(o.)* = CATCH².
caul [kōl]. Yeni doğan çocuğun başında bulunan zar; başlık.
cauldron ['kōldrən] (*ev.*) Kazan.
caulescent [kō'lesənt] (*bot.*) Saplı.
cauliflower ['koliflauə(r)]. Karnabahar, karnabit.
cauline ['kōlayn]. Sapa ait, sapta.
caulk [kōk]. Kalafat etm., kalafatlamak. **~er**, kalafatçı. **~ing**, kalafat(çılık).
caus·al ['kōzl]. Sebebe dair; sebep ifade eden. **~ality** [-'zaliti], nedensellik. **~ation** [-'zeyşn], ilâl, sebep. **~ative** [-zətiv], sebep olucu, sebep ifade eden; (*dil.*) oldurgan/ettirgen (çatı).
'cause [kōz] = BECAUSE.
cause [kōz] *i*. Sebep, neden, illet; münasebet, ilişki, vesile; dava; büyük mesele; taraftarlık. *f*. -e sebep olm., mucip olm.; doğurmak; *bu fiil ettirgen yapımına da yarar*: **~ s.o. to do stg.**, birine bir şey yaptırtmak. **make common ~ with s.o.**, bir gaye uğrunda birisiyle birleşmek. ***~-célèbre*** [kouzse-'lebr] (*Fr.*) önemli dava. **~less** ['kōzlis], sebep/nedensiz; asılsız. **~-list**, davalar listesi.
causerie ['kouzəri] (*Fr., bas.*) Konuşma gibi bir makale.
causeway ['kōzwey]. Islak bir alanda yapılan yüksekçe yol; sel basan yollar boyunca yayalar için yapılan yüksek ve köprü gibi geçit.
caustic ['kōstik] *s*. (Eti) yakıcı; acı ve dokunaklı; kostik; (*mec.*) yaralayıcı (söz). *i*. Yakıcı (ilâç); (*fiz.*) yansıyan şua eğrisi. **~ally** [-kəli], istihzalı olarak. **~ity** [kos'tisiti], yakıcıklık, vb. **~-lime**, yanmış kireç.
cauter·ize ['kōtərayz]. Dağlamak, yakmak. **~y**, dağlama, yakma; dağlama aleti; yakı.
cautio·n ['kōşn] *i*. İhtiyat, tedbir, sakınma, basiret; ikaz, ihtar, uyarma. *f*. İhtar etm., ikaz etm., uyarmak; tehdit etm. **~!**, dikkat!: **a ~**, (*arg.*) antika, numara: **~ary** [-əri], ihtar ve ikaza ait, ihtiyatî: **~-money**, teminat/kefalet parası. **~us** ['kōşəs], ihtiyatlı; ölçülü; bir az korkak; çekingen.
cav. = CAVALRY.
cavalcade [kavl'keyd]. Süvari alayı; atlılar ve arabaların geçişi.
cavalier [kavə'liə(r)] *i*. Atlı, süvari; kadınlara karşı çok nazik adam; bir hanıma refaket eden erkek; (*tar.*) 17ci asırda kralın bir taraftarı. *s*. Serbest, lâübali; keyfî; kibirli. **~ly**, kibirlice.
cavalry ['kavlri]. Süvari sınıfı; süvari. **~man**, atlı asker, süvari.

cave¹ [keyv]. Mağara, in. **~ in**, çökmek, yıkılmak; (*arg.*) teslim olm., razı olm.
cave² ['keyvi] (*Lat.*) Dikkat!, sakın!: **keep ~**, gözetlemek: **~ *canem*!** köpekten sakın!
caveat ['kaviat]. 'Sakınsın' *anlamına Latince bir kelime*. **enter/put in a ~**, (*huk.*) (taraflardan biri) kendini dinlemeden harekete geçilmemesi hakkında bir adlî makama müracaat etm./itirazda bulunmak: **~ *emptor***, (hukukî kaide) 'sorum alıcıya aittir'.
cave·-dweller ['keyv-]. Mağarada oturan kimse. **~man**, (taş çağında) mağara adamı; (*arg.*) külhanbeyi. **~r**, mağaraları keşfeden kimse. **~rn** ['kavən] (*şiir*) büyük mağara: **~ous**, mağaralarla dolu; mağara gibi (büyük/derin).
caviar(e) ['kaviā(r)]. Havyar, balık yumurtası. **red ~**, tarama.
cavil ['kavil]. Daima kusur bulmak; anlamsız şekilde itiraz etm.
caving ['keyvin(g)] (*sp.*) Mağaraların keşfedilmesi.
cavit·ation [kavi'teyşn]. Kovuklaşma, kavitasyon. **~y** ['kaviti], çukur, oyuk, boşluk, kovuk, kavite: **~-wall**, arayeri boş bırakılan duvar.
cavort [kə'vōt]. (At gibi) sıçrayıp oynamak.
cavy ['keyvi]. Kobay(giller).
caw [kō]. (Karga) bağırma(k).
cay [key] = KEY³.
cayenne [key'en]. Kırmızı biber.
cayman ['keymən]. Kayman.
caza ['kāzə] (*Tk.*) Kaza.
Cb. (*kim.s.*) = COLUMBIUM.
CB = COMPANION (OF THE ORDER) OF THE BATH; CONFINED TO BARRACKS; COUNTY BOROUGH. **~E** = COMMANDER (OF THE ORDER) OF THE BRITISH EMPIRE. **~I** = CONFEDERATION OF BRITISH INDUSTRY. **~S** = *COLUMBIA BROADCASTING SYSTEM. **~W** = CHEMICAL AND BIOLOGICAL WARFARE.
c.c. = CUBIC CENTIMETRE.
CC = CONSULAR CORPS; COUNTY COUNCIL(LOR); CRICKET CLUB. **~F** = COMBINED CADET FORCE. **~TV** = CLOSED-CIRCUIT TELEVISION. **~W** = COUNTER-CLOCKWISE.
Cd. = (*kim.s.*) CADMIUM; COMMAND PAPER.
cd. = CANDELA.
CD = CIVIL DEFENCE.
C. div. = CUM DIVIDEND.
Cdr = COMMANDER. **~e** = COMMODORE.
Ce. (*kim.s.*) = CERIUM.
CE = CHURCH OF ENGLAND; CIVIL ENGINEER. **~A** = CENTRAL ELECTRICITY AUTHORITY.
cease [sīs]. Durmak, bitmek, kesilmek, dinmek; vazgeçmek. **~ fire!** ateş kes!: **he has ~d to write**, artık yazmıyor: **without ~**, durmadan. **~less**, durmadan; sürekli; aralıksız: **~ly**, aralıksız olarak.
cedar ['sīdə(r)]. Sedir, erze. **~ of Lebanon**, Lübnan/Toros sediri, katran ağacı. **~(wood)**, sedir ağacı.
cede [sīd]. Teslim etm., bırakmak, devretmek; feragat etm.; fariğ olm.
cedilla [si'dilə]. Sedil işareti (ç).
CEGB = CENTRAL ELECTRICITY GENERATING BOARD.
ceil [sīl]. Tavan inşa etm. **~ing**, tavan; (*hav.*) azamî irtifa; (*mal.*) fiyatların azamî haddi, plafon, tavan.
ceilidh ['keyli] (*İsk.*) Müzikli ile şairane toplantı.

celadon ['selədən]. Söğüt gibi açık yeşil.
celandine ['seləndayn]. Kırlangıçotu.
celanese [selə'nīz] (*M.*) Bir nevi sunî ipek.
-cele [-sīl] *son.* (*tıp.*) -uru.
celebr·ant ['selibr(ə)nt]. Âyin yapan papaz, **~ate** [-breyt], kutlamak, tesit etm., ruhanî âyin yapmak, bayram yapmak. **~ated**, meşhur, ünlü. **~ation** [-'breyşn], kutlama; tesit; ruhanî âyin icrası. **~ity** [si'lebriti], meşhur şahıs; şöhret.
celeriac ['seləriak]. Şalgam köklü kereviz gibi bir sebze.
celerity [si'leriti]. Hız, sürat, müsaraat.
celery ['seləri]. Kereviz.
celestial [si'lestiəl]. Gök+, göksel, semavî; (*hav.*) astronomik; ilahî. **the ~ Empire**, Çin memleketi. **~ly**, ilahî olarak. **~-navigation**, (*hav.*) yıldızlara göre seyrüsefer (ilmi).
celiba·cy ['selibəsi]. Bekârlık. **~tarian**, bekâr(lik taraftarı). **~te** [-bət], bekâr.
cell [sel]. Hücre; göze; küçük oda; manastır/zindan odası; petek gözü; elektrik pili; nüve. **padded ~**, (akıl hastanesi) yastıklı hücre: **~ wall**, çeper.
cellar ['selə(r)]. Mahzen, yeraltı kiler; şarap mahzeni. **~age**, kiler ücreti. **~er**, kilerci. **~et**, içkiler dolabı.
'cell·ist ['çelist]. Viyolonselci. **~o** ['çelou], viyolonsel.
cellophane ['seləfeyn] (*M.*) Selofan.
cellul·ar ['selyulə(r)]. Hücre+, göze+; hücreli, gözeli; hücrelerden mürekkep; göz göz. **~ate**, hücrelerden mürekkep. **~e** [-yūl], hücrecik.
cellulo·id ['selyuloyd]. Selüloit. **~se** [-louz], Selüloz.
Celsius ['selsiəs] = CENTIGRADE.
Celt/Kelt [kelt, selt]. Kelt. **~ic**, *i.* Keltçe: *s.* Kelt(ler)+: **the ~ fringe**, Brit.'nın batı tarafında bulunan Keltler. **~omaniac** [-o'meyniak], Kelt sanatlarına düşkün kimse.
cement [si'ment] *i.* Çimento, macun; tutkal, birleştiren şey. *f.* Çimentolamak; iyice birleştirmek, yapıştırmak. **~ation** [-'teyşn], sementasyon, çimentolanma, tavlama. **~ed**, (*yer.*) yapışık. **~ite** [-tayt], sementit.
cemetery ['semitri]. Mezarlık.
-cene [-sīn] *son.* (*yer.*) -sen [PLEISTOCENE].
C. Eng. = CHARTERED/CIVIL ENGINEER.
cenobite ['sinoubayt]. Manastırda toplumsal hayat geçiren keşiş.
cenotaph ['senətāf]. Başka yerde gömülü biri için dikilen anıt. **the C~**, 1ci ve 2ci Dünya Savaşlarında ölenleri hatırlatan Londra'daki anıt.
censor ['sensə(r)] *i.* Sansör; (*sin.*) denetçi; kontrol memuru; tenkitçi. *f.* Sansür etm.; denetlemek; yasak etm. **~ial** [-'sōriəl], sansör+. **~ious** [-'sōriəs], tenkitçi; daima kusur bulan. **~ship**, sansür (idaresi), denetleme, yasaklama, ön denetim.
censure ['senşə(r)]. Tenkit etme(k); eleştirme(k); kabahat bulma(k), tevbih etme(k).
census ['sensʌs]. Nüfus sayımı. **take a ~**, nüfus sayımı yapmak. **~-paper**, doldurulacak sayım formüleri.
cent [sent]. Doların yüzde biri, sent; (*kon.*) metelik, zerre. **per ~(age)**, yüzde(lik).
Cent. = CENTIGRADE; CENTURY.
centaur ['sentō(r)] (*mit.*) Insan başlı at; (*gok.*) Erboğa; (*mec.*) mükemmel binici. **~y**, peygamber çiçeği; kantaryon.
cente·narian [sentə'neəriən]. Yüz seneye ait; yüz yaşında veya daha fazla olan. **~nary** [-'tīnəri], yüzüncü yıldönümü. **~nnial** [-'teniəl], yüz yıl/yüzüncü yıldönümüne ait. **~simal** [-'tesiməl], yüzde bire ait.
***center** ['sentə(r)] = CENTRE. **~ing** = CENTRING.
centi- ['senti-] *ön.* Santi- (10^{-2}). **~grade/~gram(me)/~litre/~metre**, santi·grat/-gram/-litre/-metre. **~pede** [-pīd], kırkayak, çıyan, çokbacaklı(lar). **~poise** [-poyz], santipua.
CENTO/Cento ['sentou] = CENTRAL TREATY ORGANIZATION.
central ['sentrəl] *s.* Orta; göbek; iç; merkez·î/-sel, tek yerden, *i.* Santral. **C~ia** [-'treyliə], Avustralya iç bölgeleri. **~-heating**, merkezden ısıtma döşemi. **~ization** [-lay'zeyşn], merkezlen(dir)me; merkeziyetçilik. **~ize**, merkezlendirmek: **~d**, merkezî, tek yerden. **~ly**, merkez/ortada bulunan.
centre ['sentə(r)] *i.* Orta, merkez; (*mat.*) özek; (torna) punta. *f.* Ortaya koymak; bir noktaya toplamak; temerküz ettirmek. **back ~**, (*müh.*) gezer punta: **dead ~**, ölü nokta, sabit punta; (*kon.*) tam ortasında: **live ~**, döner punta: **up ~**, (*tiy*) üst orta: **~ of (gravity, etc.)**, (ağırlık vb.) merkezi. **~-bit**, punta. **~-board**, (*den.*) kontra omurga(lı tekne). **~fold**, (*bas.*) (kitapta) fazla büyüklüğünden katlanan resim. **~-forward**, (*sp.*) orta akıncı. **~-half(back)**, orta müdafi. **~ing** = CENTRING. **~-lathe** [-leyð], punta tornası. **~-piece**, sofra ortasındaki süs/biblo. **~-punch**, nokta zımbası, delik mastarı. **~-spread**, (*bas.*) gazetenin ortasındaki karşı olan iki sayfa.
centri- [sentri-] *ön.* Merkez·î/-sel, ortaya ait; santri-.
-centric [-'sentrik] *son.* -merkezli.
centri·fugal [sen'trifyūgəl]. Santrifüj, merkezkaç. **~fuge** ['sentrifyūc], santrifüj makinesi. **~ng**, puntalama, merkezleme; (*mim.*) kemer/kubbe kalıbı. **~petal** [-'tripitəl], merkezcil, merkeze doğru, ortaya çeken. **~st**, (*id.*) mutedil politika taraftarı.
centro- ['sentro-] *ön.* Santro-, merkezî.
centu·ple ['sentyupl]. Yüz misli. **~plicate** [-'tyuplikeyt], yüz misli olarak; yüz misline çıkarmak. **~rion** [-'tyuəriən], (eski Roma) yüzbaşı. **~ry** ['sençəri], asır, yüzyıl; bir şeyin yüz misli: ***~-note**, $100-lık banknot.
cep [sep]. Yenir bir cins mantar.
cephal·ic [si'falik] *s.* Başa ait. **-~ic/~ous** [-'sefəlik, -ləs], *son.* -sefal, -başlı. **~o-**, *ön.* baş+, kafa+, sefalo-: **~pod**, kafadanbacaklı.
ceramic [si'ramik]. Seramik(ten); çanakçömlek. **~s**, seramik; çömlekçılık: çini/porselen eşya.
cerato- [sirato-] *ön.* Boynuz+.
Cerberus ['sōbərəs] (*mit.*) Cehennem kapısında bekliyen üç başlı köpek; (*mec.*) bekçi.
cere [sī(r)]. Balmumu gibi bir zar.
cereal ['siəriəl]. Hububat nevinden; zahire, hububat; tahıl; bir nevi kahvaltı yemeği.
cereb·ellum [seri'beləm]. Beyincik, dimağçe. **~ral** ['seribr(ə)l], beyin+, beyinsel. **~ration** [-'breyşn], beyin faaliyeti; düşünüş. **~ro-**, *ön.* beyin+. **~rum** [-brəm], beyin.
cere·cloth ['siəkloθ]. Mumlu bez. **~ment**, kefen.
ceremon·ial [seri'mouniəl] *s.* Resmî; merasimli, teşrifatlı; âyine ait. *i.* Merasim, âyin, tören. **~ially**,

merasim/teşrifatlı olarak. ~**ious** [-iəs], merasim ve teşrifatlı; tekellüflü. ~**y**, *ç*. ~**ies** ['serimәni(z)], merasim, tören, teşrifat: **stand upon** ~, resmî olm., merasime uymak: **no need for/to stand upon ~ here**, burada teklif tekellüfe lüzum yok: **master of ~ies**, teşrifatçı, tören başı: **without** ~, teklifsizce.

ceriph ['serif] = SERIF.

cerise [sә'rīz] (*Fr.*) Açık kırmızı, kiraz rengi.

cerium ['sīriəm] (*kim.*) Seryum.

cermet ['sǝ̄(r)met]. Keramik ile madenden hâsıl olan halita.

CERN (*Fr.*) = EUROPEAN ORGANIZATION FOR NUCLEAR RESEARCH.

cero- [sīro-] *ön.* Balmumu-.

cert. [sǝ̄t] = CERTIFICATE; CERTIFY; (*kon.*) = CERTAINTY: **it's a (dead)** ~, hiç şüphe yok, elde bir; yarışı kazanacak at.

certain ['sǝ̄tn, -tin]. Katî, kesin, mutlak, muhakkak; emin; bazı, bir, bir az: **a** ~, adı söylenmek istenmiyen bir (kimse vb.), adı gerekli değil: **a lady of a ~ age**, yaşlıça bir hanım: **a ~ Mr. Brown**, Mr. Brown isminde bir adam: **he will come for ~/he is ~ to come**, muhakkak gelir: **make ~ of stg.**, tahkik etm., temin etm., hakkında emin olm., araştırmak. ~**ly**, elbette, şüphesiz; hay hay. ~**ty**, katiyet, kesinlik, katî/kesin şey; (*sp.*) muhakkak ki kazanacak: **for/of a** ~, muhakkak.

Cert. Ed. = CERTIFICATE IN EDUCATION.

certifiable ['sǝ̄tifayәbl]. Tasdik edilebilir; doktor raporuyla tımarhaneye gönderilecek kadar deli.

certificate [sә'tifikit] *i.* Tasdikname, vesika; onay belgesi; diploma, bröve, sertifika; (*tıp.*) rapor; (*sin.*) belge; şehadetname, ehliyetname. [-keyt] *f.* Vesika/sertifika/şehadetname vb. vermek, onaylamak. ~**d** [-tid], diplomalı, onaylı.

certif·y ['sǝ̄tifay]. Tasdik etm., tevsik etm., tekit etm.; doğrulamak, gerçeklemek; onaylamak; resmiyet vermek; rapor vermek; şehadetname/vesika vermek. ~**ied**, tasdikli, diplomalı: ~**official**, yeminli/yetkili memur.

certiorari [sǝ̄tiō'reәray] (*Lat., huk.*) Bir mahkemenin resmen evrak talebi.

certitude ['sǝ̄tityūd]. Katiyet, kesinlik, pekinlik; mevsukiyete yakın; şüphesiz olma.

cerulean [si'rūliәn]. Gök mavisi.

cerumen [si'rūmen] (*tıp.*) Kulak kiri.

cervi·cal ['sǝ̄vikl]. Boyna ait: ~ **vertebra**, boyun omuru. ~**x** [-iks], boyun, dölyatağı boynu.

***ces-** = CAES-.

cessation [se'seyşn]. Durma, inkıta.

cession ['seşn]. Terk, devir, ferağ, vazgeçme. ~**ary**, kendisine bir şey terkedilen kimse.

cess·pit/~**pool** ['sespit, -pūl]. Lağım/çürütme/süzme çukuru; (*mec.*) pislik ocağı.

CET = CENTRAL EUROPEAN TIME.

cetacean [sī'teyşn]. Memeli deniz hayvanı.

cetane ['sīteyn] (*kim.*) Setan.

ceteris paribus ['sīteris 'paribәs] (*Lat.*) Diğer hususlarda eşitlik halinde.

Ceylon [si'lon]. Seylân, Serendip; (*şim.* = SRI LANKA). ~**ese** [-'nīz] *i.* Seylânlı: *s.* Seylân+.

Cf. (*kim.s.*) = CALIFORNIUM.

cf. (*Lat.*) = COMPARE.

CF = CHAPLAIN TO THE FORCES.

cf = CARRIED FORWARD.

CG = COMMANDING GENERAL; CONSUL(ATE)-GENERAL. ~**M** = CONSPICUOUS GALLANTRY MEDAL. ~**S** = CHIEF OF THE GENERAL STAFF.

cg = CENTRE OF GRAVITY. ~**s** = CENTIMETRE-GRAM-SECOND.

Ch. (*Lat.*) = SURGERY.

CH = CENTRAL HEATING; COMPANION OF HONOUR; (*Lat.*) SWITZERLAND.

chafe [çeyf]. Sürtmek; sürterek berelemek, iltihaplandırmak; ısıtmak için ovmak; sürtünmek; darılıp durmak; sinirlen(dir)mek. ~**r**[1], su ısıtacak kap.

chafer[2] [çeyfә(r)]. Bir kaç cins kanatlı böcek.

chaff[1] [çāf] *i.* Saman toz/çöpü; hububat kabuğu ve saman kırıntısı; (*hav.*) uçak temsil edip radar cihazını aldatan madde.

chaff[2]. Şaka (etm.), takılma(k).

chaffer ['çafә(r)]. Sıkı pazarlık etme(k), fiyat üzerinde çekişme(k).

chaffinch ['çafinç]. İspinoz.

chafing·-dish ['çeyfin(g)diş]. Ocaklı sahan. ~**-gear** [-giә(r)] (*den.*) sürtünme azaltan cihaz.

chagrin ['şagrin, şә'grīn] *i.* Üzüntü, infial, iğbirar. *f.* Umudunu kırmak; canını sıkmak; gücendirmek, küstürmek.

chain [çeyn] *i.* Zincir, köstek; silsile, sıra (dağlar); 66 kademlik ölçü/ölçme aleti; palanga; kar zinciri. *f.* Zincirlemek. ~ **of hotels/shops**, otel/mağazalar zinciri: ~ **of ideas/thoughts**, düşünceler silsilesi: ~ **up**, zincire/zincirle bağlamak: **put in** ~**s**, zincire vurmak: **mountain** ~, dağ silsilesi: **watch** ~, köstek. ~**-armour/mail**, örme zırh elbise. ~**-gang**, zincire vurulmuş olarak çalışan mahkûmlar. ~ **letter**, alıcısı tarafından kopyalar edilerek başka kimselere gönderilen bir mektup. ~**-locker**, (*den.*) zincir dolabı. ~**-pump**, çalparalı zincir tulumbası. ~**-reaction**, (*kim.*) dizi reaksiyonu. ~**-reactor**, atom reaktörü. ~**-shot**, makas gülle. ~**-smoker**, arasız olarak sigara içen kimse. ~**-stitch**, (*mod.*) zincir işi. ~**-store**, çok şubeli mağaza; böyle bir mağazanın şubesi.

chair [çeәr] *i.* Sandalye, iskemle; kürsü; sedye; makam; reislik makamı. *f.* İskemlesiyle birilikte kaldırıp taşımak; omuzda taşımak. **take a** ~, oturmak: **take the** ~, bir toplantıya başkanlık etm.: **arm-**~, koltuk: **deck-**~, şezlong: **high-**~, bebeğin oturaklı sandalyası: **rocking-**~, salınacak iskemle. ~**-borne**, (*arg.*) savaşa girmeyip yazıhanede çalışan subay. ~**lady/woman**, kadın başkan. ~**man**, başkan, reis; toplantı reisi; sedyeci: **Madam** ~, kadın başkan: ~**ship**, başkan/reislik.

chaise [şeyz]. Hafif gezinti arabası.

Chalcedon ['kalsidәn]. Kadıköy. ~**y** [kal'sedәni], Kadıköytaşı, alacaakik, kalsedon.

chalco- [kalko-] *ön.* Kalko-, bakır+.

Chalde·an/~**e** [kal'diәn, -dī]. Keldanî (dili).

chalet ['şaley]. Dağ kulübesi; köşk.

chalice [çalis]. Âyinde kullanılan kadeh.

chalk [çōk]. Tebeşir. ~ **(up)**, tebeşirle yazmak: ~ **out**, tebeşirle tasarlamak: **French** ~, talk: **as different as ~ from cheese**, arasında dağlar kadar fark var: **A. is better than B. by a long** ~, A. B.'den fersah fersah daha iyidir: **'will Ahmed win the race?' 'Not by a long** ~', 'Ahmet yarışı kazanacak mı?' 'Ne münasebet (tam tersi)'. ~**y**, tebeşirli, tebeşir gibi.

challenge ['çalinc]. Meydan okuma(k); (*sp.*) onur; düelloya davet etme(k); 'alnını karışlamak'; şüphe etm., itiraz etm.; talep etm.; (nöbetçi hakkında) 'kim o?' diye bağırmak, parola sormak. **~-cup**, (*sp.*) onur kupası.
chalybeate [ka'libiət]. Demirli (kaplıca).
Cham [kam] = KHAN: **the Great ~**, otokrat.
chamber ['çeymbə(r)]. Oda; yatak odası; toplantı vb. salonu; ocak; yazıhane; meclis; kısım, bölme; tüfek haznesi; (*müh.*) iç; depo: **~ of Commerce**, Ticaret Odası: **~ of Deputies**, Millet meclisi. **~-concert**, küçük salon konseri. **~lain** [-lin], mabeynci. **~maid** [-meyd], oda hizmetçisi. **~-music**, oda müziği. **~-orchestra**, küçük orkestra. **~(-pot)**, oturak, lâzımlık. **~s**, (*huk.*) avukat yazıhanesi.
chameleon [kə'mīlyən]. Bukalemun.
chamfer [çamfə(r)] *i.* Oluk, yiv, şiv, köşe kırması. *f.* Oluk açmak, şivlemek, kenarını kırmak.
chamois ['şamwā]. Dağ keçisi, şamua. **~ leather** ['şamileðə(r)], güderi.
champ[1] [çamp]. Çıtırdatarak çiğnemek; (at gemini) ısırmak.
champ[2] (*arg.*) = CHAMPION.
champagne [şam'peyn]. Şampanya.
champerty ['şampəti]. Olabilecek kazancı paylaşmak için ilgisi olmıyan kimsenin bir davalı ile anlaşarak dava ücretlerini üzerine alması.
champion ['çampiən] *i.* Şampiyon; müdafaacı, kahraman; savaşan, vuruşan; mübariz. *f.* Müdafaa etm., savunmak, tarafını tutmak. **~ship**, sampiyon·a/-luk, birincilik; tarafını tutma.
chance[1] [çāns] *i.* Kısmet, talih, şans, kader; fırsat; imkân; ihtimal. *s.* Tesadüfî. **by ~**, tesadüfen, rast gelerek: **will you be there by any ~?**, orada olmak/oraya gitmek ihtimaliniz var mı?: **the ~s are that**, çok muhtemeldir ki: **the ~s are against his coming**, gelmesi ihtimali zayıftır: **the ~s are against me**, durum bana karşıdır: **have an eye to the main ~**, daima kendi çıkarına bakmak: **give s.o. a ~**, (i) birine kendini göstermek için imkân vermek: (ii) imkân vermek, izin vermek, müsaade etm.; insaflı olm.: **there is an off ~ that...,**... muhtemel değil fakat olabilir: **he stands a ~ of winning**, kazanmak ihtimali yok değildir: **take a ~**, bir kere denemek: **take one's ~**, tehlikeyi göze alıp girişmek; talihini denemek: **take a long ~**, başarı ihtimali pek zayıf olan bir işe girişmek.
chance[2] *f.* Bir kere denemek; tesadüfe bırakmak: **~ to do stg.**, bir şeyi tesadüfen yapmak: **if you ~ to see him**, onu görecek olursanız: **~ upon s.o.**, birine rastlamak.
chancel ['çānsəl]. Kilisede mihrabın etrafında rahiplere ve koroya mahsus yer.
chancell·ery ['çans(ə)ləri]. CHANCELLOR makamı; elçilik kançılaryası. **~or** [-lə(r)], büyük rütbeli devlet memuru; üniversitenin fahrî rektörü; (*Alm.*) başbakan: **†~ of the Exchequer**, Maliye Bakanı: **†Lord ~**, Lordlar Kamarası reisi ve Adalet Bakanı: **Vice-~**, üniversite rektörü. **~orship**, CHANCELLOR makamı.
†chancery ['çānsəri]. **Court of ~**, Lordlar Kamarasından sonra en yüksek mahkeme: **put one's head in ~**, kapana kısılmak.
chancre ['şan(g)kə(r)]. Frengi çıbanı, şankr.
chancy ['çānsi]. Talihe bağlı; tehlikeli.
chandelier ['şandəliə(r)]. Avize.
chandl·er ['çāndlə(r)] (*mer.*) Mumcu: **corn-~**, zahire tüccarı: **ship's ~**, gemi levazımatçısı, kumanyacı. **~ing**, kumanya.
change[1] [çeync] *i.* Değişme, değişiklik; tahavvül; tebdil; bozukluk (para), paranın üstü; değişik elbise; aktarma. *f.* Degiş(tir)mek; tahvil etm., tahavvül etm.; başkalaşmak; boz(ul)mak; aktarma yapmak. **for a ~**, değişiklik olsun diye: **small ~**, ufak/bozuk para: **~ from bad to worse**, gittikçe daha beter olm.: **~ for the better/worse**, iyilik/kötülüğe yüz tutmak: **~ of address**, yer değişikliği: **~ of front**, (*ask.*) cephe değiştirme; (*mec.*) yüzgeri etme: fikir/durum değiştirme: **the ~ of life**, (kadın) adetten kesilme: **you won't get much ~ out of me!**, (*kon.*) benden yana umudunu kes!: **'no ~ given'**, para bozulmaz: **~ hands**, (bir şeyin) sahibi değişmek: **ring the ~s**, bulunan imkânları denemek, var olan çareye başvurmak: **I couldn't wish it ~d**, bu hal/duruma razıyım: **~ ends**, (*sp.*) yer değiştirmek: **~ sides**, (*id.*) öbür partinin üyesi olm. **~ about**, değişip durmak. **~ down/up**, vitesi küçültmek/büyültmek. **~ into**, -e tahvil etm., tahavvül etm.; çevirmek; başka hale girmek: **~ into stg. lighter, etc.**, daha hafif vb. elbiseleri giymek. **~ over**, bir usulden bir usule geçmek; tarz değiştirmek: **let's ~ over**, nöbet/yerlerimizi değiştirelim: **~-over**, geçme.
'change[2] = (STOCK) EXCHANGE.
change·able ['çeyncəbl]. Kararsız; ittıratsız; değişebilir: **~ness**, kararsızlık; değişebilme. **~ful**, kararsız; tekrar tekrar değişen. **~less** [-lis], hiç değismez. **~ling** [-lin(g)], gizlice değiştirilen bebek.
changing ['çeyncin(g)]. Değiş(tir)en: **~-room**, soyunma odası.
channel [çanl] *i.* Nehir yatağı; boğaz, deniz pisti, kanal; yol; geçit; mecra, mahreç; oluk; (*rad.*) frekans bandı, kanal. *f.* Kanal açmak; yön vermek, düzenlemek; oymak. **the (English) ~**, Manş denizi: **the ~ Islands**, Anglo-Normand adaları: **through the usual ~s**, (*id.*) normal yollardan: **~-iron**, U-şeklinde demir. **~ize**, kanaldan geçirmek. **~-tunnel**, Manş altında yapılacak (?) tünel.
chant [çānt] *i.* Şarkı, dinî şarkı; gülbank, nağme. *f.* Makam ile okumak; muttarit bir sesle şarkı söylemek; gülbank çekmek. **~ the praises of**,... göklere çıkarmak. **~er**, şarkıcı; gayda borusu. **~icleer** [-tikliə(r)] (*şiir*) horoz. **~ress** [-tris], kadın şarkıcı. **~ry**, kilisenin küçük âyinlere mahsus kısmı; bir ölünün ruhu için dua etme vakfiyesi. **~y** ['şanti], heyamola/gemici şarkısı.
chao·s ['keyos]. Büyük karışıklık, karmakarışık hal; kaos. **~tic** [key'otik], karmakarışık; intizamsız, düzensiz: **~ally**, karmakarışık bir halde.
chap[1] [çap] *i.* Deride çatlak, yarık. *f.* Deri çatlamak/yarılmak.
chap[2] *i.* Hayvanın yanağı; = CHOP: **Bath ~**, terbiye edilmiş yarım domuz başı.
chap[3] *i.* (*kon.*) Arkadaş, adam; çocuk. **old ~**, azizim; (bizim) ahbap.
chap. = CHAPTER.
chap-book ['çapbuk]. Küçük ve ucuz kitap.
chapel ['çapl]. Kilisecik; okul vb.'nin kilisesi; NONCONFORMIST mezhebinin kilisesi; (*bas.*) matbaacıların toplantısı: **~-master**, koro şefi: **~-**

royal, kral sarayına mahsus kilise. ~**ry**, kiliseciğe ait bölge.
chaperon(e) ['şapərọun] *i.* Bir genç kıza arkadaşlık eden evli/yaşlı kadın, şaperon. *f.* Bir genç kıza koruyuculuk etm.
chaplain ['çaplin]. Bir aile/kurum/alay/gemi vb.ne ait özel rahip. ~**cy** [-si], bu rahibin makamı. ~-**general**, (*ask.*) ordu/hava/deniz kuvvetlerinin baş rahibi.
chaplet ['çaplit]. Başa takılan çelenk; küçük tesbih.
chapman ['çapmən] (*tar.*) Seyyar satıcı.
chapped [çapt] *s.* Çatlamış (deri).
chapter ['çaptə(r)]. Bap, fasıl; bahis; kısım; şube; bir katedrale bağlı rahipler. **give ~ and verse**, kaynaklarını vermek, belge göstermek: ~ **house**, bir katedrale bağlı rahiplerin toplantılarını yaptığı bina: **a ~ of accidents**, bir sıra kazalar/arızî olan şeyler.
char[1] [çā(r)] *f.* **go out ~ring**, gündelikle/saatine ev hizmeti yapmak. *i.* = ~WOMAN.
char[2] *f.* Yakarak kömür haline getirmek.
char[3] *i.* Bir cins alabalık.
char[4] (*arg.*) Çay.
char-a-banc ['şarəban(g)]. Büyük gezinti/seyahat araba/otobüsü.
character ['karaktə(r)]. Sıfat, alâmet, mahiyet, cins, vasıf; (*biy.*) ıra; özyapı; ahlakî vasıf, karakter, özellik, nitelik, seciye; huy, ahlak; şöhret, hususiyet; harf; piyes ve romanda şahıs; aktörün oynadığı rol. **be in ~ with**, -e uymak, imtizaç etm.: **be out of ~**, uymamak: **clear s.o.'s ~**, temize çıkarmak; tebriye etm.: **give s.o. a good ~**, birine iyi numara vermek, lehinde bulunmak; bonservis vermek: **he's a ~**, o bir âlemdir, kimseye benzemez: **in his ~ of**,... sıfatıyla: **a public ~**, tanınmış bir kişi. ~-**actor**, karakter oyuncusu.
character·istic [kariktə'ristik] *i.* Hususiyet, vasıf; başkalarından ayıran şey; karakteristik, nitelik, mahiyet, özellik. *s.* Özelliğine uygun, ayırtkan, ayırtedici, özgün; kendisine maksus; (*biy.*) ırasal. ~**ization** [-ray'zeyşn], tavsif etme; kendini gösterme, ayırtkanlık verme. ~**ize**, tavsif etm.; karakterize etm.; ayırtkanlık vermek, ayırtleştirmek. ~**less** [-lis], adi, alelâde; bonservissiz (hizmetçi). ~-**part**, (*tiy.*) çok tuhaf/garip bir rol. ~-**reference**, iyi durum belgesi, hüsnühal kâğıdı.
charade [şə'rād]. Bir nevi bilmeceli oyun. **put on a ~**, (*mec.*) hiç samimî davranmamak.
charcoal ['çākọul]. Ağaç/odun kömürü, mangal kömürü; karakalem. ~-**burner**, kömürcü.
charge[1] [çāc] *i.* Süvari/süngü hücumu; (*sp.*) şarj. *f.* Şiddetli ve anî bir şekilde hücum etm.; şarj etm. ~ **down upon s.o.**, birinin üzerine doğru kesin ve tehditkâr bir şekilde ilerlemek: ~ **into stg.**, -e çarpmak: **return to the ~**, yeniden hücuma geçmek; (*mec.*) yeniden başlamak.
charge[2] *i.* Bir defada doldurulan miktar; barut hakkı; dolu; hamule; (*elek.*) şarj, doldurum, yük; (*mal.*) gider, harç, masraf, ücret; vazife, görev, memuriyet, hizmet; mesuliyet, bakma; emanet; nasihat, tavsiye, tenbih; suçlama, getirtme, celp. **at a ~ of...**,... ücretle, masrafla: **be a ~ on s.o.**, birine yük olm.: **bring/lay a ~ against s.o.**, birini ittiham etm.: **free of ~**, parasız, bedava: **give s.o. ~ of/over/put s.o. in ~ of**, birine bir şeyi vermek/bırakmak: **be in ~ of**, bakmak, vazifeli olm., mesul olm.: **give s.o. in ~**, birini tevkif ettirmek; polise teslim etm.: **take s.o. in ~**, tevkif etm.: **take ~ of**, birini/bir şeyi üstüne almak: **list of ~s**, tarife: **make a ~ for stg.**, bir şey için para almak: ~**s forward**, teslimde ödenir ücret.
charge[3] *f.* Yükletmek; yüklenmek; doldurmak; para istemek; masraf yazmak; suçlamak; iş/vazife vermek; tenbih etm., tavsiye etm., emretmek. ~ **with**, görevlendirmek; (*huk.*) suçlandırmak.
charge·able ['çācəbl]. Suçlanabilir; isnat edilebilir; hesabına yazılabilir; yükletilebilir. ~**d**, suçlanmış, vb.; yüklü.
chargé (d'affaires) ['şāje (da'fer)] (*Fr.*) Şarjedafer, elçi vekili; işgüder, maslahatgüzar.
charge·-hand ['çāchand]. Kalfa, ustabaşı. †~-**nurse**, koğuş baş-hastabakıcısı. ~**r**, büyük tabak; (*ask.*) cenk atı; (*elek.*) şarjör.
chari·ly ['çẹərili]. İhtiyat/hesaplı olarak. ~**ness**, ihtiyat; hesaplılık.
chariot ['çariət]. Eski harp/yarış arabası; saltanat arabası; dört tekerlekli bir nevi araba. ~**eer** [-'tiə(r)], zafer/yarış arabası sürücüsü.
charisma [kə'rizmə]. Ruhî kuvvet/erdem; etkili özel güç/erdem.
charit·able ['çaritəbl]. Hayırsever, merhametli, şefkatli; cömert, eli açık: ~ **institution**, hayır kurumu: ~**ness**, hayırseverlik, vb. ~**ably**, hayırsever vb. olarak. ~**y** [-ti], merhamet, acıma, şefkat; iyilik, sadaka, fukaraya yardım; sevgi ve iyi niyet: ~ **begins at home**, (*ata.*) önce can sonra canan: **cold as ~**, pek soğuk; (*mec.*) hiç cömert olmayan. ~-**ball**, bir hayır kurumu yararına balo: ~-**boy/girl**, yetimler yurdunda yetiştirilen çocuk: ~-**school**, yetimler yurdu.
charivari [şari'vari]. Ahenksiz gürültü.
charlady ['çāleydi] = CHARWOMAN.
charlatan ['şālətən]. Şarlatan, hekimlik satan. ~**ism**/~**ry**, şarlatanlık.
charleston ['çālztən]. Çarliston dansı (etm.).
charlock ['çālok]. Yabanî hardal.
charlotte ['şālət]. Meyva ve ekmek kırıntısı ile yapılan puding.
charm [çām] *i.* Sihir, büyü; cazibe, alım; muska, tılsım, *f.* Teshir etm., büyülemek; cezbetmek; son derece hoşa gitmek, haz vermek. ~-**bracelet**, tılsım/breloklu bilezik. ~**ed**, büyülenmiş: ~-**circle**, bağışık grup: ~-**life**, olağanüstü keder/tehlikesiz bir hayat. ~**er**, sihirbaz; cazibeli kadın. ~**ing**, çok hoş, pek cazip, alımlı, sevimli: ~**ly**, çok hoş vb. olarak.
charnel ['çānl]. ~-**house**, ölüler kemiklerinin toplandığı mahzen.
chart [çāt] *i.* Deniz haritası; çizge; (*id.*) çizelge, tablo; istatistik vb. cetvel/grafiği; şema, *f.* Haritaya almak; grafiğini çıkarmak; haritada göstermek.
charter ['çātə(r)] *i.* Berat, imtiyaz, patenta; navlun. *f.* Berat vb. vermek; kiralamak. ~**ed accountant etc.**, mütehassıs muhasip vb. ~**er**, gemi kiralayan. ~-**party**, navlun/çarter sözleşmesi.
Chartis·m ['çātizm] (*tar.*) Şartizm. ~**t**, şartizm taraftarı.
chartreuse [şā'trəz] (*Fr.*) Yeşil/sarı bir nevi likör.
charwom·an, *ç.* ~**men** ['çāwumən, -wimin]. Çamaşır/ev isleri için gelen gündelikçi kadın.

chary ['çe̱əri]. İhtiyatlı; hesaplı, esirgiyen. **be ~ of doing stg.**, bir şeyi yapmaktan çekinmek.
chase[1] [çeys]. Kovalama(k); takip etme(k); izlemek; avlama(k); koşma(k). **the ~**, av: **~ away**, kovmak: **~ (off) after stg.**, bir şeyin peşinden gitmek: **give ~ to s.o.**, birini kovalamak: **wild goose ~**, olmıyacak bir şeyin peşinden gitme.
chase[2] *i.* Oluk, yiv; oyma. *f.* Oluk/kanal açmak; hakketmek; oymak; işlemek.
chase[3] (*bas.*) Harf/kalıp cerçevesi.
chaser ['çeysə(r)]. Kovalıyan kimse, avcı; (*den.*) baş/kıç topu; vida tarağı; takip gemisi; (*kon.*) ikinci ve başka bir içki (viski + bira).
chasm ['kazm]. Büyük yarık; uçurum; (*mec.*) rahne.
chassis ['şasi]. Otomobil/uçağın altyapısı; çerçeve, şasi.
chaste [çeyst]. İffetli; sade güzel; bâkireye yakışır. **~ly**, iffetli bir şekilde; bâkire gibi. **~ness**, iffet, sade güzellik.
chasten ['çesyn]. Islah için cezalandırmak; gururunu kırmak, uslandırmak. **~ed**, uslandırılmış.
chastise [ças'tayz]. Ceza vermek, dövmek. **~ment** ['çastizment], ceza ver(il)me.
chastity ['çastiti]. İffet.
chasuble ['çazyūbl]. Âyin zarfında rahibin giydiği bir esvap.
chat[1] [çat] *i.* Sohbet, hoşbeş. *f.* Sohbet etm., konuşmak.
chat[2]. Ardıçkuş·u/-ları. **stone ~**, taş kuşu: **whin ~**, çayır taş kuşu.
château ['şato̱u] (*Fr.*) Şato. **~laine** ['şatəleyn], şato/malikâne sahibi kadın; anahtar vb. taşımak için kadının beline taktığı zincir.
chats [çats]. Maden filiz döküntüsü.
chattel ['çatl]. Menkul eşya. **goods and ~s**, her türlü menkul eşya; pılı pırtı.
chatt·er ['çatə(r)]. Gevezelik (etm.); çene çalma(k); çatırdama(k); gıcırdama(k). **~er-box/-er**, geveze, boşboğaz, çenesidüşük. **~y**, konuşkan, sohbet meraklısı.
chauffeur ['şo̱ufə(r)]. Şoför.
chauvinis·m ['şo̱uvinizm]. Vatanseverlikte taassup/aşırılık. **~t**, mutaassıp/aşırı vatansever, şoven.
chaw [çō]. Ağızda çiğnemek.
Ch.B. = BACHELOR OF SURGERY.
cheap [çīp]. Ucuz, düşük, ehven; adi, pespaye. **dirt ~**, sudan ucuz: **on the ~**, ucuza, ucuz olarak: **feel ~**, keyifsiz olm.: (*bazan*) mahcup olm.: **hold stg. ~**, bir şeye önem vermemek: **make oneself ~**, kendini küçük düşürmek. **~en**, ucuzla(t)mak; fiyat/değerini düşürmek. **~-jack** [-cak], seyyar satıcı. **~ly**, ucuzca. **~ness**, ucuzluk. **~-trip**, ucuz fiyatla gezi.
cheat [çīt] *i.* Dolandırıcı; hilekâr; düzenbaz; mızıkçı. *f.* Dolandırmak; aldatmak; oyun oynamak; mızıkçılık etm.
check[1] [çek] *i.* (Satranç) keş; durdurma; tutma; engel; başarısızlık, muvaffakiyetsizlik; kontrol, murakebe; (vestiyer vb. de) fiş. *f.* (Satranç) keş etm.; durdurmak, tutmak; menetmek, önlemek; kontrol etm., murakebe etm.; denetlemek; bakmak, yoklamak; karşılaştırmak, mukabele etm.; duraklamak. **hold/keep in ~**, durdurmak, önüne geçmek: **keep a ~ on stg.**, murakebe etm., kontrol etm. **~ in**, (otel vb.) girerken kaydolunmak. **~ off**, bozmak, işaret koymak. **~ out**, kaydını iptal ederek gitmek, otelden çıkmak. **~ up**, kontrol etm., tahkik etm.; doğruluğu araştırmak.
check[2] *s.* Satrançlı, kareli (kumaş).
***check**[3] = CHEQUE; hesap. **pick up the ~**, hesap ödemek. **~ing account**, cari hesap.
check·er ['çekə(r)]. Kontrolör, denetçi. * **~ers** [-əz], dama oyunu. **~-list**, kontrol listesi. **~mate** [-meyt], satrançta mat etme(k); yenme(k); işini bozmak. **~-out**, kontrol. **~-point**, kontrol noktası. **~-up**, (*tıp.*) muntazam muayene. **~-valve**, (*müh.*) geri tepmeli vana, çek valf.
cheddar ['çedə(r)]. Kaşara benzer bir cins peynir.
cheek [çīk] *i.* Yanak; (*kon.*) yüzsüzlük, arsızlık, küstahlık. *f.* -e küstahlık etm., yüzsüz olm. **~ by jowl**, haşır neşir: **have the ~ to**, . . . küstahlığında bulunmak. **~ily**, yüzsüzce, küstahca. **~iness**, arsızlık, küstahlık. **~y**, yüzsüz, arsız.
cheep [çīp] *i.* Cıvıltı. *f.* Cıvıldamak. **not a ~**, hiç bir ses çıkarmıyarak.
cheer ['çiə̱(r)] *i.* Neşe; teşvik ve teselli; alkış; bravo; yaşa! sesi. *f.* Alkışlamak. **~ (up)**, neşelen(dir)mek; içi(ni) açmak: **~ on**, teşvik etm.: **~ up!**, üzülme!: **what ~?**, ne var, ne yok? **~ful**, neşeli, şen; güler yüzlü; ferah, hoş. **~io!**, (*kon.*) Allaha ısmarladık!, güle güle!; eyvallah! sıhhatinize! * **~-leader**, (*sp.*) bir ekibin taraftarlarını alkışlatan kimse. **~less**, kasvetli; hüzün verici. **~y**, şen, neşeli.
cheese [çīz] *i.* Peynir (tekeri); meyva tatlısı. *f.* (*kaba*) **~ it!**, bırak! **hard ~!**, (*arg.*) yazık!, aksilik!: **just a piece of ~**, çok kolay bir iş: = CHALK. **~-board**, peynir tahtası; seçme peynirler. **~cake**, şekerli bir pasta; (*arg.*) güzel ve cazibeli genç kadının resmi. **~cloth**, tülbent. **~-mite** [-mayt], peynir kurdu. **~monger** [-mʌn(g)gə(r)], peynirci. **~-paring**, cimri, hesabî; hesabilik. **~y**, peynirli, peynir gibi.
cheetah [çītə]. Çita.
chef [şef] (*Fr.*) Aşçıbaşı. **~ *d'oeuvre*** [sey'dəvr] (*Fr.*) şaheser, baş yapıt.
ch(e)il(o)- [kīlo-]. Dudak +.
ch(e)ir(o)- [kayro-]. El + : = CHIRO-.
CHEL = CAMBRIDGE HISTORY OF ENGLISH LITERATURE.
chel·a ['kīlə]. (İstakoz vb.) kıskaç. **~iform**, kıskaç şeklinde.
chelation [çi'leyşn] (*kim.*) Kenetlenme.
chelone [ki'lo̱un]. Çorba kaplumbağası.
chem. = CHEMICAL; CHEMISTRY.
chemical ['kemikl]. Kimyevî, kimyasal, şimik; kimya +. **~ly**, kimyasal prensip/usulüne göre. **~(s)**, ecza; kimyevî madde(ler). **~-warfare**, kimyasal savaş.
chemico- ['kemiko̱u-] *ön.* Kimya +.
chemise [şə'mīz]. Kadının iç gömleği; kombinezon.
chemist ['kemist]. Eczacı; kimyager, kimyacı. **~ry**, kimya; *(*mec.*) yakınlık, benzeşme.
chemo- [kemo-] *ön.* Kimya +. **~-therapy**, (*bilh.* kanser) ilâclarla tedavi.
cheong-sam [çon(g)sam]. Çin kadın elbisesi.
†**cheque, *check** [çek]. Çek. **~ to bearer/order**, hamiline/emre yazılı çek: **blank ~**, açık çek: **give s.o. a blank ~**, (*mec.*) tam yetki vermek: **crossed/uncrossed ~**, çizgili/çizgisiz çek: **traveller's ~**, seyahat çeki. **~-account**, çek hesabı. **~-book**, çek defter/karnesi: **~ journalism**, (*bas.*) özel ve heyecanlı bir haber için çok para verme usulü.
chequer ['çekə(r)] *i.* Dama/kareli resim. *f.* Damalı

yapmak; ittiradı bozmak; çeşitlendirmek. ~**ed**, kareli: **a ~ career**, dalgalı bir meslek hayatı. ~**s**, kumaşın kareleri.
cherish ['çeriş]. Aziz tutmak; kuşsütüyle beslemek; bağrına basmak; beslemek, gütmek.
cheroot [şə'rūt]. İki ucu kesilmiş puro.
cherry [çeri]. Kiraz (ağacı). **morello ~**, vişne: **make/take two bites at a ~**, bir işi gereksiz yere ağır almak. ~**-brandy**, vişne likörü. ~**-lips**, kırmızı dudaklar. ~**-red**, kiraz rengi, kırmızı. ~**-stone/-pit**, kiraz çekirdeği.
chersonese ['kə̄sənīs]. Yarımada. **Tauric ~**, Kırım: **Thracian ~**, Gelibolu yarımadası.
chert [çə̄t]. Çakmaktaşı.
cherub ['çerʌb]. Melek, kerubî; nur topu gibi çocuk; masum yüzlü kimse. ~**ic** [-'rūbik] melek gibi; masum yüzlü; sağlam ve neşeli çocuk gibi. ~**im**, melâike.
chervil [çə̄vil]. Frenk maydanozu.
Ches(hire) [çeşə]. Brit.'nın bir kontluğu. ~**-cat**, sırıtkan kimse. ~**(-cheese)**, bir cins sert peynir.
chess [çes]. Satranç oyunu. ~**board**/~**men**, satranç tahta/taşları. ~ **opening**, satranç oyununda açış.
chest[1] [çest] *i.* Sandık, kutu. ~ **of drawers**, çekmeceli dolap: **community ~**: hayır işleri için umumî sandık: **medicine ~**, ilâç sandığı: **tool ~**, takım sandığı.
chest[2] *i.* Göğüs (kafesi). **get stg. off one's chest**, (*kon.*) içini dökmek/boşaltmak, boşalmak. **-~ed**, *son.* -göğüslü.
chesterfield ['çestəfīld]. Büyük ve kabarık kanape.
chestnut [çesnʌt]. Kestane (ağacı); kestane rengi, doru (at); (*kon.*) bayat şaka/hikâye. **horse-~**, at kestanesi: **Spanish/sweet ~**, (yenilir) kestane: **pull s.o.'s ~ out of the fire**, başkasına yardım etmek için belâya girmek.
chest·-protector ['çest-]. Göğüslük. ~**-trouble**, akciğer/göğüs hastalığı.
chetnik ['çetnik]. (Balkanlarda) çeteci, gerilla.
cheval-glass [şə'val glās]. Endam aynası.
chevalier [şevə'li̯ə(r)]. Şövalye.
cheviot [çevi̯ət]. Şevyot koyun/yün/kumaşı.
chevron ['şevrən]. Arma üzerinde/aşamayı göstermek için üniformada kullanılan (/\V) işaretleri.
chevrotain ['şevrəteyn]. Cüce geyik.
chevy [çevi]. Av(lamak).
chew [çū] *f.* Çiğnemek *i.* Çiğnenen lokma. ~ **over stg.**, uzunca düşünmek: ~ **the cud**, geviş getirmek: ~ **the rag**, (*arg.*) derdini tekrarlamak. ~**ing-gum**, sakız, çiklet.
chiaroscuro [kiarə'skuro̯u], (*İt.*, *san.*) Işık ile gölge değişmeleri.
chibouk [çibūk] (*Tk.*) Çubuk.
chic [şik] (*Fr.*) Şık(lık).
Chicago [şi'kāgo̯u, *-'kōgo̯u]. Şikago şehri.
chicane [şi'keyn]. Hile, dalavera, safsata; (briç) hiç koz tutmıyan oyuncuya verilen puan. ~**ry**, hile, düzen, adi oyun; dalavera; safsata.
***Chicano** [çikeyno̯u]. ABD'ndeki Meksikalı menşeden oturan bir kimse.
chichi ['şişi]. Fazla meraklı, kadın gibi (bir adam).
chick [çik]. Civciv, piliç; (*arg.*) genç kadın; (*kon.*) çocuk. ~**abiddy** [-əbidi] (*çoc.*) civciv; çocuk.
chicken ['çikin]. Piliç, civciv; tavuk eti. **don't count your ~s before they are hatched**, (*ata.*) çayı görmeden paçaları sıvama; ayıyı vurmadan postunu satma: **she is no ~**, pek körpe denmez: ~ **out**, bir iş/oyundan korkarak kaçmak. ~**-feed**, kuş yemi; (*kon.*) az para. ~**-hearted/-livered**, korkak, tabansız. ~**-pox**, su çiçeği hastalığı. ~**-wire**, ince tel kafesi.
chick·let(te) ['çiklit] (*arg.*) Genç kadın, kız. ~**-pea**, nohut: **roasted ~**, leblebi. ~**-weed**, (*bot.*) fare kulağı.
chicle [çikl]. Çikletin ham maddesi.
chicory ['çikəri]. Hindiba.
chid·e (*g.z.(o.)* **chid(den)**) [çayd, çid(n)]. Azarlamak, tekdir etm. ~**ingly**, şikâyet ederek.
chief [çīf] *i.* Baş; reis, başkan. *s.* Büyük, birinci; bellibaşlı. **commander-in-~**, başkumandan: ~**-Justice**, başhâkim, başyargıç: ~**-of (the General)-Staff**, (Genel) Kurmay Başkanı. ~**ly**, *s.* reis gibi, reise ait. *zf.* bilhassa; başlıca. ~**tain** [-tən], haydutlar vb. reisi, kabile başkanı: ~**cy**/~**ship**, reis/başkanlık: ~**ess**, reis karısı; kadın reis.
chiff-chaff ['çifçaf] (*yan.*, *zoo.*) Söğüt bülbülü, öteğengillerden biri.
chiffon ['şifon] (*Fr.*). İpek tül, şifon. ~**nier** [-fə'ni̯ə(r)], aynalı ve çekmeceli alçak dolap.
chignon ['şīnyo(n) (*Fr.*) Şinyon, saç topuzu.
chilblain ['çilbleyn]. Mayasıl.
child, *ç.* ~**ren** [çayld, 'çildrən]. Çocuk, yavru. **be a good ~!**, uslu dur!: **from a ~**, küçüktenberi: **be with ~**, hamile olm. ~**-bed**, loğusalık. ~**-birth**, çocuk doğurma. ~**-care**, (*id.*) yetimler/çok genç canilerin bakımı. ~**hood**, çocukluk: **second ~**, bunaklık. ~**ish**, çocukça: **grow ~**, bunamak. ~**-labour**, çocuk çalıştırma. ~**like**, çocuk gibi. ~**proof** [-pruf] (*oto.*) çocuklarca açılamaz kapı vb. ~**'s-play**, kolay iş: **it's mere ~**, işten bile değil. ~**-welfare**, çocuk esirgeme. ~**-wife**, pek genç karı.
Chile ['çili]. Şili. ~**an** [-i̯ən] *i.* Şilili; *s.* Şili+. ~ **saltpetre**, Şili güherçilesi.
chiliad ['kiliad]. Bin; bin sene.
chill [çil] *i.* Soğuk algınlığı; soğukluk. *f.* Soğutmak; üşütmek; buydurmak; (*müh.*) suya batırmak; (*mec.*) şevk/umudunu kırmak. ~**ed meat**, dondurulmuş et: **cast a ~ over the company**, topluluğa soğukluk getirmek: **a cold ~ came over him**, tüyleri ürperdi: **take the ~ off stg.**, soğukluğunu gidermek; hafifçe ısıtmak. ~**ed**, soğutulmuş. ~**er**, buydurucu. ~**-factor**, açık havada öldürücü soğukluk katsayısı.
chilli ['çili]. Kırmızı biber.
chill·iness ['çilinis]. Soğuk; serinlik. ~**ing-room**, soğutma/buydurma odası. ~**y**, (nahoş bir şekilde) serin; soğuk; hep üşüyen.
chime ['çaym] *i.* Muhtelif havalar çalabilir çanlar; ahenkli çan sesi. *f.* (Çanlar) çalınmak; çalmak. ~ **the hour**, (saat) saati vurmak: ~ **in**, söze karışmak: ~ **in with . . .**, -e uymak.
chimer·a [ki'mi̯ərə]. Hayal edilen bir canavar, ejderha; (*zoo.*) tümbaşlılar; korkunç hayal; olmıyacak şey; saçma ve imkânsız fikir. ~**ical** [-merikl], hayalî; imkânsız, anlamsız.
chiming ['çaymin(g)]. ~**-clock**, çalar saat.
chimney ['çimni]. Baca; lamba şişesi; yanardağın ağzı; (dağda) dik ve dar yarık. ~**-corner**, ocak başı. ~**-piece**, ocak rafı, davlumbaz. ~**-pot**, baca külahı. ~**-rock**, (*yer.*) peri bacası. ~**-stack**, bacalar bloku. ~**-sweep(er)**, baca temizleyicisi, ocakçı.
chimp(anzee) [çimp(an'zī)]. Şempanze.
China ['çaynə]. Çin (memleketi); çini, porselen.

~-**bark**, kinin. ~-**clay**, kaolin, arıkil. ~-**closet**, porselen dolabı. ~**graph**, yağlı kalem. ~**man**, (*köt.*) Çinli. ~**town**, bir liman şehrinde Çin mahallesi. ~-**watcher** [-woçə(r)] (*id.*) Komünist Çin memleket/hükümeti uzmanı.
chinchilla [çin'çilə]. Çinçilya.
chin-chin [çin'çin] (*ünl.*) Selâm!; şerefinize!
chin-deep ['çindīp]. Çene seviyesin(d)e.
chine [çayn]. Belkemiği; sırt (eti); dağ sırtı; derin ve dar derecik.
Chinese [çay'nīz] *i.* Çinli; Çince: *s.* Çin+. ~-**lantern**, Çin feneri (gibi kırmızı çiçek). ~-**puzzle**, pek girift bilmece/mesele. ~-**wall**, (*mec.*) geçilemez engel.
chink[1] [çink] *i.* Yarık; çatlak.
chink[2]. Çınlama(k), şıkırtı, şıkırdamak; (*arg.*) mangiz.
Chink[3] (*arg.*) Çinli.
Chino- ['çaynə-]. Çin+. ~**iserie** [şi'nuazəri] (*san.*) Çin işi.
chinook [çi'nūk]. (ABD'nde) sıcak ve kuru yel.
chinstrap ['çinstrap]. Çene kayışı.
chintz [çints]. Çiçekli alacalı basma.
Chio·s ['hīos]. Sakız Adası. ~**te** [-ot], Sakızlı.
chip [çip] *i.* Yonga, talaş, kırıntı; çentik; küçük parça; kızarmış patates; (*sp.*) oyun fişi, jeton, ataç, atmalık; (*elek.*) ufak parça silisyum. *f.* Yontmak, çentmek. ~ **in**, söze karışmak; (masraf vb.) payısını ödemek: **a** ~ **off the old block**, babasına benziyen oğul: **have a** ~ **on one's shoulder**, kavgaya hazır olm. ~-**basket**, hafif meyva sepeti. ~**board**, kaba mukavva, talaş tahtası.
chip·muck/~**munk** ['çipmʌk, -mʌn(g)k]. Bir nevi ufak çizgili sincap.
chip·per ['çipə(r)] *i.* Yontucu, doğrayıcı; yontma/talaş makinesi: *s.* *canlı, şevkli. ~**py**/~**s**, (*den.*, *arg.*) gemi marangozu; orospu.
chiro- [kayro-] *ön.* El+. ~**graph** [-graf], elile yazılmış vesika. ~**mancy** [-'mansi], el falı. ~**podist** [şi'ropədist], nasırcı, pedikürcü. ~**pody** [-'ropədi], ayak nasırlarının vb. tedavisi, nasırcılık, pedikürcülük.
chirp [çəp] *i.* Cıvıltı. *f.* Cıvıldamak. ~**y**, (*arg.*) neşeli, şen.
chir(r) [çə̄r] (*yan.*) (Bazı böcekler) cırcır ötmek.
chirrup ['çirəp] = CHIRP. Ötüşmek.
chisel [çizl] *i.* Çelik kalem; keski; marangoz/taşçı kalemi. *f.* Kalemle oymak, yontmak; (*arg.*) dolandırmak. **cold** ~, demirci kalemi, soğuk keski.
chit[1] [çit]. Çocuk; pek genç ve tecrübesiz kız.
chit[2]. Tezkere; bonservis; hesap.
chit-chat ['çit-çat]. Gevezelik, dedikodu.
chitin ['kaytin] (*zoo.*) Kitin.
chiton ['kayton] (*mod.*) Eski Yunanlıların uzun elbisesi; (*zoo.*) kiton.
chitterlings ['çitəlin(g)z]. Domuz bağırsağından yapılan yemek.
chival·rous ['şivəlrəs]. Şövalye gibi, asil, alicenap, yüce gönüllü. ~**ry**, şövalyelik (ki kahramanlık, onur, incelik, kadına saygı, zayıfı koruma, eli açıklık ve düşmanlarına iyi davranma niteliklerini taşır).
chives [çayvz]. Bir nevi sarmısak.
chiv(v)·ied [çivid] *g.z.(o.)* = CHIVY. *s.* Üzüntülü, tedirgin. ~**y**, kovalamak; emirlerle tedirgin etm.: ~ **s.o. about**, birine nefes aldırmamak.

chlor·al ['klōrəl]. Kloral. ~**ate**, klorat. ~**ic**, klorik. ~**ide** [-ayd], klorür. ~**inate** [-i'neyt], klorlamak, klor katmak: ~**d**, klorlanmış, klorlu. ~**ination**, klorlama. ~**inator**, klorlama cihazı. ~**ine** [-īn], klor, klorin gazı: ~-**water**, camaşır suyu. ~**ite** [-ayt], klorit. ~**oform** [-rəfōm], kloroform(la uyutmak). ~**ophyll** [-rəfil], klorofil. ~**osis** [-'rousis], (yapraklar) sarılık; bir nevi kansızlık.
ChM = MASTER OF SURGERY.
chock [çok] *i.* Takoz; felenk. *f.* Takoz koymak; takozlamak. ~-**a-block**, hıncahınç; tıkabasa. ~**ful**, dopdolu.
chocolate ['çoklit]. Çikolata. **hot** ~, çikolatalı bir içecek. ~-**box**, süslü çikolata kutusu. ~-**soldier**, (*mec.*) gönülsüz asker.
choice [çoys] *i.* Seçme, intihap, tercih, yeğ tutma; seçme hakkı; çeşit; seçilen şey. *s.* Seçkin. **for** ~, tercihen: **have no** ~, elde olmamak, başka çaresi olmamak: **Hobson's** ~, ya bu ya hiç: **make a** ~, seçmek, ayırmak: **take your** ~, beğendiğinizi alınız! ~**ly**, dikkatle, ayrım gözeterek.
choir ['kwayə(r)]. Koro; kilisede koro mahalli. ~-**master**, koro şefi. ~-**school**, bir kilisenin koro üyelerine mahsus okul. ~-**screen**, NAVE ile koro mahalli arasındaki kafes.
choke [çouk] *i.* Tıkanma; nefes alamama; boğulma; (*oto.*) jikle; (av tüfeği) boğum. *f.* Tıka(n)mak; nefesini tıkamak; boğ(ul)mak; kısmak, nefes alamamak: ~ **back/down**, tutmak, menetmek: ~ **off**, durdurmak, defetmek; (*arg.*) vazgeçirmek: ~ **up**, tıkamak. ~-**bore**, boğumlu (tüfek). ~-**coil**, kısma kangalı. ~-**damp**, (maden ocağında) boğucu gaz. ~**r**, boğucu şey; bir cins kravat. ~-**throttle**, kısma sürgüsü.
choking ['çoukin(g)]. Boğucu; boğulan, boğazı tıkanır gibi.
choky ['çouki] (*arg.*) Hapishane.
choler ['kolə(r)]. Safra; (*mec.*) öfke. ~**ic**, öfkeli.
cholera ['kolərə]. Kolera.
cholesterol [kə'lestərol]. Kolesterol.
chondr- [kondr-] *ön.* Kıkırdak+.
chondrite ['kondrayt]. Kumlu göktaşı, kondrit.
choose (*g.z.(o.)* **chose(n)**) [çūz, çouz(n)]. Seçmek, intihap etm.; ihtiyar etm.; tercih etm.; yeğ tutmak; karar vermek. **he cannot** ~ **but accept**, kabul etmekten başka bir şey yapamaz: **there is nothing to** ~ **between them**, aralarında hiç fark yoktur: **I do not** ~ **to do so**, bunu yapacak değilim: **when I** ~, istediğim zaman: **pick and** ~, çok dikkatli seçmek.
chop[1] [çop] *i.* Balta/satır darbesi; kotlet, pirzolalık; deniz şıpırtısı. *f.* (Balta/satırla) kesmek; doğramak, yarmak, kıymak; (dalgalar) çırpınmak. ~ **off**, kesip koparmak: ~ **up**, doğramak, kıymak.
chop[2] *i.* Çene, ağız: **lick one's** ~**s**, yalanmak: **the** ~**s of the Channel**, Manş'ın girişi.
chop[3]. Anî değişiklik; rüzgârın değişmesi: ~ **and change**, bir saati bir saatine uymamak: ~ **about/round**, (rüzgâr) durmadan değişmek: ~**s and changes**, durmadan değişmeler.
chop-[4] *ön.* ~**house**, kebapçı dükkânı, aşevi. ~**per**, satır; (*kon.*) helikopter. ~**ping-block**, kütük, et kütüğü. ~**py**, (deniz) hafifçe dalgalı; (rüzgâr) değişen, mütehavvil. ~-**sticks**, Çinlilerin çatal yerine kullandıkları çöpler. ~-**suey** [-süi], et ve sebzeli bir Çin yemeği.

choral ['kōrəl]. Koroya ait. ~**e** [ko'rāl], din bestesi. ~**-scholar**, CHOIR-SCHOOL'da burslu öğrenci.
chord [kōd]. Kiriş, tel; (*mat.*) veter; kordo; ahenk, akort. **touch the right** ~, can alacak noktaya dokunmak. ~**al**, veter/kiriş/ahenge ait.
chore [çō(r)]. Ufak tefek ev işi; zor ve zevksiz iş.
chore·a ['kōriə] (*tıp.*) Kore. ~**ographer** [-'ogrəfə(r)], dans düzenci, koreograf. ~**ography**, dans düzenleme, koreografi. ~**ology**, bale hareketlerini gösteren işaretler sistemi.
choriamb ['koriamb]. Dört heceli (—⌣⌣—) bir vezin.
choric ['korik]. Koroya ait.
chorion ['kōriən] (*tıp*). Koryon.
chorister ['koristə(r)]. Koro şarkıcısı.
chorography [ko'rogrəfi] (*coğ.*) Bölgeleri tarif etme bilgisi.
chortle ['çōtl]. Hafif sesle gülmek.
chorus ['kōrəs]. Koro; nakarat. **in** ~, hep birlikte ve aynı zamanda. ~**-girl**, müzikhol dansözü.
chose(n) ['çouz(n)] *g.z.(o.)* = CHOOSE. **the** ~**n people**, (*din.*) Yahudiler.
chou [şū] (*mod.*) Küçük düğüm; (*ev.*) küçük pasta.
chough [çʌf]. Kırmızı gagalı dağ kargası: **Alpine** ~, sarı gagalı dağ kargası.
chouse [çaus] *i.* Hile. *f.* Dolandırmak.
chow [çau]. Çin köpeği; (*arg.*) yemek.
***chowder** ['çaudə(r)]. Bir nevi balık çorba türlüsü.
Chr. = CHRIST(IAN).
chrematistic [krīmə'tistik]. Zenginlik/servet toplamağa ait.
chrestomathy [kres'toməθi]. Seçme metinler kitabı.
chris·m ['krism] (*din.*) Takdis edilmiş yağ. ~**om** [-səm], vaftiz elbisesi.
Christ [krayst]. İsa. ~**en** ['krisn], vaftiz etm., ad vermek: ~**ing**, vaftiz: ~**dom** [-dəm], Hıristiyanlık âlemi. ~**ian** ['kristyən], Hıristiyan: ~ **era**, Milâdî yıl: ~ **name**, ad. ~**ianity** [-ti'aniti], Hıristiyanlık. ~**ianize** [-tyənayz], hıristiyanlaştırmak.
Christmas ['krisməs]. Noel. **a merry** ~!, Noeliniz kutlu olsun! ~ **comes but once a year**, tek fırsatınız budur: **Father** ~, Noelbaba. ~**-box** = BOXING-DAY. ~**-card**, Noel tebriki. ~**-day**, Noel günü (25 aralık). ~**-eve**, Noel arifesi. ~**-issue/-number**, (*bas.*) Noel sayısı. ~**-rose**, çöpleme. ~**-stocking**, hediyeler için asılan çorap. ~**-tide** [-tayd], Noel zamanı. ~**-tree**, süslü Noel ağacı.
chromat·e ['kroumeyt]. Kromat, kromlu. ~**ic** [-'matic], renklere ait, renkli, kromatik; (*müz*) yarım sesli. ~**ics**, renk bilgisi. ~**o-**, *ön.* renk+, kromato-: ~**graphy**, kromatografi.
chrom·e [kroum] *i.* Krom boyası. *s.* Krom+, kromlu. ~**ic**, kromlu. ~**ium** [-miəm], krom: ~**-plate,** kromlamak, krom kaplamak: ~**-plated**, krom kaplamalı.
chromo- [kroumo-] *ön.* Renk+, renkli, kromo-; krom+. ~**some** [-məsoum], (*biy.*) kromozom.
chronic ['kronik]. Müzmin, devamlı, çok süren, süreğen; (*tıp*) kronik. **become** ~, süreğenleşmek.
chronicle ['kronikl] *i.* Vakayiname, tarih. *f.* Vakayii yazmak, tarihini yazmak. ~**r**, vakanüvis, tarihçi.
chrono- [krono-] *ön.* Saat+, zaman+, krono-. ~**graph**, hız/zaman ölçeği, kronograf, süreyazar. ~**logical** [-ə'locıkl], tarih sırasına göre. ~**logy** [krə'noləci], kronoloji, çağbilimi, zamanın devirlere ayrılması; olayları tarih sırasına göre veren cetvel. ~**meter** [-'nomitə(r)], zaman/saat ölçeği, kronometre, an-/süreölçer. ~**metric**, kronometrik. ~**scope**, (mermi vb.) hız ölçeği.
chrys- [kris-] *ön.* Altın+, kriz-. ~**alis** [-əlis], krizalit: **in the** ~ **stage**, değişme/gelişme devresinde. ~**anthemum** [-'sanθiməm], krizantem, kasımpatı. ~**olite** [-əlayt], krizolit. ~**oprase**, krizopras, kiraz boncuğu.
chub [çʌb]. Tatlısu kefalı, sarı balık.
chubb·iness ['çʌbinis]. Tombulluk. ~**y**, tombul.
chuck[1] [çʌk]. Guluklama(k). ~**!** ~**!**, bili! bili! (diye bağırmak).
chuck[2]. Atma(k), fırlatma(k); kaldırıp atmak: ~ **about**, saçmak, savurmak; ~ **one's weight about**, azamet satmak: ~ **out**, kapı dışarı etm.: ~ **s.o. under the chin**, çenesini okşamak: **get the** ~, (*arg.*) işinden çıkarılmak: **give s.o. the** ~, (*arg.*) birine yol vermek: ~ **up**, (işini) bırakmak; vazgeçmek.
chuck[3]. Torna aynası: **3-jaw** ~, üç tırnaklı ayna: **drill** ~, matkap mandreni.
***chuck**[4] (*arg.*) Yemek: **hard** ~, (gemide) peksimet.
chuckle ['çʌkl]. Hafif sesle kendi kendine gülme(k). ~**-head**, ahmak, budala.
chuff [çʌf] (*yan.*) Lokomotifin sesi. ~**ed**, (*arg.*) memnun, neşeli.
chug [çʌg] (*yan.*) Ağır işletilen makine sesi (çıkarmak).
chukker [çʌkə(r)]. (Polo) bir süre.
chum [çʌm]. Arkadaş, ahbap: ~ **up with s.o.**, birisiyle ahbap olm. ~**my**, ahbapça, sarmaşdolaş.
chump [çʌmp]. Kütük; (*arg.*) baş, kafa; ahmak: **be off one's** ~, deli olm.
chunk [çʌn(g)k]. İri parça (odun vb.).
chunnel [çʌnl] (*kon.*) = CHANNEL TUNNEL.
church [çəç] *i.* Kilise. *f.* Bir kadına (çocuk doğurduktan sonra) kilisede Allaha şükrettirmek. **the** ~ **of England**, Anglikan kilisesi: **go into the** ~, rahip olm.: **High** ~, protestan kilisenin âyinlere çok önem veren bir kolu (*bunun tersine* **Low** ~ *denir*). ~**man,** *ç.* ~**men**, Anglikan kilisesine mensup kimse; kiliseye devam eden kimse; rahip. ~**warden**, kilise mütevellisi; uzun saplı toprak pipo. ~**yard**, kilise avlusu, kilise mezarlığı. ~**-worker**, kilisenin hayır işlerine yardım eden kimse.
Churchillian [çə(r)'çiliən]. Sir Winston Churchill ve onun ailesine ait.
churl [çəl]. Kaba ve terbiyesiz adam; (*tar.*) köylü. ~**ish**, kaba, terbiyesiz; ters, aksi, nobran.
churn [çən] *i.* Yayık. *f.* Sütü yayıkta çalkamak; yağ çıkarmak; suyu vb. köpürtmek. ~ **out**, hiç durmadan üretmek.
churr [çə(r)] = CHIRR.
chut [çʌt] (*yan.*) *Sabırsızlığı ifade eden nida.*
chute [şūt]. Oluk; kızak; çağlayan; (*kon.*) = PARACHUTE.
chutney ['çʌtni] (*Hint.*) Meyva biber vb.den yapılan baharlı bir salça.
chyle [kayl]. Keylus, kilüs.
chyme [kaym]. Keymus, kimüs.
Ci. = CURIE.
CI = CHANNEL ISLANDS; CONSULAR INVOICE; (ORDER OF THE) CROWN OF INDIA. *~**A** = CENTRAL INTELLIGENCE AGENCY.
ciborium [si'bōriəm]. (Kilisede) mihrap sayvanı; mukaddes ekmek mahfazası.
cicada [si'kādə]. Ağustos böceği.

cicatri·ce, ~**x** ['sikətris, -iks]. Yara izi; yara kabuğu. ~**ize** [-ayz], (yara) kabuk bağlamak.
cicely ['sisili]. Havuç gibi bir kaç bitki.
cicero ['sisərou], (*bas.*) Katrat. ~**ne** [çiçə'rouni], gezici rehber/kılavuz. ~**nian**, Çiçero tarzında/gibi; belâgatlı, uzdilli.
CID = COUNCIL OF INDUSTRIAL DESIGN; CRIMINAL INVESTIGATION DEPARTMENT.
-cide [-sayd], *son.* -öldürücü, -yok edici, -kıran [PATRICIDE].
cider ['saydə(r)]. Elma şarabı, sidr. ~**-press**, elma cenderesi.
CIE = COMPANION (OF THE ORDER) OF THE INDIAN EMPIRE.
CIF, cif [sif] = COST, INSURANCE AND FREIGHT.
cigar [si'gā(r)]. Yaprak sigara, puro. ~**ette** [sigə'ret], sigara: **filter-tipped** ~, filtreli sigara: ~**-end**, sigara artığı, izmarit: ~**-holder**, ağızlık. ~**illo**, küçük puro.
CIGS = CHIEF OF THE IMPERIAL GENERAL STAFF.
cilia ['siliə]. Kirpikler; (*bot.*) silia. ~**ry**, kirpiklere ait. ~**te(d)** [-lieyt(id)], kirpikli.
Cilicia [si'lisiə]. Kilikia (Adana bölgesinin eski ismi).
cimmerian [si'mīriən]. Kasvetli, kapanık.
cin. = CINEMA(TOGRAPHY).
C-in-C = COMMANDER-IN-CHIEF.
***cinch** [sinç]. Kolan (takmak). **it's a** ~, (*kon.*) elde bir.
cinchona [sin(g)'kounə]. Kınakına ağacı; kinin.
cincture ['sin(g)kçə(r)]. Kemer/kuşak (takmak).
cinder ['sində(r)]. Kor; yanması bitmiş ateş; köz, kül, cüruf; *ç.* kırıntı. ~**-path/-track**, cüruf serilmiş patika/yarış pisti.
Cinderella [sində'relə]. Bir peri masalı kız; kahramanı ihmal edilmiş/takdir edilmiyen şey/kimse.
cine- ['sine-] *ön.* Sine-; CINEMA. ~**ast**, sinema meraklısı. ~**-camera**, sinema fotoğraf makinesi, kamera.
cinema ['sinimə]. Sinema. ~**-goer**, seyirci. ~**theque** [-'tek], teklifsiz filimleri gösteren sinema. ~**tograph** [-'matəgrāf], sinema makinesi: ~**y** [-'tografi], sinemacılık.
cinephile ['sinəfayl]. Filim meraklısı.
cineraria [sinə'reəriə]. Bir nevi mürekkep bitki.
cinerar·ium [sinə'reəriəm]. (Yakılan ölüler) kül kabına mahsus bir hücre. ~**y** ['sinərəri], bu küle ait: ~**urn**, kül kabı.
Cingalese [sin(g)gə'līz] *i.* Seylânlı; Seylân dili: *s.* Seylan+.
cinnabar ['sinəbā(r)]. Zincifre.
cinnamon ['sinəmən]. Tarçın.
cinq(ue) [sin(g)k] (*Fr.*) Beş; penç. ~**foil**, beşparmakotu; (*mim.*) beşparmaklı bir tezyinat. ~**-ports**, (*tar.*) Manş'taki önemli beş İng. limanı.
CIO = *CONGRESS OF INDUSTRIAL ORGANIZATIONS.
cipher ['sayfə(r)] *i.* Sıfır; solda sıfır (kimse); şifre; gizli yazı; şifre anahtarı; marka. *f.* Şifre ile yazmak; hesap yapmak.
circa ['səkə] (*Lat.*) Takriben, tahminen.
circadian [sə'keydiən] (*biy.*) Vücudun 24 saatlik devrine ait. ~**-rhythm**, bu devir.
Circassia [sə'kasiə]. Çerkezistan. ~**n**, Çerkez.
Circe ['səsi] (*mit*) Büyücü kadın; (*mec.*) tehlikeli derecede cazibeli kadın.
circinate ['səsineyt] (*bot.*) Kıvrık yapraklı.
circle [səkl] *i.* Daire, teker; halka, çember; (*tiy.*) balkon; (*id.*) grup, topluluk; meclis; mahfil, muhit, çevre; ülke, saha. *f.* Etrafını dönmek; dolaşmak; (*sp.*) çevirmek. ~ **back**, dolaşıp başlangıca dönmek: **dress-/upper-**~, (*tiy.*) birinci/ikinci balkon: **come full** ~, dolaşıp aynı yere gelmek: **square the** ~, imkânsız bir şeye girişmek: **vicious** ~, fasit daire, kısır döngü; **well-informed** ~**s**, iyi haber alan çevreler. ~**t** [-klit], küçük daire/taç, dairecik. ~**wise** [-wayz], daire şeklinde.
circs. [sə(r)ks] (*kon.*) = CIRCUMSTANCES.
circuit ['səkit]. Etrafını dönme, dolaşma; teftiş devri; deveran; dolaşılan bölge; (*sin.*) şebeke; muhit, çevre, saha; (*elek.*) devre; (*huk.*) gezici mahkeme: **go on** ~, (hâkim/avukat) gezici mahkeme ile dolaşmak: **printed** ~, basma devre. ~**-breaker**, şalter, cereyan kesici. ~**-diagram**, devre şeması. ~**ous** [-'kyuitəs], dolambaçlı, dolaşık.
circular ['səkyulə(r)] *s.* Dairevî, dairesel, çevresel, çembersel; daire+; (*ast.*) çember+. *i.* Tamim, genelge, sirküler. ~**ity** [-'lariti], daire şekli olma, yuvarlaklık. ~**ize** [-lə'rayz], tamim etm., sirküler göndermek. ~**-letter**, tamim vb. ~**-saw**, yuvarlak testere.
circulat·e ['səkyuleyt]. Dolaş(tır)mak; tedavül et(tir)mek; devretmek; yay(ıl)mak; yayımlanmak; neşretmek, neşredilmek; deveran etm.; dolanmak. ~**ing**, döner, tedavül+: ~**-library**, ariyeten kitap veren kütüphane. ~**ion** [-'leyşn], dolaşma; cereyan; devir; deveran, dolaşım, sirkülasyon; (*mal.*) tedavül, sürüm; (*bas.*) baskı sayısı, tiraj, satış miktarı, dağıtım: **in** ~, geçer, tedavül/sürümde: **put into** ~, tedavüle çıkarmak: **withdraw from** ~, tedavülden çekmek: **mass** ~, yüksek tiraj(lı): **pulmonary** ~, (*tıp*) küçük dolaşım: ~**-manager**, (*bas.*) satış şefi. ~**or** [-tə(r)], dolaştırıcı; devir ettirici; (haber vb.) yayan; tedavül ettiren. ~**ory**, döner, dönüş+, dolaşım+.
circum- [səkəm-] *ön.* Etraf-. ~**ambient** [-'ambiənt], muhit, etrafındaki. ~**ambulate**, dolaşarak gezmek. ~**cis·e** [-'sayz], sünnet etm.: ~**ion** [-sijn], sünnet. ~**feren·ce** [-fərəns], çevre, muhit, çember: ~**tial** [-'renşl], çevresel, muhitî. ~ **flex** [-fleks], (ˆ) işaretli vurgu; ünlem vurgusu. ~**locut·ion**, [-lə'kyūşn], dolambaçlı söz/deyim: ~**ory** [-təri], dolambaçlı. ~**navigat·e**, gemi ile dünyanın etrafını dolaşmak: ~**or**, böyle dolaşan kimse. ~**nutate** [-nyūteyt], her tarafa dönerek büyümek. ~**polar**, (*ast.*) batmayan, ~**scribe**, etrafını çizmek; sınırlamak; etrafını resmetmek: ~**d**, çevrel. ~**scription**, sınır (dairesi); bölge. ~**solar** [soulə(r)], güneşe yakın, onun etrafında dönen. ~**spect**, ihtiyatlı, basiretli; saygılı; düşünceli; müteenni: ~**ion** [-şən], ihtiyat vb.
circumstan·ce ['səkəmstans]. Hal; şart; vaziyet, durum; hadise, olay; keyfiyet; vaka; tafsilat; ayrıntı; merasim, tören. ~**s**, malî durum: **in/under the** ~**s**, bu durumda; bu ahvalde: **in no** ~**s**, hiç bir şekilde, hiç bir zaman: **my worldly** ~**s**, malî durumum: **with pomp and** ~, büyük törenle. ~**d**, **well** ~**d**, hali vakti yerinde: **as I was** ~**d**, içinde bulunduğum durumda. ~**tial** [-'stanşl], mufassal; ayrıntılı; arızî, tali, ikinci derecede: ~ **evidence**, emare, belirti, iz.

circum·stellar [sākəm'stelə(r)]. Yıldız etrafında (dönen). **~vallation**, [-və'leyşn], duvar/siper ile kuşatma. **~vent**, hilesini bozmak; yasak etm.; iğfal etm. **~volution** [-və'lūşn], döndürme; kangal; devre.

circus ['sākəs]. Sirk, cambazhane; bir kaç caddenin birleştiği meydan; amfiteatr.

cirque [sāk]. Doğal amfiteatr; buzyalağı.

cirrhosis [si'rousis]. Bir karaciğer hastalığı; siroz.

cirr·i, ~o- [siri-, -ro-] *ön.* Tüy+, büklüm+, filiz+. **~iferous** [-'rifərəs], (*bot.*) filizli. **~iform**, büklüm/filiz şeklinde. **~iped(e)**, [-ped, -pīd], kıvrıkbacaklı. **~ocumulus** [siro'kyumyuləs]. yumak bulut, sirrokümülüs. **~ostratus** [-'strātəs], tül bulut, sirrostratüs. **~us** ['sirəs], tüy bulut, sirrüs; (*zoo.*) filize benzer uzuv.

cis- [sis-] *ön.* Herhangi bir şeyin bu tarafında (*ki konuşan kimsenin durumu ile değişir*).

CIS = CHARTERED INSTITUTE OF SECRETARIES.

cis·alpine [sis'alpayn]. Alp dağlarının güneyinde. **~atlantic**, Atlas Okyanusunun Avrupa tarafında. **~lunar**, yer ile ay arasındaki aralığa ait.

cissy ['sisi] (*arg.*) Kadın gibi (erkek).

cist [sist]. Taş/kütük tabut; mukaddes eşya kutusu.

cistern ['sistən]. Sarnıç.

citable ['saytəbl] (*huk.*) Çağrılabilir; (*edeb.*) iktibas edilebilir.

citadel ['sitədel]. Kale; hisar; (*mec.*) sığınak.

cit·ation [say'teyşn]. Celp, davet, çağrı; zikir, anma, söyleme; alıntı, iktibas; getirtme belgesi. **~e** [sayt], celbetmek, mahkemeye çağırmak; zikretmek, söylemek; iktibas etm.; şahit/tanık göstermek.

cither(n) ['siθə(r)(n)]. Bir nevi gitara.

citi·fied ['sitifayd]. Şehirleş(tiril)miş. **~zen** [-tizn], hemşeri; vatandaş; uyruk; sivil şahıs; şehirli: **senior ~**, ihtiyar emekli: **~ship**, vatandaşlık, vatanperverlik: **deprive of ~**, vatandaş haklarını iptal etm.: **~ry**, hemşeriler.

citr·ate ['sitreyt]. Sitrat. **~ic**, sitrik, ekşi; limon+: **~ acid**, asit sitrik, limon ekşi/tuzu. **~iculture** [-i'kʌlçə(r)], narenciyecilik. **~ine** [-īn], limon rengi; sitron. **~on** [-ən], ağaçkavunu. **~(o)us**, turunçgil, limon vb. ağacı.

city ['siti]. Büyük şehir; katedrallı sehir; (*mim.*) site: **the C~**, Londra'nın iş merkezi: **he is (something) in the ~**, Londra'da iş adamıdır: **the Eternal ~**, Roma: **the Heavenly ~**, Cennet: **the Holy ~**, Kudüs şehri. **~-article/-editor/-page, etc.**, (*bas.*) borsa haberleri makale/yazar/sayfası. **~-fathers**, şehrin eşrafı. ***~-hall**, belediye daire/sarayı. **~-state**, hem şehir hem de memleket.

Civ.E. = CIVIL ENGINEERING.

civet (-cat) ['sivit]. Misk kedisi; bu kediden çıkarılan yağ.

civic ['sivik]. Şehre ait; medenî; vatandaşlığa ait: **the ~ authorities**, belediye makamları: **~ rights**, vatandaşlık hakları. **~s**, yurtbilgisi; vatandaşlık bilgisi.

civil ['sivil]. Vatandaşlara ait; devlet/millete ait; medenî, uygar; sivil, askerî olmıyan; nazik, terbiyeli: **~ action**, hukuk davası: **~ code**, yurttaşlık yasası, medenî kanun: **~ defence**, pasif korunma, sivil savunma: **~ disobedience**, siyasî sebeplerden vergileri vermeme, kanunlara itaat etmeme vb.: **~ engineer(ing)**, nafia/yapı/inşaat mühendis(liğ)i: **~ law**, medenî kanun: **~ liberty**, insan hakları: **~ list**, Kraliçe ve sarayın ödeneği: **~ marriage**, medenî (dinî olmıyan) evlenme: **~ rights**, medenî haklar: **~ servant**, mülkiye memuru: **~ service**, amme/mülkiye hizmeti, kamu görevi, devlet memurluğu: **~ status**, şahsi hal: **~ war**, iç savaş.

civili·an [si'vilyən]. Sivil; başıbozuk. **~ty** [-'viliti], nezaket, terbiye. **~zation** [-lay'zeyşn], medeniyet, uygarlık. **~ze**, medenîleştirmek, uygarlaştırmak: **~d**, medenîleşmiş, uygarlaşmış, soysal. **~zing**, medenîleştiren.

civilly ['sivilli]. Nazik/terbiyeli bir şekilde.

civ(v)·ies ['siviz] (*ask.*, *arg.*) Sivil elbiseler. **~y, in ~ street**, askerlikten sonra sivil hayatında.

CJ = CHIEF JUSTICE.

Cl. (*kim.s.*) = CHLORINE.

cl. = CENTILITRE; CLASS; CLASSICAL.

clachan ['kla(k)hən] (*İsk.*) Köycük.

clack [klak] (*yan.*) *i.* Tıkırtı, çıtırtı. *f.* Tıkırdamak, çıtırdamak. **~er**, (*sin.*) klaket.

clad [klad] *g.z.*(*o.*) = CLOTHE. **~ding**, (*mim.*) kaplama, giydir(il)me.

clad·e/~us [kleyd, 'kladʌs]. Dal. **~istic** [klə'distik], kalıtım faktörlerine ait.

claim [kleym] *f.* İddia etm.; istemek; talep etm.; haketmek, istihkak etm. *i.* İddia, şayia; istem, talep, dava; haketme, istihkak, alacak hakkı; (yeni keşfedilen bir ülkede) sonradan işletmek/satmak üzere işaret konan toprak/arsa. **stake out a ~**, böyle bir arsanın sınırını çizmek: **jump a ~**, sahibinin kullanmadığı böyle bir arsayı işgal etm. **~able**, iddia edilebilir, vb. **~ant**, davacı; talep sahibi; hak iddia eden.

clairvoyan·ce [kleə'voyəns]. Falcılık; geleceği görmek yeteneği. **~t**, gaibi gören; gaipten haber veren falcı.

clam [klam]. Deniz tarağı; midye; = CLAMP; (*mec.*) konuşmıyan kimse: **shut up like a ~**, birdenbire susmak, çenesini tutmak. ***~-bake**, tarak pişirip yeme eğlencesi. **~-shell**, tarak kabuğu, çift çeneli kepçe.

clamant ['klamənt]. Gürültülü; ısrarlı.

clamber ['klambə(r)]. Güçlükle tırmanma(k).

clammy ['klami]. Soğuk ve ıslak; yapışkan.

clamo·rous ['klamərəs]. Gürültülü, şamatalı. **~ur**, gürültü; patırtı; yaygara: **~ for**, yaygara ile istemek.

clamp [klamp] *i.* Mengene; kenet; köşebent; kıskaç; kelepçe; işkence; raptiye; (*zir.*) küme, yığın. *f.* Mengeneye kıstırmak; kenetlemek; bağlamak; sıkıştırmak; (*zir.*) yığmak. **~down**, çok sıkı bir kontrol.

clan [klan]. Kabile, klan, boy; birbirine çok bağlı aile.

clandestine [klan'destin]. Gizli, el altından.

clang [klan(g)] (*yan.*) Tınlama(k), çınlama(k). **~er**, falso: **drop a ~**, (*arg.*) falso yapmak. **~our**, bir sürü madenî sesler.

clank [klan(g)k] (*yan.*) *i.* Şıkırtı. *f.* Şıkırdatmak.

clan·nish ['klaniş]. Kabileye ait; birbirine bağlı ve yabancıları sevmiyen. **~ship**, kabile üyeliği. **~sman**, *ç.* **-men**, bir kabile/klana mensup adam.

clap [klap] *i.* El çırpma, şaklama; (tek) gök gürlemesi; (*arg.*) belsoğukluğu. *f.* El çırpmak, alkışlamak; çarpmak, vurmak; (kanat) çırpmak; ansızın ve şiddetle koymak vb. **~ s.o. on the back**, tebrik için vb. birinin sırtına vurmak: ~ **eyes on s.o.**, birini birdenbire görmek; **I've never ~ped eyes on him**, onu hayatımda hiç görmedim: ~ **on one's hat**, şapkasını başına geçirmek: ~ **a pistol to s.o.'s head**, birinin başına tabanca dayamak: ~ **s.o. in prison**, birini hapse tıkmak.

***clap·board** ['kla(p)bōd]. Padavra tahtası. ~**ped out** ['klapt aut] (*arg.*) harap edilmiş, köhne. ~**per**, çan tokmağı; (*zir.*) kuş korkutan fırıldak; (*sin.*) şakşak: ~**-boy**, şakşakçı. ~**trap**, gösteriş için boş söz/hareket; safsata, palavra.

claque [klak] (*Fr.*) (Tiyatro/mitingde) ücretli şakşakçılar grubu.

clarence ['klarəns]. Dört tekerlekli kapalı araba.

clarendon ['klarəndən] (*bas.*) Dar bir harf yüzü.

claret ['klarət]. Kırmızı bir Bordo şarabı; kırmızı şarap rengi: **tap s.o.'s** ~, (*arg.*) burnunu vurup kanını akıtmak.

clarif·ication [klarifi'keyşn]. Tasfiye, durul(t)ma; aydınlatma; açıklama, izah. ~**fy** ['klarifay], tasfiye etm., durul(t)mak; arıtmak; duru bir hale getirmek; aydınlatmak, izah etm., açıklamak.

clarinet ['klarinet]. Klarnet. ~**tist** [-'netist], klarnetçi.

clarion ['klariən] *i.* Boru, zurna. *s.* Duru ve tiz. ~**-call**, boru çalınması; ~ **of duty etc.** göreve vb. çağırışı.

clarity ['klariti]. Vuzuh, duruluk, açıklık, belirginlik.

clary ['kleəri]. Adaçayı.

clash [klaş] (*yan.*) Çarp(ış)ma sesi; çarpışma(k); çatışma(k); (*mec.*) şiddetli anlaşmazlık (halinde olm.); uyuşmama(k).

clasp [klāsp] *i.* Toka; kenet; bağlamağa/tutturmağa yarıyan şey; el sıkma. *f.* Yakalamak, kavramak; sıkmak; kucaklamak; bağlamak. ~ **one's hands**, el kavuşturmak. ~**-knife**, sustalı çakı.

class [klās] *i.* Sınıf, bölüm; tabaka, bölük; nevi, cins. *f.* Tasnif etm., sınıfla(ndır)mak. **he's got** ~**!**, (*köt*) mükemmeldir!: **evening** ~**(es)**, gece okulu: **high** ~, birinci sınıf/nevi, mükemmel: **lower** ~**(es)**, avam tabakası(na ait): **no** ~, (*kon.*) aşağı sınıf/derecede: **upper** ~**(es)**, yuksek sınıf/eşraf(a ait). ~**-book**, defter; *sınıf albümü.

classic ['klasik] *s.* Mükemmel, birinci derece; klasik; eski Yunan/Roma'ya ait. *i.* Klasik; klasik yazar; (*san.*) klasik/soy yapıt; (*sp.*) klasik/örnek yarış: **the** ~**s**, eski Yunan/Latin edebiyatı. ~**al**, klasik: ~ **scholar**, klasikçi: ~**ism**, klasik edebiyattan alınan stil/sözler: ~**ly**, klasik bir tarzda. ~**ism** [-sizm], klasikçilik. ~**ist**, klasikçi. ~**ize** [-sayz], klasik tarzda yazmak vb.

classif·iable ['klasifayəbl]. Sınıflandırılabilir. ~**ication** [-fi'keyşn], sınıfla(ndır)ma, bölümleme, tasnif, klasifikasyon, sıralama, sistematik. ~**ied** [-fayd], tasnifli, sistematik; (*id.*) gizli. ~**y**, sınıflandırmak, ayırmak, tasnif etm.; (*ask.*, *id.*) gizli listeye yazmak.

class·~**list(s)** ['klāslist]. Sınıf öğrencileri listesi; (üniversitede) derecelere göre imtihan sonuçları listesi. ~**mate** [-meyt], sınıfdaş. ~**room**, ders odası. ~**work**, sınıfta yapılan ödev. ~**y**, (*arg.*) mükemmel, ekâbir.

clatter ['klatə] (*yan.*) Takırtı; takırdama(k); patırtı (etm.). ~ **downstairs**, merdivenden gürültü ile inmek: **come** ~**ing down**, paldır küldür düşmek.

clause [klōz] (*id.*) Madde; şart, koşul; hüküm; (*dil*) cümlenin bir kısmı, cümlecik. **main/principal** ~, temel cümle(cik): **relative** ~, bağlaçlı yancümle: **subordinate** ~, yan cümle(cik).

claustr·al ['klōstrəl]. Manastıra ait; münzevî; köşeye çekilmiş ~**ophobia** [-'fəubiə], kapalı yerlerden korkma. ~**ophobic**, kapalı yerlerden korkan.

clavate ['klaveyt] (*bot.*) Çomak gibi.

clav·ecin ['klavəsin]. Klavsen. ~**ichord** [-ikōd], ilk çeşit piyano.

clavi·cle ['klavikl]. Köprücük kemiği. ~**cular** [-'vikyulə(r)], bu kemiğe ait.

clavier ['klaviə(r)] (*müz.*) Klavye.

claviform ['klavifōm]. Çomak şeklinde.

claw [klō] *i.* Hayvan pençesindeki iğri tırnak; hayvan pençesi; ıstakoz kıskacı; çengel, çekicin çivi söken tarafı. *f.* Tırmalamak, pençelemek. ~ **off**, (gemi) volta ederek karadan kurtulmak. ~**-back** (*id.*) verilen parayı vergi vasıtasiyle geri alma. ~**-hammer**, çatal çekiç.

clay [kley]. Balçık, kil; insan vücudu. ~**ey**, balçıklı, killi.

claymore ['kleymō(r)] (*İsk.*) İki ağızlı büyük kılıç. ~**(-mine)**, (*ask.*) elektronik mayın.

clay-pigeon [kley'picin]. Havaya atılan balçık nişan, plâk. ~**-shooting**, bu nişanları düşürme. ~**-trap**, baltrap.

clean[1] [klīn] *s.* Temiz, saf; biçimli. *zf.* Tamamen, iyice. **as** ~ **as a new pin**, tertemiz, pırıl pırıl: **come** ~**!**, (*arg.*) itiraf et!: **keep it** ~**!**, (*kon.*) açık saçık olmasın!: **a** ~ **bill**, ilişiksiz senet; temiz pratika: **make a** ~ **breast of stg.**, her şeyi itiraf etm., içini dökmek: **have** ~ **hands**, namuslu olm., rüşvete el sürmemiş olm.: **make a** ~ **sweep**, tam temizlemek; (*sp.*) bütün oyun/yarışları kazanmak: ~ **through**, tamamen.

clean[2] *f.* Temizlemek, yıkamak; süpürmek. ~ **down**, fırça ile/silerek temizlemek. ~ **out**, boşaltıp temizlemek; boşaltmak: **be** ~**ed out**, meteliksiz kalmak. ~ **up**, süprüntü vb.ni toplıyarak temizlemek; düzeltmek; (*kon.*) bitirmek.

clean-[3] *ön.* ~**able**, temizlenir. ~**-built** [-bilt], temiz işlenmiş/yapılmış. ~**-cut**, temiz kesik, biçimli. ~**er**, temizleyici (madde); silgi; temizlek. ~**-fingered/handed**, (*mec.*) dürüst, rüşvet almıyan. ~**ing**, temizle(n)me; arıtma. ~**-limbed** [-limd], biçimli, ~**ly**[1], *zf.* temiz olarak. ~**ly**[2] ['klenli], *s*, temiz tutulmuş; temiz tutan. ~**-room**, tamamen sterilize edilmiş atölye/laboratuar. ~**se** [klenz], temizlemek, silmek, arıtmak. ~**ser**, temizleyici (madde). ~**-shaven**, köse, tıraşlı. ~**sing** ['klenzin(g)], temizleyici: ~**-department**, (*id.*) çöpçülük idaresi.

clear[1] [kliə(r)] *s.* Açık, aydınlık; duru, berrak, şeffaf, temiz; saf; net; tam; bulutsuz; aşikâr, besbelli, vazıh; engelsiz, boş, serbest. **be/get** ~ **of...**, -den kurtulmak, sıyrılmak: **a** ~ **majority**, tam çoğunluk: **a** ~ **profit**, net kazanç: **a** ~ **thinker**, açık fikirli: **'all** ~**!'**, yol açık!: **sound the 'all-**~**'**, bir hava hücumunun sonunda 'tehlike geçti' işaretini vermek: **the coast is** ~, 'ortalık sütliman': **stand/keep** ~, açık durmak, çekilmek, sokulmamak: **the moment the train was** ~ **of the station**, tren istasyondan ayrılır ayrılmaz: **my conscience is** ~, vicdanen müsterihim: **make oneself** ~, maksadını açıkça açıklamak: **are you quite** ~ **about that?**, (i) bunu iyice anladınız mı?: (ii) bu hususta tamamen emin misiniz?: **send a message in** ~, açık (şifresiz) bir haber göndermek.

clear[2] *f.* Açmak, açık hale getirmek; duru ve berrak hale getirmek; temizlemek; ayıklamak; kurtarmak; engelleri kaldırmak; boşaltmak; temize çıkarmak; gümrükten çıkarmak; (hava) açılmak; berraklaşmak, durulmak: (gemi) hareket etm.: ~ **the air**, (i) havayı temizlemek; (ii) durumu açıklamak: ~ **one's conscience**, vicdanını müsterih kılmak: ~ **the decks for action**, (i) savaş için güverteyi neta etm.; (ii) bir iş için hazırlık yapmak: ~ **the ground (for)**, (-e) yol açmak, zemin hazırlamak: ~ **£100/10 per cent.**, yüz lira/yüzde on net kazanç temin etm.: **(jumping)** ~ **an obstacle**, atlarken dokunmadan bir engelden aşmak: ~ **a ship**, (i) gemiyi boşaltmak; (ii) bir geminin bütün masraflarını vererek hareket iznini almak: ~ **the table**, sofrayı kaldırmak; masanın üstünü toplamak. ~ **away**, kaldırmak; temizlemek, derleyip toplamak. ~ **off**, borç vb.) ödemek; temizlemek; kaçmak, sıvışmak. ~ **out**, boşaltmak, temizlemek; çekilip gitmek: ~ **out!**, çek arabanı! ~ **up**, temizlemek; aydınlatmak; halletmek.

clearance ['kli̯ərəns] (*müh.*) Aralık, boşluk, açıklık; gümrük makbuzu, gümrükleme; temizleme, tasfiye. ~**-sale**, mağazayı boşaltmak için tenzilatlı satış. ~**-space**, ara boşluğu.

clear·-cut ['kli̯ə(r)kʌt]. Düzgün, biçimli, keskin hatlı, net; vazıh, katî, kesin. ~**-headed**, anlayışlı, açık kafalı.

clearing ['kli̯ərin(g)] *i.* Ormanda açık alan, kayran; bankalar arasında çek ve senet mübadelesi suretiyle hesaplama; kliring, takas; aktarma, mal değişimi; sayışım. ~**-house**, takas/kliring/sayışım odası.

clear·ly ['kli̯ə(r)li]. Aşikâr; şüphesiz olarak; evet, hay hay! ~**ness**, açıklık; temizlik; berraklık. ~**-sighted** [-saytid], basiretli. ~**-sky**, bulutsuz gök: **out of a** ~, birdenbire.

cleat [klīt]. Kastanyola; koçboynuzu, bite; kama, takoz; mandal; uzun ayakkabı çivisi.

cleavage ['klīvic]. Yarılma, yarık; ayrılma, ayrılık; (*yer.*) dilinim, segmentasyon; (*kon.*) memeler arasındaki oluk.

cleave[1] (*g.z.* ~**d/clove/cleft**; *g.z.o.* ~**d/cloven/cleft**) [klīv(d), klo̯uv(n), kleft]. Yarmak, yarılmak; çatlamak: **a cleft stick**, çatallı değnek: **be in a cleft stick**, çıkmaza girmek.

cleave[2]. ~ **to...**, -e bağlı olm., yapışmak.

cleaver[1] ['klīvə(r)]. Yarıcı; satır; kama.

cleaver[2]. Yapışkan. ~**s**, çobansüzgeci.

cleek [klīk] (Golf) demir topuzlu bir değnek.

clef [klef] (*müz.*) Nota anahtarı.

cleft [kleft] *g.z.(o.)* = CLEAVE. *i.* Oluk, yarık; çatlak. ~**-palate**, (*tıp.*) doğuştan damağı yarık.

cleg [kleg]. Büyük at sineği.

clem [klem] (*leh.*) Çok acıkmak; yiyeceksiz bırakmak.

clematis ['klemətis]. Filbahar, akasma: **purple** ~, orman asması.

clemen·cy ['klemənsi]. Merhamet, şefkat, acıma; mülayimlik, yumuşaklık. ~**t**, mülayim, yumuşak (huylu).

clench [klenç]. (Diş/yumruklarını) sıkmak; sımsıkı yakalamak.

clepsydra ['klepsidrə]. Su saati.

clerestory ['kli̯əstori] (*mim.*) Kilisenin pencereli üst kısmı.

clergy ['klə̄ci] *ç.* Rahipler, rahip sınıfı; papazlar. ~**man**, *ç* **-men**, rahip, papaz.

cleric ['klerik]. Rahip; (*mer.*) kâtip. ~**al**, kâtiplere ait; rahiplere ait; rahip; rahiplerin nüfuzu siyasetine taraftar: ~**-error**, kayıt hatası. ~**alism** [-kəlizm], siyasette rahiplerin nüfuzu/buna taraftarlık.

clerk [klāk]. Kâtip, yazıcı, işyar; evrak memuru; kilisede çalışan küçük memur; (*din.*) rahip. ~ **in Holy Orders**, rahip: **Town** ~, (belediye) tahrirat kâtibi ile evrak müdürü görevlerine yakın iş gören memur: ~ **of the weather**, hava işlerini yönettiği varsayılan kişi: ~ **of (the) works**, işbaşı. ~**dom** [-dəm], kâtiplik. ~**ly**, kâtipçe; küçük memur gibi. ~**ship**, kâtip makamı.

clever ['klevə(r)]. Zeki; maharetli; becerikli, ustalıklı; istidatlı. **he was too** ~ **for us**, bizden daha kurnaz çıktı. ~**ly**, zekice. ~**ness**, zekâ; maharet.

clevis ['klevis]. Kenet demiri, kastanyola.

clew [klū] *i.* İplik/yün yumağı; ıskota yakası; halka. *f.* Yumak gibi sarmak; yelkeni hisa etm.

cliché ['klīşey] (*bas.*) Klişe; (*dil*) basmakalıp (söz).

click [klik] (*yan.*) *i.* Sert ve kesik ses; şıkırtı, çatırtı; (dil) şaklama. *f.* Şıkırdamak; şaklamak; (topuklarını) çarpıştırmak; (*arg.*) uyuşmak, birbirinden hoşlanmak; uymak. ~**-beetle**, taklaböceği.

client ['klayənt]. Müşteri; müvekkil. ~ **state**, bağlı ve yardıma muhtaç olan memleket. ~**ele** [kliā(n)'tel], müşterilerin tümü.

cliff [klif]. (Yalı) yar, falez; uçurum, kayalık. ~**-hang**, askıda/merakta kalmak: ~**er**, (*sin.*) merakta bırakan bölüklü filim.

climacteric [klay'maktərik]. Dönüm noktası; insan vücudunda büyük değişme olan zaman.

climat·e ['klaymit]. İklim, hava. ~**ic** [-'matik], iklim(sel). ~**ology** [-mə'toləci], iklimbilim, klimatoloji.

climax ['klaymaks]. En buhranlı nokta; en yüksek derece; doruk.

climb [klaym]. Tırmanma(k), tırmanış, çıkma(k); yüselme(k); yokuş. ~ **down**, (tırmanarak) inmek; yelkenleri suya indirmek. ~**er**, tırmanan; dağcı; sarmaşık nebat; her ne pahasına olursa olsun toplumda muvaffak olmak isteyen adam. ~**-out**, (*hav.*) anî ve dik kalkış.

clime [klaym] (*şiir*) İklim, diyar.

clinch [klinç]. Perçin(lemek); (boks) girift olma(k). ~ **an argument**, bir münakaşada karşısındakini (kuvvetli bir cevapla) susturmak: ~ **a bargain**, pazarlığı uydurmak. ~**er**, perçinleyici; (*kon.*) cevap verilemez bir delil.

cling (*g.z.(o.)* **clung**) [klin(g), klʌn(g)]. Sımsıkı sarılmak, yapışmak, tutunmak; vazgeçmemek; bağlanmak: ~ **together**, birleşik olm., birbirine bağlı olm.; 'anca beraber kanca beraber' olm. ~**ing**, tutar, bırakmaz, yapışkan. ~**-stone**, çekirdeği etine yapışık şeftali. ~**y**, yapışkan.

clinic ['klinik]. Klinik. ~**al**, klinik +, kliniğe ait: ~ **thermometer**, doktor/klinik termometresi, derece. ~**ally**, klinik muayenesine göre.

clink[1] [klin(g)k] (*yan.*) *i.* Şıkırtı. *f.* Şıkırda(t)mak. ~ **glasses**, kadeh tokuşturmak.

clink[2] (*arg.*) Kodes.

clink·er ['klin(g)kə(r)]. Çok sert bir cins tuğla; maden kömürü cürufu; erimiş tuğla yığını: **~-built**, bindirme kaplamalı (kayık). **~ing**, şıkırdatan; (*arg.*) mükemmel, birinci sınıf, en âlâ (şey/kimse).

clino- [klayno-] *ön.* Eğim/meyile ait. **~meter** [-'nomitə(r)], eğim ölçer.

clip[1] [klip] *i.* Kırpma; koyunda kırpılan yün miktarı; kırkım; zımbalama. *f.* Kırpmak; kırkmak; kesmek; kısaltmak; zımbalamak. **~ s.o.'s claws**, (*mec.*) birinin tırnaklarını sökmek: **~ s.o.'s wings**, birinin hareket/faaliyetini tahdit etm.: **~ one's words**, kelimelerin sonunu yutmak.

clip[2] *i.* Raptiye, kenet, bağlantı, pens, kıskaç, kelepçe. *f.* Raptiye vb. ile tutturmak/iliştirmek. **give s.o. a ~ on the ear**, (*arg.*) birine tokat atmak.

clip-[3] *ön.* **~board**, raptiyeli yazı altlığı. ***~-joint**, kötü şöhretli gece kulübü. **~ped** [klipt], kesik (ses). **~per**, çok yollu bir cins yelkenli gemi; (*arg.*) mükemmel (kimse/şey): **~s**, kırpma aleti; saç traş makinesi. **~(pety)-clop** [-(pəti)'klop] (*yan.*) takır takır. **~pie** [-pi], kadın biletçi. **~ping**, kırpıntı, kırkma; kesik parça; (*bas.*) gazete kesiği.

clique [klīk]. Klik, hizip.

clitoris ['klitəris]. Dilcik, klitoris.

Cllr. = COUNCILLOR.

cloaca ['kloueykə]. (Büyük) lağım; (*zoo.*) dışkılık. **~l**, lağım/dışkılığa ait.

cloak [klouk] *i.* Harmaniye, pelerin, manto; gocuk; (*mec.*) bahane, perde, örtü. *f.* Örtmek, gizlemek. **~-and-dagger**, (*ask.*) hafiye/istihbarat teşkilâtına ait. **~-room**, emanet, vestiyer, gardırop: **gent(lemen)'s ~**, 'erkeklere': **ladies' ~**, 'kadınlara'.

clobber[1] ['klobə(r)] (*arg.*) Elbiseler; teçhizat.

clobber[2] (*arg.*) Birini vurmak/dövmek. **be ~ed with**, -le yüklenmek.

cloche [kloş] (*zir.*) Kloş; (*mod.*) çan şekli (şapka).

clock [klok]. Büyük saat, duvar saati vb.; çorabın yan tarafında süs. **~ in/out**, (işe gelen/işini bitiren işçi) saati çevirmek: **grandfather ~**, dolaplı saat: **what o'~ is it?**, saat kaç?: **it is two o'~**, saat iki: **like one o'~**, (*arg.*) mükemmel: **ten minutes by the ~**, tam on dakika: **against the ~**, (*sp.*) saatli, saate karşı: **round the ~**, yirmi dört saat: **sleep the ~ round**, on iki saat uyumak. **~-**, *ön.* saat+, saatli. **~-face**, saat yüzü. **~-golf**, alanı saat yüzü gibi golf oyunu. **~wise** [-wayz], saat akrebinin döndüğü yönde. **~work**, saat makinesi, çark ve zemberekle işliyen makine: **like ~**, saat gibi, düzgün.

clod [klod]. Toprak parçası, kesek; topak; toprak; ahmak, sersem. **~dish** [-diş], kesek gibi; ahmak. **~dy**, kesekli. **~hopper**, hödük. **~-poll**, ahmak erkek.

clog [klog] *i.* Tahta köstek; altı tahta kundura; takunya. *f.* Kösteklemek; engel olm.; tıka(n)mak. **~-dance**, altı tahta ayakkabı ile tempo tutularak yapılan dans.

cloisonné ['kluazoney] (*Fr.*) Bir cins metal ile emay işi.

cloister ['kloystə(r)] *i.* Manastır; (manastır/kolej) avlu çevresindeki kemerli yol, revaklı bahçe. *f.* Manastıra kapamak; tecrit etm.; ayırmak. **~ed**, manastıra kapanmış; yalnızca yaşıyan; (*mim.*) kemerli yollu.

clone ['kloun] (*zir.*) Tek bir bitkiden hâsıl olan bütün bitkilerin grubu.

clonk [klon(g)k] (*yan.*) Ağır bir çarpma sesi (çıkarmak); (*kon.*) vurmak, dövmek.

clonus ['klounəs]. Şiddetli adale ıspazmoz/seğirmesi.

close[1] [klous] *s.* Yakın, bitişik; dikkatli; sık, dar, sıkı; mahdut, sınırlı; kapalı, kasvetli, havasız, ağır, sıkıntılı; hasis, cimri; fazla ağzı sıkı; samimî (arkadaş): **~by/at hand**, yakında; çevrede: **a ~ election**, seçimde az farkla kazanma: **a ~ finish**, bir yarışı az farkla bitirme: **lie ~**, bir kenara büzülmek/saklanmak: **a ~ prisoner**, sıkı nezaret altında olan mahpus: **at ~ quarters**, çok yakından; (*den.*) borda bordaya: **stand ~ in to land**, (gemi) kıyıdan gitmek: **a ~ thing**, (*kon.*) uç uca, ucu ucuna, güçlükle: **~ time/season**, (av) yasak süre/mevsim: **a ~ translation**, aslına çok yakın çeviri.

close[2] [klouz] *i.* Son, nihayet; kapanma. *f.* Kapatmak; kapanmak; bit(ir)mek; sona er(dir)mek; göğüs göğüse gelmek; (gemi) yaklaşmak. **~ the books**, yıl sonunda vb. hesabı kapatmak: **~ the ranks**, safları şıkıştırmak; (*mec.*) tehlike karşısında birleşmek: **~ with s.o.**, biriyle göğüs göğüse gelmek; biriyle anlaşmaya varmak: **~ with a bargain**, pazarlığı uydurmak. **~ about/round**, kuşatmak, etrafını çevirmek. **~ down**, büsbütün kapatmak/kapanmak; (radyo) yayınını bitirmek. **~ in, night is closing in**, karanlık basıyor: **the days are closing in**, günler kısalıyor: **~ in on s.o.**, etrafını çevirerek yaklaşmak. **~ up**, kapatmak; tıkamak; kapanmak; örtülmek; yaklaşmak, sıkışmak.

close[3] [klous] *i.* Bir katedralin etrafı çevrili arsası; (*huk.*) etrafı çit vb. ile çevrilmiş mülk; çıkmaz.

close-[4] *ön.* **~-carpetted**, halı ile tamamen döşenmiş. **~-cropped/-cut**, kısa kesilmiş. **~d** [klouzd], kapanmış; kapalı: **~-circuit (TV)**, kapalı devre (TV): **~-shop**, yalnız (bir) sendika üyelerini kullanan fabrika vb. **~-fisted** [klous-], cimri. **~-fitting**, iyi oturan (elbise), dar. **~-grained**, sık çizgili (ağaç). **~-hauled**, (*den.*) orsa giden. **~ly**, yakından; dikkatle. **~ness**, yakınlık; sıkılık; havasızlık, ağırlık; hasislik, cimrilik; ketumiyet, ağzı sıkılık. **~-set (eyes etc.)**, birbirine yakın (gözler vb.).

closet ['klozit], Küçük/özel oda; dolap; helâ. **~ed, be ~ with**, biriyle bir yerde kapanmak; halvet olm. **~ (Turkish style)**, alaturka/çömelme helâtaşı.

close-up ['klousʌp]. Çok yakından çekilen resim; (*sin.*) detay, ayrıntı çekimi.

clos·ing ['klouzin(g)] *i.* Kapatma, kapatım; kapanma; kapanış; tatil. *s.* Son, sonuncu. **~ure** [-zuə(r)], kapatma: **move the ~**, görüşmenin yeterliğine karar vermek.

clot [klot] *i.* Pıhtı; (*kon.*) aptal. *f.* Pıhtılaşmak; top top olm.; (süt) kesilmek. **~ted cream**, kaynatılmış sütten alınan kaymak.

cloth [kloθ]. Kumaş, bez. **the ~**, rahiplik, rahipler: **~ of gold**, kılaptanla dokunmuş kumaş: **American/oil ~**, muşamba: **lay the ~**, sofrayı kurmak: **'the respect due to his ~'**, mensup olduğu mesleğe gereken saygı (*gen. rahipler hakkında*). **~back**, bez ciltli (kitap). **~-cap**, kumaş kasket; (*mec.*) işçi sınıfına ait.

clothe (*g.z.(o.)* **~d/clad**) [klouð(d), klad]. Giydirmek; örtmek, kaplamak.

cloth-ears ['kloθiəz] (*kon.*) Kusurlu işitme kabiliyeti; (*müz.*) perde sağırlığı.

clothes [klouðz]. Elbise(ler), esvap, giyim; çamaşır. **ready-made** ~/~ **off the peg**, hazır elbise: **suit of** ~, kostüm, takım elbise. ~**-basket**, çamaşır sepeti. ~**-brush**, elbise fırçası. ~**-horse**, çamaşır kurutma kafesi. ~**-line**, çamaşır ipi. ~**-moth**, giyim/kürk güvesi. ~**-peg**, mandal. ~**-press**, çamaşır/elbise dolabı. ~**-prop**, çamaşır sırığı. ~**-rail**, dolap sopası. ~**-wringer**, çamaşır sıkma makinesi.
cloth·ier ['klouðiə(r)]. Kumaşçı; elbiseci: ~**'s**, giyimevi. ~**ing**, giyim, giyecek.
cloud [klaud] *i.* Bulut. *f.* Bulutla örtmek, bulutlamak; bulandırmak; buğulanmak; **(brow)** kaşı çatılmak. **in the** ~**s**, dalgın; hayalî, olmıyacak şey: **be under a** ~, şüphe altında olm.; gözden düşmüş olm.: **under** ~ **of night**, karanlıktan yararlanarak: **every** ~ **has a silver lining**, (*ata.*) (ne kadar kötü olursa olsun) her işte bir hayır vardır. ~**berry**, yaban ağaç çileği. ~**burst**, çok şiddetli yağmur. ~**-capped** [-kapt], bulutla örtülmüş (dağ vb.). ~**ed**, bulutlu; buğulu; bulanık; damarlı (mermer vb.). ~**-hopping**, (*hav.*) görünmemek için buluta uçma. ~**iness**, bulanıklık. ~**ing**, damarlılık. ~**land**, hayal âlemi. ~**less**, bulutsuz; berrak; saf. ~**y**, bulutlu, bulutsu; bulanık; (fikir) müphem, karanlık.
clough [klʌf]. Dar derecik; kayalık çukuru.
clout [klaut] *i.* Bulaşık bezi; (*mer.*) bez, paçavra, kumaş parçası; ayakkabı demiri; (*arg.*) darbe. *f.* Yamalamak; vurmak.
clove[1] [klouv]. Karanfil (bahar). ~ **of garlic**, sarmısak dişi: ~ **pink**, bir nevi karanfil çiçeği.
clove[2] *g.z.* = CLEAVE.
clove-hitch. Kazık bağı.
cloven [klouvn] *g.z.o.* = CLEAVE. ~**-footed/-hoofed**, çatal ayak/tırnaklı (*Şeytan genellikle çatal ayaklı olarak gösterilir*): **show the** ~**hoof**, gerçek niteliğini (ne mal olduğunu) göstermek.
clover ['klouvə(r)]. Yonca, tırfıl. **be/live (like pigs) in** ~, keyif sürmek, zevk ve safa içinde yaşamak; çok talihli olm. ~**-leaf junction**, yonca yaprağı şeklinde yol kavşağı.
clown [klaun] *i.* Soytarı, palyaço; hödük. *f.* Soytarılık etm. ~**ish**, soytarı gibi; kaba; hantal.
cloy [kloy]. Kanıksatmak, gına getirtmek; içini bayıltmak.
club[1] [klʌb] *i.* Bir ucu yumru sopa, çomak; ispatı. *f.* Sopa ile vurmak.
club[2]. K(u)lüp; cemiyet, dernek. ~ **together**, belirli bir maksatla bir araya gelmek/paralarını birleştirmek.
club·bable ['klʌbəbl]. Klüp çevresi·ne uygun/-ni seven; sohbet/muaşereti seven. ~**bed** [klʌbd], sopa/çomak şeklinde. ~**foot/root**, (*zir.*) turpgillere mahsus bir hastalık. ~**-house**, spor klübü binası. ~**-law**, kuvvetin hak olduğu kanaati, zorbalık. ~**man**, klüp üyesi.
cluck [klʌk]. (Tavuk) guluklama(k).
clue [klū]. İpucu; anahtar. ~ **of a crossword puzzle**, bir bilmecenin tarifi.
clump[1] [klʌmp] *i.* Ağaç/çiçek kümesi: ~ **together**, yığmak.
clump[2] *f.* (*yan.*) ~ **about**, ağır basarak dolaşmak: ~ **s.o. on the head/give s.o. a** ~, yumruk/ağır bir şeyle vurmak.
clums·ily ['klʌmzili]. Beceriksizce vb. ~**iness**, beceriksizlik vb. ~**y**, beceriksiz; hantal; sakar, savruk; acemi, muamele bilmez; biçimsiz; havaleli.
clung [klʌn(g)] *g.z.(o.)* = CLING.
cluster ['klʌstə(r)]. Demet; salkım, hevenk; grup; küme; takım. ~ **together**, küme haline gelmek, toplanmak. ~**ed**, demet vb. halinde.
clutch[1] [klʌç] *i.* Kavram(a); (*müh.*) debreyaj, ambreyaj. *f.* Kavramak; yakalamak, tutmak. **make a** ~ **at stg.**, bir şeyi tutmak/yakalamak için anî bir hareket yapmak: **let in the** ~, ambreyaj yapmak: **throw/let out the** ~, debreyaj yapmak. ~**es**, pençe: **fall into s.o.'s** ~, birinin pençesine düşmek.
clutch[2]. Bir yuvada bulunan kuluçkalık yumurtaların toplamı/bu yumartalardan çıkan yavrular.
clutter ['klʌtə(r)]. Darmadağınlık; (*rad.*) istenmiyen ekolar. ~ **up**, darmadağın şeylerle doldurmak.
clyster ['klistə(r)] (*tıp.*) Tenkiye/lavman (yapmak).
Cm. (kim.s.) = CURIUM.
cm. = CENTIMETRE.
CM = COMMAND MODULE.
Cmd. = COMMAND PAPER. ~**r** = COMMANDER. ~**re** = COMMODORE.
C Med H = CAMBRIDGE MEDIEVAL HISTORY.
CM·G = COMPANION (OF THE ORDER) OF ST MICHAEL AND ST GEORGE. ~**H** = CAMBRIDGE MODERN HISTORY.
CN·AA = COUNCIL FOR NATIONAL ACADEMIC AWARDS. ~**D** = CAMPAIGN FOR NUCLEAR DISARMAMENT.
cnr. = CORNER.
co- [kou-] *ön.* İle, beraber; iştirak eden, müşterek(en); müttefik, bağlaşık; birlikte.
Co. = (*kim.s.*) COBALT; COMPANY; COUNTY. **and Co.**, (*kon.*) ve diğerleri.
CO = COLONIAL OFFICE; COMBINED OPERATIONS; COMMANDING OFFICER; CONSCIENTIOUS OBJECTOR; CROWN OFFICE.
c/o. = CARE OF . . .
coach[1] [kouç] *i.* Büyük yolcu arabası; vagon; otobüs; pulman. *f.* Araba ile götürmek/seyahat etm. ~ **and four/six**, dört/altı atlı araba: **drive a** ~ **and four through an Act of Parliament**, bir hile ile kanunu hükümsüz bırakmak.
coach[2] *i.* İmtihana hazırlayan hoca; spor antrenörü. *f.* Özel ders vererek imtihana hazırlamak; (*sp.*) antrenman yaptırmak.
coach-[3] ön. ~**box**, arabacı oturağı. ~**-builder**, araba marangozu; (*oto.*) karoserici. ~**ful**, araba dolusu. ~**-horn**, (*müz.*) araba borusu. ~**house**, arabalık. ~**ing**, özel ders verilmesi; (*sp.*) antrenman. ~**man**, arabacı. ~**-stand**, araba durağı. ~**work**, karoseri.
coadjutor [kou'acutə(r)]. Piskopos vb. yardımcısı.
coagul·ant [kou'agyulənt]. Pıhtılaştırıcı (madde). ~**ate**, koyulaş(tır)mak; pıhtılaş(tır)mak; pelteleşmek, kesilmek. ~**ation** [-'leyşn], pıhtılaş(tır)ma.
coal [koul] *i.* Maden/taş kömürü. *f.* Kömür almak; kömür vermek. **white** ~ = ELECTRICITY: **carry** ~**s to Newcastle** (*ata.*), denize su taşımak: **haul s.o. over the** ~**s**, birini haşlamak, azarlamak: **heap** ~**s of fire on s.o.'s head**, kötülüğe iyilikle karşılık vererek utandırmak: **live** ~**s**, kor. ~**-bearing**, kömür ihtiva eden. ~**-black**, simsiyah, kapkara. ~**-bunker/cellar**, kömürlük. ~**er**, kömür gemisi.

coalesce [kouə'les]. Birleşmek, kaynaşmak. ~**nce**, birleşme, kaynaşma. ~**nt**, birleşen.
coal- ['koul-] *ön.* ~**-face**, (maden içinde) işletilen yer. ~**field**, maden kömürü havzası. ~**-fired**, kömür ile işler. ~**-gas**, hava gazı. ~**-heaver**, kömür taşıyan/küreyen işçi. ~**-hole** (*kon.*) kömürlük. ~**ing**, komür alma/verme: ~**-berth/station**, kömür iskele/istasyonu.
coalition [kouə'lişn]. Birleşme; siyasî partilerin vb. geçici anlaşması, koalisyon; karma hükümet. ~**ist**, koalisyon taraftarı.
coal- ['koul] *ön.* ~**man**, kömürcü; kömür satıcısı. ~**-measure** [-mejə(r)], kömür yatak/tabakası. ~**-mine/-pit**, kömür ocağı. ~**-owner**, kömür ocağı sahibi. ~**-scuttle** [-'skʌtl], kömür tenekesi. ~**-seam**, kömür damarı. ~**-tar**, katran. ~**-tit (mouse)**, köknar baştankarası. ~**y**, kömür gibi; siyah; kömürlü.
coaming ['koumin(g)]. Mezarna; ambarağzı mezarnası.
coarse [kōs]. Kaba; büyük, iri taneli; adi, aşağılık; sert. ~ **fish**, somon ve alabalıktan maada tatlısu balığı: ~ **sand**, iri kum. ~**ly**, kabaca. ~**n**, kabalaş(tır)mak, irileş(tir)mek. ~**ness**, kabalık vb.
coast [koust] *i.* Deniz kenarı, sahil, kıyı. *f.* Sahil boyunca gitmek, sahili takip etm. ~ **(down a hill)**, bisiklet/kızak/otomobili işletmeden yokuş aşağı inmek. ~**al** [-təl], sahil+, kıyı+: ~**-trade**, kabotaj. ~**er**, sahil gemisi; küçük araba; şarap sürahisine mahsus tepsi; bardakaltı, suver. ~**guard(sman)**, sahil muhafızı, vardakosta. ~**ing**, kıyı seferi, kabotaj; (*oto.*) gazsız yokuşaşağı gitme. ~**line**, kıyı (boyu) çizgisi. ~**-station**, kıyı radyo istasyonu. ~**wise**, kıyı boyunca.
coat[1] [kout] *i.* Ceket; manto; at vb. tüyü; cidar; yağlı boya tabaka/evre/katı: ~ **of arms**, arma: ~ **of mail**, zırh elbise: ~ **and skirt**, kostüm, tayyör: **dress-**~, frak: **frock-**~, redingot: **morning-**~, jaketatay: **over-/top-**~, pardesü, palto: **cut one's** ~ **according to one's cloth**, (*ata.*) ayağını yorganına göre uzatmak: **turn one's** ~, gömlek değiştirir gibi parti vb. değiştirmek.
coat[2] *f.* (Bir şeyin üstünü) boya vb. tabakasıyle kaplamak; üstüne bir şey geçirmek, kaplamak, örtmek. ~**ed**, kaplanmış; örtülü: ~ **tongue**, paslı dil. ~**ee** [-'tī], küçük ceket. ~**-hanger**, elbise askısı.
coati ['kouati]. Koati.
coat·ing ['koutin(g)]. Boya vb. tabakası; kaplama; örtme; elbiselik kumaş. ~**-peg**, elbise asacağı, portmanto. ~**tails**, uzun ceket/palto arkası: **ride on s.o.'s** ~, başarılı bir kimsenin yardımıyla ilerlemek: **trail/drag one's** ~, kavga çıkarmak, kışkırtmak.
co-author [kou'ōθə(r)]. Ortak yazar.
coax [kouks]. Dil dökerek ikna etm.: gönlünü yapmak, damarına girmek; birinin yüzüne gülerek istediğini elde etm.
coaxial [kou'aksiəl]. İç içe, müşterek mihverli.
cob [kob]. Küçük bir cins binek atı; erkek kuğu. **corn** ~, mısır koçanı.
cobalt ['koubōlt]. Kobalt. ~**-bomb**, (*tıp.*) radyoaktif kobalt kabı.
cobber ['kobə(r)] (*Avus, arg.*) Arkadaş, kafadar.
cobble[1] [kobl] *i.* Kaba çakıl. ~**-stone**, *i.* Arnavut kaldırım taşı, parke: *f.* bu taşlarla döşemek.
cobble[2] *f.* Yamamak. ~**r**, ayakkabı tamircisi, kunduracı: **a load of old** ~**s**, (*kon.*) saçma.
co-belligerent [koubə'lıcərənt]. Müttefik savaşçı ulus(a mensup kişi).
cob·-loaf ['koblouf]. Küçük yuvarlak bir ekmek. ~**-nut**, iri fındık.
cobra ['koubrə]. Kobra.
cobweb ['kobweb]. Örümcek ağı: **blow away the** ~**s**, hava almak, başını dinlendirmek.
***coca-cola** [koukə'koulə] (*M.*) Koka-kola.
cocaine [ko'keyn]. Kokain.
cocc·us *ç.* **-i** ['kokəs, -ksi]. Bir cins bakteri.
coccyx ['koksiks]. Kuyruk kemiği, koksiks.
cochineal ['koçinīl]. Kırmız, koşnil.
cochlea ['kokliə]. Koklea, salyangoz kanalı.
cock[1] [kok] *i.* Horoz; musluk; ventil; tetik; (*arg.*) erkeğin tenasül aleti: **at full/half** ~, (*ask.*) üst/alt tetikte: **old** ~**!** (*arg.*) azizim: **that** ~ **won't fight**, bu sökmez; bunu kimse yutmaz: ~ **of the walk**, bir yerde borusu öten kimse.
cock[2] *f.* Dikmek; (silâh) kurmak, horozu tetiğe almak. ~ **the eye**, göz ucu ile bakmak; göz kırpmak: ~ **the ears**, kulaklarını dikmek: ~ **one's hat**, şapkasını yan giymek.
cock[3] *i.* Küçük saman/kuru ot yığını.
cock- *ön.* Erkek (kuş).
cockade [ko'keyd]. Şapkaya takılan şerit/rozet; kokard.
cock·-a-doodle-doo! [kokə'dūdldū]. Kokoriko! ~**-a-hoop**, çok sevinen ve övünen. ~**-a-leekie**, tavuk ve pırasa ile yapılmış çorba. ~**-alorum**, genç horoz; (*mec.*) kibirli adamcık. ~**-and-bull story**, inanılmaz hikâye, martaval.
cocka·too ['kokətū]. Miğferli kakadu. ~**trice** [-tris], (*mit.*) zehirli bir yılan; = BASILISK.
cockayne [ko'keyn]. Hayalî bolluk ve neşe ülkesi.
cock·-bird ['kokbə̄d]. Erkek kuş. ~**-boat**, gemi sandalı. ~**chafer** [-çeyfə(r)], mayısböceği. ~**-crow**, horozlar öterken, sabah karanlığında.
cocked [kokt]. ~ **hat**, amiral vb.nin giydiği kenarları kalkık resmî şapka: **knock s.o. into a** ~ **hat**, birinin pastırmasını çıkarmak; birini mahvetmek.
cocker[1] ['kokə(r)] *f.* Şımartmak.
cocker[2] *i.* Bir cins ispanyel köpeği.
cock·erel ['kokrəl]. Genç horoz. ~**-eyed** [-ayd], şaşı; eğri, ~**-fight(ing)**, horoz dövüşü.
cockle[1] [kokl]. Bir cins kır çiçeği.
cockle[2] *f.* Buruşmak, kırışmak.
cockle[3]. Tarak (solungacı), yürek midyesi: **warm the** ~**s of s.o.'s heart**, neşelen(dir)mek. ~**-shell**, tarak kabuğu; küçük ve hafif sandal.
cockney ['kokni]. Asıl Londralı(ya ait); bu halkın konuştuğu lehçe.
cockpit ['kokpit]. Horoz dövüşü meydanı; dövüş yeri; (*mer.*) gemide savaş hastanesi; (*hav.*) pilot yeri; (küçük gemilerde) arkadaki oturulacak yerin açık boşluğu, kokpit. ~ **of Europe**, Belçika.
cock·roach ['kokrouç]. Hamamböceği. ~**-robin**, erkek nar bülbülü. ~**scomb** [-koum], horozibiği (çiçeği). ~**sfoot**, kıymetli bir cins çimen. ~ **sparrow**, erkek ispinoz. ~**spur** [-spə̄(r)], horoz mahmuzu. ~**-sure**, (*köt.*) kendinden fazla emin, kendine fazla güvenen: **be** ~ **about stg.**, bir şey hakkında yüzde yüz emin olm. ~**tail**, kokteyl: **Molotov** ~ (*kon.*) tanksavar el bombası: ~**-bar/**

-lounge, (otelde) kokteyl barı: **~-party**, kokteyl: **~-shaker**, kokteyl çalkalamaya mahsus kap.
cock-up ['kokʌp] (*arg.*) Karışıklık.
cocky ['koki]. Kendini beğenmiş, kurumlu; ispenç horozu gibi; (*Avus.*) küçük çiftlik sahibi.
coco(a) [koukou]. = COCO(A)NUT; kakao. **~-bean**, kakao tanesi. **~nut** [-nʌt], Hindistan cevizi: **~-matting**, bunun lif hasırı: **~-milk**, içindeki 'süt': **~-palm** [-pām], bunun ağacı.
cocoon [kə'kūn] *i.* Koza. *f.* İyi giyinmek, sarınmak; (*ask.*, *den.*) bir top/gemi vb.ni korumak için plastikle örtmek/püskürtmek.
cod¹ [kod]. Mezgitgiller; morina balığı.
cod² (*arg.*) Aldatma(k), yutturma(k).
COD = CASH/*COLLECT ON DELIVERY; CONCISE OXFORD DICTIONARY.
coda [koudə] (*müz.*) Bir parçanın ilâveli sonu.
coddle ['kodl]. Nazla büyütmek; kuş sütü ile beslemek; üstüne düşmek: **~ oneself**, sağlığına fazla özen göstermek.
cod·e [koud] *i.* Kanun (mecmuası), yasa; kural; talimatname, nizamname; düstur; şifre; kod. *f.* Şifrelemek, şifre ile yazmak; kodlamak; numaralamak. **highway ~**, trafik kanunu: **morse ~**, mors şifresi: **postal/telegraphic ~**, adres/telgraf şifresi: **~ of honour**, muaşeret adabı. **~-book**, şifre/kod listesi. **~-name/-number**, gizlilik/kolaylık için kullanılan isim/sembol/şifre.
codeine ['koudīn]. Kodein.
cod·ex, *ç.* **-exes**, **-ices** ['koudeks(iz), -disīz] (*Lat.*) (Eski) elyazısı, yazma.
codger ['kocə(r)] (*kon.*) Tuhaf ve garip adam; antika.
codicil ['kodisil]. Vasiyetnameye ek; zeyl, ek. **~lary**, buna ait.
codi·fication [koudifi'keyşn]. Tanzim etme, toplama. **~fy** [-fay], bir sisteme göre tanzim etm.; kanunname şeklinde toplamak: **~ing**, düzenleme, kodlama; numara(lama).
codling¹ ['kodlin(g)]. Morina yavrusu.
codlin(g)². Bir nevi kompostoluk elma. **~-moth**, elma güvesi.
cod-liver-oil ['kodlivəroyl]. Balıkyağı.
codpiece ['kodpīs] (*tiy.*) Yumurtalık kalkanı.
co-driver [kou'drayvə(r)] (*oto.*) (Yarışta) bir otomobilin şoförlerinden biri.
codswallop ['kodzwoləp] (*arg.*) Saçma, boş sözler.
co-ed [kou'ed] = CO-EDUCATION; *(*arg.*) karma öğretim okulunda kız öğrenci: **~-school**, karma öğretim okulu. **~ucation** [-yu'keyşn], karma öğretim: **~al**, bu öğretime ait.
coefficient [koui'fişnt] (*mat.*) Emsal rakamı, katsayı, sabite.
coelo- ['silo-] *ön.* (*zoo.*) Sölom-, boş; (*ast.*) gök +.
coeno- [sīno-] *ön.* Müşterek, cemaat +, toplum +. **~bite** [-bayt], manastır vb. üyesi.
coequa·l [kou'īkwəl]. Eşit, müsavi. **~te** [-i'kweyt], eşitlen(dir)mek. **~tion** [-i'kweyjn], eşitlen(dir) me.
coerc·e [kou'ǝs]. Zorlamak, icbar etm.; itaate mecbur etm. **~ible**, zorlanabilir. **~ion** [-şn], zorlama, icbar; tazyik. **~ive** [-siv], zorlayan, mecburî.
coessential [koui'senşl]. Aynı esastan olan.
coeval [kouīvl]. Yaşıt, muasır, çağdaş; aynı zamanda olmuş.
coexist [kouig'zist]. Beraber yaşamak. **~ence**, aynı zamanda var olma; beraber yaşama. **~ent**, aynı zamanda var olan; beraber yaşıyan.
coextensive [kouiks'tensiv]. Aynı müddet/saha üzere uzanan.
C of E = CHURCH OF ENGLAND.
coffee ['kofi]. Kahve: **black ~**, sütsüz kahve: **white ~**, sütlü kahve. **~-bean**, kahve çekirdeği: **~s**, çekirdek kahve. **~-berry**, kahve tane/çekirdeği. **~-coloured**, (sütlü) kahve renginde. **~-cup**, küçük kahve fincanı. **~-essence**, kahve hulâsası. **~-grinder**, (elektrik) kahve değirmeni. **~-grounds**, kahve telvesi.. **~-house**, kahve(hane), kıraathane. **~-mill**, kahve değirmeni. **~-pot**, kahve ibriği, cezve. **~-room**, (otelde) salon. **~-spoon**, kahve kaşığı. **~-stall**, köşebaşlarında gezici kahveci dükkânı. **~-table**, (*ev*) küçük ve alçak masa: **~-book**, bu masada gösteriş için bulunan fazla büyük ve bol resimli kitap.
coffer ['kofə(r)]. Sandık, kasa: **~s**, hazine. **~dam**, (*müh.*) su geçmez sandık, batardo, koferdam.
coffin ['kofin]. Tabut(a koymak): **drive a nail into one's/s.o.'s ~**, üzüntü/içki vb. ile kendi/birinin ölümünü yaklaştırmak. **~-bone**, (atın tırnağında) parmak kemiği. **~-ship**, denize dayanamaz haldeki gemi, çürük tekne. **~-bearer**, mortocu.
cog¹ [kog] *i.* Çark dişi. *f.* (Dişli çarklar) birbirine geçmek. **he's just a ~ in the wheel**, hiç önemli değil.
cog² *f.* (Zarlarla) dolandırmak.
cogen·cy ['koucənsi]. İnandırma. **~t**, ikna ve ilzam edici; inandırıcı. **~tly**, inandıracak şekilde.
cogitat·e ['kociteyt]. Düşünüp taşınmak, mülâhaza etm. **~ion** [-'teyşn], düşünüp taşınma; düşünceler, planlar. **~ive**, düşünebilen; dalgın, düşünceli.
cognac ['konyak]. Kanyak.
cognat·e ['kogneyt]. Aynı soydan, akraba; aynı cinsten, benzer; kökteş. **~ion** [-'neyşn], soydan akrabalık.
cogni·tion [kog'nişn]. Aklın bilme/idrak yeteneği; bilme; malûmat. **~zance** ['kognizəns], malûmat, haber, ıttıla, bilgi; (*huk.*) salahiyet, yetki: **take ~ of stg.**, (*huk.*) göz önüne almak. **~zant, be ~ of a fact**, bir şey hakkında bilgi sahibi olm.
cognomen [kog'noumen]. Soyadı; lâkap; isim, ad.
cogwheel ['kogwīl]. Dişli (çark).
cohabit [kou'habit]. Karı koca gibi yaşamak. **~ation** [-'teyşn], karı koca gibi yaşama; cinsî münasebet.
coheir(ess) [kou'eə(r), -ris]. (Kadın) müşterek vâris.
cohere [kou'hiə(r)]. Yapışmak, tutmak; (anlam) birbirini tutmak; insicamlı/düzgün olm. **~nce**, yapışma; birbirini tutma; uygunluk. **~nt**, yapışık, kaynaşmış; birbirini tutan, insicamlı, tutarlı; bağdaşık, koheran: **~ly**, mantıkî ve açık olarak.
cohes·ion [kou'hījn]. Yapışma, birleşme, kohezyon; (iç) yapışkanlık. **~ive** [-'hīsiv], yapış(tır)ıcı, yapışık.
cohort ['kouhōt]. (Eski Roma) bir alayın onda biri; grup, takım.
COI = CENTRAL OFFICE OF INFORMATION.
coif [kuaf]. Takke (giydirmek); (*bot.*) yüksük. **~feur** [-fǝ(r)], kuvaför. **~fure** [-fü(r)], saç düzeni.
coign [koyn]. Köşe; = VANTAGE.
coil¹ [koyl] *i.* Kangal, sargı; roda; büklüm; saç buklesi; helezon; boru kangalı; (*elek.*) bobin,

makara. *f.* Kangalla(n)mak; sarmak; kıvırmak. ~ **up**, çöreklenmek; kıvrılıp yatmak.
coil[2] *i.* (*mer.*) Hayhuy. **this mortal** ~, bu dünya.
coin [koyn] *i.* Maden para, sikke, ufak para. *f.* Para basmak; (yeni bir kelime vb.) uydurmak. ~ **money**, para kırmak: **pay in ~ of the realm**, nakden ödemek: **pay s.o. back in his own** ~, birine aynı şekilde karşılık vermek. ~**age** [-ic], para basma; (yeni kelime vb.) uydurma; bir ülkenin para sistemi. ~**-box**, kumbaralı telefon.
coincide [ko̯uin'sayd]. Tesadüf etm., mutabık olm.; çakışmak; uymak. ~**nce** [-'insidəns], tesadüf; uygunluk. ~**nt**, tesadüf(î): ~**al** [-'dentəl], tesadüfî: ~**ally**, tesadüfî olarak.
coin·er ['koynə(r)]. Para basan; kalpazan. ~**-op(erated)**, para ile işletilen otomatik makine.
coir [koi̯ə(r)]. Hindistan cevizi lifi. ~**-rope**, gomba.
coit·ion/~**us** [ko̯u'işn, 'koytəs]. Çiftleşme.
coke[1] [ko̯uk] *i.* Kok (kömürü), kor. *f.* Kok yapmak. ~**-oven**, kok fırını.
Coke[2] (*M.*) = COCA-COLA.
cokernut ['ko̯ukənʌt] (*kon.*) = COCOA-NUT.
coking ['ko̯ukin(g)]. Koklaşma, korlaşma: ~ **coal**, kok kömürü.
col [kol] (*coğ.*) Kol.
col. = COLONEL; COLONIAL; COLUMN.
cola ['ko̯ulə]. Kola (cevizi).
colander ['kʌləndə(r)]. (*ev.*) Süzgeç.
colchicum ['kolçikəm]. İtboğan.
cold [ko̯uld] *i.* Soğuk; nezle; (*mec.*) yalnız/bakımsızlık. *s.* Soğuk; donuk (renk); mavi/yeşil vb. gibi serinlik veren (renk). **(as)** ~ **as ice**, buz gibi (soğuk): **a** ~ **in the head**, nezle: **be/feel** ~, üşümek; (hava) soğuk olm.: **be out** ~, baygın bir halde: **catch** ~, soğuk almak: **catch a** ~, nezle olm., birinden nezle almak: **you will catch your death of** ~, kötü halde soğuk alacaksın: **come in from the** ~, (*mec.*) yalnız/bakımsızlıktan kurtulmak: **get/grow** ~, soğumak: **leave s.o. out in the** ~, (*mec.*) birini açıkta bırakmak: **that leaves me** ~, (*mec.*) bu beni hiç ilgilendirmez; bana yumuşak gelmiyor. ~**-blooded** [-'blʌdid], kanı soğuk olan (hayvan); soğuk/duygusuz/merhametsiz (insan); bile bile (tasarlayıp kurarak)/merhametsizce yapılmış (fiil, iş): ~**ly**, merhametsizce: ~**ness**, merhametsizlik. ~**-chisel**, soğuk keski. ~**-cream**, kold/yağlı cilt kremi. ~**-drawn** (*müh.*) soğuk çekilmiş. ~**-frame**, ısıtılmamış limonluk/ser. ~**-hammer**, soğuk dövmek. ~**-hearted** [-'hātid], merhametsiz, duygusuz: ~**ly**, merhametsizce: ~**ness**, merhametsizlik. ~**ish**, oldukça soğuk. ~**ly**, soğuk/duygusuz olarak. ~**-meat**, (soğuk) kızarmış et. ~**ness**, soğukluk; duygusuzluk. ~**-shoulder,** ~ **s.o./give s.o. the** ~, birine omuz çevirmek/iltifat etmemek. ~**-stor(ag)e** ['stōr(ic)], soğuk hava deposu. ~**-war**, soğuk savaş, sinir savaşı.
cole [ko̯ul]. Bazı nevi lahana.
coleoptera [koli'optərə]. Kın kanatlılar.
colibri ['kolibri]. Kolibri.
colic ['kolik]. Şiddetli mide sancısı, kolik.
colitis [kə'laytis]. Kalın bağırsağın iltihabı, kolit.
coll. = COLLEGE; COLLOQUIAL.
collaborat·e [ko'labəreyt]. İşbirliği yapmak; -e katılmak. ~**ion** ['reyşn], işbirliği (yapma), katılma: ~**ist**, (*köt.*) kendi ülkesinde düşmanla işbirliği yapan. ~**or**, işbirliği yapan; = ~IONIST.
collage [kolaj]. Yapıştırma resim.
collaps·e [kə'laps]. Çökme(k), göçme(k), yıkılma(k); (balon) sönmek; suya düşmek; yığılma(k), birdenbire düşme(k). ~**ible** [-səbl], katlanır (iskemle vb.).
collar ['kolə(r)] *i.* Yakalık, yaka; tasma; halka. *f.* Yakasından tutmak, yakalamak; yaka takmak. **blue-/white-**~**-workers**, fabrika/yazıhanede çalışanlar. ~**-bone**, köprücük kemiği. -~**ed**, *son.* -yakalı.
collate [kə'leyt]. (İki metin vb.ni) dikkatle karşılaştırmak; (*bas.*) sayfaları sıraya koymak/toplamak.
collateral [kə'latərəl]. Yanyana; muvazi, paralel; talî, ikinci derecede olan; civar hısımlığı: ~ **(security)**, (*mal.*) munzam teminat, ek inanca, karşılık, kolateral.
collat·ion [kə'leyşn]. (Metinleri) karşılaştırma; (*bas.*) sayfaları sıraya koyma; (*ev.*) hafif yemek, kahvaltı. ~**or**, (metinleri) karşılaştıran, vb.
colleague ['kolīg]. İş arkadaşı; meslektaş.
collect[1] ['kolekt] *i.* Pazar/bazı âyinlere mahsus kısa dua.
collect[2] [kə'lekt] *f.* Toplamak, bir araya getirmek; biriktirmek; tahsil etm.; koleksiyon yapmak; (uğrayıp) almak. ~**ed**, toplanmış; (*mec.*) kendine hâkim olan, soğukkanlı: ~**ly**, sakin/kendine hâkim olarak: ~**ness**, kendine hâkim olma. ~**ion** [-'lekşn], toplama, bir araya getirme; koleksiyon; para toplama; cibayet; yığın; mecmua, dergi; toplanan para; posta kutularından mektupların toplanması: **for** ~, (*mal.*) ödemeli: **make/take up a** ~, para toplamak. ~**ive**, müşterek, hep bir olarak, bir bütün olarak; ortak(laşa), işbirliği; birleşik, toplu; kolektif; genel; (*dil*) çokluk ifade eden (kelime): ~**-bargaining**, ortak pazarlık: ~**ly**, birleşik/toplu olarak: ~**-security**, müşterek emniyet. ~**ivism**, (*id.*) ortaklaşacılık, kolektivizm; grup halinde düşünme/hareket etme. ~**ivist**, ortaklaşacı, kolektivist. ~**ivize** [-tivayz], ortaklaştırmak. ~**or**, toplayan, toplayıcı, derleyici; koleksiyoncu; (*müh.*) birleşme borusu; (*fiz.*) toplaç; (*elek.*) kollektör: **tax** ~, tahsildar: **ticket** ~, biletçi.
colleen ['kolīn] (*İrl.*) Güzel kız.
colleg·e ['kolıc]. Bir üniversiteye bağlı yatılı yurt; yüksek okul, kolej: **electoral** ~, seçim heyeti. ~**er**, burslu öğrenci. ~**iate** [kə'līci̯ət], koleje ait.
collet ['kolit] (*müh.*) Bilezik, halka, yüzük.
collide [kə'layd]. Şiddetle çarp(tır)mak, çarpışmak.
collie ['koli]. Bir nevi çoban köpeği.
collier ['koli̯ə(r)]. Kömür şilebi; maden kömürü işçisi. ~**y**, maden kömürü ocağı.
colligate ['koligeyt]. Bağlamak, birleştirmek.
collimat·e ['kolimeyt]. Görüş çizgisi/dürbünü ayarlamak; hizalamak. ~**ion** [-'meyşn], ayarlama, hizalama. ~**or**, görüş çizgisi ayar aleti.
collision [kə'lijn]. Çarp(ış)ma. **come into** ~ **with**, -e çarpışmak: **be on a** ~ **course**, (uçak/gemiler vb.) çarpışmaya doğru gitmek.
collocat·e ['koləkeyt]. Yan yana koymak/oturtmak; yerleştirmek. ~**ion** [-'keyşn], yan yana koyma, tanzim, tertip.
collocutor [kə'lokyutə(r)]. Konuşma/sohbete iştirak eden.
collodion [kə'lo̯udi̯ən]. Kolodiyum.

collogue [kə'loug]. Gizlice konuşmak.
colloid ['koloyd]. Pelte, sıvışık, koloit, yapışkan. **~al**, pelteli, peltelenmiş, koloidal.
colloqu·ial [kə'loukwiəl]. Konuşma diline ait, konuşulan, teklifsiz (deyim vb.). **~ialism**, konuşma dilinde kullanılan teklifsiz kelime/deyim. **~ially**, konuşma diline göre; sözlü olarak. **~y** ['koləkwi], konuşma, sohbet.
collotype ['kolotayp]. (Renkli) ışık baskısı.
collu·de [kə'lyūd] (*mer.*) Göz yummak; iştirak etm. **~sion** [-'l(y)ūjn], muvazaa, danışıklı iş, itilaf, gizli anlaşma. **~sive** [-'l(y)ūsiv], muvazaa nevinden, hileli anlaşma ile yapılan.
collywobbles ['koliwoblz] (*kon.*) (Korkudan) bağırsak ağrısı.
Colo. = COLORADO.
Cologne [kə'loun]. **eau-de-~**, kolonya (suyu).
Colombia [kə'lombiə]. Kolombiya. **~n** *i.* Kolombiyalı: *s.* Kolombiya+.
colon[1] ['koulən] (*tıp.*) Kalın bağırsak, kolon.
colon[2] (*bas.*) İki nokta (:).
colonel ['kənl]. Albay; miralay. **~-commandant**, tugay komutanı. **~cy**, albaylık.
colon·ial [kə'louniəl] *s.* Sömürgeye ait; sömürge halkından; sömürge+: *i.* sömürgeci. **~ Office**, Sömürgeler Bakanlığı. **~ialism**, sömürge hayat/dilinin bir özelliği. **~ist** ['kolənist], bir sömürgede yerleşen, sömürgeci; sömürgeyi kuranlardan biri. **~ization** [-nay'zeyşn]. sömürgeleştirme. **~ize**, (bir yerde) sömürge kurmak, sömürgeleştirmek; bir yeri sömürge haline getirmek. **~izer**, sömürgeleştirici.
colonnade [kolə'neyd]. Sıra sütunlar, revak. **~d**, revaklı.
colony ['koləni]. Sömürge, müstemleke; (*biy.*) koloni, topluluk, yığınak.
colophon ['koləfon]. (Kitap) hatime, naşirin alâmeti farikası.
colophony [kə'lofəni]. Karasakız, reçine.
***color** ['kələ(r)] = COLOUR.
Colorado [kolə'rādou]. ABD'nden biri. **~-beetle**, patates böceği.
coloratura [kolərə'tūrə] (*It.*, *müz.*) Koloratur.
colorimet·er [kolə'rimitə(r)]. Renkölçer, kolorimetre. **~ry**, renk ölçme (bilgisi).
coloss·al [kə'losl]. Çok büyük, muazzam. **~us**, çok büyük heykel; dev gibi şahıs/şey.
colour ['kələ(r)] *i.* Renk; boya; canlılık. *f.* Renk vermek, boyamak; renklendirmek; başka bir şekil vermek; kızarmak; kızarıp bozulmak. **~s**, bayrak, bandıra; askerlik görevi; silâhaltı; yarış atı sahibinin işareti olan renkler. **change ~**, rengi uçmak, sararmak; solmak: **put a false ~ on things**, olayları yanlış bir şekilde göstermek: **sail under false ~s**, sahte bandıra ile çıkmak; (*mec.*) sahte hüviyet takınmak: **with ~s flying**, bayraklar dalgalanarak: **with flying ~s**, büyük başarıyla: **a gentleman/lady of ~**, zenci: **get one's ~s**, bir kolej vb. nin birinci takım oyuncusu olm.: **give/lend ~ to a rumour**, bir rivayeti takviye etm.: **high ~**, kanlı canlı ve sıhhatli ten: **join the ~s**, askere gönüllü yazılmak: **local ~**, mahallî renk/özellik, özton: **lose ~**, rengi atmak: **lower one's ~s**, teslim bayrağı çekmek: **I should like to see the ~ of his money before ...**, -den önce parasının yüzünü görmek isterim: **nail one's ~s to the mast**, ölünceye kadar çarpışmak, teslim olmamak: **be off ~**, keyifsiz olm.; her zamanki kadar iyi olmamak: **oil ~(s)**, yağlı boya: **the ~ problem**, zenci (veya sarı ırka mensup milletler) meselesi: **stick to one's ~s**, kanaatlerine bağlı kalmak: **trooping the ~s**, (*ask.*) bayrak töreni: **show oneself in one's true ~s**, yüzünden maskeyi indirmek: **under ~ of**, ... perdesi altında, bahanesiyle: **water ~**, sulu boya.
colour·able ['kʌlərebl]. Boyalanabilir; (*mec.*) su götürür; kabul edilebilir; gerçek sanılabilir; aldatıcı. **~ation** [-'reyşn], renklerin durumu, renk; renklen(dir)me. **~-bar/-line**, beyazlar ile diğer ırklara mensup insanlar arasındaki toplumsal siyasî vb. fark. **~-bearer**, bayraktar. **~-blind**, bazı renkleri ayıramayan: **~ness**, renk körlüğü, daltonizm. **~-code**, (*elek.*) renkli işaretler/kodlama. **~ed**[1], renkli; zenci; tesir altında kalmış/değişmiş. **-~ed**[2], *son.* -renkli. **~fast**, solmaz. **~ful**, renkli, canlı. **~ing**, renk, boya; renklendirme; renkli süs. **~ist**, renkçi. **~-key** = **~**-CODE, **~less**, renksiz; soluk; silik; cansız: **~ly**, renksizce; cansızca. **~-line**, = **~** BAR. **~-man**, boya satan. **~-process**, renkli basma. **~-scheme/ways** (ev vb.) renklerin birbirine uygun olması. **~-sergeant**, (*ask.*) bayraktar; bir çavuş aşaması. **~-wash**, renkli badana.
colpo- ['kolpə-] *ön.* Dölyolu+.
colt[1] [koult]. Tay; sıpa; acemi, genç futbolcu. **~ish**, tay gibi; şen ve oynak. **~sfoot** [-fut], öksürük otu.
Colt[2]. Bir nevi tabanca.
columbarium [koləm'beəriəm], Güvercinlik (gibi bir bina).
Columbia [kə'lʌmbiə]. **British ~**, Kanada'nın bir ili: **District of ~**, ABD'ndeki Washington şehrinin bulunduğu eyalet.
columbine[1] ['koləmbayn] (*bot.*) Haseki küpesi, çitsarmaşığı. **~**[2] (*tiy.*) kolombina.
columbium [ko'ləmbiəm]. Kolombiyum, niyobiyum.
column ['koləm]. Sütun, direk; kol; kolon. **fifth ~**, beşinci kol: **spinal ~**, belkemiği. **~ar** [-nə(r)], direksi. **~ed** [-md], direk/sütunlu. **~ist** [-nist], (*bas.*) fıkra yazarı.
colza ['kolzə]. Kolza.
com- [kom-] *ön.* İle, beraber; tamamlık.
com. = COMMANDER; COMMERC·E/IAL; COMMITTEE; COMMON.
coma[1] ['koumə] (*bot.*) Püskül; (*ast.*) koma, kuyruklu yıldız saçı. **~te** [-meyt], püsküllü.
coma[2] (*tıp.*) Derin baygınlık, koma. **~tose** [-tous], koma halinde; pek uyuşuk.
comb [koum] *i.* Tarak; tarama; horoz ibiği; kaşağı. *f.* Taramak; (dalga) köpürüp çarpmak. **~ out**, (karışık saçı) taramak; ayıklamak, temizlemek.
combat ['kombat]. Çarpışma(k); savaş(mak); muharebe/mücadele (etm.). **single ~**, düello. **~ant**, muharip, savaşan, mücadeleci. **~-car**, zırhlı savaş arabası. **~-fatigue**, (*ask.*) savaş ıstırabından gelen akıl hastalığı. **~ive**, kavgacı.
comber[1] ['koumə(r)]. Köpürüp çarpan dalga.
comber[2] (*zoo.*) Hani: **painted ~**, yazılı hani.
comber[3]. Tarakçı, tarayıcı; tarak makinesi.
combination [kombi'neyşn] *i.* Birleş(tir)me, birleşim; imtizaç; mezcetme; birlik; tertip; düzen, terkip. *s.* Üniversel; her işe gelir; müşterek; kombine. **~-lock**, şifreli kilit. **~-room**, (üni-

versitede) genel salon. ~**s**, don ve fanila birleşik iç çamaşırı; kombinezon.
combinative [kombi'neytiv]. Birleşmenin neticesine ait; birleştirilebilen.
combine[1] ['kombayn] *i.* (*mal.*) Birleşme, kartel; = ~-HARVESTER.
combine[2] [kəm'bayn] *f.* Birleş(tir)mek; kaynaşmak; mezcetmek; birlik olm.; tertip etm.; terkip etm. ~**d**, müşterek; birleşmiş; birleşik; konsolide. ~**-harvester**, biçer döver makinesi.
combings ['kǫumingz] (*dok.*) Tarantı.
***Combo** = COMBINATION.
combs [komz] (*kıs.*) = COMBINATIONS.
combust·ible [kəm'bʌstibl] *s.* Yanabilir, yanıcı; tutuşabilir; (*mec.*) tutuşup parlamağa hazır. *i.* Yakıt, yakacak. ~**ion** [-çən], yakım, yanış, yanma, ihtirak, tutuşma: **(internal)** ~**-engine**, iç yakımlı makine.
Comdt = COMMANDANT.
come[1] (*g.z.* **came**, *g.z.o.* **come**) [kʌm, keym] *f.* Gelmek, varmak; olmak; -e baliğ olm.; sonuç olarak bitmek: **let them all** ~, varsın hepsi gelsin: **let 'em all come!**, gelecekleri varsa görecekleri de var!: ~, ~!/~ **now!**, haydi canım!, amma yaptın ha!, haydi bakalım!: ~ **what may**, ne olursa olsun: **a week** ~ **Sunday**, pazar günü haftası olacak: **he will be three** ~ **April**, nisanda üç yaşında olacak: **what will** ~ **of it?**, sonu/neticesi ne olacak?: **don't try to** ~ **it over me!**, bana hükmetmeğe kalkma!: **in the time to** ~, istikbalde, gelecekte: **for six weeks to** ~, gelecek altı hafta içinde: **how did you** ~ **to do that?**, nasıl oldu da bunu yaptınız?: **now that I** ~ **to think of it**, şimdi (bu meseleyi) tekrar düşününce: **it (all)** ~**s to this that ...**, netice/özeti şudur ...: **'Tom is very lazy.' 'Well, if it** ~**s to that, so are you'**, 'Tom pek tembel!'. 'Ona bakarsan sen de tembelsin!': **I have** ~ **to believe that**, şu kanaate vardım ki: **I came to like/hate him**, sonunda ondan hoşlandım/nefret ettim: **what does the total** ~ **to?**, toplam ne tutuyor?: **what are things/we coming to?**, nereye gidiyoruz?; bunun sonu ne olacak?. ~ **about**, olmak, vukubulmak: (gemi) volta etmek. ~ **across**, geçmek; rast gelmek; tesadüfen bulmak. ~ **against**, karşı gelmek; çarpmak. ~ **along**, ilerlemek: ~ **along!**, haydi bakalım, çabuk ol!: **he's coming along nicely with his Turkish**, (*kon.*) Türkçesi epeyce ilerliyor. ~ **away**, ayrılıp gelmek, bırakıp gelmek; (bir şey) yerinden çıkmak, sökülmek. ~ **between**, aralarına girmek. ~ **by**, önünden geçmek; elde etmek; eline geçirmek: **all his money was honestly** ~ **by**, bütün parasını namusuyle kazanmıştır. ~ **down**, inmek; düşmek; erişmek, zamanımıza gelmek; inhisar etm.: ~ **down from the University**, (üniversite hakkında) (i) derslerin kesilmesi üzerine gelmek; (ii) üniversiteyi bitirmek: ~ **down in the world**, (maddî durum bakımından) düşmek: ~ **down handsomely**, cömert davranmak: ~ **down (up)on s.o.**, şiddetle azarlamak, çullanmak. ~ **in**, içeri gelmek, girmek; (moda, meyva vb.) çıkmak; geliri olm.: **the tide is coming in**, med yükseliyor: **and where do I** ~ **in?**, ya, ben ne olacağım? (*içerleme ifade eder*). ~ **into**, girmek; (bir şeye) varis olm. ~ **off**, çıkmak, inmek, çekilmek; ayrılmak; düşmek; kopmak; sökülmek; vaki olm.; muvaffak olm., başarmak: ~ **off badly**, altta kalmak. ~ **on**, ilerlemek; gelişmek; terakki etm.; baş göstermek; gelip çatmak: ~ **on!**, haydi bakalım!, çabuk ol!: **night is coming on**, karanlık basıyor: **if it** ~**s on to rain we shall get wet**, yağmur yağacak olursa ıslanırız: **your case** ~**s on tomorrow**, yarın sizin davanızın sırası gelecek. ~ **out**, çıkmak; (çiçek) açılmak; belirmek: ~ **out (on strike)**, grev yapmak: **(of a girl)** ~ **out**, (genç kız) ilk defa toplantılara gitmek: ~ **out in a rash, spots, etc.**, kızıl lekeler vb. dökmek: ~ **out with a remark**, birdenbire söze karışarak bir şey söylemek. ~ **over**, geçmek; gelip ziyaret etm.; (casus) taraftarlığı değiştirmek. ~ **round**, dolaşıp gelmek; (yakın bir yerden) gelmek; etrafına toplanmak; ayılmak, kendine gelmek; yola gelmek, kanmak: **the time has** ~ **round to get out winter clothes**, kışlık elbiseleri çıkartma zamanı yine geldi: **you will soon** ~ **round to my way of thinking**, yakında benim dediğime gelirsin. ~ **through**, geçmek; işlemek; geçirmek; kurtulmak. ~ **to**, ayılmak, kendine gelmek. ~ **up**, yukarı gelmek, çıkmak; yetişmek, erişmek: ~ **up to the University**, (i) üniversiteye başlamak; (ii) üniversitenin yeni bir devresine başlamak: ~ **up to s.o.**, birine yanaşmak: ~ **up with s.o.**, birine yetişmek: **the play did not** ~ **up to my expectations**, piyes umduğum gibi çıkmadı: ~ **up against**, çatmak, -le karşılaşmak. ~ **upon**, rast gelmek; üzerine gelmek.
come-[2] *ön.* ~**-and-go**, gidip gelme. ~**-at-able**, kolayca erişilebilir / yetişilebilir. ~**-back**, (*mal.*) genel seviyeye dönüş: **make a** ~, (*tiy.*, *vb.*) bir kaç yıl sonra gene sahneye çıkmak.
comed·ian [kə'mīdịən]. Komedi aktör/yazarı; komik kimse. ~**ienne** [-di'en], komedi aktrisi.
come-down ['kʌmdaụn]. Yıkılma; işin ters gitmesi; kötüye değişme.
comedy ['komədi]. Komedi, komedya, güldürü.
come·liness ['kʌmlinis]. Yakışıklılık, güzellik. ~**ly**, yakışıklı, güzel.
comer ['kʌmə(r)]. Gelen. **all** ~**s**, kim gelirse, her gelen: **first-**~, ilk gelen.
comestible(s) [kə'mestibl(z)]. Yiyecek şey(ler).
comet ['komit]. Kuyruklu yıldız. ~**ary**/~**ic**, bu yıldıza ait.
comfit ['kʌmfit] (*mer.*) Şekerleme.
comfort ['kʌmfət] *i.* Teselli, teskin; ferahlık, rahat, konfor; refah. *f.* Teselli etm.; teskin etm. **be of good** ~**!**, metin olunuz!: **cold** ~, züğürt tesellisi. ~**able** ['kʌmfətəbl], rahat; sıkıntısız; sakin; hoş; keyifli; konforlu; kâfi; **be** ~**ably off**, hali vakti yerinde olm. ~**er**, teselli eden kimse; (yünden) boyun atkısı; emzik: JOB's ~. ~**less**, kasvetli.
comfrey ['kʌmfri]. Kara kafes otu.
comfy ['kʌmfi] (*kon.*) Rahat.
comic ['komik] *s.* Tuhaf, komik, güldürücü, gülünç, mizah. *i.* Komedi aktörü, komik; resimli çocuk mecmuası. ~**al**, tuhaf, güldürücü. ~**-strip**, (gazetede) komik resimli şerit.
Cominform = COMMUNIST INFORMATION BUREAU.
coming ['kʌmin(g)] *s.* Gelecek. *i.* Gelme; varış. **a(n up and)** ~ **man**, istikbali açık adam.
comitadji [komita'ci] (*Tk.*) Komitacı.
Comintern ['komintə̄n] = COMMUNIST INTERNATIONAL.
comity ['komiti]. Nezaket, incelik. **the** ~ **of nations**, milletler arasında anlaşma.
comma ['komə]. Virgül. **inverted** ~**s**, tırnak işareti.
command [kə'mānd] *i.* Emir, kumanda; (*ask.*)

komuta; idare; kumanda altında bulunan ordu vb.; hâkimiyet, hâkim olma. *f.* Emretmek; kumanda etm.; kumandanlık etm.; hâkim olm. **have ~ of several languages**, bir kaç dil bilmek: **~ respect**, hürmet telkin etm.: **second in ~**, kumandan muavini: **by royal ~**, Kralın emriyle (*baz.* davetiyle): **word of ~**, emir, kumanda. **~ant** [komən'dant], kumandan, komutan, âmir. **~eer** [-'diə(r)], el komak, zaptetmek; zorla almak.
commander [kə'māndə(r)]. Kumandan, komutan, âmir; (*den.*) yarbay. **~ of the Faithful**, Halife. **~-in-chief**, baş·kumandan/-komutan; serdar. **~ship**, komutanlık. **~y**, (*tar.*) şövalyeler cemaati.
command·ing [kə'māndin(g)]. Yetkili; kontrol eden; nüfuzlu; hâkim olan. **~ment**, (*din.*) 'On emir' den biri; Allahın emri. **~-module** [-'modyūl], (*hav.*) uzay gemisinin kumanda modülü. **~o**, (*ask.*) akıncı, hem kara hem suda savaşan asker, komando: **~-raid**, akın.
commemor·able [kə'memərəbl]. Hatırası değerli olan, anılır. **~ate** [-reyt], tesit etm.; hatırasını kutlamak. **~ation** [-'reyşn], tesit; hatırasını kutlulama. **~ative**/**~atory**, kutlulamaya ait.
commence [kə'mens]. Başlamak. **~ment**, başlangıç; *diploma verilmesi töreni.
commend [kə'mend]. Methetmek, övmek; emanet etm., tevdi etm. **this did not ~ itself to me**, ben bunu uygun bulmadım: **for an utter fool ~ me to Jones**, ahmağın âlâsını istersen Jones'e git: **highly ~ed**, bir müsabaka vb.de kazanandan sonra gelene verilen sıfat. **~able** [-dəbl], övgüye değer. **~ably**, övgüye değer bir şekilde. **~ation** [komen'deyşn], takdir etme; övme, medih. **~atory**, öven.
commensal [ko'mensl]. Aynı sofrada yemek yiyen; (*biy.*) ortakçı. **~ism**, ortakçılık.
commensur·able [kə'menş(ə)rəbl]. (Aynı ölçü ile) ölçülebilir; kıyas edilebilir, karşılaştırılabilir; mütenasip, uygun. **~ate**, mütenasip, uygun; müsavi, eşit.
comment ['koment] *i.* Mülahaza; mütalaa; düşünce; izahat, yorum, açıklama; tenkit, eleştirme. *f.* Mütalaa serdetmek; düşüncesini ileri sürmek. **~ on**, şerhetmek, izah etm., açıklamak; tenkit etm., eleştirmek, yorumlamak. **~ary** [-tri], şerh, tefsir, yorum(lama), izah, açıklama: **blow-by-blow/running-~**, olay/maç sırasında yayılan (radyo) yayın(ı). **~ator** [-'teytə(r)], tefsirci, şerh/izah veren, yorumcu.
commerce ['komās]. Ticaret, tecim, alış veriş; münasebet, ilişki. **Chamber of ~**, Ticaret Odası.
commercial [kə'māşl] *s.* Ticarî, tecimsel; ticaret +, tecim +, piyasa +. *i.* (*rad.*) Ticarî ilân. **~ese**, tüccar lehçesi. **~ism**, tüccar ruhu; ticaret adet/deyimi. **~ize** [-layz] (*köt.*) ticarîleştirmek. **~ly**, ticarî bir şekilde. **~-room**, (otelde) tüccar odası. **~-station**, (*rad.*) ilân geliri ile işletilen radyo/TV istasyonu. **~-traveller**, gezici satış memuru.
commie ['komi] (*kon., köt.*) = COMMUNIST.
comminat·ion [komi'neyşn] (*din.*) Tehdit. **~ory** [-'neytəri], tehditkâr.
commingle [kə'min(g)gl]. Birbirine karış(tır)mak; katılmak.
comminut·e ['kominyūt]. Ezmek, ufalamak; (mülkü) taksim etm. **~ed**, (*tıp.*) parçalanmış (kemik). **~ion** [-'nyūşn], ufalama vb.; azaltma.
commiserat·e [kə'mizəreyt]. **~ with**, acımak, kederine iştirak etm., teselli etm. **~ion** [-'reyşn], acıma vb.
commissar [komi'sā(r)]. (Sov. Rus.'da) bakan; komiser. **~iat** [-'seəriət], (*ask.*) levazım dairesi; (*id.*) komiserlik. **~y** ['komisəri], vekil, temsilci; levazım başkanı.
commission [kə'mişn] *i.* Vazife, memuriyet, hizmet, görev; görev verme; (*id.*) heyet, komisyon, yarkurul; (*mal.*) yüzdelik, komisyon, aracılık parası, pay; yapma, irtikâp. *f.* Görev/memuriyet vermek; salâhiyet vermek, tevkil etm.; hizmete koymak. **get one's ~**, (*ask.*) subay tayin olm.: **Royal ~**, Parlamento kararıyla kurulan tahkikat vb. heyeti. **~-agent**, komisyoncu, yüzdelikçi. **~aire** [-'neə(r)], (otel vb. kapısında) üniformalı memur, kapıcı. **~ed**, salâhiyetli, yetkili: **~ officer**, subay, zabit, **~er** [-nə(r)], komisyon vb. üyesi; murahhas; müdür; komiser.
commisure ['komisyuə(r)] (*tıp.*) Birleşik; birleşme vasıta/yeri.
commit [kə'mit]. Teslim etm., tevdi etm.; işlemek; irtikâp etm. **~ to memory**, ezberlemek: **~ oneself**, kendini geri çekilemiyecek bir duruma sokmak; çok kesin söylemek: **without ~ting myself**, ihtiyat kaydı ile: **~ to paper/writing**, yazmak: **~ to prison**, hapse mahkûm etm. **~al** [-'mitl], tevdi etme; hapsetme; gömme; işleme, irtikâp; taahhüt. **~ted**, bağlı olan, bir meselenin taraftarı olan. **~ment**, taahhüt, yüklenme, vaat; bağlantı; havale.
committee [kə'miti]. Heyet, meclis, komisyon, komita, encümen, kurul, komite: **ad hoc ~**, özel bir mesele için kurulan komite: **joint ~**, ayrı ayrı örgütleri temsil eden müşterek heyet/komite: **select ~**, (Parlamento'da) bütün partileri temsil eden bir heyet: **standing ~**, daimî heyet: **steering ~**, görüşmelerin kaidelere uygun olmasını temin eden heyet. **~-man**, heyet üyesi. **~-room**, (heyetler için) küçük salon.
commix [komiks]. Karış(tır)mak, harmanlaş(tır)mak.
commode [kə'moud]. İskemleli oturak; komodin.
commodious [kə'moudiəs]. Ferah, geniş; rahat, uygun.
commodity [kə'moditi]. Mal, madde, emtia; ticaret eşyası, alıp satılan şey; yararlı şey. **~-market**, (ham) maddeler piyasası.
commodore ['komədō(r)] (*den.*) Tuğamiral(in görevlerini yüklenen asıl albay); komodor; yat klübü fahrî başkanı. **air-~**, H.K.'de tuğgeneral.
common[1] ['komən] *s.* Müşterek; ortak; genel, umumî; hep bilinen; hergünkü, olağan; alelâde; adi, bayağı, kaba saba. **~ courtesy/honesty**, en ilkel nezaket/dürüstlük kuralı: **~ knowledge**, herkesçe bilinen: **nothing out of the ~**, olağanüstü bir şey değil: **be ~ talk**, herkesin ağzında olm.: **have stg. in ~ with s.o.**, birisiyle ortak bir şeyi olm.; birisiyle benzeyen bir tarafı olm.
common[2] *i.* Bir köy/şehrin genel arazisi; çayır. **~age** [-nic], genel arazi hakkı. **~alty** [-nəlti], halk, avam; orta ve aşağı tabaka. **~-carrier**, nakliyeci. **~er**, asalet unvanı taşımıyan kimse; Avam kamarası üyesi; burs almıyan üniversite öğrencisi. **~-good**, kamu yararı. **~-land**, genel arazi; = ~[2]. **~-law**, genel yazılmamış kanun: **~-wife**, evlenmemiş karı. **~ly**, genel/her günkü/adi olarak. **~-Market(eer)**, Ortak Pazar(cı, taraftarı). **~ness**,

adilik, genellik, çokluk. **~-noun**, cins adı. **~place** [-pleys] *s.* umumî, genel, alelâde; (*mec.*) beylik; kaba saba: *i.* basmakalıp şey; herkesçe bilinen. **~-room**, öğretmenler odası: **junior ~**, üniversitede öğrenciler salonu. **~s**, halk, avam, asil olmıyanlar; üniversite tayını: **the (House of) ~**, Avam Kamarası: **be on short ~**, yiyeceği kıt olm. **~-sense**, aklıselim, sağduyu. **~-speech**, anadil. **~-touch** [-tʌç], muhabere yeteneği. **~-weal** [-wi̯əl], genel menfaat. **~wealth** [-welθ], devlet, cumhuriyet; birlik; genel menfaat: **the C~**, İng.'de cumhuriyet devri (1649–60); İng. İmparatorluğunun bugünkü şekil/ismi; İng. Milletler Topluluğu: **~ preference**, bu topluluk için öncelikli gümrük tarifesi: **~ Relation's Office**, bu topluluk ilişkileri bakanlığı.

commotion [kə'mou̯şn]. Karışıklık, heyecan; hayhuy.

communal ['komyunəl]. Müşterek, ortak, bir topluluğa ait. **~ism**, (*id.*) mahallî idarelerine geniş muhtariyet sağlıyan sistem. **~ist**, bu sistemin taraftarı.

commune[1] [kə'myūn] *f.* Birisiyle konuşmak, sohbet etm. **~ with oneself**, istiğraka dalmak.

commune[2] ['komyūn] *i.* (*id.*) (Fransa vb. de) bucak; (*sos.*) topluluk, cemaat.

communic·able [kə'myūnikəbl]. Nakledilebilir, tebliğ edilebilir, bildirilebilir; (*tıp*) bulaşık (hastalık). **~ant**, (*din.*) komünyon âyinine iştirak eden.

communicat·e [kə'myūnikeyt]. Nakletmek; tebliğ etm., bildirmek; haber vermek, muhabere yapmak, haberleşmek; ulaş(tır)mak, irtibatı olm.; (*din.*) komünyon âyinine dahil olm. **~ion** [-'keyşn], nakil; tebliğ, haber, muhabere, haberleşme; ulaşım; temas: **mass ~**, kütle haberleşmesi: **~-cord**, (*dem.*) trenin imdat freni: **~s**, münakalât, ulaştırma. **~ive**, [-'myūnikətiv], havadis vermeğe hevesli, konuşkan, **~or**, nakleden/tebliğ eden/haber veren kimse/şey.

communion [kə'myūnyən]. Münasebet; fikir ve his iştiraki; komünyon âyini, kudas: **~ cup/table**, bu âyinde kullanılan kadeh/masa.

communiqué [kə'myūnikey] (*Fr.*) Resmî tebliğ, bildiri.

communis·m ['komyunizm]. Komünizm. **~t**, komünist.

community [kə'myūniti]. Halk, cemiyet, toplum, topluluk, cemaat; iştirak. **the ~**, devlet, halk. **~-chest**, kamu yararına tutulan fon. **~-singing**, birlikte şarkı söyleme.

commutat·e ['komyuteyt]. Çevirmek, değiştirmek, sıralamak. **~ing**, çevirici, sıralayıcı, değiştirici. **~ion** [-'teyşn], değişme, (akım) çevirme. **~ive** [kə'myūtətiv], değiş(tir)meye ait. **~or** ['komyuteyte(r)], (akım) çevirici, çevirgeç, değiştirici, komütatör.

commute [kə'myūt]. Değiş(tir)mek; hafifletmek; (cezayı) tahvil etm.; mevsim abonman karnesi ile gidip gelmek. **~r**, karneli yolcu, şehire her gün giden banliyölü: **~-belt/-land**, büyük bir şehrin etrafındaki banliyö bölgesi.

comp. = COMPARATIVE; COMPOSER; COMPOSITOR; COMPREHENSIVE.

compact[1] ['kompakt] *i.* Anlaşma.

compact[2] ['kompakt] *i.* Pudralık.

compact[3] [kəm'pakt] *s.* Sık, sıkı(şık), kesif, katı; derlitoplu; kısa. *f.* Pekiştirmek, sıkıştırmak, toplamak. **~ed** [-tid], pekiştirilmiş, sıkıştırılmış; toplu. **~ion** [-'pakşn], sıkıştırma; peklik. **~ly**, sıkı olarak. **~ness**, sıkışıklık, topluluk.

companion [kəm'panyən]. Ahbap, arkadaş; eş; refik; refakat eden kimse, yoldaş; şövalyelik üyesi; (*den.*) kaporta. **~able**, arkadaşlığı hoş; hoşsohbet; munis. **~ably**, arkadaşça, hoşça. **~-ladder**, (*den.*) kaporta işkelesi. **~ship**, arkadaşlık, dostluk, eşlik. **~-way**, (*den.*) kamara iskelesi.

company ['kʌmpəni]. Refakat; arkadaşlık; cemiyet, şirket, kumpanya, ortaklık; (*ask.*) bölük; (*tiy.*) topluluk, trup; arkadaşlar; misafirler; tayfa; ortaklar. **get one's ~**, (*ask.*) yüzbaşı olm.: **he is good ~**, arkadaşlığı/sohbeti iyidir: **if I err, I err in good ~**, düşündüğüm yanlış olabilir, fakat nice yetkili kişiler benim gibi düşünüyor: **keep s.o. ~**, birine arkadaşlık etm.: **keep bad ~**, kötü insanlarla düşüp kalkmak: **keep ~ (with s.o.)**, refakat etm.; sevişmek: **part ~ (from s.o.)**, (birinden) ayrılmak: **holding ~**, holding şirketi, ana ortaklık: **joint-stock/limited (liability) ~**, anonim ortaklık: **mutual ~**, anamal/sermayesiz ortaklık: **parent ~**, ana şirket: **permanent ~**, (*tiy.*) yerleşik topluluk: REPERTORY **~**: **ship's ~**, gemi tayfası: **subsidiary ~**, tali/bağlı şirket.

compara·bility [kompərə'biliti]. Mukayese edilebilme, karşılaştırılabilme. **~ble** ['kom-], mukayese edilebilir, kıyas edilebilir, karşılaştırılabilir; nispet kabul eder. **~tive** [kəm'parətiv], nispî, kıyasî, mukayeseli; karşılaştırmalı. **~tor**, göreç.

compare [kəm'pe̯ə(r)]. Mukayese (etm.), kıyas (etm.); karşılaştırma(k). **beyond ~**, eşsiz, emsalsiz: **this ~s favourably with that**, onunla karşılaştırılması bunun lehine sonuç verir: **John can't ~ with him**, John onunla karşılaştırılamaz: **nobody can ~ with him in French**, Fransızcada hiç kimse onunla çıkışamaz.

comparison [kəm'parisn]. Mukayese, kıyas; karşılaştırma. **there is no ~ between them**, onlar birbiriyle karşılaştırılamaz.

compartment [kəm'pātmnt]. Bölme; daire; kompartıman; göz, hücre. **watertight ~**, sugeçirmez kompartıman. **~alize** [-mentəlayz], bölmek, sınırlamak.

compass[1] ['kʌmpəs] *i.* Muhit, saha, çevre, alan; vüsat; hacim; sınır; ihata, genişlik; (*den.*) pusula. **(a pair of) ~es**, pergel, yayçizer: **that's beyond my ~**, bu benim iktidarımın dışındadır: **box the ~**, (*den.*) pusula kertelerini saymak: **in small ~**, küçük hacimde: **mariner's ~**, gemici pusulası. **~-card**, pusula kartı.

compass[2] *f.* Bir şeyin çevresini dolaşmak; ihata etm., kuşatmak, sarmak; kavramak; meydana getirmek; kumpas kurmak.

compassion [kəm'paşn]. Merhamet, acıma. **~ate**, merhametli, şefkatli: **~-allowance**, gayriresmî tekaüt maaşı vb.: **~leave**, (*ask.*) ailevi nedenle verilen izin: **~ly**, merhametle, acıyarak.

compass·-needle ['kʌmpəs-]. Pusula ibre/iğnesi. **~-rose**, (haritada) pusula daire/gülü. **~-saw**, oyma testeresi.

compatib·ility [kəm'patibiliti]. Uyma, uygunluk. **~le** [-təbl], beraber olabilir; uygun; telifi kabil.

compatriot [kəm'patri̯ət]. Vatandaş, hemşeri, yurttaş.

compeer [kom'piə(r)]. Müsavi, eş.
compel [kəm'pel]. Zorlamak, icbar etm., mecbur etm. ~**ling**, zorlayan; dayanılamaz.
compend·ious [kəm'pendiəs]. Mücmel fakat şümullü. ~**ium**, hülâsa, icmal, özet; mecmua, dergi.
compensat·e ['kompenseyt], Bedelini ödemek, takaslamak; tazmin etm.; telâfi etm.; ayar etm.; denkleştirmek, dengelemek, tevazün ettirmek. ~**ed**, tazmin edilmiş; dengeli. ~**ing**, *s.* denkleşen: *i.* denkleştirme, muvazene. ~**ion** [-'seyşn], taviz, takas, tazmin(at), telâfi; karşılık; bedel; denge; denkleş(tir)me. ~**or**, denkleştirici, denkleşme; tevzin cihazı; tevazün+. ~**ory**, tazmin edici, telâfi eden, karşılayıcı.
compère ['kompeə(r)] (*Fr.*) Kabarede numaraları takdim eden kimse.
compete [kəm'pīt]. Rekabet etm., müsabakaya girmek, yarışmak; aşık atmak.
competen·ce/~**cy** ['kompitəns(i)]. Salâhiyet, yetki; maharet, ustalık; kifâyet; yeterlik, geçinecek kadar gelir. ~**t**, salâhiyetli; muktedir; yetkili; yeter, kâfi: ~ **authorities**, yetkili makamlar, merci.
competit·ion [kompi'tişn]. Rekabet, yarışım; yarışma; konkur; müsabaka. **cut-throat** ~, kıyasıya rekabet. ~**ive** [kəm'petitiv], rekabet/ müsabakaya ait; yarışım+, rekabet+; bağımsız, serbest: ~ **examination**, müsabaka imtihan/ sınavı: ~ **price**, rekabet fiyatı, yarışım ederi. ~**or**, müsabakaya vb. giren kimse; rakip, yarışçı, yarışmacı.
compil·ation [kompi'leyşn]. Seçip toplama; çeşitli eserlerden derleme. ~**e** [kəm'payl], seçip toplamak; telif etm.; derlemek. ~**er**, derleyici, toplıyan, müellif.
complacen·ce/~**cy** [kəm'pleysəns(i)].Kayıtsızlık; kendini beğenmişlik. ~**t**, kayıtsız, aldırmaz: **(self-)** ~, ne olursa olsun halinden memnun, kendini beğenmiş.
complain [kəm'pleyn]. Şikâyet etm., itiraz etm.; ah ve vah etm. ~**ant**, (*huk.*) şikâyetçi; davacı. ~**t**, şikâyet, itiraz, karşıtlama: **lodge a** ~ **against s.o.**, biri hakkında şikâyette bulunmak.
complaisant [kəm'pleyzənt]. Hatırşinas, cemilekâr, lutufkâr.
compleat [kəm'plīt] (*mer.*) = COMPLETE.
complement ['komplimənt] *i.* Tamamlayıcı şey; tümleç, mütemmim; tam takım; tayfa, mürettebat; bir gemi vb.nin azamî yolcu istiabı. [-'ment] *f.* Tamamlamak. ~**ary** [-'mentəri], tamamlayıcı, tümleyici, mütemmim.
complet·e [kəm'plīt] *s.* Tam, eksiksiz, bütün; tamam; komple; mükemmel. *f.* Tamamlamak, bitirmek, doldurmak. ~**ion** [-'plīşn], tamamlama, bitirme, yerine getirme.
complex ['kompleks] *s.* Mürekkep; karışık; muğlak; karmaşık; (*sin.*) çapraşık; (*dil.*) girişik. *i.* (*tıp.*) Ruhî anormallık, kompleks; (*mim.*) külliye; birbirlerine bağlı binalar grubu; (*tiy.*) tam dekor. **inferiority** ~, aşağılık duygusu.
complexion [kəm'plekşn]. Ten, cilt, yüzün rengi; mahiyet; görünüş. **that puts another** ~ **on the matter**, o zaman durum değişir.
complexity [kəm'pleksiti]. Karışıklık, karmaşıklık, muğlaklık.
complian·ce [kəm'playəns]. Razı olma, rıza; uysallık. **in** ~ **with**, -e uygun olarak, göre: **refuse** ~ **with an order**, bir emre itaat etmemek: **base** ~, boyun eğme, yaltaklanma. ~**t**, uysal; evetefendimci.
complicat·e ['komplikeyt]. Karıştırmak; zorlaştırmak, güçleştirmek; bir işi karmakarışık etm., muğlak bir hale getirmek. ~**ed**, karmaşık; karışık, dolaşık. ~**ion** [-'keyşn], karışma, komplikasyon. ~**ive**, karıştıran.
complicity [kəm'plisiti]. Suç ortaklığı; suça katılma/iştirak.
compliment ['komplimənt] *i.* Övme, övgü, kompliman, cemile. *f.* Tebrik etm.; övmek, medhetmek. ~**ary** [-'mentəri], cemilekâr, taltifkâr; komplimanlı; medihli; parasız, hediye olarak. ~**s**, selâm, hürmet; tebrik.
compline ['komplin] (*din.*) Günün son âyini.
comply [kəm'play]. ~ **(with)**, (-e) razı olm., muvafakat etm.; imtisal etm., uymak.
compo. = COMPOSITION.
component [kəm'pounənt] *i.* Esaslı parça; komponent; terkip eden parça; uzuv; cüz, bölük, parça; (*mat.*) bileşen, unsur. *s.* Terkip eden; mürekkep.
comport [kəm'pōt]. Uymak, muvafık olm. ~ **oneself**, hareket etm., davranmak. ~**ment**, davranış, hareket tarzı.
compos·e [kəm'pouz]. Dizmek, tertip etm., terkip etm., tanzim etm.; düzeltmek; yazmak; bestelemek; yaratmak, telif etm. ~ **oneself**, sükûnet bulmak. ~**ed of**, -den müteşekkil. ~**er**, besteci. ~**ing-stick**, (*bas.*) tertip gönyesi. kompas.
composite ['kompəzit, -zayt]. Mürekkep, müşterek, muhtelit; çeşitli, bileşik, karışık; karma.
composit·ion [kompə'zişn]. Terkip (etme); tertip (etme), dizgi; tahrir; beste, kompozisyon; (*mal.*) batkı sözleşmesi, anlaşma, konkordato, uyuşma; (*kim.*) bileşim, karışım; yapıt, yaratma. ~**or** [kəm'pozitə(r)], mürettip, dizmen; düzenliyen, hazırlayan; dizgi makinesi.
compos mentis ['kompos'mentis] (*Lat.*) Aklı başında, şuuru tam olarak. ***non*** ~, deli.
compost ['kompost] *i.* (Yaprak vb. ile karışık) gübre. *f.* (Bu karışık gübre) terkip etm./ toprağa sermek. ~**-heap/pile**, bu gübre ile elde edilen yığın.
composure [kəm'pouʒə(r)]. Sükûn, huzur. **with complete** ~, kendini hiç bozmadan, telaşsızca.
compote ['kompout]. Komposto.
compound[1] ['kompaund] *i.* Mahlut, karışım; ecza, macun. *s.* Mürekkep, bileşik, birleşik; karma; kompavnd; asal olmıyan.
compound[2] *i.* (Hindistan/Çin'de) içinde evleri ihtiva eden duvarla çevrili büyük avlu.
compound[3] [kəm'paund] *f.* Terkip etm., karıştırmak; birleştirmek; taksitlerle/yıllıkları toptan ödemek: ~ **debts**, bir borç üzerinde alacaklı ile anlaşmak: ~ **a difference**, ihtilâflı bir nokta üzerinde karşılıklı anlaşmaya varmak: ~ **a felony**, menfaat karşılığında bir suçluyu takipten vazgeçmek.
comprehend [kompri'hend]. Anlamak, kavramak; şamil olm., ihtiva etm.
comprehens·ible [kompri'hensibl]. Anlaşılabilir. ~**ion** [-'henşn], anlama; kavrayış; şümul; algı, idrak. ~**ive**, şümullü, şamil; geniş, kapsayıcı, etraflı; idrake ait.
compress[1] ['kompres] *i.* (*tıp.*) Islak bez, kompres.

compress[2] [kəm'pres] *f.* Sık(ıştır)mak; tazyik etm., basınç yapmak; sıkıştırıp daraltmak; teksif etm., yoğunlaştırmak; hülâsa etm., özetlemek, kısaltmak. **~ed** [-st] sıkıştırılmış, tazyikli, basınçlı. **~ible**, sıkıştırılabilir. **~ibility**, sıkışma. **~ion** [-'preşn], sık(ıştır)ma, tazyik; kompresiyon, baskı; teksif. **~ive**, sıkıştıran, tazyik eden, bastıran. **~or**, kompresör, sıkıştırıcı; basaç, sıkaç.
comprise [kəm'prayz]. İhtiva etm.; ibaret olm.; şamil olm., içine almak, kapsamak.
compromise ['komprəmayz] *i.* Uzlaşma; ikisinin ortası; taviz. *f.* (Şerefini vb.) tehlikeye koymak; bir uzlaşmaya varmak; uzlaşmak; isteklerinden fedakârlıkta bulunmak.
comptometer [komp'tomitə(r)] (*M.*) Hesap makinesi.
comptroller [kən'tro̤ulə(r)]. (Bazı resmî unvanlarda) murakıp, müfettiş, kontrolör; denetçi.
compu- [kompyu-] *ön.* = COMPUTER.
compuls·ion [kəm'pʌlşn]. Cebir, zorlama, zorunluk, icbar, ıstırar: **under ~**, zoraki, mecbur kalarak. **~ive** [-siv], zorlayıcı. **~orily** [-sərəli], zorla. **~ory**, mecburî, cebrî, zorunlu.
compunction [kəm'pʌn(g)kşn]. Vicdan azabı; tereddüt, pişmanlık.
comput·ation [kompyu'teyşn]. Hesap; tahmin: **~al**, kompütörler(in kullanılmasın)a ait. **~e** [kəm'pyut], hesap etm., hesaplamak; tahmin etm. **~er**, (elektronik) hesap makinesi, kompütör, bilgisayar; hesap memuru: **analogue/digital ~**, eşitleyici/sayıcı kompütör: **~ese** [-rīz], kompütörlere ait özel lehçe: **~ization** [-rayzeyşn], kompütörler kullanılması; kompütörler kullanılarak otomatik/makineleştirme: **~ize**, kompütörleri kullanarak çözümlemek/ kontrol etm./donatmak: **~y**, kompütörler (sistemleri).
comrade ['komrid, 'kʌm-]. Arkadaş; yoldaş; sendikacı/komünist unvanı.
Comsat ['komsat] = COMMUNICATIONS SATELLITE.
con[1] [kon]. Öğrenmeye çalışmak, bellemek.
con[2]. (Gemiyi) idare etm.; kullanmak, yöneltmek.
con[3]. (*yalnız*) **the pros and ~s of a question**, bir meselenin lehinde ve aleyhinde olan noktalar.
con[4] = CONFIDENCE: (*kon.*) birini dolandırmak.
con[5] (*It.*, *müz.*) İle.
con-[6] *ön.*... ile,... beraber; kon-.
Con. = CONSERVATIVE.
conative ['konətiv] (*dil.*) Gayret ifade eden.
conc. = CONCENTRAT·ION/-ED.
concatenation [konkatə'neyşn]. (Fikirler vb.) zincirlenme, teselsül.
concav·e ['konkeyv]. Obruk, konkav, içbükey, çukur, oyuk. **~ity** [-kaviti], obrukluk, çukur(luk), içbükeylik. **~o-~e**, iki tarafı içbükey. **~o-convex**, bir tarafı iç- diğeri dışbükey.
conceal [kən'sīl]. Gizlemek, saklamak, örtmek. **~ed**, gizli; görünmez. **~ment**, gizle(n)me, sakla(n)ma; (*huk.*) yataklık.
concede [kən'sīd]. Teslim etm.; itiraf etm.; vermek; terketmek; uygun görmek.
conceit [kən'sīt]. Kibir, gurur, kendini beğenme; tuhaf/nükteli fikir. **~ed**, kibirli, kendini beğenmiş.
conceiv·able [kən'sīvəbl]. Düşünülebilir, akıl alabilir, makul; akla gelecek (her şey). **~e**, düşünmek; akıl erdirmek, aklı almak; tasavvur etm.; gebe kalmak: **~ a dislike for s.o.**, birinden birdenbire nefret etm.: **his letter was ~d in the plainest language**, mektubu çok sade bir dille yazılmıştı.
concentrat·e ['konsəntreyt]. Bir yere topla(n)mak, toplarlamak, merkezîleş(tir)mek; birleş(tir)mek; temerküz et(tir)mek; bir hedefe çevirmek; zihni toplamak; (*fiz.*) koyulaş(tır)mak, deriş(tir)mek, yoğunlaş(tır)mak. **~ed** [-tid], koyu, kesif, derişik, yoğun; kuvvetli; merkezî; mütekâsif. **~ing**, toplayıcı; deriştiren. **~ion** [-'treyşn], bir yere topla(n)ma; temerküz; bir hedefe çevirme; bir şeye zihnini verme; derişme; derişim, yoğunlaşma: **~-camp**, temerküz/toplama kampı. **~or**, toplıyan/temerküz ettiren/yoğunlaştıran makine.
concentric [kən'sentrik]. Müşterek/ortak merkezli, konsentrik, eşeksenli. **~ity** [-'trisiti], merkez/eksen birliği.
concept ['konsept]. Fikir, telâkki, mefhum, kavram. **~ion** [-'sepşn], idrak etme; fikir, düşünce, telâkki; gebe kalma. **~ive**, düşünebilen, anlaşılır; döllenmeye ait. **~tual** [-ço̤əl], fikirlere ait.
concern [kən'sən] *i.* Alâka, münasebet, ilgi, ilişki; mesele, sorun; iş; endişe, merak, kaygı; firma, şirket. *f.* Ait olm., dair olm.; münasebet/alâka/ilişki/ilgisi olm.; raci olm. **be ~ed/~ oneself with**, -e karışmak; ilgili olm.; -le ugraşmak: **as far as ~s**, -e gelince,... itibarıyle: **as far as I am ~ed**, bana gelince; bence; benim için: **of ~**, mühim, önemli, alâka çeken: **it's no ~ of mine**, bu beni alâkadar etmez: **be ~ed about stg.**, bir şeyden endişe etm.: **his honour is ~ed**, şerefi söz konusudur: **I was very ~ed to hear...**,... duyunca çok müteessir oldum: **to whom it may ~**, ilgililere: **at the wish of all ~ed**, bütün ilgililerin arzusu ile: **a going ~**, (*mal.*) devam eden/faaliyette olan iş; başarılı teşebbüs. **~ing**, dair, hakkında, ilişkin, üzerinde.
concert[1] ['konsət] *i.* Ahenk; konser. **act in ~ with s.o.**, biriyle elbirliğiyle hareket etm.: **keep up to ~ pitch**, yüksek seviyede tutmak: **~ of the Powers**, Büyük Devletler birleşmesi.
concert[2] [kən'sət] *f.* Müşavere ve müzakere edip tanzim etm.; danışıklı iş görmek: **~ed action**, bütün taraflarca kabul edilmiş hareket.
concert·-goer ['konsətgo̤uə(r)]. Konserlere sık sık giden. **~-grand**, büyük kuyruklu piyano. **~ina** [-'tīnə], akordeona benzer bir cins körüklü çalgı. **~o** [kən'çəto̤u], konçerto.
concess·ion [kən'seşn]. Teslim; müsaade, izin; imtiyaz, ayrıcalık, ödün, taviz. **~ion·aire/-ee** [-'ne̤ə(r), -'nī]. imtiyaz sahibi. **~ionary** [-nəri], ayrıca/imtiyazlı; hususî. **~ive**, teslim/müsaadeyi ifade eden.
conch [kon(g)k]. Büyük bir cins kabuklu deniz hayvanı ve kabuğu; bu hayvanın kabuğundan yapılan boru. **~a**, kulağın dış çukuru. **~iferous** [-'kifərəs], kabuklu. **~oid**, kabuk şeklinde. **~ology** [-'koləci], yumuşakçalar kabuklarını inceliyen bilim dalı.
conchy ['konşi] (*kon.*) = CONSCIENTIOUS OBJECTOR.
concierge [kō(n)si'e̤əj] (*Fr.*) Kapıcı.
conciliat·e [kən'silieyt]. Gönlünü almak; yatıştırmak; gönlünü yapmak; uzlaştırmak. **~ion** [-'eyşn], uzlaş(tır)ma; barış(tır)ma; arabuluculuk. **~or**, yatıştıran, barıştıran; arabulucu. **~ory** [-'sili̤ətəri], gönül alıcı; yatıştırıcı; uzlaştırıcı.
concis·e [kən'says]. Muhtasar, kısa, mücmel; veciz,

özlü: ~**ly**, kısaca: ~**ness**, kısalık, ihtisar, icmal, özlük. ~**ion** [-'sijn], kısalık vb.
conclave ['konkleyv]. Papayı seçmek için kardinallerin toplanması; özel toplantı.
conclude [kən'klūd]. Sonuçlandırmak, bitirmek; akdetmek; bir neticeye varmak. **be ~d (in our next)**, sonu gelecek sayıda, devamı/arkası var.
conclus·ion [kən'klūjn]. Netice, sonuç; neticelendirme; akdetme; son verme; sonuç çıkarma; (*mat.*) vargı, hüküm: **in ~**, sonuç olarak: **try ~s with s.o.**, biriyle boy ölçmek. ~**ive** [-'klūsiv], ikna edici, inandırıcı; katî, kesin.
concoct [kən'kokt]. Birbirine karıştırıp tertip etm.; pişirmek; uydurmak; kurmak. ~**ion**, [-'kokşn], uydurma; tertip etme; müstahzar; acayip terkip.
concomitant [kən'komitənt] *s.* Birlikte olan; mülhak, munzam. *i.* Tetimmat.
concord ['konkōd]. Uygunluk; barış; ahenk. ~**ance** [kən'kōdns], uygunluk; indeks. ~**ant**, uygun, mutabık, uyumlu. ~**at** [-dat], (kilise ile devlet arasındaki) anlaşma, konkordato.
concourse ['kon(g)kōs]. Toplantı; birleşme; (*hav.*) büyük yolcu salonu; (*mim.*) binalar ortasındaki yayalara mahsus alan; toplantı yeri.
concrete[1] ['konkrīt] *s.* Hakikî, gerçek; müspet, olumlu; muşahhas; somut; elle tutulur; muayyen, belirli.
concrete[2] [kən'krīt] *f.* Katılaşmak; şekil almak.
concrete[3] ['konkrīt] *i.* Beton. *f.* Beton kaplamak, betonlamak. *s.* Betondan yapılmış. **reinforced ~**, betonarme, demirlibeton. ~**-mixer**, betoniyer.
concret·ion [kən'krīşn]. Katılaşma; donma; dondurulmuş cisim; topak. ~**ize** ['kon-], katılaştırmak.
concubin·age [kon(g)'kyūbinic]. Evlenmesiz karı koca hayatı, istifraş, odalık alma. ~**al**, odalığa ait. ~**e** ['kon(g)kyubayn], odalık, cariye, müstefreşe; metres.
concupiscen·ce [kən'kyūpisəns]. Cinsel istek, şehvet, ~**t**, cinsel istekli.
concur [kən'kə̄(r)]. Uymak; razı olm.; uyuşmak; bir fikirde olm., kabul etm. **I ~!**, kabul!. ~**rence** [-'kʌrəns], muvafakat; tesadüf. ~**rent**, aynı zamanda vaki olan; müterafik; uygun; birleşik.
concuss [kən'kəs]. Çarpmak, sarsmak. ~**ion** [-'kəşn], sadme; sarsı(ntı); çarpışma vb. sarsıntısı; beyin sarsılması.
cond. = CONDITION(AL); CONDUCTOR.
condeep ['kondīp] = CONCRETE DEEPWATER (PLATFORM).
condemn [kən'dem]. Mahkûm etm.; ayıplamak; kullanmağa uygun bulmamak. ~**ed**, yargılı, mahkûm: ~**ed cell**, idam mahkûmu hücresi: **his looks ~ him**, nasıl bir adam olduğu yüzünden belli. ~**ation** [-'neyşn], mahkûm etme; mahkûm olma; aleyhte hüküm verme. ~**atory** [-'neytəri], mahkûmiyet/takbihi ifade eden.
condens·ability [kəndensə'biliti]. Çiğlenme/çisinme/yoğunlaşma kabiliyeti. ~**able** [-'densəbl], çiğlenir, çisinir, teksif edilir. ~**ate** [-'densət], çiskin, çiğ suyu, damlalanma suyu. ~**ation** [-'seyşn], teksif, tekâsüf, kesif mayi, buğu; yoğunlaş(tır)ma, yoğuşma, sıkıştırma, koyulaştırma; özetleme, kısaltma. ~**e** [kən'dens], teksif etm., çiğlendirmek, koyulaştırmak; kısaltmak, sıkıştırmak, hülâsa etm., özetlemek; yoğuş(tur)mak, yoğunlaştırmak. ~**ed** [-st], çiğlenmiş, tekâsüf etmiş; sık, dar, muhtasar, kısaltılmış, özetlenmiş: ~**-milk**, teksif edilmiş süt. ~**er**, yoğuşturucu, mükessif; imbik; (*elek.*) kondansatör; (*fiz.*) kondansör. ~**ing**, çiğlendirici, kondansör +.
condescen·d [kondi'send]. Tenezzülde bulunmak; tevazu göstermek. ~**ding**, himayekâr; yukarıdan alan. ~**sion**, tenezzül; lütufkârlık; yukarıdan alma.
condign [kən'dayn]. Lâyık, müstahak; uygun, yerinde.
condiment ['kondimənt]. Salça/baharat vb. gibi yemeğe çeşni veren şey.
condition [kən'dişn] *i.* Hal, durum; şart, koşul; vaziyet; medenî hal. *f.* Şart koşmak, şarta bağlamak; iyi bir hale getirmek; alıştırmak. **on ~ that** ..., ... şartiyle: **keep (oneself) in ~**, idmanlı olm.: **be out of ~**, hamlamak: **be ~ed by stg.**, bir şeye bağlı olmak. ~**al**, şarta bağlı, bağlı; koşullu, şartlı; (*huk.*) koşulla, meşruten; (*dil*) dilek şart kipi, koşul birleşik zamanı. ~**ed**, şart/koşula bağlanmış; (*zoo.*) alış(tırıl)mış. ~**er**, uygun bir hale getiren kimse; ıslah eden, düzeltici; AIR-~. ~**ing**, alıştırma; tavlama, ıslah etme.
condol·atory [kən'doulətri]. Taziyeye ait. ~**e**, ~ **with**, -e taziyede bulunmak, başsağlığı dilemek. ~**ence**, taziye, başsağlığı dileme: **my ~s to you**, başınız sağ olsun.
condom ['kondəm]. Prezervatif.
condominium [kondə'miniəm]. Müşterek hakimiyet; *(apartıman binasında) kat mülkiyeti.
condon·ation [kondou'neyşn]. Af; göz yumma. ~**e** [kən'doun], affetmek; göz yummak.
condor ['kondō(r)]. Tepeli akbaba, kondor.
conduc·e [kən'dyūs]. Sebep olm., mucip olm.; yardım etm.; vesile olm. ~**ive**, vesile olan; mucip olan; yardım eden.
conduct ['kondʌkt] *i.* Davranış; hareket; idare. [kən'dʌkt] *f.* Sevketmek; idare etm.; iletmek; yöneltmek; önüne katıp götürmek; orkestrayı yönetmek. **certificate of good ~**, iyi hal kâğıdı: **~ oneself** (iyi/kötü) hareket etm., davranmak. ~**ance**, iletkenlik; geçirebilme; geçiricilik, ileticilik. ~**ed**, iletilmiş; nakledilmiş: **~ tour**, bir kılavuzun idaresiyle gezinti. ~**ibility**, iletkenlik; geçiricilik. ~**ing**, iletici, iletken; nakil. ~**ion** [-'dʌkşn], iletim, kondüksiyon. ~**ive**, iletken. ~**ivity** [-'tiviti], ileticilik, geçiricilik; nakliyet. ~**or** ['dʌktə(r)], iletici, nakil; kablo, kondüktör; yöneten, idare eden; (*müz.*) orkestra şefi; (otobüs vb.) biletçi; (*dem.*) şeftren.
conduit ['kond(yū)it, 'kəndit]. Oluk, boru, mecra, kanal, ark, yol.
condyle ['kondil] (*tıp.*) Lokma, kondil.
cone [koun] *i.* Mahrut, koni; (*bot.*) kozalak, *s.* Mahrutlu.
coney ['kouni]. Ada tavşanı.
confab ['konfab] (*kon.*) = CONFABULAT·E/~ION.
confabulat·e [kən'fabyuleyt]. Konuşmak, sohbet etm., başbaşa vermek. ~**ion** [-'leyşn], sohbet, başbaşa verme.
confection [kən'fekşn]. Tertip etme; tertip edilmiş şey: şekerleme, tatlı, reçel; süslü kadın elbise/şapkası. ~**er**, şeker(leme)ci, pastacı. ~**ery**, pasta, şekerleme vb. gibi şeyler.
confedera·cy [kən'fedərəsi]. Devletler birliği; it-

tifak; fitne ve fesat birliği. ~**te**[1] [-'rit] *s.* birleşmiş, müttefik; *i.* arkadaş, suç ortağı. ~**te**[2] [-reyt] *f.* (devletler) birleş(tir)mek; birlik olm. ~**tion** [-'reyşn], devletler birliği, birlik konfederasyon; ittifak.

confer [kən'fə̄(r)]. Müzakere etm., görüşmek, danışmak; (bir unvan vb.) tevcih etm., vermek. ~**ence** ['konfərəns], konferans, kongre; toplantı; müzakere, danışma. ~**ment** [-'fə̄mənt], tevcih, verme.

confess [kən'fes]. İtiraf etm., ikrar etm., doğrulamak; günah çıkarmak, günahını anlatmak. ~**ed** [-st], itiraf edilmiş; açık saçık. ~**edly** [-sidli], herkesin itiraf edeceği gibi. ~**ion** [-'feşn], itiraf, ikrar, doğrulama; günah çıkarma, günahını anlatma: ~ **of faith**, iman ikrarı. ~**ional**, (kilisede) günah çıkarma hücresi: **secrets of the** ~, katiyen açıklanmıyacak sırlar. ~**or**, günah çıkaran papaz: **father** ~, birinin özel papazı.

confetti [kən'feti]. Konfeti.

confid·ant(e) [konfi'dant]. (Kadın) sırdaş; yakın dost. ~**e** [kən'fayd], (sır vb.) tevdi etm., vermek: ~ **in**, -e emniyet etm./itimat etm./güvenmek.

confidence ['konfidəns]. İtimat, inanç, güven, emniyet; mahremlik, gizlilik: **make a** ~ **to s.o./tell s.o. in** ~, birine bir sır söylemek. ~**-man**, dolandırıcı, tavcı, zarfçı. ~**-trick**, kandırarak dolandırma, tavlama.

confident ['konfidənt]. Emin; kendine pek güvenir. ~**ial** [-'denşl], mahrem; gizli; itimat edilebilir, güvenilebilir: ~**ity**, gizlilik: ~**ly**, gizlice. ~**ly**, itimatlı.

configur·ation [kənfigyu'reyşn]. Dış görünüş; şekil; konfigurasyon; genel durum; teşekkül; yapı; dizi. ~**e** [-'figə(r)], şekillendirmek.

confine [kən'fayn] *f.* Tahdit etm.; kuşatmak, kapatmak, hapsetmek. **be** ~**ed**, (i) tahdit/hapsedilmek tutuk olm. (ii) çocuk doğurmak, loğusa olm.: ~ **oneself to**, -le iktifa etm., yetinmek. ~**ment**, hapsedilme, mahpusluk; loğusalık. ~**s**, *i.* hudut, sınır.

confirm [kən'fə̄m]. Teyit etm., tekit etm., tasdik etm., doğrulamak; takviye etm., desteklemek, sağlamlaştırmak; (piskopos) ~ATION âyinini icra etm. ~**ation** [konfə'meyşn], teyit, tasdik, delil; doğrulama; hıristiyan çocuğunun büluğ zamanı kilise camıasına kabulü âyini. ~**ative**/~**atory**, tekidî, tasdikî. ~**ed**, *s.* kök salmış; ıslah olmaz; daimî; inancalı, müeyyit.

confiscat·e ['konfiskeyt]. Elkoymak, müsadere etm., zaptetmek; zorla ele geçirmek, haciz etm.; toplatmak. ~**ion** [-'keyşn], elkoyma, müsadere, zorla alım; cebrî toplat(ıl)ma. ~**ory** [-'keytəri], müsadere edici.

conflagration [konflə'greyşn]. Yangın, ateş.

conflict ['konflikt] *i.* İhtilâf, mücadele, uyuşmazlık, kavga, dövüş, çekişme; (*huk.*) anlaşmazlık; (*tiy.*) çatışma. [kən'flikt] *f.* Birbirini tutmamak: ~ **with**, -le telif edilememek; -e zıt olm., muhalif olm.; kavga/mücadele etm.: ~ **of ideas/interests**, fikir/menfaat mücadelesi. ~**ing**, zıt, muhalif; birbirini tutmaz.

conflu·ence/~**x** ['konfluəns, -flʌks]. Birleşme, birlikte akma, kavşak. ~**ent**, birlikte akan, birleşen, karışan (nehir vb.); kol.

conform [kən'fōm]. Tatbik etm.; uydurmak; intibak etm., uymak. ~**able** [-'fōməbl], münasip, uygun; benzer; mümasil; uysal. ~**ation** [-'meyşn], şekil, bünye, yapı. ~**ist**, cari düşünceler/prensiplere uyan; resmî İng. kilisesinin üyesi olan kimse. ~**ity**, uygunluk; tevafuk: **in** ~ **with**, uyarak, mucibince, tevfikan.

confound [kən'faund]. Bozmak; şaşırtmak; karıştırmak, ~ **it**!, Allah müstehakkını versin!, lânet olsun! ~**ed**, lânetleme: **it was** ~**ly cold**, Allahın belâsı bir soğuk vardı, çivi kesiyordu.

confr·aternity [konfrə'tə̄niti]. Kardeşlik; 'ahilik' gibi teşkilât. ~***ère*** [-'freə(r)] (*Fr.*), üyedaş; meslektaş.

confront [kən'frʌnt]. Karşısında durmak, karşı gelmek, karşılaşmak; karşılaştırmak, karşısına getirmek, yüzleştirmek. ~**ation**, muvacehe, yüzleştirme: ~**ist**, geleneksel fikirlerin vb. karşısında duran kimse.

Confucian [kən'fyūşʌn]. Konfüçyüse ait. ~**ism**, Konfüçyüs mezhebi. ~**ist**, bu mezhebin üyesi.

confuse [kən'fyūz]. Karıştırmak, bozmak, şaşırtmak: **get** ~**d**, şaşırmak, zihni karışmak. ~**d**, *s.* mahcup; şaşırmış; karışık, müphem: ~**ly**, mahcup/şaşırmış olarak.

confusion [kən'fyūjn]. Karışıklık, intizamsızlık; karıştırma; şaşkınlık, sersemlik, utanma. **in** ~, karmakarışık: **be covered with** ~, fena halde mahcup olm., bozulmak: **put s.o. to** ~, birini mahcup etm., bozmak: **fall into** ~, karmakarışık olm.: ~ **worse confounded**, karışıklığın daniskası.

confut·ation [konfyu'teyşn]. Cerh, tekzip, yalanlama. ~**e** [kən'fyūt], red ve cerhetmek; yanlış/haksız olduğunu ispat etm.

conga ['kon(g)gə] (G.Am.'da) bir nevi dans.

congé ['kō(n)je] (*Fr.*) Veda töreni; yol verme, işten çıkarma; izin.

conge·al [kən'cīl]. Don(dur)mak; katı-/pıhtılaş(tır)mak, pelteleş(tir)mek: ~**ment**, donma, katılaşma, pelteleşme. ~**lation** [-ce'leyşn] = ~ALMENT; dondurma, katılaştırma.

congener [kən'cīnə(r)]. Aynı cins/sınıftan. ~**ic** [koncə'nerik], hemcins.

congenial [kən'cīniəl]. Cana yakın, sempatik; uygun; hoş. ~**ity** [-ni'aliti], cana yakınlık; uygunluk. ~**ly** [-'cīniəli], hosça, cana yakın olarak.

congenital [kən'cenitəl]. Doğuşta olan; anadandoğma; fıtrî.

conger ['kon(g)gə(r)]. Migra; büyük yılan balığı.

congeries [kon'jerīz]. Yığın, küme.

congest [kən'cest]. Topla(n)mak; yığ(ıl)mak, birik(tir)mek; kan toplanmasına sebep olm. ~**ed**, kalabalık, sıkışık; (*tıp.*) kanı biriktirilmiş: ~**ed area**, fazla nüfuslu/pek kalabalık bölge. ~**ion** ['cesçən], izdiham, kalabalık; kan birikmesi, ihtikan.

conglob·ate [kon'gloubeyt] *f.* Topla(n)mak, top haline getirmek. [-bit] *s.* Toplanmış, top halinde. ~**ulate** [-'globyulit] = ~ATE.

conglomerat·e [kən'glomərit] *s.* Toplanmış, yığılmış, muhtelif parçalardan mürekkep. *i.* Muhtelif parçalardan mürekkep şey; çakıl kayaç, puding; (*yer.*) konglomera, yığışım; (*mal.*) türlü türlü şirketler grubu. [-reyt] *f.* Toplanmak, bir araya gelmek. ~**ation** [-'reyşn], toplanma, yığışım; türlü türlü şeyler grubu.

conglutinate [kən'glūtineyt]. Yapış(tır)mak.

Congo ['kon(g)gou]. Kongo. **~lese** [-gə'līz] *i.* Kongolu: *s.* Kongo+.
congratulat·e [kən'gratyuleyt]. Tebrik etm., kutlamak. **~ion** ['leyşn], tebrik, kutlama: **~s!**, gözünüz aydın! **~ory** [-'leytəri], tebrike ait, tebrik+.
congregat·e ['kongrigeyt]. Toplanmak, birleşmek. **~ion** [-'geyşn], cemaat; toplanma, topluluk. **~ional**, bir birlik/topluluğa ait; her kilise cemaatinin müstakil olması usulüne ait.
congress ['kongres]. Birleşme; kongre, kurultay; *Senato ile Temsilciler meclisinden mürekkep Millî Meclis **~ional** [-'greşənl], kongre'ye ait. **~man**, *Millî Meclis üyesi.
congru·ence/~ity ['kon(g)gruəns, -'grūiti]. Uyma, uygunluk, benzerlik, tevafuk. **~ent/~ous**, uygun, benzer; münasip; mutabık.
conic·(al) [konik(l)]. Mahrutî, konik. **~s**, koni kesimi konusu.
conifer ['kounifə(r)]. Kozalaklı ağaç. **~ous** [-'nifərəs], kozalaklı, iğneli yapraklı.
coniform ['kounifōm]. Koni şeklinde.
conj. = CONJUNCTION.
conjectur·al [kən'cekçərəl]. Tahminî, sanal. **~e**, *i.* zan, tahmin, farz: *f.* (bir şeyi) tahmin etm.
conjoin [kən'coyn]. Birleş(tir)mek; bitiş(tir)mek. **~t**, birleşik, bitişik, birlikte: **~ly**, birleşik olarak.
conjugal ['koncugl]. Evliliğe ait; karıkocaya ait: **~ rights**, karıkoca hakları. **~ly**, evli olarak. **~ity**, evlilik, karakocalık.
conjugat·e ['koncugeyt] *s.* Birleşik; (*mat.*) eş(lenik); (*dil*) aynı kökten gelen. *f.* (*dil.*) Tasrif etm., çekmek. **~ion** [-'geyşn], (*dil.*) tasrif, çekim; (*biy.*) birleşme, kavuşma, konjügasyon.
conjunct [kən'cʌn(g)kt] (*mer.*) Birleşmiş. **~ion** [-kşn], birleşme; karışma; (*dil.*) atıf edatı, bağlaç; bağ; (*ast.*) kavuşma konumu, kavuşum: **in ~ with**, -le birlikte/bir arada: **~al**, bağlaç gibi/yerinde.
conjunctiv·a [koncʌn(g)k'tayvə] (*tıp*) Munzam tabaka, bağ dokusu. **~e** [kən'cʌn(g)ktiv] *s.* bağlıyan, birleştiren; (*tıp.*) katılgan, sümüksel: *i.* (*dil*) atıf/rabıt edatı, bağlaç; sıla sıygası. **~itis** [-'vaytis], (*tıp*) bağ dokusu iltihabı, trahoma.
conjuncture [kən'cʌn(g)kçə(r)]. Hal ve şartlar; (toplu-)durum. **at this ~**, ahval böyle iken; bu sırada.
conjure[1] [kən'cuə(r)] *f.* (Bir şey yapmak için birine) yalvarmak; ant vermek.
conjur·e[2] ['kʌncə(r)] *f.* Sihir yaparak cin vb.ni çağırmak; büyü yapmak; hokkabazlık yapmak. **~ up**, sihirbazlıkla davet etm.; hatıra getirmek: **a name to ~ with**, sihirli isim. **~er**, **~or**, hokkabaz. **~ing**, hokkabazlık.
conk[1] [kon(g)k] (*arg.*) Burun.
conk[2]. **~ out**, (*arg.*) (makine) birdenbire durmak.
conkers ['kon(g)kōz]. Atkestaneleri(yle oynanan bir oyun).
con-man ['konmən] = CONFIDENCE-MAN.
Conn. = CONNAUGHT; CONNECTICUT.
connate ['koneyt]. Tabiî, doğuştan; birlikte doğmuş; bitişik.
Connaught ['konōt]. İrlanda'nın bir ili.
connect [kə'nekt]. Bağlamak, raptetmek; birleştirmek; ilgi kurmak; (tren vb.) aktarması olm. **~ed** [-tid], birleşik; bağlantılı, irtibatlı: **be ~ with a family**, (i) bir aileye sıhriyeti olm.; (ii) bir aile ile bağı/yakınlığı olm.: **be well ~**, iyi aileye mensup olm.
Connecticut [kə'netikət]. ABD'nden biri.
connect·ing/~ive [ke'nektin(g), -tiv]. Bağlıyan, baglama+; raptedici; (*mec.*) birleşik. **~-rod**, biyel/krank kolu, hareket kolu.
conne·ction/~xion [kə'nekşn]. Bağ; bağlantı, bağlama, rakor; irtibat; münasebet; alâka, ilgi; ilişki; sıhriyet, sıhrî akraba; aktarma. **in ~ with**, münasebetiyle, dolayısıyle, -le ilgili: **in this ~**, bu hususta: **break off/keep up ~s**, münasebetleri kes(me)mek.
conning-tower ['konin(g)tauə(r)] (*den.*) Kumanda kulesi, zırhlı kule; = CON[2].
conniv·ance [kə'nayvəns]. Göz yumma, müsamaha, hoşgörü. **~e (at)**, göz yummak, müsamaha ile karşılamak; ses çıkarmamak.
connoisseur [koni'sə̄(r)]. Ehil, mütehassıs, uzman, usta; meraklı, eksper.
connot·ate ['konəteyt] = **~E**. **~ation** [-'teyşn], ima, ifade. **~ative** [-'teytiv], imalı. **~e** [kə'nout], delâlet etm., ayrıca bir anlam taşımak.
connubial [kə'nyūbiəl]. Evliliğe ait, zevcî.
conoid ['konoyd] *s.* Koni şeklinde. *i.* Konoit.
conquer ['kon(g)kə(r)]. Fethetmek, zaptetmek. **~able**, fethedilebilir. **~or**, fetheden, fatih: **the C~**, 1066'da İng.'ye çıkan Normandiyalı William.
conqu·est ['konkwest]. Fethetme, zaptetme: **make a ~**, bir kimsenin aşkını kazanmak. **~istador** [-'kwistədō(r)] (*İsp.*) fatih.
con-rod ['konrod] (*kon.*) = CONNECTING-ROD.
Cons. = CONSERVATIVE.
consanguinity [konsan(g)'gwiniti]. Kan karabeti.
conscience ['konşəns]. Vicdan. **in all ~**, doğrusu: **with a clear ~**, vicdanı müsterih olarak: **~ money**, vicdan azabı yüzünden yerine iade edilen para: **~ smitten/stricken**, vicdan azabına kapılmış: **I would not have the ~ to do it**, bunu yapmağa vicdanım razı olmaz: **it will be on my ~**, içimi rahatsız edecek. **~less**, vicdansız, hiç bir şeyden çekinmiyen.
conscientious [konşi'enşəs]. Vicdanlı, insaflı, dürüst. **~ objector**, vicdanına karşı olduğunu söyliyerek askerlik yapmak istemiyen: **~ scruple**, vicdan endişesi. **~ly**, vicdanlı vb. olarak.
conscious ['konşəs]. Kendine malik/gelmiş; ayılmış; şuurlu, müdrik, bilinçli; kasdî. **be ~ of stg.**, bir şeyin farkında olm., bir şeyi hissetmek: **become ~ of stg.**, bir şeyin farkına varmak. **~ness**, kendine malik olma; şuur; bilinç, his, idrak: **lose ~**, kendini kaybetmek: **regain ~**, kendine gelmek.
-conscious *son.* -in farkında dan [CLASS-~].
conscript ['konskript]. Askere alınmış adam, kur'a askeri. [kən'skript] *f.* Askere almak; el koymak. **~ion** [-'skripşn], mecburî askerlik; askere alma; elkoyma.
consecrat·e ['konsikreyt]. Takdis etm., kutsallaştırmak; tahsis etm. **~ion** [-'kreyşn], takdis/tahsis (merasimi).
consecut·ion [konsi'kyūşn]. Sıralanma; (*dil*) harf/kelime ahengi. **~ive** [kən'sekyutiv], mütevali, müteakıp, ardışık, ardarda, sıralı; üstüste olan: **~ly**, sıralı olarak, ardışıkça; devamlı olarak.
consensu·al [kən'sensyuəl] (*tıp.*) İhtiyari hareketle bağlanmış (gayri-ihtiyari hareket); (*huk*) tarafların rızasıyle yapılan. **~s** [-səs], genel muvafakat; oy birliği: **~ of opinion**, genel oy.
consent [kən'sent]. Razı olma(k); muvafakat etme(k); müsaade, izin. **by common ~**, herkesin

muvafakatıyle; herkesin kabul ettiği üzere. ~**ient**, kabul eden, uygun.

consequence ['konsikwəns]. Netice, sonuç; akibet; ehemmiyet, önem. **a man of** ~, ileri gelen bir kimse: **it is of no** ~, önemi yok: **in** ~, bu sebeple: **in** ~ **of**, -in sonucunda: **do this or take the** ~**s!**, ya bu işi yap yahut sonuç/sorumluluğuna katlan; bunu yapmazsan vebali boynuna.

consequent ['konsikwənt]. Tabi, bağlı; sonucu olan; (*fel.*) tutarlı. ~**ly**, sonucu olarak. ~**ial** [-'kwenşəl], sonuç olarak ortaya çıkan; azametli.

conservancy [kən'sə̄vənsi]. Muhafaza, koruma. **port/river** ~, bir liman/nehir bakım ve idare heyeti.

conservation [konsə'veyşn]. Muhafaza, himaye; koru(n)ma; sakla(n)ma; (*fiz.*) sakınım. ~**ist**, korunma taraftarı.

conservat·ism [kən'sə̄vətizm]. Muhafazakârlık. ~**ive**, muhafazakâr, tutucu; mutedil, ılımlı: **on** ~ **lines**, eski usulde; itidal dairesinde.

conservatoire [kən'sə̄vətu̯a(r)]. (*Fr.*) Müzik okulu, konservatuar.

conservator [kən'sə̄vətə(r)]. Muhafız, koruyucu. ~**y** [-tri], limonluk.

conserve [kən'sə̄v] *f.* Muhafaza etm., korumak, himaye etm.; (meyva vb.) konserve yapmak. *i.* Konserve; reçel. ~**d**, dokunulmaz, mahfuz.

consider [kən'sidə(r)]. Düşünüp taşınmak, mülahaza etm.; göz önünde tutmak, nazarı itibara almak; düşünmek; riayet etm.; telâkki etm., addetmek, saymak. **all things** ~**ed**, her şeyi göz önünde tutarak.

considerabl·e [kən'sidərəbl]. Mühim, hatırı sayılır, büyük, önemli. ~**y**, çok; oldukça, epeyce.

considerate [kən'sidərit]. Hatır bilir, başkalarına karşı saygılı, insaflı. ~**ly**, insaflıca; saygılı şekilde. ~**ness**, insaf, saygı.

consideration [kənsidə'reyşn]. Mütalaa, mülahaza; saygı; düşünce; itibar; dikkat; ehemmiyet, önem; göz önünde tutulacak şey; bedel, karşılık. **for a** ~, ivaz mukabilinde: **in** ~ **of**, düşünerek, göz önünde tutarak; dolayısıyla; karşılık olarak: **money is no** ~, para bahis konusu değil; masrafa bakılmaz: **on no** ~, hiç bir sebeple; hiç bir suretle: **the question under** ~, incelenmekte olan mesele: **take into** ~, gözönünde tutmak, nazarı itibara almak.

considering [kən'sidərin(g)]. Göre, dolayı, bakınca, düşünülürse; göz önünde tutulursa. **that is not so bad,** ~, bu durumda hiç kötü bir sonuç değil.

consign [kən'sayn]. Göndermek; sevketmek; teslim etm., tevdi etm. ~**ee** [-'nī], (kendisine) gönderilen; emanetçi. ~**ment** [-'saynmnt], gönderme; sevk(iyat), teslim; tevdi; emanete bırakma; konsinyasyon; gönderilen mal(ın bir mıktarı): **for** ~ **abroad**, harice sevkedilecek: **on** ~, satıldığı zaman ödenmek üzere teslim. ~**or** [-'nō(r)]. gönderen, teslim eden.

consilience [kən'sili̯əns]. Uygunluk.

consist [kən'sist]. Mürekkep olm., ibaret olm., (*kim.*) bileşmek.

consisten·ce/~**cy** [kən'sistəns(i)]. Koyuluk, kesafet, yoğunluk; birbirini tutma; birbirine uyma, insicam; istikrar, tutarlık. ~**t**, aynı prensipler/hareket tarzına vb. uyan (şey/kimse), uygun; birbirini tutan, insicamlı; müstakır, tutarlı; koyu, özlü: ~**ly**, uygun/insicamlı olarak.

consistory [kən'sistəri]. Kilise meclisi.

consol·ation [konsə'leyşn]. Teselli; avunç: ~ **prize**, büyük ödülleri kazanmıyanlara verilen ödül. ~**atory** [kən'solətəri], teselli edici. ~**e**[1] [-'so̯ul] *f.* teselli etm./vermek, avundurmak.

console[2] ['konso̯ul] *i.* (*mim.*) Konsol; süslü destek, dirsek; (*müz.*) orgun klavyesi; (*hav.*) kumanda masası. *s.* Dirsekli.

consolidat·e [kən'solideyt]. Takviye etm., sağlamlaştırmak; pekiştirmek; birleştirmek; berkitmek. ~**ed**, birleşik, konsolide: † ~ **annuities**, kamu borçları belgitleri: ~ **debts**, berkitilmiş borçlar. ~**ion** [-'deyşn], birlik; birleş(tir)me; ittihat; (*coğ.*) pekişme, pekleşme; sabitleştirme, dondurma.

consols. [kon'solz] = CONSOLIDATED ANNUITIES.

consommé [kon'somey] (*Fr.*) Et suyu, konsome.

consonan·ce ['konsənəns]. Uygunluk, ahenk, mutabakat. ~**t**[1], *s.* uyar, uygun; ahenkli.

consonant[2] *i.* Sessiz harf, ünsüz, konson. ~**al**, ünsüz + ; ünsüz gibi.

consort[1] ['konsōt] *i.* Zevc(e), eş. **act in** ~ **with**, -le birlik (olarak) hareket etm.: **King/Prince** ~, bir kadın hükümdarın kocası: **Queen** ~, kralın karısı.

consort[2] [kən'sōt] *f.* ~ **with**, -le düşüp kalkmak.

consortium [kən'sōti̯əm] (*mal.*) Konsorsiyum, birlik kurul.

conspectus [kən'spektəs]. Genel bakış.

conspicuous [kən'spikyu̯əs]. Göze çarpan, bariz, aşikâr; seçkin. **be** ~, göze çarpmak. ~**ly**, göze çarpan bir şekilde. ~**ness**, göze çarpma, barizlik.

conspira·cy [kən'spirəsi]. Kötü amaçla yapılan gizli anlaşma, kumpas; suikast: ~ **of silence**, bir mesele hakkında bir şey denmemesi anlaşması. ~**tor**, suikastçı; gizli bir teskilâta dahil kimse.

conspire [kən'spayə(r)]. (Biri aleyhine) fesat kurmak; suikast hazırlamak; birlikte hareket etm.; kumpas kurmak; (olaylar) yardım etm.

constab·le ['kʌnstəbl]. Polis memuru; (eskiden) saray nazırı: **Chief** ~, polis komiseri: **special** ~, yardımcı polis. ~**ulary** [kən'stabyuləri], zabıta, polis.

constan·cy ['konstənsi]. Sebat, sabitlik, devamlılık, değişmezlik; sadakat. ~**t**, *s.* değişmez, sabit, daimî; devamlı; sadık, vefalı: *i.* (*mat.*) sabite, değişmez. ~**tly**, daima, sık sık.

constantan ['konstəntan]. Bakır nikel alaşımı, konstantan.

Constant·inople [konstanti'no̯upl]. İstanbul. ~**sa** [-'stantsə], Köstence.

constatation [konsta'teyşn]. Tahkik, saptama, anlama.

constellat·e ['konsteleyt]. Burç şekli almak; yıldızlarla süslemek. ~**ion** [-stə'leyşn], takımyıldız; burç.

consternation [konstə̄'neyşn]. Donup kalma; derin hayret; haşyet.

constipat·e ['konstipeyt]. Kabız yapmak, peklik vermek. ~**ion** [-'peyşn], kabız, peklik.

constituen·cy [kən'stityu̯ənsi]. Intihap/seçim dairesi; müntehipler, seçmenler. ~**t**, *s.* teşkil eden, bileşen, terkip eden: *i.* bir seçim dairesindeki seçmenlerden biri: ~ **assembly**, kurucu meclis.

constitut·e ['konstityūt]. Teşkil etm., terkip etm., kurmak, yapmak, koymak, tesis etm.; tayin etm. ~**ion** [-'tyūşn], terkip, teşkil, tesis etme, yapma;

(*tıp.*) bünye, (temel) yapı; (*huk.*) meşrutiyet, anayasa, tüzük; bileşim: **he has an iron** ~, bünyesi demir gibidir.
constitutional [konsti'tyūşnl] *s.* Bünyevî, yapıya ait; meşrutî, anayasaya ait. *i.* (*kon.*) Sağlık için yürüyüş. ~**ism**, anayasa taraftarlığı; anayasa usulüne göre hükümet. ~**ist**, anayasa taraftarı. ~**ity** [-'naliti], anayasaya uygunluk. ~**ize** [-layz], anayasayı kurmak; anayasaya uydurmak. ~**ly**, anayasaya göre.
constitutive [kon'stityutiv]. Terkip/teşkil eden; aslî.
constrain [kən'streyn]. Zorlamak, icbar etm., tazyik etm., baskı yapmak; zorla tutmak, alıkoymak. ~**ed**, *s.* zoraki, sıkıntılı. ~**t**, zorlama, icbar, cebir, tazyik, baskı; sıkıntı; kendini tutma/zorlama: **put s.o. under** ~, birini göz altında bulundurmak, tazyik altında tutmak: **speak without** ~, çekinmeden/serbestçe konuşmak.
constrict [kən'strikt]. Sıkmak, sıkıştırmak; daraltmak, büzmek. ~**ion** [-kşn], sıkma, sıkıştırma, daraltma, büzme; tazyik; darlık. ~**or**, sıkıştırıcı, büzücü; çekici: **boa** ~, boa yılanı.
constringe [kən'strinc]. Sıkıştırmak; daraltmak. ~**ncy** [-cənsi], sıkıştırma; daraltma. ~**nt**, sıkıştırıcı, daraltıcı.
construct [kən'strʌkt]. İnşa etm., bina etm.; yapmak, kurmak, çatmak; (*mat.*) çizmek. ~**ion** [-kşn], inşa etme, yapı, inşaat, bina, çatkı; yapım, kurgu; (*dil*) cümle yapısı; çizim; mana (verme), anlam: **put a wrong** ~ **on stg.**, bir şeyi yanlış anlama almak, bir şeye yanlış anlam vermek: **under** ~, inşaat halinde. ~**ional**, inşaata ait. ~**ive**, yapıcı, yaratıcı; faydalı, yararlı; istidlal yolu ile. ~**or**, inşaatçı.
construe [kən'strū]. İzah etm., açıklamak, tefsir etm., yorumlamak; (bir cümleyi) tahlil etm.; tercüme etm., çevirmek.
consubstanti·al [konsəb'stanşl], (*din.*) Aynı esas/tabiattan. ~**ate** [-şieyt], birleş(tir)mek. ~**ation** [-şi'eyşn], aynı esastan olma.
consuetud·e ['konswityūd]. Âdet, usul, örf. ~**inary** [-'tyūdinəri], âdet olan, âdete göre.
consul ['konsl]. Konsolos; (*tar.*) konsül. ~**-general**, başkonsolos: **vice-**~, konsolos muavini. ~**ar**, [-syulə(r)], konsolos(luk) + ; konsüllüğe ait. ~**ate** [-syulit], konsoloshane; konsüllük: ~**-general**, başkonsoloshane.
consult [kən'sʌlt]. Danışmak, istişare etm.: sormak; bakmak; konsulto etm. ~ **one's own interest**, kendi çıkarını düşünmek: ~ **s.o.'s feelings**, birinin duygularına saygı göstermek: ~ **together**, birbirine danışmak; (bir meseleyi) beraber konuşmak. ~**ant**, müşavir doktor; danışman, mütehassıs. ~**ation** [-'teyşn], danışma, istişare; sorma; (sözlük vb.ne) bakma; konsültasyon, görüşme, müzakere. ~**ative** [-'sʌltətiv], istişarî. ~**ing**, ~ **physician etc.**, müşavir doktor vb.: ~ **hours**, muayene saatleri: ~ **room**, muayenehane.
consum·able [kən'syūməbl]. Yenilir; sarfedilir; tüketilir. ~**e**, telef etm., yakıp kül etm.; yiyip bitirmek, sarfetmek, istihlâk etm., tüketmek, harcamak, israf etm.: **be** ~**d with boredom**, can sıkıntısından patlamak: **be** ~**d with jealousy**, kıskançlıktan içi içini yemek: **be** ~**d with thirst**, susuzluktan yanmak. ~**er**, müstehlik; tüketici; müşteri; sarfeden, israf eden; (havagazı vb.) kullanan: ~ **goods**, tüketim eşyası: ~**-research**, müşterilerin ihtiyaç ve fikirlerine ait araştırma: ~**-resistance**, satış propagandasına karşı gelme.
consummate[1] [kən'sʌmit] *s.* Tam, mükemmel; usta.
consummat·e[2] ['konsəmeyt] *f.* Tamamlamak; yerine getirmek: ~ **the marriage**, karı kocalık işini tamamlamak. ~**ion** [-'meyşn], tamamla(n)ma.
consumpt·ion [kən'sʌmpşn]. İstihlâk, tüketim, sarfetme; israf; (*tıp.*) verem. ~**ive**, veremli.
cont. = CONTENTS; CONTINUED.
contact ['kontakt] *i.* Temas, dokunma; münasebet, ilişki; değme, değiş; (*elek.*) kontak, sürtünüm. [kon'takt] *f.* Temas etm, temasa geçmek, ilişki kurmak; değ(dir)mek; sürtünmek: **be in** ~ **with**, -le temasta bulunmak. ~**-area**, temas alanı. ~**-breaker**, otomatik şalter. ~**-lens**, yapışma/kontak adesesi. ~**-mine**, dokunma mayın/bombası. ~**-print**, değmeli kopya.
contagi·on [kən'teyci̯ən]. Sirayet, bulaşma; bulaşık hastalık; ahlaksızlık sirayeti. ~**ous**, sarî, bulaşık, başkalarına geçer.
contain [kən'teyn]. İhtiva etm., şamil olm., içine almak, kapsamak, ihata etm.; tutmak, zaptetmek: ~ **oneself**, kendini tutmak: **be unable to** ~ **oneself**, içi içine sığmamak. ~**er**, (kutu, şişe vb. gibi) kap; (kamyon kadar büyük) nakil sandığı, konteyner: ~**-ship/-train**, konteyner gemi/treni: ~**ization** [-'zeyşn], nakliyat için bu konteynerlerin kullanılması.
contamin·ant [kən'taminənt]. Bulaşkan. ~**ate** [-neyt], (temas ederek) bulaştırmak, kirletmek, telvis etm., ifsat etm. ~**ating**, bulaştırıcı. ~**ation** [-'neyşn], bulaş(tır)ma, bulaşım, telvis, ifsat.
contango [kən'tan(g)go̯u]. Ödenme tehiri için verilen prim; uzatma, repor.
contemn [kən'tem]. İstihfaf etm., tahkir etm., küçük görmek.
contemplat·e ['kontəmpleyt]. Seyretmek, bakmak; uzun uzadıya düşünmek, mülahaza etm., teemmül etm.; ümit etm.; niyet etm., tasavvurunda olm. ~**ion** [-'pleyşn], seyretme; uzun uzadıya düşünme; mülahaza, teemmül; istiğrak; niyet, tasavvur. ~**ive** ['kontəmpleytiv], mülahaza ve teemmüle ait; dalgın; düşünmeye ait.
contempor·aneous [kəntempə'reyni̯əs]. Aynı zamana ait, eşzaman; muasır, çağdaş: ~**ly**, aynı zamanda olarak. ~**ary** [-'tempəri], muasır/çağdaş (olan). ~**ize** [-rayz], aynı zamanda meydana getirmek/gelmek.
contempt [kən'tempt]. İstihfaf; küçük görme, hakir görme; zillet: ~ **of court**, hâkime itaatsizlik/adliye nizamlarına riayetsizlik: **beneath** ~, son derece aşağılık, menfur; istihfafa değer: **bring into** ~, küçük düşürmek: **hold in** ~, hakir/hor görmek. ~**ible**, nefret edilecek, aşağılık, zelil, rezil: **Old** ~**s**, 1914'de Almanlara karşı ilk savaşan İngiliz ordusu. ~**uous** [-tyu̯əs], istihfafkâr, küçük gören.
contend [kən'tend]. Çarpışmak, mücadele etm.; müsabakaya girmek; yarışmak; çekişmek; iddia etm., ileri sürmek.
content[1] ['kontent] *i.* Muhteva, öz, içindeki, nicelik; hacim, miktar. ~**s**, muhteva, içindekiler; münderecat.
content[2] [kən'tent] *i.* Hoşnutluk; kıvanç; tatmin edilme. *s.* Hoşnut; kıvançlı; razı, memnun; halin-

den memnun. *f.* Hoşnut etm., tatmin etm., memnun etm. **be ~ with**, -le iktifa etm., yetinmek: **~ oneself with**, -le iktifa etm.: **to your heart's ~**, canınızın istediği kadar, doya doya. **~ed** [-tid], halinden memnun; şikâyeti yok; kanaatkâr: **~ly**, memnun olarak: **~ness**, memnuniyet, kıvanç.

content·ion [kən'tenşn]. Münazaa, münakaşa, tartışma, çekişme, uyuşamama, ihtilaf; (*huk.*) iddia; ileri sürülen fikir: **be a bone of ~**, çekişme konusu olm., anlaşmazlık sebebi olm. **~ious** [-şəs], kavgacı, münazaacı, münakaşalı, kavgalı.

contentment [kən'tentmənt]. Halinden memnun olma; hoşnutluk; razı olma.

conterminous [kon'tə(r)minəs]. Sınırdaş; bitişik.

contest ['kontest] *i.* Müsabaka; çarpışma; mücadele. [kən'test] *f.* İtiraz ve muhalefet etm.; (bir şey için) mücadele etm.; müsabakaya girmek. **~ a seat**, bir seçim dairesi için adaylığını koymak. **~ant** [-'testənt], çarpışan, mübariz; müsabakaya giren. **~ation** [-'teyşn], mücadele, muhalefet, çekişme.

context ['kontekst]. Siyak; bir kelimenin başında ve sonundaki metin, siyaku sibak; bir şeyin etrafındakilerle bağlantı/uygunluğu; içerik. **~ual** [-'tekstyuəl], siyaka ait. **~ure**, yapı.

contigu·ity [konti'gyūiti]. Yakınlık; bitişklik. **~ous** [kən'tigyuəs], bitişik, yakın, hemhudut, tutaş, sınırdaş, ulaşık.

continen·ce ['kontinəns]. Nefsini tutma, imsâk. **~t**[1], *s.* nefsini tutan, imsâkli; perhizkâr.

continent[2] ['kontinənt] *i.* Kara, kıta. †**the C~**, (İng. hariç) Avrupa kıtası: **the dark ~**, Afrika. **~al** [-'nentl], kara/kıtaya ait; kara(sal), kıta+; †(İng. hariç) Avrupa kıtasına ait/mensup: **~ breakfast**, çok hafif bir kahvaltı: **~ shelf**, kara düzlük/platformu, sığ yayla: **~ slope**, derin etek: **~ Sunday**, pazar gününün dinî yerine eğlendirici olması: **~ization** [-lay'zeyşn], kıtaların teşkil edilmesi; (*mec.*) İng.'nin avrupalılaştırılması.

contingen·cy [kən'tincənsi]. İhtimal, tesadüf; arıza; olumsallık; beklen(me)dik hal. **provide for ~cies**, her ihtimali düşünmek. **~t**[1] [-cənt] *s.* arızî, tesadüfî; melhuz, olumsal, umulur; olasılı, muhtemel; şarta bağlı, koşullu: **be ~ upon stg.**, (bir olay) bir şeye bağlı/tabi olm.

contingent[2] *i.* Ayrılıp gönderilen belirli bir miktar asker/işçi vb.; kontenjan.

continu·al [kən'tinyuəl]. Devamlı, sürekli, mütemadi; sık sık olan: **~ly**, devamlı/sık sık olarak. **~ance**, devam (müddeti). **~ant**, (*dil*) sürekli ünsüz. **~ation** [-yu'eyşn], devam (etme); (*mal.*) uzatma, repor: **~ course**, okulu bitirenler için kur. **~ative**, devamı ifade eden, bağlayıcı.

continu·e [kən'tinyū]. Devam et(tir)mek; sürmek; imtidat etm.; kalmak; uzamak. **~ed**, sürekli: **to be ~**, (*bas.*) arkası var, bitmedi. **~ity** [-'nyūiti], devamlılık, süreklilik, teselsül; (*sin.*) akıcılık, ayrımlama: **~-man**, senaryocu. **~ous** [-'tinyuəs], devamlı, sürekli, aralık/fasılasız; yaygın; (*müh.*) daimî; (*mat.*) zincirleme: **~ly**, devamlı vb. olarak. **~um**, devamlı ve aralıksız bir bütün.

contort [kən'tōt]. Burmak, bükmek, çarpıtmak, kıvırmak. **~ion** [-'tōşn] burma, bükme; bükük, kıvrık. **~ionist**, vücudunu türlü şekillere sokan cambaz.

contour ['kontuə(r)]. Dış hatları; şekil; çevrem; (*sin.*) çevre çizgisi; (*müh.*) profil kesiti. **~-chasing**, (*hav.*) aşağı seviyede uçuş. **~ (-line)**, (*cog.*) haritadaki tesviye sınırı, eşyükseklik eğrisi. **~-map**, tesviye haritası.

contra- ['kontrə-] *e.*, *ön.* Karşı, aksi, zıt, karşıt, ters; kontra-.

contraband ['kontrəband]. Kaçak (mal); kaçakçılık; kontraband. **~ist**, kaçakçı.

contracept·ion [kontrə'sepşn]. Gebelikten korunma. **~ive** [-tiv], prezervatif, koruyucu.

contract[1] ['kontrakt] *i.* Mukavele; sözleşme; kontrat; taahhüt, bağıt; *(gangsterler) öldürme taahhüdü: **the ~ for the bridge was placed with Messrs. So-and-so**, köprünün inşası filan şirkete ihale edildi: **put work out to ~**, bir işi müteahhide vermek: **put work up to ~**, bir işi eksiltmeye koymak: **open-ended ~**, devamlı/açık sözleşme. **~-bridge**, kontrat briç oyunu.

contract[2] [kən'trakt] *f.* Büzmek; daraltmak, kısaltmak; (hastalık/alışkanlık vb.ne) tutulmak, kapılmak; taahhüde girmek, kontrat yapmak, akdetmek. **~ed**, *s.* büzük; kısaltılmış. **~ible**, büzülebilir, çekilebilir. **~ile** [-tayl], (*biy.*) kontraktil. **~ing-parties**, anlaşan taraflar, bağıtçılar. **~ion** [-'trakşn], büzülme, çekilme; takallüs, kısalma, daralma; (*biy.*) kasılım. **~or**, müteahhit, kalfa, girişimci; (*biy.*) çekici adale. **~ual** [-tyuəl], mukaveleye ilişkin, anlaşmalı, bağıttan doğan, ahdî. **~ure** [-tyə(r)] (*tıp.*) daimî çekilme; (*mim.*) gittikce incelip sivrileşme.

contradict [kontrə'dikt]. Aksini söylemek; tekzip etm., yalanlamak; nakzetmek, tezat teşkil etm. **~ion** [-'dikşn], tekzip, yalanlama, inkâr; tezat, tenakuz, çelişme, mübayenet, karşıtlık: **~ in terms**, mütenakız tabir; sözlerin çelişmesi: **in ~ to**, zıddına/aksine olarak. **~ious** [-şəs], tekzip/çelişmeyi vb. seven. **~ory** [-'diktəri], birbirini nakzeden, çelişik, mütenakız, karşıt.

contradistinction [kontrədis'tin(g)kşn]. **in ~ to**, aksine olarak.

contrail ['kontreyl] (*hav.*) Egzoz dumanı izi.

contra-indicate [kontrə'indikeyt] (*tıp.*) Belirli bir tedavi şeklinin uygun olmadığını göstermek.

contralto [kʌn'traltou]. Kontralto (sesli kadın).

contra·orbital [kontrə'ōbitl] (*hav.*) Aynı yörüngede fakat aksi yönde uçuşa ait. **~ prop**, ters devirli ve birleşik mihverli pervane.

contraption [kən'trapşn]. (*kon.*) Garip bir alet/makine; tertibat.

contrapuntal [kontrə'pʌntəl] (*müz.*) Türlü nağmeleri birbirine uydurma sanatına ait/göre.

contrar·ily [kən'treərili] (*kon.*) Aksi/ters/inatçı olarak. **~iness**, aksilik, zıtgitme, terslik, inatçılık. **~iwise** [-wayz], aksine olarak; diğer taraftan; inat için. **~y** ['kontrəri], muhalif, karşı; aksi, zıt; mugayir, uygun olmıyan; [kən'treəri] aksi, ters; inat: **on the ~**, bilâkis, tersine: **I have nothing to say to the ~**, buna karşı hiç bir diyeceğim yoktur: **~ to**, -e aykırı olarak: **~-minded**, aksi fikirli.

contrast ['kontrast] *i.* Tezat, zıt, karşıtlık; çelişki, kontrast. [kən'trast] *f.* Tezat teşkil etm., tezat yapmak; karşılaştırmak. **~ing**, (*sin.*) duyuş, karşıt. **~y**, (*sin.*) sert.

contrate ['kontreyt]. **~ (wheel)**, dişleri yüzüne dik açılı olan çark.

contraven·e [kontrə'vīn]. Karşı gelmek; muhalefet

etm.; (kanun vb.ne) tecavüz etm., ihlâl etm., bozmak, hilâfına hareket etm. **~tion** [-'venşn], hilâfına hareket, karşı gelme, ihlâl etme; muhalefet.
contretemps [ko(n)trə'tā(n)] (*Fr.*) Uğursuz bir hadise; engel, aksilik.
contribut·e [kən'tribyūt]. Yardım etm., medar olm.; payına düşen yardımı yapmak; iane etm., vermek; (bir işe vb.) iştirak etm., katılmak; (bir gazeteye vb.) yazı vermek. **~ion** [-'byūşn], yardım, iane, iştirak; (bir gazete vb.ne verilen) yazı; vergi. **~or**, yardım eden, iştirak eden, yazı veren. **~ory**, yardımcı, yardım edici: **~ negligence**, kazaya uğrıyanın kısmî mesuliyeti: **~ pension**, işçinin iştirakiyle verilen emekli aylığı.
contrit·e ['kontrayt]. Pişman, nadim, tövbekâr: **~ly**, pişman olarak: **~ness**, pişmanlık. **~ion** [kən'trişn], pişmanlık, nedamet, tövbe.
contriv·ance [kən'trayvəns]. İcat, buluş; ustalık, hüner, marifet; özel tertibat, cihaz, aygıt. **~e**, icat etm., bulmak; bir usul düşünmek/kurmak; bir çaresini bulmak, becermek; (*alaylı*) muvaffak olm., başarmak.
control [kən'troul] *i.* Murakabe; kontrol; denetim, denetleme; güdüm; kumanda; teftiş; yönetim; iktidar, nüfuz, hakimiyet, idare. *f.* İdare etm., hükmetmek; tanzim etm.; hâkim olm; zaptetmek; bastırmak. **circumstances beyond our ~**, elimizde olmıyan sebepler: **~ yourself!**, kendini kaybetme!, aklını başına topla!: **lose ~ of oneself**, kendini kaybetmek: **lose ~ (of a business, etc.)**, ipin ucunu kaçırmak: **be in ~**, idare etm.: **be out of ~**, idare/ kumanda edilmez bir hale gelmek; gemi azıya almak: **be under ~**, idare edilir bir halde olm.: **remote ~**, uzaktan kumanda/idare/gütme. **~-column**, (*hav.*) kumanda kolu, lövye. **~-experiment**, kontrol denemesi.
controll·able [kən'trouləbl]. İdare edilebilir; zaptedilebilir. **~ed**, kontrol altında; kontrollu; güdümlü. **~er**, murakıp; müfettiş, denetici, kontrolör, yöneten; idare/tanzim eden; kontrol cihazı, denetleç: **~ship**, müfettiş vb. makamı. **~ing**, idare+, kontrol+, kumanda+; ana-.
control·-room [kən'troulrūm]. Kumanda odası. **~s**, kumanda/gütme düzeni: **be at the ~**, gütmek, kumanda etm. **~-tower**, (*hav.*) kontrol kulesi.
controver·sial [kontrə'vəşl]. İhtilaflı; münakaşacı. **~sialist**, münakaşacı. **~sy** ['kontrəvəsi, kən'trovəsi], ihtilaf, münakaşa: **hold/carry on a ~ with/against s.o.**, biriyle münakaşaya girişmek/ tutuşmak: **beyond ~**, su götürmez.
controvert ['kontrəvət]. Tekzip etm., nakzetmek.
contumac·ious [kontyu'meyşəs]. Serkeş, isyankâr. **~y** ['kontyuməsi], isyankârlık, inatçılık; (*huk.*) gıyap.
contumely ['kontyumli]. Hakaretle muamele; tahkir, tezlil, aşağılatma.
contus·e [kən'tyūz]. Berelemek, çürütmek. **~ion** [-'tyūjn], bere, çürük.
conundrum [kə'nʌndrəm]. Cevabı bir cinastan ibaret bilmece; muamma.
conurbation [konə'beyşn]. Sıkı birleşmiş bir grup şehirler.
convalesce [konvə'les]. Nekahette olm., iyileşmek. **~nce**, nekahet, iyileşme. **~nt**, nekahette olan, iyileşen: **~-home**, nekahet/dinlenme evi.
convect·ion [kən'vekşn]. (Isı/elektrik) taşınma, yayılma, konveksiyon: **~-current**, çembersi akım, konveksiyon akımı. **~or (heater)**, konvektör.
convene [kən'vīn]. Topla(n)mak; toplantı/ mahkemeye resmen davet etm. **~r**, davet eden (işçi temsilcisi).
convenience [kən'vīniəns]. Uygunluk, müsaitlik; rahatlık; kolaylık; faydalı ve elverişli şey: **at your ~**, uygun zamanınızda: **at your earliest ~**, mümkünse bir an önce: **public ~**, helâ: **all modern ~s**, bütün modern konfor: **marriage of ~**, aşk evlenmesi olmıyan bir evlenme. **~-food**, önceden hazırlanıp ambalaj edilmiş her cins yiyecek.
convenient [kən'vīniənt]. Elverişli, uygun, rahat; münasip. **make it ~ to do stg.**, bir şeyi yapmağı kolaylaştırmak; bir kolayını bulmak.
convent ['konvənt]. (Rahibeler için) manastır. **~icle** [kən'ventikl], gizli dinî toplantı.
convention [kən'venşn]. Toplantı, meclis; sözleşme, mukavele, muahede, anlaşma; teamül, âdet, mevzua: **social ~s**, içtimaî mevzuat, toplumsal yasalar, cemiyet adabı. **~al** [-'venşənl] âdet/teamüle uygun; göreneğe göre; sözleşmeye ait; (*köt.*) basmakalıp, beylik: **~ism/~ity**, âdetlere (fazla) bağlılık.
conventual [kən'vençuəl]. Manastıra ait; manastırda yaşıyan.
converge [kən'vəc]. Aynı noktaya yaklaşmak, aynı noktaya çevirmek. **~nce**, yakınsama, eğrilme, aynı noktaya yaklaşma. **~nt**, aynı noktaya yaklaşan, mütekarip, yakınsak.
conversan·ce [kən'vəsəns]. Yakından bilme, alışıklık. **~t**, yakından/iyi bilen.
conversation [konvə'seyşn]. Konuşma, sohbet, muhavere, mükâleme: **hold a ~ with s.o.**, birisiyle görüşmek, konuşmak. **~al**, konuşmaya ait, sohbeti andıran. **~alist**, hoşsohbet kimse. **~ally**, sohbete uygun olarak; sohbette.
conversazione [konvə'satsiouni]. (Edebî/bediî) toplantı.
converse[1] [kən'vəs] *f.* Konuşmak, görüşmek, sohbet etm. *i.* (*mer.*) = CONVERSATION.
converse[2] ['konvēs] *i.* Zıt, aksi. **~ly**, diğer taraftan, buna karşılık olarak.
conversion [kən'vəşn]. Tahvil etme, değiştirme; dinini vb. değiştirme, ihtida; değişme, (*ast.*) dönüşüm. **improper ~ of funds**, ihtilâs.
convert[1] ['konvət] *i.* Dini vb. değiştirilmiş, dönme; mühtedi.
convert[2] [kən'vət] *f.* Tahvil etm., değiştirmek; dinini vb. değiştirmek. **~ funds to one's own use**, para ihtilâs etm. **~er**, muhavvile; değiştirici; (*elek.*) değiştirgeç, konvertisör, redresör; pota. **~ibility**, değiştirilebilme, konvertibilite, para çevrimi. **~ible**, *s.* değişir, evrilir; değiştirilebilir; tahvili kabil: *i.* açığa çevrilir kupe otomobil.
convex ['konveks]. Muhaddep, dışbükey; kabarık, tümsek, bombe; (*krş.* CONCAVE).
convey [kən'vey]. Taşımak, nakletmek, sevketmek; ifade etm.; tebliğ etm.; ferağ etm. **~ance** [-'veyəns], taşıma, nakil, sevk; taşıma vasıtası; ifade, tebliğ; ferağ (senedi). **~ancing**, temlik muamelesi, iyelendirme, devir ve temlik. **~ancer**, temlik/ferağ işlerini yapan avukat. **~or**, taşıyan, taşıyıcı; sevk (tertibatı), konveyör: **~-belt**, taşıyıcı bant/kayışı; sonsuz kayış.
convict ['konvikt] *i.* Mahkûm, yargılı; (*tar.*) kürek

mahkûmu. [kən'vikt] *f.* Suçunu ispat etm., mahkûm etm., suçlandırmak. **he was ~ed**, suçlu olduğu tahakkuk etti. **~ion** [-kşn], mahkûm etme/olma; kanaat, inanma: **carry ~**, ikna etm.: **summary ~**, jürisiz hâkim tarafından mahkûm edilme.
convinc·e [kən'vins]. İkna etm., inandırmak. **~ible**, ikna edilebilen, kandırılır. **~ing(ly)**, ikna edici (şekilde).
convivial [kən'viviəl]. Cümbüş/âlemlere düşkün; şen, şatır; âlem/ziyafete ait.
convo·cation [konvə'keyşn]. Toplantıya davet; içtima, meclis, toplantı. **~ke** [kən'vouk], toplantıya davet etm., (bir meclisi) toplamak, çağırmak.
convolut·e ['konvəlūt]. Sarılmış, büklüm halinde, helezonî, helisel, kıvrık eğri. **~ion** [-'lūşn], büklüm, helezon.
convolvulus [kən'volvyuləs]. Kahkaha çiçeği; çadır çiçeği.
convoy ['konvoy] *i.* Korunmak için yoldaşlık eden gemi vb. topluluğu; muhafaza altında giden kafile; konvoy. *f.* (Korumak için) refakat/yoldaşlık etm.
convuls·e [kən'vʌls]. Şiddetle sarsmak, ihtilâca sebep olm.; allak bullak etm.; kıvrandırmak; katıltmak. **~ion** [-'vʌlşn], ihtilâç, ispazmos, silki; çırpınma; katılma; ihtilâl, karışıklık. **~ive**, ihtilâçlı.
cony ['kouni]. Ada tavşanı.
coo [kū] *i.* Güvercin/kumru ötüşü. *f.* (Güvercin/kumru) ötmek, cıvıldamak. **billing and ~ing**, (*mec.*) öpüşüp koklaşma.
cooee ['kūī] (*Avus.*) Hey!, yahu!, bana bak! **within a ~**, çok yakın(da).
cook [kuk] *i.* Aşçı. *f.* Piş(ir)mek. **too many ~s spoil the broth**, (*ata.*) aşçı çok olursa çorba yanar: **~ the accounts/books**, (*arg.*) hesabı tahrif etm.: **~ s.o.'s goose**, icabına bakmak, birinin yuvasını yapmak: **he is ~ed**, (koşucu) kesildi. **~er**, yemek pişirilen ocak/kap. **~ery**, aşçılık; yemek pişirme: **~-book**, yemek kitabı. **~-house**, (*ask.*) mutfak. **~ie**, tatlı bir bisküvit. **~ing**, aşçılık(+). **~-shop**, aşevi.
cool [kūl] *s.* Serin(lik), soğuk; soğukkanlı, temkinli. *f.* Soğu(t)mak, küllenmek, serinle(t)mek. **as ~ as a cucumber**, fevkalâde soğukkanlı: **blow/lose one's ~**, (*arg.*) heyecanlanmak: **keep one's ~**, (*arg.*) temkinli olm.: **~ down**, serinlemek, dinlenmek; yatış(tır)mak: **~ off**, (heyecan vb.) sönmek, soğumak. **~ant** [-ənt], soğutucu, soğutma (mayii). **~ed**, soğutulmus: **air/water-~**, hava/su ile soğutulur. **~er**, soğutucu, serinletici; soğutma; radyatör; (*arg.*) hapishane.
coolie [kūli]. (Hindistan/Çinde) az ücretle çalışır işçi/hamal; ırgat.
cool·ing ['kūlin(g)]. Soğutma; soğutucu: **~-off period**, intizar devresi, bekleme süresi. **~ly** [-li], soğuk(kanlı) olarak. **~ness**, soğuk(kanlı)lık. **~th** [kūlθ], (*kon.*) serinlik.
coomb(e) [kūm]. Sahile inen kısa dere.
***coon** [kūn] = RACOON; (*köt.*) zenci.
coop [kūp]. Tavuk kafesi. **~ up**, dar bir yere kapamak.
Co-op. = CO-OPERATIVE SOCIETY.
cooper ['kūpə(r)]. Fıçıcı. **~age**, fıçıcılık; fıçılama ücreti.
co-operat·e [kou'opəreyt]. İşbirliği yapmak, elbirliği etm.; birlikte çalışmak. **~ion** [-reyşn], işbirliği. **~ive**, *s.* işbirliğine ait, kooperatif; ortak, müşterek; yardım etmeğe razı: *i.* kooperatif, ortaklık, birlik. **~or**, işbirliği yapan.
co-opt [kou'opt]. (Bir cemiyet vb.nin seçtiği komite hakkında) kendiliklerinden komiteye yeni bir üye seçmek; üyelerin oyu ile bir cemiyete üye olarak seçmek. **~ion** [-'opşn], böyle bir seçim.
co-ordinat·e [kou'ōdineyt] *f.* Tanzim etm., tertip etm., düzeltmek, düzenlemek; sıralamak. [-dnit] *i.* (*dil*) Aynı derecede olan (cümle vb.); (*mat.*) dizgi, koordinat. *s.* İnsicamlı, muntazam, düzgün, tutarlı, eş sıralı. **~s**, (*mod.*) birbirine uyan elbiseler. **~ion** [-'neyşn], düzenleştirme, koordinasyon, tanzim etme, tertip etme; bağlantı.
coot [kūt]. Su tavuğu, sakarmeki. **as bald as a ~**, tamamen kel.
cop [kop] *f.* (*arg.*) Enselemek. *i.* Aynasız (polis). **if you are late you'll ~ it**, geç kalırsan görürsün: **not much ~**, fayda/değersiz.
copaiba [kou'paybə]. Bir nevi pelesenk.
copal ['koupl]. Vernik için kullanılan bir nevi reçine.
copartner [kou'pātnə(r)]. Kazanca ortak. **~ship**, patron ile işçilerin kazanç ortaklığı.
cope[1] [koup] *i.* Cüppe, örtü; kubbe, kemer. *f.* Örtmek.
cope[2] *f.* **~ with**, ile başa çıkmak.
Copenhagen [koupn'heygn]. Kopenhag.
copepod ['koupipod] (*zoo.*) Kopepod.
coper ['koupə(r)]. At tellâl/cambazı.
Copernican [ko'pānıkən]. Kopernikus/nazariyesine ait.
copestone ['koupstoun]. Kapaktaşı.
copier ['kopiə(r)]. Kopyacı; mukallit.
copilot [kou'paylət] (*hav.*) İkinci pilot.
coping ['koupin(g)]. Duvarın üstüne örtmek için konulan enli taş/kiremitler; damlalık. **~-stone**, kapaktaşı.
copious ['koupiəs]. Bol, mebzul. **~ly**, bol olarak. **~ness**, bolluk.
copper ['kopə(r)] *i.* Bakır; kazan; bakır para, peni; (*arg.*) polis. *f.* Bakır kaplamak; bakır rengi vermek. **~-beech**, kızıl gürgen. **~-bottomed** [-botəmd] (*den.*) bakır kaplanmış (gemi); (*mec.*) denize dayanıklı; sağlam. **~ed**, bakırlanmış. **~head**, zehirli bir cins yılan. **~plate**, (üzeri hakkedilen) bakır levha: **~-writing**, basma gibi düzgün el yazısı. **~smith**, bakırcı. **~y**, bakırlı; bakır gibi, bakırsı.
coppice ['kopis]. Küçük koru; baltalık.
copra ['koprə]. Kopra.
copro- [kopro-] *ön.* Gübre-. **~logy** [-'proləci] (*edeb.*) müstehcen konuların muamelesi. **~phagous** [-fagəs] (*zoo.*) bokçıl.
co-pro·duction [kouprə'dʌkşn]. Ortakyapım. **~prietor** [-'prayətə(r)], ortak sahip.
copse [kops]. Küçük koru; baltalık.
Copt [kopt]. Kıptî. **~ic**, Kıptî(ce).
copula ['kopyulə]. Bağ, rabıta; (*dil.*) sürerli/olumlu koşaç.
copulat·e ['kopyuleyt]. Çiftleşmek. **~ion** [-'leyşn], çiftleşme, kopülasyon. **~ive**, çiftleşmeye ait; (*dil.*) rapteden, birleştiren.
copy ['kopi] *i.* Kopya, nüsha, tıpkı, benzeti; taklit; suret; metin; örnek. *f.* Kopya etm., istinsah etm., suretini çıkarmak; kâğıt/deftere çekmek; taklit etm. **fair ~**, temiz(e çekilmiş): **rough ~**, müsvedde,

taslak, karalama. ~**-book**, kopya/not defteri: (*mec.*) tıpkı. ~**-cat**, (*kon.*) taklitçi. ~**hold**, (*tar.*) kayıtlara göre arazi mülkiyeti. ~**ist**, müstensih, yazıcı; benzetici, kopyacı, çekimci. ~**right** [-rayt], telif/çoğaltma/oynatım/yapıt hakkı(nı almak). ~**-writer**, (*bas.*) ilân yazarı.

coquet [ko'ket]. Naz etm., işve yapmak. ~**ry** ['kokətri], cilve, işve, koketlik. ~**te**, nazlı/edalı kız, fıkırdak, oynak. ~**tish**, nazlı, işveli, çapkın edalı.

coracle ['korəkl]. Kufa.

coral ['korəl]. Mercan. ~**-island**, mercan adası. ~**li-**, *on.* mercan+. ~**line** [-layn], mercanlı, mercan gibi, mercan rengi. ~**-reef**, mercan kıyı/resifi. ~**-snake**, kızıl yılan.

cor anglais [kor'ā(n)gley] (*Fr., müz.*) İng. borusu.

corbel ['kōbl] (*mim.*) Dirsek, cumba.

cord [kōd] *i.* İp, bağ, şerit, kaytan, tel; fitil, kordon; (*biy.*) kas; odun/kereste ölçüsü (3,6 metre küp). *f.* İple bağlamak. ~**age** [-dic], ipler; halatlar.

cordate ['kōdayt]. Yürek şeklinde.

corded ['kōdid]. Bağlanmış; ipli; (*mod.*) ip gibi çizgili (kumaş).

cordial ['kōdiəl] *s.* Samimî, candan. *i.* Kalbe kuvvet veren (ilâç); kordiyal. ~**ity** [-'aliti], samimiyet, dostluk. ~**ly** ['kō-], dostça.

cordillera [kōdi'lyeərə]. Dağ silsilesi.

cordite ['kōdayt]. Dumansız barut, kordayt.

cordon ['kordən]. Kordon; hat, hudut; süs; şerit; (*zir.*) tek saplı/dallı meyva ağacı. ~ **off**, etrafına kordon çekmek. ~***-bleu*** [kō'dō(n) blə] (*Fr.*) nişan şeridi; (*kon.*) birinci mevki aşçıbaşı. ~***-sanitaire*** [-sani'teə(r)] (*Fr.*) karantina hududu.

cordovan ['kōdəvən]. Cordoba şehrine ait; sahtiyan gibi deri.

corduroy ['kōdyuroy]. Kadife taklidi kalın pamuklu kumaş, pamuklu kadife. ~ **road**, ıslak arazide kalaslarla yapılan yol. ~**s**, pamuklu kadife pantolon.

cordwain ['kōdweyn] (*mer.*) Sahtiyan gibi deri. ~**er**, kavaf, kunduracı.

core [kō(r)] *i.* İç, göbek, çekirdek, esas; (dökme) maça; doldurma malzemesi; (*müh.*) göbek; (*coğ.*) havuç. *f.* (Elma vb.) göbeğini çıkarmak. ~**r**, meyva göbeğini çıkarma bıçak/makinesi.

co·-religionist [kouri'licənist]. Dindaş. ~**-respondent**, (bir boşanma davasında) zinada ortak olan kadın/erkek.

core·-sample ['kōsampl] (*yer.*) Havuç örnek. ~**-tube**, bu örnekleri çıkaran boru.

corf [kōf]. Büyük sepet, küfe.

corgi ['kōgi]. Küçük Gal köpeği.

coriaceous [kori'eyşəs]. Deriden, deri gibi (sert).

coriander [kori'andə(r)]. Kişniş.

Corinth ['korinθ]. Korint. ~**ian**, [kə'rinθiən], Korint+: ~ **order**, (*mim.*) Korint tarzı.

co-riparian [kouri'peəriən]. Bir nehrin kullanılma haklarının müşterek sahibi.

corium ['kōriəm] (*tıp*) Alt deri.

cork [kōk] *i.* Mantar; mantar tıpa. *f.* Mantarla tıkamak; (yüzü) yanmış mantarla boyamak. ~**age** [-kic], (otelde) özel içki şişelerinin açılma bahşiş/ücreti. ~**ed**, mantarlı; mantar kokan (şarap). ~**er**, (*arg.*) susturucu delil vb.; fevkalâde bir kimse/şey. ~**ing**, (*arg.*) fevkalâde. ~**-oak**/**-tree**, mantar meşesi. ~**screw** [-skrū] *i.* mantar burgusu, tirbuşon: *f.* kıvrıla kıvrıla gitmek: ~**-curl**, lüle lüle saç, bukle. ~**-tipped** [-tipt], mantarlı/filtreli (sigara). ~**y**, = ~ED; (*kon.*) canlı, neşeli.

corm [kōm] (*bot.*) Çiçek soğanı.

cormorant ['kōmərənt]. Karabatak; (*mec.*) obur. **green/pygmy** ~, tepeli/cüce karabatak.

corn[1] [kōn] *i.* Ekin, zahire; tane; buğday; †mısır. **Indian** ~, mısır: ~ **on the cob**, koçandan yenilir mısır.

corn[2] *f.* (Eti) tuzlayıp kurutmak.

corn[3] *i.* Nasır. **tread on s.o.'s** ~**s**, birinin bamtel/damarına basmak.

Corn. = CORNWALL.

corn·-belt ['kōnbelt]. ABD'nin mısır yetiştiren bölgesi. ~-BUNTING. ~**-chandler**, hububat taciri. ~**-cob**, mısır koçanı. ~**-cockle**, karamuk. ~**crake** [-kreyk], kızıl su tavuğu, bıldırcın kılavuzu. ~**-crops**, hububat.

cornea ['kōniə]. Karniye; gözün dış tabakası, saydam tabaka/kat.

corned [kōnd]. ~**-beef**, konserve sığır eti.

cornel ['kōnl]. Kızılcık (ağacı).

cornelian [kō'nīliən]. Kırmızı bir akik.

corner[1] ['kōnə(r)] *i.* Köşe, köşe başı, zaviye; dönemeç; (*sp.*) korner. **drive s.o. into a** ~, birini sıkıştırmak: **put a child in the** ~, bir çocuğu cezaya dikmek: **round the** ~, köşeyi dönünce, köşe başında: **rub the** ~**s off s.o.**, birini bir az yontmak: **turn the** ~, tehlike vb.ni geçiştirmek, bir müşkülü atlatmak: **take a** ~, viraj yapmak; korner vurmak: **make a** ~ **in wheat**, buğday vurgunculuğu yapmak: **all four** ~**s of the world**, dünyanın dört bucağı(nda).

corner[2] *f.* Sıkıştırmak, kıştırmak; çevirmek; viraj yapmak; vurgunculuk yapmak.

corner-[3] *ön.* ~**-closet**/**-cupboard**, köşe dolabı. ~**ed**, sıkıştırılmış; sıkı bir durumda. ~**-kick**, korner vuruşu. ~**-post**, köşe dikmesi; korner kazığı. ~**-stone**, köşe taşı, temel taşı; (*mec.*) bir şeyin esası. ~**wise**, köşeyi başa getirerek; çapraz.

cornet ['kōnit]. Pistonlu boru, kornet; kağıt vb. külâh; rahibe başlığı; (*ask.*) bayraktar süvari subayı.

corn·-exchange ['kōn-]. Zahire/tarım ürünleri borsası. ~**-field**, ekin tarlası. ~**-flakes**, mısırdan yapılıp kahvaltıda yenilir bir yemek. ~**-flour**, (ince ezilmiş) mısır unu, nişasta. ~**-flower**, peygamber çiçeği.

cornice ['kōnis]. Pervaz; tavan pervazı; saçak silmesi.

Cornish ['kōniş]. CORNWALL'a ait; CORNWALL'a mahsus bir Kelt dili. ~**-pasty**, bir cins etli börek.

corn·-laws ['kōnlōz], (*tar.*) Zahire satış kanunları. ~**-poppy**, gelincik çiçeği. ~**-stalk** [-stōk], mısır sapı; (*kon.*) uzun boylu bir adam.

cornucopia [kōnyu'koupiə]. Boynuz şeklinde kap; bolluk remzi olan içi meyva/çiçekle dolu boynuz.

Cornwall ['kōnw(ə)l]. Brit.'nın bir kontluğu.

corny[1] ['kōni]. Zahire+. ~[2], nasırlı. ~[3], (*arg.*) modası geçmiş/basmakalıp (şaka/hikâye).

corolla [kə'rolə], (*bot.*) Tüveyç; çiçek tacı.

corollary [kə'roləri]. Bir kaziyenin neticesi; netice, sonuç, gerekçe.

corona [kə'rounə]. Hale, taç; (*M.*) uzun puro.

coronach ['korəna(k)] (*İsk.*) Cenaze şarkısı.

corona·l ['korənəl]. Taç; çelenk. ~**ry**, (*tıp.*) taç gibi/şeklinde. ~**te** ['korəneyt], taç giymek: ~**d**, taçlı

(kuş vb.). ~**tion** [-'neyşn], taç giy(in)me (merasimi).
coroner ['korənə(r)] (*huk.*) Şüpheli ölüm vakalarını tahkik eden mahallî idare memuru; sorgu hâkimi.
coronet ['korənit]. Küçük taç.
coronoid [kə'rounoyd]. Gagamsı.
Corp. = CORPORAL; CORPORATION.
corporal[1] ['kōpərəl] *s.* Vücude ait, bedenî; beden + : ~ **punishment**, dayak.
corporal[2] *i.* (*ask.*) Onbaşı.
corporate ['kōpərit]. Birleşmiş, müttehit. **body** ~/ ~ **body**, hükmî/manevî şahıs, tüzel kişi; cemiyet: ~ **image**, bir şirketin politika/muamelelerine vb. verilen tesir/görüntü.
corporation [kōpə'reyşn]. Teşekkül, cemiyet, dernek; (anonim) şirket, kurum, ortaklık; belediye meclisi, encümen; (*arg.*) göbek. **close** ~, dıştan hissedar kabul etmiyen şirket: **develop a** ~, göbek bağlamak. ~**-tax**, kurumlar vergisi.
corporative ['kōpəreytiv]. Şirkete ait.
corporeal [kō'pōriəl]. Bedenî, cismanî, tensel; maddî.
corps [kō(r), *ç.* kō(r)z]. Heyet; (*ask.*) ordunun ihtisas şubesi; kolordu. **Diplomatic** ~, kordiplomatik.
corpse [kōps]. Ceset, kadavra.
corpulen·ce ['kōpyuləns]. Şişmanlık. ~**t**, şişman, mülahham, dolgun.
corpus ['kōpʌs] (*Lat.*) Mecmua, esas, teşekkül: ~ **Christi**, bir katolik yortusu: ~ **delicti** [di'liktay], kanun aykırılığı, suçun maddî unsuru.
corpusc·le ['kōpʌsl]. Küreyve, yuvar, cisimcik, parçacık. ~**ular** [-'pʌskyulə(r)], yuvara ait.
corr. = CORRECT(ION); CORRESPOND(ING).
corral [kə'rāl] *i.* At/sığır vb. yakalamak/korumak için etrafı çevrili alan; saldırıya karşı etrafına arabalar dizilmiş kamp. *f.* Çevirmek, kuşatmak.
correct [kə'rekt] *f.* Düzeltmek, tashih etm., ıslah etm., cezalandırmak. *s.* Doğru, dürüst, münasip. **stand** ~**ed**, hatasını kabul etm.: **it's the** ~ **thing**, usul budur. ~**ion** [-'rekşn], düzeltme, tashih, ıslah; doğruluk; tedip, cezalandırma: **I speak under/subject to** ~, belki yanılıyorum: **house of** ~, ıslah evi: ~ **marks**, (*bas.*) düzeltme işaretleri: ~**al**, *s.* tashihe ait: *i.* ıslah evi. ~**itude** [-tityūd], davranış dürüstlüğü. ~**ive**, *s.* ıslah edici: *i.* ıslah eden şey. ~**ly**, doğru/dürüst olarak. ~**ness**, doğruluk; dürüstlük. ~**or**, *i.* düzeltici, tashih eden; çare, ilâç.
correlat·e ['korileyt]. İki şey arasında ilişki kurmak; birbirine ilgisi olm. ~**ion** [-'leyşn], karşılıklı münasebet, ilişki, bağlılık, korelasyon. ~**ive** [kou'relətiv], karşılıklı münasebet(i olan şeylerin her biri); (*dil*) 'EITHER ... OR ...' gibi çift bağlacın her biri.
correspond [koris'pond]. Tekabül etm., uygun gelmek; muhabere etm., haberleşmek. ~**ence**, muhabere, muhaberat, yazışmalar, mektuplaşma; tekabül, uygunluk: ~ **college/school**, mektupla öğretim enstitü/kolej/okulu. ~**ent**, muhabere eden kimse, muhabir, bildirimci. ~**ing**, uygun, tekabül eden; karşılık olan; muhabere eden; (*mat.*) yöndeş: ~ **member**, bir derneğin fahrî üyesi.
corridor ['koridō(r)]. Koridor; dehliz; geçit. ~**s of power**, (*mec.*) hükümet kuvvetini gerçekten idare edenler. ~**-train**, koridorlu tren.
corrie ['kori] (*İsk.*) Dağdaki dairevî bir dere.
corrig·endum, *ç.* ~**enda** [kori'cendə(m)]. Düzeltilecek şey: **list of** ~, yanlış-doğru cetveli. ~**ible** ['koricibl], tashih/ıslah edilebilir.
corrobor·ant [kə'robərənt]. Teyit eden. ~**ate** [-reyt], teyit etm., tasdik etm., doğrulamak. ~**ation** [-'reyşn], teyit, tekit, tasdik, doğrulama: **in** ~ **of**, teyit/ doğrulamak için.
corroboree [kə'robərī] (*Avus.*) Gece şenliği.
corro·de [kə'roud]. Aşındırmak, çürütmek, kemirmek; (pas) yemek: ~**d**, yenik. ~**sion** [-'roujn], aşın(dır)ma, paslan(dır)ma, çürü(t)me, yenim, korozyon. ~**sive** [-sif], aşındırıcı, paslandırıcı, çürütücü, yiyici, mordan, korozif: **non-**~, paslanmaz.
corrugat·e ['korugeyt]. Dalgalı/oluklu bir hale getirmek; buruşturmak: ~**d iron**, oluklu saç: ~**d paper**, oluklu ambalaj kâğıdı. ~**ion** [-'geyşn], yiv, oluk. ~**or**, (*biy.*) kırıştırıcı kas.
corrupt [kə'rʌpt] *s.* Bozuk, kötü, çürük; mürtekip, rüşvet alan. *f.* Bozmak; çürütmek; ayartmak; rüşvet yedirmek; rüşvetle elde etm. ~**ible**, bozulur, çürütülür; rüşvet yedirilir; ayartılır. ~**ion**, bozulma, çürüme; inhilâl, ayrısma; irtikâp, ayart(ıl)ma; yedirim, rüşvet. ~**ive**, bozucu, ayartıcı vb. ~**ly**, bozuk vb. olarak. ~**ness**, bozukluk vb.
corsage ['kōsaj]. Korsaj; göğse takılan çiçek demeti.
corsair ['kōseə(r)]. Korsan; korsan gemisi.
corse [kō(r)s] (*şiir*) = CORPSE.
corset ['kōsit] (*mod.*) Korse; kuşak, kemer. ~**ed**, korseli, korse giyinmiş; kuşaklı. ~**ière** [-tiyer], korseleri diken/prova ettiren kadın, korseci.
Corsica ['kōsikə]. Korsika. ~**n**, Korsikalı.
cortège [kō'teyj] (*Fr.*) Alay; cenaze alayı.
cort·ex ['kōteks]. Kabuk, kışır, korteks. ~**ical**, kabuksal. ~**icate**, kabuklu. ~**in**, kortin. ~**isone**, kortizon.
corundum [kə'rʌndʌm]. Korindon, zımpara madde.
coruscate ['korəskeyt]. Parlamak, parıldamak.
corvette [kō'vet]. Korvet.
corvine ['kōvayn]. Karga +, karga gibi.
Corybant ['koribənt] (*mit.*) 'Cybele' mabudesinin refakatindeki kadınların biri ve onların vahşî raksı. ~**ic**, vahşî raks/cümbüşe ait.
Corydon ['koridən] (*şiir*). Genç köylü.
corymb ['korimb] (*bot.*) Bürçük, demet.
Cos[1] [kos]. Kos, İstanköy Adası: ~ **lettuce**, marul.
cos[2] [kos, koz] (*kon.*) = BECAUSE.
cos. = COSINE.
cosec(ant) ['kousek, -'sīkənt]. Kosekant.
co-seism·al/~**ic** [kou'sayzməl, -mik]. Eşit kuvvetli deprem bölge/çizisi(ne ait).
cosh [koş] (*arg.*) Matrak (ile vurmak).
cosher ['koşə(r)]. Şımartmak.
co-signatory [kou'signətəri]. Müşterek imza eden, birlikte imzalayan.
cosily ['kouzili]. Sıcak ve rahat olarak.
cosine ['kousayn]. Kosinüs.
cosiness ['kouzinis]. Sıcak, rahat ve keyifli olma hali.
cosmetic [koz'metik] *s.* Güzelleştirici. *i.* (Pudra vb.) makyaj malzemesi: *ç.* kozmetik, parfümöri: ~ **surgery**, estetik ameliyatı. ~**ian** [-'tişn], kadın güzellikçi, makyaj eksperi.

cosmic(al) ['kozmik(l)]. Kâinat/evren/acuna ait; kozmik, acunsal, evrensel; fevkalâde geniş/şümullü.
cosmo- [koz'mo-] *ön.* Kâinat+, evren+, acun+. **~gony**, kâinatın yaratılışı (nazariyesi); acundoğum. **~graphy**, kozmografya, kâinat ilmi. **~logy**, acunbilim. **~naut** ['kozmənōt], evren gemicisi; kozmonot: **~ics**, evren gemiciliği.
cosmopolitan [kozmə'politən]. Bütün dünyaya şamil, alemşümul; hiç bir yeri yadırgamıyan kimse; (*bazan*) kozmopolit, evrendeş; (*mec.*) soysuz sopsuz; yabansı (şehir).
cosmos ['kozmos]. Kâinat, evren, acun.
COSPAR = COMMITTEE ON SPACE RESEARCH.
Cossack ['kosak]. Kazak.
cosset ['kosit]. Çok sevmek, şımartmak.
cost [kost] *i.* Fiyat, bedel; ücret; masraf; maliyet, tümdeğer; harç; paha; zarar. *f.* Mal olm., fiyatı... olm.; mucip olm.; fiyat biçmek, takdir etm. **~ of living**, hayat pahalılığı: **at all ~s/at any ~**, her ne pahasına olursa olsun: **at little/great ~**, az/çok masrafla: **at the ~ of one's life**, hayatı pahasına: **at s.o.'s ~**, birinin hesabına, birinin zararına: **~ benefit study**, fiyat ile kazanç oranının tespiti: **~ effectiveness/efficiency**, fiyat ile fayda oranı: **~ price**, maliyet fiyatı: **with ~s**, (*huk.*) mahkeme masrafları/yargılama giderleri davayı kaybeden tarafa ait olarak.
costal ['kostəl] (*biy.*) Kaburgalara ait.
co-star ['koustā(r)] (*sin., tiy.*) Bir filim/oyunun yıldızlarından biri (olm.).
costard ['kʌstəd]. Bir nevi büyük elma.
Costa-Rica [kostə'rīkə]. Kostarika. **~n**, *i.* Kostarikalı: *s.* Kostarika+.
costate ['kosteyt]. Kaburgalı.
coster(monger) ['kostəmʌn(g)gə(r)]. Seyyar balıkçı/sebzeci.
costive ['kostiv]. İnkıbazlı.
cost·ly ['kostli]. Çok değerli, mükellef; lüks; çok pahalı. **~-plus** [-plʌs], maliyet ile tespit edilmiş kazanç.
costum·e ['kostyūm]. Kılık, kıyafet; giysi; elbise; kostüm, tayyör; tarihî elbise; (*sp.*) mayo: **~-film**, giysili filim: **~-jewellery**, değersiz kuyumculuk. **~ier**, [-miə(r)], elbiseci; giysici.
cosy ['kouzi] *s.* Sıcak rahat ve kuytu, sıcacak; keyifli. *i.* **tea/egg ~**, çay ibriği/rafadan yumurtayı sıcak tutmak için kılıf.
cot[1] [kot] (*şiir*) Kulübe.
cot[2]. Çocuk yatağı; asma yatak. **~-death**, uyuyan bebeğin belirli bir sebepsiz ölümü.
cot(angent) [kot, kou'tancənt]. Kotanjant, tam teğet.
cote [kout]. (Kuş/hayvan) sığınacak yer.
co-tenant [kou'tenənt]. Müşterek kiracı.
coterie ['koutəri]. Dostlardan mürekkep grup; mahfel.
coterminous [kou'tēminəs]. Hemhudut, bitişik.
cotill(i)on [kə'tilyən]. Kotiyon dansı; bu dansın müziği.
cotoneaster [ko'touniastə(r)]. Kotoneaster.
co-trustee [koutrʌs'tī]. Müşterek mütevelli.
cottage ['kotic]. Küçük kır evi, kulübe. **~-cheese** [-çīz], beyaz peynir. **~-hospital**, küçük şehir hastanesi. **~-pie**, kıymalı patates. **~r**, köylü.
cottar ['kotə(r)] (*İsk.*) Köylü.
cotter ['kotə(r)]. Kama/yassı çivi. **~-pin**, gupilya.
cotton ['kotn]. Pamuk, pamuk bezi, pamuk ipliği. **absorbent ~**, eczalı/idrofil pamuk: **printed ~**, pamuklu basma: **sewing ~**, tire: **~ on to s.o.**, (*arg.*) birinden hoşlanmak, (bir kimse) birini 'sarmak'. **~-belt**, ABD'ndeki pamuk yetiştirilen bölge. **~-cake**, çiğit küspesi. **~-fabric**, pamuklu kumaş. **~-gin**, pamuk çırçırı. **~-mill**, pamuklu bez fabrikası. **~-seed**, çiğit: **~-oil**, pamuk yağı. **~-spinner**, pamuk fabrikası işçisi. **~-staple**, ham pamuğun tel boyu. ***~tail**, tavşan. **~-waste**, temizlemek için kullanılan pamuk döküntüsü. ***~-wood**, kavak ağacı. **~-wool**, ham pamuk; idrofil pamuk: **bring up a child in ~**, bir çocuğu pek nazlı büyütmek. **~y**, pamuk gibi; pamuklu.
cotyledon [koti'līdən]. Filizlenen tohumun yaprağı, filka, çenek, kotiledon.
couch [kauç] *i.* Yatak; kanape. *f.* Yat(ır)mak; ser(il)mek; ifade etm. **~ down**, çömelmek. **~ant** [-çənt], yatık durumda. **~ette** [kū'şet] (*dem.*) kuşet, yatak. **~-grass**, ayrık otu.
***cougar** ['kūgə(r)]. Puma.
cough [kof] *i.* Öksürük. *f.* Öksürmek. **give a ~**, anlamlı anlamlı öksürmek: **~ stg. out/up**, öksürerek ağzından çıkarmak: **~ out/up for stg.**, (*arg.*) bir şeyin parasını ödemek: **he's ~ed it**, (*kaba*) öldü. **~-drop/lozenge/sweet**, öksürük pastili. **~-mixture**, öksürük ilâcı.
could [kud] *g.z.* = CAN[2].
coulisse [ku'lis] (*tiy.*) Kulis.
coulom·b ['kūlom] (*elek.*) Kulomb. **~eter** [-'lomitə(r)], kulom(b)metre.
coulter ['koultə(r)]. Saban kulak/bıcağı.
council [kaunsl]. Meclis, divan, şura, konsey, kurul(tay). **county ~**, kontluk/il meclisi: **ecumenical ~**, umumî kiliselerin danışma kurulu: **municipal/town ~**, belediye meclisi: **†privy ~**, devlet/kraliçenin danışma kurulu: **~ of ministers/cabinet ~**, bakanlar kurulu: **~ of State**, devlet şurası, danıştay: **~ of war**, (harpte) yüksek subaylar meclisi. **~-chamber**, meclisin toplandığı oda. **~-house**, meclisin toplandığı bina; mahallî idare evi. **~lor**, meclis üyesi. **~-school**, mahallî idare okulu.
counsel ['kaunsl] *i.* Danışma; istişare, müşavere; fikir; nasihat, öğüt; dava vekili, avukat. *f.* Tavsiye etm., öğüt vermek. **~ for the defence**, müdafi, savunucu: **~ for the prosecution**, müddeiumumî, savcı: **~ in chambers**, müşavir avukat: **~ of perfection**, erişilmesi güç ideal: **keep one's own ~**, kendi düşüncelerini kendine saklamak; yapacağı şeyden kimseye bahsetmemek: **†Queen's ~**, en yüksek avukatlık derecesi: **take ~ with s.o.**, birine danışmak. **~lor**, müşavir; elçilik müsteşarı: **~ of State**, Kraliçe yokken geçiçi saltanat meclisi üyesi.
count[1] [kaunt] *i.* Kont.
count[2]. Sayma, sayı; (boksta) ona kadar sayma; bir ithamnamedeki maddelerin beheri. *f.* Saymak; sayılmak; (oyları) tasnif etm. **keep ~ of**, sayısını hatırlamak: **lose ~ of**, sayısını hatırlıyamamak: **take the ~ (out)**, nakavt olm. **~ down**, (*hav.*) geriye doğru sayma(k); atış sayımı; (bir hareketten önce) son dakikalar. **~ in**, hesaba katmak. **~ (up)on**, **~ on doing stg.**, bir şey yapmağı düşünmek/hesaplamak: **~ (up)on s.o.**, birine güvenmek. **~ out**, birer birer saymak/sayarak dağıtmak: **be ~ed out**, nakavt olm.; (*id.*) yetersayı olmadığı için

oturum tatil edilmek: **you can ~ me out of this**, bu işte beni saymayın/hesaba katmayın. **~ up**, toplamını hesap etm.: **~ up to ten first**, bir şey yapmadan önce düşün biraz.

countenance ['ka͜untənəns] *i.* Yüz, çehre; tasvip. *f.* Tasvip etm. **give/lend ~ to**, teşvik etm., tasvip etm.; teyit etm.; uygun bulmak: **keep one's ~**, temkinini bozmamak, gülmemek: **stare s.o. out of ~**, dik dik bakarak birisini bozmak/şaşırtmak.

counter[1] ['ka͜untə(r)] *i.* Sayıcı âlet, sayaç; (oyunda) sayı fişi, marka, jeton, ataç, atmalık; gişe; tezgâh: **over the ~ (sale)**, tezgâhta (satış): **under the ~**, el altından.

counter[2] *i.* (*den.*) Geminin kıç bodoslamasının gerisindeki kısım; kıç çıkıntısı.

counter[3] *s.* Karşı, mukabil, aksi. *i.* Mukabil darbe. *f.* Karşılamak, mukabele etm.; önlemek.

counter-[4] *ön. Bileşik kelimelerde hemen hemen daima* karşı(t), mukabil *ile çevrilir.* **~act** [-'rakt], mukabele etm., karşılamak, önlemek: **~ion** [-'rakşn], karşı hareket. **~-attack**, [-ətak], karşı hücuma geçmek; (*sp.*) kontratak. **~-attraction** [-ə'rakşn], karşı cazibe; rakip eden cazibe. **~-balance** [-'baləns] *i.* muvazene/denk karşılık: *f.* tevzin etm., telâfi etm.; denk gelmek. **~blast**, etkisini yok etmek için birine karşı saldırı. **~bore**, (*müh.*) havşa (açmak). **~charge** [-çāc], (*huk.*) mukabil itham, karşı suçlama; (*ask.*) karşı hücum(a geçmek). **~-claim** [-kleym] (*huk.*) karşı iddia; karşılıklı dava. **~-clockwise** [-klokwayz], saat akrebinin dönüş yönüne karşı, sağdan sola. **~-espionage** [-espi͜ənāj], casusluk önlenmesi, mukabil casusluk.

counterfeit ['ka͜untəfīt] *s.* Sahte, taklit, kalp. *i.* Sahte şey, özenti. *f.* Taklit etm., sahtesini yapmak, yalancıktan yapmak. **~er**, kalpazan; sahtekâr. **~ing**, kalpazanlık.

counter·foil ['ka͜untərfoyl]. Defter/çek koçanı, **~glow**, (*ast.*) karşıgün. **~-intelligence** [-in'telicəns] (*id.*) mukabil istihbarat, karşı-haberalma örgütü. **~-irrita·nt** [-'irritənt], (*tıp.*) karşı irkilme; irkilmeye mâni olan ilâç: **~tion** [-'teyşn], karşı irkilmenin etkisi. **~-jumper** [-cʌmpə(r)], (*kon.*) tezgâhtar. **~mand** [-'mā(n)d], bir sipariş/emri geri almak; karşı emir vermek; durdurmak. **~-march** [-māç] (*ask.*) aksi yöne yürü(t)mek. **~measure** [-mejə(r)], **electronic ~**, (*hav.*) güdümlü füze/roketlere karşı kullanılan elektronik cihaz. **~mine** [-mayn] (*ask.*) düşman lağımına karşı lağım (kazmak); düşman mayınlarına karşı mayın (koymak); (*mec.*) mukabil bir planla karşı tarafın planlarını bozmak. **~-offensive** = ~-ATTACK. **~pane** [-peyn], yatak örtüsü. **~part** [-pāt], suret, kopya; karşılık; (şahıs) 'nüshai saniye'. **~plot**, bir oyun/entrikaya karşı tedbir. **~point** [-poynt] (*müz.*) kontrpuvan. **~poise** [-poyz] *i.* karşı ağırlık, denge unsuru; karşı tesir/etki: *f.* tevzin etm., dengelemek, karşı tesir/etki yapmak. **~-productive**, istenen tesirin zıddını hâsıl edici. **~-reformation** [-refə'meyşn] (*din.*) Protestanlara karşı reformasyon. **~-revolution** [-revə'lūşn] karşı ihtilâl. **~shaft** [-şāft], transmisyon mili. **~sign** [-sayn] *i.* parola; gizli işaret: *f.* birinin imzaladığı bir şeyi tasdik için imza etm.; vize etm.: **~ature** [-'signəçə(r)], böyle bir tasdik imzası. **~sink** [sin(g)k] *i.* vida başı yuvası; havşa matkabı: *f.* havşa açmak. **~-sunk** [-sʌn(g)k], havşalı, gömme. **~vailing** [-veylin(g)] (*müh.*) karşılayıcı. **~weight** [-weyt], bir ağırlığa denk olan başka bir ağırlık.

countess ['ka͜untis]. Kontes.

count·ing-house ['ka͜untin(g)ha͜us]. Hesap dairesi. **~less**, sayısız, hesaba gelmez.

countrified ['kʌntrifayd]. Kır hayatına alışkın; kır halkı gibi; kıra benziyen,

country ['kʌntri]. Memleket, ülke, yurt; kır, sayfiye; taşra; köy. **appeal/go to the ~**, (*id.*) seçmenlere başvurmak: **foreign ~**, yabancı memleket: **go up ~**, memleketin içerilerine doğru gitmek: **native ~**, ana vatan: **open ~**, kır, kırlar; dağ/ormansız ova: **strike/go across ~**, yolu bırakıp tarlalar arasından bir yere gitmek: **~ of origin**, köken ülkesi, menşe memleketi. **~(-and-western)**, kovboy şarkıları. **~-club**, kırdaki spor ve eğlence kulübü. **~-cousin**, dışarlıklı, görgüsüz/taşralı akraba. **~-dancing**, köylü dansı, halk oyunu. **~-gentleman**, köydeki topraklarında yaşıyan efendi. **~house**, sayfiye, yazlık, **~man**, *ç.* **~men**, memleketli; vatandaş, yurttaş; kırda yaşıyan adam, köylü, taşralı. **~-party**, (*id.*) çiftçiler partisi. **~-seat**, büyük sayfiye. **~side**, civar, kır(lık). **~-wo·man**, *ç.* **-men**, kadın vatandaş/memleketli; taşralı/köylü kadın. **~wide**, bütün memlekete ait.

county ['ka͜unti]. Kontluk; vilâyet, sancak, il, ilçe [*büyüklüğüne göre*]. **~-borough** [-'bʌrə], kontluğa eşit olan büyük şehir. **~-council**, kontluk meclisi. **~-court**, sınırlanmış yetkili il(çe) mahkemesi. **~-family**, kontluğun kibar ailelerinden biri. **~-seat**, kontluk idare merkezi. **~-town**, il(çe) merkezi.

coup [kū] (*Fr.*) Vuruş, darbe; (*mec.*) başarılı bir iş, uğurlu bir hareket. **make/pull off a great ~**, büyük bir işin başarısını sağlamak: ***~-d'état*** [-de'ta], hükümet(e karşı) darbe(si): ***~ de grâce*** [-də'gras], işi bitiren son darbe: ***~ de main*** [-də'ma(n)] (*ask.*) anî hücum: ***~ d'oeil*** [-dəy] kısa bakış, nazar: ***~ de théâtre***, (*tiy.*) anî değişiklik; (*mec.*) gösterişli ve umulmadık şey/hareket.

coupé ['kūpey]. Kupa arabası; kapalı otomobil.

coupl·e ['kʌpl] *i.* Çift; iki eş; çifte tasma; (*fiz.*) müzdeviç/eşlenik kuvvet. *f.* Birleştirmek, eş yapmak, bağlamak, kavratmak. **go/hunt/run in ~s**, bir şeyi daima iki kişi birlikte yapmak. **~ed**, birleş(tiril)miş, bağlanmış, evlenmiş. **~er**, kavrama, bağlama, koşum takımı. **~et** [-lit], (*edeb.*) beyit: **heroic ~**, aleksandrin dizisi. **~ing**, kavrama, bağlama, koşum; (*müh.*) manşon, rakor, kuplaj, ek bileziği, birleştirme cihazı.

coupon ['kūpon]. Senet vb. koçanı; kupon; belgecik.

courage ['kʌric]. Cesaret, yüreklilik. **Dutch ~**, içkiden gelen cesaret: **have the ~ of one's beliefs/convictions**, hareketlerini inançlarına uydurmağa cesaret etm.: **take/pluck up/muster up ~**, cesaretini toplamak: **take one's ~ in both hands**, bütün cesaretini toplamak, dişini sıkmak. **~ous** [kə'reycəs], cesaretli, yürekli: **~ly**, cesaretli bir şekilde: **~ness**, cesaret.

courgette [kur'jet]. Küçük kabak.

courier ['kuri͜ə(r)]. Haberci; kurye, (özel) ulak.

course[1] [kōs] *i.* Akış, seyir, cereyan; yön, istikamet; (*den.*) baş, rota; yol; hareket, gidiş; çığır; kesim; devam müddeti; (*eğit.*) dersler, kurs, öğrenim; (*ev.*)

tabak, yemek; (*sp.*) pist; rayiç. **of ~**, elbette, şüphesiz, muhakkak: **in due ~**, süresinde, zamanında; sırası gelince: **in the ~ of**, sırasında, esnasında, zarfında: **a ~ of bricks**, bır sıra tuğla: **evil ~s**, kötü hareketler, ahlaksızlık: **hold (on) one's ~**, tuttuğu rotadan/yoldan ayrılmamak: **as a matter of ~**, tabiî olarak: **that is a matter of ~**, bu pek tabiîdir, bu söz konusu değildir: **in the ordinary ~ of things**, normal olarak, usulen: **there was no ~ open to me but to run away**, benim için kaçmaktan başka yapacak bir şey yoktu: **set the ~**, rotayı tayin etm., yön vermek: **take one's own ~**, kendi bildiği gibi hareket etm.: **in the ~ of time**, zamanla: **~ of treatment**, (*tıp.*) tedavi yolu, rejim: **crash ~**, dil vb.ni öğrenmek için kısa süreye sıkıştırılmış çok dersler.

cours·e[2] *f.* Tazı ile tavşan avlamak; (su) akmak, cereyan etm. **~er**, koşar(gil); çöl koşarı, koşan sukuşu: (*şiir*) yarış atı. **~ing**, tazı ile tavşan vb. avı.

court[1] [kōt] *i.* Avlu; oyun saha/alanı, kort; mahkeme, yargılık; mahkeme heyet/üyeleri; saray (halkı); kral tarafından kabul resmi; hulûs, kur. **Ambassador to the ~ of St. James**, İng. kral(içen)in nezdinde elçi: **the Law ~s**, Adliye sarayı: **~ of appeal**, istinaf mahkemesi: **supreme ~ of appeal**, Yargıtay: **criminal/Crown ~**, (ağır) ceza mahkemesi: **~ of first instance/lower ~**, bidayet mahkemesi: **magistrates'/police ~**, sulh mahkemesi: **make/pay ~ to s.o.**, birine kur yapmak: **in open ~**, alenî muhakemede: **put oneself out of ~**, tavır ve hareketi yüzünden iddia hakkını kaybetmek: **be ruled/put out of ~**, davası reddedilmek.

court[2] *f.* Hulûs çakmak; kur yapmak; ilgilenmek, yaltaklanmak; aramak, istemek. **~ disaster**, kendini tehlike/felâkete koymak, belâsını aramak: **go ~ing**, kur yapmak.

court-[3] *ön.* **~-card**, resimli iskambil kâğıdı. **~-circular**, saray olayları bülteni. **~-dress**, saray elbise/üniforması.

courteous ['kɜ̄tyəs]. Nazik; çelebi; cemilekâr. **~ly**, nezaketle. **~ness**, nezaket.

courtesan [kōti'zan]. Fahişe.

courtesy ['kɜ̄təsi]. Nezaket; düşünceli hareket; cemilekârlık: **by/as a matter of ~**, nezaketen: **the ~ of the road**, yol usul ve adabı: **~title**, nezaketen verilen unvan.

court·-house ['kōthau̯s]. Mahkeme binası. **~ier** [-ti̯ə(r)], saray mensubu. **~liness**, kibarlık, nezaket. **~ly**, kibar, nazik. **~-martial** [-'māşl], savaş divanı(na vermek). **~-plaster**, İngiliz yakısı. **~-reporter**, mahkeme kâtip/stenografı. **~-room**, mahkeme salonu. **~ship** [-şip], kur yapma, muaşaka. **~yard** [-yād], avlu, taşlık.

cousin ['kʌzn]. Amca/dayı/hala/teyze çocuğu; (*er.*) kuzen, (*diş.*) kuzin; uzak akraba: **second ~**, amca vb. torunu. **~hood/ship**, kuzen akrabalığı. **~ly**, kuzene uygun.

coutur·e [kūtü(r)] (*Fr.*) Kadın terziliği. **~ier** [-riey], kadın terzisi.

cove[1] [kou̯v]. Küçük körfez, koy; (*mim.*) kemer.

cove[2] (*arg.*) Herif.

coven ['kʌvən]. Kadın büyücüler toplantısı.

covenant ['kʌvənənt] *i.* Ahit(name), mukavele; anlaşma. *f.* Şart koşmak; ahdetmek, mukavele yapmak. **~ of the United Nations**, Birleşmiş Milletler Anayasası. **~er**, ahdeden, mukavele yapan.

Coventry ['kʌvəntri]. İng.'de bir şehir. **send to ~**, -le ilgiyi kesmek; boykot etm.

cover[1] ['kʌvə(r)] *i.* Örtü; kılıf, zarf; kap; kapak; melce, sığınak; himaye; bahane; sakınmalık, ihtiyat; maske; (*mal.*) karşılık, mukabil; sofra takımı; = ~T. **~s were laid for ten**, on kişilik sofra kurulmuştu: **give s.o. ~**, birini barındırmak: **outer ~**, dış lastiği: **read a book from ~ to ~**, bir kitabı baştan başa okumak: **take ~**, sığınmak; siper almak: **under separate ~**, ayrıca, ayrı olarak: **address s.o. under ~ of another**, birinin namına yazılmış mektubu başkasının adresiyle ona göndermek: **under ~ of darkness**, karanlıkta, karanlık perdesi altında: **air/fighter ~**, (*ask.*) (avcı) uçak koruması.

cover[2] *f.* Örtmek; kaplamak; sarmak; saklamak, gizlemek; setretmek; kılıf geçirmek; kapamak; ihtiva etm., şamil olm.; (aygır) çiftleşmek; (masraf vb.ni) karşılamak. **~ a deficit**, bir para açığını kapatmak: **~ a distance**, bir mesafe almak/katetmek: **~ s.o. with ridicule**, birini gülünç bir hale düşürmek: **~ s.o. with a weapon**, silâhı birine dikmek: **~ up**, örtmek, kapatmak; örtbas etm.: **stand ~ed**, başı örtülü/şapkalı olm.

cover·age ['kʌvəric]. Örtülebilen saha; (ilân vb.) okuyanlar toplamı; (*mal.*) kuvertür. **~all** = OVERALL. **~-charge** [-çāc], (lokantada) başına servis ücreti. **~ed**, kapaklı: **~-way**, kemer altı. **~ing**, örtü; örtme, döşeme: **~-letter**, gönderilen bir şeyi açıklıyan mektup; doğrulayıcı mektup: **~-party**, (*ask.*) destek müfrezesi. **~let** [-lit], yatak örtüsü. **~-note**, geçici sigorta mukavelesi.

covert[1] ['kʌvə(r)(t)] *i.* Av kuşlarının saklandığı sık koru; örtü tüyü.

covert[2] ['kʌvət] *s.* Gizli, kapalı, örtülü. **~ly**, gizlice.

cover-up ['kʌvərʌp]. Örtbas (etme).

covet ['kʌvit]. Haset etm.; şiddetle arzu etm., gözü kalmak. **~ous**, haset eden, haris, açgözlü: **~ly**, haris vb. olarak: **~ness**, harislik vb.

covey ['kʌvi]. Keklik sürüsü.

cow[1] [kau̯] *i.* İnek. **buffalo/elephant, etc. ~**, dişi manda/fil vb.: **wait till the ~s come home**, çıkmaz ayın son çarşambasına kadar beklemek.

cow[2] *f.* Korkutmak; sindirmek; yıldırmak: **~ed look**, dayak yemiş gibi bir hal.

coward ['kau̯əd]. Korkak, alçak. **~ice/-liness** [-dis, -linis], korkaklık. **~ly**, korkak, namert, alçak.

cow·boy ['kau̯boy]. Sığırtmaç, kovboy. **~bell**, inek çıngırağı. ***~-catcher**, (*den.*) lokomotifin önüne takılan ve engelleri tarıyan çerçeve. **~-dung**, inek gübre/tezeği.

cower ['kau̯ə(r)]. Korkudan sinmek/titremek.

cow- [kau̯-] *ön.* **~hand/herd**, sığırtmaç. **~heel**, sığır paçası. **~hide**, sığır deri/köselesi; meşin kırbaç. **~house**, inek ahırı, mandıra.

cowl [kau̯l]. (Keşişlere mahsus) başlıklı cüppe; başlık, külâh; kukulete; baca başlık/şapkası: **the ~ does not make the monk**, dervişlik hırka ile olmaz: **take the ~**, keşiş olm.

cowlike ['kau̯layk]. Manda gibi (büyük, iri gözlü).

cowling ['kau̯lin(g)] (*hav.*) Kaporta, motor kapağı.

co-worker [kou̯'wɜ̄kə(r)]. Meslektaş.

cow·pen ['kau̯pen]. İnek ağılı. **~pox** [-poks], ineklerde çiçek hastalığı. ***~-puncher** [-pʌnçə(r)] = ~BOY.

cowrie ['kaụri]. Asya/Afrika'da para olarak kullanılan deniz kabuğu.
cow·shed ['kaụşed]. İnek ahırı. ~**slip**, yabanî çuhaçiçeği.
cox [koks] *i.* = ~SWAIN. *f.* Dümen kullanmak. ~**comb** [-koụm], horoz ibiği; züppe, hoppa adam. ~**swain** [-sweyn, -sn], dümenci.
coy [koy]. Nazlı; çekingen, mahçup; müçtenip, sakıngan.
Coy. (*ask.*) = COMPANY.
coy·ly ['koyli]. Nazlı/çekingen bir şekilde. ~**ness**, naz, çekingenlik.
coyote [koy'oụt(i)]. Kır kurdu.
coypu ['koypū]. Bataklık kunduzu.
coz [kʌz] (*mer.*) = COUSIN.
cozen ['kʌzn]. Kandırmak, aldatmak.
cozy [koụzi] = COSY.
cp. = COMPARE.
CP = CHARTER-PARTY; CLARENDON PRESS; COLLEGE OF PRECEPTORS; COMMAND POST; COMMUNIST PARTY; (*Avus.*) COUNTRY PARTY.
c.p. = CANDLE POWER; CARRIAGE PAID.
CPA = CRITICAL PATH ANALYSIS.
Cpl. = CORPORAL.
CP·O = CHIEF PETTY OFFICER. ~**R** = CANADIAN PACIFIC RAILWAY. ~**RE** = COUNCIL FOR THE PROTECTION OF RURAL ENGLAND.
c.p.s. = CYCLES PER SECOND.
Cr. = (*kim.s.*) CHROMIUM; COUNCILLOR; CREDITOR.
crab [krab] *i.* Yengeç, pavurya; Seretan burcu; küçük vinç. *f.* Yengeç tutmak; kusur bulmak, tenkit etm. **catch a** ~, (kürek çekerken) yanlış bir hareketle küreği kımıldamaz bir hale getirmek: **lady/velvet** ~, çalpara: **shore** ~, çingene yengeci. ~**-apple**, dağ elması; küçük ve ekşi elma. ~**bed** [krabd], huysuz, ters; karışık, anlaşılmaz (yazı). ~**like**/~**wise**, yengeç gibi; yan yan yürüyen. ~**-louse** [-laụs], kasık/utanç biti. ~**-pot**, yengeç tutma sepeti.
crack[1] [krak] *i.* Çatırtı, çatırdama; (kamçı) şaklama; çatlak, yarık; aralık; şiddetle vurma; sohbet. *s.* (*kon.*) Yaman, mükemmel. **have a** ~ **at**, bir kere denemek: ~ **of dawn/day**, şafak sökmesi, gün ağarması; çok erken: ~ **of doom**, kıyamet kopması.
crack[2] *f.* Çatla(t)mak; çatırda(t)mak; şakla(t)mak; parçala(n)mak; yar(ıl)mak; (*kim.*) ayırmak, ayrılmak; kır(ıl)mak; (ses) çatallaşmak. ~ **a bottle**, bir şişe içmek: ~ **a crib**, eve girip hırsızlık etmek: ~ **a joke**, nükte yapmak: ~ **on sail**, tam yelken açmak: ~ **down (on stg.)**, -ye karşı sıkı tedbirler almak: ~ **up**, parçalanmak; bunamak; (*kon.*) övmek, methetmek.
crack·-brained ['krakbreynd], (*kon.*) Çatlak kafalı. ~**down**, sıkı tedbirler tatbiki. ~**ed** [-kt], *s.* çatlak, yarık; (*kon.*) kaçık.
cracker ['krakə(r)]. Kıracak âlet; kestane fişeği; patlangaç; ince gevrek bisküvit, gevrek. ~**s**, (*arg.*) çatlak kafalı, deli.
crack·ing ['krakin(g)]. Parçalanma; (*kim.*) ayırma, kraking. ~**-jaw**, telâffuzu güç, dil dönmez.
crackl·e ['krakl] *i.* Çıtırdı, çatırdı. *f.* Çıtırdamak, çatırdamak. ~**ing**, çatırdama; domuz rostosunun gevrek dış tarafı.
crack·nel ['kraknəl]. Sert gevrek bisküvit. ~**-pot**, (*kon.*) eksantrik kimse. ~**sman**, ev soyan hırsız. ~**-up**, çarpışma, kaza; (*kon.*) bunama; çökme.
-cracy [-krəsi] *son.* ... idare/hâkimiyeti; -krasi [DEMOCRACY].
cradle ['kreydl] *i.* Beşik; gemi kızağı. *f.* Beşiğe yatırmak. **from the** ~, bebekliğinden: **from the** ~ **to the grave**, bütün hayatında: ~**-song**, ninni. ~**-snatcher**, bir gence âşık yaşlı.
craft[1] [krāft] *i.* Hüner, ustalık, marifet; sanat; hile; kurnazlık.
craft[2] *i.* Gemi; deniz teknesi; uçak.
-craft *son.* ... hüner/sanat/mesleği [WOODCRAFT].
craft·ily ['krāftili]. Kurnazca. ~**iness**, kurnazlık, hile. ~**sman**, sanat erbabı, usta, sanatkâr: ~**ship**, hüner. ~**y**, kurnaz, hileli.
crag [krag]. Sarp kayalık. ~**ged**/~**gy**, yalçın. ~**sman**, hünerli dağcı.
crake [kreyk] = CORNCRAKE. **spotted** ~, bataklık tavuğu, benekli su yelvesi (?).
cram [kram] *i.* Çok kalabalık, izdiham; (*arg.*) yalan, martaval. *f.* Tıkmak, doldurmak, tıka basa doldurmak; tıkınmak; alelâcele bir imtihana hazırla(n)mak, şişirmek. ~**ful**, dopdolu. ~**mer**, çok çalıştırarak imtihana hazırlayan.
cramp[1] [kramp] *i.* Kas tutulması, kramp, kasınç: **get a** ~, kasınca girmek.
cramp[2] *i.* Mengene; kenet. *f.* Mengene ile sıkıştırmak, kenetlemek; engel olm. **feel** ~**ed for room**, yeri dar olm., sıkışık olm.: ~ **one's style**, birinin maharet vb.ni bozmak: ~**ed handwriting**, sıkışık yazı: ~**ed style**, sıkıntılı üslûp.
crampon ['krampən]. Sapan, kargaburnu; krampon, buz mahmuzu.
cran [kran] (*İsk.*) Ringa balığı ölçüsü (150 litre).
cranage ['kreynic]. Maçuna/vinç ücreti.
cranberry ['kranbəri]. Bataklıkta yetişen ve kızılcığa benzer lezzetli ve mayhoş bir meyva.
crane [kreyn]. Turna kuşu; maçuna, vinç: ~ **one's neck**, boynunu uzatmak: ~ **forward**, başını ileri uzatmak. ~**-fly**, bostan/tipula sineği. ~**'s-bill**, yabanî sardunya, turna gagası.
crani·al ['kreyniəl]. Kafatasına ait. ~**o-**. *ön.* kafatası+. ~**um**, kafatası.
crank[1] [kran(g)k] *i.* Manivelâ, kol, krank. *f.* Manivelâ kolu gibi bükmek; manivelâ ile işletmek.
crank[2] *i.* Garip söz/fikir, mani; meraklı eksantrik kimse. *s.* (Makine) laçka, sarsılır; çarpık, bozuk; (gemi) kolayca devrilir.
crank-[3] *ön.* ~**case**, karter. ~**ily**, huysuz/ garip bir şekilde. ~**shaft**, krank mili, dirsekli mil. ~**y** [-ki], huysuz, ters; garip; laçka, oynak; (gemi) kolayca devrilir.
cranny ['krani]. Yarık, gedik, çatlak.
crape [kreyp] *i.* Siyah krep; matem alâmeti. *f.* (Matem alâmeti olarak) siyah kreple örtmek.
crap [krap] *i.* (*kaba*) Tortu; (*kon.*) saçma. *f.* Tortusunu çıkarmak.
***craps** [kraps]. İki zarla oynanan bir oyun: **shoot** ~, bu oyunu oynamak.
crapulen·ce ['krapyuləns]. Sarhoşluktan gelen hastalık. ~**t**, bu hastalığa ait.
crash[1] [kraş] (*yan.*) *i.* Tarraka; çatırtı, gürültü; şangır şungur; yıkılma, gürültü ile düşme/çarpma; oto/uçak vb. kazası; iflâs; çözülme. *f.* Çatırdamak; gürültü ile çarp(tır)mak/düş(ür)mek/kır(ıl)mak; (ağaç) yıkılmak; (şirket) iflâs etm.

crash[2] Havlu/perde vb.lik kaba bez.
crash-[3] *ön.* ~**-barrier**, geniş yolun iki pistinin arasındaki çit/engel. ~**-boat**, imdat motorbotu. ~**-dive** [-dayv], (denizaltı) anî dibe dalma(k). ~**-helmet**, düşüş başlığı. ~**-land**, (uçak) gövde üzerine inmek: ~**ing**, böyle bir iniş, çarpma inişi. ~**-pad**, (*arg.*) (zaruret halinde) uyumak için yer.
crass [kras]. Kaba, galiz, ahmakça: ~ **ignorance**, kara cehalet. ~**ly**, kabaca; tamamen. ~**ness**, kabalık.
-crat [-krat] *son.* . . . idare/hâkimiyetinin taraftarı; -krat [DEMOCRAT].
cratch [kraç] (*zir.*) Yemlik.
crate [kreyt] *i.* Büyük ambalaj sandığı; kafesli sandık; büyük sepet. *f.* (Eşyayı) sandıklamak.
crater ['kreytə(r)]. Yanardağ ağzı, krater; çukur. ~**iform**, krater şeklinde.
cravat [krə'vat]. Boyunbağı, kravat; eşarp.
crave [kreyv]. Şiddetle arzu etm.; yalvararak istemek. ~ **for**, burnu/gözünde tütmek.
craven ['kreyvn]. Korkak, alçak. ~**ly**, korkakça.
craving ['kreyvin(g)]. Şiddetli arzu, doymak bilmez iştah.
craw [krō]. Kursak. **stick in one's** ~, kabul edilemez.
crawfish ['krōfiş] = CRAYFISH.
crawl [krōl]. Yerde sürünme(k); ağır ağır yürüme(k); krol yüzme(k). **cab on the** ~, müşteri arayarak yavaş yavaş ilerliyen araba/taksi. ~**er**, sürünen/ağır ağır yürüyen kimse; (bebeğin) sürünme pantolonu; palet/tırtıllı traktör vb.; (*mec.*) dalkavuk.
crayfish ['kreyfiş]. Kerevit, su böceği; tatlısu ıstakozu.
crayon ['kreyon]. Resim kalemi, kara/renkli kalem; kara kalemle yapılan resim.
craz·e [kreyz] *i.* Şiddetli merak ve iptilâ; rağbet; son moda; çini sır/yüz çatlağı. *f.* Çıldırtmak; çatlamak. ~**ed**, çılgın, deli; meraklı; sır çatlaklı. ~**ily**, çılgınca. ~**iness**, çılgınlık, delilik. ~**ing**, sır çatlaması. ~**y**, deli, çılgın, kaçık; harap; sakat: **be** ~ **about/over**, . . . için deli olm./çıldırmak: **drive/send s.o.** ~, birini çıldırtmak/delirtmek: ~**-paving**, çeşitli şekilde kaldırımla döşeme.
creak [krīk] *i.* (*yan.*) Gıcırtı. *f.* Gıcırdamak. ~**ily**, gıcırtı sesli. ~**y**, gıcırdıyan.
cream [krīm] *i.* Kaymak, krem, krema; bir şey/cemiyetin en iyi kısmı; kalbur üstü; krem rengi. *f.* Kaymağını almak; kaymak bağlamak. **clotted** ~, İngiliz kaymağı: **cold** ~, yağlı cilt kremi: **whipped** ~, köpüklü kaymak, krem şantiyi: ~ **of lime**, kireç kaymağı: ~ **of tartar**, krem tartar. ~**-bun/cake**, kaymakla dolu pasta. ~**-cheese**, yağlı peynir. ~**-coloured**, krem renkli, sarımsı beyaz. ~**er**, kaymak ayırıcı, krema makinesi. ~**ery**, tereyağ fabrikası, süthane, kaymakçı dükkânı. ~**-laid/-wove**, iki cins kâğıt. ~**y**, kaymaklı, kremalı.
crease [krīs] *i.* Kırma, yatkı; kat; pli. *f.* Buruşturmak; ütülemek. **badly-**~ **trousers**, buruşuk pantolon: **well** ~ **trousers**, ütülü pantolon.
creat·e [krī'eyt]. Yaratmak; ihdas etm., ortaya çıkarmak; bir memuriyete tayin etm.; vücude getirmek; yapmak, kurmak; icat etm., sebep olm. ~**ion** [-'eyşn], yaratım, yaratılış; hilkat; icat, buluş; ihdas, yapma, kurma; dünya, kâinat; sanat eseri. ~**ive**, yaratıcı. ~**or**, yaratmacı, yaratıcı, hâlık. ~**ure** ['krīçə(r)], mahluk, yaratık; kul, köle; başkasının âleti, mahmi, korunuk: **dumb** ~**s**, hayvanlar: ~ **comforts**, maddî konfor.
crèche [kreyş]. Kreş, çocuk yuvası.
creden·ce ['krīdəns]. İnanma, itimat, güven: **give/attach** ~ **to**, inanmak. ~**tials** [kri'denşlz], (*id.*) itimatname, vesika, tanıtma belgesi; hüviyet vesikası, kimlik.
credib·ility [kredi'biliti]. İnanılabilme: ~ **gap**, (*id.*) bir liderin hareketlerinin sözleriyle uymaması. ~**le** ['kredibl], inanılabilir, güvenilir. ~**ly**, inanılır şekilde.
credit ['kredit] *i.* İtibar; saygınlık; itimat, güven; şeref; şöhret, nüfuz; (*mal.*) alacak, matlup, kredi, ödeme. *f.* İnanmak; itibar etm.; itimat etm., güvenmek; alacaklandırmak, kredisine yazmak, bir krediyi hesabına geçirmek. **on** ~, veresiye: **I** ~**ed him with/I gave him** ~ **for more intelligence**, ben onu daha zeki zannediyordum: **it does him** ~, bu ona şeref verir; bu onun lehine kaydedilecek bir şeydir: **gain** ~, gittikçe inanılmak; şeref ve itibar kazanmak: **he gained** ~**s in French and Latin**, (imtihanda) Fransızca ve Latinceden iyi derece ile başarı gösterdi: **give** ~, borç vermek, kredi açmak; inanmak; iyi numara vermek: **lend** ~ **to**, takviye etm., teyit etm., doğrulamak, güçlendirmek: **be a** ~ **to**, -ye bir şeref olm.: **get** ~ **for**, -dan dolayı şeref kazanmak, vazifeyi yaptığından dolayı not kazanmak: **(take) on** ~, veresiye/borca/kredi ile (almak).
credit·able ['kreditəbl]. Şerefli; beğenilir; itibarlı. ~**ably**, şerefli bir şekilde. ~**-card**, kredi kartı. ~**or**, alacaklı; kredi açan kimse: ~**-side (of account)**, muhasebe defterinin alacak kısmı. ~**-rating**, (bankasına göre) bir kimsenin kredi durumu. ~**s**, (*sin.*) tanıtma yazıları. ~**-sale**, kredi ile/veresiye satış. ~**-squeeze**, alacaklar için sıkı tedbirlerin alınması.
credo ['krīdo̯u] = CREED.
credul·ity [kri'dyūliti]. Saf(dil)lik; çabucak inanma. ~**ous** ['kredyuləs], saf(dil), çabucak inanır.
creed [krīd]. Amentü; iman, inanma; itikat; öğreti, akide.
creek [krīk]. Koy; nehir ağzı; nehir kolu; vadi, çay.
creel [krīl]. Balık sepeti.
creep (*g.z.(o.)* **crept**) [krīp, krept] *f.* Sürünmek, sürünerek yürümek; ağır ağır ilerlemek, sokulmak; (sarmaşık vb.) sarılarak büyümek; (lâstik/tekerlek üzerinde) kaymak. *i.* Sürünme; çit vb.de geçecek delik. **give s.o. the** ~**s**, birini ürpertmek: ~ **along**, gizlice ilerlemek: ~ **away**, sessizce sıvışmak: **old age is** ~**ing on**, ihtiyarlık çöküyor. ~**er**, sarmaşık gibi tırmanan/sürüngen bitki; tırmaşık kuşu(gil). ~**y**, **feel** ~, ürpermek: ~ **story**, tüyler ürpertici bir hikâye: ~**-crawly**, (*kon.*) tırtıl gibi haşere: ~**crawly feeling**, tüyler ürpermesi.
creese [krīs]. Malâya hançeri.
cremat·e [kri'meyt]. (Ölüyü) yakmak/imha/yok etm. ~**ion** [-'meyşn], ölüyü yakma: ~**ist**, ölülerin yakılmasının taraftarı. ~**or**, ölüleri yakan adam/fırın. ~**orium** [kremə'torio̯əm], ölülerin yakıldığı bina, krematoryum.
crême [kreym] (*Fr.*) = CREAM. ~ ***brûlée***, krem karamel. ~ ***de la*** ~, en seçkin(ler). ~ ***de menthe***, nane likörü.
crenate(d) [kre'neyt(id)] (*biy.*) Diş şeklinde, dişli.
crenel ['krenəl]. Mazgal. ~**(l)ate(d)** [-nileyt(id)],

mazgallı. ~**lation** [-'leyşn], mazgal şekli, mazgallı duvar.

creole ['krīoul]. B. Hint adalar / G. Am.'daki yerleşmiş beyazların neslinden kimse; kreol ve zenci melezi.

creosote ['krīəsout] *i.* Katran ruhu, kreozot. *f.* Kreozot zerk etm.

crêpe [kreyp]. Siyahtan maada renkli krep; (siyah krep = CRAPE). ~ **de chine**, krepdöşin: ~ **paper**, ipek kâğıdı: ~ **rubber**, dayanıklı lâstik, krep (lâstik).

crepita·nt ['krepitənt]. Çıtırdıyan. ~**te** [-'teyt], çıtırdamak. ~**tion** [-'teyşn], çıtırdama.

crept [krept] *g.z.(o.)* = CREEP.

crepuscular [kri'pʌskyulə(r)]. Fecir/şafağa ait; loş.

Cres. = CRESCENT.

cres(cendo) [kri'şendou]. (*İt.*, *müz.*) Gittikçe artarak; hızlanarak; gittikçe yükselme: **reach a** ~, (*mec.*) en yüksek dereceye yaklaşmak.

crescent ['kresənt] *i.* Hilâl, yeni ay; yarım daire şeklinde sokak/yarı meydan. *s.* Büyüyen, artan. **the** ~, İslamın remzi, Hilâl; Türkiye; İslamiyet: **Red** ~, Kızılay.

cress [kres]. Tere.

cresset ['kresit]. Demir meşale, fener.

crest [krest] *i.* Tepelik; ibik, sorguç; taç; yele; doruk; dalga tepesi; arma başlığı. *f.* Tepesine varmak. **on the** ~ **of the wave**, (*mec.*) en uygun anda. ~**ed**, tepeli, sorguçlu. ~**fallen**, süngüsü düşük, mahzun.

cretaceous [kri'teyşəs]. Tebeşirli, kireçli; kretase.

Cret·an ['krītən] *i.* Giritli: *s.* Girit +. ~**e**, Girit.

cretify ['kretifay]. Tebeşirleştirmek.

cretin ['kretin]. Çok iri kafalı ve doğuştan alık; kreten. ~**ism**, bu hastalık. ~**ous**, bu şekilde alık.

cretonne [kre'ton]. Kalın pamuklu basma, kreton.

crevice ['krevis]. Yarık, çatlak, gedik.

crew[1] [krū] *i.* Tayfa; mürettebat; erler; ekip; grup; güruh; (*sin.*) takım. *f.* Yat adamı olm. ~**-cut**, alabros. ~**-member**, gemi/uçak adamı.

crew[2] *g.z.* = CROW[2].

crewel ['krūəl]. Bir nevi yün ipliği. ~**-work**, kanaviçe işi.

crib[1] [krib] *i.* Yemlik; çocuk yatağı; kereste yapı iskeleti, maden tünelinde kereste örgü. *f.* Küçük bir yere kapatmak.

crib[2] İntihal; okulda okunan bir eserin kullanması yasak olan hazır çevirisi. *f.* İntihal yapmak; okulda başkasından kopya etm.

crib[3] (*Avus.*) Gıda; hafif yemek.

cribbage ['kribic]. Bir iskambil oyunu. ~**-board**, bu oyun için sayı tahtası.

cribriform ['kribrifōm]. Kalbur gibi delikli.

crick [krik]. Hafif burkulma. ~ **one's neck/back**, boyun/beli hafifçe tutulmak.

cricket[1] ['krikit]. **(field)** ~, cırcır böceği; cırlak: **hearth** ~, ocak çekirgesi.

cricket[2]. Kriket oyunu. **that's not** ~, bu doğru değil, bu haksızlık, bu yapılmaz. ~**er**, kriketçi.

crie·d [krayd] *g.z.(o.)* = CRY. ~**r** ['krayə(r)], tellâl, münadi, ilân eden: **court** ~, mübaşir: **town** ~, tellâl.

crikey ['krayki] (*arg.*) *Hayret ifade eden bir nida.*

crim. = CRIMIN·AL/~OLOGY.

crime [kraym] *i.* Cinayet, cürüm, (ağır) suç, kabahat. *f.* (*ask.*) Suçlandırmak.

Crimea [kray'miə]. Kırım. ~**n**, *i.* Kırımlı: *s.* Kırım +: ~ **War**, Kırım Savaşı.

crime·less ['kraymlis]. Suçsuz, saf. ~**-sheet**, (*ask.*) suçlar listesi. ~**-wave**, (*sos.*) cinayetlerin anî bir çoğalması. ~**-writer**, cinaî roman yazarı.

criminal ['kriminl] *s.* Cürüm/suça ait; cezaî, (ağır) ceza +. *i.* Mücrim, cani, suçlu, kabahatlı. **habitual** ~, suç işlemeyi alışkanlık haline getiren kimse, sabıkalı: ~ **Investigation Department**, Emniyet Cinayet Dairesi. ~**ity**, [-'naliti] mücrimlik, suçluluk. ~**-law**, ceza hukuku. ~**ly** ['kriminəli], suçlu gibi/olarak; ceza hukukuna göre.

criminate, vb. ['krimineyt] = IN~.

criminology [krimi'noləci]. Suç ve suçluyu inceliyen bilim kolu, kriminoloji.

crimp[1] [krimp] (*tar.*) *i.* Zorla/kandırarak gemici/asker toplıyan adam. *f.* Zorla/kandırarak gemici/asker toplamak.

crimp[2]. Kıvırmak; katlamak; dalgalı yapmak. ~**er**, kıvırma makinesi. ~**ing**, kenar kıvırma: ~ **iron**, saç maşası; plise ütüsü. ~**y**, kıvırcıklı.

crimson ['krimzn]. Fesrengi, kızıl.

cring·e [krinc]. Köpekleşme(k), sakınma(k); tabasbus (etm.). ~**ing**, yaltak, mütebasbıs.

cringle ['krin(g)gl]. Radansa.

crinkl·e ['krin(g)kl] *i.* Kıvrım, kat. *f.* Kıvırmak, katlamak, buruşturmak. ~**d paper**, krep. ~**y**, kıvrımlı, kırışık.

crinite ['kraynayt] (*biy.*) Saçlı, kıllı.

crinoid ['krinoyd] (*zoo.*) Zambak şeklinde (deniz hayvanı).

crinoline ['krinəlin]. Krinolin; çemberli etek.

cripes [krayps] (*kaba.*) *Hayret ifade eden bir nida.*

cripple ['kripl] *i.* Sakat; malûl; topal; kötürüm. *f.* Sakat et.; bozmak, iptal etm.; zarar vermek, kazaya uğratmak. ~**d**, sakat.

cris·is, *ç.* ~**es** ['kraysis, -sīz]. (*mal.*) Buhran, kriz, bunalım; (*tıp.*) nöbet, kriz.

crisp [krisp] *s.* Gevrek; kolay kırılır; serin ve canlı (hava); keskin, kati. *f.* Kıvrılmak; gevrek yapmak. **potato** ~**s**, çok ince kesilmiş kızarmış patates. ~**ate**, gevrek. ~**ly**, keskin olarak. ~**ness**, gevrek oluşu; serinlik; keskinlik. ~**y**, kıvırcık; gevrek.

criss-cross ['kris'kros] *s.* Çapraz çizgili. *f.* Çapraz çizgilerle işlemek; çaprazvari hareket et(tir)mek.

crista ['kristə] (*biy.*) Tepe, ibik. ~**te** [-teyt], tepe/ibikli.

crit [krit] (*kon.*) Tenkit, eleştirme; (*kıs.*) = CRITICAL MASS.

criteri·on, *ç.* ~**a** [kray'tiəriə(n)]. Kıstas; mihenk, ölçüt, ayıraç, kriter.

critic ['kritik]. Münekkit, tenkitçi, eleştirmeci, eleştirici: **armchair** ~, hiç iştirak etmeden tenkit eden. ~**al**, tenkide ait; tenkitçi, eleştirici; ağır, ciddî, vahim; korkulu, tehlikeli, can alıcı; nazik; (*tıp.*) korkulu, kritik; (*fiz.*) en yüksek, kritik, son, tahavvül: **in a** ~ **condition**/~**ly ill**, tehlikeli bir halde hasta: ~**ly**, tehlikeli olarak: ~**-mass**, (*nük.*) kritik kitle: ~**-path**, (*müh.*) bir işletme için en kısa devre. ~**ism** [-sizm], tenkit, eleştirme, eleştiri. ~**ize** [-sayz], tenkit etm., eleştirmek; kusur bulmak.

critique [kri'tīk]. Eleştiri, tenkit (sanatı).

critter ['kritə(r)] (*leh.*) = CREATURE.

CRO = COMMONWEALTH RELATIONS OFFICE.

croak [krouk] (*yan.*) *i.* (Kurbağa) vakvak; (karga) gaklama. *f.* Vakvak etm., gaklamak; çirkin bir sesle bağırmak; homurdanmak; şom ağız olm.;

(*arg.*) ölmek, gürlemek. ~**er**, homurdanan, şikâyetçi; şom ağızlı şahıs. ~**ing**, gaklıyan; vakvak, gaklama.

Croat ['krouat]. Hırvat. ~**ia** [-'eyşiə], Hırvatistan. ~**ian**, *i.* Hırvat; Hırvatça: *s.* Hırvat+.

crochet ['krouşi] *i.* Kroşe örgüsü, tek tığ örgüsü. *f.* Tek tığ ile örmek. ~**-hook**, tığ.

crock[1] [krok] *i.* Testi; saksı.

crock[2] *i.* Lâgar at; amelimanda adam; eski makine/âlet. ~ **up**, çökmek: **be** ~**ed**, sakatlanmak.

crockery ['krokəri]. Çanak çömlek; tabak takımı.

crocket ['krokit] (*mim.*) Çatıya konulan oyma yaprak süsü.

crocodil·e ['krokədayl]. Timsah; kız okulunda ikişer kişilik yürüyüş sırası. ~ **tears**, sahte gözyaşları, yalancıktan ağlama. ~**e-bird**, timsah bekçisi. ~**ian** [-diliən], timsaha ait.

crocus ['kroukəs]. Çiğdem.

Croesus ['krīsəs] (*mit.*) Çok zengin bir Lidya kralı: **as rich as** ~, fevkalâde zengin: **a regular** ~, zenginerkinden biri, Karun.

croft [kroft]. Küçük tarla, küçük çiftlik. ~**er**, küçük toprak sahibi; İskoçya'da küçük toprağı kira ile işleten çiftçi.

croissant ['kruasā(n)]. Ay şeklinde bir ekmek.

cromlech ['kromlek]. Dolmen.

crone [kroun]. Yaşlı ve çok çirkin kadın.

crony ['krouni]. Ahbap, kafadar, hemdem, yakın arkadaş.

crook [kruk] *i.* Kanca; çoban değneği; piskopos asâsı; dirsek; dolandırıcı, hilekâr. *f.* Kıvırmak, bükmek. **by hook or by** ~ =HOOK: **get stg. on the** ~, bir şeyi hile ile elde etm. ~**back(ed)**, kambur(lu). ~**ed** [-kid], eğri, çarpık, bükük, ivicaçlı; dalavereci, hileli: ~**ly**, eğri/hileli olarak: ~**ness**, eğrilik; dolandırıcılık.

croon [krūn]. Mırıldıyarak şarkı söyleme(k); alçak sesle ve aşırı bir duygululukla şarkı söyleme(k). ~**er**, böyle söyliyen bir şarkıcı.

crop[1] [krop] *i.* Mahsul, ürün; hasat; ekin; yığın; kısa kesilmiş saç. *f.* Kırpmak; kısaltmak; (hayvan) yemek; ekmek; mahsul vermek. **give s.o. a close** ~, birinin saçını dibinden kesmek: **Eton** ~, alagarson kesilmiş: ~ **out**, meydana çıkmak: ~ **up**, birdenbire zuhur etm., ara sıra meydana çıkmak.

crop[2]. Kurşak, börkenek.

crop[3]. Kamçı sapı; kısa kamçı.

crop-[4] *ön.* ~**-dusting**, ekinlerin (uçaktan) ilâçla püskürtülmesi. ~**-eared**, kesik kulaklı (köpek). ~**per**, ürün yetiştiren kimse; kırpma makinesi; ürün veren bitki; (*kon.*) anî bir düşüş, bozgunluk: **come a** ~, (*kon.*) fena halde düşmek; başarılı olmamak, fiyasko yapmak, bozgunluğa uğramak: **good/heavy//light/poor** ~, çok/az ürün veren bitki.

croquet ['krouki] *i.* Çomak ve tahta topla oynanan bir oyun, kroket.

croquette [kro'ket]. Köfte, kroket.

crore [krō(r)] (*Hint.*) On milyon (rupi).

crosier ['krouziə(r)]. Piskopos asâsı.

cross[1] [kros] *i.* Haç; çarmıh; ıstırap, keder; melez; (*biy.*) çaprazlama. *s.* Çapraz; ters; aksi; dargın. **be** ~, darılmak, gücenmek; küsmek: **as** ~ **as two sticks/as a bear**, çok huysuz: **fiery** ~, halkı isyana teşvik eden işaret: **be at** ~ **purposes**, birbirlerinin amacını yanlış anlayıp (kasten olmıyarak) karşı durmak/zıt hareket etm.: **make the sign of the** ~, haç çıkarmak: **sign with a** ~, (ümmi) imza yerine haç çizmek.

cross[2] *f.* Karşıdan karşıya geçmek, asmak; (ırkları, hayvanları) karıştırmak, çaprazlamak, tesalüp ettirmek; karşılaşmak, birbirini kesmek; çapraz koymak. ~ **one's legs**, bacak bacak üstüne atmak: ~ **oneself**, haç çıkarmak: ~ **s.o.('s plans)**, birinin işini bozmak. ~ **off**, kesmek, silmek, iptal etm. ~ **out**, çizmek, silmek. ~ **over**, karşıya geçmek, asmak; (casus) taraftarlığını değiştirmek.

cross-[3], *ön.* Bir yandan bir yana, enine, çaprazlama *vb. anlamlarına gelir.* ~**-action**, (*huk.*) karşılıklı/mütekabil dava. ~**-bar**, kol demiri. ~**-beam**, kiriş. ~**-bearer**, (*din.*) ayinde haç taşıyan biri. ~**-bench**, (*id.*) (Parlamento'da) bağımsızların oturacak yerleri: **sit on the** ~**es/be a** ~ **member**, bağımsız üye olm. ~**bill**, çapraz gaga. ~**-bones**=SKULL. ~**-bow**, tatar oku; mancınık oku. ~**bred**, melez. ~**-breed** [-brīd], melez (yetiştirmek), tesalüp ettirmek, çaprazlamak. ~**-bun**, haç işaretli bir kek. ~**-check**, ikinci ve başka bir kontrol. ~**-connection**, ters bağlantı. ~**-country**, yol dışı: ~ **running**, kırkoşu. ~**-cut**, çapraz yarma/yol: ~ **saw**, kalınlığa biçen testere/bıçkı: ~ **timber**, başağaç. ~**e** [kros], LACROSSE oyununda kullanılan raket. ~**ed** [krost], çapraz(lı), melez; haç işaretli. ~**-entry**, (*mal.*) karşılık hesabına geçirme. ~**-examin·ation**, istintak, sorgu: ~**e**, istintak etm.; ahret sualı sormak. ~**-eyed** [-ayd], şaşı. ~**-fade** [-feyd] (*rad., sin.*) biri zayıflatıp öbürü kuvvetlendirerek iki resim/sesi karıştırmak. ~**fire**, (*ask.*) çatal ateşi. ~**-grain**, (agaç) ters damar: ~**ed**, damarı ters ve karışık; (*mec.*) ters ve huysuz. ~**-hatch(ing)**, (resim vb.) çapraz tarama(k). ~**-heading**, (*bas.*) talî başlık. ~**-index**, (*bas.*) başka müracaat edilecek malumatı gösteren dipnotu. ~**ing**, bir yandan bir yana geçme; geçit; geçiş; kruazman; (*biy.*) tesalüp, çaprazlama; sarılma: ~**-sweeper**, yol çöpçüsü. ~**-legged**, bacak bacak üzerine; bağdaş kurarak. ~**ly**, huysuzca; öfkeyle. ~**-member**, (*mim.*) en kirişi. ~**ness**, öfke, huysuzluk. ~**-over**, (üst) geçit; atlama. ~**-patch**, (*kon.*) huysuz densiz (çocuk). ~**-ply**, (*oto.*) lastik için çapraz katlı bez. ~**-pollination**, (*bot.*) çapraz tozlaşma. ~**-purpose**, karşıt maksat: **be at** ~**s**, anlaşamamak; (kasten olmıyarak) iki kişi karşı karşıya hareket etm. ~**-question**, istintak etm., sorguya çekmek. ~**-reference**, başka bir kitaba müracaat. ~**-road**, çapraz/yan yol: ~**s**, dörtyol ağzı, yolçatağı: **we are at the** ~, kesin kararımız zamanı geldi. ~**-section**, makta, enine kesit, kesim; vasatî, ortalama. ~**-stitch**, çapraz dikiş. ~**-talk**, karşılıklı tartışma; karışık telefon konuşması. ~**-trees**, (*den.*) kurcata. ~**-vault** [-vōlt] (*mim.*) haçtonoz. ~**-wind**, (*den.*) yan rüzgâr; karşı rüzgâr. ~**wise**, capraz(lama); haçvarî; ters. ~**word (puzzle)**, bulmaca.

crotch [kroç]. Çatal; çatal dal.

crotchet ['kroçit]. Garip fikir, merak, vehim; (*müz.*) dörtlük. ~**y**, meraklı, kaprisli; ters.

croton ['kroutən] (*bot.*) Müshil edici bir yağ veren bitki.

crouch [krauç]. Çömelme(k); eğilme(k).

croup[1] [krūp]. At sağrısı.

croup[2]. Çocuklara mahsus bir nevi hunnak.

croupier ['krūpiə(r)]. (Kumarda) krupye.

crow[1] [krou] *i.* Karga. **hooded ~**, leş/kül rengi karga: **as the ~ flies**, dümdüz, dosdoğru: **have a ~ to pluck with s.o.**, birisiyle paylaşacak kozu olm.: **stone the ~s!**, *nefret ifade eden söz.*

crow[2] (*g.z.* **crew**, **~ed**; *g.z.o.* **~ed**) [krou(d), krū] *f.* (Horoz) ötmek; sevincinden bağırmak, cıvıl cıvıl ötmek. *i.* Horoz ötüşü, cıvıltı. **~ over s.o.**, bir galibiyetten sonra (mağlup edilen birine karşı) fazla sevinç göstermek: **at cock-~**, şafakta.

crowbar ['kroubā(r)]. Demir manivelâ kolu; külünk, küskü.

crowd [kraud] *i.* Kalabalık; halk, kütle, yığın; güruh. *f.* Bir araya toplamak, tıka basa doldurmak; kalabalık etm.; itişip kakışmak, sıkışmak. **~ in**, kalabalık (kütle) halinde girmek: **~ out**, -e yer bırakmamak: **~ on sail**, bütün yelkenlerini açmak: **it might pass in a ~**, iyi değil ama yasak savar (yoklukta olur). **~ed**, kalabalık; dolu.

crowfoot ['kroufut] (*bot.*) Düğünçiçeği; (*den.*) boyunduruk, kaz ayağı.

crown[1] [kraun] *i.* Taç; hükümdarlık, krallık; hükümdar, kral vb.; çelenk; şeref; şapka tepesi; tepe, baş; kuron; beş şilinlik para. **half-a-~**, iki buçuk şilin.

crown[2] *f.* Taç giydirmek, tetviç etm.; şereflendirmek; mükâfatlandırmak; dişe kuron takmak. **to ~ all**, üstelik en iyi/kötüsü.

crown- [kraun-] *ön.* Hükümet/hükümdara ait. **~-colony**, doğru Londra'dan idare edilen sömürge. **~er**, (*mer.*) = CORONER. **~-COURT.** **~-imperial**, imparatorun tacı. **~ing**, *s.* en son/yüksek/mükemmel. **~-jewels**, hükümdarlığa ait cevherler. **~-lands**, krala ait toprak (mirî). **~-law**, ceza hukuku: **~yer**, hükümet için çalışan avukat, savcı. **~-prince**, veliaht: **~ss**, veliahdın karısı. **~-wheel** = CONTRATE.

crow's-feet [krouzfīt]. Göz kenarındaki kırışık. **~-nest**, (*den.*) çanaklık.

crozier ['krouziə(r)] = CROSIER.

CRT = CATHODE-RAY TUBE.

crucial ['krūşiəl]. Katî, kesin; çetin; çok önemli; ciddî; can alıcı.

cruciate ['krūşieyt] (*bot.*) Haç şekli(nde).

crucible ['krūsibl]. Pota, eritme kabı.

cruci·fer ['krūsifə(r)]. Turpgillerden biri. **~ferous** [-'sifərəs], turpgillere ait. **~fix** [-fiks], çarmıh. **~fixion** [-'fikşn], çarmıha germe. **~form**, haç biçim/şekli, **~fy** [-fay], haç/çarmıha germek; işkence etm.

crud·e [krūd]. Ham, çiğ, olmamış; kaba; kabataslak: **~ly**, kabaca: **~ness**, hamlık, çiğlik; kabalık. **~ity**, kabalık.

cruel ['kruəl]. Zalim, gaddar, insafsız. **~ly**, zalim/gaddar/insafsızca. **~ness**, zalim/gaddar/insafsızlık. **~ty**, zulüm, işkence.

cruet ['kruit]. Sofra için zeytinyağı/sirke şişesi, yağdanlık.

cruis·e [krūz] *i.* Deniz gezinti/seyahat/seferi; kruvaziyer. *f.* Gezmek, dolaşmak, seyretmek: **~-ship**, seyyah gemi/vapuru. **~er**, kruvazör; radyolu polis arabası: **~-weight**, (*sp.*) yarı-ağır sıklet. **~ing**, gezme, seyir, seyahat: **~-speed**, (*den.*) seyir hızı; (*hav.*) uçuş hızı.

crumb [krʌm] *i.* Ekmek kırıntısı; ekmek içi; küçük parça *f.* (Kotlet vb.ni) ekmek kırıntısı ile örtmek, pane yapmak. **a ~ of comfort**, küçücük bir teselli.

crumbl·e ['krʌmbl]. (Ekmek vb.) ufal(t)mak, ufala(n)mak; parçala(n)mak; yıkılmak, dökülmek. **~y**, kırıntılı, ufalanır.

crumbs [krʌmz]. *Hayret ifade eden bir nida.*

crum·by/~my ['krʌmi]. Yumuşak; (*arg.*) adi, ucuz, kötü.

crump [krʌmp] (*yan.*) Şiddetli vuruş, ağır düşüş; patlıyan merminin sesi.

crumpet ['krʌmpit]. Yassı kadayıf; (*arg.*) kafa; (*arg.*) güzel kız.

crumple ['krʌmpl]. Buruşturmak, kıvırmak, katlamak. **~ up**, çökmek.

crunch[1] [krʌnç] *f.* (*yan.*) Ezmek; öğütmek; çiğnemek; kıtır kıtır yemek; (kar vb.) gıcırdamak, *i. Bu hareketlerin sesi.*

crunch[2] *i.* (*kon.*) Sıkıştırma; (*mal.*) malî/iktisadî tazyik; iş/krizin dönüm noktası.

crupper ['krʌpə(r)]. Sağrı; kuskun.

crural ['krūrəl] (*tıp.*) Bacağa ait.

crusade [krū'seyd]. Haçlı seferi; kutsal/toplumsal sayılan şey için mücadele (etm.). **~r**, haçlı seferine katılan, Haçlı.

cruse [krūz]. Toprak testi, saksı vb. **the widow's ~**, bitmez tükenmez şey.

crush [krʌş] *f.* Ezmek; buruşturmak; sıkmak; tazyik etm.; itişip kakışmak. *i.* Kalabalık. **please ~ up a little**, lütfen bir az sıkışınız: **have a ~ on s.o.**, (*arg.*) şiddetli âşık olm. **~-barrier**, kalabalığı kontrol etm. için yola konan engel. **~er**, kırma makinesi, kırıcı, pres, konkasör. **~ing**, (*mec.*) ezici, mahvedici. **~-room** = FOYER.

crust [krʌst] *i.* Ekmek kabuğu; kuru ve sert ekmek; sert kabuk; kışır; kaymak. *f.* Kabuk bağlamak, kabukla kaplamak. **upper ~**, (*kon.*) üst tabaka.

crustacea [krʌs'teyşə]. Kabuklular. **~n**, ıstakoz vb. gibi kabuklu hayvan.

crust·ed ['krʌstid]. Kabuklu; (*mec.*) yaşlı, modası geçmiş. **~ily**, haşin/titiz olarak. **~y**, kabuklu (ekmek); gevrek; haşin, titiz.

crutch [krʌç]. Koltuk değneği; destek.

crux [krʌks]. Esas nokta, en önemli nokta; (*tiy.*) düğüm.

cry (*g.z.(o.)* **cried**) [kray(d)] *f.* Bağırmak; çığlık koparmak; ağlamak. *i.* Nara, feryat; bağırma, çığlık; ağlama. **~ one's eyes/heart out**, hüngür hüngür ağlamak: **it's a far ~ to**, çok uzaktır: **the pack is in full ~**, (bir avda) avın kokusunu alan köpekler bağrışıyorlar: **the crowd was in full ~ after the thief**, kalabalık hırsızın arkasından bağrışarak koşuyordu: **have a good ~**, doya doya ağlamak: **within ~**, çağırınca duyulabilecek uzaklıkta. **~-baby**, daima ağlıyan bebek/çocuk. **~ing**, bağıran; ağlıyan; pek göze çarpan; kötü şöhretli, rezalet teşkil eden. **~ down**, kötülemek. **~ off**, sözünü geri almak, caymak. **~ out,** bağırarak söylemek, bağırmak; şikâyet etm.

cryo- ['krayə-] *ön* Buy(dur)ma+, soğutma+, buz+, krio-. **~biology**, buydurma biyolojisi. **~gen** [-cen], soğutucu karışım: **~ics**, buydurma bilgisi. **~lite**, kriyolit. **~meter** [-'omitər], buyma derecesi ölçeği. **~precipitation/surgery**, buydurma usulü tortulanma/cerahat.

crypt [kript]. Kilise bodrumu, mahzenmezar.

cryptanalysis [krıptə'nalisis]. Şifreler ve onların çözülmesine ait bilim.

cryptic(al) ['kriptik(l)]. Esrarlı; muammalı.

crypto- [kripto-] *ön.* Gizli, kapalı, açık olmıyan. **~-communist**, komünizmin gizli taraftarı. **~gam**, (*bot.*) üretme organı gizli olan/sporlu/çiçeksiz bitki. **~gram/~graph**, gizli yazı, şifreli yazı. **~grapher** [-'tografə(r)], şifreli yazı yazan.
crystal ['kristəl]. Billûr, kristal. **~-ball**, falcılık için kullanılan billûr. **~-clear**, billûr gibi duru; gün gibi meydanda. **~-gazing**, billûra bakarak falcılık. **~line** [-layn], billûr/kristal gibi; billûrlu, kristalli; şeffaf, duru. **~lize** [-layz], tebellür etm., billûrlaş(tır)mak, kristalleş(tir)mek: **~d fruit**, meyva şekerlemesi, fruiglase. **~lization** [-lay'zeyşn], tebellür, billûrlaş(tır)ma, kristalleş(tir)me. **~lography**, billûrbilimi, kristal bilgisi, kristalografi. **~loid**, billûrsal, kristaloit. **~-set**, kristallı radyo cihazı.
Cs. (*kim.s.*) = CAESIUM.
c/s = CYCLES PER SECOND.
CS = CHEMICAL SOCIETY; CHARTERED SURVEYOR; CIVIL SERVICE. **~C** = CIVIL SERVICE COMMISSION. **~E** = CERTIFICATE OF SECONDARY EDUCATION. **~-gas**, gösterişçilere karşı kullanılan bir gaz. **~I** = COMPANION (OF THE ORDER) OF THE STAR OF INDIA. **~M** = (*ask.*) COMPANY SERGEANT MAJOR. ***~T** = CENTRAL STANDARD TIME.
cSt = CENTI-STOKES.
ct. = CARAT; CENT.
C/T = (*den.*) CONFERENCE TERMS.
ctenoid ['tenoyd]. Tarak gibi.
CT·L = CONSTRUCTIVE TOTAL LOSS. **~OL** = CONVENTIONAL TAKE-OFF AND LANDING.
ctr. = CENTRE.
CTV = COLOUR TELEVISION.
Cu. (*kim.s.*) = COPPER.
CU = CAMBRIDGE UNIVERSITY.
cu(b). = CUBIC.
cub [kʌb] *i.* Hayvan yavrusu, enik; acemi; genç izci. *f.* Yavrusu doğurmak. **(unlicked) ~**, yontulmamış delikanlı.
Cuba ['kyūbə]. Küba. **~n**, *i.* Kübalı: *s.* Küba+.
cubage ['kyūbic]. Hacim, küp kapasitesi.
cubb·ing ['kʌbin(g)]. Tilki yavrusunu avlama. **~ish**, hayvan yavrusu gibi; yontulmamış, acemi. **~y(-hole)**, küçük göz/raf; küçük oda/hücre.
CUBC = CAMBRIDGE UNIVERSITY BOAT CLUB.
cube [kyūb]. Mikâp, küp. Mikâbını bulmak. **~-root**, cezir mikâp, kök küp. **~-sugar**, kesme şeker.
cub·hood ['kʌbhūd]. Hayvan yavrusu olma. **~-hunting** = **~**BING.
cubic(al) ['kyūbik(l)]. Mikâp şeklinde; kübik; dört köşeli; küpsel. **~-equation**, üçüncü derece denklem. **~-metre, etc.**, metre vb. küp.
cubicle ['kyūbikl]. Küçük yatak odası; hücre.
cubis·m ['kyūbizm]. Kübizm, geometricilik. **~t**, kübist.
cubit ['kyūbit]. Eski uzunluk ölçüsü, kol boyu, gez. **~al**, kola ait.
cuboid ['kyūboyd]. Küp şeklinde (bir şey).
cub-reporter [kʌbri'pōtə(r)]. Genç/acemi gazeteci.
cucking-stool ['kʌkin(g)stūl] (*tar.*) Azarlayıcı kadın/suçluların suya batırılıp cezalandırılmasında kullanılan iskemle.
cuckold ['kʌkǫuld] *i.* Kerata, boynuzlu. *f.* Boynuz diktirmek. **~ry**, zina.
cuckoo ['kukū]. Guguk kuşu, guguk(gil), külrengi guguk; (*arg.*) deli. **great spotted ~**, büyük/tepeli guguk: **~ in the nest**, istenilmediği bir yere giren kimse. **~-clock**, guguklu saat. **~-pint**, (*bot.*) (benekli) yılan yastığı. **~-shrike**, tırtılyiyen(gil). **~spit**, şeytantükürüğü.
cucullate(d) [kyūkʌ'leyt(id)] (*biy.*) Başlıklı, külâhlı.
cucumber ['kyūkʌmbə(r)]. Hıyar, salatalık. **cool as a ~**, fevkalâde soğukkanlı.
cucurbit [kyū'kʌbit]. Kabakgil(ler).
cud [kʌd]. Geviş. **chew the ~**, geviş getirmek.
cuddle [kʌdl]. Kucaklama(k), okşama(k); kucaklaşmak.
cuddy ['kʌdi] (*den.*) Küçük kamara; dolap.
cudgel ['kʌcl] *i.* Sopa, kalın değnek, çomak, matrak. *f.* Dayak atmak, dövmek. **take up the ~s for s.o.**, birini şiddetle savunmak; birinden tarafa çıkmak: **~ one's brains**, zihnini yormak, kafa patlatmak.
CUDS = CAMBRIDGE UNIVERSITY DRAMATIC SOCIETY.
cue[1] [kyū]. Aktörün sözü arkadaşına bırakmadan evvel söylediği son söz; işaret; fikir: **give s.o. the ~**, birine (bir şey hakkında) işaret vermek; (*tiy.*) anahtar vermek: **take the ~ from . . .**, birinden işaret almak.
cue[2]. Bilardo istekası.
cuff[1] [kʌf]. Kolluk, yen: manşet. **off the ~**, irticalen; gayri resmî haber olarak. **~-link**, kol düğmesi.
cuff[2]. Hafif tokat (atmak).
Cufic ['kyūfik]. Kûfi (yazı).
cuirass [kwi'ras]. Zırh ceket; göğüs zırhı. **~ier**, zırhlı süvari.
cuisine [kwi'zīn]. Mutfak dairesi; yemek pişirme usulü.
cul-de-sac ['kʌldisak]. Çıkmaz (sokak).
-c(u)le [-kyul, -k(ə)l] *son.* -cik; küçük [MOLECULE].
culinary ['kyūlinəri]. Yemek pişirmeğe ait; mutfak/aşçılığa ait.
cull [kʌl] *f.* Toplamak; (hayvan/kuş) kötüsünü ayırıp öldürmek. *i.* Böyle ayrılan hayvan/kuş.
cullender ['kʌlındə(r)] = COLANDER.
culm [kʌlm]. Bitki sapı.
culminat·e ['kʌlmineyt]. En son noktaya varmak; neticelenmek; zirvesine ermek. **~ion** [-'neyşn], son nokta; en yüksek derece; doruk; son had; (*ast.*) geçiş.
culpab·ility [kʌlpə'biliti]. Suçluluk. **~le** ['kʌlpəbl], suçlu, kabahatli: **~ness**, suçluluk. **~ly**, suçlu gibi/olarak.
culprit ['kʌlprit]. Suçlu, kabahatli.
cult [kʌlt]. Mezhep; ibadet, tapınma; büyük rağbet; merak: **~-figure**, tapınacak bir kimse.
cultiv·able ['kʌltivəbl] (*zir.*) Sürülür. **~ar**, (*bot.*) yetiştirilen yeni bir cins bitki. **~ate** [-veyt], çift sürmek; toprağı işlemek; yetiştirmek; geliştirmek, terbiye etm.: **~ a friendship**, dostluk kazanmağa çalışmak: **~d**, işlenmiş; tahsil görmüş. **~ation** [-'veyşn], toprağı işleme; çift sürme; terbiye, yetiş(tir)me, işletme. **~ator** [-'veytə(r)], çiftçi; kültivatör.
cultur·al ['kʌlçərəl]. Kültüre ait; (*zir.*) ekinsel: **~ revolution**, bir ülkenin toplumsal kültür kuruluşunun tamamen değiştirilmesi. **~e**, ekin, yetiştirme, üretme; kültür, olgunluk, maarif: **~ gap**, iki kültür arasındaki fark: **physical ~**, beden eğitimi. **~ed**, kültürlü, terbiyeli, olgun; kibar.

culverin ['kʌlvərin]. Büyük top; bir nevi tüfek.
culvert ['kʌlvət]. Yer altı su yolu, kanal; menfez.
cum [kʌm] (*Lat.*) İle. ~ **dividend**, ödenecek faiz ile: **house-cum-office**, hem ev hem de yazıhane.
cum. = CUMULATIVE.
cumber ['kʌmbə(r)]. Yük olm.; engel olm.; sıkıntı vermek.
Cumb(erland) ['kʌmbələnd]. Brit.'nın bir kontluğu.
cumbersome ['kʌmbə(r)səm]. Havaleli; hantal; ağır; biçime girmez.
Cumbria ['kʌmbriə]. K.İng.'de bir bölge. ~**n**, bu bölgeye ait; CUMBERLAND'da doğmuş; bu kontluğa ait.
cumbrous ['kʌmbrəs] = CUMBERSOME.
cummerbund ['kʌməbʌnd] (*mod.*) Kemer kuşağı.
cum(m)in ['kʌmin]. Kimyon; çemen.
cumquat ['kʌmkwot]. Erik büyüklüğünde portakal gibi bir meyva.
cumulat·e ['kyūmyuleyt] = ACCUMULATE. ~**ion** [-'leyşn], birleşim, biriktirme, yığma. ~**ive** [-lətiv], müterakim, birikmiş, kümülatif, toplam.
cumul·o- ['kyūmyulou] *ön.* Kümülo-: ~**-nimbus**, kümülonimbüs, boranbulut: ~**-stratus**, kümülostratüs. ~**us** [-ləs], küme bulut, kumulus; yığın.
cune·ate ['kyūnieyt]. Kama şeklinde. ~**iform** [-nifōm] *s.* kama şeklinde; *i.* çivi yazısı.
cunning ['kʌnin(g)] *i.* Kurnazlık, hile: maharet, ustalık. *s.* Kurnaz, hinoğlu hin; maharetli, marifetli. ~ **as the Devil**, şeytana külahını giydirir. ~**ly**, kurnazca.
cup[1] [kʌp] *i.* Fincan, bardak, kadeh; (*sp.*) kupa; keis; (*müh.*) yağ çanağı: **a bitter** ~, felâket: **his** ~ **was full (to overflowing)**, saadet/kederi tamam olmuş: **in one's** ~**s**, sarhoş iken: **it's not my** ~ **of tea**, hoşuma gitmez.
cup[2] *f.* (*tıp*) Hacamat yapmak.
CUP = CAMBRIDGE UNIVERSITY PRESS.
cup- *ön.* ~**-and-ball**, birbirine bağlı bir topla yuvalı bir çomaktan ibaret bir oyuncak: ~**-joint**, (*müh.*) diz kapağı şeklinde bir eklem. ~**-bearer**, saki, içki dağıtan. ~**board** ['kʌbəd], dolap: ~ **love**, (hayvan/çocuk) yiyecek vb. verileceği için gösterilen sevgi.
cupel ['kyūpəl]. Eritme/kal potası. ~**lation** [-'leyşn], potada eritme/tasfiye.
cup·-final ['kʌpfaynəl]. Futbol vb. şampıyonluğu finali. ~**ful**, fincan dolusu.
Cupid ['kyūpid] (*mit.*) Aşk ilâhı, Küpidon; güzel bir erkek çocuğu. ~**ity** [-'piditi], hırs, açgözlülük.
cupola ['kyūpələ] (*mim.*) Ufak kubbe, künbet; kupola; (*müh.*) döküm ocağı; (*den.*) dönen top kulesi, kupol.
cuppa ['kʌpə] (*arg.*) = CUP OF (TEA).
cupping ['kʌpin(g)]. Hacamat. ~**-glass**, hacamat şişesi.
cupr·eous ['kyūpriəs]. Bakırlı; bakır gibi. ~**ic**, bileşimde bulunan iki valanslı bakıra ait. ~**iferous**, bakır hâsıl eden. ~**o-**, *ön.* bakır+. ~**ous**, bileşimde bulunan tek valanslı bakıra ait.
cup-tie ['kʌptay]. Futbol vb. şampiyonluğu eleme maçı.
cupule ['kyūpyūl]. (Pelit) yüksüğü, kadehcik.
cur [kə̄(r)]. Âdi köpek; terbiyesiz/kaba/korkak adam.
curable ['kyuərəbl]. Tedavi edilebilir.
curaçao [kyurə'sou]. Turunç likörü.
curacy ['kyuərəsi]. Rahip muavinliği.
curare [kyu'rari]. Kürar bitkisi(nden edinen zehir).
curassow ['kyuərəsou]. Ağaç tavuğu.
curate ['kyuərit]. Rahip muavini. **like the** ~**'s egg**, kalitesi karışık.
curative ['kyuərətiv]. İyileştirici, şifa verici.
curator [kyu'reytə(r)]. Müze/kitaplık vb. müdürü. ~**ship**, müze vb. müdürü makamı.
curb[1] [kə̄b] = KERB.
curb[2] *i.* Gem zinciri. *f.* Ata gem vurmak; öfkesini yenmek; hiddetini tutmak. **put a** ~ **on one's passions**, ihtiraslarına gem vurmak. ~**-rein**, kantarma.
curd [kə̄d]. Kesilmiş süt; bir nevi peynir. ~**s and whey**, bir nevi yoğurt: ~ **soap**, beyaz sabun.
curdle ['kə̄dl]. (Süt) kesilmek; (kan) pıhtılaşmak; donmak. **enough to** ~ **one's blood**, tüylerini ürpertecek derecede.
cure ['kyuə(r)] *f.* Tedavi etm., iyileştirmek; (*ev.*) salamura yapmak, tütsülemek, dumanlamak; (*kim.*) olgunlaştırmak; pişirmek, vulkanize etm. *i.* Tedavi; şifa, çare, ilâç. **the** ~ **of souls**, rahiplik görevi. ~**-all**, her derde deva. ~**d**, iyileşmiş; tütsülenmiş, salamura yapılmış. ~**less**, tedavisiz; çaresiz. ~**r**, tütsüleyici.
curett·age [kyu'retāj] (*tıp.*) Küretle yapılan ameliyat, kürtaj. ~**e**, küret(le kazımak).
curfew ['kə̄fyū]. (Ortaçagda) ateş söndürme zamanını bildiren çan; olağanüstü durumlarda halkın evinden dışarı çıkması yasak olduğu zaman.
curia ['kyuəriə]. Papalık divanı. ~**l**, bu divana ait.
curio ['kyuəriou]. Nadir şey; biblo. ~**sity** [-'ositi], tecessüs; merak; antika, biblo: **old** ~ **shop**, antikacı mağazası. ~**us** [-riəs], meraklı, hevesli; mütecessis; nadir, garip. görülmemiş: ~**ly**, meraklı/garip olarak: ~**ly enough**, işin garibi; garibi şu ki: ~**ness**, merak.
curium ['kyuəriəm]. Küriyum.
curl [kə̄l] *i.* Kıvırım, büklüm, bukle. *f.* Kıvırmak, kıvrılmak; bük(ül)mek; büklüm yapmak/olm.; bukle yapmak. ~ **oneself up**, dertop olm. ~**er**, saç kıvırma şeyi.
curlew ['kə̄lyū]. Çullukgillerden bir kaç ceşit. **slender-billed** ~, ince gagalı kervan çulluğu: **stone-**~, kocagöz, çayır balabanı.
curling[1] ['kə̄lin(g)] (*İsk.*) Buzda taş toplarla oynanan bir oyun.
curling[2]. ~**-iron/-tongs**, saç maşası. ~**-machine**, kenar kıvırma makinesi. ~**-pin**, saç kıvırma iğnesi.
curly ['kə̄li]. Kıvırcık, kıvrık; dalgalı. ~**-head/top**, kıvırcık saçlı çocuk.
curmudgeon [kə̄'mʌcən]. Ters, abus; cimri.
currant ['kʌrənt]. Kuşüzümü; frenk üzümü.
currency ['kʌrənsi]. Revaç, sürüm, geçerlik, nakit/mütedavil para: **blocked/frozen** ~, bloke edilmiş para: **foreign** ~, döviz: **hard/soft** ~, değerli/değersiz para: **legal** ~, resmî para: **paper** ~, kâğıt para.
current [kʌrənt] *s.* Cari, geçer(li), yürür(lükte), sürümdeğer, akan, tedavülde; hali hazıra ait, bugünkü. *i.* Cereyan, akım, akıntı. **alternating** ~, alternatif/dalgalı akım, mütenavip cereyan: **derived** ~, çekme akım: **direct** ~, doğru akım, daimî/mütemadi cereyan: **eddy** ~, taşkın akım: ~ **issue/number**, bir dergi vb.nin son çıkan nüshası: **at** ~ **prices**, bugünkü fiyatlarla: **in** ~ **use**, genellikle

kullanılan: **go against the ~**, (*mec.*) herkesin yaptığına karşı gitmek. **~-breaker**, disjonktör. **~ly**, şimdi; genellikle: **it is ~ reported that ...**, genellikle söylenildiğine göre.
curricul·ar [kʌ'rikyulə(r)]. **~**UM'a ait. **~um**, *ç.* **~a**, müfredat/öğretim programı: **~ *vitae*** [-vītay] (*Lat.*) meslek hayatının icmalı.
currier ['kʌriə(r)]. Sepici, tabak; kaşağıcı.
currish ['kə̄riş]. Adi köpek gibi; terbiyesiz, kaba; huysuz.
curry[1] ['kʌri] *i.* Biberli salça ile yapılan bir Hint yemeği. **~-powder**, bu salçanın tozu.
curry[2] *f.* Atı kaşağılamak, tımar etm.; deriyi boyamak, sepilemek. **~ favour with s.o.**, dalkavuklukla birinin gözüne girmeğe çalışmak/yaranmak. **~comb**, kaşağı(lamak).
curse [kə̄s] *i.* Lânet; bela; inkisar; (*kon.*) aybaşı. *f.* Lânet etm., beddua etm.; inkisar etm. **~ one's fate**, bahtına küsmek. **~d** [-st] *g.z.(o.)*: [-sid] *s.* ... da Allahın belâsı.
cursive ['kə̄siv]. El yazısı ile yazılmış; harfleri bitişik yazısı.
cursor ['kə̄sə(r)]. Hareketli açıölçer, mastara. **~ial**, (*zoo.*) koşmağa uygun.
cursory ['kə̄səri]. Acele; sathî; gelişi güzel.
curst [kə̄st] = CURSED.
curt [kə̄t]. Kısa, kuru; nezaketsizce kısa.
curtail [kə̄'teyl]. Kısaltmak, kısmak. **~ment**, kısaltma, kısma.
curtain ['kə̄tən] *i.* Perde; siper; pano; (*tiy.*) dış perde. *f.* Perde ile örtmek/ayırmak. **bamboo/iron ~**, 'bambu'/'demir' perdeli sınır: **fire/safety ~**, (*tiy.*) yangın perdesi. **~-call**, (*tiy.*) piyes bittikten sonra alkışlarla aktörleri tekrar sahneye çağırma. **~-fire**, (*ask.*) ateş baraji. **~-lecture**, zevcenin kocasını yatakta azarlaması. **~-line**, (*tiy.*) sahnenin son satırı. **~-music**, (*tiy.*) piyes başlamadan önce çalınan müzik. **~-raiser**, (*tiy.*) ön gösteri. **~-ring/-rod**, perde halka/çubuğu. **~s!**, (*kon.*) bitti; mahvoldu! **~-up**, (*tiy.*) piyes başlaması. **~-wall**, (kale) iki burcun arasındaki sur.
curts(e)y ['kə̄tsi]. (Kadın) diz kırarak reverans (yapmak).
curva·ceous [kə(r)'veyşəs]. Çok kavisli; (*kon.*) güzel biçimli (kadın). **~ture** ['kə̄vəçə(r)], inhina; kavislenme, eğrilik, eğriliş; kıvrıklık, kıvrım.
curve [kə̄v] *i.* Kavis, münhani, eğri; viraj, dönemeç. *f.* Kavis çizmek, inhina vermek. **~d**, kavisli, eğri(li).
curvet [kə̄'vet]. Şaha kalkma(k).
curvi- [kə̄vi-] *ön.* Kavis+, eğri+, kıvrım+. **~linear**, eğri·li/-sel.
cusec. = CUBIC FOOT PER SECOND.
cushion ['kuşən] *i.* Yastık; koruyan şey; tampon. *f.* Yastık koymak; sademeyi hafifletmek. **~craft** = HOVERCRAFT.
cushy ['kuşi] (*arg.*) Kolay ve rahat (iş), otlak.
cusp [kʌsp]. Zirve; sivri uç; dilim. **~(id)ate**, zirveli, sivri uçlu.
***cuspidor** ['kʌspıdō(r)]. Tükrük hokkası.
cuss [kʌs] (*arg.*) Küfür (etm.); herif. **~ed** [-sid], inat, aksi; = CURSED: **~ness**, inatçılık, aksilik, domuzluk.
custard ['kʌstəd]. Yumurtalı ve sütlü krema. **~-powder**, bu kremanın tozu.
custod·ian [kʌs'toudiən]. Muhafız; bekçi. **~y** ['kʌstədi], muhafaza, koruma, himaye; nezaret; tevkif: **take into ~**, tevkif etm., tutuklamak.
custom ['kʌstəm]. İtiyat, alışkanlık; âdet, alışkı, örf, gelenek, görenek; (*mal.*) müşteriler. **~able**, gümrüğe tabî. **~ary**, âdet olan, mutat, alışılmış. **~-built/-made/-work**, ısmarlama (iş). **~er**, gümrükçü; müşteri: **awkward/tough ~**, (*kon.*) çetin kişi: **queer ~**, (*kon.*) garip bir adam. **~-house**, gümrük dairesi. **~s**, gümrük: **clear through ~**, gümrükten çekmek: **~-agent/-broker**, gümrük işgüder/komisyoncusu: **~-clearance**, gümrükleme, gümrükten çekme: **~-duty**, gümrük resmi: **~-free**, gümrükten muaf: **~-officer**, gümrükçü, gümrük memur/görevlisi.
cut[1] [kʌt] *i.* Kesme; kesik, yara; darbe; yarma; kesip çıkarma; kesik parça; biçi, biçim, kesim; (fiyat vb.) indirme; kader darbesi; tanımamazlıktan gelme; basma resim. **be a ~ above ...**, -e tenezzül etmemek; -e bir gömlek üstün olm.: **make a clean ~ with**, -le ilişkiyi tamamen kesmek: **give s.o. the ~ direct**, birini çiğneyip geçmek (selâm vermemek): **a prime ~**, kasaplık etin en seçme parçası: **short ~**, kestirme yol: **an unkind ~**, dokunaklı ve kırıcı söz/hareket: **the unkindest ~ of all**, en fecii, en dokunaklısı: **~ and thrust**, göğüs göğüse kavga.
cut[2] *s.* Kesik, kesilmiş. **(all) ~ and dried**, hazır (fikir vb.); kesin şekilde tespit edilmiş (plan vb.): **low ~ (dress)**, dekolte (elbise).
cut[3] (*g.z.(o.)* **cut**) *f.* Kesmek, biçmek, yontmak, makaslamak, yarmak; (fiyat) indirmek. **~ s.o. (dead)**, birini görmemezlikten gelmek: **that ~s both ways**, bu iki yüzlü bir kılıçtır: **~ and come again**, sofrada et yemeğinden ikinci defa almak (*bir şeyin bolluğunu ifade eder*): **~ a corner**, köşeyi dönmeyip kestirmeden gitmek; (*oto.*) köşeye sürünerek viraj yapmak: **~ across**, yol kesmek: **~ across country**, kırdan kestirme gitmek: **~ a lecture**, (*kon.*) bir ders vb.ni asmak: **~ no ice**, etkisiz kalmak: **~ and run**, (gemi) palamarı kesip hızla uzaklaşmak; (*mec.*) hızla sıvışmak: **~ the whole concern**, bir işle ilgisini kesmek. **~ away**, kesip çıkarmak. **~ back**, yontmak; kısaltmak; (*kon.*) hızla dönüp geri gitmek. **~ down**, kesip devirmek; kısaltmak; kısmak; biçmek. **~ in**, söze karışmak; (*elek.*) devreye girmek; (yarışta) rakibinin yolunu kesmek. **~ into**, yarmak; bir parça kesmek; söze karışmak. **~ off**, kesip koparmak, ayırmak: **be ~ off**, ölmek. **~ out**, kesip çıkarmak; biçmek; oymak; (*zir.*) bir hayvanı ötekilerden ayırmak; (*den.*) bir limana girip bulduğu gemiyi zorla alıp götürmek, (*elek.*) devreden çıkmak: **~ s.o. out**, birinin bir işte yerini almak: **he is ~ out for this job**, bu iş onun için biçilmiş kaftandır. **~ up**, doğramak, parçalamak; bozmak: **be ~ up**, kendini üzmek, çok müteessir olm.: **~ nasty/rough/ugly**, (*arg.*) hiddete kapılmak; tehditkâr olm.
cutaneous [kyu'teyniəs]. Cilt/deriye ait; deri+.
cutaway ['kʌtəwey]. **~ coat**, bonjur.
cutback ['kʌtbak] (*mal.*) Azal(t)ma, eksil(t)me; (*sin.*) geriye dönüş; (*sp.*) hızlı dönüş.
cute [kyūt] (*kon.*) Açıkgöz; zeki; *zarif, hoş. **~ness**, zekâ; zariflik. ***~y**, (*arg.*) hoş bir kız.
cut-glass ['kʌtglas]. Billûr, kristal.
cuti·cle ['kyūtikl]. Kütikül, üstderi, dericik; beşere; (*bot.*) kabuk zarı. **~s**, hakikî deri.
cutlass ['kʌtləs]. Pala, kısa kılıç.

cutler ['kʌtlə(r)]. Bıçakçı. ~**y**, bıçakçılık; çatal bıçak takımı.
cutlet ['kʌtlit]. Kotlet, pirzola.
cut·-off ['kʌtof]. Kapatma (musluğu), kesim, ~**-out**, akım kesici, devre açıcı: ~ **switch**, disjonktör, şalter. ~**-price**, tenzilâtlı fiyat: ~ **store**, kelepir mağazası.
cutter ['kʌtə(r)]. Kesici, biçici, keski; bıçak; (*müh.*) freze bıçağı; kesme makinesi; (*den.*) kotra, filika, büyük sandal. **glass-**~, cam elması: **hair-**~, berber; saç makinesi: **revenue-**~, gümrük gemisi: **stone-**~, tasçı: **wood-**~, oduncu.
cut-throat ['kʌtθrout]. Katil, cani; insafsız, merhametsiz. ~ **competition**, kıyasıya rekabet/yarışım. ~ **(razor)**, (*kon.*) ustura.
cutting ['kʌtin(g)] *s.* Keskin, kesici; (*mec.*) iğneli, tesirli, etkili. *i.* Yarma; (*bas.*) gazete maktuası, kupür, kesinti; (*zir.*) çelik (dal), çelikleme, budama; (*mod.*) biçki. ~**ly**, keskin/iğneli vb. bir şekilde.
cuttlefish ['kʌtlfiş]. Mürekkep balığı, kafadanayaklı.
cutwater ['kʌtwōtə(r)]. Talimar, mahmuz, kayık tığı.
c.v. = CURRICULUM VITAE.
CVO = COMMANDER OF THE ROYAL VICTORIAN ORDER.
CW = CARRIER WAVE; CHEMICAL WARFARE.
c.w. = CLOCKWISE; COMPLETE WITH. ~**o.** = CASH WITH ORDER.
Cwlth = COMMONWEALTH.
CWS = COOPERATIVE WHOLESALE SOCIETY.
cwt = HUNDREDWEIGHT.
-cy [-si] *son.* -lik [FLUENCY].
cyan ['sayən]. Yeşilimsi mavi. ~**ic** [-'anik], kıyanuslu. ~**ide** [-ənayd], siyanür, siyanit. ~**ogen** [-'anəcin], kıyanus. ~**osis** [-'nousis], (*tıp.*) siyanoz, morarma.
cybernetics [saybə'netiks]. Ayarlama-yönleme bilgisi, sibernetik, kibernetik, güdümbilim.
cyclamen ['sikləmən]. Tavşankulağı; buhurumeryem; siklamen (rengi).
cyclamate ['sikləmeyt] (*kim.*) Siklamat.
cycl·e ['saykl] *i.* Devir, devre, çevrim; daire; dönem; (*coğ.*) dolaşım; bisiklet. *s.* Çevrimli. *f.* Bisikletle gitmek; (*kim.*) bütün işlemlerden geçirmek. ~**ic(al)**, devrî, çevrimsel; devreye mensup; dönüşül, halkalı. ~**ing**, bisikletçilik; (*kim.*) dalgalanma, işlemlerden geçir(il)me, işlem devresi. ~**ist**, bisikletçi. ~**o-**, *ön.* halkalı, yuvarlak; çember+; siklo-: ~**meter** [-'klomitə(r)], bisiklete mahsus uzaklık ölçeği.
cyclon·e ['saykloun]. Kasırga, siklon, döngü. ~**ic** [-'klonik], kasırgaya ait.
cyclopaedi·a [sayklou'pīdiə] = EN~. ~**c**, ansiklopediye ait; geniş, bol.
Cyclop·ean [say'klopiən]. Dev gibi. ~**s** ['sayklops], (*mit.*) tek gözlü dev, kiklop, tepegöz.
cyclo·rama [sayklə'ramə] (*tiy.*) Gök perdesi. ~**style** [-'stayl], kopya/teksir makinesi. ~**tron**, siklotron, kiklotron.
cygnet ['signit]. Kuğu yavrusu.
cylin·der ['silində(r)]. Üstüvane, silindir, merdane. ~**-head**, kulas. ~**drical** [-'lindrikl], üstüvanî, silindir gibi, silindirsel. ~**droid** ['silindroyd], silindir şekli(nde).
cylix ['sayliks] (*ark.*) Ayaklı ve iki kulplu kâse.
cymbal ['simbl]. Çalgı zili. ~**ist**, zil çalan.
cymb·i-/~**o-** [simbi-, -bo-] *ön.* Kayık şeklinde.
cyme [saym] (*bot.*) Talkım.
cymo- [kaymo-] *ön.* Dalga+.
Cymric ['kimrik]. Galyalı.
cynic ['sinik]. Her şey kötü gözle gören, kötümser; her harekete kötülük konduran, kinik. ~**al**, kelbî, kinik, müstehzi, alaycı: ~**ly**, kötümserlikle. ~**ism** [-sizm], kelbiyun felsefesi, kötümserlik, kinizm.
cyno- [saynou-] *ön.* Köpek+. ~**sure** ['sinəjuə(r)], **the** ~ **of every eye**, herkesin hayran olduğu şey vb.
cypher ['sayfə(r)] = CIPHER.
cypress ['saypris]. Selvi, servi.
Cypr·ian ['sipriən]. Kıbrısa ait; (*mer.*) sefih, çapkın. ~**iot(e)** [-iot], *i.* Kıbrıslı: *s.* Kıbrıs+. ~**us** ['saybrəs], Kıbrıs.
Cyrenaica [sayrə'neyikə]. Berka, Sirenaika.
Cyrillic [si'rilik]. ~ **alphabet**, İslav alfabesi.
cyst [sist], (*tıp.*) Kist, özek, kese. ~**ic**, keseye ait. ~**o-**, *ön.* kist+. ~**itis** [-'taytis], kist iltihabı, sistit.
-cyte [-sayt] *son.* -sit; -göze, -hücre; boşluk [LEUCOCYTE].
cytology [si'toləci]. Hücre/göze bilimi, sitoloji.
CZ = CANAL ZONE; COMBAT ZONE.
czar [zā(r), tsā(r)]. Çar; = TSAR.
czardas ['çādaş]. Macar dansı, çardaş.
czar·evitch ['zārəviç]. Çareviç. ~**ina** [-'rīnə], çariçe.
Czech [çek] *i.* Çek; Çekçe: *s.* Çek+. ~**oslovak** [çeko'slouvak], Çekoslovak: ~**ia** [-'vakiə], Çekoslovakya.

D

D [dī]. D harfi; (*müz.*) re.
-d *son. g.z.(o.)* = -ED.
'd [-d] (*kon.*) = HAD; SHOULD; WOULD.
d . . . . (*kon.*) = DAMN(ED).
D, d. = DAME; DAUGHTER; DECI-; DEFENCE; *DEMOCRAT; (*Lat.*) DENARIUS = †PENNY (1972'*den evvelki para*); DEPARTMENT; DEPARTS; DEPUTY; (*kim.s.*) DEUTERIUM; DIED; DIMENSION; DIPLOMA; DIRECTOR(ATE); DIVINITY; DIVISION(AL); DOCTOR(ATE); (*sayı*) 500.
DA = DEPOSIT ACCOUNT; DEPUTY ASSISTANT . . .; DISCHARGE AFLOAT; *DISTRICT ATTORNEY.
da. = DECA-.
dab[1] [dab] *i.* Hafifçe vurma; yumuşak ve ıslak küçük parça. *f.* Hafifçe vurmak; yumuşak ve ıslak bir şeyle bastırmak.
dab[2] (*zoo.*) Bir nevi pisi balığı.
dab[3] (*kon.*) **be a ~-hand at stg.**, bir şeyi yaman bilmek.
dab[4] (*arg.*) Parmak izi.
DAB = DICTIONARY OF AMERICAN BIOGRAPHY.
dabble ['dabl]. (Ellerini vb.) suya sokup çıkarmak. **~ in stg.**, bir az meşgul olm., bir az bilmek.
dabchick ['dabçik]. Küçük yumurta piçi.
da capo [da'kapou] (*İt., müz.*) Baştan tekrarlanacak.
dace [deys]. Gümüşlü balık. **black-nosed ~**, karaburun.
dacha ['daçə]. (Rusya'da) sayfiye.
dachshund ['dakshund] (*Alm.*) Pek kısa bacaklı bir nevi köpek.
dacoit [da'koyt]. (Hint) haydut. **~y**, haydutluk.
dactyl ['daktil]. Bir uzun iki kısa heceli mısra. **~ic**, bu mısraya ait. **~o-**, *ön.* parmak+: **~gram**, parmak izi: **~graphy** [-'ogrəfi], parmak izlerini tetkik eden bilim: **~logy** [-'oləci], sağırların parmaklarla konuşma sanatı.
dad(dy) ['dad(i)] (*kon.*) Baba(cığım). **~-long-legs**, (*kon.*) tipula sineği.
dado ['deydou] (*mim.*) Sütunun gövdesi; iç duvarın süslü alt kısmı.
Daedalian [dī'deyliən] (*mit.*) Daedalus gibi; girift, karışık; dolambaçlı.
daemon ['dīmən] = DEMON; (*mit.*) ikinci derece bir ilâh; telkin.
daffodil ['dafədil]. Yabanî zerrin, çayır nergisi, altıntop; parlak sarı (rengi).
daft [dāft]. Kaçık, sapık.
dagger ['dagə(r)]. Kama, hançer; (*bas.*) (†) işareti. **be at ~s drawn**, birbirinin kanına susamak, birbirinin can düşmanı olm.: **look ~s at s.o.**, bir kaşık suda boğacakmış gibi bakmak. **double ~**, (‡) işareti.
***dago** ['deygou] (*köt.*) Güney Avrupalı; herhangi bir yabancı.
daguerrotype [də'gerotayp]. Eski bir nevi fotoğraf (usulü).
dahlia ['deylyə]. Yıldız çiçeği, dalya.
Dail (Eireann) ['doyl (eərən)]. İrlanda Cumhuriyetinin meclisi.
daily ['deyli] *s.* Günlük, gündelik, yevmiye. *zf.* Her gün; gün geçtikçe. *i.* Gündelik gazete/hizmetçi. **~-bread**, geçim. **~-double**, özel bir bahis. **~-help**, gündelik hizmetçi. **~-life**, günlük yaşantı.
daint·ily ['deyntili]. Nazik olarak. **~iness**, naziklik. **~y**, *s.* zarif ince ve nazik; nazlı; (yemek) nefis; (yemek hakkında) nazlı ve titiz: *i.* nefis yiyecek, çerez.
dairy ['deəri]. Süthane; sütçü dükkânı. **~-cattle**, süt veren sığırlar. **~-cream**, hakikî kaymak. **~-farm**, süt üretilen çiftlik, mandıra. **~ing**, mandıra işletmesi, sütçülük. **~maid**, sütçü kadın. **~man**, sütçü. **~-products**, süt, tereyağı vb.
dais [deys]. Bir oda/salonun baş tarafında yükseltilmiş zemin/kürsü.
daisy ['deyzi]. Papatya, margrit, koyungözü. **~ chain**, papatya çelengi.
Dak(ota) [də'koutə]. **North/South ~**, ABD'nden ikisi.
dale [deyl]. Vadi, dere. **up hill and down ~**, dere tepe geçerek. **~sman**, derede oturan kimse.
dall·iance ['daliəns]. Oynaşma; vakit geçirme. **~y**, haylazlık etm., vakit geçirmek, eğlenmek: **~ with**, bir şeyle oynamak, bir şeyi ciddiye almamak: **~ with s.o.**, birini oyalamak, oynatmak.
Dalmatia [dal'meyşə]. Dalmaçya. **~n**, *i.* Dalmaçyalı; bir nevi büyük ve benekli köpek: *s.* Dalmaçya+.
dalmatic [dal'matik]. Papazın bir çeşit âyin elbisesi.
daltonism ['dōltənizm]. Renkleri seçememek hastalığı, daltonizm.
dam[1] [dam] *i.* Bent (suyu), set, baraj. *f.* Bentle kapamak/tutmak; zaptetmek.
dam[2] (*zoo.*) Ana.
damage ['damic] *i.* Zarar, ziyan, arıza, dokunca, hasar, yıkım-döküm; (*arg.*) fiyat, masraf: **~s**, (*huk.*), tazminat, zarar ve ziyan, dokunca ve eksime. *f.* Zarar vermek, ziyana sokmak, hasara uğratmak, dokuncalandırmak; bozmak. **what's the ~?**, (*kon.*) hesap ne kadar? **~able**, bozulabilir, hasara uğratılabilir. **~d**, bozulmuş: **be ~**, dokuncalanmak.
daman ['deymən]. Kırsıçanımsıgil.
damas·cene [damə'sīn]. Gömme/kakma işi ile süslemek; menevişle(ndir)mek. **~cening**, kakmacılık; menevişleme. **~cus** [də'maskəs], Şam. **~k** ['daməsk] *i.* Şam iş/kumaşı; Şam çeliği; koyu pembe: *s.* Şam iş/çeliğinden yapılmış; gül renginde: *f.* Şam işi vb. ile süslemek: **~-rose**, bir cins pembe gül: **~ steel**, Şam çeliği, menevişli çelik.

dame [deym]. Hanım; yaşlı kadın; kadınlara verilen asalet ünvanı. **~-school**, ana okulu.

dam·fool ['damfūl] (*kon.*) Aptal. **~mit**, (*kon.*) = DAMN IT: **as near as ~**, hemen hemen, kıl kaldı.

damn [dam] (*Bazan* **d—n** *yazılır*) *i.* Küfür; Allah belâsını versin! *f.* Lânetlemek; kötülemek; mahkûm etm. **~ it!**, hay Allah müstahakkını versin!: **well I'm ~ed!**, artık çok oluyor; çok şey!, Allah! Allah!: **I'll see him ~ed first**, dünyada olmaz; avucunu yalasın: **do your ~edest!**, elinden geleni arkana koyma: **it's not worth a (tuppenny) ~**, on para etmez. **~able**, lânet ve nefrete lâyık, menfur. **~ably**, menfur olarak; (*kon.*) çok. **~ation** [-'neyşn], lânet, tel'in; Allahın belâsı. **~ed**, lânetleme, melun, Allahın belâsı. **~ing** [-nin(g)], lânetleyen: **~ evidence**, mahkûm edecek delil.

Damocles ['daməklīz]. **the sword of ~**, İnsanın başında daimî tehlike, Damokles'in kılıcı.

damo·sel/-zel ['daməzel] (*mer.*) = DAMSEL.

damp [damp] *i.* Rutubet, nem; buğu. *s.* Nemli, rutubetli, ıslak. *f.* Hafifçe ıslatmak, nemlendirmek; (yangın, ses) bastırmak, sindirmek, durdurmak; (heyecan vb.) soğumak, sönmek: **~ s.o.'s ardour**, birinin hevesini kırmak: **it's just ~ing**, yağmur hafifçe çiseliyor. **~-course**, (*mim.*) tecrit tabakası. **~en** = **~** (*f.*). **~er**, (sobada vb.) ateş tanzim kapağı; rutubet verici cihaz; sesi kısma cihazı; önleyici, amortisör; gizleyici: **put a ~ on the company**, toplantıya soğuk bir hava getirmek. **~ing**, sönüm, amortisman, sindirme. **~ness**, nem, rutubet; sis. **~proof**, nem geçmez.

damsel ['damzl]. Genç kız.

damson ['damzn]. Mürdüm eriği. **~-cheese**, erik tatlısı.

dan[1] [dan]. Küçük şamandıra.

dan[2] (*mer.*) = MASTER; SIR.

Dan. = DANISH.

daN = DECA-NEWTON.

danc·e [dāns] *i.* Dans, raks; balo; bale. *f.* Dansetmek; oynamak. **~ attendance on s.o.**, birinin etrafında dört dönmek/çırpınmak: **~ for joy**, sevincinden takla atmak: **~ with rage**, hiddetten tepinmek: **lead s.o. a ~**, birinin başına iş açmak, birini eziyete sokmak: **I'll make him ~ to a different tune**, ben ona gösteririm, ben ona dünyanın kaç bucak olduğunu anlatırım: **~-hall**, genel dans evi: **~-notator**, bale hareketlerini gösteren işaretleri yazan kimse. **~er**, danseden kimse; çengi, rakkase; (bale) dansör, dansöz. **~ing**, dans (etme): **~-girl**, dansöz.

d. and c. = (*tıp.*) DILATION AND CURETTAGE.

dandelion ['dandilayən]. Karahindiba.

dander ['dandə(r)]. **get one's ~ up**, hiddeti beynine sıçramak.

dandified ['dandifayd]. Üstüne başına fazla düşkün.

dandle ['dandl]. (Çocuğu) hoplatmak; (*mec.*) okşamak, şımartmak.

dandruff ['dandrəf]. (Saçta) kepek, dericik.

dandy ['dandi] *s.* Fazla şık; iki dirhem bir çekirdek; *yaman, mükemmel. *i.* Züppe.

Dane [deyn]. Danimarkalı: **great ~**, kuvvetli bir cins köpek: **~geld**, (*tar.*) Danimarkalıların akınlarını menetmek için toplanan vergi; (*kon.*) şantaj.

danger ['deyncə(r)]. Tehlike. **in ~**, tehlikede: **out of ~**, tehlikeden çıkmış; (*tıp.*) iyileşmiş: **~-money**, riziko ikramiyesi, dokunca kâr payı. **~ous** [-rəs], tehlikeli: **~ly**, tehlikeli surette: **live ~ly!**, çekingen olmıyarak hayattan zevk almak.

dangle ['dan(g)l]. Asılıp sallan(dır)mak; sark(ıt)mak. **~ after/around s.o.**, peşinden koşmak: **~ stg. before s.o.**, çekmek için bir şeyi göstermek/vadetmek.

Danish ['deyniş] *i.* Danimarkalı; Danimarkaca: *s.* Danimarka +.

dank [dan(g)k]. Islak ve soğuk. **~ness**, soğuk rutubet/ıslaklık.

Danub·e ['danyūb]. Tuna. **~ian** [-'nyūbiən], Tuna +.

dap [dap]. Sıçrama(k).

daphne ['dafni]. Defne.

dapper ['dapə(r)]. Ufak tefek, canlı ve üstü başı temiz ve muntazam.

dapple ['dapl]. Beneklemek: **~d**, benekli: **~-grey**, baklakırı, ala kır.

Darby ['dābi]. **~ and Joan**, Arzu ile Kanber: **~ club**, yaşlılar derneği.

Dardanelles [dādə'nelz]. Çanakkale Boğazı.

dare ['deə(r)]. Kalkışmak, cesaret etm., cüret etm. **how ~ you!**, bu ne cesaret, küstahlık!: **I ~ say**, olabilir; her halde; sanırım: **~ s.o. to do stg.**, birine bir şeyi 'yapamazsın' diye meydan okumak, alnını karışlamak: **don't you ~ touch him!**, ona dokunayım deme! **~-devil**, gözünü çöpten sakınmaz, serdengeçti.

daring ['deərin(g)] *i.* Cesaret, yiğitlik. *s.* Cesur, cüretli, atılgan. **~ly**, cesur/atılgan olarak.

dark [dāk] *i.* Karanlık. *s.* Koyu; esmer; (*fiz.*) sönük; kasvetli; anlaşılmaz; gizli. **pitch ~**, göz gözü görmez: **the ~ Ages**, Ortaçağın ilk yarısı: **the ~ Continent**, Afrika: **be in the ~**, haber/bilgisi olmamak: **after ~**, ortalık karardıktan sonra: **it is getting ~**, ortalık kararıyor: **a ~ horse**, hakkında bir şey bilinmiyen yarış atı/rakip: **keep stg. ~**, bir şeyi gizli tutmak. **~en**, karar(t)mak, koyulaş(tır)mak. **~-eyed**, kara gözlü. **~ish**, oldukça koyu/esmer. **~ling**, karanlıkta; koyulaşan. **~ly**, kasvetli/gizli bir şekilde; açıkça olmıyan; cahilce. **~ness**, karanlık, (renk) koyuluk. **~-room**, (*fot.*) karanlık oda, şambrnuvar. **~some**, ışıksız; kederli, sönük. **~y** (*kon.*) zenci.

darling ['dālin(g)]. Sevgili, maşuka: **a mother's ~**, nazlı, hanım evlâdı.

darn[1] [dān]. Örme(k), örgü; tamir (etm.), yama(mak).

darn[2] = DAMN: **I don't care/give a ~**, bana vız gelir.

darnel ['dānəl]. Delice otu.

darn·er ['dānə(r)]. Örücü, yamacı. **~ing**, örme, yamama: **~-ball/-needle**, örgü yumurta/iğnesi.

dart [dāt] *i.* Ok, hafif mızrak, cirit: birdenbire atılma. *f.* Ok gibi fırla(t)mak, at(ıl)mak. **~s**, küçük okları içiçe daire şeklinde bir hedefe atmaktan ibaret bir oyun. **~er**, (*zoo.*) yalıçapkınıgil(ler).

dartre [dātr]. Erpes gibi bazı deri hastalıkları.

Darwin·ian [dā'winiən]. Darvin(ciliğ)e ait. **~ism** ['dā-], Darvincilik.

dash[1] [daş] *i.* Seğirtme; anî ve hızlı koşuş; atılma; hamle; atılganlık, ataklık, cüret, ateş; katılmış cüzî bir miktar, damla; çizgi (—). **cut a ~**, gösteriş yapmak; çalım satmak, caka yapmak: **make a ~**

at, -e saldırmak: **make a ~ for/to**, soluğu -de almak; -e doğru atılmak, seğirtmek: **swung ~**, (*bas.*) yaylı çizgi (~).
dash[2] *f.* Şiddetle atmak, fırlatmak, çarptırmak; seğirtmek, atılmak. **~ at s.o.**, birinin üzerine atılmak/saldırmak: **~ s.o.'s hopes/spirits**, -in umutlarını/cesaretini kırmak: **all my hopes were ~ed to the ground**, bütün umutlarım suya düştü: **~ to pieces**, fırlatarak parça parça etm. **~ along/away**, hızla gitmek/ayrılmak. **~ in**, paldır küldür girmek. **~ off**, (i) hızla uzaklaşmak; (ii) hızla karalamak, çiziktirmek. **~ out**, dışarı fırlamak: **~ out s.o.'s brains**, birinin beynini patlatmak.
dash-[3] *ön.* **~board**, çamurluk; (*oto. vb.*) âlet/tevzi tablosu, pano. **~ing**, atılgan, cesur, parlak, yaman; göze çarpan, gösterişli. **~-light**, pano lambası. **~pot**, tampon, amortisör.
dastard ['dastəd] *i.* **~ly**, *s.* Alçak, korkak, namert.
dasy- ['dasi-] *ön.* Kaba, kıllı, kalın. **~meter**, yoğunluk ölçeği. **~pod**, kemerli hayvangil(ler). **~ure** [-yuə(r)], keseli sansargil(ler).
dat. = DATIVE.
data ['deytə] *ç.* Malûmat, ayrıntılar, verilen bilgi, veriler, doneler; = DATUM. **~-bank**, (kompütör) bilgi/veriler bankası. **~-phone**, bilgi/veri iletimi için kompütöre bağlı telefon. **~-processing**, bilgi işlemi.
date[1] [deyt] (*bot.*) Hurma. **~-palm** [-pām], hurma ağacı.
date[2] *i.* Tarih. *f.* Tarihini atmak; tarihe ait olm.; tarih/eskilik/yaşını belli etm.; *birisiyle randevusu olm. **~ of a bill**, bir senedin vadesi: **six months after/at six months' ~**, altı ay sonunda: **interest to ~**, bugüne kadar olan faiz: **have a (blind) ~ with s.o.**, (tanımadığı) birisiyle bir söz/randevusu olm.: **this has not ~d**, modası geçmemiş: **out of ~**, modası geçmiş, eski: **under the ~ of 9 May**, 9 mayıs tarihinde: **be up to ~**, zamana uygun olm.; modern/yeni fikirli olm.; işini günü gününe yetiştirmek. **~d**, tarih/süre/vadeli: **long/short ~**, uzun/kısa vadeli. **~less**, tarih/vadesiz; ebedî. **~-line**, gün değişme çizgisi. **~r**, tarih damga makinesi. **~-stamp**, tarih damgası.
***dating** ['deytin(g)]. (Bir erkek/kızla) randevusu olma.
dative ['deytiv] (*dil.*) Yönelme durumu, -e/verme hali.
datum, *ç.* DATA ['deytəm, -tə]. Muta, veri; kıyas hat/noktası. **~-line**, malûm bir hat.
datura [də'tyūrə]. Tatula.
daub [dōb] *i.* Bulaşık leke; berbat resim. *f.* Bulaştırmak, sıvamak. **~er**, (*köt.*) kaba ressam.
daughter ['dōtə(r)]. Kız (evlât); aile/ülke dişi üyesi. **~-cell**, (*biy.*) oğul göze. **~-in-law**, gelin. **~ly**, kız evlât gibi, kıza ait.
daunt [dōnt]. Korkutmak, cesaretini kırmak, yıldırmak. **nothing ~ed**, her şeye rağmen yılmadan. **~less**, yılmaz, cesur: **~ness**, yılmazlık, cesaret.
Dauphin ['dōfin]. (*tar.*) Fransız veliahdı.
davenport ['davnpōt]. Küçük bir yazı masası; *arkalı kanape.
David and Jonathan ['deyvid ənd 'conəθən]. İki sadık dost.
Davis ['deyvis]. **~-apparatus**, denizaltıdan kurtarılma cihazı.
davit ['davit] (*den.*) Metafora, sandal vinci.
Davy ['deyvi]. **~ Jones**, (*den. arg.*) deniz şeytanı: **~'s locker**, enginler, denizde ölenlerin kabri: **go to ~'s locker**, deniz dibinde boğulmak. **~-lamp**, madenci lambası.
daw [dō] = JACKDAW.
dawdle ['dōdl]. Ağır davranmak, sallanmak.
dawn [dōn] *i.* Şafak, seher, gün ağarması, tan. *f.* Gün ağarmak, şafak sökmek. **at length it ~ed on me that...**, nihayet anladım/kafama dank dedi ki. ... **~ing**, *i.* gün ağarması; (*mec.*) başlangıç: *s.* başlıyan.
day [dey]. Gün, gündüz; zaman; günlük. **~ after ~**, arka arkaya her gün; Tanrının günü: **~ and ~ about**, birisiyle gün aşırı nöbetleşe: **~ by ~**, günden güne: **all ~ long**, bütün gün akşama kadar: **the ~ before yesterday**, önceki gün: **before ~**, güneş doğmadan önce: **break of ~**, şafak: **by ~**, gündüz: **it was broad ~**, güneş doğalı çok olmuştu: **carry the ~**, kazanmak, galebe çalmak: **the ~ is ours**, kazandık: **the ~ was going badly for the English**, muharebe İngilizlerin aleyhine gidiyordu: **from that ~ to this**, o gün bugündür: **the good old ~s**, hey gidi günler: **in the good old ~s/in the ~s of old**, eski zamanda: **he has had his ~/his ~ is done/over**, onun zamanı geçti: **in my/his ~**, benim zamanımda/onun zamanında: **it's many a long ~ since...**, ne zamandan beri..., -medim vb.: **ask a girl to name the ~**, (*kon.*) bir kıza evlenme teklifi yapmak: **on one's ~**, bir işte en iyi olduğu zaman: **one of these (fine) ~s**, (ikaz/tehdit makamında) günün birinde, bir gün: **the other ~**, geçen gün: **he has seen better ~s**, kibar düşkünüdür; o ne günler görmüştür: **some ~**, bir gün: **in this ~ and age**, şimdi, bu zamanlarda: **this ~ week/month**, gelecek hafta/ay bu gün: **it is three years ago to a ~**, günü gününe üç sene evvel: **to this very ~**, bu gün bile, hâlâ: **it's all in the ~'s work**, (*ata.*) bu işe giren buna katlanır (beklenmedik bir şey değil): **lay ~(s)**, yükleme/boşaltma müddeti: **off ~**, izin; tam sağlam olmadığı bir gün: **red-letter ~**, bayram günü; sayılı bir gün. **~-blindness**, gündüz göre-memezlik. **~-boarder**, yarım leylî/yemekli (öğrenci). **~-book**, yevmiye defteri, jurnal. **~-boy**, leylî olmayan/yemeksiz öğrenci. **~-break**, şafak, gün ağarması, tan. **~-dream**, hulya/kuruntu (görmek); dalga geçmek. **~-labour(er)**, gündelik(çi).
daylight ['deylayt]. Gündüz, aralık, açıklık: **in broad ~**, güpegündüz: **by ~**, gündüz(ün): **begin to see ~**, bir işin içyüzü/mahiyetini anlamağa başlamak; üzüntülü bir iş/kötü bir durumun sonuna yaklaştığını sezmek. **~-robbery**, (*kon.*) yüzsüz vurgunculuk. **~-saving**, gün ışığından faydalanma, yaz saati.
day·long ['deylon(g)]. Bütün gün (süren), sabahtan akşama kadar. **~-nursery**, kreş. **~-school**, gündüz okulu, yatısız okul. **~-spring**, şafak, tan. **~time**, gündüz. **~-wage**, gündelik (ücreti), yevmiye.
daze [deyz] *i.* Sersemlik, baygınlık, şaşkınlık. *f.* Sersemletmek; şaşkına çevirmek. **~d**, sersem, baygın, şaşkın: **~ly**, sersem vb. olarak.
dazzl·e ['dazl]. Gözlerini kamaştırma(k). **~ing**, kamaştırıcı, kamaşma; çok parlak.
d.b. = (*mod.*) DOUBLE-BREASTED.
dB = DECIBEL.

DBE = DAME COMMANDER (OF THE ORDER) OF THE BRITISH EMPIRE.
d-bit ['dībit]. Namlu matkabı.
DC = DIPLOMATIC CORPS; DIRECT CURRENT; DISTRICT OF COLUMBIA; DISTRICT COMMISSIONER. **~B/MG** = DAME COMMANDER (OF THE ORDER) OF THE BATH/ST. MICHAEL AND ST. GEORGE. **~L** = DOCTOR OF CIVIL LAW. **~M** = DISTINGUISHED CONDUCT MEDAL. **~VO** = DAME COMMANDER OF THE ROYAL VICTORIAN ORDER.
DD = DOCTOR OF DIVINITY.
D-day ['dīdey] (*ask.*) Bir hareket için önceden tespit edilmiş gün (bilh. 6.6.1944).
DDT = DICHLORO-DIPHENYL-TRICHLORETHANE.
de- [dī-] *ön. Şu anlamları taşır*: (i) *Bir şeyin tam tersini yapmak, mes.* **mobilize**, seferber etm.; **demobilize**, terhis etm.: (ii) aşağıya, *mes.* **ascend**, çıkmak; **descend**, inmek: (iii) uzak, ayrı, *mes.* **rail**, ray; **derail**, raydan çıkarmak: (iv) tam, *mes.* **despoil**, tamamen soymak.
deacon ['dīkən] (*din.*) Diyakon. **~ess**, kadın diyakon. **~hood/-ship**, diyakon makamı. **~ry**, diyakon makamı; diyakonlar.
deactivate [dī'aktiveyt]. Bir şeyin etkisini kaldırmak; bomba vb.nin mekanizmasını etkisiz etm.
dead [ded]. Ölü, ölmüş; ölü gibi; (*elek.*) akımsız; tam, katî, kesin, tamamen; kullanılmaz. **I am ~ against it**, ben bunun tamamen aleyhindeyim: **a ~ cert(ainty)**, elde bir: **~ and done for**, hapı yuttu, onun işi bitti: **in ~(ly) earnest**, son derece ciddî, şakası yok: **go ~**, (bir uzuv) uyuşmak: **the ~ hours**, gece yarısı, el ayak çekildiği zaman: **a ~ language**, hâlâ konuşulmıyan dil: **a ~ loss**, tam kayıp: **~ men tell no tales**, ölüler konuşmaz (*bir sırrı ifşa etmemesi için öldürülen kimse hakkında kullanılır*): **at ~ of night**, gece yarısı: **~ on time**, tam vaktinde: **~ secret**, son derece gizli; büyük sır: **a ~ shot**, keskin nişancı; attığını vurur: **a ~ sound**, tok ses: **~ stock**, bir çiftliğin cansız eşyası; kullanılmıyan sermaye, satılmıyan mal: **come to a ~ stop**, anî olarak ve tam durmak: **~ to . . .**, -e karşı hissiz: **~ white**, mat beyaz boya: **~ window**, taklit pencere: **in the ~ of winter**, karakışta: **~ wire**, elektrik akımı geçmiyen tel: **~ to the world**, son derece bitkin/sarhoş.
dead- *ön.* **~-alive** [-ə'layv], ölü gibi, şevksiz, cansız; sıkıntılı. **~-ball**, oyundan çıkmış top. **~-beat**, bitkin bir halde; (*müh.*) sallantısız. **~-centre**, (*müh.*) ölü nokta; (torna) dönmez punta. **~-drunk**, son derece sarhoş. **~-duck**, (*arg.*) faydasız, muvaffak olmıyan. **~en**, hafifletmek; körletmek; tamamen azaltmak; ses geçmez hale getirmek. **~-end**, (*dem.*) bittiği nokta; köryol, çıkmaz: **~ job**, kâr/hayırsız bir iş. **~-eye**, (*den.*) boğata. ***~-fall**, tuzak, kapanca. **~-ground**, (*ask.*) menzil dışı. **~head**, özelliksiz bir kimse; (*bot.*) ölmüş çiçek başı(nı kaldırmak). **~-heat**, (yarış) başbaşa varış. **~-house**, morg. **~-letter**, sahibine teslim edil(e)miyen mektup; mer'i olmıyan kanun vb. **~-light**, lomboz kör kapağı. **~-line**, teslim müddeti sonu; yasak bölge sınırı. **~liness**, öldürücülük. **~-lock**, hareketin tamamen durduğu bir durumu; çıkmaza girme; sürmeli kilit. **~ly**, öldürücü; amansız, tehlikeli; ölü gibi; müthiş: **in ~ earnest**, şakası yok: **~ sin**, kebair, büyük günah: **~-nightshade**, güzelhatunçiçeği. **~-man's handle**, (vatman ölürse) akım kesen kol. **~-march**, (*müz.*) cenaze marşı. **~ness**, uyuşukluk; durgunluk. **~-nettle**, ballıbaba. ***~-pan**, (*arg.*) tamamen heyecansız (yüz). **~-reckoning**, (*den.*) gemi mevkiinin parakete ve pusula vasıtasiyle ve rasatsız tayini. **~-Sea**, Lût Gölü. **~-set, make a ~ at s.o.**, birine karşı doğru ve kasıtlı hücum etm. **~-water**, durgun su. **~-weight** [-weyt], kesilmiş hayvanın ağırlığı; (borç vb.) ağır yük; dedveyt, yük alma kabiliyeti. **~-window**, taklit, örülmüş pencere. **~-wood**, (*mec.*) faydasız.
de-aerate [dī'eəreyt]. Havasını gidermek.
deaf [def]. Sağır. **~ as a post**, duvar gibi sağır: **be ~/turn a ~ ear to**, dinlemek istememek; reddetmek: **none so ~ as those who won't hear**, işitmek istemiyen kadar sağır olmaz. **~-and-dumb/~-mute** [-dʌm, -myūt], dilsiz sağır. **~en**, sağırlaştırmak: **~ing**, yüksek sesli; sağırlaştırıcı; (*mim.*) ses geçirmez madde. **~ness**, sağırlık.
deal[1] [dīl] *i.* (Çok) miktar; çok. **a good ~**, çok: **a great ~**, pek çok.
deal[2] *i.* Ticarî muamele; pazarlık; oyun kâğıdını dağıtma, el. **well that's a ~**, pek iyi uyuştuk.
deal[3] (*g.z.(o.)* **dealt** [delt]) *f.* Muamele etm.; pazarlık etm.; iş yapmak; dağıtmak, tevzi etm., vermek; (darbe) indirmek; oyun kâğıdını dağıtmak. **~ in . . .**, . . . ticareti yapmak: **~ out**, tevzi etm., dağıtmak: **~ with (a matter)**, (bir mesele) ile meşgul olm.; ele almak: **~ with s.o.**, birisiyle pazarlık etm.; birisiyle ticaret yapmak; birisiyle meşgul olm.: **I'll ~ with him!**, onu bana bırak!
deal[4] *n.* Çam tahtası.
dealer ['dīlə(r)]. Satıcı, tüccar: (oyunda) kâğıt dağıtan. **double-~**, iki yüzlü.
dealfish ['dīlfiş]. Kağıtbalığı(gil).
deal·ing ['dīlin(g)]. Davranış; (*mal.*) muamele. **~t** [delt] *g.z.(o.)* = DEAL[3].
dean [dīn] (*din.*) †Katedral/büyük kilisenin başrahibi; (*eğit.*) dekan. **rural ~**, İng. kilisesinde bir rütbe. **~ery**, başrahibin oturduğu ev.
dear [diə(r)]. Aziz; sevgili; pahalı. **~ ~!/~ me!**, aman yarabbi!, ne söylüyorsun?, deme Allah aşkına!: **oh ~!**, vah vah, yazık!: **my ~ fellow**, azizim, aziz dostum: **get ~(er)**, pahalılaşmak: **you shall pay ~(ly) for this!**, bu size pahalıya mal olacak: **run for ~ life**, var kuvvetiyle koşmak: (*mektup başında*) **~ Sir**, vb., Sayın/Muhterem . . .. **~ly**, sevgili/pahalı olarak. **~ness**, sevgi; pahalılık.
dearth [dəθ]. Kıtlık, yokluk.
dear·y/~ie ['diəri] (*kon.*) Sevgilim, çocuğum.
death [deθ]. Ölüm, vefat: **be at ~'s door**, ölmeğe üzere olm.: **you'll be the ~ of me!**, (i) benim ölümüme sebep olacaksın; (ii) beni gülmekten öldüreceksin: **be in at the ~** = KILL: **be ~ on . . .**, (i) -in can düşmanı olm.; (ii) -de pek usta olm.: **the Black ~**, ortaçağda vebaya verilen isim: **do to ~**, zulmederek öldürmek: **meat done to ~**, fazla pişirmekten yanmış et: **(fashion/story) done to ~**, (moda/hikâye vb.) insanı bıktıracak derecede yayılmış/tekrarlanmış: **drink oneself to ~**, kendini işretle öldürmek: **put to ~**, idam etm.: **sick to ~ of**, -den son derece bıkmış, gına getirmiş, illallah demiş: **war to the ~**, ölesiye savaş. **~-agony**, can

çekişme. **~-bed**, ölüm döşeği(nde vukubulan). **~-bell/-knell**, ölüm/cenaze zamanında çalınan çan. **~-blow**, öldürücü/kesin darbe. **~-cell/*-house**, idam edilecek mahpuslara mahsus hücre/bina. **~-certificate**, ölüm tezkeresi. **~-dealing**, öldürücü, yokedici. **~-duty/*-tax**, veraset/kalıtım vergisi. **~-instinct**, intihar meyli. **~less**, ölmez, ebedî. **~like/~ly**, ölü(m) gibi. **~-mask**, bir ölünün yüzünün kalıbı. **~-penalty**, ölüm cezası. **~-rate**, ölüm oranı. **~-rattle**, can çekişme hırıltısı. **~'s-head**, (fânilik remzi olan) kafatası; (*zoo.*) kurukafa. **~-trap**, ölüm tehlikesi olan yer. **~-warrant**, ölüm/idam hükmü. **~-watch (beetle)**, tıkırtısı ölüm işareti sayılan küçük böcek.

deb. [deb] = DEBENTURE; DEBIT; DEBUTANTE.

débâcle [dey'bākl] (*Fr.*) Anî çökme; (*ask.*) kötü yenilme, bozgun; (*coğ.*) buz çözülmesi.

debag [dī'bag] (*arg.*) Birinin pantolonunu zorla çıkarmak.

debar [di'bā(r)]. **~ s.o. from stg.**, birini bir şeyden mahrum etm.: **~ s.o. from doing stg.**, birini bir şey yapmaktan menetmek: **~ s.o. a right**, birine bir hakkı reddetmek.

debark(ation) [di'bāk(-'keyşn)] = DISEMBARK(ATION).

debase [di'beys]. Alçaltmak, itibarını düşürmek; adileştirmek; ayarını bozmak. **~d** [-st], adileş(tiril)miş; itibardan düşmüş. **~ment**, alçal(t)ma, itibardan düşme.

debat·able [di'beytəbl]. Münakaşası kabil, tartışılabilir; kesin olmıyan, su götürür. **~e**, (bir meseleyi) müzakere (etm.), görüşme(k), tartışma(k); münazara (etm.): **~r**, tartışmalarda taraf tutan. **~ing society**, bilimsel tartışmaları tertip eden dernek.

debauch [di'bōç] *i.* İşret ve sefahat. *f.* Ahlâkını bozmak, baştan çıkarmak, kötü yola sevketmek. **~ed/~ee** [-çt, 'çī], sefih, zampara, ahlâksız. **~ery**, sefahat, ahlâksızlık.

debenture [di'bençə(r)]. Teminatsız tahvil, senet, borç belgiti.

debilit·ate [di'biliteyt]. Zayıflatmak, kuvvetten düşürmek. **~ating**, zayıflatan, kuvvetten düşüren (iklim vb.). **~y**, zayıflık, kuvvetsizlik.

debonair [debə'neə(r)]. Şen, hoş ve nazik.

de·boost [dī'büst] (*hav.*) Füzenin çekişini azaltmak. **~bouch** [di'bauç], dar bir yerden açığa çıkmak: **~ment**, açığa çıkış, ağız, mahreç. **~ brief** [dī'brīf] (*ask.*) hücumdan sonra ve onun hakkında kumandan/pilottan haber almak.

debris ['debrī]. Enkaz, dağılmış parçalar; kaya parçaları; kırıntı, döküntü, yıkıntı, moloz, birikinti, kalıntı.

debt [det]. Borç, alacak. **I shall always be in your ~**, size karşı daima borçlu olacağım: **be up to one's ears/eyes in ~**, uçan kuşa borçlu olm., borçları gırtlağına çıkmak: **bad ~**, (tahsili) şüpheli alacak, batak para: **bonded/funded ~**, rehinli tahvil, obligasyon: **get out of ~**, borçtan kurtulmak: **National/public ~**, düyunu umumiye, devlet/âmme/kamu borçları: **run into ~**, borca girmek: **service a ~**, faizini ödemek. **~or**, borçlu; zimmet hanesi.

de·bunk [dī'bʌn(g)k] (*kon.*) 'Putları kırmak'; tanrılaştırılmış büyük adam vb. doğal yerine indirmek. **~burr** [-'bə̄(r)] (*müh.*) çapak almak.

***~bus** [-'bʌs], otobüs vb.nden in(dir)mek/çık(ar)mak.

debut ['deybū] (*Fr.*) (Aktör) sahneye ilk çıkış; (genç kız) sosyeteye ilk giriş. **~ante** [debyu'tant], sosyeteye ilk defa giren genç kız.

Dec. = DECEMBER.

dec. = DECEASED; DECLARED.

deca- [dekə-] *ön.* Deka-, on (10^1). **~de** ['dekeyd, di'keyd], on yıl(lık).

decaden·ce ['dekədəns]. Tereddi, inhitat, gerileme; çökme, çöküş, dekadans. **~t**, müteređdi, inhitat eden, geriliyen, çöken, dekadan.

decaffeinate [dī'kafineyt]. Kahveden kafeini gidermek.

deca·gon ['dekəgən]. On köşeli şekil, ongen. **~gram(me)**, on gramlık.

decal ['dekl] = DECALCOMANIA.

decalcif·ication [dīkalsifi'keyşn]. Kireçsizlenme. **~y** [-'kalsifay], kireçsizlendirmek, kireçten mahrum etm.; kirecini çıkarmak.

decal(comania) [dikalkə'meyniə]. Porselen üzerine resim/desen çıkarma sanatı, çıkartma, dekalkomani; bu resim/desen.

deca·litre ['dekəlītə]. On litrelik. **~logue** [-log] (*din.*) on emir. **~metre** [-mītə(r)], on metrelik.

decamp [di'kamp]. Gizlice sıvışmak, savuşmak: **~ment**, sıvışma.

decanal [di'keynl]. Dekana ait.

decan·drous [di'kandrəs] (*bot.*) On erkek uzuvlu. **~gular** [-n(g)gyulə(r)], on açılı.

decant [di'kant]. Şarap vb.ni şişeden sürahiye boşaltmak; bir sıvıyı tortusundan ayırmak için dikkatle boşaltmak. **~er**, şarap sürahisi.

decaphyllous [dekə'filəs] (*bot.*) On yapraklı.

decapitat·e [di'kapiteyt]. Boynunu vurmak, başını kesmek. **~ion** [-'teyşn], boynunu vurma.

decapod ['dekəpod]. On ayak/bacaklı.

de·carbonize [dī'kābənayz]. Karbonunu gidermek. **~cartelisation** [-kātelay'zeyşn] (*mal.*) kartellerin parçalanması. **~casualize** [-'kazyuəlayz], gündelikçilere devamlı iş vermek.

deca·stich ['dekəstik] (*edeb.*) On satırlı şiir. **~style**, (*mim.*) on direkli. **~syllab·ic/-le** [-si'labic, -'siləbl] (*edeb.*) on heceli (mısra). **~thlon** [-'kaθlən] (*sp.*) on çeşit yarışlı bir müsabaka.

decay [di'key]. Çürüme(k); bozulma(k); inhitat (etm.); zevale yüz tutma(k); (*ast., fiz.*) azalma(k), parçalanma(k). **~ed**, çürümüş, bozulmuş: **~ gentlewoman**, düşkün kibar hanım.

decd. = DECEASED.

decease [di'sīs] *i.* Ölüm, vefat. *f.* Vefat etm., ölmek. **~d** [-'sīst], müteveffa, merhum.

deceit [di'sīt]. Aldatma, hile, yalan. **~ful**, aldatıcı, yalancı, hilekâr: **~ly**, aldatıcı vb. surette: **~ness**, hilekârlık, yalancılık.

deceiv·able [di'sīvəbl]. Aldatılabilir. **~e**, aldatmak, hile yapmak, yalan söylemek.

decelerat·e [dī'seləreyt]. Yavaşla(t)mak, hız kes(il)mek. **~ion** [-'reyşn], yavaşla(t)ma, hız kes(il)mesi.

December [di'sembə(r)]. Aralık ayı.

decency ['dīsnsi]. Edep, terbiye; nezaket; temizlik. **the (common) decencies**, edep, erkân, muaşeret adabı, görgü.

decenn·ary/iad [di'senəri, -niad]. On senelik bir müddet. **~ial**, on yılda bir olan; on yıl süren.

decent ['dīsnt]. Edepli, nezih; münasip, uygun, yakışık alır; elverişli, kâfi; (*kon.*) rabıtalı.
decentraliz·ation [dīsentrəlay'zeyşn] (*id.*) Ademi merkeziyet, yerinden yönetim; mesuliyetin tevzii. ~**e** [dī'sen-], ademimerkezileştirmek.
decept·ion [di'sepşn]. Aldatma, aldanma, hile. ~**ive** [-'tiv], aldatıcı.
dechristianize [dī'krisçənayz]. Hıristiyanlıktan mahrum etm.
deci- [desi-] *ön.* Desi-, onda bir, 10^{-1}. ~**bel**, (*fiz.*) desibel.
decide [di'sayd]. Kararlaştırmak, karar vermek, kesip atmak; (hakkında) hüküm vermek; (birine bir şey hakkında) karar verdirmek. ~**d**, kararlaştırılmış; katî, kesin, vazıh, su götürmez; kesin fikirli, kanaat sahibi. ~**dly**, kesin olarak, muhakkak.
deciduous [di'sidyuəs]. Dökülür; yaprak/diş/boynuz/kanadını her yıl döken; süreksiz, geçici.
decillion [di'silyən]. *33/†60 sıfır haneli rakam, desilyon.
decimal ['desiml]. Ondalı(k), desimal. **go** ~ = ~IZE. ~**ism**, ondalık sistemi. ~**ization** [-məlay'zeyşn], ondalık sistemine değiştirilme. ~**ize** [-'layz], bu sisteme değiştirmek. ~**-place**, onda hanesi. ~**-point**, ondalı kesir nokta/virgülü.
decimat·ion [desi'meyşn]. Büyük bir kısmının öldürülmesi; doğrama. ~**e**, büyük bir kısmını öldürmek, doğramak; onda birini almak/öldürmek.
decipher [dī'sayfə(r)]. Şifreyi okumak; deşifre etm., çözmek; sökmek. ~**able**, okunur; çözülür.
decis·ion [di'sijn]. Karar; yargı, hüküm; azim, sebat; kesin fikirlilik. ~**ive** [-'saysiv], katî, kesin, atan, kesenkes: ~**ly**, kesin olarak: ~**ness**, kesinlik.
deck[1] [dek] *i.* Güverte; üstkat; *iskambil destesi. *f.* ~ **over**, güverte koymak, örtmek. **boat** ~, filika/kontra güvertesi: **flight** ~, uçuş güvertesi: **forecastle** ~, baş kasara güvertesi: **lower** ~, alt güverte; (*mec.*) tayfa, deniz erleri: **main** ~, palavra, ana güverte: **poop** ~, kıç kasarası: **promenade** ~, gezinti güvertesi: **quarter** ~, kıç güvertesi: **spar** ~, en üst güverte: **upper** ~, üst/1ci kat güverte; (*mec.*) subaylar: **below** ~**(s)**, palavra altın(d)a, ambar(d)a: **clear the** ~**(s)**, gemiyi savaşa hazırlamak; (*mec.*) işe hazırlamak; (*sp., vb.*) bütün ödülleri kazanmak.
deck[2] *f.* Süslemek, donatmak. ~ **oneself out**, iki dirhem bir çekirdek olm., giyinip kuşanmak.
deck-[3] *ön.* ~**-cargo**, güverte yükü. ~**-chair**, açılıp kapanır sandalye, şezlong. **-**~**er**, *son.* -güverteli, -ambarlı, -katlı: **double-**~, iki ambarlı: **double-**~ **bus**, iki katlı otobüs: **three-**~ **novel**, üç ciltli roman. ~**-hand/-rating**, adi gemici. ~**-house**, güverte kamarası. ~**-light**, ispiralya. ~**-log**, seyir defteri. ~**-passenger**, kamarasız yolcu.
deckle [dekl]. Kâğıt makinesinde kenar. ~**-edged**, kesilmemiş kenarlı (kâğıt).
declaim [di'kleym]. Yüksek sesle jestler yaparak söz söylemek; inşat etm. ~ **against**, -den hiddetle şikâyet etm.
declama·tion [deklə'meyşn]. İnşat (etme); (*tiy.*) ayta; hiddetli nutuk; yüksek sesle jestler yaparak söz söyleme. ~**tory**, yüksek sesle ve jestler yaparak, inşata ait, tumturaklı.
declar·able [di'kleərəbl]. Açıkça söylenir; beyan edilir; (*mal.*) gümrük vergisine tabi. ~**ant**, beyan/ifade eden; bildirimci, beyan sahibi. ~**ation** [deklə'reyşn], beyan, ifade, ihbar, ilân; açıklama, bildirge, bildirim, beyanname, deklarasyon; bilgi verme. ~**ative** [di'klarətiv], beyan/ifade vb.nin niteliğinde olan. ~**atory** [-rətəri], ifade eden, açıklıyan.
declare [di'kleər]. Açıkça söylemek; beyan etm., ifade etm., ihbar etm., ilân etm., bildirmek; demek. ~ **against/for stg.**, bir şeyin (a)le(y)hinde olduğunu söylemek: **have you anything to** ~?, (gümrükte) gümrüğe tabi bir şeyiniz var mı? ~**d**, alenî, açık; bildirilen, beyan edilen. ~**dly** [-ridli], kendi itirafı veçhile. ~**er** = ~ANT.
declassify [dī'klasifay] (*ask., id.*) Gizli tasnifi/listeden kaldırmak.
declension [di'klenşn] (*dil.*) Tasrif, çekim; zeval, sukut, düşme.
declin·able [di'klaynəbl] (*dil.*) Tasrif edilebilir, çekilebilir. ~**ation** [dekli'neyşn] (*ast.*) meyil, inhiraf, açı, sapma. ~**ator** ['deklineytə(r)], (*ast.*) sapma ölçeği. ~**atory**, meyil vb.ne ait; reddeden.
decline[1] [di'klayn] *i.* İnme, batma, azalma, çökme; inhitat, zeval; düşme, alçalma, tenezzül. **be on the** ~, azalmağa yüz tutmak; rağbetten düşmek; zevale yüz tutmak: **go into a** ~, vereme tutulmak.
declin·e[2] *f.* Nazikâne reddetmek, istinkâf etm.; kabul etmemek; meyletmek; (güneş vb.) batmak; zayıflamak; azalmak; tavsamak; (*dil.*) tasrif etm., çekmek. **in one's** ~**ing years**, hayatın sonuna doğru.
declinometer [dekli'nomitə(r)]. Sapma ölçeği.
declivity [di'kliviti]. Dik iniş, meyil.
declutch [dī'klʌç]. Debreyaj yapmak.
decoct [di'kokt]. Kaynatıp esans çıkarmak. ~**ion** [-kokşn], esans çıkarma işlemi; böyle çıkarılmış esans.
decode [dī'kəud]. Şifreyi çözmek.
decoke [dī'kəuk] = DECARBONIZE.
décolleté(e) [de'koltey] (*Fr.*) Dekolte; (*kon.*) açık saçık.
decolonization [dī'kolənayzeyşn]. Bir memleketin evvelki sömürgelerinden çekilmesi.
decolo(u)r(ize) [dī'kʌlə(rayz)]. Rengini çıkarmak, ağartmak.
decompos·able [dī'kəmpəuzəbl]. Ayrışabilir, çözülür. ~**e**, tefessüh etm., çürü(t)mek; (unsurlara) ayırmak/ayrılmak, inhilâl etm., çöz(ün)mek, eri(t)mek; tahlil etm. ~**ed**, ayrışık. ~**ition** [-kompə'zişn], (aslî unsurlara) ayrılma, inhilâl, ufala(n)ma, bozuşma; çürüme; çözünme, ayrışım, dekompozisyon.
decompress [dīkəm'pres]. Baskıyı azaltmak. ~**ion** [-'preşn], baskıyı azaltma: ~**-chamber**, baskıyı azaltma hücresi: ~**-sickness**, vurgu.
decongest [dīkʌn'cest]. Kalabalığı dağıtmak; (*tıp.*) kan vb. toplanmasını gidermek: ~**ant**, kan vb. toplanmasını giderici ilâç.
de·consecrate [dī'konsikreyt]. Dinî olmaktan çıkarmak. ~**contaminate** [-kʌn'tamineyt], bulaşıklığını kaldırmak, temizlemek. ~**control** [-'trəul], serbest bırakmak, kontrolu kaldırmak.
décor ['deykō(r)] (*Fr.*) Süs, tezyinat. ~**ate** ['dekəreyt], süslemek, donatmak; (oda) boyamak/kâğıtla kaplamak; bezemek; (*ask.*) nişan vermek. ~**ed**, süslü; nişanlı. ~**ation** [-'reyşn], süsleme,

donatma; içmimarlık, bezek, dekorasyon; nakış; nişan (verme). ~**ative**, süsleyici, süslemeli, bezemeli; süslemeğe yarıyan. ~**ator**, mefruşatçı, odaları kâğıtlıyan/boyayan; bezeyici, nakkaş: **interior** ~, içmimar, dekoratör.

decorous ['dekərəs]. Edep ve terbiyeye uygun; münasip, yakışık alır.

decorticate [dī'kōtikeyt]. Kabuğunu soymak.

decorum [di'kōrəm]. Edep ve terbiye; muaşeret adabı, görgü.

decoy [di'koy] *i.* Tuzak; ördek tuzağı; yem; çağırtkan (kuş). *f.* Tuzağa düşürmek; hile ile cezbetmek.

decreas·e ['dīkrīs] *i.* Azalma, küçülme. [di'krīs] *f.* Azalmak, azaltmak, küçül(t)mek. **be on the** ~, gittikçe azalmak. ~**ing**, azalan: ~**ly**, gittikçe azalarak.

decree [di'krī] *i.* İrade, emir, hüküm, yargı, karar(name), buyruk. *f.* İrade etm., emretmek, hükmetmek, buyurmak.

decrement ['dekrimənt]. Kıymet eksilme/zayiatı.

decrepit [di'krepit]. İhtiyar ve dermansız; zayıf ve bitkin; köhne, kurada; çökmeğe yüz tutan. ~**ate** [-teyt], (tuz vb.) sıcaklıktan çıtırdamak. ~**ude** [-tyūd], ihtiyarlık ve dermansızlık; köhnelik.

decrescen·do [deykre'şendou] (*İt.*, *müz.*) Dekreşendo, diminuendo. ~**t** [di'kresənt], azalan, küçülen.

decretal [di'krītl]. Dinî hüküm.

decrial [di'krayəl]. Kötüleme.

decrustation [dīkrʌs'teyşn]. Bir şeyin kabuğunun çıkarılması.

decry [di'kray]. Kötülemek, yermek.

decumbent [di'kʌmbənt] (*bot.*) Yatık, eğilmiş.

decuple ['dekyupl] *s.*, *i.* On misli(lik). *f.* On misli yapmak. ~**t**, on şeyin serisi.

decur·rent/sive [dī'kʌrənt, di'kəsiv]. Aşağıya giden, aşağı sarkan.

decussate [di'kʌseyt] *f.* Çaprazvari geçmek. *s.* Çaprazvari şeklinde.

decypher = DECIPHER.

dedendum [di'dendəm] (*müh.*) Çark dişi kökü.

dedicat·e ['dedikeyt]. Vakfetmek, ayırmak, tahsis etm.; takdis etm.; ithaf etm., adına sunmak. ~**ed**, vakfedilmiş; dürüst, sadık. ~**ion** [-'keyşn], vakıf, tahsis, takdis, ayırma; ithaf, adına sunma. ~**ory** [-'keytəri], vakıf/ithaf/sunmaya ait.

deduc·e [di'dyūs]. Sonuç çıkarmak, istidlâl etm.; sonuca varmak. ~**ible**, sonuç çıkarılır.

deduct [di'dʌkt]. Hesaptan tenzil etm./indirim yapmak/düşmek; azaltmak; çıkarmak; indirmek; tarhetmek. ~**ible**, çıkarılabilir, indirilebilir. ~**ion** [-kşn], indirilen miktar, azaltma, kesinti; (*huk.*) kesim cezası; çıkarma; istidlâl, sonuca varma. ~**ive**, istidlâlî, çıkarılabilir.

dee [dī]. D harfi; D şeklinde halka vb.

deed [dīd]. Fiil; iş; amel; hareket; senet, belgit, vesika, mukavelename, sözleşme kâğıdı, hüccet. **in** ~, hakikatte, bilfiil: ~**s not words**, ayinesi iştir kişinin lâfa bakılmaz. ~**-box**, evrak kutusu. ~**-poll**, tek taraflı mukavelename.

deejay [dī'cey] (*arg.*) = DISC JOCKEY.

deem [dīm]. İnanmak; saymak, farzetmek; zannetmek, kıyas etm.; tutmak. ~**ster**, Isle of Man'daki bir hâkim.

de·-emphasize [dī'emfəsayz]. -den tebarüz/vurguyu kaldırmak. ~**-energize**, (*elek.*) akımı kesmek.

deep [dīp] *s.* Derin; kalın, gür (ses); koyu (renk). *i.* Derin yer, çukur. **the** ~, deniz: **the** ~ **end**, yüzme havuzunun derin tarafı: **go off the** ~ **end**, (*kon.*) hiddetlenmek; fazla heyecanlanmak: ~ **into the night**, gecenin ilerlemiş saatlerinde: **in the** ~ **of winter**, karakışta: **commit a body to the** ~, bir ölüyü denize gömmek: **two/four** ~, iki/dört sıra: **still waters run** ~, (*ata.*) derin düşünen insanlar çok konuşmaz: **he's a** ~ **one**, (*arg.*) kurnaz, ketum. ~**-chested**, geniş göğüslü. ~**-drawn**, ~ **sigh**, derin iç çekmesi. ~**-dyed**, tamamen kötü. ~**en** [dīpn], derinleş(tir)mek; oymak; koyulaş(tır)mak; (ses) toklaş(tır)mak: ~**ing**, oyma. ~**-felt**, şiddetle hissedilmiş. ~**-freeze** [-frīz], *f.* buydurmak, çok dondurmak: *i.* buydurucu; dipfriz, buzluk. ~**-laid** [-leyd], ~ **plan**, gizlice ve ustaca hazırlanmış plan. ~**ly**, derince; çok, fazlasıyla. ~**ness**, derinlik; fazlalık. ~**-rooted**, derin köklü; (*mec.*) kesin, sabit, sökmez, kaldırılamaz. ~**-sea**, derin/engin/açık deniz. ~**-seated**, köklü, derin. ~**-set**, ~ **eyes**, çukur göz. ~**-water**, derin deniz: ~ **port**, yatak liman.

deer ['diə(r)]. Geyik, karaca: **barking** ~, munçak: **fallow** ~, yağmurcu geyik: **red** ~, ala geyik: **roe** ~, karaca. ~**-forest/-park**, yaban korusu. ~**-hound**, büyük tazı, zağar. ~**-lick**, geyiklerin yaladıkları tuzlu pınar/bataklık. ~**-skin**, güderi. ~**-stalk·er** [-stōkə(r)], geyik avcısı; bu avcının özel bir şapkası: ~**ing**, geyik avı.

de-escalat·e [dī'eskəleyt]. Azaltmak, indirmek, gidermek. ~**ion** [-'leyşn], azal(t)ma, küçül(t)me, indirme; hiddetini giderme.

deface [di'feys]. Görünüşünü bozmak; çirkinleştirmek. ~**ment**, bozma; bozulmuş şey.

de facto [dī'faktou] (*Lat.*) Bilfiil, fiilen, hakikatte.

defalcat·e ['dīfōlkeyt]. İhtilâs etm., emanet edilen parayı çalmak. ~**ion** [-'keyşn], ihtilâs, zimmetine para geçirme; irtikâp, çalma, aşırtı.

defam·ation [dīfə'meyşn]. İftira, karacılık hakaret, aşağılama. ~**atory** [di'famətəri], iftiralı, iftira ve isnadı havi, hakaret edici. ~**e** [di'feym], iftira etm., adını kötülemek, karacılık/hakaret etm.

default [di'fōlt] *i.* (Bir şeyi yapmakta vb.) kusur, ihmal; bulunmazlık, gıyap; noksan; tediye etmeyiş. *f.* (Bir şeyi yapmakta) kusur etm., ihmal göstermek; mahkemede hazır bulunmamak; borçlarını ödeyememek. **judgement by** ~, gıyabî hüküm: **match won by** ~, rakip gelmediği için hükmen galip gelme: **in** ~ **of**, hazır bulunmadığı için; onun yerine. ~**er**, borçlarını ödemiyen/taahhüdünü yerine getirmiyen kimse; zimmetine para geçiren kimse; (*huk.*) gaip; (*ask.*) suçlu.

defeasance [di'fīzəns] (*huk.*) İptal.

defeat [di'fīt] *i.* Mağlubiyet, yenilgi, bozgun. *f.* Mağlup etm., yenmek; bir işi bozmak. ~**ism**, bozgunculuk. ~**ist**, bozguncu.

defecate [dīfi'keyt]. Tasfiye etm., tortusunu çıkarmak; temizlemek; (bağırsaklar) boşalmak.

defect[1] ['dīfekt] *i.* Noksan, kusur, eksiklik, sakatlık, yanılgı; bozukluk, hata.

defect[2] [di'fekt] *f.* Ayrılmak, terketmek; isyan etm., dönmek, düşman tarafına geçmek. ~**or**, düşman tarafına geçen kimse, vatan haini.

defect·ion [di'fekşn]. İstinkâf; mensup olduğu

parti/zümre/ordudan çekilme, terketme. ~**ive**, kusurlu, noksan, özürlü, yarım yamalak, sakat; (*dil.*) eksik sıygalı. ~**ology** [-'toləci], kusurların sebepler ile çareleri bilgisi.

defence [di'fens]. Müdafaa, himaye, koruma; savunma; müdafaaname: **civil** ~, pasif korunma: **counsel for the** ~, müdafaa vekili: **Ministry of** ~, Savunma Bakanlığı. ~**less**, savunma/müdafaasız: ~**ly**, savunmasız olarak: ~**ness**, savunmasızlık. ~**-mechanism**, (*tıp.*) bedenin doğal savunması. ~**s**, savunma hatları, müdafaa siperler/istihkâmları.

defend [di'fend]. Müdafaa etm., himaye etm., savunmak, korumak; tarafını tutmak. ~**ant**, dava edilen, davalı, sanık, savunan, maznun; hasım taraf. ~**er**, savunan, koruyan; (*İsk.*) davalı.

defenestration [dīfenis'treyşn]. Pencereden at(ıl)ma.

***defense** [di'fens] = DEFENCE.

defens·ible [di'fensibl]. Müdafaa edilebilir, savunulabilir, korunabilir. ~**ive**, tedafüî, savunma; müdafaa, savunmalık; (*sp.*) edilgin: **be/stand on the** ~, savunmada kalmak: ~**ly**, savunurcasına.

defer[1] [di'fə(r)] *f.* Tehir etm., ertelemek; geciktirmek.

defer[2]. ~ **to**, -e hürmet ve riayet etm., uymak. ~**ence** ['defərəns], riayet, uyma, ihtiram; mümaşat: **in/out of** ~, hürmeten, riayeten: **with all due** ~ **to you**, hatırınız kalmasın! ~**ential** [-'renşl], hürmetkâr; mümaşatkâr.

defer·red [di'fəd]. ~ **payment**, ertelenen ödeme; taksitle ödeme: ~ **shares**, gecikmiş/müeccel faizli hisseler. ~**ment**, tehir, geciktirme.

defeudalize [dī'fyūdəlayz]. Derebeylik niteliğini kaldırmak.

defian·ce [di'fayəns]. Meydan okuma. **bid** ~ **to s.o./set s.o. at** ~, birisine meydan okumak: **in** ~ **of the law**, kanunu hiçe sayarak; kanuna rağmen. ~**t**, meydan okuyan; serkeş, hiçe sayan, küstâh: ~**ly**, serkeşçe vb., hiçe sayarak.

deficien·cy [di'fişənsi]. Noksan, eksiklik; kusur, fire; yetersizlik; açık; sıklet kaybı; (*tıp.*) sakatlık. ~**t**, kusurlu, noksan, eksik: **be** ~ **in stg.**, bir şeye kâfi miktarda malik olmamak.

deficit ['defisit] (*mal.*) (Bütçede vb.) açık; eksik; noksan; gelir ile gider farkı.

defier [di'fayə(r)]. Meydan okuyan, karşı koyan.

defilade [defi'leyd] (*ask.*) İstihkâmları düşman ateşinden korumak.

defile[1] ['dīfayl] *i.* Pek dar geçit; boğaz. [di'fayl] *f.* Sıra ile kolda yürümek.

defile[2] [di'fayl] *f.* Pisletmek, kirletmek, lekelemek; iffetini bozmak. ~**ment**, pisletme, kirletme; pislik.

defin·able [di'faynəbl]. Tarif edilebilir, tanımlanabilir. ~**e**, tarif etm., tanımlamak, belirtmek, izah etm., açıklamak; tavzih etm.; tespit ve tayin etm. ~**ed**, muayyen, belirli. ~**ing**, belirten.

definit·e ['definit]. Katî, kesin, belirli, muayyen: ~**ly**, kesin olarak, muhakkak, şüphesiz. ~**ion** [-'nişn], tarif, tanım(lama); izah, açıklama, tayin, vuzuh, açıklık. ~**ive** [di'finitiv], nihaî, son; katî, kesin.

deflagrat·e ['defləgreyt]. Ateş alıp birden yakmak/yanmak. ~**ion** [-'greyşn], anî yakma/yanma. ~**or**, yakma cihazı.

deflat·e [dī'fleyt]. Havasını boşaltarak indirmek; söndürmek; azaltmak, küçültmek; (*mal.*) kâğıt paradan bir miktarını çekerek değerini artırmak. ~**ed**, inik, sönük. ~**ion** [-'fleyşn], (lâstik vb.) havasını boşaltarak indirme; söndürme; fiyatları indirmek için piyasadaki para miktarını azaltma, para değer artımı, para darlığı, deflasyon.

deflect [di'flekt]. İnhiraf et(tir)mek, inhina et(tir)mek, saptırmak, çevirmek; başka tarafa döndürmek, eğmek; caydırmak. ~**ion** [-kşn], inhiraf, sapma, eğilme. ~**or**, saptırıcı; kalkan, siperlik; deflektör.

deflexion [di'flekşn] = DEFLECTION.

deflo·rate [dī'floreyt] (*bot.*) Çiçekleri dökülmüş. ~**ration** [-'reyşn], bekâretine dokunma, kızlığını bozma; çiçeklerin dökülmesi. ~**wer** [di'flauə(r)], kızlığını bozmak; çiçeklerini koparmak.

defolia·nt [dī'fouliənt]. Yapraklarını döktürücü ilâç. ~**te** [-lieyt], yapraklarını koparmak/döktürmek. ~**tion** [-li'eyşn], yaprak döktürme/dökümü.

deforest [dī'forist]. Bir bölgenin ağaçlarını kesmek; ormanı ortadan kaldırmak. ~**ation** [-'teyşn], ağaçsızlan(dır)ma, orman açma.

deform [di'fōm]. Şekil/biçimi bozmak/değiştirmek; deforme etm.; çirkinleştirmek. ~**ed**, biçimsiz, biçimi bozulmuş, çirkin, çarpık çurpuk. ~**ation** [dīfō'meyşn], şekil/biçimi boz(ul)ma/değiş(tir)me; biçim bozukluğu; çirkinleş(tir)me; (*müh.*) bozunum, deformasyon, bozundurma. ~**ity** [di'fōmiti], biçimsizlik; sakatlık.

defraud [di'frōd]. Dolandırmak, aldatmak. ~ **s.o. of stg.**, birini hile ile bir şeyden mahrum etm., hakkını yemek.

defray [di'frey]. (Masraf vb.) ödemek, kapatmak; (harcı) görmek. ~**al**, ödenme.

defrock [dī'frok]. Papazı makamından mahrum etm.

defrost [dī'frost]. Buzu eritmek/çözmek. ~**er**, buz çözücü. ~**ing**, buzunu çözme/eritme.

deft [deft]. Mahir, usta, becerikli, eli çabuk. ~**ly**, becerikli olarak. ~**ness**, maharet, ustalık, beceriklilik.

defunct [di'fʌn(g)kt]. Müteveffa, ölmüş.

defuse [dī'fyūz] (*elek.*) Tapasını çıkarmak; (*mec.*) zararsız hale getirmek; yatıştırmak.

defy [di'fay]. Meydan okumak; karşı koymak, mukavemet etm., dayanmak. **I** ~ **you to do so!**, yap da göreyim!, alnını karışlarım: ~ **description**, anlatılması imkânsız olm.

deg. = DEGREE.

degas(ify) [dī'gas(ifay)]. Gazını gidermek/çıkarmak.

degauss [dī'gaus] (*elek.*) Geminin manyetik alanını nötralize etm.

degenera·cy [dī'cenərəsi]. Tereddi hali, soysuzlaşma, yozlaşma. ~**te** [-rit] *s.* mütereddi, soysuzlaşmış, nesli bozulmuş: [-reyt] *f.* tereddi etm., soysuzlaşmak, yozlaşmak. ~**ation** [-'reyşn], tereddi, soysuzlaşma, yozlaşma, (*bot.*) canlılığını yitirme.

deglutinate [dī'glūtineyt]. Yapışkanını gidermek; glütenini çıkarmak.

degrad·able [di'greydəbl] (*kim.*) Terkibi bozulur, çözülür. ~**ation** [degrə'deyşn], rütbe indirme; alçal(t)ma; tezlil, zillet, şerefsizlik; (*kim.*) terkibi bozulma. ~**e** [di'greyd], rütbesini indirmek, alçaltmak; tezlil etm., şeref ve haysiyetini kırmak; (*kim.*) terkibi bozmak, çözmek. ~**ed**, aşağı rüt-

beye düşmüş; alçak, rezil. ~**ing**, alçaltıcı, haysiyete yakışmaz, haysiyetini kırıcı.
degrease [dī'grīs] (*müh.*) Yağını gidermek.
degree [di'grī]. Derece, grado, aşama, kerte, mertebe, kademe; rütbe; unvan; paye; (*dil*) sıfat/zarf derecesi; eğitim/akrabalık derecesi: **comparative** ~, (*dil*) karşılaştırma derecesi: **first** ~, (*huk.*) en ağır derece: **honorary** ~, (üniversitece verilen) fahrî unvan: **positive** ~, (*dil*) olumlu derece: **prohibited** ~**s**, evlenmeye engel olan yakın akrabalık dereceleri: **superlative** ~, (*dil*) üstünlük derecesi: **third** ~, birini söyletmek için yapılan şiddetli sorgu: **by** ~**s**, yavaş yavaş, tedricen: **to some** ~, bir dereceye kadar: **take one's** ~, bir üniversiteden mezun olm./diplomasını almak.
degression [dī'greşn] (*mal.*) Vergi oranının indirilmesi.
degustation [dīgʌs'teyşn]. Tatma.
dehisce [dī'his] (*bot.*) Açmak, çatlamak. ~**nce** [-səns], açılma, çatlama. ~**nt**, açılır.
dehortation [dīhō'teyşn]. Vazgeçirme.
dehumanize [dī'hyūmənayz]. İnsanlıktan çıkarmak; hayvanlaştırmak.
dehumidify [dīhyū'midifay]. Rutubetini gidermek.
dehydrat·e [dī'haydreyt]. Suyunu almak/boşaltmak/gidermek; kurutmak. ~**ion** [-'dreyşn], suyu çıkarma/giderme/kaybetme; kurutma.
de-ic·e [dī'ays]. Buzunu eritmek/gidermek. ~**er**, buz eritici/giderici. ~**ing**, buz giderme (sistemi).
deicide ['dīisayd] (*mit.*) İlâhın öldürülmesi.
deif·ication [dīifi'keyşn]. Tanrılaştırma. ~**orm** [-fōm], tanrı şeklinde. ~**y** ['dīifay], tanrılaştırmak.
deign [deyn]. Tenezzül etmek.
dei gratia ['dīay 'greyşiey] (*Lat.*) Allahın inayetiyle.
deionize [dī'ayənayz]. (Sudan) iyonları gidermek.
de·ism ['dīizm]. Hiç bir dine bağlı olmıyarak Allahın varlığına iman. ~**ist**, bu imanı kabul eden. ~**ity**, ülûhiyet, tanrılık; ilâh, tanrı.
deject [di'cekt]. Meyus etm., kederlendirmek. ~**ed** [-tid], meyus, kederli, keyfi kaçmış; süngüsü düşük. ~**ion** [-kşn], meyusluk, melâl, keyifsizlik.
de jure [dī'cūri] (*Lat.*) Hükmen, haklı, meşru olarak.
dekko ['dekou] (*arg.*) **let's have a** ~**!**, şuna bakalım!
Del. = Delaware.
delaminate [dī'lamineyt] (*biy.*) İnce tabakalara ayırmak.
delat·e [di'leyt]. İtham etm., jurnal etm., şikayet etm.; haber vermek. ~**ion** [-'leyşn], itham, şikayet; gammazlık; jurnalcılık.
Delaware ['deləweə(r)]. ABD'nden biri.
delay [di'ley]. Gecik(tir)me(k), tehir (etm.), erteleme(k), teehhür (etm.); alıkoymak; (*tiy.*) askıda bırakmak. ~**ed**, geri kalmış, yavaşlıyan, gecikmiş, gecikmeli: ~ **action**, geç hareketli, tavikli, tehirli.
del credere [del'kredəri] (*İtal., mal.*) Dükruvar, aracı borçlanımı.
dele ['dīli] (*Lat., bas.*) Sil!, boz!
delecta·ble [di'lektəbl]. Pek hoş, nefis, lâtif. ~**tion** [-'teyşn], zevk, eğlence.
delega·cy ['deligəsi]. Delegeler heyeti. ~**te** [-git] *i.* Mürahhas, delege: [-geyt] *f.* mürahhas/delege olarak göndermek. ~**tion** [-'geyşn], mürahhas/delege heyeti; delege olarak gönderme: ~ **of power(s)**, yetki/görevlerinin başkasına verilmesi.
delete [di'līt]. Silip çıkarmak, kazımak, silmek.
deleterious [deli'tiəriəs]. Zararlı; sağlığa dokunur.
deletion [di'līşn]. Silip çıkarma, kazıma.
delft [delft]. Hollanda'da yapılan bir nevi mavi porselen.
deliberat·e [di'libərit] *s.* Kastî, kasıtlı, önceden düşünülmüş; mahsus; düşünceli; tasarlayarak; temkinli; ağır. [-reyt] *f.* Uzun uzun düşünmek, teemmül etm., müzakere etm., tasarlamak, tartışmak. ~**ely**, kasten, kasıtlı olarak, düşünerek. ~**ion** [-'reyşn], uzun uzun düşünme, teemmül, müzakere, tasarlama, tartışma; temkin; dikkat ve itina. ~**ive**, müzakereye ait.
delica·cy ['delikəsi]. Zarafet, incelik, nezaket, naziklik; hassaslık; bünyesi; nazik olma, nahiflik: **feel a** ~ **about doing stg.**, bir meselenin nezaketini hissederek çekinmek: **table delicacies**, nefis yiyecek. ~**te** [-kit], ince, zarif, nazik, hassas; nahif: **tread on** ~ **ground**, nazik bir meseleye dokunmak.
delicatessen [delikə'tesn]. Mezeler; mezeci dükkânı.
delicious [di'lişəs]. Nefis, hoş, tatlı, leziz. ~**ly**, hoşça. ~**ness**, hoşluk, lezzet vb.
delict [di'likt] (*huk.*) Suç.
delight [di'layt] *i.* Haz, zevk, safa; neşe. *f.* Çok zevk vermek; sevindirmek; çok haz duymak, zevk almak, sevinmek, bayılmak. ~**ed**, memnun. ~**ful**, pek hoş, latif, nefis: ~**ly**, pek hoş/nefis olarak. ~**some**, (*mer.*) zevk verici.
Delilah [di'laylə]. Hilekâr ve kötü kadın; gönül ayartıcı kadın.
delimit [dī'limit]. Sınırını çizmek, sınırlamak, tahdit etm. ~**ation** [-'teyşn], sınırlama.
delineat·e [dī'linieyt]. Şeklini çizmek, tersim etm., tavsif etm., tasvir/tarif etm. ~**ion** [-'eyşn], çizme; resim, şekil; tarif. ~**or** [-'linieytə(r)], şekil çizen, tarif eden.
delinquen·cy [di'lin(g)kwənsi]. Suçluluk, suç: **juvenile** ~, gençlerin suçluluğu. ~**t**, suçlu, kabahatli.
deliquesce [dīli'kwes]. Eriyip su olm., sulanmak. ~**nce**, sulanma.
deliri·ous [di'liriəs]. Sayıklıyan; hezeyanlı; çılgın: ~**ly**, çılgınca; (*kon.*) çok. ~**um**, sayıklama; hezeyan; çılgınlık: ~ **tremens**, hezeyanı mürteiş.
delitescent [dīli'tesənt] (*tıp.*) Gizli, saklı.
deliver [di'livə(r)]. Kurtarmak; teslim etm., tevdi etm., vermek; (mektup vb.) tevzi etm., dağıtmak. ~ **a message**, başkasına ait bir haber vb. vermek: ~ **oneself of an opinion**, bir fikri ileri sürmek: ~ **s.o./stg. (up/over) to s.o.**, birine bir kimse/şeyi teslim etm.; devretmek: ~ **a woman (of a child)**, bir kadını doğurtmak: ~ **the goods**, (*kon.*) anlaşmaya göre görevini yapmak.
deliver·ance [di'livrəns]. Kurtarış, kurtuluş; ifade etme; ileri sürme. ~**y**, teslim, yerine verme; tevzi; verim; takrir; konuşma/ders vb. verme tarzı; doğurma; kurtulma; haber vb. götürüp verme: **accept** ~ **of**, teslim almak: **take** ~ **of**, tesellüm etm.: **on** ~, tesliminde.
dell [del]. Kuytu ve ağaçlıklı çukur yer.
delouse [dī'laus]. Bitten temizlemek.
delphinium [del'finiəm]. Hezaren çiçeği.
Delphic ['delfik]. **the** ~ **Oracle**, (*tar.*) Delfi şehrindeki Apollon hâtifi ki sorulan sorulara çokluk iki anlamlı cevaplar verirdi: ~, (*mec.*) iki anlamlı.
delt·a ['deltə] (*dil.*) Yunancanın dördüncü harfi (Δ,

δ); delta şekli(nde); (*coğ.*) delta, çatalağız; (*elek.*) üç köşe (bağlantı): ~**ic**, (*coğ.*) deltayı teşkil eden (nehir): ~**-wing**, (*hav.*) üçköşe kanat. ~**oid**, üç köşeli, delta şeklinde; deltamsı (kas).
delude [di'lyūd]. Aldatmak; kandırmak.
deluge ['delyūc] *i.* Tufan; şiddetli yağmur. *f.* Sel basmak, tufana boğmak; çok ıslatmak.
delus·ion [di'lūjn]. Aldatma; aldanma; gaflet, hayal, dalgı: **he is under the ~ that . . .**, -diği vehmindedir. ~**ive**, aldatıcı.
de luxe [di'lʌks] (*Fr.*) Lüks.
delve [delv]. Kazmak; altını üstüne getirerek araştırmak.
***Dem.** = DEMOCRAT(IC).
demagnetize [dī'magnitayz]. Mıknatıslığını gidermek.
demagog·ic [demə'gocik]. Demagoga ait. ~**ue** ['deməgog], avamfirip, demagog, halk avcı/tavlayıcısı. ~**y** [-goci], demagoji, halk avcılığı.
demand [di'mānd] *i.* Talep; istem; ihtiyaç. *f.* Talep etm., istemek; icabetmek. **be in great ~**, çok rağbette olm.: **I have many ~s upon my time**, vaktim doludur: **payable on ~**, gösterildiğinde ödenecek. ~**able**, istenir.
demarcat·e ['dīmākeyt]. Sınırını çizmek, ayırmak, tefrik etm. ~**ion** [-'keyşn], sınırlama: ~ **dispute**, işlerin ayrılması hakkında sendikaların uyuşmazlığı.
dem·arch ['dīmāk] (*id.*) (Eski Yun.'da) DEME reisi, muhtar; (*şim.*) belediye reisi. ~**e** [dīm], nahiye.
démarche [de'ma(r)ş] (*Fr.*) Diplomatik bir hareket, girişim, demarş.
demean [di'mīn]. ~ **oneself**, kendini alçaltmak; (*zarf ile*) hareket etm.: ~ **oneself honourably**, şeref sahibi bir insan gibi hareket etm. ~**our**, hal, hareket, tavır, vaziyet.
dement [di'ment] *i.* (*mer.*) Deli. ~**ed**, deli, çılgın. ~**ia** [-'menşə], delilik, cinnet.
demerara [demə'reərə]. Bir nevi esmer şeker.
demerit [dī'merit]. Kusur, hata, kabahat. ~**orious** [-'tōriəs], kabahatli.
demersal [di'məsəl]. Su sathının altında, batmış.
demesne [di'mīn, -meyn]. Mülk, malikâne.
demi- ['demi-] *ön.* Yarı. ~**-god**, yarı ilâh; kahraman. ~**john** [-con], damacana.
demilitariz·ation [dīmilitəray'zeyşn]. Askerî hal/teşkilât(ı) kaldır(ıl)ma. ~**e** [dī'mil-], gayriaskerî hale getirmek: ~**d zone**, gayriaskerî bölge.
demi·lune [demi'lyūn]. Yarım ay (şeklinde istihkâm). ~**-monde** [-mōnd], şüpheli kadınlar(ın âlemi). ~**-pension** [-'pānsyon], (otelde) yatak ve kahvaltı ile bir yemek, yarımpansiyon. ~**-rep**, şüpheli kadın.
demis·able [di'mayzəbl]. Terk/feragat edilebilir. ~**e**, *i.* ölüm; terk, ferağ: *f.* terketmek, feragat etm.
demisemiquaver [demisemi'kweyvə(r)] (*müz.*) Otuz ikilik nota.
demi·ssion [di'mişn]. İstifa. ~**t**, istifa etm.
demiurge ['demiəc] (*fel.*) Dünyayı yaratan âmil, epitken.
demo ['demou] (*arg.*) = DEMONSTRATION; örgüt toplantısı.
demo- [demo(u)-, dimo-] *ön.* Demo-; halk+.
demob [dī'mob] (*ask., kon.*) = ~ILIZE. ~**bed** [-bd], terhis edilmiş. ~**ilization** [-moubilay'zeyşn], seferberliğin bitmesi; asker terhisi. ~**ilize** [-'moubilayz], seferberliği bitirmek; terhis etm. ~**-suit** [-syūt], terhis edilirken askere verilen sivil elbise.
democra·cy [di'mokrəsi]. Halk hükümeti, halkçılık, demokrasi. ~**t** ['deməkrat], halkçı, demokrat. ~**tic** [-'kratik], halk hükümetine ait, halkçı, demokratik: ~**ally** [-tikəli], demokratik bir suretle. ~**tize** [di'mokrətayz], demokrasiye çevirmek; demokratlaştırmak.
démodé [dey'mode] (*Fr.*) Modası geçmiş.
demography [dī'mogrəfi]. Nüfus istatistikleri bilgisi, demografi.
demoiselle [demwa'zel] (*Fr.*) Genç evlenmemiş kadın; (*zoo.*) telli turna; (*biy.*) kızböceği.
demol·ish [di'moliş]. Yıkmak, tahrip etm. ~**ition** [demə'lişn], yıkma, tahrip: ~**-squad**, tahrip müfrezesi.
demon ['dīmən]. Şeytan, iblis, ifrit, zebani.
demonetiz·ation [dimonitay'zeyşn]. (Para vb.) değerden düşürme. ~**e** [-'mo-], değerden düşürmek; tedavülden kaldırmak.
demon·iac [di'mouniak]. Şeytanî, çılgın. ~**ic** [-'monik], cin/şeytana ait; ilhamlı. ~**ism** ['dīmənizm], şeytanlara iman. ~**ize**, şeytanlaştırmak. ~**olatry** [-'no-], şeytanlara tapma. ~**ology**, cin/şeytanlara imanı tetkik.
demonstrabl·e [di'monstrəbl]. İspat/izah edilebilir; gösterilebilir. ~**y**, gösterilir bir şekilde.
demonstrat·e ['demənstreyt]. Tecrübe/tatbikat ile izah/ispat etm.; izah etm., iyice göstermek; gösteriş yapmak; nümayişte bulunmak. ~**ion** [-'streyşn], tatbikat ile ispat, izah, gösterme; izhar; gösteriş; gösteri, örgüt toplantısı, nümayiş: **make a ~**, tezahüratta bulunmak, nümayiş yapmak. ~**ive** [-'monstrətiv], coşkun; hislerini saklıyamayıp açıkça gösteren: ~ **adjective/pronoun**, gösterme/işaret sıfat/zamiri. ~**or** [demən'streytə(r)] (*id.*) nümayişçi, gösterici; fen profesörünün asistanı.
demoraliz·ation [dimorəlay'zeyşn]. Ahlâkını bozma, cesaretini kırma, maneviyatı bozulma. ~**e** [-'mor-], ahlâkını bozmak, maneviyatını bozmak/kırmak; yeis vermek. ~**ing**, cesaret kırıcı.
demos ['dīmos]. (Eski Yun.'da) halk; nahiye; (*köt.*) ayak takımı.
demote [di'mout]. Aşama/rütbesini indirmek.
demotic [di'motik] *s.* Halka ait. *i.* Halk dili.
demotion [dī'mouşn]. Aşama/rütbe düşürümü.
demulcent [di'mʌlsənt]. Teskin edici (ilâç).
demur [di'mə̄(r)]. Tereddüt (etm.), zorluk çıkarma(k); itiraz (etm.). **without ~**, hiç itiraz etmeden.
demure [di'myuə(r)]. Uslu ve temkinli ve çekingen; ağır başlı, ciddî; (*bazan*) yalancıktan mahcup.
demurr·able [di'mʌrəbl] (*huk.*) İtiraz edilebilir. ~**age** [-ric], süre üstü boşaltma-yükleme, sürestarya; bekleme süresi; istalya (ücreti). ~**er**, (*huk.*) itiraz (eden): **put in a ~**, itiraz etm.
demy [di'may] (*bas.*) Demi boy kâğıt; (Oxford üniversitesinde) burslu öğrenci.
den [den]. İn, mağara; sığınak; ufak oda. ~ **of thieves**, karga derneği.
denarius [dineəriəs]. (Eski Roma'da) altın para. [*İng.'de* PENNY *işareti olan "d" bundan gelir.*]
denationalize [dī'naşənəlayz]. Ulusal haklardan mahrum etm.; gayrimillî bir şekle sokmak; devlet tekelinden çıkarmak.

denaturalize [dī'naçərəlayz]. Gayritabiî bir şekle sokmak.

denature [dī'neyçə(r)]. Tabiat/vasıf/mahiyetini değiştirmek, doğallığını bozmak, denşirmek; yenmez/içilmez hale koymak.

denazify [dī'nātsifay]. Naziler ile onların tesirini kaldırmak.

Denbighshire ['denbişə]. Brit.'nın bir kontluğu.

dendr·(i)-, ~o- ['dendri-, -drə-] *ön.* Ağaç+, ağaca ait. **~iform**, ağaç şeklinde. **~ite** [-drayt], dallantı, dendrit. **~itic** [-'dritik], dallantılı. **~ology**, ağaç bilimi. **~ometer** [-'dromitə(r)], ağaç ölçeği.

dene[1] [dīn]. Dere.

dene[2]. Sahildeki kumlu arazi/tepe.

denegation [deni'geyşn]. İnkâr.

dene-hole ['dīnhoul] (*ark.*) Sunî mağara.

dengue ['den(g)gi] (*tıp.*) Dang (humması).

deni·able [di'nayəbl]. İnkâr edilebilir. **~al** [-yəl], inkâr; yalanlama; red; feragat: **a ~ of justice**, ihkakı haktan imtina: **I will take no ~**, muhakkak ... -melisiniz; lâmı cimi yok. **~er**[1] [-yə(r)], inkâr eden.

denier[2] ['deniey, 'denyə(r)] (*dok.*) Deniye.

denigrate ['denigreyt]. Kötülemek, zemmetmek.

denim ['denim]. Denim, kaba pamuklu kumaş. **~s**, iş pantalonu.

denitr·ate, ~ify [di'naytreyt, -trifay]. Nitratı gidermek.

denizen ['denizn]. Bir yerde sakin/oturan/yerleşmiş.

Denmark ['denmāk]. Danimarka.

denominat·e [di'nomineyt]. **~ s.o./stg. as ...**, ... adını vermek, tavsif etm. **~ion** [-'neyşn], isim; ad verme; zümre, nevi, cins. **~ional**, bir dinî zümreye mensup. **~or** [-tə(r)] (*mat.*) mahreç, payda, bölen.

denot·ation [dīnou'teyşn]. Mana, anlam, delâlet, işaret. **~e** [di'nout], göstermek, delâlet etm.; kasdetmek, demek; tazammun etm.

dénouement [dey'nūmā(n)]. (Bir piyes vb.) sonuç.

denounce [di'nauns]. Açıkça suçlamak; şiddetle aleyhinde bulunmak; kovculuk etm., ihbar etm.; ele vermek; antlaşma vb.nin bittiğini haber vermek.

de novo [dī'nouvou] (*Lat.*) Yeniden, tekrar.

dens·e [dens]. Sık, kesif, koyu, yoğun; aptal: **~ly**, yoğun olarak; aptalca: **~ness**, sıklık, yoğunluk; aptallık. **~imeter**, yoğunluk ölçegi. **~ity**, sıklık, kesafet, koyuluk, yoğunluk; aptallık.

dent [dent] *i.* Çentik. *f.* Çentmek.

dent- *ön.* Diş+.

dent. = DENT·AL/-TIST(RY).

dent·al ['dentl]. Dişe ait, dişli, dişsel: **~-surgeon**, diş doktoru. **~ate** [-teyt], dişli, diş şekli(nde). **~ex**, sinarit. **~icular/~iform** [-'tikyulə(r)], diş şeklinde. **~ifrice** [-tifris], diş macun/tozu. **~ilingual** [-ti'lin(g)gwəl], dil ile dişler arasında teşkil edilen (ünsüz). **~ine** [-tīn], diş kemiği. **~ist**, dişçi: **~ry**, dişçilik. **~ition** [-'tişn], diş çıkarma; dişlerin şekli ve sayısı; diş yapısı. **~ure** [-çə(r)], takma diş; dişler.

denuclearize [dī'nyūkliərayz], -den atom silâhlarını kaldırmak.

denud·ation [dīnyū'deyşn]. Çıplak bırakma; soyulma. **~e** [di'nyūd], çıplak bırakmak; soymak; mahrum etm.

denunciat·ion [dinʌnsieyşn]. Açıkça suçlama; ihbar; şiddetle aleyhinde bulunma; (bir antlaşma vb.nin) yenilenmiyeceğini haber verme. **~ive, ~ory**, itham edici; hücum edici; ihbar eden.

deny (*g.z.(o.)* **denied**) [di'nay(d)]. İnkâr etm.; tanımamak; nasip etmemek. **~ stg. to s.o.**, birine bir şeyi vermemek, nasip etmemek: **~ oneself stg.**, kendini bir şeyden mahrum etm.: **~ the door to s.o.**, birini içeri almamak, birini kabul etmemek: **there's no ~ing that**, -dığı inkâr edilemez: **he is not to be denied**, ona red cevabı verilemez, o red kabul etmez.

d(e)och-an-doris [doğən'doris] (*İsk.*) Son içki.

deodar ['dīədā(r)]. Himalya sediri.

deodor·ant [dī'oudərənt]. Kokusunu gideren ilâç. **~ize** [-rayz], kokusunu gidermek: **~r**, kokusunu gideren madde/cihaz.

deontology [dīon'toləci]. Vazife/görevler bilgisi, ahlâk bilimi, deontoloji.

deo volente ['deyou vo'lenti] (*Lat.*) Allah isterse, hiç engel olmazsa.

deoxidize [dī'oksidayz]. Oksijenini gidermek; oksitsizleş(tir)mek.

dep. = DEPART·S/-URE.

depart [di'pāt]. Gitmek, ayrılmak. **~ from**, terketmek. **~ed**, gitmiş, ayrılmış; geçmiş, yok olmuş: **the ~**, müteveffa, merhum.

department [di'pātmnt]. Daire, şube, bölüm, servis; kalem; bakanlık; kısım. **~ store**, büyük mağaza. **~al** [-'mentl], şube/bölüm/daireye ait; şube+: **~ize** [-təlayz], bölümlere ayırmak.

departure [di'pāçə(r)]. Gitme, ayrılma, gidiş, azimet, kalkış, çıkış, hareket (noktası). **a new ~**, yeni bir eğilim/akım/âdet.

depasture [di'pasçə(r)]. Otla(t)mak.

depauperize [dī'pōpərayz]. Fakirlikten kurtarmak.

depend [di'pend]. Asılı olm., asılmak. **~ on**, -e bağlı olm., tabi olm.; güvenmek: **that ~s/it all ~s**, belli olmaz: **that ~s on you**, bu size bağlıdır, sizin elinizdedir: **~ on s.o.**, geçimi birine bağlı olm., birinin eline bakmak: **~ (up)on s.o.**, birine bel bağlamak, birine güvenmek; birinden emin olm. **~able**, güvenilir, emin. **~ant**, başkasının koruma/yardımına muhtaç olan kimse.

dependen·ce [di'pendəns]. Bağlılık; bel bağlama; güvenme: **place ~ on s.o.**, birine güvenmek. **~cy**, müstemleke, sömürge, tabi yer; eklenti; tabi/bağlı olma: **~cies**, müştemilat. **~t**, birine bağlı, tabi; asılı; = DEPENDANT.

depersonalize [dī'pəsənəlayz]. Şahsiyetini kaldırmak.

depict [di'pikt]. Resmini yapmak, tasvir etm., göstermek. **~ion** [-'pikşn], tasvir, tarif.

depilat·e ['depileyt]. Kılları gidermek. **~ory** [di'pilətri], kılları gideren ilâç.

deplane [dī'pleyn]. Uçaktan in(dir)mek/çık(ar)mak.

deplenish [di'pleniş]. Eşyasını boşaltmak, azaltmak.

deplet·e [di'plīt]. Tüketmek, azaltmak. **~ion** [-'plīşn], tüketme. **~ive/~ory**, tüketici.

deplor·able [di'plōrəbl]. Acınacak, merhamete değer; pek fena, berbat. **~e** [-'plō(r)], acımak, esef etm.; -e müteessir olm.; -den şikâyet etm., fena bulmak.

deploy [di'ploy] (*ask.*) Açmak, yay(ıl)mak. **~ment**, yayılma.

deplume [di'plūm]. Tüylerini yolmak.

depolarize [dī'poulərayz]. Kutupluluğunu gidermek/değiştirmek.
depollution [dīpə'lūşn]. Kir/pislenmesini giderme.
depone [di'poun]. Tanık olarak ifade vermek. ~**nt**, yazı ile ifade veren tanık.
depopulat·e [di'popyuleyt]. Nüfusunu boşaltmak/azaltmak. ~**ion** [-'leyşn], nüfusunun azalma/kalmaması.
deport[1] [di'pōt]. Memleketten dışarı tardetmek, sürmek, sınır dışına çıkarmak. ~**ation** [dīpō'teyşn], sınır dışına çıkarma, sürgün, nefiy. ~**ee** [-'tī], böyle çıkarılan kimse.
deport[2]. ~ **oneself**, hareket etm., davranmak. ~**ment**, tavır, hal ve hareket, muamele.
depose [di'pouz]. Yerinden çıkarmak, tahttan indirmek, azletmek, hal'etmek. ~ **to a fact**, tanıklık etm.
deposit [di'pozit] *i.* (*fiz., coğ.*) Tortu, çökelti, rüsup, bırakım, yatak; (*mal.*) emanet; mevduat, tevdi etme, yatırım, yatırma, depozito, kaparo, önödeme, teminat; pey (akçesi). *f.* Koymak, vaz'etmek, çökeltmek; tevdi etm., yatırmak; pey vermek. **on** ~, emanette; faize yatırılan para. ~**ary**, emanetçi, muhafaza eden kimse, koruyumcu.
deposition [dīpə'zişn]. Yerinden çıkarma, tahttan indirme; hal'etme; (*huk.*) tanığın yazılı ifadesi; tanıklık, şehadet; (*din*) İsa'nın çarmıhtan indirilmesi.
depositor [di'pozitə(r)]. Emanet eden; para yatıran kimse. ~**y**, depo, ambar, ardiye; emanetçi, koruyumcu.
depot ['depou]. Depo, ambar; ardiye; (*ask.*) deppoy; bir alayın merkezi; *['dīpou] (*dem.*) istasyon.
deprav·ation [deprə'veyşn]. Ahlâkını bozma; bozulma, çürüme. ~**e** [di'preyv], ahlâkını bozmak: ~**d**, ahlâkı bozuk. ~**ity** [-'praviti], ahlâk bozukluğu, ahlâksızlık.
deprecat·e ['deprikeyt]. Israrla engel olmağa çalışmak, hiç tasvip etmemek. ~**ingly**, beğenmiyerek, uygun görmiyerek. ~**ion** [-'keyşn], tasvip etmeme, beğenmeme. ~**ive**/~**ory** [-kətıv, -təri], tasvip etmiyen, uygun bulmıyan, beğenmiyen, muhalif ve muteriz.
depreciat·e [di'prīşieyt]. Kıymetini düşürmek; değerini küçültmek; yedirmek; amortize etm.; kıymetten düşmek; yedirilmek. ~**ion**, kıymetini düşürme; değerini inkâr; amortisman; kıymetten düşme; aşınma (payı). ~**ory** [-təri], kıymetini düşürücü.
depredat·ion [depri'deyşn]. Yağma; tahribat; zarar. ~**or**, tahrip eden, yağmacı.
depress [di'pres]. Bastırmak, indirmek; -e basmak; alçaltmak; zayıflatmak; neşesini kırmak; kasvet vermek. ~**ant**, yatıştırıcı (ilâç). ~**ed** [-st], kederli, süngüsü düşük; yoksul. ~**ing**, kasvetli, iç karartıcı: ~**ly**, kasvetli olarak; (kötü şekilde) çok. ~**ion** [-'preşn], kasvet, melâl; (*mal.*) durgunluk, bunalım, buhran, kriz; (*coğ.*) çökek, çukurluk, münhat yer, girinti; basılma; alçaklık, depresyon, daralma. ~**or** [-sə(r)], sıkıştıran; (*tıp*) aşağı çeken kas. ~**urize** [-'preşərayz] baskı/tazyikini gidermek.
depriv·al [di'prayvəl]. Mahrumiyet. ~**ation** [depri'veyşn], mahrum etme/olma; kaybetme. ~**e** [di'prayv], mahrum etm., zorla elinden almak.
dept = DEPARTMENT.
depth [depθ]. Derinlik; boy; derin yer; tam ortası. **get out of one's** ~, (suda) ayağı yerden kesilmek; (*mec.*) yetkisi dışına çıkmak: **in** ~, baştan başa/tam olarak: **in the** ~**s of despair**, tam bir umutsuzluk içinde: **in the** ~ **of winter**, karakışta. ~**-charge** [-çāc], su bombası.
depurate ['depyūreyt]. Tasfiye etm., temizlemek.
deput·ation [depyū'teyşn]. Murahhas heyeti; vekil tayin etme. ~**e** [di'pyūt], *f.* vekil tayin etm., tevkil etm.: ['depyūt] *i.* (*İsk.*) = ~Y. ~**ize** ['depyutayz], birine vekâlet etm. ~**y** [-ti], vekil; mebus, saylav; murahhas; as-. . . ; . . . -yardımcısı: ~**-chairman**, reis vekili: ~**-governor**, müdür/vali muavini.
deracin·ate [dī'rasineyt]. Kökünden söküp çıkarmak. ~**é** [dey'rasīney] (*Fr.*) doğal çevresinden çıkarılmış/ayrılmış kimse, köksüz bir kimse.
derail [di'reyl] (*dem.*) (Treni) yoldan çıkarmak. **be** ~**ed**, yoldan çık(arıl)mak. ~**ment**, yoldan çık(arıl)ma.
derange [di'reync]. (Sırasını vb.) bozmak, karıştırmak; aklına dokunmak. **(mentally)** ~**d**, aklı bozulmuş.
Derby ['dābi]. **the** ~, meşhur at yarışı: ***d**~ ['dəbi], melon şapka. ~**s(hire)** ['dābişə(r)], Brit.'nın bir kontluğu: ~ **neck**, cedre, boğaz uru, guşa, guatr: ~ **spar**, kalsiyum fluoriti, neceftaşı.
derelict ['derilikt]. Terkedilmiş; metruk; ıssız; metruk gemi. ~**ion** [-'likşn], terketme: ~ **of duty**, görevin ihmali.
derequisition [dīrekwi'zişn]. Resmî elkoymayı kaldırmak.
derestrict [dīri'strikt]. Sınırlamayı kaldırmak.
deride [di'rayd]. Alay etm., istihza etm.
deris·ion [di'rijn]. İstihza, alay; alay konusu: **hold s.o. in** ~, biriyle alay etm. ~**ive** [-'raysiv], alaycı, istihzalı. ~**ory** [-'raysəri], istihzalı; gülünç.
deriv·ation [deri'veyşn]. İştikak, türetme, türev; menşe; asıl, kök. ~**ative** [di'rivətiv], iştikak etmiş, türetici; müştak. ~**e** [-'rayv], çıkarmak; iştikak etm., türetmek; müştak olm., çıkmak: ~ **pleasure from . . .**, -de zevk bulmak. ~**ed**, türemiş.
derm(a) [dəm(ə)] *i.* Deri, cilt; derma. *ön.* Deri+. ~**al**, deri+, cıldî. ~**atitis** [-ə'taytis], cilt iltihabı. ~**ato-**, *ön.* deriye ait, cilt+, deri+: ~**logy** [-'toləci], cilt hastalıkları bilimi. ~**is**, (*tıp.*) (hakikî) cilt.
***dern(ed)** [dən(d)] = DARN[2].
derogat·e ['derəgeyt]. ~ **from**, azaltmak, ihlâl etm. ~**ion** [-'geyşn], ihlâl, dokunma, kötüleşme. ~**ory** [di'rogətəri], itibar kırıcı, ihlâl edici; küçültücü, kötüleyici.
derrick ['derik]. Dikme, vinç, maçuna; sondaj kulesi.
derring-do ['derin(g)gdu] (*şiir.*) Büyük ve pervasız cesaret.
derringer ['derincə(r)]. Büyük çaplı kısa tabanca.
derris ['deris]. Bazı tropikal sarmaşık bitkiler; böcek öldürücü madde, derris.
derry ['deri] (*Avus.*) Hoşlanmama.
derusting [dī'rʌstin(g)]. Pas alma, passı giderme.
derv = DIESEL-ENGINED ROAD VEHICLE; bunlar için ağır yağ.
dervish ['dəviş] (*din.*) Derviş; (*tar.*) Sudan'daki Mehdi taraftarı: **howling** ~, Rufai; **whirling** ~, Mevlevî.
DES = DEPARTMENT OF EDUCATION AND SCIENCE.

desalinat·e [dī'salineyt]. Tuzunu gidermek/çıkarmak. **~ion** [-'neyşn], tuzunu giderme/çıkarma.
descaling [dī'skeylin(g)]. Kabuk giderme/alma, kabuksuzlaştırma.
descant ['deskant] *i.* Nağme, şarkı. [dis'kant] *f.* Dem vurmak, teferruatiyle anlatmak: **~ upon**, övmek.
descend [di'send]. İnmek; alçalmak; (bir aileden) çıkmak; (babadan oğula) geçmek; (*ast.*) çökmek. **~ on s.o.**, birinin üzerine çullanmak; üşüşmek: **well ~ed**, iyi aileye mensup. **~ant**, bir aile/soydan gelen kimse, torun, hafit. **~ing**, (*biy.*) inen, nazil.
descent [di'sent]. İnme, iniş; soy, nesil, şecere; intikal etme, miras kalma; (*ast.*) alçalma, çökme, intihat; (*hav.*) alçalış, iniş.
describ·able [dis'kraybəbl]. Tarif/tasvir edilir; çizilir. **~e**, tarif etm., tanımlamak, tasvir etm.; çizmek; anlatmak.
descrip·tion [dis'kripşn]. Tarif, tanımlama; anlatma; tasvir; (*id.*) nitelendirme, tavsif; çizme; cins, çeşit: **answer to s.o.'s ~**, birinin eşkâl/tasvirine uymak. **~tive**, tasvirî, tanımlanmış; tarifli, izahlı; ayırıcı; (*mat.*) tasarı, tersimî: **~ of**, -i tasvir eden.
descry [dis'kray]. Görmek, seçmek.
desecrat·e ['desikreyt]. (Kutsal bir şeye karşı) saygısızlık etm.; telvis etm. **~ion** [-'kreyşn], hürmetsizlik, saygısızlık, telvis.
***desegregate** [dī'segrigeyt]. Irkî ayırmayı kaldırmak.
desensitize [dī'sensitayz]. (Işığa karşı) hassasiyetini gidermek.
desert[1] [di'zǝ̄t] *i.* Lâyık olan şey; hak edilen şey. **get one's ~s**, lâyığını bulmak.
desert[2] ['dezǝt] *i.* Çöl; çorak, kurak, hali, ıssız. *s.* Çöl+, çölümsü. **ship of the ~** = CAMEL. **~-island**, uzak ve ıssız bir ada. **~-rat**, Arap tavşanı; (*kon.*) 1941–42'de K.Afrika'da savaşan İng. askeri.
desert[3] [di'zǝ̄t] *f.* Bırakıp kaçmak; terketmek; askerden kaçmak. **~ed**, terk edilmiş; hali, ıssız, tenha. **~er**, asker kaçağı. **~ion** [-'zǝ̄şn], bırakıp kaçma, terketme; firar; kaçaklık.
deserv·e [di'zǝ̄v]. Hak etm., lâyık olm. **~edly**, haklı olarak. **~ing**, lâyık, değerli: **~ of**, -e müstahak, -e lâyık: **this is a ~ case**, bu adam/aile vb. yardıma lâyıktır.
desicca·nt ['desikənt]. Kurutucu (madde). **~te** [-keyt], kurutmak. **~ted** [-tid], kurutulmuş. **~tive**, kurutucu. **~tor**, kurutma cihazı; kurutucu.
desiderat·ive [di'zidərətiv]. Dilek (kipi). **~um**, *ç.* **~a** [-'reytəm, -tə], eksik olan şey; ihtiyaç.
design [di'zayn] *i.* Plan; taslak, desen, resim; proje, etüd, model, tip; maksat, amaç, erek, tasavvur, meram. *f.* Çizmek, planını yapmak, biçimlemek, tasarlamak; tertip etm., hazırlamak; niyet etm. **by ~**, mahsus, bile bile, kasten: **with this ~**, bu maksatla.
designat·e ['dezigneyt] *f.* Tayin etm., tahsis etm.; göstermek; tavsif etm.; ad/unvan vermek. *s.* Tayin edilmiş. **~ion**, tayin, tahsis; isim, unvan, sıfat; göster(il)me.
design·edly [di'zaynidli]. Mahsus, kasten, bile bile. **~er**, (kumaş desenleri/elbise modelleri çizen) ressam; (*tiy.*) dekorcu; yaratıcı. **~ing**, entrikacı, kurnaz, madrabaz.
desilver(ize) [dī'silvər(ayz)]. Gümüşünü gidermek.
desinence ['desinəns] (*dil.*) Sonuç, ek.
desipience [di'sipiəns]. Ahmaklık, önemsizlik.
desir·ability [dizay(ə)rə'biliti]. Arzu edilir olma, hoşa gitme: **the ~ of stg.**, bir şeyin yararlı olup olmadığı. **~able** [-rəbl], makbul, hoş, beğenilir: **~ness**, hoşa gitme. **~ably**, makbul/hoş bir surette. **~e**, *i.* arzu, istek: *f.* arzu etm., istemek: **it leaves much to be ~d**, mükemmel/kusursuz/tam olmaktan uzaktır. **~ous** [-rəs], arzu eden, talip, istekli.
desist [di'zist, -'sist]. Vazgeçmek, bırakmak.
desk [desk]. Yazı masası, yazıhane; kürsü; vezne, kasa; okul sırası. **roll-top ~**, istorlu masa. **~-clerk**, otel kâtibi.
desman ['desmən]. Desman.
desmo- [desmo-] *ön.* (*tıp.*) Bağ+.
desolat·e ['desəlit] *s.* Kuş uçmaz kervan geçmez, ıssız, tenha; viran; meyus ve perişan, kimsesiz. [-'leyt] *f.* Harap etm., perişan, etm., meyus etm. **~ion** [-'leyşn], haraplık, perişanlık; ıssızlık; yeis.
despair [dis'peə(r)] *i.* Yeis, umutsuzluk, çaresizlik. *f.* Umudunu kesmek, meyus olm. **~ing**, umutsuz.
despatch [dis'paç] = DISPATCH.
desperado [despə'rādou]. Her şeyi gözüne almış cani; tehlikeli mücrim.
desperat·e ['despərit]. Umutsuz; çok tehlikeli, her şeyi göze alan, mezbuhane hareket eden; şiddetli, azgın, çılgın. **~ion** [-'reyşn], umutsuzluk, çaresizlik; her şeyi göze alma.
despicabl·e [dis'pikəbl]. Alçak, aşağılık, denî, habis. **~y**, alçak vb. olarak.
despise [dis'payz]. Hakir görmek, hor görmek; istihfaf etm.
despite [dis'payt] *i.* Garez, kin; nispet. *e.* -e rağmen.
despo·il [di'spoyl]. Soymak, yağma etm., mahrum etm., yüzmek. **~liation** [dispouli'eyşn], soygun(culuk).
despond [dis'pond] *i.* Yeis, umutsuzluk. *f.* Umutsuzluğa düşmek, meyus olm. **~ency**, umutsuzluk; bedbinlik. **~ent/~ing**, umutsuz, meyus, bedbin.
despot ['despot]. Müstebit, despot. **~ic** [-'potik], müstebit, karakuşî, keyfî. **~ism** ['despətizm], istibdat.
desquamate ['deskwəmeyt]. Pulları dökülmek; pul halinde çıkmak.
dessert [di'zǝ̄t]. (Yemeğin sonunda yenen) meyva/tatlı. **~-spoon**, komposto kaşığı. **~-wine**, bununla içilen şarap.
destination [desti'neyşn]. Gönderilen/gidilecek yer; varış (noktası). **port of ~**, varma limanı.
destine ['destin]. Tahsis etm., ayırmak, tayin etm.; nasip etm. **be ~d**, tahsis edilmek; mukadder olm., nasip olm.; gidecek olm.: **I was ~d to see all this**, kaderimde bütün bunları görmek de varmış.
destiny ['destini]. Kader; talih.
destitut·e ['destityūt]. Yoksul, kimsesiz, mahrum; parasız, aç biilâç. **~ion** [-'tyūşn], yoksulluk; mahrumiyet.
destock [dī'stok]. Stoklarını çıkarmak/tamamen satmak.
de-stress [dī'stres]. Gerilmesini gidermek.
destroy [dis'troy]. Yıkmak, yoketmek, tahrip etm., harap etm., imha etm. **~er**, muhrip; destroyer; tahrip eden.
***destruct** [dis'trʌkt]. (Kendi roket vb.) kasten bozmak/yoketmek. **~ible**, tahribi mümkün. **~ion**

[dis'trʌkşn], tahrip, yıkma, yoketme, imha; mahvolma; harabe. ~**ive**, tahrip edici, yıkıcı, zararlı. ~**or**, tahrip edici, imha eden: **refuse** ~, çöp yakma fırını.
desuet·e [di'swīt]. Modası geçmiş. ~**ude** ['diswityūd], kullanılmama, istimalden sakıt olma; yürürlükten kalkma.
desulphur(ize) [dī'sʌlfə(r), -rayz]. Kükürdünü gidermek.
desultory ['desltəri]. Rabıtasız, tertipsiz, usulsüz ve maksatsız, rasgele.
det. = DETECTIVE.
detach [di'taç]. Ayırmak, çözmek, koparmak; (*ask.*) özel bir görev ile göndermek. ~**able**, ayrılabilir, çözülür. ~**ed**, ayrı, bağımsız, müstakil; tarafsız, objektif. ~**ment**, ayırma, ayrı durma; (*ask.*) müfreze; tarafsızlık.
detail ['dīteyl] *i.* Tafsilât; ayrıntı; detay; ayrı parça; özel bir görev için seçilen grup. *f.* Tafsil etm., tafsilâtla/ayrıntılarını anlatmak, sayıp dökmek; özel görev ile göndermek. **in** ~, mufassal, ayrıntılarıyle: **in every** ~, her noktada. ~**ed**, ayrıntılı. ~**-part**, (*müh.*) teferruat parçası.
detain [di'teyn]. Alıkoymak, tutmak; geciktirmek; izinsiz bırakmak; hapsetmek. ~**ee**, mahkemeye verilmeden hapsedilmiş kimse, tutuklu. ~**er**, (*huk.*) malını alıkoma; hapsedilmesinin uzatılması emri.
detect [di'tekt]. Bulmak, meydana çıkarmak, keşfetmek, farketmek. ~**ion** [-tekşn], meydana çıkarma, keşif; (*rad.*) deteksiyon: **escape** ~, gözden kaçmak; iz bırakmamak. ~**ive**, polis hafiyesi, detektif; meydana çıkarıcı: **private** ~, ücretle özel hafiyelik eden kimse: ~ **story**, polis romanı. ~**or**, arama aleti, detektör, bulucu, meydana çıkaran: ~**-lamp**, detektris.
detent [di'tent] (*müh.*) Tetik, kol.
détente [dey'tā(n)t] (*Fr., id.*) Milletlerarası münasebetlerin yumuşatması.
detention [di'tenşn]. Alıkoyma, tutma; tutuklama, yakalama; tevkif; izinsiz; geciktirilme. **house of** ~, tevkifhane: ~**-centre**, tutuklarevi.
deter [di'tə(r)]. Vazgeçirmek; caydırmak; gözdağı vermek. **nothing will** ~ **him**, hiç bir şey onu durduramaz/yıldırmaz.
detergent [di'tə̄cənt]. Deterjan, kirgiderici, arıtıcı/temizleyici (madde).
deteriorat·e [di'tiəriəreyt]. Kötüleş(tir)mek, boz(ul)mak, değerden düş(ür)mek, tereddiye uğra(t)mak. ~**ion** [-'reyşn], kötüleşme, bozulma, değerden düşme, tereddi, yitirme.
determent [di'tə̄mənt]. Vazgeçirme, caydırma; engel.
determin·able [di'tə̄minəbl]. Tayini mümkün; (*huk.*) feshi mümkün. ~**ant**, kararlayıcı, belirtici. ~**ate**, muayyen, belirli, mahdut, sınırlı. ~**ation** [-'neyşn], azim, karar, sebat; tasmim; tespit, tahdit, sınırlama; belirlenme; belirtme: **come to a** ~, bir karara varmak: **an air of** ~, kesin ve azimli tavır. ~**ative**, belirtili, tamlayan. ~**e**, kesin karar vermek, azmetmek; tayin etm., tespit etm.; sonuçlandırmak; belirtmek. ~**ism**, gerekircilik, icabiye, determinizm, muayyeniyet.
deterren·ce [di'terəns]. Vazgeçirme, caydırma. ~**t**, vazgeçiren, caydırıcı; önleyici (şey).
detersive [di'tə̄(r)siv]. Temizleyici (madde).
detest [di'test]. Nefret etm., hiç hoşlanmamak. ~**able**, nefret edilecek, iğrenç; berbat. ~**ation** [dītes'teyşn], nefret, iğrenme: **hold stg. in** ~, bir şeyden nefret etm.
dethrone [dī'θroun]. Tahttan indirmek, hal'etmek, iskat etm. ~**ment**, tahttan indir(il)me.
detonat·e ['detəneyt]. Patla(t)mak, infilâk et(tir)mek. ~**ing**/~**ive**, patlatıcı. ~**ion** [-'neyşn], patla(t)ma. ~**or**, patlatıcı alet, funya, kapsül, tapa.
detour ['deytū(r)]. Sapa/dolaşan yol. **make a** ~, başka yoldan dolaşmak.
detoxicate [dī'toksikeyt]. -den zehiri gidermek.
detract [di'trakt]. ~ **from**, azaltmak, küçültmek, değerden düşürmek, itibarını bozmak. ~**ion** [-kşn], azaltma vb. ~**ive**, azaltıcı, bozucu. ~**or**, başkalarını çekiştiren/zemmeden.
detrain [dī'treyn]. Trenden in(dir)mek.
detribalize [dī'traybəlayz]. Kabile teşkilâtını kaldırmak/bozmak.
detriment ['detrimənt]. Zarar, ziyan. ~**mental** [-'mentl], zararlı.
detrit·al [di'traytl]. Döküntülü. ~**ed** [-tid], aşınmış. ~**ion** [-'trişn], yenme, aşınma. ~**us** [-'traytəs], taş/kaya döküntüsü.
de trop [də'trou] (*Fr.*) İstenilmemiş, fazla.
detru·de [di'trūd]. Aşağı itmek, (itip) çıkarmak. ~**sion** [-'trujn], aşağı itme.
detruncate [dī'trʌn(g)keyt]. Bir parçasını kesmek, kesip kısaltmak.
deuce[1] [dyūs]. (Oyun kâğıdı) ikili; (tenis) 40 sayı ile beraber vaziyet; berabere.
deuce[2] (*kon.*) Şeytan. **go to the** ~!, cehennem ol!: **we are in the** ~ **of a mess**, ayıkla pirincin taşını!: **he is the** ~ **of a liar**, sunturlu yalancıdır: **play the** ~ **with stg.**, bir şeyi berbat etm. ~**d** [-sid], Allahın belâsı, berbat; bir çok.
deus ex machina ['deəs eks'makinə] (*Lat.*) Tepeden inme, doğaya aykırı imdat.
deuter·ium [dyu'tiəriəm]. Döteriyum, deuterium. ~**o-** [-təro-] *ön.* döter-; ikinci. ~**on**, döteriyum çekirdeği, deuteron.
deutzia ['dyutsiə]. Beyaz çiçekli bir çalı.
devalu·ation [dīvalyu'eyşn]. Değerini düşürme, değerdüşümü, devalüasyon. ~**e**, değeri(ni) düş(ür)mek.
devastat·e ['devəsteyt]. Tahrip etm., mahvetmek, yakıp yıkmak. ~**ing**, (*mec.*) çok etkili, ezici. ~**ion** [-'teyşn], tahrip, hasar.
develop [di'veləp]. İnkişaf et(tir)mek; geliş(tir)mek, genişle(t)mek, aç(ıl)mak, aç(ındır)mak, tedricen meydana çık(ar)mak; (itiyat) peyda etm.; (*sin.*) banyo ile izhar etm., yıkamak: **let us see how things** ~, olayların gelişmesini bekliyelim. ~**able** [-pəbl], geliştirilebilir, vb. ~**er**, açan; (*sin.*) yıkama aygıtı; yıkamaç; yıkayıcı: **property** ~, kazanç maksadiyle bina inşa ve imarıyle uğraşan kimse. ~**ment**, inkişaf, geliş(tir)me, gelişim, açılma, açınma; kalkınma, imar, bayındırlık; (*sin.*) developman, banyo ile izhar etme, yıkama: **property** ~, imar etme; imarlık.
deviat·e ['dīvieyt]. Sapmak, ayrılmak, inhiraf etm. ~**ion** [-'eyşn], sapma, ayrılık, inhiraf; pusulanın sapması; (*ast., fel.*) sapınç: ~**ism**/~**ist** (*id.*) resmî politikadan sapma/sapan kimse.
device [di'vays]. Cihaz, düzen, makine, alet; tedbir; hüner, ustalık, marifet; hile, oyun; arma vb. üzerindeki şekil/cümle. **leave s.o. to his own** ~**s**, birini kendi haline bırakmak, işine karışmamak.

devil[1] ['devl] *i.* Şeytan, iblis, zebani; habis ruh; Allahın belâsı; (insan) habis, zalim; (hayvan) Allahın belâsı, hain; bir avukat vb.nin muavin/yamağı; (basınevinde) çırak, yamak; çok hardalla kızartılmış et/balık; yün/pamuk tarağı gibi bir makine: **~ a one/bit**, hiç mi hiç: **between the ~ and the deep blue sea**, aşağı tükürsem sakalım yukarı tükürsem bıyığım: **the blue ~s**, iç sıkıntısı: **give the ~ his due**, kötü adamın bile hakkını vermek: **go to the ~!**, cehennem ol!: **he has gone to the ~**, (sefahate vurup) mahvoldu: **have ~**, (asker, sporcu vb.) atılgan ve cesur olm: **how the ~ do you know that?**, bunu da nereden biliyorsun?: **(do stg.) like the ~**, alabildiğine, domuzuna: **there'll be the ~ to pay**, bunun acısı sonra çıkar: **play the ~ with**, berbat etm.: **the poor ~**, zavallı, adamcağız: **raise the ~**, kıyamet koparmak: **talk of the ~ (and he's sure to appear)**, (*ata.*) *kendisinden bahsedilirken çıkagelen biri hakkında kullanılır*: **what the ~ are you doing?**, ne halt ediyorsun?: **'John is engaged.' 'The ~ he is!'**, 'John nişanlanmış'. 'Yok canım! deme'.

devil[2] *f.* (Eti) bol hardalla kızartmak. **~ for s.o.**, birinin muavini olarak en sıkıntılı işlerini yapmak. **~dom**, şeytanlar âlemi; şeytan durumu. **~ish** [-liş], habis, melunca; seytanî; berbat; son derece yaman: **~ly**, (*kon.*) çok; habis vb. olarak. **~-may-care**, gözünü çöpten sakınmaz; hiç kimseye aldırmaz. **~ment/~ry**, habaset, gaddarlık; şeytanlık, muziplik; çılgınlık, cüretkârane hareket. **~-worship**, şeytanlara tapma.

devious ['dīviəs]. Sapa, dolaşık; eğri; dürüst olmıyan.

devise [di'vayz]. İcadetmek; düşünüp bulmak; tasarlamak, kurmak; (*huk*) vasiyetle bırakmak.

devitalize [dī'vaytəlayz]. Cansızlaştırmak.

devitrify [dī'vitrifay]. Cüruftan camı çıkartmak.

devoid [di'voyd]. **~ of**, -den arî, mahrum; -siz.

devoir ['devwā(r)] (*Fr.*) Görev.

devolution [dīvə'luşn]. Miras yolu ile geçme; vazife, mesuliyet vb.nin başkasına devri; (*biy.*) tereddi.

devolve [di'volv]. **~ on**, -e devretmek; -e intikal etm., geçmek, düşmek.

Devon·(shire) ['devn(şə)]. Brit.'nın bir kontluğu. **~ian** [di'vouniən], bu kontluğa ait; (*yer.*) devonyen, devon dönemi.

devot·e [di'vout]. Vakfetmek; tahsis etm., hasretmek, vermek. **~ed**, candan bağlı; mahvı mukadder, talihsiz: **be ~ed to sport**, kendini spora vermek: **blows fell upon his ~ed head**, talihsiz başına darbeler indi. **~ee** [devo'tī], bir şeye çok bağlı kimse; düşkün; hayran; sofu, zahit. **~ion** [di'vouşn], derin bağlılık, sadakat; kendini vakfetme; fedakârlık; dindarlık, züht ve takva. **~ional**, dua ve ibadete ait. **~ions**, dua, ibadet.

devour [di'vauə(r)]. Hayvan gibi yemek; yalayıp yutmak; yiyip bitirmek; yutmak; içini kemirmek.

devout [di'vaut]. Dindar, zahit; çok bağlı, candan, samimî, içten.

dew [dyū]. Çiğ/çiy (ile/gibi ıslatmak).

DEW = *DISTANT EARLY WARNING (radar sistemi).

dewan [di'wān]. Divan.

de·water [dī'wōtə(r)]. Suyunu gidermek. **~wax** [-'waks], mumunu gidermek.

dew·berry ['dyūberi]. Bir cins böğürtlen. **~-claw** [-klō], köpeğin arka tırnağı. **~-drop**, çiğ damlası. **~-fall**, akşam. **~ily**, çiğ gibi. **~iness**, çiğlilik; rutubet. **~lap**, (öküz vb.) boyundan sarkan deri, küpe. **~less**, çiğsiz. **~point**, çiğ(lenme) noktası. **~-pond**, çiğ gölü. **~y** ['dyūi], çiğli; taze.

deworm [dī'wəm] (*zir.*) Kurt düşürmek.

dexter ['dekstə(r)]. Sağ taraf·ın/-ta. **~ity** [-'teriti], hüner, maharet, yordam, ustalık, beceriklilik. **~ous** ['dekstrəs], becerikli, usta, maharetli; eli çabuk.

dextr·in ['dekstrin]. Dekstrin. **~o-**, *ön.* dekstro-; sağ. **~orse** [-trōs], sağa bükülen. **~ose** [-ous], dekstroz. **~ous** [-əs] = DEXTEROUS.

dey [dey] (*Tk.*) Cezayir vb. valisi, dayı.

dezinc [dī'zin(g)k]. Çinkosunu gidermek.

DF = *DEAN OF FACULTY; (*Lat.*) DEFENDER OF THE FAITH; DIRECTION-FINDER. **~C/M** = DISTINGUISHED FLYING CROSS/MEDAL.

DG = DIRECTOR-GENERAL.

dhobi [doubi]. Hintli erkek çamaşırcı.

dhow [dau]. Arap (yelkenli) gemisi.

DHSS = DEPARTMENT OF HEALTH AND SOCIAL SECURITY.

di-[1] [di-] *ön.* = DIS-.

di-[2] [di-, day-] *ön.* İki, çift(e), di-.

DI = DEFENCE INTELLIGENCE.

di(a)- [day(ə)-] *ön.* -den, -geçiren, diya-.

dia. = DIAGRAM; DIAMETER.

diabase ['dayəbeys] (*coğ.*) Diyabaz.

diabet·es [dayə'bītīz]. Şeker hastalığı. **~ic** [-'bītik, -'betik], şeker hastalığına ait; şeker hastalıklı, ona ait.

diabol·ic(al) [dayə'bolik(l)]. Melunca, habis; şeytanî: **~ly**, şeytanî bir surette. **~ism**, şeytan tapınması; şeytanî nitelikler. **~o** [di'abəlou], makara oyunu, diyabolo.

diacaustic [dayə'kōstik]. Yakıcı şualara ait.

diachronic [dayə'kronik]. Tarihî.

diacon·al [day'akənəl]. Diyakona ait. **~ate** [-neyt], diyakonluk.

diacoustics [dayə'kūstiks]. Ses sapması bilimi.

diacritical [dayə'kritikl] (*dil.*) **~ marks**, harfler üzerinde/altındaki (¨/ş/ ^) gibi işaretler.

diactinic [dayak'tinik]. Aktinik şuaları geçirebilen.

diadem ['dayədem]. Taç; taç şeklinde başlık. **~ed**, taçlı.

diaeresis [day'iərisis] (*dil.*) İki nokta (¨).

diagnos·e ['dayəgnouz]. (Hastalığı) teşhis etm. **~is** [-'nousis], teşhis. **~tic** [-'nostik], teşhise ait: **~ian** [-'tişn], teşhis uzmanı.

diagonal [day'agənl] *i.* Çapraz hat, diyagonal, köşegen. *s.* Çapraz. **~ly**, çapraz şeklinde.

diagram ['dayəgram]. Şekil, şema, grafik, çizge, diyagram. **~matic** [-'matik], şema halinde: **~ally**, bir şekil/çizge kullanılarak. **~matize** [-'gramətayz], şekli çizmek, çizge ile tasvir etm.

diagraph ['dayəgrāf]. Resimleri büyütüp kopya eden cihaz, diyagraf.

dial ['dayəl] *i.* Saat minesi, kadran; rakam/numara levhası; taksimatlı daire; güneş saati, basita; otomatik telefonda rakamları ihtiva eden kadran. *f.* Otomatik telefonun numaralarını çevirmek.

dial. = DIALECT.

dialdehyde [day'aldihayd]. Dialdehit.

dialect ['dayəlekt]. Lehçe, ağız. **~al**, lehçeye ait.

dialectic(s) [dayə'lektik(s)]. Mantığın esasları,

diyalektik; münazara ilmi. ~**al**, münazaraya ait. ~**ian** [-lek'tişn], mantıkçı.
dialling ['dayəlin(g)]. (Telefon) numaraların çevrilmesi. ~**-tone**, 'çevirmeye başlayın!' sesi.
dialogue ['dayəlog]. Muhavere; muhavere şeklinde edebî yazı; diyalog; konuşma.
dialys·e ['dayəlayz]. Süzüp ikiye ayırmak, diyaliz etm.: ~**r**, diyaliz cihazı, diyaframlı ayırıcı. ~**is** [-'alisis], diyaliz.
dia·magnetism [dayə'magnitizm] Diyamagnetizm. ~**mantiferous** [-'tifərəs], elmaslı (toprak).
diamet·er [day'amitə(r)]. Kutur, çap; kalınlık. ~**rical** [-yə'metrikl], kutrî, çapa ait: ~**ly opposed**, taban tabana zıt.
diamond ['dayəmənd]. Elmas; baklava şekli; (iskambil) karo; (*bas.*) dört buçuk puntoluk harf. ~ **cut** ~, dinsizin hakkından imansız gelir: **black** ~, (*kon.*) maden kömürü: **cut-**~, işlenmiş/traş edilmiş elmas: **cutting** ~, camcı elması: **rough** ~, ham elmas; (*mec.*) kaba fakat iyi kalpli: **uncut** ~, ham elmas. ~**-cutter**, elmastraş. ~**-drill**, elmaslı makap. ~**-field**, elmas havzası. ~**-pane**/**-window**, baklava şeklinde pencere (camı). ~**-pencil**, camcı elması, ~**-point**, ehram uç(lu kalem). ~**-setter**, elmas kakıcı. ~**-wedding**, bir düğünün altmışıncı yıldönümü.
Diana [day'anə] (*mit.*) Ay/av ilâhesi; (*mec.*) kadın avcı.
dianthus [day'anθəs]. Karanfil gibi çiçek(ler).
diapason [dayə'peyzən] (*müz.*) Gittikçe yükselen ahenk; diyapazon; orgun en önemli boru takımları.
diaper ['dayəpə(r)]. Kareli ipek/keten kumaş; kareli/baklava şeklinde süs; *kundak/çiş bezi.
diaphonous [day'afənəs] (*dok.*) Şeffaf, saydam.
diaphor·esis [dayəfo'rīsis]. Ter(leme). ~**etic** [-'retik], terletici (ilâç).
diaphragm ['dayəfram]. Göğüs ile karın arasındaki zar, diyafram; bölme perdesi; zar, böleç; (*sin.*) adese perdesi.
diapositive [dayə'pozitiv] (*sin.*) Diyapozitif, saydam resim.
diarchy ['dayāki]. İki hükümdarlı devlet (usulü).
diar·ist ['dayərist]. Günce tutan, muhtıra yazan. ~**ize** [-rayz], ajandaya not yazmak, muhtıra yazmak.
diarrhoea [dayə'riə]. İshal, diyare.
diary ['dayəri]. Günce, günlük; gündem, muhtıra defteri, ajanda, andıç.
diaspora [day'asporə] (*sos.*) Yayılma, dağılma.
diastase ['dayəsteys] (*biy.*) Diyastaz.
diastole [dayə'stoul]. Yürek gevşemesi.
diatherm·ancy [dayə'θəmənsi]. Sıcaklık geçiriciliği. ~**y**, (*tıp.*) elektrikle sıcaklık vererek tedavi usulü.
diatom ['dayətom]. Tek hücreli ve sert kabuklu bir deniz bitkisi, diyatome. ~**aceous** [-tə'meyşəs], diyatomeli. ~**ic** [-'tomik] (*kim.*) çift atomlu.
diatonic [dayə'tonik] (*müz.*) Diyatonik.
diatribe ['dayətrayb]. Şiddetli hiciv/tenkit.
dib [dib]. Aşık kemiği; aşık oyunu.
dibasic [day'beysik] (*kim.*) Çift bazlı.
dibb·er ['dibə(r)]. Fide kazığı. ~**le** [-bl], fide kazığı (ile fidan/tohum dikmek).
dibs [dibz] (*arg.*) Para.
dic. = DICTIONARY.
dice [days] *i., ç.* = DIE[1]; oyun zarları: **loaded** ~, hileli zar. *f.* Zar oynamak; zar oynayıp kumarda kaybetmek; küp şeklinde küçük küçük doğramak. ~**-box**, zar kupası. ~**r**, zar oynayan. ~**y**, (*arg.*) şüpheli, şansa bağlı.
di·chloride [day'klōrayd]. Diklor(it). ~**chotomy** [di'kotəmi], ikiye ayrılma, çatallaşma. ~**chromate** [day'kroumeyt], dikromat. ~**chrom(at)ic** [-'m(at)ik], iki renkli.
dick [dik] *kıs.* = RICHARD *ismi*; (*arg.*) = DETECTIVE: **clever** ~!, (*alay*) ne zekisin!
dickens ['dikinz] (*Nezaketen* DEVIL *yerine kullanılır*) şeytan. **what the** ~ **are you doing here?**, burada ne halt ediyorsun?
dicker [dikə(r)]. Pazarlık etme(k).
dicky[1] ['diki] *i.* (*kon.*) Plastron yaka; (*oto.*) arkadaki açık oturacak mahal; (*çoc.*) kuş.
dicky[2] (*arg.*) Kırık, çürük; sarsak, dermansız.
dicotyledon [daykoti'līdən]. Tohumu çifte kabuklu bitki, ikiçenekli.
dicta ['diktə] *ç.* = DICTUM.
dictaphone ['diktəfoun]. Ses kaydedici, diktafon.
dictat·e ['dikteyt] *i.* Emir, ihtar, emretme. [-'teyt] *f.* Söyleyip yazdırmak; imlâ yazdırmak; zorla kabul ettirmek. **I won't be** ~**ed to**, ben emre gelemem. ~**ion** [-'teyşn], dikte, imlâ, yazdırma; emretme. ~**or**, diktatör; emreden kimse: ~**ial** [-tə'tōriəl], diktatörce: ~**ship**, diktatörlük.
diction ['dikşn]. Kelimeleri kullanma tarzı; söylem; konuşma şekli, diksiyon.
dictionary ['dikşnri]. Lûgat kitabı; sözlük. **walking** ~, pek bilgili bir adam.
dictograph ['diktəgrāf]. Diktograf, telefona bağlı kaydedici cihaz.
dict·um, *ç.* ~**a** ['diktəm, -tə]. Yetkili fikir/hüküm; meşhur söz, vecize.
did [did] *g.z.* = DO[1].
didactic [di'daktik]. Öğretici, talimî; ukalâlığa kaçan. ~**s**, öğretme sanatı.
diddle ['didl] (*kon.*) Aldatmak; yutturmak.
didicoi ['didikoy] (*arg.*) Çingene.
didn't ['didənt] = DID NOT.
Didyma ['didimə]. Yenihisar.
die[1] [day] *i.* Oyun zarı (*ç.* DICE); kalıp, matris; lokma; ıstampa, damga; pafta/yivaçar lokması; zımba. **the** ~ **is cast**, ok yaydan çıktı: **as straight/true as a** ~, dosdoğru.
die[2] (*g.z.(o.)* **died**, *hal o.* **dying**) [day(d), dayin(g)] *f.* Ölmek, vefat etm.; ölecek gibi olm.; mahvolmak; zeval bulmak, zail olm.; ecel azabı çekmek. ~ **a dog's death**, gebermek: ~ **a glorious death**, şerefle ölmek: ~ **by one's own hand**, intihar etm.: ~ **fighting/game/hard**, savaşıp ölmek: ~ **in harness**, iş başında ölmek: ~ **in one's bed**, ihtiyarlık/hastalıktan ölmek: **be dying for stg./to do stg.**, bir şeyi (yapmağı) şiddetle arzu etm.: **'never say** ~**!'**, cesaretini kaybetme!, umudunu kesme!: ~ **away/down**, gittikçe hafifleyip kaybolmak: ~ **off**, birer birer ölmek; (ağaç vb.) tedricen kurumak: ~ **out**, yavaş yavaş ortadan kalkmak; (*zoo.*) tükenmek, yok olm.
die-[3] *ön.* ~**-casting**, hazır/tazyikli kalıp dökümü, kokil dökümü. ~**-forging**, kalıpta dövme. ~**-forming**, kalıplama. ~**-hard**, inatçı, pek muhafazakâr.
dielectric [dayi'lektrik]. Dielektrik.
dieresis = DIAERESIS.

diesel ['dīzəl]. Dizel. ~**-electric**, dizel elektrik(li). ~**oil**, mazot.
die-sinking [day'sin(g)kin(g)]. Kalıpçılık.
dies·irae ['dayīz 'iəray] (*Lat.*) Hüküm günü. ~ ***non***, (*huk.*) tatil günü, sayılmıyan gün.
die·-stock ['daystok]. Pafta/yivaçar kolu. ~**s-and-taps**, pafta takımı.
diet[1] ['dayət] *i.* Yiyecek, gıda, besin; diyet, rejim, perhiz yemeği. *f.* Perhize koymak; rejim yapmak.
diet[2]. Bazı memleketlerde millî meclis, Diyet.
diet·ary ['dayətəri]. Gıda rejimi(ne ait). ~**etic** [-'tetik], gıda rejimine ait: ~**ian** [-'tişn], gıda ile rejim bilgini: ~**s**, gıda ile rejim bilgisi, diyetetik.
differ ['difə(r)]. Farketmek, benzememek, (bir hususta birinden) ayrılmak, farklı olm.; aynı fikirde olmamak. **I beg to** ~, müsaadenizle ben bu fikirde değilim.
differen·ce ['difərəns]. Fark; ihtilaf, ayrılık niza, anlaşmazlık; (*coğ.*) ayrım: ~ **of opinion**, anlaşmazlık: ~**s arose**, münakaşa çıktı: **that made all the** ~, bu her şeyi değiştirdi: **it makes no** ~, aynı şey, hepsi bir: **settle your** ~**s**, anlaşınız: **split the** ~, farkı paylaşmak, farkın yarısını almak. ~**t**, farklı; muhtelif, türlü; başka: **I feel a** ~ **man**, kendimi bambaşka hissediyorum: **that's a** ~ **matter**, o başka mesele, o mesele başka: **utterly** ~, bambaşka. ~**tia** [-'renşiə], farklılık.
different·ial [difə'renşəl] *s.* Farka ait; ayrışık, ayrımlı; (*mat.*) fark+, ayrımsal, tefazulî. *i.* Fark; aralık; (*oto.*) diferansiyel. ~**iate** [-şieyt], ayırt etm., fark etm.; ayrı seçi yapmak. ~**iation** [-şi'eyşn], farklılaşma, ayrımlaşma, benzeşmezlik. ~**ly**, farklı olarak.
difficult ['difiklt]. Güç, zor, müşkül; müşkülpesent. ~ **(to get on with)**, titiz, huysuz. ~**y**, zorluk, güçlük, müşkûlat; sıkıntı: **get into/meet with** ~**ies**, müşkülât/güçlükler çekmek.
diffiden·ce ['difidəns]. Çekingenlik, ihtiraz, kendine güvenmeyiş. ~**t**, çekingen, ihtirazlı, kendine güvenmiyen: ~**ly**, çekingen olarak.
diffluent ['difluənt]. Akıcı.
diffract [di'frakt]. Dağıtmak, saptırmak, kırmak; (ışığı) tekâsür ettirmek. ~**ion**, dağıtma, saptırma, kırma; tekasür, kırınım, ışık bükülmesi; dağılma, sapma, kırılma. ~**ive**, tekâsür ettirici.
diffuse[1] [di'fyūs] *s.* Pek tafsilatlı, uzun uzadıya; yayılmış, dağılmış.
diffus·e[2] [di'fyūz] *f.* Yaymak, dağıtmak. ~**ed**, yaygın; (*sin.*) difüze. ~**eness** [-'fyūsnis], fazla tafsilat verme, uzun uzadıya söz. ~**er** [-'fyūzə(r)], yayıcı, dağıtıcı, difüzör. ~**ion** [-'fyūjn], yayılma, dağılma; yayınım, dağıtım; difüziyon; yayın. ~**ive** [-siv], dağınık, ayrıntılı.
dig[1] [dig] *i.* Kazma; dürtme; (*ark.*) kazı, hafriyat. **I have been having a** ~ **in/at the garden**, bahçeye bir kaç kazma vurdum: **give s.o. a** ~ **in the ribs**, birini dürtmek: **have a** ~ **at s.o.**, birini dürtmek, birine taş atmak.
dig[2] (*g.z.(o.)* **dug**) [dig, dʌg] *f.* Kazmak, bellemek, hafretmek; çukur açmak, kazıp çıkarmak, hafriyat/kazı yapmak; dürtmek, batırmak: ~ **away at stg.**, (*kon.*) çok çalışmak, kafasını patlatmak: ~ **in**, gömmek, siper kazmak; (*arg.*) yemeye başlamak: ~ **into/through**, kazıp delmek, delmek: ~ **one's toes in**, direnmek: ~ **out**, kazıp çıkarmak, keşfetmek: ~ **up**, sökmek, meydana çıkarmak.
digam·ist ['digəmist]. İkinci defa evlenen kimse. ~**ous** [-məs], ikinci evlenmeye ait. ~**y** [-mi], ikinci evlenme.
digest[1] ['daycest] *i.* İcmal, özet, hulâsa; mecmua, dergi.
digest[2] [di'cest, day-] *f.* Hazmetmek; sindirmek; (*mec.*) öğrenmek. ~**ibility** [-ti'biliti], hazmedilebilme. ~**ible** [-tibl], hazmı kolay. ~**ion** [-'cesçən], hazım, hazmetme, sindirme. ~**ive**, hazmettiren, midevî; sindirim+.
digg·er ['digə(r)]. (Altın) kazıcı; kazma âleti; (*kon.*) Avustralyalı (asker). ~**ing**, *i.* kazma, belleme: ~**s**, mobilyalı oda, pansiyon; maden ocağı.
dight [dayt] *f.* (*mer.*) Hazırlamak, giymek, süslemek. *s.* Giyinmiş, süslenmiş.
digit [dicit]. Parmak; rakam. ~**al**, parmağa ait; sayıcı: ~**in** [-'teylin] (*tıp.*) dijitalin: ~**is**, (*bot.*) yüksükotu; (*tıp.*) dijitalin. ~**ate** [-teyt] (*zoo.*) parmaklı. ~**igrade**, parmaklar üzerine yürüyen (hayvan).
dignified ['dignifayd]. Vakur, ağır başlı.
dignify ['dignifay]. Yükseltmek, şeref/paye vermek, şatafatlı unvan vermek: **you can hardly** ~ **it by the name of a house**, ona ev ismini vermek fazla olur.
dignitary ['dignitəri]. Yüksek rütbeli kimse *bil.* ruhanî.
dignity ['digniti]. Vakar, haysiyet, itibar; yüksek makam/rütbe. **be/stand on one's** ~, yukarıdan almak/muamele etm., aşağıdan almamak, (*bazan*) sahte vakar olm.: **it is beneath your** ~ **to accept it**, bunu kabul etmeğe tenezzül edemezsiniz.
digraph ['daygrāf]. Tek sesi teşkil eden iki harf (**ch** = ç/k).
digress [day'gres]. Sadet/konudan ayrılmak; uzanmak. ~**ion** [-'greşn], sadet/konudan ayrılma; (*ast.*) uzanım: **this by way of** ~, sözarasında söyliyeyim ki. ~**ive** [-siv], konudan ayrılan.
digs [digz] (*kon.*) = DIGGINGS.
dihedral [day'hīdrəl]. Çift yüzlü; kanat açısı; dihedral.
dike/dyke [dayk] *i.* Su seddi, bent; duvar; hendek, ark, kanal; damar kayacı. *f.* Sed yapmak; hendek açmak. ~**-reeve** [-rīv] (*tar.*) su ile hendek memuru.
dilapidat·e [di'lapideyt]. Harap etm., tahrip etm.; kırıp dökmek. ~**ed**, harap, köhne, viran, yıkık, yıkkın. ~**ion** [-'deyşn], harap/viran olma: ~**s**, kiranın sonunda zorunlu onarım masraflarının tutarı.
dilat·ability [dayleytə'biliti]. Açılma/genişleme kabiliyeti. ~**able**, açılabilir, genişler. ~**(at)ion** [-lə'teyşn, -'leyşn], imbisat, açılma, genişleme; genleşme; yayılma. ~**e** [-'leyt], imbisat et(tir)mek, genişle(t)mek; aç(ıl)mak; genleşmek; yayılmak; (gözler) büyümek: ~ **(up)on stg.**, bir konuyu uzun uzadıya anlatmak. ~**or**, genişleten (adele); genişletici alet.
dilator·ily ['dilətərili]. Ağırca, aylakça, yavaşça. ~**iness**, ağırlık, yavaşlık. ~**y**, bati, ağır, aylak; sürüncemeli; tehirci.
dilemma [di-/day'lemə]. İki şıklı durum, ikilem, zor durum; çıkmaz: **on the horns of a** ~, 'aşağı tükürsem sakalım, yukarı tükürsem bıyığım' durumunda.
dilettant·e [dili'tanti]. Sanat meraklısı; amatör; bir işin sathî meraklısı. ~**ish**, sathî. ~**ism**, amatörce sanat meraklılığı.

diligence[1] ['dilicəns] (*mer.*) Posta arabası.
diligen·ce[2]. Gayretli çalışma, itina ve ihtimam. ~**t**, gayretli, çalışkan: ~**ly**, çalışkan bir şekilde.
dill [dil]. Dereotu.
dilly-dally ['dili'dali] (*kon.*) Boş vakit geçirmek, oyalanmak; sallanmak.
dilu·ent ['dilyuənt]. Sulandırıcı; hafifletici. ~**te** [day'lyūt], sulandırmak, su katmak; hafifletmek, seyreltmek. ~**te(d)**, sulandırılmış, hafifle(til)miş; seyreltilmiş, seyreltik. ~**tion** [-'lyūşn], mahlûl, eriyik, sulandır(ıl)ma, seyrelt(il)me.
diluvi·al [di'lyūviəl]. Tufan/dilüviyuma ait. ~**um** [day'lyūviəm], tufan tortu/çöküntüsü, dilüviyum.
dim [dim] *s.* Donuk, bulanık, loş, belirsiz, hayal meyal, silik, hafif. *f.* Karartmak, ışık kesmek, bulandırmak, donuklaştırmak; (*mec.*) gölgede bırakmak.
dim. = DIMENSION; DIMINUENDO.
***dime** [daym]. On sentlik gümüş para. **I don't care a** ~, bana ne?; bence aynı şey; bana vız gelir. ~**-novel**, ucuz heyecanlı roman. ~**-store**, ucuzluk/kelepir mağazası, bonmarşe.
dimension [day'menşn]. Ebat, ölçü, boyut, buut. ~**al**, ebada ait, boyutlu, buutlu, ölçülü: **three-~ (film)**, üç buutlu (filim).
dimer ['daymə(r)] (*kim.*) İki parçalı/ikili mahlut. ~**ic**, iki parçalı, ikili. ~**ous** ['dim-] (*biy.*) iki parça/uzuvlu.
dimeter ['dimitə(r)] (*edeb.*) İki vezinli mısra.
dimidiate [di'midieyt]. İki eşit parçaya bölünmüş.
diminish [di'miniş]. Azal(t)mak, eksil(t)mek, indir(il)mek, kısal(t)mak, küçül(t)mek. ~**able**, azaltılabilir vb. ~**ed** [-şt], azaltılmış vb.: ~ **responsibility**, (*huk.*) zihnî sebeplerden azaltılmış sorumluluk.
diminuendo [di'minyuendou] (*İt., müz.*) Ses gittikçe hafifliyerek, diminuendo.
diminut·ion [dimi'nyūşn]. Azal(t)ma, in(dir)me, küçültme. ~**ive** [di'minyutiv], ufak, küçük, mini mini; tasgir, küçültme: ~**ly**, küçük/küçültme bir şekilde: ~**ness**, ufaklık, tasgir, vb.
dimity ['dimiti]. Bir nevi pamuk bezi, dimi.
dim·ly ['dimli]. Donuk bir şekilde. ~**mer**, *s.* daha donuk vb.; = DIM: *i.* ışık azaltıcı cihaz. ~**mish** [-miş], oldukça donuk. ~**ness**, donukluk vb.; siliklik.
dimorph·ism [day'mōfizm]. İkişekillilik, çift biçimlilik. ~**ous** [-fəs], ikişekilli, çift biçimli.
dimple ['dimpl] *i.* Yanak/çene çukuru, gamze. *f.* Yanak çukuru gibi çukurlaştırmak.
din [din] *i.* Gürültü, patırtı, şamata. *f.* ~ **stg. into s.o.('s ears)**, durmadan söyliyerek bir şeyi birinin kafasına sokmak/hatırlatmak.
DIN = (*Alm.*) DEUTSCHE INDUSTRIE-NORM.
dinar [dī'nā(r)]. Irak/Yugoslavya vb. parası.
din·e [dayn]. Akşam yemeğini yemek/yemeği vermek. ~ **out**, akşam yemiğini evden dışarıda yemek. ~**r**, akşam yemeğini yiyen; (*kon.*) lokanta vagonu. ~**ette**, küçük yemek odası.
ding-dong [din(g)'don(g)] (*yan.*) Dan dan; çan sesleri. **a** ~ **struggle**, kâh bir tarafın kâh öbür tarafın lehine gelişen mücadele.
dinghy ['din(g)gi]. Pek küçük sandal, bot.
dingi·ly ['dincili]. Kirli/paslı olarak. ~**ness**, rengi solmuş/kırlı/paslı olma.
dingle ['din(g)gl]. Ağaçlı derecik.
dingo ['din(g)gou] (*Avus.*) Dingo, yaban köpeği; (*arg.*) hain, korkak.
dingy ['dinci]. Rengi solmuş, kirli, paslı olan.
dining ['daynin(g)]. ~**-car**, (*dem.*) lokanta vagonu. ~**-room**, yemek odası.
dinkum ['din(g)kʌm] (*Avus.*) **fair** ~, dürüst, gerçek, hakikî.
dinky ['din(g)ki] (*kon.*) İnce, zarif; küçük.
dinner ['dinə(r)]. Akşam yemeği; ziyafet; (*işçi tabakası arasında öğle yemeğine denir*). ~**-jacket**, smokin. ~**-service**/**-set**, sofra takımı. ~**-table**, sofra. ~**-trolley**/**-wag(g)on**, (*ev.*) küçük yemek arabası.
dinosaur ['daynəsō(r)]. Dinozor.
dint[1] [dint] = DENT.
dint[2]. **by** ~ **of**,... kuvvetiyle, vasıtasıyle: **by** ~ **of working**, çalışa çalışa.
dioces·an [day'osizn]. Pispokopos(luk makamın)a ait. ~**e** ['dayəsis], piskoposluk bölgesi.
diode ['dayoud] (*elek.*) Diyot.
dioecious [day'īşəs] (*biy.*) Üreme uzuvları ayrı bitki/hayvanlarda olan, ikievcikli, dioik.
diopt·er [day'optə(r)]. Diyopter. ~**rics**/~**ry**, şua saptırma bilgisi, diyoptri.
diorama [dayə'rāmə]. Diyorama.
diorite [dayə'rayt]. Diyorit.
dioxide [day'oksayd]. Dioksit, ikioksit.
dip [dip] *i.* Dal(dır)ma, dalıp çıkma; içine bir şey daldırılan madde, çözelti; anî iniş, çukur; eğ(il)me, eğim. *f.* Dal(dır)mak, bat(ır)mak, batırıp çıkarmak; (yol vb.) iniş olm., dalmak. **go for a** ~, (*kon.*) deniz banyosu yapmak: ~ **a flag**, bayrağı arya etm.: ~ **into a book**, bir kitabı karıştırmak, gözden geçirmek: ~ **into one's purse**, çok masrafa girmek: ~ **sheep**, parazitlerini öldürmek için koyunları ilâçlı suya daldırmak: ~ **stg. up**, bir şeyi avuçla/kepçe vb. ile almak.
Dip.(Ed.) = DIPLOMA (IN EDUCATION).
diphase [day'feyz] (*elek.*) Difazlı, ikifazlı.
diphtheria [dif'θiəriə]. Kuşpalazı, difteri.
diphthong ['difθon(g)]. İkili ünlü, diftong.
dipl. = DIPLOMA; DIPLOMA·CY/-TIC.
dipl(o)- ['dipl(o)-] *ön.* Çift, diplo-. ~**oid** [-ployd], diployid.
diploma [di'ploumə]. Şehadetname, diploma.
diploma·cy [di'ploumәsi]. Diplomatlik; diplomasi; maharet, insanları idare yolu, usul. ~**t(ist)** ['dipləmat, -'ploumətist], diplomat; maharetli/usul bilen bir kimse. ~**tic** [-'matik], diploma·tik/-siye ait; usta, maharetli, usul bilen: ~**ally** [-kəli], diplomatça; (*köt.*) kurnazlıkla: ~**-bag**/***-pouch**, kuriye torbası: ~**-corps** [-kō(r)], elçiler heyeti, kordiplomatik: ~**-service**, hariciye hizmeti. ~**tize** [-'ploumə-], diplomat gibi hareket etm.
dipol·ar [day'poulə(r)] (*elek.*) İkikutuplu. ~**e** ['day-], dipol, iki kutuplu şey.
dip·per ['dipə(r)]. Dalan kimse/şey; su boşaltıcı tas; (*zoo.*) su karatavuğu. ~**ping**, dal(dır)ma: ~**-compass**, eğilme pusulası: ~**-needle**, pusula eğilme ibresi.
dipsomania [dipsou'meyniə]. İçki düşkünlük/iptilâsı. ~**c**, hastalık derecesinde ayyaş.
dip·-stick ['dipstik] (*oto.*) Yağ seviye çubuk/göstergesi. ~**-switch**, kod lambaları pedal/anahtarı.

dipter·a ['diptərə]. (Sivri) sinek gibi ikikanatlı böcekler. ~**ous**, ikikanatlı.
diptych ['diptik]. İki kanatlı tablo.
Dir. = DIRECTOR(ATE).
dire ['dayə(r)]. Dehşetli, korkunç, şiddetli.
direct [day'rekt, di-] *f.* Sağlık vermek; idare etm., yönetmek, çevirmek; tevcih etm.; hitap etm.; emir vermek; talimat vermek; adres(ini) yazmak. *s.* Doğrudan doğruya, direkt, duraksız, bir yere uğramadan; vasıtasız, dolaysız; dosdoğru; tam, kesin, katî; tok sözlü. ~**-current**, doğru akım/cereyan. ~**ed**, yönlü, güdümlü.
direction [day'rekşn, di-]. İdare; talimat; emir; tarif, izahat; adres; cihet, yön, doğrultu, istikamet; (*tiy.*) mizansen, yönetme; yürütme. **lose one's sense of** ~, nerede olduğunu bilememek, tersi dönmek: **under his** ~, yönetmesiyle. ~**al**, yöne ait. ~**-finder**, yön bulucu, gonyometre, kestirme cihazı.
direct·ive [di'rektiv] (*id.*) Yönerge, emir. ~**ly**, doğrudan doğruya, tam; hemen: **I will come** ~ **I've finished**, bitirir bitirmez gelirim. ~**ness**, doğruluk, kesinlik, vb.
director [day'rektə(r), di-]. Müdür, idare eden, baş-, yönetmen, direktör; şirketin idare üyesi; (*sin.*) rejisör; (*tiy.*) yönetmen; yön verici cihaz: **board of** ~**s**, idare heyet/meclisi. ~**ate** [-tərit], müdür/yönetmenlik; idare meclisi. ~**ship**, müdürlük (müddeti). ~**y**, adres kitabı, rehber, yıllık, kılavuz, salname: **ex** ~, (özel şebepler için) rehberde bulunmıyan telefon numarası.
directr·ess/~**ice** [di'rektris]. Kadın müdür/yönetmen. ~**ix** [-triks], doğrultman.
dire·ful ['dayəful]. Dehşetli, korkunç. ~**(ful)ly**, dehşetli bir şekilde.
dirge [dəc]. Cenaze şarkı/havası, mersiye, ağıt.
dirigible ['diricibl] *s.* Sevk ve idaresi kabil. *i.* Hava gemisi, zeplin.
diriment ['dirimənt]. Tamamen iptal edici.
dirk [dək]. Kısa kılıç.
dirt [dət]. Kir, pislik; çamur; toprak. **eat** ~, (*kon.*) tarziye vermeğe mecbur olm.: **throw** ~ **at s.o.**, birine çamur atmak: **treat s.o. like** ~, birine köpek muamelesi yapmak. ~**-cheap**, sudan ucuz. ~**ily**, pis bir şekilde. ~**iness**, pislik. ~**-road**, toprak yol. ~**-track**, kül dökülmüş yarış yolu.
dirty ['dəti] *s.* Pis, kirli; berbat; aşağılık, alçak; açık saçık, müstehcen. *f.* Kirletmek, pisletmek; kirlenmek. **have a** ~ **mind**, aklı daima açık saçık şeylerde olm.: **play a** ~ **trick on s.o.**, birine adi/alçakça bir oyun oynamak: **do your own** ~ **work!**, beni bu şüpheli işe sokma!
dis- [dis] *ön. Şu anlamlara gelir*:—(i) aksi: **contented**, memnun; **discontented**, gayrimemnun; (ii) yapılan bir şeyi bozma: **hearten**, cesaret vermek; **dishearten**, cesaretini kırmak; (iii) uzaklaştırma: **disperse**, dağıtmak.
disab·ility [disə'biliti]. Sakatlık; kabiliyetsizlik, ehliyetsizlik, yeteneksizlik. ~**le** [-'eybl], sakat etm.; iktidarsız bir hale getirmek, saf harici yapmak; hasara uğratmak: ~**d**, malûl, sakat; hasara uğramış: ~**ment**, sakat bırakma, sakat olma; saf harici yapma.
disabuse [disə'byūz]. Hatadan kurtarmak; gözünü açmak.
disaccord [disə'kōd] *i.* Anlaşamazlık; uymazlık. *f.* Karşı durmak; uyuşmamak.
disaccustom [disə'kʌstəm]. Alışkanlıktan vazgeçirmek.
disadvantage [disəd'vāntic]. İnsanın aleyhine olan durum vb.; mahzur; ziyan; kayıp, zarar, dokunca. **be at a** ~, (başkalarına oranla) daha zayıf bir durumda olm.: **take s.o. at a** ~, birini gafil avlamak: **show oneself to** ~, kendini gösterememek. ~**ous** [-van'teycəs], aleyhine olan, mahzurlu, gayri müsait, müsait olmıyan.
disaffect·ed [disə'fektid]. Hükümete karşı gayrimemnun; asi; isyana mütemayil. ~**ion** [-'fekşn], hükümete muhalefet/düşmanlık; asilik.
disafforest [disə'forist]. Ormanı tarlalara çevirmek; ormanı kes(tir)mek. ~**ation** [-'teyşn], ormanlar kaldırılması.
disagree [disə'grī]. Uyuşmamak; ihtilâf halinde olm.; farklı olm.; bozuşmak; uygun gelmemek: ~ **with**, . . . ile uyuşmamak, fikri başka olm.; (sıhhat vb.) dokunmak: **I** ~, ben bu fikirde değilim. ~**able** [-'griəbl], hoş olmıyan, nahoş; huysuz, aksi. ~**ment**, ihtilâf, anlaş/uyuşmazlık, kavga.
disallow [disə'lau]. Müsaade/kabul etmemek, reddetmek. ~**ance**, inkâr, red.
disappear [disə'piə(r)]. Göz/ortalıktan kaybolmak, zail olm.; sırra kadem basmak. ~**ance** [-'piərəns], gözden kaybolma; yitimlik; (*dil.*) düşme, meriyetten çıkma.
disappoint [disə'poynt]. Umudunu boşa çıkarmak, hayal kırıklığına uğratmak; sözünü tutmamak. **I am** ~**ed in him**, o beklediğim gibi çıkmadı: **how** ~**ing!**, ne aksilik! ~**ment**, umudu boşa çıkma, hayal kırıklığı; hüsran.
disapprobat·ion [disaprou'beyşn]. Tasvip etmeyiş, uygun bulmayış; takbih. ~**ive**/~**ory**, tasvip etmeyişi ifade eden.
disapprov·al [disə'prūvl]. Tasvip etmeyiş, takbih. ~**e**, tasvip etmemek, takbih etm., beğenmemek, uygun bulmamak. ~**ingly**, tasvip etmeyişi ifade ederek.
disarm [dis'ām]. Silâhını almak; silâhsız bırakmak; silahsızlanmak; şüphe/düşmanlık hislerini gidermek. ~**ament** [-məmənt], silâhını alma, silâhsızla(n)ma.
disarrange [disə'reync]. Düzenini bozmak; dağıtmak; karıştırmak. ~**ment**, düzensizlik; karıştırma.
disarray [disə'rey] *i.* Karışıklık, düzensizlik, intizamsızlık. *f.* Bozmak, dağıtmak.
disarticulate [disā'tikyuleyt]. Parçaları mafsalda ayırmak.
disassembl·e [disə'sembl]. Sökmek, demonte etm. ~**y**, sökme, demontaj.
disast·er [di'zāstə(r)]. Felâket, belâ; talihsizlik: ~**-area**, felâkete uğramış bölge. ~**rous**, felâket getiren, feci, yıkıcı.
disavow [disə'vau]. Tanımamak; bir hareket/sözün kendisine ait olduğunu kabul etmemek. ~**al**, tanımama.
disband [dis'band]. Terhis etm., dağıtmak, dağılmak.
disbar [dis'bā(r)]. Barodan kovmak. ~**ment**, barodan kov(ul)ma.

Aranan kelime bu sayfada bulunmazsa, ilk olarak* DIS- *notlarına bakınız.

disbelie·f [disbi'līf]. İnanmayış; imansızlık. ~**ve**, inanmamak. ~**ver**, iman etmiyen, inanmıyan.
dis·branch [dis'brānç]. Ağacın dallarını kesip kaldırmak. ~**bud** [-'bʌd], bitki/meyva ağacının tomurcuklarını seyreltmek.
disburden [dis'bə̄dn]. Yükünü indirmek; boşaltmak. ~ **oneself**, içini boşaltmak: ~ **oneself of a secret**, bir sırrı söyleyip ferahlamak.
disburse [dis'bə̄s]. Harcamak, ödemek, sarfetmek. ~**ment**, ödeme, harcama: ~**s**, masraf, çıkış.
disc/disk [disk]. Disk, plak; ayna; plaka; levha; yuvarlak; tekerlek. **identity** ~, (*ask.*) künye: **slipped** ~, iki omurun arasından çıkmış kıkırdak katı. ~ **brake/harrow**, diskli fren/sürgü.
discard [dis'kād] *f.* Iskartaya çıkarmak, atmak; bertaraf etm.; vazgeçmek. *i.* Iskarta.
discern [di'sə̄n]. Farketmek, sezmek; ayırt etm. ~**ing**, anlayışlı; zeki, akıllı, ferasetli. ~**ible**, farkedilebilir, sezilebilir. ~**ment**, anlayış, feraset, ayırt etme.
discerptible [di'sə̄ptibl] (*edeb.*) Ayrılır.
discharge[1] [dis'çāc] *i.* Boşal(t)ma, deşarj; salıverme, akma; boşalan/akan şey; cerahat; (silâh) ateş etme, atış; işten çıkarılma; terhis; hastahaneden taburcu olma; tahliye; ödeme; makbuz; ibra; ifa; borçtan kurtarma; boşalma, içini dökme. ~ **in bankruptcy**, müflisin itibarının yerine gelmesi: **in the** ~ **of his duties**, vazifesinin ifası sırasında: **take one's** ~, (*ask.*) terhis edilmek.
discharge[2] *f.* Boşaltmak, salıvermek, serbest bırakmak; atmak; akmak; ateş etm.; ödemek; ifa etm.; terhis etm.; işten çıkarmak; taburcu etm.; tahliye etm.; cerahat akmak. ~ **a bankrupt**, müflisin itibarını yerine getirmek. ~**r**, boşaltan, atan, vb.
disciple [di'saypl]. Şakirt, tilmiz; havari.
disciplin·able [disi'playnəbl]. İnzibat altına alınır. ~**al**/~**ary** [-'playnəl, -'plinəri], disipline ait. ~**arian** [-'neəriən], sert amir. ~**e** ['disiplin], *i.* inzibat, disiplin, düzence; (*eğit.*) bilgi/bilim dalı: *f.* inzibat altına almak; terbiye etm.
disc-jockey ['diskcoki] (*rad.*) Caz programında plakları takdim eden spiker, diskjokey.
disclaim [dis'kleym]. Feragat etm., kabul etmemek, reddetmek; inkâr etm.; tanımamak. ~**er**, feragat etme, reddetme.
disclos·e [dis'klouz]. İfşa etm. ~**ure** [-'kloujə(r)], ifşa, açma, söyleme; ifşaat; gizliliğin bozulması.
disco ['diskou] = DISCOTHÈQUE. ~**bulus** [-'kobələs] (*sp.*) disk atan. ~**id** [-koyd], disk şekli(nde).
discolour [dis'kʌlə(r)]. Rengini bozmak, soldurmak. ~**ation** [-'reyşn], renksizlenme.
discomfit [dis'kʌmfit]. Bozmak, şaşırtmak; bozguna uğratmak. ~**ure** [-çə(r)], bozgun; bozulma.
discomfort [dis'kʌmfət] *i.* Rahatsızlık, konforsuzluk. *f.* Rahatsız etm., bozmak.
discommode [diskə'moud]. Rahatsız etm.; zahmet vermek.
discommon [dis'komən]. Genel arazi/otlak özel bir sahipliğe çevrilmek.
discompos·e [diskəm'pouz]. Bozmak, şaşırtmak; rahatını bozmak. ~**ure** [-'poujə(r)], bozulma.
disconcert [diskən'sə̄t]. Şaşırtmak, bozmak; karıştırmak. ~**ing**, şaşırtıcı, bozucu; daima beklenmedik şekilde hareket eden. ~**ment**, bozulma.
disconnect [diskə'nekt]. Birbirinden ayırmak; bağlantısını kesmek. ~**ed**, rabıtasız, bağlantısız; anlaşılamaz: ~**ly**, rabıtasızca: ~**ness**, rabıtasızlık. ~**ion** = **disconnexion** [-'nekşn], ayırma, ayrılma; bağlantısızlık.
disconsolate [dis'konsəlit]. Teselli kabul etmez; kederli. ~**ly**, kederli olarak.
discontent [diskən'tent]. Hoşnutsuzluk; gayrimemnunluk. ~**ed**, hoşnutsuz, tedirgin; tatmin edilmemiş. ~**ment**, hoşnutsuzluk.
discontiguous [diskən'tigyuəs]. Bitişik olmıyan.
discontinu·ance/~**ation** [diskən'tinyuəns, -'eyşn]. Kesilme, vazgeçme. ~**e**, devam etmemek, vazgeçmek, kesmek. ~**ity** [-konti'nyūiti], devamsızlık, fasılalılık, kesiklilik. ~**ous** [-kən'tinyuəs], devamsız, kesikli, süreksiz; (*müh.*) yerel: ~**ly**, devamsız olarak.
discord ['diskōd]. Niza, ihtilaf; tefrika; ahenksizlik, akortsuzluk; bozuşma, anlaşmazlık, uygunsuzluk: **sow** ~, tefrikaya düşürmek; aralarını bozmak. ~**ance** [-'kōdəns], ahenk/uyumsuzluk. ~**ant**, ahenksiz, birbirine uymıyan, uyumsuz: ~**ly**, ahenksizce vb.
discothèque ['diskətek] (*Fr.*) Diskotek.
discount ['diskaunt] *i.* İskonto, indirim. [-'kaunt] *f.* İskonto etm., indirim yapmak; (senet) kırdırmak; önem vermemek. **at a** ~, iskonto ile: **politeness is at a** ~ **nowadays**, bu zamanda nezakete itibar eden yok. ~**able**, indirimli. ~**-house**/**-shop**, daima iskonto ile satan mağaza.
discountenance [dis'kauntənəns]. Bozmak; tasvip etmemek, onamamak.
discourag·e [dis'kʌric]. Cesaretini kırmak; umudunu kırmak; önüne geçmek, tasvip etmemek, uygun bulmamak. ~**ement**, cesaret/şevk/umut kırılması. ~**ingly**, cesaretini kırarak, tasvip etmiyerek.
discourse ['diskōs] *i.* Hitabe, nutuk, söylev, hutbe. [-'kōs] *f.* Konuşmak. ~ **on stg.**, bir konu üzerinde yarı resmî bir ağızla konuşmak.
discourt·eous [dis'kə̄tiəs]. Nezaketsiz: ~**ly**, nezaketsizce. ~**esy** [-təsi], nezaketsizlik.
discover [dis'kʌvə(r)]. Keşfetmek, bulmak; farkına varmak, anlamak; meydana çıkarmak. ~**er** [-rə(r)], kâşif, bulucu. ~**y**, keşif, bulma.
discredit [dis'kredit] *i.* İtibardan düşürme, itibarsızlık; güvensizlik, şüphe. *f.* İtibardan düşürmek, kötülemek; itimat etmemek, güvenmemek, inanmamak. **throw** ~ **on a statement**, bir ifadeyi şüpheye düşürmek: **it is to his** ~ **that**, . . . onun aleyhine kaydedilecek bir şeydir ki. ~**able**, ayıplanacak, onur kırıcı.
discreet [dis'krīt]. Ketum; ihtiyatlı; müteenni, ağır davranışlı; ağzı pek. **be** ~, dilini tutmak. ~**ly**, ketum olarak.
discrepan·cy [dis'krepənsi]. Uymama; fark, tenakuz, çelişki. ~**t**, uymıyan, farklı.
discrete [dis'krīt] *s.* Ayrı(lmış), devamsız.
discretion [dis'kreşn]. Ketumluk, ihtiyat, teenni; muhakeme, tensip, uygun görme; takdir, değerleme: **reach years of** ~, (*huk.*) mümeyyiz olm.: **use** ~, teenni ile hareket etm. ~**ary**, ihtiyarî, isteğe bağlı: ~ **power**, takdir yetkisi.
discrimina·nt [dis'kriminənt]. Ayıran. ~**te** [-neyt], ayırt etm., tefrik etm.; sezmek: **able to** ~, sezgin, mümeyyiz: ~ **between people**, farklı davranmak; ayrı seçi yapmak. ~**ting**; ehil; titiz, ayırt edici, farklı; sezgin. ~**tion** [-'neyşn], ayırt etme; muha-

keme, temyiz: **no** ~!, ayrı seçi yok! ~**tive**/~**tory**, ayrımcı, tefrik edici, fark gözetici.
discursive [dis'kəsiv]. Bahisten bahse atlıyan; insicamsız; ipsiz sapsız.
discus ['diskəs] (*sp.*) Disk.
discuss [dis'kʌs]. -i görüşmek; müzakere etm.; mütalaa etm. ~**ion** [-'kʌşn], müzakere; bahis; bir meseleyi görüşme; tartışma; (*mat.*) irdeleme: **locked in** ~, tartışmalarla meşgul: **the subject under** ~, söz konusu olan mesele.
disdain [dis'deyn] *i.* İstihfaf, küçümseme, azımsama; dudak bükme: itibar etmeyiş; kibir; istiğna. *f.* İstihfaf etm.; tenezzül etmemek. ~**ful**, müstağni; istihfafkâr; küçümseyen; hafife alan.
disease [di'zīz]. İllet, hastalık, sayrılık. ~**d**, illetli; hastalıklı; marazî.
disembark [disim'bāk]. Karaya çık(ar)mak. ~**ation** [-'keyşn], karaya çık(ar)ma.
disembarrass [disim'barəs]. Sıkıntıdan kurtarmak. ~**ment**, sıkıntıdan kurtar(ıl)ma.
disembody [disim'bodi]. Vücut/cisimden çıkarmak; tecrit etm.; ayırmak; terhis etm.
disembowel [dişim'bauəl]. Bağırsaklarını çıkarmak, karın deşmek.
disembogue [disim'boug]. (Nehir) denize dök(ül)mek.
disemplane [disim'pleyn]. Uçaktan inmek/çıkmak.
disenchant [disin'çā(n)t]. Sihirini gidermek; hayal kırıklığına uğratmak; gözünü açmak.
disencumber [disin'kʌmbə(r)]. Yük/sıkıntı veren şeyden kurtarmak; ipotekten çıkarmak.
disendow [disin'dau]. Vakıflarını kaldırmak.
disengage [disin'geyc]. Bağlantı/ilgisini kesmek; ayırmak; çözmek; (*ask.*) çözülmek. ~**d**, meşgul olmıyan, serbest; boş. ~**ment**, bağlantı kesilmesi; çözülme.
disen·tail [disin'teyl]. Vakıf/şartlarından kurtarmak. ~**tangle** ['tan(g)gl], çözmek; karışmış bir şeyi açmak. ~**tomb** [-'tūm] (*huk.*) mezardan çıkarmak; (*ark.*) yer altından çıkarmak. ~**trance** [-'trāns], büyüden kurtarmak.
disequilibrium [disīkwi'libriəm]. Denksizlik.
disestablish [disis'tabliş]. (Kiliseyi) devletten ayırmak; (*id.*) kadrodan çıkarmak.
diseuse [dī'zəz] (*Fr.*) Dizöz.
disfavour [dis'feyvə(r)]. Tasvip etmeyiş; hoşlanmayış. **fall into** ~, gözden düşmek; rağbetten düşmek.
disfigur·ation/~**ement** [disfigə'reysn, -'figəmnt]. Çirkinleştirme; kusur, bozukluk. ~**e** [-'figə(r)], çirkinleştirmek; biçimini bozmak: ~**d**, çirkinleş(tiril)miş; bozulmuş.
disforest [dis'forist] = DISAFFOREST.
disfranchise [dis'françayz]. Oy vb. hakkından mahrum etm. ~**ment**, hakkından mahrum etme.
disfrock [dis'frok] = DEFROCK.
disgorge [dis'gōc]. Kusmak; boşaltmak; zorla geri vermek.
disgrace [dis'greys] *i.* Gözden düşme, menkûbiyet; rezalet, yüzkarası ayıp, utanacak şey. *f.* Gözden düşürmek; rezil etm. **be a** ~ **to one's family**, ailesine yüzkarası olm.: **be in** ~, gözden düşmüş olm., menkûp olm.; (çocuk) cezalı/kabahatli olm. ~**ful**, rezil, çok ayıp, yüz kızartıcı.
disgruntled [dis'grʌntld]. Küskün; müşteki.
disguise [dis'gayz] *i.* Kıyafet tebdili, maske. *f.* Kıyafetini ve şeklini değiştirmek; gizlemek.
disgust [dis'gʌst] *i.* Tiksinme, iğrenme; nefret; memnuniyetsizlik; canı sıkılma. *f.* İğrendirmek; çok canını sıkmak. ~**ed**, kızmış, bıkmış, iğrenmiş: ~**edly**, bıkmış olarak. ~**ing**, iğrenç: ~**ly**, nefret ederek; (*kon.*) çok.
dish [diş] *i.* Büyük yemek tabağı; küvet; yemek. *f.* Ortasını çukurlatmak; (*arg.*) haklamak, işini bozmak. ~ **oneself**, kendi kendini mahvetmek: ~ **up**, kotarmak: ~ **up old facts in a new form**, herkesin bildiği eski şeyleri ısıtıp ısıtıp yeni imiş gibi sürmek: **a standing** ~, demirbaş yemek; (*mec.*) temcit pilavı.
dishabille [disa'bīl] (*Fr.*) **in** ~, ev kılığı ile; yarı giyinmiş.
disharmon·ious [dishā'mouniəs]. Ahenksiz. ~**ize** [-'hāmənayz], ahenksizleş(tir)mek. ~**y**, ahenk/düzensizlik.
dish-cloth ['dişkloθ]. Bulaşık bezi.
dishearten [dis'hātn]. Cesaretini kırmak; fütur vermek.
dished [diṣt]. = DISH; bombe.
dishevelled [di'şevld]. (Saç/elbise) karmakarışık.
dishoarding [dis'hōdin(g)]. İstif/stok edilmiş malların piyasaya çıkartılması.
dishonest [dis'onist]. Dürüst olmıyan; mürtekip; iğri; namussuz. ~**ly**, namussuzca. ~**y**, namussuzluk, iğrilik; irtikâp.
dishonour [dis'onə(r)] *i.* Şerefsizlik; leke. *f.* Şeref ve haysiyetini kırmak; namusuna dokunmak. ~ **a bill**, bir poliçeyi kabul etmemek/ödememek: ~ **one's word**, sözünde durmamak. ~**able** [-'onrəbl], namussuz; rezil; şerefe dokunur. ~**ably**, namussuzca. ~**ed**, ödenmemiş, kabul edilmemiş.
dish·-washer ['dişwoşə(r)]. Bulaşıkçı; bulaşık makinesi. ~**-water**, bulaşık suyu; pek sulu ve tatsız çorba. ~**y**, (*arg.*) cazibeli (kız).
disillusion [disi'lyūjn]. Hayaldan uyandırmak; gözünü açmak; hayal kırıklığına uğratmak. ~**ment**, hayaldan uyandır(ıl)ma, vb.
disincentive [disin'sentiv]. Mâni, niyetinden çeviren.
disinclin·ation [disinkli'neyşn]. İsteksizlik. ~**e** [-'klayn], soğutmak; isteğini kaçırmak: ~**d**, isteksiz; meyilsiz.
disinfect [disin'fekt]. Dezenfekte etm. ~**ant**, antiseptik (madde). ~**ion** [-fekşn], dezenfekte etme, ilâçlanma.
dis·infest [disin'fest]. Kemirgen hayvanları vb. bir yerden çıkarmak. ~**inflation** [-'fleyşn], enflâsyona karşı tedbirler; deflâsyon. ~**information** [-fə'meyşn], düşmana kasten verilen sahte haber. ~**ingenuous** [-'cenyuəs], samimî olmıyan; iki yüzlü.
disinherit [disin'herit]. Mirastan mahrum etm. ~**ance**, mirastan mahrum etme/olma.
disintegrat·e [dis'intigreyt]. Küçük parçalara ayır(ıl)mak; parçala(n)mak; ufala(n)mak, dağılmak. ~**ion** [-'greyşn], dağılma, parçalanma. ~**or**, parçalıyan.
disinter [disin'tə(r)]. Mezardan çıkarmak; (*mec.*) eşeleyip meydana çıkarmak.

disinterested [dis'intərestid]. Hasbî; gönüllü ve karşılıksız yapılan; pir aşkına; menfaat düşünmiyen.
disinterment [disin'tāmənt]. Mezardan çıkar(ıl)ma.
disject [dis'cekt]. Dağıtmak.
disjoin [dis'coyn]. Ayırmak. **~t**, eklemlerini ayırmak: **~ed** [-tid], çıkık; rabıtasız.
disjunct·ion [dis'cʌn(g)kşn]. Parçalarına ayrılma. **~ive**, ayıran, fasıla; (*dil.*) rabıtasını bozan.
disk = DISC.
dislike [dis'layk]. Beğenmeme(k); hoşlanmama(k). **take a ~ to s.o.**, birinden hoşlanmamağa başlamak; birinden soğumak.
dislocat·e ['disləkeyt]. Yerinden çıkarmak; oynatmak; altüst etm. **~ed**, çıkık; altüst. **~ion**, yerinden oynama.
dislodge [dis'loc]. Yerinden oynatmak.
disloyal [dis'loyəl]. Sadakatsiz; hain; vefasız. **~ly**, sadakatsizce. **~ty**, vefasızlık, sadakatsizlik; hainlik.
dismal ['dizml]. Loş ve kasvetli; kederli; sönük. **~ly**, kederli olarak; çok.
dismantle [dis'mantl]. Sökmek; (gemi) techizatını sökmek; (fabrika) makinelerini söküp götürmek; (makine) demonte etm.
dismast [dis'māst]. Direğini kırmak/sökmek.
dismay [dis'mey] *i.* Korku/hayretten donup kalma. *f.* İçine korku düşürmek; cesaretini kırmak.
dismember [dis'membə(r)]. Organlarını ayırmak; parçalamak. **~ment**, parçalanma.
dismiss [dis'mis]. (Asker/öğrenci vb.ni) dağıtmak; işinden çıkarmak; savmak; gitmeğe izin vermek; çıkarıp atmak; kovmak, sepetlemek, yürütmek; (davayı) reddetmek. **~al**, işten çıkarma; azletme; tardetme; reddetme, dönerim.
dismount [dis'maunt]. (Attan vb.) in(dir)mek; (makine vb.ni) sökmek.
disobedien·ce [disə'bīdiəns]. İtaatsizlik. **~t**, itaatsiz: **~ly**, itaatsizce.
disobey [disə'bey]. İtaat etmemek.
disoblig·e [disə'blayc]. Ricasını yapmamak. **~ing**, aksi, ters, hatır kıran, nezaketsiz.
disorder [dis'ōdə(r)] *i.* İntizamsızlık, düzensizlik; kargaşalık; karışıklık; bozulma. *f.* Bozmak, karıştırmak. **~ed**, bozuk, düzensiz. **~ly**, intizamsız; karmakarışık; itaatsiz, isyankâr: **~ house**, genelev.
disorganiz·ation [disōgənay'zeyşn]. Düzensizlik, karışıklık. **~e** [dis'ōg-], düzenini bozmak, altüst etm.
disorientat·ion [disōriən'teyşn]. Yönünü kaybet(tir)me; şaşırt(ıl)ma. **~e**, yönünü kaybettirmek; şaşırtmak.
disown [dis'oun]. Ait olduğunu inkâr etm.; tanımamak; reddetmek.
disparag·e [dis'paric]. Küçültmek; kötülemek. **~ement**, küçültme. **~ing(ly)**, kötüleyici (olarak).
disparate ['dispəreyt]. Tamamen farklı, hiç benzemiyen; nispetsiz. **~ness**, farklılık.
disparity [dis'pariti]. Müsavatsızlık, eşitsizlik; tefavüt; fark(lılık), ayrım.
dispassionate [dis'paşənit]. Hisse kapılmıyan; tarafsız. **~ly**, tarafsızca. **~ness**, hisse kapılmama.
dispatch [dis'paç] *i.* Gönderme, sevkıyat, irsal; rapor, tahrirat; acele; öldürme. *f.* Göndermek, yollamak; yapmak, tamamlamak; öldürmek. **with all possible ~**, mümkün olan hızla. **~-boat**, avizo. **~-box/-case**, evrak çantası. **~er**, sevkeden, sevk memuru; telgrafcı; (paraşütçüler) gurupbaşı. **~-rider**, (*ask.*) haberci.
dispel [dis'pel]. Dağıtmak, gidermek.
dispens·able [dis'pensəbl]. Gerekli olmıyan, olması da olur. **~ary**, dispanser, bakım evi. **~ation** [-'seyşn], tevzi etme; kader, takdir; papadan alınan muafiyetname; ödevin dışında kalmaya müsaade. **~e**, tevzi etm., dağıtmak, ilâç yapıp vermek; (papa) bağışlamak, muaf tutmak. **~ with**, -den müstağni olm., -siz yapabilmek. **~er**, dispanser eczacısı.
dispeople [dis'pīpl]. Nüfusu azaltmak/kaldırmak.
dispers·al/~ion [dis'pāsəl, -şn], Dağıtma, dağılım, yayılma. **~e**, dağıtmak; dağılmak; yaymak. **~ed**, dağınık. **~ive**, dağıtıcı.
dispirit [di'spirit]. Keyfini kaçırmak; cesaretini kırmak. **~ed(ly)**, cesareti kırılmış (olarak).
displace [dis'pleys]. Yerinden çıkarmak; yerini almak/değiştir(t)mek. **~ from**, -den uzaklaştırmak. **~ment**, çıkarma, taşırma; yer değişimi; yer değiştirme; taşırma suyu, mai mahreç; hacim; deplasman.
display [dis'pley] *i.* Gösteri, sergi, vitrin; gösteriş; nümayiş; şatafat; meşher; ortaya koyma, (göz önüne) serme. *f.* Teşhir etm., göstermek; gösteri yapmak, ortaya koymak, göz önüne sermek; sergilemek.
displeas·e [dis'plīz]. Hoşuna gitmemek; gücendirmek. **be ~ed with/at**, -den memnun olmamak. **~ing**, nahoş; can sıkıcı. **~ure** ['plejə(r)], gücenme; iğbirar.
disport [dis'pōt]. **~ oneself**, eğlenmek.
dispos·able [dis'pouzəbl]. Çıkarılır; isteğe göre kullanılır; (*mal.*) arı, net; iade edilmez (şişe vb.). **~al**, tertip, düzen, temizle(n)me, tanzim; kullanış; bertaraf etme; tasarruf: **at the ~ of**, -in tasarrufunda: **I am at your ~**, emrinize hazırım: **for ~**, satılık.
dispose [dis'pouz]. Tanzim etm., tertip etm.; yerleştirmek; (Allah) takdir etm.; temayül ettirmek. **~ of**, bertaraf etm.; başından savmak; halletmek; tamamlamak; satmak: **be ~d of**, bertaraf edilmek; satılmak: **be ~d to**, mütemayil olm., eğilim göstermek, içinden gelmek: **'give what you feel ~d to!'**, gönlünden ne koparsa ver!: **~ oneself to sleep**, uykuya hazırlanmak: **man proposes, God ~s**, takdir tedbiri bozar. **~d**, hazır, mütemayil: **well ~**, hayırhah, iyi dilekli: **ill ~**, bedhah, kötü yürekli.
disposition [dispə'zişn]. Tertip, yaratılış, nizam; tasarruf; tabiat, mizaç, düzen, meyil, istek, niyet; istidat.
dispossess [dispə'zes]. Mahrum etm.; evden çıkarmak; mal/mülkünü zaptetmek. **~ s.o. of stg.**, -i elinden almak. **~ion** [-'zeşn], evden çıkar(ıl)ma; mal/mülkünün zaptedilmesi.
dispraise [dis'preyz]. Küçültme(k); kötüleme(k).
disproof [dis'prūf]. Cerh; aksini ispat; çürütme.
disproportion [disprə'pōşn]. Nispet/oransızlık. **~ate**, oransız: **~ly**, oransız olarak.
disprove [dis'prūv]. Cerhetmek; aksini ispat etm.; yalanlamak; çürütmek.
disput·able [dis'pyūtəbl]. Münakaşa edilir; şüpheli. **~ation** [-'teyşn], münazara. **~atious** [-teyşəs], münakaşacı. **~e**, *i.* münakaşa, ihtilâf; niza;

uyuşmazlık: *f.* münakaşa etm., itiraz etm.; kabul etmemek.
disqualif·ication [diskwolifi'keyşn]. Mâni, engel; diskalifiye etme/edilme, çıkarılma. **~y** [-'kwolifay], engel olm.; yetkisini kaldırmak; (*sp.*) diskalifiye etm., yarış/oyundan çıkarmak, yarış dışı etm.
disquiet [dis'kwayət] *i.* Rahatsızlık; huzursuzluk; endişe. *f.* **~(en)**, huzurunu kaçırmak. **~ing**, endişe verici. **~ude** [-tyūd], endişe, huzursuzluk.
disquisition [diskwi'zişn]. Pek mufassal nutuk/makale.
disrate [dis'reyt] (*den.*) Aşamasını indirmek.
disregard [disri'gād] *i.* Aldırmayış; ihmal; saygısızlık; uymazlık. *f.* Aldırmamak; ihmal etm.; itibar etmemek; saygı göstermemek. **~ful**, kayıtsız; aldırmaz.
disrepair [disri'pe̱ə(r)]. Tamirsizlik; harap halde olma, köhnelik.
disreput·able [dis'repyutəbl]. Kötü ün sahibi; rezil; (*kon.*) kılıksız, külhanbeyi kılıklı. **~ably**, rezil/kılıksız olarak. **~e** ['disri-], kötü şöhret/ün: **bring into ~**, itibardan düşürmek: **fall into ~**, itibardan düşmek.
disrespect [disri'spekt]. Hürmetsaygı/patavatsızlık. **~ful**, hürmetsiz, patavatsız: **~ly**, hürmetsizce.
disrobe [dis'ro̱ub]. Resmî elbisesini çıkarmak.
disroot [dis'rūt]. Köklerini çıkarmak.
disrupt [dis'rʌpt]. Kesmek, bozmak, çatlatmak; zorla ayırmak. **~ion** [-pşn], kesilme, bozulma. **~ive**, zorla ayırıcı.
dissatis·faction [dissatis'fakşn]. Hoşnutsuzluk, memnuniyetsizlik. **~fied** [-fayd], hoşnutsuz, gayri memnun. **~fy** [-fay], memnun edememek; hoşnutsuz bırakmak.
dissect [di'sekt]. Teşrih etm.; (*mec.*) inceden inceye tahlil etm. **~ing**, teşrih; tahlil. **~ion** [-kşn], teşrih etme. **~or**, teşrihci.
dissemble [di'sembl]. Gerçek duygularını gizlemek; iki yüzlülük etm. **~r**, iki yüzlü adam.
disseminat·e [di'semineyt]. Saçmak, yaymak, neşretmek; tohum dağıtmak. **~ion** [-'neyşn], yay(ıl)ma; tohum dağıt(ıl)ma. **~or**, yayan; dağıtan.
dissension [di'senşn]. Niza, çekişme, bozuşma, ihtilâf; tefrika.
dissent [di'sent]. Aynı fikirde olmama(k); çekişme(k), bozuşma(k); (bir hususta) ayrılma(k); Anglikan kilisesinden ayrılma(k). **~er**, muhalif; mutezil. **~ient**, muhalif olan.
dissertation [disə̄'teyşn]. Risale, deneme, tahrir.
disservice [dis'sə̄vis]. Hatır kıracak/incitecek muamele.
dissiden·ce ['disidəns]. Çoğunluktan ayrılma. **~t**, çoğunluktan ayrılan.
dissimilar [di'similə(r)]. Benzemiyen, farklı. **~ity** [-'lariti], benzemeyiş, fark.
dissimilation [disimi'leyşn]. Benzeşmezlik, disimilasyon.
dissimulat·ion [disimyu'leyşn]. Örtbas; gizlenme. **~e** [-'sim-], hislerini gizlemek; riyakârlık etm.
dissipat·e ['disipeyt]. Dağıtmak; israf etm.; sefahat etm. **~ed**, sefih. **~ion** [-'peyşn], sefahat; dağıtma; dağılma: **~-trail**, (*hav.*) bulutların dağıtılması.
dissociat·e [di'so̱uşieyt]. Ayırmak; çözüşmek: **~ oneself from**, alâkasını/-den kesmek; alâkasını inkâr etm. **~ed**, çözüşük. **~ion** [-si'eyşn], ayırma, ayrılma; alâkayı kesme; inhilâl, çözüşme.
dissoluble [di'solyubl]. Erir, dağılır, bozulur.
dissolute ['disəlyūt]. Sefih, ahlâksız: **~ly**, ahlâksızca: **~ness**, ahlâksızlık.
dissolution [disə'lyuşn]. İnhilâl, infisah, çözünüm, çözülme, erime; sona erme; dağılım; düşme; sukut; ölüm.
dissolve [di'zolv]. Eri(t)mek; çöz(ül)mek; inhilâl et(tir)mek; sona ermek; feshetmek; dağıtmak; gözden kaybolmak. **~ in tears**, gözünden yaşlar boşanmak. **~nt**, eritici, muhallil.
dissonan·ce ['disənens]. Ahenksizlik; tenafür. **~t**, ahenksiz.
dissua·de [di'sweyd]. Vazgeçirmek, caydırmak. **~sion** [-'sweyjn], vazgeçirme, caydırma. **~sive** [-'sweysiv], vazgeçirici.
dissyllabic = DISYLLABIC.
dissymetr·ical [disi'metrikl]. Tenazursuz. **~y** [-'simətri], tenazursuzluk.
distaff ['distāf]. Öreke. **the ~ side**, ana tarafı.
distal ['distəl]. Merkez/mafsaldan uzak.
distance ['distəns]. Mesafe, uzanım; uzaklık; fasıla, aralık. **at a ~**, mesafede: **~ lends enchantment to the view**, uzaktan davulun sesi hoş gelir: **keep s.o. at a ~**, birine soğuk davranmak, biriyle samimî olmamak: **keep one's ~**, fazla samimî olmamak; haddini bilmek.
distant ['distənt]. Uzak mesafede; soğuk, samimî olmıyan: **have a ~ view of**, -i uzaktan görmek. **~ly**, soğuk bir surette.
distaste [dis'teyst]. Hoşlanmayış, tiksinme. **~ful**, hoş olmıyan, nahoş, antipatik.
distemper[1] [dis'tempə(r)]. Bir köpek hastalığı.
distemper[2]. Tutkallı boya (ile boyamak).
disten·d [dis'tend]. Ger(il)mek; şiş(ir)mek. **~sion** [-'tenşn], gerilme, şişme, şişkinlik.
distich ['distik]. Beyit. **~ous** [-'tikəs] (*bot.*) iki sırada düzenmiş.
distil [dis'til]. İmbikten çekmek, taktir etm.; damla damla ak(ıt)mak; damıtmak. **~late** ['distileyt], imbikten çekilmiş sıvı. **~lation** [-'leyşn], taktir; taktir edilme; damıtma. **~led** [-ld], damıtık. **~ler** [-'tilə(r)], içkiler çıkaran kimse: **~y**, damıtma yeri, taktirhane, müskirat/içkiler fabrikası.
distinct [dis'tin(g)kt]. Ayrı, farklı; vazıh, açık, aşikâr, katî, kesin. **~ion** [-kşn], ayırt etme, ayırma, fark; temayüz; şöhret, şan, üstünlük; nişan; âlamet, belirti: **gain ~**, temayüz etm., sivrilmek: **a man of ~**, seçkin/mümtaz adam: **without ~**, fark gözetmeden, ayrı seçi yok. **~ive**, ayırt edici, hususî, özel: **~ly**, özel olarak: **~ness**, özellik. **~ly**, vazıh olarak, açıkça. **~ness**, açıklık.
distinguish [dis'tin(g)gwiş]. Ayırt etm., ayırmak; tefrik etm., seçmek; meşhur yapmak. **~ oneself by**, -le temayüz etm. **~able**, ayırt edilebilir, tefriki kabil. **~ed** [-şt], seçkin, mümtaz; meşhur; kibar.
distort [dis'tōt]. Bükmek, çarpıtmak, bozmak; tahrif etm. **~ed** [-tid], bozuk, biçimi bozulmuş. **~ion** [-'tōşn], çarpılma, bükülme; tahrif; başka anlam verme; biçim bozukluğu; (*tiy.*) biçim bozumu; (*rad.*) distorsiyon, bozulma: **~ of the**

truth, hakikatin değiştirilmesi: ~**ist**, bir nevi cambaz.

distract [dis'trakt]. (Dikkat/zihni) başka tarafa çekmek; işgal etm.; çıldırtmak. ~**ed**, çılgın, deli. ~**ion** [-kşn], dikkat/zihni başka tarafa çekme, işgal etme, oyala(n)ma; eğlence; çılgınlık: **drive s.o. to** ~, birini çıldırtmak: **love s.o. to** ~, birini çıldırasıya sevmek.

distrain [di'streyn]. Haczetmek; elkoymak; zaptetmek. ~**t**, haciz, elkoyma.

distrait [dīs'trey] (*Fr.*) Dalgın.

distraught [dis'trōt]. Çılgın bir hale gelmiş; meftun.

distress [dis'tres] *i.* Istırap, acı, elem, sıkıntı; zaruret; haciz. *f.* Istırap vermek, sıkıntıya sokmak. ~**-call**, imdat çağırışı. ~**ed** [-st], mustarip; büyük keder içinde; sefalet içinde. ~**-frequency**, (*rad.*) imdat frekansı. ~**ful**, kederli. ~**ing**, ıstırap verici, vb. ~**-sale**, mecburî satış. ~**-signal**, imdat işareti.

distribut·able [dis'tribyūtəbl]. Dağıtılabilir; dağıtılmaya hazır. ~**e**, dağıtmak, tevzi etm., üleştirmek; taksim etm. ~**ion** [-'byūşn], dağıtma, tevzi; taksim, bölünme; hisse; dağılma, dağılış, tevezzü. ~**ive**, dağıtmaya ait: ~ **adjective/pronoun**, üleştirme sıfat/zamiri. ~**or**, dağıtıcı; (*müh.*) distribütör; (*sin.*) dağıtımcı; (*mal.*) dağıtımcı, toptancı.

district ['distrikt]. Mıntıka, havali, bölge; kaza, semt; mahalle; yöre, ilçe, kaymakamlık. *~**-attorney**, bölge savcısı. ~**-heating**, bir semtin bütün binalarının bir merkezden ısıtılması. ~**-nurse**, bölge hastabakıcısı. ~**-visitor**, bölge ahalisine hizmet eden kilise memuru.

distrust [dis'trʌst] *i.* İtimat/güvensizlik, şüphe. *f.* -e itimat etmemek, inanmamak. ~**ful**, itimat/güvensiz; şüphe eden; vesveseli: ~**ly**, güvensizce.

disturb [dis'tə̄b]. Rahatsız etm., taciz etm., tedirgin etm.; bozmak, ihlâl etm.; (*hav.*) tahrik etm.; endişe vermek. ~**ance** [-əns], rahatsız etme/olma, taciz, sıkıntı; karışıklık, kargaşalık; (*hav.*) tahrik; (*den.*) çalkanma; tedirginlik; bozukluk.

disuni·on/~**ty** [dis'yūniən, -nity]. İhtilâf, ahenksizlik; ayrılma. ~**te** [-'nayt], ayırmak, aralarını açmak/bozmak.

disuse [dis'yūs]. Kullanılmayış, kullanılmaz olma: **fall into** ~, kullanılmaz olm. ~**d** [-'yūzd], kullanılmıyan; metrûk.

disyllab·le [di'siləbl]. Çift hece. ~**ic** [-'labik], çift heceli.

ditch [diç]. Hendek (açmak); (otomobili) hendeğe yuvarlamak; (uçağı) denize indirmek; (*arg.*) başından atmak: **die in the last** ~, sonuna kadar dayanmak. ~**er**, hendekleri açan kimse/makine. ~**ing**, hendek açılması; (*hav.*) denize mecburî iniş. ~**-water**, durgun su: **as dull as** ~, son derece ruhsuz ve sıkıcı.

dither ['diðə(r)]. Şaşırıp duralamak: **be all in a** ~, sarsaklık etm.: **a** ~**ing idiot**, ebleh.

dithyramb ['diθiram(b)]. İçki zevklerine adanmış şarkı; vahşi ve tumturaklı şiir/nutuk vb.

dittany ['ditəni]. Geyik otu/kurt helvası gibi bir kaç bitki.

ditto ['ditou]. Aynı şey, keza. **say** ~, tasdik etm.; 'evet efendim' demek. ~**graphy** [-'togrəfi], yanlış olarak tekrarlanan harf vb. ~**-marks**, (*bas.*) tekrarlama işareti (").

ditty ['diti]. Küçük şarkı/manzume.

ditty-box/-bag ['diti'boks, -bag]. Gemicilerin ufak tefek kutu/torbası.

diuretic [dayyu'retik]. İdrar söktüren (ilâç).

diurnal [day'ə̄nl]. Gündüze ait; günlük, yevmî.

div. = DIVIDE(ND); DIVINITY; DIVISION.

diva ['dīvə] (*müz.*) Prima donna.

divagate ['dayvəgeyt]. Saded/konudan ayrılmak; dolaşmak, yoldan sapmak.

divalent [day'veylənt] (*kim.*) İki valanslı.

divan ['dayvan, di'van]. Köşe minderi, minder; kanape-yatak; divan, meclis; sigara salonu.

divaricate [day'varikeyt] (*biy.*) Çatallaşmak.

dive [dayv]. Dalma(k); suya atlama(k); (*hav.*) dalış/pike uçuşu (yapmak); (*sp.*) (kaleci) plonjon; *(*kon.*) meyhane: **gambling** ~, kumarhane. ~**-bomb·er/-ing**, pike uçak/bombardımanı. ~**r**, dalgıç; (*zoo.*) dalgıçkuşugil, dalıcımartıgil: **black-/red-throated** ~, siyah-pasrengi gerdanlı dalgıç.

diverg·e [day'və̄c]. Birbirinden uzaklaşmak, ayrılmak; sapmak; tehalüf etm. ~**enc·e/-y**, ayrılma; tehalüf, fark; ıraksama. ~**ent**, farklı, muhalif; ayrılan; ıraksak.

divers ['dayvəz] *s.* (*mer.*) Muhtelif, bir çok. ~**e** [-'və̄s], muhtelif, farklı, değişik: ~**ly**, farklı olarak. ~**ification** [-sifi'keyşn], değişiklik, çeşitlen(dir)me. ~**ify** [-fay], değişik yapmak; çeşitlen(dir)mek. ~**ion** [-şən], başka tarafa çevir(il)me, sapma; oyalama; eğlence; (*ask.*) şaşırtma hareketi, sahte saldırı. ~**ity** [-'və̄siti], başkalık, fark, çeşitlilik.

divert [day'və̄t, di-]. Başka tarafa çevirmek, saptırmak, yolunu değiştirtmek; caydırmak; oyalamak; eğlendirmek. ~**imento**, (*müz.*) eğlendirici bir piyes. ~**ing**, eğlendirici; oyalayıcı.

Dives ['dayvīz]. Zengin adam timsalı.

divest [day'vest, di-]. Çıkarmak, çıkarıp atmak, soymak; mahrum etm. ~**iture**/~**ment** [-tiçə(r)], soy(un)ma; mahrum etme/edilme.

divi [divi] (*arg.*) = DIVIDEND.

divide[1] [di'vayd] *f.* Bölmek, taksim etm., paylaşmak; ayırmak; ayrılmak, bölünmek, dallanmak: ~ **up**, hisselere taksim etm., paylaştırmak; parçalamak: ~ **the House**, (İng. Parlamentosunda) oy verdirmek: ~ **into equal parts**, ortalamak.

divide[2] *i.* Bölme, taksim etme; (*coğ.*) iki nehir havzasının arasındaki hat/dağlar: **continental** ~, kıta bölüm çizgisi: **the great** ~, ölüm. ~**d**, bölünmüş, taksim edilmiş vb.: ~ **consonant**, akıcı ünsüz.

dividend ['dividend]. Kâr/kazanç payı, temettü hissesi; bölünme. **cum** ~, (hisse) kârı ile değeri: **cumulative** ~, birikmiş kâr: **ex** ~, kârı hariç değeri. ~**-coupon/-warrant**, kâr kupon/belgiti.

divider [di'vaydə(r)]. Bölen, bölücü; dağıtıcı; divizör. ~**s**, iğneli pergel.

divin·ation [divi'neyşn]. Keşif, kehanet. ~**e** [-'vayn] *f.* keşfetmek; gaipten haber vermek; kehanette bulunmak: *s.* ilâhî, tanrısal; (*kon.*) mükemmel: *i.* ilâhiyatçı; rahip. ~**ely**, ilâhî/mükemmel olarak. ~**er**, kâhin, sihirbaz; su/madenin nerede bulunduğunu keşfeden adam.

diving ['dayvin(g)]. Dalgıç+, dalma+: ~**-bell**, dalgıç hücresi: ~**-dress/-suit**, dalgıç elbisesi.

divin·ing [di'vaynin(g)]. Keşfetme, kehanette bulunma. ~**-rod**, DIVINER'in kullandığı değnek. ~**ity** [-'viniti], ilâhiyat(lık), tanrılık. Allahlık.

divis·ible [di'vizibl]. Bölünebilir, taksim edilir. **~ion** [-'vijn], taksim, bölme; bölüm, kısım; daire, bölge; parça, bölük; (*ask.*) fırka, tümen; tefrika, ihtilâf, kavga; (İng. Parlamentosunda) mebusların oy vermek için ayrılmaları: **~ of labour**, iş bölüm/taksimi: **~al**, taksim/kısım/tümen vb.ne ait. **~or** [-'vayzə(r)], bölen: **common ~**, ortak bölen.

divorce [di'vōs] *i.* Boşanma. *f.* (Hâkim) boşatmak; (karı/koca) boşa(n)mak; ayırmak. **~able**, boşanabilir. **~d** [-st], boşanmış; ayrık. **~e** [-vō'sī], boşanmış kimse.

divot ['divət] (*İsk.*) Çimen parçası; (*golf*) acemice bir vuruşla kesilen çimen parçası.

divulg·ation [dayvəl'geyşn]. İfşa etme; sır ver(il)mesi. **~e** [di'vʌlc], ifşa etm.; sır vermek.

dixie, dixy ['diksi] (*ask., arg.*) Karavana.

DIY = DO-IT-YOURSELF.

dizen ['dayzən]. Süslemek.

dizz·ily ['dizili]. Baş döndürücü bir şekilde. **~iness**, başdönmesi, göz kararması. **~y**, başı dönen; baş döndürücü: **feel ~**, başı dönmek; gözü kararmak.

DJ = DINNER-JACKET; DISC JOCKEY.

dl. = DECILITRE.

DL = DEPUTY LIEUTENANT.

D-layer ['dīleyə(r)] (*hav.*) D tabakası.

D.Lit./Litt. = DOCTOR OF LITERATURE/LETTERS.

dm. = DECIMETRE.

DM/D-mark = DEUTSCHMARK.

D.Mus. = DOCTOR OF MUSIC.

DMZ = DEMILITARIZED ZONE.

DNA = DEOXYRIBONUCLEIC ACID.

DNB = DICTIONARY OF NATIONAL BIOGRAPHY.

†D-notice ['dīnoutis] (*bas.*) (Hükümetçe) bir haberin yayınlanmaması emri.

do[1] (*g.z.* **did**, *g.z.o.* **done**) [dū, did, dʌn]. (*Yardımcı fiil için bk.* **do**[2]). Yapmak, etmek, kılmak; bitirmek; başarmak; tanzim etm., düzeltmek; (mesafe) kat etmek; bir rolü oynamak; (*arg.*) aldatmak, kafese koymak; elverişli olm., uygun gelmek, yakışmak. **be done**, yapılmak; tamamlanmak; (et) kâfi pişirilmek; bitkin bir hale gelmek; (*arg.*) aldanmak: **I am done**, bittim; mahvoldum: **I've been done**, aldatıldım: **be done!**, **have done!**, yetişir!, kâfi!, sus!: **~ as you would be done by**, (*ata.*) sana karşı nasıl hareket edilmesini istiyorsan sen de başkalarına karşı öyle hareket et: **I can't ~ on £500 a month**, ayda beş yüz lira ile idare edemem/geçinemem: **how ~ you ~?**, nasılsınız? *anlamına gelen bir deyimdir ki yalnız birbiriyle tanıştırılan kimseler tarafından kullanılır ve cevap olarak aynı deyim tekrar edilir*: **what can I ~ for you?**, ne emriniz var?, arzunuz nedir?: **a book done into English**, İngilizceye çevrilmiş kitap: **he is ~ing law/medicine**, hukuk/tıp tahsil ediyor: **this isn't very suitable but I will make it ~/make ~ with it**, bu pek elverişli değil fakat idare edeceğim: **no you don't!**, öyle yağma yok!; kapan da kaçan mı?: **this sort of thing isn't done**, böyle şey yapılmaz/doğru değil: **it doesn't ~ to work late at night**, gece geç vakit çalışmak zararlıdır: **this meat is not done**, bu et iyi pişmemiş: **what's ~ing here?**, burada neler oluyor?: **there's nothing ~ing here**, burada hiç bir şey olmuyor; işler kesat: **~ a town/museum, etc.**, (turist) bir şehir/müzeyi vb. gezmek: **what are you ~ing?**, ne yapıyorsunuz?: **what ~ you ~?**, (i) ne yaparsınız?; (ii) işiniz/mesleğiniz nedir?: **well done!**, aferin!, bravo!: **he did well/badly in his examination**, imtihanda muvaffak oldu/olamadı: **I am ~ing very well, thank you**, hiç bir şikâyetim yok, teşekkür ederim: **he does himself very well**, boğazına ve rahatına iyi bakar: **they ~ you very well at this restaurant**, bu lokantanın yemekleri çok iyidir: **potatoes ~ very well in this district**, bu bölgede patates iyi yetişir: **the patient is ~ing well**, hasta iyileşiyor: **that will ~**, (i) bu olur, bu elverişlidir, bu kâfidir; (ii) artık yeter!, illallah!: **that won't ~**, bu olmaz; bu elverişli değil: **in these days laziness won't ~**, bu zamanda tembellik olmaz. **~ away**, **~ away with s.o.**, birini öldürmek: **~ away with stg.**, bir şeyi lâğvetmek, kaldırmak, yoketmek. **~ in**, **~ s.o. in**, birini öldürmek. **~ out**, **~ a room out**, bir odayı temizlemek, düzeltmek. **~ up**, tamir etm., süslemek, tanzim etm. **~ with**, **he had a lot to ~ with the success of the scheme**, planın başarılı olmasında onun büyük payı var: **I've had a lot to ~ with horses**, atla çok meşgul oldum: **I could ~ with a bit more help**, bana bir az daha yardım eden olsa fena olmaz: **I could ~ with another £1,000 a year**, yılda bin lira daha alsam fena olmaz: **what ~ you ~ with yourself all day long?**, bütün gün vaktinizi nasıl geçiriyorsunuz?: **let's have done with it!**, artık bu işe nihayet verelim!

do[2]. *Yardımcı fiil olarak* **do**: (i) *Soru yapımına yarar*: **~ you know?**, biliyor musunuz?: **does he speak English?**, İngilizce bilir mi?: **did you see him?**, onu gördünüz mü? (ii) *Olumsuz fiil yapımına yarar*: **I ~ not/don't know**, bilmiyorum: **he does not come**, gelmez: **we did not hear**, işitmedik. (iii) *Tekit için kullanılır*: **I *do* know him**, onu vallahi tanıyorum; onu hem de nasıl tanırım: **he *did* say so**, o vallahi böyle dedi: ***do* come tomorrow**, ne olur yarın gel; yarın gelmemezlik etme. (iv) *Bir fiili tekrar etmemek için onun yerine kullanılır*: **'Who knows this?' 'I ~'**, bunu kim biliyor?—Ben (biliyorum): **'He went to Paris'. 'Did he?'**, Parise gitti.—Ya, öyle mi? (v) *'Degil mi' yerine, tasrif edilerek kullanılır*: **You see him every day, don't you?**, siz onu her gün görürsünüz, değil mi?: **he speaks English, doesn't he?**, o İngilizce bilir, değil mi?: **they came last week, didn't they?**, geçen hafta geldiler, değil mi?

do[3] *i.* (*arg.*) Hile, muziplik; (*kon.*) eğlenti, cümbüş. **~'s and don'ts**, muaşeret adabı.

do[4] [dou] (*müz.*) Do.

do. = DITTO.

doable [dūəbl] (*kon.*) Yapılabilir.

dobbin ['dobin] (*kon.*) Çiftlik atı.

doc. = DOCUMENT; DOCTOR.

docil·e ['dousayl]. Uslu, uysal: **~ly**, uslu olarak. **~ity** [-'siliti], uysallık, usluluk; mülâyemet.

dock[1] [dok] (*bot.*) Labada.

dock[2] *i.* (At vb.) kuyruğun etli kısmı. *f.* Kuyruğunu kesmek; (saç) kısa kesmek; (ücret) kesmek; (*huk.*) iptal/mahrum etm.

dock[3]. (Mahkemede) sanık/maznun yeri.

dock[4] *i.* Havuz, dok; rıhtım. *f.* (Gemi) havuza sokmak/girmek; rıhtıma yanaş(tır)mak; (*hav.*) bir uzay gemisi(ni) başkasıyle birleş(tir)mek. **dry/graving ~**, tamir/kuru havuz: **floating ~**, yüzer havuz. **~age/~-dues** [-kic, -dyūz], havuz/rıhtım ücreti. **~er**, liman/havuz/tersane işçisi.

docket ['dokit] *i.* Yafta, belge, etiket, fiş; özet; liste.

f. Listeye kaydetmek; özetini çıkarmak; yaftalamak.
dock·ing ['dokin(g)] (*mal., zoo.*) Kes(il)me; (*den.*) havuza girme; rıhtıma yanaş(tır)ma; (*hav.*) feza gemilerinin birleş(tir)(il)mesi. ~**land**, rıhtım civarı. ~**-master**, rıhtım/havuz müdürü. ~**yard**, tezgâh: **naval** ~, tersane.
doctor ['doktə(r)] *i.* Doktor; âlim. *f.* Tedavi etm.; tağşiş etm.; tahrif etm. **just what the ~ ordered!**, (*kon.*) Lokman hekimin ye dediği. ~**al**, doktor/öğretmene ait. ~**ate** [-rit], doktora.
doctrin·aire [doktri'neə(r)] *i.* Nazariyatçı: *s.* nazarî. ~**al** [-'traynəl], mezhebe ait. ~**arian** [-tri'neəriən], nazariyatçı, ukalâ. ~**e** ['doktrin], meslek, mezhep, nazariye, öğreti, doktrin, akide.
document ['dokyumnt] *i.* Vesika, belge; doküman; evrak; -name. *f.* Tevsik etm. ~**s pertaining to the case**, dava dosyası: **against** ~**s**, belgeler karşılığı. ~**ary** [-'mentəri], vesikaya dayanan, müspet; belge·li/-sel: ~**-evidence**, yazılı delil: ~ **(film)**, belge(sel) filim, dokümanter. ~**ation** [-'teyşn], tevsik, belgeleme, dokümantasyon. ~**ed**, belgeli, belgelere dayanmış.
dodder[1] [dodə(r)] (*bot.*) Cinsaçı, küsküt.
dodder[2] *f.* (İhtiyarlıktan) titremek; sarsak sarsak yürümek, sendelemek. ~**er**, sarsak ihtiyar. ~**y**, titreyen, sarsak yürüyen; bunalmış.
dodeca- [dou'dekə-] *ön.* Oniki(li)-. ~**gon**, oniki açılı şekil, onikigen. ~**hedron** [-'hīdrən], oniki kenar/yüzlü şekil. ~**nese** [-dikə'nīz], Oniki Ada, Dodekanez.
dodg·e [doc] *i.* Oyun, kurnazlık; marifet. *f.* Birdenbire yana kaçınmak; kaçamak yapmak. ~**er**, madrabaz, hilekâr. ~**y**, (*kon.*) kurnaz, kaypak, hileli; hünerli; şüpheli.
dodo ['doudou]. Nesli tükenmiş bir cins kuş: **as dead as the** ~, ortadan kalkmış, tarihe karışmış.
doe [dou]. Dişi geyik/tavşan.
DOE = DEPARTMENT OF THE ENVIRONMENT.
doer [dūə(r)]. Yapan, eden, fail.
does [dʌz] *şim., 3cü, tek* = DO[1].
doeskin ['douskin]. Geyik derisi.
doe·st/~**th** ['dūist, -iθ] *şim., 2ci/3cü, tek.,* (*mer.*) = DO[1].
doff [dof]. (Elbise vb.ni) çıkarmak.
dog[1] [dog] *i.* Köpek, it. *f.* (*g.z.(o.)* ~**ged**). (Birinin) peşinden gitmek. **dirty** ~, alçak herif: **every ~ has his day**, herkesin sıra/günü gelir; **gay** ~, çapkın, köftehor: **give a ~ a bad name and hang him**, bir adamın 'adı çıkacağına canı çıksın' *gibilerden*: **go to the** ~**s**, sefalete düşmek, mahvolmak: **take a hair of the ~ that bit you**, (*ata.*) bir içki âleminin ertesi günü mahmurluğunu gidermek için bir bardak daha içmek: **help a lame ~ over a stile**, (*ata.*) çaresiz kalmış birini güçlükten kurtarmak: **lead a** ~**'s life**, başı dertten kurtulamamak: **you lucky** ~!, seni gidi köftehor seni!: **you can't teach an old ~ new tricks**, (*ata.*) bu yaştan sonra bu huyumdan vaz geçemem; yeni bir şeyi öğrenemem: **throw to the** ~**s**, israf etm., ziyan etm.: **be top** ~, üstün gelmek.
dog[2]. Kastanyola, mandal; pabuç; fırdöndü; kanca, çengel.
dog-[3] *ön.* ~**-berry**, bir çeşit kızılcık meyvası. ~**-biscuit** [-biskit], köpek bisküviti. ~**-cart**, tek atlı hafif araba. ~**-clutch**, tırnaklı kavrama. ~**-collar**, tasma; (*kon.*) rahiplere mahsus kravatsız yakalık. ~**-days**, yazın en sıcak günleri.
doge [douc]. Eski Venedik dukası.
dog·-ear ['dogiə(r)]. Kitap sayfasının kıvrılan kenarı: ~**ed**, kenarları böyle kıvrılmış. ~**-eat-**~, merhametsizce rekabet eden. ~**-end**, (*arg.*) sigara artığı, izmarit. ~**-fight**, (*hav.*) iki uçak arasındaki savaş. ~**-fish**, kedibalığı(giller): **spiny** ~, mahmuzlu camgöz. ~**-fox**, erkek tilki.
dogged [dogd] *g.z.(o.)* = DOG[1]. [dogid] *s.* İnatçı, azimli: **it's** ~ **as does it**, (*ata.*) sebat etmeli. ~**ness**, sebat, azim.
doggerel ['dogərəl]. Değersiz manzume.
dog·gie ['dogi] = ~GY. ~**gish** [-giş], köpek gibi; ters, hırçın. ~**go** [-gou], **lie** ~, ölmüş gibi yatmak. *~**gone** [-gon], Allahın belâsı, melun. ~**gy** [-gi], kuçukuçu; köpek gibi, köpeğe ait; köpeğe fazla düşkün: *~**-bag**, yemek artığını köpeğine götürmek için lokantadan verilen torba. *~**-house**, köpek kulübesi: **be in the** ~, (*kon.*) gözden düşmüş olm. ~**-kennel**, köpek kulübesi. ~**-leg(ged)**, eğri. ~**-like**, köpeğimsi.
dogma ['dogmə]. Nas, inak akide, ahlâm. ~**tic** [-'matik], kesin, dogmatik; kesip atan; akideye ait: ~**s**, akideler bilgisi. ~**tism**, dogmatizm, inakçılık; kesinlik. ~**tist**, dogmatist; kesin söyliyen. ~**tize** [-tayz], naslaştırmak; kesin söylemek, ahkâm kesmek.
do-gooder [dū'gudə(r)] (*kon., köt.*) İdealist, ıslahatçı.
dog·-paddle ['dogpadl]. Köpek gibi bir yüzme tarzı. ~**-rose**, kuşburnu, yabanigül. ~**s**, (*kon.*) köpek yarışları. ~**'s home**, köpeklerin yetiştirilme/yatırılma yeri. ~**'s life**, sefalet. ~**-star**, Akyıldız. ~**-tired**, çok yorgun, bitkin. ~**-tooth**, köpek dişi; (*mim.*) yaprak şekli bir süs. ~**-violet**, it/yaban menekşesi. ~**-watch**, (*den.*) iki saatlik vardiya (16.00–18.00/18.00–20.00). ~**wood**, kızılcık.
do(h) [dou] (*müz.*) Do.
doil(e)y ['doyli]. Sofra tabaklarının altına konan işlemeli altlık.
doing ['dūin(g)] *hal.o.* = DO[1]. ~**s**, (*kon.*) faaliyet, iş; yapılan şeyler; gidişat.
doit [doyt] (*mer.*) **not worth a** ~, tamamen değersiz.
do-it-yourself ['duityō'self]. Bu işi kendiniz yapınız!: ~ **kit**, evde yapılıp tamamlanacak eşyalara gereken madde ile aletler takımı: ~ **shop**, bu madde/aletleri satan mağaza.
dol. = DOLLAR.
doldrums ['doldrəms]. **the** ~, Okyanusun Ekvatora yakın sakin bölgeleri, durgunlar: **be in the** ~, (gemi) bu bölgelerde rüzgârsızlıktan pek yavaş ilerlemek; (*mec.*) içi sıkılmak, keyfi yerinde olmamak; (işler) durgun olm.
dole[1] [doul]. Sadaka; işsiz ve muhtaçlara hükümetçe verilen haftalık; teberrü, hisse, pay. ~ **out**, (açgözlüce) azar azar dağıtmak: **go on the** ~, (işsiz) hükümetten haftalık yardımını almak.
dole[2]. Keder; kasvet. ~**ful**, mahzun, kederli; kasvetli: ~**ly**, kederli olarak: ~**ness**, kederlilik.
dolichocephalic [dolikose'falik]. Uzun kafalı, dolikosefal.
doll [dol]. Bebek (kukla); (*arg.*) güzel bir genç kadın. ~ **up/out**, gösterişli/cicili bicili şeyler giy(dir)mek.
dollar ['dolə(r)]. Dolar(ın değeri); †(*kon.*) beş şilin: **the almighty** ~, para/servetin simgesi: †**half a** ~,

iki buçuk şilin: **I'll bet you my bottom ~ that...**, muhakkaktır ki .... **~-area**, dolar bölgesi. **~-diplomacy**, ticarî başarıya dayanan/yönelen diplomasi. **~-gap**, bir ülkenin dolar sıkıntısı.

dollish ['doliş]. Kukla gibi; cicili bicili giyinmiş.

dollop ['doləp]. Topak; ufak parça.

doll's-house ['dolzhaus]. Kukla evi; (*köt.*) çok küçük ev.

dolly ['doli] (*çoc.*) Bebek (kukla), bebecik; kazık balyozu vb.(ni kullanmak). **~-shop**, (*den.*) gemi bakkalı ve rehinci dükkânı.

dolman ['dolmən]. Sarkık yenli kadın ceketi; (*tar.*) dolaman.

dolmen ['dolmən] (*ark.*) Dolmen.

dolomite ['doləmayt] (*yer.*) Dolomit.

dolo(u)r ['dolə(r)]. Keder, elem. **~ous** [-rəs]. Kederli, acıklı, elem veren.

dolphin ['dolfin] (*zoo.*) Yunus balığı(giller); (*den.*) palamar babası. **~arium** [-'neəriəm], yunus akvaryumu.

dolt [doult]. Alık, salak, mankafa. **~ish**, alık, ahmak.

dom. = DOMESTIC; DOMINION.

-dom [-dəm] *son.* -lik [KINGDOM].

domain [də'meyn]. Malikâne; memleket, ülke; mülk, toprak, arazi; (*mec.*) saha, alan. **the public ~**, kamu malı: **it isn't in my ~**, bu benim alanım dışındadır.

dome [doum]. Kubbe. **~d**, kubbeli, kubbe şeklinde.

Dom.Ec. = DOMESTIC ECONOMY.

domestic [də'mestik] *s.* Eve ait, ev+; ev hayatına ait; ev ve aile hayatını seven; ehlî, evcil; (*id.*) iç, millî, dahilî; (*mal.*) yerli, o memlekete ait. *i.* Hizmetçi, aşçı. **~ally**, eve ait olarak. **~ate**, evcil-/ehlileştirmek; ev ve aile hayatına alıştırmak; bir yere ısındırmak. **~ation** [-'keyşn], evcil/leş(tir)me. **~ity** [-mes'tisiti], eve ve aile hayatına bağlılık; ev hayatı.

domet ['domit]. Kefen kumaşı.

domic(al) ['doumik(l)]. Kubbe gibi.

domicil·e ['domisayl] *i.* Mesken, konut, ikametgâh. *f.* İkamet etm., otur(t)mak: **~d**, konutlu, ikametgâhlı, oturum yerli. **~iary** [-'siliəri], ev+; konuta ait: **~ visit**, ikametgâhı araştırma. **~iation** [-sili'eyşn] (*mal.*) oturum yerinde ödeme, ikamet gösterilmesi.

dominan·ce ['dominəns]. Hâkimiyet, söz geçme, nüfuz; başatlık. **~t**, hâkim, egemen, nüfuzlu, sözü geçen, sayılır; (*biy.*) baskın, başat; (*müz.*) bir sesin beşinci perdesi: **~ly**, nüfuzlu olarak.

dominat·e ['domineyt]. Hâkim olm.; hükmetmek. **~ion** [-'neyşn], hâkimiyet, tahakküm, egemenlik.

domineer [domi'niə(r)]. Tahakküm etm. **~ing**, mütehakkim, otoriter.

Dominica [də'minikə]. Dominika. **~l**, İsa/pazar gününe ait. **~n**, *i.* Dominikalı; Dominiken rahibi: *s.* Dominika+.

dominie ['domini] (*İsk.*) Öğretmen, hoca.

dominion [də'minyən]. Hâkimiyet, hükümet, idare; memleket; dominyon, sömürge.

domino ['dominou]. Karnaval/maskeli baloda giyilen bir nevi harmaniye; domino taşı. **~ed**, harmaniyeli. **~es** [-nouz] *ç.* domino oyunu.

don[1] [don] *i.* (*İsp.*) Asâlet unvanı; Oxford/Cambridge üniversitelerinde hoca.

don[2] *f.* Giydirmek.

donat·e [dou'neyt]. Teberru etm., hibe etm., bağışlamak; vermek. **~ion** [-'neyşn], teberru, hibe, bağışlama; yardım, iane. **~ive**, hediye/iane(ye ait).

done [dʌn] *g.z.o.* = DO[1]. *s.* Tamam; yorgun; (iyi) pişmiş; aldatılmış: **~!**, kabul!: **it's not quite ~**, iyi pişmiş değil: **the ~ thing**, (*kon.*) herkesin yaptığı şey, moda: **that's not ~!**, bu yapılmaz.

donee [dou'nī]. Hibe alan, bağışlanan.

Donegal [doni'gōl]. İrlanda'da bir kontluk.

dong [don(g)] (*yan.*) Çan sesi (çıkarmak); (*Avus.*) ağır bir darbe.

donjon ['doncən]. (Hisar) baş kulesi.

donkey ['don(g)ki]. Eşek; (*mec.*) aptal. **for ~'s years**, uzun senelerce: **she would talk the hind leg off a ~**, beş para ver söylet on para ver sustur. **~-boiler**, (*den.*) yardımcı kazan. **~-engine**, yardımcı makine. **~-jacket**, kalın ve hava geçirmez bir ceket.

donnish ['doniş]. Hoca gibi; ukalâca, fazilet taslayan.

donor ['dounə(r)]. Hibe eden, veren, verici.

don't [dount] = DO NOT. **the ~ knows**, seçimden önce tarafsızlar.

-dontic [-dontik] *son.* -dişli [ORTHODONTIC].

donto- [dontə-] *ön.* Donto-; diş(ler)e ait.

***doo·dad**/**~hickey** ['dūdad, -hiki] (*kon.*) Biblo; GADGET. †**~dah**, (*arg.*) biblo: **all of a ~**, heyecanlanmış, sarsılmış.

doodle ['dūdl]. Gayda çalmak; dalgın iken kâğıt üzerine şekiller çizmek. **~-bug** [-bʌg] (*kon.*) uçan bomba.

doom [dūm] *i.* Feci akıbet; kader; hüküm. *f.* Mahkûm etm. **the day/crack of ~**, kıyamet günü: **his ~ is sealed**, o mahvolmuş demektir. **~sday** [-zdey], kıyamet/anababa günü: **~ Book**, İng.'de Norman istilâsından sonra kralın emriyle tertip olunan emlâk defteri. **~watch** [-woç], yeni fen keşiflerin tehlikeli etkilerine karşı uyanıklık.

door [dō(r)]. Kapı. **the fault lies at my ~**, kabahat benimdir: **keep within ~s**, evde oturmak, sokağa çıkmamak: **lay a charge at s.o.'s ~**, birini ittiham etm.: **out of ~s**, dışarıda, açık havada: **show s.o. the ~**, birini kapı dışarı etm.; **show s.o. to the ~**, birini kapıya kadar geçirmek: **shut the ~ on s.o.**, birinin yüzüne kapıyı kapatmak: **turn s.o. out of ~s**, birini dışarı çıkarmak: **back ~**, arka kapı: **front ~**, sokak kapısı: **next ~**, yandaki kapı; kapı komşusu: **revolving ~**, döner kapı: **swing ~**, çarpma kapı. **~-bell**, kapı zili. **~-bolt**, çubuklu kilit. **~-keeper**/**-man**, kapıcı. **~-knob**, kapı topuzu. **~-mat**, silgeç, paspas. **~-nail**, iri başlı çivi: **as dead as a ~**, ölmüş gitmiş. **~-plate**, tabela. **~-post**, kapı dikmesi: **as deaf as a ~**, tamamen sağır. **~-step**/**-stone**, kapı önündeki basamak, eşik. **~-stop**, kapı tamponu. **~-way**, kapı yeri, menfez.

dope [doup] *i.* Çiriş, macun, yağlı sıvı; (*arg.*) afyon vb. gibi sersemletici ilâç; (*arg.*) malûmat, haber, bilgi; (*arg.*) aptal. *f.* İlâçla sersemletmek; sersemletici ilâç karıştırmak; bir uçağın bez kanatlarını çirişle sertleştirmek. **give s.o. the ~ about stg.**, (*arg.*) bir şey hakkında birine malûmat vermek: **spill the ~**, (*arg.*) sırrını başkasına söylemek. **~-addict**/**-fiend**, uyuşturucu maddelere düşkün olan. **~-addiction**/**-habit**, uyuşturucu maddeler tutkusu. **~r**, yarıştan önce at vb.ne güç katımını veren. **~-sheet**, yarış/oyundan önce muhtemel

sonucu hakkında belgi veren broşür. ~**y**, sersemletilmiş; (*arg.*) aptal.
doping [doupin(g)] (*sp.*) Doping, güç katımı(nı alma/verme), güçlendirme.
doppelgänger ['doplgen(g)gə(r)] (*Alm.*) Yaşıyan birinin tayf/tıpkısı.
DORA, Dora ['dōrə] = DEFENCE OF THE REALM ACT.
dorada [də'rādou]. Büyük ve parlak renkli bir balık, yunus.
Dori·an ['dōriən] (*tar.*) Doris'e ait; Dorisli. ~**c** [-rik] (*mim.*) Dorik üslûp/Dor düzeni(ne ait); (*dil.*) Doris'te konuşulan Yunan lehçesi; taşra şivesi.
dorm- ['dōm-] *ön.* Uyku-. ~**ancy** [-mənsi] uykuda olma; uyku hali; hareketsizlik. ~**ant**, uyuyan, uykuda gibi sessiz; hareketsiz; (*bot.*) uyku halinde.
dormer ['dōmə(r)]. ~**(-window)**, çatı arası/tavan penceresi.
dormitory ['dōmitəri]. Yatakhane, koğuş.
dor·mouse, *ç.* ~**mice** ['dōmaus, -mays]. Fındık fare/sıçanı; yediuyuklıyan(gil).
dormy ['dōmi] (*golf*). Kaybedemez durumda olan oyuncu, dormi.
Dors. = DORSETSHIRE.
dorsal ['dōsəl]. Sırt + ; arka tarafa ait.
Dorset(shire) ['dōsit(şə)]. Brit.'nın bir kontluğu.
dors(o)- [dōs(ou)-] *ön.* Sırt + ; arka tarafa ait.
dory[1] ['dori]. Hafif bir nevi kayık.
dory[2]. **(John)** ~, dülger balığı.
dos·age ['dousic]. Doz miktarı, dozaj, miktar tayini. ~**e**[1], *i.* (*tıp.*) doz: **a regular ~ of stg.**, bir şeyin fazlası. ~**e**[2], *f.* doz(unu) vermek; miktarını tayin etm./ölçmek; ilâç vermek. ~**imeter**, röntgen şuaları ölçeği; damlalık, damla ölçeği.
doss [dos] *i.* (*arg.*) (Misafirhane/han odasında) yatak. *f.* Yatmak; uymak. ~ **down**, nasıl olsa bir yerde yatmak. ~**-house**, fakirler misafirhanesi; düşkünler evi.
dossier ['dosiey]. Bir kimse/konu hakkında toplanan evrak dosyası; dosya, sıralaç.
dost [dʌst] *şim., 2ci, tek* (*mer.*) = DO[1].
dot [dot] *i.* Nokta; benek. *f.* Noktasını koymak, noktalamak; benek benek yapmak. **he arrived on the ~**, elifi elifine geldi: ~ **the i's**, iyice izah etm.: ~**-and-dash**, nokta ile çizgi.
DOT = DEPARTMENT OF (OVERSEAS) TRADE.
dot·age ['doutic]. Bunama, bunaklık. ~**ard** [-təd], bunak, moruk. ~**e**, bunamak: ~ **upon**, çıldırasıya sevmek, -e müptelâ olm. ~**ing**, bunak; bir şeye gülünç bir tutkusu olan.
doth [dʌθ] *şim., 3cü, tek.* (*mer.*) = DOES; DO[1].
dotted ['dotid]. Noktalı: ~**-line**, noktalı çizgi.
dotterel ['dotrəl]. Bir nevi yağmur kuşu.
dottle [dotl]. Pipodaki tütün artığı.
dotty ['doti]. Noktalı, benekli; (*arg.*) sapık.
double[1] [dʌbl] *s., i.* Çift; iki misli, iki kat; iki porsiyon; duble; eş, benzer. **(daily)** ~, (*sp.*) günün ilk iki yarışına bahis: **at the** ~, koşarak adım: **lead a ~ life**, biri herkese malûm biri hiç kimsenin bilmediği iki türlü hayat sürmek: **play a ~ game**, iki tarafı da idare etm., 'tavşana kaç, tazıya tut' demek. ~**s**, (*sp.*) çiftler: **mixed** ~, karışık çiftler.
double[2] *zf.* İki (misli) olarak, çift olarak: **cost** ~, önceden iki misli pahalı olm.: **pay** ~, iki misli ödemek: **see** ~, çift görmek; ayyaş olm.: **sleep** ~, tek yatakta iki kişi yatır(ıl)mak.
double[3] *f.* İki misli yapmak, iki misli olm.; eşi/aynı olm.; katlamak; yedeklemek; ikiye bükmek; (gemi) dolaşarak geçmek; (yumruğunu) sıkmak; koşar adım yürümek. ~ **(back)**, (avda izlenen hayvan) hızla geri dönmek. ~ **back**, katlamak; hızla geri dönmek. ~ **down** (sayfa kenarını) kıvırmak. ~ **over**, kıvırmak; ikiye bükmek. ~ **up**, ikiye bük(ül)mek; koşar adım ilerlemek.
double-[4] *ön.* ~**-acting**, iki taraflı çalışan, çifte çalışan. ~**-agent**, iki düşman tarafla çalışan casus. ~**-axe**, çift ağızlı balta. ~-BARRELLED. ~**-bass** [-'beys], kontrabaso. ~**-bed**, iki kişilik yatak: ~**-ded**, iki/çift yataklı (oda). ~**-book**, (otel/havayolları) bir oda/yer için iki rezervasyonu kabul etm. ~**-breasted** [-'brestid], kruaze/çapraz (ceket). ~**-chinned** [-'çind], çifte gerdanlı. ~**-cross**, iki tarafla da anlaşmış görünüp her ikisini de aldatma(k). ~**-deal·er**, iki yüzlü: ~**ing**, iki yüzlülük. ~**-decker**, iki ambarlı gemi; çift satıhlı uçak; iki katlı otobüs. ~**-dutch** [-dʌç], anlaşılmaz lâkırdı/lisan. ~**-dyed** [-dayd], iki defa boyanmış; (*mec.*) bir şeyin sunturlu/daniskası. ~**-edged**, iki tarafı keskin, çift ağızlı; (*mec.*) hem lehte hem aleyhte. ~**-ender**, (*dem.*) iki yöne gidebilen lokomotif. ~**-entry**, (*mal.*) ikili yöntem. ~**-faced** [-'feyst], iki tarafı havlı (kumaş); iki yüzlü. ~**-first**, (üniversitede) iki ayrı dal/imtihanda 1ci derece notu kazan·an/-ma. ~-GLAZING. ~**-harness**, çifte koşum; (*mec.*) evlenme. ~**-head·ed** [-'hedid], çift başlı: ~**er**, (*dem.*) iki lokomotifli tren. ~**-hearted** [-'hātid], hilekâr, hain. ~**-jointed** [-'coyntid], iki tarafa eğrilen mafsal. ~**-knit** [-'nit], çift örgülü. ~**-lock**, anahtarı iki defa çevirmek; sıkı kapa(t)mak. ~**-minded** [-'mayndid], iki fikirli; kararsız: ~**ness**, ikililik, çiftlilik: hilekârlık. ~**-park**, (*oto.*) caddede çift sıralı park yapmak: ~**ed**, 2ci sırada park yap(ıl)mış. ~**-quick**, çok çabuk koşarak. ~**r**, ikileştiren, artıran. ~**t** [-lit], dar erkek ceketi; (*fiz.*) çift mercek; (*biy.*) bir çiftin birisi; (*dil.*) ikileme. ~**-talk**, saçma söz; (*id.*) hileli söz. ~**-time**, (*mal.*) iş karşılığı ödenen çift ücret; (*ask.*) çift sürat. ~**-tongued**, hilekâr.
doubl·ing ['dʌblin(g)] (*sin.*) Dublaj, sözlendirme. ~**oon** [-'blūn], eski İspanyol altın parası. ~**y**, çift çift; iki kat/misli olarak.
doubt [daut] *i.* Şüphe, kuşku. *f.* -den şüphe etm./kuşkulanmak. **no/without a** ~, hiç şüphe/kuşkusuz; muhakkak: **I ~ whether he will come**, geleceğini pek zannetmem. ~**ful**, şüphe/kuşkulu, meşkûk; kararsız: ~**ly**, şüpheli olarak, kuşkulanarak: ~**ness**, şüphelilik, tereddüt; kararsızlık. ~**ing**, kuşkulanan: ~ **Thomas**, her şeyden şüphe eden. ~**less**, şüphe/kuşkusuz; muhakkak.
douce [dūs] (*İsk.*) Nazik, kibar. ~***ur*** [-'sə(r)] (*Fr.*) bahşiş, rüşvet.
douche [dūş] *i.* Duş; bir organa su serperek/alarak tedavi. *f.* Duş yapmak; su ile tedavi etm.
dough [dou]. Hamur; (*arg.*) para. *~**boy**, (*arg.*) asker. ~**nut**, bir nevi lokma.
dought·ily ['dautili] (*mer.*) Cesaretli olarak. ~**iness**, cesaret, yiğitlik. ~**y**, cesur, yiğit, kahraman.
doughy ['doui]. Hamur gibi; yumuşak; soluk ve pelte gibi (yüz).
dour [duə(r)]. Soğuk, asık suratlı, sert; inatçı.

douse, dowse [daus]. Üzerine su serpmek; (ışığı) söndürmek; birdenbire mayna etm.
dove[1] [douv] *g.z.* = DIVE.
dove[2] [dʌv]. Kumru; güvercin; (*mec.*) barışçı, sulh politikasının taraftarı: **collared ~**, dere kumrusu, gülen kumru: **palm ~**, küçük kumru: **stock ~**, mavi güvercin. **~-coloured**, pembemsi kurşunî. **~cot(e)** [-kot, -kout], güvercinlik. **~-eyed**, saf bakışlı. **~ish**/**~like**, kumru gibi, nazik, yumuşak; barışçı(l) olan. **~tail**, *i.* kırlangıç kuyruğu, kurtağzı: *f.* kurtağzı ile eklemek; (*mec.*) iki şeyi telif etm./uydurmak/uzlaştırmak.
dowager ['dauəcə(r)]. Unvan sahibi bir adamın dul kalan karısı. **Queen ~**, valide kraliçe.
dowd·iness ['daudinis]. Kılıksızlık. **~y**, kılıksız, kötü giyinmiş: **~ish**, oldukça kılıksız.
dowel ['dauəl]. Kavela/tıpa/ağaç çivi (ile eklemek).
dower [dauə(r)] *i.* Bir dul kadının kocasının mülkünden aldığı pay; drahoma, çeyiz; kabiliyet. *f.* (Bir dula) kocasının mülkünden payını vermek; drahoma/çeyiz vermek.
down[1] [daun] *i.* Alçak tebeşirli tepe, kumul. **~s**, G.İng.'deki ağaçsız tebeşirli ve engebeli yüksek ovalar.
down[2] *i.* Kuşun ana tüyü, ince tüy; hav; meyva tüyü; yüz tüyü.
down[3] *f.* İndirmek, aşağıya almak, yenmek: **~ tools**, grev yapmak.
down[4] *s., zf., e.* Aşağı, aşağıda (bulunan), aşağıya (giden/inen); yerde. **be ~**, in(diril)miş olm./bulunmak: **he is not ~ yet**, halen odasındadır: **be/feel ~**, keyfi yerinde olmamak: **be ~ with influenza**, gripten yatmak: **be ~ for stg.**, bir listeye ismini yazdırmış olm.: **face ~**, yüzükoyun: **just let me get that ~**, dur yazayım: **have ~**, yıktırmak, kestirmek; **have a ~/be ~ on s.o.**, birine kancayı takmak: **~ by the head/stern**, (*den.*) başlı/kıçlı: **hit a man when he is ~**, düşkünezenlik etm. (vur abalıya *gibilerden*): **~ on one's luck**, talihsiz: **I am ten pounds ~ on this**, bu işte on lira açığım var: **~ and out**, sefalet içinde: **I should like that ~ on paper**, bunu yazı ile tespit edelim: **~ to the beginning of the 19th century**, önceden 19cu yüzyılın başına kadar: **this tyre is ~**, bu lastik sönmüş: **up and ~**, bir aşağı bir yukarı; bazan iyi bazan kötü; arızalı: **~ with ...!**, ... kahrolsun!
down-[5], *ön.* **~-at-heel**, topuğu çiğnenmiş (ayakkabı); düşkün, sefalet içinde (adam). **~cast**, süngüsü düşük, keyifsiz, kederli; (gözler) inik. **~-draught** [-draft], aşağı çekişli. **~fall**, düşme; yağma; yakılma, çökme; sukut. **~-hearted** [-'hātid], meyus, cesareti kırılmış; süngüsü düşük. **~hill**, inişli; yokuş aşağı: **go ~**, (*mec.*) gittikçe çökmek/kötüleşmek. **~iness**, tüy/havlılık. **~most** [-moust], en aşağı. **~ing Street, No. 10 ~**, İng. başbakanının resmî evi; İng. hükümeti. **~-payment**, peşin para/ödeme; kaparo, güvenmelik. **~pour** [-pō(r)], şiddetli yağmur, sağanak. **~right** [-rayt], dobra dobra söyliyen; selâmünaleyküm kör kadı; katî, kesin, tam; tamamen, katiyetle, kesinlikle: **~ness**, katiyet, kesinlik. **~stair(s)** [-'steə(z)], merdivenin alt başında, aşağı(da); aşağıya; (*mec.*) hizmetçiler. ***~-state**, taşrada. **~stream**, bir nehrin akıntısı yönünde olan; akış aşagı. ***~town**, şehrin iş bölgesi. **~-train**, (*dem.*) Londra/büyük şehirden gelen tren. **~-trodden** [-trodn], ayaklar altında çiğnenen, zulüm gören. **~-under**, Avustralya ile Yeni Zelanda(da). **~ward** [-wəd], aşağıya doğru olan; iyiden kötüye doğru giden. **~wards** [-wədz], aşağıya doğru, yukarıdan aşağı: **from ... ~**, -den itibaren. **~wash** [-woş] (*hav.*) aşağı inhiraf. **~-wind**, rüzgâr altı. **~y**[1], tüylü, havlı; (*arg.*) kurnaz. **~y**[2], kumul gibi; dalgalı.
dowry [dauri]. Drahoma, çeyiz; (*mec.*) hüner.
dowse[1] [daus] = DOUSE.
dows·e[2]. Çatallı bir değnekle su/madenleri aramak. **~er**, bu değnekle su vb. arayıcı. **~ing**, bu değnekle su vb. aranması: **~-rod**, bu çatallı değnek.
doxology [dok'soləci]. Temcit duası.
doxy [doksi] (*mer.*) Sevgili; kadın dilenci.
doyen ['duayen, 'doyən]. (Elçi/profesörler) heyetinin en kıdemli üyesi, duayen.
doz. = DOZEN.
doze [douz]. Uyuklama(k), kestirme(k).
dozen ['dʌzn]. Düzine, onikilik. **baker's ~**, on üç: **half a ~**, (aşağı yukarı) altı: **sell by the ~**, düzine ile satmak: **talk nineteen to the ~**, çene çalmak, gır gır gır konuşmak.
dozer ['douzə(r)] = BULLDOZER.
doz·ily [douzili]. Uykulu olarak. **~iness**, uykulu olma. **~y**, uykulu, uyuşuk, sersem.
DP = DATA PROCESSING; DEMOCRAT(IC) PARTY; DISPLACED PERSON.
DPh(il). = DOCTOR OF PHILOSOPHY.
DPP = DIRECTOR OF PUBLIC PROSECUTIONS.
DPW = DEPARTMENT/DIRECTORATE OF PUBLIC WORKS.
Dr./dr. = DEBIT; DEBTOR; DOCTOR; DRA(CH)M; DRACHMA; (*mal.*) DRAWER; DRIVE.
DR = DEAD RECKONING.
drab [drab] *i.* Pasaklı kadın; sürtük. *s.* Renksiz, kirli renkte; yeknesak; bayağı, zevksiz, kasvetli.
drabble [drabl]. Su/çamurla kirletip ıslatmak.
drachm [dram]. Dirhem; ağırlık ölçüsü = 3,5 gram/mililitre.
drachma ['drakmə]. (Eski Yun.'da) dirhem; (*şim.*) drahmi.
dracon·e [drə'koun] (*M.*) Deniz üzerinden çekilen elastikî sıvılar teknesi. **~ian**/**~ic** [-niən, -'konik], sert, merhametsiz.
draff [draf]. Tortu, posa.
draft [drāft] *i.* Taslak, tasarı, proje, müsvedde; (*ask.*) müfreze, kıta; *askerlik; (*mal.*) poliçe; havale, ödeme emri. *f.* Taslağını yapmak, müsveddesini yazmak; (*ask.*) bir müfreze/kıtayı ayırmak/göndermek. **make a ~ on s.o.'s friendship**, birinin dostluğunu istismar etm.: **a ~ plan**, öntaslak: = DRAUGHT. ***~-dodger**, askerlikten kaçan.
drag[1] [drag] *i.* Çekmeğe/sürüklemeğe yarıyan şey; tarama ağı; çengel; tekerlek çarığı; (*hav.*) sürükleme kuvveti; mukavemet; engel, mâni; ağır eşya taşımak için kızak; ağır tarla tırmık/sürgüsü; (*mer.*) dört atlı posta arabası; (*arg.*) can sıkıcı kimse/şey (*arg.*) piston; (*arg.*) yarış otomobili.
drag[2] *f.* Sürüklemek, sürümek; yere sürünmek, sürüp gitmek; pek uzamak; (gemi demiri) taramak. **~ about/along**, sürüklemek. **~ away**, zorla alıp götürmek, sürükliyerek götürmek. **~ on**, sürüklenmek, uzayıp gitmek. **~ out**, sürükleyip/çekip çıkarmak; bir işi uzatmak: **~ out a wretched existence**, sürünerek yaşamak. **~ up**, sürükleyip/

çekip çıkarmak; (çocuğu) gelişigüzel terbiye etm.

dragée ['drājey] (*Fr.*) Badem şekeri.

draggle ['dragl]. Çamur vb.de sürüyerek kirletmek/ıslatmak; halsizlikten arkada kalmak. **~d**, kılıksız ve kirli.

drag·-hunt ['draghʌnt]. Sunî kokulu iz takip eden av. **~-link**, (*oto.*) direksiyon, çekme kolu. **~-net**, sürüklenen ağ.

dragoman, *ç.* **~s** ['dragəmən]. (Doğu ülkelerde) tercüman.

dragon ['dragən]. Ejderha; çok sert ve müsamahasız kimse; bir nevi iri kertenkele. **~et**, üzgün balığı. **~-fly**, yusufçuk, kız/tayyare böceği. **~nade** [-'neyd], askerleri kullanarak yapılan zulüm. **~'s blood**, kırmızı sakız. **~'s teeth**, tanksavar beton engeller.

dragoon [drə'gūn] *i.* Ağır süvari. *f.* (Halka) zulmetmek; (bir şeyi birine) zorla yaptırmak. **~ stg. into s.o.**, bir şeyi birine zorla öğretmek.

drain [dreyn] *i.* Lağım, su yolu, anaboru, akaç, diren; devamlı masraf/yük. *f.* Suyunu boşaltmak, akıtmak; süzmek; son damlasına kadar içmek; (arazi vb.) akaçlamak/kurutmak; (para) tüketmek; suyunu çektirmek; (su) akmak, süzülmek. **throw money down the ~**, parayı sokağa atmak: **~ s.o. dry**, birinin parasını son santimine kadar almak/kurutmak. **~age** [-nic], suların ak(ıtıl)ması; (bataklık) kurut(ul)ma/akaçla(n)ma; boşal(t)ma; akış; su boruları/lağım düzeni, kanalizasyon; (*tıp*) drenaj: **~-tube**, cerahat çekme tüpü. **~er**, süzgeç. **~ing** = ~AGE: **~-board**, (*ev*) damlalık. **~-pipe**, yağmur borusu.

drake [dreyk]. Erkek ördek.

dram [dram]. Bir ağırlık ölçüsü = 1,78 gram; (*krş.* DRACHM); az miktar içki. **~-drinker**, içkilere tutkun. **~-shop**, (*mer.*) = BAR.

drama ['drāmə]. Dram (yapıtı), oyun, piyes; tiyatro sanatı. **~tic** [drə'matik], dram gibi, tiyatroya ait; dramatik, acıklı, heyecanlı, meraklı. ***~tis personae*** ['dramətis pə'sounay] (*Lat.*) dram yapıtı kişileri. **~tist**, tiyatro yazarı. **~tize** [-tayz], dram haline getirmek; meraklı/heyecanlı bir hale sokmak; bir roman vb. piyese çevirmek. **~turg·e** [-tə̄c], dram yazarı: **~y**, dram sanatı.

dram. pers. = DRAMATIS PERSONAE.

drank [dran(g)k] *g.z.* = DRINK.

drape [dreyp] *f.* Kumaş ile örtmek/süslemek; kumaşı asmak. *i.* Kumaş parçası; *perde. **~r**, manifaturacı, tuhafiyeci: **~y**, manifatura/tuhafiye (mağazası).

drastic ['drastik]. Sert, kesin, şiddetli; esaslı; pek etkili. **~ally** [-kəli], kesin vb. olarak.

drat [drat] (*kon.*) **~ the child!**, aman bu yumurcak!, bu yumurcağın Allah müstahakkını versin! **~ted**, hınzır (yumurcak vb.).

draught/draft [drāft]. Çek(il)me, çekiş; içme, yudum; geminin çektiği su, su kesimi; hava cereyan/akımı; fıçıdan verilen (bira vb.); ilâç. **~-board**, dama tahtası. **~-horse**, yük arabasını çeken ağır at. **~iness**, cereyanlılık. **~-marks**, (*den.*) kana, su çekimi işaretleri. **~s**, dama oyunu. **~sman** [-smən], teknik ressam, desinatör: **~ship**, ressamlık, resim sanatı. **~y**, cereyanlı: **it is ~!**, cereyan yapıyor!

draw[1] [drō] *i.* Kur'a vb. çekme; çekilen kur'a; adçekme; birini söyletmek için sarfedilen bir söz; çok rağbet gören şey, cazip fiyat/mal; (*sp.*) berabere kalmış oyun.

draw[2] (*g.z.* **drew**, *g.z.o.* **drawn**) [drō(n), drū] *f.* Çekmek; adçekmek; keşide etm.; celbetmek; sevketmek; resim yapmak, resmini yapmak; çizmek; çekilmek. **the battle was ~n**, savaşma sonuçsuz kaldı: **~ a covert**, tilki avında bir koruyu taramak: **~ a fowl**, bir tavuğun içini temizlemek: **~ a fox**, tilki vb. ininden çıkarmak: **~ a game**, bir oyunda berabere kalmak: **be hanged ~ and quartered**, (*tar.*) asılıp bağırsakları çıkartılıp parçalanmak: **~ near**, sokulmak, yaklaşmak: **the train drew into the station**, tren istasyona girdi: **~ round the table**, masanın etrafına toplanmak: **~ tea**, çayı demlemek: **try to ~ s.o.**, ağzını aramak, söyletmek: **I won't be ~n**, ağzımdan lâf alamazsın: **I had to ~ upon my savings**, tasarruf ettiğim paradan alıp sarfetmeğe mecbur oldum: **~ upon one's memory**, hafızasını yoklamak: **~ wine**, fıçıdan şarap boşaltmak. **~ along**, sürüklemek. **~ apart**, ayırmak, ayrılmak. **~ aside**, bir tarafa çekmek, bir kenara çekilmek. **~ away**, çekip ayırmak; uzaklaşmak; başka tarafa sevketmek. **~ back**, geri çekmek; (perde) açmak; çekilmek; gerilemek. **~ down**, indirmek. **~ in**, içine çekmek: **the day is ~ing in**, akşam oluyor: **the days are ~ing in**, günler kısalıyor. **~ off**, çekip çıkarmak; başka tarafa çekmek; sıvıyı bir az boşaltmak. **~ on**, giymek; geçirmek; sevketmek: **the evening was ~ing on**, akşam yaklaşıyordu. **~ out**, çekip çıkarmak; sökmek; taslağını çizmek; uzatmak: **the days are ~ing out**, günler uzuyor: **~ s.o. out**, birini konuşturmak. **~ to**, çekip kapatmak. **~ up**, çekip kaldırmak; (kollarını vb.) sıvamak; (plan vb.ni) tertip etm., tanzim etm.; (oto. vb.) durmak: **~ oneself up**, dik durmak: **~ up to the table**, masaya yaklaşmak: **~ up troops**, askeri dizmek: **~ up with s.o.**, birine yetişmek.

draw-[3] *ön.* **~back**, mahzur, engel, kusur; (*mal.*) ihracat primi, geri verme, iade, geri verilen vergi/resim. **~bridge** [-bric], kalkma köprü, açılır (asma) köprü. **~ee** [-'ī], muhatap, keşide edilen, kendisine çekilen. **~er**[1] [-ə̄(r)], çekmece; göz: **(chest of) ~s**, çekmeceli dolap. **~er**[2], keşideci, işlemci; çeken, çekici: **return to ~!**, (çeki) çekene iade edin! * **~ers** [drōz], (*mod.*) don.

drawing ['drōing] *i.* (Yağlı/sulu boya dışındaki) resim sanatı; resim, kroki, çizgi, desen; (*mim.*) çizim; (*müh.*) çekme; (*mal.*) işleme koyma, keşide. **detail ~**, ayrıntılı çizim: **working ~**, atelye resmi. **~-board**, çizim tahtası. **~-mill**, telhane, haddehane. **~-paper**, resim kâğıdı. **~-pen**, cetvel kalemi. **~-pin**, raptiye, pünez, resim çivisi. **~-room**, salon, misafir odası; (sarayda) kabul odası, kabulgâh.

drawl [drōl]. Kelimeleri uzatarak konuşma(k); ağır ezgi, fıstıkî makam konuşma(k).

drawn [drōn] *g.z.o.* = DRAW[2]. *s.* (Çehre) süzük; (savaşma) sonuçsuz; (oyun) berabere; (kılıç) çekilmiş; (*müh.*) çekme. **~-thread work**, ajur/delikli işleme.

draw-nut ['drōnʌt]. Çektirme somunu.

dray [drey]. (Bilhassa bira fıçıları için) ağır yük arabası. **~-horse**, bu arabayı çeken büyük at. **~man**, yük arabacısı.

dread [dred] *i.* Korku, dehşet; haşyet. *s.* Korkunç. *f.* -den yılmak. **stand in ~ of,** -den yılmak. **~ed** [-did], korku ile beklenen. **~ful,** müthiş, korkunç: **~ly,** müthiş/korkunç bir şekilde; son derece. **~nought** [-nōt] (*den.*) zırhlı, dretnot, yılmaz.
dream [drīm]. Rüya (görmek), hulya(ya dalmak); rüyada görmek. **day ~,** hulya(ya dalmak): **little did I ~,** hayalimde bile yoktu: **I should not ~ of doing that,** bunu katiyen yapmam. **~er,** rüya gören; hayalperest. **~ily,** dalgın olarak. **~iness,** dalgınlık. **~land,** rüyada görünen bir ülke; uyku. **~less,** rüyasız (uyku). **~like,** rüya gibi; hayalî, gerçek olmıyan. **~scape,** rüya gibi bir resim/manzara. **~y,** hulyalı; dalgın.
drear(y) [driər(i)]. Kasvetli, can sıkıcı, hüzün veren; ıssız. **~ily,** kasvetli olarak. **~iness,** kasvet vb.
dredge[1] [drec] *i.* Tarak makinesi; ağlı kepçe. *f.* Tarak makinesi ile taramak. **~r**[1], tarak gemi/dubası; tarayıcı.
dredge[2] *f.* Un vb. serpmek. **~r**[2], un vb. serpmeğe mahsus kap.
dregs [dregz]. Tortu, posa, telve. **to the ~,** sonuna kadar.
drench [drenç] *f.* İyice ıslatmak, sırsıklam etm.; (at vb.ne) ilâç vermek. *i.* At ilâcı. **~ed to the skin,** iliklerine kadar ıslanmış. **~er,** (*tiy.*) yağmur efekti.
Dresden ['drezdən]. **~ china,** Saksonya porseleni.
dress[1] [dres]. Elbise; üstbaş; kıyafet; roba, tuvalet; kostüm. **court/full ~,** merasim elbisesi: **evening-~,** gece/balo elbisesi: **morning-~,** her günkü elbise; redingot.
dress[2] *f.* Giydirmek; giyinmek; süslemek; donatmak; tımar etm., pansıman yapmak; sarmak; yontmak, aharlamak, kabasını almak; düzeltmek; askeri hizaya getirmek; (deri vb.ni) işlemek; (tavuk vb.ni) pişirmek için hazırlamak; salataya zeytinyağı ve sirke koymak; (tarlayı) gübrelemek. **~ (for dinner),** akşam tuvaleti/frak/smokin giymek: **do we ~?,** smokin vb. mecburî mi?: **~ ship,** gemiyi bayraklarla donatmak: **right ~!,** (*ask.*) sağdan hizaya gel! **~ down,** şiddetle azarlamak; dayak atmak. **~ up,** (çocuklar) büyük adam kıyafetine girmek; (büyükler) giyinip kuşanmak.
dress-[3] *ön.* **~age** [-saj]. binecek atların alıştırılması, dresaj. **~-circle,** (*tiy.*) hususi koltuklar, birinci balkon. **~-coat,** frak. **~er**[1], (*tiy.*) giydirici; (*tıp.*) pansumancı. **~er**[2], (*ev*) tabak dolabı. **~ing,** giyinme; elbise, giyim, tuvalet; işleme; (*tıp*) pansuman, sargı; süs; (*ev.*) salça/sirke vb.; (*zir.*) gübre: **French ~,** (salata için) yağ ile sirke: **~-gown,** sabahlık, robdöşambr, entari: **~-room,** giyinme odası: **~-station,** (*ask.*) ilk yardım yeri: **~-table,** tuvalet masası. **~maker,** modistra, kadın terzisi. **~making,** kadın terziliği. **~-parade,** resmi geçit. **~-rehearsal,** (*tiy.*) giysi denemesi, son çalışma. **~-shirt,** frak gömleği. **~-stand,** manken. **~-suit** [-syūt] (*er.*) gece elbisesi. **~y,** gösterişli giyinen; elbise düşkünü olan.
drew [drū] *g.z.* = DRAW[2].
drey [drey]. Sincap yuvası.
drg. = DRAWING.
drib [drib]. **in ~s and drabs,** az ve ayrı ayrı miktarla.
dribble ['dribl]. Damlama(k), damla damla akmak; salya(sı akmak); azar azar gelmek vb.; (futbol) topu sürmek.
drib(b)let ['driblit]. Küçük miktar.
drie·d [drayd] *g.z.(o.)* = DRY[2]. *s.* Kuru(muş): **~-fruit,** kuru meyva: **~-milk,** süt tozu: **~-up,** kurumuş, kavrulmuş. **~r** [-yə(r)] *s.* daha kuru: *i.* kurutucu; kurutma cihazı. **~st** [-yist], en kuru.
drift [drift]. Temayül, meyil, eğilim; meal; (*coğ.*) aşma, kayma; kar vb. yığıntısı; su/havada cereyanla sürüklenme(k); rastgele sürüklenme(k); (su/rüzgâr) sürüklemek; (gemi) düşme(k); (maden) geçit: **let oneself ~,** kendini kapıp koyuvermek: **let things ~,** işleri kendi haline bırakmak. **~age,** sürüklenme mesafesi; suda yüzen şey. **~-anchor,** sürükleme/akıntı demiri. **~er,** ağ çeken balıkçı gemisi; (*mec.*) avare. **~-ice/-net/-wood,** suda yüzen buz/balık ağı/tahta parçası.
drill[1] [dril] *i.* Matkap (tezgâhı), delgi, mil, burgu; sondaj aleti. *f.* Delmek, burgulamak, delik açmak; sondaj yapmak, sondajla açmak, sondalamak.
drill[2] *i.* Bir nevi kaba pamuklu kumaş.
drill[3] *i.* Tohum yatağı, sıra; tohum ekme makinesi. *f.* Sıra sıra/makine ile ekmek.
drill[4] *i.* (*ask.*) Talim. *f.* Talim et(tir)mek; (*mec.*) zorla öğretmek. **~-book/-hall,** talim·name/-hane. **~-master/-sergeant,** talim hoca/çavuşu.
drily ['drayli] = DRYLY.
drink (*g.z.* **drank,** *g.z.o.* **drunk**) [drin(g)k, dran(g)k, drʌn(g)k] *f.* İçmek; içki içmek. *i.* İçecek şey; içki; (*hav., arg.*) deniz. **a ~ of water,** bir bardak su: **hard/strong ~,** içki: **soft ~,** alkolsüz içecek, meşrubat: **straight/neat ~,** su katılmamış içki: **carry one's ~,** sarhoş olmamak: **in the ~,** (*hav.*) (uçak) deniz üzerine inmiş: **~ to s.o.,** şerefine içmek: **have a ~,** bir şeyi içmek: **give me a ~ of water,** bana biraz su ver: **be in ~/the worse for ~,** sarhoş olm.: **~ oneself to death,** işretten kendini öldürmek: **the ~ question,** alkolizm meselesi: **stand ~s all round,** (barda) herkese içki ikram etm.: **take to ~,** kendini içkiye vermek: **~ the waters,** içmelere gitmek. **~ away, ~ away one's fortune,** varını yoğunu içkide bitirmek: **~ away one's sorrows,** kederini içki ile dağıtmak. **~ in,** emmek, içmek; (*mec.*) kana kana dinlemek: **he drank it all in,** (bu yalanların vb.) hepsini yuttu. **~ off/up,** içip bitirmek.
drink·able ['drin(g)kəbl]. **İ**çilir: **the ~s,** (*kon.*) içecekler, içkiler. **~er,** içki içen; ayyaş, sarhoş. **~ing,** içme: **~-bout** [-baut], içki âlemi: **~-cup,** kâse: **~-fountain,** fıskiyeli çeşme: **~-horn,** boynuz (şeklinde) kadeh: **~-song,** içki âleminde söylenen şarkı: **~-water,** içme suyu, iyi su. **~-offering,** (*din.*) tanrılara sunulan şarap vb.
drip [drip]. Damlama(k), su sızma(k). **~-dry,** *f.* asılıp kurumak: *s.* asılıp kuruyan (kumaş/elbise ki ütülenmesi gerekmez). **~-feed,** damla damla (*tıp.*) beslemek/(*müh.*) yağlamak. **~-pan/tray,** yağ damlalığı. **~ping, ~ wet,** sırsıklam: *i.* erimiş içyağı: **~s,** damlıyan şey. **~-pipe/-pump,** boşaltma boru/tulumbası. **~-stone,** (*mim.*) damlalık.
drive[1] [drayv] *i.* (Araba vb. ile) gezinti; bir bahçede araba yolu; enerji ve sürükleme kabiliyeti, şevk, sevk, hız; belirli bir maksat için büyük bir teşebbüs ve gayret; sürek avı; topa vuruş, topun fırlayışı; makineyi işleten vasıta: **go for a ~,** (araba vb. ile) gezinti yapmak: **belt ~,** (makine) kayışla işleme: **direct ~,** direkt priz.
drive[2] (*g.z.* **drove,** *g.z.o.* **driven**) [drayv, drouv, drivn] *f.* Önüne katıp sürmek, sürmek, yürütmek; sevket-

mek; sıkıştırmak, tahrik etm., mecbur etm.; (araba vb.) kullanmak; çok çalış(tır)mak; sürülmek. ~ **a ball**, hızla vurup topu atmak: ~ **s.o. mad**, çıldırtmak: ~ **a nail**, bir çiviyi çakmak, kakmak: **the rain was driving in our faces**, yağmur yüzümüze çarpıyordu: ~ **s.o. to the station**, birini (araba vb. ile) istasyona götürmek: ~ **a tunnel**, tünel açmak: **what are you driving at?**, maksadınız nedir?, ne demek istiyorsunuz? ~ **away**, kovmak; sürüp uzaklaştırmak; araba vb. ile uzaklaşmak. ~ **down**, inmeğe mecbur etm. ~ **in**, içeri sürmek; sokmak; kakmak: ~ **in/home a nail**, bir çiviyi iyice çakmak: ~ **in/home a point**, bir noktayı hiç tereddüde yer kalmıyacak şekilde anlatmak: *~**-in cinema**, (araba vb. ile) girilen açık hava sineması. ~ **off**, kovmak; (araba vb. ile) ayrılmak. ~ **on**, ileri sürmek; (araba vb. ile) durmadan ilerlemek. ~ **out**, dışarı sürmek; kovmak; sürüp çıkarmak.

drivel ['drivl] *i.* Salya; saçma lâkırdı. *f.* Salyası akmak; saçmalamak. ~**ler**, salyalı, salyası akan; saçmalıyan.

drive·n ['drivn] *g.z.o.* = DRIVE². *s.* ~ **snow**, yığılmış kar: **white as the** ~ **snow**, bembeyaz. ~**r** ['drayvə(r)], sürücü; arabacı, şoför; (*dem.*) makinist; (golf) ağaç bir değnek: **be in the** ~**'s seat**, sorumlu/yetkili olm.: BACK-SEAT ~.

driving ['drayvin(g)] *i.* (Araba vb.) kullanma. *s.* Yürütücü, sürücü; sevkedici, işletme +, kumanda, motris, döndürücü, müteharrik. ~ **rain**, rüzgârlı yağmur. ~**-band**, sevk çemberi. ~**-belt**, çark kayışı. ~**-licence**, şoförlük ruhsat/ehliyeti. ~**-mirror**, şoför/geri aynası. ~**-school**, şoför okulu. ~**-test**, şoförlük imtihanı. ~**-wheel**, işletici/ana çark/tekerlek, direksiyon.

drizzle ['drizl]. Çiseleme(k).

drogue [dro̤ug]. Açık deniz demiri; (*hav.*) manş tulumu.

droit [droy'it] (*huk.*) Hak.

droll [dro̤ul]. Tuhaf, komik; garip. ~**ery**, tuhaflık; garip ve tuhaf şey.

drome [dro̤um] (*kon.*) = AERODROME.

-drome [-dro̤um] *son.* -yolu, -meydanı [AERODROME].

dromedary ['dromədəri]. Hecin devesi, tek hörgüçlü deve.

drone [dro̤un] *i.* Erkek arı; tembel adam, tufeylî; vızıltı; pilotsuz uçak. *f.* Vızıldamak; tekdüzen bir sesle aralıksız konuşmak. ~ **away one's time**, vaktini haylazlıkla geçirmek.

drool [drūl]. Salyası akmak; saçmalamak.

droop [drūp]. Sarkma(k), sarkıklık; bükülme(k); (gözler ve göz kapakları) inik olm. ~**ing**, sarkık; (fide) baygın. ~**-nose/snoot**, (*hav.*) aşağıya bükülür uçak burnu.

drop¹ [drop] *i.* Damla, katre; damla şeklinde bir şey; düşme, inme; yukarıdan aşağıya mesafe; (casusun) gizli 'posta kutusu'. **acid** ~, leblebi şeklinde mayhoş bir nevi şeker: **at the** ~ **of a hat**, bir işaretle/hemen (yapılacak): **have/take a** ~ **too much**, bir az fazla içki içmek.

drop² *f.* [*Bu fiil genellikle tesadüfî ve gelişigüzel bir hareketi ifade eder.*] Düşürmek; atmak; damla(t)mak; bırakmak, terk etm.; indirmek, alçaltmak; (hayvan) doğurmak; inmek, alçalmak: yere düşmek. ~ **behind**, tedricen geri(de) kalmak: ~ **into the habit of**, -i adet edinmek: ~ **a habit**, bir adetten vazgeçmek: **I've** ~**ped £100 over this**, bu işte yüz lira kaybettim: ~ **a letter/word**, (yazıda) bir harf/kelimeyi atlamak: ~ **a letter**, (konuşurken) bir harfi telaffuz etmemek: ~ **s.o. a line**, birine iki satır bir şey yazmak: **there the matter** ~**ped**, mesele öylece kaldı: **I am ready to** ~, (yorgunluktan) ayakta duramıyorum: ~ **a remark**, bir şeyi söyleyivermek: **where shall I** ~ **you?**, sizi nerede indireyim/bırakayım? ~ **away**, dağılmak; azalmak. ~ **in**, rasgele uğramak; çökmek. ~ **off**, ayrılıp düşmek: ~ **off to sleep**, içi geçmek. ~ **out**, saftan ayrılmak; çıkıp vazgeçmek; çıkarmak, hazfetmek.

drop-³ *ön.* ~**-curtain**, (*tiy.*) inerek kapanan perde. ~**-forg·e** [-fōc], kalıp ile dövmek: ~**-ing**, kalıplı dövme. ~**-hammer**, makineli şahmerdan. ~**-head**, (*oto.*) açılırkapanır düzen. ~**let** [-lit], damlacık. ~**out** [-a̤ut], saftan ayrılan; derslerini tamamlamadan okul vb. den ayrılan öğrenci; cemiyetten ayrılmış birisi. ~**per** [-ə(r)], damlalık. ~**ping**, düşen, düşük: ~**s**, (*zoo.*) gübre: ~**-zone**, (*hav.*) paraşütçülerin inecek yeri. ~**-test**, düşürme denemesi.

drops·ical ['dropsikl] (*tıp.*) İstiskalı, sıska. ~**y**, istiska, sıskalık.

drosera ['drosərə] (*bot.*) Droseragiller.

droshky ['droşki]. Dört tekerlekli Rus arabası.

drosometer [dro'somitə(r)]. Çiğ ölçeği.

dross [dros]. Cürüf; tortu; süprüntü; çöp; değersiz şey. ~**iness**, değersizlik. ~**y**, değersiz.

drought [dra̤ut]. Kuraklık, yağmursuzluk, susuzluk. ~**y**, kurak, yağmursuz.

drove [dro̤uv] *g.z.* = DRIVE². *i.* (Yürüyüş halinde) sürü. ~**r**, sürücü; celep.

drown [dra̤un]. Suda boğ(ul)mak; su basmak; gürültü ile birini susturmak. ~ **oneself**, kendini suya atarak intihar etm.: **be** ~**ed out**, su basması üzerine evinden çıkmağa mecbur olm.: ~ **one's sorrows (in drink)**, kederini içki ile avutmak. ~**ing**, boğ(ul)ma.

drows·e ['dra̤uz]. Uyuklamak. ~**iness** [-zinis], uyku sersemliği. ~**y**, uykusu basmış, yarı uykuda; uyutucu.

drub [drʌb]. Değnekle dövmek; adamakıllı yenmek. ~**bing**, dövme, yenme.

drudge [drʌc] *i.* Ağır/zevksiz işlerde çalışan. *f.* Ağır ve zahmetli işler görmek. ~**ry**, ağır ve zahmetli/zevksiz iş.

drug [drʌg] *i.* İlâç; uyuşturucu ilâç. *f.* Uyuşturucu ilâç almak/vermek; uyutmak. **a** ~ **on the market**, hiç satılamayan mal: **be on** ~**s**, uyuşturucu ilâç kullanmak. ~**-addict/fiend**, kokain/morfin gibi zehirli ilâçlara tutkun.

drugget ['drʌgit]. Halı/masa örtüsü için kullanılan kaba bir kumaş.

drug·gist ['drʌgist]. Ecza(ne)ci. ~**-pusher/-ster**, (kokain vb.) uyuşturucu ilâç satıcısı. *~**-store**, eczane.

Druid ['drūid]. Eski Kelt rahibi. ~**ical**, bu rahiplere ait.

drum [drʌm] *i.* Davul, trampet; kulak zarı; davul şeklinde kutu vb., bidon, demir fıçı; sütun gövdesi; kubbe bileziği; kayış çemberi. *f.* Davul/trampet çalmak; tekrar tekrar vurmak/çarpmak. ~ **stg. into s.o.**, bir şeyi birine tekrar ede ede öğretmek: **bang the big** ~, davul çalmak; reklam yapmak: ~ **out**, (*ask.*) ordudan tardetmek; acemice piyano çalmak: ~ **out**

of, teneke çalmak, yuhalarla çıkarmak: ~ **up trade**, bağırıp müşteri bulmak. ~**-fish**, trampet balığı. ~**-head**, davul derisi: ~ **court-martial**, savaş meydanında kurulan askerî mahkeme.
drumlin ['drʌmlin] (*coğ.*) Drumlin.
drum·-major [drʌm-'meycə(r)] (*ask.*) Davul çavuşu, bando şefi: * ~**ette** [-ret] (*diş.*) bando şefi. ~**mer**, davulcu, trampetçi; *seyyar ticaret memuru; (*arg.*) hırsız. ~**-stick**, davul tokmağı, trampet sopası; (*ev*) pişmiş tavuk budunun alt tarafı.
drunk [drʌn(g)k] *g.z.o.* = DRINK. *s., i.* Sarhoş, esri, ayyaş, mest. ~ **as a lord**, çok sarhoş, fitil gibi: **blind/dead** ~, tamamen sarhoş, küfeli. ~**ard** [-kəd] *i.* sarhoş, ayyaş. ~**en** [-kn] *s.* sarhoş: ~**ly**, sarhoş olarak/gibi: ~**ness**, sarhoşluk, esrilik.
drupe [drūp]. Zeytinsi yemiş.
Druse[1], **Druze** [drūz, -s]. Dürzî.
druse[2] [drūz] (*coğ.*) Ufak billûrlarla kaplı oyuk.
dry[1] [dray] *s.* Kuru; kurak; susuz; yağmursuz; suyu çekilmiş; sütü çekilmiş; (şarap) sek, tatlı olmıyan; tatsız, yavan; içki satılmıyan/yasak olan (yer). **feel** ~, susamak: **go** ~, kurumak; (bir memleket) içkiyi yasak etm.: ~ **humour**, gülmeden ve tabiî olarak yapılan nüktecilik: **pump a well** ~, bir kuyunun suyunu boşaltmak: **run** ~, kurumak, suyu çekilmek: **a** ~ **smile**, zoraki/alaylı gülümseme: ~ **work**, insanı susatan iş.
dry[2] *f.* Kurutmak; kurulamak; kurumak; göz yaşını silmek. ~ **off**, nemli elbiseleri kurutmak; (inek) sütünü kesmek. ~ **out**, (ev vb.) kurutmak. ~ **up**, suyu çekilmek; kurulamak; silmek; (*tiy.*) tutulmak: **oh,** ~ **up!**, aman, kes sesini!
dryad ['drayəd] (*mit.*) Orman perisi.
dry·-as-dust ['drayəzdʌst]. Kupkuru/can sıkıcı (yazar vb.). ~**-battery**, kuru pil. ~**-clean**, yıkamadan temizlemek: ~**er**, kuru temizleyici: ~**ing**, kuru temizleme. ~**-dock**, (*den.*) *i.* havuz, kızak: *f.* havuzlamak, kızağa çekmek. ~**er** = DRIER. ~**-eyed**, ağlamadan, ağlamıyan. ~**-farming**, kuru tarım. ~**-fly/-fish**, yapma sinek(le balık avlamak). ~**-goods**, manifatura eşyası, mensucat. ~**ing**, kurut(ul)ma; kurutan: ~**-cupboard**, nemli çamaşırları kurutma dolabı: ~**-line**, çamaşır ipi. ~**ish**, oldukça kuru. ~**-land**, kıta, kara. ~**ly**, kuru olarak; istihzalı bir surette. ~**-measure**, kuru şeyler için hacim ölçüleri. ~**ness**, kuruluk; kuraklık, susuzluk; tatsızlık; istihza. ~**-nurse**, dadı. ~**-point**, (*san.*) kuru kazı. ~**-rot**, 'ev süngeri' denilen ağaç çürümesi, mantarlaşma. ~**-salter**, tuzlu balık ile turşular satıcısı. ~**shod** [-şod], ayaklarını ıslatmadan. ~**(stone)-wall**, kuru/harçsız duvar.
DS = DENTAL SURGERY.
DSc = DOCTOR OF SCIENCE.
DS·C/M/O = DISTINGUISHED SERVICE CROSS/MEDAL/ORDER.
DTI = DEPARTMENT OF TRADE AND INDUSTRY.
DT(s) = DELIRIUM TREMENS.
Du. = DUTCH.
dual ['dyuəl] *s.* Çift, ikiz, ikili, iki taraflı. *i.* Tesniye, ikilik. ~**ism**, iki(ci)lik. ~**ist**, ikici, ikilik prensibi taraftarı. ~**ity** [dyu'aliti], ikilik.
dub[1] [dʌb]. Birine belli törenle şövalyelik payesi vermek; birine bir isim/unvan vermek; (*sin.*) sözlendirmek.
dub[2]. Köseleyi yağlayıp yumuşatmak. ~**bin(g)**, köseleyi yumuşatmak/deriyi korumak için kullanılan yağ.
dubi·ety [dyū'bayəti]. Şüphelilik, kesin olmayış. ~**ous** [-biəs], şüpheli; kesin olmıyan; meşkûk: ~**ly**, şüpheli olarak: ~**ness**, şüphelilik. ~**tative** [-tətiv], şüpheli; şüphe ifade eden.
Dublin ['dʌblin]. Eire'nin başkenti. ~**er**, Dublinli. ~ **(Bay) prawn**, büyük karides.
ducal ['dyūkl]. Dük/dukaya ait.
ducat ['dʌkət] (*tar.*) Altın para.
duce ['dūçe] (*İt., id.*) Lider.
duch·ess ['dʌçis]. Düşes. ~**y**, dukalık.
duck[1] [dʌk] *i.* Ördek; (*kon.*) *sevgi anlatan deyim*; (*oto.*) hem karada hem de suda giden kamyon: (*sp.*) sıfır. **a** ~ **of a hat**, çok şık/cici bir şapka: **a lame** ~, borçlarını ödeyemiyen borsa simsarı; sakat ve geri kalan gemi: **like water off a** ~**'s back**, hiç tesirsiz, (bana mısın demiyen): ~**s and drakes**, suda taş sektirme oyunu: **play** ~**s and drakes with stg.**, bir şeyi keyif için israf ve ziyan etm.: **a sitting** ~, (avda) kolay bir hedef: **take to French like a** ~ **to water**, Fransızcadan hoşlanmak ve onu kolay bulmak: **Bombay** ~, çiroz: **ferruginous** ~, pasbaş, akgözlü ördek, kırmızı patka: **marbled** ~, dar gagalı ördek: **scaup** ~, karabaş ördek/patka: **sheld-**~, hanımördeği, suna, kuşaklı ördek: **tufted** ~, tepeli/zülüflü patka, (?) sazlık balıkçıl ördeği: **white-headed** ~, domuzburunlu patka, kuyruk kakık.
duck[2] *f.* Dal(dır)mak; birdenbire başını eğmek, sinmek: **get a** ~**ing**, suya düşüp ıslanmak.
duck[3]. Bir nevi tok bez. ~**s**, bu bezden yapılan beyaz pantolon.
duck-[4] *ön.* ~**-bill(ed platypus)**, gagalımemeli(giller). ~**-boards**, (*ask.*) tahta döşenmiş yol. ~**ing**, dal(dır)ma. ~**ling**, ördek yavrusu. ~**-pond**, çiftlik havuzu. ~**'s disease**, (*alay*) kısa bacaklar. ~**'s egg**, (*sp.*) puansız, sıfır. ~**weed**, su mercimeği.
duct [dʌkt]. Boru; su yolu; akak; damar, kanal.
ductil·e ['dʌktayl]. Tel haline çekilebilir; çekilir; sünek; şekil verilebilir; uysal; hamur gibi yuğurulabilir. ~**ity** [-'tiliti], tel haline çekilebilme; süneklik; uysallık.
ductless ['dʌktlis] (*tıp.*) Kanalsız.
dud [dʌd]. İşe yaramaz (şey); sahte; patlamamış mermi. ~ **cheque**, karşılıksız çek.
***dude** [dyūd]. Züppe. ~**-ranch**, eğlence/binicilik çiftliği.
dudgeon[1] ['dʌcən]. Dargınlık, küskünlük.
dudgeon[2] (*mer.*) Kama sapı.
duds [dʌdz] (*kon.*) Kılıksız elbiseler.
due [dyū] *s.* Uygun, münasip; icap eden; mukarrer; gelmesi vb. beklenen; borcun ödeme vakti gelmiş, vadesi tamam; doğru. *i.* Hak, istihkak. ~**s**, resim, vergi, ücret, borç. ~ **to . . .**, -den dolayı, -in sayesinde: **be** ~ **to**, sebebi . . . olmak; -in hakkı olm.: **it is** ~ **to** ***him***, onun sayesinde, onun yüzünden: **it is** ***due*** **to him**, onun hakkıdır: **after** ~ **consideration**, iyice düşünüp taşındıktan sonra: **fall** ~, (bir borcun vb.) vade/süresi gelmek: ~ **date**, tahakkuk tarihi: ~ **south**, güneye doğru.
duel [dyuəl]. Düello (etm.): ~**ler**/~**list**, düellocu: ~**ling**, düello etme.
duenna [dyū'enə] (*İsp.*) Genç kızlara refakat eden yaslı kadın.

duet [dyu'et]. Duo, iki kişi tarafından söylenen şarkı. ~**ist**, duettocu. ~**to**, duetto.
duff [dʌf] *i.* Bir cins puding. *s.* Sahte, değersiz, beceriksiz.
duff·el/~le [dʌfl]. Kaba yün kumaş: ~**-bag**, kamp levazımı taşınan torba: ~**-coat**, bu kumaştan yapılan kısa palto, montgomeri.
duffer ['dʌfə(r)]. Kalınkafalı kimse; beceriksiz adam; işporta.
dug[1] [dʌg] (*zoo.*) Meme.
dug[2] [dʌg] *g.z.(o.)* = DIG[2].
dugong ['dūgon(g)]. Dugong.
dug-out ['dʌgau̯t]. Ağaç kütüğü oyularak yapılmış kayık; (*ask.*) küçük siper, sığınak.
duke [dyūk]. Dük; dukalık reisi; *ç.* (*arg.*) yumruklar. ~**dom**, dukalık.
DUKW = DUCK[1] (*oto.*).
dulc·et ['dʌlsit]. Hoş ve tatlı (ses). ~**ify** [-sifay], tatlılaştırmak. ~**imer** [-simə(r)], santur.
dull [dʌl] *s.* İç sıkıcı, sıkıntılı, kasvetli; ağır; gabi; donuk; ruhsuz; kör, kesmez. *f.* Sersemletmek, ağırlaş(tır)mak, uyuş(tur)mak; (ağrı) hafifleş(tir)mek; körleş(tir)mek. **I feel** ~, içim sıkılıyor: **be** ~ **of hearing**, ağır işitmek: **the** ~ **season**, ölü mevsim. ~**ard**, ahmak. ~**ish**, oldukça donuk/ahmak. ~**ness**, sıkıntı; donukluk; ahmaklık; kesat, körlük. ~**y** [-li], sıkıntılı vb. olarak.
duly ['dyūli]. Hakkiyle; uygun bir şekilde; beklendiği gibi.
dumb [dʌm]. Dilsiz, sessiz; ketum; sözsüz; (*arg.*) aptal; cahil: ~ **animals**, hayvanlar: **struck** ~, hayretten donmuş/taş kesilmiş, donakalmış.
Dumbartonshire [dʌm'bātnşə]. Brit.'nın bir kontluğu.
dumb·-bell ['dʌmbel]. Halter, cimnastik gülle. ~**found** [-'fau̯nd], aptallaştırmak, sersemletmek, şaşkına çevirmek. ~**ly**, ses/sözsüzce. ~**ness**, dil/sessizlik. ~**-piano**, alıştırma için kullanılan sessiz piyano. ~**-waiter** [-'weytə(r)], sofraya konan döner tepsi; tabaklara mahsus masa.
dumdum ['dʌmdʌm]. Dumdum kurşunu. ~**-fever**, kalaazar, Madras humması.
Dumfriesshire [dʌm'frīsşə]. Brit.'nın bir kontluğu.
dummy [dʌmi]. Taklit/yapma şey; manken; kukla; maket; (iskambil) ölü el; emzik, taklit meme. ~ **gun**, tahta top: ~ **run**, tecrübe için bir hareket.
dump [dʌmp] (*yan.*) *f.* Ağır bir şeyi gürültü ile yere indirmek; atmak; (bir yükü) boşaltmak; rekabet için piyasaya çok ucuz fiyatla mal çıkarmak, damping yapmak. *i.* Çöp boşaltılan yer; süprüntü yığını; cephane deposu. ~**er**, devrilir sandıklı araba/vagon. ~**iness**, bodurluk. ~**ing**; dökme, devirme; (*mal.*) damping, ucuzlatma, düşürüm.
dumpling ['dʌmplin(g)]. Etle beraber yenen suda pişmiş yağlı hamur lokma.
dumps [dʌmps]. Hüzün, keyifsizlik. **be down in the** ~, kederli olm., keyfi yerinde olmamak.
dumpy ['dʌmpi]. Bodur, kısa ve şişman; tıknaz.
dun[1] [dʌn] *s.* Boz.
dun[2] *f.* Israrla alacağını istemek. *i.* Belâlı alacaklı. **be** ~**ned on all sides**, uçan kuşa borçlu olm.: **a** ~**ning letter**, borçlarını hatırlatan mektup.
dunce [dʌns]. Kalınkafalı, mankafa, gabi. ~**'s cap**, tembel öğrenciye giydirilen külâh.
dunderhead ['dʌndəhed]. Aptal, kalın kafalı.
dune [dyūn]. Kum tepeciği, kumul, eksibe.
dung [dʌn(g)]. Gübre(lemek).
dungaree [dʌn(g)gə'rī]. Kaba pamuklu kumaş. ~**s**, mavi işçi pantolonu.
dungeon ['dʌncən]. Zindan.
dunghill ['dʌn(g)hil]. Gübre yığını, mezbele.
***dunk** [dʌn(g)k]. (Ekmek vb.) çorba/kahveye daldırmak.
Dunkirk [dʌn'kāk] (*tar.*) **do a** ~, yenilmiş bir orduyu denizden çıkarıp kurtarmak.
dunlin ['dʌnlin]. Al-sırtlı çulluk, güney kum kuşu(?).
dunnage [dʌnic]. Yükü sudan korumak için kullanılan hasır vb.; (*kon.*) pılıpırtı, eşya.
dunning ['dʌnin(g)] = DUN[2].
dunno [dʌ'nou̯] (*kon.*) = I DO NOT KNOW.
dunt [dʌnt] (*hav.*) Uçağın altına hava vuruşu.
dunny ['dʌni] (*Avus.*) (Ev dışında) aptesane.
duo ['dyūou̯] (*tiy.*) Bir çift artist; (*müz.*) duo.
duodecim·al [dyuou̯'desiməl]. On ikiye ait, on ikişer; esası on iki olan. ~**o**, (*bas.*) on iki yapraklı forma.
duoden·al [dyuou̯'dīnəl]. ~UM'a ait. ~**ary**, on ikişer. ~**um** [-nəm], onikiparmak bağırsağı.
duologue ['dyuəlog] (*tiy.*) İkili konuşma/piyes.
dup·able ['dyūpəbl]. Aldatılır. ~**e**, *i.* aldatılmış kimse: *f.* aldatmak: ~**ry**, hile, aldatma.
duple(x) ['dyūpl(eks)]. Çift(e); dupleks; iki katlı.
duplicat·e ['dyūplikit] *i.* İki nüshadan biri; suret; bir şeyin aynı, ikinci tıpkı. *s.* Çift. [-keyt] *f.* Suretini çıkarmak; iki misli yapmak; kopya etm., çoğaltmak. **in** ~, iki nüsha olarak. ~**ing machine**/~**or**, teksir/çoğaltma makinesi. ~**ion** [-'keyşn], iki misli yapma; tıpkısı; çoğalt(ıl)ma.
duplicity [dyu'plisiti]. İki yüzlülük, aldatma.
durab·ility [dyuərə'biliti]. Devamlılık, dayanıklılık. ~**le** ['dyuərəbl], devamlı, sürekli, dayanıklı: ~ **goods**, demirbaş eşya: ~**ness** = ~ILITY. ~**ly**, dayanıklı olarak.
duralumin [dyuə'ralyumin] (*M.*) Düralümin, sert alüminyum.
durance ['dyuərəns] (*şiir.*) Mahpusluk.
durati·on [dyu'reyşn]. Devam, süre, müddet. **for the** ~, savaş vb. bitinceye kadar. ~**ve** ['dyurətiv], süren.
durbar ['dəbā(r)] (*Hint.*) Kabul resmi.
duress [dyu'res]. İcbar; sıkıştırma; (*huk.*) ikrah ve tehdit.
during ['dyuərin(g)]. Esnasında, zarfında, süresinde, sırasında, boyunca.
durst [dəst] (*mer.*) = DARED.
dusk [dʌsk]. Az karanlık, akşam karanlığı, gün kararması. **it is growing** ~, hava kararıyor: **at** ~, hava kararırken, akşam üstü. ~**y**, loş, karanlık; esmer, zenci.
dust [dʌst]. Toz (almak). **bite the** ~, yaralanmak/ölmek; bozguna uğramak: **humble to the** ~, aşağılatmak: ~ **s.o.'s jacket**, birine dayak atmak, 'tozunu almak'; **raise/kick up a** ~, toz etmek; mesele yapmak: **shake the** ~ **of... off one's feet**, lânet olsun diye... ile ilgisini kesmek: **throw** ~ **in s.o.'s eyes**, aldatmak, birinden gerçeği gizlemek: ~ **to** ~ = ASH[2]. ~**-bin**, çöp tenekesi. ~**-bowl**, kuraklık. ~**-cart**, çöp arabası. ~**-coat/cover/sheet, etc.**, toz/kirden korumak için iş gömleği vb. ~**-colour**, donuk esmer. ~**-devil**, toz hortumu. ~**er**, toz bezi. ~**ily**, tozlu olarak. ~**ing**, toz alma; (*arg.*) dövme, dayak

atma; (yaralar için) antiseptik toz; CROP-~. ~**-jacket/wrapper**, kitap gömleği. ~**less**, tozsuz. ~**-man**, çöpçü. ~**-pan**, faraş. ~**proof/tight**, toz geçmez. ~**-shot**, kum saçma. ~**-storm**, tozak. ~**-up**, karışıklık, kavga. ~**y**, tozlu; toz gibi; toz rengi: **not so** ~, (*kon.*) fena değil, oldukça iyi: ~ **answer**, memnun etmiyen cevap.

Dutch [dʌç] *i.* Hollandalı, Felemenkli; Hollandaca, Felemenkçe. *s.* Hollanda+, Felemenk+. **Cape** ~ = AFRIKAANS: **double** ~, anlaşılmaz dil: **go** ~, (ziyafet vb.) masrafları paylaşmak: **my old** ~, karım: **talk to s.o. like a** ~ **uncle**, babaca konuşmak. ~**-auction**, alıcı çıkıncıya kadar fiyatın indirildiği mezat. ~**-barn**, (*zir.*) açık taraflı ambar. ~**-cheese**, Hollanda tipi peynir. ~**-courage**, içkiden gelen cesaret. ~-ELM-DISEASE. ~**man**, Hollandalı, Felemenkli; *Alman; Hollanda gemisi: **... or I'm a** ~, bu olmazsa Arap olayım. ~**-oven**, (*ev*) ateşin önüne konan fırın. ~**-treat**, masraflarını paylaşılan ziyafet.

dut·eous ['dyūtiəs] (*edeb.*) = ~IFUL. ~**iable**, gümrüğe tabi, gümrüklü; vergiye bağlı. ~**iful**, anababa vb.ne karşı itaatli/saygılı: ~**ly**, itaatli olarak.

duty ['dyūti]. Vazife, hürmet, görev, ödev; itaat, saygı; vergi, resim: **be on** ~, görev/nöbette olm., nöbetçi olm.: **do** ~ **for...**, -in yerini tutmak: **enter upon/take up one's duties**, vazifeye başlamak: **liable to** ~, gümrük resmine tabi: **from a sense of** ~, (manevî) görev gereğince. ~**-call**, nezaket ziyareti. ~**-free**, gümrüksüz, resminden bağışık/muaf. ~**-officer**, nöbetçi subayı. ~**-paid**, gümrük resmi ödenmiş.

duumvirate [dyu'ʌmvirit]. İki kişilik hükûmet.

duvet ['dūvey] (*Fr.*) Yorgan.

DV = (*Lat.*) DEO VOLENTE.

dwarf [dwōf] *i., s.* Cüce, bodur; (*biy.*) küçük. *f.* Gelişmesine engel olm.; bodur bırakmak; cüce göstermek. ~**ish**, cüce gibi. ~**ism**, cücelik.

dwell *g.z.(o.)* **dwelt** [dwel(t)]. İkamet etm., oturmak; durmak, kalmak; ısrarla durmak. ~ **on stg.**, bir şey üzerinde durmak. ~**er**, ikamet eden, oturan. ~**ing**, ikametgâh, mesken, konut, ev: ~**-house/-place**, (oturmak için) ev, konut.

dwindle ['dwindl]. Tedricen azalmak, küçülmek.

dwt = PENNYWEIGHT.

DWT = DEADWEIGHT TONNAGE.

dy- [day-] *ön.* = DI-.

Dy. (*kim.s.*) = DYSPROSIUM.

dyad ['dayad]. İki, çift; (*kim.*) iki atomlu (gibi).

dye [day] *i.* Boya (özü). *f.* Boya(n)mak. ~**d in the wool**, (kumaş) yün halinde iken boyanmış; boyası çıkmaz; esaslı; koyu: **a liar of the deepest** ~, sunturlu bir yalancı: **this material** ~**s well**, bu kumaş boyaya gelir. ~**-house/-works**, boyahane. ~**ing**, boya(n)ma; boyacılık. ~**r**, boyacı. ~**-stuff**, boya eczası.

dying ['dayin(g)] *hal o.* = DIE[2]. *s.* Ölüm halinde, ölmek üzere. ~ **oath/wish**, ölmek üzere edilen yemin/arzu, vb.

dyke [dayk] = DIKE.

dyn. = DYNAMICS; DYNE.

dyna- [daynə-] *ön.* Dina-, kuvvet+, güç+.

dynam·ic [day'namik]. Dinamik, devingen, devimli, etkin, güçlü; (*mec.*) son derece cevval ve enerjik: ~**al**, dinamik: ~**ally**, dinamik olarak: ~**s**, dinamik/devim bilimi. ~**ism** ['daynəmizm], dinamizm. ~**ist**, dinamist; dinamik bilgini. ~**ite** [-mayt], dinamit(le berhava etm.): ~**r**, dinamit kullanan kimse.

dynamo ['daynəmou] *i.* Dinamo. ~-, *ön.* dinamo-, kuvvet+, güç+. ~**meter** [-'momitə(r)], dinamometre, güç ölçeği, kuvvetölçer.

dynast·ic [di'nastik]. Hanedana ait. ~**y** ['dinəsti], hanedan, sülâle, silsile, soy(sop).

dyn·atron ['daynətron]. Dinatron. ~**e**, kuvvet/güç birimi, din.

dys- [dis-] *ön.* (*tıp*) Kötü, zor.

dysenter·ic [disn'terik]. Dizanteriye ait. ~**y** ['dis(e)ntri], dizanteri, kanlı basur.

dyslexi·a [dis'leksiə]. Okuma yeteneksizliği, kelime körlüğü. ~**c**, kelimeleri okuyamıyan.

dyspep·sia [dis'pepsiə]. Hazımsızlık. ~**tic**, hazımsızlığa ait.

dys·phemism ['disfimizm]. (İyi bir kelimenin yerine) kötü bir kelimenin kullanılışı. ~**phoria** [-'fōriə], rahatsızlık.

dyspnoea [dis(p)'nīə]. Zorla nefes alma.

dysprosium [dis'prouziəm]. Disprosiyum.

dystrophy ['distrəfi] (*tıp*) Kâfi olmıyan/yanlış besle(n)me. **muscular** ~, adaleler dermansızlığı, kas distrofisi.

DZ = DROPPING ZONE.

E

E [ī]. E harfi; (*müz.*) mi.
e- [e-, i-] *ön.* = EX-.
E = EAST(ERN); EGYPTIAN; ENGINEER(ING); ENG·LAND/-LISH.
ea. = EACH.
each [īç]. Her bir; her; başına, beheri. ~ **one of us**, her birimiz: ~ **one of you**, her biriniz: ~ **one of them**, her biri: ~ **other**, birbiri: **we see** ~ **other every day**, birbirimizi her gün görüyoruz: **we** ~ **have our own room**, her birimizin bir odası var: **two/three** ~, ikişer, üçer, vb.
eager ['īgə(r)]. Hevesli; istekli; haris; gayretli. **be** ~ **for**, çok istemek. ~**ly**, hevesli/gayretli vb. olarak. ~**ness**, şiddetli arzu, hırs; gayret, tehalük.
eagle ['īgl]. Kartal; karakuş. **Bonelli's** ~, atmaca kartalı: **booted** ~, cüce kartal: **golden** ~, altın/kaya kartal(ı): **imperial** ~, şah kartal; (*ask.*) imparator simgesi olan kartal alemi: **sea-**~ = ERNE: **short-toed** ~, yılan kartalı: **spotted** ~, bağırgan kartal: **tawny** ~, yırtıcı kartal. ~**-eyed**, keskin gözlü. ~**-owl**, puhu kuşu. ~**-ray**, fulya balığı. ~**t**, kartal yavrusu.
eagre ['eygə(r)]. Brit.nın bazı nehirlerinde büyük kabarma dalgası.
-ean [-i̯ən] *son.* -e ait [EUROPEAN].
E & OE = ERRORS AND OMISSIONS EXCEPTED.
ear [i̯ə(r)]. Kulak; başak. **be all** ~**s**, kulak kesilmek: **last night your** ~**s must have burnt/tingled**, dün gece her halde kulaklarınız çınlamıştır: **have a good/no** ~ **(for music)**, müzikte kulağı hassas ol(ma)mak: **have one's** ~ **to the ground**, bütün rivayetleri dinlemek: **have s.o.'s** ~, her şeyi kulağına fısıldayacak kadar birinin mahremi olm.: **play by** ~, (musiki) ezberden çalmak: **set people by the** ~**s**, aralarını açmak, aralarına kara kedi sokmak: **bring a storm about one's** ~**s**, başına belâ açmak: **walls have** ~**s**, (*ata.*) yerin kulağı var: **be up to the** ~**s/over head and** ~**s in work**, işi başından aşmak: **play stg. by** ~, ilerliyerek kararları vermek: **turn a deaf** ~ **to:**, hiç işitmemek, kabul etmemek: **a word in your** ~**!**, kulağınıza bir şey söyliyeceğim. ~**-ache** [-eyk], kulak ağrısı. ~**-cap/-flap**, kulaklık. ~**-catcher**, sesi hoş/cazibeli olan. ~**-drop**, küpe. ~**-drum**, kulak zarı. **-**~**ed**, *son.* . . . kulaklı.
earl [ə̄l]. (İng.'de) kont. ~**dom**, EARL'in rütbe ve unvanı; onun mülkü.
earless ['i̯ə(r)lis]. Kulaksız; başaksız.
earli·ness ['ə̄linis]. Erken olma. ~**er**/~**est**, daha/en erken: **at the** ~**est**, en evvel.
ear-lobe ['i̯ə(r)lo̯ub]. Kulak memesi.
early ['ə̄li]. Erken; önce; eski; ilk; başlangıcında; turfanda. **as** ~ **as 1700**, daha 1700 yılında: ~ **bird**, (*kon.*) erken kalkan bir kimse: ~ **closing day**, dükkânların öğleden sonra kapalı olduğu gün: **at an** ~ **date**, yakında: **in** ~ **days**, eskiden: **an** ~ **death**, genç iken ölme/ölmüş: ~ **enough**, zamanında: **keep** ~ **hours**, erken yatıp erken kalkmak: ~ **in the list**, listenin baş tarafında.
earmark ['i̯ə(r)māk] *i.* İnek/koyun vb.'nin kulağına yapılan marka. *f.* Böyle bir marka koymak; (*mec.*) belirli bir amaç için ayırmak. ~**ing**, ayrım, tahsis.
earn [ə̄n]. Kazanmak; kespetmek; elde etm.
earnest ['ə̄nist] *s.* Ciddî; hakikî, gerçek(ten); ağırbaşlı. *i.* Pey akçesı. **an** ~ **of one's goodwill**, iyi niyetinin delili olarak; iyi niyetini ispat etm. için: **in (deadly)** ~, ciddî olarak; şakası yok: **he is very much in** ~, işi çok ciddiye alıyor: **I** ~**ly hope**, kuvvetle umut ederim. ~**ly**, ciddî olarak. ~**-money**, alım öndeliği, pey (akçesi). ~**ness**, ciddilik.
earning(s) ['ə̄nin(g)(z)]. Kazanç, kâr; ücret, gelir.
ear·phone ['i̯ə(r)fo̯un]. Telefon kulaklığı. ~**-ring**, küpe. ~**-shot**, **within** ~, işitilecek mesafede. ~**-splitting**, kulakları patlatan.
earth [ə̄θ] *i.* Toprak; arz, dünya; yeryüzü; (*elek.*) toprak; tilki ini. *f.* (*elek.*) Toprağa bağlamak/iletmek; (*zir.*) topraklamak. ~ **up**, etrafına toprak yığmak: ~ **over**, toprak ile örtmek: **come back to** ~, hülyayı bırakmak: ~ **to frame**, (*oto., elek.*) şasiye bağlama: **go to** ~, (tilki vb.) inine girmek; (*mec.*) kayıplara karışmak; saklanmak: **go to the ends of the** ~, dünyanın öteki ucuna/cehennemin dibine gitmek: **where on** ~ **have you been?**, neredeydin yahu?: **why on** ~ **. . .?**, ne halt etmeğe . . .?: **run to** ~, (tilki vb.ni) inine kaçırmak; (hırsız vb.ni) takip ederek bulmak. ~**-born**, yerden doğmuş; yerli; insanoğlu. ~**-closet**, kırda kullanılan susuz helâ. ~**day**, (*ast.*) 24 saat günü. ~**en**, topraktan yapılmış. ~**enware** [-we̯ə(r)], çanak çömlek; toprak işi: **glazed** ~, kaba çini. ~**iness**, topraklılık; maddiyatçılık. ~**ly**, dünyevî, yersel; (*mec.*) katiyen: **there is no** ~ **chance/reason/use**, katiyen hiç bir imkân/sebep/fayda yoktur. ~**-mother**, (*mit.*) toprak sembolü. ~**-movement**, (*coğ.*) yerkabuğunun hareketi; toprak kaldırma işi. ~**nut**, yerfıstığı. ~**-pillar**, peri bacası. ~**quake** [-kweyk], deprem, zelzele, sarsıntı. ~**-rise** [-rayz], uzaydan görülen 'dünya doğması'. ~**-shaking**, (*mec.*) şiddetli bir halde etkili. ~**wards** [-wədz], dünyaya doğru. ~**work(s)**, toprak tabya; set; (*müh.*) toprak işleri. ~**worm** [-wə̄m], yer solucanı. ~**y**, topraklı; toprak gibi; maddî.
ear·-trumpet ['i̯ətrʌmpit]. Sağır borusu. ~**-wax**, kulak kiri. ~**wig**, kulağakaçan.
ease[1] [īz] *i.* Rahat; huzur; refah; kolaylık. **be at one's** ~, rahat olm., huzur içinde olm.: **be/feel at** ~, içi rahat olm.: **ill at** ~, huzursuz, endişeli: **live a life of** ~, işsiz ve rahat yaşamak: **set s.o.('s mind) at** ~, birinin içini rahat ettirmek: **stand at** ~**!**, (*ask.*) rahat!: **take one's** ~, yangelmek.
ease[2] *f.* Hafifletmek; yatıştırmak; gevşetmek;

teskin etm.; yavaşlatmak; hafifleşmek. ~ **up/off**, yavaşla(t)mak; gevşe(t)mek; yangelmek.
easel ['īzl]. Ressam/karatahta sehpası, şövale.
easement ['īzmnt]. Kullanma/irtifak hakkı.
easi·er ['īziə(r)]. Daha kolay. ~**ly** [-ili], kolayca, kolaylıkla; yavaş yavaş; zarafet ile: **he is ~ the best player**, o kat kat en iyi oyuncudur. ~**ness** [-inis], kolaylık; kayıtsızlık; akıcılık; (hareketlerde) incelik; (makine) kolayca/yağ gibi işleme.
east [īst] *i.* Doğu, şark; (*den.*) gündoğusu. *s.* Doğuya ait; şarkî. **Far/Middle/Near ~**, Uzak/Orta/Yakın Doğu. ~**-by-north/-south**, doğu kerte poyraz/keşişleme. ~**-End**, Londra'nın fakir ve kalabalık bölgesi: ~**er**, bu bölgede oturan Londralı.
Easter ['īstə(r)]. Paskalya. ~ **-day**, Paskalya pazarı.
east·erly ['īstəli]. ~ **wind**, doğudan esen rüzgâr: ~ **course**, doğuya doğru rota. ~**ern** [-tən], doğuya ait. ~**ing**, (*den.*) doğuya doğru gidiş. ~**-north-/south-**~, doğu poyraz/keşişleme. ~**ward(s)**, doğuya doğru.
easy ['īzi]. Kolay; rahat; müreffeh; mülayim; akıcı. ~ **(ahead)!**, yavaş ileri!: ~ **all!**, kürekçilere verilen 'dur' kumandası: ~ **come** ~ **go**, (*ata.*) haydan gelen huya gider: ~ **to get on with**, kolay geçinilir: **easier said than done**, (*ata.*) dile kolay: **cotton was easier**, pamuk piyasası düşüktü: **go ~ with stg.**, bir şeyi idare ile kullanmak: **make things** ~, işleri kolaylaştırmak: ~ **on the eye**, hoş, güzel: **the market was** ~, piyasa durgundu: **by ~ payments**, küçük taksitlerle: **within ~ reach of**, . . . kolaylıkla erişilebilir: **stand ~!**, (*ask.*) yerinde rahat!: **take it** ~, yangelmek; mola vermek; kendini fazla yormamak; çubuğunu tellendirmek: **take life** ~, hayatta bir şeye aldırmayıp keyfine bakarak yaşamak. ~**-chair**, koltuk. ~**-going**, babacan; kayıtsız; aldırış etmez. ~**-meat**, (*arg.*) kolay bulunur/yapılır. ~**-money**, kolayca (ve kanuna aykırı olarak) kazanan para. ~**-Street**, zenginlik, bolluk.
eat (*g.z.* **ate**, *g.z.o.* **eaten**) [īt(n), et]. Yemek. **he ~s out of my hand**, (i) (hayvan, kuş) elimden yem yiyiyor; (ii) (insan) bir dediğimi iki etmez: ~ **its head off**, (at) iş görmiyerek semirmek: ~ **one's heart out**, içi içini yemek: **he is ~ing me out of house and home**, onun boğazına para yetiştiremiyorum: ~ **one's words**, tükürdüğünü yalamak. ~ **away**, aşındırmak; kemirmek. ~ **out**, evin dışında yemek. ~ **up**, yiyip bitirmek; silip süpürmek: ~ **up the miles**, (otomobil vb.) çok hızlı gitmek.
eat·able ['ītəbl]. Yenir: ~**s**, gıda, yiyecek. ~**er** [-ə(r)], yiyen; (*zoo.*) -çıl: **big/small** ~, çok/az yiyen kimse. ~**ing**, yeme; aşındırıcı: **geese are good** ~, kaz çok lezzetlidir: *son.*, -yiyen, -çıl: ~**-house**, ahçı dükkânı, aşevi. ~**s**, (*kon.*) yiyecek.
eau [ou] (*Fr.*) Su. ~ ***de cologne***, kolonya suyu. ~ ***de vie***, kanyak.
eaves [īvz] *ç.* Dam saçağı. ~**drop**, gizlice dinlemek; kulak kabartmak: ~**per** [-dropə(r)], kulak misafiri: ~**ing**, gizlice dinleme.
EB = ENCYCLOPAEDIA BRITANNICA.
EbN/S = EAST BY NORTH/SOUTH.
ebb [eb] *i.* (Deniz) inme. *f.* İnmek; azalmak. ~ **and flow**, (i) met ve cezir olm.; gelgit; (ii) azalıp çoğalmak; (iii) (savaşta vb.) kâh bir tarafın kâh diğer tarafın lehine gelişmek: ~ **away**, tedricen tükenmek: **the patient is at a low** ~, hastanın durumu çok kötüdür.
E-boat ['ībout]. Alman hızlı karakol gemisi.
ebon ['ebən] (*şiir.*) Kapkara. ~**ite** [-nayt], ebonit, sert lastik. ~**y**, abanoz (ağacı); kapkara.
Ebor(acum) ['ībō(rakəm)] (*Lat.*) = YORK; York başpiskoposunun imzası.
EBU = EUROPEAN BROADCASTING UNION.
ebulli·ent [i'bʌliənt]. Taşkın; coşkun. ~**ence**, taşkınlık, coşkunluk. ~**tion** [ebyu'lişn], kaynama; tehevvür, öfkelenme, köpürme.
ec- [ek-] *ön.* = EX- (+c).
EC = EAST CENTRAL.
ecad ['īkad] (*biy.*) Çevresinin değiştirdiği bir organizma.
ecc. = ECCLESIASTICAL.
eccentric [ek'sentrik]. Eksantrik, garip; (*müh.*) dışmerkezli, dışözekli, salgılı, ayrı eksenli; acayip. ~**ity** [-'trisiti], dışmerkezlilik, dışözeklilik; salgı; garabet, eksantrıklik.
ecchymosis [eki'mousis] (*tıp.*) Bere, çürüklük.
ecclesi·a [i'klīziə]. Eski Yun.'da vatandaşlar toplantısı. ~**ast**, bu toplantının üyesi. ~**astic** [-i'astik], rahip, papaz; ulema: ~**al**, kilise/papazlığa ait; dinî: ~**ism** [-tisizm], kilise prensip/usulleri. ~**ology**, kilise tarih/anayasası bilimi.
ecdysis ['ekdisis] (*zoo.*) Dış kabuk/tabaka atılması.
EC·E = ECONOMIC COMMISSION FOR EUROPE. ~**G** = ELECTROCARDIOGRAM: ~**D** = EXPORT CREDITS GUARANTEE DEPARTMENT.
echelon ['eşəlon]. Kademe/aşama nizamı(na göre tanzim etm.). **in** ~, kademeli, aşamalı.
echidna [i'kidnə]. Karıncayiyen(giller).
echin·(o)- ['ekinə-, i'kaynə-] *ön.* (*zoo.*) Dikenli. ~**oderm** [i'kaynədəm], derisidikenli(ler). ~**us** [-nəs], deniz kestanesi; (*mim.*) yuvarlak sütun başlığı.
echo ['ekou] *i.* Aksiseda, yankı. *f.* Ses aksettirmek; ses geri gelmek, yankılanmak. ~**-chamber**, (*rad.*) ses aksettiren oda. ~**ic**, yankı gibi; ses taklidi yoluyle yapılmış (kelime). ~**-sound·er**, ses iskandili, akis sondası: ~**ing**, akis sondalaması.
éclair ['eykleə(r)]. İçi kremalı dışı şekerli bir pasta.
eclampsia [i'klampsiə]. Havale illeti.
éclat [ey'klā] (*Fr.*) Parlak muvaffakiyet; şan, şaşaa.
eclectic [i'klektik]. İktitafçı; seçmecı; seçen; dermeci. ~**ism** [-tisizm], seçmecilik, dermecilik.
eclip·se [i'klips] *i.* Ay/güneş tutulması, husuf, küsuf. *f.* Husuf/küsufa uğratmak; tut(ul)mak, örtmek; (*mec.*) gölgede bırakmak. **lunar/solar** ~, ay/güneş tutulması: **partial/total** ~, kısmî/tam tutulma. ~**tic**, tutulum.
eclogue ['eklog]. Çoban kasidesi.
eclosion [i'kloujn] (*zoo.*) (Kurtçuk) yumurtadan çıkma; (böcek) koruncaktan çıkma.
ECM = ELECTRONIC COUNTER MEASURES.
eco- [iko-] *ön.* Çevre-, eko-. ~**cide** ['ikəsayd], çevreyi kirleterek yok etme. ~**log·ist** [i'koləcist], ekoloji uzmanı: ~**y**, çevrebilim, ekoloji.
Econ. = ECONOMICS.
econom·ic [īkə'nomik]. İktisadî, ekonomik, tutumsal; iktisat +, ekonomi +; kazançsal: ~**al**, idareli, tutumlu; kazançlı; iktisadî, ekonomik: ~**ally**, idareli olarak: ~**s**, iktisat/ekonomi bilimi. ~**ist** [i'konəmist], iktisatçı. ~**ize** [-mayz], idareli kullanmak, tasarruf etm. ~**y**, iktisat, ekonomi; tutum,

idare, tasarruf: **political** ~, iktisat bilimi: **~-size**, (*mal.*) büyüklüğünden ötürü ucuz gelen (paket vb.).
ecru ['eykrū]. Ham keten/açık kahverengi.
ECSC = EUROPEAN COAL AND STEEL COMMUNITY.
ecsta·sy ['ekstəsi]. Vecit; coşkunluk. **~tic** [-'statik], vecde dalmış; coşkun; delice memnun/hayran: **~ally**, coşkun olarak.
ECT = (*tıp.*) ELECTROCONVULSIVE THERAPY.
ecto- [ektou-] *ön.* (*biy.*) Dış-, ekto-. **~derm**, dış deri. **~plasm**, ektoplazma; (ruhî) medyumdan çıktığı sanılan madde.
-ectomy [-ektəmi] *son.* (*tıp*) -i kesip çıkar(ıl)ma, ... ameliyatı [APPENDECTOMY].
ectopic [ek'topik] (*tıp.*) Anormal bir yerde.
Ecuador ['ekwədō(r)]. Ekvador. **~ian** [-iən] *i.* Ekvadorlu: *s.* Ekvador+.
ecumenic(al) [īkyu'menık(l)]. Genel kilise/bütün kiliseleri temsil eden; onlara ait.
eczema ['eksimə]. Egzama, mayasil. **~tous** [-'semətəs], egzamalı.
-ed[1] [-əd, -id] *son., g.z.(o.)* -di, -miş [TALKED].
-ed[2] *son., s.* -li [FINGERED].
ed. = EDITED (BY); EDITION; EDITOR; EDUCATED.
edacious [i'deyşəs]. Yemeğe ait; obur.
Edam ['īdam]. ~ **cheese**, yuvarlak Hollanda peyniri.
EDC = EUROPEAN DEFENCE COMMUNITY.
eddy ['edi] *i.* Anafor; küçük girdap; hafif kasırga. *f.* Anafor yapmak; dönüp durmak.
edelweiss ['eydlvays]. Edelvays.
edema [ī'dīmə]. Deride hasıl olan ağrısız şiş; uzima, ödem.
Eden ['īdn]. **the Garden of** ~, Aden, İrembağı.
edentate [i'denteyt]. Dişsiz.
edge[1] [ec] *i.* Bıçak vb. ağzı; kenar; sırt; kıyı; palalık. **on** ~, (i) kenar üstünde, kirişleme; (ii) sinirli: **put an** ~ **on to (knife, etc.)**, kılağısını almak: **not putting too fine an** ~ **upon it**, kılı kırk yarmadan: **set the teeth on** ~, diş kamaştırmak: **take the** ~ **off stg.**, körletmek: **leading/trailing** ~, (*hav.*) hücum/firar kenarı: **straight** ~, (*müh.*) cetvel.
edge[2] *f.* Kenar çekmek; zırh çekmek; kenarında bulunmak; yan yan ve yavaş yavaş ilerle(t)mek. ~ **away**, yavaş yavaş uzaklaşmak: ~ **(one's way) in**, yavaş yavaş sokulmak.
edg·ed [ecd]. Keskin; ağızlı: ~ **tools**, keskin aletler. **~eways**/**~ewise** ['ecweyz, -wayz], palalık/keskinliğine, kirişleme; yandan; yan yan: **I couldn't get a word in** ~, ağzımı açıp bir söz söyliyemedim. **~ing** ['ecin(g)], kenarlık; kenar şeridi; zırh. **~y** ['eci], keskin ağızlı; (*mec.*) sinirli.
edib·ility [edi'biliti]. Yenilebilme. **~le** ['edibl], yenir.
edict ['īdikt]. İrade; ferman.
edification [edifi'keyşn]. Dinî/ahlakça ıslah; talim; tenvir; (*bazan alayla*) aydınlatma.
edifice ['edifis]. (Büyük) bina; (*mec.*) umut, tasavvur, fikir.
edify ['edifay]. Manen yükseltmek; (*bazan alayla*) öğretip aydınlatmak; halini ıslah etm.
Edin(burgh) ['edin(bərə)]. Edinburg şehri.
edit [edit]. (Bir yazıyı) kısaltmak/yayına hazırlamak; (bir gazeteyi) idare etm.; (*sin.*) kurgulamak. **~ing**, (*sin.*) kurgu. **~ion** [i'dişn], tabı, basım, nüsha, baskı, yayım: **de luxe/first/limited** ~, lüks/birinci/sayılı baskı/yayım. **~or** ['editə(r)], yayımcı, basımcı; (baş) yazar; gazete/yayın müdürü; (bir eseri) yayına hazırlıyan kimse; (*sin.*) kurgucu. **~orial** [-'tōriəl], baş makale/yazı; gazete müdürlüğü/yazı işlerine ait; yazı+. **~orship** ['editəşip], gazete müdürlüğü; basımcılık.
-edly [-idli] *son.* -miş olarak [HURRIEDLY].
EDP = ELECTRONIC DATA PROCESSING.
***EDT** = EASTERN DAYLIGHT TIME.
educ. = EDUCATION.
educa·ble ['edyukəbl]. Eğitilebilir. **~te** [-keyt], talim ve terbiye etm.; tahsil ettirmek; eğitip öğretmek; alıştırmak: **he was ~d in England**, İng.'de öğrenim yaptı. **~ted**, *s.* okumuş, aydın. **~tion** [-'keyşn], talim ve terbiye; tahsil; eğitim ve öğretim; maarif: **Board/Department/Ministry of** ~, Eğitim Bakanlığı: **adult** ~, yetişkinler eğitimi: **mass/popular** ~, kitlelerin/halk eğitimi: **physical** ~, beden eğitimi: **primary/secondary** ~, ilk/orta eğitim. **~tional** [-şənl], eğitime ait; maarif/öğretime ait; eğitici, öğretici; öğretim+, eğitim+: **~ly**, eğitim vasıtasıyle; eğitim bakımından. **~tionist**, eğitim uzmanı. **~tive**, terbiye edici; öğretime elverişli.
educ·e [i'dyūs]. Çıkarmak; istintaç etm.; ayırmak. **~ible**, çıkarılır; ayrılır. **~t** [i'dʌkt], ayrılmış. **~tion** [-kşn], çıkar(ıl)ma; ayır(ıl)ma; egzoz.
edulcorate [i'dʌlkəreyt]. Tatlılaştırmak; temizlemek; asidi kaldırmak.
Edwardian [ed'wōdiən]. Yedinci Kral Edward devrine ait: **the** ~**s**, onun devrinde yaşıyan İngilizler.
-ee [-ī], *son.* -ilen kimse, -ci [PAYEE].
EE = EARLY ENGLISH; ELECTRICAL ENGINEER. **~C** = EUROPEAN ECONOMIC COMMUNITY. **~G** = ELECTROENCEPHALOGRAM.
eel [īl]. Yılanbalığı. **~-basket/-pot**, yılanbalığını tutmağa mahsus sepet/tuzak.
e'en [īn] (*şiir.*) = EVEN[3].
-eer [-ī(r)] *son.* -ci [MOUNTAINEER].
e'er [eə(r)] (*şiir.*) = EVER.
eer·ie/**~y** ['iəri]. Tekin olmıyan; uğursuz; tüyler ürpertici.
ef- *ön.* = EX- (+f).
efface [i'feys]. Silmek: ~ **oneself**, bir taraf/köşeye çekilmek. **~ment**, sil(in)me; çekilme.
effect[1] [i'fekt] *i.* Tesir; etki, sonuç; görüntü; sözgeçme; nüfuz; netice, sonu; olay; meal; (*tiy.*) efekt; *ç.* = **~s**: **carry into** ~, tatbik etm.: **for** ~, tesir yapmak için: **in** ~, filhakika; doğrusu: **give** ~ **to**, yerine getirmek; infaz etm.: **of no** ~, etkisiz; sonuçsuz: **to no** ~, beyhude yere, boşuboşuna: **it had no** ~, etkilemedi, tesir etmedi; **it had no** ~ **on him whatever**, bana mısın demedi: **take** ~, tesir yapmak; yürürlüğe girmek, mer'î olm.; (aşı vb.) tutmak: **words to that** ~, o mealdeki sözler.
effect[2] *f.* Etki/tesir etm.; sonuç/netice vermek; yerine getirmek; istihsal etm., üretmek. ~ **one's purpose**, istenilen etki/sonucu elde etm.: ~ **an entrance**, bir yere zorlıyarak girmek: ~ **an insurance policy**, sigorta anlaşması yapmak.
effective [i'fektiv]. Tesirli, etkili; işe yarar; hakikî; elverişli, faydalı, yararlı; yürür; (*ask.*) mevcut, savaşa hazır; (*fiz.*) etkin; (*mal.*) fiilî, edimsel. **~ly**, tesirli vb. olarak; hakikaten. **~ness**, tesirlilik, yararlılık, fayda. **~s**, (*ask.*) mevcut.
effects [i'fekts]. Mal, eşya, masa; (*tiy.*) efekt; (*sin.*)

etkiler: **'no ~'**, (bankacılıkta) karşılığı yok: **personal ~**, şahsî eşya, kişisel mal (elbise vb.): **sound ~**, (*tiy.*) gürültü efekti. **~-man**, (*sin.*) etkici.

effectua·l [i'fektyuəl]. Tesirli, etkili; istenilen sonucu yaratan: **~ly**, tesirli olarak: **~ness**, tesirlilik. **~te** [-tyueyt], icra etm.; faale getirmek, başarmak.

effemina·cy [i'feminəsi]. Kadın tabiatlılık; yumuşaklık. **~te** [-nit], kadın gibi, kadınsı; yumuşak, lapacı.

effendi [e'fendi] (*Tk.*) Efendi.

efferent ['efərənt]. Götüren, götürücü.

effervesce [efə'ves]. Kaynayıp köpürmek. **~nce**, köpürme; coşkunluk; galeyan. **~nt**, (gazoz gibi) köpüren.

effete [i'fīt]. Bitkin, takatsız; geçmiş, akim.

efficac·ious [efi'keyşəs]. Tesirli, etkili; faydalı, yararlı: **~ly**, tesirli vb. olarak. **~y** [e'fikəsi], tesir, etki; fayda, yarar.

efficien·cy [i'fişənsi]. Ehliyet; yeterlik; iktidar; verim(lilik), randıman: **~ engineer**, tesisat verimliliği uzmanı. **~t**, ehliyetli, uzman, ehil; muktedir; etken, fail; elverişli; verimli.

effigy ['efici]. İnsan resim/modeli. **burn/hang s.o. in ~**, bir adamı tahkir için resmini yakmak/modelini asmak.

effloresce [eflō'res]. Çiçeklenmek, tozlaşmak. **~nce**, çiçeklenme, çiçeksime, tozlaşma, ufalanma. **~nt**, çiçeklenen, tozlaşan, ufalanan.

efflu·ence ['efluəns]. Ak(ıl)ma. **~ent**, göl/diğer bir nehirden çıkan nehir/dere; lağım/fabrika vb.den akan sıvı. **~vium** [i'flūviəm], bir cisimden yayılan zararlı/nahoş koku/buhar. **~x** ['eflʌks], dışarıya akma/akan madde; sürenin bitimi.

effort ['efət]. Çaba(lama), ceht, gayret, emek, güç; (*kon.*) eser. **exert every ~**, her gayreti sarfetmek: **in an ~ to . . .**, . . . gayretiyle: **make an ~**, bir ceht sarfetmek, çalışmak. **~less**, cehtsiz ve kolayca.

effrontery [i'frʌntəri]. Yüzsüzlük, küstahlık.

effulgen·ce [i'fʌlcəns]. Parlaklık, şaşaa. **~t**, parlak, şaşaalı.

effus·e [i'fyūs] *s.* Yayılan, dağılan; ayrılmış. [i'fyūz] *f.* Akmak, dökmek. **~ion** [i'fyūjn], dök(ül)me; akma, taşma; içini dökme; coşkunluk; (*köt.*) değersiz şey. **~ive** [-siv], taşkın, coşkun; bol; püskürük.

eft [eft]. Su kertenkelesi.

EFTA/Efta ['eftə] = EUROPEAN FREE TRADE ASSOCIATION.

eftsoon(s) [eft'sūn(z)] (*mer.*) Hemen sonra.

Eg. = EGYPT(IAN).

e.g. (*Lat.*) = FOR EXAMPLE.

egalitarian [igali'teəriən] *s.* Eşitlik prensibine ait. *i.* Bu prensibin taraftarı. **~ism**, eşitlik prensibi.

egg[1] [eg] *i.* Yumurta; balık yumurtası. **bad ~**, kokmuş yumurta; (*mec.*) değersiz adam: **boiled ~**, rafadan yumurta: CURATE'S **~**: **free-range ~**, açık yerlerde yetiştirilen tavuğun yumurtası (*krş.* BATTERY): **fresh ~**, günlük yumurta: **fried ~**, sahanda yumurta: **hard-boiled ~**, hazırlop: **poached ~**, suda pişmiş kabuksuz yumurta: **scrambled ~s**, çalkalanıp pişirilen yumurta: **put all one's ~s in one basket**, bütün mal/sermayesini birden tehlikeye koymak: GRANDMOTHER.

egg[2] *f.* **~ s.o. on**, (*arg.*) tahrik etm.; kışkırtmak.

egg-[3] *ön.* **~-cup**, rafadan yumurta kabı, yumurtalık. **~er**, bir kaç çeşit güve. **~-flip/-nog**, yumurtalı içki. **~-head**, (*kon.*) yüksek zekâ sahibi. **~ler**, yumurtacı. **~-plant**, patlıcan. **~-shaped**, yumurta biçimde; beyzî. **~-shell**, yumurta kabuğu. **~-tooth**, civciv gagasındaki diş.

eglantine [eglən'tīn]. Yabanî gül.

ego ['egou, 'ī-]. Ruh ve bedenden mevcut olan insan; (*fel.*) benlik; özne. **~centric** [-sentrik], beniçinci. **~ism**, hodbinlik; kendini beğenme, bencillik. **~ist**, hodbin; kendini beğenen, bencil. **~istic(al)** [-istik(l)], benlik davasında bulunan. **~tism** ['egətizm], hep kendini düşünme/beğenme; benlik davası. **~tist**, yalnız kendini düşünen kimse; benlikçi.

egregious [i'grīcəs] (*köt.*) Mahut; yaman, şeddeli. **~ly**, yaman olarak.

egress ['īgres]. Çıkış; mahreç. **~ion** [ī'greşn], çıkma.

egret ['īgrit]. Küçük beyaz balıkçıl. **cattle ~**, öküz balıkçılı.

Egypt ['īcipt]. Mısır. **~ian** [i'cipşn] *i.* Mısırlı: *s.* Mısır+. **~ologist** [-'toləcist], ejiptolog. **~ology**, mısırıyat, ejiptoloji.

eh [ey]. *Hayret gösteren bir ünlem.*

EHP = EFFECTIVE HORSE-POWER.

EI = EAST INDIES.

eider ['aydə(r)]. **~(-duck)**, Kuzey denizlerinde yaşıyan bir nevi ördek. **~down**, bu ördeğin pufla gibi kabarık tüyleri; kuştüyü yorgan.

eigen- ['aygən-] *ön.* (*Alm.*) Kendi; hususî, ayırt edici.

eight [eyt]. Sekiz. **figure-of-~**, sekiz rakamının biçimi: **figure-of-~ knot**, kropi bağı: **have one over the ~**, (*arg.*) bir az sarhoş olm. **~een** [-'tīn], on sekiz: **~th** [-'tīnθ], on sekizinci; on sekizde bir. **~h** [eytθ], sekizinci; sekizde bir: **~ly**, sekizinci olan. **~ieth** [-tiəθ], sekseninci; seksende bir. **~s**, (*sp.*) sekiz kişilik yarış kayığı. **~some** [-sʌm], sekiz kişilik (dans vb.). **~y** ['eyti], seksen.

einsteinium [ayn'stayniəm]. Einsteinyum.

Eire ['eərə]. İrlanda Cumhuriyeti.

eisteddfod [ays'teðvod]. (Gal eyaletinde) edipler ile şairlerin yıllık kongresi.

either ['ayðə(r), *'īðə(r)]. İkisinden biri. **~ . . . or . . .**, gerek . . . gerekse . . .: **~ I or you**, ya ben ya sen: **~ this or that**, ya bu ya şu: **nor that ~**, ne de bu: **I won't go ~**, (sen gitmezsen) ben de gitmem.

ejaculat·e [i'cakyūleyt]. Birdenbire söylemek; nida etm.; fışkırtmak. **~ion** [-'leyşn], nida, anî ses. **~ory** [-lətəri], atıcı.

eject [i'cekt]. Dışarı atmak; kapı dışarı etm., kovmak; ifraz etm.; fışkırtmak. **~ion** [-kşn], fışkırtma, fırla(t)ma; (*ast.*) salgı: **~-capsule**, (*hav.*) fırlatma kapsülü: **~-seat**, (*hav.*) fırlatılabilen iskemle. **~ive**, çıkık. **~ment**, (*huk.*) evden çıkarılma. **~or**, (tüfek) boş kovanları atan cihaz, tırnak; püskürtücü: **~-seat** = **~**ION SEAT.

eke[1] [īk] *f.* **~ out**, idare ile kullanarak yetiştirmek; katık etm.: **~ out a living**, kıt kanaat geçinmek.

eke[2] *zf.* (*mer.*) Dahi, hem de.

ekistics [i'kistiks]. İmar ve iskân olunan yerlerin inceleme ve planlaması.

el. = ELECTRIC(ITY).

elaborat·e [i'labərit] *s.* Dikkatle hazırlanmış; özenilmiş; mufassal; mükellef; inceden inceye.

[-reyt] *f.* Özenerek tertip etm.; mufassalan hazırlamak. ~ **upon**, ayrıntılarıyla açıklamak. ~**ely**, özenilmiş olarak, incelikle, uzun uzadıya. ~**eness**, özenilme; incelik. ~**ion** [-'reyşn], olgunlaşma, tümleme; işleme. ~**ive**, özenen, hazırlıyan.

élan ['eylā(n)] (*Fr.*) Şevk, canlılık; hamle.

eland ['īlənd]. Boğa antilopu.

elapse [i'laps]. (Vakit) geçmek.

elastic [i'lastik] *s.* Elastikî, esnek; (*mal.*) azalıp çoğalan. *i.* Lastikli şerit/ip. ~**ity** [-'tisiti], elastikiyet, esneklik. ~**ize** [-tisayz], esneklendirmek. ~**-band** = RUBBER-BAND. ~**-limit**, esneklik sınırı.

elastomer [i'lastəmə(r)]. Doğal/sunî lastik, esnek plastik madde. ~**ic** [-'merik], esnek.

elat·e [i'leyt]. Sevindirmek; canlandırmak; gurur vermek: **be** ~**d**, etekleri zil çalmak; haz ve gurur duymak. ~**erium** [elə'tiəriəm], müshil bir madde. ~**ion** [-'leyşn], büyük sevinç; gurur; coşkunluk.

elbow ['elbou]. Dirsek(le dürtmek). **at one's** ~, yanında; elinin altında: **be up to the** ~**s in**, ile meşgul olm.: **crook/lift the** ~, ayyaşlık etm.: **be out at** ~**s**, (ceket) dirsekleri delinmek; (insan) düşkün ve çapaçul olm.: **rub** ~**s with**, -le haşır neşir olm.: ~ **one's way through**; itip kakarak yol açmak. ~**-grease**, el emeği. ~**-rest**, dirsek dayanacak kol. ~**-room**, kollarını kımıldatacak yer.

El.-Ch. = ELECTRO-CHEMISTRY.

elchee ['elçī] (*Tk., tar.*) Elçi.

elder[1] ['eldə(r)]. İki kişinin en yaşlısı; yaşlı ve önemli adam; cet, ata; (bazı kiliselerde) cemaatin bellibaşlı üyesi. ~ **brother**, ağabey: **obey your** ~**s**, büyüklerinize itaat ediniz.

elder[2]. Mürver ağacı. ~**berry**, mürver meyvası.

elder·liness ['eldəlinis]. Yaşlılık. ~**ly**, oldukça yaşlı; yaşlanan. ~**-statesman**, (*id.*) emekli fakat hâlâ nüfuzlu devlet adamı.

eldest ['eldist]. En yaşlı.

ELDO, Eldo ['eldou] (*hav.*) = EUROPEAN LAUNCHER DEVELOPMENT ORGANIZATION.

el dorado [eldə'rādou] (*İsp.*) Hayalî altın şehir/ülke; ideal olan bolluk ve refah içinde bir ülke.

eldritch ['eldriç]. Büyülü, korkulu; çirkin.

el(ec). = ELECTRIC(ITY).

electret [i'lektrit]. Daimî mıknatıs gibi dielektrik madde parçası.

elect [i'lekt] *f.* Seçmek, intihap etm.; karar vermek. *s.* Seçkin. **the** ~, cennete gidecek olanlar: **the Lord Mayor** ~, tayin olunup henüz göreve başlamamış Belediye Reisi. ~**ion** [-kşn], intihap, seçim. ~**ioneer** [-kşəniə(r)], mebus adayının lehine çalışmak/çalışan: ~**ing**, adayın lehine çalışma. ~**ive**, seç(il)en; (*kim.*) birleşen. ~**or**, müntehip, seçmen: ~**al** [-tərəl], seçim/intihabata ait: ~**ate** [-rit], müntehipler, seçmenler. ~**ress** [-tris], kadın seçmen.

electric [i'lektrik]. Elektrikî, elektrikli; elektrik +. ~**al**, elektrikî, elektriğe ait; elektrik +: ~**-engineer**, elektrik mühendisi: ~**ly**, elektrik vasıtasıyle. ~**-battery**, elektrik bataryası, pil. ~**-blanket**, elektrikli yorgan. ~**-blue**, çelik mavisi. *~**-chair**, (idam için) elektrik sandalyesi. ~**-cooker**, elektrik mutfak ocağı. ~**-current**, elektrik akım/cereyanı. ~**-drill**, elektrikli matkap/delgi makinesi. ~**-eel**, elektrikli yılan balığı. ~**-fire**, elektrik sobası. ~**-generator**, elektrojen grubu. ~-HARE. ~**-heating**, (ev) elektrik ile ısıtma. ~**ian** [-'trişn], elektrikçi, elektrik tesisatçısı; elektrik eşyası satıcısı; (*sin.*) ışıkçı; (*tiy.*) ışıklama uzmanı. ~**-iron**, elektrik ütüsü. ~**ity** [-'trisiti], elektrik (bilgisi). ~**-lamp**, elektrik lambası. ~**-light**, elektrik ışığı: ~**ing**, elektrik ile aydınlatma/ışıklandırma. ~**-plant**, elektrik santralı. ~**-propulsion**, elektrik ile işle(t)me. ~**-rail·road/-way**, elektrikli demiryolu. ~**-razor**, elektrikli traş makinesi. ~**-refrigerator**, elektrikli buz/soğutma dolabı. ~**-shock**, elektrik çarpması; (*tıp*) şok. ~**-soldering**, elektrik ile lehimleme. ~**-storm**, şimşek/gök gürültülü fırtına. ~**-storage heater**, toplayıcı elektrik sobası. ~**-welding**, elektrik kaynağı (işi).

electrif·ication [ilektrifi'keyşn]. Elektriklendir(il)me; elektrik verme. ~**ied**, elektriklen(diril)miş; (*mec.*) heyecanlanmış. ~**y** [i'lektrifay], elektriklen(dir)mek; (*mec.*) heyecanlandırmak: ~**ing**, heyecanlandırıcı.

electro- [i'lektrou-] *ön.* Elektro-; elektrik +; elektrikli/elektrik vasıtasıyle yapılan. ~**-biology**, elektrobiyoloji. ~**-cardiogra·m/-ph**, elektrokardiyogra·m/-f. ~**-chemi·cal/-stry**, elektroşimi(k). ~**cut·e** [-trəkyūt], elektrikle öldürmek/idam etm.: ~**ion** [-'kyūşn], elektrikle ölüm. ~**de** [-troud], elektrot, yüklü uç. ~**-dynamics/-kinetics**, elektrodinamik/-kinetik. *~**lier** [-trou'liə(r)], elektrik avizesi. ~**ly·se** [-layz], elektroliz yapmak, elektrik ile çözmek: ~**sis** [-'trolisis], elektroliz: ~**te** [-layt], elektrolit: ~**-tic** [-'litik], elektrolize ait; elektrolit +, elektrolitik. ~**-magnet**, elektrik mıknatısı: ~**ic** ['netik], elektromanyetik: ~**ism** [-'magnətizm], elektromanyetizma. ~**-mechanics** [-mi'kaniks], elektromekanik. ~**-metallurgy**, elektrometalbilim. ~**meter** [-'tromitə(r)], voltaj ölçeği, elektrometre. ~**mot·ion** [-'mouşn], elektrik cereyanının hareketi; elektrik ile işle(t)me: ~**ive force**, elektrik hareket gücü. ~**n(ic)** [i'lektron, -'tronik], elektron(ik). ~**-narcosis** = ~SHOCK. ~**-negative**, menfi/negatif elektrikli. ~**nic**, *s.* elektronik: ~**-brain** (*kon.*)/**-computer**, elektronik kompütör: ~**s**, elektronik (bilgisi); elektron bilimi. ~**-physics**, elektrofizik (bilimi). ~**-plat·e**, *f.* elektrik vasıtasıyle maden kaplamak; *i.* kaplama eşya: ~**ing**, böyle maden kaplama; galvoteknik. ~**-positive**, müspet/pozitif elektrikli. ~**scope** [-skoup], elektroskop, elektrik göstericisi. ~**shock**, ~ **treatment**, (*tıp*) şok tedavisi. ~**static(s)**, elektrostatik. ~**-surgery**, elektrik ile cerrahlık. ~**technical**, elektroteknik. ~**-therapy**, (*tıp*) elektrik ile tedavi. ~**-therm·al**, elektrik ısısına ait: ~**ics**, elektrik ısısı bilgisi. ~**type**, elektrotip (baskı).

electrum [i'lektrəm]. Altınla gümüş alaşımı; kehribar.

electuary [i'lektyuəri]. Şeker/ballı ilaç.

eleemosynary [elii'mosinəri]. Sadaka/hayır işlerine ait; sadaka ver(il)en.

elegan·ce, ~**cy** ['eligəns(i)]. Zarafet, letafet, incelik. ~**t**, zarif, nazik, nefis, ince: ~**ly**, zarifce, nazikçe.

eleg·iac [eli'cayək]. Mersiyeye ait. ~**s**, belirli bir vezinle yazılmış şiir. ~**ize** ['elicayz], mersiye yazmak. ~**y** ['eləci], mersiye.

element ['elimənt]. Eleman, öğe, madde; öz, unsur,

esas, ilke, cevher; âmil. **~s**, mebadi, baslangıç: **the ~s**, doğanın güçleri: **brave the ~s**, doğanın güçlerine meydan okumak: **be in one's ~**, kendi çevresinde olm.: **be out of one's ~**, kendi çevresinde olmamak, çevresini yadırgamak. **~al**, unsura ait; esaslı; doğaya ait. **~ary** [-'mentəri], iptidaî; elemansal; basit, yalınç; ilk(el): **~ education/school**, ilk öğretim/okul.

elenctic [i'len(g)tik]. Ret/iptal eden.

elephant ['elifənt]. Fil: **a white ~**, lüzumsuz ve masraflı mülk; değerli fakat koyacak yer bulunmıyan ve işe yaramaz şey. **~iasis** [-fan'tayəsis], fil hastalığı. **~ine** [-'fantayn], fil gibi; dev gibi; ağır ve hantal. **~oid** [-toyd], fil gibi.

eleuthero- [elyūθəro̤u-] *ön.* Hür(riyet) + ; ayrı ayrı.

elevat·e ['eliveyt]. Yükseltmek. **~ed**, yüksek: (*kon.*) çakırkeyif: **~ railway**, bir şehir içinde sütunlar üzerinde yapılmış demiryolu. **~ing**, yükseltici. **~ion** [-'veyşn], yükseltme; yükseklik, irtifa; yüksek yer; topun menzil zaviyesi; (*mim.*) görünüş, dikey kesit. **~or** [-tə(r)], *asansör; †yük asansörü; (*hav.*) irtifa dümeni; (*biy.*) kaldır(g)an: **~y**, kaldıran.

eleven [i'levn]. On bir; (*sp.*) on bir kişilik takım. **~ses** [-ziz] (*arg.*) kuşluk yemeği. **~th**, on birinci; on birde bir: **at the ~ hour**, son dakikada.

elevon ['elivon]. Elevon.

elf [elf]. Cüce ve muzip peri; cüce; piçkurusu. **~in/~ish**, bu peri gibi; muzip, şeytan. **~land**, periler diyarı. **~-lock**, arapsaçı.

elicit [i'lisit]. (Gerçek vb.ni) meydana çıkarmak; sorguya çekerek anlamak.

elide [i'layd]. Hazfetmek; gidermek, kaldırmak, çıkarmak.

eligib·ility [elici'biliti]. Seçilebilme; elverişlilik; uygunluk. **~le** ['elicibl], intihap edilebilir, seçilebilir; elverişli, makbul, münasip, uygun. **~ly**, uygun olarak.

Elijah [i'laycə(r)]. İlyas.

elimin·able [i'liminəbl]. Çıkarılır, bertaraf edilir. **~ate** [-neyt], çıkarmak, ortadan kaldırmak, bertaraf etm., ifna etm.; elemek. **~ation** [-'neyşn], bertaraf/tasfiye etme, ifna, defetme; (*sp.*) elenme.

elint [e'lint] = (*ask.*) ELECTRONIC INTELLIGENCE.

elision [i'lijn]. Hazif; ünlü/hece düşmesi.

élite [e'līt] (*Fr.*) Seçkinler, güzideler.

elixir [i'liksə(r)]. İksir, bengisu.

†Elizabethan [ilizə'bīθən]. Ici Kraliçe Elizabeth devrine ait. **the ~s**, onun devrinde yaşıyan İngilizler.

elk [elk]. Avrupa musu, Kanada geyiği.

ell [el]. Eski İngiliz ölçüsü = 45 parmak. **if you give him an inch he will take an ~**, yüz verirsen astarını da ister.

ellipse [i'lips] (*mat.*) Kat'-ı nâkıs, elips; ELLIPSIS.

ellipsis [i'lipsis] (*dil.*) Eksiltili anlatım.

ellip·soid [i'lipsoyd]. Elipsoit. **~tic(al)**[1] [-tik(l)] (*mat.*) eliptik; elipse ait, söbü. **~tic(al)**[2], (*dil.*) eksiltili: **~ly**, eksiltili olarak. **~ticity**, elips olması.

elm [elm]. Karaağaç. **Dutch ~ disease**, Hollanda'dan gelmiş karaağaç hastalığı: **wych ~**, K.Avrupa'ya mahsus bir karaağaç.

elocution [elə'kyūşn]. Konuşma sanatı, hatiplik, diksiyon. **~ary**, bu sanata ait. **~ist**, hatip(lik öğretmeni).

elongat·e [īlon(g)'geyt]. Gerip uzatmak. **~ed**, ince ve uzun. **~ion** [-'geyşn], uzatma, uzanma; uzanmış kısım, uzanım.

elope [i'lo̤up]. Sevgilisiyle gizlice kaçmak; kaçıp gizlenmek. **~ment**, gizlice kaçma.

eloquen·ce ['eləkwəns]. Belâğat. **~t**, beliğ, belâğatli, miri kelâm: **~ly**, beliğ olarak.

else [els]. Yoksa; başka. **anyone ~**, başkası, başka biri: **either this or ~ that**, ya bu ya şu: **come in or ~ go out**, ya içeri gir ya dışarı çık: **can I see somebody ~?**, başka birini görebilir miyim?: **he eats little ~ than bread**, ekmekten başka pek bir şey yemez: **he thinks of little ~ but money**, paradan başka pek bir şey düşünmez: **no one/nobody ~**, başka hiç kimse: **nothing ~, thank you**, başka bir şey istemem. **~where** [-'we̤ə(r)], başka yer(ler)(d)e.

elucidat·e [i'lyūsideyt]. Aydınlatmak, tavzih etm. **~ion** [-'deyşn], aydınlatma, tavzih. **~ive/~ory**, aydınlatan.

elude [i'lyūd]. Ustalıkla başından savmak; -den sıyrılmak; -den kaçamak yapmak; -den yakasını kurtarmak. **~ a blow**, bir darbeden kaçınmak.

elus·ion [i'lyūjn]. Savma, sıyrılma; sakınma; tutulmama. **~ive** [-siv], tutulmaz, bulunmaz: **he is a most ~ person**, bu adamı ele geçirmek çok güç: **an ~ reply**, kaçamaklı cevap. **~ory**, kaçamaklı.

elu·ent ['elyūənt] (*kim.*) Yıkama sıvısı. **~te** [i'lyūt], yıkayıp gidermek. **~tion**, yıkayıp giderilmesi. **~triate** [-trieyt], yıkayıp ayırmak.

elver ['elvə(r)]. Yılan balığı yavrusu.

elv·es [elvz] *ç.* = ELF. **~ish**, ELF gibi.

Elysi·an [i'lizi̯ən]. **the ~ fields**, cennet bahçeleri. **~um**, Cennet.

elytr·on, *ç.* **~a** ['elitrə(n)] (*zoo.*) Kın, elitra.

em [em]. M harfi; (*bas.*) katrat.

'em [əm] = THEM.

em- = EN- (+ b/p).

emaciat·e [i'meysieyt]. Bir deri bir kemik yapmak; zayıflatmak. **~ed**, bir deri bir kemik; kemikleri fırlamış. **~ion** [-'eyşn], zayıflatma.

emanat·e ['eməneyt]. Çıkmak; sadır olm., neşet etm.; nebean etm. **~ion** [-'neyşn], sudur; tebahhur; çıkan gaz vb.; yayılma, üfürük.

emancipat·e [i'mansipeyt]. Azat etm., esirlikten kurtarmak. **~ed** [-tid], kurtulmuş; hür. **~ion** [-'peyşn], esirlikten kurtulma/kurtarma; azatlık; hürriyet: **~ist**, kurtulma taraftarı. **~ory** [-təri], kurtaran.

emasculat·e [i'maskyuleyt] *f.* İğdiş etm.; (*mec.*) zayıflatmak, kuvvetten düşürmek. *s.* Hadım (gibi); kadın gibi. **~ion** [-'leyşn], iğdiş ed(il)me. **~ive/~ory**, iğdiş edici.

embalm [im'bām]. Tahnit etm. **~er**, tahnitçi. **~ment**, tahnit.

embank [im'ban(g)k]. Yan/çevresine topraktan set çekmek. **~ment**, toprak set; bent; şev; rıhtım.

embargo [im'bāgo̤u]. Ambargo; menetme, yasaklama, engelleme: **lay an ~ upon**, -e ambargo koymak: **put an ~ on public meetings**, genel toplantıları yasak etm.

embark [im'bāk]. Gemi/uçağa bin(dir)mek; (parayı) bir işe yatırmak. **~upon**, -e girişmek. **~ation** [embā'keyşn], gemi/uçağa bin(dir)me.

embarrass [im'barəs]. Sıkıntıya sokmak; bozmak; rahatsız etm.; hareketlerini müşkülleştirmek. **~ed** [-st], sıkılgan; bozulmuş; paraca sıkıntıda. **~ment**, sıkıntı; bozuntu; engel.

embassy ['embəsi]. Sefaret, elçilik; sefarethane; olağanüstü görev.
embattle [im'batl]. Savaş halinde dizmek; mazgal yapmak. ~**d**, savaş halinde dizilmiş; mazgallı.
embay [im'bey]. Körfez içine kapamak; (kıyıyı) körfezlere ayırmak.
embed [im'bed]. Oturtmak; gömmek; (bir şeyin içine) yerleştirmek. ~**ded**, yerleşmiş.
embellish [im'beliş]. Süslemek, güzelleştirmek. ~**ment**, süs(leme).
ember[1] ['embə(r)]. Kor.
Ember[2]. ~ **days**, üçer günlük dört mevsim perhizi.
embezzle [im'bezl]. İhtilâs etm.; zimmetine para geçirmek. ~**ment**, zimmete para geçirme; güveni kötüye kullanma. ~**r**, para aşıran, kasa hırsızı.
embitter [im'bitə(r)]. Ekşitmek; dünyadan nefret ettirmek; ters ve huysuz yapmak. ~ **a quarrel**, bir kavgayı körüklemek. ~**ed**, dünyadan nefret etmiş. ~**ment**, dünyadan nefret et(tir)me.
emblazon [im'bleyzn]. Arma takımları ile süslemek; medhü sena ile tarif etm.
emblem ['embləm]. Remiz, simge; timsal; işaret; arma remzi. ~**atic** [-'matik], işaret ve rumuz tarzında, remzî, simgesel. ~**atist**, simge ressamı. ~**atize**, simge ile tasvir ed(il)mek.
emblements ['emblimənts] (*huk.*) Ekilen toprağın kazanç/ürünleri.
embod·iment [im'bodimnt]. Tecessüm, belirme, canlanma; teşahhus: **the** ~ **of virtue**, mücessem fazilet. ~**y**, tecessüm ettirmek; cisimlemek; teşahhus ettirmek; bir bütün halinde toplamak.
embog [im'bog]. Bataklığa dal(dır)mak.
embolden [im'bǫuldn]. Cesaret vermek; şımartmak.
embol·ism ['embəlizm]. (Kan pıhtısı ile) damar tıkanıklığı, samame, emboli, tıkaç. ~**us**, kan pıhtısı.
embonpoint [ā(m)bō(m)'puą(n)] (*Fr.*) Semizlik, şişmanlık.
embosom [im'buzm]. Kucaklamak. ~**ed**, sarılmış.
emboss [im'bos]. Kabartma işleri yapmak. ~**ed**, kabartmalı: ~ **stamp**, soğuk damga.
embouchure [ā(m)bu'şųə(r)] (*Fr.*) Nehir ağzı.
embowel [im'baųəl] (*mer.*) = DIS~.
embower [im'baųə(r)]. (Ağaçlarla) muhafaza etm.; gizlemek, gölgelemek.
embrace [im'breys] *f.* Kucaklamak, sarmaş dolaş olm.; benimsemek; kapsamak, kavramak; memnuniyetle kabul etm.; şamil olm.; kuşatmak. *i.* Kucaklaşma. ~ **a career**, bir mesleği seçmek. ~**r**[1], kucaklıyan kimse.
embracer[2] (*huk.*) Rüşvetle tesir eden. ~**y**, (hâkim vb.) rüşvet/vaatlerle tesir etmeğe çalışma.
embranchment [im'brançmnt]. (Nehir) çatallanma, dallanma; dal, kol.
embrangle [im'bran(g)gl]. Dolaştırmak, şaşırtmak.
embrasure [im'breyjųə(r)]. Mazgal; mazgal şeklinde pencere boşluğu.
embrittle [im'britl]. Gevretmek. ~**ment**, gevre(t)me.
embrocation [embrə'keyşn]. Uzvî hastalıklar için sürülen yağ vb.
embroider [im'broydə(r)]. İğne ile nakış işlemek; (*mec.*) telleyip pullamak, işkembeden atmak. ~**ed**, işleme. ~**y** [-dəri], gergef işi, nakış; mübalağa.
embroil [im'broyl]. Ara bozmak; aralarını açmak; karıştırmak, birbirine katmak.
embryo ['embriǫu]. Rüşeym; cenin; embriyon, cücük, oğulcuk; tohum. **in** ~, rüşeym/embriyon halinde: **a doctor in** ~, geleceğin doktoru. ~**logy**, embriyoloji. ~**nic** [-'onik], rüşeymî, cücüklü; iptidaî, ilkel.
embus [im'bʌs] (*ask.*) Otobüs vb.ne bin(dir)mek.
emcee [em'sī] = MASTER OF CEREMONIES.
-eme [-īm] (*dil.*) . . . birimi [PHONEME].
emend [i'mend]. Tashih etm.; hatasını düzeltmek. ~**ation** [-'deyşn], metin tashihi. ~**atory** [-dətəri], tashih ed(il)en.
emerald ['emərəld]. Zümrüt; yemyeşil. **the** ~ **Isle**, İrlanda.
emerge [i'mə̄c]. Suyun yüzüne çıkmak; ortaya çıkmak; birdenbire zuhur etm.; netice olarak anlaşılmak. ~**nce** [-əns], ortaya çıkma; çıkış.
emergency[1] [i'mə̄cənsi] *i.* Derhal harekete geçme/bir çare bulmayı gerektiren olay; olağanüstü durum; anî tehlike; anî ve müşkül hal; buhran: **in case of** ~, zaruret halinde: **provide for emergencies**, beklenmedik duruma karşı hazırlıklı bulunmak: **a state of** ~, askerî kuvvetlere ve âmme hizmetlerine savaş hali için gereken hazırlıkları yapma emri; olağanüstü durum (ilânı).
emergency[2] *s., ön.* Yedek, yardımcı; emniyet; imdat+; tehlike+. ~**-brake/-exit**, ihtiyaç/tehlike zamanında kullanılan fren/çıkış vb. ~**-ration**, (*ask.*) ihtiyaç için erlere verilen tayın. ~**-repairs**, mübrem/eğreti tamirat.
emergent [i'mə̄cənt]. Ortaya çıkan; yükselmiş. ~ **nations**, yeni gelişen ülkeler.
emeritus [i'meritəs]. Memuriyet unvanını muhafaza eden emekli (profesör vb.).
emersion [i'mə̄şn]. (Sudan) çıkma; (*ast.*) gölgeden çıkma.
emery ['eməri]. Zımpara. ~ **cloth/paper**, zımpara bez/kağıdı.
emetic [i'metik]. Kusturucu (ilâç).
émeute [ey'mə̄t] (*Fr.*) Ayaklanma, isyan.
EMF = ELECTROMOTIVE FORCE.
EMI = (*M.*) ELECTRICAL AND MUSICAL INDUSTRIES.
***-emia** [-'īmįə] *son.* = -AEMIA.
emigr·ant ['emigrənt]. (Kendi ülke/bölgesinden) hicret eden, göçmen. ~**ate**, hicret etm., göç(et)mek. ~**ation** [-'greysn], muhaceret, göç(etme). ~**atory**, göçe ait, göçebe, göçer. ~***é***, (*Fr.*) göçmen.
eminen·ce ['eminəns]. Yükseklik; yüksek yer; tepe; paye. **His/Your** ~, kardinallere mahsus şeref unvanı. ~**t**, yüksek; mümtaz; meşhur. ~**tly**, ziyadesiyle, fevkalâde, olağanüstü.
emir [e'mįə(r)]. Emir. ~**ate**, emaret.
emissary ['emisəri]. (*Gen.* kötü amaç/nahoş vazife ile) gönderilen kimse; casus.
emissi·on [i'mişn]. Salıverme; salma; neşriyat; intişar; neşredilen şey; banknot vb.nin tedavüle ihracı; ihraç edilen miktar. ~**ve**, salıveren, vb.
emit [i'mit]. Dışarıya yaymak; salıvermek; neşretmek; atmak; vermek. ~**ter**, (*rad.*) gönderici posta, yayıcı.
***Emmy** ['emi]. TV ödülü.
emollient [i'molįənt]. Yumuşatıcı (ilâç); müleyyin.
emolument [i'molyumənt]. Maaş, ücret, kazanç.
emotion [i'mǫuşn]. Heyecan; his; teessür. ~**al**

[-şənl], içli, kolayca hislerine kapılan; coşkun; heyecanlı; müteessir edici; dokunaklı: ~**ism**, heyecanlılık: ~**ize**, heyecanlandırmak: ~**ly**, heyecanlı olarak. ~**less**, heyecan/hissiz.
emotiv·e [i'mou̯tiv]. Heyecana ait; heyecanlandıran; hissî. ~**ity** [-'tiviti], heyecan niteliği.
Emp. = EMP·EROR/-IRE/-RESS.
empanel [im'panl]. ~ **a jury**, jüri heyetini teşkil etm.
empathy ['empəθi]. Başkasının hislerini anlama, gönüldeşlik.
empennage [em'penic] (*hav.*) Kuyruk takımı.
emperor ['empərə(r)]. İmparator. **grey/purple** ~, iki cins iri kelebek. ~**-moth**, küçük tavus kelebeği. ~**-penguin**, penguenlerin en büyük cinsi.
empha·sis ['emfəsis]. Tekit, üsteleme, tebarüz ettirme, belirtleme; vurgu. ~**size** [-sayz], tebarüz ettirmek, belirtlemek; önemini göstermek; -e önem vermek; tekit etm.; vurgulamak. ~**tic** [im'fatik], katî, kesin; önemle ve kesinlikle söylenen: ~**ally**, kesin olarak.
emphysema [emfi'sīmə]. Emboli şişmesi.
empire ['empayə(r)]. İmparatorluk; saltanat; hakimiyet. * ~ **City/State**, NEW YORK. ~ **day**, Britanya İmparatorluğunun millî bayramı (24 mayıs). ~ **style**, (*ev, mod.*) 1ci/3cü Napoleon İmparatorluğuna ait üslûp/moda, ampir.
empiric·(al) [im'pirik(l)]. Tecrübî; görgül; ampirik. ~**ism** [-sizm], ampirizm; tecrübe usulü; görgücülük. ~**ist**, görgücü.
emplacement [im'pleysmənt]. Top mevzii; platform; yerleşme.
emplane [im'pleyn]. Uçağa bin(dir)mek.
employ [im'ploy] *f.* Kullanmak; iş vermek; çalıştırmak; istihdam etm. *i.* Hizmet. ~ **oneself with/in**, -le meşgul olm.: **keep** ~**ed**, meşgul etm. ~**ee** [-'yī], müstahdem; memur; amele; işçi. ~**er**, patron, iş sahibi, iş veren kimse. ~**ment**, iş, vazife, hizmet; işgüç, meşguliyet; kullanma; kullanış; çalış(tır)ma: ~**-agency**, iş bulma ev/bürosu: ~**-exchange**, millî iş bulma bürosu: ~**-officer**, iş bürosu müdürü.
empoison [im'poyzən]. Zehirletmek; bozmak.
emporium [em'pōri̯əm]. Ticaret merkezi; her türlü şey satan büyük mağaza.
empower [im'pau̯ə(r)]. Salâhiyet/yetki vermek; müsaade etm.
empress ['empris]. İmparatoriçe.
emptiness ['emptinis]. Boşluk; açlık.
empty ['empti] *s.* Boş; aç; nafile; kuru (tehdit vb.). *i.* İçi boş şey; boş kutu/şey vb. *f.* Boşal(t)mak. **'to be taken on an** ~ **stomach'**, (*tıp.*) aç karnına alınacak (ilâç): **go away** ~, eli boş gitmek. ~**-handed**, eli boş. ~**-headed**, boş kafalı; akılsız.
empyrean [em'piri̯ən]. Arşı âlâ; gökyüzü; göğe ait.
emu ['īmyū]. Avus.'da bulunan koşucu devekuşu.
e.m.u. = ELECTROMAGNETIC UNIT(S).
emulat·e ['emyuleyt]. Rekabet etm.; gıpta etm.; taklit etm. ~**ion** [-'leyşn], rekabet, gıpta. ~**ive** [-lətiv], rekabet edici.
emulous ['emyuləs]. Birine benzemek istiyen; rakip. ~**ly**, böyle istiyerek.
emulsi·fy [i'mʌlsifay]. Sübyeleştirmek. ~**on** [-şn] (*kim.*) sübye, sütsü, emülsiyon; (*sin.*) ışığa karşı hassas tabaka; duyarkat: ~**-paint**, bulamaç gibi plastikli boya: ~**-speed**, (*sin.*) duyarlık. ~**ve**, sübye gibi; sübyeleştirilir.
emunctory [i'mʌn(g)ktəri]. Bedenin salgılarını çıkaran/akıtan kanal.
en [en]. N harfi; (*bas.*) yarı katrat.
en- [en], *ön. Bir kimse/şeyi başka bir şeyin içine/üzerine koyma, yahut bir hale getirme anlamlarını veren bir önek.*
-en [-ən] *son.* (i) *Küçüğü* [KITTEN]. (ii) *Dişisi* [VIXEN]. (iii) *Çoğulu* [OXEN]. (iv) *Neden yapılmış* [OAKEN]. (v) *-leş(tir)mek* [DEEPEN].
enable [i'neybl]. İktidar vermek; muktedir kılmak; imkân vermek; bir şeyi yapmak için gereken araçları sağlamak. **this present** ~**d me to take a holiday**, bu hediye sayesinde seyahat için gidebildim.
enact [i'nakt]. (Kanun) yapmak; irade etm., emretmek; icra etm.; (bir rolü) oynamak. ~**ion** [-kşn], (kanun) yapma. ~**ment**, kararname; irade; tesis etme.
enamel [i'naml] *i.* Mine(li iş), emaye. *f.* Mine işlemek, emayelemek. ~**led**, emayeli. ~**ling**, emaye(leme). ~**-paint**, emaye/vernikli boya. ~**-ware**, emaye kaplar.
enamour [i'namə(r)]. Meftun etm. **be** ~**ed of**, -e âşık olm., meftun olm.
enantio- [e'nantio-] *ön.* Karşıki; zıt.
enarthrosis [enā'θrou̯sis] (*zoo.*) Yuvalı mafsal.
en bloc [ā(n)'blok] (*Fr.*) Toptan; hep birlikte.
encaenia [en'sīni̯ə]. (Oxford'da) üniversite vâkıf/kurucularını anma töreni.
encage [in'keyc]. Kafese koymak/kapamak.
encamp [in'kamp]. Ordugâh kurmak. ~**ment**, ordugâh; kamp.
encapsulate [in'kapsyūleyt]. Kapsül şekli/içine kapamak/koymak.
encase [in'keys]. Kılıflamak; kaplamak; örtmek. ~**ment**, kaplama, örtme.
encash [in'kaş]. Nakde tahvil etm., para almak. ~**ment**, para alma.
encaustic [in'kōstik]. Renkleri hararetle tespit ederek resim yapma sanatı. ~ **tile**, fırında pişirilmiş renkli çini.
-ence [-əns] *son.* -lik [EBULLIENCE].
enceinte [ā(n)'sant] (*Fr.*) Gebe (kadın); (*ask.*) duvarlanmış saha.
encephal·ic [ensi'falik]. Beyin/dimağa ait. ~**itis** [-sefə'laytis], beyin iltihabı, ansefalit. ~**o-**, *ön.* beyin +, ansefal-. ~**on** [-'sefəlon], beyin, dimağ.
enchain [in'çeyn]. Zincirlemek. ~**ment**, zincirle(n)me.
enchant [in'çānt]. Teshir etm., sihirlemek, büyülemek. ~**er**, sihirbaz. ~**ing**, sihirli, cazibeli, gözalıcı. ~**ment**, sihir, büyü; cazibe. ~**ress** [-tris], sihirli kadın, sihirbaz, dilber.
encipher [in'sayfə(r)]. Şifre ile yazmak.
encircle [in'sōkl]. Kuşatmak; ihata etm.; çevrelemek. ~**ment**, kuşatılma.
encl. = ENCLOS·ED/-URE.
en clair [a(n)'kle̯ə(r)] (*Fr.*) Şifreli olmıyan, açık dille (telgraf vb.).
enclave ['enkleyv]. Yabancı ülkelerle kuşatılmış bir bölge; anklav, kapanım.
enclitic [in'klitik]. Vurgu almıyan edat/ek/sözcük.
enclose [in'klou̯z]. Kuşatmak, sarmak; içine koymak; ihata etm.; leffetmek; kapa(t)mak. ~**d**,

kuşatılmış; kapalı; kapanmış; leffen gönderilen: **the ~**, ilişik.
enclosure [in'klouјə(r)]. İhata; kapatma; leffen gönderilen şey; duvar/parmaklıklarla çevrilmiş arsa; kuşatan duvar vb. **the Royal ~**, at yarışı vb.de kraliçeye mahsus yer.
enclothe [in'klouð]. Giydirmek.
encode [in'koud]. Şifre ile yazmak.
encomi·ast [en'koumiast]. Övme vb. yazarı. **~um**, sitayiş; methiye; övme, övüş, övgü.
encompass [in'kʌmpəs]. Tamamen etrafını çevirmek. **~ s.o.'s death**, kumpas kurarak birinin ölümüne sebep olm.
encore [on(g)'kō(r), en-]. Konser vb.de 'tekrar!' diye bağırma(k); bir numara/piyes tekrarlamak.
encounter [in'kauntə(r)] *f.* -le karşılaşmak; yüz yüze gelmek; -e tesadüf etm.; çarpmak; uğramak. *i.* Çarpışma; karşılaşma; mücadele.
encourag·e [in'kʌric]. Cesaret vermek; özendirmek, teşvik etm.; yüz vermek. **~ement**, özendirme, teşvik; yüz verme. **~ing**, cesaret verici; umut verici.
encroach [in'krouç]. **~ upon**, -e tecavüz etm. **~ on s.o.'s time**, birinin vaktini almak.
encrust [in'krʌst]. Kabuk bağlamak. **~ with**, (kıymetli taş vb.) ile kaplamak.
encumb·er [in'kʌmbə(r)]. -e yük olm.; mani olm., engel olm.; (yol) tıkamak. **(property) be ~ed**, (mülk) ipotek/yüklü olm. **~rance** [-brəns], yük, engel; ipotek vb. gibi mükellefiyet: **without (family) ~s**, çoluk çocuk gailesi olmıyan.
-ency [-ənsi], *son.* -lik [EMERGENCY].
encyclical [en'siklikl]. Papa tamimi.
encyclopaed·ia [insayklə'pīdiə]. Ansiklopedi. **a walking ~**, ayaklı kütüphane, bilgiç, bilgin. **~ic**, ansiklopedik.
encyst [in'sist] (*zoo.*) Kese içine al(ın)mak.
encypher [in'sayfə(r)] = ENCIPHER.
end[1] [end] *i.* Son, nihayet; uç; akıbet; bakiye; gaye, erek, hedef. **at an ~**, bitmiş, tükenmiş: **come to a bad ~**, son/akıbeti kötü olm.: **big ~**, biyel başı: **make (both) ~s meet**, iki ucunu bir araya getirmek: **bring to an ~**, -e son vermek: **by the ~ of the day**, uzun bir günün sonunda: **change ~s**, (futbolda) haftaymda alanda yer değiştirmek: **the ~s of the earth**, dünyanın bir ucu: **from ~ to ~**, baştan başa; bir uçtan bir uca: **in the ~**, sonunda: **the ~ justifies the means**, (*ata.*) gaye vasıtayı mubah kılar: **keep one's ~ up**, dayanmak, mukavemet etm.: **make an ~ of**, bitirmek; son vermek; mahvetmek: **meet one's ~**, eceli gelmek: **no ~ of**, sonsuz, pek çok: **to no ~**, boşuna, nafile: **think no ~ of**, çok sevmek; -le çok övünmek, pek değerli tutmak: **think no ~ of oneself**, kendini çok beğenmek: **he's no ~ of a fellow**, yaman bir adamdır: **put an ~ to**, -e son vermek: **~ on**, kirişleme: **meet ~ on**, burun buruna çarpışmak: **stand/set on ~**, kirişlemesine koymak: **five hours on ~**, beş saat durmadan: **three days straight/right on ~**, üstüste üç gün: **the ~ of time**, kıyamet günü: **to the ~ that ...**, ... maksadıyla: **and that's an ~ of it!**, işte bu kadar!; vesselâm!: **begin at the wrong ~**, tersinden başlamak.
end[2] *f.* Bitirmek, nihayet vermek; bitmek, sona ermek. **~ off/up**, bitirip tamamlamak: **~ in a point**, sivri bir uçla son bulmak: **~ in smoke**, suya düşmek: **he ~ed by saying ...**, sonunda ... dedi.

endanger [in'deyncə(r)]. Tehlikeye koymak. **~ed**, (az kalan hayvan cinsleri) ortadan kaldırılabilir.
end·-clearance ['endkliərəns] (*müh.*) Uç aralığı. **~-consumer**, son ve gerçek tüketici.
endear [in'diə(r)]. Sevdirmek; muhabbet telkin etm. **~ing**, sevdiren: **~ly**, sevgi ile. **~ments**, muhabbetli sözler; okşama.
endeavour [in'devə(r)] *f.* Çalışmak, gayret etm., uğraşmak. *i.* Gayret, çalışma. **in an ~ to ...**, ... gayretiyle.
-ended [-'endid] *son.* -uçlu.
endemic [en'demik]. Mahallî ve daimî (hastalık).
endermic [en'dāmik] (*tıp*) Cilde sürülen/ciltten işliyen (ilâç).
end·-game ['endgeym]. Bir oyun/hareketin son safhası. **~-grain**, başağaç, makta. **~ing**, son; (*dil.*) sonek, çekim eki, takı; bitim; bitiş.
endive ['endiv]. Frenk salatası, bir nevi hindiba.
end·less ['endlis]. Sonsuz; bitmez tükenmez: **~ly**, sonsuz olarak: **~ness** sonsuzluk. **~long**, uzunluğuna. **~-man**, sıranın sonunda bulunan kimse. **~most** [-moust], en son/uzak.
endo- ['endo-] *ön.* (*biy.*) İç; ... içindeki; endo-. **~cardium**, içyürekzarı. **~carp**, meyvanın iç dokusu. **~crine** [-krayn], **~(gland)**, iç salgı (bezi). **~derm**, iç tabaka/deri. **~gamy** [-'dogəmi], (aile/kabile) içeriden evlenme. **~genous** [-'docinəs], içinden büyüyen. **~morphism** [-'mōfizm], içbaşkalaşım. **~parasite** [-'parəsayt], içasalak.
endorse [in'dōs]. Tasdik etm., teyit etm., doğrulamak; (çeki karşıt) imzalamak; vize etm.; ciro etm., aktarmak. **~e** [endō'sī], ciro edilen, aktarılan. **~r** [in'dōsə(r)], ciro eden, aktaran. **~ment**, ciro; tasdik etme; vize, imza.
endo·scope ['endoskoup]. Vücut içini gösterici, endoskop. **~skeleton**, (*zoo.*) iç iskelet. **~sperm**, (*bot.*) besidoku. **~spore**, sporun iç tabakası; iç spor. **~thermal**, ısıalan.
endow [in'dau]. Bir hayır kurumu vb. için gelir sağlamak, vakfetmek. **~ed with**, malik, haiz. **~ment**, gelir sağlama; temin edilen gelir; Allah vergisi: **~-policy**, yaşarlık güvencesi, hayat halinde sigorta.
end·-paper ['endpeypə(r)]. (Kitap) kapak/yan kâğıdı. **~-piece**, uç(daki parça). **~-product**, son mahsul/ürün.
endue [in'dyū]. Nasip etm. **~d with**, haiz, malik.
endur·able [in'dyūrəbl]. Çekilir, tahammül olunur. **~ance**, tahammül, dayanma; mukavemet, takat; dayanış, dayanıklılık; (*hav.*) havada kalış müddeti, seyir süresi: **~ flight**, dayanma uçuşu: **~ limit/test**, dayanıklık sınır/denemesi. **~e**, çekmek, tahammül etm., katlanmak; dayanmak; daimî olm. **~ing**, dayanıklı; sürekli, devamlı.
end·-user ['endyūzə(r)] = ~-CONSUMER. **~ways/~wise** [-weyz, -wayz], uzunluğuna; dik; ucu ileri(ye doğru).
-ene [-īn] *son. Hidrokarbon isimlerine sonek.*
ENE = EAST-NORTH-EAST.
enema ['enimə]. Tenkiye (şırıngası); klisma.
enemy ['enəmi]. Düşman; muhalif, rakip. **the E~**, şeytan: **mortal ~**, can düşmanı: **how goes the ~?**, (*kon.*) saat kaç?
energ·etic [enə'cetik]. Faal; çalışkan; enerjik; müteşebbis; erkli; kuvvetli, sert: **~ measures**, şiddetli tedbirler: **~s**, güç/kudret bilgisi. **~ize**

['enəcayz], faaliyet vermek; enerji vermek; güç akımı vermek, erkelemek: ~r, erkeleyici. ~umen [-'gyūmən], kaba sofu. ~y ['enəci], enerji, çaba; faaliyet; erk(e), kudret, güç; çalışkanlık; kuvvet.
enervat·e ['enəveyt]. Takattan düşürmek; gevşeklik vermek. ~**ing**, gevşetici. ~**ion** [-'veyşn], gevşeklik.
enface [in'feys]. Yüz tarafına yazmak.
en famille [ā(n) fa'mī] (*Fr.*) Ailece, aile ile.
enfant terrible [ā(n)'fā(n) te'ribl] (*Fr.*) Sualleriyle büyüklerini mahcup eden çocuk; yumurcak.
enfeeble [in'fībl]. Kuvvetten düşürmek.
enfeoff [in'fef] (*tar.*) Tımar vermek. ~**ment**, tımar ver(il)mesi; tımar fermanı.
en fête [ā(n)'fet] (*Fr.*) Bayram elbisesini giymiş/ cümbüşüne girmiş.
enfetter [in'fetə(r)]. Zincire vurmak.
enfilade [enfi'leyd]. Bir siper/asker sırası boyunca ateş (etm.).
enfold [in'fould]. Sarmak. ~ **in one's arms**, kucaklamak.
enforce [in'fōs]. İnfaz etm.; icra etm., yürütmek; teyit etm.; tekit etm.; itaate zorlamak. ~ **obedience**, itaat ettirmek: ~ **one's will upon s.o.**, arzusunu birine zorla kabul ettirmek. ~**able**, infazı kabil, icra edilir. ~**d**, mecburî, zorunlu. ~**ment**, infaz etme, icra, yürütme.
enfranchise [in'françayz]. Seçim hakkı vermek; azat etm. ~**ment**, seçim hakkı ver(il)mesi; azatlık.
Eng. = ENGINEER(ING); ENG·LAND/-LISH.
engage [in'geyc]. Vaadetmek; taahhüt etm.; üzerine almak; hizmetine almak; peylemek; cezbetmek; (dikkatini) çekmek; oyalamak; hücum etm., -le mucadeleye girişmek; tut(ul)mak; bağla(n)mak; (çarklar) birbirine geçirmek. **be engaged**, meşgul olm.; nişanlı olm.; peylenmiş, tutulmuş olm.: ~ **s.o. in conversation/in conversation with s.o.**, birisiyle konuşmaya girişmek: ~ **in battle**, muharebeye girmek: ~ **in politics**, siyasete girişmek, siyasetle meşgul olm. ~**d**, *s.* nişanlı; meşgul; peylenmiş.
engagement [in'geycmnt]. Nişanlanma; taahhüt, yüklenim; vait, vaat; angajman; bağlantı, verilmiş söz; (*ask.*) muharebe, çarpışma; (*müh.*) çarkların vb. birbirine girmesi. **meet one's** ~**s**, taahüddünü tutmak, borçlarını ödemek: **owing to a previous** ~ **I cannot accept**, daha önce başka yere söz vermiş olduğum için kabul edemem: **social** ~**s**, davet gibi meşguliyetler. ~**-book**, ajanda, andıç. ~**-ring**, nişan yüzüğü.
engaging [in'geycin(g)]. Hoş, alımlı; (*müh.*) bağlama/koşum +. ~**ly**, hoşça.
en garçon [ā(n) gar'sō(n)] (*Fr.*) Bekâr olarak; yalnız erkekler bulunarak.
engender [in'cendə(r)]. Doğurmak; yolaçmak; vücuda getirmek.
engine ['encin]. Makine; motor; cihaz; lokomotif; tertibat. -~**d**, *son.* (üç/dört vb.) makineli. ~**-driver**, (*dem.*) makinist.
engineer [enci'niə(r)] *i.* Mühendis; makinist; çarkçı; (*ask.*) istihkâm/fen subayı; (*mec.*) iyi idareci. *f.* Mühendislik yapmak; inşa etm.; (*mec.*) kurnazca/ustaca tertip/icra etm. **the E**~**s**, istihkâm sınıfı: **chief** ~, başmühendis, çarkçıbaşı: **civil** ~, yol/su vb. mühendisi, inşaat mühendisi: **consulting** ~, danışman/müşavir mühendisi: **resident** ~, şantiye/saha mühendisi. ~**ing**, mühendislik; fen, teknik; projesini yapma; (*ask.*) istihkâmcılık: **civil** ~, inşaat/bayındırlık mühendisliği: **marine** ~, bahriye/deniz/gemi mühendisliği: ~**-design**, teknik tasarlama/proje: ~**-office**, teknik şube, mühendis bürosu. ~**-officer**, (*den.*) makine subayı.
engine·-house ['encinhaus]. Makine dairesi. ~**-man**, makinist, makineci. ~**-pit**, lokomotif çukuru. ~**-room**, (*den.*) makine dairesi: ~ **telegraph**, (*den.*) makine kumanda telgrafı. ~**-shed**, lokomotif garajı. ~**-turned**, çaprazlama çizgili.
England ['in(g)glənd]. İngiltere. **New** ~ = NEW. ~**er**, İngiliz: **Little** ~, (*id.*) emperyalizm aleyhinde olan.
English ['in(g)gliş] *s.* İngiliz +; İngilizce +. *i.* İngilizce; İngilizler; = TYPE. *f.* (*mer.*) İngilizceye çevirmek. **Black** ~, ABD'ndeki zencilerin İngilizce lehçesi: **Early** ~, (*mim.*) = STYLE: **King's/Queen's** ~, en doğru/temiz İngilizce: **Middle/Old** ~, 1500'/ 1150'den önceki İngilizce: PIDGIN-~: **in plain** ~, açık söz, açıkçası. ~**-bond**, İngiliz tuğla örgüsü. ~**-breakfast**, pişmiş yemeklerle sabah kahvaltısı. ~**-Channel**, Manş Denizi. ~**-disease/sickness**, (*sos.*) sınaî idarecilik/teşkilâttaki sıkıntılar(ın çok olması). ~**man**, *ç.* ~**men**, İngiliz (erkeği). ~**-speaking**, İngilizce konuşan (ülke). ~**woman**, *ç.* ~**women**, İngiliz kadını.
engorge [in'gōc]. Oburca yutmak; (*tıp.*) tıkanmak, kan hücum etm.: ~**ment**, yutma; tıkanma.
engraft [in'grāft]. Aşılamak; içinde örgütlemek.
engrain [in'greyn]. (Yünü vb.) iyi boyamak, boyayı emdirmek; iliğine geçirmek. ~**ed**, (*mec.*) tam(amen); kökleşmiş, bir âdete düşkün.
engrav·e [in'greyv]. Hakketmek, kazımak, oymak. ~**er**, hakkâk; baskı/oyma ressamı, oymacı. ~**ing**, hakkâklık; hakkedilmiş resim; oyma(baskı); gravür; klişe.
engross [in'grous]. Tamamen zapt ve işgal etm.; bazı hukukî vesikaları hususî bir elyazısı ile yazmak. **be** ~**ed in**, -e kapanmak. ~**ing**, vaktini işgal eden; son derece ilginç. ~**ment**, yargı belgesi.
engulf [in'gʌlf]. Girdap gibi yutmak. ~**ment**, yut(ul)ma.
enhance [in'hāns]. Artırmak, yükseltmek; kadrini artırmak. ~**ment**, artır(ıl)ma.
enhydrous [en'haydrəs]. (Kristal) sulu.
enigma [i'nigmə]. Muamma; anlaşılmaz iş. ~**tic(al)** [enig'matik(l)], muammalı, esrarengiz: ~**ally**, muammalı olarak. ~**tize** [i'nigmətayz], muammalı söz söylemek.
enjambment [en'cambmənt]. Bir cümlenin ikinci bir beyte devam etmesi.
enjoin [in'coyn]. Emretmek; ihtar etm. ~ **silence upon s.o.**, birine sükût tavsiye/emretmek.
enkindle [in'kindl]. Tutuşturmak; yakmak.
enlace [in'leys]. Sıkı sarmak; birbirine geçirmek: ~**ment**, sar(ıl)ma.
enlarge [in'lāc]. Büyütmek; genişlemek; büyümek; (*sin.*) agrandisman yapmak, büyültmek. ~ **upon**, . . . hakkında sözü uzatmak. ~**r**, (*sin.*) agrandisör, büyülteç, agrandisman makinesi. ~**ment**, büyü(l)tme, agrandisman; dahame; genişletilme; ilâve, ek.
enlighten [in'laytn]. Aydınlatmak, tenvir etm.; tavzih etm. ~**ed**, münevver, aydın. ~**ment**, tavzih; aydınlanma; aydınlatma, açıklama.
enlist [in'list]. (Gönüllü) asker olm.; asker yaz(ıl)mak. ~ **the services of**, -in yardımını temin

etm. ***~ed man**, subay olmıyan gönüllü asker. **~ment**, asker yaz(ıl)ma.
enliven [in'layvn]. Canlandırmak, neşelendirmek.
en masse [ā(n)'mas] (*Fr.*) Kütle halinde; toptan; hep beraber.
enmesh [in'meş]. Ağa düşürmek; belâlı bir işe sokmak.
enmity ['enmiti]. Husumet, adavet. **at ~ with**, -le arası açık.
ennead ['eniəd]. Dokuz şeylik grubu.
ennoble [i'noubl]. Asalet vermek; asilleştirmek.
ennui ['ānwi]. Can sıkıntısı, usanç.
enorm·ity [i'nōmiti]. Alçaklık, habaset. **~ous** [-məs], muazzam, iri; pek büyük: **~ly**, (*kon.*) çok: **~ness**, irilik, büyüklük.
enosis ['enəsis] (*Yun.*) Kıbrıs'ın Yunanistan'la birleştirilmesi politikası.
enough [i'nʌf]. Kâfi; yetişir, elverir; kâfi derecede; oldukça. **~ and more than ~**, kâfi ve vafi; yeter de artar: **be ~**, kâfi gelmek, yetmek, elvermek: **~ said**, fazla söze ne hacet?: **curiously ~**, işin tuhafı: **I've had ~ of you**, senden illâllah!: **more than ~**, gereğinden çok: **he writes well ~ but . . .**, yazısı kötü değil, amma . . ..
enounce [i'nauns] = ENUNCIATE.
enow [i'nau] (*mer.*) = ENOUGH.
en passant [ā(n) pa'sā(n)] (*Fr.*) Geçerken; akla gelmişken.
enplane [in'pleyn] = EMPLANE.
enquire, *etc.* [in'kwayə(r)] = INQUIRE.
enrage [in'reyc]. Kudurtmak; öfkelendirmek, delirtmek.
en rapport [ā(n)ra'pō(r)] (*Fr.*) Münasebette; uygun.
enrapture [in'rapçuə(r)]. Vecde getirmek; çok sevindirmek.
enrich [in'riç]. Zenginleştirmek; kuvvetlendirmek; radyoaktivitesini artırmak. **~ing**, zenginleştirici.
enrobe [in'roub]. Kaftan/elbise giydirmek.
enrol [in'roul]. Askere yaz(ıl)mak; asker olm.; deftere kaydetmek; üye kaydetmek; üye olm.
en route [ā(n)'rūt] (*Fr.*) Yolda.
en·s, *ç.* **~tia** [enz, 'enşiə] (*fel.*) Bir şey/zat, varlık.
ENSA/Ensa ['ensə] = (*ask.*) ENTERTAINMENTS NATIONAL SERVICE ASSOCIATION.
ensconce [in'skons]. **~ oneself/be ~d in**, rahat/kuytu/emniyetli bir yere sığınmak.
ensemble [ā(n)'sā(m)bl] (*Fr.*) Mecmu, topluluk.
enshrine [in'şrayn]. Kutsal bir şeyi sanduka/türbe vb. bir yerde muhafaza etm.; (*mec.*) hatırasını kutsal bir şey gibi saklamak.
enshroud [in'şraud]. Tamamen örtmek/sarmak.
ensiform ['ensifōm]. Kılıç şeklinde.
ensign ['ensayn]. Sancak, bayrak; alâmet; *bahriyede en aşağı subay aşaması; eskiden İngiliz ordusunda bayraktar. **the White ~**, İngiliz bahriyesinin bayrağı: **the Red ~**, İngiliz ticaret filosunun bayrağı.
ensil·age ['ensileyc]. Yeşillik ambarlanması; ambarlanmış yeşillik. **~e** [in'sayl], yeşilliği siloya koymak.
enslave [in'sleyv]. Köle yapmak; bendetmek. **~ment**, köle yap(ıl)ma. **~r**, köle yapan.
ensnare [in'sneə(r)]. Tuzağa düşürmek.
ensu·e [in'syū]. Netice olarak husule gelmek; sonradan gelmek. **~ing**, sonradan gelen; gelecek.
en suite [ā(n)'swīt] (*Fr.*) (*mim.*) Beraber olan.
ensure [in'şuə(r)]. Temin etm., sağlamak.
ent. = ENTOMOLOGY.
ENT = (*tıp.*) EAR, NOSE AND THROAT.
entabl·ature [in'tabləçə(r)] (*mim.*) Saçaklık. **~ement** [-'teyblmnt], heykel ayaklığı.
entail[1] [in'teyl]. Sebep olm.; intaç etm.; icabetmek, gerekmek.
entail[2] (*huk.*) Bir mülkü başkasına ferağ edilmemek şartiyle muayyen bir kimse/mirasçılarına bağışlamak; bu şart ile tevarüs etm.
entangle [in'tan(g)l]. Dolaştırmak; karmakarışık etm., karışıklığa sokmak. **~ment**, dolaşıklık, engel, mânia: **barbed wire ~**, dikenli tel engeli.
entasis ['entəsis] (*mim.*) (Sütun vb.) hafif dikey içbükeylik.
entente [ā(n)'tā(n)t] (*Fr.*) Antant, an(t)laşma; itilâf. **~ *cordiale***, İngiltere ile Fransa arasındaki dostluk: **the Triple ~**, Üçüzlü Anlaşma.
enter ['entə(r)]. Girmek; -e dahil olm.; girişmek; binmek; içeriye girmek; kaydetmek; geçirmek. **~ that to me!**, bunu hesabıma yazınız: **~ an action against s.o.**, biri aleyhine dava açmak: **~ into an agreement**, bir mukavele akdetmek: **~ into s.o.'s feelings**, birinin duygularına katılmak: **~ into the spirit of the game/thing**, bir oyun/şeyin ruhuna nüfuz etm.: **~ for a race**, bir yarışa yazılmak: **~ a horse for a race**, bir atı yarışa kaydettirmek: **~ (up)on**, girişmek, başlamak; hulûl etm.: **~ upon one's twentieth year**, yirmi yaşına basmak. **~able**, girilebilir.
enter·ic [en'terik]. Bağırsaklara ait: **~ fever**, tifo. **~itis** [-tə'raytis], bağırsak iltihabı. **~o-**, *ön.* mide+, bağırsak+, entero-.
enterpris·e ['entəprayz]. Teşebbüs; işletme, girişim; kuruluş, müessese, firma; iş; şahsî teşebbüs, acarlık. **~ing**, müteşebbis, acar, atılgan: **~ly**, atılgan bir şekilde.
entertain [entə'teyn]. Misafirliğe kabul etm.; ağırlamak; eğlendirmek; kabul etm.; is'af etm.; beslemek., gönlünde yaşatmak. **they ~ a lot**, misafirleri eksik olmaz (sık sık ziyafet vb. verirler). **~ing**, eğlenceli; eğlendirici; hoşsohbet. **~ment**, eğlenti; eğlence; ağırlama; oyalama: **~ allowance**, ziyafet tahsisatı: **~-tax**, sinema vb.nin biletlerine kesilen vergi.
enthalpy ['enθəlpi] (*fiz.*) Toplu ısı.
enthral [in'θrōl]. Sihirlemek, meftun etm., hayran bırakmak; köle yapmak. **~ling**, hayran bırakan, çok heyecanlı. **~ment**, kölelik; hayran bırak(ıl)ma.
enthrone [in'θroun]. Tahta oturtmak. **~ment**, tahta oturtma, cülus.
enthus·e [in'θyūz] (*kon.*) Coşmak. **~ about**, bir şeyi göklere çıkarmak, ballandıra ballandıra anlatmak. **~iasm** [-iazm], coşkunluk; büyük heyecan; hayranlık; şevk ve hayret. **~iast** [-iast], bir şeyin hayranı. **~iastic**, coşkun; hayran: **~ally**, coşkun/hayran olarak.
enthymeme ['enθimīm] (*fel.*) Entimem.
entia ['enşiə] *ç.* = ENS.
entic·e [in'tays]. Tatlılık/güzel vaitlerle cezbetmek; ayartmak. **~ement**, ayartma; kandırma; birini cezbetmek için kullanılan tatlı söz/vait. **~ing**, cazibeli; ayartıcı.
entire [in'tayə(r)]. Tam, bütün; tamam; (at) iğdiş edilmemiş. **~ly**, büsbütün, tamamen. **~ty**, bütünlük: **in its ~**, tamamı ile, bütünü ile.

entitle [in'taytl]. İsim vermek; unvan vermek; hak ve yetki vermek. **be ~d to do stg.**, bir şeyi yapmağa yetkili olm.: **you are not ~d to say such a thing**, böyle bir şeyi söylemeğe hakkınız yok.
entity ['entiti]. Varlık; mevcudiyet; oluş; kişi, zat.
ento- [ento-] *ön.* İçinde(ki) [ENTOPHYTE].
entomb [in'tūm]. Mezara koymak; gömmek. **~ment**, göm(ül)me.
entomo- [entəmo-] *ön.* Böcek+. **~logical** [-mə'locikl], haşarat/böceklere ait, entomolojik. **~logist** [-'moləcist], böcekbilim uzmanı. **~logy** [-ci], böcekbilim, entomoloji. **~philous** [-'mofiləs] (*bot.*) böcekleri çeken.
entophyte ['entoufayt] (*bot.*) İç asalak(lar).
entourage [ā(n)tū'rāj] (*Fr.*) Etraf, muhit; maiyet; arkadaşlar.
entozoa [entou'zouə] (*zoo.*) İç asalaklar.
entr'acte [ā(n)'trakt] (*Fr.*) Perde arası; antrakt.
entrails ['entreylz]. Bağırsaklar.
entrain [in'treyn]. Trene bin(dir)mek.
entrammel [in'traml]. Dolaştırmak, engel koymak.
entrance[1] ['entrəns]. Giriş, girme, duhul; methal; antre.
entrance[2] [in'trāns]. Vecde getirmek; hayran etm.
entrance-[3] *ön.* **~-cone**, (*hav.*) rüzgâr tünelinin ağzı. **~-examination**, giriş imtihanı. **~-fee/-money**, giriş ücreti, duhuliye. **~ment** [in'transmənt], hayranlık.
entrancing [in'transin(g)]. Hayran edici.
entrant ['entrənt]. (İmtihan, meslek, yarış vb.ne) giren adam.
entrap [in'trap]. Tuzağa düşürmek; aldatmak. **~ s.o. into doing stg.**, birine hile ile bir şeyi yaptırmak.
entreat [in'trīt]. Yalvarmak; istirham etm., niyaz etm. **~y**, yalvarma; ısrarla rica etme; niyaz.
entrée ['ā(n)trey] (*Fr.*) Antre; girme hakkı; sofrada balıktan sonra yenen yemek.
entremets ['ā(n)trmey] (*Fr.*) Sofrada baş kaplar arasında yenen ufak şeyler.
entrench [in'trenç]. Metris yapmak; siper kazmak; siper ile kuşatmak; yerleştirmek. **~ oneself**, siper arkasından kendini müdafaa etm.: **~ upon**, -e tecavüz etm. **~ment**, metris, istihkâm, siper.
entre nous [ā(n)tr'nū] (*Fr.*) Söz aramızda.
entrepôt ['ā(n)trpou] (*Fr.*) Depo, antrepo, arakoruncak; ardiye; ticaret merkezi.
entrepreneur [ā(n)trprə'nə(r)]. Müteşebbis, girişimci.
entre-sol ['ā(ntr)sol] (*Fr.*) Asma kat.
entropy ['entrəpi] (*fiz.*) Entropi, kullanılamaz enerji miktarı.
entrust [in'trʌst]. Tevdi etm., vermek. **~ s.o. with a duty/a duty to s.o.**, birine bir görevi vermek.
entry ['entri]. Antre, methal; girme, giriş; kayıt, bildirge, beyanname, yazılım; kaydedilen şey/kimse. **double-~**, (*mal.*) iki yönlü (yöntem). **~-clerk**, kayıt kâtibi. **~-form**, kayıt varakası. **~-phone**, (apartıman binasında) dairelere bağlı kapı telefonu.
entwine [in'twayn]. Dolaştırmak; sarmak.
enucleate [i'nyūklieyt] (*mer.*) Anlatmak; (*tıp.*) nüvesini çıkarmak.
enumerat·e [i'nyūməreyt]. Birer birer saymak; sayıp dökmek. **~ion** [-'reyşn], say(ıl)ma, liste.
enunciat·e [i'nʌnsieyt]. Açıkça söylemek, kesin bir surette ifade etm.; ileri sürmek; telaffuz etm. **~ion** [-'eyşn], konuşma/ifade tarzı; ileri sürme.
enure [i'nyuə(r)] = INURE.
enuresis [enyu'rīsis]. Sidik tutamaması.
envelop [in'veləp]. Sarmak; kaplamak; kuşatmak. **~e** ['envəloup, 'on-], zarf; (*bot.*) çanak, **~ment** [in'vel-], sar(ıl)ma, kapla(n)ma.
envenom [in'venəm]. Zehir katmak; (münakaşa vb.ni) kızıştırmak.
envi·able ['enviəbl]. Gıpta edilecek. **~ably**, gıpta edilecek bir şekilde. **~ous**, hasut, hasetçi; kıskanç; gıpta eden: **be ~ of**, imrenmek, gıpta etm.: **~ly**, kıskanç olarak.
environ [in'vayərən]. Kuşatmak, etrafında bulunmak. **~ment**, muhit, çevre, ortam; kuşatma; etraf, civar: **~al**, çevreye ait: **~alism**, çevrecilik. **~s**, civar, çevre, etraf.
envisage [in'vizic]. Zihninde canlandırmak; tasavvur etm.; göze almak; öngörmek.
envoy[1] ['envoy]. Elçi, murahhas.
envoy[2]. (Kitap/şiir) yazarın son sözü.
envy [envi] *i.* Gıpta; haset, kıskançç. *f.* Gıpta etm., imrenmek, haset etm., kıskanmak. **be the ~ of all**, herkesin gıpta ettiği bir şey olm., gözdikeği olm.: **be green with ~**, çok kıskanmak.
en·wind [in'waynd]. Dolaşmak; sarılmak. **~wrap** [-rap], sarmak.
Enzed(er) ['enzed(ə(r))] = N(EW) Z(EALAND)(ER).
enzootic [enzou'otik] (*zoo.*) Bir mevsim/çevreye mahsus hastalık.
enzyme ['enzaym]. Enzim.
eo- [iə-] = AEO-.
eocene ['īosīn]. Eosen.
eolithic [īo'liθik]. Taş çağının ilk devri(ne ait), eolitik.
eosin ['īousin]. Eozin.
-eous [-iəs] *son.* Gibi, -li [AQUEOUS].
ep- [ep-] *ön.* = EPI-.
EP = ELECTROPLATE; (*hav.*) ESTIMATED POSITION; EXTENDED PLAY (RECORD).
epact ['īpakt] (*ast.*) Ayın 1 Ocaktaki yaşı.
eparchy ['epāki]. (Yun.'da) vilâyet; piskoposluk.
epaulet(te) ['epōlet]. Apolet, omuzluk.
épée [ey'pey] (*Fr.*) Eskrim kılıcı.
epenthesis [i'penθisis] (*dil.*) Bir harf/sesin sokulması.
épergne [ey'pəən] (*Fr.*) Sofra ortasına konulan süslü ve meyva/çiçekle dolu çini/gümüş vb. kâse.
epexegesis [i'peksicīsis] (*dil.*) Aydınlatıcı ek.
ephedrine ['efədrin] (*tıp.*) Efedrin.
ephemer·a [i'femərə] *ç.* (*zoo.*) Bir gün/kısa zaman yaşıyan böcekler, efemeritler. **~al**, bir gün yaşıyan, gündelik, kısa ömürlü; (*mec.*) fanî; gelip geçici. **~is**, (*ast.*) gök günlüğü.
Ephes·ian [i'fījn]. Efesli. **~us** ['efisəs], Efes(os), Selçuk.
ephor ['efo(r)]. (Eski Yun.'da) hâkim; (Yun.'da) müdür, müfettiş.
epi- [epi-] *ön.* Üs(t)-; üzerinde; üstünde; ... sebeplerden; dahi.
epic ['epik] *i.* Destan, menkıbe. *s.* Dasitanî; epik, kahramanca. **~al(ly)**, epik (olarak).
epicene ['episīn] (*dil.*) Her iki cinse ait (kelime); kadın gibi (erkek).
epicentre [epi'sentə(r)]. Zelzele merkezi, deprem özeği; (*mec.*) kargaşılık merkezi.
epicure ['epikyuə(r)]. Yemek ve içki meraklı/mütehassısı; boğazına düşkün. **~an** [-'kyuriən],

zevk ile keyfine düşkün; Epikür/felsefesine ait: **~ism**, Epikür felsefesi.

epicycl·e ['episaykl]. Dış tekerleme eğrisi. **~ic**, dış tekerlemesine ait; dışarıdan çarkeden: **~ gears**, dış tekerleme dişlileri.

epidemi·c [epi'demik]. Salgın (halinde olan). **~ology** [-'oləci], salgın bilimi.

epiderm·al, ~ic [epi'dōməl, -mik]. Üst deriye ait. **~is**, üst deri; dış zar.

epidiascope [epi'dayəskoup]. Resimler projeksiyonu makinesi, epidiyaskop.

epigene ['epicīn] (*yer.*) Yer yüzünde hasıl olan, üstoluşumlu.

epiglottis [epi'glotis]. Küçük dil, gırtlak kapağı.

epigram ['epigram]. Hicivli şiir; iğneli söz; vecize. **~matic** [-'matik], vecize tarzında; kısa ve dokunaklı. **~matist** [-'gramətist], vecize yazan.

epigraph ['epigraf] (*ark.*) Kitabe. **~ist** [e'pigrəfist], kitabeler uzmanı. **~y** [-fi], kitabeler bilimi.

epilate ['epileyt]. Saçını gidermek.

epilep·sy ['epilepsi]. Sara illeti, peri hastalığı. **~tic** [-'leptik], saralı; saraya müptelâ.

epilogue ['epilog]. Hatime, sonsöz; (*tiy.*) sondeyiş, bağlak, epilog.

Epiphany [e'pifəni]. Üç doğulu bilginin İsa'yı ziyaretleri yıldönümü ki Hıristiyanlar tarafından 6 ocakta kutlanır (Ortodokslarca haçı suya atma).

epiphyte ['epifayt] (*bot.*) Asalak olmıyan konuk bitki.

Epir·ot [i'payrət]. Epirli. **~us** [-əs], Epir.

episcopa·cy [e'piskəpəsi]. Piskoposluk; piskoposlar (idaresi). **~l**, piskoposa ait. **~lian** [-'peyliən], piskoposluğa ait; piskoposluğun taraftarı. **~te** [-peyt], piskoposluk; piskoposun idaresi.

episematic [episi'matik] (*zoo.*) Tanıtma işaretlerine ait.

episod·e ['episoud]. Vaka, olay, hadise; fıkra. **~ic** [-'sodik], olay gibi; olaylı; aralı olarak, süreksiz.

epistemology [epistī'moləci]. Bilgi kuramı, marifet nazariyesi, epistemoloji.

epist·le [i'pisl]. Mektup; name. **~olary** [-tələri], mektuplara ait; mektup nevinden.

epistrophe [i'pistrəfi]. Bir kaç cümleciğin aynı kelime(ler) ile bitmesi.

epistyle ['epistayl]. Sütun başlığına dayanan kısım.

epitaph ['epitāf]. Mezar kitabesi.

epithalamium [epiθə'leymiəm]. Düğün kaside/şiiri.

epithelium [epi'θīliəm] (*biy.*) Epitel(yum).

epithet ['epiθet]. Vasıf; sıfat; lâkap. **~ic(al)** [-'θetik(l)], vasfa ait.

epitom·e [i'pitəmi]. Hulâsa; öz(et). **~ist**, özetini yapan. **~ize** [-mayz], özetini yapmak, icmal etm.

epizoo·n [epi'zouon]. Dış tufeylî hayvancık. **~tic** [-'otik], hayvanlar arasında geçici olarak çıkan salgın/hastalık.

EPNS = ELECTRO-PLATED NICKEL SILVER.

epoch ['īpok]. Devir, bölüm, dönem; tarih başı. **~-making event**, devir açan bir olay.

epode ['epoud]. Lirik bir şiir.

eponym ['eponim]. Kabile/şehir vb.ne adını veren kimse. **~ous** [i'ponimǝs], adını veren: **Osman is the ~ hero of the Ottoman Turks**, Osman Osmanlılara adını veren kahramandır.

epo·pee ['epopī]. Dasitanî şiir. **~s**, (yazılmamış) destan.

epoxy [i'poksi] (*kim.*) Epoksi. **~ resin**, sıcakta sertleşen sunî bir sakız.

epsilon ['epsilən]. Yunancanın beşinci harfi (E, ε).

Epsom ['epsəm]. **~ salts**, İngiliz tuzu.

EPT = EXCESS PROFITS TAX.

eq. = EQUAL; EQUATOR(IAL); EQUIVALENT.

eqpt. = EQUIPMENT.

equab·ility [ekwə'biliti]. İtidal, yeknesaklık, değişmezlik. **~le** ['ekwəbl], yeknesak, az değişen; mutedil (iklim); ölçülü, muvazeneli, ılımlı, dengeli.

equal ['īkwəl] *s.* Müsavi; denk; eş(it); aynı seviyede. *i.* Küfüv; eş(itlik). *f.* Müsavi olm., eş olm.; yetişmek. **~s**, akran; emsal; aynı rütbede olanlar. **be ~ to the occasion/task**, bir işin uhdesinden gelmek: **get ~ with s.o.**, birisinden acısını çıkarmak: **I don't feel ~ to it**, (i) bu benim yapacağım iş değil; (ii) bunu yapacak halim yok.

equali·tarian [īkwoli'teəriən]. Genel eşitlikten yana olan. **~ty** [i'kwoliti], müsavat, eşitlik: **on an ~ with**, -le eşit olarak. **~ze** ['īkwəlayz], müsavi etm., eşitlemek; (*sp.*) beraberlik sağlamak. **~zing**, dengeleme, muvazene.

equal·ly ['īkwəli]. Aynı derece/şekilde; keza; eşit olarak. **~-pay**, bir iş için erkek/kadınlara eşit ücret verilmesi. **~(s)-sign**, eşit işareti (=). **~-time**, (*rad.*) seçimlerde vb. her partiye eşit yayın süresinin ayrılması.

equanimity [īkwə'nimiti]. Temkin, ağır başlılık; müvazene: **recover one's ~**, kendini toparlamak.

equate [i'kweyt]. Eşit yapmak; müsavi telakki etm.; tadil etm., denkleştirmek.

equation [i'kweyşn, -eyjn]. Denklem, muadele; eşitlik; tadil etme, eşitleme. **~ of time**, zaman denkliği; ortalama ile gerçek vakitler arasındaki fark: **personal ~**, (*ast.*) hadiselerin tespitinde kişisel denklem; (*mec.*) tarafgirlik: **quadratic ~**, ikinci dereceden denklem: **simple ~**, basit denklem: **simultaneous ~s**, denklemler sistemi.

equator [i'kweytə(r)]. Ekvator, hattıistiva; eşlek. **~ial** [īkwə'tōriəl], ekvator +, ekvatoral.

equerry ['ekwəri]. Kral(içe)/prensin maiyetine mensup subay.

equestrian [i'kwestriən]. Biniciliğe ait; atlı (heykel); binici.

equi- [īkwi-, ekwi-] *ön.* Eş(it) *anlamına gelir.* **~axial** [-'aksiəl], eş eksenli. **~distant**, aynı uzaklıkta olan. **~lateral**, kenarları eşit, eşkenar. **~librate** [-'laybreyt], tevazün ettirmek, denkleştirmek. **~librist**, ip cambazı. **~librium** [-'libriəm], denge, muvazene, tevazün, denklik.

equine ['īkwayn]. Atlara ait, at(gil), at +,

equino·ctial [īkwi'nokşəl]. Gündönümüne ait: **~ gales**, gündönümü fırtınaları. **~x** ['īkwinoks], gündönümü, gün-tün eşitliği: **autumnal/vernal ~**, son/ilk bahar noktası.

equip [i'kwip]. Donatmak; teçhiz etm. **be ~ped** [-pt], mücehhez olm. **~age** ['ekwipic], atları ve seyisi ile araba takımı; teçhizat. **~ment**, teçhiz etme; donatma; teçhizat; donatım; avadanlık, edevat; levazım, gereç; aygıt, aparat, ekipman; arma takımı.

equi·poise ['ekwipoyz]. Muvazene, denge, denk; mukabil sıklet. **~pollent** [-'polənt], eşgüçlü. **~ponderant**, eşağırlıklı. **~potent** [-'poutənt], eşgüçte: **~ial** [-'tenşl], eşgüçlü.

equitabl·e ['ekwitəbl]. İnsaflı, âdil; adalete uygun: **~ness**, insaf, adalet. **~y**, insafla.
equitation [ekwi'teyşn]. Binicilik.
equity[1] ['ekwiti]. Adalet, insaf.
equity[2] *i.* Sabit faizle olmıyan hisseler; net kıymet/değeri. *s.* Öz.
equivalen·ce [i'kwivələns]. Teadül, denkleşme, denklik, eşdeğerlik. **~t**, muadil, eşdeğer; müsavi; denk; eşit; bedel, karşılık.
equivocal [i'kwivəkl]. İki anlamlı; müphem; iltibaslı; şüpheli, üstü örtülü, belirsiz, belgisiz.
equivocat·e [i'kwivəkeyt]. Kandırmak için iki anlamlı sözler kullanmak; kaçamaklı söz söylemek; gerçeği gizlemek. **~ion** [-'keyşn], iki anlamlı sözler kullan(ıl)ma; kaçamaklı söz.
er [ə̄(r)] *ünl. Terreddüt ifade eden bir nida.*
Er. (*kim.s.*) = ERBIUM.
-er [-ə(r)] *son.* (i) (*İsim/fiil ile*) yapan, eden, -ci [COUNTER]. (ii) (*sıfat/zarf ile*) *karşılaştırma derece*; daha [GREATER].
ER = EAST RIDING; (*Lat.*) KING EDWARD; (*Lat.*) QUEEN ELIZABETH.
era ['iərə]. Çağ; tarihin devrelerinden biri; jeolojik devir; hicrî/milâdî vb. tarih başlangıcı, tarih hesabı.
eradiat·e [i'reydieyt]. Saçmak, ışınmak. **~ion** [-'eyşn], saçma, ışınma.
eradica·ble [i'radikəbl]. Sökülür, yokedilebilir. **~te** [-keyt], kökünden sökmek; söküp atmak, yolmak; yoketmek. **~tion** [-'keyşn], sök(ül)me, yoketme. **~tor** [-'keytə(r)], kökünden söken; yokeden.
eras·e [i'reyz]. Silmek, çizmek. **~er**, yazı kazımağa mahsus çakı; lastik (silgi). **~ion**/**~ure** [i'reyjn, -jə(r)], silme, çizme; silinmiş yer, silinti.
erbium [ə̄biəm]. Erbiyum.
ere [eə(r)] (*şiir., mer.*) -den evvel/önce. **~ now**, bundan evvel: **~ long**, neredeyse; yakında.
erect [i'rekt] *f.* Dikmek, kurmak, inşa etm.; kaldırmak, rekzetmek. *s.* Dimdik; kaim. **~ile** [-tayl], dikilir, rekzedilir. **~ion** [-kşn], bina; dikme, rekzetme; inşa etme; kurma; montaj; (*tıp.*) ereksiyon, sertleşme. **~or**, kaldıran, diken; montör, kurucu.
eremite ['erimayt]. Münzevi.
erethism ['eriθizm]. (Sinir sistemi) anormal uyar(ıl)ma, eretizm.
erewhile [eə(r)'wayl]. Bundan önce, bir an evvel.
erg [ə̄g]. İş birimi; erg.
ergo ['ə̄gou] (*Lat., alay.*) Bu sebepten; binaenaleyh; bundan dolayı.
ergo- [ə'gou-] *ön.* İş +. **~matics**/**~nomics**, iş ölçüsü bilimi. **~n** [-gon], erg.
ergot ['ə̄got]. Çavdar mahmuzu. **~ism**, ['ə̄gətizm], çavdar mahmuzu hastalığı. **~ize**, mahmuzla bulaştırmak.
Erin ['erin] (*tar., şiir.*) İrlanda.
eristic [e'ristik]. Münakaşalı.
erk [ə̄k] (*arg.*) = AIRCRAFTMAN; hoşlanmıyan kimse.
ermine ['ə̄min]. Kakım (kürkü); hâkim ve lordların resmî elbisesi. **attain the ~**, hâkim olm.
erne [ə̄n]. Akkuyruklu kartal.
ERNIE/**Ernie** ['ə̄ni] = ELECTRONIC RANDOM NUMBER INDICATOR EQUIPMENT; PREMIUM BOND ödüllerini alacak olanları seçen makine.
erode [i'roud]. Kemirmek, aşın(dır)mak. **~nt** [-ənt], aşındırıcı.
erogenous [i'rocinəs]. Şehveti uyandıran.
Eros ['eros] (*mit.*) Aşk tanrısı.
eros·ion [i'roujn]. Kemirme; aşın(dır)ma; oyulma: **~ column**, peri bacası. **~ive** [-siv], kemirici, aşındırıcı.
erot·ic [i'rotik]. Aşka ait; şehvanî, erosçu, erosal, erotik: **~ism** [-sizm], kösnü, şehvet, erosallık. **~ology**, şehvanî edebiyat. **~omania** [-tə'meyniə], erotomani.
ERP = EUROPEAN RECOVERY PROGRAMME.
err [ə̄(r)]. Yanılmak; dalâlete düşmek. **the book does not ~ on the side of brevity**, bu kitaba fazla kısalık kusuru yüklenmez: **~ on the right side**, yanılırken kötü yanlışlıktan sakınmak.
errand ['erənd]. Bir iş için gönderme; dolaşarak ufak tefek işler görme; maksat, niyet. **a fool's ~**, sonuçsuz olacağı önceden bilinen iş vb. **~-boy**, bakkal çırağı gibi küçük işlere gönderilen çocuk.
errant ['erənt]. Doğru yoldan sapan; macera peşinde dolaşan; göçebe.
errat·a [e'reytə] *ç.* = **~**UM; düzeltme cetveli.
erratic [i'ratik]. Ne yapacağı belli olmıyan; hareketi intizamsız; sebatsız; devamlı olmıyan; sapkın; sapık, seyyar; (*yer.*) göçmen.
errat·um, *ç.* **~a** [e'reytəm, -ə]. Yanlışlık.
erring ['ə̄rin(g)] *s.* Yoldan sapmış; günah/hata işlemiş.
erroneous [i'rouniəs]. Hatalı, yanlış. **~ly**, yanlış olarak.
error ['erə(r)]. Hata, yanlışlık; yanılgı; kabahat; dalâlet. **clerical ~**, istinsah hatası: **printer's ~**, tertip/dizgi hatası: **be in ~**, yanılmak: **goods sent in ~**, yanlışlıkla gönderilen eşya: **'~s and omissions excepted'**, (bir hesapta) 'olabilecek yanlış ve noksanlar dışında', düzeltme hakkı.
ersatz [eər'zatz] (*Alm.*) Yerine geçen; sunî, yapma.
Erse [ə̄s]. İrlanda dili.
erstwhile ['ə̄stwayl] (*mer.*) Vaktiyle; evvel zaman içinde. **the ~ governor of...**, ... sabık valisi.
eructation [irʌk'teyşn]. Geğirme.
erudit·e ['erudayt]. Âlim, bilgin, çok bilgili; mütebahhir, derya. **~ion** [-'dişn], âlimlik, bilginlik; büyük vukuf.
erupt [i'rʌpt]. Fışkırmak; püskürmek; patlamak; indifa etm.; feveran etm.; çocuğun dişi çıkmak. **~ion** [-'rʌpşn], indifa; fışkırma; püskürme, patlama; feveran; (kızamık vb.) dökme. **~ive**, patlayan.
-ery [-əri] *son.* -(ci)lik [BAKERY].
ery·sipelas [eri'sipilis] (*tıp.*) Yılancık. **~thema** [-'θīmə], iltihaptan dolayı derinin kızarması, eritem.
erythr(o)- [eriθr(o)-] *ön.* (*tıp.*) Eritr(o)-; kırmızı.
Es. (*kim.s.*) = EINSTEINIUM.
-es [-əz, -iz] *son.* -ler [BOXES].
ESA = EUROPEAN SPACE AGENCY.
escalade [eskə'leyd]. Bir kaleye merdivenle çıkarak hücum etme(k).
escalat·e ['eskəleyt]. Art(ır)mak, yüksel(t)mek. **~ion** [-'leyşn], art(ır)ma, yüksel(t)me; (*mal.*) ücretlerin hayat pahalılığına göre yüksel(til)mesi. **~or**, müteharrik/yürür basamaklı merdiven: **~ clause**, (*mal.*) ücret/fiyatların yükseltilmesi hakkında konulan şart.
escalope ['eskəloup]. Kemiksiz et dilimi.

escapade [eskə'peyd]. Gençlik çılgınlığı, yaramazlık, felekten bir gün çalma.
escape [is'keyp] *f.* Kaçmak, sakınmak, kurtulmak; boşalmak; (gaz) sızmak. *i.* Kaçış, firar; kurtulma; sızma; boşaltma/çekiş deliği; merdiven. **he ~d with a fright**, korkmaktan başka bir zarar görmedi: **~ notice**, gözden kaçmak: **there is an ~ of gas somewhere**, bir yerden gaz sızıyor: **have a narrow ~**, dar kurtulmak: **make one's ~**, kaçıp kurtulmak: **not a word ~d him**, (i) bir kelime kaçırmadı; (ii) ağzından bir söz çıkmadı. **~-clause**, (anlaşma) bir yükümlülüğü iptal eden sebepleri anlatan madde. **~-cock**, emniyet musluğu. **~e** [-'pī], kaçan kimse. **~-gear**, (denizaltıdan) kurtulma cihazı. **~-hatch**, (*den.*) çıkış deliği. **~-literature**, gerçekten kurtulmak için okunan kitaplar; tutsakların kaçışlarına dair kitaplar. **~-mechanism** = ESCAPISM. **~ment**, saat maşası. **~r**, kaçan/kaçmış kimse. **~-valve**, boşaltma valfı.
escap·ism [is'keypizm]. Gerçeklerden kaçarak kendini oyalamak için başka bir şeyle meşgul olma. **~ist**, böyle kaçmak istiyen kimse. **~ologist**, zincir vb.den kurtulabilen cambaz; hayatın zorluklarından kaçabilen kimse.
escargot [es'kā(r)gou̯]. Yenir salyangoz.
escarp(ment) [is'kāp(mnt)] (*ask.*) İstihkâm seddinin önündeki şev; (*yer.*) bir bayırın tepesindeki dik kayalık; tabaka basamağı.
-esce [-es] *son.* ... olmak, başlamak. **~nce** [-esəns] *son.* olması, başlaması. **~nt**, *son.* olan, başlıyan [FLUORESCE·NCE/-NT].
eschalot ['eşəlot] = SHALLOT.
eschar ['eskā(r)] (*tıp.*) Yara kabuğu.
eschatology [eskə'toləci]. Dünya ve hayatın sonu/sonrasına dair doktrin/ilim, eskatalogya.
escheat [is'çīt] *i.* Varisi olmıyan arazilerin kral/sahibine kalması. *f.* Müsadere etm.; (arazileri) kral/sahibine vermek/kalmak.
eschew [is'çū]. -den vazgeçmek, kaçınmak. **~al**, vazgeçme, kaçınma.
escort ['eskōt] *i.* Muhafız; maiyet alayı; kavaliye. *f.* [is'kōt], Maiyet/muhafız sıfatiyle refakat etm. **under ~**, muhafaza altında.
escritoire ['eskritwā(r)]. Çekmeceli yazı masası.
escrow [es'krou̯]. Şartlarının icra edilinceye kadar üçüncü şahsın elinde tutulan hukukî anlaşma.
esculent ['eskyulənt]. Yenir.
escutcheon [is'kʌçən]. Arma levhası; geminin aynalığı; anahtar deliğini örten maden levha. **sully one's ~**, namusunu lekelemek.
-ese [-īz] *son.* ... dili; ... şivesi; ... üslûbu [JOURNALESE].
ESE = EAST-SOUTH-EAST.
-esis [-esis] *son.* ... hali.
eskar ['eskə(r)]. Buzul akarsu tortulları.
Eskimo ['eskimou̯]. Eskimo.
ESN = EDUCATIONALLY SUB-NORMAL.
***eso-** [eso-] *ön.* = OESO-.
esoteric [eso'terik]. Batınî (felsefe); gizli.
esp. = ESPECIALLY.
ESP = EXTRA-SENSORY PERCEPTION.
espadrille [espa'dril]. İp pençeli ayakkabı.
espalier [is'paliey]. Yelpaze şeklinde yetiştirilen meyva ağacı(nın kafesi).
esparto [is'pātou̯]. **~ grass**, kâgıt/hasırcılıkta kullanılan halfa otu.
especial [is'peşl]. Mahsus; hususî, özel; = SPECIAL. **~ly/in ~**, bilhassa; özellikle: **my ~ friend**, en iyi arkadaşım.
Esperanto [espə'rantou̯]. Esperanto.
espionage ['espiənāj]. Casusluk. **counter-~**, mukabil casusluk, casusluk önlenmesi.
esplanade [esplə'neyd]. Binalar önünde ve gezintiye mahsus düz yer, meydan; deniz kıyısı piyasası.
espous·al [is'pau̯zl]. Nikâh; kabul. **~e**, -le evlenmek; taraftarı olm., (bir davaya) sarılmak.
espresso [es'presou̯]. Basınçlı kahve (makinesi).
esprit [es'prī] (*Fr.*) Akıl, zekâ; nükte; = SPIRIT. ***~ de corps***, grubuna sadakat.
espy [is'pay]. Sezmek, görmek.
Esq. = ESQUIRE.
-esque [-esk] *son.* ... üslûbu [PICTURESQUE].
esquire [is'kwayə(r)]. (Ortaçağda) bir şövalyeye refakat eden genç asilzade; (şimdi) bir 'gentleman'in fahrî unvanı ki isminden sonra yazılır, *mes.* **P. Jones, Esq.**
ESRO = EUROPEAN SPACE RESEARCH ORGANIZATION.
ess [es]. S harfi; S şeklinde.
-ess [-is, -es] *son.* (i) *İsmin dişil şekli* [LIONESS]. (ii) -lik [DURESS].
essay ['esey] *i.* Deneme; kalem tecrübesi. [e'sey] *f.* Tecrübe etm.; denemek; çabalamak. **~ist** ['eseyist], denemeler yazan yazar.
essence ['es(ə)ns]. Öz, cevher, asıl; künh; esans, ruh. **the ~ of the matter**, işin esası: **meat ~**, et özü.
essential [i'senşl] *s.* Aslî, esaslı; zarurî, zorunlu, elzem. *i.* Elzem şey; en önemli nokta. **~ oil**, esans, ruh, öz: **be ~**, gerekmek.
est. = ESTABLISHMENT; ESTATE; ESTIMATE; ESTUARY.
-est [-ist] *son.* (*Sıfat/zarf ile*) *üstünlük derecesi*; en... [BIGGEST].
EST = *EASTERN STANDARD TIME; ELECTRO-SHOCK TREATMENT.
establish [is'tabliş]. Tesis etm., kurmak; ihdas etm.; yerleştirmek; saptamak, tahakkuk ettirmek; tasdik etm., onaylamak. **~ oneself in business**, ticaret hayatına girmek: **~ oneself in a place**, bir yerde yerleşmek. **~ed** [-şt], yerleşmiş; sabit; sağlam; kadroda dahil: **an ~ fact**, tespit edilmiş bir vakıa. **~ment**, tesis etme, kurma; kuruluş; müessese; teşkilat; iş yeri; yerleşme: **keep up/have a big ~**, büyük bir evi ve bir çok hizmetçisi olm.: **Church ~**, bir memlekette kilisenin hükümetçe resmen tanınması: **the E~**, (*kon., köt.*) hükümet/endüstri/ordu/kilise vb.nin başında bulunduğundan bir memleketi gerçekten idare eden kimseler grubu: **~arian** [-mən'teəriən], kilisenin resmen tanınmasının taraftarı.
estate [is'teyt]. Malikâne; emlâk; bir adamın menkul ve gayrimenkul emlâki; miras; hal, vaziyet. **bankrupt's ~**, iflâs masası: **the ~s of the realm**, İngiltere'de üç siyasî sınıf (asilzadeler, ruhban sınıfı ve avam): **the fourth ~**, matbuat, basın: **industrial ~**, endüstri sitesi: **movable/personal ~**, menkul/taşınır mallar: **real ~**, gayrimenkul/taşınmaz mallar: **of high/low ~**, içtimaî mevkii yüksek/aşağı. **~-agency**, emlâk acentesı (daire). **~-agent**, (i) emlâk acentesı (kimse), tellâl; (ii) büyük emlâk idare eden memur. **~-duty**, intikal/veraset/kalıtım vergisi.
esteem [is'tīm] *i.* İtibar, hürmet, saygı. *f.* İtibar etm.,

hürmet etm.; takdir etm.; saymak, addetmek. **self ~**, (i) izzetinefis; (ii) kendini beğenme.
ester ['estə(r)] (*kim.*) Ester. **~ify** [-'terifay], ester teşkil etm.
***esth-** [esθ-] *ön.* = AESTH-.
estimabl·e ['estiməbl]. Değerli; sayılır; hürmete lâyık; tahmin edilebilir. **~y**, hürmete lâyık olarak.
estimate[1] ['estimit] *i.* Tahmin; kıymet takdiri, değer biçme. **the ~s**, bütçe: **the Navy ~s**, bahriye bütçesi.
estimat·e[2] ['estimeyt] *f.* Oranlamak, tahmin etm., kararlamak, kestirmek, değerlemek. **~ed value**, tahmin edilen değer/kıymet. **~ion** [-'meyşn], takdir, tahmin; oy; itibar: **in my ~**, bence, benim tahminime göre. **~or**, tahminci, oranlayıcı.
***estival** ['estivəl] = AESTIVAL.
estop [is'top] (*huk.*) Engel koymak; evvelki fiilinden hakkını kaybettirmek. **~pel** [-pəl], böylece hakkını kaybet(tir)me.
estrade [es'trād]. Yükseltilmiş zemin.
estrange [is'treync]. Yabancılaştırmak; (aşk) vazgeçirmek, sevgisini soğutmak; ayırtmak. **become ~d from s.o.**, birisinden soğumak. **~ment**, yabancılaş(tır)ma.
estreat [is'trīt] *i.* Asıl mahkeme kaydının kopyası. *f.* İnfaz için kayıtlardan çıkarmak.
***estrogen** ['īstrəcən] = OESTROGEN.
estuary ['esçuəri]. Nehir ağzı; haliç.
e.s.u. = ELECTROSTATIC UNIT.
ESU = ENGLISH SPEAKING UNION.
esurient [is'yuriənt]. Aç; aç gözlü, obur.
-et [-it] *son.* -cik [PACKET].
eta ['ītə]. Yunancanın yedinci harfi (H, η).
ETA = ESTIMATED TIME OF ARRIVAL.
etaerio [etə'īriou] (*bot.*) (Çilek gibi) mürekkep meyva.
et. al. = (*Lat.*) AND OTHERS.
état-major [ey'tā mā'jo(r)] (*Fr.*) Kurmay.
etc. = ***et cetera, etcetera*** [it'setrə] (*Lat.*) Ve benzerleri, ve saire.
etch [eç]. Kezzap ile hâkketmek. **~ing**, kezzapla bakırı hâkkederek yapılan resim, oymabaskı; gravür.
ETD = ESTIMATED TIME OF DEPARTURE.
etern·al [i'tənəl]. Ezelî ve ebedî; sonsuz; (*kon.*) sık sık vuku bulan: **~ly**, ebedî/sonsuz olarak; (*kon.*) sık sık olarak. **~ity** [-niti], ebediyet, sonsuzluk: **the ~ities**, ebedî hakikatler. **~ize** [-nayz], ebedileştirmek.
etesian [i'tījn]. Yıllık; mevsime göre; etezyen. **~ winds**, meltem, imbat.
ethan·e ['eθeyn]. Etan. **~ol**, etanol. **~yl**, etanil.
ether ['īθə(r)]. Hava; esir; sema; (*kim.*) lokmanruhu, eter. **~eal** [i'θiəriəl], eterli; gayet hafif ve nazik; semavî; ruhanî: **~ize** [-layz], ruh gibi kılmak. **~ize**, eter ile uyuşturmak.
ethic·(al) ['eθik(l)]. Ahlâk/töre bilimine ait; ahlakî, törel; (*tıp.*) yalnız reçeteye karşı satılan ilâç. **~ally**, torël olarak. **~s**, ahlâk/töre bilimi: **code of ~**, şeref yasası.
Ethiopia(n) [īθi'oupiə(n)] = ABYSSINIA(N).
ethmoid ['eθmoyd] (*tıp.*) Kalbur gibi (kemik).
ethn. = ETHNOLOGY.
ethnarch ['eθnāk]. Millet reisi, vali. **~y**, millet reisliği, valilik.
ethnic ['eθnik]. Irkî, ırksal, budunsal, etnik; millî, kavmî; (*mer.*) dinsiz. **~al**, etnolojik: **~ly**, ırk bakımından.
ethno- [eθno-] *ön.* Irkî, etno-, budun-. **~graphy** [-'nogrəfi], etnografya, halk bilgisi, budunbilim. **~logical** [-nə'locikl], etnolojik, budunbilimsel. **~logist** [-'noləcist], etnolog. **~logy**, etnoloji, ırkbilim, budunbilim.
ethos ['īθos]. Cemaat/halk. vb.nin hususiyet(ler)i.
ethyl ['eθil]. Etil. **~ene**, etilen.
etiolat·e ['ītioleyt] (*bot.*) Işıksızlıktan sol(dur)mak: **~d**, solmuş. **~ion** [-'leyşn], böyle sol(dur)ma.
etiology [īti'oləci] = AETIOLOGY.
etiquette [eti'ket]. Âdabı muaşeret; görgü; etiket. **not to stand upon ~**, teklifsiz olm.
Eton [ītn]. **~-collar**, ceket yakası üzerine dönen geniş ve sert gömlek yakası. **~-crop**, alagarson kesilmiş kadın saçı. **~ian** [ī'touniən], Eton koleji öğrencisi: **old ~**, bu kolejin mezunu. **~-jacket**, çok kısa bir ceket.
et seq(uentes) [etsek., -si'kwentez], (*Lat.*) Sonra gelen kelime/sayfalar.
-ette [-et] *son.* (i) -cik [CIGARETTE]. (ii) taklit, yapma, sunî [LEATHERETTE]. (iii) *dişil* [USHERETTE].
ETU = ELECTRICAL TRADES UNION.
étude [ey'tūd] (*Fr.*) Tetkik; (*müz.*) etüd.
étui [e'tui] (*Fr.*) Ufak kap.
-etum [-'ītəm] *son.* -agaçlığı [PINETUM].
etymolog·ic(al) [etimə'locik(l)]. Kelimeler/etimolojiye ait, iştikakî. **~ist** [-'moləcist], etimolog, iştikakçı. **~y**, etimoloji, iştikak ilmi, kök bilgisi.
etymon ['etimon]. Asıl kelime, kök.
eu- [yū-] *ön.* O-, ö-; iyi.
Eu. (*kim.s.*) = EUROPIUM.
Euboea [yū'biə]. Eğriboz adası.
eucalyptus [yūkə'liptəs]. Okaliptüs, sıtma ağacı.
eucharist ['yūkərist]. Hıristiyanlarca İsa'nın etini ve kanını temsil eden ekmekle şarabın yenmesi âyini; ökaristi.
***euchre** ['yūkə(r)] *i.* Bir iskambil oyunu. *f.* (Bu oyunda) yenmek; (*mec.*) hile ile yenmek.
Euclidian [yū'klidiən]. Öklit/onun geometrisine ait.
eudemonism [yū'dīmənizm] (*fel.*) Mutluluğu en yüksek amaç bilen sistem.
eudiometer [yūdi'omitə(r)]. Gaz çözme ve ölçme cihazı; odyometre.
eugenic [yū'cenik]. İnsan ırkını ıslâh ilmine ait. **~s**, bu ilim, öjenik.
euhemerism [yū'himərizm]. Efsanenin gelenekten vücuda geldiği teorisi.
eulog·ist ['yūləcist]. Methiyeci, kasideci, övgü yazan. **~istic** [-'cistik], methedici, sitayişli, övgülü. **~ize** [-cayz], methetmek, övmek. **~y** [-ci], medih; methiye; kaside; övgü.
eunuch ['yūnək]. Hadım; haremağası; (*mec.*) çekingen.
eupep·sia [yū'pepsiə]. İyi hazım/sindirim. **~tic**, iyi sindirime ait; hazmettirici.
euphem·ism ['yūfimizm]. Edebikelâm, örtmece. **~istic(al)** [-'mistik(l)], örtmeceli. **~ize** [-mayz], edebikelâm/örtmece kullanmak.
euphon·ic [yū'fonik]. Ahenkli: **~ally**, ahenkli olarak. **~ious** [-'founiəs], ahenkli, hoş sesli. **~ium** [-niəm], bir bakır nefesli çalgı. **~y** [-yūfəni], ses ahengi.
euphorbia [yū'fōbiə]. Sütleğen (otu).

euphoria [yū'fōriə]. Refah/rahat hissi.
euphrasy ['yūfrəsi]. Göz otu.
Euphrates [yū'freytīz]. Fırat nehri.
euphu·ism ['yūfyūizm] (*dil.*) Dolambaçlı deyim, yapmacık, sunîlik. **~ist**, böyle üslûpla yazan: **~ic**, böyle üslûba ait.
Eur. = EUROPE(AN).
Eura·sian [yu'reyjn]. Avrupalı ile Asyalı melezi. **~tom** [-'ratəm] = EUROPEAN ATOMIC ENERGY COMMUNITY.
eureka [yu'rīkə] (*Yun.*) (Onu) buldum!
eurhythmic [yū'riθmik]. Tenasüplü, uygun, ahenkli. **~s**, ritmik dans/jimnastik.
Euro- ['yuəro-] *ön.* Avrupa/onun kurumlarına ait. **~bond**, Avrupa'da satılan Amerikan borç belgiti. **~card/cheque**, bazı Avrupa ülkelerinde geçer kredi kartı/çek. **~cracy** [-'rokrəsi], Avrupa idarî/malî kurumlarının yönetimi. **~crat**, bu kurumların yönetmeni. **~currency/money**, Avrupa ülkelerinin tedavül/parası. **~dollar**, Avrupa bankalarında bulunan dolar.
Europe ['yuərəp]. Avrupa. **go into/join ~**, (İng. vb.) Ortak Pazarın üyesi olm. **~an** [-'piən] *s.* Avrupa + : *i.* Avrupalı; Ortak Pazarın üyeliğinin taraftarı: **~ize**, avrupalılaştırmak: ***~-plan**, (otelde) yemeksiz oda ücreti.
euro·pium [yu'roupiəm]. Öropiyum. **~port**, Avrupa için önemli ihracat/ithalât limanı. **~vision** [-vijn], Avrupa televizyon şebekesi.
Eustachian [yūs'teykiən]. **~ tube**, Östaki borusu.
eutectic [yū'tektik] (*kim.*) Sabit derecede eriyip/don(durul)an (bir karışım); ötektik.
euthanasia [yūθə'neyziə]. Acısız ölüm; umutsuz hastalığı olanın acısız öldürülmesi.
eutroph·ic [yu'trofic]. Bitkiler bolluğundan balıklar için oksijen kıt olan (göl vb.). **~y** ['yūtrəfi], bu bol/kıtlık.
eV = ELECTRON-VOLT.
EVA = (*hav.*) EXTRA-VEHICULAR ACTIVITY.
evacu·ate [i'vakyūeyt]. Tahliye etm., boşaltmak; ifraz etm.; (bir felâket yüzünden) bir yerden ayır(ıl)mak. **~ation** [-'eyşn], tahliye, boşaltma, ifraz; ayır(ıl)ma; dışkı. **~ee**, bir felâket alanından nakledilen bir kimse.
evade [i'veyd]. İctinap etm., sakınmak, savmak; -den kurtulmak, -den sıvışmak.
evaginate [ī'vacineyt]. (Tüp vb.) içini dışına çevirmek.
evaluat·e [i'valyūeyt]. Paha biçmek, takdir etm., değerlendirmek. **~ion** [-'eyşn], paha biçme, değer takdiri, değerlendirme. **~ive**, değerlendiren.
evanesce [evə'nes]. (Gözden) kaybolmak. **~nce** [-'nesəns], kaybolma. **~nt**, çabuk kaybolur; süreksiz, fani.
evangel [i'vancel]. İncil(in getirdiği haber); iyi haber, müjde. **~ic(al)** [īvan'celik(l)], İncile ait; protestanlığa ait. **~ism** [ī'vancəlizm], İncili yayma. **~ist**, İncil yazarı, İncil'in müjdesini yayan kimse: **~ic**, buna ait. **~ization** [-cilay'zeyşn], İncili öğretme/öğrenme. **~ize** [-cəlayz], İncili yaymak; Hıristiyanlığa döndürmek.
evaporat·e [i'vapəreyt]. Buhar/buğulaş(tır)mak; tephir etm.; buhar gibi uçmak, uçup gitmek. **~ion** [-'reyşn], tebahhur; buhar olma; buğu; buhar/buğulaş(tır)ma. **~or**, tebahhur cihazı, tephir kazanı; buharlaştırıcı; uçurucu; soğutucu.
evas·ion [i'veyjn]. Kaçınma; baştan savma; kaçamak. **~ive** [-siv], kaçamaklı; baştan savmaya yarıyan: **take ~ action**, (uçak) zikzak yaparak ateşten kaçınmak: **~ly**, kaçamaklı olarak: **~ness**, kaçamaklılık.
Eve[1] [īv]. Havva. **daughter of ~**, kadın.
eve[2]. Arife; bir gün önce. **on the ~ of**, arifesinde.
evection [i'vekşn]. Aytedirginliği.
even [īvn] *i.* (*şiir.*) Akşam.
even[2] *s.* Düz, müstevi, ârızasız; bir hizada; muntazam, yeknesak; müsavi, eş(it); çift (tek değil). **be ~**, (*sp.*) berabere kalmak: **~ bet**, ortak bahiste eşit risk: **get ~ with s.o.**, birisinden acısını çıkarmak: **lay ~ odds**, bir at yarışında eşit koşullarla bahse girmek: **an ~ sum**, yuvarlak hesap: **honours ~**, briç oyununda resimli kâğıtların eşit olması; (*mec.*) berabere kalma.
even[3] *zf.* Bile; hattâ. **~ if/though**, -se bile: **~ now it is not too late**, hattâ şimdi bile geç sayılmaz: **~ so**, hattâ, böyle olsa bile: **~ then**, (i) o zaman bile; (ii) buna rağmen, böyle olsa bile: **if ~ I could see him**, bari onu görebilsem.
even[4] *f.* Tesviye etm., düz etm. **~ out**, eşitleştirmek; eşit şekilde yaymak.
even-handed [īvn'handid]. Tarafsız.
evening ['īvnin(g)]. Akşam(lık). **in the ~**, akşamleyin: **good ~**, akşamlar hayrolsun, tün aydın. **~-class/-school**, gece okulu. **~-dress/-wear**, (kadın) tuvalet, giysi; (erkek) smokin/frak. **~-party**, suare. **~-primrose**, eşek çiçeği. **~-star**, akşam yıldızı, Çulpan, Venüs.
even·ly ['īvnli]. Muntazaman, düzenli olarak; müsavi/eşit olarak. **~-matched** [-maçt], uygun ve müsavi, eşit. **~ness** [-nis], düzlük; müsavilik; eşitlik; intizam, ıttırat.
evensong ['īvnson(g)]. Akşam ibadeti.
event [i'vent]. Vaka, hadise, olay; hal; numara. **at all ~s**, her halde, behemehal: **in the ~ of**, ... takdirde: **in the course of ~s**, sonunda, neticede; zamanla: **in either ~**, her iki halde de: **be wise after the ~**, iş işten geçtikten sonra akıl öğrenmek. **~ful**, vakalarla dolu; maceralı: **~ly**, maceralı bir sekilde.
eventide ['īvntayd] (*şiir.*) Akşam. **~-home**, yaşlılar için huzur evi.
eventual [i'ventyuəl]. Son olarak; netice olarak; nihaî. **~ity** [-'aliti], ihtimal; takdir. **~ly**, en sonunda, neticede; akibet.
eventuate [i'ventyueyt]. Vukubulmak; çıkmak.
ever ['evə(r)]. Daima; bir vakitte; her hangi bir vakitte. **~ after**, ondan sonra hep: **~ and anon/again**, arasıra: **as cold a winter as ~ you saw**, hiç görülmemiş derecede soğuk bir kış: **as quick as ~ you can**, nekadar çabuk olmak mümkünse: **he is as idle as ~**, eskisi gibi hep tembeldir: **for ~**, ebediyen, sonsuz; daima, fasılasız: **for ~ and ~**, ebediyen, sonsuz: **he went for ~**, bütün bütün gitti: **England for ~!**, yaşasın İngiltere!; **not ~**, hiç bir zaman: **if ~ you see him**, onu görecek olursanız: **now, if ~, is the time**, bu işin bir zamanı varsa işte şimdidir: **I seldom, if ~, go there**, oraya gitsem bile pek seyrek giderim: **he is a poet if ~ there was one**, ben şair diye buna derim: **~ since**, işte o zamandan itibaren, o zamandan beri: **~ so easy**, o kadar kolay ki: **I waited ~ so long**, o kadar bekledim ki: **thank you ~ so much**, pek çok teşekkür ederim:

what ~ is the matter?, Allah Allah ne oldu?: **who ~ heard of such a thing?**, bu hiç işitilmiş şey midir?: **we are the best friends ~**, biz fevkalâde iyi dostuz.
Everest ['evərist]. Everest dağı; (*mec.*) en yüksek nokta.
***everglade** ['evəgleyd]. (Florida'da) bataklık.
evergreen ['evəgrīn]. Yaz kış yeşil olan; herdemtaze; sürekli.
everlasting [evə'lāstin(g)]. Daimî; pek dayanıklı; bitmez, ölmez, sonsuz; çiçeklerinin kurusu da rengini muhafaza eden bitki: **from ~**, ezelden beri.
evermore [evə'mō(r)]. Ebediyen; daima; sonsuza dek.
ever·sion [i'vəşn]. Ters dön(dür)me; içini dışına çevirme. **~t**, ters döndürmek; içini dışına çevirmek; (*mer.*) devretmek.
every ['evri]. Her, herbir: **~ bit as good as**, tıpkı... kadar iyi: **~ few minutes**, birkaç dakikada bir, ikide bir: **I expect him ~ minute**, onu bekliyorum, neredeyse gelir: **~ man for himself!**, (*ata.*) herkes başının çaresine baksın: **~ now and again**, arasıra: **~ one**, -den her biri (**~one** = herkes): **~ other one**, iki kişide bir: **~ other day**, gün aşırı: **~ third man**, üç kişide bir. **~body** [-bədi, -bodi], herkes. **~day**, *s.* hergünkü; günlük; olağan. **~man**, alelâde insan, halk. **~one** [-wʌn], herkes. **~thing**, herşey. **~where** [-weə(r)], her yerde: **~ you go**, her gittiğiniz yerde.
evict [i'vikt]. Mahkeme kararıyle tahliye ettirmek; bir yerden çıkarmak. **~ion**, çıkartma, çıkarılma; tahliye ettirme.
evidence ['evidəns] *i.* Şahadet, tanıklık; delil, kanıt; delâlet; beyyine, tanıt. *f.* -e delil olm. **be in ~**, göze çarpmak: **bear/give ~ of**, göstermek, delâlet etm.: **false ~**, yalancı tanıklık: **give ~**, tanıklık etm.: **turn King's/Queen's ~**, suç ortaklarının aleyhine tanıklık etm., suç ortaklarını ihbar etm.
evident ['evidənt]. Aşikâr; besbelli; vazıh; apaçık. **~ial** [-'denşl], tanıklığa ait/göre: **~ly**, tanıklık vasıtasıyle. **~ly**, apaçık olarak, besbelli; her halde.
evil ['īvl] *s.* Fena, kötü. *i.* Kötülük, fenalık; şer; zarar; uğursuzluk; belâ; dert. **the ~ eye**, nazar değme: **the ~ One**, iblis, şeytan: **of ~ omen**, uğursuz: **~ spirit**, habis ruh: **speak ~ of**, -e iftira etm. **~-doer** [-'duə(r)], günahkâr, mücrim. **~-eyed**, kem gözlü. **~ly**, kötü olarak. **~-minded** [-'mayndid], kötü niyetli.
evince [i'vins]. Göstermek.
evirate ['evireyt]. Hadım etm., zayıflatmak.
eviscerat·e [i'visəreyt]. Bağırsaklarını çıkarmak. **~ion** [-'reyşn], bağırsaklarını çıkarma.
evoca·tion [īvə'keyşn]. Davet, çağırma; hatırlatma, anma. **~tive** [i'vokətiv], hatırlatan, andıran.
evoke [i'vǫuk]. Davet etm., çağırmak; andırmak, hatırlatmak.
evolute ['evəlyut]. Evolüt, kıvırma eğrisi.
evolution [īvə'lyūşn]. Tekâmül, evrim, gelişme; genişleme; manevra, hareket; intişar, yayılma. **~al**, evrime ait: **~ly**, evrime göre/uygun olarak. **~ism**, tekâmül teorisi, evrimcilik. **~ist**, evrimcilik taraftarı.
evolve [i'volv]. Tekâmül et(tir)mek, geliş(tir)mek; keşfetmek; neşretmek, saçmak. **~nt**, açıcı (eğrı).
evulsion [i'vʌlşn]. Çekip koparma; söküp çıkarma.
EW = ELECTRONIC WARFARE.
ewe [yū]. Dişi koyun.
ewer ['yūə(r)]. İbrik.
ex[1] [eks] *s., i.* Evvelki, önceki. **my ~**, (*kon.*) önceki karım/kocam.
ex[2] *e.* -den,... hariç. *İsimlere bakınız.*
ex- *ön.* -den dışarı; -den fazla; tamamen; hariç; eski, sabık.
ex. = EXAMPLE.
exacerbat·e [ek'sasəbeyt]. Şiddetlendirmek, öfkelendirmek. **~ion** [-'beyşn], şiddet(lendirme).
exact[1] [ig'zakt] *s.* Katî, kesin, tam; doğru; aynen. **or to be more ~**, yahut daha doğrusu.
exact[2] *f.* Cebren para almak; haraca kesmek; icabettirmek. **~ing**, müşkülpesent, güç beğenen, titiz; çok şey istiyen; zahmetli. **~ion** [-'zakşn], müfrit talep; haraç kesme; keyfî ve ölçüsüz vergi. **~itude** [-tityūd], katiyet, kesinlik; sıhhat, doğruluk.
exactly [ig'zaktli]. Kesin olarak, tam, aynen; tıpatıp. **~!**, çok doğru, hakkınız var: **not ~!**, hiç!
exaggerat·e [ig'zacəreyt]. Mübalâğa etm., ifrat etm., izam etm., abartmak, büyütmek. **~ed**, müfrit, mübalâğalı, aşırı. **~ion** [-'reyşn], mübalâğa, abartma, ifrat: **without ~**, hiç abartmadan, hakikaten. **~ive** [-ritiv], mübalâğalı, abartmalı. **~or**, abartmacı, mübalâğacı.
exalt [ig'zōlt]. Yükseltmek; tebcil etm., göklere çıkarmak. **~ation** [-'teyşn], yüksel(t)me; coşkunluk, büyük heyecan. **~ed**, yüksek, âli; coşkun; yüce.
exam [ig'zam] (*kon.*) = **~ination** [-mi'neyşn], imtihan, sınav; inceleme; denet; tetkik; yoklama, muayene; teftiş; (*huk.*) istintak, tahkikat, soruşturma, sorguya çekme: **give an ~**, sınavlamak, imtihan etm.: **medical ~**, doktor muayene/sınaması: **oral/written ~**, sözlü/yazılı sınav: **pass an ~**, sınavda geçmek: ***post mortem* ~**, otopsi: **set an ~**, sınav sorularını hazırlamak: **sit for an ~**, bir sınava girmek: **take an ~**, sınav vermek: **under ~**, tetkik edilmekte; muayene neticesinde; istintak/sorgu esnasında. **~-paper**, sınav soruları.
examin·e [ig'zamin]. Tetkik etm., muayene etm., gözden geçirmek, incelemek; teftiş etm.; denetlemek; (*huk.*) istinak etm., soruşturmak, sorguya çekmek, tahkikat etm.; (*eğit.*) imtihan etm., sınavlamak. **~ee** [-'nī], sınavlanan kimse. **~er** [-'zaminə(r)], mümeyyiz, ayırtman, ayırtedici, denetçi; sınavman. **~ing**, (*huk.*) sorguya çeken; soruşturma +.
example [ig'zāmpl]. Misal; örnek, nümune; nüsha; ibret. **for ~**, meselâ: **make an ~ of s.o.**, başkalarına ibret olsun diye birini cezalandırmak: **a practical ~**, somut bir örnek: **set an ~**, örnek olm.: **without ~**, eşi görülmemiş.
exanimate [ig'zanimit] (*mer.*) Ölü; cansız.
exanthema [eksan'θīmə] (*tıp.*) Eksantem, çiçek vb. hastalıkların leke/kabarıkları.
exarch ['eksāk] (Bizans'ta) vali; (Ortodoks kilisesi) önemli piskopos. **~ate**, vilâyet; piskoposluk; bunların merkezî binaları.
exasperat·e [ig'zāspəreyt]. Öfkeden çıldırtmak, sabrını tüketmek; şiddetlendirmek. **~ing**, insanı (öfkeden) çıldırtan. **~ion** [-'reyşn], şiddetli öfke, hiddetten çıldırma.
exc. = EXCEPT.
ex cathedra [eks'kaθıdrə] (*Lat.*) Salâhiyet ile.
excavat·e ['ekskəveyt]. Kazmak; hafriyat yapmak.

~**ion** [-'veyşn], kazı; hafriyat. ~**or**, kazma makinesi, ekskavatör; kazıcı; hafriyatçı.
exceed [ik'sīd]. Aşmak, haddini geçmek; tecavüz etm. ~**ing(ly)**, son derece, aşırı derecede.
excel [ik'sel]. Üstün olm., yüksek bir dereceye erişmek. ~**lence** ['eksəlәns], mükemmellik; mümtazlık. ~**lency**, **His/Your** ~, elçi/başkan vb.ne verilen unvan, Ekselans. ~**lent**, mükemmel; mümtaz; nefis; cok iyi. ~**sior**, (*ünl.*) daha ileri/yuksek!: *i.* talaş.
excentric [ek'sentrik] = ECCENTRIC.
except[1] [ik'sept] *f.* İstisna etm., hariç tutmak. **present company** ~**ed**, (i) sizden iyi olmasın; (ii) hatırınız kalmasın, buradakiler dışında.
except[2] *e.* -den başka, müstesna, hariç. **the house is now ready** ~ **for the furniture**, mobilya hariç ev hazırdır. ~**ing**, -den başka.
exception [ik'sepşn]. İstisna, inhiraf, başkalık, ayrılık. **take** ~ **to**, kabul etmemek; için gücenmek: **with the** ~ **of**, müstesna olarak: **without** ~, istisnasız, ayrım görmeksizin. ~**able**, itiraz olunur. ~**al**, müstesna, ayrık; istisnaî, fevkalâde; kuralsız, kural dışı; bulunmaz; nadir: ~**ly**, müstesna olarak.
excerpt ['eksə̄pt] *i.* Bir kitap vb.den alınmış parça; ayrı basılmış böyle bir parça. *f.* Seçmek; kesmek.
excess [ik'ses]. İfrat; artık, fazla; fevkalâde; aşırı hareket. ~**es**, taşkınlıklar, mezalim; zevk ve eğlencede ifrat. **do to** ~, ifratla yapmak: ~ **fare**, (bilet ücretine) mevki farkı vb. için zam: ~ **luggage**, nizamî ağırlığı aşan eşya: ~ **profits tax**, fazla kazanç vergisi. ~**ive**, müfrit; taşkın; hadden aşırı, ölçüden aşırı: ~**ly**, ifrat derecede; ziyadesiyle.
Exch. = EXCHEQUER.
exchange[1] [iks'çeync] *f.* Mübadele etm., trampa etm., alıp vermek. ~ **stg. for stg.**, bir şeyi bir şeyle değiştirmek/trampa etm.: ~ **greetings**, selâmlaşmak: ~ **hats**, birbirinin şapkasını almak: ~ **posts**, becayiş etm.
exchange[2] *i.* Mübadele, değiş tokuş, trampa, alıp verme becayiş; borsa; kambiyo. **bill of** ~, poliçe: ~ **is no robbery**, mübadele meşrudur: **foreign** ~, takas, döviz: **in** ~ **for**, -e bedel: **give in part** ~, bir şey satın alırken ücretin bir kısmı yerine bir eşya vermek: **(rate of)** ~, kambiyo geçer değeri, borsa fiyatı: **telephone** ~, telefon santralı. ~**able**, mübadele edilebilir, değiştirilebilir. ~**r**, değiştirici.
exchequer [iks'çekə(r)]. Devlet hazinesi. †**the E**~, Maliye Bakanlığı: **the Chancellor of the** ~, Maliye Bakanı: ~ **bill**, hazine bonosu: **my** ~ **is empty**, kesem boş.
excis·able [*mal.* ek'sayzəbl; *kesme* ik-]. İstihlâk vergisine tabi; kesip çıkarılır. ~**e**, *i.* ispirto/tütün vb. bazı eşya üzerine konan vergi, istihlâk vergisi; bu vergileri toplıyan daire: *f.* kesip çıkarmak: ~**-man/-officer**, tahakkuk/gümrük memuru. ~**ion** [-'sijn], kesip çıkarma.
excit·ability [ik'saytəbiliti]. Çabuk heyecanlanma. ~**able**, çabuk heyecanlanan, uyarılır, çabucak coşan; dengesiz. ~**ant**, tenbih edici ilâç vb. ~**ation** [eksi'teyşn], tenbih; heyecanlandırma; uyarma. ~**ative**/~**atory** [ik'saytətiv, -təri], uyaran, heyecanlandıran.
excit·e [ik'sayt]. Heyecanlandırmak; tahrik etm.; (*biy., fiz.*) uyarmak; uyandırmak; sebep olm. ~**ed** [tid], heyecanlanmış; uyarılmış. ~**ement**, heyecan, coşkun; uyar(ıl)ma. ~**er**, (*fiz.*) uyarıcı, muharrik. ~**ing**, heyecanlı; (*fiz.*) uyarıcı, ikaz+. ~**on** ['eksiton] (*kıs.*) = EXCITED ELECTRON.
excl. = EXCLAMATION; EXCLU·DING/-SIVE.
exclaim [iks'kleym]. Nida etm.; birdenbire demek. ~ **at/against**, -e karşı protesto etm., aleyhine şiddetli söz söylemek.
exclamat·ion [eksklə'meyşn]. Sevinç/hayret/teessür nidası; nida/ünlem; anî söz; haykırı: **mark/note of** ~, ünlem belgisi (!). ~**ory** [iks'klamə-], sevinç/hayret/teessür ifade eden.
excl·ave [eks'kleyv]. Bir ülkenin yabancı ülkelerile kuşatılmış bölge. ~**osure** [-'kloujə(r)] (*zir.*) istenilmiyen hayvanların bulundurulmaması için kafes/çitle çevrilmiş arazi.
exclud·e [iks'klūd]. İçeri almamak; istisna etm., hariç tutmak; kabul etmemek: **this** ~**s all possibility of doubt**, bu hiç bir şüphe bırakmıyor. ~**ing**, . . . hariç.
exclus·ion [iks'klūjn]. İçeri almama; kabul etmeme; hariç bırakma; ihraç: **to the** ~ **of**, -i hariç tutarak. ~**ive** [-'klūsiv], başkalarını dahil etmemek üzere; pek hususî; münhasır; hesaba dahil olmıyan: **an** ~ **(story)**, (*bas.*) özel haber: ~ **of**, . . . hariç: **the Joneses are very** ~, Jones'lar pek kibar geçinirler: **this is a very** ~ **club**, burası pek kibar/seçkin bir klüptür: **'plant' and 'animal' are** ~ **terms**, 'bitki' ve 'hayvan' deyimlerinin telifi kabil değildir. ~**ively**, münhasıran, yalnız. ~**iveness**/~**ivism**/~**ivity** [-'siviti], kendi grubuna münhasır kalma.
excogitat·e [eks'kociteyt]. Düşünüp taşınarak tertip etm. ~**ion** [-'teyşn], böyle tertip etme/edilme.
excommunicat·e [ekskə'myūnikeyt]. Aforoz etm. ~**e(d)**, aforoz edilmiş. ~**ion** ['keyşn], aforoz. ~**ive** [-'myūnikətiv], aforoza ait.
excoriat·e [eks'korieyt]. Derisini sıyırmak; şiddetle tenkit ve zemmetmek. ~**ion** [-'eyşn], deri(yi) sıyır(ıl)ma.
excorticat·e [eks'kōtikeyt]. Kabuğunu soymak. ~**ion** [-'keyşn], kabuğunu soyma.
excrement ['ekskrimənt]. Necaset, kazurat, dışkı, çıkartı; gübre. ~**al**, dışkı/gübreye ait.
excrescen·ce [iks'kresns]. Nasır ve siğil gibi şiş; göze batan bir çıkıntı. ~**t**, anormal olarak büyüyen/çıkan.
excret·a [iks'krītə] *ç.* Vücuttan çıkarılmış; çıkartı, dışkı. ~**e** [-'krīt], vücuttan ayırıp çıkarmak, boşaltmak; ifraz etm. ~**er**, boşaltıcı. ~**ion** [-'krīsn], boşaltım; vücuttan çıkarılmış madde, çıkartı, dışartı, dışkı. ~**ory**, boşaltıcı, boşaltım+.
excruciat·e [iks'krūşieyt]. Iztırap vermek, işkence etm., acıtmak. ~**ing**, dayanılmaz derecede eziyet edici; müthiş: ~**ly**, eziyet edici/müthiş bir şekilde. ~**ion** [-'eyşn], ıztırap, işkence.
exculpat·e ['ekskʌlpeyt]. Mazur göstermek; aklamak, temize çıkarmak. ~**ion** [-'peyşn], aklama, temize çıkarma. ~**ory** [-təri], aklamaya yönelmiş.
excurrent [eks'kʌrənt]. Merkezden dışarıya akan; (*bot.*) ana gövdesinden uzanan.
excurs·e [iks'kə̄s]. Dolaşmak; istitrat etm. ~**ion** [-'kəşn], gezi(nti), tenezzüh; istitrat: ~**al**, gezintiye ait: ~**-fare**, ucuz gezinti bilet/ücreti: ~**ist**, (bir gün için) gezintiye giden, gezgin: ~**-train, etc.**, gezginlere mahsus tren vb. ~**ive** [-siv], dolaşan; istitratlı. ~**us** [-səs], istitrat; ilâve, ek.
excusable [iks'kyūzəbl]. Mazur görülebilir.

excuse[1] [iks'kyūs] *i.* Mazeret; vesile, bahane. **ignorance of the law is no** ~, kanunu bilmemek mazeret değildir: **make** ~**s**, mazeret göstermek; özür dilemek.
excuse[2] [iks'yūz] *f.* Mazur görmek; affetmek; muaf tutmak: ~ **me**, affedersiniz, bağışlayın(ız): **if you will** ~ **the expression**, sözüm meclisten dışarı, haşa huzurdan: ~ **s.o. from doing stg.**, birini bir şeyden muaf tutmak. ~**d**, özürlü, mazeretli.
ex·-directory [eksdi'rektəri]. Rehberde bulunmıyan (abone/telefon numarası). ~**-div(idend)**, kârsız pay belgiti değeri.
exeat ['eksiat] (*Lat.*) Öğrenciye verilen izin.
exec. = EXECUT·OR/-RIX/-IVE.
execr·able ['eksikrəbl]. Menfur, pek çirkin, berbat. ~**ate** [-kreyt], nefret etm., tel'in etm. ~**ation** [-'kreyşn], lânet; nefret; küfür.
execut·ant [ig'zekyutənt]. İcra edici; (*müz.*) bir parça çalan kimse. ~**e** ['eksikyūt], ifa etm., icra etm., yürütmek; cezayı çektirmek; yerine getirmek; infaz etm.; idam etm.: ~ **a deed**, bir senedi imza vb. ile tamamlamak. ~**ion** [-'kyūşn], ifa, icra, ikmal, yürütüm, yerine getirme; ölüm cezasının infazı, idam: **do great** ~, (toplar vb.) çok zarar vermek. ~**ioner**, cellât.
executive [ig'zekyutiv] *s.* İcra ve tenfizle mükellef; icrayı idare eden; yürütme+; yönetim+. *i.* İcra eden idare(ci), faal üye, yönetici, idareci, yönetmen; hükümet: ~ **duties**, (*ask. vb.*) idare görevleri: ~ **plane**, bir şirketin özel yolcu uçağı: ~ **power**, icra kuvveti, amme iktidarı.
execut·or [ig'zekyutə(r)] *i.* = ~IVE; (*huk.*) vasiyeti yerine getiren/infaz eden erkek: **literary** ~, ölmüş bir yazarın kalan evraklarının yayımlanmasını tertip eden kimse. ~**orial** [-'tōriəl], vasiyeti infaz edene ait. ~**orship** [-'zek-], vasiyeti infaz görevi. ~**rix**, vasiyeti infaz eden kadın.
exege·sis [eksi'cīsis]. Kutsal Kitabın tefsir ve şerhi. ~**tical**, bu tefsire ait.
exemplar [ig'zemplə(r)]. Nümune, örnek. ~**y** [-'empləri], örnek olarak; mükemmel; ibret verici.
exemplify [ig'zemplifay]. Temsil etm.; ... örneği olm.
exempt [ig'zempt] *f.* Muaf tutmak. *s.* Muaf, bağışık; özgür, serbest. ~**ion** [-pşn], muafiyet, bağışıklık; serbestlik.
exequatur [eksi'kweytə(r)] (*Lat.*) Bir konsolos vb.ni tanıma.
exequies ['eksikwiz] *ç.* Cenaze tören/merasimi.
exercise[1] ['eksəsayz] *f.* Kullanmak; şarfetmek; icra etm.; yapmak; talim etm./edilmek; alıştırmak; egzersiz yapmak; düşündürmek, tasa vermek. ~ **oneself**, vücudunu işletmek; yapa yapa alışmak: ~ **a horse**, bir atı gezdirmek: ~ **an influence upon**, -e tesir etm.: ~ **one's mind**, zihnini işgal etm./işletmek, tasa çekmek.
exercise[2] *i.* Kullanma, istimal; icra; talim, alıştırma; temrin; okul görevi; beden eğitimi: **do** ~**s**, jimnastik/egzersiz yapmak: **in the** ~ **of one's duties**, görevinin ifası sırasında: ***graduation** ~**s**, diploma verme töreni: **mental** ~, zihni işletme: **military** ~**(s)**, tatbikat: **physical** ~, beden eğitimi: **take** ~, yürüyüş vb. ile vücudu işletmek. ~**-book**, okul defteri. ~**r**, beden eğitimi için yaylı araç.
exergue [ek'sәg]. Sikke/madalya alt tarafındaki yazı (yeri).
exert [ig'zәt]. Kullanmak, sarfetmek; icra etm.; göstermek. ~ **oneself**, cehdetmek, gayret sarfetmek, çabalamak, uğraşmak. ~**ion** [ig'zәşn], cehit, çabalama, uğraşma; meşakkat; kullanma, sarfetme.
exes ['eksiz] (*kon.*) = EXPENSES.
exeunt ['eksiʌnt] (*Lat., tiy.*) Sahneden çıkarlar. ~***omnes***, hepsi birden sahneden çıkar.
exfoliat·e [eks'foulieyt]. İnce pul halinde dök(ül)mek. ~**ion** [-'eyşn], böyle dök(ül)me.
exhal·ation [eksə'leyşn]. Tebahhur; nefes gibi çıkan hava/koku; üfürük. ~**e** [iks'heyl], nefesi dışarı/soluk vermek; buhur gibi neşretmek.
exhaust [ig'zōst] *f.* Tüketmek; boşaltmak; sarfedip bitirmek; bitkin bir hale getirmek. *i.* Egzoz; dışarı atma; boşaltılmış gazlar. ~**ed**, tükenmiş, boş; bitkin. ~**er**, boşaltıcı (cihaz). ~**-gas**, çürük gaz. ~**ible**, boşaltılır, tüketilir. ~**ing**, boşaltan, tüketen; yorucu. ~**ion** [-'zōsçən], bitkinlik, takatsızlık; (*zir.*) boşaltılma. ~**ive**, pek tafsilatlı, etraflı. ~**-manifold**, çıkış borusu. ~**-muffler**/**-silencer**, çıkış seskesici/susturucusu. ~**-pipe**, egzoz/boşanma borusu. ~**-system**, havalandırma/boşanma/dışarı atma düzeni.
exhibit [ig'zibit] *f.* Teşhir etm., göstermek, sergilemek; (*sin.*) oynatmak; izhar etm. *i.* Teşhir edilen şey; (*huk.*) delil olarak ibraz edilen şey. ~**ion** [eksi'bişn], sergi, ekspozisyon, meşher; (*sin.*) oynatım; teşhir etme, sergile(n)me, gösterme; üniversitede küçük burs: **make an** ~ **of oneself**, kendini rezil etm., âleme gülünç olm.: **an** ~ **of temper**, birdenbire öfkelenme/hiddetini gösterme: ~**er**, burslu: ~**-hall**, sergievi. ~**ionism** [-'bişnizm], aşırı tavırlılık; kendini teşhir merakı, göstermecilik. ~**or** [ig'zibitə(r)], sergide eşyası teşhir edilen kimse; (*sin.*) oynatımcı, sinemacı.
exhilarat·e [ig'ziləreyt]. Canlandırmak; keyif ve neşe vermek; inşirah vermek. ~**ing**, canlandırıcı, ferahlatıcı. ~**ion** [-'reyşn], canlanma; ferahlık.
exhort [ig'zōt]. Şiddetle tavsiye ve rica etm., tenbih etm. ~**ation** [-'teyşn], şiddetli tavsiye, tenbih; vaız. ~**ative**/~**atory** [-'zōtətiv, -təri], tavsiye eden.
exhum·ation [eksyū'meyşn]. Ölüyü mezardan çıkarma. ~**e** [ig'zyūm], mezardan çıkarmak; unutulmuş bir şeyi yeniden ortaya çıkarmak, deşmek.
exigen·ce/~**cy** ['eksicəns(i)]. Mübremlik; zorunluluk; zaruret; anî hareket gerektiren durum. ~**t**, mübrem, müşkülpesent.
exigible ['eksicibl]. İstenilebilir, talep edilebilir.
exigu·ity [egzi'gyūiti]. Azlık, kıtlık, darlık. ~**ous** [eg'zigyuəs], kıt, dar, yetersiz.
exile ['eksayl] *f.* Nefyetmek; sürgüne göndermek. *i.* Sürgün; mülteci.
exility [eg'ziliti]. Azlık, kıtlık.
exist [ig'zist]. Mevcut olm., varolmak, yaşamak. ~**ence**, mevcudiyet, varoluş; hayat; varlık: **be in** ~, mevcut olm.: **come into** ~, doğmak, peyda olm.: **the struggle for** ~, hayat savaş/mücadelesi. ~**ent**/~**ing**, mevcut, var (olan). ~**ential** [-'tenşl], mevcudiyete ait; mevcudiyet/varoluşu isnat eden: ~**ism**, varoluşçuluk, eksistansiyalizm: ~**ist**, varoluşçu.
exit ['eksit]. Çıkış, çıkma; çıkılacak yer, mahreç; (*tiy.*) sahneden çıkar. **make one's** ~, (*tiy.*) sahneden çıkmak; (*mec.*) ölmek. ~**-permit**, çıkış vizesi. ~**-line**, (*tiy.*) çıkış sözü.

ex-libris [eks'libris] (*Lat.*) Kitabın kime ait olduğunu gösteren yafta.
exo- [eksou-] *ön.* Dış; -dışına; -dışında(n); -dan başka; ekzo-. ~**derm**, dışderi.
exodus ['eksədəs]. Beni İsrail'in Mısırdan hicreti; umumî çıkış.
ex officio [eksə'fişiou] (*Lat.*) Memuriyeti dolayısıyle; resmen.
exogam·ic/~**ous** [eksou'gamik, -'sogəməs]. ~Y'e ait. ~**y**, üyelerinin kabile/grup dışında evlenmesi (âdet/kanunu), dışarıdan evlenme.
exogen ['eksəcen] (*bot.*) Dıştan büyüyen bitki.
exon ['ekson] = EXEMPT; BEEFEATER'lerin dört subayının unvanı.
exonerat·e [ig'zonəreyt]. Suçsuz çıkarmak; muaf tutmak. ~**ion** [-'reyşn], muaf tutma.
exophthalm·ia/~**os** [eksof'θalmiə, -məs] (*tıp.*) Gözün anormal olarak ileriye fırlaması, fırlak göz. ~**ic**, buna ait.
exorbitan·ce [ig'zōbitəns]. Fahişlik, fazlalık, aşırı olma. ~**t**, aşırı, fahiş (fiyat); mübalâğalı, fazla: ~**ly**, aşırı/fazla olarak.
exorci·sm ['eksōsizm]. Habis ruh/cinleri dua ile defetme/kovma; bu dualar. ~**st**, cinleri kovan. ~**ze** [-sayz], cinleri böyle kovmak.
exordium [ek'sōdiəm]. Mukaddeme, başlangıç; önsöz.
exoskeleton ['eksoskelitən] (*zoo.*) Dış iskelet/kabuk.
exosmosis [eksoz'mousis]. Dış geçişme/ozmoz.
exoteric [eksə'terik]. Haricî; umumî; kolay anlaşılır.
exothermic [ekso'θəmik]. Isı verici/çıkarıcı; ısısalan; ekzoterm.
exotic [ig'zotik]. Başka iklime ait; yabancı ülkeden gelen; yabancı(l), egzotik.
expand [iks'pand]. Genişle(t)mek; büyü(t)mek; esnemek; imbisat et(tir)mek; (kanatları) açmak. ~**ed metal**, kafes şeklinde açılmış metal levhası. ~**er**, açıcı, genişletici. ~**ing**, genişliyen, gelişen; körüklü.
expans·e [iks'pans]. Büyük alan; feza; yayılma, açılma, imbisat. ~**ibility** [-si'biliti], genişleme yeteneği. ~**ible** [-sibl], genişliyebilir. ~**ion** [-'panşn], imbisat, genişleme; genleşme; büyüme; çoğalma; yayılma: **double**/**triple** ~, iki/üç genişlemeli: ~**ist**, genişleme politikası (taraftarı). ~**ive**, genişletici; vâsi, geniş; yayvan; çok konuşur; coşkun.
ex parte [eks'pāti] (*Lat., huk.*) Tek taraftan yapılan/tarafın çıkarına olan.
expatiat·e [iks'peyşieyt]. ~ **on**, hakkında uzun uzadıya yazmak/konuşmak. ~**ion** [-'eyşn], böyle yazma/konuşma. ~**ive**/~**ory**, böyle yazan/konuşan; vâsi, dağınık, pek tafsilatlı.
expatriat·e [eks'patrieyt] *f.* Sürgün etm., ülkesinden sürmek; kendi ülkesinden göç etm.; başka ülkede yerleşmek; tabiiyet değiştirmek. *i.* Başka ülkede yerleşmiş/çalışan kimse. ~**ion** [-'eyşn], ülkesinden sür(ül)me/göç etme.
expect [iks'pekt]. Muhtemel kılmak; ummak; umut etm., beklemek. **as one might** ~, pek tabiî olarak: **I** ~ **so**, her halde; zannederim: **don't** ~ **me till you see me**, beni bekleme, gelirsem gelirim: ~ **s.o. to do stg.**, (i) birinin bir şeyi yapmasını beklemek; (ii) birinden bir şeyi yapmasını istemek: ~**ed**, tahmin edilen, beklenen, muhtemel, düşüncel.
expectanc·e/~**y** [iks'pektəns(i)]. İntizar; bekleme; umut. ~**t**, muntazır, bekliyen: ~**ly**, bekliyerek, umutla: ~**-mother**, gebe kadın.
expectation [ekspek'teyşn]. Bekleme, umut etme; intizar. **the** ~ **of life**, yaşanılacağı umut edilen süre: **come up to** ~**s**, beklendiği gibi çıkmak: **fall short of** ~**s**, beklendiği gibi çıkmamak: **contrary to all** ~**s**, bütün beklenilenlerin tersine olarak.
expector·ant [iks'pektərənt]. Balgam söktürücü (ilâç). ~**ate**, tükürmek, balgam çıkarmak. ~**ation** [-'reyşn], tükürme; balgam.
expedien·ce/~**cy** [iks'pīdyəns(i)]. Münasebet, uygunluk, muvafıklık; şahsî menfaat. ~**t**, *s.* münasip, muvafık, uygun; *i.* çare, tedbir.
expedit·e ['ekspidayt] *f.* Tacil etm., kolay-/çabuklaştırmak; göndermek. *s.* Aceleci, çabuk. ~**ion** [-'dişn], acele, ivedi, istical; (*mal.*) gönderme, irsal; (*ask.*) sefer heyeti; (*coğ.*) keşif seferi (grubu): ~**ary force**, (*ask.*) seferî kuvvetler. ~**ious** [-şəs], aceleci, çabuk; süratli ve muntazam.
expel [iks'pel]. Tardetmek, kovmak; ihraç etm., çıkarmak. ~**lent**, tardeden, çıkaran.
expend [iks'pend]. Sarfetmek, harcamak, harcetmek. ~**able** [-əbl], sarfedilmesi mümkün; harcanabilen, sarfedilebilen. ~**iture** [-içə(r)], gider, masraf; sarfetme; sarfiyat, harcama.
expens·e [iks'pens]. Masraf, gider: ~**s**, masraflar, giderler, sarfiyat: **at the** ~ **of**, pahasına: **we had a laugh at his** ~, hepimiz onun bu haline güldük: **go to great** ~, çok masraf etm.: **put s.o. to** ~, birini masrafa sokmak: **travelling** ~**s**, harcırah, yolluk: ~**-account**, idarecinin firması tarafından ödenen giderler hesabı. ~**ive**, pahalı: **live** ~**ly**, lüks yaşamak: ~**ness**, pahalılık.
experience [iks'piəriəns] *i.* Tecrübe, deney; görgü. *f.* Tecrübe etm., görmek; görüp geçirmek, katlanmak. ~**d**, tecrübeli; görmüş geçirmiş, görgülü; bilgili.
experiment [iks'perimənt] *i.* Tecrübe, deney; deneme. *f.* Tecrübe etm., denemek. ~**al** [-'mentl], tecrübe mahiyetinde, tecrübî, deneysel, deneme(li): ~**ism**, denemeye dayanma: ~**ize**, denemek: ~**ly**, deneme vasıtasıyle. ~**ation** [-'teyşn], tecrübe etme, deneyim.
expert ['ekspə̄t]. Mütehassıs, ehli vukuf, eksper, bilgin, bilirkişi, uzman, usta. ~**ise** [-'tīz], inceleme, ekspertiz.
expia·ble ['ekspiəbl]. Kefareti olabilir. ~**te** [-pieyt], kefaret vermek; cezasını çekmek; telâfi etm. ~**tion** [-'eyşn], kefaret; cezasını çekme. ~**tory** [-piətəri], kefaret olarak, kefarete ait.
expir·ation [ekspi'reyşn]. Sona erme; müddetin hitamı; nefes/soluk verme. ~**e** [iks'payə(r)], ölmek; sona ermek; süresi dolmak; nefes/soluk vermek. ~**ed**, bitirilmiş, faydası kalmamış; mutebe olmıyan. ~**y** [-ri], müddetin hitamı; sona erme; ölme: ~ **date**, vade tarihi.
explain [iks'pleyn]. İzah etm., tavzih etm.; açıklamak; anlatmak; izahat vermek: ~ **oneself**, (i) meramını anlatmak; (ii) mazeret bulmak, sebep göstermek: ~ **away**, tevil etm. ~**able**, izah edilebilir.
explana·tion [eksplə'neyşn]. İzah; şerh; açıklama; anlatma, izahat; tevil: **give an** ~ **of one's conduct**, hareketini izah etm., hareketi için sebep göstermek. ~**tory** [iks'planətəri], açıklamalı, izahat verici; açıklama+.

explant [eks'plant] (*biy.*) *f.* Cisimden nakletmek. *i.* Nakledilen doku.
expletive [iks'plītiv]. Tamamlayıcı söz; manasız söz, küfür.
explica·ble ['eksplikəbl]. İzah edilebilir. ~**te**, anlatmak, izah etm. ~**tion** [-'keyşn], izah(at), anlatma. ~**tive**/~**tory** [-'plik-], izah veren, anlatan.
explicit [iks'plisit]. Vazıh, açık; katî, kesin; aşikâr. ~**ly**, katî/kesin olarak.
explode [iks'ploud]. Patla(t)mak; bösmek, infilâk et(tir)mek; tekzip etm.; faydasızlığını göstererek yıkmak. ~ **with laughter**, gülmekten kırılmak: **this theory is now** ~**d**, bu görüş tamamen çürümüştür: ~**d drawing**, bir cihaz/makinenin parçalarını ayrı ayrı gösteren resim.
exploit[1] ['eksployt] *i.* Kahrahmanlık; sersemce iş.
exploit[2] [iks'ployt] *f.* İşletmek; yararlanmak, sömürmek, istismar etm., -den istifade etm. ~**ation** [-'teyşn], işletme; istismar etme. ~**er**, istismarcı, sömürücü.
explorat·ion [eksplō'reyşn]. Keşif ve araştırma; tetkik. ~**ory** [-'plorətəri], istikşafa ait.
explore [iks'plō(r)]. Hakkında tetkik yapmak, araştırmak; -de tetkik için geziye çıkmak: ~ **for**, araştırmak. ~**r**, kâşif, memleket keşfeden.
explos·ion [iks'ploujn]. İnfilâk, patlama, tutuşma, detonasyon. ~**ive** [-'plousiv], patlayıcı; infilâk maddesi: **high** ~, yüksek patlamalı madde: ~**ly**, patlayıcı bir şekilde.
exponent [iks'pounənt]. Şerh edici, tefsir eden, yorumlıyan; misal, tip; (*mat.*) üs. ~**ial** [-'nenşəl], üslü.
export ['ekspōt] *i.* İhraç etme; ihraç edilen mal; mal çıkışı; dış satım. [iks'pōt] *f.* İhraç etm., ihracat yapmak. ~**ation** [-'teyşn], ihracat, dışsatım. ~**er**, ihracatçı, mal çıkaran, dışsatımcı.
expose [iks'pouz]. Açıkta bırakmak; duçar etm., maruz bırakmak; teşhir etm., ifşa etm., maskesini indirmek, foyasını meydana çıkarmak; (*sin.*) ışıklamak, poz vermek. ~ **oneself to danger**, kendini tehlikeye maruz bırakmak.
exposé [eks'pouzey] (*Fr.*) İzah, açıklama, şerh; suç vb.ni teşhir.
exposed [iks'pouzd]. Açıkta kalmış; keşfedilmiş; maruz kalan, muhafazasız; (*sin.*) ışığa tutulmuş: ~-**film**, dolu filim.
exposit·ion [ekspə'zişn]. Şerh, izah, tefsir, yorum, açıklama; sergi. ~**ive** [iks'positiv], izah eden, açıklayıcı. ~**or**, şarıh, müfessir, yorumlayan.
ex post facto [ekspoust'faktou] (*Lat.*) Yürürlüğe girmesinden önceki olaylara uygulanabilen (kanun).
expostulat·e [iks'postyuleyt]. ~ **(with)**, (-e) dostça itiraz etm., tevbih etm., paylamak. ~**ion** [-'leyşn], dostça itiraz, tevbih, azar. ~**ive**/~**ory** [-'postyulətiv, -təri], tevbih/azar kabilinden.
exposure [iks'poujə(r)]. Ortaya koyma; teşhir; rezalet; maruz ve duçar etme; açık havada soğuğa maruz kalma; (*sin.*) ışıklama; çevirim; poz/duruş (süresi). ~-**meter**, ışıkölçer, poz ölçeği.
expound [iks'paund]. Tefsir etm., şerhetmek, yorumlamak, açıklamak.
express [iks'pres] *s.* Mahsus; özel; açık; katî, kesin; süratli, acele, hızlı; ekspres+. *i.* Ekspres. *f.* (Sıkıp) suyunu çıkarmak; ifade etm., anlatmak; göstermek, belirtmek, izhar etm.; hızlı bir vasıta ile göndermek. ~ **a letter**, mektup acele olarak göndermek: ~ **oneself**, maksat/anlamını anlatmak: ~ **in other terms**, başka sözlerle anlatmak. ~-**company**, acele/ekspres nakliyat şirketi. ~-**delivery**, acele teslim. *~-**elevator**, hızlı asansör. ~-**goods**, ekspres mal/paketleri. *~ **highway**, ekspres karayolu.
express·ible [iks'presəbl]. İfade edilir; anlatılır. ~**ion** [-'preşn], tabir, deyim, terim, söz, ifade; (*tiy.*) anlatım; izhar; anlam; yüz ifadesi; sıkıp çıkarma: **technical** ~, fen tabiri: **you could tell by the** ~ **of his voice**, sesinin tonundan belli idi: **he wore a very serious** ~, yüzünün ifadesi çok ciddî idi: **try to read with more** ~, daha anlamlı okumağa çalış: ~**ism**, (*san.*) dışavurumculuk: ~**ist**, dışavurumcu: ~**less**, hiç bir şey ifade etmiyen. ~**ive**, anlamlı, mana dolu: ~**ly**, ifade ederek; anlamlı olarak. ~-**letter**, acele mektup. ~-**lift**, hızlı asansör. ~-**liner**, ekspres gemisi. ~**ly**, bilhassa, özellikle, katiyen. ~-**messenger**, hususî kuriye. ~-**rifle**, yüksek hızlı ve düz yörüngeli tüfek. ~-**train**, ekspres (treni). *~**way**, ekspres karayolu.
exprobation [ekspro'beyşn]. Kabahatli bulma.
expropriat·e [eks'prouprieyt]. İstimlâk etm.; malından mahrum etm.; kamulaştırmak. ~**ion** [-'eyşn], istimlâk, mahrumiyet, kamulaştırma.
expugnable [eks'pʌgnəbl]. Hücumla ele geçirilir.
expuls·ion [iks'pʌlşn]. Tardetme; defetme; kovma; çıkarma. ~**ive** [-siv], defedici.
expun·ction [iks'pʌn(g)kşn]. Çiz(il)me, sil(in)me; çıkar(ıl)ma. ~**ge** [-'pʌnc], çizmek, silmek; çıkarmak; tayyetmek.
expurgat·e ['ekspəgeyt]. Tenkih etm., ayıklamak, tasfiye etm., ıslah etm., temizlemek; bir kitaptan ahlâk/din vb.ne aykırı kısımları tayyetmek/çıkarmak: ~**ed edition**, böyle tayyedilmiş baskı. ~**ion** [-'geyşn], ayıklama, tayyetme, temizleme. ~**or**, ayıklıyan, ıslah eden, vb.: ~**y**, ayıklamaya ait, ıslah edici.
exquisite ['ekskwizit]. Enfes, hoş, latif; gayet ince ve nazik; keskin ve hassas. ~**ly**, latif vb. olarak. ~**ness**, nezaket vb.
exsanguin·ate [ek'sangwineyt]. Kanını akıtmak. ~**ation** [-'neyşn], kanını akıtma. ~**e** [-'sangwin], kansız.
exscind [ik'sind]. Kesip çıkarmak; yok etm.
exsert [ik'sət] (*biy.*) Dışarı çıkarmak. ~**ed**, dışarı çıkmış.
ex-service-man, *ç.* **-men**. Terhis edilmiş asker.
exsiccate ['eksikeyt]. Kurutmak.
ex-store [eks'stō(r)] (*mal.*) Mağazada teslim/bulunan eşya.
ext. = EXTER·IOR/-NAL; EXTRACT.
extant ['ekstant]. Hâlâ baki ve mevcut.
extempor·aneous [ikstempə'reynyəs]. İrticalî. ~**ary**/~**e** [-'temp(ər)əri], irticalen (söylenmiş); hazırlıksız. ~**ization** [-ray'zeyşn], irticalen söyleme. ~**ize** [-'tempərayz], irticalen söylemek; hazırlık yapmaksızın söylemek/yazmak/çalgı çalmak/bir şeyi yapmak.
extend [iks'tend]. Uzatmak; uzanmak; ilâve etm., eklemek; temdit etm.; genişle(t)mek; yaymak; sunmak; takdim etm.; erişmek: ~ **a welcome to**, -i iyi karşılamak, -e 'hoş geldiniz!' demek. ~**ed** [-did], ilâve edilmiş: ~ **leave**, uzatılmış izin: ~ **order**, (*ask., den.*) açılma nizamı. ~**ing**, açılır/uzatılır (masa vb.).

extens·ible [iks'tensəbl]. Açılır, uzatılır, uzanabilir. **~ile** [-sayl], uzanabilir. **~ion** [-şn], uzatma, uzanma; uzatım; (*mat.*) uzama; imtidat, temdit; genişletme, tevsi; büyütme, genişletme; zam, ilâve; ek; yayılma, sirayet: **~ ladder**, uzanır merdiven: **university ~**, üniversite derslerinin harice uzantısı. **~ive**, vâsi, geniş, yaygın: **~ agriculture**, geniş toprakta az masrafla yapılan ziraat. **~ively**, çok, büyük miktarda. **~ometer** [-'somitə(r)], germe/uzatma ölçeği. **~or** [iks'tensō(r)], uzatan kas, açıcı.
extent [iks'tent]. Mertebe, derece; mesaha; miktar: **to a certain/some ~**, bir dereceye kadar: **to such an ~ that**, o derecede ki.
extenuat·e [iks'tenyueyt]. Hafifletmek; azaltmak; zayıflatmak. **~ing circumstances**, cezayı azaltıcı/hafifletici sebepler. **~ion** [-'eyşn], **plead in ~ of a crime**, hafifletici sebep göstermek. **~ory**, azaltıcı, hafifletici.
exterior [iks'tiəriə(r)]. Dış; dış taraf; açık hava(da); haricî; görünüş, zavahir. **~ity** [-ri'oriti], haricilik. **~ize** [-riərayz], haricî/maddî şekil vermek.
exterminat·e [eks'tēmineyt]. İmha etm.; yok etm.; kökünü kazımak. **~ion** [-'neyşn], imha; yok etme. **~ive/~ory**, imha/yok edici. **~or**, imha/yok eden kimse.
external [eks'tənl]. Haricî; dış(tan); zahirî; görünüşe ait. **judge by ~s**, görünüşe göre hükmetmek: **Minister for ~ Affairs**, Dışişleri Bakanı. **~ism/~ity** [-nəlızm, -'naliti], haricilik; görünüşe önem verme. **~ist**, görünüşe önem veren. **~ize**, harici/maddileştirmek. **~ly**, dıştan.
exterritorial [eksteri'tōriəl]. Ülke (kanunları) dışında. **~ity** [-ri'aliti], (elçi vb.) görevde bulunduğu yabancı ülkenin kanunlarına tabi olmama imtiyazı. **~ly**, ülke dışında olarak.
extinct [iks'tin(g)kt]. Sönmüş; münkariz; halen mevcut olmıyan; bitmiş; kalmamış; (*yer.*) sönmüş; (*biy.*) tükenmiş; (*ast.*) körlenmiş. **~ion** [-kşn], inkıraz; ifna; itfa; sön(dür)me; tükenme, tüketme; körlenme; kararma.
extinguish [iks'tin(g)gwiş]. Söndürmek, bastırmak, ortadan kaldırmak, bitirmek, imha etm.; (*huk.*) ilga etm., iptal etm.; (ışık) körletmek; itfa etm. **~able**, söndürülür vb. **~er**, yangın söndürme aleti, söndürücü; (mum) şamdan külâhı. **~ment**, sön(dür)me; ilga, iptal, kaldırma.
extirpat·e ['ekstəpeyt]. İmha etm., yok etm., kökünü kurutmak, sökmek. **~ion** [-'peyşn], sökme, kökünden koparma. **~or**, söken, imha eden.
extol [iks'toul]. Medhüsena etm., çok övmek. **~ to the skies**, göklere çıkarmak.
extort [iks'tōt]. Başkasından zor/tehdit ile almak. **~ a promise from s.o.**, birinden bir vait koparmak. **~ion** [-'tōşn], zor/tehdit ile alma; gasbetme. **~ionate**, gaddar; fahiş. **~ioner**, zorla alan adam; fahiş fiyat istiyen kimse.
extra ['ekstrə] *s.* Fazla, ziyade; normalden çok; ekstra; üstün; esas masraftan hariç; ek olarak, munzam. *i.* İlâve, ek, zam; gazetenin olağanüstü baskısı; (*tiy.*) figüran; (*sin.*) figüran, ufak rol. **~ ~**, en üstün/iyi. **~s**, ek masraf: **little ~s**, ufak tefek ek masraf/konfor vb.
extra- [ekstrə-] *ön.* Ziyade ...; -den hariç; -den başka; -den dışı olan; -dışında; ekstra-.
extract ['ekstrakt] *i.* Hulâsa, özet; esans, ruh, öz; iktibas. *f.* [iks'trakt]. Çıkarmak, çekip çıkarmak; özetlemek; sökmek. **~ion** [-'trakşn], çıkarma, sökme; soy, menşe. **~or**, sökücü alet; cendere, pres; tasfiye cihazı; cerrah maşası; emgeç; üfleç, aspiratör, vantilatör.
extra-curricular [ekstrəkə'rıkyulə(r)]. Müfredat/öğretim programının dışında.
extradit·able [ekstrə'daytəbl]. İade edilebilen (suçlu); suçlunun iadesini gerektiren (suç). **~e** ['eks-], bir suçluyu suç işlediği ülkeye iade etm. **~ion** [-'dişn], suçluyu iade etme; suçlunun geri verilmesi.
extrados [iks'treydos] (*mim.*) Kemerin üst/dış sırtı; (*hav.*) kanadın üst sathı.
extra·judicial [ekstrəcu'dişl]. Mahkemeden hariç olan; mahkeme/yargılık dışı. **~marital** [-'maritəl], evlilik dışı. **~-mural** [-'myuərəl], sur dışında; üniversiteye mensup olmıyan (ders/öğretmen vb.). **~neous** [-'treyniəs], dışarıdan gelen; ecnebi, yabancı; sadede ait olmıyan: **~ly**, yabancı olarak, dışarıdan gelerek. **~ordinar·y** [iks'trōdn(ə)ri], fevkalâde, olağanüstü, harikülade; garip: **~ily**, fevkalâde olarak; çok. **~-parochial** [-pə'roukiəl], mahalle dışında. **~polat·e** [ikstrə'poleyt], dışdeğer bulmak: **~ion** [-'leyşn], dışdeğer bulma, uzaylama. **~sensory** [-'sensəri], **~ perception**, (telepati gibi) açıklanamaz anlayıs, duyudışı algılama. **~-special** [-'speşl], fevkalâde, olağanüstü; çok özel. **~-territorial** = EXTERRITORIAL. **~-terrestrial**, yer dışında(n). **~vagan·ce** [iks'travəgəns], israf, müsriflik, tutumsuzluk, boşuna harcama; itidalsizlik, ifrat, aşırılık: **~t**, müsrif, tutumsuz; çok masraflı; müfrit, aşırı, savurgan: **~za** [-'ganzə], fantezi. **~vagate** [-'travəgeyt], avare dolaşmak; tutumsuz olm.; haddinden çıkmak. **~vasat·e** [-'travəseyt], (kan vb.) damarından ak(ıt)mak: **~ion** [-'seyşn], bu akma; bu akan madde. **~-vehicular** [-vi'hikyulə(r)] (*hav.*) uzay gemisi dışında. **~version** = EXTROVERSION.
extrem·e [iks'trīm] *s.* Son derece; çok şiddetli; en uzak; müfrit; aşırı; azılı; itidalsiz. *i.* En uzak nokta/had; uç. **an ~ case**, aşırı/müstesna durum/örnek: **drive s.o. to ~s**, birini aşırılığa yöneltmek: **go to ~s**, aşırılığa varmak: **go from one ~ to the other**, bir aşırılıktan diğerine geçmek: **in the ~**, son derecede: **the ~ penalty**, ölüm cezası. **~ely**, son derece; pek çok. **~ism**, aşırılık, ifrat(çılık). **~ist**, ifratçı, aşırılığa kaçan, müfrit, azılı. **~ity** [-'tremiti], uç; nihayet; son derece; son çare; büyük tehlike, ıstırap, yoksulluk: **the ~ities (of the body)**, eller ve ayaklar: **be in great ~**, son derece sefalet içinde olm. **~um**, *ç.* **~a**, (*mat.*) maksimum/minimum değer.
extrica·ble [eks'trikəbl]. Kurtarılır; çıkarılır. **~te** ['ekstrikeyt], kurtarmak; çıkarmak; ayırmak: **~ oneself**, işin içinden çıkmak. **~tion** [-'keyşn], kurtar(ıl)ma; çık(ar)ma; ayır(ıl)ma.
extrinsic(al) [eks'trinksik(l)]. Hariç/dıştan gelen; arızî; zatî/aslî olmıyan. **~ly**, arızî bir şekilde; dıştan.
extrorse [iks'trōs]. Dışa bakan/dönen.
extrover·sion [ekstro'vəşn]. Dışadönüm. **~t** ['ekstrovōt], daima başkalarıyle ilgilenen kimse, dışadönük: **~ed**, böyle olan, sokulgan.
extru·de [iks'trūd]. Sıkıp çıkarmak, darçık(ar)mak; cenderelemek; kalıp/haddeden çıkmak; püskürmek. **~ded**, darçıkık. **~sion** [-'trūjn], sıkıp

çıkarma, darçıkım, ekstrüzyon: **~-press**, darçıkarır. **~sive**, (*yer.*) püskürük (kaya).

exubera·nce [ig'zyūbərəns]. Coşkunluk, taşkınlık; bolluk. **~nt**, coşkun, taşkın; bol: **~ly**, coşkun/bol olarak. **~te**, coşmak, taşmak; bol olm.

exud·ation [eksyu'deyşn]. Sız(dır)ma; dışarı sızan madde. **~ative** [ig'zyūdətiv], sız(dır)maya ait. **~e** siz(dır)mak; terle(t)mek: **he ~s conceit (from every pore)**, azametinden yanına varılmıyor.

exult [ig'zʌlt]. **~ at/in**, -den çok sevinmek; iftihar etm., övünmek: **~ over s.o.**, mağlup edilen/felâkete uğrıyan rakip karşısında 'oh olsun' diye sevinmek. **~ancy**= ~ATION. **~ant**, mesrur; çok sevinen ve övünen. **~ation** [-'teyşn], büyük sevinç; iftihar; şenlik.

exurb(ia) ['eksəb(iə)]. Varoş dışındaki mahalle(ler).

exuvi·ae [eg'zūviī] (*zoo.*) Dökülmüş kabuk/deri. **~al**, buna ait. **~ate** [-eyt], kabuk/deri/tüy dökmek. **~ation** [-'eyşn], (kabuk vb.) dök(ül)me; dökülmüş kabuk vb.

ex-works [eks'wəks]. Fabrikada teslim. **~(-price)**, fabrika fiyatı.

eye[1] [ay] *i.* Göz; iğne deliği; kopça iliği; budak; **(of a spliced rope)**, (halat) kasa. **~s front!**, ileri bak!: **~s right!**, sağa bak! **an ~ for an ~**, kısas usulü: **'that's all my ~ (and Betty Martin)!'**, bütün bunlar kuru laf: **be all ~s**, dikkat kesilmek, göz kulak olm.: **he has ~s at the back of his head**, onun görmediği yoktur: **give s.o. a black ~**, gözünü morartmak: **cast an ~ over**, -e göz gezdirmek: **cast down one's ~s**, yere bakmak: **catch s.o.'s ~**, gözlerini arayarak dikkatini çekmek: **there was not a dry ~ in the room**, odada ağlamıyan yoktu: **out of the corner of my ~**, gözümün kuyruk/ucuyle: **give an ~ to stg.**, bir şeye bakmak/göz kulak olm.: **have an ~ for stg.**, bir şeyin iyisini seçebilmek hassası: **have an ~ to**, niyetinde olm.: **have an ~ to the main chance**, kendi çıkarını gözönünde tutmak: **just keep an ~ on this child**, bu çocuğa göz kulak oluver: **keep one's ~s skinned**, gözünü dört açmak: **make ~s at**, -e göz etm.: **mind your ~!**, dikkat et!: **in the mind's ~**, hayalinde; gözün önünde gibi: **do stg. with one's ~s open**, bir şeyi göz göre göre yapmak: **be in the public ~**, halkın gözünde olm./halkın diline düşmek: **see ~ to ~ with s.o.**, birisiyle aynı fikirde olm.: **you can see that with half an ~**, bu açıktır: **I set ~s on England for the first time**, İng.yi ilk defa gördüm: **I am up to the ~s in work**, işten başımı kaşıyacak vaktim yok: **in the wind's ~**, rüzgâra karşı: **with an ~ to**, . . . maksat/amacıyle: **(make) the ~s water**, gözü yaşar(t)mak: **artificial/false ~**, sunî/takma göz: **compound ~**, petek göz: **evil ~**, nazar: **glass ~**, cam göz: **green ~**, kıskanç/gıpta eden göz: **practised ~**, alışkın göz.

eye[2] *f.* -e göz atmak; bakmak; süzmek.

eye-[3], *ön.* **~ball**, göz küre/yuvarı. **~-bath/cup**, göz banyo/fincanı. **~-bolt**, mapa; gözlü cıvata. **~brow** [-brau], kaş: **~-pencil**, kaş boyası: **knit the ~s**, kaşları çatmak. **~-bud**, budak. **~-catching/fetching**, çekici. **-~d** [ayd] (*son.*) gözlü, delikli; göz gibi beneklerle süslenmiş: **one-~ monster**, tek gözlü canavar. **~ful**, (*arg.*) toplu bakış; göz alıcı kimse/şey. **~glass**, tek gözlük, monokl: **~es**, (kelebek) gözlük. **~hole** [-houl], göz çukuru; delik; seyredecek delik. **~lash** [-laş], kirpik: **false ~es**, takma kirpikler. **~less**, gözsüz, kör. **~let** [-lit], küçük delik; kopça iliği; (*den.*) matafyon. **~lid**, göz kapağı: **without batting an ~**, gözünü kırpmadan: **hang on by the ~s**, pamuk ipliğine bağlı olm. **~-liner**, göz boyası. **~-opener**, insanın gözünü açan şey; ibret, öğrenek. **~piece** [-pīs], (dürbün vb.) göz cam/merceği, oküler. **~-shade**, göz siperi. **~-shadow**, göz boyası, rimel. **~shot** [-şot], **within/out of ~**, gözle görüle·bilecek/-miyecek uzaklıkta. **~sight** [-sayt], görme: **have good ~**, gözleri iyi görmek. **~-socket**, göz çukuru. **~sore** [-sō(r)], göze batan ve çok çirkin şey. **~-strain**, göz yorgunluğu. **~tooth**, göz/köpek dişi. **~-wash**, göz ilâcı; (*mec.*) göz boyama. **~witness** [-witnis], gözü ile gören; şahit, tanık: **be an ~**, kendi gözü ile görmek.

Eyetie ['aytay] (*arg., köt.*) İtalyan.

eyot [eyt]. Adacık.

eyre [eə(r)] (*huk.*) Devir, seyahat: **justices in ~**, seyyar hâkimler.

eyr·ie/**~y** ['eəri]. Kartal yuvası.

F

F, f [ef]. F harfi; (*müz.*) dördüncü nota.
F, f. = FAHRENHEIT; FARAD; FATHER; FATHOM; FEDERAL; FEDERATION; FELLOW; FEMALE; FEMININE; FEMTO-; (*kim.s.*) FLUORINE; FOLIO; FOLLOWING; FORTE; FRANC; FRANCE; FRENCH; FRESHWATER LOADLINE; FOCAL LENGTH.
FA = FANNY ADAMS; FOOTBALL ASSOCIATION. **~A** = *FEDERAL AVIATION ADMINISTRATION; FLEET AIR ARM; FREE OF ALL AVERAGE.
Fabian ['feybiən]. İhtiyatlı ve geciktirici (kimse/politika).
fable ['feybl]. Masal; kıssa; efsane. **~d**, esatirî.
fabric ['fabrik]. Bina, yapı; kumaş, bez, doku.
fabricat·e ['fabrikeyt]. Yapmak, imal etm., uydurmak. **~ion** [-'keyşn], uydurma; yapma; icat.
fabul·ist ['fabyūlist]. Efsane yazarı; yalancı. **~ous**, efsanevî, esatirî; hayret verici: **at a ~ price**, ateş pahasına: **~ly rich**, Karun kadar zengin.
façade [fə'sād]. Bina yüzü; zavahir, görünüş.
face[1] [feys] *i.* Yüz, çehre, vecih; ön; saat minesi. **in the ~ of all men**, âleme karşı: **in the ~ of danger**, tehlike karşısında: **~ to ~**, karşı karşıya; yüz yüze; huzurunda: **fly in the ~ of facts**, hakikate aldırmamak: hakikati inkâra kalkışmak: **fly in the ~ of Providence**, kadere karşı mücadele etm.: **have the ~ to**, yüzü tutmak, cüret etm.; hiç çekinmemek: **keep a straight ~**, gülmemek: **look death in the ~**, ölümü göze almak: **look s.o. in the ~**, yüzüne bakmaktan korkmamak: **lose ~**, itibar/şerefini kaybetmek: **make a ~/~s**, yüzünü gözünü oynatmak: **on the ~ of it**, görünüşte: **pull a long ~**, suratını bir karış asmak: **put a good/bold ~ on it**, memnun olmadığı/korktuğu halde memnun/cesur görünmek: **to save one's ~**, görünüşü kurtarmak için: **set one's ~ against**, -e karşı cephe almak, karşı gelmek: **bold ~**, (*bas.*) geniş yüzlü/siyah harf.
face[2] *f.* Karşılamak; yüzüne bakmak; karşı olm.; dayanmak; katlanmak; kaplamak; nâzır olm.: **be ~d with**, -le kaplanmak; . . . karşı karşıya bulunmak: **~ this way!**, bu tarafa dönünüz!: **the house ~s south**, ev güneye bakar: **I can't ~ another winter here**, burada bir kış daha kalmayı göze alamam: **the difficulties that ~ us**, karşımızdaki güçlükler: **~ the music**, (*mec.*) tehlike/cezadan çekinmemek. **~ about**, yüzgeri etm.
face-[3] *ön.* **~-ache** [-eyk], nevralji; (*mec.*) hüzünlü bir kimse. **~-card**, resimli iskambil kâğıdı. **~-cloth**, elbezi. **~d** [feyst], kaplanmış; yüzlü. **~-down**, yüzü koyun, yüzüstü. **~down**, yüzleştirme. **~less**, yüzsüz; (*id.*) hiç gözükmiyen fakat gerçek kuvvetli/iktidarlı olan. **~-lift(ing)**, estetik ameliyat. **~-plate**, düz ayna. **~-powder**, yüz pudrası. **~r**, yüzüne bir darbe; (*mec.*) büyük ve anî bir güçlük; (*müh.*) yüz tornacısı. **~-saving**, görünüşü kurtarıcı. **~-shield** [-şīld], yüz siperi.
facet ['fasit]. Faseta; (*biy.*) faset göz.
faceti·ae [fə'sīşiī]. Nükteli sözler. **~ous** [-şəs], olur olmaz her şey hakkında nükte yapan, alaycı: **~ly**, nükteli olarak: **~ness**, nükte; alaycılık.
face·-value [feys'valyū]. İtibarî kıymet, saymaca değer; yazılı değer. **~-worker**, (*mad.*) kömür kazıcısı.
facia ['feyşə]. Mağaza vitrininin üstündeki tabela; (*oto.*) pano, alet tablosu.
facial ['feyşəl]. Yüze ait; vechî: **~-angle**, yüz açısı (insanbilim).
-facient [-feyşnt] *son.* . . . yapan; -leştiren [CALORIFACIENT].
facies ['feyşīz] (*tıp.*) Yüz görünüşü; (*coğ.*) kayaç oluşuğu.
facile ['fasayl]. Kolay; uysal; çabuk konuşur/yazar.
facilit·ate [fe'siliteyt]. Kolaylaştırmak. **~y**, kolaylık; istidat: **~ies**, imkân ve vasıtalar.
facing ['feysin(g)] *s.* Nâzır, karşı olan; müteveccih. *i.* Kaplama; (*müh.*) yamama; dış astarı. **regimental ~s**, askerî üniformaların kol/yakasında her alayın özel işareti.
facsimile [fak'simili]. Aynı, tıpkısı, tam kopya; tıpkıbasım.
fact [fakt]. Fiil; vaka, olay; hakikat, gerçek; keyfiyet, nitelik. **~ and fiction**, gerçek ve hayal: **the ~ is that**, gerçek şudur ki: **an accomplished ~**, emrivaki, olupbitti: **apart from the ~ that. . .**, -den başka: **in ~**, gerçekten, hattâ: **in point of ~**, aslını ararsan: **look ~s in the face**, olayları olduğu gibi görmek: **stick to ~s**, vak'aları göz önünde tutmak; hayale kapılmamak: **owing to the ~ that. . .**, -den dolayı.
factice ['faktis]. Sunî bir lastik.
faction ['fakşn]. Nifak; ara bozukluğu; parti içinde ayrılık; ihtilâf çıkaran hizip; parti, fırka. **-al**, taraftar olan; ihtilâf çıkaran. **~ist**, ihtilâfçı, fitneci.
-faction [-'fakşn] *son.* -etme; edilme; -yap(ıl)ma; -leştir(il)me [LIQUEFACTION].
factious ['fakşəs]. Mücadeleci; fitneci; geçimsiz. **~ness**, fitnecilik; geçimsizlik.
factitious [fak'tişəs]. Sunî; yapma, uydurma. **~ly**, sunî bir şekilde.
factitive ['faktitiv]. Ettirgen.
factor ['faktə(r)]. Âmil, sebep, etmen, unsur; simsar, komisyoncu; çiftlik kâhyası; (*mat.*) kasım, çarpan, katsayı, tambölen; emsal, oran; (*biy.*) faktör: **highest common ~**, en büyük ortak tambölen: **~ of safety**, emniyet emsali. **~age**, simsar komisyonu. **~ial** [-'tōriəl], müteselsil madruplar. **~ize** [-tərayz], çarpanlara ayırmak.
factory ['faktəri]. İmalâthane, fabrika, yapımevi, atelye; (*tar.*) tüccarların dış memleketlerde ticaret

alanı. ~ **Act**, fabrika emniyetini idare eden kanun. ~**-hand**, fabrika işçisi. ~**-ship**, (balina vb.) işleme gemisi, ana gemi.

factotum [fak'toutəm]. Her işi gören adam/hizmetçi.

factual ['faktyuəl]. Vakaya ait; hakikî, gerçek; özdeksel, maddî.

facul·a ['fakyūlə]. Fakül, benek. ~**ar**/~**ous**, faküle ait.

facultative ['fakəlteytiv]. İhtiyarî, isteğe bağlı; istemli.

faculty ['fakəlti]. İstidat, güç, kabiliyet, yetenek, meleke; (*eğit.*) fakülte (kadrosu); (*din.*) yetki.

fad [fad]. Şahsî bir merak/âdet; gelip geçici ve manasız bir moda. **full of** ~**s**, bir takım garip âdetleri olan, olur olmaz şeylere titizlenen. ~**dist**, *i.* ~**dy**, *s* = FULL OF FADS.

fade [feyd]. Solmak, rengi atmak/uçmak; zail olm., yavaş yavaş gözden kaybolmak; kısılmak; rengini soldurmak. ~ **away**, gözden kaybolmak, eriyip gitmek: ~ **one scene into another**, filimde bir sahneyi tedricen değiştirmek. ~**-in**, (*sin.*) ışık parlaması, açılma. ~**less**, solmaz. ~**-out**, (*sin.*) ışık solması, kararma; (*rad.*) sesin kaybolması. ~**r**, kısıcı.

fading ['feydin(g)] (*rad.*) Dayanıksızlık.

faec·al ['fīkl]. Dışkıya ait. ~**es** ['fīsīz], dışkı.

faer·ie/~**y** ['feəri] (*mer.*) = FAIRY.

fag [fag] *f.* Yormak, yorulmak. *i.* Yorucu iş; büyük talebenin ufak tefek işlerini yapan küçük talebe; (*arg.*) sigara; (*kab.*) ibne. **it's too much** ~**!**, (*arg.*) işim mi yok?, zahmete değmez: **what a** ~**!**, bu da bir angarya! ~**-end**, izmarit; artık; son.

fag(g)ot ['fagət] *i.* İnce odun ve çalı demeti; deste; domuz etinden bir nevi sucuk; (*arg.*) ihtiyar kadın; (*kab.*) ibne. *f.* Demet yapmak.

fa(h) [fā] (*müz.*) Dördüncü nota; fa notası.

Fahr(enheit) ['farənhayt]. Farenhayt (derecesi).

faience [fay'āns]. Çini, fayans.

fail [feyl]. Becerememek, başaramamak, muvaffak olmamak; yapmamak; olmamak; ihmal etm.; arıza yapmak; eksik gelmek, tükenmek; iflâs etm., batkıya düşmek; bırakmak, yardım etmemek; vücuttan düşmek. ~ **to do stg.**, bir şeyi yapmamak: ~ **in one's duty**, görevinde kusur etm.: **whatever you do, don't** ~ **me!**, ne olursa olsun aman beni atlatma!: **his heart** ~**ed him**, cesaret edemedi: **I** ~ **to see why ...**, sebebini anlamıyorum: ~**ing payment**, tediye edilmediği halde: **without** ~, mutlaka, muhakkak olarak: **words** ~ **me**, kelime bulamıyorum: **this will do** ~**ing all else**, başka hiç bir şey bulunmazsa bu olur. ~**ing**, *i.* eksiklik, zâf: *s.* vücuttan düşen, zayıflıyan; eriyip giden: ~ **this**, bu olmadığı/bulunmadığı halde. ~**-safe**, hatalı çalışmada emniyet (cihazı).

failure ['feylyə(r)]. Muvaffakiyetsizlik, başarısızlık; bozukluk; bozulma, çalışmama; (*mal.*) iflâs, batkı(nlık); (*müh.*) yıkım; (*tıp.*) sekte; noksan. ~ **to do**, yapmakta kusur etme, yapmama: ~ **to obey the law may cost you dear**, kanuna itaatsizlik pahalıya malolabilir.

fain [feyn]. (Bu vaziyette) memnuniyetle; zarurî olarak. ~**(s) I!**, benden paso!

faint[1] [feynt] *f.* Bayılmak. *i.* Baygınlık, bayılma. *s.* Bayılacak. **a dead** ~, ölü gibi baygın olma: **a** ~**ing fit**, baygınlık.

faint[2] *s.* Cüzî, hafif, zayıf; soluk; hayal meyal; müphem, bellibelirsiz. ~**heart never won fair lady**, yüreksiz adam aşkta başarılı olmaz. ~**-heart(ed)**, yüreksiz. ~**ish**, oldukça zayıf. ~**ly**, zayıf olarak. ~**ness**, zayıflık.

fair[1] ['feə(r)] *i.* Panayır, sergili satak; sergi, fuar.

fair[2] *s.* İnsaflı, hakkaniyetli, adalete uygun; hilesiz, doğru; (oyunlarda) mızıkçılık etmez, hakşinas; güzel; lepiska saçlı, sarışın; (hava) iyi; fena değil, şöyle böyle. **all's** ~ **in love and war**, aşkta ve savaşta her şey caizdir: **given a** ~ **chance**, (âdilâne) imkân verildiği halde: **there is a** ~ **chance that we shall win**, kazanmamız oldukça muhtemeldir: ~ **copy**, temize çekilmis nüsha: ~ **game**, yasak olmıyan av; (*mec.*) meşru hedef: **'by** ~ **means or foul'**, hangi vasıta ile olursa olsun, ne yapıp yapıp: ~ **to middling**, şöyle böyle: **one's** ~ **name**, lekesiz ad, nam: ~ **play**, hakşinaslık, dürüst hareket: **put s.o. off with** ~ **promises**, birini güzel vaitlerle oyalamak: **set** ~, (hava) devamlı olarak iyi: **the** ~ **sex**, cinsî latif: ~ **and square**, dürüst, insaflı: **hit stg.** ~ **and square**, bir şeyin tam ortasına vurmak: **he is in a** ~ **way to lose his job**, işinden olması kuvvetle muhtemeldir: **a** ~ **wind**, müsait rüzgâr: ~ **words**, güzel sözler: **he** ~**ly beamed with delight**, sevincinden âdeta ağzı kulaklarına vardı.

fair[3] *f.* ~ **in**, şekline uydurmak.

fair-[4] *ön.* ~**ground**, panayır/fuar/sergi yeri. ~**-haired**, sarışın, lepiska saçlı.

fairily ['feərili]. Peri gibi (bir şekilde).

fair·ing ['feərin(g)]. Panayırda satın alınan bir hediye; (*hav.*) kaporta. ~**ish**, iyice, orta. ~**lead** [-līd], (*den.*) kurtağzı. ~**ly**, âdilâne, haklı/tarafsız olarak; oldukça, -ce; tamamen. ~**-minded** [-mayndid], insaflı. ~**ness**, lepiska saçlılık; insaflılık, hüsnüniyet, adalet: **in all** ~, doğrusu, insaf namına. ~**-spoken**, nezaketli; tatlı dilli, yüze gülücü. ~**way** [-wey], nehir vb.de gemilerin geçmesine ayrılan kanal; (*golf.*) oynanan alan. ~**-weather**, ~ **sailor**, yalnız iyi havada denize çıkan gemici: ~ **friend**, iyi gün dostu.

fairy ['feəri]. Peri; (*arg.*) HOMOSEXUAL. ~**-cycle**, oyuncak bisiklet. ~**-godmother**, (*mec.*) kadın velinimet. ~**-lamp**, süs kandil/lambası. ~**land**, periler diyarı. ~**-like**, peri gibi. ~**-ring**, bazı mantarların çayırlarda teşkil ettikleri koyu yeşil ot halkası ki eskiden perilerin raksettikleri yer sanılırdı. ~**-tale**, peri masalı; masal.

fait accompli ['feytakomplī] (*Fr.*) Emrivaki, olupbitti; olmuş bitmiş iş.

faith [feyθ], İman, itikat; inan(ç); itimat; vefa. **bad** ~, kötü niyet; ihanet: **die in the** ~, imanlı olarak ölmek: **in good** ~, iyiye çekerek, hüsnüniyetle: **have/put** ~ **in**, inanmak, güvenmek, itimat etm.: **keep** ~, sözünde durmak: **lose** ~ **in s.o.**, birisinden sıdkı sıyrılmak. ~**-cure**/**-healing**, telkinle tedavi. ~**ful**, vefalı, sadık; mümin: **the** ~, müminler. ~**fully**, sadakatle: **promise** ~, kesinlikle söz vermek: **yours** ~, (iş mektubunun sonunda) saygılarımı sunarım. ~**-healer**, imanla şifacı. ~**less**, vefasiz; hain; imansız: ~**ly**, vefasızca vb.: ~**ness**, vefasızlık; hiyanet; imansızlık.

fake[1] [feyk] *i.* Yapma şey; kalp/uydurma/sahte şey; taklit. *f.* Taklit etm. ~ **up**, uydurmak. ~**r**, dolandırıcı.

fake[2] (*den.*) *i.* Halat kangalı. *f.* Kangal etm.

fakir [fā'kiə(r)]. Hindistan'da fakir.
Falangist [fə'lancist] (*İsp.*) Faşist teşkilâtına ait; Falanjist.
fal·bala/~belo ['falbəlā, -bilo] (*mod.*) Saçak, süs.
fal·cate ['falkeyt]. Orak/kanca/hilâl şeklinde. **~chion** [-çən], orak şeklinde enli ve ağır kılıç. **~-ciform** [-sifōm] (*tıp.*) orak şeklinde.
falcon ['folkn]. Doğan, şahin, sungur, kartalgil(ler): **Eleonora's ~**, elanor doğanı: **lanner ~**, bıyıklı doğan: **peregrine ~**, doğan: **red-footed ~**, kırmızı ayaklı kerkenez: **saker ~**, ulu doğan. **~er**, şahinci, kuşçu başı. **~et**, küçük doğan; (*ask.*) küçük top. **~ry**, şahin avı, av kuşları terbiyesi. **~s**, kartalgiller.
falderal ['faldəral]. Boş lâf; değersiz şey/süs.
faldstool ['fōldstūl] (*din.*) Küçük iskemle; rahle.
fall[1] [fōl] *i.* Sukut, düşme; inkıraz; düşme, alçalma, azalma; çökme; şelâle, çağlayan; *yaprak dökümü, sonbahar; nehir suyunun aktığı yükseklik; yağış. **the F~**, ilk insan/Âdemin günahı: **~s**, (*den.*) palanga çımaları, tirenti: **have a ~**, düşmek: ***in the ~**, sonbaharda: **ride for a ~**, atı muhakkak düşecek şekilde sürmek; (*mec.*) başının belâsını aramak: **try a ~ with s.o.**, birisiyle güreşmek.
fall[2] *f.* (*g.z.* **fell**, *g.z.o.* **fallen** [fel, fōlən]). Düşmek, sukut etm.; dökülmek; çökmek, yığılmak; azalmak, alçalmak; tesadüf etm., vukua gelmek; olmak. **~ for**, -e abayı yakmak, vurulmak; -den aldanmak: **his eye fell upon me**, gözü bana ilişti: **his face fell**, suratı asıldı: **~ into a habit**, bir şeyi âdet edinmek: **the subject ~s into three divisions**, bu konu üç kısma ayrılır: **night is ~ing**, hava kararıyor: **~ into temptation**, şeytana uymak. **~ away**, ayrılıp düşmek; terketmek; zail olm., dininden dönmek; **the ground ~s away to the river**, arazi nehre doğru meylediyor: **the profits fell away to nothing**, kazanç gitgide sıfıra düştü. **~ back**, geri çekilmek, ricat etm.; arkaya yıkılmak: **~ back upon**, -e başvurmak. **~ behind**, geride kalmak; gecikmek. **~ down**, yere düşmek; çökmek, yıkılmak. **~ in**, çökmek, yıkılmak; içeri düşmek; (kira mukavelesi vb.) müddeti bitmek; (*ask.*) sıraya girmek; **~ in with**, tesadüf etm.; uyuşmak; kabul etm. **~ off**, -den düşmek; azalmak; eksilmek; dökülmek; evvelki gibi olmamak; zail olm.; (*den.*) orsadan düşmek. **~ out**, dışarıya düşmek; dökülmek; vukua gelmek; külâhları değiştirmek; (*ask.*) sıradan ayrılmak: **~ out with s.o.**, birisiyle bozuşmak. **~ over**, devrilmek; sırtüstü düşmek: **~ over an obstacle**, bir engele çarpıp düşmek: **people were ~ing over one another to buy the book**, halk bu kitabı kapışıyordu. **~ through**, geçip düşmek; suya düşmek; vazgeçilmek. **~ to**, başlamak; girişmek; yemeğe saldırmak: **now then, ~ to!**, haydi! işinize!
fallac·ious [fe'leyşəs]. Aldatıcı; safsatalı, batıl. **~y** ['faləsi], mugalâta, yanıltmaca, safsata, kıyası fasit; yanlışlık.
fallal [fal'lal] (*köt.*) Süs(lü şey).
fall·en ['fōlən] *g.z.o.* = FALL[2]. *s.* Düşmüş; dökülmüş; düşük; günahkâr. **the ~**, savaşta ölenler, şehitler: **~ woman**, fahişeliğe düşmüş kadın. **~-guy** [-gay] (*mec.*) kurban.
fallib·ility [fali'biliti]. Yanılabilme. **~le** ['falibl], yanılabilir.
falling ['fōlin(g)]. Düşen, düşük. **~-sickness**, sara hastalığı: **~-star**, kayan yıldız.
Fallopian [fə'loupiən]. **~ tubes**, fallop/rahim borusu.
fall-out ['fōlaut] (*fiz.*) Döküntü; radyoaktif çökelek/tortu.
fallow[1] ['falou] *i.* Nadas; dinlendirilmiş toprak. *f.* Nadasa bırakmak; dinlendirmek. **lie ~**, (toprak) nadas halinde kalmak; (*mec.*) işlenmemiş olm.
fallow[2]. Devetüyü rengi. **~-deer**, sığın, ala geyik.
false [fols, fōls]. Sahte, düzme, taklit, yapma(cık), takma; yalan, asılsız, yanlış; kalp; hileli, hain, vefasız; falsolu: **raise ~ hopes**, boşyere umut uyandırmak. **~-alarm**, asılsız tehlike işareti; yersiz telaş. **~-bottom**, (çanta, çekmece vb.) gizli/çifte dip. **~-colours**, yalan bayrak. **~-hearted**, hain; sadakatsız. **~hood** [-hud], yalan. **~-imprisonment**, haksız yere hapis. **~ly**, sahte vb. olarak, yalan bir şekilde. **~-keel**, kontra omurga. **~ness**, yalan, sahtelik. **~-note**, falso. **~-pretences**, yapmacık, sahte iddia, yalan söyliyerek. **~-quantity**, (*edeb.*) kısa heceyi uzun/uzun heceyi kısa telaffuz etme. **~-representation**, sahte iddia. **~-step**, yanlış (adım), hata. **~tto** [-'setou], (*müz.*) doğa dışı tiz erkek sesi.
falsie ['fōlsi] (*mod., kon.*) Takma bir şey, (*bilh.*) takma meme.
falsi·fication [folsifi'keyşn]. Tahrif etme; düzmecilik, sahtekârlık. **~fy** [-fay], tahrif etm., tezvir etm.; yanlış çıkarmak. **~ty** [-ti], yanlışlık; yalancılık; hainlik; sahtelik.
falter [fōltə(r)]. Tereddüt göstermek; sendelemek, duraksamak, bocalamak; dili tutulur gibi söylemek, kekelemek. **~ing**, sendeliyen: **~ly**, sendeliyerek.
fam. = FAMILIAR.
Famagusta [famə'gustə]. Magosa.
fame [feym]. Şöhret, nam, ün. **house of ill ~**, genelev. **~d**, şöhretli, tanınmış, ünlü.
familial [fə'miliəl]. Aileye ait.
familiar [fə'milyə(r)] *s.* Mutat, alışılmış, bildik; alışkın; âşina; senli benli, teklifsiz. *i.* **~ (spirit)**, bir büyücü emrindeki cin; hiç ayrılmaz arkadaş. **I am not ~ with Turkish**, Türkçe bilmem: **be too ~**, lâübali olm. **~ity** [-'ariti], senli benli olma; teklifsizlik; alışıklık, iyi bilme: **~ breeds contempt**, (*ata.*) alışkanlık her şeyin önemini düşürür. **~ization** [-ray'zeyşn], alıştır(ıl)ma. **~ize** [-'milyərayz], alıştırmak. **~ly**, alışkın/teklifsiz olarak.
family ['famili] *i.* Aile, çoluk çocuk; soy; cins, fasile, familya. *s.* Aile/çocuklara ait. **~ likeness**, bir ailede birbirine benzeme: **~ man**, ev bark sahibi: **it runs in the ~**, bütün aile halkı böyledir: **in the ~ way**, (*kon.*) gebe. **~-name**, soyadı. **~-planning**, aile planlaması. **~-tree**, aile silsilesi, şecere.
famine ['famin]. Kıtlık, genel açlık.
famish ['famiş]. Aç kalmak; aç bırakmak. **~ed, ~ing**, çok aç; açlıktan ölen.
famous ['feyməs]. Meşhur, namlı, ünlü. **become ~**, nam kazanmak. **~ly**, (*kon.*) pek iyi, mükemmel.
fan[1] [fan] *i.* Yelpaze; üfleç, vantilatör. *f.* Yelpazelemek; körüklemek; hava vermek.
fan[2] (*sin., sp.*) Meraklı, hayran, deli, fan.
fanatic [fə'natik]. Mutaassıp kimse; kaba sofu, bağnaz, yobaz. **~al** [-tikl], mutaassıp, bağnaz, yobaz. **~ism** [-sizm], taassup, bağnazlık, yobazlık.
fancier ['fansiə(r)]. ... meraklısı. **bird ~**, kuşbaz: **dog ~**, köpek besliyen ve satan adam.

fanciful ['fansiful]. Hayal mahsulü, acayip, tuhaf; hava ve hevesine tabi. ~**ly**, acayip/tuhaf olarak; hayale kapılarak.
fan-club ['fanklʌb] (*sin., sp.*) Meraklıların klübü, fanklüp.
fancy[1] ['fansi] *f.* Tahayyül etm., tasavvur etm.; zannetmek; gözüne kestirmek, gözü tutmak, beğenmek, tercih etm.: ~ **now!**/~ **that!**, çok şey!, acayip!: ~ **yourself**, kendini beğenmek: **he rather fancies his French**, Fransızcasını bir şey zannediyor: **which of these ties do you** ~**?**, bu kravatlardan hangisini gözün tutuyor?: **that horse is much fancied for the Derby**, bir çokları Derby'de bu atın kazanacağını zannediyor.
fancy[2] *i.* Muhayyile; hayal; kapris, heves, geçici istek. *s.* Süslü, tuhaf; fantezi, ziynet nevinden. **I have a** ~ **that**, bana öyle geliyor ki: **take a** ~ **to**, -den (nedense) hoşlanmak; birini gözü tutmak. ~**-dress**, ~ **ball**, kıyafet balosu. ~**-free**, kimseye gönül vermemiş. ~**-goods**, fantezi eşya. ~**-man**, (*arg.*) sevgili; pezevenk. ~**-work**, ince el işi.
F&D = FREIGHT AND DEMURRAGE.
fandangle [fan'dan(g)gl]. Değersiz süslü şey; maskaralık.
fane [feyn]. Mabet, tapınak.
fanfar·e ['fanfe̤ə(r)]. Tören borusu; fanfar; gösterişli hareket/laf vb. ~**onade** [-farə'neyd], fanfar; yüksekten atma.
fang [fan(g)]. Sivri uzun diş; diş kökü; oluklu zehirdişi; prazvana. ~**ed**, böyle dişli. ~**less**, böyle dişsiz.
fan·-light ['fanlayt], (*mim.*) Açık yelpaze şeklinde bir pencere. ~**-magazine**, (*sin., sp.*) meraklıların dergisi. ~**ner**, (*zir.*) savurma makinesi. ~**-tail**, yelpaze kuyruklu (güvercin).
fanny ['fani] (*den.*) Küçük kap; (*arg.*) kıç. **F**~ **Adams**, (*den., arg.*) yahni: **sweet** ~, hiç bir şey.
fan-tan ['fantan]. Bir Çin iskambil oyunu.
fantasia [fan'teyzi̤ə]. (*muz.*) Fantezi.
fantastic·(al) [fan'tastik(l)]. Hayalî, garip, acayip; akla hayret veren: gülünç, ~**ality** [-'kaliti], gariplik, vb. ~**ally** [-'tastikəli], garip vb. olarak; (*kon.*) fevkalâde, çok. ~**ate**, gülünçleştirmek.
fantasy ['fantəsi]. Muhayyile, hayal, hayalî resim; acayip fikir; düşlem, fantezi.
fan·-tracery/-vaulting [fan'treysəri, -'vōltin(g)], (*mim.*) Ağtonoz.
FA·NY = FIRST AID NURSING YEOMANRY. ~**O** = FOOD AND AGRICULTURE ORGANIZATION; FOR THE ATTENTION OF. ~**Q** = FAIR AVERAGE QUALITY; FREE ALONGSIDE QUAY.
far [fā(r)]. Uzak; ötedeki; bir hayli. ~ **away/off**, uzak, uzakta: ~ **and away the best/cheapest, etc.**, kat kat daha iyi/ucuz vb.: ~ **and wide**, yurt/dünyanın dört köşesinde: **as** ~ **as**, -e kadar: ~ **better/worse**, çok daha iyi/fena: ~ **from it**, bilâkis, ne münasebet!: **he is** ~ **from well**, hiç iyi değildir: **at the** ~ **end of the street**, caddenin öbür ucunda: **go too** ~, fazla ileri gitmek, haddini tecavüz etm.: ~ **into the night**, gece geç vakte kadar: **make one's money go** ~, parasını yetiştirmek: **that is going too** ~, bu kadarı da fazla: **so** ~, şimdiye kadar: **so** ~ **so good**, şimdiye kadar hoş, âlâ (ya sonra?) **(in) so** ~ **as I know**, benim bildiğim kadar: **so** ~ **from...**, ...şöyle dursun: **the night was** ~ **spent**, gece ilerlemişti.
FAR = FEDERATION OF ARAB REPUBLICS.
farad ['farəd] (*elek.*) Farad. ~**aic** [-'deyik], indüksiyonlu.
far·-away ['fārəwey]. **a** ~ **look**, uzaklara dalmış bakış. ~**-between, few and** ~, pek nadir, seyrek, kırk yılda bir
farc·e [fās]. Amiyane komedi, fars. ~**ical** [-ikl], gülünç.
farcy [fāsi]. Atlara mahsus bir hastalık/çıban.
fardel ['fādl] (*mer.*) Bohça, yük.
fare[1] [fe̤ə(r)] *i.* Taam; yiyecek ve içecek.
fare[2]. Nakliye/taşıma ücreti; kira arabası müşterisi. **single/return** ~, yalnız gitme/gidip gelme ücreti: ~**s please!**, biletler baylar!
fare[3] *f.* Seyahat/geziye çıkmak; (iş, hal) iyi/kötü olm.: ~ **forth**, yola çıkmak: **how did you** ~**?**, nasil oldu?: **how** ~**s it?**, ne var ne yok?; işler nasıl gidiyor?: ~ **thee well!**, elveda!: **it** ~**d ill with him**, muvaffak olmadı; hali fena idi: **if you do that it will** ~ **ill with you**, bunu yaparsan, vay haline!
farewell [fe̤ə'wel]. Allahaısmarladık!; elveda!; veda. **bid** ~ **to/take** ~ **of**, -e veda etm.
far·-famed ['fāfeymd]. Çok ünlü, dünyaca tanınmış. ~**-fetched** [-feçt], zoraki, zorlıyarak bulunmuş; inanılamaz. ~**-flung**, çok uzaklara yayılmış.
farina [fə'rīnə]. Un, nişasta. ~**ceous** [fari'neyşəs], unlu, nişastalı.
farm [fām] *i.* Çiftlik; tarlalar; vergi mültezimliği. *s.* Çiftlik +; tarım +. *f.* Çiftçilik etm., ekmek; kira ile vermek. **dairy** ~, mandıra: **home** ~, bir mülkün baş çiftliği: ~ **out**, iltizama vermek; (işi) başka bir kimseye vermek. ~**able** ['fāməbl], ekilir, ürün verir. ~**-bailiff**, çiftlik kâhyası. ~**er**, çiftçi, yetiştirici, ziraatçı, tarımcı; çiftlik sahip/kiracısı; mültezim: **dairy** ~, mandıracı, sütçü: **tax** ~, vergi mültezimi. ~**-hand/**~**-labourer**, çiftlik işçisi, rençper. ~**house**, çiftlik ev/binası. ~**ing**, ziraat, tarım; çiftçilik, ekicilik: **dairy** ~, mandıracılık: **mixed** ~, hem ekin hem de hayvan yetiştirme: **poultry** ~, tavukçuluk: **stock** ~, hayvan yetiştirme. ~**stead** [-sted], çiftlik ile binaları. ~**yard**, çiftlik avlusu; kümes.
faro ['fe̤əro̤u]. Bir iskambil oyunu.
far-off ['fārof]. Çok uzak.
farouche [fā'rūş] (*Fr.*) Huysuz; çekingen.
far-out ['fāra̤ut]. Pek kalenderane.
farrago [fə'rāgo̤u]. Karmakarışık şey. **a** ~ **of nonsense**, bir avuç saçma.
far-reaching [fā'rīçin(g)]. Uzaklara erişen, şümullü, etki/çevresi geniş.
farrier ['fari̤ə(r)]. Nalbant. ~**y**, nalbantlık.
farrow ['faro̤u] *f.* (Domuz) doğurmak. *i.* Bir batında doğan domuzlar.
far·-seeing [fā'sīin(g)]. Durendiş, basiretli, uzağı gören. ~**-sighted** [-'saytid], durendiş; uzak görüşlü; presbit: ~**ness**, (*mec.*) gen(iş)görü(ş).
fart [fāt] (*kab.*) *f.* Osurmak. *i.* Osuruk.
farther ['faðə(r)]. (FAR'*in krş.d.*) Daha uzak/ötede; fazla; = FURTHER: ~ **back**, daha geride: ~ **off**, ondan uzak: ~ **on**, daha ileride. ~**most**, en uzak.
farthest ['fāðist]. En uzak.
farthing ['fāðin(g)]. (1972'den önce) en küçük İng. parası; eski peninin dörtte biri; metelik. **not worth a brass** ~, on para/bir metelik etmez.
farthingale ['fāðin(g)geyl]. Çemberli iç etek.
f.a.s. = FREE ALONGSIDE SHIP.

fasces ['fasīz] (*tar.*) Balta ile değnekler demeti; hâkimiyet simgesi.
fascia ['feyşə] (*mim.*) Şerit, kemer; sütun kornişi. **~ted** [-sieytid], (*bot.*) birleşmiş; çizgili.
fascic(u)l·e ['fasik(yū)l]. Küçük demet; salkım; kitap cüzü, risale, fasikül, broşür. **~ar/~ate** [-'sikyulə, -leyt], salkım gibi. **~ation** [-'leyşn], salkım olma.
fascinat·e ['fasineyt]. Teshir etm., büyülemek. **~ing**, teshir edici; sihirli; füsunlu. **~ion** [-'neyşn], cazibe, sihir, füsun. **~or**, büyüleyici.
fascine [fa'sīn] (*müh., ask.*) Çalı demeti.
Fascis·m ['faşizm]. Faşizm. **~t**, faşist.
fash [faş] (*İsk.*) Güçlük/zahmet vermek; canını sıkmak. **don't ~ yourself**, hiç zahmet etmeyin.
fashion ['faşn] *i.* Moda; kılık; tarz; âdet; görenek. *f.* Şekil vermek; yapmak. **after a ~**, yarım yamalak; söyle böyle: **in the ~**, modada, rağbette: **out of ~**, demode; modası geçmiş: **lead the ~**, modaya örnek olm.; **set the ~**, moda çıkarmak: **a man of ~**, son moda giyinen adam. **~able** [-şənəbl], moda/âdete uygun; şık: **~ness**, modaya uygunluk; şıklık. **~ably**, modaya göre. **~-parade**, defile. **~-plate**, moda resimleri.
fast[1] [fāst] *i.* Oruç; perhiz. *f.* Oruç tutmak. **break one's ~**, orucunu bozmak.
fast[2] *s.* Sıkı; muhkem; ayrılmaz; dayanıklı, sabit; rengi atmaz/uçmaz. **~ asleep**, derin uykuda: **~ by**, yakında, yanıbaşında: **they are ~ friends**, sıkıfıkı dostturlar: **make ~**, sıkı bağlamak; gemiyi kara/şamandıraya bağlamak: **play ~ and loose**, söz verip de tutmamak; iki yüzlülük yapmak: **~ and loose pulley**, avaralı kasnak.
fast[3] *s., zf.* Süratli, hızlı, çabuk; hafifmeşrep; (saat) ileri. **the ~ set**, sefihler: **as ~ as I mend one shirt he tears another**, ben bir gömleğini tamir eder etmez o başkasını yırtıyor.
fast-[4] *ön.* **~back**, pek aerodinamik olan arka kısmı düz bir otomobil; (*zir.*) yağsız bir cins domuz. **~-breeder**, (*nük.*) hızlı neutronlar kullanan atom reaktörü. **~-day**, oruç/perhiz günü.
fasten ['fāsn]. Bağlamak, iliştirmek, iliklemek; sıkıca kapatmak: **~ a crime on s.o.**, bir suçu birine yükletmek: **~ down**, mıhlamak, yapıştırmak: **~ on to**, -e takılmak, sarılmak, ilişmek. **~er**, bağ; toka; mandal, ataş, raptiye. **~ing**, bağ, toka; kilit; raptiye.
fasti ['fastay] (*Lat.*) Vakayıname.
fastidious [fas'tidiəs]. Titiz, kolay beğenmez; müşkülpesent. **~ly**, titiz olarak. **~ness**, titizlik.
fastigiate [fas'ticieyt] (*bot.*) Huni şeklinde.
fasting ['fastin(g)]. Oruç tutma. **to be taken ~**, (*tıp.*) açkarnına alınacak (ilâç).
fast·ish [fastiş]. Oldukça hızlı. **~-lane**, (*oto.*) yetişip geçmek için ayrılmış dış yol. **~ness**, sürat, hız; dayanıklık; yanaşılmaz yer; kale.
fastuous ['fastyuəs]. Gösterişçi; mağrur.
fat [fat] *s.* Şişman, semiz, besili; yağlı. *i.* Yağ. *f.* Semirtmek. **the ~ is in the fire**, oldu olanlar, işte şimdi kıyamet kopacak: **~ land**, bereketli toprak: **live off/on the ~ of the land**, tam bir refah içinde yaşamak: **a ~ salary**, (*kon.*) dolgun maaş: **'that's a ~ lot of use!'**, (*kon., köt.*) Maşallah! ne kadar faydalı şey! **kill the ~ted** CALF,
fatal ['feytl]. Öldürücü; meşum; mühlik; mukadder; ölümü intaç eden. **a ~ mistake**, vahim bir hata. **~ism** [-təlizm], kadercilik, fatalizm. **~ist**, kaderci: **~ic**, mütevekkil; kadere inanan. **~ity** [fə'taliti], ölümü mucip olan kaza; felâket; öldürücülük; uğursuzluk; şeamet: **~-rate**, ölüm oranı. **~ly**, ölümle; kadere tabi; çok kötü/tehlikeli.
fate [feyt]. Kader, kısmet, alınyazısı; akibet; ecel. **the F~s**, ecel perileri: **as sure as ~**, mutlak. **~d**, mukadder; ölüm/mahva mahkûm. **~ful**, kadere bağlı; kaçınılmaz; mukadderatı tayin eden; can alıcı; mühim.
fath. = FATHOM.
fathead ['fathed]. Aptal, ahmak.
father ['fāðə(r)] *i.* Baba, cet; ata; katolik papaz. *f.* Baba olm.; evlatlığa kabul etm. **the Holy ~**, Papa: **~ a child upon s.o.**, babası budur diye üstüne atmak: **~ of the House**, Avam Kamarasının en kıdemli üyesi: **~ stg. on s.o.**, bir şeyi birine atfetmek, yükletmek: **talk to s.o. like a ~**, birini azarlamak: **play the heavy ~**, büyük baba tavrı takınarak çok ciddî öğüt vermek. **~-figure**, baba niteliklerini gösteren bir adam. **~hood/~ship**, babalık. **~-in-law**, kayınpeder. **~land**, (ana)vatan, yurt. **~less**, yetim. **~like**, baba gibi; babaca. **~liness**, baba gibi olma. **~ly**, baba gibi; babaca.
fathom ['faðəm] *i.* Kulaç (1,829 m.). *f.* İskandil etm.; (*mec.*) içyüzünü anlamak, kavramak. **~eter**, [-'ðomitə(r)], bir cins akis sondası. **~less**, dipsiz. **~-line**, sonda ipi.
fatidical [fa'tidikl]. Kehanete ait.
fatigue [fə'tīg]. Yorgunluk; (*ask.*) angarya; (*müh.*) kağşama, yorulma, kesilme. **be on ~**, angaryada çalışmak. **~-clothes**, (*ask.*) iş elbisesi. **~-crack**, kağşama çatlağı. **~d**, yorgun, kesik, kağşak: **be ~**, yorulmak. **~less**, yorulamaz. **~-limit/-strength**, yorulma/kağşama dayanıklığı. **~-party**, (*ask.*) angaryacılar.
fatiguing [fə'tīgin(g)]. Yorucu.
fat·less ['fatlis]. Yağsız. **~ling**, genç besili hayvan. **~ness**, yağlılık; şişmanlık. **~stock**, besili hayvanlar. **~ten** [fatn], semirtmek; şişmanla(t)mak; semizlemek. **~tish**, oldukça yağlı. **~ty**, yağlı; (*kon.*) şişman (çocuk).
fatu·ity [fə'tyūiti]. Ahmaklık; aptalca ve yersiz hareket. **~ous** ['fatyuəs], akılsız ve beyhude: **~ly**, akılsızca: **~ness**, akılsızlık.
fauc·al ['fōkəl] (*tıp.*) Boğaza ait. **~es** [-sīz], boğaz.
faucet ['fōsit]. Fıçı musluğu; *musluk.
faugh [fō] (*yan.*) *İğrenme nidası.*
fault [fōlt]. Kusur, yanılgı; arıza; kabahat; eksiklik, noksanlık; hata, taksir; (*sp.*) yanlış; (*yer.*) kırık, fay. **be at ~**, yanılmak; kabahatli olm.: **be at ~ for an answer**, cevap verememek: **find ~ with**, tenkit etm., -de kusur bulmak: **generous to a ~**, aşırı derecede cömert: **through no ~ of his**, kendi suçu olmadan. **~-finder**, tenkitçi, daima kusur bulan kimse; (*müh.*) arıza bulucu. **~-finding**, tenkit edici, kusur bulma; (*müh.*) arıza bulma. **~ily**, kusurlu olarak. **~iness**, eksiklik, kusurluluk. **~less**, kusursuz; mükemmel. **~y**, kusurlu; arızalı; eksik, noksan; kabahatli; sakim.
faun [fōn] (*mit.*) Boynuzlu ve kuyruklu kır tanrılarından biri.
faun·a ['fōnə]. Bir bölgenin hayvanları; hayvanat, direy, doğay. **~ist**, direy bilgini.
faux pas ['foupā]. Pot; hata. **make a ~**, pot kırmak.
favour, *favor[1] ['feyvə(r)] *i.* Lütuf, inayet, taltif,

teveccüh, kerem; iltimas, himaye; taraftarlık; kurdele, rozet. **as a ~**, bir lütuf olarak: **ask a ~ of s.o.**, birinden bir ricada bulunmak: **be in ~ of doing stg.**, bir şeyi yapmağa taraftar olm.: **be in ~ with s.o.**, birinin gözünde olm.: **be out of ~**, gözden düşmek: **by ~ of**, -in delâletiyle, lütfuyla: **decide in ~ of**, lehine karar vermek: **find ~ with s.o./gain s.o.'s ~**, birinin gözüne girmek: **without fear or ~**, kimseden korkmadan ve kimseye minnet etmeden.
favo(u)r[2] *f.* Taraftarı olm.; tercih etm.; hoşgörmek; müsait olm.; kolaylaştırmak, teshil etm.; iltimas etm.; taltif etm. **he ~s his father**, (anasına değil) babasına benziyor.
favo(u)rabl·e ['feyvərəbl]. Müsait; uygun, olumlu, muvafık. **look upon stg. with a ~ eye**, bir şeyi uygun bulmak: **~ness**, uygunluk. **~y**, uygun olarak: **regard/consider stg. ~**, bir şeyi tasviple karşılamak.
favo(u)red ['feyvəd]. Tercih edilen: **ill-~**, çirkin: **well-~**, yakışıklı, güzel yüzlü: **the ~ few**, talihli bir avuç adam: **most ~ nation clause**, (*mal.*) en ziyade müsaadeye mazhar olan millet kaydı.
favo(u)rit·e ['feyvrit] *s.* En çok beğenilen; tercih edilen; makbul. *i.* Sevgili; gözde; ikbal; (*sp.*) kazanması beklenen, favori: **he is a general ~**, herkes onu sever. **~ism**, adam kayırma; iltimasçılık.
fawn[1] [fōn] *i.* Geyik yavrusu. *s.* Açık kahverengi. *f.* (Geyik) yavrulamak.
fawn[2] *f.* **~ upon**, -e yaltaklanmak; yalamak; müdahene etm. **~ing**, müdaheneci, yaltaklanan: **~ly**, yaltaklanarak.
fay [fey]. Peri; zayıf ve nazik kız.
faze [feyz]. Şaşırtmak, rahatsız etm.
Fb. = FOOTBALL.
F/B = FIGHTER-BOMBER.
FB·A = FELLOW OF THE BRITISH ACADEMY. **~I** = *FEDERAL BUREAU OF INVESTIGATION; FEDERATION OF BRITISH INDUSTRIES.
f.c. = FIRST CLASS.
FC = FOOTBALL CLUB; FREE CHURCH. ***~C** = FEDERAL COMMUNICATIONS COMMISSION. **†~O** = FOREIGN AND COMMONWEALTH OFFICE.
f'cap. = FOOLSCAP.
†FD = (*Lat.*) DEFENDER OF THE FAITH. ***~A** = FOOD AND DRUGS ADMINISTRATION. **~C** = FIRST DAY COVER.
Fe. (*kim.s.*) = IRON.
fealty ['fiəlti]. Biat; sadakat.
fear [fiə(r)] *i.* Korku, endişe. *f.* Korkmak; endişe etm.; yılmak. **~ for s.o.**, birisi için endişe etm.: **go/be/stand in ~ of**, -den korkmak: **for ~ that**, -den korkarak, ... korkusu ile: **in mortal ~/~ of one's life**, ölüm tehlikesiyle, can havliyle: **never ~!**, korkma!: **no ~!**, ne münasebet!, korkma!: **put the ~ of God into s.o.**, birine haddini bildirmek; dünyanın kaç bucak olduğunu göstermek: **without ~ or favour**, tamamen tarafsız olarak. **~ful** ['fiəful]. Korkak, endişeli; müthiş, korkunç; evhamlı: **~ly**, korkarak; müthiş olarak; (*kon.*) çok: **~ness**, endişelilik; korkunç. **~less**, pervasız; korkusuz, yılmaz: **~ly**, korkusuzca, yılmadan: **~ness**, korkusuzluk. **~nought** [-nōt], (*den.*) kalın yün kumaş(tan yapılmış elbise). **~some** [-səm], dehşetli, korkunç: **~ly**, korkunç olarak: **~ness**, korkunç olma.
feasib·ility [fīzi'biliti]. İmkân; yapılma/geçilme kabiliyeti. **~le** ['fīz-], yapılır, mümkün; tatbik edilir; (yol) geçirilir.
feast [fīst] *i.* Ziyafet; bayram; yortu; bolluk. *f.* Ziyafet vermek; ziyafette yiyip içmek. **~ on stg.**, bir şeyi büyük zevk ile yemek: **enough is as good as a ~**, (*ata.*) her şeyin fazlası fazla: **(im)movable ~**, (*din.*) her sene aynı/başka bir tarihte gelen yortu.
feat [fīt]. Hayret verici iş; büyük ustalık gerektiren şey; kahramanlık; menkıbe.
feather[1] ['feðə(r)] *i.* Kuş tüyü; telek; kuşun bütün tüyleri; ok yeleği; çiftlik atlarının ayak dibinde uzun kıllar. **birds of a ~ flock together**, (*ata.*) tencere yuvarlandı kapağını buldu: **make the ~s fly**, kıyamet kopmasına/büyük kavgaya sebep olm.: **that's a ~ in his cap**, bu onun için övünülecek bir şeydir: **in full ~**, (kuş) tam tüylü: **in full/high ~**, keyfi yerinde: **you could have knocked me down with a ~**, (*ata.*) hayretten küçük dilimi yuttum: **show the white ~**, korkaklık etm.
feather[2] *f.* (Kuş) tüylenmek; (ok) yeleklemek; (kürekçi) pala çevirmek: (pervane) yelkenlemek. **~ one's nest**, küpünü doldurmak.
feather-[3] *ön.* **~bed**, kuş tüyü minder/yatak. **~-bed**, *f.* (*mal.*) işi kolaylaştirmak; işçileri şımartmak. **~-brain(ed)**, kuş beyinli, akılsız. **~ed**, kuş tüylü. **~-edge**, kama şeklinde bir uç. **~iness**, tüy niteliği. **~ing**, tüyler (gibi bir şey); (*hav.*) feder+. **~less**, tuysüz. **~weight**, (*sp.*) tüyağırlık. **~y**, tüylü, tüy gibi.
feature ['fīçə(r)] *i.* Yüz organlarından biri; bir şeyin göze çarpan kısmı; özellik; (*bas.*) röportaj, inceleme yazısı. *f.* Tavsif etm., göstermek. **-~d**, *son.* ... yüz/çehreli. **~-film**, baş filim, **~less**, özelliksiz. **~s**, yüzün hatları.
Feb. = FEBRUARY.
febri·fugal [febri'fyūgəl]. Sıtma giderici. **~fuge** ['febrifyūc], sıtma gideren; hararet kesici (ilâç). **~le** ['fībrayl], hummalı; hummaya ait.
February ['februəri]. Şubat (ayı).
fecit ['fīsit, 'feykit] (*Lat.*) (*Sanatçının imzasıyle*) yapmıştır.
feckless ['feklis]. Âciz beceriksiz ve kayıtsız. **~ly**, kayıtsızca. **~ness**, beceriksizlik.
fecul·a ['fekyūlə] (*kim.*) Fekül; tortu; nişasta unu. **~ence**, tortu, posa, pislik. **~ent** [-lənt], tortulu.
fecund ['fīkənd]. Velut, doğurgan; döllenmiş; bereketli, verimli; semereli. **~ate**, döllemek; bereketlendirmek. **~ation** [-'deyşn], dölle(n)me. **~ity** [-'kʌnditi], veludiyet; ürünlü olma, bereketlilik.
fed [fed] *g.z.(o.)* = FEED. **be ~ up**, bıkmak: **I am ~ up with you**, senden illallah!
Fed. = FEDERAL; FEDERATION; (*arg.*) *FBI üyesi.
fedayeen [fedə'yīn] (*Ar.*) Fedaîler.
federal ['fedərəl]. Federal. **~ism**, federalizm. **~ist**, federalizm taraftarı. **~ization** [-lay'zeyşn], federal hükümetini teşkil etme. **~ize**, federasyonu teşkil etm.
federat·e ['fedəreyt]. Birleştirmek, federasyonu teşkil etm. **~ion** [-reyşn], birlik; içişlerinde bağımsız olan devletler vb. den mürekkep birlik, federasyon. **~ive**, federasyona ait, federatif.
fee [fī] *i.* Serbest meslek erbabına verilen ücret; ücret; hak; bahşiş. *f.* Ücret vermek/ödemek. **doctor's ~**, görümlük, vizita: **entrance ~**, giriş ücreti, duhuliye: **property held in ~ simple**, mülk: **retaining ~**, peşin verilen ücret.

feebl·e ['fībl]. Kuvvetsiz, zayıf, dermansız, güçsüz, halsiz; yavan: **~ness**, kuvvetsizlik, halsizlik: **~-minded**, ebleh, alık. **~ish**, oldukça zayıf. **~y**, dermansızca.

feed[1] (*g.z.(o.)* **fed**) [fīd, fed] *f.* Yemek yemek; otlamak; yedirmek; yem(ek) vermek; beslemek; (gerekli maddeyi) temin etm., tağdiye etm. *i.* Yem; taam, gıda; besleme; karnını doyurma; (*müh.*) makine yükleme tağdiyesi; (torna kalemi vb.) besleme, itme, ilerleme. **forced ~**, tazyik ile tağdiye; zorla yedirme(k): **be off one's ~**, iştahsız olm.: **~ on**, -le beslemek: **~ s.o. on**, birini -le beslemek, birine... yedirmek: **~ out of one's hand**, (hayvan) yemini avuçtan almak; (*mec.*) pek uysal olm., birinin avucunun içinde olm.: **~ up**, bol gıda ile kuvvetlendirmek, semirtmek.

feed-[2] [fīd-] *ön.* Verici+, besleyici+, ulama+, tağdiye+. **~back**, geri(ye)/ters(ine) verme/besleme/ulama; (*biy.*, *sos.*) karşılıklı etki. **~er**, besleyici, verici; yiyen; çocuk önlüğü; emzik; (*elek.*) şube/şebeke hattı, anakablo: **a gross ~**, oburca yiyen. **~-in**, (*sos.*) müşterek yemek yeme/verme. **~ing**, yem(ek) verme, besleme; tağdiye: **forcible ~**, zorla yedirme: **~-bottle**, emzik: **~-ground**, çayır, otlaklık. **~-tank**, besleme deposu.

feel[1] [fīl] *i.* Dokunma hissi, lâmise; hissetme; el yordamı. **rough to the ~**, teması kaba ve pürüzlü.

feel[2] (*g.z.(o.)* **felt**) *f.* Hissetmek; duymak; el ile dokunmak, ellemek; el yordamiyle bulmak. **~ about for/after stg.**, bir şeyi el yordamiyle aramak: **~ cold**, üşümek: **~ the cold/heat**, soğuk/sıcaklıktan rahatsızlanmak: **~ for s.o.**, birine müteessir olm., acımak: **~ hot**, harareti olm., sıcaklık hissetmek: **~ like doing stg.**, canı istemek, yanaşmak: **~ in one's pockets for stg.**, ceplerini yoklamak/aramak: **I don't ~ quite myself**, kendimi o kadar iyi hissetmiyorum: **I ~ like seeing it**, onu göreceğim geldi: **I don't ~ up to it**, bunu yapacak hal/gücüm yok: **~ one's way**, yolunu el yordamiyle bulmak; (*mec.*) yavaş yavaş ve ihtiyatla ilerlemek/hareket etm.: **~ well**, keyfi yerinde olm.: **~ unwell**, keyifsiz olm.

feeler ['fīlə(r)] (*zoo.*) Duyarga, anten; yoklayıcı; (*müh.*) şiş, filer: **put/throw out a ~**, (*mec.*) iskandil etm., yoklamak. **~-gauge**, kalınlık/boşluk ölçeği.

feeling ['fīlin(g)]. His, duygu; hassasiyet. **I have a ~ that**, bana öyle geliyor ki: **the general ~ is that**, genellikle sanılıyor ki: **have no ~s**, hissiz olm.; **I have no ~s about it**, bana göre hava hoş: **I speak with ~**, (i) damdan düşen halden bilir; (ii) kalpten/samimî olarak söylüyorum.

feelthy ['fīlθi] (*arg.*) Açık saçık.

feet [fīt] *ç.* = FOOT.

feign [feyn]. Yalandan yapmak; uydurmak. **~ sick/illness**, temarüz etm., yalandan hastanlanmak: **~ ignorance**, bilmemezlikten gelmek. **~ed**, yapmacık, sahte, düzme.

feint[1] [feynt]. El peşrevi (yapmak); (*ask.*) hile(li hareket yapmak).

feint[2] *s.* **~ ruled paper**, hafif çizgili kâğıt.

FELCO = FEDERATION OF ENGLISH LANGUAGE COURSE ORGANIZATIONS.

fel(d)spar ['feldspā(r)]. Feldispat.

felicit·ate [fi'lisiteyt]. Tebrik etm., kutlamak. **~ation** [-'teyşn], tebrik. **~ous** [-təs], pek yerinde olan, isabetli, uygun; mesut, mutlu. **~y**, saadet; mutluluk; uygunluk.

felin·e ['fīlayn]. Kedi cinsinden; aslangil; kedi gibi, kedimsi; sinsi; nazik fakat hain. **~ity** [-'liniti], kedi niteliği.

fell[1] [fel] *g.z.* = FALL[2].

fell[2] *f.* Yere indirmek; yıkmak, kesip indirmek.

fell[3] *s.* Meşum; korkunç; merhametsiz.

fell[4] *i.* Kayalık tepe; dağ.

fell[5] *i.* Post, deri.

fell·a(h)/~er ['felə] (*kon.*) = FELLOW.

fellah(een) ['felə, -'hīn]. Fellâh(lar).

felloe ['felo̱u]. Tekerlek çemberi parçalarından biri; ispit.

fellow[1] ['felo̱u]. Herif; adam, yoldaş; eş, emsal; aynı dereceden kimse; üniversite öğretmeni; bilim adamlarına bazan verilen unvan; bir bilim kurumunun üyesi. **a good ~**, iyi/hoş adam: **poor ~**, zavallı: **you might let a ~ speak**, bırak da anlatayım.

fellow-[2] *ön.* -daş, -arkadaşı. **~-being/creature**, hemcins, insan. **~-countryman**, vatandaş, yurttaş, hemşehri. **~-feeling**, birinin halinden anlama. **~-prisoner**, hapishane arkadaşı. **~-servant**, kapı yoldaşı. **~ship** [-şip], arkadaşlık, dostluk; üniversitede öğretmenlik; bilim kurumunun üyeliği. **~-student**, okuldaş, sınıf arkadaşı. **~-traveller**, yoldaş; parti üyesi olmıyan komünizmin taraftarı.

felo-de-se ['felodisī]. İntihar; müntehir.

felon[1] ['felən]. Dolama (çıbanı), etyaran.

felon[2], Mücrim, suçlu, cani; habis. **~ious** [fi'lo̱uniəs], caniyane; suça ait: **with ~ intent**, suç işlemek maksadiyle: **~ly**, caniyane olarak. **~ry**, suçlular takımı. **~y**, cürüm, (ağır) suç, cinayet.

felt[1] [felt] *g.z.(o.)* = FEEL[2].

felt[2] *i.* Keçe; kebe; fötr. *f.* Keçeleş(tir)mek; katranlı kumaş ile örtmek. **roofing ~**, katranlı mukavva/kumaş. **~ing**, keçe; keçeleşme.

felucca [fi'lʌkə]. Akdenize mahsus kürek/latin yelkenli bir kayık, filika.

fem. = FEMININE.

female ['fīmeyl] *s.* Dişi; dişiliğe ait; dişil; (*müh.*) dişi (parça) *i.* Dişi insan/hayvan; (*köt.*) kadın: **~ impersonator**, (*tiy.*) kadın temsil eden erkek.

feme [fem] (*huk.*) Kadın: **~-covert** [-kʌvət], evli kadın: **~-sole** [-so̱ul] bekâr/dul/boşanmış kadın.

femin·ality [femi'naliti]. Kadın tabiat/hususiyet/eşyası. **~eity** [-'nīiti] = **~**INITY. **~ine** ['feminin], kadına ait; kadın gibi; (*dil.*) müennes, dişil. **~inity** [-'niniti], kadınlık (özelliği). **~ism** ['fem-], feminizm. **~ist**, feminizm taraftarı, feminist. **~ize** [-nayz], kadınlaş(tır)mak.

femoral ['femərəl]. Uyluk kemiğine ait.

femto- [femto-] *ön.* (*mat.*) Femto-, 10^{-15}.

femur ['fīmə(r)]. Uyluk kemiği.

fen [fen]. Bataklık (bölge). **the ~s**, D. İng.'nin bataklık bölgesi.

fence[1] [fens] *i.* Tarla/bahçe etrafındaki tahta perde, çit vb.; parmaklık, bölme; hırsız yatağı. *f.* Etrafını parmaklık vb. ile çevirmek. **~ off a field**, bir tarlayı tel vb. ile ayırmak: **sit on the ~**, suya sabuna dokunmadan tarafsız kalmak.

fence[2] *f.* Eskrim yapmak.

fenceless ['fenslis]. Çit/parmaklıksız; (*şiir*) muhafazasız, himayesiz.

fencible ['fensibl] (*tar.*) Yalnız iç hizmeti için kullanılan asker.
fencing[1] ['fensin(g)]. Çit, tahtaperde. **(barbed-)wire ~**, (dikenli) telden çit: **picket ~**, çubuk/kazık parmaklığı.
fencing[2]. Eskrim, epe/kılıçoyunu.
fend [fend]. **~ for oneself**, kendi yağı ile kavrulmak; başının çaresine bakmak: **~ for s.o.**, birinin ihtiyaçlarına bakmak: **~ off**, defetmek, savmak.
fender ['fendə(r)] (*den.*) Usturmaça, tampon; (*ev*) ocak siperi; (*oto.*) siper.
fenest·ella [feni'stelə]. Pencerecik. **~ra** [fi'nestrə], (*zoo.*) delik, pencere. **~rate** ['fenistreyt], delikli, pencereli. **~ration** [-'treyşn] (*mim.*) pencereler tertibi; (*zoo.*) delikli olma.
Fenian ['feniən]. İrl.'da gizli bir derneğin üyesi; bu derneğe ait.
fenks [fen(g)ks]. Balina yağının döküntüsü.
fenman ['fenmən]. Bataklıkta oturan kimse.
fennec ['fenik]. Çöl tilkisi.
fennel ['fenl]. Rezene; dereotu.
fenny ['feni]. Bataklıklı; bataklığa ait.
fenugreek ['fenyugrīk]. Boyotu.
feoff [fef] = FIEF. **~ee** [-'fī], tımarcı. **~ment**, tımar (verme). **~or**, tımar veren.
feral ['fiərəl]. Vahşî, yabanî; ehlî olmıyan.
ferial ['fiəriəl] (*din.*) Yortu olmıyan adi gün.
ferment ['fəment] *i.* Maya; kaynama; büyük heyecan, telâş. *f.* [fə'ment] Mayala(n)mak, tahammür et(tir)mek; heyecanlan(dır)mak; telaş etm.; tahrik etm. **~able**, mayalanabilir. **~ation** [-'teyşn], tahammür, mayalanma, fermentasyon; heyecan, telaş. **~ative** [-tətiv], mayalan(dır)an.
fermi ['fəmi] (*fiz.*) Uzunluk birimi (10^{-15} metre). **~on**, (*nük.*) özel bir tanecik. **~um**, (*kim.*) fermiyum.
fern [fən]. Eğreltiotu; fujer. **~ery**, eğreltiotu yetiştirilen yer. **~like**/**~y**, eğreltiotu gibi. **~-owl**, çobanaldatan. **~-seed**, eğreltiotu sporu.
feroci·ous [fə'rouşəs]. Vahşî, yırtıcı, canavarca. **~ty** [-'rositi], canavarlık, vahşîlik, gaddarlık.
-ferous [-fərəs] *son.* -taşır, . . . hamil, husule getiren, ihtiva eden [AURIFEROUS].
ferr- ['fer-] *ön.* Demir +. **~ate** [-eyt], ferat, asitferik tuzu. **~eous**, demire ait, demirli, demir gibi.
ferrel ['ferəl] = FERRULE.
ferret ['ferit]. Yarı ehlîleşmiş kır sansarı (ile ada tavşanı avlamak). **~ about**, araştırmak, karıştırmak: **~ out**, arkasını bırakmıyarak bulup çıkarmak. **~y**, sansar gibi.
ferriage ['feriic]. Feribot nakil/ücreti.
ferri- [feri-] *ön.* Demir +, demirli. **~c**, bileşiminde demir bulunan; demir(li): **~ oxide**, demir oksidi; ruj; kantaşı. **~ferous**, [-'rifərəs], demir ihtiva eden. **~te** [-rayt], ferit.
ferr·o- ['ferou-] *ön.* Demir +. **~-concrete**, betonarme: **~-magnetic**, demir mıknatıslı: **~type**, (*bas.*) demir klişesi. **~ous** [-rəs], demir ihtiva eden, demirli. **~uginous** [-'rūcinəs], demiri/demir pasını havi; demir pası rengisi.
ferrule ['ferūl]. Baston yüksüğü; halka; âletlerin saplarına geçirilen bilezik.
ferry ['feri] *i.* Nehir vb.nin kayık/dombaz vb. ile geçilen yeri; sahiller arasında işliyen kayık/vapur vb; feribot. **~ across**, nehrin bir sahilinden öbür sahiline geçirmek: **aerial ~**, nehrin üzerinde sahilden sahile geçen asma vagon: **chain ~**, zincir ile işliyen **ferry**. **car-~/train-~/~-boat**, feribot, araba vapuru. **~man**, kayıkçı.
fertil·e ['fətayl]. Mümbit, verimli, bitek; velut; bereketli; döllenmiş. **~ Crescent**, Akdeniz ile Basra Körfezi arasındaki bölge. **~ity** [-'tiliti], mümbitlik, verimlilik, biteklik; velutluk; bereket: **~-drug**, döllenmeyi etkilendiren ilâç. **~ization** [-lay'zeyşn], ilkah etme, dölle(n)me, tozla(n)ma. **~ize**, ilkah etm., mümbitleştirmek, döllemek, tozlamak; gübrelemek. **~izer**, (sunî) gübre: **liquid ~**, gübre şerbeti.
ferul·a ['ferulə] (*bot.*) Şeytan tersi. **~e** [-rūl], öğretmenin değneği.
ferven·cy ['fəvənsi]. Hararetlilik; coşkunluk; tehalük. **~t**, hararetli, coşkun, mütehalik: **~ly**, çoskun olarak.
ferv·id ['fəvid]. Hararetli, ateşli, hiddetli: **~ly**, hiddetli olarak. **~our** [-və(r)], hararet, büyük gayret, tehalük; coşkunluk.
fescue ['feskyu]. Yararlı bir nevi çimen.
***fest** [fest]. Bayram. **~al**, bayram/yortuya ait; cümbüşlü; şen.
fester ['festə(r)]. İrinlenmek, tefessüh etm. **~ing**, cerahatlenen, mütefessih, cılk.
festiv·al ['festivl]. Bayram; yortu; festival; şenlik; eğlenceli toplantı. **~e**, neşeli, bayrama ait. **~ity** [-'tiviti], bayram (eğlentileri); şenlik, cümbüş.
festoon ['festūn] *i.* Çiçek/yaprak askısı; çiçekli bezek. *f.* Çiçek/yaprak/bayrak vb.ni 'mahya' gibi asarak süslemek.
fetal ['fītəl]. Cenine ait.
fetch [feç]. Gidip getirmek; (filan fiyatla) satılmak; (*den.*) bir yere ulaşmak; (*arg.*) ilgilendirmek, çekmek, cezbetmek. **~!**, (av) aport!: **~ and carry**, eşya ile dolaşıp durmak; aşağılık işler yapmak: **~ s.o. a blow**, birine bir tokat aşketmek: **~ a sigh**, içini çekmek. **~ up**, alıp yukarıya getirmek; kusmak; (*den.*) varmak: **he'll ~ up in prison**, hapsi boylıyacak. **~ing**, cazibeli, çeken.
fête [feyt] *i.* Bayram, yortu. *f.* Ziyafet vb. ile ağırlamak. **~-day**, bayram günü.
***feti-** [fīti-] = FOETI-.
fetial ['fīşl]. **~ law**, (eski Roma) uluslararası hukuk.
fetid ['fītid]. Müteaffin; pis kokulu; ufunetli. **~ness**, pis koku.
fetish [fītiş]. İlkel kavimlerin taptıkları şey; put; fetiş; tapınırcasına sevilen/hürmet edilen şey. **make a ~ of stg.**, bir şeye yersiz olarak pek fazla değer vermek, putlaştırmak. **~ism**, fetişizm.
fetlock ['fetlok]. At topuğu(nda yetişen uzun kıllar).
fetor ['fītə(r)]. Pis koku.
fetter(s) ['fetə(r)(z)] *i.* Köstek, ayak zinciri, pranga, bukağı. *f.* Bukağılamak; zincire vurmak. **burst/throw off one's ~s**, kösteği kırmak. **~less**, köstek-siz; serbest.
fettle ['fetl]. Hal. **in fine ~**, keyfi yerinde; en iyi formunda olan.
***fetus** ['fītʌs] = FOETUS.
feu [fyū] (*İsk.*) Tımar; kiralanan mülk.
feud [fyūd] *i.* Aile/fertler arasında düşmanlık/niza. *f.* Kavga etm., çekişmek. **blood ~**, kan gütme: **be at ~ with s.o.**, birbirlerine husumet beslemek.
feuda·l ['fyūdəl]. Derebeyliğe ait; derebeylikçi. **~lism**, derebeylik. **~list**, derebeylik bilgini: **~ic**, derebeyliğe ait. **~lity** [-'daliti], derebeylik; tımar, beylik. **~lization** [-dəlay'zeyşn], derebeylik yön-

temine bağla(n)ma. ~**lize** ['fyū-], derebeylik yöntemine bağlamak. ~**lly**, derebeylik yöntemine göre. ~**tory**, *s.* tımar(cı) olan: *i.* tımarcı.
feu de joie [födə'jua] (*Fr.*) Şenlik ateşi; selâm topları atılması.
feuilleton [föy'tō(n)] (*Fr.*) Tefrika.
fever ['fīvə(r)]. Humma; sıtma; ateş. **be in a** ~, yanmak, ateşli olm.; telaş etm. ~**ed**/~**ish**, hummalı, sıtmalı; hummaya tutulmuş; ateşi olan; (*mec.*) heyecanlı, telaşlı. ~**-heat**, beden hararetinin yüksek olması; (*mec.*) en üst derece (telaş vb.). ~**-pitch** = ~-HEAT (*mec.*).
few [fyū]. Az. **a** ~, bir kaç: **a good/quite a** ~, bir çok: **some** ~, bazıları: **every** ~ **days**, birkaç günde bir. ~**er**, daha az. ~**est**, en az. ~**ness**, azlık.
fey [fey] (*İsk.*) Ölmek üzere; gaipten haber veren; kaprisli.
fez [fez]. Fes.
ff. = FORTISSIMO.
FF = FRENCH FRANC.
f.g.a. = FREE OF GENERAL AVERAGE.
FH = FIRE HYDRANT.
FI . . . = FELLOW OF THE INSTITUTE OF . . .
fiacre [fī'akr]. Dört tekerlekli araba.
fiancé, *diş.* ~**e** [fi'ā(n)se]. Nişanlı.
fiasco [fi'askou]. Fiyasko.
fiat ['fayət]. Emir, irade.
fib [fib]. Önemsiz/iş bitirici bir yalan (söylemek). ~**ber**, yalancı.
fibre/*fiber ['faybə(r)]. Lif, damar, fiber, iplik, tel; (*mec.*) mahiyet, karakter. **man-made** ~**s**, naylon gibi iplikler. ~**-board**, fiber levha/mukavvası. ~**-glass**, lifcam, campamuğu. ~**less**, lif/fibersiz; (*mec.*) karaktersiz. ~**-optics**, lifcamlardan ışık geçirme bilgisi.
fibr·iform ['faybrifōm]. Lif gibi. ~**il**, lifçik, telcik; mini kökçük: ~**late**, lifli: ~**lation**, lifli olma. ~**in**, fibrin: ~**ogen**, fibrinojen. ~**o**, (*Avus.*) FIBRO-CEMENT'ten inşaat edilmiş ev. ~**o-**, *ön.* lif+, tel+; fibro-: ~**-cement**, asbest macunu, fiberli çimento. ~**oid**, liften mürekkep, life benzer; dölyatağının uru. ~**oma**, fibrom. ~**ositis** [-brə'saytis], fibrosit. ~**ous** [-brəs]. lifi, lifli, telli, telsel.
fibula ['fibyulə]. Kamış kemiği; (*ark.*) toka.
-fic [-fik] *son.* . . . olan: -~**ation** [-'keyşn] *son.* . . . olma/yap(ıl)ma/ed(il)me; -leş(tir)me; -lendir-(il)me [PACIFIC(ATION)].
ficelle [fi'sel] (*Fr.*) İplik, sicim.
fiche [fīş] = MICROFICHE.
fichu ['fişū] (*Fr.*) Kadın eşarpı.
fickle ['fikl]. Bir dalda durmaz, gelgeç, oynak, vefasız. ~**ness**, gelgeçlik, vefasızlık.
fictile ['fiktayl], Balçıktan yapılmış.
fict·ion ['fikşn]. Hayal, imge; düş, hikâye; uydurma şey; masal; roman nevi. **legal** ~, hukukî mevhume: ~**al**, hayalî, düş/imgesel: ~**ist**, romancı. ~**itious** [-'tişəs], hayalî, muhayyel, mevhum; uydurma; gayrihakikî, aslı/gerçek olmıyan. ~**ive**, hayalî; imgesel; romana ait.
fid [fid]. Ağaç/demir kama; çelik; kaşkaval.
fid. def. (*Lat.*) = DEFENDER OF THE FAITH.
fiddle [fidl] *i.* Keman; (*den.*) masa yalpalığı; (*arg.*) dolandırıcılık. *f.* (*köt.*) Keman çalmak; (*arg.*) dolandırmak, aldatmak. **as fit as a** ~, turp gibi (sıhhatte): **play second** ~, ikinci derecede bir rol oynamak: ~ **(about) with stg.**, kurcalamak, karıştırmak: ~ **away one's time**, oyalanarak vaktini israf etm.: ~ **over a job**, bir iş üzerinde oynamak. ~**-bow**, keman yayı. ~**-de-dee** [-di'dī], saçma. ~**r**, (*köt.*) kemancı; köy kemancısı; bir iş üzerinde oyalanan kimse; bir çeşit yengeç. ~**-faddle**, *i.* değersiz şeyler; saçma: *f.* saçma şeylerle vakit geçirmek. ~**-stick**, (*köt.*) keman yayı: ~**s!**, saçma! ~**-string**, keman kirişi.
fiddling ['fidlin(g)] *s.* Saçma şeylerle vakit geçiren; ufak tefek önemsiz (iş vb.). *i.* dolandırıcılık.
fiddly ['fidli]. Çok dikkat ve incelik icabettiren (iş/şey).
fidelity [fi'deliti, fay-]. Vefa, sadakat, bağlılık. **high** ~, (*rad.*) yüksek ses tabiîliği. ~**-bond**, kefalet senedi; sadakat teminatı.
fidget ['ficit] Rahat oturmama(k), kımıldayıp durma(k); huzursuzlanma(k); bir türlü rahat oturmıyan kimse. **have the** ~**s**, çocuk gibi bir türlü rahat durmamak; kaynayıp durmak; kurtlanmak. ~**y**, yerinde durmıyan, kımıldayıp duran; kurtlu, huzursuz.
FIDO/Fido ['faydou] = (*hav.*) FOG INVESTIGATION DISPERSAL OPERATION.
fiducial [fi'dyūşl] (*ast.*) Ölçmeye ait.
fiduciary [fi'dyūşəri]. Mütevelli; itimada bağlı; saymaca, itibarî; karşılıksız. ~ **money**, karşılıksız kâğıt para.
fie [fay]. Ayıp!, utanmaz mısın!
fief [fīf]. Tımar, zeamet; = FEOFF.
field[1] ['fīəld] *i.* Tarla, çayır; saha, alan; sahra; bölge; meydan; muharebe; (dürbün vb.) görüş alanı; (*sp.*) katılan atlar/kimseler. *f.* (Top oyununda) vurulan topu kapmak. **beasts of the** ~, tabiat halinde yaşıyan hayvanlar: **a fair** ~ **and no favour**, eşit şartlar altında: **hold the** ~, üstünlüğü korumak: **leave s.o. in possession of the** ~, meydanı birine bırakmak: **take the** ~, savaşa girmek: ~ **a team**, bir ekipi maça katmak.
field-[2] *ön.* Alan+; (*biy.*) tarla+. ~**-allowance**, (*ask.*) muvazzaf hizmet için verilen zam. ~**-artillery**, sahra topları. ~**-cricket**, cırcırböceği. ~**-day**, (*ask.*) manevra günü; (okulda) spor müsabakalar günü; başarılı/önemli bir gün. ~**-dressing**, (*ask.*) sargı paketi. ~**er**, (top oyunlarında) topu tutmak için bekliyen oyuncu. ~**-events**, (*sp.*) yarışlardan başka müsabakalar. ~**fare**, bir çeşit ardıç kuşu. ~**-glass(es)**, çifte dürbün. ~**-grey**, Alman askerî üniforması. ~**-gun**, sahra topu. ~**-hospital**, (*ask.*) seyyar hastane. ~**-ice**, buz birikintisi. ~**-marshal**, mareşal, müşür. ~**-mouse**, tarla sıçanı. ~**-officer/-rank**, orduda bınbaşı/yarbay/albay rütbesinde olan subay. ~**-piece**, sahra topu. ~**sman** = ~ER. ~**-sports**, (avcılık/balıkçılık vb.) kır eğlenceleri. ~**-telegraph/-telephone**, (*ask.*) portatif telgraf/telefon. ~**-vole**, toprak sıçanı. ~**ward(s)**, tarlalara doğru. ~**-work**, laboratuvarın dışında yapılan incelemeler; yerinde araştırma.
fiend [fīnd]. Zebani; habis ruh; gaddar ve zalim adam; baş belâsı; bir şeyin aşırı derecede tiryakisi. **the F**~, İblis. ~**ish**, şeytanî; son derecede zalim ve merhametsiz: ~**ly**, şeytanî/zalim olarak: ~**ness**, zulüm.
fierce [fiəs]. Vahşî, azgın, hiddetli, şiddetli. ~**ly**, vahşîce vb. ~**ness**, şiddet, vahşet.
fier·ily ['fayərili]. Ateşli/atılgan olarak. ~**iness**,

ateşlilik; azgınlık. ~**y**, ateşli, alevli; atılgan; azgın: ~ **cross**, (*İsk.*) savaş remzi olan ateşli haç.
fiesta [fi'estə] (*İsp.*) Bayram; şenlik.
FIFA ['fīfə] (*Fr.*) = INTERNATIONAL FOOTBALL FEDERATION.
fife [fayf]. Düdük; fifre (çalmak). ~**-rail**, (*den.*) armadora çemberi.
fif·teen [fif'tīn] On beş; Rugby futbol takımı: ~**th**, on beşinci; on beşte bir. ~**th** ['fifθ], beşinci; beşte bir: ~**-column**, beşinci kol: ~**ly**, beşinci yerde. ~**tieth**, ellinci; ellide bir. ~**ty**, *ç.* ~**ties**, elli: **a man of** ~ /**in his** ~**ies**, ellisini geçkin bir adam: **over/under** ~, elli yaşından daha yaşlı/genç: **the** ~**ies**, 1750–59, 1850–59, 1950–59: ~**fold**, elli misli.
fig[1] [fig]. İncir (ağacı). **green** ~, taze incir: **pulled/dried** ~, kuru incir: **not care a** ~ **for**, ... vızgelmek.
fig[2] *i.* Süslü elbise; hal, keyif. *f.* Giyinmek; gösterişli olm. **in full** ~, büyük üniforma ile; giyinmiş kuşanmış: **in good** ~, keyfi yerinde.
fig. = FIGURATIVELY; FIGURE.
fight (*g.z.(o.)* **fought**) [fayt, fōt] *f.* Dövüşmek; harbetmek; muharebe etm., savaşmak; kavga etm.; karşı koymak; -le uğraşmak; (*sp.*) karşılaşmak; (*huk.*) aleyhine dava açmak. *i.* Dövüş, kavga; muharebe; mücadele, savaş. ~ **back**, yenilgi kabul etmemek; karşı hücum etm.: ~ **down**, mücadele ede ede mağlup etm.: **free** ~, kalabalık arasında çıkan kavga; arbede: ~ **off**, büyük bir gayretle defetmek: ~ **it out**, sonuna kadar mücadele etm.: ~ **one's way out**, bir kalabalığın içinden dövüşe dövüşe kurtulmak: ~ **one's ships**, muharebede gemilerine manevra yaptırmak: **show** ~, kavga edecek olm.; el kaldırmak: ~ **shy of**, kaçınmak; -den çekinmek, sakınmak: **stand-up** ~, usulü dairesinde kavga: ~ **to the death**, birinin ölümü ile biten mücadele/düello.
fighter ['faytə(r)]. Muharip, savaşçı; mücadeleci; kavgacı; avcı uçağı. ~**-bomber**, avcı bomba uçağı. ~**-command**, avcı birliği komutanlığı. ~**-escort**, avcı uçağı himayesi.
fighting ['faytin(g)] *s.* Muharip, savaşçı. *i.* Harp, savaş, muharebe; dövüş. **the** ~ **line**, savaş hattı: **he has a** ~ **chance of recovery**, (hastalıkla) mücadele edebilirse iyileşir. ~**-cock**, dövüş horozu: **live like a** ~, bol bol yiyip içmek. ~**-drunk**, (*kon.*) ayyaşlıktan kavgacı. ~**-fish**, kavgacı balık. ~**-fit**, üst derece idmanlı. ~**-fund**, bir amaç için toplanan para. ~**-mad**, kudurmuşça öfkeli. ~**-top**, (*den.*) direkteki tüfekçi çanaklığı. ~**-words**, savaşlamaya hazır olduğunu ifade eden söz.
fig-leaf ['figlīf]. İncir yaprağı; (*mec.*) gizlenecek şeyin örtüsü.
figment ['figmənt]. Hayalî şey; uydurma. **a** ~ **of the imagination**, hayal mahsulü.
fig-tree ['figtrī]. İncir ağacı.
figurant(e) ['figyurənt, -ānt]. Bale dan·sör/-sözü.
figurat·ion [figyu'reyşn]. Teşkil; şekil (verme). ~**ive** ['figyurətiv], mecazî; betiyle ilgili: ~**ly**, mecazî olarak: ~**ness**, mecazî olma.
figure ['figə(r)] *i.* Şekil, beti, biçim; endam, vücut, boybos; rakam, sayı; fiyat; adet, miktar; şahsiyet. ~**s**, hesap: **I am no good at** ~**s**, hesabım çok zayıftır: ~ **of eight (knot/bandage, etc.)**, 8 şeklinde (düğüm/sargı vb.): **a** ~ **of speech**, mecaz, istiare: **cut/make a fine/poor** ~, parlak/zayıf bir etki bırakmak: **what a** ~ **of fun!**, ne gülünç manzara!: **go into** ~**s**, (hesap işine) rakamlara gelmek: **keep one's** ~, vücudunun biçimini muhafaza etm.: **in round** ~**s**, yuvarlak hesap: **work out the** ~**(s)**, hesaplamak: **we'll sell at that** ~, şu fiyata onu satacağız.
figure[2] *f.* Hesap etm.; temsil etm., tasvir etm.; tasavvur etm.: ~ **as**, kendine ... süsünü vermek: ~ **stg. to oneself**, tasavvur etm.: ~ **out the expense**, masrafını hesap etm. ~**d**, resim/desenli.
figurehead ['figəhed]. Gemi aslanı. **he's only a** ~, o orada mostralıktır.
figurine ['figyurīn]. Küçük heykel.
FIL = FELLOW OF THE INSTITUTE OF LINGUISTS.
filament ['filəmnt]. İnce iplik gibi bir şey; lif; ince tel; filaman; iplik(çik). ~**ary**/~**ed**, lifli, ince telli.
filarial [fi'leəriəl] (*zoo.*) Lifsel.
filature ['filəçə(r)]. İplikçilik; iplik/ipek fabrikası.
filbert ['filbət]. Büyük fındık.
filch [filç]. Aşırmak.
file[1] [fayl]. Eğe(lemek); törpü(lemek). ~ **away/off**, eğeleyip gidermek/koparmak: ~ **down**, eğeleyip düzeltmek/küçültmek.
file[2] *i.* Sıra, dizi; dosya, sıralaç, belge kabı, klasör; fihrist; sıra ile dizilmiş eski gazeteler; evrak geçirmeğe mahsus sicim/tel. *f.* Dosyaya koymak; sıralamak, tasnif etm. **in** ~, çift sıra: **in single/Indian** ~, tek sıra: **rank and** ~, erbaşlar ve erler; adi halk: ~ **a petition**, mahkemeye dilekçe vermek: ~ **one's petition (in bankruptcy)**, iflâs mahkemesine başvurarak iflâsını bildirmek: ~ **in/out**, sıra halinde girmek/çıkmak.
filet ['filit]. File, ağ; saç filesi.
filia·l ['filyəl]. Evlât görevine ait; evlâda ait: ~**ly**, evlât gibi/şeklinde. ~**tion** [-li'eyşn], birinin evlâdı olma; akrabalık.
filibeg ['filibeg] (*İsk.*) Etek(lik).
filibuster ['filibʌstə(r)] (*tar.*) İzinsiz olarak başka bir memlekete karşı savaş etm.; *Mecliste bir tasarının kabul edilmemesi için durmadan söz almak.
filigree ['filigrī]. Telkârı, filigran; buna benzer ince iş.
filing ['faylin(g)]. ~**-cabinet**, klasör, sıralaç, dosya dolabı. ~**s**, eğinti, eğe talaşı. ~**-system**, dosyaya koyma sistemi.
fill [fil] *f.* Dolmak; doldurmak; doyurmak; (yelken) rüzgârla şişmek. *i.* Dolduracak miktar; doyma. ~ **the bill**, (*tiy.*) en önemli şahsiyet olm.; lâzım geleni yapmak; uygun olm.: **eat one's** ~, tıkabasa doymak: **have one's** ~ **of stg.**, -e doymak; -den gına gelmek: ~ **an order**, bir siparişi yerine getirmek: ~ **the part/role**, rolünü yapmak: ~ **requirements**, ihtiyaçları karşılamak: **a** ~ **of tobacco**, bir tutam tütün. ~ **in**, (çek/liste/çukur vb.ni) doldurmak; tamamlamak. ~ **out**, şiş(ir)mek; büyü(t)mek. ~ **up**, doldurmak; tamamlamak; tıkamak; (bir kapıyı) örmek; bir resmî evrakı usulü dairesinde doldurmak.
fille de joie [fīdə'jua] (*Fr.*) Fahişe.
filler ['filə(r)]. Doldurucu şey; macun; kaymak metalı. ~**-cap**, damlalık.
fillet ['filit] *i.* Fileto; dilim; küçük baş sargısı; file; zıh; aerodinamik kuşak. *f.* (Balık) kılçığı çıkarıp ikiye bölmek. ~ **of steak**, bonfile.

filling ['filin(g)] *i.* Doldurma; dolma; dolgu. ~**-station**, benzin istasyonu.
fillip ['filip]. Fiske (vurmak). **give a** ~ **to**, teşvik/tahrik etm.
fillister ['filistə(r)]. Oluk rendesi.
filly ['fili]. Dişi tay; (*arg.*) canlı genç kız.
film [film] *i.* Zar; ince tabaka; pelikül; filim. *f.* Zarla kaplamak; filime çekmek/çevirmek. **the** ~**s**, sinema: ~ **over**, (gözü) bulanmak. ~**-clip**, (*rad.*) filim parçası, haber filmi. ~**-director**, filim yönetmeni. ~**-fan**, sinema delisi. ~**iness**, pek hafiflik; şeffaflık. ~**ing**, (*sin.*) çevirim. ~**-library**, filim arşivi. ~**-magazine**, filim kutusu; filim dergisi. ~**-pack**, düz filim paketi. ~**-producer**, filim yapımcısı. ~**-rights**, (kitap) filme alma hakkı. ~**-strip**, filim şeridi; ders filmi. ~**-unit**, çevirim takımı. ~**y**, zar ile kaplanmış; bulanık; pek hafif; şeffaf.
filter ['filtə(r)] *i.* Süzgeç, filtre; (*sin.*) ekran, süzgeç. *f.* Süz(ül)mek; sız(dır)mak; filtre etm.; süzgeçten geçirmek. ~**able**, süzülür, ~**-bed**, süzücü tabaka. ~**-factor**, (*sin.*) süzgeç faktörü. ~**-paper**, filtre; süzme kâğıdı. ~**-tipped**, filtreli uçlu: ~ **cigarette**, filtreli sigara.
filth [filθ]. Pis ve kirli şey; pislik. ~**ily**, pis bir şekilde. ~**iness**, pis/kirli olma; pislik. ~**y**, pis, mülevves; müstehcen; murdar.
filtrat·ion [fil'treyşn]. Süzme, filtre(den geçirme). ~**e**, *f.* süzmek: *i.* süzgeçten geçirilmiş sıvı; süzme maddesi; süzüntü.
fimbriate ['fimbrieyt] (*biy.*) Saçaklı.
fin [fin]. Balık kanadı; buna benzer şey; yüzgeç; kanatçık; (*hav.*) sabit istikamet dümeni; (*den.*) stabilizatör kanadı. **dorsal/pectoral** ~, sırt/göğüs yüzgeci.
fin. = FINANCE.
finable ['faynəbl]. Para cezasına tabi.
finagle [fi'neygl] (*kon.*) Dolandır·ıcılık/-mak.
final ['faynl] *s.* Son(uncu); katî, kesin; (*huk.*) temyiz edilemiyecek; (*mal.*) kapanış+. *i.* Son; (*eğit.*) son imtihan; (*bas.*) son baskı; (*sp.*) sonlama; son maç/yarış; final. **late night** ~, en son baskı. ~**e** [fi'nāli], final, son: **grand** ~, tantanalı bitiş. ~**ist** ['faynəlist], (müsabakada) sonuna kadar kalan rakiplerden biri. ~**ity** [-'naliti], katilik, kesinlik; son olma; sona ermiş olma; erek(li)lik. ~**ly** [-nəli], nihayet; son olarak; velhasıl. ~**s**, (üniversitede) son imtihan.
financ·e [fi'nans, 'faynans] *i.* Maliye; finans; maliyecilik. *f.* Parasını temin etm., sermaye tedarik etm.; finanse etm. ~**ial** [-'nanşl], malî, akçalı; maliye/paraya ait; maliye+; para+: ~**-year**, ödenek/malî/bütçe yılı. ~**ier** [-'nansiə(r)], maliyeci; sermayedar. ~**ing**, finansman, yapım anamalı.
finback ['finbak]. Fin balinası.
finch [finç]. İspinozgil(ler). **bull**~, şakrak kuşu: **chaf**~, ispinoz: **gold**~, saka kuşu: **green**~, ispinoz.
find[1] (*g.z.(o.)* **found**) [faynd, faund] *f.* Bulmak; keşfetmek; rastgelmek; farketmek; addetmek; öğrenmek. ~ **oneself**, kendi kabiliyetini keşfetmek: ~ **s.o. in clothes/food, etc.**, birine elbise, gıda vb. tedarik etm.: **I couldn't** ~ **it in my heart to . . .**, içim götürmedi; kıyamadım: **it has been found that**, anlaşılmıştır ki; tespit edilmiştir ki: **he is not to be found**, (aradık) bulmak mümkün değil: **wages £5 all found**, yeyip içme ve yatma ile beş lira haftalık: **the court found the prisoner guilty**, mahkeme suçu sabit gördü: **the judge found for the plaintiff**, hâkim davacı lehine karar verdi. ~ **out**, keşfetmek.: ~ **s.o. out**, birinin ne mal olduğunu anlamak.
find[2] *i.* Buluş; bulunmuş şey; keşif. ~**er**, bulan, bulucu, keşfeden; vizör, arayıcı, nişangâh; **range-**~, mesafe aleti, telemetre.
fin de siècle [fa(n)də'syekl] (*san.*) 19cu yy.ın sonuna ait.
finding ['fayndin(g)]. Bulma; bulunmuş şey; varılan sonuç; (*huk.*) hüküm, karar, bulgu.
fine[1] [fayn]. Para cezası(na çarpmak).
fine[2]. **in** ~, hulâsa, özet.
fine[3] *s.* İnce, hurda; nazik; halis, saf; güzel, âlâ, iyi, mükemmel. ~ **down/away/off**, incelmek, inceltmek: **cut/run it** ~, zaman/parayı kıtakıt hesaplamak: **prices are cut very** ~, fiyatlar asgarî hadde indirilmiş: **one** ~ **day**, günün birinde; bir varmış bir yokmuş: **one of these** ~ **days**, günün birinde (başına bir şey gelir): ~ **feathers make** ~ **birds**, (*ata.*) süslü elbiseler insanı kibar gösterir *anlamında bir deyim*: **a** ~ **looking man**, kelle kulak yerinde: **the** ~**r points of stg.**, -in incelikleri: **not to put too** ~ **a point on it**, ince eleyip sık dokumadan.
fine-[4] *ön.* ~**-arts**, güzel sanatlar. ~**-drawn**, belirsiz (dikiş); pek ince (tel vb.). ~**ly**, ince ince; güzelce. ~**ness**, incelik; saflık; zarafet; güzellik. ~**ry**, güzel elbise; gösterişli süs; = REFINERY. ~**sse** [fi'nes] *i.* incelik; maharet; kurnazlık; (iskambil) fines: *f.* kurnazlık kullanmak; fines yapmak. ~**-tune**, (*rad.*) ince ince ayarlamak.
finger ['fin(g)gə(r)] *i.* Parmak. *f.* Parmak ile dokunmak, ellemek; (*müz.*) parmaklarla çalmak; aşırmak, çalmak. **first** ~ işaret parmağı: **second/middle** ~, ortaparmak: **third** ~, adsız/yüzük parmağı: **little** ~, serçe parmak: **burn one's** ~**s over stg.**, bir şeyden ağzı yanmak: **have green** ~**s**, bahçede her şeyi kolayca yetiştirme mahareti olm.: **have stg. at one's** ~ **ends**, bir işin girdisini çıktısını bilmek: **keep your** ~**s crossed!**, nazar değmesin!: **lay one's** ~ **on the cause**, meselenin esasına parmağını basmak: **I won't let anyone lay a** ~ **on him**, onun kılına dokundurtmam: **my** ~**s are itching to do it**, bunu yapmak için sabırsızlanıyorum: **let s.o./stg. slip through one's** ~**s**, elinden kaçırmak: **put one's** ~ **on**, isabetle bulmk; (*arg.*) göstermek: **twist (a)round one's little** ~, parmağında oynatmak. ~**-alphabet/-language**, sağırdilsizlerin parmak lisanı. ~**-board**, keman sapı; piyano klavyesi. ~**-bowl/-glass**, (sofrada) el tası. -~**ed**, *son.* . . . parmaklı: **light-**~, eli uzun. ~**ing**, çorap ipliği; (*müz.*) parmakları kullanma usulü. ~**less**, parmaksız. ~**ling**, küçük som balığı. ~**-mark**, parmak lekesi. ~**-nail**, tırnak. ~**-plate**, kilit aynası. ~**-post**, yolun yönünü gösteren işaret. ~**-print**, parmak izi; (*mec.*) bir şeyin özel işareti: ~**ing**, daktiloskopi. ~**-stall**, parmak kılıfı. ~**-tight**, (*müh.*) el ile sıkıştırılmış. ~**-tip**, parmak ucu: **have stg. at one's** ~**s**, çok iyi bilmek: **a soldier to his** ~**s**, hakikî bir askerdir: ~**-control**, parmaklar altında olan kumanda(lar).
finial ['finiəl]. Bina tepesindeki süs.
finic·al/~**king**/~**ky** ['finikl, -in(g), -i]. Önemsiz şeyler üzerinde gayet titiz olan; ince eleyip sık dokuyan; çok dikkat ve incelik icabettiren (iş).
fining ['faynin(g)] (*mad.*) = REFINING.
finis ['faynis] (*Lat.*) Son, nihayet.

finish ['finiş] *i.* Son, nihayet; bitirme; varış; bitim, perdah; tesviye. *f.* Bit(ir)mek; sona er(dir)mek; hitam bulmak; cilâ vurmak. **he's ~ed**, işi bitti: **~ third**, (yarışta) üçüncü gelmek: **we ~ed up all square**, berabere kaldık; ödeştik: **~ off**, tamamen bitirmek; cilâ vurmak: **~ off a wounded animal**, yaralı bir hayvanın işini bitirmek: **~ in a point**, sivri bir uçla son bulmak: **I've ~ed with him!**, onunla ilgim kalmadı: **wait till I've ~ed with him!**, ben ona dünyanın kaç bucak olduğunu gösteririm. **~ed** [-şt] *s.* tamamlanmış; yapılmış, mamul; hazır; mükemmel: **~ article/product**, mamul şey. **~er**, bitiren, ikmal eden; (*müh.*) son işi gören işçi/makine; (*mec.*) ezici darbe. **~ing**, *s.* bitirici; tamamlayıcı; perdah; bitirme+: **~-line/-post**, varış hat/direği: **~-school**, okulu bitiren genç kızların görgü usulleri/dans vb. öğrendikleri okul: **~-touch**, tamamlayıcı ameliye.

finite ['faynayt]. Sonu var; sınırlı, mahdut; sonlu; çekimli. **~ly**, mahdut olarak. **~ness**, sınırlılık.

***fink** [fin(g)k] (*arg.*) Nahoş bir kimse; jurnalcı; detektif; kallış; STRIKE-BREAKER.

finkeel ['finkīl]. Kotra omurgası.

Finland ['finlənd]. Finlandiya.

fin·less ['finlis]. Yüzgeçsiz. **~like** [-layk], yüzgeç gibi.

Finn [fin]. Fin.

finnan ['finən]. **~ haddock**, tütsülenmiş mezit balığı.

fin·ned [find]. Yüzgeç/kanatlı. **~ner** = **~**BACK.

Finn·ic ['finik]. Finler/Finceye ait **~ish**, *i.* Fin(landiyalı); Fince: *s.* Finlandiya+. **~o-**, *ön.* Finceye ait.

finny ['fini]. Yüzgeçli; yüzgeç gibi.

FIO = FREE IN AND OUT.

fiord/fjord [fyōd]. Fiyort.

fir [fə̄(r)]. Köknar. **~-cone**, kozak.

fire[1] ['fayə(r)] *i.* Ateş; yangın. **be between two ~s**, her iki taraftan hücuma uğramak; ('İsa'yı darılttın Muhammede de yaranamadın'): **a burnt child fears the ~**, (*ata.*) sütten ağzı yanan ayranı üfler de içer: **on ~**, tutuşmuş: **be on ~**, yanmak: **catch ~**, tutuşmak, ateş almak: **get on like a house on ~**, (i) hızla ilerlemek/gelişmek; (ii) çok iyi anlaşmak, can ciğer olm.: **set ~ to stg./set stg. on ~**, tutuşturmak; ateşlemek: **be under ~**, düşman ateşine uğramak: **St. Elmo's ~**, fırtınalı havalarda geminin direğinde arasıra görünen elektrik kıvılcımı: **go through ~ and water for . . .**, . . . için her şeyi göze almak; kendini ateşe atmak: **running ~**, (*ask.*) yaylım ateş: **play with ~**, tehlikeli işe karışmak.

fire[2] *f.* Tutuşturmak, ateşlemek; ateş etm., atmak; (*arg.*) kovmak, kapı dışarı etm.: **~ a broadside**, borda ateşi etm.: **~ bricks**, tuğla fırınlamak: **~ an engine/boiler**, kazanı yakmak: **~ a horse**, bir atı dağlamak: **~ a mine**, lağım atmak: **~ a question at s.o.**, birine birdenbire bir sual sormak: **~ a volley**, yaylım ateş etm. **~ away**, ateşlemek: **~!**, haydi başla! **~ off**, ateş etm., fişek atmak. **~ up**, birden kızmak, hemen parlamak; fayrap etm.

fire-[3] *ön.* İtfaiye+, yangın+; ateş+. **~-alarm**, yangın alarm/işareti. **~arm**, ateşli silâh. **~-back**, ızgaradaki ateş tuğlaları. **~ball**, meteor; (*ask.*) kumbara. **~-blight**, (*bot.*) bir cins bitki hastalığı. **~bird**, bir cıns arı kuşu. **~-boat**, yangın gemisi. **~-bomb**, kundak bombası. **~-box**, lokomotifin ocağı. **~-brand**, yanan odun parçası; fesatçı; kundakçı. **~-break**, (ormanda) yangın önleyici açılmış yer. **~-brick**, ateş/inat tuğlası. **~-brigade**, itfaiye. **~-bucket**, yangın için su kovası. ***~-bug**, kundakçı. **~-clay**, yanmaz tuğla çamuru. **~cock**, yangın musluğu. **~-control**, (gemi/kale) toplar ateşini idare sistemi. **~-cracker**, bir çeşit fişek. **~crest**, sürmeli çalı kuşu. **~-damp**, (madenlerde) patlayıcı gaz, grizu. **~-dog**, ocağın kütük demiri. **~-drill**, yangın talimi **~-eater**, ateşbaz: (*mec.*) yiğit; kabadayı. **~-engine**, yangın tulumbası. **~-escape**, yangın merdiveni. **~-extinguisher**, yangın söndürme aleti. **~-fighting**, yangın sondürme+, itfaiye+. **~-float**, itfaiye dubası. **~fly**, ateşböceği. **~-guard**, (i) ocak siperi; (ii) yangın bekçisi. **~-hazard**, yangın tehlikesini yaratan şey/yer. **~-hose**, itfaiye hortumu. **~-hydrant**, yangın musluğu. **~-insurance (policy)**, yangın sigortası. **~-irons**, ocak aletleri. **~less**, ateşsiz; (*mec.*) cansız. **~-lighter**, çıra. **~lock**, fitilli tüfek. **~man**, *ç.* **~men**, itfaiyeci; gemi/lokomotif ateşçisi. **~-office**, yangın sigorta şirketi. **~-opal**, ateş/nâr opali. **~place**, ateşlik, süs ocağı, şömine. **~-plug**, yangın musluğu. **~-policy**, yangın sigorta poliçesi. **~-power**, (*ask.*) ateş gücü. **~proof**, yanmaz, ateşe dayanır, ateş geçmez: **~-bulkhead**, yangın bölmesi, **~-rais·er**, kundakçı: **~ing**, kundakçılık. **~-resistance**, ateş/yangına dayanma. **~-screen**, ocak/yangın siperi. **~-ship**, ateş/kundak gemisi. **~side**, ocak başı; (*mec.*) aile ocağı: ***~ chat**, cumhurreisinin milletine radyo/TV konuşması. **~-station**, itfaiye merkezi. **~-stone**, yanmaz taş. **~-tender**, itfaiye gemisi. **~-tower**, yangın kulesi. **~-trap**, yangın olursa içinden kolay kaçılmıyan bina vb. **~-walker**, ateş korların üzerinden yürüyen fakir. **~-warden**, (ormanda) yangın bekçisi. **~-water**, (*kon.*) kanyak gibi içkiler. **~weed**, yanmış yerlerde çabuk biten bazı bitkiler. **~wood**, ateşlik odun; çıra. **~works**, hava fişekleri; (*mec.*) heyecanlı nutuklar vb. **~-worship**, ateşe tapma: **~per**, zerdüştî, ateşe tapan.

firing ['fayrin(g)]. Ateş etme; yakma, dağlama; pişirme; ateşleme. **~-line**, ateş hattı. **~-party/-squad**, (kurşunla) selâm/idam manga/takımı.

firkin ['fə̄kin]. Küçük varil, fıçı.

firm[1] [fə̄m] *i.* Firma; ticarethane; müessese; ortaklık; şirket.

firm[2] *s.* Muhkem; sabit; sağlam, metin; katı; pek; katî, kesin, durağan. **~ friends**, sıkı dostlar: **be ~ about stg.**, bir şey üzerinde ısrar etm.: **hold stg. ~ly**, bir şeyi sımsıkı tutmak: **stand ~**, metanet göstermek, dayanmak.

firm[3] *f.* Sabitleştirmek, pekiştirmek, sağlamlaştırmak.

firmament ['fə̄məmənt]. Sema, feza, gök (yüzü).

firman ['fə̄mān]. Ferman.

firm·ly ['fə̄mli]. Sabit/kesin/sağlam olarak. **~ness**, metanet, dayanıklık, sebat; istikrar. **~ware** [-weə(r)], hesap makinesinin bazı esas parçaları.

first [fə̄st]. Birinci; ilk; baş; evvel; başta; en önce evvelâ; ilkönce; ilk defa olarak. **~ of all**, en evvel: **at ~**, önceden, ilkönce: **~ come ~ served**, (*ata.*) sıra ile, ilk gelen sıraya girer: **~ and foremost**, her şeyden evvel, ilkönce: **from the ~**, başlangıçtan beri: **at ~ hand**, doğrudan doğruya: **~ in ~ out**, (satılan mal) ilk giren ilk çıkan: **~ in last out**, (işçiler) ilk iş verilen son çıkarılan: ~ **and last**, bir kere...; evvel emirde: ~ **or last**, er geç: **from ~ to last**, başlangıçtan sonuna kadar: **in the ~ place**, evvelâ, ilkönce: **I will go there ~ thing tomorrow**, yarın ilk iş olarak oraya gideceğim: ~ **things ~**, iki işten önemliyi öne alma(lı). ~**-aid**, ilk yardım. ~**-begotten/-born**; ilk/en büyük çocuk. ~**-class**, en âlâ, mükemmel; birinci sınıf/mevki. ~**-day**, ilk gün, pazar günü: ~ **cover**, çıkış gününde damgalanmış pullu zarf. ~**-foot**, (*İsk.*) Yılbaşında eve ilk giren kimse: ~**ing**, mahalle evlerine ilk girme. ~**-fruits**, ilk mahsul; turfanda; (*mec.*) ilk semere. ~**-hand**, doğrudan doğruya alınan (haber vb.). ~**-lieutenant**, (*ask.*) üsteğmen. ~**-light**, şafak. ~**ling**, ilk doğan hayvan. ~**ly**, ilk olarak. ~**-name**, ad. ~**-night**, (*tiy.*) ilk temsil (gecesi): ~**er**, (*kon.*) daima ilk temsillere giden kimse. ~-OFFENDER. ~**-officer**, ikinci kaptan. ~**-rate** = ~-CLASS; en iyi cinsten. ~**-release**, (*sin.*) öncelik oynatım. ~**-run**, (*sin.*) ilk oynatım. ~**-strike**, (atom silâhlar) ilk atış.

firth [fəθ] (*İsk.*) Körfez, haliç.

fisc/fisk [fisk] (*İsk.*) Devlet hazinesi. ~**al**, devlet hazine/gelirine ait; malî; akçalı; hesap+; = PROCURATOR.

fish[1] [fiş] *i.* Balık; (iskambil) fiş; (*den., arg.*) torpido. *f.* Balık avlamak. ~ **a river**, bir nehirde balık avlamak: ~ **for trout**, alabalık avlamak: **all is ~ that comes to his net**, (*ata.*) bir çıkarı olan her şey onun makbulüdür: ~ **for compliments**, kendini methettirmek için bahane aramak: **drink like a ~**, çok içki içmek, içkide yüzmek: **feed the ~es**, (i) boğulmak; (ii) deniz tutmak: **there's as good ~ in the sea as ever came out of it**, (*ata.*) Amasya'nın bardağı, biri olmazsa biri daha: **neither ~, flesh nor fowl/good red herring**, (*ata.*) hiç bir şeye benzemiyor/yaramaz: **I've other ~ to fry**, daha mühim işlerim var: **a ~ out of water**, karaya vurmuş balık gibi: ~ **out stg.**, (cebinden) çıkarmak: **the river is ~ed out**, nehirde balık kalmadı: **he's a queer ~**, o bir âlem: ~ **in troubled waters**, bulanık suda balık avlamak: ~ **up stg.**, bir şeyi suyun dibinden çıkarmak.

fish[2] (*dem.*) *i.* Bağlama (demiri); lama. *f.* Bununla bağlamak.

fish·able ['fişəbl]. Balık avlanabilir. ~**-ball/-cake/-finger**, balık köftesi. ~**bolt**, lama cıvatası. ~**-bone**, kılçık. ~**er(man)**, balıkçı. ~**ery**, balık endüstrisi; balık avlama hakkı; balıkçılık; balık yetiştirme/tutulma yeri ~**-eye**, (*sin.*) pek geniş açılı mercek. ~**-garth**, dalyan. ~**-glue**, balık tutkalı. ~**-hatchery**, balık yetiştirme yeri. ~**-hawk**, balık kartalı. ~**-hook**, olta iğnesi. ~**ily**, şüpheli bir şekilde. ~**iness**, şüpheli olma. ~**ing**, balıkçılık, balık avı: ~**-line**, olta ipliği: ~**-rod**, olta sırığı: ~**-smack**, küçük balıkçı gemisi: ~**-tackle**, balıkçı takımı. ~**-kettle**, balık tenceresi. ~**-knife**, gümüş balık bıçağı. ~**-ladder**, balık savağı. ~**like**, balık gibi; (*mec.*) soğuk, cansız. ~**-meal**. balık unu. ~**monger** [-mʌngə(r)], balıkçı, balık satıcısı. ~**plate**, (*dem.*) lama, bağlama levhası, kenet. ~**pond**, balık yetiştirme/tutma havuzu. ~**-slice**, balık tevzi bıçağı. ~**-spear**, zıpkın, ~**tail**, balık kuyruğu (şeklinde). ~**wife**, kadın balık satıcısı. ~**y**, balık gibi; balık kokulu; (*mec.*) şüpheli, meşkûk, karışık.

fisk [fisk] (*İsk.*) = FISC.

fiss·ile ['fisayl]. İnce tabakalara ayrılabilir; bölünür; kolay yarılır. ~**ion** ['fişn], yar(ıl)ma; (*biy.*) hücrelerin bölünmesi; (*fiz.*) atom parçalanması, fisyon. ~**iparous** [-'sipərəs], ikiye bölünme suretiyle üreyen. ~**ure** [-şə(r)] *i.* yarık, çatlak, damar; kırıntı: *f.* yar(ıl)mak.

fist [fist]. Yumruk. -~**ed**, *son.* -yumruklu: **close-/tight-~**, cimri. ~**icuffs** ['fistikʌfs], yumruk kavgası.

fistula ['fistyulə]. Fistül, akarca. ~**r**, boru şeklinde.

fit[1] [fit] *i.* Sara; hastalık vb. nöbeti. ~ **of anger**, hiddet galeyanı: **fainting ~**, baygınlık: **fall into a ~**, sarası tutmak: **be in ~s of laughter**, gülmekten katılmak: **he will have a ~ when he knows**, bunu duyarsa adama inme iner: **work by ~s and starts**, rastgele çalışmak: **he had a ~ of idleness**, tembellik damarı tuttu: **frighten s.o. into ~s**, birinin ödünü koparmak.

fit[2] *s.* Münasip, uygun, elverişli, lâyık; muktedir; sıhhati iyi; idmanlı. *i.* Elbise vb.nin uyması. **this coat is a good/bad ~**, bu ceket uy(m)uyor: ~ **to drink/eat**, içilir/yenir: **I feel ~ to drop**, ayakta duracak halim yok: **dressed ~ to kill**, (*kon.*) çok gösterişli giyinmiş: **he is not ~ for the post**, bu yerin ehli değildir: **he is ~ for nothing**, bir işe yaramaz: **he is not ~ to be seen**, (i) âlem içine çıkamaz; (ii) çok hastadır, görülemez: **keep ~**, sıhhati iyi olm., idman yapmak: **think/see ~ to do stg.**, bir şeyi uygun bulmak: **a tight ~**, pek dar/sıkışık.

fit[3] *f.* Uymak; uydurmak; hazırlamak; takmak; donatmak, teçhiz etm.; (elbise) prova etm.; (elbise) uymak: ~ **s.o. for a career**, birini bir mesleğe hazırlamak: ~ **together**, birbirine geçmek. ~ **in**, birbirine geçirmek; uymak: **his plan doesn't ~ in with mine**, onun planı benimkine uymuyor: **I'll ~ it in somehow (meeting/engagement, etc.)**, her halde sıkıştırmağa çalışırım. ~ **on**, (elbise) prova etm.; (lastik) takmak. ~ **out**, teçhiz etm., donatmak. ~ **up**, kurmak, hazırlamak.

fitch(et) ['fiç(it)]. Kır sansarı.

fit·ful ['fitful]. İntizamsız, düzensiz; devamlı olmıyan; nöbetli; kaprisli: ~**ly**, düzensiz olarak; devamlı olmıyarak; nöbetli olarak: ~**ness**, düzensizlik vb. ~**ly**, uygun olarak, yerinde. ~**ment** = ~TING(S)[2]. ~**ness**, uygunluk, yerinde olma; istidat, kabiliyet; yetenek; sağlık, sıhhati iyi olma. ~**ter**, döşemeci, tesisatçı; tesviyeci. ~**ting**[1], *s.* uygun, münasip, lâyik; yakışır. ~**ting**[2], *i.* parça, takım, tertibat; tesviyecilik, kurup takma; (*mod.*) dene(n)me, prova: ~**ly**, uygun olarak: ~**ness**, uygun olma: ~**-out**, donatma: ~**s**, bağlantı parçaları, tertibat, ayrıntılar; mobilya.

fitz- [fits-], *ön.* ...'in (gayrimeşru) oğlu.

five [fayv]. Beş. ~**-finger(ed)**, beş parmaklı; beş parmak otu. ~**fold**, beş kat/misli. ~**r**, (*kon.*) beş İngiliz liralık banknot; beşlik. ~**s** [-vz], duvarla çevrili bir avluda oynanan bir top oyunu. ~**-score**, (*mer.*) yüz. ~**-year plan**, beş senelik kalkınma planı.

fix[1] [fiks] *i.* Güç bir durum; içinden çıkılmaz bir hal; (*kon.*) uyuşturucu maddenin bir dozu.

fix[2] *f.* Tespit etm.; dikmek, sokmak, takmak; bağlamak: kurmak; yerleştirmek; kararlaştırmak, tayin etm.; (*sin.*) fiksaj yapmak, saptamak: **I'll ~ him!**, (i) onun icabına bakarım; (ii) onunla anlaşırım: ~ **the blame on s.o.**, kabahatin birinde olduğunu ispat etm.: ~ **s.o. with one's eye**, birine dik dik bakmak. ~ **(up)on**, seçmek;

kararlaştırmak. ~ **up**, kurmak; teşkilâtını yapmak; tanzim etm., düzeltmek: **I'll ~ you up**, sizin için gereken hazırlık vb.ni yaparım.

fix·able ['fiksəbl]. Tespit edilebilir. ~**ation** [-'seyşn], tespit; sabitleştirme; bağlama, düşkünlük. ~**ative** [-sətiv], tespit edici (madde/ilâç); saptayıcı. ~**ature** [-səçə(r)], briyantin. ~**ed** [fikst], sabit, değişmez, durağan; kımıldanmaz; bağlı; maktu; muayyen: ~**ly**, sabit vb. olarak: ~**ness**, sabitlik: ~**-satellite**, dünyaya göre sabit bulunan sunî peyk: ~**-wing**, sabit kanatlı (uçak). ~**er**, tespit edici kimse/şey; (*kon.*) iltimas yaptıran. ~**ing**, tespit etme; saptama, saptayıcı yıkama. ~**ity**, sabitlik; mukavemet; değişmezlik. ~**ture** ['fiksçə(r)], bir binaya bağlı olan teferruat; sabit demirbaş; eklentiler, müştemilât; bir yere bağlı olan kimse/şey; fikstür; (*sp.*) program: **I seem to be a ~ here**, buraya bağlandım kaldım.

fizz [fiz] (*yan.*) Gazoz/şampanya gibi fışıldama(k); (*kon.*) şampanya. ~**y**, gazoz gibi; gazlı.

fizzle ['fizl] (*yan.*) (Yaş barut) fış diye ateş almak. ~ **out**, boşa çıkmak, suya düşmek.

fjord ['fyōd] = FIORD.

Fl. = FLEMISH.

fl. = FLOOR; FLORIN; FLUID.

Fla. = FLORIDA.

flabbergast ['flabəgāst]. Şaşırtmak; hayrette bırakmak.

flabb·ily ['flabili]. Gevşek/yumuşak/sarkık olarak. ~**iness**, gevşeklik vb. ~**y**, lapamsı; gevşek; yumuşak; sölpük; sarkık; pelte gibi; rehavetli.

flabellum [fla'beləm]. Beyaz tüylü yelpaze; (*biy.*) yelpaze şeklinde uzuv.

flaccid ['flaksid]. Gevşek; zayıf; sarkık. ~**ity** [-'si-], gevşeklik; baygınlık hastalığı.

flag[1] [flag]. **sweet ~**, bir nevi dere sazı: **yellow ~**, sarı süsen, bataklık süseni.

flag[2] *i.* Yassı kaldırım taşı. *f.* Bu taşlarla döşemek.

flag[3] *f.* Pörsümek, erimek; dermansız kalmak; gevşemek.

flag[4] *i.* Bayrak, sancak, bandıra; rozet. *f.* Bayraklarla donatmak. **fly/wear a ~**, bayrak asmak: **keep the ~ flying**, millet/aile vb.nin şerefini muhafaza etm.: **lower/strike one's ~**, teslim için bandıra indirmek: **admiral's ~**, fors: **black ~**, korsan bandırası: **house ~**, kumpanya bayrağı: **yellow ~**, karantina işareti olan sarı bayrak: **white ~**, mütareke/teslim flaması: **show the white ~**, korkak olm.: ~ **of convenience**, malî sebeplerden geminin yabancı tescil bayrağı: ~ **of truce**, beyaz mütareke bayrağı. ~**-captain**, amiral gemisinin kumandanı. ~**-day**, şenli bir bayram; hayır işleri için rozet satılan gün.

flagell·ant ['flacilənt]. (Kendisini) kamçılıyan, döven. ~**ate** [-leyt] *f.* kamçılamak, kırbaçlamak: *s.* kamçılı, kamçı şeklinde. ~**ation**, [-'leyşn] kamçılama. ~**atory**, kamçılamaya ait. ~**iform**, kamçı şeklinde. ~**um** [-'keləm] (*biy.*) kamçı gibi bir uç; (*bot.*) kök filizi, kamçı.

flageolet [flacə'let]. Çığırtma.

flagging ['flagin(g)] *i.* Yassı kaldırım taşlarıyle döşeme; bu taşlar (ile döşenmiş kaldırım). *s.* Gevşek, zayıf, cansız.

flagitious [flə'cişʌs]. Menfur, rezil, habis.

flag·-lieutenant [flag-lef'tenənt]. Amiral yaveri. ~**-list**, amiraller listesi. ~**-officer**, amiral aşamasında olan deniz subayı.

flagon ['flagən]. Büyük şişe; (*mer.*) kulplu şarap testisi.

flagrancy ['fleygrənsi]. Kabahatin aşikârlık/büyüklüğü; göze batar olması.

flag-rank ['flagran(g)k]. Amiral aşaması.

flagrant ['fleygrənt]. Göze batan (kötülük/ahlâksızlık vb.); rezalet nevinden; aşikâr ve büyük (günah): ~***e delicto*** [-'granti diliktou], (*Lat.*) suçüstü, meşhur suç: ~**ly**, aşikâr olarak.

flag·ship ['flagşip]. Amiral gemisi. ~**staff**, bayrak direği; gönderi. ~**stone**, yassı kaldırım taşı. ~**-wagg·er**, (*kon.*) işaretçi; şoven: ~**ing**, şovenlik. ~**-waver**, körükçü.

flail [fleyl]. Harman döveni (ile dövmek).

flair [fleə(r)]. **have a ~ for stg.**, bir şeye özel bir istidadı olm.; faydalı/kazançlı bir işi keşfetmekte ustalığı olm.

flak [flak] (*Alm.*) Uçaksavar ateş; (*mec.*) eleştirmeli hücum. ~**-boat**, uçaksavar gemi.

flak·e [fleyk] *i.* Balık pulu gibi ince parça; pul, ince tabaka; kuşbaşı kar. *f.* Tabaka tabaka ayrılmak; pul pul olm.; pullanmak. ~ **off**, pul halinde ayrılıp yere düşmek: ~ **out**, (*arg.*) bayılmak; çıkmak, ortalıktan kaybolmak. ~**iness**, ince tabaka/pul hali; pullanma meyli. ~**ing**, *i.* pullanma: *s.* pul halinde ayrılıp düşen.

flak-suit ['flaksyūt]. Uçaksavar ateş geçmez elbise.

flaky ['fleyki]. İnce tabaka/puldan mürekkep; pulsu; safihalı; yaprak yaprak. ~ **pastry**, yufkalı hamur işi.

flamboyan·ce/~**cy** [flam'boyəns(i)]. Parlaklık; süs; tantana, görkem. ~**t**, çok süslü; parkal renkli; tantanalı, görkemli: ~**ly**, görkemli bir şekilde.

flame [fleym] *i.* Alev, alaz, şule; aşk ateşi. *f.* Alevlenmek. *s.* Alevli, alazlı. ~ **up**, birdenbire alevlenmek; öfkelenmek: **an old ~ of mine**, benim eski bir göz ağrısı. ~**-cutter**, alev hamlaç/üfleci. ~**-head**, alazlaç. ~**less**, alevsiz. ~**-proof**, aleve dayanır, alev geçirmez, tutuşmaz. ~**-thrower**, alev saçıcı.

flaming ['fleymin(g)]. Alevlenen; çok sıcak; çok parlak; (*mec.*) aşırı; (*kon.*) melun. ~ **onions**, (*kon.*) zincirli kumbara gibi uçaksavar mermi.

flamingo [flə'min(g)gou]. Flaman kuşu, flamingo.

flammable ['flaməbl] = INFLAMMABLE.

flamy ['fleymi]. Aleve ait.

flan [flan]. Reçelli bir börek.

flange [flanc]. Kalkık kenar, kulak kabartma, flanş, ek tekeri, buden.

flank [flan(g)k] *i.* Böğür; yan yamaç; kanat; ordu cenahı. *f.* Yanında olm.; yandan kuşatmak/tehdit etm. **take the enemy in the ~**, düşmanın cenahına saldırmak: **turn s.o.'s ~**, yandan hücum etm., umulmadık bir taraftan hücuma geçerek muhatabını bozmak. ~**er**, cenahı koruyan/tehdit eden kale/asker.

flannel ['flanl] *i.* Flanel, fanila; elbezi; (*arg.*) blöf; *ç.* fanila iç çamaşır/spor pantolonu. *f.* Fanila ile ovmak; (*arg.*) blöf yapmak, yaltaklanmak. ~**ette**, fanila taklidi pamuklu kumaş, pazen.

flap [flap] *i.* (*yan.*) Kuş kanadının vuruşu; geniş bir şey ile vuruş; sarkık parça; kanatçık; masanın menteşeli kenarı; (düşme) kapak; flap; panjur; kulak; (*kon.*) telâşlı/endişeli bir hal. *f.* (Kuş)

kanatlarını çırpmak; hafifçe salla(n)mak; flaplamak; şaklamak; (*arg.*) meraklanmak; telâşa düşmek: **don't ~!**, merak etmeyin!
flapdoodle [flap'düdl]. Saçma, lâfügüzaf.
flap·-eared ['flapiə(r)d]. Sarkık kulaklı. **~-indicator**, (*hav.*) kanatçık ölçeği. **~jack** [-cak], kızartılmış küçük börek; (kadın) yüz pudralığı. **~pable**, (*kon.*) (bir krizde) telâşlı/şaşmış olan. **~per**, sinek öldürmek için yassı bir alet; ayıbalığı/kaplumbağa vb.nin kolu; (*arg.*) saçını daha yapmıyan genç kız.
flare ['fleə(r)] *i.* Alev aydınlığı, parlama, parıltı; anî yanış; işaret fişeği; bir şeyin genişliyen/yayılan kısmı. *f.* Alev gibi parlamak. **~ up**, birdenbire alevlenmek; barut kesilmek; öfkelenmek. **~-back**, alev tepmesi. **~d**, şevli. **~-pistol**, aydınlatma tabancası. **~-up**, ansızın alevlenme; parlayıp sönme; birdenbire hiddetlenme; parlama.
flash[1] [flaş] *i.* Anî ışık; şimşek; lem'a; alev; ışıltı; çapak; (*müh.*) yakma; çarpıcı çekim; (*sin.*) flaş. *f.* Şimşek çakmak; şimşek gibi ışık saçmak; ışıldamak. **in a ~**, çarçabuk: **a ~ in the pan**, (*mec.*) saman alevi; parlak bir başlangıçtan sonra sonuçsuz iş: **~ past**, şimşek gibi geçmek: **the truth ~ed upon me**, kafamda bir şimşek çaktı, kafama dank dedi.
flash[2] *i.* Püskül, saçak.
flash[3] *s.* Sahte gösterişli; göz boyayan; alâyişli.
flash-[4] *ön.* **~back**, alevin tepmesi; (*sin.*) geriye/geçmişe dönüş. **~-board**, savak taşırma kapağı. **~-box**, (*tiy.*) şimşek lambası. **~-bulb**, flaş/projektör ampulü. **~-cook**, kırmızı altı şualarla çabuk pişirmek. **~-cube**, dört flaş ampulü tutan blok. **~er**, çakan/ışıldıyan kimse/şey. **~-flood**, anî sel. **~-forward**, (*sin.*) ileriye/geleceğe geçiş. **~-house**, (*arg.*) genel ev. **~ily**, sahte gösterişli bir şekilde. **~iness**, sahte gösterişli olma. **~ing**, *s.* yanıp sönen, çakar, parlayıcı; şimşekli: *i.* duvar/baca eteği. **~lamp**, işaret lambası; cep feneri. **~-light**, işaret feneri; magnezyum ışığı. **~over**, çakma. **~-point**, çakma/alev/iştial/parlama noktası. **~y** = **~**[3].
flask [flāsk]. Küçük şişe; yassı cep şişesi; hasırlı şişe.
flat[1] [flat] *i.* Apartıman (dairesi). **block of ~s**, apartıman binası: **high-rise ~s**, yüksek (10–15 kat) apartıman binası: **service ~**, servisli apartıman dairesi.
flat[2] *s.* Düz, düzlük, müstevi, yassı; yayvan; ufkî; havan, manasız; vazıh, olumlu, açık, kesin, katî, müspet; (*müz.*) bemol; (renk) mat; durgun; (bira vb.) köpüğü dağılmış. *i.* Düz satıh; el ayası, kef; sığlık, bataklık, münhat ova; (*tiy.*) pano, tahta perde. **he ~ly insulted me**, bana bayağı hakaret etti: **fall ~ on one's face**, pat diye yüzükoyun düşmek: **(of a joke, etc.) fall ~**, (nükte vb.) muvaffak olmamak: **lie down ~ on the ground**, boylu boyuna yere yatmak: **~ as a pancake**, yamyassı: **go ~ out**, alabildiğine koşmak vb.: **a ~ rate of pay**, belirli bir ücret ödeme: **a ~ refusal**, tam bir ret: **that's ~!**, işte o kadar!, vesselâm!: **~ tyre**, sönük lastik.
flat-[3] *ön.* **~-bottomed (boat)**, (*den.*) döşekli, düz altlı (duba). **~-car**, platformlu vagon/araba. **~-fish**, yan-yüzer(gil); dil balığı gibi yassı balık. **~-foot(ed)**, düztaban; (*arg.*) polis. **~-headed**, düz/parabaşlı. **~-iron**, ütü. **~ly**, kesin vb. olarak. **~ness**, düzlük, yassılık. **~-nosed**, küt burunlu. **~-race**, engelsiz yarış. **~-rate**, belirli/tek fiyat/tarif(li). **~-spin**, (*hav.*) yaprak virili: **go into a ~**, (*arg.*) telâşlanmak.
flatten ['flatn]. Yassı-/düzleştirmek. **~ oneself against a wall**, kendini duvara doğru yapıştırmak: **~ down/out**, yassılatmak; yayvanlaştırmak; ezmek; (*hav.*) palyeye geçmek. **~ing**, yassılama; (*coğ.*) basıklık.
flatter ['flatə(r)]. Fazla övmek; yaltaklanmak; aslından daha güzel göstermek. **~ oneself**, övünmek; iftihar etm.; boş umuda düşmek. **~er**, dalkavuk. **~ing**, mütebasbıs, yaltakçı; (*mod.*) çok yakışan. **~y**, yaltak·çılık/-lanma; müdahene, dalkavukluk.
flat·ting ['flatin(g)]. Yassıltma, dövme. **~tish**, oldukça yassı, düzce; tatsızca.
flatulen·ce, -cy ['flatyuləns(i)]. Midede gaz toplanması, yel; yüksekten atıp tutma, tumturak. **~t**, midede gaz hâsıl edici; gaz toplanmasından rahatsız olan, yelli; sözü boş ve tumturaklı.
flat·ways/~wise ['flatweyz, -wayz]. Düz(üne).
flaunt [flōnt]. Gösteriş/şatafat yapmak; azametle teşhir etm.; (bayrak) azametle dalgalanmak. **~ing(ly)**, gösterişli (olarak).
flautist ['flōtist]. Flütçü.
flav- [fleyv-] *ön.* Sarı. **~escent** [-'vesənt], sararmış, sarımtırak. **~in(e)**, sarı bir boya.
flavour ['fleyvə(r)] *i.* Çeşni, tat, lezzet. *f.* Çeşni vermek. **have a ~ of stg.**, -e çalmak. **~ing**, çeşni verici şey. **~less**, tatsız. **~some**, tatlı.
flaw[1] [flō]. Anî ve süreksiz rüzgâr.
flaw[2]. Noksan, kusur, eksiklik; hata; çatlak, yarık. **~ed**, kusurlu vb. **~less**, kusursuz: **~ly**, kusursuz olarak: **~ness**, kusursuzluk; mükemmellik.
flax [flaks]. Keten. **~en**, ketenden yapılmış; lepiska, sarışın: **~-haired**, sarışın. **~-seed**, keten tohumu. **~y**, keten gibi.
flay [fley]. Derisini yüzmek; soymak; şiddetle kamçılamak; merhametsizce tenkit etm.
flea [flī]. İnsan piresi. **send s.o. away with a ~ in his ear**, birini ters bir cevapla kovmak; iyice haşlamak, zılgıt vermek. **~-bag**, (*arg.*) torba şeklinde yatak takımı. **~bane** [-beyn], pireotu. **~-beetle**, toprak piresi. **~-bite**, pire yeniği: **a mere ~**, devede kulak. **~-bitten**, pire yenikleriyle dolu; (at) kır üzerine kahve rengi/siyah ince benekli.
fleam [flīm]. Baytar neşteri.
fleck [flek] *i.* Benek, küçük leke; ışık parçası. *f.* Beneklemek.
flection ['flekşn] = FLEXION.
fled [fled] *g.z.(o.)* = FLEE.
fledge [flec]. Tüylen(dir)mek; tüyleri çıkıncaya kadar beslemek. **~d**, tüylenmiş: **fully ~**, (*mec.*) (doktor vb.) tam diplomalı. **~less**, tüysüz. **~ling**, henüz tüylenmemiş yavru kuş; (*mec.*) toy kimse.
flee (*g.z.(o.)* **fled**) [flī, fled]. Kaç(ın)mak; (zaman) uçup gitmek.
fleec·e [flīs] *i.* Yapak, yünlü post; kırkım, koyundan kırpılan yün miktarı. *f.* Kırkmak; soymak, sağmak; tırtıklamak. **~y**, yünlü: **~ clouds**, tırtık tırtık bulutlar.
fleer [flī(r)]. Terbiyesiz(ce) gülme(k).
fleet[1] [flīt] *i.* Donanma, filo; kamyon/taksi kolu: **†~ Air Arm**, Donanma Hava Kuvvetleri.
fleet[2] *i.* Koy, dere; Londra'da bir dere: **~ (Prison)**,

(*tar.*) borçlular hapishanesi: ~ **Street**, Londra'nın Babıâli/basın mahallesi; (*mec.*) gazeteciler.
fleet[3] *s.* Süratli, hızlı giden. *f.* (*mer.*) Çabuk gitmek. ~ **of foot**, çabuk yürür/koşar. ~**ing**, süreksiz, fani, geçici: ~**ly**, bir an için, çabuk geçerek. ~**ly**, hızlı olarak. ~**ness**, hız, sürat.
Flem·ing ['flemin(g)] *i.* Flaman. ~**ish** [-iş] *i.* Flaman dili: *s.* Flaman +.
flench/flense [flenç, -ns]. Balina vb.nin derisini yüzmek/yağını almak.
flesh[1] [fleş] *i.* Et; vücut; ten. ~ **of one's** ~/**one's own** ~ **and blood**, aynı et ile kandan olanlar: **in the** ~, sağ, bu dünyada; (*mec.*) hakikaten: **it's more than** ~ **and blood can stand**, buna can dayanmaz: **make s.o.'s** ~ **creep**, birinin tüylerini ürpertmek: **the lusts of the** ~, şehvanî arzular: **put on** ~, semirmek, şişmanlamak: **lose** ~, zayıflamak: **go the way of all** ~, ölmek: **the spirit is willing but the** ~ **is weak**, isteyip de yapamaz: **become/make one** ~, evlen-(dir)mek.
flesh[2] *f.* Et yedirmek; kan tadı ile av köpeklerini kışkırtmak; (asker) ilk defa birini kılıçla kesmek.
flesh-[3] *ön.* ~**-colour(ed)**, ten rengi. ~**-eat·er/-ing**, et yiyici; etçil. ~**er**, (*İsk.*) kasap. ~**-fly**, yumurtalarını et içinde bırakan kara sinek. ~**hook**, kasap çengeli, ~**iness**, şişmanlık; eti bol olma. ~**ings**, (*tiy.*) deri taklit eden ten renkli elbiseler. ~**ly**, etli; şehvanî; insanî. ~**meat**, (*mer.*) et yemeği. ~**pots**, yiyecek bolluğu; lüks hayat: **sigh for the** ~ **of Egypt**, geçmişteki refah ve bolluğa hasret çekmek. ~**-tint**, ten rengi. ~**-wound**, kemik/hayatî bir uzva dokunmıyan yara. ~**y**, etli; canlı; şişmanca.
fletch [fleç] (*mer.*) (Ok) tüylendirmek. ~**er**, okçu.
fleur·-de-lis [flǝ̄di'lī]. Eski Fransa kırallarının arması olan zambak şekli. ~**et**/~**on** ['flǝret, -o(n)] (*mer.*) tepetomurcuğu, çiçek şeklinde süs. ~**y**, ~-DE-LIS ile süslenmiş.
flew [flū] *g.z.* = FLY[4].
flews [flūz]. BLOODHOUND'un sarkık dudakları.
flex [fleks] *f.* Bükmek, eğmek. *i.* Örgülü tel; kordon teli. ~**ibility** [-si'biliti], bükülebilme, , eğilebilme; esneklik, elastikiyet; uysallık. ~**ible** [-sibl], bükülür, eğilir; esnek, elastikî; uysal; degişken, mütehavvil; sabit olmıyan. ~**ion** [-şn], bük(ül)me, eğilmiş yer. ~**or**, organları büken adale/kas, bükücü. ~**ure** [-şǝ(r)], bükülme, eğilme, belverme, salgı.
flibbertigibbet [flibǝti'cibǝt]. Hafif/oynak bir kimse, dedikoducu.
flick [flik] (*yan.*) *i.* Fiske; pek hafif vuruş. *f.* Fiske vurmak; kamçı vb.ni şaklatmak. **a** ~ **of the wrist**, süratli bir bilek hareketi: **the** ~**s**, (*arg.*) sinema.
flicker ['flikǝ(r)] *f.* (Alev, ışık) oynamak, titremek; seğirmek. *i.* Titreme, titreşim; sönüp yanma; seğirme.
flick-knife ['fliknayf]. Yaylı ağızlı çakı.
flier ['flayǝ(r)]. Uçan kimse; pek çabuk giden şey/kimse. **high** ~, gözü ileride kimse.
flies [flayz] *i. ç.* = FLY[1,2]: *f. şim. 3cü, tek* = FLY[4].
flight[1] [flayt] *i.* Uçma, uçuş; mahrek, yörünge; mesafe; kuş sürüsü. **a** ~ **of fancy**, hayal oyunu: **in the first** ~, ön safta: **a** ~ **of planes**, uçakların grup halinde uçuşu: **a** ~ **of stairs**, merdiven; iki sahanlık arasındaki merdivenler.
flight[2] *i.* Kaçış; firar. **take** ~, uçmak: **take to** ~, kaçmak: **put to** ~, hezimete uğratmak: tam bozgun halinde olan.
flight[3] *f.* (Ok) tüylendirmek; (kuşlar) topu halinde göç etm.
flight-[4] *ön.* ~**-arrow**, uzun mesafe için kullanılan ok. ~**-control**, uçuş kumandası. ~**-deck**, (*den.*) uçuş güvertesi; (*hav.*) pilot yeri. ~**-feather**, uçma tüyü. ~**ily**, kaprisli/hafif olarak. ~**iness**, kaprislilik, hafiflik. †~**-lieutenant**, H.K.'de yüzbaşı. ~**-path**, (uçak) sefer/uçuş yolu. ~**-personnel**, uçak tayfası. ~**-plan**, uçuş planı. ~**-recorder**, uçuş kaydedicisi. ~**-test**, uçuş denemesi. ~**-time**, uçuş müddeti. ~**worthy**, uçabilen; uçuşta kullanılabilir. ~**y**, hafif mizaçlı; kaprisli, oynak, havai.
flim-flam ['flimflam]. Önemsiz şey, saçma.
flims·ily ['flimzili]. Sağlam olmıyarak, hafifçe. ~**iness**, incelik; sağlam olmama. ~**y**, *s.* ince, seyrek, kolayca kırılır/yırtılır: *i.* (*kon.*) ince daktilo kâğıdı.
flinch [flinç]. Korkup sakınmak, kaçınmak, yüksünmek, ürkmek. **without** ~**ing**, hiç sakınmadan; göz kırpmadan.
fling (*g.z.(o.)* **flung**) [flin(g), flʌn(g)] *f.* Hızlı atmak, fırlatmak; atılmak, seğirtmek. *i.* Fırlatma; bir iskoç dansı, hora. **have one's** ~, gençlik çılgınlıkları yapmak, kurtlarını dökmek: **have a** ~ **at stg.**, (*kon.*) bir şeyi şöyle bir denemek: ~ **one's arms about**, kollarını savurmak: ~ **out**, (at) çifte vurmak: ~ **out at s.o.**, birine birdenbire küfür etm.: ~ **open**, şiddetle açmak: ~ **up a job**, (*kon.*) bir işten birdenbire çıkmak.
flint [flint]. Çakmaktaşı. **with a heart of** ~, katı yürekli: **skin a** ~, sineğin yağını hesap etm. ~**-glass**, en iyi cins cam. ~**-lock**, filinta. ~**y**, taş gibi katı, çakmaklı.
flip[1] [flip]. Fiske (vurmak); (*arg.*) deli olm. ~ **a coin**, yazı tura atmak.
flip[2]. Sıcak yumurtalı bir içki.
flip-flop ['flipflop] (*yan.*) Takla; hava fişeği; (*elek.*) mandallı şalter.
flippan·cy ['flipǝnsi]. Hafiflik; hürmetsizlik. ~**t**, hiç bir şeyi ciddiye almıyan; vekarsız, hürmetsiz; hafif: ~**ly**, ciddiye almıyarak; hürmetsizce.
flip·per ['flipǝ(r)]. Ayıbalığı/kaplumbağa vb.nin kolu; (*tiy.*) kanat; (*arg.*) el. ~**ping**, (*kon.*) lânetleme, çok. ~**-side**, plakın ikinci/daha az önemli taraf.
flirt [flǝ̄t] *i., f.* Fırla(t)ma(k), hızlı hareket et(tir)me(k); flört (etm.); işvebaz/fındıkçı kız: ~ **with death**, büyük tehlikeye (kasten) uğramak. ~**ation** [-'teyşn], flört etme, kur yapma; geçici bir ilgi. ~**atious** [-'teyşǝs], daima flört eden; hafifmeşrep. ~**y**, cilveli.
flit [flit]. Gölge gibi geçme(k); küçük kuş gibi şuraya buraya uçma(k); hoplama(k); (gizlice) göçme(k).
flitch [fliç]. Domuz pastırması döşü; hatıl.
flitter ['flitǝ(r)]. Hafifçe ve çabuk şuraya buraya uçmak. ~**mouse**, yarasa.
***flivver** ['flivǝ(r)] (*arg.*) Çok ucuz otomobil/uçak.
float[1] [flo̤ut] *i.* Sal; şamandıra, yüzertop; ağ mantarı; olta mantarı; karbüratörün yüzücü cismi; alçak yük arabası; geminin yan çarkının kanadı; (*hav.*) flâtör; sıva malası; (*hav.*) palye; (*mal.*) satışlar başlamadan kasadaki para.
float[2] *f.* Yüzmek; yüzdürmek; batmamak; havada durmak; (*mal.*) dalgalanmak. ~ **a loan**, bir istikraz çıkarmak: ~ **a company**, bir şirket kurmak; bir

şirket için sermaye tedarik etm., hisselerini satışa arzetmek.

float-[3] *ön.* ~**able**, yüzdür(ül)ür. ~**age** [-tic], yüzme (kabiliyeti). ~**ation** [-'teyşn], yüz(dür)me; şirket kurulması. ~**-board**, çark kanadı. ~**-bridge**, sallı köprü. ~**-chamber**, sabit seviye kabı. ~**er**, (*id.*) partisini kolay değiştiren. ~**-glass**, (*M.*) float. ~**ing**, *s.* yüzen; yüzer; yüzücü; sabih; serbest, rabıtasız, ilgisiz; mütehavvil, değişken; (*mal.*) dalgalı: ~**-bridge**, dubalı köprü: ~ **capital**, döner sermaye: ~ **currency**, altın/dolar vb.ne bağlı olmıyarak değeri değişebilen para: ~ **debt**, gayri muntazam/dalgalı borç: ~**dock**, yüzer havuz: ~ **island**, kütle halinde yüzen maddeler ki üzerinde bitkiler yetiştirilir: ~ **kidney**, (*tıp.*) yer değiştiren böbrek: ~ **population**, sabit olmıyan nüfus: ~ **voter**, tek bir partiye bağlı olmıyan seçmen.

floccule ['flokyūl]. Yün parçası. ~**nt** [-yulənt], yün gibi, tiftik tiftik.

floccus ['flokəs]. Yün/saç perçemi.

flock[1] [flok]. Hayvan sürüsü. ~ **(together)**, koyun sürüsü gibi toplanmak: **arrive in** ~**s**, sürü sürü gelmek: ~**s and herds**, koyun ve sığır: **a pastor and his** ~, rahip ile cemaati.

flock[2]. Yün parçası; (şilte ve minderleri doldurmak için kullanılan) yün ve pamuk döküntüsü. ~**-bed**, böyle bir şilte. ~**-master**, sürüler sahibi; baş çoban. ~**-paper**, parlak havlı duvar kâğıdı.

floe [flou]. Bankiz; yüzen büyük buz parçası.

flog [flog]. Kamçılamak; (*arg.*) satmak. ~ **a dead horse**, tarihe karışmış bir şeyi canlandırmağa çalışmak. ~**ging**, kamçılama, dayak, dövme; kırbaç darbe/cezası.

flood [flʌd] *i.* Tufan; su taşma/basması, feyezan, taşkın, sel; met. *f.* Su basmak; sel basmak; taşmak. **be** ~**ed with letters**, mektup yağmuruna tutulmak: **take at the** ~, tam başarılı noktasında bir şeyden faydalanmak. ~**-gate**, bent kapağı, savak. ~**ing**, sel basma. ~**-light**, *i.* projektör, ön lamba, aydınlatma/donatma ışığı: *f.* projektörle aydınlatmak/donatmak: ~**ing**, projektörle aydınlat(ıl)ma; ön lambalar, açık ışıldak. ~**-lit**, projektörle aydınlatılmış. ~**ometer** [-'domitə(r)], sel ölçeği. ~**-plain**, taşkın ovası. ~**-tide**, met, kabarma. ~**-water**, taşkın/met suyu.

floor [flō(r)] *i.* Oda zemini; döşeme; kat; (*mal.*) asgarî fiyatlar. *f.* Ev zeminini tahta döşemek. ~ **s.o.**, birine cevap verilemiyecek sual sormak: **take the** ~, söylemek için ayağa kalkmak; kürsüye çıkmak; **house with two** ~**s**, iki katlı ev: **wipe the** ~ **with s.o.**, (*kon.*) birini tam manasıyle mağlûp etm. ~**-board**, döşeme tahtası. ~**-cloth**, (i) muşamba; (ii) tahta bezi. ~**ing**, döşeme, döşemelik (malzemesi). ~**-polish**, döşeme cilâsı. ~**-show**, (gece kulübü/otelde) varyete numaraları, program. ~ **-space**, döşeme sahası: **I wouldn't give it** ~, evimin içine hiç kabul etme(zdi)m. ~**-walker**, (büyük mağazada) müşterilerine malumat veren kimse.

floozie ['flūzi] (*kon.*) Kız, kadın; fahişe.

flop [flop] *i.* (*yan.*) Yer/suya düşen ağırca bir şeyin sesi; cop. *f.* Cop diye yer/suya düşmek; birdenbire düşmek. ~ **about**, sudan çıkarılan balık gibi sıçramak: **be a** ~, tamamen başarısız olm.: **go** ~, ansızın düşmek; (*mec.*) suya düşmek. ~**piness**, sarkıklık; yumuşaklık. ~**py**, (şapka/elbise vb.) sarkık; yumuşak.

flor. = FLORUIT; FLORIST.

flora ['flōrə]. Bir bölgede yetişen bütün bitkiler; bitey, flora. ~**l**, çiçeklere ait.

Floren·ce ['florəns]. Floransa. ~**tine** [-tayn] *i.* Floransalı: *s.* Floransa +.

florescen·ce [flō'resəns]. Çiçek açması. ~**t**, çiçek açmış, çiçeklenmiş.

floret ['flōrit]. Küçük çiçek; bir çiçeği teşkil eden küçük çiçeklerden her biri.

flori·ate ['flōrieyt]. Çiçeklerle süslenmiş. ~**culture** [-'kʌlçə(r)], çiçek yetiştirme; çiçekçilik.

florid ['florid]. Fazla süslü; kırmızı yüzlü.

Florida ['floridə]. ABD'nden biri.

florid·ity/~**ness** [flo'riditi, -ridnis]. Fazla süslü olma. ~**ly**, fazla süslü olarak.

floriferous [flō'rifərəs]. Çiçekli; çok çiçek veren.

†**florin** ['florin]. (1971'e kadar) iki şilin değerinde gümüş para.

florist ['florist]. Çiçekçi.

-florous [-flōrəs] *son.* -çiçekli.

floruit ['flōruit] (*Lat.*) Bir (sanatkârın) çalıştığı devir/en verimli devri.

floscul·ar ['floskyulə(r)]. Mürekkep çiçekli. ~**e** = FLORET.

floss [flos]. Kozanın dış zarfı: ~ **silk**, bükülmemiş ipek, floş. ~**y**, ipek gibi.

flotation [flou'teyşn] = FLOATATION.

flotilla [flo'tilə]. Küçük filo, filotilla.

flotsam ['flotsəm]. Denizde sahipsiz olarak yüzen eşya. ~ **and jetsam**, denizde yüzen ve karaya vuran enkaz.

flounce [flauns] *i.* (Kadın elbisesi) sayvan, volan. *f.* ~ **about**, öfkeli/sabırsız hareket etm.

flounder[1] ['flaundə(r)] *i.* Dere pisisi; köpek dili.

flounder[2] *f.* Çamur/suya bata çıka yürümek; bocalamak.

flour ['flauə(r)] *i.* Un, toz. *f.* Üzerine un serpmek. ~**-beetle**, un böceği. ~**-dredge(r)**, un serpmeğe mahsus delikli kutu.

flourish[1] ['flʌriş] *f.* (Kılıç/değnek vb.ni) öteye beriye savurmak. *i.* Savurma; gösterişli hareket; parafe. **a** ~ **of trumpets**, tören borusu.

flourish[2] *f.* Mamur olm.; gelişmek, ilerlemek; tıkırında gitmek. ~**ing** *s.* mamur, bayındır, müreffeh; iyi, yolunda.

flour·mill ['flauə(r)mil]. Değirmen. ~**-moth**, un güvesi. ~**y**, unlu; un gibi.

flout [flaut]. İstihfaf ile aldırmamak; tepmek.

flow [flou] *f.* Akmak; cereyan etm.; taşmak. *i.* Akış; akıntı, cereyan; akım, file; verdi, debi: **have a ready** ~ **of language**, çok akıcı konuşmak; cerbezeli olm. ~**-chart/-sheet**, işletme akış planı.

flower ['flauə(r)] *i.* Çiçek. *f.* Çiçeklenmek, çiçek açmak. **in** ~, çiçeklenmiş: **burst into** ~, birdenbire çiçeklenmek: **the** ~ **of the army**, ordunun en seçkin kısmı: **in the** ~ **of one's youth**, gençliğinin en parlak çağında. ~**-bearing**, çiçek veren. ~**-bed**, çiçek tarhı, ocak. ~**ed**, çiçek resimleriyle süslü. -~**er**, *son.* kesin bir zamanda çiçeklenen. ~**et**, çiçekçik. ~**-girl**, kadın çiçekçi. ~**head**, (*mim.*) tepe. ~**iness**, çiçeklilik; fazla süslü olma. ~**ing**, çiçeklenen; çiçekli; çiçekleri için yetiştirilen. ~**less**, çiçeksiz; çiçekleri düşmüş/bitmiş. ~**-people**, sulh/aşk seven gençler. ~**pot**, saksı. ~**-show**, çiçek sergisi. ~**y**, çiçekli; (*mec.*) fazla süslü.

flowing ['flouin(g)]. Akan; selis; seyyal; (elbise)

gevşek ve sarkık, bol: ~ **with milk and honey**, refah içinde.
flown [floun] *g.z.(o.)* = FLY[4].
Flt.-Lt./-Off./-Sgt. = FLIGHT-LIEUTENANT/-OFFICER/-SERGEANT.
'flu [flū] (*kon.*) = INFLUENZA.
fluctuat·e ['flʌktyueyt]. Dalga gibi inip kalmak; kararsız olm., bocalamak; değişmek: **the temperature ~s from day to day**, ısı her gün değişir. **~ion** [-'eyşn], temevvüç, dalgalanma, çalkantı, salınım; tereddüt; değişme, değişim.
flue [flū]. Duman/hava borusu; baca deliği; ocağın bacası; gaz geçidi. ~ **ash**, uçgun (kül).
fluen·cy ['flūənsi]. Selâset, akıcılık, belâgat, **~t**, selis, akıcı, beliğ, belâgatlı: **~ly**, selis/akıcı olarak: **talk a language ~ly**, bir lısanı kolay konuşmak.
fluff [flʌf]. Tüy ve hav döküntüsü; yumuşak tüy. **a bit of** ~, (*arg.*) güzel kadın/kız: ~ **up its feathers**, (kuş) tüylerini kabartmak: ~ **one's lines**, (*tiy.*) tökezlemek. **~iness**, yumuşaklık. **~y**, yumuşak ve kaba tüylü.
fluid ['flūid] *i.* Mayi, sıvı, akar madde; su, gaz, buğu vb. *s.* Seyyal; akar, akıcı; akışkan; sıvı; şekli kolay değişen; (*mal.*) yatırılmamış (para). **~ics** [-'idiks], akarlı işletici bilimi. **~ify**/**~ize** [-'idifay, -idayz], sıvılaştırmak. **~ity** [-'iditi], mayilik, sıvılık.
fluke[1] [flūk]. ~ **(worm)**, karaciğer sülük/kelebeği.
fluke[2]. Balina kuyruğunun yassı parçalarından biri; gemi demiri tırnağı; zıpkının çatalı.
fluk·e[3]. Baht işi (becermek). **~ily**, baht işi olarak. **~iness**, baht işi olma. **~y**, baht işi elde edilmiş; talihe bağlı; (*biy.*) kelebekli.
flume [flūm]. Oluk; türbin kanalı; değirmen deresi.
flummery ['flʌmeri]. Süt yumurta ve undan yapılan bir tatlı; (*mec.*) tabasbus, yaltaklanma; boş lâf, palavra.
flummox ['flʌməks]. Şaşırtmak, bozmak, afallatmak.
flump [flʌmp]. Ağırca düşmek/hareket etm.; tok sesle düşmek.
flung [flʌn(g)] *g.z.(o.)* = FLING.
***flunk** [flʌn(g)k] (*kon.*) Sınav vb.de başarılı olmamak.
flunkey ['flʌn(g)ki] (*köt.*) Uşak, peyk; dalkavuk. **~dom**, uşak/dalkavuk takımı.
fluor ['flūō(r)]. Kalsiyum flüorürü. **~-** [fluə(r)-] *ön.* flüor-. **~esce** [-'res], yakamozlanmak; flüorışı saçmak. **~escence** [-'resəns], yakamoz; flüoresans, flüorışı. **~escent**, flüoresan, flüorışıl: ~ **lighting**, flüoresan lambalar ile ışıklan(dır)ma. **~ic** [flu'orik], flüorinli. **~idate** [-'orideyt], su vb.ne flüorür katmak. **~idation** [-'deyşn], diş çürümesini önlemek için su vb.ne flüorürün katılması. **~ide** [-rayd], flüorür. **~ine** [-rīn], flüor, **~ite** [-rayt], flüorit. **~o-**, *ön.* flüor+: **~scope**, röntgen perdesi. **~-spar**, kalsiyum flüoriti, neceftaşı.
flurry ['flʌri] *i.* Anî bir bora/kar; balinaların ölüm mücadelesi; telâş, heyecan. *f.* Telâşa düşürmek. **get flurried**, telâşa düşmek; iki ayağını bir pabuca koymak.
flush[1] [flʌş] *f.* Avkuşunu ürkütüp havalandırmak. *i.* Bir anda havalanan kuş sürüsü.
flush[2] *f.* Hızlı akıtmak; yıkamak; fışkır(t)mak; (yüz) kızar(t)mak. *i.* Hızlı su akıntısı; galeyan, teheyyüç. ~ **out**, sifon çekmek: ~ **out a drain**, *etc.*, geriz vb.ni bol su ile temizlemek: **be in the full** ~ **of health**, yanağından kan damlamak: **in the first** ~ **of victory**, zafer sarhoşluğu ile.
flush[3] *s.* Taşarcasına dolu; aynı seviyede; bir düzeyde; gömme, havşa. **be** ~ **of money**, elinde hazır para olm.: ~ **with . . .**, -in yüzünden dışarı taşmıyan; bir hiza/seviyede.
flush[4]. (İskambil) floş.
flush·er ['flʌşə(r)]. Lağım temizleyici (kimse/düzen); çalkama düzeni. **~ing-cistern/tank**, çalkama kutusu, W.C./helâ su deposu. **~ness**, (*kon.*) parası bol olma. **~-valve**, (*ev.*) bas.
fluster ['flʌstə(r)] *i.* Telâş, heyecan, *f.* Telâşa düşürmek. **be ~ed/all in a** ~, çırpınmak, telâş etm., iki ayağı bir pabuçta olm.
flute[1] [flūt]. Flüt (çalmak).
flut·e[2]. Oluk/yiv açmak; (çamaşır) fitilli ütülemek. **~ed**, oluk/yivli. **~ing**, yiv şeklinde süs.
flutter ['flʌtə(r)]. Çırpınma(k); titreme(k); telâşa düşme(k); teprenmek; şuraya buraya uçmak; telâşa düşürmek; yürek çarpıntısı; (*hav.*) flater; (*sin.*) sıçrama. **have a little** ~, az para koyarak kumar/bahise girmek: ~ **the dovecotes**, ortalığı telâşa düşürmek.
fluty ['flūti]. Flüt sesi gibi.
fluvi·al ['flūviəl]. Nehre ait, akarsu+. **~o-**, *ön.* nehir+.
flux [flʌks] *i.* Akma; erime; (*tıp.*) akım, vücuttan doğa dışı sızıntı; değişiklik; lehim su/yağı, eritken. *f.* Ak(ıt)mak, eritmek. **be in a state of** ~, sık sık değişmek. **~ation** [-'seyşn], akıtma, eritme. **~ible**, eriyebilir. **~ion** [-kşn], akma, akış, cereyan.
fly[1] [flay] *i.* Uçuş; kira arabası; çadır perdesi; *ç.* pantolonun ön yırtmacı; (*tiy.*) sahnenin üstü.
fly[2] *i.* Sinek, ikikanatlı; balık tutmak için sunî sinek, olta iğnesi: **common house** ~, evsineği: **stable** ~, kara sinek: **they died like flies**, yığın yığın öldüler: **there are no flies on him**, çok açıkgözdür: **rise to the** ~, (balık) sunî sineğe doğru sıçramak; (insan) kendisini tahrik etmek için mahsus söylenen söze kanarak kızmak.
fly[3] *s.* (*arg.*) Kurnaz, tilki gibi, açıkgöz.
fly[4] (*g.z.* **flew**, *g.z.o.* **flown**) [flay, flū, floun] *f.* Uçmak; kaçmak; hızla koşmak; uçak ile seyahat etm.; uçarak geçmek; uçurmak. ~ **to arms**, (bir millet) silâha sarılmak: **the bird has flown**, aranılan kimse kayıplara karıştı: ~ **high**, yüksekte uçmak; gözü yükseklerde olm.: **let** ~ **at s.o.**, birine ağzına geleni söylemek; birine ateş etm.; birine bir tokat aşketmek; (at) birine çifte atmak: **make the money** ~, har vurup harman savurmak: **the door flew open**, kapı şırak diye açıldı: ~ **to pieces**, parça parça olm.: **send ~ing**, kaçırtmak: **send things ~ing**, ortalığı darmadağın etm. ~ **about/around**, (acele ile) her yöne uçmak/koşmak. ~ **apart**, birdenbire kopup yarılmak/parçalanmak. ~ **at**, -e saldırmak, atılmak. ~ **away**, uçup gitmek, kaçmak. ~ **back**, geri uçmak; uçup geri gitmek; mümkün mertebe çabuk avdet etm.; geri fırlamak/tepmek. ~ **in**, bir yere uçup gelmek: ~ **in the face of s.o.**, sözünü dinlememek, açıkça itaat etmemek: ~ **into a rage**, birden kızmak. ~ **off**, uçup ayrılmak; acele ile gitmek; (düğme vb.) kopmak: ~ **off the handle**, birden öfkelenmek: ~ **off at a** TANGENT. ~ **over**, üzerinden geçmek/uçmak. ~ **past**, önünden/üzerınden uçmak/geçmek.

fly-[5] *ön.* ~**-agaric** [-'agərik], sinek mantarı. ~**bane** [-beyn], sinek öldüren bitki/madde. ~**-bitten**, sinek yenikleriyle dolu. ~**-blow**, sinek tersi. ~**-blown**, sinek tersiyle lekelenmiş; kurtlanmış, kokmuş. ~**-button**, pantolonun ön düğmesi. ~**-by-night**, gece hayatına düşkün/tutkun; borcunu vermeden gece sıvışan. ~**-catcher**, sinek·kapan/-yutan (kuş, bitki, yapışkan kâğıt vb.): **red-breasted** ~, cüce sinekyutan: **spotted** ~, benekli sinekyutan. ~**-cruise**, yarı uçakla yarı vapurla seyahat. ~**er** = FLIER. ~**-fishing**, (sunî) sinekle balık avlanması. ~**-gallery**, (*tiy.*) sahne üstünde platform, çalışma köprüsü.

flying ['flayin(g)]. Uçan; uçma; tayyarecilik, uçakçılık; uçakçılığa ait; (*den.*) kontra-: **the** ~ **of a flag**, bayrak asma/çekme: **pay a** ~ **visit to London**, Londra'ya şöyle bir uğramak. ~**-boat**, tekneli deniz uçağı. ~**-bomb**, uçan bomba. ~**-bridge**, takma/dubalı köprü; (*den.*) en üst köprü. ~**-buttress**, (*mim.*) kemerli payanda. ~**-circus**, cambazlık eden uçaklar grubu. ~**-column**, (*ask.*) seyyar kıta. ~**-doctor**, (*Avus.*) hasta muayeneleri için uçakla giden doktor. ~**-Dutchman**, (*mit.*) sonsuz olarak denizlerde dolaşan Hollanda gemisi; uğursuzluk simgesi. ~**-field**, çok basit uçuş alanı. ~**-fish**, uçar balık, kırlangıç balığı. ~**-fortress**, (*hav.*) uçan kale. ~**-fox**, büyük yarasa, uçarköpek. ~**-height**, (*hav.*) manevra yapmasına elverişli yükseklik. ~**-jib**, kontra flok. ~**-officer**, †H.K.'de teğmen. ~**-picket**, grev gözcülerinin seyyar kıtası. ~**-saucer**, (*kon.*) ne olduğu tespit edilmemiş uçandaire. ~**-squad**, (polis) yıldırım kıtası. ~**-start**, (*sp.*) yarışçılar önceden hareket ederek "başla" işareti verilmesi: **have a** ~ **over s.o.**, birinden daha önce başlamak. ~**-time**, uçuş süresi. ~**-visit**, çok kısa bir ziyaret. ~**-weight**, uçuş ağırlığı.

fly·-leaf ['flaylīf] (*bas.*) Kitabın baş/sonundaki boş yaprak. ~**-over**, uçan bir sıra uçaklar: ~**-over (bridge)**, fazla kalabalık yerler/ana yolların üzerinden geçen geniş yol köprüsü. ~**-paper**, sinek kâğıdı. ~**-past**, uçakların geçit alayı. ~**-swatter/-whisk**, sineklik. ~**-trap**, sinek tuzağı; sinekkapan (bitki). ~**-weight**, (*sp.*) sinekağırlık. ~**-wheel**, volan, fırıldak, düzenteker.

Fm. (*kim.s.*) = FERMIUM.

fm. = FATHOM.

FM = FIELD MAGNET; FIELD MARSHAL; FOREIGN MISSION; FREQUENCY MODULATION.

FNIF = FLORENCE NIGHTINGALE INTERNATIONAL FOUNDATION.

fo. = FOLIO.

FO = FLYING OFFICER; FOREIGN OFFICE.

foal [fo̤ul] *i.* Tay; sıpa. *f.* (Kısrak, eşek) doğurmak. **with** ~ **at foot**, (kısrak) tayı ile beraber.

foam [fo̤um] *i.* Köpük *f.* Köpürmek. ~**-extinguisher**, köpüklü yangın söndürücü. ~**ing**, köpüren; köpürme. ~**less**, köpüksüz. ~**-rubber**, köpük kauçuğu, sünger lastik. ~**y**, köplüklü, köpüren.

fob[1] [fob] *i.* Saat cebi.

fob[2] *f.* ~ **off**, aldatmak, hile ile oyalamak: ~ **stg. off on s.o.**, birine hile ile değersiz bir şey satmak.

FOB/f.o.b.[3] [fob] = FREE ON BOARD; fob.

focal ['fo̤ukl]. Odak/mihraka ait. ~**ize**, odaklamak; ayarlamak. ~**-length/-plane/-point**, odak uzaklık/düzlem/noktası.

focimeter [fo̤u'simitə(r)]. Odak uzaklığı ölçeği.

fo'c's'le ['fo̤uk(ə)sl] = FORECASTLE.

focus ['fo̤ukəs] *i.* Odak, mihrak; (*yer.*) ocak. *f.* Odağa getirmek, odaklamak, ayarlamak; temerküz etm. **in** ~, odakta, ayarlı; vazıh: **out of** ~, ayarsız, bulanık; vuzuhsuz; müphem: **all eyes were** ~**ed on . . .**, bütün gözler -e çevrilmişti/dikilmişti. ~**ing**, bir noktaya toplanma: odaklama; temerküz: ~**-cloth**, siyah örtü: ~**-screen**, buzlu cam.

fodder ['fodə(r)] *i.* (Kuru ot ve saman gibi) yem, gıda. *f.* Yem vermek.

foe/~**man**, *ç.* ~**men** [fo̤u(mən)]. Düşman.

foet·icide ['fītisayd]. Cenin öldür(ül)mesi. ~**ology**, cenin hastalıkları bilgisi. ~**us** [-tʌs], cenin, dölüt.

fog [fog] *i.* Sis; (*sin.*) klişenin ışıktan bozulması. *f.* Sis gibi kuşatmak, karartmak; şaşırtmak; (ışık) klişeyi bozmak. **I am in a complete** ~, nerede bulunduğumu bilmiyorum; durumu hiç anlamıyorum. ~**bank**, sis bank/yığını. ~**bound**, sis yüzünden hareket edemiyen; sisle kaplı. ~**bow**, siste gözüken gökkuşağı.

fog(e)y ['fo̤ugi]. **old** ~, eski kafalı adam.

fogg·ily ['fogili]. Sisli bir şekilde, sisli olarak. ~**iness**, sisli olma. ~**ing**, (*sin.*) sis. ~**y**, sisli: **I haven't the foggiest idea**, hiç haberim yok.

fog·-horn ['foghōn]. Sis boru/düdüğü. ~**-lamp**, sis projektörü. ~**-signal**, sis işareti.

föhn [fə̄n]. Fön.

foible ['foybl]. Zayıf taraf, zaaf; birinin boş yere meziyet sandığı tarafı.

foil[1] [foyl] *i.* Pek ince safiha, varak; foya; ayna sırı; bir şeyi iyice belirtmek için kullanılan şey; (*mim.*) kemer oyması.

foil[2] *i.* Talim meçi.

foil[3] *f.* İşini bozmak, önüne geçmek, istediğini yaptırmamak: ~**able**, bozulabilir.

foison [foyzn] (*mer.*) Bolluk.

foist [foyst]. Kandırıp yutturmak, hile ile sokuşturmak; (bir şeyi birine) yamamak. ~ **oneself on s.o.**, birine yamanmak.

fold[1] [fo̤uld] *i.* Koyun ağılı. *f.* Ağıla kapatmak.

fold[2] *i.* Kıvrım, kat, büklüm, kırma, pli; oyuk, çukur; (*mec.*) katlantı. *f.* Katlamak, devşirmek; kuşatmak; (*mal., kon.*) iflâs etm. ~ **the arms**, kollarını kavuşturmak.

-fold[3] [-fo̤uld] *son.* *Çoğalma ifade eder*; . . . katlı, . . . misli, . . . kere. [FOURFOLD].

fold·ed ['fo̤uldid]. Kıvrımlı, devrik. ~**er**, katlıyan kimse/cihaz; mücellit istekası; dosya zarf/gömleği; risale. ~**ing**, *s.* katlanabilir, katlanır; kırma: *i.* kıvrılma; ağıla kapat(ıl)ma: ~**-chair etc.**, açılıp kapanır iskemle vb.: ~**-door**, çift kanatlı (katlanır) kapı: * ~**-money**, (*kon.*) kâğıt para.

folia·ceous [fo̤ulı'eyşəs]. Yapraklar gibi, yapraklara ait. ~**ge** ['fo̤uli·ic], ağaç/bitki yaprakları. ~**r**, yaprağa ait. ~**te**[1], *f.* (*mim.*) yaprak şekilleriyle süslemek; (*müh.*) dövüp yaprak şekline koymak; (*bas.*) kitap yapraklarına numara koymak; yapraklara ayrılmak. ~**te**[2], *s.* yapraklı; yaprak gibi. ~**ted**, yapraklı; ince safiha halinde yarılmış. ~**tion** [-'eyşn], yapraklanma; yaprak şekline koyma; yaprak süsler/örgüsü.

folio ['fo̤ulioṳ]. Büyük kıtada kitap; bir kere katlanmış kâğıt tabakası; sayfa numarası; hesap defterinde karşılıklı zimmet ve matlup sayfaları. ~**le** [-o̤ul], (*bot.*) yaprakçık; (*zoo.*) yaprak gibi uzuvcuk. ~**se**, yapraklı.

folk [foulk]. Halk, avam; millet. **country ~**, kırda yaşıyan kimseler, köy ahalisi. **~-dance**, halk oyunu. **~lor·e**, halk bilgisi, folklor: **~ist**, folklor bilgini. **~-song**, halk türküsü. **~sy**, dostça, teklifsiz. **~-tale**, ananevî ve efsanevî hikâye.
follic·le ['folikl] (*biy.*) Kesecik, folikül. **~ular** [-'likyulə(r)], foliküle ait.
follow[1] ['folou] *f.* Takip etm., izlemek, peşinden gitmek/ gelmek; -den sonra gelmek; halef olm.; sonucu olm., -den çıkmak; gözden kaybetmemek; tabi olm., taraftarı olm.; (söylenilen bir şeyi) anlamak. **as ~s**, aşağıdaki gibi: **~ s.o. about**, birinin peşine takılmak: **it ~s that...**, bundan şu sonuç çıkar ki ...: **it does not ~ that...**, bundan ... sonucu çıkarılmaz; bu ... demek değildir: **~ the plough**, çiftçi olm.: **~ a profession**, bir mesleğe mensup olm.: **~ the sea**, gemici olm. **~ on**, ara vermeden devam etm.; sonra gelmek. **~ out**, sonuna kadar takip etm.; yerine getirmek. **~ through**, (tenis vb.de) topu vurduktan sonra kol hareketini devam ettirmek, **~ up**, peşini bırakmamak; vazgeçmemek; devam etm.: **~ up a clue**, bir ipucunu izlemek: **~ up a victory**, bir zaferi sonuna kadar getirmek.
follow[2] *i.* Takip ed(il)me; bir hareketin devamı. **~er**, maiyet erkânından biri; peyk; taraftar, mürit; halef; (*kon.*) âşık. **~ing**, *s.* müteakıp, arkadan gelen; aşağıdaki, sonraki: *i.* maiyet; taraftarların hepsi: **a ~ sea**, kıça doğru gelen dalgalar. **~-my-leader**, küçük çocukların oynadığı bir oyun. **~-on**, (*sp.*) ekipin birinci sırasından sonra doğru ikinci sırasına girme. **~-through**, (*sp.*) hareketin devamı. **~-up**, süreklilik; (*ask.*) takviye; tetkikin devamı, takip.
folly ['foli]. Akılsızlık, ahmaklık, budalalık; pahalı fakat faydasız bina/teşebbüs.
foment [fou'ment]. (Burkulan yer/şiş vb.ni) sıcak su ile ısıtmak; kışkırtmak, körüklemek. **~ation** [-'teyşn], sıcak su/bez tatbiki; kışkırtma, körükleme.
fond [fond]. Çok seven; şefkatli; akla aykırı derecede seven; saf, safiyane: **~ of**, ... düşkünü, ... canlısı, çok seven: **~ imagination**, hüsnükuruntu.
fondant ['fondənt]. Bir nevi şekerleme, fondan.
fond·le ['fondl]. Okşamak, **~ling**, okşama; sevgili. **~ly**, safiyane, safca. **~ness**, sevgi; düşkünlük.
fondue [fõ(n)'dü, 'fondyū] (*Fr.*) Eritilmiş peynirli bir yemek.
font [font]. Vaftiz kurnası; = FOUNT[2].
fontanel [fontə'nel]. Bıngıldak.
food [fūd]. Yiyecek şey, yemek, taam, besin, gıda; yem. **be ~ for the fishes**, denizde boğulmak: **give ~ for thought**, düşündürmek: **canned/preserved/ tinned ~**, konserve: PROCESSED **~**. **~stuffs**, gıda maddeleri.
fool[1] [fūl] *i.* Ahmak, budala; soytarı, maskara. *f.* Maskaralık etm.; kafese koymak, aldatmak. **~ about/around**, boş gezmek, avare avare dolaşmak: **~ away the time**, vaktini boş geçirmek/israf etm.: **make a ~ of oneself**, kendini gülünç etm., maskara olm.: **make a ~ of s.o.**, birini maskaraya çevirmek: **play the ~**, maskaralık etm.; ahmaklık yapmak. **~'s cap**, deli külâhı: **All ~s' Day**, 1 nisan: **~'s errand**, bir yere boşuna gitme: **~'s paradise**, geçici ve yalancı saadet.
fool[2]. Ezilmiş meyva ile sütten yapılan bir tatlı.
fool·ery ['fūləri]. Ahmaklık, maskaralık. **~hard·iness** [-'hādinis], delice cesur olma: **~y**, delice cesur. **~ing**, ahmaklık; maskaralık. **~ish** [-liş], akılsız, ahmak, alık: **feel ~**, kendini gülünç (olmuş) hissetmek: **look ~**, gülünç görünmek: **~ly**, akılsızca; gülünç olarak: **~ness**, akılsızlık, ahmaklık. **~proof**, pek kolay, çok basit; pek emin. **~scap** [-skap], esericedit/dosya kâğıdı.
foot[1], *ç.* **feet** [fut, fīt]. Ayak; kaide; dip; kadem, 12 pusluk (=30,479 sant.); şiirde vezin; piyade askeri: **be carried off one's feet**, dalga vb. ile sürüklenmek; heyecana kapılmak: **be carried out feet foremost**, cenazesine çıkmak: **find one's feet**, çevreye alışmak; yardıma muhtaç olmadan bir işi başarmak: **have/get cold feet**, (*mec.*) korkmak: **~ and horse**, piyade ve süvari askerleri: **20,000 ~**, 20.000 piyade askeri: **keep one's feet**, düşmemek, kaymamak: **knock s.o. off his feet**, birini yere sürmek: **light on one's feet**, ayakları üstüne düşmek: **on ~**, yaya: **set on ~**, kurmak, başlamak: **go at a ~'s pace**, yaya süratiyle, pek ağır gitmek: **put one's best ~ foremost**, acele etm.; gayret göstermek: **put one's ~ down**, ayak diremek: **put one's ~ in it**, pot kırmak, baltayı taşa vurmak: **set s.o. on his feet**, bir adama muayyen bir para vererek müstakil bir iş kurmasını temin etm.: **it will need a lot of money to set this business on its feet again**, bu işi tekrar yoluna koymak için çok para lâzım: **sit at s.o.'s feet**, birinin ayak ucuna oturmak; birinin öğrencisi olm.: **vote with one's feet**, protesto olarak ayağa kalkıp mitingden çıkmak: **die on one's feet**, çökmek; başaramamak.
foot[2] *f.* **~ it**, yaya gitmek; dans etm.: **~ the bill**, hesabı ödemek.
foot·age ['futic]. Ayak ölçümü; (*sin.*) uzunluk. **~-and-mouth (disease)**, şap hastalığı. **~ball**, futbol: **~er**, futbolcu: **~-pools**, sportoto. **~bath**, ayaklık. **~board**, basamak. **~bridge**, yayalara mahsus dar köprü. **-~ed** [-'futid] *son.* ... ayaklı. **~er**, (*arg.*) futbol (maçı). **~fall**, ayak sesi. **~-fault**, (*sp.*) ayak yanlışı. **~gear**, çorap ve ayakkabılar. **~-Guards**, hassa piyade alayları. **~hill(s)**, dağ eteği(ndeki tepeler). **~hold**, ayak basacak yer: **get a ~**, ayağiyle tutunmak, ayak basmak: **lose one's ~**, tırmanırken ayağı kurtulmak. **~ing** = **~**HOLD; ayak(lık), ayak temeli; payanda; seviye, vaziyet, durum: **get a ~ in**, kendisi bir yerde yerleşmek: **on this ~**, bu şartlar ile: **on a war ~**, seferî vaziyette.
footl·e ['fūtl]. **~ about**, (*arg.*) boş gezmek. **~ing**, boş, ehemmiyetsiz, önemsiz; manasız, anlamsız.
foot·less ['futlis]. Ayaksız. **~lights**, (*tiy.*) yer dizi lambaları. **~-loose**, serbest, bağsız. **~man**, *ç.* **~men**, perdeci, uşak, ayvaz. **~mark/~print**, ayak izi. **~note**, sayfa dipnotu; haşiye. **~pace** [-peys], adi yürüyüş. **~pad**, (*mer.*) yol kesen haydut, soyucu. **~-passenger**, yaya yolcu. **~path**, keçi yolu; patika. **~plate**, (*dem.*) lokomotifin sahanlığı. **~pound**, (*fiz.*) ayak-libre. **~-pump**, (*oto.*) ayak/taban tulumbası. **~-race**, yaya yarışı. **~rest**, ayaklık. **~rot**, (koyunlar) ayak hastalığı. **~-rule**, 12-pusluk ölçü, kadem, **~-slogger**, (*arg.*) piyade neferi. **~-soldier**, piyade askeri. **~sore**, ayakları pişmiş. **~step**, ayak sesi; ayak izi; adım: **follow/walk/tread in s.o.'s ~s**, -in izinden gitmek. **~stone**, mezar dibindeki taş. **~stool**, tabure.

~**-ton**, (*fiz.*) ayak-ton. ~**-warmer**, su ile ısıtılan tandır. ~**-way**, kaldırım; yayalara mahsus geçit. ~**wear**, ayakkabılar. ~**-work**, (*sp.*) ayakları iyi/kötü kullanma. ~**worn**, ayaklar ile aşındırılmış; ayakları pişmiş, çok yorgun.
foozle [fūzl] (*sp.*) Iska geçmek.
fop [fop]. Kendini beğenmiş, akılsız, elbise düşkünü; züppe. ~**pish**, züppece: ~**ness**, züppelik.
f.o.q. = FREE ON QUAY.
for [fō(r), fə(r)]. İçin; zarfında; müddetle; mesafe dahilinde; olarak; -den; -den dolayı; -e; çünkü. ~ **all/aught I care**, bana vız gelir: ~ **all that**, söylenen/yapılan her şeye rağmen: ~ **all his wealth he is unhappy**, bütün servetine rağmen mutlu değildir: ~ **all I know**, benim bildiğime göre: ~ **all he knows**, galiba o böyle zannediyor: **be all** ~, -e taraftar olm., -in lehinde olm.: ~ **ever**, ebediyen, sonsuz olarak: ~ **the first time**, ilk defa olarak: **in** ~ = IN: **he's** ~ **it**, göreceği var!, vay haline!: **weep/dance/sing** ~ **joy**, sevinçten ağlamak/oynamak/şarkı söylemek: **leave England** ~ **France**, İngiltere'den Fransa'ya hareket etm.: ~ **miles and miles**, kilometrelerce: ~ **myself, I would rather go tomorrow**, bana gelince yarın gitmeği tercih ederim: **I am doing this** ~ **myself**, bunu kendim için yapıyorum: **I can do it** ~ **myself, thank you**, teşekkür ederim, ben kendim yapayım: **oh** ~ **peace!**, ah! bir barış olsa!: ~ **years and years**, sene/yıllarca.
For. = FOREIGN; FORESTRY.
f.o.r. = FREE ON RAIL.
forage ['foric] *i.* Hayvanlara ve özellikle atlara verilen ot, saman vb. *f.* Yem aramak/toplamak; araştırarak elde etmek; çapulculuk etm. ~ **for stg.**, bir şeyi bulmak için bir yeri araştırmak. ~**-cap**, yumuşak asker kasketi. ~**r**, yem arıyan.
foram·en [fə'reymən] (*biy.*) Küçük delik. ~**inate/**~**inous**, delikli.
forasmuch [fəraz'mʌç]. ~ **as**, madem ki, -e binaen.
foray ['forey]. Akın (etmek).
forbad(e) [fə'bad, -'beyd] *g.z.* = FORBID.
forbear[1] ['fōbeə(r)] *i.* Cet, dede, ata.
forbear[2] (*g.z.* **forebore**, *g.z.o.* **foreborne**) [fō'beə(r), -'bō(r), -'bōn] *f.* Çekinmek, sakınmak, ictinap etm.; sabırlı olm.: ~ **to say/from saying**, söylemekten çekinmek, kendini tutmak. ~**ance**, sabır, müsamaha; sakınma, çekinme. ~**ing**, çekinen, sabırlı.
forbid (*g.z.* **forbad(e)**, *g.z.o.* **forbidden**) [fə'bid, -'bad/-'beyd, -'bidn]. Yasak etm., memnu kılmak; menetmek. **God** ~!, Allah göstermesin!, hâşa!: ~ **s.o. to do stg.**, bir şeyi yapmağı birine yasak etm.: ~ **s.o. the house**, birini evine sokmamak. ~**ding**, netameli; korkunç; ekşi yüzlü.
forbor·e, ~**ne** [fō'bō(r), -'bōn] *g.z.(o.)* = FORBEAR[2].
forby(e) [fə'bay] (*İsk.*) Bundan başka.
force[1] [fōs] *i.* Kuvvet, kudret, güç, şiddet; cebir, zor; enerji; asker/polis kıtası; *ç.* askerî kuvvetler. **air** ~**(s)**, hava kuvvetleri: **combined** ~**s**, kara deniz ile hava birleşik kuvvetleri: **naval** ~**s**, deniz kuvvetleri: ~ **of circumstances**, hal ve durumların gereği: **in** ~, cari, muteber: **this law is still in** ~, bu kanun hâlâ yürürlüktedir: **it will come into** ~ **tomorrow**, yarın yürürlüğe giriyor: **the police arrived in** ~, büyük miktarda polis kuvveti geldi: **put in** ~, infaz etm., yerine getirmek: **there is** ~ **in what he says**, söylediği boş değil.
force[2] *f.* Zorlamak; mecbur etm.; basmak; sunî ısıyla (turfanda) yetiştirmek, **I would not have done it, but my hand was** ~**d**, bunu yapmazdım fakat zora getirdiler: ~ **the pace**, bir şeyi hızlandırmak: **I tried to** ~ **a smile**, gülmeğe çalıştım. ~ **back**, püskürtmek; defetmek; geri itmek.
force[3] (*leh.*) Şelâle, çağlayan.
force·d [fōst]. Zoraki, zorla, cebrî; basınçlı, tazyikli; mecburî: ~ **labour**, mecburî hizmet, angarya: ~ **landing**, (*hav.*) mecburî iniş: ~ **loan**, cebrî istikraz: ~ **march**, cebrî yürüyüş. ~**-feed**, zorla yedirmek. ~**ful** [-fəl], girgin, müteşebbis; zor ile yapılan; tesirli, etkili: ~**ly**, girgin/etkili olarak. ~**less**, kuvvetsiz. ~***-majeure*** [-ma'jör] (*Fr.*) mücbir sebepler, zorlayıcı nedenler, forsmajör. ~**meat**, dolma içi.
forceps ['fōseps]. Kerpeten; pens, penset, maşa. **obstetric** ~, lavta.
forc·e-pump ['fōspʌmp]. Basma tulumbası. ~**er**, tulumba pistonu. ~**ible**, cebrî; zorlu; tesirli, etkili; kuvvetli, güçlü. ~**ibly**, cebren, zorlıyarak. ~**ing**, zorlama, mecbur etme; (*zir.*) ısıyla yetiştirme: ~**-house**, limonluk.
forcite ['fōsayt]. Bir çeşit dinamit.
ford [fōd] *i.* Nehir geçidi, kasıs, yavlan. *f.* Bir nehirden yaya geçmek. ~**able**, yürüyerek geçilebilir.
fore [fō(r)]. Ön; ön taraf; pruva. **at the** ~, pruva direğinde: **to the** ~, ileride mevcut ve hizmete hazır: **come to the** ~, başa gelmek, ilerlemek, temayüz etm., sivrilmek.
fore-, *ön.* Önceden; ön, önde(ki); (*den.*) pruva +. ~**-and-aft**, baştan kıça kadar: ~**-rigged**, sübye armalı.
forearm[1] ['fōrām] *i.* Kolun ön kısmı; ön kol.
forearm[2] [fōr'ām] *f.* Önceden silâhlan(dır)mak. = FOREWARNED.
forebear ['fōbeə(r)] = FORBEAR[1].
forebod·e [fō'boud]. Önceden haber vermek (*gen. kötü şeyler hakkında*); belirti olm.; uğursuz saymak. ~**ing**, bir felâketin geleceğini önceden hissetme; içine doğma; vehim.
forecast ['fōkāst] *i.* Olacak bir şeyin keşfi; tahmin. *f.* Gelecekte olacak şey ve özellikle hava hakkında haber vermek; kestirmek; tahmin etm., oranlamak, ileriyi göstermek. **weather** ~, hava rapor/kestirmesi. ~**er**, kestirici, tahminci. ~**ing**, kestirme, oranlama, tahmin.
forecastle ['fouksl] (*gen.* **fo'c's'le** *yazılır*). (Tüccar gemisinde) tayfa kamarası; (*tar.*) ön üst güverte, baş kasarası.
foreclos·e [fō'klouz]. İpotekli bir malı haczetmek. ~**ure** [-'kloujə(r)], ipotekli bir malı haczetme; hakkının düşürülmesi.
forecourt ['fōkōt]. Ön avlu.
foredoom [fō'dūm]. Önceden mahkûm etm.; mukadder kılmak: **a plan** ~**ed to failure**, başarılı olmamağa mahkûm bir plan.
forefather ['fōfāðə(r)]. Cet, ata.
fore·finger ['fōfin(g)gə(r)]. İşaret parmağı. ~**foot**, hayvanın ön ayağı; (*den.*) çene.
forefront ['fōfrʌnt]. Ön; ön plan; (*mec.*) en önemli/etkili yer.
for(e)gather [fō'gaðə(r)]. Toplanmak.
forego[1] (*g.z.* **forewent**, *g.z.o.* **foregone**) [fo'gou, -'went, -'gon]. Takaddüm etm., önceden gitmek. ~**ing**, yukarıdaki, yukarıda anılan. ~**ne, a** ~ **conclusion**, önceden belli olan sonuç.

forego[2] = FORGO.
fore·ground ['fōgraund]. Ön plan. ~**hand**, atın omuzu; (*sp.*) sağ/doğru vuruş. ~**head** ['forid], alın.
foreign ['forin]. Ecnebi; yabancı; dış; haricî; hariçten gelmiş. ~ **accent**, yabancı şive: ~ **affairs**, dışişleri, dış politika: ~ **body**, yabancı cisim (toz vb.): ~ **exchange**, dış kambiyo, döviz: ~ **language**, yabancı dil: ~ **Minister**/~**ry**, Dışişleri Bakanı/ Bakanlığı: ~ **Office**, İng. Dışişleri Bakanlığı: ~ **Secretary**, İng. Dışişleri Bakanı: ~ **trade**, dış ticaret. ~**er**, ecnebi; yabancı adam. ~**ness**, yabancılık.
fore·judge [fō'cʌc]. Önceden hüküm vermek. ~**know** [-'nou], önceden bilmek: ~**ledge** [-'nolic], önceden bilme/haberi olma.
fore·land ['fōlənd]. Sahil çıkıntısı, burun. ~**leg**, hayvanın ön ayağı. ~**lock**, perçem: **take time by the** ~, fırsat kaçırmamak, hemen işe girişmek. ~**man**, *ç.* ~**men**, işçi/ırgat/usta başı, kalfa; jüri reisi. ~**mast**, pruva direği. ~**most** [-moust], en önde olan: **first and** ~, ilkönce; her şeyden evvel. ~**name** [-neym], ilk/şahsî/vaftiz isim(i). ~**noon** [-nūn], öğleden önce olan iki üç saat vakit.
forensic [fə'rensik]. Mahkemeye ait. ~ **medicine**, adlî tıp: ~ **skill**, avukatlık mahareti.
foreord·ain [fōrō'deyn]. Önceden mukadder kılmak/nasip etm. ~**ination** [-di'neyşn], kader, kısmet.
fore·part ['fōpāt]. Ön/ilk kısım. ~**peak** [-pīk], gemi ambarının ön kısmı. ~**reach** [-'riç] (*den.*) yetişip geçmek. ~**runner** [-rʌnə(r)], haber verici; müjdeci; alâmet, delil. ~**sail**, trinketa.
fore·see (*g.z.* ~**saw**, *g.z.o.* ~**seen**) [fō'sī, -'sō, -'sīn]. Önceden sezmek; geleceğini anlamak; keşfetmek: ~**ing**, *s.* basiretli; ilerisini gören, durendiş: ~**r**, geleceğini anlıyan.
fore·shadow [fō'şadou]. Geleceğe ait bir şeye işaret etm., belirti olm. ~**sheet**, trinketa ıskotası. ~**ship**, (*mer.*) pruva. ~**shore** [-şō(r)], kıyının met ve cezir işaretleri arasındaki kısmı. ~**shorten**, manazır/ perspektif kurallarına göre kısaltmak: ~**ing**, böyle bir kısalt(ıl)ma. ~**show**, önceden/geleceği göstermek. ~**sight** [-sayt], basiret, durendişlik, ihtiyat; (tüfek) arpacık: **lack of** ~, (*mec.*) körlük: ~**ed**, basiretli. ~**skin**, sünnet derisi, gulfe.
forest ['forist]. Orman; (*İsk.*) geyik avına ayrılmış alan. **virgin** ~, balta görmemiş/bakir orman. ~**age** [-tic], orman hak/ücreti. ~**al**, ormana ait. ~**ation** [-'teyşn], ağaçlandırma, ormancılık.
fore·stall [fō'stōl]. Bir iş/harekette (başka birisinden) önce davranmak; (*mec.*) önüne geçmek. ~**stay**, pruva ana istralyası.
forest·er ['foristə(r)]. Orman memuru, ormancı. ~**-guard**/**-ranger**, orman korucusu. ~**ry**, ormancılık.
fore·taste ['fōteyst]. Sonra gelecek bir mutluluk/ felâketin örneği. ~**tell** (*g.z.(o.)* ~**told**), önceden/ gaipten haber vermek. ~**thought** [-θōt], basiret, durendişlik; ihtiyat. ~**top**, pruva çanaklığı: ~**-mast**/**sail**, pruva gabya çubukluk/yelkeni.
forever [fə'revə(r)]. Ebedî olarak; daima. ~**more**, ebedî olarak.
forewarn [fō'wōn]. Önceden haber verip ikaz etm. ~**ed is forearmed**, önceden haberi olan hazır olur.
fore·went [fō'went] *g.z.* = ~GO.
forewo·man, *ç.* ~**men** ['fōwumən, -wimin]. Kadın işçi başı; kadın kalfa.
foreword ['fōwə̄d]. Önsöz.
forfeit ['fōfit] *i.* Hata/ihmalden dolayı kaybedilen (şey); hakkın sukutu. *f.* Hata/ihmalden dolayı bir şey/hakkı kaybetmek/ondan mahrum kalmak. ~ **money**, cayma tazminatı. ~**ure** [-fiçə(r)], hakkın sukut/düşmesi.
forfend [fō'fend]. **God** ~!, Allah göstermesin!
forficate ['fōfikeyt] (*zoo.*) Makas şeklinde.
for·gather [fō'gaðə(r)]. Toplanmak. ~**gave**, *g.z.* = ~GIVE.
forge[1] [fōc] *i.* Demirci ocağı; nalbant dükkânı; demirhane, demir imalâthanesi. *f.* Demir dövmek/ işlemek. **drop** ~, şahmerdanda dövmek, sıcak basmak.
forge[2] *f.* Uydurmak, taklidini yapmak; kalpazanlık etm.
forge[3] *f.* ~ **ahead**, (gemi) ağır ağır ileri gitmek; (yarışta) çabucak ileriye geçmek; (işte) gittikçe ilerlemek.
forge·able ['fōcəbl]. Dövülür; taklit edilebilir. ~**d**, *s.* dövme (+), dövülmüş; sahte, kalp. ~**r**, demirci; kalpazan, benzetici ressam: ~**y**, kalpazanlık, sahtekârlık, sahte yapıt, hileli benzeticilik, düzmecilik.
forget (*g.z.(o.)* **forgot(ten)**) [fə'get, -'got(n)]. Unutmak; ihmal etm. ~ **(about) it!**, onu artık düşünme!: **'and don't you** ~ **it!'**, bunu unutayım deme!; kulağında olsun!: **never to be forgotten**, unutulmaz. ~**ful**, unutkan; ihmalci: ~**ly**, unutkanlıkla: ~**ness**, unutkanlık, ihmal. ~**-me-not**, (*bot.*) unutmabeni. ~**table** [-təbl], unutulur.
forging ['fōcin(g)] *i.* Dövme iş/parçası; demircilik; dövüm: *s.* dövme+. **drop** ~, kalıpta vurma. ~**-press**, dövmeç.
forgivable [fə'givəbl]. Affedilebilir, bağışlanabilir.
for·give (*g.z.* ~**gave**, *g.z.o.* ~**given**) [fə'giv, -'geyv, -'givn]. Affetmek; bağışlamak.
forgiv·eness [fə'givnis]. Af(fetme), bağışlama. ~**er**, bağışlıyan. ~**ing**, *s.* müsamahalı; kin beslemez.
for·go (*g.z.* ~**went**, *g.z.o.* ~**gone**) [fō'gou, -'went, -'gon]. Vazgeçmek, bırakmak; -den kendini mahrum etm.
forgot(ten) [fə'got(n)] *g.z.(o.)* = FORGET.
fork [fōk] *i.* Çatal, maşa; çatallı bel; yaba; apış; furş. *f.* Çatallaşmak; bel ile eşelemek. ~ **out**/**up**, (*arg.*) uçlanmak. ~**ed**, çatallı. ~**-lift (truck)**, çatallı kaldırıcı (arabası). ~**-lunch**, (soğuk) büfe yemeği. ~**-tailed**, çatal kuyruklu.
forlorn [fə'lōn]. Kimsesiz; ıssız, metruk; umutsuz. ~ **hope**, fedailer; umutsuz girişim. ~**ly**, kimsesizce; umutsuzca. ~**ness**, kimsesizlik; umutsuzluk.
form[1] [fōm] *i.* Şekil, biçim; endam; tarz; suret; kalıp; usul, erkân, yol, yöntem, âdet; adabımuaşeret, görgü; (*id.*) formül(er), cetvel, çizelge, bilgi belgesi; forma; sınıf; (*sp.*) form, kıvam; peyke; (*bas.*) kasnak; tavşan yatağı: **as a matter of** ~/**for** ~**'s sake**, âdet yerini bulsun diye: **it is bad** ~/**not good** ~, yapılmaz, ayıp: **fill up a** ~, bir formüleri doldurmak: **be in good** ~, tam kıvamında olm.: **in**/**out of** ~, (i) formunda (değil); (ii) derste/ders dışında: **lock up the** ~, (*bas.*) kasnağı sıkmak.
form[2] *f.* Şekil vermek; biçimlendirmek, teşkil etm.; yapmak; terkip etm.; kurmak, ihdas etm.; (*dil.*) türetmek; hâsıl olm., peyda olm.; şekil almak, biçimlenmek. ~ **fours**, (*ask.*) dörder olm.: ~ **a**

habit, âdet edinmek: ~ **part of stg.**, bir şeyin bir kısmını teşkil etm.
-form [-fōm] *son.* ... şeklinde [CRUCIFORM].
formal ['fōməl]. Resmî; teklifli; soğuk tavırlı ve resmî.
formal·dehyde [fō'maldihayd]. Formaldehit, formol. ~**in** ['fōməlin], formalin.
formal·ism ['fōməlizm]. Merasimperestlik; şekilcilik, biçimcilik. ~**ist**, merasimperest; şekilci, biçimci: ~**ic**, biçimciliğe ait. ~**ity** [-'maliti], merasim, tekellüf, usul (gereği), formalite, işlem(cilik): **as a mere** ~, âdet yerini bulsun diye. ~**ization** [-lay'zeyşn], şekil verme, resmîleş(tir)me. ~**ize**, şekil vermek, resmîleştirmek; resmî olm. ~**ly**, resmî olarak.
format ['fōmat]. Kitap forması.
format·ion [fō'meyşn]. Teşkil, teşekkül; tertip, nizam, ihdas etme; oluşum, oluşma; (*yer.*) oluşuk; (*huk.*) kuruluş, tesis: ~**al**, teşkil/oluşuma ait. ~**ive** ['fōmətiv], teşkil eden, şekil veren; oluşmaya müsait.
forme [fōm] (*bas.*) Kasnak.
former[1] ['fōmə(r)] *i.* Kalıp(çı); taslakçı; tornacı; biçimlendirici.
former[2] *s.* Evvelki, sabık, eski: **the** ~ ... **the latter**, evvelki ... sonuncu ...; öteki ... beriki .... ~**ly**, eskiden, vaktiyle, eski zamanlarda.
formic ['fōmik]. Karıncalara ait: ~ **acid**, asit formik, karınca asidi. ~**ary**, karınca yuvası. ~**ate** [-keyt], karıncalanmak. ~**ation** [-'keyşn], karıncalanma.
formidabl·e ['fōmidəbl]. Yenmesi güç; pek zor; korkulacak; heybetli: ~**ness**, yenmesi güç olma, vb. ~**y**, korkulacak şekilde.
formless ['fōmlis]. Biçimsiz, şekilsiz. ~**ly**, biçimsizce. ~**ness**, biçimsizlik.
formula ['fōmyulə]. Formül, çözüm yolu; reçete; resmî deyim; usul. ~**r**, formüle ait, ~**rize** [-rayz], formülle ifade etm. ~**ry**, formüller (dergisi). ~**te** [-leyt], kesin ve açık olarak anlatmak; biçimlendirmek; formül haline koymak. ~**tion** [-'leyşn], kesin anlatma; biçimlendirme.
formul·ism ['fōmyulizm]. Formüllere bağlılık. ~**ist**, formülcü. ~**ize**, [-layz] = ~ATE.
fornent [fō'nent] (*İsk.*) Karşıda; yanında; -e ait/bağlı.
fornicat·e ['fōnikeyt]. Zina etm., zamparalık etm. ~**ion** [-'keyşn], evlenme dışında cinsî münasebet; zina; (*mec.*) putperestlik. ~**or**, zina eden, zampara. ~**ress**, zina eden kadın.
forrader ['forədə(r)] (*kon.*) **get no** ~, ilerlememek.
for·sake (*g.z.* ~**sook**, *g.z.o.* ~**saken**) [fə'seyk(n), -'suk]. Terketmek; vazgeçmek; yüzüstü bırakmak, ~**n**, *s.* terkedilmiş.
forsooth [fə'sūθ] (*alay.*) Gerçek, hakikaten, güya.
forsw·ear (*g.z.* ~**ore**, *g.z.o.* ~**orn**) [fō'sweə(r), -'swō(r), -'swōn]. Tövbe etm. ~ **oneself**, yalan yere yemin etm. ~**orn**, *s.* yalan yere yeminli.
forsythia [fō'sayθyə]. Altın çan çiçeği.
fort [fōt]. Kale; tabya; tahkim edilmiş ticaret merkezi. ~., (*kıs.*) = ~IFICATIONS.
forte[1] [fōt]. Bir kimsenin güçlü yanı.
forte[2] ['fōti] (*İt., müz.*) Forte. ~ **piano**, fortepiyano.
forth [fōθ]. İleri; dışarı; açığa; sonra. **go** ~, çıkmak: **and so** ~, ve benzeri: **back and** ~, (bir) ileri (bir) geri: **from this time** ~, şimdiden sonra.
forthcoming [fōθ'kʌmin(g)]. Gelecek, çıkacak, önümüzdeki; hazır, mevcut. **no help was** ~, yardımdan eser yoktu: **he is not very** ~, o pek kapalı, konuşacağa benzemez.
forth·right [fōθ'rayt]. Dobra dobra, açıkça; derhal. ~**with**, derhal, hemen.
fort·ies ['fōtiz] *ç.* = FORTY. ~**ieth**, kırkıncı; kırkta bir.
fortif·iable ['fōtifayəbl]. Tahkim edilebilir, sağlamlaştırılabilir. ~**ication** [-'keyşn], istihkâm; tahkim etme; sağlamlaştırma; takviye: ~**s**, tahkimat. ~**ied** [-fayd], müstahkem, berketilmiş. ~**ier** [-fayə(r)], takviye eden kimse/şey; (*alay*) içki. ~**y** [-fay], tahkim etm., istihkâmlarla çevirmek; sağlamlaştırmak; takviye etm., kuvvetlendirmek.
fortissimo [fō'tisimou] (*İt., müz.*) Çok güçlü (sesle).
fortitude ['fortityūd]. Şecaat; cesaret; yiğitlik, yüreklilik; metanet, dayanıklık.
fortnight ['fōtnayt]. On beş günlük müddet; iki hafta. **this day** ~, iki hafta sonra bu gün. ~**ly**, on beş günde bir olan; on beş günlük; ayda iki defa (çıkan).
Fortran ['fōtran] = FORMULA TRANSLATOR.
fortress ['fōtris]. Müstahkem yer/şehir; hisar, kale.
fortuit·ism [fō'tyūitizm]. Gelişimin olumsal sonucu olduğuna inanç. ~**ist**, böyle inanan kimse. ~**ous**, tesadüfî, arızî, olumsal, sonradan gelen, geçici.
fortunate ['fōçənit]. Bahtiyar, talihli, mutlu. ~**ly**, bereket versin.
fortune ['fōçən]. Baht, talih, kader, kısmet; varlık, servet. **it has cost me a** ~, bu bana dünya kadar paraya maloldu: **come into a** ~, büyük bir servete varis olm.: **by good** ~, bereket versin: **a small** ~, (*kon.*) büyük bir servet: **make a** ~, büyük bir servet toplamak, zengin olm.: **a man of** ~, pek zengin adam: **marry a** ~, zengin bir kadınla evlenmek: **tell** ~**s**, fala bakmak. ~**-hunter**, evlenmek için zengin arıyan kimse. ~**less**, bahtsız; servetsiz. ~**tell·er**, falcı: ~**ing**, falcılık.
fort·y, *ç.* ~**ies** ['fōti(z)]. Kırk: ~**y winks**, (*kon.*) kısa uyku: **a man of** ~**y/ in his** ~**ies**, kırk yaşlarında bir adam: **over/under** ~**y**, kırk yaşlarından daha yaşlı/genç: **the** ~**ies**, 1740–49, 1840–49, 1940–49: **the roaring** ~**ies**, (*coğ.*) 39°–50°G.'deki fırtınalı deniz bölgeleri.
forum ['fōrəm] (*tar.*) Pazar yeri, meydan; mahkeme; forum; toplu tartışma. **open** ~, (*bas.*) serbest sütun.
forward[1] ['fōwəd] *s.*, *zf.* İleri, ileriye doğru, öne; ilerdeki, önde; ileriye giden, müterakki, ilerlemiş; şımarık, haddini bilmez, haddinden bir az fazla serbest; (*mal.*) süreli (satış). **from that day** ~, o günden itibaren: **look** ~ **to stg.**, bir şeye önceden sevinmek: **put** ~, ileri sürmek.
forward[2] *i.* (*sp.*) Akıncı, saldırıcı, ileri.
forward[3] *f.* İlerletmek; çabuk yetiştirmek; göndermek, sevketmek, yollamak. **'to be** ~**ed'/'please** ~**!'**, (mektup zarfında) 'lütfen yeni adresine gönderiniz!'
forward-[4] *ön.* ~**er**, gönderen, taşıma aracısı. ~**ing**, gönderme, irsal, taşıma, nakliyat: ~**-agent**, gönderen, taşıma aracısı, nakliye acentesi. ~**ness**, ilerleme; şevk, gayret; cüret, küstahlık. ~**s**, ileriye doğru.
forwent [fō'went] *g.z.* = FORGO.

forwhy [fō'way] (*mer.*) Niçin; çünkü.
forworn [fō'wōn] (*mer.*) Yorgun, bitkin.
fosse [fos]. Hendek; çukur, oluk.
fossick ['fosik] (*Avus.*) Araştırmak.
fossil ['fosl]. Müstehase; fosil, taşıl; taşıl halinde. **an old ~**, eski kafalı ihtiyar, muşmula. **~iferous**, taşıllı. **~ization** [-silay'zeyşn], fosil-/taşıllaşma. **~ize**, taşıl haline koymak; fosil-/taşıllaştırmak; taşlaştırmak.
foster[1] ['fostə(r)]. Teşvik etm.; beslemek, gütmek.
foster-[2] *ön.* Süt-: **~-brother/-sister**, süt(kız)kardeş; (kız)kardeş gibi büyümüş çocuk. **~-child**, sütçocuk; kendininki gibi büyümüş çocuk, evlâtlık. **~-father**, sütbaba; çocuğu kendininki gibi büyüten adam. **~-home**, bir iki çocuk için yetimler yurdu. **~-mother**, süt·ana/-anne; çocuğu kendininki gibi büyüten kadın. **~-nurse**, sütnine; dadı. **~-parent(s)**, sütana baba; çocuğu kendilerininki gibi büyüten ana baba.
fought [fōt] *g.z.(o.)* = FIGHT.
foul [faul] *s.* Pis, kirli; kerih, iğrenç; ufunetli; tıkanmış; dolaşık; bozuk (hava). *i.* (*sp.*) Favul, yanılgı. *f.* Kirletmek, kirlenmek; dolaştırmak. **~ anchor**, deniz dibinde bir engele takılan gemi demiri: **~ cable**, başka bir tel vb. ile takılmış/karışmış kablo: **fall ~ of s.o.**, birisiyle çatışmak: **fall ~ of the law**, kanunun pençesine düşmek: **~ play is suspected**, bir suikasttan şüphe ediliyor: **run ~ of another ship**, başka gemiye çarpmak.
foulard ['fūlar]. Ince bir keten/ipek kumas, fular.
foul·ly ['faulli]. Çirkin surette; iğrenç halde. **~-mouthed/-spoken**, küfürbaz. **~ness**, pislik, iğrençlik; kir(lilik); habaset; bozukluk.
found[1] [faund]. Kurmak, tesis etm.
found[2]. (Demir vb.) dökmek.
found[3] *g.z.(o.)* = FIND: **all ~**, konut ile yemek dahil ücret: **be ~**, rastlanmak.
foundation [faun'deyşn]. Kurma, tesis; müessese, kurum; temel, esas; vakıf. **lay the ~(s)**, temel atmak. **~er**, müessese üyesi. **~-garment**, (*mod.*) korse. **~less**, temelsiz. **~-stone**, temeltaşı.
found·ed ['faundid]. Kurulmuş, tesis edilmiş. **ill-/well-founded**, (*mec.*) temel·siz/-li. **~er**[1], *i.* kurucu, müessis.
founder[2] *i.* Dökmeci, dökümcü.
founder[3] *f.* (Gemi) batmak, kaynamak; (at) yıkılmak, bataklığa saplanmak.
founder[4]. (At) tırnak iltihabı. **~ed**, tırnak iltihabından sakatlanmış.
foundling ['faundlin(g)]. Sokakta terkedilen kimsesiz çocuk, metrûk çocuk. **~-hospital**, yetimler yurdu.
foundress ['faundris]. Kadın kurucu.
foundry ['faundri]. Dökümhane.
fount[1] [faunt]. Pınar; memba; menşe.
fount[2] (*bas.*) Aynı puntoda hurufat takımı.
fountain ['fauntin]. Fıskıye; pınar, memba; menşe. **drinking ~**, çeşme. **~-head**, pınar başı; (*mec.*) asıl menşe. **~-pen**, dolma kalem, stilo.
four [fō(r)]. Dört. **on all ~s**, ayı yürüyüşü: **be on all ~s with**, ... ile eşit olm.; -le karşılaştırılabilmek: **go/run on all ~s**, elleriyle dizlerinin üstünde yürümek: **form ~s**, (*ask.*) dörder olm.: **a child of ~**, dört yaşında bir çocuk: **come at ~**, saat dörtte geliniz: **the ~ corners of the earth**, ta uzakta: **open to the ~ winds**, her yana açık: **~s**, dört kürekli kayık (yarışı). **~-cornered**, dört köşeli. **~-dimensional**, dört boyutlu. **~-fold**, dört kat/misli. **~-footed**, dört ayaklı. **~-handed**, dört elli; dört kol (iskambil). **~-in-hand**, dört atlı araba. **~-letter word**, kısa ve açık saçık bir kelime. **~-master**, dört direkli gemi. **~-part**, (*müz.*) dört kişi için (şarkı). **~pence**, dört peni. **~penny**, değeri dört penilik. **~-poster**, dört direkli karyola, perde ile kuşatılmış büyük karyola. **~-pounder**, dört librelik gülle (atan top). **~score**, seksen: **~ and ten**, doksan. **~-seater**, dört kişilik otomobil vb. **~some**, iki çift tarafından oynanan golf vb. oyunu. **~-square**, muhkem, yerinden oynamaz, oturaklı. **~-stroke** (*oto.*) dört zamanlı. **~teen** [-tīn], on dört: **~th**, on dördüncü; on dörtte bir. **~th**, dördüncü; dörtte bir, bir çeyrek: **~ly**, dördüncü olarak. **~-wheel·ed/er**, dört tekerlekli (araba).
fowl [faul]. Tavuk; kuş(lar). **domestic ~**, kümes kuşları: **wild ~**, yaban avlanacak kuşlar: **keep ~s**, kümes kuşları beslemek. **~er**, yaban kuşlar avcısı. **~ing**, kuş avcılığı: **~-piece**, hafif av tüfeği, çifte. **~-pest**, tavuk vebası.
fox [foks] *i.* Tilki; (*mec.*) tilki gibi kurnaz adam. *f.* Kurnazlık etm., aldatmak; kitap sayfaları lekele(n)mek. **arctic ~**, kutup tilkisi: **flying ~**, yarasa: **tartar ~**, karsak. **~-and-geese**, tahtada oynanan bir oyun. **~-brush**, tilki kuyruğu. **~-chase**, tilki avı. **~-cub**, balak. **~-earth**, tilki ini. **~glove**, yüksükotu, kovançiçeği. **~-hole**, (*ask.*) bir iki kişilik siper. **~-hound**, tilki avına mahsus bir nevi zağar. **~-hunting**, tilki avı. **~iness**, kurnazlık. **~tail**, tilki kuyruğu; bir nevi çimen. **~-terrier**, bir cins küçük köpek. **~trot**, fokstrot dansı. **~y**, tilki gibi; kurnaz; (kâğıt) lekeli; (saç) kızıl.
foyer ['foyey, 'fuaye] (*tiy.*) Medhal, giriş, fuaye.
FP = FREEZING POINT. **~A** = FAMILY PLANNING ASSOCIATION; FREE OF PARTICULAR AVERAGE. **~B** = FAST PATROL-BOAT. **~S.** = FOOT PER SECOND.
Fr. = FATHER; FRANC; FRANCE; (*kim.s.*) FRANCIUM; FRENCH.
fracas ['frakā]. Gürültülü kavga.
fractile ['fraktayl] (*yer.*) Çatlağa ait.
fraction ['frakşn]. Küçük parça; kırma, kırılma; bölüm, cüz, kesir. **compound/decimal ~**, bileşik/ondalık kesir: **simple/vulgar ~**, basit/bayağı kesir: **in the ~ of a second**, bir anda. **~al**, kesirlere ait; kesirli; ayrımsal: **~ly**, kesirli bir şekilde; ufak bir farkla. **~ary** = **~**AL; parça halinde. **~ate** [-neyt], parçalamak, ayırmak; (*kim.*) tasfiye etm. **~ation** [-'neyşn], tasfiye etme. **~ize** [-nayz], kesirlere ayırmak.
fractious ['frakşəs]. Ters, huysuz; (at) harın, âsi; dikkafalı: **~ly**, ters vb. olarak: **~ness**, ters olma, huysuzluk.
fracto- ['fraktou-] *ön.* Parça halinde.
fracture ['frakçə(r)] *i.* Kır(ıl)ma; kırık; (*yer.*) çatlak. *f.* Kır(ıl)mak; çatla(t)mak; daralmak. **compound ~**, bileşik kırık: **greenstick ~**, (küçüklerde) yaş ağaç/yeşil dal kırık: **simple ~**, yalınç kırık: **set a ~**, kırığı (yerine oturtup) sarmak.
fragil·e ['fracayl]. Kolay kırılır, kırılgan; nazik, cılız, çelimsiz, çıtkırıldım; gevrek. **~ity** [-ə'ciliti], kolay kırılabilme, gevreklik.
fragment ['fragmənt]. Küçük parça, kıta. **~ary** [-'mentəri], parçalı, parça halinde; bölük pürçük. **~ation** [-'teyşn], dağılma, parçalanma (bombası).

fragran·ce ['freygrəns]. Güzel koku. **~t**, güzel kokulu.
'fraid [freyd] (*kon.*) = AFRAID.
frail[1] [freyl] *i.* Kuru yemiş küfesi.
frail[2] *s.* Nahif, çelimsiz; kolay kırılır; günaha kolay girer. **~ty**, çelimsizlik, zaaf; manevî zaaf.
frame[1] [freym] *i.* Çerçeve; çatı; yapı; şasi; kasnak; iskelet; kaburga; vücut; söve; gergef; görüntü; usul, sistem; bitki camekânı. **~ of mind**, ruh hal(et)i.
frame[2] *f.* Çerçevelemek; tertip etm., kurmak; taslağını yapmak. **how is the new apprentice framing?**, yeni çırak işe alışıyor mu?
frame-[3] *ön.* Çerçeve +, vb. **~-aerial**, çerçeve anten. **~-house**, ahşap (çerçeveli) ev. **~less**, çerçevesiz vb. **~r**, çerçeveleyen; (*mec.*) tertip eden, kurucu. **~-up**, danışıklı dövüş; birini suçlu göstermek için kurulan kumpas. **~work**, çatı; gemi/bina kafesi; iskelet; çatma; doku.
framing ['freymin(g)]. Çerçevele(n)me; çerçeve olan şey.
franc [fran(g)k]. Frank.
France [frāns]. Fransa.
franchise ['françayz]. Seçimlerde oy hakkı; bağışıklık, muafiyet; serbestlik; (*mal.*) özel pazarlama hakkı.
francium ['fransiəm]. Fransiyum.
franco[1] ['fran(g)kou] (*mal.*) Serbest, ödenmiş, franko.
Franco-[2] *ön.* Fransa +, Fransız +.
francolin ['frankəlin]. Duraç, turaç.
Franco·phile ['fran(g)koufayl]. Fransa/Fransız dostu. **~phobe** [-foub], Fransız düşman/aleyhtarı. **~phone** [-foun]. Fransızca konuşan.
franc-tireur [frā(n)ti'rə̄(r)] (*Fr.*) Akıncı, çeteci.
frangib·ility [franci'biliti]. (Kolay) kırılma niteliği. **~le** [-cibl], (kolay) kırılır.
frangipani ['francipani]. Hint yasemini.
franglais [frā(n)'gle] (*Fr.*) Bir çok İngilizce kelime/deyimlerini kapsayan Fransızca.
Frank[1] ['fran(g)k] (*tar.*) Frenk.
frank[2] *s.* Açık sözlü, samimî.
frank[3] *f.* Mektubun ücretsiz gitmek için damga vurmak/imza atmak.
Frankenstein ['fran(g)kənstayn]. **~('s monster)**, yaratıcısına felâket olan canavar.
***frankfurt(er)** ['fran(g)kfət·ə(r)]. Bir nevi çeşnili Alman sosisi.
frankincense ['fran(g)kinsens]. Günlük, buhur.
Frankish ['fran(g)kiş] (*tar.*) Frenklere ait, Frenk +.
franklin ['fran(g)klin] (*tar.*) Hür doğmuş arazi sahibi.
frank·ly ['fran(g)kli]. Dobra dobra, açıkça: **~ (speaking)**, açıkçası, doğrusu, **~ness**, açık sözlülük, samimiyet.
frankpledge ['fran(g)kplec] (*tar.*) Bütün bir semtin hareketlerinden her erkeğin mesul olması.
frantic ['frantik]. Çılgınca heyecanlanmış, öfkeli; çılgın. **~(al)ly**, çılgınca.
frap [frap]. (*den.*) Sıkıca bağlamak.
frappé ['frapey] (*Fr., ev.*) Buz ile soğutulmuş.
FRAS = FELLOW OF THE ROYAL ASIATIC/ASTRONOMICAL SOCIETY.
frass [fras]. Tahtakurtlarının dışkışı.
fratern·al [frə'tə̄nl]. Kardeşçe; kardeşler arasındaki. **~ity**, kardeşlik; uhuvvet; dostların cemiyeti. **~ization** [-nay'zeyşn], dostluk etme; (*köt.*) düşmanla münasebete girişme. **~ize**, kardeş gibi görüşmek, dostluk etm.; (*köt.*) düşmanla münasebete girişmek: **~r**, böyle eden kimse.
fratricid·al [fratri'saydl]. (Kız-) kardeş katline ait: **~ struggle**, iç savaş. **~e**, (kız-) kardeş katili; (kız-) kardeş öldürmesi/katli.
fraud [frōd] *i.* Hile(kârlık); suiniyet; dolandırıcı(lık), kaçakçı(lık); gabin, kazık; sahtekâr; müzevir; (*kon.*) katakulli; umulduğu gibi çıkmıyan iş vb. **a pious ~**, iyi niyetle söylenen/zararsız bir yalan; sahte dindar; müraî. **~ulence** [-yulənsl], hilekârlık, tezvir. **~ulent**, hileli, düzenli, düzmece, aldatmalı: **~ conversion**, ihtilâs, aşırtı: **~ly**, hileli bir şekilde.
fraught [frōt]. **~ with**, -le yüklü/dolu. **~ with danger**, pek tehlikeli.
fray[1] [frey] *i.* Arbede, kavga; muharebe, savaş. **eager for the ~**, kavgaya hazır.
fray[2] *f.* Tarazlan(dır)mak; aşın(dır)mak; yıpratmak, yıpranmak. **~ed nerves**, yıpranmış sinirler. **~ing**, yıpratma, yıpranma.
frazzle ['frazl]. Aşın(dır)mak. **beat s.o. to a ~**, (*kon.*) birini (bir oyunda) adamakıllı yenmek: **worn to a ~**, bitkin bir halde.
freak [frīk]. Hilkat garibesi; garibe; birdenbire çıkan; kapris; çılgınlık; (*kon.*) teklifsiz (bir kimse); tiryaki. **~ religion**, garip bir din. **~ish**, acayip, delice, garibe nevinden. **~-out**, (*kon.*) tiryaki.
freckle ['frekl] *i.* Çil, ben. *f.* Çillendirmek, beneklemek. **~d**, çilli, benli.
free[1] [frī] *f.* Serbest bırakmak; azat etm.; kurtarmak; tahliye etm.; salıvermek.
free[2] *s., zf.* Serbest; hür; bağımsız; bağlı olmıyan; azade; özgür; ücretsiz, bedava, parasız, meccanî; gümrüksüz; açık; mecburî/zorunlu olmıyan; ihtiyarî, isteğe bağlı; (*müh.*) serbest ve kolayca akan/hareket eden. **~ alongside quay/ship**, gemi bordasına kadar teslim: **~ from ...**, -den muaf, -den ari, -siz: **~ from noise**, gürültüden ari: **~ from pain**, ağrıdan azade: **break ~ from**, kendini -den kurtarmak: **~ hand/house** = **~**-HAND/-HOUSE'*e bak*. **~ in and out**, yükleme-boşaltma giderleri ödenmiş teslim: **~ of...**, -den muaf, -den ari, -siz: **~ of charge**, ücretsiz, parasız, bedava: **~ of duty**, bağışık, muaf, gümrüksüz: **~ of ice**, (liman, nehir) buzları çözülüp gitmiş: **make ~ of ...**, ile lâubali olm.: **~ on board**, gemide teslim/verme: **~ on rail**, ray/trende teslim: **make ~ with s.o.**, birisiyle lâubali olm.: **make ~ with stg.**, (bir şeyi sarfederken) önünü arkasını düşünmemek: **be ~ with one's money**, eli açık olm.: **set ~**, serbest bırakmak; azadetmek; salıvermek: kurtarmak.
-free[3] *son.* -den muaf, -den ari, -siz [CAREFREE].
free-[4] *ön.* **~-and-easy**, teklifsiz, babayani; lâubali. **~-board**, parasız yemekler: **~board**, (*den.*) borda yüzeyi, fribord. **~booter** [-būtə(r)], korsan. **~born**, hür doğmuş. **~-Church(man)**, devlete bağlı olmıyan kilise (üyesi). **~-city**, (devlet gibi) hür şehir. **~d·man**, azatlı köle: **~woman**, azatlı cariye. **~dom**, hürriyet; serbestlik, özgürlük; istiklâl; bağımsızlık; muafiyet; açıklık: **~ of speech**, söz özgürlük/hürriyeti: **~ of a city**, bir şehrin fahrî hemşeriliği. **~-fall**, (*hav.*) (paraşütçü) paraşütünü açmadan önce düşme(k)/inme(k); (*fiz.*) yalnız yerçekimine bağlı düşüş. **~-fight**, herkesin iştirak ettiği kavga. **~-for-all**, herkese

açık müsabaka/yarış; (*kon.*) = ~-FIGHT; (*arg.*) yalnız kendi menfaatini düşünen. **~-form**, (*san.*) düzensiz şekil. **~-gift**, karşılıksız hediye: **as a ~**, meccanen, hediye olarak. **~-hand, have a ~ hand**, istediği gibi harekette serbest olm.: **give s.o. a ~ hand**, tam serbestlik/salâhiyet/yetki vermek: **be ~ with one's hands**, eliyle hemen vurmağa hazır olm.: **~ hand**, serbest el ile çizilen (krobi vb.). **~handed**, eli açık, cömert. **~hold**, mülk (olan): **~er**, mülk sahibi. **~-house**, (*mal.*) tek bir fabrikaya bağlı olmıyan birahane/otel vb.: **this is a ~ house!**, burada istediğiniz gibi yapabilirsiniz!: **be ~ of s.o.'s house**, birinin evine serbestçe girip çıkmak. **~-imports**, gümrük resmine tabi olmıyan ithalat. **~-kick**, serbest vuruş, frikik. **~-labour**, köle olmıyan işçiler; iş sendikasına bağlı olmıyan işçiler; ücretsiz çalışan işçiler. **~-lance**, müstakil gazeteci vb. **~-list**, gümrüksüz giren eşya listesi. **~-liver**, keyfine göre yaşıyan; bol bol içip yiyen. **~-living**, keyfine göre yaşama, **~-love**, nikâhsız yaşama. **~ly**, ihtiyarî olarak; bolca; açıkça, serbestçe. **~man**, *ç.* **~men**, hür adam, köle olmıyan; hemşeri. **~martin**, kısır dişi buzağı. **~mason** [-'meysən], farmason: **~ry**, farmasonluk. **~-pass**, paso, ücretsiz bilet. **~-port**, bağımsız/serbest/gümrükten muaf liman.

freesia ['frīziə]. Frezya.

free·-spoken [frī-]. Açık sözlü, tam düşündüğünü göre söyliyen. **~-standing**, (ev, cihaz vb.) bitişik/bağlı olmıyan, ayrı, müstakil. **~stone** [-stoun], kesme, gre; yarma (şeftali). **~-thinker**, serbest fikirli. **~-thought** [-θōt], serbest fikir, hür düşünce. **~-tongued** [-tʌn(g)gd] = ~-SPOKEN. **~-trade**, serbest mübadele/değiştokuş: **~r**, bunun taraftarı. ***~way**, ekspres otomobil yolu. **~-wheel**, aylak tekerlek; serbest tekerlekli; bisikletle avara/pedal çevirmeden gitmek. **~-will**, *i.* elindelik: *s.* gönüllü: **do stg. of one's own ~**, bir şeyi kendi iradesiyle/gönüllü olarak yapmak.

freez·e[1] (*g.z.(o.)* **froze(n)**) [frīz, frouz(n)] *f.* Donmak; dondurmak; soğutmak; (*mal.*) bloke etm., bekletmek; (*sin.*) durdurmak. **it's ~ing**, hava pek soğuk; donuyor: **~ the blood (in one's veins)**, tüylerini ürpertmek, dehşet içinde bırakmak: **~ to death**, soğuktan/donup ölmek: **~ on to stg.**, (*arg.*) bir şeyi kendine mal etm.: **~ out**, istiskal ederek savmak: **~ over/up**, buz bağlamak; (*arg.*) daha ağzını açmamak.

freez·e[2] *i.* Donma; (*mal.*) blokaj, bekletim. **~er**, dondurucu, dondurma makinesi; buz dolabı; soğuk hava depo/vagonu. **~ing**, çok soğuk; donma; don: **~-mixture**, soğutucu karışım: **~-point**, donma noktası: **~-works**, (*Avus.*) mezbaha.

freight [freyt] *i.* Navlun; nakliye; yük, hamule. *f.* (Gemiyi) yükletmek; yük için kiralamak. **~age**, navlun; navlun ücreti; hamule. ***~-car**, yük vagonu. **~er**, şilep. **~liner**, (*dem.*) konteyner treni.

French [frenç] *s.* Fransız+. *i.* Fransızlar; Fransızca. **take ~ leave**, izinsiz gitmek, sıvışmak. **~ chalk**, terzi sabunu, talk tozu. **~-horn**, (*müz.*) daire şeklinde çalgı borusu, korno. **~ify** [-ifay], fransızlaştırmak. **~-letter**, (*arg.*) prezervatif. **~man**, *ç.* **~men**, Fransız, Fransalı; (*zoo.*) kızıl ayaklı keklik; (*den.*) Fransız gemisi. **~ness**, Fransızların niteliği. **~-polish**, alkollü cilâ. **~-window**, pencereli kapı, balkon kapısı. **~woman**, Fransız kadını, Fransalı kadın.

frenz·ied ['frenzid]. Çılgın; pek öfkeli. **~y**, çılgınlık; tehevvür.

freon ['frīən]. Freon (gazı).

frequen·ce/~cy ['frīkwəns(i)] *i.* Sık sık olma; oluş oranı, tekerrür nispeti; (*rad.*) frekans; (*fiz.*) titreşim sayısı; (*ast.*) bağıl bolluk. **~t**[1], *s*, mükerrer; sık sık olan. **~t**[2] [fri'kwent] *f.* (bir yere) sık sık gitmek; dadanmak; devam etm. **~tation** [-'teysn], sık sık gitme. **~tative** [-tətiv], tekrarlanmasını gösteren. **~ted** ayaküstü, işlek, **~ter**, sık sık giden. **~tly**, çok defa, ikide bir.

fresco ['freskou]. Renkli duvar resmi; duvar suluboyası; fresk.

fresh [freş] *s.* Taze; körpe; taravetli; yaş; yeni, başka; (at) azgın; (su) tatlı; acemi; yeni gelen; biraz küstah. *i.* Suyun yükselmesi. **let some ~ air into a room**, odayı havalandırmak: **get some ~ air**, bir az hava almak: **a ~ breeze**, serin rüzgâr; tatlı sert rüzgar: **as ~ as a daisy**, terütaze: **a youngster (just) ~ from school**, çiçeği burnunda bir lise mezunu: **~ butter**, tuzsuz tereyağı: **in the ~ of the morning**, sabahın serinliğinde. **~-coloured**, (yüz) renkli ve sıhhatli.

fresh·en [freşn]. Tazeleştirmek; taravet vermek; canlandırmak; (rüzgâr) sertleşmek; tuzunu çıkarmak. **~et** [-it], yağmur seli. **~-killed**, yeni kesilmiş. **~ly**, henüz; yeni; tekrar. **~man**, *ç.* **~men**, (üniversite) birinci sınıf öğrencisi. **~ness**, tazelik; körpelik; taravet; acemilik; (rüzgâr) sertlik. **~water**, tatlı suya ait.

fret[1] [fret] *i.* Köşeli Yunan nakşı; kıvrım süs. *f.* Bu nakış/oyma ile süslemek.

fret[2] *i.* (*müz.*) Sazın parmak basacak bölümlü yeri.

fret[3] *f.* Kemirmek; aşındırıp yol açmak; rahatsız etm., içine dert olm.; kendini yemek; küçük dalgalarla akmak. *i.* Kendini yeme, endişe, merak. **~ and fume**, sabırsızlanıp öfkelenmek. **~ful**, şikâyetçi; ters, huysuz (çocuk): **~ly**, huysuz olarak: **~ness**, huysuzluk.

fret·-saw ['fretsō]. Oyma/kıl testeresi. **~ted**, nakış/oyma ile süslenmiş. **~work**, bu nakış/süs; kafes gibi oyma.

Freudian ['froydiən]. Freud ve onun psikanaliz metoduna ait.

FRGS = FELLOW OF THE ROYAL GEOGRAPHICAL SOCIETY.

Fri. = FRIDAY.

friab·ility [frayə'biliti]. Gevreklik; ufalanma. **~le**, gevrek; kolayca toz haline getirilebilir; ufalanabilir.

friar ['frayə(r)]. Katolik keşişi. **~'s balsam**, aselbent eriyiği. **~y**, manastır.

fricassee [frikə'sī]. Salçalı yemek/yahni (yapmak).

fricative ['frikətiv] (*dil.*) Sızıcı (ünsüz).

friction ['frikşn]. Sürt(ün)me; delk; ov(uştur)ma; friksiyon; (*mec.*) uyuşmamazlık, sürtüşme; atışma. **~al**, sürtünmeli: **~ly**, sürtünme suretiyle.

Friday ['fraydi]. Cuma. **Black ~**, cuma gününde vukubulan bir felâketin yıldönümü: **Good ~**, Paskalyadan önceki cuma: **~ the 13th**, (ayın 13 cüsü bir cuma) tamamen uğursuz bir gün.

fridge [fric] (*kon.*) = REFRIGERATOR.

fried [frayd] *g.z.(o.)* = FRY[2]; tava: ~ **eggs**, sahanda yumurta.
friend [frend]. Ahbap, dost, arkadaş; (*mec.*) yardım. ~**less** [-lis], ahbapsız; kimsesiz: ~**ness**, ahbap-/kimsesizlik. ~**ly**, kanısıcak, güleryüzlü, sokulgan; munis; arkadaşça, dostça: ~ **society**, yardımlaşma kurumu. ~**ship**, dostluk, ahbaplık.
Friesian ['frīziən]. Bir cins sığır.
frieze[1] [frīz]. Boydan boya şerit halinde duvar nakşı, friz, süs kuşağı.
frieze[2]. Bir yüzü havlı olan kaba yün kumaş.
frig [fric] (*arg.*) = REFRIGERATOR.
frigate ['frigit], Firkateyn. ~**-bird**, fregatkuşu.
fright [frayt]. Anî korku; (*arg.*) gülünç/çirkin kimse, Düttürü Leylâ; korkuluk. **be in a** ~, korku içinde olm.: **give s.o. a** ~, birini birdenbire ürkütmek; birine gözdağı vermek; korkutmak: **take** ~, ürkmek: **what a** ~ **she looks in that hat!**, o şapka ile ne gülünç görünüyor!
frighten ['fraytn]. Korkutmak; ürkütmek; gözdağı vermek: ~ **away/off**, korkutup kaçırmak: ~ **s.o. into doing stg.**, birini korkutup bir şey yaptırmak: ~ **s.o. out of his wits**, birinin ödünü koparmak. ~**ed**, korkmuş, korku içinde: **be** ~ **of/at**, -den korkmak: **be** ~ **to death**, korkudan ödü patlamak.
frightful ['fraytfəl]. Korkunç; müthiş, dehşetli. ~**ly**, korkunç bir şekilde; (*kon.*) çok: **I'm** ~ **sorry**, (*kon.*) aman affedersiniz çok müteessir/üzgünüm. ~**ness**, tedhiş, dehşet; korkunçluk.
frigid ['fricid]. Soğuk; barit. ~**ity** [-'ciditi]/~**ness**, soğukluk. ~**ly**, soğuk olarak.
frigorific [frigə'rifik]. Soğutucu, frigorifik.
frill [fril] *i.* Kırmalı yakalık; (kuş) tüylü saçak; (*kon.*) faydasız süs; eda. *f.* Kırma ile süslemek; buruşturmak. ~**ed**/~**y**, kırmalı; süslü. ~**ies**, (*kon.*) kırmalı iç eteklik vb.
fringe [frinc] *i.* Saçak, sayvan; kenar. *f.* Saçak takmak; kenarında bulunmak. **lunatic** ~, (*id.*) bir partinin aşırı kanadı. ~**-benefits**, (*mal.*) ücret/maaştan başka alınan para/mallar. ~**d**, saçaklı.
frippery ['fripəri]. Adi ziynet, değersiz süs.
***Frisco** ['friskou] = SAN FRANCISCO.
frisk [frisk]. ~ **(about)**, sıçrayarak oynamak: ~ **its tail**, (at) kuyruğunu sallamak: ~ **s.o.**, (*arg.*) (polis) birinin ceplerini aramak. ~**iness**, oynaklık; canlılık. ~**y**, oynak, oyuncu; civelek.
frit [frit] *i.* Cam/çini hamuru, sır. *f.* Isıtıp yumuşatmak, sırlamak.
frith [friθ] (*mer.*) Orman; = FIRTH.
fritillary [fri'tiləri] (*bot.*) Şah tuğu, tuğ lâlesi; (*zoo.*) bir kaç çeşit damalı kelebek.
fritter[1] ['fritə(r)] *i.* Dilim dilim kızartılmış elma vb.
fritter[2] *f.* ~ **away**, parça parça doğramak; azar azar israf etm.
frivol ['frivl]. Değersiz şeylerle vakit geçirmek; saçmalamak. ~**ity** [-'voliti], havaîlik, hafifmeşreplik. ~**ous** [-vələs], hafifmeşrep, vakarsız, havaî, uçarı.
frizz, frizzle[1] [friz, 'frizl] *f.* Saç kıvırmak. *i.* Kıvırcık saç.
frizzle[2]. Kızarken cızırdamak; cızırdatarak kızartmak.
frizz(l)y ['friz(l)i]. Kıvırcık.
fro [frou]. **to and** ~, şuraya buraya; öteye beriye.
frock [frok], Kadın/çocuk elbisesi; papaz latası; (*mer.*) amele gömleği. ~**-coat**, redingot.
frog[1] [frog] *i.* Kurbağa; su kurbağası(gil); (*köt.*) Fransız. **edible/flying/moor/tree** ~, su/paçavralı/mağrip/ağaç kurbağa(sı): **a** ~ **in one's throat**, ses kısılması.
frog[2] *i.* (At) tırnak içi.
frog[3] *i.* Demiryol makas göbeği.
frog[4] *i.* (*mod.*) Toka; çapraz. ~**ged**, iliklerle düğmeler etrafında yapılan sırmalı ve çapraz şeritlerle süslenmiş.
frog·gy ['frogi] (*çoc.*) Kurbağa(cık); (*köt.*) Fransız. ~**man**, *ç.* ~**men**, kurbağa adam. ~**-march**, dört kişi bir adamı yüzükoyun taşımak. ~**-spawn**, kurbağa yumurtası.
frolic ['frolik]. Gülüp oynama(k); oynayıp sıçramak. ~**some**, oynak, civelek.
from [from]. -den. ~ **. . .**, (mektup) gönderen: ~ **above**, yukar(ı)dan; (*din.*) gökten, Allahtan: ~ **(a) child(hood)**, çocukluktan beri: ~ **my father**, babamdan: ~ **ignorance**, cehaletten: ~ **what he said/I heard**, dediğine/işittiğime göre: ~ **six to ten**, altı ile on arasında: **as** ~ **. . .**, -den başlıyarak/itibaren: **be** ~ **home**, evde bulunmamak: ~ **time to time**, bazen: **he comes** ~ **London**, Londralıdır.
frond [frond]. Eğreltiotu/hurma ağacı yaprağı. ~**escence** [-'desəns], yapraklanma.
front[1] [frʌnt] *f.* Karşısında durmak; teveccüh etm.; (ev vb.nin) önünü kaplamak. ~ **s.o. with s.o.**, birini başka birisiyle yüzleştirmek.
front[2] *i.* Ön; cephe; saha; yüz; (*coğ.*) hava dalgası, alın; (*id.*) bir grubun suçlu hareketlerini gizliyen örgüt; (*mec.*) yüzsüzlük. *s.* Öndeki; cepheye ait; (*dil.*) ince. *zf.* Önüne. ~ **to** ~, yüz yüze: **in** ~, önde: **in** ~ **of**, önünde; karşısında: **put a bold** ~ **on it**, cesur görünmek; cesaret taslamak: **come to the** ~, ön plana gelmek; öne gelmek: **have the** ~ **to do stg.**, bir şey yapmağa cüret etm., küstahlıkta bulunmak: **a house on the** ~, deniz/göl/ırmağa karşı ev: **the sea/lake** ~, deniz/göl kenarı: **out in** ~, önünde, ileride; (*tiy.*) sahnede, perdenin önünde: **way out in** ~, tâ ilerisinde.
front·age ['frʌntic]. (Bina vb.) cephe, yüz. ~**al**, alın+; ön+; önden, cepheden: ~ **attack**, cepheden saldırma. ~**-door**, sokak kapısı; ön kapı. ~**ier** [-tiə(r)], hudut; sınır; serhat: ~**sman**, medeniyet hududu üzerinde yaşıyan kimse. ~**ispiece**, [-pīs], (*bas.*) kitabın ilk yaprağına konan resim; (*mim.*) bina yüzüsü. ~**less** [-lis], önsüz; cephesiz. ~**let**, alın bağı; hayvan alnı. ~**-line**, ~ **soldiers/trenches**, cephe hattı asker/siperleri. ~**-page**, (*bas.*) birinci sayfa: ~ **news**, onemli haberler. ~**-room**, sokak üstündeki oda; evin önündeki oda. ~**-view**, (*san.*) önden görünüş. ~**ward(s)**, önüne.
frost [frost] *i.* Ayaz, kırağı, don; (*arg.*) başarısızlık. *f.* Kırağı ile kaplamak; ayazlatmak; (saç) ağartmak; şekerle kaplamak; (cam) buzlu yapmak. **white** ~, kırağı: **black** ~, kırağısız şiddetli soğuk: **Jack** ~, kişileştirilen kırağı. ~**bite**, bir uzvun donması, ayazlama, ~**bitten**, (uzuv) donmuş; ayazlamış. ~**ed**, buzlu (cam vb.). ~**y**, ayazlı; kırağılı: **a** ~ **reception**, soğuk bir kabul.
froth [froθ] *i.* Köpük; (*mec.*) gereksiz ve anlamsız sözler. *f.* Köpürmek. ~ **over**, köpürerek taşmak. ~**-blower**, çok bira içen kimse. ~**iness**, köpüklülük. ~**y**, köpüklü.
frou-frou ['frufru]. (Etek) hışırtı.

frounce [fraۣuns] *f.* Buruşturmak. *i,* Buruşuk; (*mec.*) yapmacık.
froward ['froۣuwəd] (*mer.*) İnatçı; mütemerrit, dik kafalı, serkeş. ~**ness**, inatçılık.
frown [fraۣun]. Kaş çatma(k); surat asma(k). ~ **upon stg.**, hoş görmemek, ayıplamak. ~**ing**, abus, asık suratlı.
frowst [fraۣust] *i.* Pencereleri kapalı ve sıcak bir odanın havasızlığı. *f.* Böyle bir odada oturmak. ~**y**, sıcak havasız ve pis kokulu.
frowzy [fraۣuzi]. Pasaklı, hırpani; küf kokulu.
froze [froۣuz] *g.z.* = FREEZE. ~**n**, *g.z.o.* = FREEZE: *s.* donmuş: ~ **assets**, tutuklu/dondurulmuş/nakde çevrilemiyen mallar/kıymetler.
FRS = FELLOW OF THE ROYAL SOCIETY.
fruct·iferous [frʌk'tifərəs]. Meyvalı. ~**ification** [-fi'keyşn], yemişlenme. ~**ify**, meyva vermek; yemişlenmek; müsmir etm.; sonuç vermek. ~**ose** [-toۣus], meyva şekeri, früktoz. ~**uous** [-tyuۣəs], meyvası bol; kazançlı.
***frug** [frʌg]. Bir cins 'rock' dansı.
frugal ['frūgl]. Tutumlu, idareli; sade; bol olmıyan. ~**ity** [-'galiti], tutum; tokgözlülük; (yemek) sade ve az olma. ~**ly**, tutumlu olarak. ~**ness** = ~ITY.
frugivorous [frū'civərəs] (*zoo.*) Meyva yiyen, meyvaçıl.
fruit [frūt] *i.* Meyva, yemiş; (*mec.*) sonuç, semere; (*mal.*) kâr, kazanç. *f.* Meyva vermek. **the ~s of the earth**, toprağın ürünleri: **dried** ~, kuru yemiş: **soft** ~, çilek gibi meyvalar: **stone** ~, çekirdekli meyvalar. ~**age**, yemişler. ~**arian** [-'teۣəriۣən], yalnız meyva yiyen kimse. ~**-bat**, büyük yarasa, kanat ayaklı(gil). ~**-bud**, çiçek/meyva veren tomurcuk. ~**-cake**, kuru üzüm/kuşüzümü ile yapılan kek. ~**er**, meyva veren (ağaç). ~**erer**, manav, yemişçi. ~**-fly**, meyva sineği. ~**ful**, meyvalı; mahsullü, müsmir; verimli; velût: ~**ly**, meyvalı/verimli olarak: ~**ness**, meyvalılık; verimlilik. ~**ion** [frū'işn], merama nail olmaktan duyulan zevk; nail olma; mazhar olma: **come to** ~, semere vermek. ~**less** [-lis], neticesiz; beyhude; akim: ~**ly**, beyhude olarak. ~**-machine**, bir çeşit otomatik kumar makinesi. ~**-salad**, meyva salatası. ~**-tree**, meyva ağacı. ~**y**, meyva lezzetli.
frument·aceous [frūmən'teyşəs]. Buğdaya ait. ~**y** ['frūmənti], bulgur sütlacı.
frump [frʌmp]. Kılıksız eski zaman kadını. ~**ish**/~**y**, fena ve eski moda giyinmiş.
frustrat·e [frʌs'treyt]. İşini bozmak; engel olm.; iptal etm. ~**ion** [-'treyşn], menedilme, iptal; hüsran.
frustum ['frʌstəm]. Kesik piramit.
frut·ex ['frūteks]. Küçük çalı. ~**icose** [-tikoۣus], çalı gibi.
fry[1] [fray]. Yavru balık. **small** ~, ufak tefek hayvanlar; çoluk çocuk; önemsiz kimseler.
fry[2] *f.* Tavada kızartma(k), kavurma(k). *i.* Kasaplık hayvanın karaciğer/böbreği vb. ~**er** = FRIER. ~**ing-pan**, tava: **out of the ~ into the fire**, yağmurdan kaçarken doluya tutulmak.
ft. = FEET/FOOT.
FT = FINANCIAL TIMES: ~ **index**, asıl hisselerin fiyat endeksi. ~**A** = FREIGHT TRANSPORT ASSOCIATION. *~**C** = FEDERAL TRADE COMMISSION.
fuchsi·a ['fyūşə]. Küpeçiçeği. ~**ne**, kırmızı boya maddesi.
fuddle ['fʌdl]. Zihnini bulandırmak. ~**d**, çakırkeyf; sersemlemiş.
fuddy-duddy ['fʌdidʌdi] (*kon.*) Eski modalı; eski kafalı, köhne.
fudge[1] [fʌc] *f.* Yarım yamalak yapmak; uydurmak; tahrif etm. *i.* Saçma lâkırdı.
fudge[2] *i.* Şeker süt ve tereyağından yapılmış bir nevi şekerleme.
fuel [fyuۣəl] *i.* Yakılacak şey; yakacak; mahrukat; yakıt; benzin; tahrik eden şey. *f.* Mahrukat/yakıt almak/tedarik etm. **liquid/solid** ~, akar/katı yakıt: **add ~ to the flames**, yangına körükle gitmek. ~**-cock**, benzin vb. musluğu. ~**-gauge**, yakıt göstericisi. ~**ling**, yakıt verme/doldurma. ~**-injection**, yakıt püskürme(li). ~**-oil**, mazot, yakma yağ, fuel-oil. ~**-pump**, benzin pompası; (dizel) püskürme pompası. ~**-tank**, yakıt depo/hazinesi.
fug [fʌg]. Sıcaktan ve havasızlıktan hâsıl olan kasvetli hava.
fugaci·ous [fyū'geyşəs]. Çabuk zeval bulan, geçici, fani. ~**ty** [-'gasiti], fanilik, kısa hayatlılık.
fugal[1] ['fyūgəl] (*müz.*) Füg nevinden.
-fug·al[2], ~**e** [-fyugl, -fyuc] *son.* . . . kaçan/döken/sevmez; . . . defeden [CENTRIFUGAL].
fuggy ['fʌgi]. Sıcaktan ve havasızlıktan kasvetli olan.
fugitive ['fyūcitiv]. Kaçak, firarî; fani; mülteci; kaçıcı; süreksiz.
fugue [fyūg] (*müz.*) Füg.
führer ['fyurə(r)] (*Alm.*, *köt.*) Lider, diktatör.
-ful [-fəl] *son. s.* -li; ile dolu [HOPEFUL]. *i.* -lik [SPOONFUL]. -~**ly**, *zf.* -li olarak [CAREFULLY].
fulcrum ['fʌlcrəm]. Manivelâ mesnedi, destek noktası.
fulfil [ful'fil]. Yerine getirmek, icra etm., ifa etm., tahakkuk etm.; tamamlamak; gidermek. ~**ment**, yerine getirme, icra, infaz, ikna.
fulgent ['fʌlcənt]. Çok parlak, şaşaalı.
fulgurant ['fʌlgyərənt]. Şimşek gibi.
fuliginous [fyū'licinəs]. İsli, dumanlı.
full[1] [ful] *f.* (Kumaş) çırpmak.
full[2] *s.* Dolu, dolgun; tam; taksim edilemez; bütün; tüm; tok; bol: **of ~ age**, yirmi bir yaşına girmiş: ~ **brother/sister**, öz kardeş: ~ **and bye**, (*den.*) yelkenleri kapatmamak şartiyle orsaya yakın: **have one's hands** ~, başında çok iş olm.: **he is very ~ of himself**, hep kendinden bahseder: **I waited two ~/a ~ two hours**, tam iki saat bekledim: **in** ~, tamamen: **name in** ~, (ismin ilk harfleri değil) tam isim: ~ **house**, (*tiy.*) bütün biletler satılmış: ~ **lips**, dolgun dudaklar: ~ **many a**, çok, nice: **it's a ~ three miles**, en aşağı üç mil uzaktır: **the ~ of the moon**, dolunay, bedir: **everyone is ~ of the news**, herkes bu havadisten başka bir şeyden bahsetmiyorlar: **to the** ~, tamamıyle: ~ **up**, dopdolu, komple: ~ **well**, epeyi. ~**-back**, (*sp.*) müdafi, bek. ~**-blooded**, (i) öz, cins; (ii) dinç, gürbüz; (iii) demevî. ~**-blown**, tamamen açılmış (çiçek): **a ~ doctor**, tahsilini bitirmiş/tam doktor. ~**-bred**, cins; safkan. ~**-bodied**, şişman. ~**-dress**, büyük üniforma, resmî elbise: **a ~ rehearsal**, baştan başa (tam) prova: **a ~ debate**, Parlamentoda fevkalâde müzakere.
full·er ['fulə(r)]. Kassar, çırpıcı: ~**'s earth**, lekeci toprağı. ~**ing**, çırpıcı işi: ~**-mill**, çırpıcı tezgâhı.
full·-face [ful-] (*bas.*) Kalın harf; (*sin.*) önden

alınmış (foto); tombul. ~**(y)-fledged**, tam tüylü; (*mec.*) = ~-BLOWN. ~**-grown**, büyümüş, gelişmiş. ~**-length**, tam boy (portre vb.). ~**-moon**, bedir, dolunay. ~**-mouthed**, dişleri tamam; iri ağızlı; kalın sesli. ~**ness**, doluluk, dolgunluk; (elbise) pot; bolluk: **in the** ~ **of time**, zamanı gelince; gel zaman git zaman. ~**-page**, (*bas.*) bütün sayfayı kaplıyan (resim). ~**-rigged**, üç direkli kabasorta donanımlı (gemi). ~**-scale**/~**-sized**, doğal büyüklükte; tam boy. ~**-speed**, tam hızla. ~**-steam**, (*den.*) bütün hızla, son süratle. ~**-stop**, (*dil.*) nokta: **come to a** ~, durmak, ilerliyebilmemek. ~**-time**, tümel, tümgün: **a** ~ **job**, (insanın) bütün vaktini alan iş. ~**y**, tamamen; tamamıyle; tüm, tam; büsbütün; kâmilen: ~**-fashioned**, ayağa uyan bir şekilde örülmüş (çorap).

fulmar ['fulmə(r)]. Kutup fırtınakuşu.

fulmin·ant ['fʌlminənt] (*tıp.*) Ansızın gelen (hastalık). ~**ate** [-neyt] *f.* şimşek gibi çakmak; patla(t)mak; (*mec.*) ateş püskürmek: *i.* patlayıcı madde, fulminat. ~**ation** [-'neyşn], patlama; ateş püskürme. ~**atory**, patlamaya ait; gürliyen. ~**e**, (*mer.*) = ~ATE. ~**ic**, patlayıcı. ~**ous**, şimşeğe ait.

fulsome ['fulsəm]. Mide bulandıracak kadar; müfrit, aşırı.

fulvous ['fʌlvəs]. Kızılımsı sarı, koyu sarı.

fumarole ['fyūmərol] (*yer.*) Fümerol, tüten.

fumator·ium/~**y** [fyūmə'tōriəm, 'fyūmətəri]. Tütsüleme/dumanlama yeri.

fumble ['fʌmbl]. Beceriksizce yapmak; bir topu tutmağa çalışırken beceriksizce düşürmek. ~ **for stg.**, el yordamıyle aramak, araştırmak: ~ **for words**, kekelemek, lâkırdısı diline dolaşmak. ~**r**, beceriksiz bir kimse.

fume ['fyūm] *i.* Bazı maddelerden çıkan pis kokulu ve muzır duman, gaz, buhar; öfke. *f.* Tütsülemek; tütsü ile karartmak; fena gaz/duman çıkarmak; hiddetlenmek. ~**-chamber**, (*kim.*) duman hücresi.

fumigat·e ['fyūmigeyt]. Tütsülemek; dumanlamak; tephir etm.; gaz ile dezenfekte etm. ~**ion** [-'geyşn], tütsüleme, tephir. ~**or**, tütsücü, tephirci; tephir cihazı. ~**ory**, tütsüliyen; dezenfekte eden.

fuming ['fyūmin(g)]. Dumanlı; (*mec.*) öfkelenen.

fumitory ['fyūmitəri]. Şahtereotu.

fun [fʌn]. Eğlence, zevk; şakraklık, neşe; alay, şaka. **in**/**for** ~, şaka olarak: **he is full of** ~, çok neşeli ve tuhaftır: **it was great** ~, çok eğlenceli oldu: **like** ~, (*arg.*) delicesine: **make** ~ **of**/**poke** ~ **at**, -ile alay etm.: **it's poor** ~ **to . . .**, tuhaf/eğlenceli bir şey değil: **do stg. for the** ~ **of the thing**, bir şeyi zevk/eğlence için yapmak: ~ **and games**, (*alay.*) eğlenceli hareketler.

funambulist [fyu'nambyulist]. İp cambazı.

function ['fʌn(g)kşn] *i.* Asıl iş; vazife, gerek; görev, işlev; maksat, amaç; resmî/özel tören; toplantı; (*mat.*) fonksiyon. *f.* İşlemek; iş görmek. ~**al**, vücut üyelerinin görev/hareketine ait; iş görür; amelî: ~ **disease**, vücut üyelerinden birinin düzensizliği: ~**ly**, amelî olarak. ~**ary**, memur.

fund[1] [fʌnd] *i.* Bir şeye tahsis edilen meblağ; sermaye; fon, özel yatırım; stok; *ç.* para, sermaye; iane, yardım, sandık. **the F**~**s**, devlet eshamı: **be in** ~**s**, hazır parası olm.: **he has a** ~ **of knowledge on this subject**, bu konuda derin bilgisi var: **public** ~**s**, devlet parası: **start a** ~, iane/yardım açmak: **sinking** ~, amortisman (fonu), itfa akçası.

fund[2] *f.* Mütedavil borçları sabit faizli daimî borca tahvil etm. **we will** ~ **our resources**, paramızı vb. birleştireceğiz.

fundament ['fʌndəmənt]. Esas; temel; kıç. ~**al** [-'mentl], esasî, aslî; başlıca, bellibaşlı: *i.*, *ç.* esaslar; en bellibaşlı noktalar. ~**alism**, (*din.*) son derece muhafazakârlık; Kitabı Mukaddese harfi harfine inanma. ~**alist**, (*din.*) son derece muhafazakâr.

fundus ['fʌndəs] (*tıp.*) Mide vb.'nin en aşağı kısmı.

funebrial [fyū'nībriəl]. Cenazeye ait; hüzün verici.

funer·al ['fyūnərəl]. Cenaze alayı; tedfin: **at a** ~ **pace**, ağır ağır yürüyerek: **that's your** ~!, (*kon.*) sen bilirsin, keyfine!, ben karışmam!: ~**-director**, ölü kaldırıcı: ~**-parlour**, ölü kaldırıcının odası: ~**-pyre** = PYRE. ~**ary**, cenazeye ait. ~**eal** [-'niəriəl], matem/cenazeye ait; hazin, kasvetli.

fun·-fair ['fʌnfeə(r)]. Panayır, 'lunapark'. ~**-fur** (*mod.*) ucuz/sunî kürk.

fungible ['fʌncibl]. Mübadelesi mümkün.

fung·i ['fʌngay] *ç.* = ~US. ~**icide** [-cisayd], küf öldürücü (madde). ~**iform**, mantar şeklinde. ~**oid** [-goyd], mantara benzer. ~**ous** [-gəs], mantara ait; mantar+; sünger gibi; ansızın peyda olan fakat süreksiz. ~**us**, *ç.* ~**uses**/~**i** [-gəs(iz), -gay], mantar, küf.

funic·le ['fyūnikl] (*bot.*) Göbekbağı. ~**ular** [-'nikyulə(r)], (*dem.*) kablo ile işliyen.

funk ['fʌn(g)k] (*kon.*) *i.* Korku; korkak. *f.* -den korkmak. **be in a (blue)** ~, çok korkmak. ~**-hole**, (*ask.*) bir kişilik siper. ~**iness**, korkaklık. ~**y**, korkak.

funnel ['fʌnl]. Huni; vapur/ lokomotif bacası; huni şeklinde boru. ~**led**, huni/bacalı; huni gibi.

funn·ily ['fʌnili]. Tuhaf/eğlenceli/komik olarak: ~ **enough**, işin tuhafı. ~**iness**, tuhaflık; gülünç olma. ~**iosity**, (*alay*) tuhaf kimse/şey. ~**y**, tuhaf, eğlenceli; komik, güldürücü; gülünç; nükteli, mizahî; garip, acayip: **he's a** ~ **fellow**, tuhaf/acayip bir adamdır: **none of your** ~ **tricks!**, dalavere istemem!: **there is something** ~ **about this**, bu iş bir az tuhaf; işin içinde iş var: **I feel rather** ~, (kendimde) bir tuhaflık hissediyorum. ~**-bone**, dirsek kemiğinin hassas noktası.

fur [fə̄(r)] *i.* Kürk; hayvan postu; kedi vb.nin tüyü; dil pası; kazan taşı. *f.* (Dil) paslanmak. ~ **up**, (kazan vb.) kilsî tabaka bağlamak: ~ **and feather**, av hayvan ve kuşları: **make the** ~ **fly**, şiddetli bir kavgaya sebep olm.; saç saça baş başa kavga etm.

fur. = FURLONG.

furbelow ['fə̄bilou]. Farbela. ~**s**, kıymetsiz süs, sahte ziynet.

furbish ['fə̄biş]. ~ **(up)**, Silmek; cilâlamak, parlatmak; tazelemek, yeni gibi yapmak.

furcate ['fə̄keyt] *s.* Çatal biçimli. ~ [-'keyt] *f.* Çatallanmak, dallanmak.

furfuraceous [fə̄fə'reyşəs]. Kepekli; pullu.

furious ['fyuəriəs]. Kızgın, mütehevvir, gazaplı, azgın, kudurmuş. **be** ~ **with s.o.**, birine kötü halde kızmak. ~**ly**, kızgınca; azgın olarak. ~**ness**, kızgınlık.

furl [fə̄l]. (Yelken vb.ni) sarmak.

fur-lined ['fə̄(r)laynd] (*mod.*) İçi kürklü.

furlong ['fə̄lon(g)]. Bir milin sekizde biri (220 yarda = 201 m.).

furlough ['fə̄lou]. Sıla, izin. **go on** ~, sılaya gitmek.

furn. = FURNISHED; FURNITURE.
furnace ['fənis]. Ocak, fırın; külhan; cehennem gibi sıcak bir yer. **blast ~**, yüksek fırın.
furnish ['fəniş]. Tedarik etm., teçhiz etm.; döşemek; donatmak; vermek. **~ed house**, mobilyalı/döşeli ev: **to be let ~ed**, mobilya döşemesiyle kiralık. **~er**, mobilyacı, mefruşatçı. **~ings**, döşeme, mefruşat, mobilya.
furniture ['fəniçə(r)]. Mobilya; döşeme, mefruşat; (*mal.*) demirbaş eşya; (*ev.*) kapı ile pencere takımları; levazım; (*bas.*) garnitür; (*mer.*) at koşumu. **~-remover**, ev nakleden müteahhit, göç taşıyıcı. **~-van**, döşeme nakliye kamyonu.
furore [fyu'rōri]. Kızgınlık; şiddetli ihtiras; heyecan.
furr·ed [fəd]. Kürklü; (dil) paslı; (kazan) kilsî tabaka ile kaplı. **~ier** ['fʌriə(r)], kürkçü. **~iery**, kürkçülük; kürkçü atelye/dükkânı. **~ing**, paslanma; kilsî tabaka (bağlama).
furriner ['fərinə(r)] (*alay.*) = FOREIGNER.
furrow ['fʌrou] *i.* Sapan izi; oluk(çuk); tekerlek izi; gemi izi; yüz kırışığı. *f.* İz açmak; uzunlamasına izler bırakmak; kırıştırmak, buruşturmak. **~-slice**, sapanın devirdiği toprak.
furry ['fəri]. Kürk kaplı (hayvan); kürk gibi; kaba ve yumuşak tüylü.
further [fəðə(r)] *s., zf.* = FARTHER; daha; fazla; ötedeki; daha çok, daha ileri; yeni; dahası var, bundan başka. *f.* İlerletmek; kolaylaştırmak. **I did not pursue the matter ~**, bunun üzerinde fazla durmadım: **'awaiting your ~ orders'**, (*mal.*) yeni siparişlerinizi bekliyerek: **I'll see you ~ first!**, cehennem ol!; dünyada bunu yapmam!: **until ~ notice/orders**, yeni bir yönergeye değin, yeni talimata kadar: **without ~ ado**, hemen, tereddüt etmeden; daha fazla tören yapmadan. **~ance** [-rəns], muavenet, ilerletme: **for the/in ~ of**, ... kolaylaştırmak/ilerletmek için. **~more**, bundan başka; zaten; bir de. **~most**, en uzak.
furthest ['fəðist]. = FARTHEST.
furtive ['fətiv]. Sinsi; hırsızlama; kaçamaklı; el altından: **cast ~ glances at**, göz ucuyle bakmak. **~ly**, sinsice, gizlice. **~ness**, sinsilik.
fur-trade ['fə(r)treyd]. Kürkçülük. **~r**, kürkçü; postlarını satan hayvan avcısı.
furuncle ['fyūrən(g)kl]. Bir nevi çıban.
fury ['fyūri]. Kızgınlık, gazap; hiddet, şiddet; kudurma; tehevvür; azgınlık; şirret kadın. **in a ~**, gayet öfkeli: **work like ~**, domuzuna çalışmak.
furz·e [fəz]. Karaçalı. **~y**, karaçalı ile kaplanmış.
fuscous ['fʌskəs]. Muzlim; koyu (renk), siyahımsı.
fuse[1] [fyūz] *i.* (Mermi/bomba vb.) tapa; (*elek.*) sigorta; fitil. **delayed-action ~**, tehirli tapa: **time-~**, ayarlı tapa.
fuse[2] *f.* Eri(t)mek; kaynaşmak; birleş(tir)mek; fitillemek. **the lights have ~d**, elektriğin sigortası yandı. **~-box**, sigorta kovanı. **~d**, *s.* kaynaşık; sigortalı.
fusee [fyu'zī]. Rüzgârlı havada sönmiyen kibrit; mahrutî küçük çark; (at) ayak kemiğinde bir şiş.
fusel ['fyūzəl]. **~ oil**, füzel yağı.
fuselage ['fyūzilāj]. Uçak çatı/gövdesi.
fuse-wire ['fyūzwayə(r)]. Sigorta teli.
fusib·ility [fyūzi'biliti]. Eriyebilme. **~le**, erir; eritilebilir.
fusilier [fyūzə'liə(r)] (*mer.*) Tüfekli piyade; silâhendaz; bazı İngiliz alaylarına verilen isim.
fusillade [fyūzi'leyd]. Devamlı silâh ateşi, baraj ateşi: **a ~ of questions**, soru yağmuru.
fusion ['fyūjn]. Eri(t)me; birleş(tir)me; kaynaşma; füzyon. **~-bomb**, hidrojen bombası.
fuss [fʌs] *i.* Gereksiz gürültü/faaliyet; sebepsiz telaş. *f.* Gereksiz yere telaşlanmak; ince eleyip sık dokumak. **make/kick up a ~**, mesele çıkarmak: **make a ~ about stg.**, bir şeyi mesele yapmak: **make a ~ of s.o.**, birinin üzerine titremek/ çok düşmek; birini fazla ağırlamak. **~ about/around**, sağa sola titizlenmek, durmadan mesele çıkarmak: **~ over s.o.**, birinin üzerine titremek. **~ily**, titiz/fazla meraklı olarak. **~iness**, titizlik, fazla meraklılık. **~y**, ince eleyip sık dokunan, titiz; fazla meraklı.
fustanella [fʌstə'nelə] (*Yun.*) Evzonların giydikleri eteklik.
fustian ['fʌstiən]. Kaba pamuklu kadife; dimi; tumturak.
fustic ['fʌstik]. Bir sarı boya (veren ağaç).
fustigate ['fʌstigeyt]. (*alay.*) Sopa atmak.
fusty ['fʌsti]. Küf kokulu; köhne.
fut. = FUTURE.
futil·e ['fyūtayl]. Beyhude, boş yere, abes; vahi. **~ity** [-'tiliti], beyhudelik, abes.
futtock ['fʌtək]. (Gemi) döşek.
future ['fyūçə(r)] *s.* Müstakbel, gelecek. *i.* İstikbal, gelecek zaman; ati. **there's no ~ in it**, (*arg.*) tehlikeli; faydasız: **~s**, (*mal.*) gelecekte teslim için şimdiki fiyatla satılan mal. **~less**, umutsuz.
futur·ism ['fyūçərizm] (*san.*) Fütürizm, gelecekçilik. **~ist**, fütürist, gelecekçi. **~ity**, istikbal, gelecek zaman.
fuze [fyūz] = FUSE.
fuzz [fʌz]. Hafif kıl/hav; *(*arg.*) polis. **~-ball**, kurt mantarı. **~iness**, kabarık/kıvırcık olma; bulanıklık. **~y**, kabarık saçlı, kıvırcık; bulanık; hayal meyal: **~-wuzzy**, Sudanlı kıvırcık saçlı muharip.
fwd = FORWARD.
-fy [-fay] *son.* -lendir(il)mek, -leştir(il)mek; -e çevirmek/getirmek; olmak; etmek [ELECTRIFY].
fy(e) [fay] = FIE.
fylfot ['filfət]. Gamalı haç.

G

G [ci]. G harfi; (*müz.*) sol notası.
G, g. = GAUSS; GENERAL; GERMAN(Y); GIGA-; GILBERT; GUILDER; GRAM; GRAVITY.
Ga. = (*kim.s.*) GALLIUM; GEORGIA.
G/A = GENERAL AVERAGE.
gab [gab]. Palavra; ağız; cerbeze. **have the gift of the ~**, çenebaz olm.
gabardine [gabə'dīn]. Cüppe; gabardin.
gabble ['gabl] (*yan.*) Kaz gibi ses çıkarma(k); çabuk ve anlaşılmıyacak şekilde konuşma(k); laklak. **~r**, çenebaz olan.
gabbro ['gabrou] (*yer.*) Gabro.
gabion ['geybiən]. Set/tabya sepeti. **~ade**, dolu sepet seti.
gable ['geybl]. **~ (-end)**, damın üçgen şeklinde olan yanı; kalkan duvarı. **~d**, yüzü üçgen şeklinde olan.
gaby ['geybi]. Safdil.
Gad[1] [gad] (*ünl.*) **(By) ~!**, Allah hakkı için.
gad[2] *f.* **~ about**, eğlence peşinde gezmek: **always on the ~**, daima dolaşan/hareket eden. **~-about** [-əbaut], hovarda; avare; serseri.
gad-fly ['gadflay]. At/sığır sineği.
gadget ['gacit]. Hünerli küçük bir alet/cihaz. **~-minded**, daima bu aletleri kullanmağa çalışan birisi.
Gadhelic [ga'delik] (*dil.*) GAEL'lere ait.
gadoid ['geydoyd]. Morina cinsinden balığa ait.
gadolinium [gadə'liniəm]. Gadolinyum.
gadwall ['gadwəl]. Boz ördek.
Gael [geyl]. İskoçyalı Kelt. **~ic**, İskoçyalı Kelt dili; (*bazan* İrlandalı Kelt dili).
gaff [gaf] *i.* Balıkçı kancası; (*den.*) giz. *f.* Balığı kanca ile tutmak. **blow the ~**, (*arg.*) sırrı meydana çıkarmak.
gaff(e) [gaf]. Kusur; kabahat; gaf, pot.
gaffer ['gafə(r)] (*kon.*) İhtiyar köylü, babalık; işçi başı.
gag [gag] *f.* Bağırmaktan men için/ameliyat sırasında ağzı açık bulundurmak için ağıza tıkılan şey; (parlamentoda) müzakereye son verme; tuluat kabilinden söz/hareket; (*tiy.*) gülüt. *f.* Ağıza bir şey tıkamak; susturmak; gülüt yaratmak.
gaga ['gagā] (*arg.*) İhtiyar ve aptal, bunak.
gage[1] [geyc] *i.* Rehin, teminat; (*mer.*) düelloya davet için atılan eldiven vb. *f.* Rehin olarak vermek. **throw down the ~ to s.o.**, birine meydan okumak.
gage[2] = GAUGE.
gage[3] = GREENGAGE.
gaggle ['gagl] (*yan.*) *f.* Kaz gibi ötmek. *i.* Bir küme kazlar.
gaiety ['geyəti]. Şenlik, şetaret; neşe; eğlenti.
gaily ['geyli] = GAY.
gain [geyn] *i.* Kazanç, kâr; fayda, istifade; artırma. *f.* Kazanmak, elde etm.; kâr etm.; -e varmak, -e erişmek; zıvana dibi açmak. **~ ground**, ilerlemek; alıp yürümek: **~ on a competitor**, rakibine yaklaşmak/ondan daha ileri gitmek: **a bad habit ~s on one**, kötü bir alışkanlık gittikçe kökleşir: **~ on one's pursuers**, kendisini takip edenlerden uzaklaşmak: **~ s.o. over**, birini ikna ederek kazanmak: **I have ~ed five pounds this month**, (i) bu ay beş lira kazandım; (ii) bu ay beş libre (2 kilo) aldım/semirdim: **~ strength**, kuvvetlenmek, kuvvet bulmak: **~ the upper hand**, üstün gelmek: **this watch ~s ten minutes a day**, bu saat her gün on dakika ileri gider: **~ weight**, kilo almak; önem kazanmak.
gain·able ['geynəbl]. Kazanılabilir. **~-control**, (*rad.*) ses ayarı, gürlük kontrolu. **~ful**, kârlı, kazançlı: **be ~ly employed**, çalışıp para kazanmak. **~ings**, kazançlar, kârlar. **~less**, kâr/kazançsız.
gainly ['geynli]. Zarif, nazik, yakışıklı.
gain·say (*g.z.(o.)* **~said**) [geyn'sey, -'sed]. İnkâr etm., reddetmek.
'gainst [geynst] (*şiir.*) = AGAINST.
gait [geyt]. Yürüyüş; gidiş.
gaiter ['geytə(r)]. Getir; tozluk. **spring ~**, (*oto.*) yay kılıfı. **~ed**, getirli.
gal[1] [gal] (*fiz.*) Ağırlıktan dolayı ivme ölçü birimi, gal.
gal[2] (*kaba.*) = GIRL.
gal. = GALLON.
gala ['gālə]. Büyük şenlik; resmî ziyafet, gala. **~ performance**, (*tiy.*) gala, ilk oynatım.
galact·ic [gə'laktik]. Samanyolu +, gökada +. **~ite** [-tayt], süt taş/akiği. **~o-**, *ön.* süt +.
gala·-day ['gālədey]. Bayram, ziyafet günü. **~-dress**, bayramlık.
galantine ['galəntīn]. Kemiksiz pişirilmiş tavuk/dana eti peltesi.
Galatia [gə'leyşə] (*tar.*) Galatya.
galaxy ['galəksi]. Kehkeşan, samanyolu, gökada; (*mec.*) seçkin zevattan mürekkep toplantı.
galbanum ['galbənəm]. Kasnı otundan gelen bir sakız.
gale[1] [geyl]. Kuvvetli rüzgâr; fırtınaya yakın rüzgâr.
gale[2]. (Bataklıkta) mersin ağacı.
galea ['geyliə] (*biy.*) Miğfer şeklinde bir kısım. **~te(d)** [-lieyt(id)], böyle miğferli.
Galen ['geylən]. **a ~**, (*alay*) hekim (ünlü Calinos gibi).
galena [gə'līnə]. Kükürtlü kurşun, galen.
galenic [gə'lenik]. Bitki maddelerinden yapılan (ilâçlar).
Galilean [gali'līən] *i.* Galile'li; Hazreti İsa. *s.* Gökbilgin Galileo'ya ait.
galimatias [gali'matiəs]. Saçma, karmakarışık, boş söz.
galingale ['galingeyl]. Havlıcan, zencefile benzer bir kök.
galipot ['galipot]. (Sert) çamsakızı.
gall[1] [gōl] *i.* Safra, öt; çok acı şey; kin; *(*arg.*)

küstahlık. **pen dipped in ~**, zehirli kalem: **it was ~ and wormwood to him**, bu ona çok acı geldi.
gall[2] *i.* Yağır. *f.* Yağır yapmak; sürünerek yara etm.; incitmek, taciz etm.
gall[3] (*bot.*) Mazı, ur.
gallant ['galənt] *s.* Yiğit, şeci; muhteşem. [gə'lant] *i.* Kadınlara karşı fazla nazik; âşık. **~ly** ['ga-], yiğitçe; âşık gibi. **~ry**, yiğitlik, şecaat; kadınlara karşı fazla nezaket gösterme.
gall·-apple ['gōlapl]. Mazı. **~-bladder**, safra/öt kesesi.
galleon ['galiən]. Kalyon.
galler·ied ['galərid]. Dehlizli. **~y**, dehliz, galeri, geçit; üstü kapalı balkon; (*tiy.*) üst sahne; (*tiy.*) en üst ve ucuz mevki, üst balkon, paradi; yeraltı yolu; (*san.*) sergievi: **play to the ~**, ün kazanmak için avama hoş görünmek.
galley ['gali]. Kadırga, bastarda, çektirme; büyük sandal; gemi mutfağı; (*bas.*) dizilen yazıların konmasına mahsus tava, gale, dizgi teknesi. **~-press**, prova tezgâhı. **~-proof**, tashih provası. **~s**, kürek cezası. **~-slave**, (*tar.*) kürek mahkûmu.
gall-fly ['gōlflay]. Ur sineği.
galliambic [gali'ambik] (*edeb.*) Özel bir vezin (⏑—⏑—).
galliard ['galiəd]. Canlı bir dans (müziği).
Gallic ['galik] *i.* Eski Galya'ya ait; Fransız. *s.* Galyum+; urlara ait. **~an**, Fransız katoliği(ne ait). **~e** [-lisi] *zf.* Fransızcada olarak. **~ism** [-sizm], Fransızcaya mahsus deyim; Fransızcadan aynen çevrilmiş deyim. **~ize** [-sayz], Fransızlaş(tır)mak.
galli·gaskins [gali'gaskinz] (*alay*) Bol pantolon. **~maufry** [-'moufri], yahni; karmakarışık şey.
gallinac·ean/**~eous** [gali'neyşn, -'neyşəs]. Tavukgillere ait, tavuksu.
galling ['gōlin(g)]. İncitici; güce giden.
gal(l)iot ['galiət] (*tar.*) Hafif ve hızlı kadırga.
Gallipoli [gə'lipəli]. Gelibolu.
gallipot ['galipot]. (Eczacılık için) ufak kap.
gallium ['galiəm]. Galyum.
gallivant [gali'vant]. Eğlence peşinde koşmak.
gall-nut ['gōlnʌt]. Mazı.
Gallo- ['galou-] *ön.* Fransız-.
gallon ['galən]. Galon = †4,54 litre; *3,79 litre.
galloon [gə'lūn]. İpek/altın sırmalı şerit.
gallop ['galəp]. Dörtnala/doludizgin koşma(k); pek acele yapmak. **~ing consumption**, çabuk ilerliyen verem. **~er**, atlı yaver.
galloway ['galowey]. Bir cins küçük at; bir cins boynuzsuz sığır.
gallows ['galouz]. Darağacı; idam sehpası. **~-bird**, ipten kazıktan kurtulmuş. **~-tree**, darağacı.
gall-stone ['gōlstoun]. Safra/öt taşı.
***Gallup** ['galəp] (*M.*) **~-poll**, halk oyu yoklaması.
galop ['galəp]. Hızlı bir dans.
galore [gə'lō(r)]. Bol; çok; ibadullah.
galosh [gə'loş] (*gen.*) **~es**, kaloş.
galv. = GALVANIC, *vb.*
galvan·ic [gal'vanik]. Galvanik. **~ism**, galvanizma. **~ize** ['galvənayz], galvanize etm.; galvanizma yapmak; (*mec.*) canlandırmak: **~d**, galvanizli, çinko kaplama. **~izing**, galvanize etme, galvanizleme. **~nealing** [-'nīlin(g)], galtavlama. **~ometer** [-'nomitə(r)], galvanometre. **~oplasty** [-əplasti], galvanoplasti.

gambade [gam'beyd]. At sıçraması.
Gambia ['gambiə]. Gambiya.
gambier ['gambiə]. (Tabaklık/boyacılık) pekiştirici bir sakız.
gambit ['gambit]. (Satranç/*mec.*) daha iyi bir durum kazanmak için kaybedilen ilk el.
gambl·e ['gambl] *i.* Kumar; baht işi. *f.* Kumar oynamak: **~ away stg.**, bir şeyi kumarda kaybetmek. **~er**, kumarbaz: **~ on the Stock Exchange**, acyocu. **~ing**, kumar: **~-den**, kumarhane; batakhane.
gamboge [gam'buj]. Pek parlak sarı sulu boya, gomagota.
gambol ['gambəl]. Zıplama(k), hoplama(k), sıçrama(k).
game[1] [geym] *i.* Oyun; eğlence; hile, dolap; alay, şaka; (*çoğul anlamla*) av hayvanı, şikâr; av eti. *f.* Kumar oynamak. **do you like ~?**, av etini sever misiniz?: **do you like ~s?**, (futbol vb. gibi) oyunları sever misiniz?: **it's all in the ~**, bir işin hem iyi hem kötü tarafına razı olmalı, hesapta bu da var: **big ~**, aslan gibi büyük av: **fair ~**, avlanması caiz olan av: **a politician is fair ~ for everyone**, politikacılar herkes için meşru bir hedeftir: **fly at higher ~**, gözü daha yüksekte olm.: **have the ~ in one's hands**, duruma hâkim olacağından emin olm.: **have a ~ with s.o.**, biriyle oyun oynamak; birisine oyun oynamak: **what's his little ~?**, ne dolap çeviriyor acaba?: **now, none of your little ~s!**, bana oyun oynıyamazsın!: **beat s.o. at his own ~**, düşmanı kendi oyunuyle yenmek: **make ~ of**, alaya almak: **play the ~**, bir oyunu usulüne göre oynamak; dürüst hareket etm.: **not to play the ~**, mızıkçılık etm.; pek dürüst hareket etmemek: **play s.o.'s ~**, birinin ekmeğine yağ sürmek: **a ~s shop**, spor levazımatı mağazası: **spoil s.o.'s ~**, birinin iş/planını bozmak: **two can play at that ~!**, bu oyunu başkaları da bilir!: **the ~ is up!**, hapı yuttuk; yandık!
game[2] *s.* Gözü pek, cesaretli. **he is ~ for anything**, hiç bir şeyden yüksünmez: **die ~**, sonuna kadar sebat ve cesaret göstermek.
game[3] *s.* Sakat, zedelenmiş. **he has a ~ leg**, bacaklarının biri sakat.
game·-bag ['geym-]. Av çantası. **~-cock**, dövüştürmek için yetiştirilen horoz. **~-keeper**, av bekçisi. **~-licence**, av ruhsatiyesi. **~ly**, cesaretli olarak. **~ness**, pek gözlülük; sebat. **~-park**/**-reserve**, avı korumak için ayrılmış arazi. **~-preserve**, özel av korusu. **~some**, neşeli. **~ster**, kumarbaz.
gamete [ga'mīt]. Eşeylik gözesi, gamet.
gaming ['geymin(g)]. Kumar. **~-house**, kumarhane. **~-room**/**-table**, oyun salon/masası.
gamma ['gamə]. Yunancanın üçüncü harfi (Γ, γ); üçüncü derece/mevki. **~-rays**, gama ışını.
gammer ['gamə(r)] (*kon.*) İhtiyar kadın köylü.
gammon[1] ['gamən]. Domuz budu pastırması.
gammon[2] *i.* Saçma. *f.* Aldatmak; (tavlada) kazanmak. **that's all ~ (and spinach)!**, bu deli saçması.
gammy ['gami] (*kon.*) = GAME[3].
gamo- [gamo-] *ön.* (*bot.*) Birleşmiş; gamo-.
-gamous [-gaməs] *son.* Evlenmeye ait [BIGAMOUS].
gamp [gamp] (*köt.*) Yaşlı ve yararsız hastabakıcı/ebe; işe yaramaz şemsiye.
gamut ['gamət] (*müz.*) Bütün ses perdeleri, ıskala, gam; (*mat.*) tam vüsat/uzam; süre.

gamy ['geymi]. Çeşni vermek için bir az bayatlatılmış (av eti).
-gamy [-gəmi] *son.* -gami; -evlenme [MONOGAMY].
gander ['gandə(r)]. Erkek kaz; aptal. **what's sauce for the goose is sauce for the ~**, (*ata.*) seninki/onunki can da benimki can değil mi?
gang[1] [gan(g)] *i.* Avene; güruh, tayfa; çete; takım, ekip; sürü; beraber işletilen bir takım aletler. **the whole ~**, bütün güruh; (*köt.*) arabozucular.
gang[2] (*İsk.*) Gitmek. **~-board/-plank**, (*den.*) borda iskelesi: **walk the ~**, denizde boğdurulmak.
ganger ['gan(g)ə(r)]. İşçi ekipinin başı, işçibaşı.
gangli·a ['gan(g)gliə] *ç.* = **~on**. **~ated**, ukde/düğümlü. **~form**, düğüm şeklinde. **~on**, *ç.* **~a**, (*tıp.*) ukde, sinir düğümü; (*mec.*) kuvvet/faaliyetin nüvesi.
gangling ['gan(g)glin(g)]. Uzun bacaklı.
gangren·e ['gan(g)grīn] *i.* Yaranın çürümesi, gangren. *f.* Gangrenlen(dir)mek. **~ous** [-'grinəs], gangrenli.
gangster ['gan(g)stə(r)]. Haydut, gangster; Alikıran baş kesen. **~ism**, haydut/gangsterlik.
gangue [gang] (*yer.*) Gang.
gangway ['gan(g)wey]. Geçit; sıralar arasındaki aralık; (gemide) lumbar ağzı; dehliz; gemiden rıhtıma geçen köprü/dosa, asma merdiven. **~!**, destur!
gannet ['ganit]. Sümsük kuşu(giller).
ganoid ['ganoyd]. Parlak pullu.
gantry ['gantri]. Maçuna/demiryolu işaretlerini desteklemek için köprü şeklinde bir yapı. **~-crane**, ayaklı köprülü vinç.
gaol [ceyl] *i.* Hapishane, cezaevi, zindan. *f.* Hapsetmek. **break ~**, hapishaneden kaçmak. **~-bird**, hapishane kaçkını; sabıkalı. **~-delivery**, tutukluların yargılanması. **~er(ess)**, (kadın) zindancı. **~-fever**, tifüs.
gap [gap]. Aralık, boşluk, ayrılık; fasıla; gedik; açık yer; yarma vadi; iki dağ arası; eksiklik. **bridge a ~**, aralık üzerine köprü teşkil etm.; farklarını çıkarmak: **fill/stop a ~**, gedik kapamak; bir eksiği tamamlamak: **communications/generation ~**, iki grup/nesil arasındaki anlaşmazlık.
gape [geyp]. Hayretten ağzı açık kalmak; bakakalmak; ağzını açarak alık alık bakmak; esnemek; ağız gibi açmak. **the ~s**, tavuk gırtlağında bir hastalık; sürekli esneme. **~r**, esniyen, ağzını açan. **~-worm**, çatalkurt.
gaping ['geypin(g)] *s.* Ağzı açık; dev ağzı gibi açık (uçurum vb.); geniş ve açık (yara).
garage ['garāj]. Garaj(a koymak).
garb [gāb] *i.* Kılık, kıyafet. *f.* Giydirmek.
garbage ['gābic]. Hayvanın bağırsak vb. gibi yenmez kısımları; çöp, süprüntü, kırıntı, pislik. ***~-can**, çöp tenekesi. **~-collection**, çöp topla(n)ması. **~-destructor**, çöp yokedici. **~-disposer**, kırıntı değirmeni. **~-man**, çöpçü.
garble ['gābl]. Elemek, kalburlamak; tahrif etm.; bozmak. **a ~d story**, anlaşılamaz bir hikâye.
garboard ['gābōd]. (Gemi) dip kaplaması.
garden ['gādn] *i.* Bahçe; verimli bir bölge; bahçeye mahsus şey. *f.* Bahçıvanlık etm. **botanical ~**, bitkiler bahçesi: **common or ~**, alelade: **hanging ~**, asmabahçe: **kitchen ~**, sebze bahçesi: **market ~**, bostan: **nursery ~**, fidanlık: **zoological ~**, hayvanat bahçesi: **~ of Eden**, Aden/cennet bahçesi. **~-city**, bahçeli şehir/evler. **~er**, bahçıvan. **~-frame**, küçük limonluk.
gardenia [gā'dīniə]. Gardenya, ful.
garden·ing ['gād(ə)nin(g)]. Bahçıvanlık. **~-party**, gardenparti. **~-planning**, bahçe mimarlığı. **~-stuff**, meyva ve sebzevat. **~-suburb**, bahçeli evler. **~-warbler**, bahçe ötleğeni.
garfish [gāfiş]. Kemikli turna balığı, zargana.
garganey [gā'gani]. Çıkrıkçın, ağustos ördeği.
gargantuan [gā'gantyuən]. Dev gibi; koca.
garget ['gāgit]. Hayvanlarda baş/boğaz/memelerin iltihaplanması.
gargle [gāgl]. Gargara (etm.); ağzını çalkamak.
gargoyle ['gāgoyl] (*mim.*) İnsan/hayvan başına benziyen oluk ağzı, aslanağzı, çörten; çirkin kimse.
garish ['geəriş]. Çiğ parlak; fazla süslü ve gösterişli. **~ly**, fazla süslü olarak.
garland ['gālənd] *i.* (Bazan mükâfat makamına verilen) çiçek/yapraktan çelenk. *f.* Böyle bir çelenk ile süslemek.
garlic ['gālik]. Sarmısak. **a clove of ~**, bir diş sarmısak. **~ky**, sarmısaklı; sarmısak gibi.
garment ['gāmənt] *i.* Elbise parçası; elbise, çamaşır; kılıf. *f.* Giydirmek.
garner ['gānə(r)] *i.* Zahire ambarı. *f.* Biriktirmek; ambara koymak.
garnet ['gānit]. Lâl taşı (rengi), nartaşı.
garnish ['gāniş] *i.* Süs. *f.* (Yemek) süslemek; (*huk.*) haciz ihbarnamesini göndermek. **~ee**, haciz (etm.). **~ing**, süs. **~ment**, süs; (*huk.*) ihbarname.
garniture ['gāniçə(r)]. Süs, ziynet.
garret ['garit]. Tavanarası, çatı katı. **~eer**, orada yaşıyan fakir bir kimse (*bilh.* yazar).
garrison ['garisn] *i.* Garnizon. *f.* Bir kale/şehre asker yerleştirmek. **~ town**, askerî birliklerin daimî olarak bulunduğu şehir.
garrotte [gə'rot]. Boğarak öldürme(k).
garrul·ity [ga'rūliti]. Gevezelik, çenebazlık. **~ous** ['garūləs], geveze.
garter ['gātə(r)]. Çorap bağı, dizbağı, jartiyer. **the ~**, Dizbağı nişanı.
garth [gāθ] (*leh.*) Küçük avlu/bahçe.
gas [gas] *i.* Gaz; havagazı; (*arg.*) boş lakırdı; *(*arg.*) otomobil benzini. *f.* Gazlamak. **coal/lighting/town ~**, havagazı: **laughing ~**, nitrojenli oksit gazı, güldürücü gaz: **marsh ~**, metan gazı: **natural ~**, yer gazı, doğal gaz: **poison(ous) ~**, zehirli gaz: **have ~**, (*ev.*) evinde havagazı sistemi bulunmak; (*tıp.*) anestezi tatbik olunmak, bayıltılmak: ***step on the ~**, (*arg.*) otomobili hızlandırmak; gaza basmak. **~-bag**, gaz zarfı; (*arg.*) geveze, tumturaklı konuşan kimse. **~-burner**, gaz ibiği, bek. **~-coal**, gaz kömürü.
gasconade [gaskə'neyd]. Övünme(k).
gas·eity [ga'sīiti]. Gazlılık. **~elier** [-sə'liə(r)], bir kaç ibikli gaz avizesi. **~eous** ['geysiəs], gazlı; gaz şeklinde. **~-fire**, gaz ocağı. **~-fired**, gazyakıtlı. **~-fitter**, havagazı işçisi, havagazcı. **~-fittings**, havagazı aletleri.
gash [gaş] *f.* Uzunca ve derince yara yapmak. *i.* Bıçak vb. yarası.
gasi·fication [gasifi'keyşn]. Gaz haline koyma. **~form**, gazlı, gaz halinde. **~fy** [-fay], gaz haline koymak.
gasket ['gaskit]. Conta; salmastra.
gas·-light ['gaslayt]. Havagazı ışığı: **~er**, havagazı

çakmağı. ~**-main**, ana gaz borusu. ~**-man**, havagazı memuru. ~**-mantle**, havagazı fitili. ~**-mask**, gaz maskesi. ~**-meter**, havagazı saati. ~**ogene** [-ə'cīn], gazojen. ~**olene** [-ə'līn], gazolin; *benzin. ~**ometer** [-'somitə(r)], havagazı deposu, gazometre.

gasp [gāsp]. Hayret/acıdan nefesini tutma(k); soluksoluğa konuşmak; zorlukla solumak: ~ **for breath**, nefesi kesilmek, nefes nefese olm.: **give a** ~, korku/hayret vb.den nefesi kesilmek: **be at one's last** ~, son nefeste olm., ölüm halinde olm.: **fight to the last** ~, son nefesine kadar dövüşmek. ~**er**, (*arg.*) ucuz sigara. ~**ing**, çırpınmalı, birden gelip geçen, nefesi kesilerek.

gas·-pipe ['gaspayp]. Havagazı borusu. ~**-proof**, gaz geçmez. ~**-ring**, tek ateşli havagazı ocağı. ~**-shell**, zehirli gazla dolu mermi. ~**-stove**, havagazı ocağı. ~**sy**, gazlı; gaz gibi. ~**-tight**, gaz kaçırmaz.

gast(e)ropod ['gastrəpod]. Salyangoz gibi karındanbacaklı hayvan.

gastr·ectomy [gas'trektəmi]. Mide ameliyatı. ~**ic**, mideye ait, midevî: ~ **ulcer**, mide ülseri. ~**itis** [-'traytis], mide iltihabı. ~**o-**, *ön.* mide+, midevî, gastr(o)-. ~**oenteritis** [-entə'raytis], mide iltihabı. ~**olog·er/-ist**, mide uzmanı, gastrolog; yemek uzman/meraklısı: ~**y**, mide bilimi; yemek sanatı. ~**onom·e(r)** [-ənom, -'tronəmə(r)], yemek meraklısı; şikemperver: ~**ic** [-'nomik], mide/yemek/şikemperverliğe ait: ~**y** [-'tronəmi], şikemperverlik; yemek ihtisası. ~**ula** [-trūlə], gastrula.

gas-works ['gaswōks]. Gazhane.

***gat** [gat]. Tüfek, tabanca.

gate [geyt] *i.* Kapalı olmıyan yerler arasındaki kapı; engel; giriş; valf, kapak; (*sin.*) pencere; (*hav.*) koridor; (*sp.*) para ile giren seyirciler; bunlardan alınan para tutarı. *f.* (Okul vb.de) bir öğrenciyi izinsiz bırakmak. ~**-crasher**, (*arg.*) maç/partiye biletsiz/davetsiz giren kimse. ~**-house**, kale/büyük bahçelerde kapı bekçisinin evi. ~**-keeper**, dış kapı bekçisi. ~**-legged (table)**, kanatlı (masa). ~**-money**, maç/yarışlar vb.de alınan giriş parasının toplamı. ~**-post**, kapı direk/babası: **between you and me and the** ~, çok mahrem, söz aramızda. ~**way**, ana kapı, cümle kapısı; giriş yeri.

gateau ['gatou]. Büyük kaymaklı pasta.

gather ['gaðə(r)]. Toplamak, biriktirmek, devşirmek; toplanmak, birleşmek; artırmak; kavramak, anlamak, sezinmek; hükmetmek; cerahat bağlamak; (alın) buruşturmak; (elbise) pli yapmak, kırmak. ~ **oneself together (for a spring)**, (sıçramak için) gerilmek: ~ **round**, etrafına toplanmak: ~ **speed**, gittikçe hızlanmak: ~ **strength**, (hasta) kuvvetlenmek: **as will be** ~**ed from the enclosed letter**, ilişik mektuptan anlaşılacağı üzere: **a storm is** ~**ing**, bulutlar toplanıyor, fırtına kopacak: **in the** ~**ing darkness**, gittikçe basan karanlıkta: **be** ~**ed to one's fathers**, ölmek. ~**ed**, *s.* buruşuk, çatık: **have a** ~ **finger**, parmağı iltihaplanmak. ~**ing**, toplantı; içtima; toplama; (eteklik vb.) büzme, kırma; (*tıp.*) iltihap, cerahatli şiş.

Gatling ['gatlin(g)]. ~ **(gun)**, makineli tüfek.

GATT = GENERAL AGREEMENT ON TARIFFS AND TRADE.

gauche [gouş]. Savruk, beceriksiz; patavatsız. ~**rie**, patavatsızlık, pot kırma.

gauchist(e) ['gouşist] (*Fr., id.*) Radikal (partisi üyesi).

gaucho ['gauçou] (*İsp.*) Kovboy.

gaud·ily ['gōdili]. Gösterişli ve zevksiz bir şekilde. ~**iness**, zevksiz ve fazla süslülük; (renk) çiğlik. ~**y**, *s.* çiğ renkli; zevksizce süslenmiş: *i.* †ziyafet.

gauge, *gage [geyc] *i.* Ölçü, boy, miyar, mikyas; kalınlık, numara; ayar, çap; (*dem.*) ray açıklığı; (*müh.*) manometre, gösterge, mastar, şablon, gabari, ölçme aleti, ölçek, mihengir. *f.* Ölçmek; ayarlamak; tahmin etm. **broad** ~, (*dem.*) geniş hat: **fuel** ~, yakacak seviyesi göstergesi: **go-(no-go)** ~, geçer(-geçmez) mastarı: **marking** ~, nişangeç: **narrow** ~, (*dem.*) dar hat, dekovil: **no-go** ~, geçmez mastarı: **pressure** ~, manometre: **standard** ~, (*dem.*) normal hat: **wind** ~, rüzgâr ölçeği: **wire** ~, tel numarası. ~**able**, ölçülebilir; ayarlanabilir; tahmin edilir. ~**r**, mastar; ayar/ölçü memuru, ayarcı. ~**ing**, ölçü alma, ölçme; ayarlama.

Gaul [gōl]. Eski Galya/Galyalı. ~**ish**, eski Galya(lılar)a ait; Fransız. ~**lism**, de Gaulle'ün politikası. ~**list**, de Gaulle'ün taraftarı/partisinin üyesi.

gault [gōlt]. Mavi balçık.

gaunt [gōnt]. Zayıf ve çökük yanaklı; lağar; (dağ vb.) yalçın, ıssız, korku veren.

gauntlet ['gōntlit]. (Zırhlı) eldiven; kolçak. **throw down the** ~, meydan okumak; düelloya davet etm.: **take up the** ~, meydan okuyanın davetini kabul etm.: **run the** ~, iki sıra dizilmiş ve değneklerle vuran adamların arasından geçmek; her taraftan gelen hücumlara maruz olm. ~**ed**, (zırhlı) eldivenli.

gaunt·ly ['gō(n)tli]. Zayıf ve çökük olarak. ~**ness**, zayıflık; yalçınlık.

gaur [gaur]. Yaban sığırı.

gauss [gaus]. Gauss.

gauz·e [gōz]. Bürümcük; gaz (bezi). **wire** ~, eleklik tel örgüsü kumaş. ~**y**, bürümcük gibi; saydam.

gave [geyv] *g.z.* = GIVE.

gavel ['gavl]. Reis/mezatçı tarafından kullanılan küçük tokmak.

gavotte [gə'vot]. Gavot dans/müziği.

gawk [gōk] *i.* Uzun boylu hantal ve beceriksiz kimse. *f.* Aptalca ve dik dik bakmak. ~**iness**, hantal/beceriksizlik. ~**y**, uzun boylu ve hantal.

gay [gey]. Şen, şetaretli; zevk düşkünü; parlak renkli; *HOMOSEXUAL. **a** ~ **dog**, çapkın, hovarda adam: **lead a** ~ **life**, zevk ve eğlence içinde yaşamak: **talk gaily about stg.**, bir şeyden dem vurmak; uluorta konuşmak: **a** ~ **woman**, hafifmeşrep kadın.

gaze [geyz]. *f.* Gözünü dikerek bakmak; sabit gözlerle bakmak. *i.* Devamlı bakış. ~ **at/(up)on**, -e dikkatle uzun uzun bakmak: **a dreadful sight met his** ~, korkunç bir manzara gözüne ilişti.

gazebo [gə'zībou]. Camekânlı balkon, cihannüma.

gazelle [gə'zel]. Gazal, ceylan. **mountain** ~, Hint ceylanı.

gazette [gə'zet] *i.* Gazete; tayinleri/terfileri vb. ilân eden resmî gazete. *f.* Resmî gazete ile ilân etm. ~**er** [gazi'tiə(r)], coğrafya sözlüğü; (*mer.*) gazeteci.

gazogene ['gazəcīn]. Gaz üreticisi.

gazump [gə'zʌmp] (*kon.*) Satış muameleleri zarfında ev fiyatını yükseltme(k).

GB·(& NI) = GREAT BRITAIN (AND NORTHERN

IRELAND). ~E = KNIGHT/DAME GRAND CROSS (OF THE ORDER) OF THE BRITISH EMPIRE. ~S = GEORGE BERNARD SHAW.
GC = GEORGE CROSS; GOLD COAST; KNIGHT GRAND CROSS (OF THE ORDER) OF .... ~**A** (*hav.*) = GROUND CONTROLLED APPROACH.
g.cal. = GRAM-CALORIE.
GC·B = KNIGHT GRAND CROSS (OF THE ORDER) OF THE BATH. ~**E** = GENERAL CERTIFICATE OF EDUCATION. ~**F** = (*mat.*) GREATEST COMMON FACTOR. ~**IE** = KNIGHT GRAND CROSS (OF THE ORDER) OF THE INDIAN EMPIRE.
g.cm. = GRAM-CENTIMETRE.
GCM = GENERAL COURT MARTIAL; (*mat.*) GREATEST COMMON MEASURE. ~**G** = KNIGHT GRAND CROSS (OF THE ORDER) OF ST MICHAEL AND ST GEORGE.
GC·SI/VO = KNIGHT GRAND CROSS (OF THE ORDER) OF THE STAR OF INDIA/OF THE VICTORIAN ORDER.
Gd. (*kim.s.*) = GADOLINIUM.
GD = GENERAL DUTIES; GRAND DUKE.
Gdn = GARDEN.
GDP (*mal.*) = GROSS DOMESTIC PRODUCT.
gds. = GOODS.
Ge. (*kim.s.*) = GERMANIUM.
gean [giən]. Yabanî kiraz (ağacı).
gear [giə(r)] *i.* Şahsî eşya; takım; koşum; levazımat; avadanlık; cihaz, mekanizma; çark tertibatı; (*oto.*) vites, hız değiştirgeci; (*den.*) halatlar vb., palanga; (*kon.*) elbiseler. *f.* Çark dişleri birbirine geçmek. ~ **up**, vites artırmak: ~ **down**, vites azaltmak: **in** ~, dişler birbirine geçmiş: **out of** ~, dişler çıkmış: **throw out of** ~, çark dişlerini birbirinden çıkarmak; (*mec.*) bozmak, altüst etm.: **bevel/conical** ~, konik dişli: **fixed** ~, durağan/fiks dişli: **sliding** ~, baladör: **worm** ~, sonsuz dişli. ~**-box**, vites kutusu. ~**-case**, vites kutusu; karter. ~**ed** [giəd], **high/low** ~, döndürücü ile dönen çark arasındaki oran şartlara göre büyük/küçük olan: ~ **to**, -e bağlı. ~**ing**, dişli çarklar sistemi; (*mal.*) kâr payının bir kısmının imtiyazlılara tahsis edilmesi. ~**-lever**, vites kolu. ~**-pump**, dişli tulumba. ~**-train**, dişli çark takımı. ~**-wheel**, dişli çark.
gecko ['gekou]. Geko.
gee[1] [cī]. ~ **up!**, deh! ~-~, (*çoc.*) at.
***gee**[2], *ünl.* Allah!; vay vay!
geese [gīs] *ç.* = GOOSE.
geezer ['gīzə(r)] (*arg.*) İhtiyar bir adam.
Gehenna [gi'henə]. Cehennem.
Geiger ['gaygə(r)]. ~**-counter**, gayger sayıcısı.
geisha ['geyşə]. Japon dansözü, geyşa.
gel [cel] *i.* Jel, pelte. *f.* Pelteleşmek.
gelatin·e [celə'tīn]. Jelatin: **blasting** ~, dinamit. ~**ous** [-'latinəs], jelatinli, jelatin gibi. ~**ize** [ci'latinayz], jelatinleş(tir)mek. ~**oid**, jelatin/pelte gibi. ~**ous**, jelatinli, jelatin gibi.
gelation [ce'leyşn]. Dondurarak katılaştırma; pelteleşme.
geld [geld]. İğdiş etm., enemek. ~**ing**, iğdiş atı.
gelid ['celid]. Buz gibi soğuk.
gelignite ['celignayt]. Jelatin dinamiti.
gem [cem]. Değerli taş; mücevher; seçme ve değerli şey. ~**med**, murassa.
GEM = GROUND EFFECT MACHINE.
geminat·e ['cemineyt] *s.* Çift. *f.* İkizleş(tir)mek. ~**ion**, ikizleşme.
Gemini ['cemini] (*ast.*) Cevza/İkizler burcu. **by** ~**!**, *hayret ifade eden ünlem.*
gemma ['cemə]. (Yaprak) tomurcuk. ~**te** [-'meyt] *s.* tomurcuklu: *f.* tomurcuklamak. ~**tion** [-'meyşn], tomurcuklanma.
gemm·iferous [ce'mifərəs] (*yer.*) Cevher hâsıl eden; (*biy.*) tomurcuklıyan. ~**iparous** [-pərəs], tomurcukla çoğalan. ~**ology** [-'moləci], cevher bilgisi. ~**ule** ['cemyūl], küçük tomurcuk.
gen [cen] (*arg.*) Haber.
gen. = GENERAL; GENITIVE.
-gen [-cən] *son.* Hâsıl eden; gelişme [OXYGEN].
gendarme [jā(n)'dām] (*Fr.*) Jandarma. ~***rie***, jandarma teşkilâtı.
gender ['cendə(r)] *i.* Cins; ismin cinsi. *f.* = EN~.
gene [cīn] (*biy.*) Gen.
genealog·ical [cīniə'locikl]. Şecereye ait: ~**ly**, nesep/silsileye göre: ~**-tree**, şecere. ~**ist** [-'aləcist], şecereci. ~**y**, nesep, silsile; soy; şecere.
genera ['cenərə] *ç.* = GENUS.
general[1] ['cenər(ə)l] *s.* Umumî, genel; özel olmıyan; genellikle olan. **in** ~, umumiyetle: **as a** ~ **thing**, genel olarak, umumiyetle: ~ **average**, büyük avarya: ~ **cargo**, karışık yük: ~ **dealer**, tuhafiyeci: ~ **officer**, albaydan sonra çıkan yüksek aşamalı subay: ~ **post**, memuriyetler arasında genel değişiklik: ~ **practitioner**, uzman olmıyan doktor: ~ **purpose**, her işe elverişli: **the** ~ **reader**, okuyucu kütlesi, halk: ~ **staff**, genel kurmay: ~ **store**, çeşitli eşya mağazası, büyük bakkal.
general[2] *i.* General; orgeneral. **brigadier(-~)**, tuğgeneral: **lieutenant-~**, korgeneral: **major-~**, tümgeneral: ~**-in-chief**, başkumandan. ~**issimo** [-'lisimou], birleşik kuvvetler/birkaç ordu başkumandanı.
generali·ty [cenə'raliti]. Umumilik; ekseriyet; genellik; umumî mütalaa. ~**ze** ['cenərəlayz], umumileştirmek; genelleştirmek; tamim etm. ~**zation** [-'zeyşn], umumileştirme; genelleştirme; tamim; genelleme.
general·ly ['cen(ə)rəli]. Ekseriya, umumiyetle; çoğunlukla; genellikle; çok zaman. ~**ship**, generallik; kumanda kabiliyeti.
generat·e ['cenəreyt]. Tevlit etm.; husule getirmek; hâsıl etm.; üretmek. ~**ion** [-'reyşn], tenasül; hâsıl etme/edilme; üretme, üretim; nesil, soy, kuşak, döl; batın; çağdaşlar: **the rising** ~, yeni nesil: **the young** ~, genç kuşak: **the** ~ **gap**, kuşaklar arasındaki fark/anlaşmazlık. ~**ive**, tenasülî; hâsıl edici. ~**or** [-reytə(r)], müvellit; hâsıl edici cihaz; kudret kaynağı; üreteç, üretici; jeneratör. ~**rix** [-triks], anadoğru, anaçizgi, yapıcı nokta vb.
generic [cə'nerik]. Cinse ait; umumî, genel. ~**ally**, umumî olarak.
gener·osity [cenə'rositi]. Cömertlik; alicenaplık; bolluk. ~**ous** ['cen(ə)rəs], cömert, eli açık; bol; alicenap: ~**ly**, cömertçe vb.
genesis ['cenisis]. Tevellüt; doğum; oluş(ma), oluşum, tekvin, teşekkül; türüm; başlangıç.
genet ['cenit]. Jenet.
genetic·(al) [cə'netik(l)]. Genetik, genetiğe ait; genlere ait. ~**ist** [-sist], genetik/genler bilgini. ~**s**, genetik, kalıtımbilim.
Geneva [ci'nīvə]. Cenevre; ardıç tatlı bir içki, cin: ~ **gown**, siyah cüppe. ~**n**, Cenevreli.
genial ['cīnyəl]. Hoş, dostane, sokulgan, güler

yüzlü; mülayim; ılımlı/uygun (iklim). ~**ity** [-'aliti], tatlılık, güler yüzlülük. ~**ly**, hoş vb. bir şekilde.
genic ['cīnik]. Genlere ait.
-genic [-cenik] *son*. -tıran; hâsıl eden [PHOTOGENIC].
geniculate [ce'nikyuleyt]. Diz eklemli; diz gibi eğilmiş.
genie ['cīni]. Cin, peri.
genii ['cīniay] *ç*. = GENIUS².
genista [ce'nistə]. Katırtırnağı gibi bir çalı.
genital ['cenit(ə)l]. Tenasüle ait; eşeysel; eşeylik +, üreme +. **the** ~**s**, tenasül aleti.
genitiv·al [ceni'tayvl]. '-in' haline ait. ~**e** [-tiv], muzafünileyh, '-in' hali, tamlayan durumu.
genito- [cenito-] *ön*. Tenasül +, eşeylik +.
genius¹ *ç*. **-es** ['cīniəs, -siz]. Deha; dâhi; ruh, hususiyet. **have a** ~ **for doing stg.**, bir şeyde özel bir yetenek göstermek.
genius² *ç*. **genii** ['cīniəs, -iay]. Cin, ruh: **s.o.'s evil** ~, birinin habis ruhu.
geno- [ceno-] *ön*. Irk +, soy +.
Genoa ['cenouə]. Cenova; (*den*.) genoa yelkeni.
geno·cide ['cenousayd]. Bir ırkı öldürme, jenosit. ~**type**, soysal teşekkül.
-genous [-cinəs] *son*. Üreten [HYDROGENOUS].
genre [jā(n)r] (*Fr*.) Çeşit, nevi, tarz; tür.
gens [genz] (*tar*.) Kabile, uruk; (*biy*.) oymak.
gent [cent] = GENTLEMAN; (*kaba*) kişi, şahıs; (*mal*.) erkek: **the** ~**s**, (*kon*.) erkekler helâsı: ~**s' clothing**, erkek elbiseleri.
genteel [cen'tīl], Kibar tabakaya ait; (*alay*) kibar; yüksek tabakayı taklit eden, sahte kibar. ~**ism**, kibar bir deyim. ~**ly**, kibarca.
gentian ['cenşən]. Centiyana, kızıl kantaron.
gentile ['centayl]. Yahudi olmıyan.
gentility [cen'tiliti] (*alay*) Kibarlık; yüksek tabakayı taklit. **the aristocracy and the** ~, unvanlı ve unvansız aristokratlar; aristokratlar ve yüksek tabaka: **shabby** ~, düşkün kibarın hali.
gentle¹ ['centl] *s*. Yavaş; nazik; yumuşak; hafif; tatlı. **the** ~ **art**, olta ile balık avı: **of** ~ **birth**, kibar, asil: ~ **exercise**, hafif idman: ~ **reader!**, aziz okuyucu!: **the** ~**(r) sex**, cins-i latif: **gently does it!**, yavaş!, zorlama!
gentle² *i*. Sinek kurdu.
gentle·folk(s) ['centlfouk(s)]. Kibar sınıfı; kibar terbiyeli kimseler. ~**man**, *ç*. ~**men**, kibar sınıfından kimse; efendiden adam, centilmen; efendi: **he is not a** ~, o kibar sınıfından değildir: **he's no** ~, o adam değildir: ~**'s agreement**, kontratsız anlaşma: ~**-at-arms**, kraliçenin kibar muhafızlarından biri: ~**-at-large**, gelirle geçinen kibardan adam: ~**-in-waiting**, kraliçenin hususî hizmetinde bulunan asilzade: ~**-of-fortune**, avantürye, maceraperest adam: ~**-commoner**, (*mer*.) Oxford/Cambridge'de imtiyazlı öğrenci: ~**-farmer**, köyde oturan ve çiftçilik yapan kibar sınıfından adam: ~**like**/~**ly**, centilmence: ~**liness**, centilmenlik: ~**-rider**, amatör cokey. ~**men**, *ç*. = ~MAN; erkekler helâsı. ~**ness**, yumuşaklık, incelik, naziklik. ~**wom·an**, *ç*. ~**en** [-wumən, -wimin], kibar sınıfından kadın.
gently ['centli]. Yavaşça, nazikçe.
gentry ['centri]. Asillerden sonra gelen tabaka, kibar takımı; (*alay*) halk, adamlar.
genufle·ct ['cenyuflekt]. Diz çökmek. ~**xion** [-'flekşn], diz çökme.
genuine ['cenyuin]. Hakikî, öz; gerçek; sahih, sahici, taklit olmıyan; samimî; su katılmadık. ~**ly**, hakikî/gerçek olarak. ~**ness**, gerçeklik.
gen·us, *ç*. ~**era** ['cīnəs, 'cenərə] (*biy*.) Cins.
-geny [-cəni] *son*. -oluş [PROGENY].
geo- [cīou] *ön*. Jeo-, geo-, co-; yer(yüzü) +. ~**centric** [-'sentrik], yermerkezli, yerözekli, geosantrik. ~**de** [-oud], jeot, kristalli kovuk.
geode·sic [cīou'disik]. Jeodeziye ait: ~ **dome**, hem dörtgen hemde küre niteliklerini birleştiren bir kubbe. ~**sist** [-'odisist], jeodezi uzmanı. ~**sy** [-'odisi], yeryüzünü ölçme bilgisi, jeodezi. ~**tic** [-'detik], jeodetik.
geo(g). = GEOGRAPHY.
geograph·er [ci'ografə(r)]. Coğrafyacı. ~**ic(al)** [ciə'grafik(l)], coğraf·î/-yaya ait. ~**y** [ci'ogrəfi], coğrafya; bir bina/yerin planı; coğrafya kitabı.
geoid ['cīoyd]. Yer yuvarlağının şekli; gayri muntazam küre.
geo(l). = GEOLOGY.
geolog·ic(al) [ciə'locik(l)]. Jeolojiye ait, yerbilimsel, yerbilim +: ~**ally**, yerbilim bakımından. ~**ist** [ci'oləcist], jeolog, yerbilgin, yerbilimci. ~**ize** [-cayz], jeoloji bakımından tetkik etm. ~**y** [-ci], jeoloji, yerbilim.
geom. = GEOMETRY.
geoman·cy ['cīəmansi]. Toprakla fal bakma. ~**tic**, bu fal bakmaya ait.
geomet·er [ci'omitə(r)]. Geometri uzmanı; bir nevi kelebek ve tırtılları. ~**ric(al)** [-ə'metrik(l)], geometrik: ~ **progression**, geometri dizisi. ~**rician** [-'trişn], geometri uzmanı. ~**ry** [-'omitri], geometri, hendese: **analytic**/**descriptive**/**plane**/**solid** ~, analitik/tasarı/düzlem/uzay geometri.
geo·morphology [cīəmō'foləci]. Jeomorfoloji. ~**phagy** [-'ofəci], toprakçıllık. ~**physics** [-'fiziks], jeofizik, yer fiziği bilgini. ~**politics** [-'politiks], jeopolitik, siyasal coğrafya.
Geordie ['cōdi] (*leh*.) = COLLIER; Tyneside taşralısı.
George [cōc] (i) **St** ~, İng.'nin koruyucu azizi. (ii) GARTER alâmetinde bir cevher. (iii) (*hav., arg*.) otomatik pilot. (iv) ~ **Cross**/**Medal**, asker olmıyanlara verilen cesaret nişanları.
georgette [cō'cet]. İnce ipek kumaş, jorjet.
Georgia ['cōciə]. Gürcistan; ABD'nden biri. ~**n**, *i*. Gürcü; Gürcüce: *s*. Gürcistan +; (*san*.) İng. kralları I–IV George devrine ait (1714–1830).
georgic [cōcik]. Çiftçiliğe ait şiir.
geotropism [ci'otrəpizm] (*bot*.) Yeredoğrulum.
Ger. = GERMAN(Y).
geranium [cə'reyniəm]. Sardunya, ıtır çiçeği; turnagagasıgillerden biri.
gerb [cəb]. Buğday vb. demeti.
gerfalcon ['gəfolkn]. Ak doğan.
geriatric [ceri'atrik]. İhtiyar·lık/-lara ait. ~**-ward**, ihtiyarlar koğuşu. ~**s**, ihtiyarlık ve onun hastalıklarına bakan bilim; ihtiyarla(ş)ma/yaşlanma hakkında bilim.
germ [cəm]. Tohum; öz, çim; mikrop; esas.
german¹ ['cəmən]. Öz (üvey değil). **cousin** ~, amca/dayı/hala/teyze çocuğu.
German², *ç*. ~**s** *i*. Alman; Almanca; *s*. Alman +; Almanya +. **High**/**Low** ~, G./K. Alm.'nın lehçesi: ~ **measles**, kızamıkçık: ~ **Ocean**, (*mer*.) Kuzey Denizi: ~ **sausage**, büyük bir sucuk: ~ **silver**, nikel gümuşü, fakfon.

germane [cə̄'meyn]. Ait, ilişik, müteallık.
German·ic [cə'manik]. Alman·ya/-lar/eski Cermenlere ait. **~ism** ['cə̄mənizm], Almancaya mahsus deyim; Alman(ya) taraftarlığı.
germanium [cə̄'meyniəm]. Germanyum.
German·ization [cə̄mənay'zeyşn]. Almanlaş-(tır)(ıl)ma. **~ize** [-nayz], almanlaş(tır)(ıl)mak. **~o-**, *ön.* Alman(ya)+. **~ophil(e)** [-'manoufil], Alman(ya) taraftarı. **~ophobia** [-'foubiə], Almanlara karşı duyulan korku; Alman düşmanlığı. **~y**, Almanya: **East/West ~**, Doğu/Batı Almanya.
germ·-carrier ['cə̄mkariə(r)]. Hastalanmadan mikrop taşıyan insan/hayvan. **~-cell**, tohum hücresi. **~en**, germen gözesi. **~icid·al** [-i'saydl], mikrop öldürücü: **~e**, mikrop öldürücü madde. **~inal**, tohum/öz/mikroba ait; iptidaî, ilkel. **~inant** [-minənt], filizlenen; başlıyan. **~inat·e**, filizlenmek; çimlen(dir)mek; gelişmek: **~ion** [-'neyşn], filizlenme, çimlenme. **~-killer** = ~ICIDE.
geronto·cracy [ceron'tokrəsi]. İhtiyarlar hakimiyeti. **~logy** [-'toləci], ihtiyarlık bilimi.
-gerous [-cərəs] *son.* ... hâsıl; ... taşıyan [FRONDIGEROUS].
gerrymander ['cerimandə(r)]. Seçimlerde hile yapmak; bir meseleyi haksız olarak kendi menfaatine idare etm.
gertcha ['gə̄çə] (*kab.*) *İnanmayış ifade eden nida.*
gerund ['cerʌnd]. Rabıt sıygası, bağ fiil, ulaç; İng.'de '-ING' ile sonlanan fiilden yapılma isim. **~ial**, ulaç gibi, ulaca ait. **~ive**, fiil sıfatı.
gesso ['cesou]. Alçıtaşı.
gestapo [ges'tāpou] (*Alm.*) Gestapo.
gestat·e [ces'teyt]. Gebe olm. **~ion** [-'teyşn], gebelik (süresi).
gesticulat·e [ces'tikyuleyt]. Söz söylerken çok el hareketleri yapmak. **~ion** [-'leyşn], el hareketi. **~ive**, el hareketlerine ait; bu hareketleri kullanan. **~ory** [-lətəri], çok el işaretleri yapan.
gesture ['cesçə(r)] *i.* Baş/el/kol işareti; hareket; davranış; jest. *f.* Maksadını aza hareketleriyle ifade etm. **make a ~**, (*mec.*) hüsnüniyet/istekliliğini ifade etm.
get (*g.z.* **got**, *g.z.o.* **got, *gotten**) [get, got(n)]. Almak, elde etm.; olmak; bulmak; tutmak, yakalamak; vurmak; alıp getirmek; kazanmak; varmak; erişmek; malik olm.; (**get**'*ten sonra bir geçmiş zaman ortacı gelirse ettirgen ifade eder, mes.* **~ a house built**, bir ev yaptırmak: **~ one's hair cut**, saçını kestirmek). **we are ~ting nowhere/not ~ting anywhere**, bundan bir sonuç çıkmaz; yerinde sayıyoruz: **~ breakfast**, kahvaltı etm.: **~ the breakfast**, kahvaltıyı hazırlamak: **~ one's arm broken**, kolu kırılmak: **what's that got to do with it?**, bunun onunla ne münasebeti var?: **~ going!**, haydi!, başla!: **~ a tree to grow**, bir ağacı yetiştirmeği başarmak: **I have got to go to London**, Londra'ya gitmeliyim: **to become a diplomat you have got to learn French**, diplomat olabilmek için Fransızca öğrenmeğe mecbursunuz: **~ s.o. home**, birini evine götürmek: **the play didn't really ~ me**, (*kon.*) piyes beni sarmadı: **I don't ~ you/your meaning**, anlamıyorum: **~ s.o. into a place**, birini bir yere kayırmak: **where has that book got to?**, o kitap nereye gitti?, ne oldu?: **where did you ~ to know that?**, nasıl oldu da bunu öğrendiniz?: **I got to know him during the war**, kendisini tesadüfen savaş sırasında tanıdım: **later I got to know him better**, sonraları onu iyice/daha iyi tanıdım: **what's got you?**, (*kon.*) sana ne oldu?, ne oluyorsun?. **~ about**, dolaşmak; yayılmak: **(invalid) be able to ~ about again**, (hasta) yataktan kalkıp dolaşabilmek. **~ across**, bir taraftan öbür tarafa geç(ir)mek; asmak; (*kon.*) (piyes vb.) başarılı olm. **~ along**, ilerlemek; geçinmek: **~ along with s.o.**, birisiyle geçinmek: **~ along without stg.**, bir şeysiz de olabilmek, bir şeye muhtaç olmamak: **~ along with you!**, (i) haydi git!; (ii) amma yaptın ha! **~ at**, ermek; kavramak; yetişmek: **difficult to ~ at**, gitmesi güç: **what are you ~ting at?**, maksadınız nedir?; neyi ima ediyorsunuz?: **if I can ~ at him he'll be sorry**, bir elime geçerse hali yamandır: **~ at a witness**, bir tanığı ayartmak/ona rüşvet vermek: **he's been ~ting at you**, size dil dökmüş; sizi kandırmış. **~ away**, kaçıp kurtulmak; ayrılmak, başka yere gitmek; koparmak; kapıp götürmek: **~ away with you!**, haydi canım!: **there's no ~ting away from it**, bundan kurtuluş yok; bunu kabul etmeliyiz: **he'll never ~ away with that**, kimseye yutturamaz. **~ back**, avdet etm., evine dönmek; geri almak; telâfi etm.; **~ one's own back**, (i) malını geri almak; (ii) öcünü almak, acısını çıkarmak: **~ stg. back into its box**, bir şeyi tekrar kutusuna koymak. **~ by**, geçmek. **~ down**, yere inmek; indirmek; aşağıya almak; yazmak; yutmak: **(to a dog) ~ down!**, in aşağı: **~ down to one's work/it**, işe iyice girişmek: **~ down to facts**, vakıalara gelmek. **~ in**, girmek; vasıl olm.; içeri almak; toplamak; sokmak; ekmek: **~ in with s.o.**, birinin gözüne girmek: **~ in a supply of coal, etc.**, kömür vb. alıp depo etm.: **~ in the harvest**, ürünü toplamak: **~ in s.o. to see to the gas, etc.**, birini çağırıp havagazını vb. göstermek: **~ in for a constituency**, mebus seçilmek: **~ a blow in**, bir darbe indirmek: **I couldn't ~ a word in**, ağzımı açıp bir kelime söyliyemedim: **~ one's hand in**, elini alıştırmak. **~ into**, girmek; sokmak; giyinmek: **~ into a club**, bir klübe girebilmek, üyesi olm.: **~ into bad habits**, kötü alışkanlıklar edinmek: **~ into the way of doing stg.**, bir şeye alışmak, bir şeyi âdet edinmek: **~ s.o. into the way of doing stg.**, birini bir şeye alıştırmak: **~ into a temper**, hiddetlenmek: **~ stg. into one's head**, bir fikir edinmek; hatırlamak, kavramak. **~ lost**, kendini kaybetmek: **~ lost!**, defol! **~ off**, bir şeyden inmek/ayrılmak; yola çıkmak; kurtulmak; çıkarmak, soyunmak; kurtarmak, beraat ettirmek: **~ off a duty**, bir işten muaf olm., sıyrılmak: **~ off a stranded ship**, karaya oturmuş bir gemiden çıkmak/gemiyi yüzdürmek: **(girl) ~ off with a man**, (kız) birisiyle evlenmeği başarmak: **~ stg. off one's hands**, bir şeyi başından atmak; bir şeyden kurtulmak: **~ one's daughter off one's hands**, kızını evlendirmek. **~ on**, binmek; giyinmek; ilerlemek, terakki etm., başarmak, muvaffak olm., sivrilmek; yaklaşmak; birbiriyle geçinmek: **how are you ~ting on?**, nasılsınız?; işleriniz/sıhhatiniz nasıl?: **~ on in life**, başarmak, muvaffak olm.: **be ~ting on for fifty**, ellisine merdiven dayamak: **it is ~ting on for ten**, saat ona yaklaşıyor: **I can't ~ these shoes on**, bu ayakkabıları giyemiyorum (dar geliyor): **~ on with you!**, haydi canım!: **~ on with s.o.**, birisiyle geçinmek; birine ısınmak: **~ on without s.o./stg.**, bir kimsesiz/şeysiz yapabilmek:

~ **on with the job/it**, bir işe devam etm.: **how did you ~ on with your exam.?**, imtihanınız nasıl geçti? ~ **out**, çıkmak; kurtulmak; sızmak; çıkarmak; çözmek, halletmek; kazanmak; sızdırmak; tertip etm.: ~ **out!**, defol!: ~ **out with you!**, haydi canım!: ~ **out without loss**, zarar etmeden bir işin içinden çıkmak: ~ **out of doing stg.**, bir işten sıyrılmak/kurtulmak: ~ **out of the habit of doing stg.**, bir alışkanlıktan kurtulmak: ~ **out of the way of doing stg.**, (iyi) bir alışkanlığı kaybetmek: ~ **out of my/the way!**, yol/önümden çekil; engel olma!: **I shall ~ nothing out of it**, bundan benim elime bir şey geçmiyecek: ~ **out a scheme**, bir plan hazırlamak. ~ **over**, aşmak, üzerinden geç(ir)mek; atlamak: **I can't ~ over it**, (i) geçemem; (ii) hazmedemiyorum; (iii) hâlâ şaşıyorum: **he can't ~ over his loss**, kaybını unutamıyor: **I shall be glad when I ~ it over**, bu işi bitirsem de kurtulsam: ~ **over one's shyness**, sıkılganlıktan kurtulmak. ~ **round**, gidivermek; dolaşıp geçmek: yayılmak, şayi olm.: **as you ~ round the corner**, köşeyi dönünce: ~ **round s.o.**, birini dil dökerek kandırmak: ~ **round a difficulty**, bir müşkülü yolunu bulup halletmek: ~ **round the law**, hile-i şer'iyesini bulmak: **I'll ~ round this evening if I can**, imkân olursa bu akşam giderim. ~ **through**, geçmek; bitirmek; içinden geçirmek; vasıl olm.; yetişmek: ~ **through to s.o.**, (telefon) birisiyle bağlantı kurmak: ~ **a bill through Parliament**, bir kanunu meclisten geçirmek. ~ **together**, toplamak; biriktirmek; toplanmak, birleşmek. ~ **under**, altına girmek; altından geçmek; hakkından gelmek: ~ **a fire under**, yangın söndürmek. ~ **up**, kalkmak; ayağa kalkmak; (rüzgâr/deniz vb.) artmak, sertleşmek; yükselmek; yukarısına çıkmak, tırmanmak; ayağa kaldırmak; bindirmek: ~ **oneself up**, süslenmek: ~ **oneself up as . . .**, kendine . . . süsü vermek: ~ **up a hill**, bir tepeye çıkmak: ~ **up to mischief**, yaramazlık/şeytanlık yapmak: ~ **up a play, etc.**, bir piyes vb. düzenlemek: ~ **up a shirt**, bir gömleği kolalayıp ütülemek: ~ **up to s.o.**, birine yetişmek: **got up (woman)**, fazla makiyajlı (kadın).

get·-at-able [get'atəbl]. Yaklaşılabilir, erişilir ~**-åway** [-əwey], kaçıp kurtulma: ~ **car**, (hırsız vb.) kaçma arabası. ~**-up** [-ʌp], elbise takımı; yapılış. ~**-up-and-go**, dirilik, canlılık, coşkunluk.

GeV = GIGAELECTRON-VOLT.

gewgaw ['gyugō]. Cicili bicili şey; süslü fakat değersiz şey.

gey [gey] (*İsk.*) Çok.

geyser[1] ['gey-/'gayzə(r)] (*yer.*) Sıcak su fışkırtan pınar, geyzer, kaynarca. ~[2] ['gīzə(r)] (*ev.*) yunak sobası, termosifon.

GG = GOVERNOR-GENERAL.

Ghana ['gānə]. Gana; Altın Kıyısı. ~**ian** [gā'neyən], Ganali.

gharry [gari]. (Yolcu) araba.

ghastly ['gāstli]. Korkunç, müthiş; ölü gibi uçuk benizli. **a ~ light**, soluk ve meşum aydınlık: **a ~ smile**, zoraki ve ölü gibi sırıtma.

Ghazi [gāzi]. Gazi.

gherkin ['gəkin]. Turşuluk hıyar.

ghetto ['getou̯]. Şehirlerde Yahudiler/diğer azınlığa mahsus mahalle.

ghost [gou̯st] *i.* Hayalet, tayf, hortlak. *f.* Birinin namına kitap/nutuk vb.ni yazmak. **the Holy ~**, Ruhulkudüs: **raise a ~**, ruh çağırmak: **lay a ~**, bir cin/ruh kovmak: **be the mere ~ of one's former self**, iğne ipliğe dönmek; eski halinin gölgesi bile olmamak: **not have the ~ of a chance**, en küçük bir umudu olmamak: **give up the ~**, ruhunu teslim etm.: **I haven't the ~ of an idea**, zerre kadar haberim yok. ~**like**, hayalet gibi. ~**ly**, hayalet gibi; ölü gibi; ruhanî. ~**-station**, (*dem.*) kullanılmıyan istasyon. ~**-town**, tamamen terkedilmiş şehir. ~**-writer**, birinin namına kitap/nutuk vb.ni hazırlıyan/yazan kimse.

ghoul [gau̯l]. Leş yediği sanılan gulyabani; zebani; hortlak, cadı; iğrenç şeyleri seven kimse. ~**ish**, hortlak gibi; iğrenç.

GHQ = GENERAL HEADQUARTERS.

ghyll [gil] = GILL[2].

***GI** ['cīay] = GOVERNMENT ISSUE; (*kon.*) er, asker. ~**-bride**, Am. askerinin yabancı gelini.

giant ['cayənt]. Dev; iriyarı. ~**ess**, dişi dev; iriyarı kadın. ~**ism**, (*tıp*) anormal gelişme. ~**like**, dev gibi.

giaour [gyau̯ə(r)] (*Tk.*) Gâvur.

Gib. = GIBRALTAR.

gibber[1] ['gibə(r)] (*Avus.*) Yumru kaya.

gibber[2] ['cibə(r)]. Maymun gibi anlamsız sesler çıkarma(k); çabuk ve anlaşılmaz tarzda konuşma(k): **a ~ing idiot**, ebleh. ~**ish**, abuksabuk sözler.

gibbet ['cibit] *i.* Darağacı. *f.* Asıp öldürmek; gülünç etm., rezil etm.

gibbon ['gibn]. Uzun kollu maymun, jibon.

gibbo·sity [gi'bositi]. Dışbükeylik; şiş, tümör. ~**us** ['gibəs], çıkıntılı, kambur; (ay) dışbükey.

gibe, jibe [cayb]. İstihzalı alay; dokunaklı söz. ~ **at s.o.**, birini istihzalı sözlerle yaralamak.

giblets ['ciblits]. Tavuk vb.nin yüreği/ciğerleri gibi yenir iç kısımları.

Gibraltar [ci'brōltə(r)]. Cebelitarik.

gid [gid] (*zoo.*) Delibaş.

gidd·ily ['gidili]. Başı dönmüş olarak; hoppa bir şekilde. ~**iness**, başdönmesi; hoppalık, hafifmeşreplik. ~**y**, başı dönmüş, sersemlemiş; başdöndürücü; hoppa, terelelli, zevzek: **play the ~ goat**, maskaralık etm.

gift [gift] *i.* Hediye, armağan; Allah vergisi, hüner. *f.* Hediyeler vermek; vakfetmek. **have a ~ for languages**, dile istidadı olm.: **I wouldn't have it as a ~**, bedava verseler almam: **don't look a ~ horse in the mouth**, üzümünü ye de bağını sorma. ~**-certificate/coupon**, satılan eşyalarla verilen kupon/bono. ~**ed**, hünerli, istidatlı.

gig [gig]. Tek atlı fayton; kik; balık zıpkını.

giga- ['caygə-] *ön.* (*mat.*) 10^9; giga-.

gigant·ean [cay'gantiən]. Dev gibi; kocaman. ~**ic**, çok iri, kocaman: ~**ally**, dev bir mikyasta.

giggle ['gigl] (*yan.*) Kıkır kıkır gülme(k); kıkırtı; şımarık şımarık gülme(k).

gigolo ['cigəlou̯]. Jigolo.

gigot ['cigət]. Koyun budu.

gilbert ['gilbət] (*elek.*) Gilbert birimi.

gild[1] = GUILD.

gild[2] [gild]. Yaldızlamak; telleyip pullamak. ~ **the lily**, (*ata.*) mükemmel bir şeyi lüzumsuz yere süslemek: ~ **the pill**, kötü tesirini azaltmak. ~**ed**, yaldızlanmış: **the ~ Chamber**, Lordlar Kamarası: ~ **youth**, sosyeteye mensup zengin gençlik. ~**er**, altın yaldızcı/kaplamacı. ~**ing**, altın yaldızla(n)ma; (*mec.*) gizle(n)me.

gill[1] [gil] *um. ç.* Galsame, solungaç; mantarın altındaki safihalar; sarkık yanak; makine silindirinin kulakları, panjur. **look rosy about the ~s**, sıhhatli görünmek: **look green about the ~s**, keyifsiz/kederli görünmek.

gill[2]. Derin ve ağaçlı dere.

gill[3] [cil]. Ufak bir mayi ölçüsü.

Gill[4]. Kız; sevgili.

gillie ['gili] (*İsk.*) Av uşağı.

gillion ['cilyən]. Bin milyon, milyar.

gillyflower ['ciliflauə(r)]. Karanfil; *bazan* şebboy.

gilt[1] [gilt]. Genç dişi domuz.

gilt[2] *i.* Altın yaldız. *s.* Yaldızlı. ~**-edged**, kenarı yaldızlı (kitap vb.); (*mal.*) sağlam: ~ **securities**, itimada şayan esham/tahvilat. ~**-head**, bir çeşit deniz balığı. ~**s** = ~-EDGED SECURITIES.

gimbals ['gimbəls] (*den.*) Yalpa çemberleri.

gimcrack ['cimkrak]. Mezat malı; derme çatma; cicibici; değersiz süslü şey.

gimlet ['gimlit]. Ağaç delgi/kılavuz/matkap/burgusu; saplı/salyangoz delgi. ~**-eyed**, keskin gözlü.

gimmick ['gimik] (*arg.*) Reklam için kullanılan özel hüner/resim/cihaz vb.

gimp [gimp]. Sırmalı şerit, kaytan; tel sarılı olta ipi.

gin[1] [cin] *i.* Kapanca; tuzak; çırçır. *f.* Pamuğu çırçır ile tohumdan ayırmak.

gin[2] *i.* Ardıç suyu, cin.

gin[3] (*Avus.*) Asil yerli kadın.

ginger ['cincə(r)] *i.* Zencefil; (*mec.*) gayret. *s.* Zencefilli; kızıl (saç); (*mec.*) etkinci. *f.* ~ **up**, gayret vermek, canlandırmak. ~**-ale**, zencefilli gazoz. ~**-beer**, zencefil şurubu. ~**bread**, zencefilli kek/kurabiye: **take the gilt off the ~**, bir şeyin en çekici tarafını çıkarmak. ~**-group**, (*id.*) etkinciler grubu. ~**ly**, ihtiyatla; çekinerek: **tread/walk ~**, pek dikkatli yürümek; ayağını denk almak. ~**-nut/-snap**, zencefilli kurabiye. ~**-wine**, zencefilli likör. ~**y**, zencefilli; atılgan, çabuk öfkelenir; kızıl (saç).

gingham ['gin(g)gəm]. Çubuklu/damalı bir nevi pamuk bezi; (*mer.*) şemsiye.

gingiv·al [cin'cayvl]. Dişetine ait. ~**itis** [-ci'vaytis], dişeti iltihabı.

ginglymus ['cinglimәs] (*tıp.*) Tek menteşeli mafsal.

***gink** [gin(g)k]. Tuhaf/acayip bir herif.

gin·-palace [cin'paləs]. Pek gösterişli meyhane. ~**-rummy**, bir iskambil oyunu. ~**-sling**, cinli bir içki.

gipp·o ['cipou] (*ask. arg.*) Çorba, aşçı; (*köt.*) = EGYPTIAN. ~**y**, (*ask. arg.*) = EGYPTIAN: ~**-tummy**, (*kon.*) hafif bir ishal.

gipsy, gypsy ['cipsi] *i.* Kıptı; çingene; Kıptı dili. *s.* Kıptı+; çingene+. *f.* Çingene gibi yaşamak. ~**dom**, çingenelik; çingene diyarı. ~**fied**, çingeneleşmiş. ~**hood**, çingenelik. ~**ish**, çingene gibi. ~**ism**, çingene deyim/usulü. ~**-moth**, zikzak kelebeği.

giraffe [ci'rāf]. Zürafe.

girandole ['cirəndoul]. Dönen fişek; fıskıye; kollu şamdan; küçük taşlarla sarılmış büyük taşlı küpe.

girasole ['cirəsol]. Parlak ve kırmızımsı bir aynüşşems, opal.

gird[1] (*g.z.(o.)* ~**ed**, (*mer.*) **girt**) [gəd(id), gət] (*şiir.*) Sarmak, kuşatmak. ~ **up one's loins**, eteğini beline bağlamak: ~ **oneself for the fray**, mücadeleye hazırlanmak.

gird[2]. ~ **at s.o.**, biriyle alay etm.

girder ['gədə(r)]. Taban; kiriş. **box ~**, sandık kiriş: ~ **bridge**, kirişli köprü.

girdle[1] [gədl] *i.* Kemer; kuşak. *f.* Kuşak bağlamak; kuşatmak.

girdle[2]. Pide sacı. ~**-cake**, bir nevi saç pidesi.

girl [gəl]. Kız. **one's best ~/~ friend**, sevgili. ~**-guide**, kız izci. ~**hood**, kızlık çağı. ~**ie**, kızcık. ~**ish**, genç kız gibi.

giro ['cayrou] (*mal.*) Havale, ciro, nakil, geçirme, değişim: **national ~**, postanelerden işlenen bankacılık servisi.

giro- [cayro-] *ön.* = GYRO-.

girt [gət] *g.z.(o.)* = GIRD[1].

girt(h) [gət, gəθ]. Kolan; (ağaç/bel) çevre ölçüsü.

gist [cist]. Meal, öz; meselenin esası; hulâsa, özet.

git [git] (*arg.*) Değersiz bir kimse.

give[1] [giv] *i.* Esneklik.

give[2] (*g.z.* **gave**, *g.z.o.* **given**) [giv, geyv, givn] *f.* Vermek, bağışlamak; nasip etm.; açılmak, esnemek; çözülmek; çökmek, eğilmek. ~ **(a laugh/shout, etc.)**, gülmek, bağırmak vb.: ~**stg. to s.o./s.o. stg.**, birine bir şey vermek: ~ **it (to) s.o.**, onu birine vermek; (*arg.*) birini haşlamak: ~ **as good as one gets**, taşı gediğine koymak: **the frost is giving**, don çözülüyor: **I ~ you our host**, (kadeh kaldırırken) ev sahibinin şerefine!: **we must ~ ourselves an hour to get there**, oraya kadar yolu bir saat hesap etmeliyiz: ~ **one to think**, düşündürmek: **the window ~s upon the road**, pencere sokağa bakıyor: ~ **way**, kopmak, çökmek; teslim olm.: ~ **way to**, -e kapılmak; -e teslim olm.; -in fikrini vb. kabul etm.; -e yol vermek: ~ **s.o. what for**, (*arg.*) birine dünyanın kaç bucak olduğunu göstermek. ~ **away**, bağışlamak; elinden çıkarmak; ifşa etm.; ele vermek: ~ **away the bride**, hıristiyanlarca nikâh töreninde kızı resmen kocasına vermek: ~ **s.o. away**, birini ele vermek: ~ **oneself away**, foya vermek, foyası meydana çıkmak: ~ **the show away**, boşboğazlık etm., bir sırrı ifşa etm. ~ **back**, geri vermek; iade etmek. ~ **forth**, çıkarmak; yaymak; hâsıl etm. ~ **in**, teslim olm. ~ **off**, çıkarmak, yaymak, neşretmek. ~ **out**, işaa etm.; ilân etm., neşretmek; yaymak, dağıtmak; tükenmek, bitmek, kalmamak. ~ **over**, teslim etm.; havale etm.; vazgeçmek. ~ **up**, terketmek; teslim etm.; vazgeçmek; bırakmak; vermek; ele vermek: **I ~ it up!**, benden pes, benden paso: **I had given you up**, geleceğinizden umudu kesmiştim: ~ **oneself up**, teslim olm.; kendini polise teslim etm.: ~ **oneself up to sport, etc.**, kendini spor vb.ne vermek: ~ **up a game**, bir oyunu bırakmak, artık oynamamak: ~ **up the game/struggle**, mücadele vb.den vazgeçmek: ~ **up a patient**, bir hastadan umut kesmek.

give·-and-take [giv-n-teyk]. Karşılıklı fedakârlık; mukabele. ~**-away**, (*arg.*) (bır sırrı) ifşa etme; (fırsat vb.) boşa harcama.

given [givn] *g.z.o.* = GIVE[2]. *s.* Muayyen; belirli, kesin; malûm; müptelâ, düşkün, mütemayil: **at a ~ time**, belirli bir zamanda: **in a ~ time**, belirli bir zaman içinde: ~ **to drink**, içkiye müptelâ: **I am not ~ that way**, ben böyle bir adam değilim: * ~ **name**, ad.

giving ['givin(g)]. ~ **on to . . .**, -ye bakan/nazır.
gizzard ['gizəd]. Kuşların 'katı'/'taşlık' denilen midesi; börkenek.
Gk = GREEK.
glabrous ['glabrəs]. Tüysüz, dümdüz.
glacé ['glase] (*Fr.*) Parlak, glase.
glaci·al ['gleysiəl]. Glasiye/buzula ait; buz gibi. ~**ate** [-sieyt], dondurmak, buzullaşmak. ~**ation** [-'eyşn], buzullaşma. ~**er** ['glasiə(r)], buzul, glasiye. ~**ne** [-sīn], bir çeşit selofan. ~**ologist** ['gleysioləcist], buzul uzmanı. ~**ology**, buzul bilimi. ~**s** ['glasis] (*ask.*) sahra şevi, eğinti.
glad [glad]. Memnun. **I am very ~ of it**, ondan pek memnunum: **I shall be only too ~ to help you**, size memnuniyetle yardım ederim: **I should be ~ of some help**, bir az yardım eden olursa memnun olurum. ~**den** [-n], sevindirmek; memnun etm.
glade [gleyd]. Ormanda ağaçsız yer; alan; orman açıklığı, kayran.
glad·-eye ['gladay] (*kon.*) Dostça bir bakış. ~**-hand**, (*kon.*) coşkun karşılama.
gladiat·e ['gladieyt]. Kılıç şekli. ~**or** [-eytə(r)] (*tar.*) insan/vahşi hayvanlarla dövüşen pehlivan; gladyatör: ~**ial** [-iə'tōriəl], bu pehlivanlara ait.
gladiolus [gladi'ouləs]. Kuzgunkılıcı, glayöl.
glad·ly ['gladli]. Memnuniyetle. ~**ness**, memnuniyet, sevinç. ~**some**, neşeli, memnun, mutlu.
gladstone ['gladstən]. Bir çeşit deri çanta; dörttekerlekli bir araba.
glair [gleə(r)] *i.* Yumurta akı; onunla yapılan yapışkan madde. *f.* Bu maddeyi sürmek.
glaive [gleyv] (*şiir.*) Kılıç.
Glam(organshire) [glə'mōgənşə]. Brit.'nın bir kontluğu.
glamo·ur ['glamə(r)]. Sihir, cazibe; parlaklık; şan. ~**rize** [-rayz], cazibeli/parlak haline koymak. ~**rous**, sihirli, cazibeli; parlak.
glance [glāns] *i.* Kısa bakış. *f.* Bakıvermek; şöyle bir bakmak; hafifçe vurup sekmek; kaymak. ~ **at**, -e bir bakmak: ~ **aside/off**, (kurşun) sekmek; (kılıç vb.) sıyırmak: ~ **through/over a document, etc.**, bir yazı vb.ne şöyle bir göz gezdirmek.
gland[1] [gland] (*tıp.*) Bez, gudde.
gland[2] (*müh.*) Salmastra: ~ **box**, salmastra kovanı.
glander·s ['glandəz]. Ruam, sakağı. ~**ed**, ruamlı.
glandi·ferous [glan'difərəs]. Meşe palamutlu. ~**form**, palamut şeklinde.
glandul·ar ['glandyulə(r)]. Gudde gibi, guddeye ait; guddeli, bezel. ~**e** [-yūl], küçük gudde/tümör.
glans [glanz] (*tıp.*) Kamış başı.
glar·e [gleə(r)] *i.* Kamaştırıcı ışık; devamlı ve dargın bakış. *f.* Ters ters bakmak; parıldamak. **in the full ~ of the sun**, güneşin alnında: **in the ~ of publicity**, âlemin gözü önünde. ~**ing**, göz kamaştırıcı; apaçık; göze batar; çiğ renkli; örtülmez, inkâr edilemez.
Glasgow ['glasgou]. İsk.'da büyük ticaret şehri.
glass [glās]. Cam, sırça; bardak, kadeh; dürbün; barometre; ayna. **burning ~**, pertavsız: **cupping ~**, hacamat şişesi: **cut ~**, billûr, kristal, elmastıraş: **drinking ~**, bardak: **eye-~(es)**, gözlük(ler): **field ~(es)**, (çifte) dürbün: **frosted/ground ~**, buzlu cam: **graduated ~**, taksimatlı şişe/boru: **looking ~**, ayna: **magnifying ~**, pertavsız: **plate ~**, dökme cam, ayna camı: **pyrex ~**, (*M.*) ateşe dayanır cam: **reading ~**, pertavsız: **spy ~**, tek dürbün: **stained ~**, boya/renkli cam: **weather ~**, barometre: ~**es**, gözlük; çifte dürbün: **the ~ is falling**, barometre düşüyor: **have a ~ too much**, çakırkeyif olm.: **grown under ~**, limonlukta yetiştirilmiş: **those who live in ~ houses should not throw stones**, sırça evde oturan komşusuna taş atmaz: **wear ~es**, gözlük kullanmak. ~**-blower**, cam üfleyici. ~**-bulb**, ampul. ~**-case**, camekân, vitrin. ~**-cutter**, camcı kalemi; elmastıraş. ~**-eye**, cam/takma göz. ~**-fibre**, cam lif/pamuğu. ~**fish**, kavanoz balığı. ~**ful**, bardak dolusu. ~**house**, cam fabrikası; ser, limonluk; camlı köşk; (*ask., arg.*) askerî cezaevi. ~**-like**, camsı. ~**-paper**, cam/zımpara kâğıdı. ~**-snake**, külrengi kör yılansı. ~**ware** [weə(r)], cam eşya, zücaciye, sırça.
Glaswegian [glas'wīciən]. Glasgow şehirlisi.
glass·wool ['glaswul]. Cam lif/pamuğu. ~**works**, cam fabrikası. ~**y**, cam gibi; camlı; ayna gibi.
glauc·oma ['glōkoumə]. Karasu; glokom. ~**ous** [-kəs], donuk yeşil/mavi; dumanlı (erik vb.).
glaz·e [gleyz] *i.* Sır, perdah. *f.* Cam geçirmek/takmak; sırlamak; cilâlamak, perdahlamak; (göz) bulanmak. ~**ed**, camlı; perdahlı; cilâlı; sırlı; bulanık: **double-~**, çift camlı (pencere). ~**er**, perdahcı. ~**ier**, camcı: ~**'s diamond**, elmastıraş: ~**y**, camcılık. ~**ing**, cam tak(ıl)ması, camcı işi; sır-/perdahlama: **double ~**, (pencere) çift cam sistemi. ~**y**, sır/perdah gibi; parlak; donuk (göz).
GLC = GREATER LONDON COUNCIL.
gleam [glīm] *i.* Geçici ve hafif parıltı; şua, ışın. *f.* Parıldamak; ışık vermek. **a ~ of hope**, bir umut parıltısı.
glean [glīn]. Hasattan sonra yerde kalan başakları toplamak; (haberler) toplamak. ~**er**, başakçı. ~**ing**, başaklar toplanması: ~**s**, muhtelif haberler.
glebe [glīb]. Mahalle papazlığına mülhak olan arazi; (*şiir.*) arazi, toprak.
glee [glī]. Sevinç; bir kaç sesle söylenen şarkı. ~**-club**, bu şarkıları söyliyen dernek. ~**ful**, sevinçli. ~**man**, (*mer.*) saz şairi.
glen [glen]. Küçük vadi.
glengarry [glen'gari] (*İsk.*) Bir çeşit kasket.
glenoid ['glenoyd]. Oyuklu (kemik).
glib [glib] (*köt.*) Cerbezeli; dil döken. ~**ly**, cerbezeli olarak. ~**ness**, cerbeze, çeviklik.
glide [glayd]. Kayma(k); (kuş) kanatlarını kımıldatmadan uçma(k); (uçak) motörü işletmeden inme(k), süzülmek; (ses) titremek. ~**-angle/-path**, süzülüş açı/yolu. ~**-bomb**, kanatlı bomba. ~**r**, planör.
glim [glim] (*mer.*) Işık; mum. ~**mer**, donuk ışık (yaymak); görünür görünmez aydınlık: **a ~ of hope**, umut parıltısı.
glimpse [glimps] *i.* Süreksiz bakış. *f.* ~**/catch a ~ of**, bir an için görmek.
glint [glint] *i.* Parlaklık; ışın; parıltı. *f.* Parıldamak.
glioma [glay'oumə]. Beyin tümörü, gliyom.
glissade [gli'sād]. Karlı dik bayırda kayma(k); (dans) kayarcasına ilerleyiş.
glisten ['glisn]. Parlama(k).
glister ['glistə(r)]. Parlama(k); parıltı.
glitter ['glitə(r)] *i.* Parıltı, ışıltı. *f.* Parıldamak; kıvılcım saçmak. **all that ~s is not gold**, her parlıyan altın değildir. ~**ing**, parıldıyan, gösterişli; cazibeli.
gloaming ['gloumin(g)]. Akşamın alaca karanlığı.

gloat [gloʊt]. Şeytanî bir haz göstermek. ~ **on/over**, -i şeytanî bir hazla seyretmek; -i görünce oh demek. ~**ing**, sevinçli.

glob·al ['gloʊbl]. Âlemşümul; genel, umumî; (*mat.*) toplu. ~**e**, yuvarlak, küre; yer yuvarlağı, dünya; mücessem küre; lamba karpuzu, ampul: ~-**artichoke**, enginar: ~-**fish**, fahaka, dört-dişli balık: ~-**trotter**, dünya turu yolcusu; dünyanın dört bucağına yolculuk eden kimse. ~**ose** [-'boʊs], küre şeklinde. ~**ular** ['globyulə(r)], küre şeklinde, yuvarlak. ~**ule**, kürecik, yuvarcık, globül; damla. ~**ulin**, globülin.

glochidiate [glo'kidieyt]. Dikenli.

glomer·ate ['glomәreyt]. Kümelenmiş, sıkı top halinde. ~**ation** [-'reyşn], kümelenme; yığın, birikinti. ~**ule** [-rūl] (*bot.*) yumakçık.

gloom [glūm] *i.* Karanlık, zulmet; hüzün, yeis; sıkıntı. *f.* Kararmak; meyus olm.; surat asmak. **cast a ~ over the company**, toplantıya kasvet vermek. ~**iness**, karanlık; mahzunluk. ~**y**, loş; kapanık; kederli, endişeli; kasvetli; hüzün verici: **see the ~ side of things**, her şeyi kötü tarafından görmek.

glori·a ['glōriə]. Hamt dua/ilâhisi. ~**fication** [-ifi'keyşn], yüceltme, mübalağalı övme. ~**fied** [-fayd], yüceltilmiş; (*kon.*) şişirilmiş, gözde büyütülmüş. ~**fy** [-fay], yüceltmek; aşırı derecede övmek; büyüklük atfetmek. ~**ole** [-oʊl], hale; nur dairesi. ~**ous** [-riəs], şanlı, parlak: **a ~ day**, günlük güneşlik bir gün: **have a ~ time**, fevkalade eğlenmek/vakit geçirmek.

glory ['glōri] *i.* Şan; seref; debdebe; parlaklık; şöhret. *f.* Çok sevinmek, övünmek. ~ **in**, -le iftihar etm.: **cover oneself with ~**, şan kazanmak: ~ **be to God!**, hamdolsun, elhamdülillah!: ~ **be!**, Allah! Allah!; maşallah!: **go to ~**, (*kon.*) mahvolmak; harap olm.: **be in one's ~**, en mükemmel halinde olm.; fevkalade haz ve memnuniyet içinde olm.; hayranlariyle çevrilmiş olm.: **Old ~**, Birleşik Amerika bayrağı. ~-**box**, (*Avus.*) çeyiz sandığı. ~-**hole**, (*arg.*) karmakarışık oda/dolap vb.

Glos. = GLOUCESTERSHIRE.

gloss[1] [glos] *i.* Parlaklık; cilâ, perdah, vernik. *f.* Parlatmak; cilâlamak. **put a ~ on the truth**, hakikati örtmek: ~ **over a fault**, bir kusuru örtmek/çevirmek.

gloss[2]. Şerh(etmek), haşiye (yazmak), açıklama(k).

gloss·al ['glosәl] (*dil., tıp.*) Dile ait. ~**ary**, eski/nadir sözleri yorumlıyan küçük sözlük. ~**ator** [-'seytə(r)], şerh yazan. ~**ectomy** [-'sektәmi], dil ameliyatı. ~**eme** [-sīm] (*dil.*) anlamlı parça. ~**itis** [-'saytis], dil iltihabı. ~**o-**, *ön.* dil+: ~**lalia** [-'leyliə], dil uydurma: ~**logy**, dil bilgisi. ~**y**, parlak, perdahlı; saten gibi: ~ **magazine**, pahalı resimli dergi.

glott·al [glotl]. Mizmarî: ~-**stop**, hemze. ~**is**, gırtlakdili, mizmar. ~**ology** [-'tolәci] (*mer.*) dil bilgisi.

Gloucester ['glostə(r)]. Bir nevi sert peynir. ~**shire** [-şə(r)], Brit.'nın bir kontluğu.

glove [glʌv] *i.* Eldiven. *f.* Eldiven giydirmek. **fit like a ~**, tıpatıp uymak: **put on the ~s**, boks etm.: **throw down the ~**, meydan okumak: **take up the ~**, mücadeleyi kabul etm.: **take off the ~s/handle s.o. with the ~s off**, merhametsizce davranmak. ~-**box/-compartment**, eldiven kutusu; (*nük.*) eldivenli kapalı hücre; (*oto.*) panodaki (kapaklı) eldiven gözü. ~-**puppet**, ele giyilen kukla. ~**r**, eldivenci.

glow [gloʊ] *i.* Kızıl parıltı; kızıllık; kızarma; hararet, sıcaklık; yüzü yanma. *f.* Parıldamak, parıltı ile yanmak; yüzü yanmak; içine ateş basmak. **in a ~**, vücut/yüzü hararetlenmiş/ısınmış: **he ~ed with pleasure**, sevinç/zevkten gözleri parladı: **in the first ~ of enthusiasm**, ilk heyecanın verdiği ateşle: ~**ing with health**, yanaklarından kan damlıyarak: **speak in ~ing terms of ...**, birini göklere çıkarmak; ballandıra ballandıra anlatmak.

glower ['glaʊә(r)]. Yiyecekmiş gibi bakma(k).

glow·ing ['gloʊin(g)]. Kıpkırmızı kesilmiş; şevkli, hararetli; kızarmış: **a ~ account of...**, -in lehine şevkli bir anlatış: = GLOW. ~-**lamp**, kızıl yanan lamba. ~-**worm**, ateş böceği.

gloxinia [glok'siniə]. Gloksinya.

gloze [gloʊz]. ~ **over stg.**, bir şeyin kusurunu örtmek için hafifçe temas edip geçmek.

glucinum [glū'saynәm]. Glüsinyum, berilyum.

gluco- [glūko-] *ön.* Glüko-; şekere ait. ~**se** [-koʊs], üzüm şekeri, glikoz.

glue [glū] *i.* Tutkal; yapıştırıcı. *f.* Tutkallamak, yapıştırmak. ~-**pot**, tutkal tavası. ~**y**, tutkallı, yapışkan.

glum [glʌm]. Somurtkan, asık suratlı; süngüsü düşük.

glum·aceous/~**al** [glū'meyşәs, -ml] (*bot.*) Zarflı; zarfa ait. ~**e** [glūm], buğday vb. tanenin zarfı; hasale, kavuz.

glum·ly ['glʌmli]. Somurtkan olarak. ~**ness**, somurtkanlık.

glumous [glūmәs] (*bot.*) Zarflı.

glut [glʌt] *i.* Fazla bolluk; furya. *f.* Ziyadesiyle doyurmak; fazla malla piyasayı boğmak.

glute·al ['glūtiəl]. Kıç kaslarına ait. ~**eus** [-iəs], kıç kasları.

glut·en ['glūtn]. Glüten. ~**inous**, glütenli; lüzucetli, yapışkan.

glutton[1] ['glʌtn]. Obur, pisboğaz, yiyici: **he is a ~ for work**, inek gibi çalışıyor. ~**ous**, obur gibi, boğazlı. ~**y**, oburluk, yiyicilik.

glutton[2]. Sansargillerden biri (*gulo gulo*); kutup porsuğu (?).

glycer·in(e)/~**ol** [glisәrin, -rol]. Gliserin.

glyco- [gliko-, glayko-] *ön.* Gliko-. ~**gen**, glikojen. ~**l**, glikol. ~**suria** [-'sūriə], idrarda glikoz bulunması.

glyph [glif] (*mim.*) Oyuklu yiv, glif; oyma/kabartma şekil. ~**ograph** [-ograf], oymalı klişe.

glyptic [gliptik]. Taşkazıma/mühür oymaya ait: ~**s**, taşkazıma, oymacılık.

gm. = GRAM(ME).

GM = GEORGE MEDAL; GRAND MASTER; GUIDED MISSILE.

***G-man** ['cīman] = GOVERNMENT-MAN; (*arg.*) polis hafiyesi.

GM·C = GENERAL MEDICAL COUNCIL. ~**T** = GREENWICH MEAN TIME.

gnarled [nāld]. Boğumlu, budaklı, pürüzlü; çarpık çurpuk.

gnash [naş]. ~ **the teeth**, dişlerini gıcırdatmak.

gnat [nat]. Sivrisinek. **strain at a ~ and swallow a camel**, küçük bir kabahati mesele yaptığı halde büyük bir kusura göz yummak.

gnath·ic ['naθik]. Çeneye ait. -~**ous**, *son.* -çeneli.

gnaw [nō]. Kemirmek. **the ~ings of hunger**, açlıktan kıvranma.

gnd = GROUND.

gneiss [(g)nays]. Gnays.

gnom·e[1] [noum]. Bir çeşit cüce cin; (*köt.*) milletlerarası para piyasasındaki banker/maliyeci: **~ish**, cüce/cin gibi.

gnom·e[2]. Vecize, hikmet, mesel. **~ic**, vecizeye ait.

gnomon ['noumon]. Güneş saati/basita mili. **~ics**, güneş saati kuramı.

gnos·is ['nousis]. Ruhanî/manevî bilgi. **~tic** ['nostik], (ruhanî) bilgiye ait; **Gnosticism** denilen tarikate mensup; sufi, gizli.

GNP = GROSS NATIONAL PRODUCT.

Gnr. = GUNNER.

gns. = GUINEAS.

gnu [nū]. Gnu.

go[1] (*g.z.* **went**, *g.z.o.* **gone**) [gou, went, gon] *f.* Gitmek; yürümek; olmak; geçmek. [...**-ing** *ile biten fiil şekillerinin başında* 'gidip yapmak' *anlamına gelir, mes.*: **~ shopping**, alış verişe gitmek: **~ hunting**, avlanmağa gitmek.] **who ~es there?**, kimdir o?: **it ~es without saying that ...**, ... bedihi/belli/apaçıktır: **make things ~**, işleri yürütmek: **now don't ~ thinking that I am your enemy**, benim sana düşman olduğum fikrini aklından çıkar: **I can't make it any better, so let it ~**, bundan iyisini yapamam, olduğu gibi kalsın: **six months gone with child**, altı aylık hamile. **~ about**, gezmek, dolaşmak; (*den.*) tiramola etm.; dönmek: **~ about one's work**, işine gücüne devam etm.: **I'll show you how to ~ about the job**, bu işin nasıl yapılacağını size gösteririm. **~ against**, karşı gitmek: **his appearance ~es against him**, görünüşü onun lehinde değildir. **~ back**, geri gitmek; dönmek: **~ back to the Flood**, kalubelâdan kalmak: **his family ~es back to the Conquest**, ailesi fethe (Norman istilâsına) kadar çıkar: **~ back on a promise/one's word**, sözünden dönmek: **~ back on a friend**, bir arkadaşına ihanet etm. **~ before**, önünde gitmek; takaddüm etm. **~ behind**, arkada gitmek; içyüzünü aramak. **~ by**, geçmek: **don't let this chance ~ by!**, bu fırsatı kaçırma!: **~ by the directions**, talimata göre hareket etm.: **~ by appearances**, görünüşe göre hükmetmek: **that's nothing to ~ by**, buna dayanılarak bir şey yapılamaz. **~ down**, inmek; batmak; zeval bulmak: **the tyre has gone down**, lastik söndü: **the swelling has gone down**, şiş azaldı: **~ down from the University**, üniversiteyi bitirmek; tatil için üniversiteden ayrılmak: **that won't ~ down with me**, ben bunu yutmam; bu bana uymaz: **the speech went down well**, nutuk iyi etki yaptı: **he has gone down in the world**, vaktiyle ne günler görmüştür; çok düştü: **~ down to the country**, Londra/şehirden ayrılmak: **~ down to posterity**, ebediyete intikal etm. **~ for**, gidip aramak; hücum etm., saldırmak: **someone ought to ~ for the doctor**, birisi doktor çağırsın. **~ forward**, ileri gitmek: (*den.*) geminin ön kısmına gitmek: **what is ~ing forward?**, ne oluyor? **~ in**, girmek; eve girmek; (güneş) örtülmek: **~ in for stg.**, bir şeye meraklı olm.; bir şeyi âdet edinmek; bir mesleğe girmek: **~ in for a car**, bir otomobil alıp kullanmak: **~ in for an exam.**, bir imtihana girmek: **~ in with s.o. for an undertaking**, birisiyle beraber bir işe girişmek: **~ in and win!**, haydi bakalım, talihiniz açık olsun! **~ into**, girmek; girişmek; tetkik etm.: **~ into second gear**, ikinci vitese girmek. **~ off**, hareket etm., ayrılmak; geçmek; zeval bulmak; fenalaşmak, bozulmak: **everything went off well**, her şey iyi geçti/oldu: **(horse) ~ off its feed**, (at) iştahı kapanmak. **~ on**, devam etm.; ileri gitmek; vukubulmak; geçmek: **~ on!**, devam et!; haydi canım!; ileri git!: **~ on with stg.**, bir şeye devam etm.: **~ on at s.o.**, birinin başının etini yemek; birini durmadan kabahatli bulmak: **what's ~ing on here?**, burada ne oluyor?: **I have enough to ~ on with**, şimdilik yanımdaki kâfidir: **he is ~ing on for fifty**, ellisine yaklaşıyor: **I don't like the way he is ~ing on**, gidişini beğenmiyorum: **this has been ~ing on for years**, bu yıllarca devam edegelmiştir. **~ out**, dışarıya gitmek; çıkmak; sokağa çıkmak; sönmek: **he ~es out teaching**, evlerde özel ders veriyor. **~ over**, üzerinden geçmek; aşmak: **~ over an account**, hesabın üzerinden geçmek: **~ over a house**, bir evi gezmek/iyice dolaşıp görmek: **~ over the ground**, araziyi keşfetmek/keşfe çıkmak; bir sahada çalışmak: **~ over to the enemy**, düşman tarafına geçmek: **~ over stg. in one's mind**, bir şeyi tekrar tekrar düşünmek; zihninden geçirmek. **~ round**, dolaşmak; dönmek; deveran etm.: **there is not enough to ~ round**, bu herkese yetişmez. **~ through**, içinden geçip ötesine çıkmak; işlemek, ötesine geçmek; çekmek, uğramak; okuyup mutalaa/teftiş etm.: **the bill has gone through**, kanun tasarısı kabul edildi: **~ through (clothes)**, (elbiseler) çabuk eskitip yıpratmak: **the deal did not ~ through**, pazarlık uymadı: **the book has gone through three editions**, kitap üç defa basıldı: **~ through a fortune**, bir serveti yiyip bitirmek: **you don't know what I've gone through!**, başıma geleni sorma!: **~ through s.o.'s pockets**, birinin ceplerini aramak: **~ through with stg.**, bir şeyi bitirinceye kadar ayrılmamak: **we've got to ~ through with it**, sonuna kadar dayanmalıyız/devam etmeliyiz. **~ under**, altından geçmek; batmak; altta kalmak, yenilmek; mahvolmak. **~ up**, çıkmak; yükselmek; fiyatı yükselmek; patlamak: **~ up a form**, sınıfını geçmek: **~ up to town**, (taşradan) Londra/şehre gitmek: **~ up to the University**, üniversiteye gitmek: **~ up in flames**, tutuşup mahvolmak: **~ up to a person**, birine yaklaşmak, sokulmak.

go[2] *i.* Gitme; gidiş; ataklık, canlılık: **all/quite the ~**, modada, rağbette: **have a ~ at stg.**, bir şeyle ugraşmak/çalışmak: **here's a (rum) ~!**, durum çok tuhaf!: **it's no ~**, hiç bir şey yapılamaz: **it's your/his ~**, (*sp.*) nöbet/sıra sizin/onundur: **make a ~ of stg.**, bir işi başarmak; bir işte muvaffak olm./kazanç elde etm.: **that was a near ~!**, dar kurtulduk!: **there's no ~ in him**, cansızdır, hiç ugraşmıyor: **always on the ~**, daima harekette.

goad [goud] *i.* Üvendire, gönder. *f.* Üvendire ile dürtüp yürütmek; dürtüp tahrik etm. **~ s.o. on**, dürtmek, teşvik etm.

go-ahead ['gouəhed]. Müteşebbis; girgin, cerbezeli. **~ism** [-'hedizm], teşebbüs, girişme; girginlik, cerbeze.

goal [goul]. Hedef, gaye; (*sp.*) gol, kale. **score a ~**, gol atmak. **~-keeper**, golcu, kaleci. **~-line/-net/-post**, kale çizgi/ağ/direği.

goanna [gou'anə] (*Avus.*) Büyük bir varangil kertenkelesi.
go-as-you-plaese [gouəzyu'plīz]. Serbest; rasgele; gelişi güzel.
goat [gout]. Keçi; ahmak: **billy/he** ~, teke, erkeç: **nanny** ~, dişi keçi: **get s.o.'s** ~, (*arg.*) birini sinirlendirmek: **play the** ~, enayilik etm., budalaca davranmak. ~**ee**, çene ucundaki küçük sakal. ~**herd**, keçi çobanı. ~**ish**, keçi gibi; ağır ve pis kokulu; şehvete düşkün. ~**skin**, keçi derisi; tulum. ~**sucker**, çobanaldatan.
gob [gob] *i.* Sümüklü bir parça pıhtı; (*arg.*) ağız; *deniz eri. *f.* Tükürmek. **shut your** ~!, (*arg.*) sus!, ağzını kapat! ~**bet** [-'bit], parça (et, vb.).
gobble[1] ['gobl] *f.* Çabuk ve şapırdatarak yemek, çalakaşık yemek.
gobble[2] *f.* (*yan.*) Hindi gibi ses çıkarmak. * ~**degook** [-digūk] (*arg.*) şatafatlı resmî dil. ~**r**, baba hindi.
Gobelin ['goblin]. ~ **tapestry**, duvar halısı.
go-between ['goubitwīn]. Aracı, arabulucu.
goblet ['goblit]. Kadeh.
goblin ['goblin]. Çirkin ve cüce cin.
gobo ['goubou] (*sin.*) Işık örtüsü; ses saptırıcısı.
goby ['goubi]. Kayabalığı(gil); akın/hurma/salyangoz kayası. **black/red** ~, kömürcin/tekir kayası.
go·-by ['goubay]. **give s.o. the** ~, birine önem vermemek; birini atlatmak. ~**-cart**, bir/iki çocuk taşıyan el arabası.
GOC(-in-C) = GENERAL OFFICER COMMANDING (-IN-CHIEF).
god[1] [god]. İlâh, tanrı, mabut; put. ~ **of love/blind** ~, Küpit: ~ **of the sea**, Neptün, Posidon: ~ **of war**, Merih: ~ **of wine**: Baküs: ~ **of this world**, İblis, Şeytan: **household** ~**s**, ev mabutları; (*mec.*) evde çok kıymetli sayılan eşya: **ye** ~**s and little fishes!**, *büyük hayret nidasi*; aman Yarabbi!: **a feast/sight (fit) for the** ~**s**, pek mükellef bir ziyafet/manzara: **make a little(tin)** ~ **of s.o.**, birine nerede ise tapmak: **the** ~**s**, (*tiy.*) paradi(de oturanlar).
God[2]. Allah, Tanrı, Cenabı Hak. ~ **bless me/my soul!**, Allah Allah!: ~ **forbid!**, haşa!, Allah göstermesin!: ~ **save the Queen!**, yaşasın Kraliçe!; İng.'nin millî marşı: ~ **willing**, Cenabı Hak isterse, inşallah: ~ **wot**, (*mer.*) Allah bilir: **by** ~, vallahi billâhi: **for** ~**'s sake**, Allahaşkına: **good** ~!, aman Yarabbi!: **in** ~**'s name**, Bismillah: **it's** ~**'s truth**, asıl hakikat budur: **so help me** ~, (*huk.*) (yemin ederek) Allahın yardımıyle: **thank** ~!, hamdolsun, çok şükür; Allaha şükür: **would to** ~, Allah vere de: **act of** ~, (*huk.*) = ACT[1]: ~**'s acre**, mezarlık: *~**'s own country**, Amerika Birleşik Devletleri. ~**child/-daughter/-son**, vaftiz (kız/erkek) çocuğu. ~**dess** [-is], tanrıça. ~**-father/-mother/-parent**, vaftiz baba/annesi. ~**-fearing**, dindar, dürüst. ~**-forsaken**, Allahın belâsı: **a** ~ **spot**, cehennemin dibi. ~**head**, ülühiyet: **the** ~, Allah. ~**less**, tanrısız, imansız. ~**like**, ilâhî; Allah gibi. ~**liness**, dindarlık. ~**ly**, dindar, tanrısal; sofu. ~**-mother/-parent** = ~-FATHER.
go-down ['goudaun]. (Çin'de) ambar.
god·send ['godsend]. Beklenmiyen niyet, define, düşeş; Allahın gönderdiği (Hızır gibi yetişen) şey. ~**ship**, Allah/ilâhın niteliği. ~**son** = ~CHILD. ~**speed**, **bid/wish s.o.** ~, birini uğurlamak, 'yolculuğunuz hayırlı olsun' demek.
godwit ['godwit]. Kıyı çulluğu: **black-tailed** ~, kara kuyruk çamur kuşu.
goer ['gouə(r)]. Giden kimse/hayvan: **good/bad** ~, iyi/kötü giden (at).
goes(t), goeth [gouz, 'gouəst, -əθ] = GO[1].
gof(f)er ['goufə(r)] *f.* Kırma yapmak, kırmak, kıvırmak. *i.* Kırma demir/kalıbı.
***go-getter** ['gougetə(r)] (*arg.*) Açıkgöz, becerikli.
goggle [gogl]. (Gözler) fırlamak. ~**-box**, (*köt.*) televizyon alıcısı. ~**-eyed**, patlak gözlü. ~**s**, (*arg.*) gözlük; koruma gözlüğü.
go-go ['gougou] (*müz.*) Canlı; faal, çalışkan; gözü açık; modaya uygun. ~ **funds**, vurgun/spekülatif fonlar.
Goidelic ['goydilik]. İsk. Keltlerine ait.
going ['gouin(g)] *i.* Gidiş; gitme. *s.* Giden, işliyen; faaliyette olan; (*mal.*) çalışan, faal. **forty miles an hour is good** ~, saatte kırk mil hız iyi sayılır: **it is rough** ~ **on that road**, bu yol pek sarsar: **while the** ~ **is good**, durum uygun iken. ~**s-on**, olup bitenler; gidişat.
goitr·e ['goytə(r)]. Guşa, cedre, guatr. ~**ous**, guşalı.
***go-kart** ['goukāt]. Bir kişilik küçük yarış otomobili.
gold [gould]. Altın; altın rengi. **black** ~ = OIL: **old** ~, donuk altın rengi: ~ **shares**, altın madeni hisseleri: **sell s.o. a** ~ **brick**, birini dolandırmak. ~**-bearing**, altın madeni ihtiva eden (toprak). ~**beater's-skin**, altın yaprakları ayırmağa mahsus kuru kursak. ~**crest**, çalı kuşu. ~**-digger**, altın arayıcı; *(*kon.*) erkeklerden para sızdıran kadın, fındıkçı. ~**-dig(gings)**, yatay altın madeni. ~**-dust**, altın tozu.
golden ['gouldn]. Altından yapılmış; altın renkli; en âlâ. **the** ~ **rule**, (i) en iyi kaide; (ii) 'herkese iyilik et' kaidesi: **the** ~ **age**, insanların mutluluk ve barış içinde yaşadıkları hayalî bir devir; bir memleket vb.nin altın çağı: **a** ~ **opportunity**, bulunmaz fırsat. ~**eye**, altın gözlü ördek. ~**-Horn**, Haliç. ~**-jubilee/wedding, etc.**, bir hadise/evlenme vb.nin 50ci yıldönümü. ~**-mouthed**, beliğ. *~**-State** = CALIFORNIA.
gold·-fever ['gouldfīvə(r)]. Altın humması. ~**-field**, altın bulunan bölge. ~**finch**, saka (kuşu). ~**fish**, havuz balığı. ~**ilocks**, sarı saçlı (çocuk); düğün çiçeği. ~**-lace(d)**, altın sırma(lı). ~**-leaf**, altın yaprak. ~**mine**, altın madeni; (*mec.*) pek kârlı iş. ~**-plate(d)**, altın kaplama(lı): ~**-rimmed**, altın çerçeveli (gözlük). ~**-rush**, altın bulunan bölgeye üşüşme, altına hücum. ~**smith**, altıncı, kuyumcu. ~**-standard**, altın para kural/sistemi, altın esası: **go off the** ~, bu sistemden ayrılmak. ~**stick(-in-waiting)**, İng. Sarayının bir memuru. ~**-washer**, içindeki altını ayırmak için nehir kumlarını yıkayan.
golf [golf] *i.* Golf oyunu. *f.* Golf oynamak. ~**-bag**, değnekler çantası. ~**-ball**, golf topu; (*bas., kon.*) bazı elektrikli yazı makinelerindeki harfleri taşıyan top. ~**-club**, golf kulübü; golf değneği. ~**-course/-links**, golf alanı. ~**-widow**, (*kon.*) kocası daima golf oynadığı için yalnız kalan kadın.
goliath [gə'layəθ]. Dev (gibi).
golliwog ['goliwog]. Acayip/gülünç bir zenci kuklası.
golly [goli] *ünl.* (*arg.*) Allah! Allah!
golosh [gə'loş] = GALOSH.

goluptious [gə'lʌpşəs]. Lezzetli; hoş.
GOM = GRAND OLD MAN.
gombeen [gom'bīn] (*İrl.*) Fahış faiz.
gombo ['gombou]. Bamya (çorbası).
-gon [-gən] *son.* -açılı, -köşeli, -gen [POLYGON].
gonad ['gonad]. Gonad, eşeylik organı.
gondol·a ['gondələ]. Venedik sandalı; gondol. **~ier** ['liə(r)], gondolcu.
gone [gon] *g.z.o.* = GO[1]; kaybolmuş; umutsuz; ölmüş; geçmiş: **be ~ on s.o.**, (*arg.*) -e âşık olm. **~r**, ölmüş olacak.
gonfalon ['gonfalən]. İki uçlu bayrak.
gong [gon(g)]. Haber/işaret çanı; gong; (*ask., arg.*) nişan.
gonio- [gonio-] *ön.* Açı/köşeye ait. **~meter** [-'omitə(r)], açıölçer, gonyometre. **~metry**, açı ölçmesi, gonyometri.
go-no-go [gounou'gou] = GAUGE.
gonorrhoea ['gonəriə]. Belsoğukluğu.
goo [gū] (*arg.*) Yapışkan madde; (*mec.*) fazla hassaslık.
good [gud] *s.* İyi, güzel; faydalı; uslu; müstakim, dinibütün; çok, büyük. *i.* İyilik, hayır; fayda, yarar, menfaat. **~s** = GOODS. **~day/~-morning/-afternoon/-evening/-night**, *günün çeşitli zamanlarında kullanılan selâm şekli.* **a ~ deal/many**, bir çok: **he's as ~ as dead**, namazı kılındı: **he didn't say it but he as ~ as said it**, demedi ama dedi sayılır: **be ~ enough to . . .**, . . . lütfunda bulunmak: **that's not ~ enough**, bu olmaz, bu uygun değil; bu kadarı da fazla: **go for ~**, bütün bütün/temelli olarak gitmek: **for ~ and all**, temelli olarak, bütün bütün: **~ for you!**, aferin!: **fruit is ~ for one**, meyva sıhhîdir, faydalıdır: **~ for nothing**, hiçe yaramaz: **the ticket is ~ for two months**, bu bilet iki ay için geçerlidir: **this horse is ~ for another five years**, bu at beş sene daha dayanır: **give as ~ as one gets**, birinin ağzının payını vermek, altında kalmamak: **hold ~**, muteber olm., geçerli olm.; cari olm.: **your ~ lady**, refikanız *anlamına nezaket deyimi*: **it's no ~, don't persist!**, nafile!, ısrar etme!: **that's very ~ of you**, çok lütufkârsınız: **~ old James!**, yaşa J.!, aferin J.!: **your ~ selves**, (ticarî muhaberelerde) siz: **it's too ~ to be true**, inanılmıyacak kadar iyi.
good-bye [gud'bay]. Allaha ısmarladık; hoşça kal!; veda. **~ for the present**, şimdilik Allaha ısmarladık: **~ to all that!**, artık bütün bunlara elveda.
good·day [gud'dey] = ~BYE. **~-fellowship**, iyi arkadaşlık; hoş sohbet. **~-for-nothing**, yaramaz; serseri, mendebur. **~-hearted**, iyiliksever, eli açık. **~-humoured**, güler yüzlü, şen, uysal. **~ies** [-iz], (*kon.*) şekerleme. **~ish** [-iş], iyice, oldukça: **it's a ~ step from here**, buradan epeyce uzaktır. **~-looker**, (*arg.*) yakışıklı kimse. **~-looking**, güzel yüzlü, yakışıklı. **~ly**, epeyce, güzel: **a ~ inheritance**, dolgun bir miras. **~man** [-mən], (*mer.*) aile babası; koca; ev sahibi. **~-natured**, denli.
goodness ['gudnis]. İyilik; cevher, öz. **have the ~ to . . .**, lütfen . . .: **~ gracious!/my ~!**, Allah Allah!, aman Yarabbi!: **thank ~**, hamdolsun: **~ (only) knows**, Allah bilir.
goods [gudz]. Eşya, emtia, mallar; yük. **dry ~**, bakkaliye malları: **consumer ~**, istihlâk/tüketim malı: **durable ~**, devamlı kullanilabilen mallar: **finished ~**, mamul mallar: **perishable ~**, bozulur yiyecekler: **~ in hand**, birikim, stok: **~ and services**, mallar ve hizmetler: **deliver the ~**, (i) eşyayı teslim etm.; (ii) sözünü tutmak: **that's the ~!**, maşallah!, hele şükür! **~-office (manager)**, anbar (şefi). **~-train**, yük katarı, marşandiz. **~-truck**, furgon.
good·-tempered [gud'tempəd]. İyi huylu. **~wife**, (*kon.*) ev kadını; zevce. **~will**, iyi niyet, hayırhahlık; (*mal.*) peştamallık, hava parası: **~-tour**, (*id.*) iyiniyet turu. **~y** ['gudi], şekerleme; ihtiyar kadın: **~-~**, fazla iyi; (*alay*) melek.
gooey ['gūi] (*arg.*) Yapışkan; (*mec.*) duygusal, fazla hassas.
goof [gūf] *i.* Ahmak; yanlışlık. *f.* Havyar kesmek; bozmak; uyuşturmak. **~y**, aptal.
googly ['gūgli] (*sp.*) Aldatıcı.
***gook** [gūk] (*köt.*) Ecnebi, *bilh.* Çinli.
***goon** [gūn]. Ücretle çalışan katil/kundakçı; †(*ask.*) Alman muhafız/nöbetçisi.
goosander [gū'sandə(r)]. Büyük testere gagalı ördek.
goose, *ç.* **geese** [gūs, gīs]. Kaz; (*mec.*) budala. **grey lag ~**, boz kaz: **red-breasted ~**, Sibirya kazı: **white-fronted ~**, beyaz alınlı kaz: **all his geese are swans**, 'kargaya yavrusu şahin görünür' *kabilinden*: **be sent on a wild ~ chase**, boş/faydasız bir işe gönderilmek.
gooseberry ['guzbri]. Bektaşiüzümü. **~ fool**, kaymaklı bektaşiüzümü ezmesi: **play ~**, iki sevgiliye eşlik etm.
goose·-flesh ['gūsfleş]. Tüyleri ürpermiş/soğuktan titriyen insanın derisi. **~foot**, (*bot.*) kazayağı. **~-grass** = CLEAVERS. **~herd** [-hōd], kaz çobanı. **~-step**, (*ask.*) kaz adımı. **~y** [-si], (*çoc.*) kaz.
GOP = *GRAND OLD PARTY [REPUBLICAN].
***gopher** [goufə(r)]. Yer sincabı. **~-State** = MINNESOTA.
gorblimey [gō'blaymi] (*kab.*) *Hayret nidası.*
Gordian ['gōdiən]. **cut the ~ knot**, zor bir durumdan anî ve kesin bir çare ile kurtulmak.
gore[1] [gō(r)] *i.* Pıhtılaşmış kan.
gore[2] *f.* (Boynuzlu hayvan) birini boynuzlarıyla yaralamak/süsmek.
gore[3] (*mod.*) Eklenen peş; (*hav.*) dilim.
gorge [gōc] *i.* Boğaz, gırtlak; dar geçit, gömük vadi; doyuran yemek. *f.* Tıkabasa doyurmak. **~ oneself**, doyuncaya kadar yemek: **my ~ rose**, midem bulandı. **~d**, dolmuş; gerilmiş, patlamak üzere.
gorgeous ['gōcəs]. Pek parlak, tantanalı, debdebeli. **we had a ~ time**, (*kon.*) fevkalade yaşadık/vakit geçirdik. **~ly**, pek parlak olarak. **~ness**, parlaklık, debdebe.
gorget[1] ['gōcit]. Boğaz zırhı; (zırhlı) yakalık; (kuş) boğazdaki renkli benek; (*ask.*) üniformadaki renkli işaret.
gorget[2] (*tıp.*) Taş çıkarılmasında kullanılan alet.
gorgon ['gōgən] (*mit.*) Görenleri taş haline getiren yılan saçlı üç dişi ifritten biri; çirkin ve korkunç kadın.
gorgonzola [gōgən'zoulə] (*It.*) Damarlı bir peynir.
gorilla [gə'rilə]. Goril; (*köt.*) fedai, özel koruyucu, gorilla.
gorily ['gōrili]. Kanlı bir şekilde.
gormandize ['gōməndayz]. Oburluk yapmak; tıkınmak. **~r**, obur bir kimse.

gormless ['gōmlis] (*kon.*) Aptal; akılsız.
gorse [gōs]. Karaçalı.
gory ['gōri]. Kanlı.
gosh [goş]. *Hayret nidası.*
goshawk ['goshōk]. Çakır kuşu; kara sungur.
gosling ['gozlin(g)]. Kaz palazı.
go-slow [gou'slou]. Bilerek ağır çalışma.
gospel ['gospl]. İncil. **take stg. for ~**, mutlaka doğru olarak kabul etm.: **it's the ~ truth**, hakikaten doğru. **~-hall**, Protestan ayin binası. **~ize** [-layz], İncili öğretmek. **~ler**, ayinde İncili okuyan kimse: **hot ~**, sofu; propagandacı.
gossamer ['gosəmə(r)]. Lûabüşşems; ince ve hafif bürümcük; pek hafıf ve ince şey. **~y**, buna benziyen.
gossip ['gosip] *i.* Dedikodu(cu). *f.* Dedikodu yapmak; boşboğazlık etm. **have a ~**, yarenlik etm. **~y**, çenebaz; dedikodu seven; önemsiz.
gossoon [go'sūn] (*İrl.*) Delikanlı, genç.
got [got] *g.z.(o.)* = GET.
Gothic ['goθik]. Gotik; got dili; (*bas.*) gotik (harf).
***gotten** ['gotn] *g.z.o.* = GET; (*İng.'de meriyetsiz*).
gouache [gū'aş]. Zamklı sulu boya, guvaş.
gouda ['gaudə]. Top halinde Hollanda peyniri.
gouge [gauc] *i.* Oluklu marangoz kalemi. *f.* Bu alet ile oymak. **~ out s.o.'s eye**, birinin gözünü parmakla çıkarmak.
goulash ['gūlaş]. Gulaş.
gourd [güəd]. Sukabağı, asmakabağı; kabak kabuğundan yapılmış su kabı.
gourm·and ['guəmənd]. Obur kimse, yiyici; *bazan* = **~et** [-mey], boğazına düşkün, yemeğine titiz.
gout [gaut]. Damla illeti, nakris. **~y**, damlalı.
Gov. = GOVERNMENT; GOVERNOR.
govern ['gʌvən]. Hâkim olm.; idare etm., hükümet sürmek; zaptetmek; tanzim etm., düzenlemek. **this verb ~s the dative**, bu fiil yönelme/'-e' halini alır.
govern·able ['gʌvənəbl]. İdare edilir. **~ance** [-nəns], idare (usulü). **~ess** [-nis], mürebbiye; dadı; çocuğun evinde çalışan kadın öğretmen.
government ['gʌvənmənt]. Hükümet; devlet; siyasî teşkilat; yönetim; idare (etme); rejim. **form a ~**, hükümet teşkil etm., kabine kurmak: **the ~ party**, iktidar partisi: **local ~**, mahallî idare; yerel yönetim: **~ house**, hükümet binası; vali konağı: **~ papers**, hükümet evrak/arşivleri: **~ securities**, devlet tahvilâtı. **~al** [-'mentl], hükümet/devlete ait.
governor ['gʌvənə(r)]. Vali; müdür; idare/yönetim heyeti üyesi; nâzım, düzenleyici; regülatör. **the ~**, (*kon.*) babam; iş sahibi.; *aşağı tabakadan birinin kibar tabakadan birine hitap şekli*, beyim, paşam *kabilinden.* **~-general**, genel vali. **~ship**, valilik.
Gov'-Gen. = GOVERNOR-GENERAL. **~t.** = GOVERNMENT.
gown [gaun] *i.* Kadın robu; memur/öğrenci/profesörün kisvesi. *f.* Bu kisveyi giydirmek. **town and ~**, bir şehirdeki halk ile üniversite öğrencileri (arasındaki ihtilâf). **~sman**, kisveyi giymek hakkı olan kimse.
goy, *ç.* **~im** [goy('yim)] (*İbranice*) Yahudi olmıyan kimse.
GP = GENERAL PRACTITIONER/PURPOSE; GRAND PRIX.
Gp. Capt. = †GROUP-CAPTAIN.
GPO = GENERAL POST OFFICE. **~U** (*hav.*) = GROUND POWER UNIT.
gr. = GRAIN; GRAMMAR; GRAND; GREAT; GROSS[1].
GR = GENERAL RESERVE; (*Lat.*) KING GEORGE.
grab [grab]. Çabuk bir hareketle kapma(k); ele geçirme(k); gaspetme(k); kapış, kapma; kazma makinesinin kıskaçlı kovası. **policy of ~**, gasıp siyaseti. **~ber**, gasbedici; kapışıcı. **~hook**, dört kancalı çengel. **~line**, cankurtaran ipi. **~-sampling**, elle nümune alma.
graben ['grābn] (*coğ.*) Graben, çökük.
grace[1] [greys] *i.* Zarafet, letafet, cazibe, incelik, çekicilik, nezaket; inayet: lütuf, ihsan; mağfiret, rahmet; mühlet; yemekten önce ve sonra şükür duası. **the ~s**, (*mit.*) insanlara ve tabiata güzellik ve letafet veren üç ilâhe: **His/Her/Your ~**, başpiskopos/dük/düşese verilen lakap: **Act of ~**, genel af kanunu: **as an act of ~**, bir lütuf olarak: **be in the good/bad ~s of**, -in gözünde ol(ma)mak: **do stg. with a good ~**, hoşlanmadığı bir şeyi memnuniyetsizliğini gizliyerek yapmak: **do stg. with a bad ~**, bir şeyi söylene söylene yapmak: **† ~ and favour house**, kraliçenin arzusuna bağlı olarak kiralanan ev: **days of ~**, vadesi gelen senedin ödenmesi için verilen üç gün süre: **by the ~ of God**, Allahın inayetiyle: **he had the ~ to be ashamed**, hiç olmazsa utandı: **it has the saving ~ that . . .**, kendisini affettiren tarafı . . . dir: **say ~**, yemekten önce ve sonra dua etm.: **in this year of ~**, bu yıl (zarfında).
grace[2] *f.* Teşrif etm.; tezyin etmek.
grace·ful ['greysfəl]. Zarif, ince, hoş; latif, nazik; nazikâne; endamlı: **~ly**, incelikle; endamlı olarak: **~ness**, zarafet, incelik, letafet. **~less**, hayırsız; haylaz.
gracil·e ['grasayl]. İnce belli/narin (ve cazibeli). **~ity** [-'siliti], narinlik; (*edeb.*) basitlik.
gracious ['greyşəs]. Nazik, mültefit, lütufkâr; (Allah) merhametli, inayetkâr; tenezzül edici. **~ (me)!/good(ness) ~!**, Aman yarabbi! **~ness**, naziklik.
grackle [grakl]. Küçük kargaya benzeyen bir kaç kuş.
Grad. = GRADUATE.
gradat·e [grə'deyt]. Tedricen değiş(tir)mek; renkten renge geçmek. **~ion** [-'deyşn], tedricî değişme; derece; tedriç; sapma; açıktan koyu renge geçme: **~al**, derece vb.ne ait.
grade [greyd] *i.* Rütbe, aşama, mertebe; sıra, derece; seviye; basamak; numara, not; nitelik, kalite; eğim, iniş, yokuş, çıkış; rampa; eğim derecesi; (*mat.*) grad; ***okul** sınıfı. *f.* Tasnif etm.; derecelere ayırmak; kertelemek; bir yolun eğimini düzenlemek. **be on the down/up ~**, kötü-/iyileşmek: **~ up cattle, etc.**, inekler vb.nin dikkatli çiftleştirme ile soyunu ıslah etm. **down-~**, iniş: **up-~**, çıkış, yokuş.
-grade [-greyd] *son.* (*zoo.*) Yürüyüş usulü [PLANTIGRADE].
grade·d ['greydid]. Ayrılmış, seçme; tasnif/tefrik edilmiş; dizilmiş, sıralanmış; düzenlenmiş. **~ly**, (*leh.*) mükemmel; doğru; güzel. **~r**, seçici, ayırıcı; tesviye makinesi, düzleyici; ayırma makinesi. ***~-school**, ilk/orta okul.
gradient ['greydiənt]. (Yol) meyil, eğim; rampa: **downward ~**, iniş: **upward ~**, yokuş.
gradin(e) ['greydin]. (Anfiteatrdaki) sıra.

grading ['greydin(g)]. Toprak tesviyesi; sınıflama; derece/numara verme; tefrik.
gradual ['gradyuəl]. Tedricî, derece derece olan, kerteli. ~**ly**, tedricen, gitgide, azar azar, kerte kerte (olarak). ~**ness**, tedricî/derece derece olma.
graduand ['gradyuənd]. Diplomasını alacak olan öğrenci.
graduate[1] ['gradyueyt] *f.* Üniversiteden mezun olm.; derece derece bölmek; tedricen değiştirmek; uçurup koyulaştırmak.
graduat·e[2] ['gradyuit] *i.* Üniversite mezunu, yetişmiş, diplomalı; (*kim.*) taksimat/ölçülü kap: ~ **school**, üniversite mezunları için ihtisas okulu. ~**ation** [-yu'eyşn], mezun olma, diploma alma; ölçme işareti; tedricen değişme.
gradus ['greydəs] (*eğit.*) Uyak sözlüğü.
Graec·ism ['grīsizm]. (Başka dilde) Yunanca kelime/deyimi. ~**ize** [-sayz], Yunanlaştırmak. ~**o-** [-ko-], *ön.* eski Yunanistan'a ait.
graffit·o, *ç.* ~**i** [gra'fīto, -i]. (Eski) abide duvarlarında çizilen resim/yazı.
graft[1] [grāft] *i.* Ağac aşısı; aşı kalemi, çelik. *f.* Aşılamak, çeliklemek. **skin** ~**ing**, deri yamama.
graft[2]. Hükümet/belediye işlerinde nüfuzunu kullanarak suiistimal; rüşvet alıp verme. ~**er**, rüşvet veren, memurlara vb. para yediren.
grail [greyl]. **Holy** ~, İsa'nın son yemeğinde kullandığı kâse.
grain[1] [greyn] *i.* Arpa vb. tanesi, habbe, tane(cik), tohum; buğday, hububat; zerre; bir ağırlık ölçüsü = 0,0648 gr. *f.* Tanelemek. **coarse/fine** ~**ed**, kaba/ince taneli.
grain[2] *i.* Ağaç/taş damarı. *f.* Ağaç damarlarını taklitle boyama(k); filato. **it goes against the** ~ **for me to do it**, bunu istemiyerek/istemiye istemiye yapıyorum. ~**ed**, damar damar; damarlı.
grallator·es [gralə'tōrīz]. Bataklık kuşları. ~**ial** [-riəl], bunlara ait.
gram[1] [gram]. Nohut; bir nevi fasulya.
gram[2] = GRAMME.
-gram [-gram] *son.* -gram [DECIGRAM]; yazılmış, kaydedilmiş [TELEGRAM].
gram. = GRAMMAR.
gramercy ['graməsi] (*mer.*) Çok teşekkür.
gramin·(ac)eous [grami'neyşəs, grə'miniəs]. Ot gibi. ~**eae** [-'mini-ī], buğdaygiller, otlar. ~**iferous** [-'nifərəs], ot hasıl eden. ~**ivorous**, otla yaşıyan, otçul.
grammalogue ['graməlog]. Bir işaretle temsil edilen kelime.
grammar ['gramə(r)]. Dilbilgisi, gramer, sarf; dilbilgisi kitabı. ~**ian** [grə'meəriən], gramerci, dilbilgisi uzmanı. ~**less** ['gra-], dilbilgisi bilmiyen; cahil. ~**-school**, *ilk ve orta derecede okul; †orta ve lise derece(sin)de okul.
grammatic·al [grə'matikl]. Dilbilgisine ait, dilbilimsel; dilbilgisi kurallarına göre/uygun: ~**ly**, dilbilgisi bakımından; dilbilgisi kurallarına uygun olarak: ~**ness**, bu kurallara uygunluk. ~**ize** [-tisayz], bu kurallara göre söylemek/yazmak.
gram(me) [gram]. Gram.
gramophone ['graməfoun]. Gramofon. ~**-pick-up**, pikap. ~**-record**, plak.
grampus ['grampəs]. Bir nevi yunusbalığı. **blow/puff like a** ~, burnundan solumak, manda gibi solumak.
gran [gran] (*çoc.*) Nine.
granary ['granəri]. Zahire ambarı; zahiresi bol olan ve ihracat yapan memleket/bölge.
grand[1] [grand] *s.* Büyük ve muhteşem; saltanatlı; kibar; en mühim, baş; (*kon.*) âlâ, mükemmel; büyük; *bazı unvanlara eklenir*: ~-DUKE. *i.* = ~-PIANO; *(*arg.*) bin dolar. **they are rather** ~ **people**, pek tantanalı ve azametli kimselerdir: **he's a** ~ **fellow**, bulunmaz adamdır: **I am not feeling very** ~ **today**, bugün bir parça keyifsizim: **the** ~ **Fleet**, 1914–18 harbindeki İngiliz ana filosu: **the** ~ **total**, umumî yekûn, genel toplam.
grand-[2] *ön.* Büyük. ~**am** ['grandam], büyük anne; yaşlı kadın. ~**-aunt** [-ānt], büyük teyze/hala. ~**child**, *ç.* ~**children** [-çayld, -çildrən], torun. ~**-Cross** = ORDER[2]. ~**-dad**, (*kon.*) büyük baba. ~**daughter** [-dōtə(r)], kız torun. ~**-Duchy**, Grandukalık. ~**-Duke**, Grandük. ~**ee** [gran'dī], İsp. asilzadesi; yüksek rütbeli adam, kibar. ~**eur** ['grancə(r)], azamet, heybet, haşmet; saltanat, debdebe; büyüklük; güzellik. ~**father**, büyük baba; (*kon.*) yaşlı ve muhterem adam: ~**ly**, büyük baba gibi; iyi kalpli. ~**iflora** [-'flōrə], büyük çiçekli (bitki). ~**iloquen·ce** [-'diləkwəns], tumturaklılık: ~**t**, tumturaklı. ~**iose** [-dious], muazzam; muhteşem, pek gösterişli, şaşaalı: ~**ly**, muhteşem olarak. ~**-jury**, tahkikat jürisi. ~**-lodge**, (farmason vb.) idare heyeti. ~**ly**, büyük/muhteşem bir şekilde. ~**ma(ma)** [-(mə)mā] (*kon.*) büyük anne, nine. ~**-Master**, (farmason, şövalye) baş idareci. ~**mother** [-mʌðə(r)], büyük valide/anne: **teach your** ~ **to suck eggs**, 'sen giderken ben geliyordum', 'babana akıl öğret': ~**ly**, fazla özenli. ~**-nephew/niece**, yeğen oğul/kızı. ~**ness**, büyüklük, azamet. ~**pa(pa)** [-(pə)pā] (*kon.*) büyük baba, dede. ~**parent** [-peərənt], dede, nine. ~**-piano**, kuyruklu piyano. ~**-prix** [grā(n)'prī], granpri, büyük ödül. ~**sire** [-sayə(r)], büyük baba. ~**son** [-sʌn], erkek torun. ~**stand** (*sp.*) tribün. ~**-tour**, (tahsil için) Avrupaya yapılan uzun yolculuk. ~**-uncle** [-ʌnkl], büyük amca/dayı.
grange [greync]. Köşk ile çiftlik; anbar.
grani·ferous [gra'nifərəs]. Tane veren. ~**form**, tane şekli(nde).
granit·e ['granit]. Granit taşı. **the** ~ **city**, Aberdeen. ~**ic** [-'nitik], granit nevinden.
granivorous [grə'nivərəs]. Taneçil.
grann·ie/~**y** ['grani] (*kon.*) Nine. ~-, *ön.* (*mod.*) yaşlı/19cu yy.daki kadın giydiği/kullandığı (şey). ~**-knot**, acemice bağlanmış ve kolay çözülen düğüm. ~**-unit**, dede/nineye mahsus ev içindeki ayrı daire.
grant [grānt] *f.* İhsan etm.; hibe etm.; imtiyaz vermek; bağışlamak; kabul etm., teslim etm. *i.* İmtiyaz; hibe; yardım, bağış(lama); tahsisat, ödenek, ihsan; burs. ~**ed that . . .**, kabul edelim ki . . .!: **a post in s.o.'s** ~, tayini birinin elinde olan makam: **receive a state** ~, devletten ödenek almak: **take stg. for** ~**ed**, bir şeyi hakikî/tabiî/olmuş gibi kabul etm.: **you take too much for** ~**ed**, her şeyi olmuş bitmiş gibi farzediyorsun. ~**able**, ihsan/kabul/teslim vb. edilir. ~**ee** [-'tī], hibe edilen kimse. ~**-in-aid**, devlet yardımı. ~**or**, hibe eden kimse.
granul·ar ['granyulə(r)]. Taneli; pürüzlü; tanecikli; grenli: ~**ity**, taneciklilik. ~**ate** [-leyt], yüzü kabarcıklı olm.; tanelenmek, taneletmek; (yara)

kabuk bağlamak üzere iken kabarcık peyda etm.: **~d sugar**, toz şeker, kristal şeker. **~ation** [-'leyşn], tanelenme, kabarıklanma; (*ast.*) bulgurlanma. **~e**, tanecik, gren, çığıl; (*ast.*) bulgurcuk. **~iform**, tane şeklinde. **~ometry** [-'lomitri], tane ölçüm/dağılım/analizi. **~ous** ['granyuləs], tane şeklinde/gibi.

grape [greyp]. Üzüm (tanesi). **bunch of ~s**, üzüm salkımı: **gather the ~s**, bağ bozmak: **press/tread the ~s**, (şaraplık) üzümler çiğnemek: **'sour ~s!'**, kedi uzanamadığı ciğere pis der. **~-fruit**, greypfrut, altıntop, kız memesi. **~-hyacinth**, salkımlı sümbül. **~-pip**, üzüm çekirdeği. **~-shot**, misket (gülle), peşrev. **~-sugar**, glikoz. **~-vine**, üzüm asması; (*kon.*) dedikodu: **hear stg. on the ~**, dedikodudan öğrenmek.

graph [graf]. Grafik, çizge, çizenek.

-graph [-graf] *son.* Yazılmış, kaydedilmiş; yazan, kaydeden [TELEGRAPH]. **-~er**, *son.* yazar, yazıcı, kaydedici; bilgin [RADIOGRAPHER].

graphic ['grafik]. Yazı, tersim, hâk vb. sanatlarına ait; grafik ile gösterilen; çizilen; canlı, insanın gözleri önünde canlandıran. **~ally** [-li], tersimî. **~s**, baskıresim sanatları, grafik.

graphite ['grafayt]. Grafit.

graph·o- [grafo-] *ön.* Yazıya ait, grafo-: **~logy** [-'foləci], yazı bilimi, grafoloji: **~meter** [-'fomitə(r)], açı ölçeği. **-~y**, (*son.*) yazılmış; . . . yazı/resim şekli; -bilgisi [GEOGRAPHY].

grapnel ['grapnl]. Sandal/balonun çengelli demiri; filika demiri.

grappl·e ['grapl]. Tutmak, yakalamak. **~ with s.o.**, birisiyle göğüs göğüse dövüşmek: **~ with a difficulty**, bir güçlükle pençeleşmek. **~ing-iron**, bir şeyi tutmak/kaldırmak için çengelli bir demir; borda kancası.

***GRAS** = GENERALLY RECOGNIZED AS SAFE.

grasp [grāsp]. Kavrama(k); sımsıkı tutma(k); elle kapma(k); tahakküm, pençe. **~ at stg.**, bir şeyi kapmağa çalışmak: **have stg. within one's ~**, bir şey elinin altında olm.: **escape from s.o.'s ~**, elinden kurtulmak: **beyond one's ~**, erişilemez; kavranılmaz: **have a good ~ of a subject**, bir konuyu çok iyi bilmek: **~ the nettle**, sıkı bir durumda azim ve cesaretle davranmak. **~ing**, açgözlü.

grass [grās] *i.* Çayır otu, çimen; (*arg.*) esrarotu. *f.* Çimen ile kaplamak; yere vurmak: (balığı) karaya çıkarmak. **~ on s.o.**, (*arg.*) birini polise curnal etm.: **not let the ~ grow under one's feet**, çok faaliyet göstermek, vakit kaybetmemek: **'keep off the ~!'**, çimene basmayınız!: **put/turn a horse out to ~**, atı çayıra çıkarmak. **~-**, *ön.* (*sp.*) çimen+. **~-green**, (çimen gibi) parlak yeşil. **~hopper**, çayır çekirgesi, orak böceği, düzkanatlı. **~iness**, çimenlilik. **~-land**, çayır, otluk yer. **~-plot**, ufak çimenlik. * **~-roots**, kır/tarım bölgesi; (*id.*) avam, aşağı tabaka; menşe, esas. **~-snake**, kertenkele/su yılanı. **~-widow**, kocası iş/spor için çıktığından evde yalnız kalan kadın: **~er**, karısı seyahatte olduğundan evde yalnız kalan erkek. **~y**, çimene ait, çimenli.

grate[1] [greyt] *i.* Demir parmaklık; ızgara; önü açık İngiliz ocağı. **~d**, demir parmaklıklı.

grate[2] *f.* Rendelemek; (diş) gıcırda(t)mak. **~ on the ear**, kulakları tırmalamak. **~r**, rende, raspa.

grateful ['greytfəl]. Minnettar; hoş, makbul. **~ly**, minnettarlıkla; hoşça. **~ness**, minnettarlık.

graticule ['gratikyūl]. Murabbalı şebeke, (optik) ağ.

gratif·ication [gratifi'keyşn]. Haz, memnuniyet; bahşiş, mükâfat; tatmin; (*mal.*) ek ödenek, ilâve tahsisat. **~y** ['gratifay], memnun etm., haz vermek; gidermek, tatmin etm.: **~ing**, hoş, memnun edici.

grating[1] ['greytin(g)]. Parmaklık; boru süzgeci; gezinti ızgarası; kafes; (*ast.*) ağ.

grating[2] *i.* Gıcırtı. *s.* Kulakları tırmalayıcı. **~ly**, gıcırdatarak.

gratis ['greytis]. Bedava; caba; parasız, ücretsiz.

gratitude ['gratityūd]. Minnettarlık; minnet; şükran.

gratuit·ous [grə'tyūitəs]. Bedava; fahrî, meccanî; sebepsiz, muhik olmıyan; uluorta: **~ly**, bedava/sebepsiz olarak: **~ness**, sebepsizlik. **~y**, bahşiş; görevini tamamlıyan asker vb.ne verilen para ödülü.

gratulate ['gratyūleyt] = CONGRATULATE.

gravamen [grə'veymn]. İthamın en ağır kısmı.

grave[1] [greyv] *s.* Mühim, önemli, ağır; ciddî; vakur, ağır başlı; vahim.

grave[2] *i.* Mezar, kabir. **have one foot in the ~**, bir ayağı çukurda olm.: **he must have turned in his ~**, (bunu duysa vb.) mezarında kemikleri sızlar: **beyond the ~**, kabrin ötesi, ahret.

grave[3] *f.* Kazmak, hakketmek.

grave[4] *f.* Geminin dibini temizleyip ziftlemek.

grave·-clothes [-klouðz]. Kefen. **~-digger**, mezarcı.

gravel ['gravl] *i.* Çakıl, çakıllı/iri kum; (*tıp*) kum hastalığı. *f.* Çakıllı kum döşemek. **be ~led**, (*arg.*) apışıp kalmak; cevap verememek.

graveless ['greyvlis]. Mezarsız; gömülmemiş.

gravel·ly ['grav(ə)li]. Çakıllı. **~-path**, çakıllı kum döşeli yol. **~-pit**, çakıl ocağı.

gravely ['greyvli]. Mühim/ciddî olarak.

graven ['greyvn]. Hakkedilmiş. **~ image**, put, sanem.

graver ['greyvə(r)]. Hakkâk; hakkâk kalemi.

grave·stone ['greyvstoun]. Mezar taşı. **~yard** [-yād], mezarlık.

gravid ['gravid]. Gebe. **~ity** [-'viditi], gebelik.

gravimetry ['gravimetri]. İzafî ağırlık/kesafet ölçme bilimi, gravimetri.

graving·-dock ['greyvin(g)dok]. Kuru havuz. **~-tool**, çelik kalem; hakkâk kalemi.

gravitat·e ['graviteyt]. Çekim gücüyle düşmek; cezbolunmak, çekilmek: **~ towards**, (bir noktaya) meyletmek. **~ion** [-'teyşn], cazibe kuvveti, çekim gücü, yerçekimi: **~al**, çekim kabilinden, çekimsel.

gravity ['graviti]. Ağırlık, sıklet; cazibe kuvveti, çekim gücü; ciddilik; ağırbaşlılık, vekar; ehemmiyet, önem. **centre of ~**, ağırlık merkezi: **specific ~**, özgül/izafî ağırlık. **~-**, *ön.* kendiliğinden: **~-conveyor**, kendi ağırlığı ile taşıyıcı: **~-feed**, kendi ağırlığı ile besleme/doldurma.

gravure [grə'vyuə(r)]. Gravür; klişe baskısı.

gravy ['greyvi]. Pişirilirken etten akan yağ ve su; bununla yapılan salça.

gray [grey] = GREY. **~ling**, gölge balığı.

graze[1] [greyz]. Otlamak.

graze[2] *f.* Sıyırmak, sıyırarak geçmek, yalamak. *i.* Sıyrık.

grazier ['greyziə(r)]. Semirtmek için sığır besliyen adam.

grease [grīs] *i.* Yenmiyecek her türlü yağ; gres; katı/don yağ(ı); at topukları iltihabı. *f.* Yağlamak, yağ sürmek. ~ **s.o.'s palm**, birine rüşvet vermek. ~**-band**, zararlı haşaratı tutmak için meyva ağaçlarına sarılan yağlı sargı. ~**-box**, (*dem.*) gres kovanı. ~**-cap**/**-cup**, gres kutusu, yağdan. ~**-gun**, (*oto.*) gres pompası, yağlama tabancası. ~**-paint**, (*tiy.*) makiyaj yağı. ~**proof (paper)**, yağgeçmez (kâğıt). ~**r**, yağlayıcı.

greas·ily ['grīsili]. Yağlı olarak; (*mec.*) mütebasbıs/yaltak bir şekilde. ~**iness**, yağlı olma; yaltaklık. ~**ing**, yağlama, yağ sür(ül)me. ~**y**, yağlı; kayıcı; kaypak; (*mec.*) mütebasbıs, yağcı, yaltak: ~ **road!**, (*oto.*) yağışta!

great [greyt] *s.* Büyük; muazzam; iri; ulu, şöhretli, ünlü; mükemmel, fevkalade; mühim, önemli; (unvanla) baş. *i.* Ulular; büyükler: ~**s**, Oxford üniv.de klasik edebiyat son imtihanı. **a** ~ **many**, pek çok: **there are not a** ~ **many**, çok yok, az: **a** ~ **deal**, çok; mühim bir iş: **he is** ~ **on...**, (*kon.*)... meraklısıdır: ~ **with child**, (*mer.*) gebe. ~-, *ön.* akrabalıkta bir nesil daha uzak olan. ~**-Bear**, (*ast.*) Büyükayı. ~**-Britain**, Büyük Britanya (İngiltere + İskoçya + Gal Eyaleti). ~**-circle**, (*coğ.*) büyük daire. ~**coat**, palto. ~**-Dane**, samsun gibi büyük köpek. ~**en**, büyü(t)mek. ~**-grandchild, etc.**, torunun oğul/kızı. ~**-grand·father**/**mother**, dedenin baba/annesi. ~-~**-grandfather**, dedenin dedesi. ~**-hearted** [-'hātid], âlicenap, yüce gönüllü. ~**ness**, büyüklük; çokluk; şöhret, ün. ~**-Power**, (*id.*) çok büyük/güçlü memleketlerin biri. †~**-Seal**, (*id.*) hükümetin resmî mühürü. ~**-War**, 1ci Cihan Savaşı (1914–18).

greave [grīv]. Baldır zırhı.

grebe [grīb]. Yumurta piçi, dalgıç kuşu. **black-**/**red-necked** ~, siyah/kırmızı boyunlu yumurta piçi: **great crested** ~, tepeli dalgıç, elmabaş: **little** ~, ırmak dalgıcı: **Slavonian** ~, kulaklı yumurta piçi.

Grec·ian ['grīşyən]. Eski Yunanistana ait. ~**o-** ['grīko-] *ön.* = GRAECO-.

Greece [grīs]. Yunanistan.

greed [grīd]. Oburluk; hırs; açgözlülük; iştah. ~**ily**, oburca, kapış kapış. ~**iness**, oburluk; hırs. ~**y**, obur; tamahkâr, açgözlü, haris.

Greek [grīk] *i.* Yunanlı; Rum; (eski) Yunanca, Rumca. *s.* Yunan+; Yunanistan+; Rum+. **the** ~ **Church**, Ortodoks kilisesi: **it's all** ~ **to me!**, buna hiç aklım ermez!; anladımsa Arap olayım!

green [grīn] *s.* Yeşil; yeşil renkli; taze, yaş; çiğ; ham, acemi, toy. *i.* Çimenlik; yeşil renk. *f.* Yeşilleş(tir)mek. **he is not as** ~ **as he looks**, göründüğü kadar toy değil: **grow** ~, yeşermek: **go**/**turn** ~, sararmak: **keep s.o.'s memory** ~, hatırasını canlı tutmak: **a** ~ **old age**, dinç yaşlılık. ~**back**, ABD'nin kâğıt parası. ~**belt**, yeşillik kuşağı. ~**-blindness**, yeşil renk körlüğü. ~**-bottle**, altın sinek. ~**-card**, (i)* yabancı (*bil.* Meksikalı) işçinin giriş kâğıdı; (ii)† (*oto.*) uluslararası sigorta/yeşil kart(ı). ~**-channel**, gümrük vergisine tabi eşyaları getirmiyen yolculara mahsus geçit. ~**-cloth**, çuha gibi kumaş; (*mec.*) iskambil masası. ~**ery**, (*bot.*) yeşillik. ~**-eyed**, yeşil gözlü; (*mec.*) kıskanç. ~**finch**, florya. ~**-fingers**, bahçıvanlık mahareti. ~**fly**, yaprak biti. ~**gage**, can eriği, bardak eriği. ~**grocer**, manav, sebzeci, zerzevatçı: ~**ies**, meyva ve sebzeler. ~**heart**, çok sert bir cins ağaç. ~**horn**, tecrübesiz genç, toy. ~**house**, limonluk, ser, camekân. ~**ish**, yeşilimsi. ~**land**, Grönland. ~**-light**, yol açık olduğunu gösteren yeşil fener: **give s.o. the** ~, bir planın başlanmasına müsaade vermek. ~**ly**, yeşil olarak; acemice. ~**ness**, yeşillik; tazelik; çiğlik; toyluk. †~**-paper**, (*id.*) teklifler ifade eden resmî vesika. ~**-peas**, taze bezelye. *~**-power**, para kudret/etkisi. ~**-room**, (*tiy.*) konuşma odası. ~**shank**, yeşilbacak. ~**-sickness**, (*tıp.*) bir nevi kansızlık; (*bot.*) kloroz. ~**stick**, (*tıp.*) (çocukta) yarı kırık. ~**stuff(s)**, yenir yeşillik. ~**sward** [-swōd], çimenlik. ~**wich** ['grinic], ~ **(Mean) Time**, Greenwich (vasatî/ortalama) saati. ~**wood**, ağaç/ormanlık; (*mec.*) haydut yatağı. ~**y**, yeşilimsi.

greet[1] [grīt]. Selâmlamak; istikbal etm., karşılamak. ~ **the eye**/**ear**, göz/kulağa çarpmak: ~ **a speech with cheers**, bir nutku alkışlarla karşılamak. ~**ing**, selâm: **New-Year** ~**s**, yılbaşı tebrikleri.

greet[2] (*İsk.*) Ağlamak.

greffier ['grefiey] (*Fr.*) Sicil memuru; noter.

gregarious [gri'geəriəs]. Sürü halinde yaşıyan, greger. ~**ly**, sürü halinde olarak. ~**ness**, sürü halinde yaşama.

Gregorian [gri'gōriən]. Papa Gregorius'a ait. ~ **Calendar**, resmî/efrencî takvim: ~ **Chant**, (*din.*) özel bir müzik sistemi: ~ **epoch**, 1582'den sonraki devir.

gremlin ['gremlin] (*hav., arg.*) Kazaya sebep olduğu ileri sürülen şakacı bir cin.

grenad·e [gri'neyd]. El bomba/kumbarası. ~**ier** [grenə'diə(r)] (*tar.*) kumbaracı asker; (*şim.*) ~ GUARDS denilen muhafız alayı üyesi.

grenadine ['grenədīn]. Bir nevi ince seyrek ipek kumaş; nar şurubu.

gressorial [gre'sōriəl] (*zoo.*) Yürüyüş(e uygun).

grew [grū] *g.z.* = GROW.

grey, *gray [grey] *s.* Kurşunî, gri, külrengi; gümüşî; boz; kır (saçlı). *f.* Kırlaşmak; ağar(t)mak. **go**/**turn** ~, kırlaşmak, -e kır düşmek: **grown** ~ **in the service**, saçları hizmette ağarmış: **dappled** ~, ala kır: **the (Scots)** ~**s**, bir süvari alayı. ~**-area**, (*id.*) işsizlikten zarar gören bir bölge. ~**beard**, aksakallı. ~**cing** [-sin(g)] (*kon.*) = ~HOUND RACING. ~**coat**, gri palto giyen kimse/asker. ~**-friar**, Fransisken rahibi. ~**-headed** [-hedid], akbaşlı. ~**hen**, kayın tavuğu dişisi. ~**hound**, tazı: **ocean** ~, hızlı yolcu vapuru: ~**-racing**, tazı yarışları. ~**ish**, bozca. ~**lag (goose)**, yaban kazı. ~**-matter**, boz madde; (*kon.*) beyin, akıl: **use your** ~!, düşün bir az! ~**ness** [-nis], kır. ~**-wolf**, boz kurt.

grid [grid]. Izgara; kafes; tel kalbur; şebeke; (*coğ.*) kare taksimatlı şebeke; (*elek.*) millî elektrik şebekesi, grit. ~**dle**, saplı ızgara. ~**iron** [-ayən], ızgara. ~**-map**, kareli harita.

grief [grīf]. Keder, hüzün, gam; esef. **come to** ~, suya düşmek; belâsını bulmak; kazaya uğramak: **to my great** ~ **I had no son**, heyhat ki oğlum olmadı. ~**less**, kedersiz.

griev·ance ['grīvəns]. Dert, yakınma, şikâyet; şikâyeti gerektiren durum: **air one's** ~**s**, dertleşmek, içini dökmek: **pet** ~, özel dert. ~**e**, kederlenmek; esef etm.; elem/keder vermek, dertlendirmek, taciz etm. ~**ed**, kederli, acılı: **I am** ~ **to hear that...**, ... işitmekle çok üzgünüm. ~**ingly**, kederlenerek. ~**ous** [-vəs], keder verici, elim, acı,

feci; ağır, tehlikeli: ~**ly**, kederlenerek; ağırca; çok.
griff(in) ['grif(in)] (*arg.*) Haber; malumat.
griffin ['grifin]. Yarı kartal yarı arslan esatirî bir kuş.
griffon ['grifn]. Kısa ve sert kıllı köpek; kızıl akbaba.
grift [grift] (*kon.*) Dolandırıcılık.
grill [gril] *i.* Izgara, menfez; ızgarada pişmiş et. *f.* Izgarada pişirmek; kavurmak; işkence etm.; *(polis) sorguya çekmek. ~**(e)**, parmaklık; kapı/pencere/gişe parmaklığı. ~**ed** ..., ... ızgarası. ~**ing**, (*kon.*) sorguya çekme. ~**-room**, et/balık ızgarası verilen lokanta (odası).
grilse [grils]. Küçük alabalık.
grim [grim]. Haşin, sert; ekşi yüzlü; netameli, meşum; tehditkâr; merhametsiz. ~ **humour**, acı/uğursuz nükte: **hang on like ~ death**, (bir şeye) var kuvvetiyle sarılmak.
grimace [gri'meys]. İşmizaz (göstermek); yüzünü ekşitme(k)/çarpıtma(k)/buruşturma(k).
grimalkin [gri'malkin]. İhtiyar kedi; acuze.
grim·e [graym] *i.* Deriye işliyen kir/toz vb. *f.* (İş/toz vb.) yüz/eli kirletmek. ~**ily**, kirli bir şekilde. ~**iness**, kirlilik. ~**y**, kirli, pis.
grim·ly ['grimli]. Haşin/sert olarak. ~**ness**, sertlik; ekşilik; tehditkârlık. ~**-visaged** [-'vizicd], ekşi yüzlü.
grin [grin]. Sırıtma(k). ~ **and bear it**, güler yüzle katlanmak.
grind (*g.z.(o.)* **ground**) [graynd, graund] *f.* Öğütmek; toz haline getirmek; ufalamak; ezmek; (dişlerini) gıcırda(t)mak; döndürmek; sürterek düzeltmek/parıldamak; bilemek.; taşlamak, rodaj yapmak. *i.* Gıcırtı; meşakkatli iş. ~**er**, öğütme/taşlama makinesi; bileyici; (*arg.*) azı diş. ~**ing**, gıcırtı; öğütme; ezme; bileme, taşlama, rodaj: ~ **machine**, taşlama/rektifiye tezgâhı: ~ **poverty**, ezici sefalet. ~**stone**, değirmen taşı; bileği çark/taşı: **keep one's nose to the ~**, durmadan çalışmak.
gringo ['grin(g)gou] (*İsp.–Am.*) Yabancı (*bilh.* İngiliz/Amerikalı).
grip [grip] *f.* Sıkı tutmak; -e pençe atmak; kapmak; sıkmak; kavramak. *i.* Sıkı tutma, sıkma; pençe; (*sp.*) tutuş, künde; kabza; seyahat çantası. **be at/come to ~s with the enemy**, düşmanla kapışmak: **get a good ~ of/on stg.**, bir şeye iyice tutunmak: **have/get a good ~ of the situation/subject**, durum/konuyu iyice kavramak: **lose one's ~ on affairs**, işlerin yakasını/ipin ucunu bırakmak.
grip·e [grayp]. Kulunç tutmak; şiddetli karınağrısı vermek; tahriş etm., burmak: **the ~s**, kulunç, kolik. ~**ing pains**, şiddetli karınağrısı.
grippe [grīp] (*Fr.*) Grip hastalığı.
gripping ['gripin(g)] *s.* Heyecanlı, ilginç.
***gripsack** ['gripsak]. Seyahat çantası.
griskin ['griskin]. Domuzun yağsız bel parçası.
grisly ['grizli]. Korkunç, dehşet verici, ürpertici.
grist [grist]. Öğütülecek zahire. **that brings ~ to the mill**, kâr kârdır: **all is ~ that comes to his mill**, her şeyden kâr çıkarır.
gristl·e ['grisl]. Kıkırdak. ~**y**, kıkırdaklı.
grit [grit] *i.* İri parçalı kum; kumtaşı; değirmenlik taş; sebat, cesaret. *f.* Gıcırdatmak. **put ~ in the bearings**, makine yatağına kum serpmek; (*mec.*) bir şeye el altından zarar vermek. ~**s**, iri yulaf taneler/unu. ~**stone**, kumtaşı; gre; kefeki taşı. ~**ty**, içinde kum taşları bulunan; kumlu.
grizzl·e [grizl] *i.* Külrengi (şey). *f.* Mırıldamak. ~**ed**, kır düşmüş, kıranta. ~**y**, kır, kül renginde: ~**-bear**, korkunç ayı.
GRO = GENERAL REGISTER OFFICE.
groan [groun]. İnlemek; inilti; sızlanma(k). ~**ing**, inliyen: **a table ~ with food**, bol yemekli bir masa.
groat [grout] (*tar.*) Dört penilik bir sikke. **not worth a ~**, metelik etmez.
groats [grouts]. Kabuğu çıkarılmış yulaf.
grocer ['grousə(r)]. Bakkal. ~**y**, bakkal dükkânı. ~**ies**, bakkaliye.
grog [grog] (*den.*) İspirto ile sudan ibaret içki; (*Avus.*) ispirto, içki. ~**gy** [-i], sarhoş; sendeliyen, takatsız: **feel ~**, halsizlik hissetmek, dizleri kesilmek. ~**-shop**, küçük meyhane.
grogram ['grogrəm]. Grogren.
groin [groyn] (*biy.*) Kasık; (*mim.*) iki kavis/yayın birbirini kestiği yer; = GROYNE.
***grommet** ['gromit] = GRUMMET.
groom [grūm] *i.* Seyis; = BRIDE~, güvey. *f.* (Atı) tımar etm. **well ~ed**, (at) iyi tımar edilmiş; (insan) çekidüzen verilmiş, taranmış. ~**sman**, güveyin sağdıcı.
groove[1] [grūv] *i.* Yiv, oluk, kanal, tırtıl, kertik. *f.* Yiv açmak. **get into a ~**, eski âdetlerine bağlı olm., kör değneğini bellemek.
***groove**[2] (*arg.*) Hoş/fevkalâde bir şey.
groov·ed [grūvd]. Yivli. ~**er**, yiv açıcı. ~**iness**, âdetlerine bağlı olma; hoşluk. ~**ing**, yiv aç(ıl)ma. ~**y**, âdetlerine bağlı; hoş, fevkalade.
grop·e [group]. Elleri ile yoklamak, el yordamı ile yolunu bulmak. ~ **for/after stg.**, bir şeyi el yordamı ile araştırmak. ~**ingly**, elleri ile yoklıyarak.
grosbeak ['grousbīk]. Florya gibi bir kuş. **scarlet ~**, al renkli şakrak kuşu.
gross[1] [grous] *i.* On iki düzine; grosa.
gross[2] *s.* Kaba; şişko; kaba ve şişman, hantal; kalın, koyu, kesif; gayrisafi, brüt; daralı; mecmu, toplam; toptan. ~ **ignorance**, kara cahillik: **a ~ mistake**, pek büyük hata: ~ **tonnage**, gayrisafi/brüt tonilato: ~ **weight**, brüt ağırlık. ~**ly**, kabaca; kötü halde. ~**ness**, kabalık; şişmanlık.
grot [grot] (*şiir.*) Mağaracık.
grotesque [grou'tesk] *s.* Güldürecek biçimde, gülünç, garip. *i.* Tuhaf ve gülünç insan/hayvanları gösteren ziynet/resim. ~**ly**, gülünç bir şekilde. ~**ness**, gariplik, gülünçlük.
grotto ['grotou]. Ufak ve güzel mağara; sunî süslü mağaracık.
grotty ['groti] (*arg.*) Cimri, alçak, miskin.
grouch [grauç] (*kon.*) Somurtkanlık.
ground[1] [graund] *g.z.(o.)* = GRIND. *s.* Öğütülmüş: ~ **glass**, buzlu cam. *i.* ~**s**, telve, tortu.
ground[2] *i.* Yer, zemin; toprak; kara; arazi, arsa; denizin dibi; (*sp.*) meydan, alan, saha; (*huk.*) sebep, asıl, mahal; plan; (*elek.*) = EARTH, toprak; (*müh.*) taban: *ç.* bir ev/kurumun özel arazisi; (*huk.*) nedenler, mucip/yasa sebepler; ~[1]. **above ~**, yer yüzünde; hayatta: **break ~**, toprağı kazmak/sürmek: **break new/fresh ~**, çığır açmak: **this report covers a great deal of new ~**, bu rapor bir çok yeni noktalara temas ediyor: **cut the ~ from under s.o.'s feet**, birinin planlarını bozmak: **down to the ~**, tamamen, her hususta: **fall to the ~**, yere

düşmek; (*mec.*) batıl olm., suya düşmek: **gain** ~, ilerlemek, önemi artmak: **get off the** ~, (*hav.*) kalkmak; (*mec.*) başlamak: **give/lose** ~, gerilemek; gitgide önemini kaybetmek: **give** ~ **for...**, -e mahal vermek, imkân/sebep vermek: **go to** ~, (tilki vb.) inine girmek; gizlenip gözden kaybolmak: **on the** ~ **that,...** ileri sürerek; bahanesiyle: **on sure/firm** ~, sağlam temel/esasa dayanarak: **stand one's** ~, mevkiini muhafaza etm.

ground[3] *f.* Karaya otur(t)mak; yere indirmek; tesis etm.; (*elek.*) toprağa bağlamak. ~ **an aircraft**, bir uçağın uçmasını yasak etm.: ~ **one's arguments on**, delillerini -e dayandırmak: ~ **a pupil in history**, bir öğrenciye tarih esaslarını öğretmek: ~ **arms!**, (*ask.*) tüfeği yere koy!

ground-[4] *ön.* Yer-, zemin-, toprak-, dip-; (*bot.*) cüce, yer-. ~**-bait**, balıkları çekmek için suya atılan yem. ~**-colour**, zemin/toprak rengi. ~**-control(led) approach**, yerden kontrol edilen uçak inişi. ~**-controller**, uçak iniş/kalkışları kontrolörü. ~**-crew**, hava meydanı makinistleri. ~**ed** [-did], (uçak(çı)) hareket edemiyen, meydanda kalmağa mecbur olan: **well** ~ **in Latin**, Latincenin esaslarını kavramış: **well** ~ **argument**, delilleri tamam. ~**-effect**, (*hav.*) yer tesiri: ~ **machine** = HOVERCRAFT. ~**er**, (*sp.*) yere yakın atılan top. ~**-floor**, yer/zemin/giriş katı. ~**-glass**, buzlu cam. ~**-hog**, dağ sıçanı. ~**ing**, (gemi) karaya otur(t)ma; topraklama; (uçak(çı)) uçuşun yasak edilmesi: **have a good** ~ **in stg.**, bir konunun esaslarını iyice bilmek. ~**-lead** [līd] (*elek.*) toprak teli. ~**-lease/-rent**, bir binanın arsa kirası. ~**less**, asılsız; sebepsiz: ~**ly**, sebepsiz olarak. ~**ling**, yer balığı. ~**-nut**, yer fıstığı. ~**-plan**, ufkî irtisam; temel planı; çap. ~**-school**, uçak pilot okulu. ~**sel**, kanarya otu. ~**-sheet**, su geçmez yaygı. ~**(s)man**, *ç.* ~**(s)men**, oyun sahalarına bakan adam. ~**-squirrel**, tarla sincabı. ~**-swell**, (deniz) salıntı. ~**-to-air/ground**, (*hav.*) yerden hava/yere. ~**-water**, (madenlerde) yeraltı su. ~**work**, zemin; temel; esas.

group [grūp] *i.* Grup, takım, öbek; küçük kalabalık; birlik; tröst; küme; manzume. *s.* Toplu; grup +. *f.* Grup halinde topla(n)mak. **in** ~**s**, öbek öbek. † ~**-captain**, (H.K.'de) albay. ~**ed**, toplu halinde. ~**er**, G. denizlerde bulunan büyük balık; (*kon.*) grup üyesi. ~**ing**, topla(n)ma. ~**-practice**, (*tıp.*) bir klinikte çalışan bir kaç doktor. ~**-therapy**, akıl hastalarının grup halinde tedavisi.

grouse[1] [graus] *i.* Orman tavuğu(giller), keklik: **black** ~, kayın tavuğu: **sand** ~, bağırtlak, step tavuğu: **willow** ~, bataklık tavuğu.

grouse[2] *f.* (*kon.*) Söylenme(k), homurdanma(k), dırlanma(k). ~**r**, homurdanan.

grout[1] [graut] *i.* Sulu harç. *f.* Tuğla ve taş aralarını harç ile doldurmak.

grout[2]. (Domuz) eşelemek.

grouts [grauts]. Tortu, telve.

grove [grouv]. Koru, ormancık. **orange** ~, portakal bahçesi: **olive** ~, zeytinlik.

grovel ['grovl]. Yerde sürünmek; çamura yuvarlanmak; alçakçasına yalvarmak/dalkavukluk etm. ~**ler**, dalkavuk. ~**ling**, alçakça; yaltaklanan, zelil.

grow (*g.z.* **grew**, *g.z.o.* **grown**) [grou, grū, groun]. Büyümek, boy atmak; yetişmek, bitmek; çoğalmak, artmak; olmak, -lemek, -lenmek, -leşmek; gittikçe ... olm.; yetiştirmek; (sakal) salıvermek. ~ **into a woman**, kadın olm.: **this picture** ~**s (up)on one**, bu resim insanı gittikçe sarıyor: **he will** ~ **out of it**, büyüdükçe ondan vazgeçer: ~ **out of one's clothes**, çocuk büyüdükçe elbiseleri dar gelmek: **one** ~**s to like it**, insan gittikçe ondan hoşlanıyor: ~ **up**, büyümek, gelişmek, boy atmak.

grow·able ['grouəbl]. Yetiştirilir, üretilir. ~**er**, özel bir şekilde büyüyen bir ağaç; hayvan/bitki yetiştiricisi, üretici. ~**ing**, *s.* büyüyen, yetişen, biten; artan: *i.* yetişme, bitme; artma; yetiştirme.

growl [graul] *f.* Hırlamak; homurdanmak. *i.* Hırıltı, mırıltı. ~**er**, (*kon.*) kira arabası; küçük buzul.

grown [groun] *g.z.o.* = GROW. *s.* Büyümüş; yetiştirilmiş. **tower** ~ **over with ivy**, sarmaşık kaplı kule: **well** ~, boyu bosu yerinde; iyi yetiştirilmiş. ~**-up**, büyümüş, büyük, yetişkin, olgun: **the** ~**s**, (çocukların aksi olarak) büyükler.

growth [grouθ]. Büyüme, gelişme, inkişaf; artma; şiş, ur. **a week's** ~ **of beard**, bir haftalık tıraş. ~ **bond/fund**, (*mal.*) sermaye artırılmasına bağlanmış bir fon. ~**-conscious**, sermaye artırılmasını daima düşünen (kimse).

groyne [groyn]. Sahili sabitleştirmek için denize giren kazık/taş seti.

GR·P = GLASS REINFORCED PLASTIC. ~**T** = GROSS REGISTER TONNAGE.

grub[1] [grʌb] *i.* Sürfe, kurt, tırtıl; (*arg.*) manca.

grub[2] *f.* Eşelemek; (*arg.*) çok çalışmak: ~ **up**, (toprağın yüzünü) hafifçe kazmak; (kökler) sökmek. ~**ber**, eşeliyen kimse.

grub·biness ['grʌbinis]. Kirlilik, pislik. ~**by**, kirli, pis; kurtlu, tırtıllı. * ~**stake**, (*arg.*) maden sahibine verilip gelecekte ödenecek erzak.

grudge[1] [grʌc] *i.* Kin, garaz, hınç. **bear s.o. a** ~**/a** ~ **against s.o.**, birine kin beslemek.

grudg·e[2] *f.* Esirgemek, diriğ etm.; çok görmek; haset etm.; acımamak. ~**ing**, gönülsüz; esirgeyici: **he is** ~ **in his praise**, medhi cömertçe değildir: ~**ly**, istemiyerek, kerhen.

gruel ['gruəl]. Sulu yulaf lapası; yavan çorba.

gruelling ['gruəlin(g)] *s.* Meşakkatli, çok yorucu. *i.* Meşakkatli ve takat kesen iş/maç vb.

gruesome ['grūsəm]. Ürkütücü, ürpertici, korkunç, iğrenç. ~**ly**, ürkütücü vb. olarak. ~**ness**, iğrençlik vb.

gruff [grʌf]. Hırçın, sert, gülmez; boğuk/kalın sesli. ~**ish**, oldukça hırçın vb. ~**ly**, hırçınca vb. ~**ness**, hırçınlık vb.

grumbl·e ['grʌmbl] *f.* Mırıldamak, dırdır etm., şikâyet etm., söylenmek. *i.* Şikâyet. ~ **at**, -den şikâyet etm. ~**er**, mırıldıyan, şikâyetçi. ~**ing**, *i.* mırıltı, şikâyet: *s.* dırdırıcı: *zf.* homurdanarak.

grume [grūm]. Kan pıhtısı.

grummet/grommet ['grʌmit]. İskarmoz ipi; ipten halka.

grumous ['grūməs] (*tıp.*) Kan pıhtısına benzer; pıhtılı; (*bot.*) düğümlü.

grump·ily ['grʌmpili]. Somurtkanca. ~**iness**, somurtkanlık. ~**s**, (*kon.*) suratsızlık. ~**y**, somurtkan, dırdırıcı; ters.

Grundy ['grʌndi]. **Mrs.** ~, ahlâk hususunda pek titiz ve mutaassıp kimse.

grunt [grʌnt] *f.* Domuz gibi hırıldamak. *i.* Hırıltı. ~**er**, (*kon.*) domuz.

gruyère ['gruyeə(r). Gravyer peyniri.
gryphon ['grifən] = GRIFFIN.
GS = GENERAL SECRETARY/SERVICE/STAFF; GEOGRAPHICAL SOCIETY; GOLD STANDARD; GRAMMAR SCHOOL. ~**O** = GENERAL STAFF OFFICER.
G·-string ['cīstrin(g)] (*müz.*) Sol teli; (*mod.*) pek dar bir peştamal. ~**-suit**, (*hav.*) g-elbisesi.
GT = (*oto.*) GRAN TURISMO.
Gt. = GREAT. ~**d** = GUARANTEED.
guano ['gwānou]. Guano, martı gübresi.
guarant·ee [garən'tī] *i.* Kefil, garanti, (üçüncül) inanca, teminat; aval. *f.* Kefalet etm., kefil olm.; temin/teyit etm., sağlamak. **stand ~ for s.o.**, birine kefil olm. ~**eed**, inanca/teminat/garantili. ~**or** [-'tō(r)], kefil, aval, borçlancı. ~**y** ['garənti], kefalet, garanti, borçlancılık, emniyet.
guard [gād] *i.* Muhafız; nöbet(çi); (*dem.*) tren şef/kondüktörü; korucu, koruma görevlisi, bekçi; muhafaza, himaye; dikkat, uyanıklık; siper; tetik köprüsü. *f.* Korumak, muhafaza etm., himayesi altına almak. ~ **against**, önlemek: **be on ~**, nöbet beklemek: **be on one's ~**, tetikte durmak: **be caught off one's ~**, gafil avlanmak: **come off ~**, nöbeti bitmek: **go on/mount ~**, nöbete çıkmak: ~ **of honour**, ihtiram kıtası: **keep ~**, nöbet beklemek; korumak: **'one of the old ~'**, eskilerden (asker, politikacı vb.): **put s.o. on his ~**, birini ikaz ederek ihtiyatlı olmasını söylemek: **throw s.o. off his ~**, birini gaflete sevketmek.
guard·-boat ['gād-bout]. Nöbetçi filikası. ~**-chain**, (*mod.*) (saat vb.) emniyet zinciri. ~**ed** [-did], muhafazalı; ihtiyatlı, muhteriz, tedbirli. ~**-house**, askerî karakol; nöbetçi odası.
guardian ['gādiən]. Vasi, veli; bekçi; muhafız; gardiyan: ~ **angel**, koruma meleği, koruyucu melek: **Board of ~s**, belediye iane heyeti. ~**ship**, vesayet, velilik.
guard·-rail ['gādreyl]. Korkuluk, vardamana; siper demiri. ~**room**, askerî karakol; nöbetçi odası. ~**s**, İng. kraliçesinin hassa alayları; muhafız alayları. ~**ship**, karakol gemisi; muhafız gemi. ~**sman**, *ç.* ~**smen**, hassa alaylarından birine mensup asker; muhafız.
Guatemala [gwati'mālə]. Guatemala. ~**n**, *i.* Guatemalalı: *s.* Guatemala +.
guava ['gwāvə]. Guava ağacı(nın meyvası).
gubbins ['gʌbinz] (*kon.*) Değersiz şey; GADGET; (*kon.*) ahmak.
gubernatorial [gūbənə'tōriəl]. Valiye ait.
guddle [gʌdl] (*leh.*) Derelerde elleriyle balık avlamak.
gudgeon[1] ['gʌcən]. Dere kayası.
gudgeon[2]. Menteşe mil/pin/kovanı. ~**-pin**, kenet/piston mili.
guelder-rose ['geldərouz]. Kartopu çiçeği.
guerdon ['gəd(ə)n] (*şiir.*) Mükâfat (vermek); ücret; zarar tazmin etm.
Guernsey ['gənzi]. Anglo-Normand adalarının birisi; bir çeşit inek.
guer(r)illa [gə'rilə]. Çete savaşı; çete, gerilla. **urban ~**, şehirlerde savaşan çete.
guess [ges] *i.* Tahmin; bilme. *f.* Tahmin etm.; *bilmek, keşfetmek; zannetmek; kararlamak. **at a (rough) ~**, tahminen, aşağı yukarı: **I give you three ~es**, üç defada bilirsen ne iyi: **by ~ (-work)**, rasgele, baht işi, tahminî olarak: **keep s.o. ~ing**, birini şaşırtarak aldatmak: **it's pure ~-work**, tahminden ibaret: ~ **whom I met!**, kime rastgelsem beğenirsiniz?
guest [gest]. Misafir, konuk; davetli; pansiyoner. **paying ~**, pansiyoner: **be my ~!**, misafirim olarak gel! **I was his ~ for three weeks**, evinde üç hafta kaldım. ~**-actor**/**-star**, (*tiy.*) konuk oyuncu. ~**-chamber**/**-room**, misafir (yatak) odası. ~**-house**, misafirhane, pansiyon. ~**-night**, (kulüp/mahfil vb.) misafir/davet gecesi. ~**-rope**/**-warp**, (sandal) yedek halatı. ~**-worker**, başka memlekette çalışan işçi (*Alm.* 'Gastarbeiter').
guff [gʌf] (*arg.*) Saçma, boş sözler.
guffaw [gʌ'fō]. Kaba/gürültülü ve genellikle alaylı kahkaha (salıvermek); kesik kahkaha.
guid·ance ['gaydəns]. Rehberlik; kılavuzluk; yol gösterme; (*hav.*) güdüm; delâlet; nasihat, öğüt. ~**e**, *i.* rehber, kılavuz; nâzım; delâlet; talimat; örnek. *f.* Yol göstermek, rehberlik etm., delâlet etm.; irşat etm.; idare etm.; sevketmek: ~**-book**, kılavuz, rehber: ~**-dog**, körlere yol gösteren köpek: ~**d missile**, güdümlü mermi, gütmeli uçan bomba: ~**d tour**, kılavuzlu gezinti. ~**ing**, yol gösterici, yönetme; rehberlik edici; kılavuzluk: ~**-stick**, nakkaş değneği.
guidon ['gīdō(n), 'gaydən]. Tabur/alay bayrağı.
g(u)ild [gild]. Esnaf loncası. ~**hall**, lonca salon/binası: **(the) G~**, Londra belediye dairesi.
guilder ['gildə(r)]. Felemenk parası.
guile [gayl]. Kurnazlık; hilekârlık; hud'a. ~**ful**, hilekâr. ~**less**, dürüst, hilesiz; saf(dil).
guillemot ['gilimot]. Bir nevi martı.
guillotine [gilə'tīn] *i.* Giyotin; (*bas.*) satır(lı makine). *f.* Giyotin ile idam etm.; (kâğıt) kesmek; (*id.*) tartışmaları kesmek/bitirmek.
guilt [gilt]. Suçluluk; mücrimlik. ~**ily**, suçlu gibi/olarak. ~**iness**, suçluluk. ~**less**, suçsuz. ~**y**, suçlu; mücrim: **find s.o. ~**, birini suçlu olduğunu tespit etm.: **plead ~**, suçunu (mahkemede) itiraf etm.: ~ **conscience**, suçlu olduğunu bilme: ~ **look**, suçlu bakış.
Guinea ['gini]. Guinea; (*mer.*) İng. altın sikkesi (değeri 21 SHILLING). ~**-corn**, darı. ~**-fowl**, beç tavuğu. ~**-hen**, dişi beç tavuğu. ~**-pig**, Hint domuzu, kobay; (*mer.*) ücret olarak bir GUINEA alan işçi; (*mec.*) (tıp) denemeler(in)e duçar edilen hayvan/kimse.
guipure [gi'pyuə(r)]. Bir nevi keten dantel.
guise [gayz]. Kıyafet, kılık; şekil, tavır.
guitar [gi'tā(r)]. Gitar, kitara. ~**ist**, kitaracı.
***gulch** [gʌlç]. Sel çukuru.
gulden ['gūldən] = GUILDER.
gules [gyūlz]. Kırmızı.
gulf [gʌlf]. Körfez; girdap; büyük aralık. ~ **Stream**, Atlantikteki Golfstrim.
gull [gʌl] *i.* Martı(giller); safderun, aval. *f.* Aldatmak, kafese koymak. **black-backed ~**, kara (sırtlı) martı: **black-headed ~**, karabaş/siyah başlı/güler martı: **common ~**, küçük martı: **herring ~**, gümüşî martı: **little ~**, cüce martı: **Mediterranean ~**, karabaşlı/akdeniz martı(sı).
gullet ['gʌlit]. Boğaz, meri, yutak, yemek borusu, gırtlak.
gullib·ility [gʌli'biliti]. Safdillik. ~**le** ['gʌlibl], kolayca aldanan, safdil, avanak, keş.
gully ['gʌli]. Sel çukur/yarıntısı; dere.

gulp [gʌlp] *i.* Yudum; yutma sesi. *f.* Yutma sesi çıkarmak. ~ **down**, yutmak, tıkıştırmak; örtbas etm.
gum[1] [gʌm] *i.* Diş eti.
gum[2] *i.* Zamk; yapıştırıcı (madde); sakız; göz çapağı. *f.* Zamklamak. ~ **down**, zamk ile yapıştırmak: ~ **up**, yapışıp kımıldamamak; (*mec.*) bozmak.
gum[3]. **by** ~!, (*arg.*) aman Yarabbi!
gum-[4] *ön.* ~**-arabic**, Arap zamkı. *~**bo** = GOMBO. ~**boil**, diş etindeki çıban. ~**-boots/-shoes**, lastik çizme. ~**-drop**, öksürük şekeri. ~**ma** ['gʌmə], yumuşak frengi kabarcığı. ~**-mastic**, sakız, mastika. ~**miferous**, zamk/sakız hâsıl eden. ~**miness**, zamklı olma, yapışkanlık. ~**mous**, zamklı. ~**my**[1], zamklı, yapışkan.
gummy[2] *s.* Dişsiz. *i.* (*Avus.*) küçük köpek balığı; dişsiz koyun.
gumption ['gʌmpşn] (*kon.*) Akılselim, sağduyu; uyanıklık; gayret.
gum·-rash ['gʌmraş]. Diş etindeki lekeler. ~**-resin**, zamklı sakız. ~**-tree**, zamk ağacı; ökaliptüs: **up a** ~, (*kon.*) zor bir durumda.
gun [gʌn] *i.* Top; tüfek; *tabanca; silâh; av partisi üyesi. *f.* Ateş etm.; tüfekle avlamak. **double-/single-barrelled** ~, çifte/tek namlulu tüfek: **grease** ~, yağ/gres tabancası: **machine** ~, makineli tüfek: **spray** ~, boya vb. püsküren alet: **a big** ~, kodaman, önemli biri: **beat/jump the** ~, (*sp.*) işaretten önce çıkmak; (*mec.*) rakiplerden avantaj almak: **blow great** ~**s**, fırtına kopmak: **he carries too many** ~**s for me**, boy ölçüşemem: ~ **for s.o.**, birini yoketmeğe çalışmak: **spike s.o.'s** ~**s**, kuvvetini bozmak, yenmek: **stick to one's** ~**s**, teslim etmemek; iddiasından vazgeçmemek. ~**-barrel**, namlu. ~**-boat**, gambot: ~ **diplomacy**, deniz kuvvetleriyle desteklenmiş dış politikası. ~**-captain**, (*den.*) topçu kumandanı. ~**-carriage**, top kundağı. ~**-case**, av tüfeği çantası. ~**-cotton**, pamuk barutu. ~**-crew**, topcu takımı. ~**-deck**, top güvertesi. ~**-dog**, av köpeği. *~**-fight**, silâhlı canilerin kavgası. ~**-fire**, top ateşi; sabah/akşam topu atıldığı saat. ~**-flint**, filinta çakmağı. ~**-lock**, tüfek mekanizması. ~**man**, *ç.* ~**men**, (*arg.*) silâhlı cani. ~**-metal**, top tuncu; bakır ile kalay/çinko halitası. **-**~**ned**, (*son.*) toplu.
gunnel [gʌnl] = GUNWALE; (*zoo.*) tereyağ balığı.
gun·ner ['gʌnə(r)]. Topçu: ~**y**, topçuluk (tekniği). ~**ning**, tüfek kullanılması; ateşleme.
gunny ['gʌni]. Çuvallık bez.
gun·pit ['gʌnpit]. Top siperi. ~**-port**, top lombozu. ~**powder**, barut. ~**-power**, atış kuvveti. ~**-room**, savaş gemisinde küçük aşamalı subaylar salonu; av tüfekleri temizlenen ve saklanan oda. ~**-run·ner/-ning**, silâh kaçakçı/-lığı. ~**shot**, top/tüfek atışı, atım: **within/out of** ~, tüfek menzili içinde/dışında: ~**-wound**, kurşun/mermiden hâsıl olan yara. ~**shy** [-şay], (köpek) tüfek sesinden korkar. ~**smith**, silâhcı; tüfekçi. ~**stock**, dipçik.
gunter ['gʌntə(r)]. Gabya çubuğu (yelkeni). ~**'s-chain**, ölçme zinciri (30,44 m.). ~**'s scale**, iki kademlik mikyas.
gun·-turret ['gʌntʌrit] (*den.*) Top kalesi. ~**wale** [-nəl], küpeşte, borda tirizi.
guppy[1] ['gʌpi] (*zoo.*) Lebistes.
guppy[2]. Akma gövdeli ve şnorkelli denizaltı.
gurg·itation [gə̄gi'teyşn]. Girdap suyu gibi kaynama/hareket etme.
gurgle [gə̄gl] *i.* (*yan.*) Şişeden dökülen suyun çıkardığı ses; lıklık. *f.* Lıkırdamak; fokurdamak.
Gurkha ['gə̄kə]. ~ **regiment**, Gurkha alayı.
gurnard ['gə̄nəd]. Kırlangıç balığı: **grey** ~, benekli kırlangıç balığı: **streaked** ~, mazak.
guru [gūrū]. (Hindu) ruhanî öğretmen, mürşit.
gush [gʌş]. Fışkırma(k); fazla hassasiyetle konuşma(k). ~**er**, petrol fışkıran kuyu. ~**ing**, fışkıran: ~ **woman**, coşkun/taşkın kadın: ~**ly**, coşkun bir şekilde.
gusset ['gʌsit]. Genişletmek/takviye etm. için eklenen kısım.
gust [gʌst]. Rüzgâr/yağmurun anî bir hamle/vuruş/savruntusu; bora: **a** ~ **of anger**, hiddet dalgası.
gustat·ion [gʌs'teyşn]. Tatma. ~**ive**/~**ory** ['gʌstətiv, -tri], tada ait.
gust·ful/-ily [gʌstfəl, -ili]. Boralı; arasıra esen.
gusto ['gʌstou]. Zevk, haz; ağıztadı.
gusty ['gʌsti]. Boralı; arasıra şiddetle esen.
gut [gʌt] *i.* Bağırsak; çalgı kirişi; misina; deniz/nehirde dar geçit. *f.* İçini dışına çıkarmak. ~**s**, bağırsaklar; (*arg.*) cesaret, sebat, dayanıklılık. **the fire** ~**ted the house**, yangın evin içini tamamen tahrip etti. ~**-reaction**, (*arg.*) içgüdüsel duygu/tepki.
guttapercha [gʌtə'pə̄çə]. Gütaperka.
guttate ['gʌteyt] (*zoo.*) Benekli.
gutter ['gʌtə(r)] *i.* Oluk; su yolu; dam oluğu. *f.* (Yağmur) evlek açmak; (mum) akıp gitmek. **born in the** ~, en aşağı halk tabakasından. ~**ing**, bir binanın olukları. ~**-press**, adi gazeteler. ~**-snipe**, küçük külhanbeyi, afacan.
gutti·ferous [gʌ'tifərəs]. (Zamk/sakız) damla hâsıl eden. ~**form**, damla şekli.
guttural ['gʌtərəl]. Gırtlaktan çıkarılan (ses); damak ünsüzü. ~**ize** [-layz], sesi gırtlaktan çıkarmak. ~**o-**, *ön.* gırtlak-.
guy[1] [gay] *i.* 5 kasımda dolaştırılan ve Guy Fawkes'u temsil eden manken; korkuluk gibi; düttürü Leyla; *(*arg.*) adam, herif. *f.* Alaya almak, takılmak.
guy[2]. Direk/baca/çadır vb. yerinde tutan halat; vento. *f.* Bir iple saptamak.
guzzle ['gʌzl]. Tıkınmak, tıkıştırmak. ~**r**, obur.
g.v.w. = GROSS VEHICLE WEIGHT.
GWR = GREAT WESTERN RAILWAY.
gybe, ***jibe** [cayb] (*den.*) Rüzgâr pupadan eserken mayistra yelkeni birdenbire kavanca edilmek.
gym [cim] (*kon.*) = GYMNAS·IUM/-TICS. ~**khana** [-kānə], sporlar için toplantı (yeri); binicilik müsabakaları. ~**nasium** [-'neyziəm], cimnastikhane, spor salonu. ~**nast** ['cimnast], cimnastik uzmanı, cimnastikçi: ~**ic**, cimnastiğe ait: ~**ics**, cimnastik, idman, beden eğitimi.
gymno- ['cimno-] *ön.* (*biy.*) Açık, çıplak, kabuksuz.
gynaec·eum [gayni'sīəm] (*mim.*) Harem; (*bot.*) dişilik organları. ~**o-** [-ko-] *ön.* kadın +, dişi-. ~**olog·ist/-y** [-'kolәcist, -ci], kadın/doğum hastalıkları uzman(lığ)ı. ~**opathy** [-kou'paθi], kadın hastalığı, nisaiye.
gyn·androus [gi'nandrəs]. Karma eşeyli. ~**iatrics** [gayni'atriks], kadın hastalıklarının tedavisi. ~**o-**, *ön.* kadin +.
-gynous [-cinəs] *son.* -dişi, kadına ait [ANDROGYNOUS].

gyp[1] [cip]. (Cambridge üniversitesinde) erkek hizmetçi.

gyp[2]. **give s.o.** ~, (*arg.*) azarlamak, cezalandırmak.

***gyp**[3] *i.* Hile; hileci. *f.* Aldatmak, dolandırmak.

gypsum ['cipsəm]. Alçı taşı, jips.

gypsy ['cipsi] = GIPSY.

gyrate[1] ['cayreyt] *s.* Halkalı/helezonî şekilde.

gyrat·e[2] [-'reyt] *f.* Deveran etm., (topaç gibi) dönmek. ~**ion** [-'reyşn], deveran, devir, dönme, jirasyon. ~**ory**, dönücü, deveran eden, döner.

gyro ['cayrou] (*kon.*) = GYROSCOPE. ~-, *ön.* halka şekli; dönen. ~-**compass**, cayro/ciroskoplu pusula. ~-**pilot**, otomatik/cayro pilot. ~-**plane**, otojiro, ciroplan. ~**scope** [-skoup], cayro-/ciroskop, topaç. ~**scopic** [-skopik], cayroskop/topaca ait, cayroskop·ik/-lu, topaçlı. ~**stat(ic)**, cayrostat(lı), denk topaç(lı).

gyve [cayv] (*şiir.*) Bağ; köstek.

H

H [eyç]. H harfi. **drop one's h's**, 'h' harfini telaffuz etmemek.

H, h. = HARD(NESS); HEAD; HEALTH; HECTO-; HEIGHT; HENRY; HOSPITAL; HOT; HOUR; (*kim.s.*) HYDROGEN.

ha [hā]. *Hayret/sevinç şuphe/başarı anlatır.* ~ ~, *gülme sesini taklit eder.*

HA = HISTORICAL ASSOCIATION.

habeas corpus ['heybiəs 'kōpəs] (*Lat.*) ~ **Act**, haksız yakalama/tutuklamayı meneden ünlü İng. kanunu: **writ of** ~, bir memura tebliğ edilen ve kendisinin yakaladığı kimseyi mahkemeye getirmek emrini ihtiva eden ihtar müzekkeresi.

haberdasher ['habədaşə(r)]. Tuhafiyeci, aktar. ~**y** [-şəri], tuhafiyeci dükkân/eşyaları, aktarlık.

habiliment [ha'bilimənt]. Bir memuriyet/merasime uygun elbiseler.

habilitate [ha'biliteyt]. Döner sermaye tedarik etm.; bir memuriyet için gereken vasıfları haiz olm.

habit[1] ['habit] *i.* İtiyat, alışkanlık, yatkınlık, âdet; huy; mutat; bünye; kadınlara mahsus binicilik elbisesi; (*mer.*) elbise (*bil.*) rahip cübbesi. ~ **of body**, (*tıp.*) bünye: **contrary to** ~, mutat hilafına; **get/grow into the** ~ **of**, -e alışmak: **make a** ~ **of**, âdet edinmek: **out of/from force of** ~, alışkanlıkla, itiyat sebebiyle: **grow out of a** ~, gitgide alışkanlığını değiştirmek.

habit[2] *f.* Giydirmek; (*mer.*) = INHABIT.

habit·ability [habitə'biliti]. Oturulacak halde olma. ~**able** ['habitəbl], oturulabilir, iskânı kabil, ikamete uygun. ~**ableness** = ~ABILITY. ~**ant** [-tənt] = INHABITANT: [abi'tā(n)], Fransız menşeinden doğan Kanadalı. ~**at** ['habitat], (hayvan/bitki) doğal/yetiştiği yer, yurt. ~**ation** [-'teyşn], ikamet, oturma; mesken, ev, ikametgâh: **(un)fit for** ~, ikamete elverişli ol(mıy)an, oturula·bilir (-maz).

habitu·al [hə'bityuəl]. Mutat; her zamanki; daimî; alışmış; gedikli: ~ **drunkard**, ayyaş: ~**ly**, alışılmış olduğu gibi; daimî olarak: ~**ness**, itiyat, alışkanlık. ~**ate** [-yueyt], alıştırmak. ~**ation** ['eyşn], alıştır(ıl)ma. ~**de** ['habityūd], âdet, itiyat; alışkanlık. ~***é*** [hə'bityuey], gedikli (müşteri vb.).

†**HAC** = HONOURABLE ARTILLERY COMPANY.

hachure ['haşuə(r)] *i.* (Resimde) tarama. *f.* Tarama hatları ile göstermek.

hacienda [hasi'endə] (*İsp.-Am.*) Büyük emlâk/çiftlik/fabrika.

hack[1] [hak] *f.* Kabaca ve düzensizce kesmek; çentmek, yarmak; (*sp.*) birinin incik kemiğine tekme atmak. *i.* Madenci kazması; kertik, kaba yara; incik kemiğine tekme. ~ **one's way through**, yolunu yarıp açmak.

hack[2] *i.* (Av için kullanılmıyan) binek atı; kira beygiri; adi işler gören adam. *f.* Kira beygirine binmek; atla gezintiye çıkmak. **literary** ~, gündelik yazar.

hackle ['hakl]. Keten tarağı; horozun boynundaki uzun tüyler; (balıkçılık) bu tüylerden yapılan sunî sinek. **with his** ~**s up**, kavgacı horoz gibi dövüşmeğe hazır.

hackney ['hakni]. Kira beygir/arabası; adi binek atı. ~**ed**, çok kullanılıp bayağılaşmış; beylik, hâyide.

hack·saw ['haksō]. Kollu maden testeresi. ~**work**, (gazete vb.de) gündelik alelâde yazı işleri.

had [had] *g.z.(o.)* = HAVE.

haddock ['hadək]. K. Atlantiğe mahsus bir nevi morina balığı.

Hades ['heydīz] (*mit.*) Cehennem.

hadj [hac] (*Ar.*) Hac. ~**i**, hacı.

hadn't [had(ə)nt] = HAD NOT.

haecceity [hek'sīiti] (*fel.*) Böylecelik, hususiyet, ferdiyet.

h(a)ema- [hīmə-, hemə-] *ön.* Kana ait; kan+; hema-. ~**l**, kan (damarların)a ait, hemal. ~**tic** [-'matik], kana ait; kana tesir eden (ilâç). ~**tin**, hemoglobini hâsıl eden madde, hematin. ~**tite** [-tayt], hematit. ~**to-**, *ön.* kana ait; hemato-.

h(a)emo- [hīmə-, hīmo-, hemo-]. Kana ait; kan+; hemo-. ~**globin** [-gloubin], hemoglobin. ~**philia** [-'filiə], hemofili: ~**c** [-liak], hemofiliye müptelâ. ~**rrhage** ['heməric], hemoraji, kanama, kan kaybetme. ~**rrhoids** [-roydz], basur, mayasıl.

hafiz [hafiz] (*Ar.*) Hafız.

hafnium ['hafniəm]. Hafniyum.

haft [hāft]. Sap; sap takmak.

hag[1] [hag]. Bataklıkta sabit bir yer.

hag[2]. Acuze, cadaloz, cadı.

hagfish ['hagfiş]. Bir cins balık asalağı.

haggard ['hagəd]. Istırap/açlık/acıdan dolayı benzi sararmış/gözleri donmuş ve yanakları çökmüş; ürkek bakışlı. ~**ness**, böyle bakışlılık.

haggis ['hagis] (*İsk.*) Kendi midesinde pişirilmiş koyun sakatatı.

haggish ['hagiş]. Cadaloza benzer: ~**ly**, cadı gibi olarak.

haggl·e ['hagl]. Çekişe çekişe pazarlık etm. ~**ing**, pazarlık.

hagio- [hagio-] *ön.* Azizlere ait. ~**cracy** [-'okrəsi], azizler/kutsal şahıslar hâkimiyeti. ~**grapher** [-'ogrəfə(r)], azizlerin biyografyasını yazan. ~**graphy**, azizlerin hayatına ait yazmalar. ~**later** [-'olətə(r)], azizlere tapan. ~**latry**, azizlere tapınma. ~**logy** [-'oləci], kutsal yazılar/azizlere ait bilim.

hag-ridden ['hagridn]. Kâbuslu ağırlık basmış; uğursuz bir sabit fikre saplanmış.

Hague [heyg]. **The** ~, Lahey, Haag.

ha-ha[1] [hā'hā] *ünl. Gülme sesini taklit eder; başarı nidası. f.* Böyle gülmek.

ha-ha[2]. Bahçe çevresinde engel olarak kazılan hendek.

hail[1] [heyl] *f.* Çağırmak; seslenmek; selâm ve alkışlarla karşılamak; (bir gemi geçen bir gemiye) işaret vermek. *i.* Çağırma, seslenme. **where does this ship ~ from?**, bu gemi hangi limandan geliyor?: **where do you ~ from?**, siz ne taraftansınız?: **within ~**, seslenebilecek bir mesafede.

hail[2] *ünl.* Selâm(lama nidası). **~-fellow-well-met**, *s.* samimî dost olan; herkesle çabuk ahbap olan: **~-Mary**, Meryemanaya dua.

hail[3]. Dolu (yağmak). **a ~ of questions**, sual yağmuru. **~stone**/**~storm**, dolu tane/fırtınası.

hair [heə(r)]. Saç; kıl; tüy. **against the ~**, tüyün tersine: **do one's ~**, saç tuvaletini yapmak: **a fine head of ~**, gür ve güzel saç: **keep your ~ on!**, (*arg.*) öfkelenme!, köpürme!: **lose one's ~**, saçı dökülmek; (*arg.*) öfkelenmek: **put one's ~ up**, (kız) saçlarını topuz yapmak: **get s.o. by the short ~s**, sıkışık duruma koymak: **split ~s**, kılı kırk yarmak: **for one's ~ to stand on end**, tüyleri ürpermek: **to a ~**, tıpkısı tıpkısına: **not to turn a ~**, istifini bozmamak; kılı kıpırdamamak. **~bell** = HAREBELL. **~breadth** = ~'S-BREADTH. **~brush**, saç fırçası; (*san.*) ince resim fırçası. **~cloth**, kıl kumaş, çul. **~-compasses**, ince çizgi pergeli. **~crack**, kıl çatlak. **~-curl·er**, saç maşası; bigudi, sarmaç: **~ing** = ~-RAISING. **~-cut**, saç tıraşı. **~-do** [-du], saç tuvalet/modası. **~-dress·er**, kuvaför, kadın berberi: **~ing**, saç kesme, berberlik; saç ilâcı. **-~ed**, *son.* -saçlı. **~iness**, (fazla) saçlılık. **~less** [-lis], saç/tüy/kılsız; dazlak. **~line** [-layn], ince çizgi: **~-crack**, kılcal/mikro çatlak. **~-pencil**, (*san.*) ince resim fırçası. **~-piece**, takma saç. **~pin**, saç iğnesi; firkete: **~-bend**, (*oto.*) firkete gibi yol kıvrıntı/dönemeci. **~-raising**, tüyler ürpertici. **~-restorer**, saç ilâcı. **~-ribbon**, saç bağı. **~'s-breadth**, **he escaped drowning by a ~**, boğulmasına kıl kaldı: **be within a ~ of death**, ölmesine kıl kalmak. **~-shirt**, (riyazet için giyilen) kıl gömlek. **~-space**, (*bas.*) ince boşluk/aralık. **~-splitt·er**, kılı kırk yaran: **~ing**, kılı kırk yarma. **~-spring**, ince helezonî yay, spiral. **~-stroke**, pek ince çizgi. **~-trigger**, istinatlı tetik. **~-weaving**, takma ile doğal saçlar örülmesi. **~y**, kıllı, tüylü, saçlı.

Haiti ['heyti]. Haiti. **~an** ['heyşyən], Haitili.

hake [heyk]. Barlam (balığı).

halation [ha'leyşn] (*sin.*) Donukluk, ağıl.

hakim [ha'kīm] (*Ar.*) Hekim; ['hākim], hakem, vali.

halberd ['halbəd]. Baltalı harbe. **~ier** [-'diə(r)], harbeci, baltacı.

halcyon ['halsiən]. Yalıçapkınıgillerin bir kaç türü; (*mit.*) kışın denizde yuva yaptığı zannedilen bir kuş: **~ days**, sakin ve mutlu günler.

hale[1] [heyl] *s.* Gürbüz ve dinç (ihtiyar). **be ~ and hearty**, dinç ve canlı olmak.

hale[2] *f.* Sürüklemek.

half, *ç.* **halves** [hāf, hāvz]. Yarım, nısıf; yarı; buçuk; (okul) yarım yıllık dönem süresi; (*sp.*) muavin, haf; devre, dönem. **~ past three**, saat üç buçuk: **three and a ~**, üç buçuk: **~ as big again**, bir buçuk misli: **he only got ~ as many marks as I did**, o benim aldığım numaraların yarısını aldı: **I was ~ afraid that...,...** diye bir az korktum: **to make a good start is ~ the battle**, iyi başlanan iş yarı bitmiş demektir: **a man's better ~**, bir adamın karısı: **do stg. by halves**, bir işi yarım yamalak yapmak: **too clever by ~**, lüzumundan fazla akıllı: **~ a crown**, iki buçuk şilin: **cut in ~**, ikiye bölmek: **go halves**, eşit olarak paylaşmak: **not ~ bad**, hiç de fena değil: **not ~!**, (*kon.*) hem de nasıl, pek çok: **not ~ enough**, yarısı bile değil: **he didn't ~ swear**, (*kon.*) öyle bir küfür etti ki: **lean ~ out of the window**, pencereden yarı beline kadar sarkmak: **return ~**, dönüş bileti. **~-and-~**, (kahve) yarısı süt yarısı kahve; (viski) yarısı viski yarısı soda. **~-back**, muavin, haf. **~-baked**, yarı pişmiş; acemi; aptal; yarım yamalak. **~-binding**, (kitap) yarı cilt. **~-blood(ed)**, yalnız ana/baba tarafından akrabalık; melez. **~-bound**, yarı ciltlenmiş. **~-bred**, *s.*: **~-breed**, *i.* melez. **~-brother**, üvey kardeş. **~-caste**, melez insan. **~-cock**, alt tetikte: **go off at ~**, (bir plan) tamamen hazır olmadan çıkarılmak. **~-crown**, (*mer.*) (2/6) iki buçuk şilin değerinde gümüş İng. parası. **~-deck(ed)**, yarı güverte(li). **~-fare**, yarım bilet. **~-hardy**, (bitki) az soğuğa dayanır. **~-hearted**, isteksiz, gevşek. **~-hitch**, (*den.*) meze volta. **~-holiday**, yarım azat; öğleden sonraki tatil. **~-hose** [-houz], kısa konçlu çorap. **~-hour**, yarım saat: **~ly**, yarım saatte bir. **~-length**, yarı boy: **~-portrait**, vücudun üst kısmını gösteren resim. **~-mast**, mezestre (etm.); yarıya indirilmiş (bayrak). **~-measure**, yarım yamalak tedbir. **~-moon**, yarım ay. **~-mourning**, yarı matem elbisesi (giyilmesi). **~-nelson**, bir güreş tutması. **~-note**, (*müz.*) yarım nota. **~-pay**, yarım maaş. **~pence** ['hāfpens, 'heypəns], yarım penilik. **~penny** ['heypni] (*mer.*) ½d; ['hāfpeni], ½p.; yarım peni: **~ worth** ['heypəθ], yarım penilik. **~-price**, yarı fiyat; yarım duhuliye. **~-rater**, küçük yat. **~-round**, yarım daire (şeklinde). **~-seas-over**, (*kon.*) yarı sarhoş, çakırkeyif. **~-shut**, yarı açık, aralık. **~-sister**, üvey kızkardeş. **~-sovereign**, İng. altın yarım lirası. **~-term**, (okul) dönemin ortasındaki tatil. **~-timbered**, yarı kereste yarı kârgir (ev). **~-time**, (*sp.*) haftaym, yarı, devre: **work ~**, yarım gün çalışmak. **~-tint**, açıkla koyu renk arası. **~-tone** = ~-TINT; (*müz.*) yarım ses: **~ block**, kalıpla basılan fotoğraf. **~-track**, paletli (otomobil). **~-truth**, yalan olmıyan yalnız doğru yarısının ifadesi. **~-turn**, yarım devir; (*ask.*) yarım sağ/sol(a dönmek). **~-volley**, (*sp.*) yarım uçara/vole. **~-way**, yarı yolda: **meet s.o. ~**, (*mec.*) iddiasından vazgeçerek karşısındaki ile uyuşmak: **get ~ through a book**, bir kitabı yarılamak: **there's no ~ house**, ikisinin ortası olmaz. **~-witted**, ebleh, safdil, salak; bir tahtası eksik. **~-year**, altı aylık süre: **~ly**, altı ayda bir.

halibut ['halibət]. Kalkana benziyen bir balık.

Halicarnassus [halikā'nasəs]. Bodrum.

halidom ['halidəm] (*mer.*) Kutsal bir şey. **by my ~!**, kutsallığım hakkı için!

halitosis [hali'tousis] (*tıp.*) Kötü kokulu nefes.

hall [hōl]. Büyük salon; hol, giriş; büyük sayfiye; üniversitelerde küçük kolej. **servants' ~**, hizmetçilere mahsus yemekhane: **Town ~**, belediye (binası): **~ porter**, otel kapıcısı.

hallelujah [hali'lūyə]. Sevinç ifade eden İbranice kelimesi; elhamdülillâh.

halliard ['halyəd] = HALYARD.

hallmark ['hōlmāk] *i.* Altın ile gümüşten yapılan

şeylere basılan resmî ayar damgası. *f.* Böyle bir damga basmak. **the ~ of genius**, dehanın alâmeti farikası.
hallo [hə'loụ]. Alo!; yahu!, bana bak!
halloo [hə'lū]. Yüksek sesle birini çağırma(k).
hallow[1] ['haloụ] *i.* (*mer.*) Aziz. *f.* Takdis etm. **~ed**, mukaddes, kutsal. **~e'en** [-īn] (*İsk.*) Azizler Gününün arifesi, 31 ekim: **~mas/All ~s**, Azizler Günü yortusu, 1 kasım.
hallow[2]. = HALLOO.
hallucin·ant [hə'lūsinənt]. Birsam/sanrı doğurucu madde. **~ate**, hayal/birsama kapılmasına sebep olm. **~ation** [-'neyşn], birsam, sanrı, halüsinasyon; kuruntu, evham, vehim, hayal. **~ative/-atory**, bırsam/evham getiren, kuruntulu. **~ogen** [-sinəcen] = ~ANT.
hallu·x, *ç.* **~ces** ['haləks, -yūsīz]. Ayağın baş parmağı.
halma ['halmə]. Dama gibi 256-haneli tahta üzerinde oynanan bir oyun.
halo ['heyloụ] *i.* Hale, ayla; (*san.*) azizin başı çevresine yapılan nur dairesi; (*sin.*) ağıl. *f.* Ayla ile kuşatmak. **~ed**, aylalı.
halo·gen ['haləcen]. Tuzveren cisim, halojen. **~genous** [-'locinəs], tuz veren. **~id** [-loyd], tuz benzeri, haloid.
halt[1] [hōlt] *s.* Topal; aksak. *i.* Aksaklık. *f.* Topallamak; bocalamak, tereddüt etm.
halt[2] *i.* Duruş; durak, mola; konak. *f.* Duraklamak; durdurmak. **~!**, dur!: **come to a ~**, birdenbire durmak: **call a ~**, son vermek, durdurmak.
halter ['hōltə(r)] *i.* Yular; idam ipi, (*mec.*) asılma. *f.* Yular takmak. **~-break**, (at) yulara alıştırmak.
halting ['hōltin(g)]. Topallıyan; (*mec.*) kararsız; intizamsız; tereddüt eden: **~ly**, tereddüt ederek. **~-place**, konak.
halve [hāv]. İki eşit kısma bölmek; eşit olarak pay etm.; yarıya indirmek. **~s** = HALF.
halyard/halliard ['halyəd]. Kandilisa, çördek. **signal ~**, savla.
ham[1] [ham]. Kasaba, köy.
ham[2]. Domuzun tuzlanmış ve tütsülenmiş budu, jambon; (*kon.*) amatör, tecrübesiz: **radio ~**, amatör telsizci. **~-actor**, acemi/tecrübesiz aktör.
hamadryad [hamə'drayəd] (*mit.*) Ağaç perisi; pek zehirli bir nevi yılan; Habeşistan maymunu.
Hamburg ['hambə̄g]. Hamburg sehri; bir çeşit kara üzüm; bir çeşit tavuk. **~er/~ steak**, sığır kıyma/köftesi.
hames [heymz]. Hamudun koşum kayışları bağlanan parçaları.
ham-fisted/-handed [ham'fistid, -'handid]. Hantal.
Hamit·e ['hamayt]. Hamî. **~ic** [-'mitik], bu ırk(ın dillerin)e ait.
hamlet ['hamlit]. Küçük köy.
hammam ['hamam] (*Ar.*) Hamam.
hammer ['hamə(r)] *i.* Çekiç; tokmak; tüfek horozu; mezatçı tokmağı; şahmerdan; (*sp.*) çekiç atma. *f.* Çekiçle vurmak, çekiçlemek, dövmek. **~ away at stg.**, bir şeye ısrarla çalışmak: **come under the ~**, mezatta satılmak: **~ out**, çekiçle yassılaştırmak; (*mec.*) icat etm.; uydurmak; çok zahmetle (eser) yazmak. **~ s.o.**, (borsada) üç tokmak vuruşuyle birinin DEFAULTER olduğunu bildirmek: **~ and sickle**, orak çekiç: **~ and tongs**, (*ev.*) maşa ile küskü; (*mec.*) var kuvvetle, alabildiğine. **~ed**, çekiçlenmiş, dövülmüş. **~-head**, çekiç baş(lı); gölge kuşu. **~ing**, çekiçleme, dövme: **give s.o. a good ~**, birini iyice dövmek; (*sp.*) birini kolayca yenmek. **~-toed** [-toụd], ayak parmağı içeriye eğilmiş. **~-work**, dövme işi.
hammock ['hamək]. Hamak, salıncak: **sailor's ~**, branda.
hammy ['hami]. Jambon gibi; (*mec.*) acemi aktör gibi.
hamper[1] ['hampə(r)] *i.* Büyük kapaklı sepet.
hamper[2] *f.* Serbest hareketine engel olm.; müşkülata uğratmak.
Hampshire ['hampşə]. Brit.'nın bir kontluğu.
hamster ['hamstə(r)]. Hamster, cırlak sıçan: **grey ~**, pirinç hamsteri.
hamstring ['hamstrin(g)] *i.* Hayvanın art ayak veteri. *f.* Bu veteri kesmek; (*mec.*) baltalamak; mecalsiz bırakmak.
hand[1] [hand] *i.* El; saat akrebi, ibre; işçi, yardımcı, tayfa; bir işe katılma; el yazısı; imza; atın boyunu ölçmeğe mahsus dört pus uzunluğunda bir ölçü. **on all ~s**, her tarafta(n): **all ~s on deck!**, (*den.*) herkes güverteye!: **the ship was lost with all ~s**, gemi bütün tayfası ve yolcularıyle beraber kayboldu: **at ~**, yanında, yakınında, hazırda: **ask for the ~ of ...**, (bir kıza) talip olm.: **bear a ~**, yardım etm.: **be ~ in glove with s.o.**, aralarından su sızmaz: **bring up an animal by ~**, bir hayvanı kendi eliyle yetiştirmek: **at first ~**, doğrudan doğruya: **at second ~**, ikinci elden: **get stg. off one's ~s**, (i) bir şeyi başından atmak; (ii) bir şeyden kurtulmak; bir şeyi tamamlamak: **give a ~**, yardım etm.: **give s.o. a free ~**, bir kimseye tam yetki vermek: **give a big ~**, alkışlamak: **go/walk ~ in ~ with**, başa baş/birlikte gitmek: **be a good ~ at doing stg.**, bir şeye eli yatmak: **be in good ~s**, (i) ehlinin elinde olm.; (ii) iyi insanların elinde olm.: **have one's ~s full**, fazla meşgul olm.: **hold your ~!**, dur!: **in ~**, elde; kontrol altında; göz hapsinde: **the work is now in ~**, iş derdesttir: **the situation is now in ~**, hükümet/polis vb. duruma hâkim: **keep one's ~ in**, pratiğini kaybetmemek: **these children need taking in ~**, bu çocukları yola getirmeli: **lay ~s on ...**, (bir şeyi) bulmak; -e saldırmak; -i yakalamak: **living from ~ to mouth**, yevmin cedid rızkın cedid, günü gününe yaşama: **~s off!** dokunma!, el çek!: **on ~**, eldeki, mevcutta, stokta: **I have a lot of work on ~**, üzerimde bir çok iş var: **on all ~s**, her tarafta: **on the one ~ ..., and on the other ~ ...**, bir taraftan ..., diğer taraftan ...: **out of ~**, *zf.* derhal, hiç beklemeden: *s.* haşarı, ele avuca sığmaz, çığırından çıkmış: **let stg. get out of ~**, (bir işte) ipin ucunu kaçırmak: **my ~ is out**, (bir iş hakkında) alışkanlığı kaybetmişim, hamlamışım: **~ over ~/fist**, ipe tırmanır gibi el hareketi ile; (*mec.*) muntazam ve süratle ilerliyerek: **~ over ~ swimming**, kulaçlama yüzme: **for one's own ~**, kendi çıkarına: **put one's ~ to stg.**, bir şeyi ele almak; -i imza etm.: **throw in one's ~**, benden paso demek; vazgeçmek: **have time on one's ~s**, bol vakti olm.: **to ~**, el altında: **yours to ~**, (ticaret mektuplarında) mektubunuz alınmıştır: **turn one's ~ to anything**, eli her işe yakışmak, becerikli olm.: **not do a ~'s turn**, hiç bir iş yapmamak, tembellik etm.
hand[2] *f.* El ile vermek/uzatmak; elden tutup götürmek. **~ down**; el ile tutup indirmek; babadan

oğula miras bırakmak; nesilden nesle nakletmek. ~ **in**, vermek; teslim et.: ~ **in one's resignation**, istifa etm. ~ **on**, elden ele geçirmek; nesilden nesle nakletmek. ~ **out**, el ile dışarıya vermek; dağıtmak. ~ **over**, teslim etm.; devretmek; havale etm.; ele vermek. ~ **round**, elden ele dolaştırmak.

hand-[3] *ön.* El+. ~**bag**, el çantası. ~**ball**, hentbol. ~**barrow**, el arabası. ~**bill**, el ilânı, tanıtmalık, prospektüs. ~**book**, elkitabı, rehber, kılavuz. ~**brake**, (*oto.*) park freni. ~**cart**, el arabası. ~**cuff** [-kʌf], kelepçe(ye vurmak).

h. & c. = HOT AND COLD (WATER).

handed ['handəd] (*müh.*) (Pervaneler vb.) kontra dönüşlü.

-handed [-handid] *son.* -eli olan; -eliyle: **empty-**~, eli boş: **left-**~, solak; sola dönen: **open-**~, eli açık, cömert: **right-**~, sağ eliyle çalışan; sağa dönen: **single-**~, tek başına, yalnız çalışan: **two-**~, iki eliyle çalışan; iki el ile kullanılan; iki kişi ile oynanan: **under-**~, hileli.

hand·fast ['handfast]. El sıkarak tasdik etme(k), nişanlama(k). ~**ful**, avuç dolusu; bir avuç; ele avuca sığmaz çocuk. ~**-grenade**, el bombası. ~**grip**/~**hold**, tutunacak yer.

handicap ['handikap] *i.* Handikap; bir koşuda rakiplerin şartlarını eşit kılmak için başlangıç noktasında/taşınan ağırlıkta yapılan fark; (*mec.*) engel, yük; başarı/ilerlemeyi güçleştiren her şey. *f.* Handikap vermek; engel olm. **be on a** ~, (*sp.*) böyle bir handikapla oynamak: **be under a** ~, böyle bir engelle çalışmak: **he is** ~**ped by his poverty**, fakirliği onun elini kolunu bağlıyor: **ill-health is a** ~ **to success**, sağlığın bozukluğu başarıya büyük bir engeldir. ~**ped**, aksak, sakat, topal; handikaplı. ~**per**, (*sp.*) handikapçı.

hand·icraft ['handikrāft]. El hüneri; el sanatı: ~**sman**, el işçisi. ~**ily**, becerikli/elverişli olarak; müsait/uygun olarak. ~**iness**, kullanışlılık, elverişlilik; marifet; her türlü el işleri yapabilmek kabiliyeti. ~**-in-**~, el eliyle; baş başa, birlikte. ~**iwork**, el işi; eser; marifet: **whose** ~ **is this?**, bu kimin işi?; bunu kim yaptı?; bu kimin marifeti? ~**kerchief** ['han(d)kəçīf], mendil.

handle ['handl] *i.* Sap, tutanak, elcik, kol; kulp; vasıta, vesile, araç. *f.* Ellemek, ele almak, dokunmak, kullanmak, işlemek; idare etm., intaç etm.; (*sp.*) elle kesmek. **have a** ~ **to one's name**, asalet unvanına malik olm.: **he is hard to** ~, onu idare etmek güçtür: ~ **a lot of money**, elinden çok para geçmek: ~ **a situation**, bir durumu idare etm.: ~ **with care**, dikkatle kullanmak/ele almak/idare etm.: = KID. ~**-bar**, (bisiklet) gidon, yönelteç: **fly off the** ~**s**, (*arg.*) ansızın öfkelenmek. -~**d**, *son.* . . . saplı, . . . kulplu.

hand·less ['handlis]. Elsiz; sap/kulpsuz; hantal. ~**ling**, kullanma, bakım, idare etme; elleme, dokunma: **rough** ~, kötü davranma; hırpalama. ~**loom**, el tezgâhı. ~**-made** [-meyd], el işi. ~**maid(en)** [-meyd(n)], kız hizmetçi, cariye; (*mec.*) başka bir kısmı tamamlıyan bır bilim kısmı. ~**-me-down**, (*arg.*) büyükten küçüğe geçen elbise; ucuz/modası geçmiş (elbise). ~**-mill**, el değirmeni. ~**-organ**, latarna. ~**-out**, hediye; (*id.*) basın vb.ne verilen haberler. ~**-pick**, elle ayırmak/seçmek: ~**ed**, seçilmiş, seçkin, elleme, en iyisi. ~**-post**, işaret direği. ~**-rail**, küpeşte; korkuluk; (*den.*) vardamana. ~ **'s-breadth**, (ölçü) el eni = 10 sm.

han(d)sel ['hansəl] *i.* Yılbaşı hediyesi; uğur hediyesi; pey; ilk taksit. *f.* Bu hediye vb.ni vermek.

hand·shake ['handşeyk]. El sıkma: **golden** ~, zorla tekaüt edildiği zaman bir şirketin idare üyesine verilen büyük ikramiye. ~**some** ['hansəm], güzel, yakışıklı; cömert; (*kon.*) büyük: ~ **is as** ~ **does**, 'dışarısı seni yakar içerisi beni yakar' *gibilerden*: ~**ly**, yakışıklı olarak; cömertçe: ~**ness**, güzellik, yakışıklılık; cömertlik. ~**spike** [-spayk], demir uçlu manivela. ~**spring**, (*sp.*) ellerle takla. ~**stand**, (*sp.*) elüstü duruş. ~**-tight**, eliyle sıkıştırılmış (vida vb.). ~**-to-**~ **(fight etc.)**, göğüs göğüse (çarpışma vb.). ~**-to-mouth (existence)**, ancak geçinerek (hayat); ihtiyatsız. ~**work**, el işi, nakış: ~**ed**, el ile işlenmiş: ~**er**, el işçisi. ~**writing** [-raytin(g)], el yazısı. ~**written** [-ritn], el ile yazılmış.

handy ['handi]. Eli hünerli; becerikli; kullanışlı, elverişli; faydalı, yararlı; el altında: **keep that, it will come in** ~ **some day**, bunu sakla, bir gün işe yarar: **I always keep some iodine** ~, daima bir az tentürdiyot bulundururum. ~**man**, el ulağı.

hang[1] (*g.z.(o.)* ~**ed**/**hung**) [han(g)(d), hʌng] *f.* Asmak; ipe çekmek; asılmak; sarkmak. ~ **it (all)!**, Allah belâsını versin!: ~ **a door**, kapı kanadını yerine takmak: ~ **the expense!**, masrafa aldırma!; masraf ne olursa olsun: ~ **fire**, (eski silâhlar) hemen ateş almamak; gecikmek, sürüklenmek: **the streets were hung with flags**, sokaklara bayraklar asılmıştı: **I'll kill him if I** ~ **for it**, beni asacaklarını bilsem onu gene öldürürüm: **let things go** ~, işleri ihmal etm./oluruna bırakmak: ~ **one's head**, başını önüne eğmek: ~**ed if I know!**, ben ne bileyim?: ~ **meat**, eti yumuşatmak için bir süre asmak: ~ **by a hair/thread**, kıl kalmak; çok tehlikede olm. ~ **about**, avare dolaşmak; havyar kesmek; bir şeyin etrafında dönüp dolaşmak: **keep s.o.** ~**ing about**, birini avare avare bekletmek. ~ **back**, geri durmak; tereddüt göstermek, isteksiz olm. ~ **down**, sarkmak, asılmak; sarkıtmak. ~ **on**, dayanmak; -e bağlı olm.: ~ **on to stg.**, bir şeye asılmak; tutunmak, sıkı tutmak; yapışmak: ~ **on s.o.'s words**, birini ağzı açık dinlemek: ~ **on!**, (telefonda) bir dakika bekle! ~ **out**, dışarıya asmak, sarkıtmak; sarkmak; (*kon.*) oturmak, ikamet etm. ~ **over**, eğilmek, abanmak, sarkmak; üzerine asılı durmak; havaleli olm. ~ **together**, birbirine uymak; mütesanit olm.; anca beraber kanca beraber olm. ~ **up**, asmak; asıntıya bırakmak; geciktirmek: **(don't)** ~ **up!**, (telefonda) kapat(ma)!

hang[2] *i.* Giyilen/asılan şeyin duruşu: **I don't care a** ~, bana vızgelir: **get the** ~ **of stg.**, yolunu yordamını bulmak; bir şeyin esas/ruhunu kavramak.

hangar ['han(g)ə(r)]. Hangar; baraka. ~**age** [-gəric], hangar yeri, hangarlar.

hang·-dog ['han(g)dog]. **have a** ~ **look**, süngüsü düşük ve sünepe bir hali olm. ~**er** ['han(g)gə(r)], çengel; (*mod.*) askı: ~**-on**, çanak yalayıcı; tabi, peyk. ~**-gliding** [-'glaydin(g)], planör altından asılmış uçma. ~**ing**, asılı; as(ıl)ma: ~**s**, perde vb. gibi sarkık kumaşlar: **this is a** ~ **matter**, bu insanı darağacına götürür. ~**man**, cellât. ~**-over**, (hastalık vb.) bakıyesi; (sarhoşluk) mahmurluk. **~-up**, (*kon.*) psikolojik bir mesele/sıkıntı.

hank [han(g)k]. (İpek vb.) çile; kangal; (*den.*) çengel, çember, halka.

hanker ['han(g)kə(r)]. **~ after/have a ~ing for...**, hasretmek, iştiyak etm., beslemek; (bir şey) gözünde tütmek.

hanky ['han(g)ki] (*kon.*) = HANDKERCHIEF.

hanky-panky [han(g)ki'pan(g)ki] (*arg.*) Dalavere, el altından iş; göz boyası.

hansom ['hansəm]. **~ (-cab)**, iki tekerlekli ve arabacısı arkada oturan araba.

Hants. = HAMPSHIRE.

hap [hap] *i.* Talih, şans, tesadüf. *f.* Tesadüfen vuku bulmak. **~ on stg.**, tesadüfen bulmak.

hapax legomenon ['hapaks li'gominon] (*Yun.*) Yalnız bir defa bulunan kelime/deyim vb.

ha'pen·ny, *ç.* **~ce** ['heypni, -pəns] (*kon.*) = HALFPENNY; (*mer.*) yarım peni (½d): **three ~ce**, bir buçuk peni (1½d).

haphazard [hap'hazəd]. Rasgele, baht işi; gelişi güzel. **at ~**, bahtına, rasgele.

hapless ['haplis]. Talihsiz, bedbaht. **~ly**, talihsizce. **~ness**, talihsizlik.

haplo- ['haplo-] *ön.* Tek; yalnız; bir defa. **~id** [-loyd], haployid. **~logy** [-'loləci] (*dil.*) hece yutumu.

haply ['hapli]. Tesadüfen.

ha'p'orth ['heypəθ] = HALFPENNYWORTH; yarım penilik. **he hasn't a ~ of sense**, on paralık aklı yoktur.

happen ['hapən]. Olmak, vaki olm., vukuagelmek; olup bitmek; rast gelmek; tesadüfen vukubulmak; başına gelmek. **don't let it ~ again!**, bir daha yapayım deme!: **it so ~ed that...**, tesadüfen...: **do you ~ to know?**, acaba biliyor musunuz?: **~ (up)on stg.**, rasgele bulmak: **if anything should ~ to me**, şayet bana bir hal olursa; ben ölürsem. **~ing**, vaka, olay, olgu: **~s**, olup bitenler.

happ·ily ['hapili]. Neşeli, mesut; ustalıkla; bereket versin/iyi ki.... **~iness**, saadet; mutluluk; memnuniyet; bahtiyarlık, talih: **have the ~... to,...** nasibi olm. **~y**, mesut, mutlu, mesrur; memnun; bahtiyar, talihli; isabetli, pek yerinde: **as ~ as a king/sandboy/the day is long**, son derece mutlu: **many ~ returns (of the day)!**, nice yıllar!: **of ~ memory**, cennetmekân: **~ thought**, ne güzel buluş: **~-go-lucky**, kayıtsız, düşüncesiz; gelişi güzel.

hara-kiri ['harə'kiri] (*Jap.*) Bağırsaklarını dökerek intihar (etm.).

harangue [hə'ran(g)] *i.* Palavralı gürültülü ve sıkıcı bir söylev. *f.* Böyle bir söylevde bulunmak.

haras ['harəs]. Hara.

harass ['harəs, *hə'ras]. Taciz etm., rahat vermemek; tekrarlı hücumlarla yormak; eziyet vermek. **~ment**, taciz etme, vb.; sıkıntı, rahatsızlık.

harbinger ['hābincə(r)] *i.* Müjdeci; haberci. *f.* Birinin gelmesini önceden haber vermek.

harbo(u)r ['hābə(r)] *i.* Liman; barınak, sığınak; melce. *f.* Limanda demirlemek; barındırmak; beslemek. **~age** [-ric], demirleme yeri; melce/sığınak, barınak. **~-dues** [-dyūz], liman vergisi. **~er**, barındıran/beslıyen kimse. **~-master**, liman reisi.

hard[1] [hād] *i.* Çamurlu bir sahilde cezir zamanlarında denize erişmek için taştan yapılmış yol.

hard[2] *s.* Katı; sert; pek; çetin; zor; müşkül, güç; ağır; çiğ (ışık); şefkatsız; cimri. *zf.* Gayretle, şiddetle; güçlükle. **as ~ as nails/nuts/steel, etc.**, çok sert; çetin: **he is always ~ at it**, durmadan çalışıp çabalıyor: **be ~ at work**, harıl harıl çalışmak: **~ by**, yakında: **~ cash**, peşin para: **be ~ on one's clothes**, elbisesini hor kullanmak, çabuk eskitmek: **die ~**, kolay kolay ölmemek: **~ drinker**, çok içen kimse: **~ drinks**, cin gibi içkiler: **~ facts**, inkâr edilemez gerçekler/vakıalar: **~ and fast rule, etc.**, çok kesin/katı nizam vb.: **~ and fast aground**, (gemi) tamamen karaya oturmuş: **~ of hearing**, biraz sağır, ağır işitir: **he got two years ~ (labour)**, iki sene küreğe mahkûm oldu: **~ lines/luck**, aksilik, aksi talih: **be ~ on s.o.**, birine karşı insafsızlık etm., acımamak: **it is ~ on him**, bu onun talihsizliğidir: **~ over**, (*den.*) alabanda (etm.): **~ to port/starboard**, alabanda iskele/sancak. **~ to please**, müşkülpesent: **be ~ put to it**, akla karayı seçmek; başına hal gelmek: **~ swearing**, (i) okkalı küfürler; (ii) yalancı şahitlik: **have a ~ time of it**, çok sıkıntı çekmek: **try one's ~est**, elinden geleni yapmak: **~ up**, parasız: **we are ~ up for sugar**, şekerimiz kıt: **~ upon (his heels)**, tam peşinden: **~ water**, kireçli su: **it will go ~ with us if...**, -se halimiz yamandır: **~ worker**, çok çalışan kimse.

hard-[3] *ön.* **~back**, ciltli kitap. **~-baked** [-beykt], sertleşinceye kadar pişirilmiş; pişkin. **~-bitten**, pişkin, çetin. **~-boiled**, pişkin, eski kurt: **~ egg**, hazırlop yumurta. **~-cash**, nakit para. **~-core**, (*müh.*) dolgu, çakıl dolgusu; (*mec., sos.*) bir grubun göbeği: **~ unemployed**, hiç çalıştırılamaz işsizler. **~-drug**, eroin gibi alıştırıcı madde. **~-earned**, çok çalışarak kazanılmış.

harden ['hādn]. Pekleştirmek; katılaş(tır)mak; sertleş(tir)mek; meşakkate alıştırmak; (çeliğe) su vermek. **~ one's heart**, kalbini pekleştirmek: **prices are ~ing**, fiyatlar yükseliyor. **~ed**, katılaşmış; meşakkate alışkın: **~ criminal**, kaşarlanmış, sabıkalı. **~er**, sertleştirici vb. **~ing**, sertleş(tir)me, vb.

hard·-favoured/-featured [hād'feyvə(r)d, -'fīçəd]. Çirkin, çetin çehreli. **~-fisted**, yumruğu güçlü; cimri, eli sıkı. **~-fought**, sıkı dövüşmüş. **~-gotten**, terliyerek elde edilmiş. **~-grained**, sıkı damarlı (ağaç); çetin. **~-hat**, çelik başlık; inşaat işçisi; (*mec.*) muhafazakâr, mürteci. **~-headed**, sert başlı; (*mec.*) zeki, işe elverişli; duygusuz. **~-hearted**, taşyürekli, merhametsiz. **~ihood/~iness**, cesaret, cüret; yüz, küstahlık; meşakkate dayanma. **~ish**, oldukça sert vb. **~-labour**, ağır hapis/kapatım, kürek cezası. **~-line(r)**, (*id.*) eğilmez/uzlaşmaz (kimse); müfrit (ifratçı). **~ly**, sertçe; güçlükle; ancak; hemen hemen; umulmaz. **~-mouthed**, ağzı sert. **~ness**, katılık, peklik, sertlik; güçlük: **~ of hearing**, ağır işitme: **~ of heart**, taşyüreklilik. ***~pan**, (*yer.*) sert toprakaltı. **~-pressed**, (*mec.*) sıkıştırılmış. **~-science**, doğal/fennî bilimler. **~-sell**, müşterileri sıkıştırma satıcılığı. **~-set**, katılaşmış, donmuş, pekleşmiş; inat; acıkmış. **~shell**, (*biy.*) sert kabuklu; *(*mec.*) uzlaşmaz (kimse). **~ship**, meşakkat; cefa. **~-stuff** = **~**-DRUG. **~-tack**, (*den.*) peksimet, galeta. **~-up**, parası yok: **~ for stg. to do/say, etc.**, yapacak/söyliyecek bir şeyi yok. **~ware** [-weə(r)], madenî eşya, hırdavat; (*ask.; elek.*) teçhizat ile tesisat: ~**man**, hırdavatçı. ~**-wearing**, dayanıklı (kumaş vb.). ~**-won**, güç kazanılmış. ~**wood**, kozalaklılardan gayri bütün diğer ağaçların odunu. ~**-working**, çok çalışkan. ~**y**, meşakkate dayanır; cesur; (*bot.*) soğuğa dayanır: ~**-annual**, bir yıl yaşıyan ve soğuğa dayanan bitki; (*mec.*) her yıl ortaya çıkan mevzu vb.

hare [hęə(r)] *i.* Tavşan. *f.* (*kon.*) Tavşan gibi koşmak. **run like a** ~!, var kuvvetinle koş!: **first catch your** ~ **(and then cook it)**, ayıyı vurmadan postunu satma!: **run with the** ~ **and hunt with the hounds**, tavşana kaç tazıya tut *demek*: **mountain-**~, kar tavşanı. ~**-and-hounds** = PAPERCHASE. ~**bell**, ufak yabanî çançiçeği. ~**-brained**, deli, kuşbeyinli, sersem, çılgın: ~ **project**, çılgınca bir tasarı ~**-lip**, tavşandudağı.

hare(e)m ['hęərəm, hā'rīm]. Harem.

haricot ['harikǫu]. Koyun eti yahnisi. ~**(-bean)**, kuru fasulye.

hark [hāk]. Dinlemek, kulak vermek. ~ **back to stg.**, aynı konuya dönmek. ~**en** = HEARKEN.

harl [hāl]. Sürü(n)mek; kaba sıva vurmak.

harl(e) [hāl]. Lif; keten lifi; ramus.

harlequin ['hāləkwin]. Palyaço, arlekino; soytarı; iki renkli. ~**ade** [-'neyd], palyaçoluk, maskaralık.

harlot ['hālət]. Orospu. ~**ry**, orospuluk, zina.

harm [hām] *i.* Zarar, hasar, ziyan; fenalık. *f.* Zarar vermek; dokunmak; fenalık yapmak. **you will come to** ~, size zarar gelir: **out of** ~**'s way**, emin bir yerde. ~**ful**, zararlı, dokunur, muzır, fena. ~**less**, zararsız, dokunmaz.

harmon·ic [hā'monik]. Ahenge ait, armonik: ~**a**, armonik(a): ~**s**, esas sese katılan diğer sesler; ses/ahenk bilimi. ~**ious** [-'mǫunyəs], ahenkli; uyumlu. ~**ist** ['hāmənist], ses/ahenk bilgini. ~**ium** [-'mǫunyəm], (h)armonyum. ~**ize** [-mənayz], telif etm., uydurmak; ahenge uydurmak; armonize etm.; uygun düşmek, birbirine uymak. ~**y** [-ni], ahenk, uyum, denge; ahenk bilimi; harmoni; tesanüt, dayanışma, mutabakat, uyuşma.

harness ['hānis] *i.* Koşum takımı; (*hav.*) kolan takımı; (*mer.*) zırh. *f.* Koşmak; (nehir vb.) elektrik üretimi/sulama vb. için kullanmak. **die in** ~, ölünceye kadar mesleğinde çalışmak: **get back into** ~, iş başına geri dönmek. ~**ed** [-nist], koşulmuş; koşumlu. ~**-maker**, saraç.

harp [hāp]. Harp (çalgı): **Jews'** ~, ağız tamburası. ~ **on stg.**, bir konuya durmadan dönmek, (benim oğlum bina okur ...). ~**er**/~**ist**, harpçı.

harpoon [hā'pūn]. Zıpkın(lamak).

harpsichord [hāpsikōd]. Eski usul piyano; çimbalo.

harpy ['hāpi] (*mit.*) Yırtıcı kuş bedenli kadın başlı canavar; (*mec.*) tamahkâr ve hasis kimse. ~**-eagle**, sorguçlu karakuş.

harridan ['haridən]. Cadaloz, acuze.

harrier[1] ['hariə(r)]. Yağmacı adam, soyucu.

harrier[2]. (Tavşan avı) köpek; (*ç.*) bu köpekler ile avcılar; kır koşucuları klübü.

harrier[3]. Doğan. **marsh** ~, kızıl doğan: **Montagu's** ~, çayır doğanı: **pallid** ~, bozkır doğanı.

Harris ['haris]. İsk.'da bir ada; (*mod.*) bir nevi tvit kumaşı.

Harrovian [hə'rǫuviən]. Harrow okulunun öğrencisi. **Old** ~, bu okulun mezunu.

harrow ['harǫu] *i.* Tırmık, tarak; sürgü. *f.* Tırmık çekmek; sürgü geçirmek. ~ **s.o.'s feelings**, birinin yüreğini parçalamak. ~**er**, tarakçı. ~**ing**, yürek parçalayıcı, müellim.

harry[1] ['hari] *f.* Yıkıp yakmak, soymak; eziyet vermek, rahat vermemek.

Harry[2] = HENRY: **Old** ~, Şeytan: **play Old** ~ **with** ..., berbat etm.

harsh [hāş]. Haşin, hırçın; sert, merhametsiz; kekre; kulakları tırmalıyan (ses).

hart [hāt]. Erkek geyik/karaca. ~**ebeest** [-ti'bīst], kaama, inek antilopu. ~**shorn** [-shōn], geyik boynuzu(ndan istihsal edilen amonyak). ~**'s-tongue** [-stʌn(g)] (*bot.*) geyik dili.

harum-scarum ['hęərəm'skęərəm]. Delişmen, zırzop.

harvest ['hāvist] *i.* Hasat; harman; ekin biçme; ürün, mahsul; hasat mevsimi. *f.* Ekin biçmek; ürün toplamak. ~**-bug**/**-mite**, kadife böceği. ~**er**, orakçı, ekin biçici; orak makinesi: **combine**~/~**-thresher**, biçerdöver: ~**-ant**, buğday karıncası. ~**-festival**, hasat bayramı. ~**-home**, hasat bayram/sonu. ~**ing**, ekin biçme. ~**-moon**, sonbahar gün dönümüne en yakın dolunay.

has [haz] 3*cü, tek, şim.* = HAVE[1]. ~**-been** [-bīn], zamanında değerli olmuş fakat artık hükmü kalmamış bulunan kimse/şey.

hash[1] [haş] *f.* Doğramak, kıymak; ikinci defa pişirip yahni yapmak. *i.* Kıymalı yemek; karışık şey; temcit pilavı. **make a** ~ **of stg.**, yüzünü gözünü bulaştırmak: **settle s.o.'s** ~, icabına bakmak: ~ **up**, ikinci defa pişirip yahni yapmak; bir hikâye/kitabı bir az değiştirip tekrar ortaya koymak. ~**-up**, böyle bir yemek/eser.

hash[2] (*arg.*) = HASHISH.

Hashemite ['haşəmayt]. ~ **Kingdom**, Ürdün Krallığı.

hash·ish/~**eesh** ['haşīş]. Haşiş, esrar.

hasn't [haznt] = HAS NOT; HAVE[1].

hasp [hāsp]. Asma kilit köprüsü; toka.

***hassle** [hasl] = HARASS.

hassock ['hasək]. Diz yastığı; sık çimen parçası.

hast [hast] 2*ci, tek, şim.* (*mer.*) = HAVE[1].

hastate ['hasteyt] (*bot.*) Üçgen şeklinde.

haste [heyst]. Acele (etm.). **do stg. in** ~, bir şeyi acele yapmak; üstünkörü yapmak: **make** ~, acele etm.; çabuk davranmak: **more** ~ **less speed**, acele işe şeytan karışır. ~**n** [heysn], acele et(tir)mek; hız vermek; sıkıştırmak: ~ **to a place**, bir yerde soluğu almak.

hast·ily ['heystili]. Aceleyle; atılgan olarak. ~**iness**, aceleci olma; tezcanlılık. ~**y** (~**ier**, ~**iest**), aceleci, ivedili, çabuk, tiz; üstünkörü; atılgan, tezcanlı: ~**-pudding**, undan yapılan bulamaç.

hat [hat]. Şapka. **bowler**/***derby** ~, melon şapka: **top**/**silk** ~, silindir şapka: **bad** ~, (*arg.*) ahlâksız, edepsiz: **old** ~, modası geçmiş: ~ **in hand**, köle gibi: **I'll eat my** ~ **if**..., ... Arap olayım!: **keep it under your** ~!, kimseye söyleme!: **pass/send the** ~ **round**, parsa toplamak: **raise one's** ~ **to s.o.**, birine şapka çıkarmak: **take off one's** ~ **to s.o.**, birinin üstünlüğünü itiraf etm.: **talk through one's** ~, (*arg.*) övünmek, mübalağa etm., saçmalamak.

hatable ['heytəbl]. Nefret edilebilir.

hat·band ['hatband]. Şapka kurdelesi. ~**box**, şapka kutusu.

hatch[1] [haç] *i.* (*den.*) Kaporta ağzı; ambar ağzı; dam geçidi; savak: **buttery**/**service** ~, mutfak ile yemek odası arasındaki dönme dolap, servis penceresi: **close down the ~es**, kaporta ağızlarını kapatmak: **under ~es**, güverte altında. **~back**, (*oto.*) yukarıya açılır arka kapı. **~way**, kaporta ağzı.

hatch[2] *f.* (Resimde) tarama çizgileriyle göstermek.

hatch[3] *f.* Yumurtadan çıkmak; kuluçkaya yatıp civciv çıkarmak. *i.* Bir kuluçkalık civcivler. **~ a plot**, kumpas kurmak. **~er**, kuluçka makinesi. **~ery**, kuluçka yeri; balık üretme istasyonu.

hatchet ['haçit]. Küçük balta. **bury the ~**, barışmak, sulh yapmak. **~-face(d)**, dar ve sivri yüz(lü). **~-man**, meslekî katil; patron için nahoş işleri yapan kimse; (*id.*) iftiracı yazar.

hatching ['haçin(g)] (*san.*) Tarama çizgileri.

hatchment ['haçmənt]. Mühim bir kimsenin ölümünde evinin önüne takılan arması.

hate [heyt] *i.* Nefret; kin. *f.* Nefret etm., kin beslemek. **~ s.o. like poison**, birini bir kaşık suda boğacak kadar nefret etm.: **I should ~ to be late**, katiyen geç kalmak istemem: **I ~ your going away**, sizin gitmenize çok müteessirim. **~ful**, menfur; nefret edilen.

hatful ['hatfəl]. Şapka dolusu.

hath [haθ] *3cü, tek, şim.* (*mer.*) = HAVE[1].

hat·less ['hatlis]. Şapkasız. **~-peg**, şapka asacak kanca. **~pin**, şapka iğnesi.

hatred ['heytrid]. Nefret; kin.

hat·stand. Şapkalık. **~ter**, şapkacı: **mad as a ~**, zırdeli: **~'s shakes**, (*tıp.*) bir cins cıva zehirlenmesi. **~-trick**, (*sp.*) üst üste kazanılan üç puvan.

hauberk ['hōbək]. Zırh yelek.

haugh [hō] (*İsk.*) Deredeki bir ova.

haught·ily ['hōtili]. Mağrurca. **~iness**, gurur; kurum. **~y (-ier, -iest)**, mağrur, kibirli; azamet satan.

haul [hōl] *f.* Kuvvetle çekmek; sürüklemek; (ağır bir şeyi) taşımak; yedek çekmek. *i.* Çekme; balık ağını çekme; bir atışta tutulan balıkların miktarı; (*mec.*) elde edilen şeylerin miktarı. **~ s.o. over the coals**, birini tekdir etm., azarlamak. **~ down**, indirmek; mayna etm. **~ up**, yukarıya çekmek; hisa etm.; (kayığı denizden) karaya çekmek. **~age** [-lic], nakletme; kamyonla eşya nakli; kamyon ücreti: **~ contractor**, kamyonla nakleden müteahhit. **~er/~ier** [-lə(r), li̯ə(r)], kamyoncu; (madenlerde) maden vagonlarını götüren adam.

haulm [hōm]. Patates/fasulye/bakla vb.nin kullanılmıyan saplar ve yaprakları.

haunch [hōnç]. Kalça, but; sağrı.

haunt [hōnt] *i.* Birinin sık sık gittiği yer; uğrak. *f.* Sık sık uğramak; dadanmak; (bir yerde) gezinmek; tayf halinde sık görünmek; (fikir) musallat olm. **~ed**, perili; tekin olmıyan. **~er**, hortlak vb. **~ing**, insanın aklından çıkmıyan.

hautboy ['ho̯uboy] (*müz.*) Obua.

hauteur [ho̯u'tə(r)] (*Fr.*) = HAUGHTINESS.

Havana [hə'vanə]. Küba başkenti; Havana purosu.

have[1] (*şim. tek* **~**, **hast, has/hath**; *ç.* **~**; *g.z.(o.)* **had**) [hav, hast, haz, haθ, had] *f.* Malik olm., bulunmak, sahip olm.; almak; tutmak. (*Yardımcı fiil olarak hem belirsiz geçmişe*: **I ~ repaired my car**, otomobilimi tamir etmişim; *hemde ettirgen yapmaya*: **I ~ my car repaired**, otomobilimi tamir ettiririm *yarar.*) **I ~ a house**, evim var: **I ~ built a house**, (kendi ellerimle) bir ev inşaat ettim; (başkasına) bir ev yaptırdım: **I ~ had a house built**, bir ev yaptırdım: **~ to do stg.**, bir şeyi yapmağa mecbur olm.: **be had**, (*arg.*) aldatılmak: **I had him there** (*kon.*) bu soruya cevap veremedi (bozuldu); onu burada kıstırdım. **let him ~ it!**, (i) ona ver!; (ii) vur!, yapıştır!; (iii) ağzının payını ver!: **he will ~ it that...**, iddia ediyor ki: **as Plato has it**, Eflâtunun dediği gibi: **rumour has it that**, rivayete göre: **I won't ~ such behaviour**, böyle harekete izin veremem: **I won't ~ anything said against him**, onun aleyhinde söz söyletmem: **we had a lot of rain last week**, geçen hafta çok yağmur yağdı: **~ tea/dinner, etc.**, çay içmek/akşam yemeği yemek vb.: **he had his leg broken**, ayağı kırıldı. **~ at**, -e hücum etm. **~ in**, **~ s.o. in**, birini eve davet etm.: **~ the doctor in**, doktor çağırmak. **~ on**, **~ stg. on**, (i) bir şey giymek; (ii) bir işi olmak: **~ nothing on**, (i) çıplak olm.; (ii) azade olm.: **~ s.o. on**, (*arg.*) birini alaya almak; birini aldatmak. **~ out**, **~ a tooth out**, dişini çıkartmak: **~ a matter out**, bir meseleyi münakaşa ve halletmek. **~ up**, (*kon.*) mahkemeye celbetmek; yediği bir şeyi kusarak çıkarmak.

have[2] *i.* (*kon.*) Hile, dolap. **the ~s and the ~-nots**, zenginler ile fakirler.

havelock ['havlok]. Hafif başlıklı palto.

haven ['heyvn]. Liman; melce, sığınak.

have·-not ['havnot]. Fakir. **~-on**, hile, aldatma. **~n't** = HAVE[1] NOT.

haver ['havə(r)]. Boş lakırdı (etm.).

haversack ['havəsak]. Arka çantası.

havildar ['havəldā(r)]. (*Hint.*) Çavuş.

having ['havin(g)]. Malik/sahip olma; *ç.* mülk.

havoc ['havək]. Büyük zarar; tahribat. **make ~ of/work ~/play ~ with**, çok zarar vermek; berbat etm.

haw[1] [hō] = HUM.

haw[2]. Akdiken yemişi.

haw[3]. (At köpek) oynar zar/3cü göz kapağı(nın iltihabı).

Hawaii [hə'wa(i)i]. **~an Islands**, ABD'nden biri.

hawfinch ['hōfinç] (*zoo.*) Kocabaş.

haw-haw ['hōhō]. Gürültülü kahkaha (atmak).

hawk[1] [hōk] *i.* Gündüz yırtıcı(ları); (*mec.*) dolandırıcı; (*mec.*) savaş politikasının taraftarı. *f.* Doğan/atmaca ile avlamak. = GOS~, SPARROW~.

hawk[2] *f.* Boğazdan balgam çıkarmağa çalışmak.

hawk[3] *f.* Ayak satıcılığı etm. **~er**, ayak satıcısı, işportacı.

hawk·-eyed ['hōkayd]. Keskin gözlü. **~ish**, cengâver; savaş taraftarı olan. **~ism**, savaş taraftarlarının politikası. **~-moth**, tavus kelebeği. **~-nosed**, gaga burunlu. **~-owl**, doğan gibi bir baykuş. **~'s-bill**, kiremitli kaplumbağa. **~weed**, küçük sarı çiçek.

hawse [hōz] (*den.*) Loça deliği kısmı; talimar ile bağlandığı demir arasındaki uzaklık. **~-hole**, loça deliği. **~-pipe**, loça kovanı. **~r**, halat, palamar, yoma.

hawthorn ['hōθōn]. Akdiken, mayısçiçeği.

hay [hey]. Kuru ot. **make ~**, biçilmiş otu güneşe yayıp kurutmak: **make ~ of stg.**, karmakarışık etm.: **make ~ while the sun shines**, bir işi fırsat varken yapmak. **~box**, yarı pişirilen bir yemeği pişmeğe devam etmesi için kullanılan içi kuru otla dolu bir nevi sandık. **~cock**, tarlada biçilmiş olan küçük ot yığını. **~-fever**, saman nezlesi. **~field**, çayır, otluk. **~-fork**, iki dişli yaba/çatal. **~-harvest**, ot biçme ve kurutma. **~loft**, ağılın tavanarasındaki otluk. ~**maker**, ot biçmek ve kurutmakla meşgul olan işçi. ~**making**, ot biçme ve kurutma (mevsimi). ~**rick**/~**stack**, kuru ot yığını, tınaz, otluk. ~**seed**, ot tohumu; *(*arg.*) köylü. ~**wire**, (*arg.*) karmakarışık: **go** ~, heyecanlanmak, çılgın olm.; karmakarışık olm.

hazard ['hazəd] *i.* Baht; kaza; tehlike; baht işi. *f.* Talihe bırakmak; tehlikeye koymak; riske etm. **at all** ~**s**, her şeyi göze alarak; ne yapıp yapıp: **losing/winning** ~, (bilardo) kendi/rakibin bilyesini deliğe koyma. ~**ous**, tehlikeli, dokuncalı, rizikolu; baht işi: ~**ly**, tehlikeli olarak.

haze[1] [heyz]. Hafif sis; pus.

haze[2]. Taciz etm., rahat vermemek; *korkutmak, tehditle zorlamak.

hazel ['heyzl]. Fındık ağacı; fındık kabuğu renginde. ~ **eyes**, elâ gözler. ~**-nut**, fındık.

haz·ily ['heyzili]. Puslu/sisli olarak; müphem olarak; hiç anlamıyarak. ~**iness**, pusluluk, sis; müphemlik.

hazing ['heyzing]. Taciz; *korkutma.

hazy ['heyzi]. Puslu, sisli; müphem; bulanık: **I am a bit** ~ **about this**, bunu pek anla-/hatırlamıyorum.

Hb. = HAEMOGLOBIN.

HB = HARD AND BLACK (PENCIL). ~**C** = HUDSON'S BAY COMPANY. ~**M** = HER/HIS BRITANNIC MAJESTY.

H-bomb = HYDROGEN BOMB.

HC = HAGUE CONVENTION; HIGH CHURCH/COMMISSION(ER)/COURT; HOME COUNTIES; HOUSE OF COMMONS. ~**F** = HIGHEST COMMON FACTOR. ~**J** = HIGH COURT OF JUSTICE. ~**S** = HOME CIVIL SERVICE.

hdwd = HARDWOOD.

he [hī] *zm.* (*Erkek kişi adılı*) o. ~-, *ön.* erkek-.

He. (*kim.s.*) = HELIUM.

HE = HIGH EXPLOSIVE; HIS EMINENCE/EXCELLENCY.

head[1] [hed] *i.* Baş, kafa, kelle; tepe; şef, reis; zekâ, akıl; adet, tane; kapı, bap, fasıl, madde; meraklı; (marul vb.) göbek; (*müh.*) şapka, başlık; (*fiz.*) tazyik, basınç; (*sp.*) kafa vuruşu. **fivepence a/per** ~, adam başına beş peni: **taller by a** ~, bir baş boyu daha uzun: **win by a** ~, bir baş boyu farkla kazanmak: **win by a short** ~, pek küçük farkla kazanmak: **she is down by the** ~, (gemi) başı suya çok batmış: **a large** ~ **of game**, büyük miktarda av hayvanları: **from** ~ **to foot**, tepeden tırnağa: **give a horse his** ~, atın başını serbest bırakmak: **go to one's** ~, (içki vb.) başına vurmak: **how's her** ~?, (*den.*) *kaptan vb.nin dümenciye rotayı sorması*: **keep one's** ~, soğukkanlılığını muhafaza etm., kendini kaybetmemek: **keep one's** ~ **above water**, su üzerinde durmak, boğulmamak; (*mec.*) borca girmeden geçinmek: **lay** ~**s together**, baş başa vermek: **lose one's** ~, (i) pusulayı şaşırmak; (ii) idam edilmek: **make** ~, ilerlemek: **make** ~ **against stg.**, karşı durmak, mukavemetini kırmak: **my** ~ **is splitting!**, kafam şişti!: **he is off his** ~, aklından zoru var: **stand on one's** ~, baş aşağı durmak: **on your own** ~ **be it!**, günahı boynuna!: ~ **on to the wind**, rüzgâra karşı: **go over s.o.'s** ~, (*mec.*) birini çiğneyip geçmek: **he gives orders over my** ~, bana sormadan emirler veriyor: **talk over s.o.'s** ~, birine anlayamıyacağı şeylerden bahsetmek: **under separate** ~**s**, ayrı fasıllarda: ~**s or tails?**, yazı mı tuğra mı?: ~**s I win, tails you lose**, ne olursa olsun ben kazanırım: **I cannot make** ~ **or tail of this**, bundan hiç bir anlam çıkaramıyorum: **take it into one's** ~ **to...,**... aklına esmek: **now matters are coming to a** ~, işte şimdi dananın kuyruğu kopacak; yüzdük yüzdük kuyruğuna geldik: **bring matters to a** ~, bir işi kesin bir sonuca bağlamak: **two** ~**s are better than one**, akıl akıldan üstündür.

head[2] *f.* Başa geçmek; başta olm.; başa koymak; (bitki) başını kesmek/budamak. ~ **the ball**, (futbol) kafa vurmak: **the country is** ~**ing for disaster**, memleket felâkete doğru sürükleniyor: ~ **the list**, listenin başında gelmek: ~ **for a place**, bir yer yönünde gitmek. ~ **off**, yolunu kesmek; yönünü değiştirmek; savmak.

-head[3], *son.* = -HOOD; -lik;...hal/niteliği [GOD-HEAD].

head-[4] *ön.* Ana-; baş; -merkezi. ~**ache** [-eyk], başağrısı; (*kon.*) sıkıntılı/belâlı bir problem. ~**band**, saç kurdelesi. ~**board**, (*ev.*) yatak vb. başlığı. ~**-count**, nüfus sayımı. ~**-dress**, süslü başlık/şapka; saç modası. -~**ed** [-did] *son.* -başlı, -saçlı. ~**er** [-də(r)] (*sp.*) başaşağısı dalış; (*mim.*) başı duvarın dışarısında görünen taş/tuğla: **take a** ~, suya başaşağı dalmak; başaşağı düşmek. ~**fast**, (gemi) başı rıhtıma bağlanmış. ~**-first**, baş aşağı. ~**gear** [-giə(r)], başlık, şapka. ~**-hunter**, insan(başı) avcısı. ~**ily**, düşüncesizce, inatçı olarak; kafa tutarak. ~**iness**, inatçılık; kafa tut(ul)ması. ~**ing**, serlevha; kenet; cihet, yön, rota; başlık; fasıl, madde: **come under the** ~ **of**,... faslına girmek. ~**lamp/light**, projektör; far, ön fener; lamba. ~**land** [-lənd], karanın denize çıkıntısı, burun. ~**less**, başsız, lidersiz. ~**line**, (*bas.*) (ön)başlık, manşet: ~**s**, haberler hülâsası; özet: **banner** ~, başlık üstü manşet. ~**long**, baş aşağı; paldır küldür; doludizgin; apar topar; düşüncesiz, atılgan. ~**man**, kabile reisi; köy muhtarı. ~**master**, başöğretmen, okul müdürü. ~**mistress**, kadın başöğretmen/okul müdürü. ~**-money**, nüfus vergisi. ~**most**, en baştaki, en ileri. ~**note** [-no̱ut] (*huk.*) kanun vb. özeti. ~**-on**, baş başa (çarpışma vb.). ~**phone** [-fo̱un], kulaklık: ~**s**, kulaklıklı alıcı. ~**piece** [-pīs], miğfer; (kitapta) fasıl/sayfa başına konulan küçük resim; akıl, zekâ. ~**quarters** ['kwōtəz], karargâh; merkez: **General** ~, genel karargâh. ~**reach** [-rīç] (*den.*) yönünü değiştirerek ilerlemek. ~**rest**, iskemle başlığı. ~**rope** [-ro̱up], hayvanın boynuna bağlanan ip. ~**sail** [-seyl], ön yelken. ~**-sea**, tam gemi karşısına gelen deniz. ~**ship** [-şip] (*id.*) başlık, müdürlük. ~**shrinker**, (*arg.*) psikanalist, ruhiyatçı. ~**sman** [-zmən], cellât. ~**-splitting**, kafa şişiren (gürültü); başını çatlatan (ağrı). ~**spring**, baş memba. ~**-stall** [-stōl], at başlığı. ~**-stock**, (torna vb.) fener gövdesi: **loose** ~, gezer punta gövdesi. ~**stone**, mezar taşı; temel taşı. ~**strong**, dikkafalı; inatçı ve atılgan. ~**-teacher**, başöğretmen. ~**-to-**~, baş başa. ~**-up display**, (*hav.*) pilotun göz ilerisinde gösterilme. ~**-waters**, bir nehrin memba kısmı, pınar başı. ~**way** [-wey], ilerleme, yürüyüş; hız: **gather** ~, hız almak: **make** ~, ilerlemek, terakki etm.; alıp yürümek: **make no** ~, ilerlememek; yerinde saymak. ~**wind**, tam başına gelen rüzgâr. ~**word**, (sözlük vb.de) maddenin baş kelimesi. ~**-work**, zihnî/kafa ile çalışma; (*mim.*) baş heykeli. ~**y**, düşüncesiz, delişmen; inatçı; kafa tutan, başa vuran.

heal [hīl]. Şifa vermek; iyileş(tir)mek. ~ **up**, (yara) kapanmak: ~ **the breach**, ara bulmak; barıştırmak. ~**able** [-əbl], iyileş(tiril)ir. ~**-all**, her derde deva. ~**er**, iyileştiren; şifacı, şifa veren: **time is the great** ~, zaman büyük hekimdir.

health [helθ]. Sıhhat, sağlık. **drink (to) s.o.'s** ~, birinin sıhhatine içmek: **Bill of** ~, pratika, patenta: **Board of** ~, İng. Sağlık Bakanlığının eski adı; *şim.* **Ministry of** ~. ~**-farm**, kırda bir nevi şifa yurdu. ~**-foods**, yalnız doğal maddelerle yapılan gıda. ~**ful**, sıhhî; sağlam; şifa veren. ~**-giving**, şifa veren. ~**ily**, sağlam/sıhhatli olarak. ~**iness**, sıhhatli olma. ~**-officer**, (*id.*) sağlık memur/müdürü. ~**-resort**, kaplıcalı/deniz kenarındaki şifa yeri. ~**-stamp**, kızılay pulu. ~**y**, sıhhati yerinde; sağlam; gürbüz; sıhhate yarar: ~ **appetite**, iyi iştah: ~ **criticism**, iyi niyetle yapılan ve faydalı tenkit.

heap [hīp] *i.* Yığın; küme. *f.* Yığmak, kümelemek. **a** ~/~**s of**, bir çok, bir sürü: **fall in a** ~, düşüp yığılmak: **be struck all of a** ~, (*arg.*) hayretten küçük dilini yutmak: ~ **praises on s.o.**, birini sitayişlere boğmak. ~**ed** [-pt], *s.* ağız ağza dolu: **a** ~ **spoonful**, tepeleme bir kaşık dolusu.

hear (*g.z.(o.)* **heard**) [hiə(r), hə̄d] *f.* İşitmek; duymak; dinlemek; haber almak; (*huk.*) yargılamak. ~**!** ~**!**, bravo!, çok doğru!: **he likes to** ~ **himself talk**, çok konuşmaktan hoşlanıyor: **I have** ~**d it said/I had** ~**d tell that . . .**, . . . söylendiğini işittim: ~ **me out!**, sözümü sonuna kadar dinle!: ~ **from s.o.**, birinden mektup almak: ~ **a child his lesson**, çocuğun dersini dinlemek: **he won't** ~ **of any alterations to his plan**, planının değiştirilmesini kabul etmiyor: **I won't** ~ **of it!**, dünyada bunu kabul edemem.

hear·able ['hiərəbl]. İşitilir, duyulur. ~**d** [hə̄d] *g.z.(o.)* = HEAR. ~**er** ['hiərə(r)], dinleyici. ~**ing**, dinleme; işitim; işitme duygusu; (*huk.*) yargılama, celse, oturum, duruşma: ~ **in camera**, gizli celse: ~ **in chambers**, hâkimin odasında özel duruşma: **hard of** ~, kulağı ağır: **out of/within** ~, işitilmiyecek/işitilecek mesafede: **give s.o. a fair** ~, birini tarafsızca dinlemek: **condemn s.o. without a** ~, birini dinlemeden aleyhinde hüküm vermek: **be quick/slow of** ~, kulağı keskin ol(ma)mak: **it was said in my** ~, kulaklarımla duydum: ~**-aid**, iyi işitme alet/cihazı. ~**ken** ['hākn], dinlemek; kulak vermek. ~**say** ['hiəsey], şayia; kulaktan dolma, dedikodu.

hearse [hə̄s]. Cenaze araba/otomobili.

heart [hāt]. Kalp; gönül; can; yürek; can evi; iç, orta, merkez; merhamet, şefkat; cesaret, gayret; (iskambil) kupa. ~ **and soul**, can ve gönülden: **after one's own** ~, tam istediği gibi: **at** ~, içinden: **have s.o.'s welfare at** ~, birinin mutluluğuyla candan ilgilenmek: **have one's** ~ **in one's boots**, meyüs olm., fütur getirmek: **from the bottom of my** ~, en candan, kalbimin derinliklerinden: **break one's** ~ **over stg.**, bir şeyden dolayı içi içini yemek: **break s.o.'s** ~, (büyük bir keder vb.) mahvetmek, ezip bitirmek: **by** ~, ezberden: **learn/get by** ~, ezberlemek: **a change of** ~, hislerin (iyiliğe doğru) değişmesi: **to one's** ~**'s content**, canının istediği kadar: **not to find it in one's** ~/**not to have the** ~ **to**, kıyamamak, içi götürmemek, yüzü olmamak: **in good** ~, keyfi yerinde; iyi halde, mümbit: **(not) have one's** ~ **in one's work**, işini sev(me)mek: **in my** ~ **of** ~**s**, içimden, kalbimin derinliklerinde: **in the** ~ **of . . .**, . . . göbeğinde: **lose** ~, yese düşmek, fütur getirmek: **lose one's** ~ **to**, -e kalbini kaptırmak: **the** ~ **of the matter**, meselenin esası: **have one's** ~ **in one's mouth**, canı ağzına gelmek: **put new** ~ **into s.o.**, birine yeniden cesaret vermek, birini teşvik etm.: **press/clasp s.o. to one's** ~, birini bağrına basmak: **his** ~ **is in the right place**, (her şeye rağmen) iyi niyetlidir: **set one's** ~ **on**, -i aklına koymak: ~ **and soul**, can ve gönülden: **take stg. to** ~, bir şeyi kendine dert etm.: **a sight that goes to the** ~, yürek parçalıyan bir manzara: **young at/of** ~, yaşına rağmen genç ruhlu. ~**-ache** [-eyk], keder; ıstırap. ~**-attack** [-ətak], kalp krizi. ~**-beat**, yürek çarpıntısı. ~**break**, keder: ~**er**, yürekler sızlatan: ~**ing**, son derece keder verici, yürekler sızlatıcı. ~**broken**, kederden kolu kanadı kırılmış. ~**burn** [-bə̄n], mide ekşimesi: ~**ing**, kıskanç. ~**-disease**, kalp hastalığı. -~**ed**, *son.* -kalpli, -yürekli: **hard-/stony-**~, taşyürekli. ~**en**, cesaret vermek; teşvik etm. ~**-failure**, kalp sektesi. ~**-felt**, samimî; içten, candan. ~**-free**, âşık olmıyan.

hearth [hāθ]. Ocak; ocağın önü; ocağın başı. **without** ~ **or home**, od yok ocak yok. ~**-cricket**, ocak çekirgesi. ~**-rug**, ocağın önüne serilen kilim. ~**stone**, ocaktaşı; kıl.

heart·ily ['hātili]. Samimiyetle; (*kon.*) çok: **be** ~ **sick of**, bıkmak. ~**iness**, samimiyet. ~**less**, kalpsiz; hissiz; zalim: ~**ly**, hissizce; zalimce: ~**ness**, hissizlik; zulüm. ~**-rending**, yürek parçalayıcı. ~**-searching**, vicdanı araştıran; vicdanını yoklama. ~**'s-ease**, hercaî menekşe. ~**-sick**, kederli, fütur getirmiş; bezgin. ~**-sore**, kederli, incitilmiş. ~**-strings**, en derunî hissiyat: **feel a tug at the** ~, kalbinin en hassas teline dokunulmak. ~**-to-**~, samimî; kalp kalbe. ~**-whole**, (i) kimseye gönül vermemiş; (ii) samimî. ~**-wood**, ağaç özü, özodun. ~**y**, candan, samimî; dinç, sağlam; fazla neşeli ve gürültülü: ~ **appetite**, iyi iştah: ~ **meal**, bol bir yemek.

heat [hīt] *i.* Sıcaklık; ısı; hararet, suhunet; kızgınlık; (*sp.*) koşu nöbeti, döngü; (*zoo.*) kösnü, şehvet. *s.* Isıl; sıcak. *f.* Isıtmak; hararetlen(dir)mek; kız(dır)mak; ısınmak. **on** ~, (dişi hayvan) kızgın: **be on** ~, kösnümek: **get in a** ~/**become** ~**ed**, hiddetlenmek, öfkelenmek. ~**ed**, ısınmış; hararetli; hiddetli: ~**ly**, hiddetli bir şekilde. ~**-engine**, sıcaklık/ısı gücü makinesi. ~**er**, ısıtıcı şey; soba; kızdırıcı; tavcı; radyatör, kalorifer; ısıtmaç. ~**-exchanger**, hararet değiştirici, sıcak geçirici.

heath [hīθ]. Fundalık; çorak arazi; funda.

heathen ['hīðn]. Putperest; kâfir. ~**ish**, putperestliğe ait, kâfir. ~**ism**, putperestlik; barbarlık, vahşilik. ~**ize**, putperestliğe döndürmek.

heather ['heðə(r)]. Süpürgeotu; funda; fundalık. ~**y**, fundalı.

heat·ing ['hītin(g)] *s.* Isıtıcı. *i.* Isıtma (cihazı); ısınma: **central** ~, kalorifer sistemi. ~**proof**, sıcağa dayanır, yanmaz. ~**-resistant**, ısı dirençli. ~**-sink**, (*elek.*) ısı yutucu. ~**-stroke**, güneş çarpması. ~**-unit**, ısı birimi. ~**-wave**, sıcaklık dalgası.

heave (*g.z.(o.)* ~**d**, (*den.*) **hove**) [hīv(d), houv] *f.* (Ağır bir şey) atmak, kaldırmak; deniz gibi kabarıp inmek. *i.* Şiddetle atma/itme/çekme; yatay atım. ~

at/on a rope, palamar zorla çekmek: ~ **away at the capstan**, ırgat çekmek: ~ **the lead**, iskandil atmak: ~ **ahead/astern**, (gemi) bir az ileri/geri gitmek: ~ **a sigh**, derin derin iç çekmek: ~ **in sight**, birdenbire görünüvermek: ~ **to**, (gemi) dur(dur)mak; orsa alabanda eğlendirmek: ~ **ho!**, yisa!; heyamola!: **be hove to**, orsa alabanda yatırılmak.

heaven ['hevn]. Gök, sema; cennet; Allah. **the ~s**, sema; feza; kubbe: **in ~**, cennette; öbür dünyada: **be in the seventh ~**, başı göğe ermek: **go to ~**, cennete gitmek: **good ~s!**, Allah! Allah!; aman yarabbi!: **thank ~!**, bereket versin; çok şükür, elhamdülillah!: **for ~'s sake**, Allah aşkına: **would to ~**, Allah vere; ah keşki: **move ~ and earth to get stg.**, bir şeyi elde etmek için yapmadık bir şey bırakmamak. **~-born**, ilâhî. **~liness**, ilâhî/cennet gibi olma. **~ly**, semavî; ilâhî; cennete ait, cennet gibi; Allahtan; (*kon.*) pek nefis/latif: **~ body**, gök cismi: **Our ~ Father**, Allah: **~-minded**, aziz. **~ward**, gök/cennete doğru.

heaver ['hīvə(r)]. Kaldırıcı; manivela; kriko; (halat) örücü aleti.

heaves [hīvz]. (Atlar) soluğan hastalığı.

heavi·ly ['hevili]. Ağırca; kalınca; şiddetli/sıkıntılı olarak. **~ness**, ağırlık, sıklet; kasvet; uyuşukluk; (*hav.*) kapama: **~ of heart**, fütur, keder.

heaving ['hīvın(g)]. At(ıl)ma; kaldır(ıl)ma; (deniz) kabarma. **~-line**, ince ip.

heavy ['hevi]. Ağır; sakil; iri yapılı; kalın; kasvetli, sıkıntılı; güç; şiddetli; iyice kabarmamış, hamur (ekmek); cansız, usandırıcı. **as ~ as lead**, çok ağır: **~ crop**, zengin ürün: **a ~ day**, (i) sıkıntılı bir gün; (ii) çok çalışılan gün: **~ fire**, şiddetli top ateşi: **have a ~ heart**, kederli olmak: **~ meal**, bol yemek: **be a ~ sleeper**, uykusu ağır olm.: **a ~ step**, tok ayak sesi: **time hangs ~ on his hands**, yapacak bir şey olmadığı için cansıkıntısı içindedir: ~ WEATHER: **~ with child/young**, gebe. **~-armed**, ağır silâh/zırhlı. **~-browed**, abus, asık suratlı. **~-duty**, ağır hizmet/iş(e elverişli). **~-earth**, baryum oksidi. **~-eyed**, (uykusuzluktan) gözleri çakmak çakmak. **~-handed**, eli işe yatmıyan, beceriksiz; zalim. **~-hearted**, kederli. **~ish**, oldukça ağır. **~-laden**, ağır yüklü. **~-oil/-water**, (*kim.*) ağır yağ/su. **~-weight**, (*sp.*) ağır sıklet, başağırlık.

Heb. = HEBREW.

hebdomadal [heb'domədəl]. Haftada bir; haftalık.

Hebe ['hībi] (*mit.*) Gençlik ilâhesi; ilâhların sakiyesi.

hebet·ate ['hībiteyt]. Zekâsını kaybet(tir)mek. **~ude** [-tyūd], aptallık.

Hebr·aic [hī'breyik]. İbranîler/İbranîceye ait: **~ally**, İbranî gibi. **~aism**, İbranî deyim/âdeti; İbranî dini. **~aist**, İbranîce bilgini: **~ic**, İbranîlere ait. **~aize** [-'breyayz], İbranîleş(tir)mek; İbranîceye çevirmek. **~ew** [-brū] *i.* İbranî, Yahudi; İbranîce: *s.* İbranî(ce) +.

hecatomb ['hekətūm]. Eski zamanda yüz hayvan kurban etmek âdeti; katliâm.

heck [hek] (*kon.*) = HELL.

heckl·e ['hekl]. Birini ve *bilh.* mebus adayını nutuk söylerken müşkül ve şaşırtıcı sorularla sıkıştırmak. **~er**, böyle sıkıştıran kimse. **~ing**, böyle sıkıştır(ıl)ma.

hectare ['hekteə(r)]. Hektar; = 109,8 dönüm.

hectic ['hektik]. Pek heyecanlı; telâşlı; veremli gibi kızarmış ve sıtmalı. **~ cough**, veremli gibi öksürme.

hecto- ['hektou-] *ön.* Yüz...; hekto-. **~gram(me)**, hektogram. **~graph**, kopya çoğaltma makinesi, hektograf. **~litre** [-lītə(r)], hektolitre. **~metre** [-mītə(r)], hektometre.

hector ['hektə(r)] *i.* Kabadayı, mütehakkim adam. *f.* Yüksekten atmak; kabadayılık etm.

he'd [hīd] = HE HAD; HE WOULD.

heddles [hedlz] (*dok.*) (Tezgâh) gücü takımları.

hedge [hec] *i.* Çit; mania, engel. *f.* Çit çevirmek; tedbirler almak; kaçamaklı davranmak. **~ a bet**, iki taraf/ihtimal için bahse girişmek: **~d about/around with difficulties**, müşkülâtla çevrilmiş. **~bill**, çitleri kesmek için uzun saplı bıçak. **~hog**, kirpi. **~hop(ping)**, (*hav.*) çok alçaktan uçmak (uçuş). **~-priest**, cahil kaba papaz. **~r**, çitleri kesen işçi; tedbirler alan biri. **~row** [-rou], çit teşkil eden ağaçlar ile çalılar. **~-sparrow**, çit serçesi.

hedging ['hecin(g)]. Çit çevirme/kesmesi; tedbirler alma.

Hedjaz [he'caz]. Hicaz.

hedon·ism ['hīdənizm]. Hayatın maksadını zevk telâkki eden felsefe; hazcılık. **~ist**, bu felsefeye ait; safaperest; hazcı.

-hedr·al [-hedrəl] *son.* -yüzlü. **-~on**, *son.* -yüzlü cisim [POLYHEDR·AL/-ON].

***heeby-jeebies** ['hībicībiz] (*arg.*) Dehşet, telâş, korku.

heed [hīd] *f.* Aldırmak; kulak vermek; dikkat etm. *i.* Aldırış; ehemmiyet verme; dikkat. **pay/take no ~**, aldırmamak; oralı olmamak; dikkat etmemek. **~ful**, dikkatli; ihtiyatlı. **~less**, dikkatsiz; aldırış etmiyen.

hee-haw ['hīhō]. Anırma(k).

heel[1] [hīl] *i.* Topuk; ökçe; bir şeyin arka kısmı; (*arg.*) alçak herif. *f.* Raksederken yere ökçe ile vurmak; raksetmek; (ayakkabıya) ökçe takmak. **be at/on/upon one's ~s**, tam peşinde olm.: **bring s.o. to ~**, birini yola getirmek, rametmek: **come to ~**, (köpek) yürürken çağırılınca sahibinin peşinden gelmek; (*mec.*) itaat etm., ramolmak: **be down/out at ~s**, ökçeleri ezilmiş/şapşal olm.; sefalette olm.: **fling out its ~s**, (at) çifte vurmak: **have the ~s of ...**, -den daha hızlı koşmak: **head over ~s**, tepe taklak: **kick/cool one's ~s**, işsiz güçsüz/sabırsızlanarak beklemek: **lay/clap s.o. by the ~s**, birini hapsetmek: **show a clean pair of ~s**, kaçıp gözden kaybolmak: **take to one's ~s**, tabanları yağlamak: **tread upon s.o.'s ~s**, birini yakından izlemek, peşine düşmek: **turn on one's ~**, birden bire dönmek: **be under the ~ of the invader**, müstevlinin çizmesi altında olm.

heel[2] *f.* **~ (over)**, (gemi vb.) bir yana yatmak; (gemiyi) yana yatırmak.

heel-[3] *ön.* **~-and-toe**, (*sp.*) topuklar basarak yapılan (yürüyüş/raks). **~ed**, **well ~**, zengin, kesesi dolgun. **~er**, ökçesiyle vuran; *(*arg.*) peşini bırakmıyan. **~ing**, (*den.*) yana yatma. **~-piece**, ayakkabının ökçe parçası. **~tap**, ökçe köselesi; cür'a, kadehin dibindeki son yudum: **no ~s!**, içkiyi son damlasına kadar iç!

***heft** [heft] *i.* Ağırlık. *f.* Kaldırmak; itmek.

hefty ['hefti]. İri yarı; çam yarması gibi.

hegemony [hi'geməni]. Tahakküm; üstünlük; hegemonya.

Hegira, Hejira ['hecirə, hi'cayrə]. Hicret.

he-goat ['hīgout]. Teke.

heh [hey] *ünl. Hayret nidası.*
heifer ['hefə(r)]. Doğurmamış genç inek, düve.
heigh [hey] *ünl. Dikkat çekme nidası.* **~-ho,** *bıkkınlık/esef nidası.*
height [hayt]. İrtifa, yükseklik, rakım, kot; tepe; evc, zirve; boy; son derece. **he drew himself up to his full ~**, doğruldu: **at the ~ of his career**, mesleğinin en önemli noktasında: **in the ~ of the battle**, muharebenin en civcivli zamanında: **the ~ of folly**, deliliğin son mertebesi. **~en**, yükseltmek; artırmak.
heinous ['heynəs]. İğrenç; şeni, habis; affolunmaz. **~ly**, iğrenç bir şekilde vb. **~ness**, iğrençlik, vb.
heir [ęə(r)]. Vâris, mirasçı, kalıtçı. **~ to the throne**, veliaht: **direct ~s**, füru. **~-apparent**, mirastan iskat edilemiyen meşru mirasçı. **~-at-law**, kanunî mirasçı. **~dom** [-dəm], vârislik; veliahtlık. **~ess** [-ris], kadın vâris. **~less**, vârissiz. **~loom** [-lūm], babadan kalma değerli bir şey. **~-presumptive**, hâlâ veliaht bulunmadığı için vâris olan en yakın akraba.
***heist** [hayst] (*arg.*) Çalma(k), hırsızlık (etm.).
Hejira = HEGIRA.
Hel. = HELVETIA(N).
held [held] *g.z.(o.)* = HOLD[2].
hele [hīl]. (Bitki) yere dikip örtmek.
heli·acal [hi'layəkl]. Güneşe ait/yakın. **~anthus** [hīli'anθəs], küçük ayçiçeği; günçiçeği.
heli·borne ['helibōn]. Helikopterle taşınan. **~bus** [-bʌs], yolcu helikopteri.
helic·al ['helikl]. Helezonî, helisel, sarmal; burma(lı). **~es**, *ç.* = HELIX. **~oid** [-koyd], helikoit, helisel.
Helicon ['helikən] (*mit.*) Güzel sanat ilâhelerine tahsis olunan dağ; (*müz.*) helikon.
heli·copter ['helikoptə(r)]. Helikopter. **~drome** [-droum], helikopter alanı. **~lift**, helikopterle taşıma/besleme.
helio- ['hīliou-] *ön.* Güneş +; güneşe ait; helyo-. **~chrom·e/-y** [-kroum(i)], doğal renkli fotoğraf(çılık). **~gram**, ayna telgrafı. **~graph** [-graf], helyograf; güneş fotoğrafını çeken cihaz; ayna telgrafı (çekmek): **~y**, helyografi. **~gravure** [-gravyuə(r)] (*bas.*) klişecilik. **~latry**, güneş tapınması. **~meter** [-'omitə(r)], heliometre. **~scope** [-skoup], güneş gözmerceği. **~taxis** [-taksis] (*bot.*) güneşle çevrilme. **~therapy** [-'θerəpi], helyoterapi. **~trope** [-troup] (*bot.*) güneş/vanilya çiçeği; (*yer.*) kantaşı; açık mor renk. **~tropism**, (*bot.*) güneşle çevrilme. **~typography** [-tay'pogrəfi] (*bas.*) klişecilik.
heli·pad ['helipad]. Helikopter iniş-kalkış yeri. **~port**, helikopter limanı.
helium ['hīlyəm]. Helyum.
heli·x, *ç.* **~ces** ['hīliks, 'helisīz]. Helezon, helis, sarmal şekil.
hell [hel]. Cehennem. **a ~ upon earth**, Allahın belâsı bir yer: **~ let loose**, cehennemden örnek: **make the ~ of a noise**, çok gürültü yapmak: **raise ~**, kıyamet koparmak: **ride ~ for leather**, (at üzerinde) doludizgin/dörtnala koşmak: **work like ~**, domuzuna çalışmak: **what the ~ do you want?**, ne istiyorsun, be adam?
Hell. = HELLENIC.
he'll [hīl] = HE WILL.
***hell·-bender** ['helbendə(r)]. Gizli solungaçlı semender. **~-broth**, cadıların sihirli karışımı; (*mec.*) nahoş bir karışım. **~cat**, garazkâr bir kadın.
hellebore ['helibō(r)]. Çöpleme; marulcuk; harbak; danakıran.
Hellen·e ['helīn]. Helen; Yunanlı. **~ic** [-'līnik], Yunanlılara ait. **~ism** [-linizm], Helenizm; Yunan milliyetçiliği; Yunanca tabiri. **~ist**, Yunanca bilgini: **~ic** [-'nistik], Helenistik. **~ize** [-linayz], yunanlılaş(tır)mak.
Hellespont ['helispont]. Çanakkale Boğazı.
hell·fire ['helfayə(r)]. Cehennem azabı. **~hound**, zebani. **~ish** [-liş], cehenneme ait; şeytanca, müthiş: **~ly**, müthiş bir şekilde; (*kon.*) çok: **~ness**, müthişlik.
hello [he'lou] = HALLO.
helluva ['heləvə] (*arg.*) = HELL OF A ...; çok güç, nahoş; önemli, göze çarpan; çok; fazla.
helm[1] [helm]. Dümen (yekesi). **at the ~**, dümende; başta, idare eden: **answer the ~**, dümeni dinlemek/tutmak: **down with the ~!**, orsa alabanda!
helm[2] (*mer.*) Miğfer. **~ed** [-md], miğferli. **~et** [-mit], miğfer; tulga; (*oto.*) başlık, kask; emniyet miğferi: **steel ~**, çelik tas: **sun/tropical ~**, kolonyal şapka: **~ed**, miğferli; başlıklı.
helminth ['helminθ] (*biy.*) Kurt. **~ology** [-'θoləci], kurt bilimi.
helm·less ['helmlis] (i) Dümensiz; (ii) miğfersiz. **~sman** [-zmən], dümenci, serdümen.
helot ['helət]. Esir, köle; eski İspartalı köle. **~ry**, kölelik; köleler.
help [help] *i.* Yardım; muavenet, imdat, medar; yardımcı, muavin. *f.* Yardım etm., muavenet etm., imdat etm., medar olm.; kolaylaştırmak; sofrada yemek dağıtmak, birine yemek/şarap vermek. **~!**, can kurtaran yok mu!; yetişin!: **I can't ~ it**, elimde değil: **I can't ~ thinking**, bence muhakkak: **it can't be ~ed/there's no ~ for it**, çare yok, zarurî: **don't be longer than you can ~**, mümkünse fazla gecikme: **I couldn't ~ laughing**, gülmekten kendimi alamadım: **cry for ~**, 'imdat' diye bağırmak: **~ s.o. down/in/out/up**, birine inerken, girerken vb. yardım etm.: **so ~ me God!**, Allah şahit olsun!, vallahi!: **mother's ~**, çocuğa bakmağa gelen hizmetçi: **past ~**, yapacak bir şey kalmadı; umut yok: **~ s.o. on/off with a coat, etc.**, palto vb. giyirken/çıkarırken birine yardım etm.: **~ yourself!**, (yemek vb.ni) siz kendiniz buyurun!, istediğinizden istediğiniz kadar alın. **~er**, yardımcı, muavin. **~ful**, kolaylaştırıcı; işe yarar; yardım eden. **~ing**, *i.* bir tabak yemek; porsiyon. **~less**, âciz; kimsesiz; eli ayağı bağlı; eli böğründe; çaresiz. **~mate/~meet**, yardımcı; ortak; (*gen.*) karı/koca.
helter-skelter ['heltə'skeltə]. Çil yavrusu gibi dağılarak; kaçan kaçana; apar topar.
helve [helv]. (Alet vb.) sap, tutamak.
Helvetia [hel'vīşə]. İsviçre. **~n**, *i.* İsviçreli; *s.* İsviçre +.
hem[1] [hem] *i.* (*mod.*) Dikilmiş kenar; kıvırma. *f.* Kenarını kıvırıp dikmek. **~ in**, etrafını almak; kuşatmak.
hem[2]. 'Hım' diye seslenmek; manalı manalı öksürmek.
***hema-** [hemə-] *ön.* = HAEMA-.
he-man ['hīman] (*arg.*) Erkek adam.

hemi- ['hemi-] *ön.* Yarım. ~**cycle** [-saykl], yarım daire. ~**plegia** [-'plīciə], yarım inme/felç. ~**spher·e** [-'sfiə(r)], yarım·küre/-yuvar: ~**ical** [-'sferikl], yarımyuvar şeklinde. ~**stich** [-stik], mısra.
hemlock ['hemlok]. Baldıranotu. ~ **spruce**, Kanada çamı.
hemmer ['hemə(r)] (*mod.*) Kenarını kıvırıp diken işçi/makine.
***hemo-** ['hemo-] *ön.* = HAEMO-.
hemp [hemp]. Kendir, kenevir; esrar otu, benk. ~**en**, kenevirden yapılan. ~**seed**, kenevir tohumu.
hemstitch ['hemstiç]. (Mendil vb.) kenarındaki işleme; bu suretle işlemek.
hen [hen]. Tavuk; dişi kuş vb. **like a** ~ **with one chicken**, fazla telaşlı/titiz: **set a** ~, bir tavuğu kuluçkaya yatırmak. ~**-bane** [-beyn], banotu.
hence [hens]. Buradan; bundan; bu sebepten; binaenaleyh. **ten years** ~, bundan on sene sonra. ~**forth**/~**forward** [-'fōθ, -'fōwəd], bundan sonra; bundan böyle.
hench·man, *ç.* ~**men** ['hençmən]. Sadık yardımcı; taraftar; (*mer.*) uşak, peyk.
hencoop ['henkūp]. Tavuk kafesi.
hendeca- ['hendekə-] *ön.* On bir-.
hendiadys [hen'dayədis] (*dil.*) İkileme.
hen·-harrier ['henhariə(r)]. Gök/mavi doğan. ~**-house**, tavuk kulübesi.
henna ['henə]. Kına.
hennery ['henəri]. Tavuk kulübesi.
henotheism ['henəθīizm]. Bir çok ilâhlar olduğunu kabul edip birine tapınma.
hen·-party ['henpāti] (*kon.*) Yalnız kadınların bulunduğu toplantı. ~**peck**, kocasını hükmetmek: ~**ed** [-kt], kılıbık. ~**-roost** [-rūst], tenek.
Henry ['henri] (*elek.*) Henry, özindükleme birimi.
henwife ['henwayf]. Kadın tavukçu.
hepat·ic [hi'patik]. Karaciğere ait; kebedî. ~**ica** [-kə], ciğer·ot/-yosunları. ~**o-**, *ön.* karaciğer +.
hepta- ['heptə-] *ön.* Yedi-. ~**d**, yedilik; yedi şeyin toplamı. ~**gon**, yedi kenar/köşeli düzlem: ~**al** [-'tagənəl], yedi köşeli. ~**hedron** [-'hīdrən], yedi yüzlü cisim. ~**rchy** [-təki], yedi kişilik bir hükümet; (*tar.*) Yedi Krallık.
her [hə̄(r)] *diş. zm.* Onu. *s.* Onun. **to** ~, ona: **from** ~, ondan: **with** ~, onunla: **it's** ~, odur: **that's** ~, işte odur.
her. = HERALDRY.
Heraklion [he'rakliən]. Kandiya.
herald ['herəld] *i.* (*mer.*) Savaş bildirme/hükümdarlara nameleri götürmek vb.yle vazifeli olan ve şahsı masun memur; mehter; (*şim.*) hanedan vb. armacılığı ile meşgul olan memur; haberci, müjdeci. *f.* İlân etm.; geleceğini haber vermek; müjdelemek. ~**ic**, armacılığa ait. ~**ry**, armacılık.
herb [hə̄b]. Ot, bitki, nebat; baharat/ilâçlık otları. ~**aceous** [-'beyşəs], otsu, ot cinsinden; sapları katılaşmıyan bitkilere ait. ~**age** [-bic]; otlar, yeşillik; hayvanların yedikleri her nevi ot. ~**al**, otlara ait; otlardan bahseden kitap. ~**alist** [-bəlist], ilâçlık satan kimse; kökçü. ~**arium** [-'beəriəm], kurutulmuş ot/bitki koleksiyonu(na mahsus kitap/oda). ~**icide** [-bisayd], bitkileri yokeden madde. ~**iferous** [-'bifərəs], ot hâsıl eden. ~**ivor·a** [-'bivərə], otçul hayvanlar: ~**ous**, otçul, bitkicil. ~**y**, ot/bitkiye ait.

herculean [hə̄kyu'liən] (*mit.*) Herkül'e ait; (*mec.*) insan gücünün çok üstünde olan.
herd [hə̄d] *i.* Hayvan sürüsü; güruh; ayaktakımı; sığırtmaç, çoban. *f.* Sürüye katmak; hayvan sürüsüne bakmak. ~ **together**, sürü halinde topla(n)mak: **the common/vulgar** ~, ayaktakımı; sürü. ~**-book**, cins hayvanların sicili. ~**-instinct**, sürü hissi. ~**(s)·man**, *ç.* ~**men**, sığırtmaç.
here [hiə(r)]. Burada; buraya. **about** ~, bu civarda: ~ **and there**, şurada burada; arasıra: ~ **and now**, derhal, gözümün önünde: ~ **there and everywhere** her tarafta: **that's neither** ~ **nor there**, bunun mesele ile bir alâkası yok: ~**'s your book**, işte kitabınız!: ~**!, I want you**, gel!, sana bir şey söyliyeceğim: ~ **goes!**, ya Allah! (haydi bakalım!). ~**'s to you!**, şerefinize! ~**about(s)** [-rəbaut(s)], bu civarda, buralarda. ~**after** [-'rāftə(r)], bundan böyle; istikbalde, gelecekte; bundan sonra; aşağıda: **the** ~, ahret. ~**at** [-'rat], bunun üzerine. ~**by** [-'by], *bir mukavele vb. başında kullanılan deyim*: **I** ~ . . ., ben bu vesika ile.
heredit·able [hi'reditəbl]. Miras ile intikal edebilen. ~**ament** [heri'ditəmənt], miras ile intikal eden mal. ~**ary** [hi'reditəri], miras ile intikal eden; soysal; kalıtsal, irsî; mevrus. ~**y**, irsiyet; irs; kalıtım; soya çekim.
Hereford ['herifəd] (*zir.*) Bir cins sığır ineği. ~**shire** [-şə], Brit.'nın bir kontluğu.
here·from [hiə'from]. Bundan (sonra). ~**in** [-rin], bunun içinde: ~**after**, aşağıda, atide. ~**of** [-rov], bundan, bunun için.
here·sy ['herəsi]. Bir inanca karşı olan mezhep; itizal; yanlış fikir. ~**tic** [-tik], itizalcı, mutezil; dinî düşüncelere aykırı olan kimse: ~**al** [-'retikl], itizale ait.
here·to [hiə'tū]. Şimdiye kadar; evvelce: ~**fore** [-tū'fō(r)], şimdiye kadar. ~**under** [-rʌndə(r)], bunun altında, buna göre. ~**upon** [-rəpon], bunun üzerine. ~**with** [-wið], bununla; ilişik olarak.
heriot ['heriət] (*tar., huk.*) Bir mülkü aldığı zaman vârisin derebeyine ödediği ücret.
herit·able ['heritəbl]. Miras ile intikal edebilen; irsî; mirasa ehliyeti olan. ~**age** [-tic], miras; tereke. ~**or** [-tə(r)], vâris.
hermaphrodit·e [hə̄'mafroudayt]. Hünsa, erselik, er-dişi; hem erkek hem dişi. ~**ism**, erselik.
hermeneutic [hə̄mi'nyūtik]. Tefsir eden.
hermetic [hə̄'metik]. Hava geçmez şekilde kapalı. ~**ally**, hava geçmez şekilde.
hermit ['hə̄mit]. Münzevi, tariki dünya; dünyadan el etek çekmiş. ~**age** [-tic], tariki dünya hücresi, zaviye. ~**-crab**, yalnızcılyengeç. ~**ess**, kadın münzevi.
hernia ['hə̄niə]. Fıtık, herni. ~**l**, fıtık illetine ait. ~**ted** [-tid], fıtıklı.
hero ['hiərou]. Kahraman.
Herod ['herəd]. Eski Yahudi krallarından biri. **out-**~ ~, zulümde Firavuna taş çıkartmak *gibilerden*.
heroic·(al) [hi'rouik(l)]. Kahramanca: ~ **remedy**, pek şiddetli ve etkili. ~**s**, mübalağalı ve tumturaklı sözler; edebiyat.
heroin ['herouin]. Morfin özü, eroin.
hero·ine ['herouin]. Kadın kahraman. ~**ism**, kahramanlık. ~**ize** [-ayz], kahraman gibi davranmak.

heron ['herən]. Balıkçıl. **buff-backed** ~, öküz balıkçılı: **common/grey** ~, adi/külrengi balıkçıl: **great white** ~, akbalıkçıl: **little** ~, cüce balıkçıl: **night** ~, gece balıkçılı: **purple** ~, erguvanî balıkçıl: **squacco** ~, alaca balıkçıl. ~**ry**, balıkçılların toplu yuva yeri.
hero-worship ['hiərouwəşip]. Birine ilâh gibi tapınma. ~**per**, böyle tapınan kimse.
herpe·s ['hə̄pīz] (*tıp.*) Uçuk, zona. ~**tic** [-'petik], uçuk gibi.
herpetolog·ist [hə̄pi'toləcist]. Sürüngen bilgini. ~**y**, sürüngen bilimi, kelerbilim.
herring ['herin(g)]. Ringa balığı. **red** ~, tütsülenmiş ringa; (*mec.*) esastan uzaklaştırmak için söylenen söz: **draw a red** ~ **across the trail**, böyle bir söz söyliyerek konuşmayı bile bile esastan çevirmek. ~**-bone**, ringa kılçığı (gibi): ~ **stitch**, bir nevi çapraz dikiş. ~**-gull**, gümüşsel martı. ~**-pond**, (*alay*) Atlantiğin şimal kısmı.
hers [hə̄z] *diş.* Onunki. **a friend of** ~, dostlarından biri. ~**elf** [hə̄'self], kendisi.
Hert·fordshire ['hātfədşə]. Brit.'nın bir kontluğu. ~**s.** = ~FORDSHIRE.
Hertz [hə̄ts] (*elek.*) Her(t)z, frekans birimi. ~**ian**, Her(t)z+.
Herzegovina [heətsəgo'vīnə]. Hersek.
he's [hīz] = HE IS.
hesitan·cy ['hezitənsi]. Tereddüt, kararsızlık, duraksama. ~**t**, kararsız: ~**ly**, kararsızca.
hesitat·e ['heziteyt]. Tereddüt etm., duraksamak; çekinmek. ~**ingly**, tereddüt ederek. ~**ion** [-'teyşn], tereddüt, duraksama, kararsızlık: **without the slightest** ~, hiç tereddüt etmeden.
Hessian ['hesiən, heşən]. Kaba kendir bezi. ~ **fly**, sürfesi buğdaya zarar veren bir sinek.
hest [hest] (*mer.*) Emir; = BEHEST.
*__het__ [het] *g.z.o.* = HEAT. ~ **up**, heyecanlanmış.
het·aera, -aira [he'teərə] (*tar.*) Fahişe, cariye.
hetero- ['hetəro-] *ön.* Benzemez; diğer; türedışı; hetero-. ~**clite** [-klayt], intizamsız; mutat tasrif kaidesinden olmıyan (isim). ~**dox** [-doks], kurulu din/esas/fikirlere aykırı olan: ~**y**, böyle aykırılık. ~**dyne** [-dayn] (*rad.*) yığıntı/ekleme kuvvet, heterodin. ~**gamous** [-gaməs] (*biy.*) eşeysizden eşeyli üremeye değişen. ~**gene·ity** [ci'nīiti], ayrışıklık; çokyapımlılık; heterogenlik: ~**ous** [-'cīniəs], gayri mütecanis; çokyapımlı; heterogen; birbirine uymıyan; ayrışık; türlü türlü. ~**genesis** [-'cenisis], bir organizma başka birisinden hâsıl olma. ~**nomy** [-'ronəmi], heteronomi; başkasına tabi olma. ~**pathy** [-paθi], heteropati, kapılanduygu. ~**sexual**, öbür eşeye ilişik olan.
heuristic [hyu'ristik]. Keşfe yarıyan.
hew (*g.z.* ~**ed**, *g.z.o.* ~**n**) [hyū(-d, -n)]. Balta ve emsali ile vurarak kesmek, yontmak, yarmak. ~ **coal**, kömür kazmak: ~ **out a career for oneself**, çalışıp çabalıyarak meslek hayatını yapmak: ~ **out a statue**, bir heykeli kabaca yontmak: ~ **one's way through**, kılıç vb. ile vurarak kendine yol açmak. ~**er** [-ə(r)], yontucu; kömür kazıcısı: ~**s of wood and drawers of water**, ağır ve süflî işler yapanlar. ~**n**, *g.z.o.*; yontulmuş; kesilmiş.
*__hex__ [heks] *i.* Büyücü. *f.* Büyülemek.
hex. = HEXAGON(AL).
hexa- ['heksə-] *ön.* Altı. ~**gon** [-gən], müseddes; altıgen; altı kenarlı/köşeli şekil: ~**al**, altıgen şeklinde. ~**meter** [-'amitə(r)], vezni altı tefileden ibaret olan mısra.
hey [hey] *ünl.* *Sevinç/hayret nidası*; haydi!: ~ **presto**, *sihirbaz emri.*
heyday ['heydey]. -in en parlak devri; kıvam. **the** ~ **of life**, hayatın en güzel devri: **the** ~ **of spring**, ilkbaharın en güzel günleri.
hf. = HALF.
Hf. (*kim.s.*) = HAFNIUM.
HF = HIGH FREQUENCY; HOME FLEET/FRONT.
Hg. (*kim.s.*) = MERCURY.
HG = HER/HIS GRACE; HOME GUARD. ~**V** = HEAVY GOODS VEHICLE.
HH = DOUBLE HARD; HER/HIS HIGHNESS; HIS HOLINESS.
H-hour ['eyçauə(r)] (*ask.*) Bir hareket için önceden tespit edilmiş saat.
hi [hay]. *Dikkat çeken nida*; yahu!; bana bak!
hi- [hay-] *ön.* = HIGH-.
HI = HAWAIIAN ISLANDS.
hiatus [hay'eytəs]. Eksiklik, boşluk, aralık, fasıla; (*dil.*) tenafür, ünlü boşluğu.
Hib. = HIBERNIAN.
hibern·al [hay'bə̄nl]. Kışa ait. ~**ate** [-bəneyt], kış mevsimini uykuda geçirmek. ~**ation** [-'neyşn], kış uykusu.
Hibernia [hay'bə̄niə] (*şiir.*) İrlanda. ~**n**, *i.* İrlandalı; *s.* İrlanda+.
hibiscus [hi'biskəs]. Bir nevi ebegümeci.
hiccough, hiccup ['hikʌp]. Hıçkırık (tutmak).
hic jacet [hik'ceyset] (*Lat.*) Burada yatar/medfundur.
*__hick__ [hik] (*köt.*) Köylü.
hickory ['hikəri]. K.Am.'da yetişen bir ceviz ağacı; onun kerestesi.
hid [hid] *g.z.* = HIDE[1].
hidalgo [hi'dalgou]. İspanyol asilzadesi.
hidden ['hidn] *g.z.o.* = HIDE[1]. *s.* Saklı, gizli.
hide[1] (*g.z.* **hid**, *g.z.o.* **hidden**) [hayd, hid(n)] *f.* Sakla(n)mak; gizle(n)mek; örtbas etm.; sinmek. *i.* Avcı gömültüsü. ~ **one's head**, utançtan sinmek/sıvışmak.
hide[2] *i.* Deri; post. *f.* Derisini yüzmek; (*kon.*) kırbaçlamak; dayak atmak.
hide[3] *i.* (*tar.*) Değişir bir arazi ölçüsü (60–100 ACRES).
hide-[4] *ön.* ~**-and-seek**, (*çoc.*) saklambaç: **play** ~ **with s.o.**, kendini arıyan birinden bile bile kaçınmak. ~**-bound**, hastalık/bakımsızlıktan dolayı derisi yapışık ve katı olan (hayvan); dar ve değişmez fikirli: ~ **etiquette**, çok sıkı ve değişmez teşrifat ve merasim.
hideous ['hidyəs]. Son derece biçimsiz, çirkin, iğrenç. ~**ly**, çirkin/iğrenç bir şekilde. ~**ness**, çirkinlik, iğrençlik.
hiding ['haydin(g)] *i.* (i) Sakla(n)ma; (ii) (*kon.*) dayak. ~**-place**, saklanacak/gizlenecek yer.
hidr(o)- [hidr(o)-] *ön.* Ter+. ~**sis** [-'drousis] (*tıp.*) (fazla) terleme.
hie [hay]. Gitmek; acele etm.
hierarch ['hayərāk]. Başpapaz; dinî reis. ~**ic(al)** [-'rākik(l)], ~(Y)'ye ait ve uygun. ~**y**, ruhanî/sivil/askerî memurların aşama sırası; hiyerarşi; mertebe.
hieratic [hayə'ratik]. Rahip sınıfına ait.
hiero- [hayəro-] *ön.* Kutsal; ruhanî; papaz+. ~**cracy** [-'rokrəsi], rahip/papazlar hükümeti.

~**glyph** [-rəglif], eski Mısırlıların yazısı; hiyeroglif; okunmaz/anlaşılmaz yazı: ~**ic(al)**, hiyeroglife ait. ~**ics**, hiyeroglif yazıları. ~**latry**, azizlere tapınma. ~**phant** [-fant], dinî muammaları yorumlıyan rahip.

hi-fi ['hayfay] (*rad.*) = HIGH FIDELITY.

higgle ['higl]. Sıkı pazarlık etm.

higgledy-piggledy ['higldipigldi]. Karmakarışık; karman çorman.

high[1] [hay]. Yüksek; yüksekteki; ulu; asil; baş(memur); çok, pek; ileri; (et) hafifçe bozulmuş; (*müz.*) tiz; (*arg.*) tutkun; (deniz/rüzgâr) sert, şiddetli. **go as ~ as £100**, yüz liraya kadar vermek: **~ coloured**, parlak renkli; kırmızı (yanak): **~ day**, bayram: **~ and dry**, (suların çekmesiyle) tamamen karada: **leave s.o. ~ and dry**, birini yüzüstü bırakmak: **~ feeding**, bol ve ağır yemek: **from on ~**, yukarıdan; gökten; Allahtan: **with a ~ hand**, keyfî, karakuşî, indî: **ride the ~ horse**, yukarıdan almak: **~ latitudes**, çok kuzeyde/kutba yakın bölgeler: **hunt ~ and low for stg.**, fellek fellek aramak: **~ and mighty**, (eski unvan) devletli; (*mec.*) mağrur; yukarıdan alan: **the Most ~**, Allah, Tanrı: **~ noon**, tam öğle vakti: **on ~**, gökte: **feelings ran ~**, pek hiddetli ve ateşli münakaşalar oldu: **the ~ seas**, açık denizler: **in ~ spirits**, neşeli, keyfi yerinde: **play ~/for ~ stakes**, büyük kumar oynamak: **~ summer**, tam yaz ortası: **the ~ table**, kolejde profesörlere mahsus sofra: **have a ~ time**, çok eğlenmek: **it's ~ time we went**, artık gitmek zamanı geldi: **have ~ words**, kavgalaşmak.

high-[2], *ön.* ~**-angle**, (*ask.*) 30°-den fazla açılı olan. *~**ball** [-bōl], viskisoda. ~**-blown**, çok şişirilmiş; pek gururlu. ~**-born**/**-bred**, asil. ~**brow** [-brau], fikir ve sanatte ince zevk sahibi; aydın taslağı. ~**-Church**, Anglikan Kilisesinin Katolikliğe yakın kısmı. ~**-class**, iyi cinsten; yüksek sınıftan. ~**-command**, (*ask.*) başkomutan ile kurmayı. ~**-Court (of Justice)**, yüksek mahkeme. ~**-day**, yortu günü. ~**er**, daha yüksek: ~ **education**, yüksek öğretim/tahsil. ~**est**, en yüksek. ~**-explosive**, yüksek/kuvvetli patlayıcı madde. ~**faluting**/**-flown** [-fə'lūtin(g), -floun], tumturaklı, şatafatlı. ~**-fidelity**, (*rad.*) yüksek ses doğallığı. ~**-flier**/**-flyer**, gözü yüksekte olan. ~**-frequency**, yüksek frekans(lı). ~**-grade**, iyi cinsten. ~**-handed**, mütehakkim; karakuşî; keyfe göre hüküm veren. *~**-hat**, (*arg.*) tepeden bakan. ~**land** [-lənd], dağlık araziye ait: ~**er**, dağlı; K.İsk. yerlisi: ~**s**, dağlık; İsk.'nın kuzey/dağlı bölgesi. ~**-life**, kibar/zengin sınıf(ın hayatı). ~**light** [-layt], parlak nokta: **~/put the ~ on stg.**, aydınlatmak, ışıklamak. ~**ly** [-li], yüksek derecede; son derece; pek çok. ~**-minded**, âlicenap; asil ruhlu. ~**ness** [-nis], yükseklik; irtifa: **Her/His/Your ~**, prens(es)lere verilen unvan; Altes; Ekselans. ~**-pitched**, tiz; dik meyilli. ~**-powered**, (*oto.*) yüksek/üstün kudretli; kuvvetli (dürbün vb.). ~**-pressure**, (*müh.*) yüksek basınçlı; acele olan, önemli: ~ **salesmanship**, şiddetli/gayretli satıcılık usulü. ~**-priced**, çok pahalı, yüksek fiyatlı. ~**-priest(hood)**, başrahip(lik); (*mec.*) lider(lik). ~**-principled**, pek namuslu. ~**-proof**, çok alkollü. ~**-relief**, (*san.*) yüksek kabartma. ~**-rise**, yüksek apartıman/daire binası. ~**-road**, ana yol. ~**-school**, orta okul (ile lise). ~**-sea(s)**, engin, açık deniz. ~**-sounding**, tantanalı, azametli; şatafatlı. ~**-speed**, yüksek/üstün hız(lı). ~**-spirited**, cesur; atılgan; ateşli. ~**-spots** = ~-LIGHT. ~**-street**, şehrin baş caddesi(ndeki). ~**-strung**, çok sinirli; fazla hassas.

hight [hayt] (*mer.*) İsimli.

high·-tea ['haytī]. (Akşam yemeği yerine) ikindi kahvaltısı. ~**-water**, (*den.*) met. ~**way**, ana yol; şose: †**the King's/Queen's ~**, devlet yolu: ~**-code**: trafik nizamname/kanunu, yol düzen/kaideler/kuralları: ~**man**, *ç.* ~**men**, yolkesici, eşkiya.

HIH = HER/HIS IMPERIAL HIGHNESS.

hijack ['haycak]. Haksız olarak müsadere etm., çalmak; (uçak vb.) gidilecek limanın yerine başka bir limana zorla götürmek. ~**er**, böyle çalan/götüren kimse.

hijira [hi'cayərə] = HEGIRA.

hike [hayk] (*kon.*) Kırda uzun bir yürüyüş(e çıkmak); yaya olarak gezinti(ye gitmek). ~**r**, böyle yürüyen/gezen kimse.

hilari·ous [hi'leəriəs]. Neşeli ve gürültücü. ~**ty** [-'lariti], gürültülü neşe.

†**Hilary** ['hiləri]. ~ **term**, ocakta başlıyan mahkeme/üniversite devresi.

hill [hil]. Tepe; yokuş; küme. **up ~ and down dale/over ~ and dale**, dere tepe: **right/wrong side of the ~**, (*kon.*) ellisini geçmemiş/geçmiş. *~**billy**, dağlık ormanlarda yaşıyan kimse. ~**iness**, arızalılık. ~**man**, dağ/tepelerde yaşıyan kimse.

hillo [hi'lou] = HALLO.

hill·ock ['hilək]. Tepecik. ~**side**, yamaç, bayır. ~**-station**, (Hindistan'da) dağlık bölgede dinlenme yeri. ~**-top**, tepe üstü. ~**y**, inişli yokuşlu; arızalı.

hilt [hilt]. Kabza. **up to the ~**, tamamen.

hilu·m/~**s** ['hayləm, -s]. Tohum göbeği; (*tıp.*) hilus.

him [him] *er.* Onu: **to ~**, ona: **from ~**, ondan: **with ~**, onunla: **it's ~**, odur: **that's ~**, işte odur.

HIM = HER/HIS IMPERIAL MAJESTY.

Himalayan [himə'leyən]. Himalaya Dağlarına ait.

himself [him'self] *er.* Kendisi.

hind[1] [haynd]. Dişi geyik.

hind[2]. Çiftçi yanaşması.

hind[3]. Arka; art. **get on one's ~ legs**, (*alay*) ayağa kalkmak. ~**er**[1], arkadaki.

hinder[2] ['hində(r)]. Engel/mâni olm.; menetmek. ~**er**, engel olan/meneden kimse.

hind·ermost ['hayndəmoust] = ~MOST. ~**-foremost** [-fōmoust], arkası önünde olarak.

Hindi ['hindī]. Hintçe.

hind·most ['hayndmoust]. En arkadaki. **everyone for himself and the devil take the ~**, sona kalan donakalır. ~**-quarters**, kıç.

Hindoo [hin'dū]. Mecusî Hintli; Hindu.

hindrance ['hindrəns]. Engel, mânia; mümanaat: **without let or ~**, engel olmadan.

hindsight ['hayndsayt]. Tüfeğin gezi; (*mec.*) bir şeyin nitelik/önemi sonradan anlama.

Hindu [hin'dū]. Hindu, Hintli; Hintçe. ~**ism**, Hindu dini. ~**stan**, Hindistan. ~**stani**, Arapça ve Farsça ile karışık Hintçe, Urduca.

hinge [hinc] *i.* Menteşe, reze; oynak, mafsal; esas noktası. *f.* Rezelemek; menteşe üzerinde dönmek. **flap ~**, kelebek menteşesi: **piano ~**, boy menteşesi: **two-way ~**, çarpma menteşe: **~ on . . .**, (*mec.*) -e bağlı olm. ~**d**, menteşeli, mafsallı, oynaklı.

hinny ['hini]. Bardo.

hint [hint] *i.* İma; üstü kapalı anlatma; ihsas; (bir şey hakkında) fikir verme. *f.* İma etm., ihsas etm.; çıtlatmak; kulağına koymak. **a broad** ~, açık bir ima: **give/drop a** ~, birine çıtlatıvermek: **give** ~**s about stg.**, bir şey hakkında birine bir fikir vermek: **not the slightest** ~ **of . . .**, -den en küçük bir iz/emare bile yok.
hinterland ['hintəland]. Kıyının gerisindeki arazi; ücra kısım, arka ülke, iç bölge.
hip[1] [hip]. Kalça. **have s.o. on the** ~, birini zayıf bir vaziyette yakalamak: **smite** ~ **and thigh**, bozguna uğratmak; perişan etm.
hip[2]. Gül tohumu; kuşburnu.
hip[3] *i.* İçsıkıntısı; kuruntu. *f.* İçini sıkmak.
hip[4]. ~! ~! **hurrah!**, şa! şa! şa!
***hip**[5] *s.* (*arg.*) Tetik, gözü açık; asrî.
hip-[6] *ön.* Kalça+. ~**-bath**, badya şeklinde taşınabilir banyo. ~**-disease**, tüberkülozden hâsıl olan kalça ağrısı.
hippie, hippy [hipi]. Hipi, genç kalender. ~**dom**, hipiler diyar/grubu. ~**ness**, hipilik, kalenderlik.
hippo ['hipo̱u] (*kon.*) = HIPPOPOTAMUS. ~-, *ön.* at+; ata ait: ~**campus** [-'kampəs], deniz atı.
hip-pocket [hip'pokit]. Pantolonun arka cebi.
hippo·cras ['hipo̱ukras]. Baharatlı şarap. ~**cratic** [-'kratik], Hipokrat'a ait: ~ **oath**, doktorlara ettirilen yemin. ~**drome** [-dro̱um] (*tar.*) atmeydanı, hipodrom; at cambazhanesi, sirk; tiyatro. ~**griph** [-grif] (*mit.*) kuş başlı ve at bedenli bir mahluk. ~**potamus** [hipə'potəməs], hipopotam, su aygırı(gil).
hippy ['hipi] = HIPPIE.
hip·roof ['hipruf]. Hem uçları hem yanları eğimli olan çatı. ~**shot**, kalçası çıkık.
hire ['hayə(r)] *i.* Kira (ücreti). *f.* Kiralamak, kira ile tutmak; ücretle tutmak. **on** ~; kiralık: ~ **out/let out on** ~, kiraya vermek. ~**ling**, para ile tutulmuş adam; (*köt.*) yalnız para için çalışan. ~**-purchase**, taksitle satın alma. ~**r**, kiracı.
hirsute ['hɘsyūt]. Kıllı, saçlı.
his [hiz] *er.* Onun; onunki: ~**-and-hers**, (bir çift şeyden) kocanınki ile karınınki.
His. = HISTOR·ICAL/-Y.
Hispanic [his'panik]. İspanya'ya ait.
hispid ['hispid]. Kaba saçlı; sert kıllı.
hiss [his] *i.* S harfi gibi ses; istim/hava kaçıran bir şeyin çıkardığı ses; tıslama. *f.* Tıslamak; ıslıkla tezyif etm.; (birine) ıslık çalmak. ~**ing**, tıslama.
hist [hist] *ünl.* Hişt!
histamine ['histəmin]. Histamin.
histo- [histo-] *ön.* Doku+; histo-. ~**compatibility**, dokuların uyuşması. ~**genesis** [-'cenisis], doku oluşum/gelişimi. ~**logist** [-'toləcist], doku bilgini. ~**logy**, doku bilimi, histoloji; mikroskopik anatomi.
histor·ian [his'tōri̱ən]. Müverrih; tarihçi. ~**ic** [-'torik], tarihî; önemli: ~ **present**, (*dil.*) geçmiş zaman kipi yerinde kullanılan geniş zaman kipi. ~**ical**, tarihe ait; tarihsel; tarih+. ~**iographer** [-tōri'ogrəfə(r)], vakanüvis. ~**y** ['histəri], tarih; tarih kitabı: **ancient** / **medieval** / **modern** ~, takriben →476 A.D. / 476→1453 / 1453→yılların tarihi: **life/personal** ~, hayat hikâyesi, hal tercümesi: **natural** ~, doğal bilimler: **that's ancient** ~, (i) o tarihe karıştı; (ii) onu herkes bilir: **the inner** ~ **of stg.**, bir meselenin içyüzü: **s.o.'s past** ~, birinin geçmişi: **a patient's** ~, bir hastanın sağlık durumu hikâyesi.
histrionic [histri'onik]. Aktörlüğe ait; tiyatroya ait; aktör gibi (söz ve hareket). ~**s**, tiyatro işleri; aktör gibi konuşma ve hareket etme.
hit (*g.z.(o.)* **hit**) [hit] *f.* Vurmak, dövmek, çarpmak; isabet etm.; ararken tesadüfen bulmak. *i.* Darbe; vurma, vuruş; isabet; muvafakkıyet, başarı. ~ **against stg.**, bir şeye çarpmak: **have a sly** ~ **at s.o.**, birine taş atmak: **that was a** ~ **at you**, bu taş sana: **be hard** ~, büyük bir sarsıntıya uğramak; sarsılmak: **make a** ~ **(of stg.)**, muvaffak olm., başarmak: **the play was a great** ~, piyes çok başarılı oldu: ~ **or miss**, rasgele. ~ **back**, mükabeleten vurmak, karşılığını vermek. ~ **off**, ~ **off a likeness**, bir resmi tıpkı tıpkısına benzetmek: **that** ~**s him off exactly/to a T**, tam o!, tıpkı o!: **we don't** ~ **it off**, birbirimize ısınamıyoruz/geçinemiyoruz. ~ **on**, tesadüf etm., tesadüfen bulmak: **I've** ~ **upon a good plan**, iyi bir plan aklıma geldi. ~ **out**, darbeler savurmak. ~**-and-run**, (*oto.*) çarpıp kaçan (şoför vb.).
hitch [hiç] *i.* Anî çekiş; hiç beklenmiyen engel, arıza; bazı düğümlere verilen isim. *f.* Anî bir hareketle çekmek; iliştirmek, takmak. **clove** ~, kazık bağı: **half** ~, mezevolta: **rolling** ~, beden bağı: **timber** ~, voltalı dülger bağı: **there is a** ~ **somewhere**, bir yerde bir arıza/takıntı var: **due to a technical** ~, teknik bir arızadan dolayı: **without a** ~, pürüzsüz, arızasız.
hitch-hik·e ['hiçhayk]. Otostop işareti verip yolculuk etm. ~**er**, böyle bir yolcu. ~**ing**, otostop.
hither ['hiðə(r)]. Buraya, bu tarafa. ~ **and thither**, şuraya buraya. ~**to**, şimdiye kadar.
Hittite ['hitayt]. Eti/Hitit(lere ait).
hit·-or-miss ['hitōmis]. Baht işi, rasgele. ~**ter** [-ə(r)], vuran/döven kimse.
hive [hayv] *i.* Arıkovanı; arıkovanı gibi kaynaşan yer; bir kovanın arılarının hepsi. *f.* (Arıları) kovana doldurmak. ~ **off**, ana kovandan ayrılıp yeni bir kovana geç(ir)mek; (*mal.*) bir şirketin bazı işlerini tabi şirketlerine devretmek.
hives [hayvz] (*tıp.*) Kurdeşen.
hl. = HECTOLITRE.
HL = HOUSE OF LORDS.
h'm [h(ə)m] = HEM²; HUM.
HM = HARBOUR-MASTER; HEADMASTER; HEADMISTRESS; HER/HIS MAJESTY. ~**AS** = HER MAJESTY'S AUSTRALIAN SHIP. ~**I(S)** = HER MAJESTY'S INSPECTOR (OF SCHOOLS). ~**S** = HER MAJESTY'S SHIP. ~**SO** = HER MAJESTY'S STATIONERY OFFICE. ~**V** (*M.*) = HIS MASTER'S VOICE, Sahibinin Sesi.
HN·C/D = HIGHER NATIONAL CERTIFICATE/DIPLOMA.
ho [ho̱u] *ünl.* *Hayret/zafer/alay anlatan nida; çağırma nidası*; (*den.*) -e doğru: **westward** ~!, batıya doğru.
Ho. (*kim.s.*) = HOLMIUM.
HO = HEAD/HOME/HYDROGRAPHIC OFFICE.
hoar [hō(r)]. Ağarmış, kır. ~**-frost**, kırağı. = HORE.
hoard [hōd] *i.* Define; (*mal.*) iddihar/istif/stok edilen şey. *f.* ~ **(up)**, biriktirmek; iddihar etm., stok yapmak; para biriktirmek; istifçilik etm. ~**er**, biriktiren/stok yapan kimse, istifçi. ~**ing**[1], stok yapma, iddihar, biriktirme.

hoarding[2]. Tahta perde: **advertisement** ~, afiş/ilân tahtası.
hoariness ['hōrinis]. Ak saçlılık; pek eski olma.
hoarse [hōs]. Boğuk/kısık (sesli). **shout oneself** ~, sesi kısılıncaya kadar bağırmak. ~**ly**, boğuk/kısık olarak. ~**ness**, boğukluk, kısıklık.
hoary ['hōri]. Ağarmış; ak saçlı; asırdide.
hoax [houks] *i.* Muziplik, takılganlık; şaka olarak aldatma; hile; kafese koyma; asılsız tehlike işareti. *f.* Aldatmak; kafese koymak. ~**er**, muzip, takılgan.
hob [hob]. Ocak başında tencere vb. koymağa mahsus bir nevi ızgara.
hobble ['hobl] *i.* Köstek; bukağı; topal yürüyüş. *f.* Kösteklemek; topallamak. ~ **along**, topallıyarak yürümek. ~**-skirt**, alt kenarı dar olan etek.
hobbledehoy [hobldi'hoy]. Gelişme çağında biçimsiz hareketli ve utangaç çocuk.
hobby[1] ['hobi] İş dışında zevk için meşguliyet; merak.
hobby[2]. Delice doğan.
hobby[3]. ~**(horse)**, değnekten at: **ride one's** ~, (*mec.*) çok sevdiği bir konuya dönmek.
hobgoblin [hob'goblin]. Şakacı muzip peri.
hobnail ['hobneyl]. Kumbara çivisi, kabara. ~**ed**, kabaralı (ayakkabı).
hob-nob ['hobnob]. ~ **with s.o.**, birisiyle senli benli olm.
***hobo** ['houbou] (*arg.*) Serseri, aylak.
Hobson ['hobsən]. ~**'s choice**, ya bu ya hiç!; seçme imkânı yok.
hock[1] [hok]. Atın art dizi.
hock[2]. Beyaz Alman şarabı.
hock[3] (*arg.*) Rehin (vermek). **in** ~, rehinde; hapishanede; borçlu.
hockey ['hoki]. Çomakla oynanan bir top oyunu; hokey.
hocus ['houkəs]. Aldatmak, kafese koymak; içeceğe ilâç katmak; içeceğe ilâç katarak uyutmak. ~**-pocus**, hokkabazlık, hile, göz boyası.
hod [hod]. Omuzda taşınan duvarcı teknesi; duvarcı arkalığı.
†**Hodge** [hoc]. Köylünün simgesi.
hodman ['hodmən]. Duvarcı yardımcısı.
hoe [hou]. Çapa(lamak): **a hard row to** ~, uzun ve meşakkatlı iş.
H of·C/L/R = HOUSE OF COMMONS / LORDS / *REPRESENTATIVES.
hog [hog] *i.* Domuz; (bazı yerlerde) genç koyun: obur kimse. *f.* At yelesini kısa kesmek. **go the whole** ~, bir işte sonuna kadar gitmek: **road** ~, fazla yer işgal eden ve dikkatsiz şoför. ~**back**, balık sırtı tepe, tabaka doruğu. ~**fish**, lipsoz. ~**ged** [-gd], dar sırtlı (tepe); kısa kesilmiş (yele). ~**get** [-it], bir yıllık koyun. ~**gin** [-in] (*müh.*) kum ile çakıl karışımı; kalburlanmış çakıl. ~**gish** [-iş], domuz gibi; obur.
hogmanay ['hogməney] (*İsk.*) Yılın son günü.
hog·mane ['hogmeyn]. Dik durması için kısa kesilmiş at yelesi. ~**'s-back** = ~BACK. ~**shead** [-zhed], büyük fıçı; 240-litrelik sıvı ölçüsü. ~**wash** [-woş], domuz yemi olarak kullanılan mutfak kırıntısı; *saçma.
hoick [hoyk]. (Bir uçağı) anî olarak yukarıya döndürmek.
hoi polloi [hoy'poloy] (*Yun.*) Avam; ayak takımı.
hoist [hoyst] *f.* Hisa etm., lava etm., yısa etm.; yükseltmek, kaldırmak; (bayrak/fors) çekmek. *i.* Yukarı kaldırma; yükseltme cihazı, vinç; eşya asansörü. **give s.o. a** ~ **up**, kalkarken/ata binerken birine yardım etm.: ~ **with his own petard**, kendi bombasıyle kendini uçurmak.
hoity-toity ['hoyti'toyti]. *Öfkelenen/atıp tutan birine karşı söylenen küçümseme nidası.*
hokey-pokey ['houki'pouki] = HOCUS-POCUS.
***hokum** ['houkəm] (*arg.*) Hafif bir filim senaryosu; saçma; basmakalıp.
holarctic [ho'lāktik] (*zoo.*) K. kutup bölgesine ait.
hold[1] [hould]. Gemi ambarı; sintine.
hold[2] *i.* Tutunacak yer; tutma; (*sp.*) tutuş, künde. **get** ~ **of stg.**, bir şeyi ele geçirmek; bir şeyi elde etm.: **I can't get a** ~, tutunamıyorum: **have a** ~ **over s.o.**, birine hükmü geçmek; birinin zayıf tarafını elinde tutmak: **have no** ~ **over s.o.**, birine hükmü geçmemek; birinin üzerinde nüfuzu olmamak: **keep** ~ **of stg.**, bir şeyi salıvermemek: **lose/let go one's** ~, (tutunduğu yerden) eli kurtulmak; birinin üzerindeki nüfuzunu kaybetmek.
hold[3] (*g.z.(o.)* **held**) [hould, held] *f.* Tutmak; işgal etm.; telakki etm., saymak; içine almak, içermek, ihtiva etm., istiap etm.; sabit durmak, çözülmemek. ~ **s.o. to his promise**, birine vadini tutturmak. ~ **back**, geri tutmak; gizlemek, saklamak, söylememek; alıkoymak, zaptetmek; çekinmek. ~ **down**, yerinde tutmak; yerde tutmak; (başını) eğmek; inkıyat altında tutmak. ~ **forth**, bir konuda yüksekten atmak; kandırmak için teklif etm./ileri sürmek. ~ **in**, zaptetmek: ~ **a horse in**, bir atın dizginini kısmak. ~ **off**, yaklaştırmamak; defetmek: **if the rain** ~**s off**, yağmur yağmıyacak olursa. ~ **on**, salıvermemek; bırakmamak; devam etm.: ~ **on a bit!**, yavaş!, biraz dur! ~ **out**, uzatmak; kandırmak için vait/teklif ileri sürmek; teslim olmamak; dayanmak. ~ **over**, geri bırakmak; tehir etm., ertelemek. ~ **together**, bir arada tutmak; ayrılmamak; dağılmamak; çözülmemek; (anca beraber, kanca beraber) ayrılmamak. ~ **up**, yukarı tutmak; kaldırmak; durdurmak; yolunu kesip soymak; ayakta durmak, düşmemek; (iyi hava) devam etm.: ~ **s.o. up to ridicule**, sözleriyle birini gülünç etm.: ~ **s.o. up as an example**, birini örnek göstermek: ~ **up one's head again**, başını bir daha doğrultmak: ~ **up!**, aman düşme! ~ **with, I don't** ~ **with these new ideas**, bu yeni fikirlerle başım hoş değil.
hold-[4] *ön.* ~**-all** [-ōl], bir nevi hurç; öteberi doldurmak için bir nevi bavul. ~**back**, engel. ~**er** [-də(r)], tutan adam; tutucu; tutacak şey; hamil, taşıyan; iye, sahip, zilyet, eldeci; depo. ~**fast**, tutucu alet; kenet; çengel; destek. ~**ing**, tutma vb.; = HOLD[2]; (*hav.*) bekle(t)me; arazi parçası: **I have a small** ~ **in ...**, -de bir kaç hissem var: ~**-company**, holding şirketi; başka şirket(ler)i yöneten şirket. ~**-pattern**, (*hav.*) bekletildiği sürece uçağın limanın üzerinde dairesel uçuşu: ~**-time**, (*hav.*) atış sayımı zarfında bir gecikme. ~**-up**, yolunu kesip soyma, tehditlerle soyma; (işleri) durdurma: **there's a** ~ **somewhere**, bir yerde engel var.
hole [houl] *i.* Delik; çukur; in; kötü durum; nahoş bir yer. *f.* Delik açmak. **be/find oneself in a** ~, kötü durumda bulunmak: **get s.o. out of a** ~, birini kötü

durumdan kurtarmak: **in/full of ~s**, delik deşik: **make a ~ in...**, -de bir delik açmak; -de büyük bir gedik açmak: **pick ~s**, kusur bulmak: **search every ~ and corner**, bütün kıyı bucağı araştırmak. **~-and-corner**, *ş.* gizli, sinsi, alçak.

holiday ['holidey]. Tatil/dinlenme günü; azat; bayram; tatil süresi; dinlenme. **the ~s**, okul tatili: **be on (one's) ~s**, izinli olm.; seyahatte olm.: **half-~**, yarım azat: **package-~**, götürü yolculuk. **~-maker**, deniz kıyılarına ve diğer gezinti yerlerine iznini geçirmek için gelen kimse.

holi·ly ['houlili]. Kutsal olarak. **~ness**, kutsiyet, kutsallık; mübareklik; dindarlık: **His ~**, *Papaya verilen unvan.*

holism [houlizm] (*fel.*) Tabiat/hilkatin bir birlik olduğunu ileri süren kuram, holizm.

holla ['holə] *ünl.* = HALLO.

Holland ['holənd]. Hollanda, Felemenk. **~(s)**, astar ve istor için kullanılan bir nevi bez. **~er**, Felemenkli. **~s**, ardıç suyu, cin.

hollo(a) ['holou] *f.* Bağırmak. *i.* Bağırış.

hollow ['holou] *s.* Kof, içi boş; delikli; boş; (*mec.*) gayri samimî. *i.* Oyuk, çukur (yer); boşluk. **~ out**, içini oymak: **the ~ of the hand**, avuç içi: **~ excuse**, boş mazeret: **~ sound**, içi boş bir şeyden gelen ses: **beat s.o. ~**, (*kon.*) birini kolayca yenmek; birine taş çıkarmak. **~-ground**, iki taraf içbükey olan (tıraş bıçağı vb.). **~-hearted**, gayri samimî. **~ness**, boşluk; çukurlu olma.

holly ['holi]. Çobanpüskülü, dikenli defne.

hollyhock ['holihok]. Gülhatmi.

Hollywood ['holiwud]. Holivut; ABD'ndeki filim merkezi.

holm[1] [houm]. Adacık.

holm[2]. **~-oak**, pırnal.

holmium ['holmiəm]. Holmiyum.

holo- [holo-] *ön.* Tam(amen), bütün, tüm; holo-. **~caust** [-kōst] (*mer.*) tamamen yakılmış kurban; (*şim.*) büyük insan kaybına sebep olan yangın; katliam. **~graph**, (*huk.*) tamamen imza sahibinin eliyle yazılmış (vasiyetname vb.). **~metabolism**, tümbaşkalaşma. **~thurian**, bir deniz polipi.

hols [holz] (*kon.*) = HOLIDAYS.

holster ['holstə(r)]. Tabanca kılıfı; kuburluk.

holt[1] [hoult]. Ormancık; ağaçlı tepe.

holt[2]. Hayvan (*bilh.* su samuru) yuvası.

holy ['houli]. Mukaddes, kutsî, kutsal, mübarek; şerif; (*kon.*) çok. **~ orders**, papazlık: **be in/take ~ orders**, papaz olm.: **that child is a ~ terror**, bu çocuk Allahın belâsıdır: **the ~ of Holies**, Musevî mabedinin en iç kısmı; harim. **~-Day**, yortu. **~-Father**, Papa. **~-Ghost/-Spirit**, ruhülkudüs. **~-Land**, Filistin. **~-Office**, Engizisyon. **~stone**, *f.* gemi güvertesini taşla temizlemek: *i.* bu iş için kullanılan Malta taşı. **~-War**, dinî savaş, haçlı savaş, cihat. **~-water**, takdis olunmuş su. **~-Week**, Paskalyadan önceki hafta. **~-Writ**, Mukaddes Kitap.

homage ['homic]. Biat, sadakat yemini; hürmet, riayet. **do/pay ~**, sadakat yemini etm.; hürmet/riayet etm., saygı göstermek.

Homburg ['hombəg] = TRILBY.

home[1] [houm] *i.* Aile ocağı; yuva; ev; yurt, vatan; melce, sığınak; (hariçte yaşıyan İng. için) Büyük Britanya. *s.* İç, dahilî, yerli. *zf.* Evine; memleketine. **at ~**, evde; kendi memleketinde, İngiltere'de; (*sp.*) kendi saha/alanında; (*sos.*) misafir kabulüne hazır: **be at ~**, evde bulunmak; misafirleri kabul etm.: **be at ~ with/in/on a subject**, bir konuyu iyice bilmek: **feel at ~ with s.o.**, birisiyle hiç yabancılık hissetmemek: **make oneself at ~**, misafir/yabancı gibi durmamak; çevresine alışmak: **bring stg. ~ to s.o.**, (i) birinin suçlu olduğunu meydana çıkarmak; (ii) bir şeyi birine iyice anlatmak; (bir şey) bir hususta birinin gözünü açmak: **bring a charge ~ to s.o.**, birinin suçlu olduğunu ispat etm.: **starvation has now been brought/come ~ to us**, açlığın ne olduğunu yakından görüp anladık: **drive a point/an argument ~**, bir şeyi birinin zihnine yerleştirmek/kafasına sokmak: **England is the ~ of freedom**, İngiltere hürriyetin yurdudur: **feel quite at ~**, bir yeri hiç yadırgamamak; kendi çevresinde gibi hissetmek: **it's a ~ from ~**, burası insanın kendi evi sayılır: **go ~**, (i) eve gitmek; memleketine gitmek; sılaya gitmek; (ii) isabet etm., bamteline dokunmak: **go to one's last ~**, ölmek: **it is a ~ match today**, bugünkü maç bizim alanımızda oynanıyor: **take an example nearer ~**, daha yakın bir örnek getirmek: **stately ~**, kâşane.

home[2] *f.* (*hav.*) Üssüne dönmek; (bomba) hedefine doğru düşmek.

home-[3] *ön.* Ev+; yurt+; yerli; iç. **~-and-dry**, kurtulmuş. **~-base**, (*den.*) anayurt üssü; (*sp.*) ev kalesi. **~-bound**, eve doğru; dışarıdan vatana giden; kendi limanına dönen gemi. **~bred**, yerli; evde yetiştirilmiş; kaba. **~-brewed**, evde yapılmış (bira, şarap). **~-coming**, sıla; memleketine gelme(kte olan). **~-Counties**, Londra'ya yakın/bitişik kontluklar. **~-farm**, bir malikânenin özel çiftliği. **~felt**, içten duyulan. **~-folks**, yakın akrabalar. **~-grown**, kendi bahçesinde yetiştirilmiş. **~-Guard**, yurt savunması için siviller arasından kurulan askerî teşkilât. **~help**, ev gündelikçisi. **~-keeping**, daima evde kalan. **~land**, (baş)yurt, anavatan. **~less**, evsiz; kimsesiz; odsuz ocaksız. **~like**, ev gibi; kendi evini andıran. **~liness**, basitlik, sadelik. **~ly**, basit, sade; gösterişsiz; *güzel olmıyan (yüz). **~-made**, evde yapılmış; yerli mal. **~-match**, (*sp.*) kendi alanında oynanan maç. †**~-Office**, İçişleri Bakanlığı.

***homeo-** ['houmiə-] *ön.* = HOMOEO-.

homer[1] ['houmə(r)]. Posta güvercini.

Homer[2]. Omiros. **'even ~ nods'**, herkesin yanıldığı zaman olur. **~ic**, Omiros tarzında.

home·-port ['houmpōt] (Gemi) mensup olduğu liman. **~-rule**, bir eyalet/müstemlekenin kendi kendini idare etmesi. †**~-Secretary**, İçişleri Bakanı. **~sick**, vatan özlemi çeken: **~ness**, vatan özlemi, yurtsama. **~-side/team**, (*sp.*) kendi alanında maç oynıyan takım. **~spun** [-spʌn], ev dokuması; basit, sade. **~stead** [-sted], çiftlik ve müştemilâtı. **~-stretch**, bir yol/yarışın son kısmı. **~-trade**, iç ticaret. **~-trainer**, (*sp.*) makara. **~-truth/-thrust**, nazik noktaya dokunan gerçek. **~ward** [-wəd], vatan/evine doğru giden: **~s**, evine doğru. **~work**, (okul) ev ödevi.

homicid·al [homi'saydl]. Adam öldürmeğe yatkın. **~e**, adam öldürme, katil; kaatil.

homil·etic [homi'letik]. Vaıza ait. **~y** ['homili], vaız; uyandırıcı öğüt: **read s.o. a ~**, uzun uzadıya öğüt vermek.

homing ['houmin(g)]. (*hav.*) Homing; telsizle uçak

dönüşü. ~-**device**, (roket/bomba) gütme cihazı. ~ **pigeon**, posta güvercini.
homin·id ['hominid] (*zoo.*) İnsan(giller). ~**oid**, insan gibi.
hominy ['homini]. Kaba öğütülmüş mısır/buğday.
homo[1] ['houmou] (*Lat.*) İnsan: ~ ***faber***, işçi insan: ~ ***habilis***, alet ustası insan: ~ ***sapiens***, mantıklı insan.
homo[2] ['homou] (*arg.*) = HOMOSEXUAL.
homo-[3] ['homo-] *ön.* Aynı; benzer; müşterek; -deş; homo-. ~**centric** [-sentrik], tek merkezli. ~**chromatic** [-krou'matik], tek renkli. ~**dontic**, bütün dişleri bir tipten olan.
homoeo- [houmiou-] *ön.* Aynı; benzer. ~**path** ['paθ], benzeri ile tedavi usulünü tatbik eden kimse: ~**ic**, bu usule ait: ~**y** [-'opəθi], benzeri ile tedavi usul/kuramı.
homo·geneity [homouci'nīiti]. Aynı cinsten olma, homojenlik, biryapımlılık. ~**geneous** ['cīniəs], mütecanis; aynı cinsten olan, homogen; biryapımlı, homojen. ~**genization** [-nay'zeyşn], biryapımlama, homojenleştirme. ~**genize** [-'mocənayz], biryapımlamak, homojenleştirmek; (süt) yağ damlaları dövüp hazmını kolaylaştırmak. ~**genous**, benzeşik, bağdaşık, homogen. ~**graph**, (*dil.*) anlamı ayrı imlâsı aynı olan kelime. ~**logate** [-'molə-], kabul etm.; tasdik etm. ~**logous**, homolog, eş, benzeşik. ~**logy**, benzeşlik, eşlik. ~**morphous** [-'mōfəs], şekildeş. ~**nym** ['homənim], eşsesli kelime, adaş: ~**ous** [-'mo-], eşsesli. ~**phone** [-foun], söylenişi aynı anlamı ayrı olan kelime. ~**ptera**, (*zoo.*) eşkanatlılar. ~**sexual**, kendi cinsiyete karşı cinsel yakınlık duyan (kimse), homoseksüel.
homuncule [ho'mʌnkyul]. Küçük adam, adamcık, cüce.
homy ['houmi]. Aile ocağı gibi.
hon. = HONORARY; HONOURABLE.
Hondura·s [hon'dyuərəs]. Honduras. ~**n**, *i.* Honduraslı; *s.* Honduras+.
hone [houn] *i.* Bileği taşı. *f.* Bilemek.
honest ['onist]. Dürüst; itimada şayan; güvenilir; doğru; samimî. **make an** ~ **woman of s.o.**, baştan çıkardığı kadınla evlenmek. ~**ly**, dürüst olarak; doğruca. ~**y**, dürüstlük, doğruluk, samimiyet; (*bot.*) gözlük otu.
honey ['hʌni]. Bal; tatlılık. **my** ~, sevgilim, canım. ~-**bear**, kinkaju. ~-**bee** [-bī], bal arısı. ~-**buzzard** [-bʌzəd], arı şahini. ~**comb** [-koum], bal peteği; gümeç; delik deşik etm.: **the army was** ~**ed with discontent**, ordu hoşnutsuzluk yüzünden için için çürüyordu. ~**dew** [-dyū], bazı bitkilerin yapraklarında bulunan tatlı özsu; molas ile tatlılaşmış tütün; bir nevi kavun. ~-**eater**, balcı-(giller). ~**ed** [-nid], ballı; tatlı; yüze gülücü (müraî). ~**moon**, balayı(nı geçirmek, -na gitmek). ~**pot**, bal kavanozu; (*mec.*) cazibeli kimse/şey. ~**suckle** [-sʌkl], hanımeli. ~-**sweet**, çok tatlı. ~-**tongued** [-tʌngd], beliğ.
honing ['hounin(g)]. Bileme.
honk [hon(g)k] *i.* (*yan.*) Yaban kazının bağırması; (*oto.*) korna sesi. *f.* Bu sesi çıkarmak.
***honor(able)** = HONOUR(ABLE).
honor·arium [onə'reəriəm]. Meslek adamına yaptığı işler karşılığında verilen ücret; huzur hakkı. ~**ary** [-rəri], fahrî; onursal, karşılıksız. ~**ific** [-'rifik], saygı ve yüksek görme anlatan (deyim vb.).
honour ['onə(r)] *i.* Namus, şeref; onur; tazim; namuskârlık; fazilet; rütbe, paye; (iskambil) en yüksek dört/beş koz. *f.* Saygı göstermek, şeref vermek; tebcil etm., ödemek. ~**s (degree)**, uzmanlık sınavı: **the** ~ **List**, (i) Kraliçenin doğum yıldönümünde ve yılbaşında kraliçe tarafından verilen rütbe, nişan vb. listesi; (ii) okullarda iftihar kitabı: **I am** ~**ed**, müşerrefim: **acceptance for** ~, aracılık olmadan ödeme: **I am in** ~ **bound to do this**, bu işi yapmak benim namus borcumdur: ~ **a bill**, bir poliçeyi ödemek: **do the** ~**s (of the house)**, ev sahibi görevini görmek: **receive with full** ~**s**, büyük törenle kabul etm.: **His/Your** ~, hâkim vb.ne verilen unvan: **leave stg. to s.o.'s sense of** ~, bir şeyi birinin sütüne bırakmak: **put s.o. on his** ~, bir şeyi birinin namusuna bırakmak: ~ **one's signature**, taahhüdünü tutmak: **take** ~**s**, uzmanlık sınavını vermek.
honour·able ['onərəbl]. Namuslu; müstakim; muhterem: **the H**~, *bir lord'un çocukları/dominyon bakanlarına verilen unvan*: **the Right** ~, *İng. kraliçesinin özel meclisi üyelerine verilen unvan.* ~**ably**, namuslu bir şekilde. ~**ed** ['onəd], şerefli; müşerref. ~**er**, saygı gösteren; (*mal.*) ödeyen. ~**s** = HONOUR.
hons. = HONOURS.
Hon. Sec./Treas. = HONORARY SECRETARY/TREASURER.
***hooch** [hūç] (*arg.*) Alkollü içecek, içki.
hood[1] [hud]. Kukulete; omuzluklu başlık; üniversite üniformasında omuzdan sarkan ve rütbeyi gösteren kumaş; (araba/oto. vb.) körük; (*sin.*) güneşlik; kaput; atmaca başlığı; (demirci ocağı) davlumbaz.
***hood**[2] = ~LUM.
-hood [-hud] *son.* -lik; *hal/mahiyet vb. ifade eder* [CHILDHOOD].
hood·ed ['hudid]. Kukuleteli. ~**ie**, alaca karga. ~**less**, kukeletesiz.
***hoodlum** ['hūdləm] (*arg.*) Külhanbeyi.
***hoodoo** ['hūdū] *i.* Uğursuz kimse/şey. *f.* Uğursuzlaştırmak.
hoodwink ['hudwin(g)k]. Aldatmak; kafese koymak; göz boyamak.
***hooey** ['hūi] (*arg.*) Saçma; laf.
hoof, *ç.* **hooves** [hūf, hūvz]. At/sığır vb.'nin tırnağı; (*arg.*) tepme. **on the** ~, (*zir.*) hâlâ yaşıyan (hayvan): ~ **it**, (*arg.*) sıvışmak; yürümek: ~ **s.o. out**, (*arg.*) birini tepip dışarıya atmak. ~**ed** [-ft], tırnaklı; toynaklı. *~**er**, dansör, dansöz. ~-**pick**, tırnaktan taş çıkaran alet.
hook [huk] *i.* Çengel; kanca; olta iğnesi; kıvrıntı. *f.* Kanca ile tutmak; çengele asmak; (balığı) oltaya takmak; (parmağı) bükmek, kıvırmak; (*arg.*) (kız) koca avlamak. **'by** ~ **or by crook'**, her hangi bir şekilde; ne yapıp yapıp: ~ **and eye** (eteklik vb.de) kopça: **do stg. on one's own** ~, bir işi kendi bağına yapmak: ~ **it**, (*arg.*) sıvışmak: **get s.o. off the** ~, birini müşkül bir durumdan kurtarmak: ~ **up**, kancalamak, bağlamak.
hookah ['hukə]. Nargile.
hook·ed [hukt] *s.* Kanca gibi; kancalı. ~**er**, kancacı, oltacı; balıkçı gemisi; *fahişe. ~-**nose(d)**, gaga burun(lu). ~-**up**, bağlantı, koşum. ~**worm**, kancalı kurt.

***hook(e)y** ['huki] (*arg.*) **play** ~, okuldan kaçmak.
hooligan ['hūligən]. Azgın külhanbeyi; Ali kıran baş kesen; apaş. ~**ism**, (külhanbeyleri vb.nin yaptığı) azgınlık.
hoop[1] [hūp] *i.* Kasnak; fıçı çemberi; oyuncak çemberi; halka; kroket oyununda kemer. *f.* Çemberlemek. **go/be put through the** ~, çetin bir tecrübeye uğramak.
hoop[2]. = WHOOP.
hoop·ed [hūpt]. Kasnaklı, çemberli. ~**er**, (i) fıçıcı; kasnakçı: (ii) yabanî kuğu. ~**-iron**, çember demiri. ~**-la** [-lā], halka ile oynanan bir oyun.
hoopoe ['hūpū]. Çavuşkuşu; hüthüt, ibibik.
hoot [hūt] *f.* (*yan.*) Baykuş gibi ötmek; yuhalarla karşılamak; (*oto.*) boru çalmak; (gemi) düdük çalmak. *i.* Baykuş sesi; yuha; boru/düdük çalması; (*arg.*) çok gülünç bir şey! ~ **s.o. down**, birini yuhalarla susturmak: **I don't care two** ~**s**, bana vız gelir: **it's not worth two** ~**s**, bir metelik değmez. ~**er**, düdük, klakson; fabrika düdüğü, sinyal borazanı; (*arg.*) burun.
hoot(s) [hūt(s)] (*İsk.*) *Sabır/memnuniyetsizliği ifade eden bir nida.*
hoove [hūv]. (Sığır) mide iltihabı.
hoover ['huvə(r)] (*M.*) Bir nevi elektrik süpürgesi (ile temizlemek).
hooves [hūvz] *ç.* = HOOF.
hop[1] [hop] *f.* Bir ayak üstünde sıçramak, sekmek; seke seke yürümek; sıçramak. *i.* Bir ayak üstünde sekme; sıçrama; (*kon.*) pek kısa bir uzaklık; (*kon.*) balo. ~**, skip and jump**, üç adım atlama: ~ **it!**, (*arg.*) çek arabanı!: **catch s.o. on the** ~, birini zayıf bir durumda yakalamak, gafil avlamak: **a flight in three** ~**s**, üç durakla yapılan uçak seferi.
hop[2]. Şerbetçiotu.
hope [houp] *i.* Umut, ümit; emel; umut bağlanan kimse/şey. *f.* Umut etm., olmasını istemek; emel beslemek; itimat etm., güvenmek. **Band of** ~, Yeşilay Cemiyeti: **give up** ~, umudunu kesmek: ~ **for**, olmasını istemek: ~ **against** ~, olmıyacak bir şeyi umut etm.: **in the** ~ **of**..., ... umuduyle: **past (all)** ~, umutsuz; ıslah kabul etmez. ~**d-for**, umulan ve istenilen. ~**ful** [-fəl], umutlu; umut verici: **young** ~, bir ailenin umut bağladığı genç: ~**ly**, umutlu olarak; umut edilir ki: ~**ness**, umut(luluk). ~**less** [-lis], umutsuz; meyus; ıslah kabul etmez: ~**ly**, umutsuzca: ~**ness**, umutsuzluk.
hop-kiln ['hopkiln]. Şerbetçiotunu kurutmağa mahsus ocak.
hoplite ['hoplayt] (*tar.*) Eski Yunanlı piyadesi.
hopper[1] ['hopə(r)]. Sıçrıyan (böcek vb.); KANGAROO; (değirmen vb.) oluğu, doldurma hunisi; çamur ve çöp mavnası.
hop·per[2]/~**-picker**. Şerbetçiotunu toplıyan rençper. ~**ping**, (*arg.*) çok. ~**-pole**, şerbetçiotunun sarıldığı sırık. ~**sacking**, kaba kumaş.
hopscotch ['hopskoç]. Seksek oyunu, kaydırak.
hopple ['hopl] = HOBBLE.
Hoppus ['hopʌs]. ~ **(cubic) foot**, ağaç hacmi birimi, 0,34 m³.
hor. = HOROLOGY.
horary ['hōrəri]. Saatlere ait; her saatte olan.
horde [hōd]. Nizamsız kalabalık; güruh; istilâ eden sürü. **Golden** ~, Altın Ordu.
hore-/hoarhound ['hōhaund]. Acı usareli bir ot.
horizon [hə'rayzn]. Ufuk; çevren. ~**tal** [hori'zontl], yatay, ufkî; yatay çizgi/düzlem: ~**-bar**, (*sp.*) yatay demir: ~**ly**, yatay olarak.
hormone ['hōmoun]. Hormon.
horn [hōn] *i.* Boynuz; boru, korna, klakson; boynuz şeklinde şey; korno. *f.* Boynuz ile vurmak; (*zir.*) boynuzlarını kaldırmak. ~ **in**, (*arg.*) burnu sokmak: **draw in one's** ~**s**, iddia/isteklerini kısmak; kibri kırılmak: **the** ~**s of the moon**, hilâlin uçları: **shed its** ~**s**, (geyik) boynuz dökmek: **the H** ~, (*coğ.*) Horn burnu: **the Golden** ~, Haliç: ~ **of plenty**, bereket boynuzu. ~**beam** [-bīm], gürgen. ~**bill**, boynuz gagalı. ~**blende** [-blend], hornblent. ~**blower**, boruzan. ~**book**, (*tar.*) çocuk alfabesi. ~**ed** [-nd], boynuzlu; (*zir.*) boynuzları kaldırılmış (hayvan).
hornet ['hōnit]. Eşekarısı. **bring a** ~**'s nest about one's ears/stir up a** ~**'s nest**, belâyı satın almak, başına belâ açmak.
horn·iness ['hōninis]. Boynuz gibi olma. ~**less**, boynuzsuz. ~**pipe** [-payp], gemici dansı. ~**y**, boynuz gibi katı; nasırlanmış; keratinli.
horo·logist [ho'roləcist]. Saatçi. ~**logy**, saatçilik; zaman ölçme sanatı. ~**metry**, zaman taksim etme/ölçme sanatı.
horopter [ho'roptə(r)]. Horopter.
horoscope ['horəskoup]. Zayiçe, yıldız falı. **cast one's** ~, zayiçesine bakmak.
horr·endous [ho'rendʌs] (*kon.*) Tüyler ürpertici. ~**ible** [-ibl, -əbl], müthiş; iğrenç; tüyler ürpertici; (*kon.*) berbat, çok kötü: ~**ness**, dehşet, korkunçluk. ~**ibly**, korkunç/iğrenç/kötü bir şekilde; (*kon.*) pek çok. ~**id**, (*mer.*) müthiş, korkunç, iğrenç; (*şim.*) çirkin, pis, nahoş: **don't be** ~ **to each other!**, birbirinizin gözünü oymayın!: **you** ~ **thing!**, seni utanmaz seni!, seni hınzır seni! ~**ific** [-'rifik], dehşetli, korkunç, yılgı+. ~**ify** ['horifay], dehşet vermek; ürpertmek; kötü bir halde şaşırtmak. ~**ipilation** [-ipi'leyşn] (*tıp.*) tüylerin ürpermesi. ~**or** ['horə(r)], dehşet; nefret, yılgı.
hors [ō(r)] (*Fr.*) Dışı(nda). ~ ***concours*** [-kō(n)kür], yarışma dışı. ~ ***de combat*** [-dəkō(m)ba], savaşamaz halde; savaş dışı. ~ ***d'oeuvre*** [-dəvr], çerez, meze, ordövr.
horse [hōs] *i.* At, beygir; süvari; aygır; atlama sehpası; (*den.*) skotanın üzerinde hareket ettiği çubuk. *f.* Birine at bulmak; ata bindirmek. ~ **and foot**, (*ask.*) atlı ve yaya: **don't look a gift** ~ **in the mouth**, beleş atın dişine bakılmaz; hediyede kusur aranmaz: **mount/ride the high** ~, yüksekten atmak, caka satmak: **wild** ~**s wouldn't drag it from me!**, öldürseler söylemem: **you can take a** ~ **to the water but you can't make him drink**, Nuh der peygamber demez *gibilerden*: **blood** ~, saf kan at: **draft** ~, koşum atı, kadana: **gelded** ~, iğdiş: **race** ~, koşu atı: **white** ~**s**, büyük köpüklü dalgalar. * ~**-and-buggy**, (*mec.*) modası geçmiş. ~**back, on** ~, ata binmiş. ~**-block**, binek taşı. ~**-box**, at nakline mahsus vagon/kamyon. ~**-breaker**, at terbiye eden adam. ~**-chestnut**, at/Hint kestanesi. ~**-cloth**, çul. ~**-collar**, hamut. ~**-coper/dealer**, at satıcı/cambazı. ~**-doctor**, (*kon.*) nalbant, baytar. ~**-drawn**, atla çekilen (araba vb.). ~**-faced**, uzun ve çirkin yüzlü. ~**flesh**, at eti. ~**fly**, sığırsineği. † ~**-Guards**, hassa süvari alayı(nın merkezi). ~**hair**, at kılı (kumaş). ~**-hide**, at derisi. ~**-laugh(ter)**, kaba

kahkaha. ~**less carriage**, (*mer.*) otomobil. ~**-mackerel**, istavrit; (*yanlış olarak*) palamut. ~**man**, *ç.* ~**men**, atlı, binici: ~**ship**, binicilik. †~**-marines**, (*alay*) atlı deniz silâhendazları; (*mec.*) sudan çıkmış balık: **tell that to the** ~, külâhıma dinlet! ~**-mushroom**, iri ve kaba yenir bir cins mantar. ~**-play**, eşek şakası; hoyratlık. ~**-pond**, at sulama havuzu. ~**-power**, beygir güç/kuvveti: **brake/indicated** ~, fren/işarî beygir gücü. ~**-race**, at yarışı. ~**-radish**, acırga, yaban turpu, karaturp. ~**-sense**, pratik/içgüdülü sağduyu. ~**shoe** [-şū], at nalı (şeklinde). ~**-show** [-şou], at sergisi; atlı müsabaka. ~**-tail**, at kuyruğu; tuğ; (*bot.*) (bataklık) atkuyruğu. ~**-trading**, at satıcılığı; (*id., köt.*) partiler arasındaki pazarlık yapma. ~**whip** [-wip], kamçı(lamak). ~**woman**, *ç.* ~**women**, kadın binici.

horsy ['hōsi]. Atlara/at yarışlarına tutkun; seyisler ve cokeyler gibi giyinen ve konuşan.

hort. = HORTICULTURE.

hortat·ive/~**ory** ['hōtətiv, -'teytəri]. Nasihat verici.

hortensia [hō'tensiə]. Bir çeşit ortanca.

horticultur·al [hōti'kʌlçərəl]. Bahçıvanlığa ait; bahçeye ait: ~**ist**, bahçıvanlıkla meşgul olan kimse. ~**e** ['hōti-], bahçıvanlık.

hosanna [hou'zanə]. Hamt nidası; Allaha şükür!

hose [houz] *i.* Hortum; (*mer.*) şalvar; (*şim.*) çorap. *f.* Hortumla sula(ndır)mak. **half-**~, kısa çorap. ~**-pipe**, hortum. ~**-reel**, hortum makarası.

hosier ['houziə(r)]. Çorapçı; erkek iççamaşırı satıcısı. ~**y**, çorap ve iççamaşırı gibi eşya; çorapçılık.

hos(p). = HOSPITAL.

hospice ['hospis]. Rahiplerin hacılar ve seyyahları misafir ettikleri yurt; imarethane, darülaceze.

hospitabl·e [hos'pitəbl]. Misafirperver; konuksever; mükrim: ~**ness**, misafirperverlik. ~**y**, misafirperver bir şekilde.

hospital ['hospitl]. Hastane, darüşşifa; = HOSPICE. **field-**~, seyyar hastane: **walk the** ~**s**, (tıp öğrencisi) hastanelerde çalışmak. ~**ity** [-'taliti], misafirperverlik, konukseverlik: **show s.o.** ~, birini evine kabul etm.; ağırlamak, konuklamak. ~**ize** [-təlayz], hastaneye götürmek/yatırmak. ~**ler** [-'pitələ(r)], vaktiyle bazı hayırsever teşkilâta mensup memur; hastane rahibi.

hospodar ['hospədā(r)]. Eflak/Buğdan voyvodası.

host[1] [houst]. Misafir kabul eden ev sahibi; ziyafet veren kimse; otelci, hancı; (*biy.*) konakçı, konut: **'to reckon without one's** ~', 'evdeki hesap çarşıya uymaz'; güçlükleri düşünmeden plan kurmak.

host[2]. Kalabalık; çokluk; ordu. **the Heavenly** ~**s**, melekler; yıldızlar: **he is a** ~ **in himself**, bir başına bir sürü adamın göreceği işi yapar; bir çok adama bedeldir: **a (whole)** ~ **of servants**, bir sürü hizmetçi: **Lord God of** ~**s**, (i) meleklerin amiri olan Allah; (ii) ordulara zafer veren Allah.

host[3]. Katoliklere göre:- komünyon ayininde takdis edilen ekmek.

hostage ['hostic]. Rehine, tutak: **give** ~**s to fortune**, kadere rehineleri olarak vermek.

hostel ['hostl] (*mer.*) Han; (*şim.*) öğrencilerin oturmasına mahsus ev/kolej: **youth** ~**s**, yayan/bisikletle gezen gençler için kurulan yurtlar. ~**er**, HOSTEL'de oturan öğrenci. ~**ry** ['hos(t)əlri], han; otel.

hostess ['houstis]. Misafir kabul eden ev sahibesi; hostes; otelci kadın: **air-**~, uçak hostesi.

hostil·e ['hostayl]. Düşmanca; düşmana ait; hasmane; muhalif; aleyhtar. ~**ity** [-'tiliti], düşmanlık, husumet, muhalefet. ~**ities**, savaş hali.

hostler ['hostlə(r)] = OSTLER.

host·-plant ['houstplant] (*biy.*) Konakçı bitkisi. ~**-specific**, daima aynı konakçıya asılan asalak.

hot [hot] *s.* Sıcak, hararetli; kızgın; (*ev.*) baharlı; (*mal.*) kaçak, gayri kanunî; (*id.*) acele. *f.* Isınmak; ısıtmak. **red** ~, kızıl kor: **white** ~, akkor: **get all** ~ **and bothered**, fazla telaşa düşmek: **as** ~ **as hell**, pek çok sıcak: **burning** ~, yakacak kadar sıcak: **go** ~ **and cold all over**, ürpermek: **a** ~ **favourite**, (*sp.*) halkın çok tuttuğu (at vb.): **give it s.o.** ~, (*arg.*) ağzının payını vermek: **news** ~ **from the press**, gazetelerden dumanı üstünde bir havadis: **make the place too** ~ **for s.o.**, birini bulunduğu yerden kaçırmak: ~ **and strong**, pek şiddetli bir tarzda: **be** ~ **stuff at stg.**, (*kon.*) -de yaman olm.: **be** ~ **on s.o.'s tracks**, takip edilen kimseye çok yaklaşmak: **be in** ~ **water**, gözden düşmüş olm.: **get into** ~ **water**, başına iş açmak: ~ **up**, ısıtmak; tehlikeli olm. ~**-air**, (*mec.*) boş lakırdı, hezeyan. ~**bed**, bitkileri yetiştirmeğe mahsus kızışmış gübre kümesi, sıcak yastık: **a** ~ **of sedition**, isyan yatağı. ~**-blooded**, sıcak kanlı; hiddetli, öfkeli; atılgan.

hotchpot(ch) ['hoçpot, -poç]. Karışık et yahnisi, türlü; karmakarışıklık.

***hotdog** ['hotdog]. Sıcak sucuklu sandviç.

hotel [hou'tel]. Otel, konukevi. ~**ier** [-iə(r)]/~**-keeper**, otelci, konukevci. ~**-management**, otelcilik.

hot·foot ['hotfūt]. Çok acele. *~**-gospel(l)er**, (*arg.*) din çığırtkanı. ~**head(ed)** [-hed(id)], ateşli genç; tez canlı; öfkeli, çabuk kızan kimse. ~**house**, ser, limonluk, tavhane. ~**-line**, (hükümet) liderleri arasındaki özel telefon hattı. ~**ly**, sıcakça; sıcak/acele/öfkeli vb. bir şekilde. ~**-money** (*mal.*) anamal/sermaye kaçırımı. ~**ness**, sıcaklık; ısı; kızgınlık. ~**-pants**, (*mod.*) kadınlarca giyinen çok kısa şort. ~**-plate**, (*ev.*) ısıtma ocağı, ısıtıcı. ~**pot**, patatesli et güveci. ~**-press**, kâğıt/kumaş ütülemek için sıcak saçtan baskı. ~**-rod**, (*oto.*) aşırı güç/hızlı yarış otomobili. ~**-room**, külhan. ~**-seat**, (*kön.*) = ELECTRIC-CHAIR; (*hav.*) pilot fırlatma iskemlesi: **be in the** ~, (*mec.*) sorumluluktan kaçamamak. ~**-spot**, kızgın nokta; (*kon.*) gece kulübü: **be in a** ~, müşkülât içinde bulunmak. ~**spur** [-spə(r)], düşüncesiz/aceleci bir kimse. ~**-stuff**, (*arg.*) yaman. ~**-water**, sıcak su: **get into** ~, (*mec.*) bir vartaya düşmek: ~**-bottle** (yatakta) sıcak su şişesi.

hough [hok] (*zoo.*) At vb.nin arka dizi.

hound [haund]. Köpek *bilh.* sürü halinde av için kullanılan köpek; zağar; (*mec.*) alçak herif. ~ **s.o. down**, aralıksız birini takip ederek kovmak: ~ **s.o. on**, birini tahrik etm.: **ride to** ~**s**, ata binip köpek sürüsüyle tilki avına katılmak.

hour ['auə(r)]. Saat (60 dakika). **what** ~ **is it?**, saat kaç?: ~ **by** ~, saatten saate, her saat: **after** ~**s**, iş saatlerinden sonra: **at the eleventh** ~, son dakikada: **keep late** ~**s**, geç yatmak: **office** ~**s**, çalışma/iş saatleri: **unsocial** ~**s**, uygunsuz saatler: **questions of the** ~, zamanın meseleleri: **in the small** ~**s (of the morning)**, sabaha karşı, gece yarısından

sonra: **the ~ has struck (to do stg.)**, zamanı geldi: **take ~s over stg.**, bir iş üzerinde saatlerce durmak. **~-glass**, kum saati. **~-hand**, saat akrebi.
houri ['huəri]. Huri, cennet perisi.
hourly ['auəli]. Saatte bir olan; saat başına; her saatte olan/yapılan. **~ trains**, her saatte bir tren: **we expect him ~**, neredeyse gelir, onu bir iki saate kadar bekliyoruz: **he lives in ~ fear of death**, her an ölüm korkusu içinde yaşıyor.
house [haus] *i.* Ev, hane, konut, mesken; hanedan, asil aile; ticarî müessese; (*tiy. vb.*) seyirciler. [hauz] *f.* Bir eve koymak; barın(dır)mak; iskân etm.; muhafaza içine koymak; (*den.*) indirmek; mahfuz bir yere koymak. **country ~**, sayfiye, köşk: **detached ~**, öbürlerden ayrı duran ev; müstakil ev: **Lower ~**, †Avam kamarası; *Temsilciler meclisi: **power ~**, kuvvet merkezi; santral: **public ~**, birahane, meyhane; misafirhane: **round ~**, (*dem.*) lokomotif sundurması: **semi-detached ~**, yalnız bir taraftan bitişik müstakil ev: **terraced ~**, sıra halinde birbirine bağlı olan evlerin birisi: TIED ~: **town ~**, konak: **Upper ~**, †Lordlar kamarası; *Senato: ***White ~**, Beyaz Saray: **~ of cards**, (*mec.*) kolay yıkılan şey: †**~ of Commons**, Avam kamarası: **~ of God**, kilise: **~ of ill fame**, genelev: †**~ of Lords**, Lordlar kamarası: ***~ of Representatives**, Temsilciler meclisi: **~ full!**, (*tiy.vb.*) yer yok!, dolu!, gişe kapalı!: **~ and home**, ev bark: **keep ~**, ev idare etm.: **keep to the ~**, dışarı çıkmamak: **keep open ~**, evini misafirlere açık tutmak: **get on like a ~ on fire**, mükemmelen ilerlemek; (birisiyle) çok iyi geçinmek: **set one's ~ in order**, işlerini düzenlemek: **set up ~**, yuva kurmak.
house- [haus-] *ön.* Ev+. **~-agent**, ev simsarı. **~-arrest**, ev hapsi. **~-boat**, üzerinde ev kurulan duba. **~-boy**, hizmetçi. **~-break·er**, (*huk.*) ev hırsızı, eve giren; (*müh.*) bina yıkıcısı: **~ing**, eve girme; bina yıkması. **~-broken** = ~-TRAINED, **~carl**, (*tar.*) kralın özel muhafızı. **~coat**, koruyucu ev elbisesi. **~-dog**, bekçi köpeği. **~-flag**, geminin mensup olduğu kumpanya sancağı. **~fly**, kara sinek. **~ful**, ev dolusu. **~hold** [-hould], ev halkı, ev bark; barınak+, mesken+; eve ait; ev idaresine ait: **~er**, ev sahibi; kiracı: **~-gods**, (*mit.*) evi koruyan ilâhlar; evin en değerli/sevilen eşyası: **~-goods**, ev eşyası: **~-troops**, (*ask.*) hassa alayı (kıtaları): **~-word**, harcıâlem kelime. **~-hunting**, oturulacak evin aranması. **~keep·er**, evi idare eden kadın; kâhya kadın: **~ing**, ev idaresi. **~leek** [-līk], dam koruğu. **~maid** [-meyd], ortalık hizmetçisi: **~'s knee**, dizkapağı iltihabı. **~-master/-mistress**, büyük yatı okullarını teşkil eden evlerden birini yöneten öğretmen. **~mate**, evdeş. **~-organ**, (*mal.*) bir firmanın özel bülten/gazetesi. **~-party**, birkaç gün için şato/evde toplanan misafirler. **~-phone**, (fabrika/otel vb.) iç telefon servisi. **~-physician**, (hastane) daimî doktor; (müessese) özel doktor. **~-plant**, ev içinde yetiş(tiril)en bitki. **~-property**, akarat. **~-rule**, (*bas.*) içyönetmelik. ~-SPARROW. **~-surgeon**, bir hastanenin daimî operatörü. **~-to-~**, sırayla evden eve geçerek. **~top**, evin dam ve bacaları: **proclaim from the ~s**, herkese duyurmak. **~-trained**, temiz/terbiyeli bebek/ehlî hayvan. **~-warming**, yeni bir eve yerleşmek münasebetiyle verilen ziyafet. **~wife**[1], *ç.* **~wives** [-wayvz], ev kadını. **~wife**[2] ['hʌzif], iğne iplik kesesi. **~wifery** [-'wifəri], ev idaresi. **~work**, ev işi.
housing ['hauzin(g)]. Barındırma, konut, mesken, iskân etme; at örtüsü, haşa; (*müh.*) karter, dingil yatağı; (*müh.*) yuva, zarf, gömlek, kovan, mahfaza. **~-estate**, yerleştirme bölgesi.
hove [houv] *g.z.(o.)* = HEAVE.
hovel ['hovl]. Açık ağıl; ufak ev; ahır gibi ev, kulübe, baraka.
hover[1] ['houvə(r)]. Civciv sığınağı.
hover[2] ['hovə(r)]. (Kuş) az hareket ederek ve fazla ayrılmıyarak bir yerin üstünde uçmak, havada tutunmak. **~ about a place**, çok ayrılmıyarak bir yerin etrafında dolaşmak: **~ between two courses**, iki hareket hattı arasında tereddüt etmek. **~craft**, süzülür vasıta, hava yastıklı taşıt, hoverkraft. **~er**, HOVER hareketi eden kimse/şey. **~fly**, süprüntü sineği. **~ing**, HOVER hareketi (ederek). **~-lighter**, yük hoverkraftı. **~-pad/-port**, hoverkraft inişkalkış alan/limanı. **~-plane** = HELICOPTER. **~-train**, hava yastığı üzerinde hareket eden tren.
how [hau]. Nasıl; ne kadar, ne. **~ is it (that)...?**, nasıl oluyor da...?: **do you know ~ to do it?**, nasıl yapılacağını biliyor musunuz?: **~ do you do?**, (ilk tanışıldığı zaman) memnun oldum, müşerref oldum: **~ long?**, uzunluğu ne kadar?; ne kadar (süre)?: **~ nice!**, ne güzel: **~ old is he?**, o kaç yaşında?: **here's ~!**, şerefinize! **~beit** [-'bīit], ne ise; bununla birlikte.
howdah ['haudə]. Fil sırtında taşınan gölgelikli kanepe.
how-d'ye-do [haudi'dū] (*kon.*) Müşkül bir durum.
however [hau'evə(r)]. Maamafih; vakıa; hernekadar; her nasılsa; bununla beraber;... ise de: **~ much**, hernekadar.
howitzer ['hauitsə(r)]. Havantopu.
howl [haul] (*yan.*) Uluma(k); bağırma(k); (küçük çocuk) bağırarak ağlamak. **~ with laughter**, yüksek sesle kahkaha atmak: **~ a speaker down**, bir hatibi yuhalarla susturmak. **~er** [-ə(r)], uluyan/bağıran hayvan/kimse; güldürecek hata; büyük gaf. **~ing**, uluyan: **~ dervish**, Rufaî dervişi: **~ monkey**, uluyan maymun: **a ~ shame**, büyük rezalet: **a ~ wilderness**, ıssız çöl/kırlar.
howsoever [hausou'evə(r)] = HOWEVER.
hoy[1] [hoy]. Küçük yelkenli feribot.
hoy[2]. (*Dikkat çeken nida*) hey!; (*hayvan kovarak*) ho!
hoya ['hoyə]. Balmumu gibi bir çiçek.
hoyden ['hoydn]. Gürültücü erkeksi kız.
Hoyle [hoyl]. **according to ~**, doğru, tamam.
HP/h.p. = HALF-PAY; HIGH PRESSURE; HIRE-PURCHASE; HORSE-POWER.
HQ = HEADQUARTERS.
hr(s). = HOUR(S).
***HR** = HOUSE OF REPRESENTATIVES. †**~A** = HOTELS AND RESTAURANTS ASSOCIATION. **~H** = HER/HIS ROYAL HIGHNESS.
HS·C = HIGHER SCHOOL CERTIFICATE. **~H** = HER/HIS SERENE HIGHNESS.
ht. = HEIGHT.
HT = HIGH TIDE/TENSION; HOLY TRINITY.
hub [hʌb]. Tekerlek göbeği; poyra. **the ~ of the matter**, meselenin esası: **the ~ of the universe**, dünyanın en önemli yeri.
hubble-bubble ['hʌblbʌbl] (*yan.*) Nargile; (*mec.*) karışık/anlamsız ses.

hubbub ['hʌbʌb]. (*yan.*) Velvele: gürültü.
hubby ['hʌbi]. (*kon.*) Kocacığım.
hubris [hūbris]. Fazla gurur. **~tic**, fazla gururlu.
huchen ['hūçen]. Tuna sombalığı.
huckaback ['hʌkəbak]. Havluluk bez.
huckle [hʌkl]. Kalça, but. **~-back(ed)**, kambur(lu). **~-berry**, yaban mersini. **~-bone**, kalça kemiği.
huckster ['hʌkstə(r)] *i.* Ayak satıcısı; madrabaz. *f.* Ufak tefek şeyler satmak; çingene gibi pazarlık etm.
huddle ['hʌdl] *i.* Karışık ve sık bir sürü. *f.* Koyun gibi sıkı bir halde toplanmak; yumaklanmak, sürmek; acele ve dikkatsizce giyinmek; bir işi acele ve üstünkörü yapmak. ***go into a ~**, gizlice görüşmek.
hue[1] [hyū]. Renk. **~d**, renkli.
hue[2]. **~ and cry**, (sokakta birini tutmak için vb.) çığrışma: **raise a ~ and cry**, hırsız vb.ni bulmak/tutmak için telaşla çağrışmak.
huff[1] [hʌf] *f.* Dama oyununda: sırasında rakibinin taşını almıyan oyuncunun taşını almak.
huff[2] *i.* Darılık, küskünlük. *f.* Küstürmek. **be in a ~**, küsmek. **~y**, küskün, dargın.
hug [hʌg]. Sıkıca kucaklama(k); (ayı gibi) sıkı sarma(k); sarılmak. **~ o.self for/on . . .**, -den kendini tebrik etm.: **~ the shore**, (gemi) sahile sokulmak: **~ the wind**, (gemi) rüzgâra karşı gitmek.
huge [hyūc]. Kocaman, dev gibi, cesim; lenduha. **~ly**, çok. **~ness**, kocamanlık, büyüklük.
hugger-mugger ['hʌgəmʌgə(r)] *i.* Düzensizlik; karmakarışık; gizlilik. *zf.* Düzensizce. *f.* Gizlemek; gizlice davranmak.
Huguenot ['hyūgənot, -nou]. Fransız Protestanı.
***huh** [hu]. *Küçümseme/soru nidası.*
hula [hūlə]. Hawaii dansı. **~-hoop**, büyük oyuncak çemberi.
hulk [hʌlk]. Kuru tekne; gemi iskeleti; iri hantal insan/şey. **~ing**, büyük ve hantal.
hull [hʌl] *i.* Gemi teknesi; fındık vb.nin dış kabuğu. *f.* Dış kabuğunu soymak; gülle ile gemi teknesini delmek. **bare ~**, kuru tekne: **~ down**, ufukta kaybolan tekne.
hullabaloo [hʌləbə'lū]. Velvele, şamata.
hullo [hʌ'lou] *ünl.* Yahu!; allo!, vay!, maşallah!; merhaba!; =HALLO.
hum[1] [hʌm] (*yan.*) *f.* Vınlamak, vızıldamak; uğuldamak; mırıldamak; arı gibi çalışmak. *i.* Vızıltı, mırıltı; uğultu. **~ and haw**, kemküm etm., hık mık demek: **make things ~**, harıl harıl çalıştırmak; ortalığı fevkalâde canlandırmak.
hum[2] [h(ə)m]. *Duraksama/kararsızlık nidası.*
hum[3] = HUMBUG.
Hum. = HUMANITIES.
human ['hyūmən] *s.* İnsanî, beşerî; insan+. *i.* İnsan, beşer: **~-being(s)**, insan(lar); âdemoğlu. **~e** [-'meyn], insaniyetli, merhametli, şefkatli: **~ly**, merhametli olarak: **~ness**, merhamet, rikkat, şefkat. **~ism**, insancılık, hümanizm. **~ist**, insaniyetçi, hümanist: **~ic**, hümanizma ait. **~itarian** [-ni'teəriən], insanlığın fayda ve menfaatini sağlamağa çalışan (kimse); insaniyetperver; merhametli, şefkatli: **~ism**, insaniyetperverlik. **~ity** [-'maniti], beşeriyet, insaniyet; şefkat, merhamet: *ç.* **the ~ities**, edebî ilimler ve *bilh.* Latin/Yunan klasikleri; insanı inceliyen bilim dalı. **~ization** [-nay'zeyşn], insanlaştır(ıl)ma. **~ize** [-nayz], insanlaştırmak; insaniyete getirmek. **~kind** [-'kaynd], insanlık, beniâdem. **~ly**, insanî olarak: **if it is ~ possible**, beşerî imkân dahilinde ise: **~ speaking**, insanlık bakımından.
humble ['hʌmbl] *s.* Mütevazı, alçakgönüllü. *f.* Kibrini kırmak. **of ~ birth**, mütevazı bir aileden: **in my ~ opinion**, fikri acizaneme göre: **eat ~ pie**, yanıldığını itiraf etm.: **your ~ servant**, 'aciz bendeleri' *anlamlı mektupların sonuna konan deyim*: **~ oneself**, baş eğmek, serfüru etm.; küçülmek. **~-bee** = BUMBLE-BEE. **~ness**, alçakgönüllülük.
humbl·ing ['hʌmblin(g)]. Kibrini kıran. **~y**, alçakgönüllü bir şekilde.
humbug ['hʌmbʌg] *i.* Şarlatanlık; şarlatan; riyakârlık; yüze gülücü; bir nevi naneli şekerleme. *f.* Şarlatanlık etm.; aldatmak. **that's all ~!**, bu hep palavradır: **there's no ~ about him**, içi dışı birdir, doğru adamdır.
***humdinger** [hʌm'din(g)gə(r)] (*arg.*) Mükemmel kimse/şey.
humdrum ['hʌmdrʌm]. Bayağı, yeknesak, cansıkıcı. **~ existence**, yeknesak bir hayat.
humectation [hyūmek'teyşn]. Nemlendirme; nemli olma.
humer·al ['hyūmərəl]. Kol kemiği/omuza ait. **~us**, kol/pazı kemiği.
humid ['hyūmid]. Rutubetli, nemli. **~ifier** [-'midifayə(r)], nemlendirici, rutubetlendirme cihazı. **~ify** [-fay], nemlendirmek, rutubetlendirmek. **~istat**, nemdenetir, rutubet ayarlayıcı. **~ity**, rutubet, nem: **relative ~**, bağıl nem.
humiliat·e [hyu'milieyt]. Terzil etm.; tezlil etm.; küçültmek, küçük düşürmek; kibrini kırmak. **~ing**, tezlil edici, kibrini kıran. **~ion** [-'eyşn], tezlil, zillet, küçük düşme.
humility [hyu'militi]. Tevazu, alçakgönüllülük.
hummel ['hʌml] (*İsk.*) Boynuzsuz (hayvan).
humm·er ['hʌmə(r)]. Vınlıyan kimse/şey. **~ing**, vınlama, vırıltı; uğuldama, uğultu; mırıldama: **~-bird**, sinek kuşu, kolibri(giller): **~-top**, vınlıyan topaç: **go ~ly**, (işler) iyi ve muntazam gitmek.
hummock ['hʌmək]. Tümsek, tepecik. **~y**, tümsek gibi; tümsekli.
***humor** ['hyumə(r)] = HUMOUR. **~al**, (*tıp.*) beden irinlerine ait. **~esque** [-'resk] (*müz.*) hafif/neşeli bir parça. **~ist** ['hyū-], mizah yazarı; nükteci adam. **~ous**, nükteli; mizahî; güldürücü: **~ly**, nükteli olarak, hoş şekilde: **~ness**, nüktecilik.
humour ['hyūmə(r)] *i.* Mizah; huy, mizaç; tabiat; (*tıp.*) beden irinleri. *f.* Keyfine hizmet etm., idare etm.; nabzına göre şerbet vermek; gönlünü almak. **be in a good ~**, neşe/keyfi yerinde olm.: **out of ~**, ters, küskün, suratlı; keyfi kaçmış: **lacking in/devoid of ~**, nükteden anlamaz: **a sense of ~**, mizah hissi; hadiselerin gülecek tarafını görme kabiliyeti. **~less**, mizahsız. **~some**, kaprisli.
hump [hʌmp] *i.* Hörgüç; kambur; tümsek. *f.* Kambur etm.; sırtında taşımak. **~ up one's shoulders**, omuzunu kamburlaştırmak: **have the ~**, (*arg.*) canı sıkılmak, üzülmek: **that gives me the ~**, (*arg.*) bu canımı sıkıyor. **~-back(ed)**, kambur(lu). **~ed**, hörgüçlü.
humph [hʌmf]. *Şüphe/memnuniyetsizlik nidası.*
humpty-dumpty ['hʌmtidʌmti]. Bodur ve şişman

bir kımse; düşüp kırılınca tekrar yapılamıyan bir şey.
humpy[1] ['hʌmpi]. Hörgüç/kamburlu.
humpy[2] (*Avus.*) Kulübe.
humus ['hyūməs] (*zir.*) Humus, kara toprak.
Hun [hʌn]. Hun kavmi; (*mec.*) barbar, vahşi; Alman.
hunch [hʌnç] *i.* Kambur; iri parça, kalın dilim. *f.* Kamburlaştırmak. **be ~ed up**, eğilip büzülmek: ***have a ~**, içine doğmak. **~-back(ed)**, kambur(lu).
hundred ['hʌndrəd]. Yüz. **in ~s**, yüzlerce: **a ~ per cent.**, yüzde yüz: **a long ~**, yüz yirmi: **have five ~ a year**, senede beş yüz lira geliri olm. **~fold**, yüz kat, yüz misli. **~s-and-thousands**, mini mini top gibi şekerleme. **~th**, yüzüncü; yüzde bir: **the Old ~**, meşhur bir ilâhi. **~weight** [-weyt], †112 libre = 50,8 kilo; *100 libre = 45,4 kilo.
hung [hʌn(g)] *g.z.(o.)* = HANG[1].
Hung. = **Hungar·ian** [hʌn(g)'ge̯əri̯ən], Macar; Macarca. **~y** ['hʌn(g)gəri], Macaristan.
hunger ['hʌn(g)gər]. Açlık; kıtlık; iştiyak, şiddetli istek. **~ for/after**, çok arzu etm., iştiyak beslemek. **~-march**, (işsizler) açlıktan protesto yürüyüşü. **~-strike**, (mahpuslar) protesto olarak yemeklerini reddetme, açlık grevi.
hungr·ily ['hʌn(g)grili]. Aç olarak. **~iness**, açlık. **~y**, aç, acıkmış; müştak; mahsulsüz, çok gübre istiyen (toprak): **go ~**, açlık çekmek: **~ as a hunter**, çok aç.
hunk [hʌn(g)k]. İri parça.
hunkers ['hʌn(g)kə(r)z]. Kaba etler: **on one's ~**, bağdaş kurarak.
hunks [hʌn(g)ks]. Hasis, cimri.
***hunky** ['hʌn(g)ki] (*köt.*) D./O. Avrupalı.
***hunky-dory** [hʌn(g)ki'dōri] (*arg.*) Mükemmel.
Hunnish ['hʌniş]. Hun gibi vahşi.
hunt [hʌnt] *f.* Avlamak, *bilh.* köpek sürüsüyle avlamak. *i.* Av; tilki avına katılan köpekler atlar ve biniciler; tilki avı cemiyeti. **~ (about) for stg.**, bir şeyi araştırmak. **~ down**, yakalayıncaya kadar peşini bırakmamak. **~ out**, arayıp bularak meydana çıkarmak. **~ up**, arayıp keşfetmek, meydana çıkarmak.
hunter ['hʌntə(r)]. Avcı; av atı; kapaklı cep saati; *bileşik kelimelerde* arayıcı/avcı *anlamlarına gelir.*
hunting ['hʌnting]. †Köpek sürüsüyle avcılık; *her nevi avcılık; (*hav.*) salınım, raks (etme). **go (a-)~**, tilki avına gitmek: **go house ~**, ev aramak. **~-box**, (tilki) av köşkü. **~-ground**, av alanı: **a happy ~ for collectors**, antika meraklıları için uygun yer. **~-horn**, avcı borusu.
Huntingdonshire ['hʌntin(g)dənşə]. Brit.'nın bir kontluğu.
huntress ['hʌntris]. Avcı kadın.
Hunts. = HUNTINGDONSHIRE.
hunt·sman, *ç.* **~smen** ['hʌntsmən]. Avcı; av köpekleri sürüsünü idare eden uşak. **~-the-slipper**, (*çoc.*) bir terlik ile oynanan oyun.
hurdle [hədl] *i.* Örülmüş dallardan yapılan taşınabilir çit; mânia; engel; yarış engeli. *f.* Engellerle kuşatmak; engelli koşu yapmak. **~r**, engelli koşuya giren. **~-race**, engelli koşu.
hurdy-gurdy ['hədigədi]. Latarna.
hurl [həl]. Fırlatma(k). **~er**, fırlatan kimse. **~ey**, (*İrl.*) bir çeşit hokey oyunu (değneği). **~ing**, fırlatma; ~EY. **~y-burly**, karışıklık; kargaşalık.
hur·ra(h)/~ray [hu'rā, -'rey]. *Alkış ve sevinç nidasi*; yaşa!, yaşasın! Hura!, yaşa! diye bağırmak.
hurricane ['hʌrikən]. Şiddetli fırtına, kasırga. **eye of the ~**, kasırga merkezi. **~-bird**, fregat kuşu. **~-lamp**, rüzgârda sönmeyen fener.
hurr·ied ['hʌrid] *s.* Aceleye gelmiş, telâşla yapılmış; aceleci: **~ly**, acele ile; çabucak. **~y**, *i.* acele, ivedi, istical: *f.* acele etm.; acele ettirmek; acele göndermek, hareket ettirmek: **~ up!**, çabuk ol!: **be in a ~**, acelesi olm.: **you won't do that in a ~**, bunu kolayca/istiyerek yapmıyacaksın: **~-scurry**, telâşla acele (etm.).
hurst [həst]. (Ağaçlı) tepecik; orman.
hurt ['hət] *f.* İncitmek; canını yakmak; acıtmak; rencide etm.; zarar vermek. *i.* Yara; zarar. **do s.o. a ~**, birine zarar vermek; birine haksızlıkta bulunmak: **get ~**, yaralanmak, incinmek: **~ oneself**, bir yerini acıtmak. **~ful**, zararlı, muzır.
hurtle ['hətl]. Fırlamak; şiddet ve gürültü ile hareket etm.
husband ['hʌzbənd] *i.* Koca, zevc. *f.* Tasarrufla idare etm., idareli kullanmak; iktisat etm. **~less**, kocasız. **~-like**, koca gibi. **~ly**, kocaya ait/uygun. **~man**, çiftçi. **~ry**, çiftçilik, ziraat; tasarruf; iyi idare.
hush [hʌş] *i.* Sus!; sükût, sükûn. *f.* Susmak, sakin olmak; susturmak; teskin etm. **~ up**, örtbas etm., (işe) kapak vurmak, ketmetmek: **the ~ before the storm**, fırtınayı haber veren durgunluk. **~aby** [-əbay], (çocuğa) sus!, uyu! **~-~**, (*kon.*) çok gizli, kapalı. **~-money**, birinin ağzını kapatmak için verilen rüşvet, suspayı. **~-puppy**, (*M.*) hafif ve yumuşak pabuç.
husk [hʌsk] *i.* Kabuk; kılıf. *f.* Kabuğunu soymak. **~er**, kabukları soyan kimse/makine. **~y**[1], kabuklu.
husky[2] ['hʌski]. (Ses) kısık, boğuk.
husky[3] *s.* Dinç, gürbüz. *i.* Eskimo kızak köpeği.
hussar [hu'zā(r)]. Hafif süvari askeri.
hussy ['hʌsi]. Edepsiz kız; şirret.
hustings ['hʌstin(g)z] (*tar.*) Seçimlerde aday mebusun nutuk verdiği kürsü; seçimler.
hustle ['hʌsl] *i.* Acele, itip kakma. *f.* İtip kakmak; sıkışmak; acele et(tir)mek. **I won't be ~d**, dara gelemem, sıkboğaz edilmeğe gelemem. **~r**, işini yürüten, işini beceren.
hut [hʌt] *i.* Kulübe; izbe, baraka. *f.* Kulübeye otur(t)mak. **~ch** [hʌç], (tavşan vb. için) kafesli sandık. **~ments**, asker barakaları.
huzz·a [hu'zā] = HURRAH. **~y** = HUSSY.
HV = HIGH VELOCITY.
HW(M) = HIGH WATER (MARK).
Hy. = HENRY.
hyacinth ['hayəsinθ]. Sümbül (rengi); gök yakut.
hyaena [hay'īnə] = HYENA.
hyal·ine ['hayəlīn] *s.* Cam gibi, şeffaf. *i.* (*şiir*) sakin deniz, bulutsuz gök; hiyalin. **~ite** [-layt], şeffaf bir cins aynüşşems. **~o-**, *ön.* şeffaf . . .. **~oid** [-loyd], camlı, cam gibi, şeffaf, saydam.
hybrid ['haybrid]. Melez, karışım; (*dil.*) karışık terkip. **~ism/~ization** [-izm, -ay'zeyşn], melez olma; melezleş(tir)me. **~ist**, melezleştiren kimse. **~ize** [-ayz], melez olarak yetiş(tir)mek, melezleş(tir)mek.
hyd. = HYDRAULIC.

hydatid ['haydətid] (*tıp.*) Su ve sürfe bulunan kesecik, hidatit.
hydra ['haydrə] (*mit.*) Çok başlı bir yılan; (*mec.*) başından atılamaz bir belâ; (*zoo.*) hidra, su kurdu, polip. **~-headed**, çok başlı; imhası müşkül olan.
hydrangea [hay'dreyncə]. Ortanca.
hydrant ['haydrənt]. Hortum takılan su borusu, su ağzı, hidrant.
hydrat·e ['haydreyt]. Su ile birleş(tir)me(k), söndürme(k), su katma(k); hidrat. **~ed**, sön(dürül)müş, su katılmış. **~ion** [-'dreyşn], hidrasyon.
hydraulic [hay'drōlik]. Su gücü ile işliyen; hidrolik. **~s**, akarsu bilgisi, hidrolik bilimi.
hydri·c ['haydrik]. Hidrojenli, hidrojene ait. **~de** [-drayd], hidrit.
hydro ['haydrou]. Su ile tedavi kurumu; kaplıca.
hydro- [haydrou-] *ön.* Suya ait; su+; hidro-. **~carbon**, hidrojen ile karbon karışımı; hidrokarbon. **~cephal·ic/-ous** [-se'falik, -'sefaləs] (*tıp.*) beyni istiskalı, beyin istiskasına ait. **~chloric** [-'klōrik], klorhidrik: **~ acid**, hidroklorlu asit, tuzruhu. **~dynamic** [-day'namik], sugücü, hidrodinamik: **~s**, sugücü bilgisi, hidrodinamik bilimi. **~-electric**, hidroelektrik, su ile üretilen elektrik. **~fluoric acid**, asit flüoridik. **~foil** [-'foyl], su kanatçığı. **~gen** ['haydrəcin], hidrojen: **~ate** [-'drocineyt], hidrojenlemek: **~ation** [-'neyşn], hidrojenleme: **~-bomb**, hidrojen bombası: **~ous** [-'drocinəs], hidrojenli. **~graph** [-graf], hidrograf, su seviye diyagramı: **~er** [-'drogrəfə(r)], deniz haritacısı: **~ical** [-'grafikl], hidrografik: **~y** [-'drogrəfi], hidrografi, su bilgisi. **~kinetics**, akış bilgisi. **~logy** [-'droləci], hidroloji, subilim. **~lysis** [-lisis], hidroliz. **~lytic** [-'litik], hidrolize ait. **~meter** [-'dromitə(r)], hidrometre. **~metry**, akar koyuluğunu ölçme. ***~naut** [-nōt], dibe kadar inen denizaltı gemilerinde çalışan gemici. **~pathic** [-'paθik], kaplıca kurumu; hidroterapiye ait. **~phil(ous)** [-fil(əs)], hidrofil, sucul. **~phobia** [-'foubiə], kuduz; sudan korkma illeti. **~phone** [-foun], denizaltı dinleme cihazı; hidrofon. **~phyte** [-fayt], su bitkisi. **~plane** [-pleyn], deniz uçağı, hidraviyon; su yüzünden kısmen kalkabilen hafif motorbot; (denizaltı) dip dalma dümeni, su kanadı. **~ponics**, bitkileri topraksız yetiştirme bilgisi. **~psy** [-'dropsi], istiska, sıskalık. **~scope** [-'skoup], hidroskop. **~sphere** [-sfiə(r)], hidrosfer, suküre. **~stat**, su seviye göstergesi: **~ic**, hidrostatiğe ait: **~ics**, hidrostatik, su/akar denkliliği bilgisi. **~therapy** [-'θerəpi], hidroterapi, su tedavisi. **~tropism** [-'drotrəpizm] (*biy.*) suya/sudan yönelim. **~us** [-drəs], sulu, su ile birleşmiş. **~xide** [-'droksayd], hidroksit. **~zoa** [-zouə], denizanası gibi hayvanlar.
hy(a)ena [hay'īnə]. Sırtlan(giller). **brown ~**, boz sırtlan.
hyeto- [hayeto-] *ön.* Yağmur+.
hygien·e ['haycīn]. Sağlık/sıhhat bilgisi, sağlıkkoruma. **~ic** [-'cīnik], sıhhî; sağlığa yararlı; sağlıkla ilgili: **~ally**, sıhhî olarak.
hygro- [haygro-] *ön.* Nem/rutubete ait. **~meter** [-'gromitə(r)], nemölçer, higrometre. **~phil** [-fil], nemcil. **~scopic**, nemçeker. **~stat**, nemdenetir, higrostat.
hylo- ['haylo-] *ön.* Madde/cisme ait.

Hymen ['haymen] (*mit.*) Evlenme ilâhı; (*tıp.*) kızlık zarı. **~optera** [-'noptərə], (dört) zarkanatlılar.
hymn [him] *i.* İlâhi; ulusal marş. *f.* (İlâhi ile) övmek. **~al/~ary** [-nəl, -nəri], ilâhi kitabı. **~ody**, ilâhiler (beste-/söylenmesi). **~ology** [-'noləci], ilâhiler yazı/bilgisi.
hyoid ['hayoyd]. Dil kemiği.
hyp(a)ethral [hay'pīθrəl] (*mim.*) Açıkhava+.
***hype**[1] [hayp] (*arg.*) *s.* Teşvik edici, harekete getirici. *i.* şırınga iğnesi; DRUG-ADDICT.
hype[2] (*arg.*) *i.* Dolandırıcı. *f.* Dolandırmak.
hyper- ['haypə(r)-] *ön.* Fazla; iri; üstün(de); yüksek; hiper-. **~aesthetic** [-īs'θetik] (*tıp.*) fazla hassas/duygulu. **~bola** [-'pəbələ], katı zait, hiperbol. **~bol·e** [-li], mübalağa, izam, abartma, büyütme: **~ic** [-'bolik], mübalağalı, abartılmış. **~borean** [-'bōriən], kuzey bölgelere ait. **~critical** [-'kritikl], aşırı tenkitçi; en ufak kusuru bile ayıplayan; ince eleyip sık dokuyan. **~market**, büyük süpermarket. **~metric**, bir hece fazlası. **~metropic** [-me'tropik], hipermetrop, yakın görmez. **~physical** [-'fizikl], doğalüstü. **~tension** [-'tenşn] (*tıp.*) hipertansiyon, kan basıncı yüksekliği. **~trophy** [-'pətrəfi], fazla irileşme, fazla yemekten şişmanlık.
hyphen ['hayfn]. (İki kelime arasındaki) çizgi (-). **~ated**, çizgi ile ayrılarak yazılan (kelime); Am. menşeli olmıyan Am. uyruklu.
hypno- [hipno-] *ön.* Uykuya ait. **~paedia** [-'pīdiə], uykuda öğrenme. **~sis** [-'nousis], sunî uyutma; ipnoz; tenvim. **~tic** [-'notik], (sunî olarak) uyutucu; münevvim. **~tism** ['hipnətizm], sunî uyutma usulü; ipnotizma. **~tist**, ipnotizmacı. **~tize** [-tayz], ipnotiz·e/-ma etm., uyutmak: **~r**, ipnotizmacı.
hypo ['haypou] (*kon.*) = HYPOSULPHITE OF SODA.
hypo- [haypo-] *ön.* Aşağı, alt(ında), (daha) az, düşük; (h)ipo-. **~caust** [-'kōst] (*mim.*) cehennemlik. **~chondria** [-'kondriə], karasevda, hipokondri; merak hastalığı: **~c** [-driak], karasevdalı.
hypocri·sy [hi'pokrisi]. Riyakârlık, müraîlik. **~te** ['hipəkrit], müraî, riyakâr, ikiyüzlü adam. **~tical** [-'kritikl], müraî, ikiyüzlü.
hypo·dermic [haypou'dəmik]. Deri altı(na ait): **~ injection**, deri altı şırınga yapma: **~ syringe**, deri altı şırınga (alet). **~gastrium**, karnın alt tarafı. **~stasis** [-'postəsis], esas; hipostaz; kan tıkanması. **~sulphite** [-sʌlfayt], hiposülfit. **~tenuse** [-'potinyūz] (*mat.*) çapraz, hipotenüs, yatıkkenar. **~thecate** [-'poθikeyt] (*huk.*) ipotek etmek. **~thermia** [-'θəmiə] (*tıp.*) fazla düşük beden harareti. **~thesis** [-'poθisis], faraziye, varsayım, (h)ipotez, nazariye. **~thetic(al)** [-pə'θetik(l)], farazî, mefruz, varsayılan. **~xia** [-'poksiə] (*tıp.*) oksijen kıtlığı.
hypso- [hipsou-] *ön.* Yükseklik/irtifa/rakıma ait. **~meter** [-'somitə(r)], rakım ölçeği. **~metry**, rakım ölçme bilgisi, hipsometri.
hyssop ['hisəp]. Çördük, zufa otu.
hysterectomy [histe'rektəmi]. Rahim ameliyatı.
hysteresis [histə'rīsis]. Gecikme; kesiklik; histerezis.
hyster·ia [his'tiəriə]. İsteri; peri hastalığı; sinir bozukluğu. **~ical** [-'terikl], isterik. **~ics** [-'teriks], sinir buhranı: **go/fall into ~**, sinir buhranına kapılmak.
hyster(o)- [histəro-] *ön.* Rahim/döl yatağına ait.
Hz = HERTZ (*or* C/S).

I

I [ay]. I harfi; (*zm.*) ben; (*mat.*) bir.
I. = IMPERIAL; INDEPENDENT; INSPECTOR; INSTITUT·E/-ION; INTERNATIONAL; (*kim.s.*) IODINE; IRELAND; IRISH; ISLAND; ITAL·IAN/-Y.
Ia. = IOWA.
-ia [-iə] *son.* (*tıp.*) [HYSTERIA]; (*coğ.*) [NIGERIA]; (*bot.*) [FUCHSIA]; (*zoo., ç.*) [REPTILIA].
IA = INDIAN ARMY; ISLE OF ANGLESEY. ~**EA** = INTERNATIONAL ATOMIC ENERGY AGENCY.
-ial [-iəl] *son.* -li; -e ait [AERIAL].
iambic [ay'ambik]. (⏑–) şeklinde vezin; bu vezinle yazılmış mısra.
-ian [-iən] *son.* -e ait; ... gibi [REPTILIAN]; -li [MANCUNIAN].
IAS = INDICATED AIR SPEED.
-iasis [-ayəsis] *son.* ... hastalık/durumu [PSORIASIS].
IATA = INTERNATIONAL AIR TRANSPORT ASSOCIATION.
-iatr·ic, ~**o-**, ~**y** [-iatrik] *son.* ... tedavisi(ne ait) [GERIATRIC].
IBA = INDEPENDENT BROADCASTING AUTHORITY.
Iberia [ay'biəriə]. İberya. ~**n**, *i.* İberyalı: *s.* İberya+.
ibex ['aybeks]. Alp dağ keçisi.
ibid(em) [ibid(em)] (*Lat.*) Aynı yerde.
-ibility [-i'biliti] *son.* = -ABILITY [CREDIBILITY].
ibis ['aybis]. İbis(giller). **bald** ~, kelaynak: **glossy** ~, ibis, çeltik kargası: **sacred** ~, Eski Mısırlıların kutsal ibisi.
-ible [-ibl] *son.* = -ABLE [LEGIBLE].
IB·M = INTERNATIONAL BUSINESS MACHINES (INC.). ~**RD** = INTERNATIONAL BANK FOR RECONSTRUCTION AND DEVELOPMENT.
-ic [-ik] *son.* -e ait; ... gibi [HEROIC]. -~**al**, *son.* -î/-sel [HISTORICAL].
i/c. = IN CHARGE (OF); INTERNAL COMBUSTION.
IC = INTEGRATED CIRCUIT. ~**AO** = INTERNATIONAL CIVIL AVIATION ORGANIZATION. ~**BM** = INTERCONTINENTAL BALLISTIC MISSILE. ~**C** = INTERNATIONAL CHAMBER OF COMMERCE.
ice [ays] *i.* Buz; dondurma. *f.* Buz ile kaplamak; soğutmak; (*ev.*) keyk vb.ni erimiş şeker ile kaplamak. **be on** ~, (*ev.*) buz ile soğutulmak, buzdolabında bulunmak; (*arg.*) (bir proje) askıda kalmak: **be/skate on thin** ~, (*mec.*) pek nazik/müşkül durumda bulunmak: **break the** ~, resmiyeti kaldırmak, soğuk havayı dağıtmak: **cut no** ~, sözü geçmemek; hiç tesir etmemek; sökmemek: ~ **out**, erimek, buzları cözülmek: ~ **over/up**, buzlanmak.
-ice [-is] *son.* -lik [MALICE].
ICE = INSTITUTE OF CIVIL ENGINEERS; INTERNAL COMBUSTION ENGINE.
ice-, *ön.* Buz+. ~**-age** [-eyc], buzul çağı. ~**-axe** [-aks], ucu çapalı dağcı değneği. ~**-bag**, (*tıp.*) buz kesesi. ~**berg** [-bəg], buz ada/dağı; aysberg: **the tip of the** ~, (*mec.*) mühim ve gizli bir şeyin yüzde görünen ufak parçası. ~**blink**, ufukta buzdan aksedilen ışık. ~**-boat**, kızaklı yelken gemisi. ~**-bound**, buz ile kuşatılmış (gemi); buzdan dolayı kapanmış (liman vb.). ~**-breaker**, buzkıran gemi. ~**-cap**, buz başlığı. ~**-cream** [-'krīm], dondurma: ~**-parlour**, dondurmacı dükkânı: ~**-sundae** [-'sʌndey], meyvalı dondurma. ~**d** [ayst], buz ile soğutulmuş; buzlu; şeker ile kaplanmış (keyk vb.). ~**-fall**, buz çağlıyanı. ~**-field**, buzla, aysfilt. ~**-floe** [-flou], deniz buzlası. ~**-foot**, Kutup kıyılarında buz duvarı. ~**-fox**, mavi tilki. ~**-free**, buz tutmaz; buzsuz. ~**-hockey**, buz hokeyi. ~**-house**, buz mahzeni. ~**land** [-lənd], İslanda: ~**er**, İslandalı: ~**ic**, *i.* İslandaca: *s.* İslanda+. ~**-locked**, donmuş, buzdan dolayı kapanmış (liman vb.). ~**-machine**, buz yapma makinesi. ~**man**, buzcu, dondurmacı; buzlalarından geçmekte hünerli kimse. ~**-mantle**, buz örtüsü. ~**-pack**, denizde bulunan buz yığını; su yolunda buz birikintisi; = ~-BAG. ~**-point**, donma/buzlanma noktası. ~**-rink**, patinaj için buz alanı. ~**-scape**, buz manzarası (resmi). ~**-sheet**, buz örtüsu.
Ich. = ICHTHYOLOGY.
Ichabod ['ikəbod]. *Teessüf nidası.*
I Chem.E = INSTITUTE OF CHEMICAL ENGINEERS.
ichneumon [ik'nyūmən]. Firavun faresi; yer köpeği. ~**-fly**, tırtırsineği.
ichno- [ikno-] *ön.* İz, hat. ~**graphy** [-'nogrəfi], planları çizme sanatı.
ichor ['ikō(r)]. İrin, cerahat, ikor.
ichthyo- ['ikθio-] *ön.* Balık+. ~**id**, balık gibi. ~**logy** [-'oləci], balık bilimi. ~**phagous** [-'ofəgəs], balıkçıl. ~**saurus** [-'sōrəs], yarı balık yarı kertenkele olan iri taşıl hayvan.
ICI = IMPERIAL CHEMICAL INDUSTRIES (LTD).
-ician [-işən] *son.* ... bilgini; ... bilgisine ait [MUSICIAN].
icicle ['aysikl]. Buz parçası; uzun sarkık buz.
-icid·al [-i'saydl] *son.* -öldüren. -~**e**, -öldürme [FRATRICID·AL/-E].
ici·ly ['aysili]. Buz gibi; soğuk (bir şekilde). ~**ness**, buz gibilik. ~**ng**, (*ev.*) keyk vb.nin şeker kaplaması; (*den., hav.*) gemi/uçağın üzerini kaplıyan buz; buzlanma.
ICJ = INTERNATIONAL COURT OF JUSTICE.
ickle [ikl] (*çoc.*) Küçücük.
icon ['aykon]. Resim, heykel; (Ortodoks kilisesinde) azizlerin resmi, ikon.
Iconium [ay'kouniəm] (*tar.*) Konya.
icono·clast [ay'konəklast]. Putkıran; yerleşmiş inanç/alışkanlıkların yıkılmasını istiyen kimse. ~**graphy** ['nogrəfi], resim ile temsil (sanatı). ~**latry**, ikonlara tapma. ~**meter**, adeseli uzaklık ölçeği. ~**stasis**, (Ort. kil.de) kutsal yeri halktan ayıran ve ikonlarla dolu duvar.

icos- [aykos-] *ön.* Yirmi.
ICR·C = INTERNATIONAL COMMITTEE OF THE RED CROSS. ~**F** = IMPERIAL CANCER RESEARCH FUND.
-ics [-iks] *son.* -ik [PHYSICS].
ICS = IMPERIAL COLLEGE OF SCIENCE; INDIAN CIVIL SERVICE.
icterus ['iktərəs]. Sarılık hastalığı.
ictus ['iktəs] (*şiir.*) Düzgün vurgu; (*tıp.*) darbe, nöbet, kriz.
icy ['aysi]. Buzlu; pek soğuk.
id [id]. Şahsî içgüdüler.
Id. = IDAHO.
id. = IDEM.
-id [-id] (*biy.*) -gil(ler).
I'd [ayd] = I HAD/SHOULD/WOULD.
ID = IDENTIFICATION; INSTITUTE OF DIRECTORS; INSIDE/INTERNAL DIAMETER. ~**A** = INTERNATIONAL DEVELOPMENT ASSOCIATION.
Idaho ['aydəhou]. ABD'nden biri.
ID·B = ILLICIT DIAMOND BUYING. ~**C** = IMPERIAL DEFENCE COLLEGE.
-ide [-ayd] *son.* (*kim.*) -id/-it [SULPHIDE].
idea [ay'diə]. Fikir, düşün(ce); tasavvur; niyet, maksat, amaç, erek. **the** ~!, amma yaptın ha!: **get** ~**s into one's head**, boş hulyalara kapılmak, olmıyacak şeyler beklemek: **he has some** ~ **of how to row**, bir parçacık kürek çekmesini bilir: **I have no** ~, hiç bilmiyorum, hiç fikrim yok: **I had no** ~ **that** . . ., hiç haberim yoktu: **a man of** ~**s**, buluş sahibi/yeni fikirler bulan kimse: **what an** ~!, ne münasebet!, hiç olur mu?
ideal [ay'diəl] *i.* Mefkûre; ideal, ülkü. *s.* Mefkûrevî, ideal, ülküsel; mükemmel; nazarî, düşüncel. ~**ism**, mefkûrecilik, idealizm, ülkücülük. ~**ist**, mefkûreci, ideal peşinde olan, idealist, ülkücü. ~**ize** [-layz], ideal/ülküleştirmek. ~**ly**, ideal olarak.
ideate [ay'dīeyt]. Tasarlamak, tasavvur etm.
idée fixe [īdey'fīks] (*Fr.*) Sabit fikir, saplantı.
idem ['idem] (*Lat.*) Aynı.
identic [ay'dentik]. ~**-note**, (*id.*) müşterek nota. ~**al**, tamamıyle aynı; farksız; özdeş; identik, tıpkı: ~**ity**, özdeşlik; farksızlık: ~**ly**, aynı olarak.
identif·iable [ay'dentifayəbl]. Tanınabilecek. ~**ication** [-fi'keyşn], kimlik tespiti; tanıtma; (*tiy.*) özdeşleme: ~ **disc**, künye: ~ **papers**, kimlik kartı. ~**y** [-fay], kimliğini tespit etm.; teşhis etm.; özdeşlemek: ~ **o.self with** . . ., -e iştirak etm., -le bir olm.
identikit [ay'dentikit] (*M.*) Tanıkların tariflerinden hiç tanınmamış bir suçlunun resmini kurulan cihazı.
identity [ay'dentiti]. Hüviyet, kimlik; ayniyet; özdeşlik; müşabehet: **mistaken** ~, yanlış kimlik tespiti. ~**-card**, kimlik belgesi, hüviyet ibrazı, tanıtma kartı.
ideo- [aydio-, idio-] *ön.* Fikir +; ideo-. ~**gram**/~**graph**, fikri ifade eden işaret; ideogram. ~**logical** [-'locikl], ideolojiye ait. ~**logist** [-'oləcist], ideolog. ~**logy**, ideoloji; nazariyat.
Ides [aydz]. Eski Roma takviminde Mart, Mayıs, Temmuz ve Ekim aylarının 15 inci ve diğer ayların 13 üncü günleri.
id est ['idest] (*Lat.*) Yani, demek ki.
idio- [idio-] *ön.* Öz, has, kendinden, kendine mahsus/bağlı.
idiocy ['idiəsi]. Belâhet; ahmaklık.
idiolect ['idiolekt]. Şahsî lehçe.
idiom ['idiəm]. Şive, lehçe; dil; tabir, deyim. ~**atic** [-'matik], özel deyimlere ait; deyimlerle dolu (dil).
idio·pathy [idio'paθi]. Bağımsız bir hastalık. ~**syncra·sy** [-'sinkrəsi], bir kimsenin kişisel özellik/mizacı; bir yazarın üslûbundaki özellik: ~**tic** [-'kratik], özel bir hale ait.
idiot ['idiət]. Anadan doğma ebleh; bön, safdil adam. **play the village** ~, iş görmemek/aldatmak için aptal ve beceriksiz rolü yapmak. ~**ic** [-'otik], ahmakça, budalaca.
idle ['aydl] *s.* Tembel, haylaz; işsiz; (*müh.*) avara, işlemez; atıl, muattal; beyhude, boş. *f.* Vaktini beyhude geçirmek; iş görmemek; havyar kesmek. ~ **capital**, atıl sermaye: **run** ~, (makine) avaraya almak, boşuna işlemek: **the** ~ **rich**, işsiz/avare zenginler: **out of** ~ **curiosity**, sırf tecessüs sevkiyle. ~**ness** [-nis], tembellik; işsizlik; avarelik; beyhudelik. ~**r**, haylaz, tembel adam; vaktini boş geçiren kimse; (*müh.*) avara çark. ~**-time**, (*mal.*) bakım ve onarım durdurumu, bakım ve tamir tatili. ~**-wheel**, bir dişli çark tertibatının orta çarkı, avara kasnak/çark vb.
idl·ing ['aydlin(g)]. Boş/avaraya alma, boşta/avara çalışma. ~**y**, tembel/işsiz/boş olarak.
idol ['aydl]. Put; putheykel; tapılan kimse. ~**ater** [-'dolətə(r)], putperest. ~**atress** [-tris], kadın putperest. ~**atrous**, putperest; puta tapan; perestişkârane. ~**atry**, putperestlik; perestiş. ~**ize** ['aydəlayz], putlaştırmak; perestiş etm.; tapmak.
IDP = INTERNATIONAL DRIVING PERMIT.
idyll ['aydil, idil]. Kır ve çobanlık hayatına ait ve çoğunlukla âşıkane küçük manzume; bunun konusuna değer olan olay; idil. ~**ic**, bir idilin konusu olmağa değer olan; saf/samimî/zarif (aşk, manzara vb.).
-ie [-i] *son.* -cuk [BIRDIE].
i.e. = ID EST.
IE = (ORDER OF THE) INDIAN EMPIRE. ~**E** = INSTITUTE OF ELECTRICAL ENGINEERS.
-ier [-iə(r)] *son.* (i) *i.* -ci [GLAZIER]. (ii) *s., zf.* (*krş.d.*) daha . . . [HAPPIER].
-iest [-i·ist] *son. s., zf.* (*üst.*) en . . . [HAPPIEST].
if [if]. Eğer; şayet; -sa, -se. **ask** ~ **he is at home**, sor bakalım evde mi: **do you know** ~ **he is at home?**, onun evde olup olmadığını biliyor musunuz?: ~ **I were you**, sizin yerinizde olsam: ~ **ifs and ands were pots and pans**, olsa ile bulsa ile iş olmaz: **oh** ~ **he could only come!**, ah!, bir gelebilse!: ~ **only to please me**, benim hatırım için bile olsa: **see** ~ **you can open this**, şunu açabilir misiniz acaba: **it is only worth £50,** ~ **that**, ancak elli lira eder, o da şüpheli: **I wonder** ~ . . ., acaba . . ..
IF = (*rad.*) INTERMEDIATE FREQUENCY. ~**ALPA** = INTERNATIONAL FEDERATION OF AIRLINE PILOTS' ASSOCIATIONS. ~**F** = (*hav.*) IDENTIFICATION FRIEND OR FOE; INTERNATIONAL FILM FOUNDATION. ~**R** = INSTRUMENT FLIGHT RULES. ~**RB** = INTERNATIONAL FREQUENCY REGISTRATION BOARD. ~**S** = IRISH FREE STATE.
I Gas E = INSTITUTION OF GAS ENGINEERS.
igloo ['iglū]. Kardan Eskimo kulübesi; (*ask.*) kubbe cephanelik.
ign·eous ['igniəs]. Ateşe ait; ateşten hâsıl olan; kor. ~***is fatuus***, (*Lat.*) bataklıkta çıkan ateşli buhar; (*mec.*) boş gaye. ~**ite** [-'nayt], tutuş(tur)mak, iştial

et(tir)mek: ~**r**, yakıcı, tutuşturucu; çakmak; tapa. ~**ition** [-'nişn], iştial, yanma, tutuş(tur)ma; ateşleme; kontak: ~**-control**, ateşleme kumanda düzeni.

ignobl·e [ig'noubl]. Deni, alçak; pespaye, rezil: ~**ness**, alçaklık. ~**y**, alçakça.

ignomin·ious [ignə'miniəs]. Rezil; hacalet getiren; yüz kızartıcı: ~**ly**, rezil olarak. ~**y** ['ignəmini], rezalet, hacalet.

ignor·amus [ignə'reyməs]. Kara cahil kimse. ~**ance** ['ignərəns], cahillik, cehalet; haberi olmamazlık; bilgisizlik. ~**ant**, cahil; tahsilsiz; bilgili olmıyan; bilgisiz, bihaber: **be ~ of stg.**, bir şeyi bilmemek; bir şeyden haberi olmamak. ~**e** [-'nō(r)], aldırmamak; kulak asmamak; hesaba katmamak.

iguan·a [i'gwānə]. İguana(giller). ~**odon**, taşıl bulunan otçul kertenkele.

IGY = INTERNATIONAL GEOPHYSICAL YEAR.

i.h.p. = INDICATED HORSE-POWER.

IHS. = JESUS (CHRIST).

ikon ['aykon] = ICON.

il- [il-] *ön.* = IN- + L [ILLEGAL].

-il [-il] *son.* . . . olma/olan [FOSSIL].

IL = INSTITUTE OF LINGUISTS. ~**A** = INTERNATIONAL LAW ASSOCIATION. ~**C** = IRREVOCABLE LETTER OF CREDIT.

-ile [-ayl] *son.* . . . olma/olan [TEXTILE].

ILEA = INNER LONDON EDUCATION AUTHORITY.

ile·o- [ilio-] *ön.* Bağırsak+. ~**um**, ince bağırsağın alt kısmı; = ILIUM.

ilex ['ayleks]. Pırnal (meşesi).

ili·ac ['iliak]. Kalçaya ait. ~**um**[1], kalça kemiği.

Ilium[2] ['iliəm] = TROY (Hisarlık).

ilk [ilk] (*İsk.*) **of that ~**, (soy)adı aynıdır; bu gibiler.

ill [il] *i.* Fenalık; kötülük; zarar; belâ. *s.* Hasta; fena, kötü; muzır. **be ~ with measles, etc.**, kızamık vb.den yatmak: **fall/be taken ~**, hastalanmak: **although I can ~ afford it**, benim pek harcım değil amma: **I can ~ afford to offend that man**, o adamı darıltmak pek işime gelmez: **it ~ becomes you**, sana yakışmaz: ~ **at ease**, huzursuz, meraklı: ~ **fitted**, uymaz, uygun olmıyan: ~ **luck**, talihsizlik, bedbahtlık: ~ **humour**, huysuzluk: ~ **provided**, teçhizat vb. noksan: **take stg. ~/in ~ part**, bir şeyi kötü karşılamak.

ill-, *ön.* Fena/kötü . . .; *çoğunlukla yalnız olumsuzluk anlamı taşır*: ~**-pleased**, memnun olmıyan.

Ill. = ILLINOIS.

ill. = ILLUSTRA·TED/-TION.

ill·-advised [iləd'vayzd]. Tedbirsiz; ihtiyatsız: **you would be ~ to . . .**, . . . yapmakla ihtiyatsızlık etmiş olursunuz. ~**-affected**, -i beğenmiyen. ~**-assorted**, birbirine uymaz; mutabık olmıyan.

illati·on [i'leyşn]. İstintaç; netice. ~**ve** [-tiv], netice/istintaca ait.

ill·-bred ['ilbred]. Terbiyesiz; görgüsüz, nobran. ~**-breeding** [-'brīdin(g)], terbiyesizlik; görgüsüzlük. ~**-conditioned**, huysuz; öfkeli; kötü halde. ~**-considered**, düşüncesiz, tedbirsiz. ~**-deserved**, müstahak olmıyan. ~**-disposed**, kötü huylu; tertipsiz.

illegal [i'līgl]. Kanuna aykırı, gayri kanunî; hukuk/yasa dışı; gayri meşru; (*mal.*) aşırı, fahiş. ~**ity** [ili'galiti], kanunsuzluk; gayrimeşruluk. ~**ly**, yasadışı olarak.

illegib·ility [ileci'biliti]. Okunaksızlık. ~**le** [i'lecibl], okunaksız, okunmaz. ~**ly**, okunmaz bir şekilde.

illegitim·acy [ili'citiməsi]. Gayri meşru olma; piçlik. ~**ate**, *s.* gayri meşru; meşru olmıyan; piç: *f.* piçliğine hükmetmek, gayri meşru kılmak: ~**ly**, gayri meşru olarak.

ill·-fame ['ilfeym]. Kötü şöhret: **house of ~**, genelev. ~**-fated** [-'feytid], talihsiz, bedbaht; uğursuz. ~**-favoured**, çirkin. ~**-feeling**, hoşnutsuzluk; kin: **no ~!**, kimsenin hatırı kalmasın! ~**-founded**, asılsız. ~**-gotten**, gayri meşru surette kazanılmış: ~ **gains never prosper**, haram mal sahibine hayretmez. ~**-humoured**, huysuz, öfkeli.

illiberal [i'libərəl]. Dar fikirli; cimri, hasis; alçak, kaba. ~**ity** [-'raliti], dar fikirlilik; cimrilik. ~**ly**, cimri olarak.

illicit [i'lisit]. Kanuna aykırı; caiz olmıyan; yasak: ~ **still**, ruhsatsız imbik. ~**ly**, yasak olarak.

illimitabl·e [i'limitəbl]. Sınırsız; sonsuz: ~**ness**, sınırsızlık. ~**y**, sonsuz olarak.

Illinois [ili'noy]. ABD'nden biri.

illiter·acy [i'litərəsi]. Okumamışlık; ümmîlik. ~**ate**, okuma yazma bilmiyen; okumamış; ümmî.

ill·-judged [il'cʌcd]. Tedbirsiz; yersiz. ~**-luck**, bedbahtlık; aksilik; uğursuzluk: **as ~ would have it**, aksi gibi. ~**-mannered**, terbiyesiz; kaba. ~**-nature**, çirkin tabiatlilik, kötü huyluluk: ~**d**, huysuz, aksi, sert.

illness ['ilnis]. Hastalık. **suffer an ~**, bir hastalığa uğramak.

illogical [i'locikl]. Mantıksız; mantığa aykırı; mantıkdışı. ~**ity** [-'kaliti], mantıksızlık. ~**ly** [-kəli], mantıksız bir şekilde.

ill·-omened [il'oumənd]. Meşum, uğursuz; netameli. ~**-pleased**, gayri memnun, hoşnutsuz. ~**-starred**, bahtı kara. ~**-tempered**, huysuz, aksi. ~**-timed**, vakitsiz; yersiz; münasebetsiz; aksi. ~**-treat**, kötü davranmak; hırpalamak: ~**ment**, kötü davranma; hor kullanma.

illum·e [i'lyūm] (*şiir.*) Aydınlatmak. ~**inant** [-minənt], aydınlatıcı (şey). ~**inate** [-neyt], ışıklandırmak, aydınlatmak; üzerine ışık saçmak; renkli resim/harflerle süslemek, tezhip etm.: ~**d**, boyle ışıklı/süslü/tezhipli. ~**ination** [-'neyşn], tenvir; aydınlatma; renkli ve yaldızlı harflerle süsleme, tezhip: ~**s**, şehrayin, donanma. ~**inative** [-nətiv], aydınlatıcı. ~**ine** [-min], aydınlatmak.

ill·-usage [il'yūsic]. Kötü davranma; hor kullanma. ~**-use** [-'yūz], kötü davranmak; hırpalamak.

illus·ion [i'lūjn]. Aldatıcı görüş; hayal; yanılsama; görüntü; aldanma: **optical ~**, galatı rüyet, göz yanıltısı: ~**ist**, hokkabaz; gözbağıcı. ~**ive**/~**ory** [-siv, -səri], aldatıcı; batıl.

illustrat·e ['iləstreyt]. Resim vb. ile süslemek, resimlemek; resim ve örneklerle açıklamak; örnek getirerek anlatmak. ~**ed**, resimli. ~**ion** [-'streyşn], resim; izah, açıklama: **by way of ~**, (açıklamak için) örnek alarak. ~**ive** ['iləstreytiv], izah verici; misal getirici; açıklayıcı. ~**or**, ressam, desinatör.

illustrious [i'lʌstriəs]. Şöhretli, ünlü, tanınmış; şanlı. ~**ness**, ünlülük.

ill-will [il'wil]. Adavet; kötü niyet kin(darlık); garaz: **bear s.o. ~**, birine garaz beslemek.

IL·O = INTERNATIONAL LABOUR OFFICE. ~**P** = INDEPENDENT LABOUR PARTY. ~**S** = INSTRUMENT LANDING SYSTEM.

-ily [-ili] *son.* . . . olarak HAPPILY].
im- [im-] *ön.* = IN- + B/M/P. [IMPATIENT].
I'm [aym] = I AM.
IM = (*tıp.*) INTRAMUSCULAR.
image ['imic]. Resim, tasvir; hayal, imge; görüntü; şekil, suret; aynı, benzetme; put: **~-building**, (*id.*) kendi için iyi hayal/tesiri icat etme. **~ry** [-cəri], heykeller; imgeleme; teşbih ve tasvir.
imagin·able [i'macinəbl]. Tasavvur edilebilir. **~ary**, imgesel, hayalî; muhayyel; mevhum, vehmî; tasavvurî. **~ation** [-'neyşn], tefekkür, tasavvur; imgelem, muhayyile, tehayyül; icat kudreti. **~ative**, hayalî. **~e**, tasavvur etm., tahayyül etm., imgelemek; hakkında fikir edinmek; sanmak; farzetmek.
imago [i'meygou]. Tamamıyle gelişmiş böcek (kozasından çıkmış kelebek gibi).
IMar. E = INSTITUTE OF MARINE ENGINEERING.
imbalance [im'baləns]. Denksizlik.
imbecil·e ['imbisīl]. Ahmak, budala, ebleh. **~ity** [-'siliti], budalalık, eblehlik.
imbibe [im'bayb]. Massetmek; içmek; içine çekmek.
imbricat·e ['imbrikeyt] (*biy.*) (Yaprak/pullar) dam kiremitleri gibi tertip etm./edilmek. **~ion** [-'keyşn], böyle tertip edilme.
imbroglio [im'broulioul]. Karışık iş; arapsaçı gibi iş.
imbrue [im'brū]. Islatmak, bulaştırmak, kirletmek.
imbue [im'byū]. Aşılamak, ilham etm.; zihnini doldurmak; işba etm. **~d with superstitions**, hurafelerle dolu.
IMCO = INTERGOVERNMENTAL MARITIME CONSULTATIVE ORGANIZATION.
IMech. E = INSTITUTE OF MECHANICAL ENGINEERS.
IMF = INTERNATIONAL MONETARY FUND.
IMin. E = INSTITUTION OF MINING ENGINEERING.
imit·ability [imitə'biliti]. Taklit edilebilme. **~able** ['imitəbl], taklit edilir. **~ate** [-teyt], taklit etm.; birini örnek tutmak; eserine uymak. **~ation** [-'teyşn], taklit; sahte eser; yapma: **in ~ of...**, -in eserine uyarak. **~ative**, taklidî; mukallit, taklitçi: **~ words**, sesi taklit eden kelimeler.
IMM = INSTITUTION OF MINING AND METALLURGY.
immaculate [i'makyulit]. Lekesiz; günahsız; kusursuz; tertemiz, pak: **~ Conception**, 'Meryemananın tamamen günahsız olarak doğmuş olması' doktrini. **~ly**, kusursuz vb. olarak. **~ness**, tertemizlik vb.
immanent ['imənənt]. Mündemiç olan; aslında var olan.
immaterial [imə'tiəriəl]. Maddî/cismanî olmıyan; ruhanî; önemsiz, ehemmiyetsiz. **it's ~ to me**, bana vız gelir. **~ism**, 'maddenin vücutsuz olması' nazariyesi. **~ize** [-layz], cisimsizleştirmek.
immatur·e [imə'tyuə(r)]. Olmamış, kemale ermemiş; ham, toy; pişmemiş. **~ity**, olmamışlık; kemale ermeyiş; hamlık, toyluk.
immeasurabl·e [i'mejərəbl]. Ölçülmez; ölçüsüz; sınırsız; engin: **~ness**, ölçüsüzlük; enginlik. **~y**, ölçüsüz olarak.
immedi·acy [i'mīdyəsı]. Doğruluk, araçsızlık; yakınlık. **~ate** [-yət], derhal olan; müstacel, mübrem; hemen ardında gelen; araçsız, doğrudan doğruya: **in the ~ future**, yakın gelecekte: **my ~ neighbour**, bitişik komşum: **~ly**, derhal: **~ly you see me, come!**, beni görür görmez gel!
immemorial [imə'mōriəl]. Zamanı bilinmiyecek kadar eski: **from time ~/~ly**, çok eskiden; ezeldenberi.
immens·e [i'mens]. Ucu bucağı olmıyan; hatsız hesapsız; kocaman: **~ly**, (*kon.*) son derece, pek çok. **~ity**, sonsuz büyüklük; sınırsızlık.
immers·e [i'məs]. Daldırmak: **be ~d in one's work**, işine dalmak. **~ion** [i'məşn], suya bat(ır)ma; dal(dır)ma; (*ast.*) gölgeye girme.
immigr·ant ['imigrənt]. (Bir memlekete gelen) muhacir, göçmen. **~ate**, bir memlekete göçmek, muhacir olm. **~ation** [-'greyşn], bir memlekete göçüş.
imminen·ce ['iminəns]. Zuhur ve vukuu yakın olma. **~t**, olması yakın ve muhakkak; eli kulağında.
immiscib·ility [imisi'biliti]. Karış(tırıla)mazlık. **~le** [i'misibl], katılıp karıştırılamaz.
immixture [i'miksçə(r)]. Katılıp karıştır(ıl)ma.
immobil·e [i'moubayl]. Hareketsiz; kımıldanmaz; oynamaz, sabit. **~ity** [-'biliti], hareketsizlik; oynamazlık. **~ization** [-bilay'zeyşn], durdurma, hareketten alıkoyma. **~ize** [i'mou-], kımıldanamaz hale getirmek; durdurmak.
immoderate [i'modərit]. Ölçüsüz; aşırı derecede. **~ly**, aşırı derecede olarak.
immodest [i'modist]. İffetsiz; açık saçık; perdesiz. **~ly**, iffetsizce. **~y**, iffetsizlik, açıksaçıklık.
immolat·e ['imouleyt]. Kurban etm.; kurban olarak kesmek. **~ion** [-'leyşn], kurban etme/edilme.
immoral [i'morəl]. Ahlâkı bozuk; ahlâksız; ahlâka aykırı. **~ity** [-'raliti], ahlâksızlık; fısku fücur. **~ly** [i'mo-], ahlâksızca.
immortal [i'mōtəl]. Ölmez, ölümsüz: **the ~s**, mitolojik tanrılar; pek ünlü şairler; ölmezler. **~ity** [-'taliti], ölmezlik. **~ization** [-təlay'zeyşn], ölmezleştirme. **~ize** [-layz], ölmezleştirmek. **~ly**, ölmez olarak.
immovab·ility [imūvə'biliti]. Kımıldanamazlık. **~le** [i'mūvəbl], kımıldanamaz; değiştirilemez; gayri menkul, taşınmaz (mal): **~ness**, kımıldanamazlık. **~ly**, kımıldanamaz bir şekilde.
immun·e [i'myūn]. Muaf, bağışık; masun, korunmuş. **~ity**, muafiyet, bağışıklık; dokunulmazlık; masuniyet, korunmuşluk. **~ization** [-nay'zeyşn], muaf kılma, bağışıklama. **~ize** [-nayz], muaf kılmak, bağışıklamak; muafiyet vermek. **~o-** [-nou-] *ön.* bağışıklık+. **~ology** [-'noləci], bağışıklık bilimi.
immure [i'myuə(r)]. Hapsetmek; kapatmak. **~ment**, hapsetme.
immutab·ility [imyūtə'biliti]. Değişmezlik. **~le** [i'myūtəbl], değişmez; sabit. **~ly**, değişmez bir şekilde.
imp[1] [imp]. Küçük şeytan; afacan.
imp[2]. (Doğan, vb.) tüylerini iyi hale getirmek; (*mec.*) kuvvetlendirmek.
imp. = IMPERATIVE; IMPERFECT.
Imp. = (*Lat.*) EMP·EROR/-IRE/-RESS; IMPERIAL.
impact ['impakt] *i.* Çarpma, çarpı, vuruş; musademe; (*mec.*) tesir, etki. *f.* Sıkıştırmak, pekiştirmek. **~-crater**, (*yer.*) göktaşı deliği. **~ed**, sıkış/pekiştirilmiş. **~ion** [-kşn], sıkıştır(ıl)ma; peklik.
impair [im'peə(r)]. Bozmak; örselemek;

noksanlaş(tır)mak; zarar vermek; kuvvetten düşürmek. ~**ment**, zarar, noksan; bozma.
impala [im'palə]. Büyük bir cins antilop.
impale [im'peyl]. Kazığa vurmak. ~**ment**, kazığa vur(ul)ma.
impalpabl·e [im'palpəbl]. Tutulmıyacak kadar ince; (dokunmada) belirsiz. ~**y**, sezilemez belirsiz olarak.
impaludism [im'palyūdizm]. (Bataklıkta oturanlar) humma/sıtmaya tutulma meyli.
impanel [im'panl] = EMPANEL.
imparadise [im'parədays]. Çok mutlu kılmak; çok sevindirmek; cennet gibi yapmak.
imparity [im'pariti]. Eşitsizlik.
impark [im'pāk]. Park haline koymak; park içine kapatmak.
impart [im'pāt]. Vermek; bahsetmek; tebliğ etm.
impartial [im'pāşl]. Tarafsız; insaflı. ~**ity** [-şi'aliti], tarafsızlık. ~**ly**, tarafsız olarak.
impassab·ility [impāsə'biliti]. Geçilmezlik. ~**le** ['pāsəbl], geçilmez. ~**e** ['impās], çıkmaz, köryol; içinden çıkılmaz durum.
impassib·ility [impasi'biliti]. Hissizlik, duygusuzluk. ~**le** [-'pasibl], hissiz, duygusuz; acı duymaz. ~**ly**, hissizce.
impassion [im'paşn]. Heyecanlandırmak. ~**ed**, müteheyyic, heyecanlı.
impassiv·e [im'pasiv]. Üzüntüsüz, sıkıntısız; kayıtsız; hissiz; fütursuz: ~**ly**, üzüntüsüz vb. olarak. ~**eness**/~**ity** [-pə'siviti], üzüntüsüzlük vb.
impast·e [im'peyst]. Hamurlamak; macunla kaplamak; koyuboya sıvamak. ~**o** [-'pastou], koyuboya sıvanması.
impatien·ce [im'peyşns]. Sabırsızlık; tahammülsüzlük. ~**t**, sabırsız; tahammülsüz; tezcanlı, aceleci: ~ **of control**, hüküm altına girmez: ~**ly**, dört gözle.
impawn [im'pōn]. Rehne koymak; (*mec.*) söz vermek.
impeach [im'pīç]. Hakkında suizan beslemek; şüphelenmek; suçlamak; büyük bir devlet memurunu görevindeki kusurdan dolayı yüce divanda suçlamak. ~**ment**, şüphelenme; itham.
impeccab·ility [impekə'biliti]. Kusursuzluk. ~**le** [-'pekəbl], kusursuz; hatasız. ~**ly**, kusursuzca.
impecuni·osity [impikyūni'ositi]. Parasızlık, züğürtlük. ~**ous** [-'kyūniəs], parasız, züğürt.
imped·ance [im'pīdəns] (*elek.*) Zâhirî mukavemet, impedans. ~**e**, mâni/engel olm.; engel çıkarmak. ~**iment** [-'pedimənt], mânia, engel: ~ **of/in the speech**, pelteklik. ~**imenta** ['mentə], ordu ağırlığı; yolcu eşyası; yürüyüşe engel olan eşya: ~**l**, engel olan.
impel [im'pel]. Sevketmek, sürmek; itmek, tepmek; defetmek; zorlamak. ~**lent**, sevkedici, sürücü, itici. ~**ler**, sürücü, savurucu; kompresör çarkı.
impend [im'pend]. Vukubulmak üzere olm., zuhuru yakın olm. ~**ent**/~**ing**, yakında vukubulacak; yakında memul.
impenetra·bility [impenitrə'biliti]. Girilemezlik; anlaşılamazlık. ~**ble** [-'penitrəbl], nüfuz edilemez; girilemez; akıl ermez, anlaşılamaz; sırrına erişilemez; kapalı, kör (cehalet vb.). ~**te** [-treyt], derin girmek.
impeniten·ce [im'penitəns]. Nedametsizlik. ~**t**, tövbe etmez; nedametsiz: ~**ly**, nedametsizce.
imperative [im'perətiv] *s.* Zarurî, mecburî; zorunlu; mübrem. *i.* Emir; (*dil.*) emir kipi. ~**ly**, mecburî olarak.
imperator [impe'rātor] (*Lat.*) Muzaffer; imparator.
imperceptib·ility [impəsepti'biliti]. Sezilemezlik; hissedilemezlik. ~**le** [-'septibl], sezilemez; belli belirsiz; hissedilemez. ~**ly**, sezilemiyerek.
imperf. = IMPERFECT; IMPERFORATE.
imperfect [im'pəfikt] *s.* Tamamlanmamış; eksik; kusurlu; mükemmel olmıyan. *i.* (*dil.*) Hikâye birleşik zamanı. ~**ion** [-'fekşn], eksiklik; kusur. ~**ly** [-fiktli], eksik/kusurlu olarak.
imperforate [im'pəfərit]. Deliksiz, delinmemiş.
imperial [im'piəriəl] *s.* İmparator(luğ)a ait; şahane, hümayun. *i.* Ufak sakal; büyük araba sandığı; bir Rus altın parası. ~ **preference**, İng.'ye İmparatorluğundan gelen mallardan daha az gümrük resmi alma: ~ **weights and measures**, İng. İmparatorluğunda kullanılan ağırlık/ölçüler (sistemi). ~**ism**, emperyalizm; fütuhatçılık, yayılımcılık. ~**ist**, emperyalist; fütuhatçı, yayılımcı. ~**ize** [-layz], imparatorluğun altına hükmü getirmek. ~**ly** [-riəli], imparator gibi; imparator(luğ)a lâyık.
imperil [im'peril]. Tehlikeye koymak.
imperious [im'piəriəs]. Mütehakkim, amirane; zarurî, zorunlu, mübrem. ~**ly**, mütehakkim/zorunlu olarak; zorbaca. ~**ness**, mütehakkim olma.
imperishab·ility [imperişə'biliti]. Zevalsizlik; sonsuzluk; ölmezlik. ~**le** [-'perişəbl], zevalsiz; ebedî, sonsuz; ölmez; bozulmaz, çürümez. ~**ly**, sonsuz olarak.
imperium [im'piəriəm]. (İmparator) hakimiyet(i); egemenlik.
impermanen·ce [im'pāmənəns]. Devamsızlık. ~**t**, daimî/devamlı olmıyan, devamsız.
impermeab·ility [im'pāmiəbiliti]. (Su/gaz vb.) geçirmezlik; sızdırmazlık; geçirimsizlik. ~**le**, geç(ir)mez, sızdırmaz; geçirimsiz.
impermissible [impə'misibl]. Kabul edilmez; müsaade edilmez; yasak.
impersonal [im'pāsənl]. Belirli bir kişiye ait/matuf olmıyan; kişisel olmıyan; gayri şahsî (fiil). ~**ity** [-'naliti], gayri sahsî olma. ~**ly** [-'pās-], gayri şahsî olarak.
impersonat·e [im'pāsəneyt]. Bir kişinin rolünü yapmak; rolüne girmek; şahıslandırmak, kişileştirmek, temsil etm.; kendine ... süsü vermek. ~**ion** [-'neyşn], kişileştirme. ~**or** [-'neytər], temsil eden kimse, taklitçi.
impertinen·ce [im'pātinəns]. Haddini bilmezlik; küstahlık; arsızlık: münasebetsizlik. ~**t**, haddini bilmez; arsız, küstah; münasebetsiz: ~**ly**, arsızca.
imperturbab·ility [impətābə'biliti]. Şaşmazlık; soğukkanlılık. ~**le** [-'tābəbl], şaşmaz; soğukkanlı; istifini bozmaz. ~**ly**, soğukkanlı olarak.
impervious [im'pāviəs]. Su vb. geçirmez; nüfuz ettirmez; vurdumduymaz: ~ **to reason**, mantıktan anlamaz. ~**ly**, (su) geçirmiyerek; nüfuz ettirmıyerek. ~**ness**, geçirmezlik.
impetigo [impi'taygou]. Empetigo; irinli isilik.
impetu·osity [impetyu'ositi]. Coşkunluk, şiddet;

tehevvür. **~ous** [-'petyuəs], coşkun, fevrî, çabuk öfkelenen; şiddetli; mütehevvir: **~ly**, coşkun/şiddetli bir şekilde.
impetus ['impitəs]. Hız; şiddet; sürükleyici güç; itme, itiş.
impf. = IMPERFORATE.
impi ['impi]. Zuluların asker grubu.
impiety [im'payəti]. Dinsizlik; dine karşı saygısızlık.
impinge [im'pinc]. **~ on stg.**, -e çarpmak, çatmak; tecavüz etm. **~ment**, çarpma; tecavüz.
impious ['impiəs]. Dinsiz; Allahtan korkmaz; dine karşı saygısız. **~ly**, dinsizce.
impish ['impiş]. Küçük şeytan gibi; kurnaz bir afacan gibi. **~ly**, böyle kurnazca. **~ness**, böyle kurnazlık.
implacab·ility [implakə'biliti]. Amansızlık. **~le** [-'plakəbl], gazabı ve adaveti teskin edilemez; amansız, yavuz. **~ly**, amansızca.
implant [im'plānt]. İçine dikmek, aşılamak; telkin etm. **~ation** [-'teyşn], dik(il)me; aşılama.
implead [im'plīd]. Aleyhinde dava açmak.
implement[1] ['impləmənt] *i.* Alet; vasıta, araç: **~s**, edevat, takım, avadanlık, gereç.
implement[2] ['impliment] *f.* Tamamlamak; yerine getirmek, ifa etm.
impletion [im'plīşn]. Dolduruş, doldurma; doluluk.
implicat·e ['implikeyt]. Sokmak; ithal etm.; methaldar etm.; kapsamak. **be ~ed**, methaldar olm., kapsanmak: **without ~ing anyone**, kimseyi karıştırmadan. **~ion** [-'keyşn], methaldar olma; tazammun; içerme: **by ~**, zımnen; dolayısıyle: **the ~ is that...**, bunun demek istediği anlam şudur ki....
implicit [im'plisit]. Katî, kesin; zımnî. **~ obedience**, itirazsız itaat. **~ly**, zımnen; itirazsızca. **~ness**, kesinlik; tazammun.
implied [im'playd]. Zımnî, içerik.
implode [im'ploud]. İçeriye patla(t)mak.
implor·e [im'plō(r)]. Yalvarmak, istirham etm. **~ing**, yalvaran: **~ly**, yalvararak.
implos·ion [im'ploujn]. İçeriye patlama. **~ive**, içeriye patlıyan; (*dil.*) patlayıcı (ünsüz).
impl·y (*g.z.(o.)* **~ied**) [im'play(d)]. Delâlet etm.; tazammun etm.; kasdetmek; ima etm., içermek.
impolicy [im'polisi]. Kötü politika; tedbirsizlik.
impolite [impə'layt]. Nezaketsiz, terbiyesiz; kaba. **~ly**, nezaket/terbiyesizce. **~ness**, nezaket/terbiyesizlik.
impolitic [im'politik]. Tedbirsiz; uygunsuz; basiretsiz.
imponderab·ility [impondərə'biliti]. Ölçülemezlik. **~le** [-'pondərəbl], ölçülemez (şey); hesap edilemez (etmen vb.); tartıya gelmez.
import[1] ['impōt] *i.* Mana, anlam, meal; ehemmiyet, önem. [-'pōt] *f.* Delâlet etm., anlamı olm.; önemli olm.
import[2] ['impōt] *i.* Dışalım, dıştan alım, ithal; giriş. [-'pōt] *f.* İthal etm. **~ licence/permit**, ithalât lisans/müsaadesi: **~s**, ithalât. **~able**, ithal edilir. **~ability** [-tə'biliti], ithal edilebilme.
importan·ce [im'pōtəns]. Ehemmiyet, önem; nüfuz, itibar: **of ~**, mühim, önemli. **~t**, önemli, mühim; nüfuzlu; sözü geçer: **look ~**, önemli bir adam gibi görünmek/tavrı takınmak: **~ly**, önemle; tumturaklı bir şekilde.
import·ation [impō'teyşn]. İthal etme, içe satım, dış(tan) alım; giriş; ithal edilen şey. **~ed** [-'pōtid], ithal edilmiş; ithal+; giriş+. **~er**, ithalâtçı, dıştan alıcı, mal sokan. **~s**, ithalât, dışalım.
importun·ate [im'pōtyunit]. Israrla istiyen; taciz edici: **~ly**, ısrarla istiyerek. **~e** [-'tyūn], ısrarla talep etm.; sıkıştırmak. **~ity**, ısrar, ibram; tedirgin etme.
impose [im'pouz]. Üzerine koymak, vazetmek, yüklemek, tahmil etm.; tarhetmek; zorla yaptırmak, zorlamak. **~ (up)on**, aldatmak; hile ile inandırmak: **~ oneself (up)on**, takılmak, musallat olm.
imposing [im'pouzin(g)]. Heybetli, muhteşem; kellifelli. **~ly**, heybetli/muhteşem bir şekilde.
imposition [impə'zişn]. Yükletme; tarhetme; vazı; vergi; yük; insafsız yük/vergi vb.; tezvir, hile; öğrenciye ceza olarak verilen görev, yazı cezası.
impossib·ility [imposi'biliti]. İmkânsızlık; olanaksızlık; olamazlık; imkânsız şey: **this is a physical ~**, bu maddeten imkânsızdır. **~le** [-'posibl], imkânsız; olanaksız; mümkün değil; olamaz; muhal: **an ~ person**, çekilmez kimse: **if, to suppose the ~**, farzımuhal. **~ly**, imkânsızca; (*kon.*) çok; inanılamaz bir derecede.
impost[1] ['impost]. Vergi; mükellefiyet.
impost[2] (*mim.*) Kemer yatağı olan sütun başlığı.
impost·or [im'postə(r)]. Sahtekâr; düzme, yalancı (peygamber/padişah vb.). **~ure** [-çə(r)], sahtekârlık.
impot ['impot] (*arg.*) = IMPOSITION.
impoten·ce/~cy ['impətens(i)]. Kudretsizlik; iktidarsızlık; âcizlik; cinsî iktidarsızlık. **~t**, kudretsiz; âciz; (cinsî) iktidarsız: **render ~**, âciz bırakmak; çanına ot tıkamak: **~ly**, kudretsizce: **he stood ~ by**, hiç yardım edemedi.
impound [im'paund]. Sahipsiz bir hayvanı ağıla kapatmak; haczetmek, müsadere etm.; (suyu) set ile kapatmak.
impoverish [im'povəriş]. Fakirleştirmek; bereketini gidermek. **~ed** [-şt], fakir. **~ment**, fakirleştirme; fakir olma.
impracticab·ility [impraktikə'biliti]. Yapılamazlık. **~le** [-'praktikəbl], yapılamaz; icra edilemez; kullanılamaz; idaresi güç. **~ly**, yapılamaz vb. bir şekilde.
imprecat·e ['imprikeyt]. Lânet etm.; beddua etm. **~ion** [-'keyşn], lânet; beddua; küfür. **~ory**, lânet gibi.
impregnab·ility [impregnə'biliti]. Zaptedilemezlik. **~le**[1] [-'pregnəbl], zaptedilemez; dayanıklı, metin. **~ly**, zaptedilemez bir şekilde.
impregna·ble[2] [im'pregnəbl]. İçirilir. **~te** [-neyt], işba etm.; doldurmak; emdirmek, içirmek; aşılamak, döllemek. **~ted**, içirilmiş; emdirik: **~ paper**, eczalı kâğıt. **~tion** [-'neyşn], içirme, işba; aşılama; emdirme.
impresario [impre'sāriou]. Opera vb. kumpanyasının müdürü, impresaryo.
imprescriptable [imprə'skriptəbl]. Zaman aşımına uğramıyan; lağvedilemez.
impress[1] *i.* ['impres]. Damga; nişane. [-'pres] *f.* Basmak; üzerine iz bırakmak; fikrine sokmak; derin tesir bırakmak; dikkatini celbetmek; intıba bırakmak. **I was favourably ~ed by the youth**, genç

üzerimde iyi bir tesir bıraktı: **I was not ~ed**, hiç beğenmedim; üzerimde hiç bir tesir bırakmadı.

impress[2] [im'pres] (*tar.*) Zorla askere almak; el koymak; bir maksat için kullanmak.

impress·ible [im'presibl]. . . . üzerine iz/tesir/intıba kolayca bırakılır. **~ion** [-'preşn], intıba, izlenim; eser basma, tabı; etki, tesir; basılmış nüsha; damga/mühür vb. nişanı: **first ~**, ilk intıba; ilk baskı: **make a good/bad ~**, iyi/kötü etki bırakmak: **I am under the ~ that. . .**, bana öyle geliyor ki. . .: **~able**, kolay etkilenen, şıpsevdi: **~ism**, empresyonizm, izlenimcilik: **~ist**, empresyonist, izlenimci: **~istic**, izlenimciliğe ait. **~ive** [-siv], tesir edici, etkileyici; unutulmaz; muazzam: **~ly**, etkileyici bir şekilde: **~ness**, tesir, etki.

imprest ['imprest]. Devletten verilen avans. **~ account**, avans hesabı.

imprimatur [impri'meytə(r)] (*Lat.*) Özellikle dinî kitap hakkında:- basılma müsaadesi; tasvip, tasdik.

imprimis [im'prīmis] (*Lat.*) İlkönce.

imprint ['imprint] *i.* Marka, damga; (kitap hakkında) basan ve yayımlayanın adı ile basıldığı yer. [-'print] *f.* Marka/damga vb. basmak; zihnine (fikir vb.) sokmak; (izini) bırakmak.

imprison [im'prizn]. Hapsetmek. **~ment**, hapsetme; hapsedilme; kapatım: **a month's ~**, bir ay hapis.

improbab·ility [improbə'biliti]. Muhtemel olmayış; inanılmazlık. **~le**, muhtemel/olası olmıyan; inanılmıyacak şekilde olan. **~ly**, muhtemel olmıyarak.

improbity [im'proubiti]. Günahkârlık; namussuzluk.

impromptu [im'promtyū]. Hazırlıksız; irticalî; tuluat/doğaç olarak; irticalen, hazırlanmadan; irticalen söylenen şey; tuluat.

improp·er [im'propə(r)]. Yakışıksız; münasebetsiz; yersiz; açık saçık; doğru olmıyan, yanlış; (*mat.*) mürekkep: **~ly**, yersizce; açık saçık olarak. **~riety** [-'prayəti], yakışıksızlık; uygunsuzluk; adaba karşı olma; münasebetsizlik; yanlış kullanma.

improv·ability [imprūvə'biliti]. İyileştirilebilme. **~able** [-'prūvəbl], iyileştirilir. **~e** [-'prūv], iyileş(tir)mek, güzelleş(tir)mek; imar etm.; düzeltmek, düzenlemek, ıslah etm.; ıslaha yüz tutmak: **~ the occasion/shining hour**, ele geçirdiği fırsattan azamî yararlanmak: **~ (up)on stg.**, ek/değiştirme ile bir şeyi daha iyi hale koymak: **he ~s on acquaintance**, tanıdıkça insan onu o kadar fena bulmuyor: **~ on s.o.'s offer**, birinin teklif ettiğinden fazlasını vermek. **~ement** [-mənt], iyileş(tir)me, güzelleş(tir)me; düzeltme, salâh, ıslah; terakki; tekâmül; gelişme, ilerleme; imar işi; faydalı ek/değiştirme/tamir: **be an ~ on stg.**, bir şeyden/şeye nazaran daha iyi olm.: **open to ~**, ıslaha muhtaç, ıslahı kabil. **~er**, ıslah edici, ıslahatçı; çırak.

improviden·ce [im'providəns]. Basiretsizlik; ihtiyatsızlık; israf. **~t**, müsrif; (para hakkında) düşüncesiz; basiretsiz, tedbirsiz: **~ly**, basiretsizce; müsrif olarak.

improvis·ation [imprəvay'zeyşn]. İrtical, tuluat, doğaç; geçici tedbir. **~atory** [-'vayzətəri], irtical/tuluat olan. **~e** ['im-], irticalen söylemek, tuluat yapmak, doğaçlamak; hazırlık yapmadan geçici olarak bulmak; iğreti olarak kullanmak; yasak savma kabilinden yapmak.

impruden·ce [im'prūdəns]. Düşüncesizlik; ihtiyatsızlık, tedbirsizlik. **~t**, düşüncesiz, ihtiyatsız, tedbirsiz: **~ly**, düşüncesizce.

impuden·ce ['impyudəns]. Yüzsüzlük, arsızlık; saygısızlık. **~t**, arsız, yüzsüz; saygısız: **~ly**, arsızca, yüzsüzce.

impudicity [impyu'disiti]. Açıksaçıklık; müstehcen olma; hicapsızlık.

impugn [im'pyūn]. Hakkında şüphe beyan etm.; kabul etmemek.

impuissan·ce [im'puisəns]. Kudretsizlik, zayıflık. **~t**, kudretsiz, zayıf.

impuls·e ['impʌls]. Sevk, saika, itme; hız; ilca; şevk, düşünmeden yapılan anî hareket; (*biy.*) impuls; (*elek.*) anî tesir; fırlatma, savurma: **do stg. on ~**, bir şeyi hiç düşünmeden yapmak: **~-buyer**, malın fiyat/lüzumunu hiç düşünmeden ve görür görmez satın alan: **~-buying**, böyle satın alma. **~ion** [-'pʌlşən], itme, fırlatma, çarpma, sevk; şevk. **~ive** [-siv], atılgan; ilcaî, fevrî, düşünmeden derhal harekete geçen; savruk; coşkun; patavatsız: **~ force**, itici kuvvet, çarpma kuvveti: **~ly**, düşünmiyerek; coşkun olarak: **~ness**, düşünmiyerek hareket etme.

impunity [im'pyūniti]. Ceza ve mukabeleden muaf olma: **do stg. with ~**, netice/cezasını çekmeden yapmak.

impur·e [im'pyuə(r)]. Pis; iffetsiz; mağşus, mahlut, katışık: **~ly**, pis/katışık olarak. **~ity** [-riti], pislik; iffetsizlik; mahlutluk, katışıklık; katışkı.

imput·able [im'pyūtəbl]. İsnat/ittiham edilir. **~ation** [-'teyşn], isnat, ittiham, üstüne atma. **~e** [-'pyūt], isnat etm., ittiham etm., atfetmek, üstüne atmak, yüklemek.

IMun. E = INSTITUTION OF MUNICIPAL ENGINEERS.

in[1] [in] *e.* -de; içinde; -e; içine; . . . iken, -ken; esnasında; vaktinde, mevsiminde; üzere; durumunda, halinde. **~ black**, siyahlar giymiş, matemli: **~ a crowd**, kalabalık içinde, küme halinde: **~ dozens**, düzinelerce: **~ fact**, gerçek: **~ health**, sağlıkta: **~ honour of**, şerefine: **~ order that**, diye: **as far as ~ me lies**, elimden geldiği kadar: **~ three weeks**, üç haftaya kadar: **write ~ ink**, mürekkeple yazmak: **one ~ five**, beşte bir: **one ~ a hundred**, yüzde bir; mükemmel: **~ (pass)ing**, (geçer)ken. *Başka deyimler için, isim/sıfat/fiiline bakınız.*

in[2] *zf.* İçerde; içeriye; içinde, evde; iş başında; elinde, kazanmış. **be ~**, evde olm./bulunmak; modada olm.; mevsiminde olm.: **be ~ with s.o.**, ortağı olm.; sırlarını bilmek: **be well ~ with s.o.**, ahbabı olm.; birine sözü geçmek: **we are ~ for a storm**, muhakkak fırtına olacak: **we're ~ for trouble**, başımıza iş çıkacak: **we're ~ for it!**, (*kon.*) şimdi hapı yuttuk!: **is the fire still ~?**, ateş hâlâ yanıyor mu? (yoksa söndü mü?): **is the lady ~**, hanım evde mi?: **the sails are ~**, yelkenler indirilip içeri alınmış: **the ship is ~**, gemi limana girmiştir: **strawberries are ~**, çilek çıktı: **is the train ~ yet?**, tren geldi mi?

in[3] *i.* **~s**, seçimde kazanmış olan parti (üyeleri); gözde olanlar; (*sp.*) vurma sırası kendisinde olan takım: **~s and outs**, bir iş/meselenin bütün ayrıntı/

güçlükleri/girdisi çıktısı; bir yerin bütün köşeleri.
in[4] *s.* Dahilî, iç: ~-PATIENT: ~ **platform**, gelen trenlere mahsus peron: ~ **triangle**, daire içinde üçgen.
in[5] (*Lat.*) -de, içinde; -e, içine. ~ ***absentia***, gıyaben: ~ ***camera***, gizli olarak: ~***extremis***, ölmek üzere: ~ ***flagrante delicto***, suç üstünde: ~ ***loco parentis***, ebeveynin yerinde: ~ ***memoriam***, -in hatırasına: ~ ***re***, ... davası. ~ ***situ***, (aslı) yerinde. ~ ***toto***, tamamen.
in-[1] *ön. İsimle birleşip bir edat/zarf bir sıfat tamlaması teşkil eder*: ~**-city/-company, etc.**, şehirdeki/şirketin içindeki: ~**-language/-word, etc.**, modada olan deyim/kelime vb.
in-[2] *ön.* (i) *Olumsuzluk anlatır, mes.*: **soluble**, erilir: **insoluble**, erimez; (ii) *ithal anlatır, mes.*: **inject**, içeri sokmak. *Sadece olumsuzluk anlatan bu gibi kelimelerin çoğu sözlüğe alınmamıştır; bunların anlamlarını olumlu şekillerine bakarak çıkarmak kolaydır.* UN- *ile başlıyan şekillere de bakınız.*
In. (*kim.s.*) = INDIUM.
in. = INCH.
-in[1] *son. Kimyasal madde isimlerini teşkil eder* [INSULIN].
-in[2] *son. Fiille birleşip 'protesto' anlamlı bir isim teşkil eder* [SIT-IN; TEACH-IN, *etc.*].
INA = INSTITUTE OF NAVAL ARCHITECTS; INTERNATIONAL NORMAL ATMOSPHERE.
inability ['inəbiliti]. İktidarsızlık; kabiliyetsizlik; istidatsızlık; yeteneksizlik; yetersizlik.
inaccessib·ility [inaksesi'biliti]. Varılamazlık. ~**le** [-'sesibl], varılamaz, erişilemez; sapa; yanına girilemez; sokulamaz. ~**ly**, varılamaz bir şekilde.
inaccura·cy [in'akyurəsi]. Doğru olmama; yanlışlık. ~**te**, sahih olmıyan, yanlış: ~**ly**, yanlış olarak.
inaction [in'akşn]. Hareketsizlik, faaliyetsizlik, etkisizlik; atalet.
inactiv·e [in'aktiv]. Faaliyet göstermiyen; etkisiz; hareketsiz; atıl. ~**ity** [-'tiviti], faaliyetsizlik, etkisizlik, hareketsizlik; atalet: **masterly** ~, basiretli hareketsizlik.
inadequa·cy [in'adikwəsi]. Kifayetsizlik; yetersizlik; elverişli olmayış. ~**te**, kâfi olmıyan; yetersiz; elverişsiz.
inadmissib·ility [inədmisi'biliti]. Kabul edilemezlik, dinlenmeme. ~**le** [-'misibl], kabul edilemez, dinlenemez.
inadverten·ce/~**cy** [inəd'vətəns(i)]. Dikkatsizlik. ~**t**, gayri ihtiyarî, tesadüfî; dikkatsiz: ~**ly**, istemiyerek; dikkatsizce, kazaen.
inadvisable [inəd'vayzəbl]. Uygun/makul olmıyan; pek iyi değil.
inalienable [in'eyliənəbl]. Terk ettirilemez; sahibinin tasarrufundan çıkamaz; verilemez; satılamaz.
inalterable [in'ōltərəbl]. Değiştirilemez.
inamorat·a [inamə'rātə] (*İt.*) (*diş.*) Âşık. ~**o** [-tou] (*er.*) âşık.
in-and-out ['inən(d)aut]. Giriş-çıkış.
inane [in'eyn]. Akılsız; manasız, anlamsız; boş, beyhude. ~**ly**, akılsızca.
inanimat·e [in'animit]. Cansız: ~**ly**, cansız bir şekilde. ~**ion** [-'meyşn], cansızlık.
inanition [inə'nişn]. Gıdasızlık; boşluk.
inanity [in'aniti]. Akılsızlık, ahmaklık; beyhudelik.
inappellable [inə'peləbl]. Temyiz edilemez.
inapplicable [inə'plıkəbl]. Tatbik edilmez; maksada aykırı.
inapposite [in'apəzit]. Uygun olmıyan.
inappreciable [inə'prīşəbl]. Sezilemez, hissedilmez; değersiz; takdir edilemez.
inappropriate [inə'proupriət]. Maksada aykırı; uygun olmıyan.
inapt [in'apt]. İstidatsız, maharetsiz; uygun olmıyan; yersiz. ~**ly**, uygun olmıyarak.
inarticulate [inā'tikyulit]. Sözsüz, söz söylemez; gayri natık; telaffuz edilmiyen; mafsalsız. ~**ly**, sözsüzce.
inartistic [inā'tistik]. Sanat prensiplerine aykırı; zevksiz. ~**ally** [-kəli], zevksizce.
inasmuch [inaz'mʌç]. ~ **as**, mademki; ... binaen; -e göre.
inattent·ion [inə'tenşn]. Dikkatsizlik. ~**ive**, dikkatsiz: ~**ly**, dikkatsizce.
inaudib·ility [inōdi'biliti]. İşitilemezlik. ~**le** [-'ōdibl], işitilemez. ~**ly**, işitilemez olarak.
inaugura·l [in'ōgyurəl]. Küşat/açılış törenine ait. ~**te**, açılış törenini yapmak; başlamak. ~**tion** [-'reyşn], küşat/açılış töreni; başlangıç.
inauspicious [inōs'pişəs]. Uğursuz; meşum; aksi. ~**ly**, uğursuzca.
inboard ['inbōd]. Geminin içine doğru; gemi içinde, gemide, alabanda.
inborn ['inbōn]. Fıtrî; meftur; cibillî; doğuştan.
inbr·ed ['inbred]. Fıtrî; tabiî; cibillî; aile içinde/içerden evlenme mahsulü. ~**eeding** [-'brīdin(g)], aynı soydan olan hayvanlardan yetiştirme.
***Inc.** = INCORPORATED.
incalculabl·e [in'kalkyuləbl]. Hesap edilemez; hadsiz hesapsız: **his temper is** ~, huyu hiç belli olmaz; dakikası dakikasına uymaz. ~**y**, hesap edilemez bir şekilde.
incandesce [inkan'des]. Hararetle beyazlaşmak; akkor haline getirmek. ~**nce** [-səns], beyaz hararet; nârıbeyza; akkorluk. ~**nt**, beyaz hararette olan; akkor: ~ **lamp**, akkorlu/parlak yanar lamba.
incantation [inkan'teyşn]. Sihirli sözler; büyü, afsun.
incapab·ility [inkeypə'biliti]. İktidarsızlık; değersizlik. ~**le** [-'keypəbl], iktidarsız, güçsüz, kabiliyetsiz; muktedir olmıyan; değersiz: ~ **of proof**, ispat edilemez: ~ **of appreciating**, takdirden âciz. ~**ly**, güçsüz bir şekilde.
incapacit·ate [inkə'pasiteyt]. İktidardan mahrum etm.; âciz bırakmak: **his injury** ~**d him from working**, aldığı yara çalışma imkânından mahrum etti. ~**y**, iktidarsızlık, kabiliyetsizlik; yetersizlik, ehliyetsizlik; değersizlik; (*mal.*) işgöremezlik.
incarcerat·e [in'kāsəreyt]. Hapsetmek. ~**ion** [-'reyşn], hapsed(il)me.
incarnadine [in'kānədayn]. Ten renkli; (*şim.gen.*) kan renkli (yapmak).
incarnat·e [in'kānit] *s.* Mücessem; beşer şeklinde olan. *f.* Tecessüm ettirmek. **a devil** ~, insan şeklinde şeytan; şeytanın ta kendisi. ~**ion**, canlı timsal; İsa'nın insan şeklinde tecessümü.
incautious [in'kōşəs]. Gafil; düşüncesiz, tedbirsiz; dikkatsiz. ~**ly**, gafil olarak.
incendiar·ism [in'sendyərizm]. Kundakçılık. ~**y**,

kundakçı, yangın çıkarıcı: ~ **bomb**, yangın bombası.
incense[1] ['insens] *i.* Tütsü; buhur; günlük. ~ **boat**, buhurdan.
incense[2] [in'sens] *f.* Öfkelendirmek. ~**d**, öfkelenmiş.
incentive [in'sentiv]. Saik; teşvik/tahrik edici şey.
incepti·on [in'sepşn]. Başlangıç. ~**ve**, başlıyan.
incertitude [in'sətityūd]. Kararsızlık, tereddüt; şüpheli olma; değişiklik.
incessant [in'sesənt]. Fasılasız, ardı arası kesilmez; hiç durmaz. ~**ly**, hiç durmadan.
incest ['insest]. Yakın akraba arasında cinsî münasebet. ~**uous** [-'sestyuəs], bu gibi münasebete ait.
inch[1] [inç] *i.* İnç/pus = 25,4 mm.; parmak; zerre. *f.* Yavaş yavaş hareket etm. ~ **by** ~, karış karış: **die by** ~**es**, yavaş yavaş ölmek: **escape by** ~**es**, pek dar kurtulmak; -e kıl kalmak: **he knows every** ~ **of the neighbourhood**, buraları avucunun içi gibi bilir: **flog s.o. within an** ~ **of his life**, birinin dayaktan canını çıkarmak: **every** ~ **a soldier**, iliklerine kadar asker: **a man of your** ~**es**, siz boyda bir adam: **not to yield an** ~, bir karış gerilememek.
inch[2] (*İsk.*) Adacık.
inchoate ['inkoeyt] *s.* Yeni başlamış, daha gelişmemiş; iptidaî. *f.* Başlamak.
incidence ['insidəns]. Şümul, kapsam; etki, tesir, isabet; vürut; çarpma; netice, sonuç; (*mat.*) hücum; (*hav.*) hücum (açısı). **the** ~ **of a disease**, bir hastalığa tutulanların sayısı.
incident ['insidənt] *i.* Hadise; (önemsiz) olay. *s.* Ait, varit, bağlı; vukuu memul; sakıt; (*fiz.*) düşen, çarpan, değen. ~**al** [-'dentl], arızî; tesadüfî; ihtiyarî; bağlı, ayrılmaz: ~ **expenses**, kaçınımlı/ufak tefek giderler: ~**s**, ufak tefek/önemsiz şeyler. ~**ally**, arızî olarak, tesadüfen, istitraden, sırası gelmişken.
incinerat·e [in'sinəreyt]. Yakıp kül etm., yakmak. ~**or**, yakma/çöp fırını.
incipien·ce/~**cy** [in'sipiəns(i)]. Başlangıç. ~**t**, henüz başlamakta olan; türemekte olan; başlangıç + : ~**ly**, başlangıç olarak.
incipit ['insipit] (*Lat.*) (Kitap) 'burada başlıyor'.
incis·e [in'sayz]. Deşmek; oymak, hâkketmek. ~**ion** [in'sijn], yarma, deşme; bıçak ile açılmış yer. ~**ive** [-'saysiv], keskin; nafiz. ~**or**, kesici/ön diş.
incit·ation [insay'teyşn]. Teşvik, tahrik. ~**e** [-'sayt], teşvik/tahrik etm., kışkırtmak: ~**ment**, teşvik, tahrik, kışkırtma.
incivility [insi'viliti]. Kabalık, nezaketsizlik.
incl. = INCLU·DING/-SIVE.
in-clearing ['inkliərin(g)]. Takas/sayışım odasından gelen çeklere karşı banka tarafından ödenen toplam.
inclemen·cy [in'klemənsi]. (Hava) sertlik, fırtınalı olma. ~**t**, sert, fırtınalı; (*mec.*) merhametsiz.
inclin·able [in'klaynəbl]. İstekli (görünen); müsait; razı olan. ~**ation** [-kli'neyşn], meyil, eğiklik, eğilme, inhiraf; temayül; istek. ~**e** ['inklayn] *i.* meyil, mail satıh; çıkış; bayır, yokuş: [-'klayn] *f.* meylet(tir)mek; eğ(il)mek; yat(ır)mak; temayül et(tir)mek; müsait olm., müstait olm.; çalmak. ~**ed**, mütemayil; mail; yatkın, eğik; müsait, müstait: **be** ~ **(to do stg.)**, canı istemek; temayül etm.; huyu olm.: **feel** ~ **(to do stg.)**, canı istemek: **not to feel** ~, cani istememek, yanaşmamak: **he is** ~ **that way**, onun huyu böyledir: ~ **plane**, mail satıh. ~**ometer** [-kli'nomıtə(r)], meyil ölçeği.
inclose, *etc.* = ENCLOSE.
inclu·de [in'klūd]. Şamil olm., kapsamak, dahil etm.; ihtiva etm.; şümulü olm.: **there were ten persons** ~**ing the servants**, hizmetçilerle beraber on kişi vardı: **up to and** ~**ing Dec. 31st**, 31 aralığa kadar (31 aralık dahil): ~**d**, içinde, dahil. ~**sion** [-'klūjn], dahil etme; dahil bulunma; şümul, kapsam. ~**sive** [-siv], dahil; şümulü olan: ~ **terms**, her şey dahil olarak ücret: ~**ness**, dahil etme/bulunma.
incog [in'kog] (*kon.*) = ~**nito** [-nitou] *zf.* kendini tanıtmıyarak; takma adla: *i.* takma ad. ~**nizant** [-nizənt], tanımıyan; haberi olmıyan.
incoheren·ce/~**cy** [inkou'hiərəns(i)]. Rabıtasızlık; bağdaşmazlık. ~**t**, rabıtasız; anlamsız, abuksabuk; bağdaşmaz: ~**ly**, anlamsızca.
incombustible [inkəm'bʌstibl]. Yanmaz, yakılamaz; iştial etmez.
income ['inkʌm]. Gelir, irat; kâr; kazanç; varidat; içeri gelme: **gross** ~, gayrisafi/katkılı gelir: **net** ~, safi/katkısız gelir: **private** ~, şahsî/kişisel gelir. ~**-tax**, gelir vergisi: **negative** ~, az gelirine göre vergisinin yerine yoksullara verilen tahsis.
incom·er ['inkʌmə(r)]. Giren; yeni gelen. ~**ing**, giren; girme: **the** ~ **tenant**, yeni kiracı: ~**s**, varidat, kazanç, gelir.
incommensura·ble [inkə'menşurəbl]. Ölçülemez; nispet/oransız. ~**te**, nispet/oransız; kusurlu, eksik.
incommod·e [inkə'moud]. Rahatsız etm.; zahmet vermek; vücudun serbest hareketine engel olm. ~**ious**, dar, ferah olmıyan; kullanışlı olmıyan; zahmet verici.
incommunica·ble [inkə'myūnıkəbl]. Paylaşılamaz; söylenilemez. ~**do** [-'kādou], **be held** ~, (mahpus) tek başına hapsedilmek. ~**tive** [-kətiv], ketum, konuşkan olmıyan.
incomparable [in'kompərəbl]. Eşsiz, kıyas kabul etmez; mükemmel.
incompatib·ility [inkəmpati'biliti]. Uyuşamazlık. ~**le** [-'patibl], telif edilmez; birbirine uymaz; uyuşamaz.
incompeten·ce/~**cy** [in'kompitəns(i)]. Beceriksizlik vb. ~**t**, beceriksiz, kabiliyetsiz; salâhiyetsiz; yetersiz, yetkisiz: ~**ly**, beceriksizce vb.
incomplete [inkəm'plīt]. Tamam değil; eksik; kusurlu; yarı. ~**ly**, tamam olmıyarak. ~**ness**, eksiklik.
incomprehens·ibility [inkomprihensi'biliti]. Anlaşılamazlık. ~**ible** [-'hensibl], anlaşılamaz; akıl ermez; (*mer.*) sınırsız, sonsuz. ~**ibly**, anlaşılamaz bir şekilde. ~**ion** [-'henşən], idrak eksikliği.
incompressib·ility [inkompresi'biliti]. Sıkıştırılamazlık. ~**le** [-'presibl], sıkıştırılamaz; sert; direngen, muannit.
incomputable [inkəm'pyūtəbl]. Hesap edilemez.
inconceivabl·e [inkən'sīvəbl]. Tasavvur olunamaz; hatıra gelmez; hayret verici; anlaşılamaz; inanılamaz. ~**y**, tasavvur olunamaz bir şekilde.
inconclusive [inkən'klūsiv]. Neticesiz; kan-

dırmıyan; sonuçsuz; ikna etmiyen: **the evidence was ~**, delil yeterli/inandırıcı değildi. **~ly**, sonuçsuz olarak. **~ness**, neticesizlik; yeterli olmama.

incondensable [inkən'densəbl]. Teksif edilemez; hulâsa edilemez.

incongru·ous [in'kon(g)gruəs]. Birbirine uymaz; gayri mütecanis; mutabık olmıyan; yersiz; 'altı kaval üstü şişane': **~ly**, birbirine uymıyarak. **~ity** [-'grūiti], birbirine uymazlık.

inconsequen·ce [in'konsikwəns]. Mantıksızlık; birbirini tutmayış. **~t**, mantıksız; sadet dışı; mutabık olmıyan; tutarsız, insicamsız: **~ial** [-'kwenşl], mantıksız; insicamsız. **~(ial)ly**, mantıksız/insicamsız olarak; sadet dışı olarak.

inconsiderable [inkən'sidərəbl]. Hatırı sayılmaz; önemsiz; ufak; az.

inconsiderate [inkən'sidərit]. Saygısız; düşüncesiz; aceleci. **~ly**, saygısızca; düşüncesizce. **~ness**, saygısızlık vb.

inconsisten·cy [inkən'sistənsi]. Telif edilemeyiş; uymayış, mübayenet, kararsızlık. **~t**, telif edilemez, uymaz, mübayin; kararsız: **~ with**, -e uymıyan: **~ly**, telif edilmiyerek; kararsızca.

inconsolabl·e [inkən'soulәbl]. Teselli kabul etmez. **~y**, böyle bir şekilde.

inconsonan·ce [in'konsənəns]. Uymazlık; ahenksizlik. **~t**, uymaz; ahenksiz.

inconspicuous [inkən'spikyuəs]. Göze çarpmaz; kolayca fark edilemez; önemsiz. **~ly**, göze çarpmıyarak. **~ness**, göze çarpmayış.

inconstan·cy [in'konstənsi]. Sebatsızlık; değişken olma. **~t**, sebatsız; değişken; güvenilmez: **~ly**, sebatsızca.

inconsumable [inkən'syūməbl]. Telef edilmez, yakıp kül edilmez; sarf edilmez.

incontestabl·e [inkən'testəbl]. Su götürmez; itiraz kabul etmez. **~y**, itiraz kabul etmez bir şekilde.

incontinen·ce/~cy [in'kontinəns(i)]. İffetsizlik; sidiğini tutamazlık. **~t**, imsaksız; nefsini zaptedemez; kendini tutamaz; boşboğaz; iffetsiz; sidikli: **~ly**, böyle olarak; (*mer.*) hemen, derhal.

incontrovertible [inkontrə'vātəbl]. Muhakkak; inkâr ve cerh edilemez.

inconvenien·ce [inkən'vīnyəns]. *i.* Zahmet, rahatsızlık; tasdi; mahzur; güçlük. *f.* Zahmet vermek, rahatsız etm.; güçlük vermek. **~t**, zahmet verici; mahzurlu; vakitsiz; uygun olmıyan; rahatsız: **~ly**, vakitsizce; uygun olmıyarak.

incorporat·e [in'kōpəreyt]. Birleş(tir)mek; tevhit etm., bir cisim teşkil etm.; kapsamak; (*mal.*) şirket teşkil etm. **~e(d)**, *s.* birleşik: **~ company**, anonim şirket/ortaklık. **~ing**, birleş(tir)en; kapsayan. **~ion** [-'reyşn], birleştirme; teşkil etme, kuruluş; dahil edilme, kapsama.

incorporeal [inkō'pōriəl]. Cisimsiz; cismanî/maddî olmıyan.

incorrect [inkə'rekt]. Yanlış, doğru olmıyan; tashih olunmamış; yakışıksız. **~ly**, yanlış vb. olarak. **~ness**, yanlışlık vb.

incorrigib·ility [inkorici'biliti]. Islah kabul etmezlik. **~le** [-'koricibl], ıslah kabul etmez, yola getirilemez, düzelmez, uslanmaz. **~ly**, böyle olarak.

incorruptib·ility [inkərʌptə'biliti]. Rüşvet kabul etmezlik; çürümezlik. **~le** [-'rʌptəbl], rüşvet kabul etmez; irtikâp etmez; dürüst; bozulmaz, çürümez. **~ly**, böyle olarak.

increas·e ['inkrīs] *i.* Art(ır)ma; artırım, zam; çoğalma, yükseliş. [-'krīs] *f.* Art(ır)mak; çoğal(t)mak; büyü(t)mek; yüksel(t)mek; ziyadeleş(tir)mek: **be on the ~**, artmakta olm. **~ing**, artan vb.: **~ly**, gittikçe artarak.

incred·ibility [inkredi'biliti]. İnanılmazlık. **~ible** [-'kredibl], inanılmaz; akıl almaz; (*kon.*) fevkalâde, olağanüstü. **~ibly**, inanılmaz bir şekilde. **~ulity** [-kri'dyūliti], inanmazlık. **~ulous** [-'kredyuləs], inanmaz; güç inanır; şüphe eder: **~ly**, inanmıyarak.

increment ['inkrimənt]. Artma, artış; zam. **unearned ~**, şerefiye. **~al**, artan.

incriminat·e [in'krimineyt]. Kabahatli saydırmak; suçlu çıkarmak; suçlu göstermek; isnat etm. **~ing**, suçlu gösteren. **~ion** [-'neyşn], suç isnadı. **~ory** [-'neytəri], isnat edici.

incrustation [inkrʌs'teyşn]. Taşlama, kabuk bağlama; teşekkül edilen kabuk/tabaka; kazanlarda kireç milhinden hâsıl olan tortu.

incubat·e ['inkyubeyt]. (Yumurtaları) kuluçkaya yatırmak; civciv çıkarmak. **~ion** [-'beyşn], kuluçkaya yatma; kuluçka devresi. **~or**, kuluçka makinesi, kuvöz; (*tıp.*) vaktinden önce/zayıf doğmuş bebeklere mahsus büyütme cihazı; bakterileri yetiştirme cihazı.

incubus ['inkyubəs]. Kâbus; müziç ve sıkıntılı insan; ağır yük.

inculcate ['inkʌlkeyt). (Bir şeyi) tekrar ede ede birinin kafasına yerleştirmek; aşılamak.

inculpate ['inkʌlpeyt]. Suçlu göstermek; kabahatli saydırmak.

incumben·cy [ın'kʌmbənsi]. Bir mevkii ve *bilh.* rahiplik mevkiini işgal etme ve bu görevin süresi. **~t**, *s.* vacip; -in üzerine düşen: *i.* belirli bir mevki ve *bilh.* bir mahalle papazlığının mevkiini tutan kimse.

incunabula [inkyū'nabyulə] *ç.* Başlangıç; *bilh.* 1500'dan önce basılmış kitaplar.

incur [in'kā(r)]. Uğramak, maruz olm.; başına getirmek. **~ expense**, masrafa girmek.

incurab·ility [inkyuərə'biliti]. Şifa bulmazlık; çaresizlik. **~le** [-'kyuərəbl], şifa bulmaz, tedavi edilemez; çaresiz; ıslah kabul etmez; geçmez. **~ly**, şifa bulmaz bir şekilde.

incuri·osity [inkyuəri'ositi]. Merak etmezlik. **~ous** [-'kyuəriəs], merak etmez; kayıtsız: **~ly**, merak etmiyerek.

incurs·ion [in'kāşn]. Akın, istilâ; ansızın giriş. **~ive** [-siv], akın eden.

incurv·ation [inkā'veyşn]. İçine eğrilme. **~e** [-'kəv], içine eğril(t)mek: **~d**, içine eğrilmiş.

incus ['inkəs]. (Kulak) örs kemiği.

incuse [in'kyūz]. (Para) damgalama(k).

Ind. = INDEPENDENT; INDIA(N); INDIANA; INDIES.

ind. = INDICATIVE; INDIRECT; INDUSTRIAL.

indebted [in'detid]. Medyun, borçlu; minnettar. **~ness**, borçlu olma.

indecen·cy [in'dīsənsi]. Açıksaçıklık, hayasızlık, edebe aykırılık. **~t**, açık saçık, hayasız, edebe aykırı; çirkin; (*hük.*) toplum töresine karşı (işlenen suç): **~ly**, böyle olarak.

indecipherable [indi'sayfrəbl]. Okunmaz; halledilmez.

indecis·ion [indi'sijn]. Kararsızlık, tereddüt. ~**ive** [-'saysiv], kesin olmıyan; meşkûk; kararsız: ~**ly**, kesin olmıyarak: ~**ness**, kararsızlık; kesin olmama.

indeclinable [indi'klaynəbl]. (*dil.*) Tasrif edilmiyen; çekilemiyen.

indecor·ous [in'dekərəs]. Adabımuaşeret/toplum töresine karşı; yakışmaz; görgü kurallarına uymaz. ~**um** [-di'kōrəm], yakışmaz hareket; edebe aykırı davranış.

indeed [in'dīd]. *ünl.* Hakikaten; çok. ~!, ya!, öyle mi?; Allah Allah!

indefatigab·ility [indifatigə'biliti]. Yorulmazlık. ~**le** [-'fatigəbl], yorulmak bilmez. ~**ly**, yorulmadan.

indefeasible [indi'fīzəbl]. Lağvedilemez; izale edilemez.

indefectible [indi'fektibl]. Çürümez; kusursuz.

indefensible [indi'fensəbl]. Müdafaa edilemez; mazur görülemez.

indefinabl·e [indi'faynəbl]. Müphem; tarifi mümkün olmıyan. ~**ly**, tarif edilemez/duyulamaz bir şekilde.

indefinite [in'definit]. Belirli olmıyan; gayri muayyen; sayısız; belirsiz, müphem; vuzuhsuz: (*dil.*) **past** ~, belirsiz geçmiş zaman: ~ **article**, belgisiz sıfat, bir: ~ **pronoun**, belgisiz adıl/zamir. ~**ly**, süresiz olarak. ~**ness**, belirsizlik; sayısızlık; süresizlik; vb.

indehiscent [indi'hisənt] (*bot.*) Açılmaz.

indelib·ility [indeli'biliti]. Silinmezlik; sabitlik. ~**le** [-'delibl], silinmez; sabit: ~ **ink**, sabit mürekkep: ~ **pencil**, kopya kalemi. ~**ly**, silinmez bir şekilde.

indelica·cy [in'delikəsi]. Nezaketsizlik; kabalık. ~**te**, nezaketsiz, kaba; biraz açık: ~**ly**, nezaketsizce.

indemni·fication [indemnifi'keyşn]. Tazmin etme; taviz. ~**fy** [-'demnifay], tazmin etm. ~**ty** [-niti], tazmin olarak ödenmiş tutar; tazminat, ödence, ödenek, karşılama.

indent[1] [in'dent] *i.* Levazım vb.den eşya istemek için tezkere. *f.* Asker vb.ne lâzım olan bir şeyi resmen istemek: ~ **on s.o. for stg.**, birisinden bir şeyi resmen istemek.

indent[2] *f.* Diş diş kesmek; kör bir şey ile vurup çukur etm. *i.* Çukur, girinti, çentik; (*bas.*) satır yan/başı boşluğu. ~**ation** [-'teyşn], çukur, çentik. ~**ed**, dişli.

indenture [in'dençə(r)] *i.* Resmî senet. *f.* Birini ve *bilh.* bir çırağı birinin hizmetine resmî mukavele ile bağlamak. ~**s**, hizmet sözleşmesi.

independen·ce [indi'pendəns]. İstiklâl; bağımsızlık; müstakil mizaç; kimseye muhtaç olmamak için yeterli gelir. ~**t**, müstakil, bağımsız; serazat; kendi başına olan; hür; kimseye muhtaç olmıyan; müstağni: ~**ly**, bağımsız olarak.

in-depth [in'depθ]. Şamil, kapsayan; tam, bütün bütün.

indescribabl·e [indis'kraybəbl]. Tarifi imkânsız; anlatılmaz; kaleme gelmez. ~**y**, anlatılmaz bir şekilde; (*kon.*) çok, fevkalâde.

indestructib·ility [indistrʌkti'biliti]. Yıkılmazlık. ~**le** [-'strʌktibl], tahribi imkânsız; yıkılmaz. ~**ly**, yıkılmaz bir şekilde.

indetermin·able [indi'təminəbl]. Tespit edilemez. ~**ate** [-nit], belli olmıyan; belirsiz: ~**ly**, belirsizce: ~**ness**, belirsizlik. ~**ation** [-'neyşn], belirsizlik; kararsızlık. ~**ism**, insan hareketinin dış etkilerden bağımsız olduğu kuramı.

index, *ç.* ~**es** ['indeks, -iz] *i.* Fihrist, dizin, cetvel; (*mal.*) indeks, değişim çizelgesi; belirteç, ibre, müşir, mastara, gösterge, ölçek: *ç.* **indices** [-disīz], rakam, emsal, üs. *f.* İndeks/fihrist düzenlemek; (*müh.*) ayarlamak; (*mal.*) (ücretler vb.) fiyat/maliyet değişimlerine göre ayarlamak. ~**ation**/~**-linking**, (*mal.*) değişimlerine göre böyle ayarla(n)ma. ~**-card**, fiş. ~**er**, fihrist/indeks düzenliyen kimse. ~**(-finger)**, işaret parmağı. ~**-letter**, başharf.

India ['indyə]. Hint; Hindistan. ~**man**, Hint ile İng. arasında sefer yapan gemi. ~**n** [-diən] *i.* Hintli, Hindistanlı: *s.* Hint/Hindistan+: **(Red)** ~, K.Am. yerlisi, Kızılderili: ~**-berry**, balıkotu: ~**-club**, lobut: ~**-corn**, mısır: ~**-file**, tekli dizi, Hint ipliği: ~**-ink**, çini mürekkebi: ~**ize** [-nayz], Hintleştirmek: ~**-Ocean**, Hint Okyanusu: *~**-reservation**, Kızılderililere mahsus bölge: ~**-summer**, pastırma yazı. †~**-Office**, (*tar.*) Hindistan İşleri Bakanlığı. ~**-paper**, ince ve kuvvetli kâğıt. ~**-rubber**, (goma-)lastik.

indicat·e ['indikeyt]. Göstermek; işaret etm.; belirtmek; delâlet etm. ~**ed**, (*müh.*) gösterilen, teorik, işarî. ~**ion** [-'keyşn], alâmet; emare; belirti; delâlet; işar. ~**ive** [-'dikətiv] (*dil.*) basit zaman/ihbar çekimi, bildirme kipi: ~ **of**, -e delâlet eden, gösteren. ~**or** [-'keytə(r)], müşir, ibre; indikatör; (basınç/hız vb.) saat, gösterge(ç), belirteç: ~**y**, gösteren.

indic·es ['indisīz] *ç.* = INDEX. ~**ium** [-'disiəm], işaret, delil, emare.

indict [in'dayt]. İttiham etm.; aleyhine dava açmak; mahkemeye vermek. ~**able**, aleyhine dava açılabilir; ağır cezaya ait: ~ **offence**, ağır (cezayı gerektiren) suç, cürüm. ~**ment**, ittihamname; iddianame; yakınma (belgisi), şikâyet(name); mahkemeye verme.

Indies ['indiz] (*tar.*) Hindistan ile bitişik bölgeler. **East/West** ~, Doğu/Batı Hint (Adaları).

indifferen·ce [in'difərəns]. Kayıtsızlık, fütursuzluk; istiğna; umurunda olmayış; ilgisizlik; tarafsızlık; alelâdelik. ~**t**, kayıtsız, fütursuz; umursamaz; müstağni, ilgisiz; tarafsız; iyi olmıyan; alelâde: ~**ly**, kayıtsız vb. bir şekilde; iyi olmıyarak; tarafsızca.

indigen·ce ['indicəns]. Fakirlik, yoksulluk; fakrühal. ~**t**, fakir, yoksul.

indigenous [in'dicənəs]. Yerli; memlekette yetişen; başlangıçtan bulunan.

indigest·ed [indi'cestid]. Hazmedilmemiş; kaba; karmakarışık, düzensiz. ~**ible** [-tibl], hazmı güç, hazmolunmaz. ~**ion** [-çən], hazımsızlık; dispepsi. ~**ive**, hazma ait.

indigna·nt [in'dignənt]. Haklı olarak infial duyan; dargın; protesto eden: **be** ~ **at stg./with s.o.**, bir şey/kimseye kızmak: ~**ly**, infial duyarak; protesto ederek; öfkeyle. ~**tion** [-'neyşn], haksız davranıştan doğan his; infial: ~**-meeting**, protesto mitingi.

Aranan kelime bu sayfada bulunmazsa, ilk olarak* IN- *notlarına bakınız.

indignity [in'digniti]. Birinin izzetinefsini yaralıyan hareket; hakaret, rezalet.
indigo ['indigou]. Çivit. ~ **blue**, çivit mavisi, lâcivert.
indirect [indi'rekt, -day'rekt]. Vasıtalı; dolaylı, endirekt; araçla yapılan; doğrudan doğruya olmıyan; dolaşık: ~ **object**, (*dil.*) -e hali: ~ **speech**, (*dil.*) nakledilen söz ('bilmem' dedi yerine 'bilmediğini söyledi' gibi): ~ **taxes**, dolaylı vergiler. ~**ly**, dolaylı/dolaşık vb. olarak. ~**ness**, dolaylılık.
indiscernible [indi'sənibl]. Fark edilemez; görülemez.
indiscipline [in'disiplin]. Zapturaptı olmama; itaatsizlik; inzibat/disiplinsizlik.
indiscreet [indis'krīt]. Boşboğaz; patavatsız; ağzında bakla ıslanmaz; düşüncesiz, tedbirsiz: ~**ly**, boşboğaz/düşüncesiz olarak.
indiscrete [indis'krīt]. Belirli parçalara taksim edilmemiş; homojen.
indiscretion [indis'kreşn]. Boşboğazlık; patavatsızlık; münasebetsizlik; düşüncesiz hareket; pot kırma.
indiscriminat·e [indis'kriminit]. Fark gözetmeden yapılmış vb.; rasgele; körükörüne: ~**ly**, rastgelerek; tefrik etmiyerek. ~**ion** [-'neyşn], rasgele olma.
indispensable [indis'pensəbl]. Elzem, zarurî; onsuz olmaz; vazgeçilmez.
indispos·e [indis'pouz]. Soğutmak; istek bırakmamak, arzusunu kırmak; keyfini bozmak. ~**ed**, keyifsiz, rahatsız; isteksiz. ~**ition** [indispə'zişn], keyifsizlik; isteksizlik.
indisputabl·e [in'dispyūtəbl]. Su götürmez; muhakkak. ~**y**, muhakkak olarak.
indissolubl·e [indi'solyubl]. Erimez; ayrılmaz, sabit; yıkılmaz; daimî. ~**y**, ayrılmaz bir şekilde; daimî olarak.
indistinct [indis'tin(g)kt]. Kolayca seçilemez, hayal meyal; belli belirsiz. ~**ive**, tefrik edilmez. ~**ly**, belirsiz olarak. ~**ness**, belirsizlik.
indistinguishabl·e [indis'tin(g)gwişəbl]. Ayırt edilemez. ~**y**, ayırt edilemez bir şekilde.
indite [in'dayt] (*mer.*/*şiir.*) Kaleme almak; söyleyip yazdırmak.
indium [indiəm]. İndiyum.
individual [indi'vidyuəl] *s.* Ferde mensup, bireysel, kişisel, ferdî; hususî; şahsî; tek. *i.* Fert, birey, adam. ~**ism**, bireycilik, ferdiyet. ~**ist**, bireyci, ferdiyetçi. ~**ity** [-'aliti], şahsiyet; hususiyet; ferdiyet. ~**ly** [-yuəli], ferdî/tek olarak; şahsen.
indivisib·ility [indivizi'biliti]. Taksim edilmezlik. ~**le** [-'viz-] *s.* taksim edilmez: *i.* en ufak parça/miktar. ~**ly**, taksim edilmiyerek.
Indo- ['indou-] *ön.* Hint-. ~-**Aryan**, Ari dilini konuşan Hintli. ~-**Chin·a** [-'çaynə], Hindiçini: ~**ese** [-'nīz], Hindiçini halk/dili.
indocil·e [in'dousayl]. İnatçı; alıştırılmaz. ~**ity** [-'siliti], inatçılık.
indoctrinat·e [in'doktrineyt]. Öğretmek; telkin etm.; (*köt.*) herhangi bir politikayı zorla kabul ettirmek. ~**ion** [-'neyşn], öğret(il)me; bir politikayı zorla kabul ettir(il)me.
Indo·-European / **-Germanic** / **-Iranian** [indouyuərə'piən, -cə'manik, -i'reyniən]. Ari dillerine ait.
indolen·ce ['indələns]. Tembellik, haylazlık. ~**t**, tembel, haylaz, gevşek: ~**ly**, tembel/haylaz olarak.
indomitable [in'domitəbl]. Yılmaz, yenilmez; boyun eğmez.
Indonesia [indou'nīziə]. Endonezya. ~**n**, *i.* Endonezyalı; *s.* Endonezya+.
indoor ['indō(r)]. Ev içinde olan/yapılan; (*sp.*) salonda. ~**s** [in'dōz], ev içinde: ~**s and out**, ev içinde ve dışarıda: **go** ~**s**, eve girmek: **stay** ~, evde kalmak; evden çıkmamak.
indorse [in'dōs] = ENDORSE.
in·draft/~**draught** ['indrāft]. İçeriye akış; içeri çekme. ~**drawn**, içeriye çekilmiş.
indubitabl·e [in'dyūbitəbl]. Şüphe edilmez, muhakkak, kesin. ~**y**, hiç şüphe etmeden, muhakkak; (*kon.*) hay hay!, hakkınız var.
induce [in'dyūs]. Kandırıp bir şeyi yaptırmak; imale etm.; müsebbip olm., sevketmek, teşvik etm.; istintaç etm.; (*mal.*) uyarmak; (*elek.*) indüklemek: **nothing will** ~ **me to do it**, dünyada/başımı kesseler onu yapmam. ~**d**, tesirli; uyarılmış; indüklenmiş. ~**ment**, saik; teşvik edici şey; birini kandırmak için verilen şey/yapılan vait; rüşvet: **hold out**/**offer** ~**s to s.o. to do stg.**, birine bir seyi yaptırmak için çekici vaitlerde bulunmak/rüşvet yedirmek. ~**r**, indükleç, indükliyen.
induct [in'dʌkt]. Birini memuriyetine resmen oturtmak. ~**ance**, indüktans. ~**ion** [-'dʌkşn], resmen oturtma; (*elek.*) indükleme, indüksiyon; (*fel.*) kıyas, istikra, tümevarım; (*müh.*) içeri salıverme. ~**ive**, indükliyen; tümevarımsal. ~**or**, resmen oturtan kimse; indükleç; tesir edici.
indulge [in'dʌlc]. (Birinin) isteklerine razı olm.; müsamaha etm.; şımartmak; (fikir, umut vb.ne) kapılmak: ~ **(oneself) in**, -e müptelâ olm.; kapılmak: ~ **in a cigar**, masrafa bakmayıp bir puro içmek: ~ **too freely in drink**, içkiye fazla düşkün olm. ~**nce** [-cəns], müsamaha; hoşgörülük; iptilâ; nefsini tatmin; katoliklere Papa tarafından verilen özel/umumî izin, günahlardan arınma. ~**nt**, müsamahakâr; hoşgörür; göz yuman; şefkatli.
indurat·e ['indyureyt]. Sertleştir(il)mek; hissizleştir(il)mek. ~**ion** [-'reyşn], sertleştir(il)me; hissizleştir(il)me. ~**ive** [-rətiv], sertleştirici.
indusium [in'dyūziəm] (*bot.*) Spor kesesinin zarfı; (*zoo.*) kurtçuk kesesi.
industrial [in'dʌstriəl]. Sanayie ait; sınaî, endüstriyel, işleyimsel; sanayi+, endüstri+, iş(leyim)+: ~ **action**, işçiler protestosu, grev: **take** ~ **action**, grev yapmak: ~ **court**, iş mahkemesi: ~ **property**, sınaî mülkiyet, yapım iyeliği: ~ **revolution**, (18 ve 19 uncu yüzyıllarda) sanayideki yaptığı büyük değişikler: ~ **school**, kimsesiz çocuklar için sanat okulu: ~ **(worker)**, fabrika işçisi. ~**ism**, sanayicilik. ~**ist**, sanayici. ~**ize** [-layz], sanayileştirmek. ~**ly**, sanayi bakımından.
industr·ious [in'dʌstriəs]. Çalışkan, hamarat, eteği belinde: ~**ly**, çalışkanlıkla. ~**y**, çalışkanlık, hamaratlık; sanayi, işleyim, endüstri.
indwell [in'dwel]. İkamet et(tir)mek; oturmak. ~**er**, oturan kimse.
-ine [-in, -ayn] *son.* -e ait, -li [BYZANTINE]; ... gibi [ELEPHANTINE]; -dişisi [HEROINE]; -lik [FAMINE]; -cik [FIGURINE].
inebri·ate [in'ībriət] *s.* Sarhoş; ayyaş. [-brieyt] *f.*

Sarhoş etm. **~ated**, sarhoş. **~ation** [-'eyşn], sarhoşluk. **~ety** [-'brayiti], (daimî) sarhoşluk.
inedib·ility [inedi'biliti]. Yenmezlik. **~le** [in'edibl], yenmez. **~ly**, yenmez bir şekilde.
inedited [in'editid]. Yayımlanmamış.
ineffabl·e [in'efəbl]. Tarif olunamaz; fevkalâde mükemmel/kutsal. **~y**, böyle bir şekilde.
ineffaceable [ini'feysəbl]. Silinmez.
ineffective [ini'fektiv]. Tesirsiz; neticesiz; etkili olmıyan; nafile; işe gelmez; beceriksiz. **~ly**, tesirsiz vb. olarak. **~ness**, tesirsizlik vb.
ineffectual [ini'fektyuəl]. Tesirsiz; zayıf; etkili olmıyan; nafile. **~ly**, tesirsiz vb. olarak. **~ness**, tesirsizlik vb.
inefficacious [inefi'keyşəs]. Tesirsiz.
inefficien·cy [ini'fişənsi]. Ehliyetsizlik, yetersizlik; iyi işlemeyiş, tesirsizlik, etkisizlik. **~t**, (insan) ehliyetsiz, kabiliyetsiz; yetersiz; (makine, tedbir) iyi işlemiyen; tesirsiz, etkisiz: **~ly**, ehliyetsiz/etkisiz vb. olarak.
inelastic [ini'lastik]. Elastikî olmıyan, elastikiyetsiz. **~ity** [-'tisiti], elastikiyetsizlik.
inelegan·ce/**~cy** [in'eligəns(i)]. Zarafetsizlik; çirkinlik. **~t** [-'eligənt], zarif olmıyan; çirkin: **~ly**, çirkin olarak, zarif olmıyarak.
ineligib·ility [inelicə'biliti]. Seçilemezlik. **~le** [-'elicəbl], şeçilemez; hizmete uymaz.
ineluctable [ini'lʌktəbl]. İçtinap edilemez, kaçınılamaz.
inept [in'ept]. Yersiz, münasebetsiz; ahmakça. **~itude**, münasebetsizlik, yersizlik; ahmaklık. **~ly**, yersizce vb. **~ness**, yersizlik vb.
inequality [ini'kwoliti]. Eşitsizlik; bir yüzeyin düzgün olmaması; pürüzlülük; ittiratsızlık; değişiklik.
inequit·able [in'ekwitəbl]. İnsafsız, haksız. **~ably**, haksız olarak. **~y**, insafsızlık, haksızlık.
ineradicabl·e [ini'radikəbl]. Sökülemez; kökünden çıkarılamaz. **~y**, sökülemez bir halde.
inerrable [in'ərəbl]. Hata etmez.
inert [in'ət]. Cansız; hareketsiz; durgun; atıl; (*kim.*) dingin, eylemsiz; tembel, uyuşuk. **~ia** [-'əşiə], atalet; bir cismin harekete karşı dayanıklığı; durgunluk; dinginlik, eylemsizlik: **~ selling**, muhtemel alıcılara istemedikleri malları gönderip iade edilmediği takdirde parasını isteme usulü. **~ial** [-şəl], atalet+: **~ guidance**, (*hav.*) ataletle güdüm. **~ly**, cansızca, hareketsizce. **~ness**, cansızlık, hareketsizlik.
inescapable [inis'keypəbl]. İçtinap edilemez; sakınılamıyan.
-iness [-inis] *son.* -lik [HAPPINESS].
inessential [ini'senşl]. Gerekli/önemli olmıyan (şey).
inestimable [in'estiməbl]. Paha biçilmez; pek kıymetli.
inevitab·ility [inevitə'biliti]. Kaçınılamazlık; çaresizlik. **~le** [-'evitəbl], kaçınılamaz; içtinap edilemez; vukubulması muhakkak, mukadder; zarurî, çaresiz. **~ly**, kaçınılamaz bir şekilde; çaresizce.
inexact [inig'zakt]. Yanlış; tamamen doğru olmıyan. **~itude**, yanlışlık; hata; tamamen doğru olmama. **~ly**, yanlış olarak. **~ness**, yanlışlık.
inexcusabl·e [iniks'kyūzəbl]. Affedilmez, mazur görülemez. **~y**, affedilmez bir şekilde.
inexhaustib·ility [inigzōsti'biliti]. Bitmez/tükenmezlik. **~le** [-'zōstibl], bitmez; tükenmez; hiç yorulmaz. **~ly**, tükenmez/yorulmaz bir şekilde.
inexorab·ility [ineksərə'biliti]. Amansızlık. **~le** [-'eksərəbl], amansız; yaman. **~ly**, amansız olarak; kaçınılamaz bir şekilde.
inexpedien·cy [iniks'pīdiənsi]. Uygunsuzluk; tedbirsizlik. **~t**, hal/duruma uymıyan; tedbirsiz; uygun olmıyan; maksada aykırı: **~ly**, duruma uymıyarak.
inexpensive [iniks'pensiv]. Ucuz. **~ly**, ucuz bir şekilde. **~ness**, ucuzluk.
inexperience [iniks'piəriəns]. Tecrübesizlik, acemilik; görgüsüzlük. **~d**, tecrübesiz, acemi, alışmamış, 'ağzı süt kokuyor'.
inexpert [iniks'pət]. Usta olmıyan, acemi, hünersiz, hantal. **~ly**, usta olmıyarak.
inexpiable [in'ekspiəbl]. Affolunamaz.
inexplicab·le [ineks'plikəbl]. İzah edilemez; anlaşılamaz; açıklanması zor. **~ly**, izah edilemez bir şekilde.
inexplicit [iniks'plisit]. Vazıh/açık/kesin olmıyan.
inexpress·ible [iniks'presibl]. Tarif edilemez; sözle söylenmez. **~ibly**, tarif edilemez bir şekilde. **~ive**, anlamsız; önemsiz; ağzı sıkı: **~ly**, anlamsızca: **~ness**, anlamsızlık.
inexpugnable [iniks'pʌgnəbl]. Zaptolunamaz; yenilmez.
inextricabl·e [in'ekstrikəbl]. İçinden çıkılmaz; halledilemez; girift, çok karışık, sarmaş dolaş. **~y**, içinden çıkılmaz bir halde.
inf. = INFANTRY; INFINIT·IVE/-Y; INFORMATION.
infallib·ility [infali'biliti]. Yanılmamazlık; aldanmamazlık. **~le**, hiç yanılmaz; hata etmez; kesin, muhakkak: **an ~ remedy**, birebir ilâç. **~ly**, hiç yanılmıyarak; muhakkak olarak.
infam·ous ['infəməs]. Kötülüğü meşhur; tezkiyesi bozuk; menfur, rezil, şeni; (*kon.*) çok kötü: **~ly**, rezil olarak. **~y**, kötü şöhret; rezalet, rezillik; şenaat.
infan·cy ['infənsi]. (5 yaşına kadar) çocukluk; (*huk.*) 18'den aşağı yaş; sağirlik, küçük olma hali; (bir müessese/teşebbüsün) ilk devresi. **~t**, *i.* pek küçük çocuk; bebek; (*huk.*) 18 yaşına girmemiş kimse: *s.* küçük, sağir; yeni başlanmış: **~ class**, (*eğit.*) küçükler sınıfı: **~ school**, ana okulu. **~ta**, (*İsp.*) prenses. **~ticide** [-'fantisayd], küçük çocuk katli/kaatili. **~tile** [-fəntayl], küçük çocuğa ait; çocukça. **~tilism** [-'fantilizm] (*tıp.*) gelişmemişlik.
infantry ['infəntri]. Piyade askeri. **~man**, *ç.* **~men**, piyade asker/subayı.
infarction [in'fākşn]. Enfarktüs.
infatuat·e [in'fatyueyt]. Aşktan çılgın bir hale getirmek: **~d**, aşktan çılgın. **~ion** [-'eyşn], çılgınca âşık olma.
infect [in'fekt]. Sirayet ettirmek, bulaştırmak; aşılamak, telkin etm. **~ion** [-'fekşn], sirayet, bulaşma, intan, enfeksiyon. **~ious** [-şəs], sari, bulaşık; bulaştırıcı; başkalarına kolay geçer (mutluluk vb.).
infelicit·ous [infi'lisitəs]. Mesut olmıyan, mutsuz; pek yerinde olmıyan, uygunsuz. **~y**, mutsuzluk; uygunsuzluk.

infer [in'fə(r)]. İstidlâl etm.; anlamak, çıkarmak, ima etm. **~able**, istidlâl edilir, çıkarılır. **~ence** ['infərəns], istidlâl, anlam/sonuç çıkarma; ima: **draw an ~**, istidlâl etm., dolayısiyle anlamak. **~ential** [-'renşl], istidlâlî, dolayısiyle anlaşılan.

inferior [in'fiəriə(r)]. Madun; aşağıda bulunan; alt, esfel; ikinci derecede, adi. **be in no way ~ to s.o.**, her yönden biri kadar iyi olm. **~ity** [-'oriti], madunluk; aşağılık, altta olma; iyi olmama: **~ complex**, aşağılık duygusu.

infern·al [in'fənl]. Cehenneme ait; cehennemlik; şeytanca; (*kon.*) Allahın belâsı: **~ machine**, cehennem makinesi: **~ noise**, müthiş gürültü, kıyamet. **~ality** [-'naliti], cehennemlik. **~ally** [-'fənəli], şeytancasına; (*kon.*) çok, müthiş bir derecede. **~o** [-nou], cehennem (gibi bir yer).

infertil·e [in'fətayl]. Ürün vermiyen; biteksiz; mahsulsüz; çorak; kısır: **~ egg**, civciv çıkarmıyan yumurta. **~ity** [-'tiliti], mahsul vermeme; biteksizlik; çoraklık.

infest [in'fest]. (Muzır bir şey) etrafı sarmak; zarar vermek. **this house is ~ed with rats**, bu evi fareler istilâ etmiş. **~ation** [-'teyşn], sarılma; istilâ.

infidel ['infidl]. Kâfir; imansız. **~ity** [-'deliti], vefasızlık; sadakatsizlik; imansızlık.

infield ['infīld]. Çiftçi evine yakın tarla; (*sp.*) kalelere yakın alan/oyuncu.

infighting ['infaytin(g)] (*sp.*) Çok yakından dövüşme; (*mec.*) bir teşkilâtın içindeki gizli anlaşmazlık.

infiltrat·e ['infiltreyt]. Sızıp girmek; süz(ül)mek; bir yere gizlice ve tedricen sokulmak. **~ion**, sızma; sokulma.

infinite ['infinit, -'faynayt]. Sonsuz; sınırsız; namütenahi, uçsuz bucaksız. **the ~**, feza: **the I~**, lâyetenahi Hâlik, Allah: **take ~ pains**, son derece özen göstermek. **~ly**, son derecede. **~ness**, sınırsızlık. **~simal** [-'tesimI], son derecede küçük; lâyetecezza: **~ calculus**, infinitezimal hesap.

infinitiv·al [infini'tayvl]. Mastara ait. **~e** [-'finitiv], eylemlik/mastar(a ait).

infinit·ude [in'finityūd]. Sınırsızlık; bolluk. **~y**, sınırsızlık, sonsuzluk, namütenahilik; kaçış noktası.

infirm [in'fəm]. Malul, sakat; hastalıklı; çelimsiz; kararsız, metanetsiz. **~ary** [-əri], Darülaceze; hastane; revir. **~ity**, malullük, sakatlık; dermansızlık; illet; kararsızlık; zaaf, kusur. **~ly**, sakat olarak.

infix [in'fiks] *f.* İçine sokmak/koymak, tespit etm., bağlamak. *i.* (*dil.*) bir kelimenin içine konan ek.

inflam·e [in'fleym]. Alevlendirmek; tutuşturmak; kışkırtmak; şiddetlendirmek; iltihaplan(dır)mak. **~ed**, iltihaplı, cılk, kan dolmuş; alevlenmiş; kışkırtılmış. **~mability** [-flamə'biliti], tutuşkanlık. **~mable** [-'flaməbl], çabuk yanar / ateş alır, tutuşkan; hemen parlar. **~mation** [-flə'meyşn], iltihap, yangı; tutuşma. **~matory** [-'flamətəri], ortalığı tutuşturan, alevlendirici, kışkırtıcı; iltihaplanabilir.

inflat·able [in'fleytəbl]. Şişirilir (sal/sandal/oyuncak vb.). **~e**, şişirmek; artırmak: **~ the currency**, enflasyon yapmak, sürümdeki parayı artırmak. **~ed**, şiş(iril)miş; fahiş (fiyat); tumturaklı (üslup): **~ with pride**, kibirden kabarmış. **~ion** [-'fleyşn], şiş(ir)me; enflasyon, para bolluğu, para değerdüşümü: **runaway ~**, dokuncalı para bolluğu: **~-proofing**, para değerdüşümüne karşı alınan tedbirler. **~or**, hava pompası; şişirici; fiyat yükseltici. **~ory**, para değerdüşümünü çıkaran.

inflect [in'flekt]. İçine eğril(t)mek; (sesi) tadil etm.; (*dil.*) tasrif etm. **~ion** [-kşn] = INFLEXION. **~ive**, tasrifli, bükünlü.

inflexib·ility [infleksi'biliti]. Eğilmezlik; sertlik; çelik ruh. **~le** [-'fleksibl], eğilmez; bükülmez; kararından dönmez; yavuz. **~ly**, eğilmez bir şekilde.

inflexion [in'flekşn]. Sesin perdesini değiştirme; (*dil.*) tasrif, çekim, bükün; eğilme; (*ast.*) dönüm; (*mat.*) büküm. **~al**, (*dil.*) bükünlü.

inflict [in'flikt]. Birinin başına nahoş bir şey getirmek; -e uğratmak, duçar etm. **~ a punishment/fine, etc., on s.o.**, birini cezaya vb. çarptırmak: **~ pain**, canını acıtmak; acı vermek: **~ a wound on s.o.**, birini yaralamak: **~ one's company on s.o.**, (istenmediği halde) birini ziyaret ederek/yanına sokularak rahatsız etm. **~able** [-təbl], getirilir; uğratılır vb. **~ion** [-kşn], (ceza vb.) verme; -e duçar etme; eza, cefa.

inflorescence [inflə'resəns]. Çiçeklenme; sap üzerinde çiçeklerin genel durumu.

inflow ['inflou]. İçeriye doğru akış; içeriye akan su vb. **~ing**, içeriye akan/giren (su vb.).

influence ['influəns] *i.* Nüfuz, tesir, etki, işlem. *f.* Tesir yapmak; nüfuzu altında tutmak; etki ettirmek. **have ~**, (i) nüfuzlu olm.; sözü geçmek; (ii) arkası olm., iltimaslı olm.: **under the ~ (of drink)**, sarhoşluk sırasında: **undue ~**, (*huk.*) nüfuzu kötüye kullanma.

influent ['ınfluənt]. İçeriye akan/akma.

influential [influ'enşl]. Nüfuzlu; tesirli; etkili; sözü geçer. **~ly**, nüfuzlu vb. olarak.

influenza [influ'enzə]. Grip; enflüanza.

influx ['inflʌks]. Giriş; içeriye akış; üşüşme; akın.

info ['infou] (*kon.*) = INFORMATION.

inform [in'fōm]. Bildirmek; -e haber vermek, haberdar etm. **~ s.o. on/about stg.**, birine bir şey hakkında bilgi vermek: **~ against s.o.**, aleyhinde şikâyet etm., birini jurnal etm.

informal [in'fōml]. Gayri resmî; teklifsiz. **~ity** [-'maliti], teklifsizlik; merasimsizlik. **~ly** [-'fōməli], teklifsizce.

informant [in'fōmənt]. Bilgi/haber veren kimse, haberci; jurnalcı.

informat·ion [infə'meyşn]. Malumat, bilgi, danışma, haber, istihbarat: **for your ~**, bilgi edinmeniz için: **public ~**, kamu haberleşme: **~-bureau/-office**, danışma/haber verme/tanıtma/haber alma/müracaat bürosu: **~-science/informatics**, kompüterler ile malumat işletilmesi bilgisi. **~ive/~ory** [-'fōmətiv, -təri], bilgi verici; tanıtıcı.

informed [in'fōmd] *s.* Haberdar. **well ~**, bilgili; olup bitenleri iyi bilen.

informer [in'fōmə(r)]. Birini ihbar eden/şikâyet eden, jurnalcı; casus; gammaz, münafık. **common ~**, bir kanunun ihlâl edildiğini resmî makamlara haber veren kimse: **turn ~**, suç ortaklarını ihbar etm.

infra- [infrə-] *ön.* Altında; alt, aşağı; düşük; daha küçük; ... ötesi.

infraction [in'frakşn]. Nakız, ihlâl, bozma.
infra dig. ['infrədig] (*Lat.*) Vekara uymaz; tenezzül sayılır.
infra·-red [infrə'red]. Kızılötesi. **~-structure,** (*mim.*) altyapı, enfrastrüktür; (*ask.*) uçak alanları/telekomünikasyon vb.den teşkil edilen savunma sistemi.
infrequen·cy [in'frīkwənsı]. Seyreklik. **~t**, seyrek, nadir; az bulunur: **~ly**, seyrek olarak.
infringe [in'frinc]. İhlâl etm.; tecavüz etm., saldırmak, el atmak; bozmak: **~ a patent**, ihtira beratının hakkına tecavüz etm.; patentalı bir şeyi taklit etm.: **~ upon s.o.'s rights**, birinin haklarına tecavüz etm. **~ment**, ihlâl; tecavüz, saldırı, el atma; suç; bozma: **~ of copyright/a patent**, telif hakkı/ihtira beratına tecavüz.
infructuous [in'frʌktyuəs]. Meyvasız; sonuçsuz, beyhude.
infundibular [infʌn'dibyulə(r)]. Huni şeklinde.
infuriate [in'fyuərieyt]. Kudurtmak; çok hiddetlendirmek; çileden çıkarmak. **~d**, kudurmuş, kötü hiddetlenmiş.
infus·e [in'fyūz]. İçine dökmek; telkin etm., aşılamak; haşlamak, demlendirmek. **~ courage into s.o.**, birine cesaret telkin etm. **~r**, demlendirme cihazı. **~ible**, zeveban etmez, eritilmez. **~ion** [-'fyujn], haşlama; demlenme; menku; telkin. **~oria** ['zōriə] (*zoo.*) haşlamlılar: **~l/~n**, haşlamlılara ait.
-ing [-in(g)] *son.* Hal ortacı/ulaç soneki; -me; -erek [WALKING].
ingathering ['ingaðərin(g)]. Hasat/mahsul(ü toplama).
ingeminate [in'cemineyt]. Tekrarlamak, tekit etm.
ingenious [in'cīniəs]. Hünerli, marifetli, ustalıklı, sanatlı; mucidin hünerini gösteren, icat sahibi. **~ly**, hünerli vb. olarak.
ingénue [a(n)jey'nü] (*Fr.*) Sadedil/saf kız (rolü).
ingenuity [inci'nyūiti]. Hüner, marifet, ustalık; icat kabiliyeti.
ingenuous [in'cenyuəs]. Basit, sadedil, masum; samimî, tabiî, hilesiz. **~ly**, basit/samimî olarak. **~ness**, basitlik vb.
ingest [in'cest]. (Yemek) midesine indirmek. **~ion** [-'cesçən], midesine indir(il)me. **~ive**, buna ait.
ingle ['in(g)gl]. Ocakta yanan ateş. **~nook** [-nuk], ocak başında köşe.
inglorious [in'glōriəs]. Şerefi ihlâl eden; şansız; utandırıcı: **~ly**, şerefsizce.
ingoing ['ingouin(g)] *s.* İçeriye giren. *i.* Bir nevi hava parası.
ingot ['ingət]. Külçe, tomruk; kütük.
ingrain ['ingreyn]. Ham halinde/dokunmadan boyanmış; kökleşmiş. **~ed**, kökleşmiş; ötedenberi yerleşmiş; müzmin; çıkarılmaz.
ingrate ['ingreyt]. Nankör.
ingratiat·e [in'greyşieyt]. **~ oneself with s.o.**, kendini sevdirmek için sokulganlık göstermek; gözüne girmeğe çalışmak. **~ing**, sokulgan.
ingratitude [in'gratityūd]. Nankörlük.
ingravescent [ingrə'vesənt] (*tıp.*) (Hastalık) ağırlaşan, kötüleşen.
ingredient [in'grīdiənt]. Bir şeyin terkibine giren madde.
ingress ['ingres]. Giriş (hakkı); girme.
ingrow·ing ['ingrouin(g)]. **~ horn**, başa doğru eğilen ve sonunda ete giren boynuz: **~ nail**, ete batarak yara yapan tırnak. **~n** = **~**ING; fitrî; kökleşmiş. **~th** ['ingrouθ], içine eğilme.
inguinal ['in(g)gwinl]. Kasığa ait.
ingurgitat·e [in'gəciteyt]. Oburca yiyip içmek, tıkınmak. **~ion** [-'teyşn], böyle yiyip iç(il)me.
inhabit [in'habit]. İçinde oturmak; -de ikamet etm. **~able**, oturulabilir; yaşanabilir; iskânı kabil. **~ancy** [-tənsi], iskân müddeti. **~ant**, bir mahallede oturan kimse/hayvan; sakin: **the ~s of the village**, köy ahalisi. **~ation** [-'teyşn], otur(ul)ma; ev, mesken. **~ed**, meskûn.
inhal·ation [inhə'leyşn]. Nefesi içeri çekme; soluk alma. **~ator** [-'leytə(r)], inşak cihazı. **~e** [-'heyl], nefes çekmek; nefesle yutmak; soluk almak. **~er**, inşak/soluk aldırma cihazı.
inharmonious [inhā'mouniəs]. Ahenksiz; uygunsuz.
inhere [in'hiə(r)]. Tabiî (ve zarurî) olarak mevcut olm. **~nt**, cibillî, tabiî, fıtrî; kendinde, zatında; ayrılmaz; aslî: **~ defect**, esasta olan kusur.
inherit [in'herit]. Miras olarak almak, tevarüs etm.; vâris olm. **~able**, babadan oğula geçebilir. **~ance**, veraset, miras, kalıt: **~ tax**, geçiş/intikal vergisi. **~ed**, babadan kalma. **~or**, vâris, kalıtçı; erkek vâris. **~ress/~rix**, kadın vâris.
inhibit [in'hibit]. Yasak etm., menetmek; (hisler vb.) tutmak; engel olm.; (*kim.*) önlemek. **~ion** [-'bişn], yasak etme, menetme; önleme; köstekleme; nehiy. **~ive/~ory** [-'hibitiv, -təri], yasak edici, menedici; önleyici. **~or**, önleyici madde.
inhospita·ble [inhos'pitəbl, -'hos-]. Misafir/konuk sevmez; yabancıları iyi karşılamıyan; dağ başı gibi, kuş uçmaz kervan geçmez, barınılmaz (bir yer): **~ness**, misafir sevmezlik; barınılmazlık. **~bly**, misafir sevmez bir şekilde; nahoş bir şekilde. **~lity** [-'taliti], misafir sevmezlik.
inhuman [in'hyūmən]. Gayri insanî; insanlığa yakışmaz; zalim, gaddar, vahşî. **~e** [-hyu'meyn], zalim, merhametsiz. **~ity** [-'maniti], insaniyetsizlik; zalimlik, gaddarlık. **~ly**, gayri insanî olarak; zalimce.
inhum·ation [inhyu'meyşn]. Tedfin, gömme. **~e** [-'hyūm], defnetmek, gömmek.
inimical [in'imikl]. Düşman; muhalif, aleyhtar; gayri müsait, uygunsuz. **~ly**, düşman vb. olarak.
inimitabl·e [in'imitəbl]. Taklit edilemez; eşsiz: **~ness**, eşsizlik. **~y**, taklit edilmez bir şekilde.
iniquit·ous [in'ikwitəs]. Adaletsiz, insafsız; fasit: **~ly**, adaletsizce. **~y**, adaletsizlik; günah; fesat.
initial [i'nişl] *s.* İlk, ön, baş; başlama+; başlangıç+; başlangıçta bulunan. *i.* Bir kelime/kişi adının ilk harfi; (süslü) başharf; (*dil.*) önses. *f.* Parafe etm. **~ teaching alphabet**, İngilizce öğrenmeye başlıyanlar için 44 harfli fonetik bir alfabe. **~ism** = ACRONYM. **~ly**, ilk olarak; başlangıçta.
initiate[1] [i'nişieyt] *f.* Başla(t)mak; -de önayak olm.; girişmek; sır/esaslarını öğreterek bir tarikat/cemiyete kabul etm.; ilim vb.de ilk adımını attırmak; (birine) bir şeyin esaslarını öğretmek; alıştırmak.

initiate[2] [i'nişiət] *i.* Bir tarikat/cemiyetin sırlarını öğrenmiş üye; bir ilmin esaslarını öğrenmiş kimse; alış(tırıl)mış kimse.
initiat·ion [inişi'eyşn]. Başlama, ilk adımını atma; girme; esas/sırlarını öğrenmeğe başlama. **~ive** [-'nişyətiv], önayak olma; şahsî teşebbüs; girişim; (*id.*) öncecilik; (*mec.*) girişkenlik: **he has no ~**, girişken değildir: **take the ~**, bir iş için ilk adımı atmak: **do stg. on one's own ~**, bir şeyi kendi teşebbüsüyle yapmak. **~or**, önayak olan kimse. **~ory**, başlangıca ait; ilk; bir tarikat/meslekte ilk adıma ait.
initio [i'nişiou] (*Lat.*) ***ab*** **~**, başlangıçtan.
inject [in'cekt]. Zerketmek, içitmek, enjeksiyon yapmak; şırınga yapmak, iğne ile vermek, iğne vurmak; içeri sokmak, püskürtmek. **~able**, (*tıp.*) iğne ile verilir (bir ilâç). **~ion** [-'cekşn], zerk, içitim, enjeksiyon; püskürtme, sokulma, içitim: **give an ~**, şırınga yapmak, iğne vurmak: **~-nozzle**, mazot püskürtme memesi. **~or**, kazana su verme cihazı; püskürtme tulumbası; enjektör.
injudicious [incū'dişəs]. Tedbirsiz; makul olmıyan, düşüncesiz. **~ly**, tedbirsizce.
***Injun** ['incən] (*kon.*) = INDIAN; Kızılderili. **honest ~!**, hakikaten!
injunction [in'cʌn(g)kşn]. Kesin emir; mahkeme tarafından verilen ihtar: **give s.o. strict ~s to do stg.**, birine bir şeyi yapmasını kesin olarak ihtar etm.
injur·e ['incə(r)]. Zarar vermek; dokunmak; incitmek; bozmak; zedelemek; sakat etm. **~ed**, yaralanmış, incinmiş; zarar görmüş; zedelenmiş: **in an ~ tone of voice**, yaralı bir sesle: **the ~ party**, (*huk.*) zarara uğrıyan kimse, kıygın, mağdur. **~ious** [-'cuəriəs], zararlı, muzır. **~y** ['incəri], hasar, zarar; haksızlık; yara: **do s.o. an ~**, birine haksızlık etm., zarar vermek: **~-time**, (*sp.*) oyuncuların yaralanmış olduğundan maçın uzatılması.
injustice [in'cʌstis]. Adaletsizlik; insafsızlık; haksızlık. **do s.o. an ~**, (i) birine karşı insafsızlık etm.; (ii) birinin günahına girmek.
ink [in(g)k]. Mürekkep (sürmek). **~ in/over**, kurşun kalemiyle yazılmış bir şey üzerinden mürekkep ile geçmek: **in ~**, yazılmış olarak: **copying/Indian/printer's ~**, kopya/çini/matbaa mürekkebi: **invisible ~**, gizli mürekkep. **~-bottle**, mürekkep şişesi. **~er**, mürekkep merdanesi. **~-eraser**, mürekkep silgisi. **~-horn**, (*mer.*) boynuz hokka. **~iness**, mürekkeplilik; karanlık. **~less**, mürekkepsiz.
inkling ['in(g)klin(g)]. İma; hafif şüphe; belli belirsiz seziş. **get/have an ~ of stg.**, bir şeyin kokusunu almak: **I hadn't an ~ of what was to happen**, ne olacağından zerre kadar haberim yoktu.
ink·-pad ['in(g)kpad]. Istampa. **~-pot**, hokka. **~-sac**, (*zoo.*) mürekkep kesesi. **~-stand**, masa hokkası, yazı takımı. **~-well**, gömülü hokka. **~y**, mürekkepli; kapkara.
inlaid [in'leyd] *g.z.(o.)* = INLAY. *s.* Üzerine altın/gümüş/sedef vb. kakarak nakışlar yapılmış; kakma, gömme.
inland ['inlənd] *i.* Bir memleketin denizden uzak iç kısmı. *s.* Dahilî, iç, karasal. **~ trade**, iç ticaret: **~ Revenue**, Tahsilat İdaresi, içgümrük.
-in-law ['inlō] *son.* Kayın-. **the ~s**, koca/karısının ailesi.
inlay (*g.z.(o.)* **inlaid**) [in'ley(d)]. Kakmak, gömme işlemek; çerçevelemek; parke kaplamak. ['in-] *i.* Kakma işi; marköteri; parke; mozaik.
inlet ['inlet]. Methal; giriş yolu; ağız; körfezcik, koy. **~ valve**, giriş/emme supapı.
in-line [in'layn] (*müh.*) Sırada; tek hizada.
inlier ['inlayə(r)] (*yer.*) Tamamen örtülü bir oluşuk.
inly ['inli] (*şiir.*) İçinde; içli dışlı olarak.
inlying ['inlayin(g)]. Merkezin içinde, merkeze yakın.
inmate ['inmeyt]. Bir ev/odada oturan kimse.
inmost ['inmoust]. En içerideki; derunî.
inn [in]. Han; küçük otel; meyhane. **~s of Court**, Londra'da avukatlık stajını yapmak hakkını veren kurumlar(ın binaları).
innards ['inədz] (*arg.*) Bağırsaklar.
innate [i'neyt]. Fıtrî; doğal; doğuştan; yaratılıştan. **~ly**, doğal olarak.
inner ['inə(r)] *s.* Dahilî, iç, içerdeki, derunî; ruhanî; gizli. *i.* Hedef merkezinin yanındaki kısım(ına isabet eden ok vb.). **~-cabinet**, (*id.*) küçük ve nüfuzlu (fakat gayri resmî) bir heyet. **~-circle**, (bir reis vb.) en yakın ve nüfuzlu taraftarlar grubu. **~-man**, ruh, vicdan; (*alay.*) mide, iştah: **look after the ~**, boğazına bakmak, karnını doyurmak. **~most**, en içerideki.
innings ['inin(g)z] (*sp.*) Bir ekipin topa vurma nöbeti/her oyuncunun sırası: **he has had a long ~**, kriket alanında uzun süre kaldı; (*mec.*) bir makam vb.de çok süre kaldı; çok yaşadı: **well, he has had a good ~**, (ölen birisi hakkında) maşallah çok yaşadı: **my ~ now!**, şimdi sıra bende.
innkeeper ['inkīpə(r)]. Hancı, meyhaneci.
innocen·ce/~cy ['inəsəns(i)]. Masumiyet; saflık. **~t**, *s.* masum, kabahatsiz; saf; hilesiz: *i.* masum çocuk; ebleh: **windows ~ of glass**, camsız pencereler: **~ of clothes**, elbiseden ari, çıplak. **~tly**, masum olarak.
innocuous [i'nokyuəs]. Zararsız; tehlikesiz; dokunmaz. **~ly**, zararsızca vb. **~ness**, zararsızlık.
innovat·e ['inəveyt]. Yenilik çıkarmak; değişiklik yapmak. **~ion** [-'veyşn], bid'at; yenilik, yeni usul. **~or** [-veytə(r)], yenilik taraftarı; bid'at ehli. **~ory** [-'veytəri], yenilik çıkaran.
innoxious [i'nokşəs] = INNOCUOUS.
innuendo [inyu'endou]. İma; üstü kapalı söz. **make ~s against s.o.**, birine taş atmak.
innumera·ble [i'nyūmərəbl]. Sayısız; hesapsız; pek çok. **~cy**, hesap etme bilmemesi. **~te**, hesap edemeyen kimse.
inobservance [inəb'zǝ̄vəns]. Dikkatsizlik; (kanun vb.ne) riayetsizlik.
inoculat·e [i'nokyuleyt]. Aşı ile bir virüs vermek; aşılamak; telkih etm. **~ion** [-'leyşn], aşı; aşıla(n)ma. **~or**, aşıcı.
inodorous [in'oudərəs]. Kokusuz.
inoffensive [inə'fensiv]. Zararsız, tehlikesiz; mazlum; kendi halinde. **~ly**, zararsızca, vb. **~ness**, zararsızlık.
inopera·ble [in'opərəbl] (*tıp.*) Ameliyat yapılamaz halde. **~tive**, tesirsiz; yürürlükte olmıyan.
inopportune [in'opətyūn]. Sırasız, vakitsiz; münasip ve uygun olmıyan. **~ly**, sırasızca; uygun olmıyarak.
inordinate [in'ōdinit]. Hadden fazla; aşırı; ölçüsüz; müfrit.

inorg. = **inorganic** [inō'ganik]. Gayri uzvî; inorganik; camit; cansız; madensel.
inosculate [in'oskyūleyt] (*biy.*) Birleş(tir)mek; ağızlaşmak.
in-patient ['in'peyşənt]. Hastanede kalan/yatan hasta.
input ['input] *i.* Giriş; besleme, dolgu, tağdiye; doldurma; kompüter bilgileri. *f.* İçeriye koymak; (bilgiler) kompüter/bilgisayara geçirmek.
inquest ['inkwest]. Tahkik, *gen.* bir ölümün nedenini araştıran adlî tahkikat.
inquietude [in'kwayətyūd]. Endişe, merak.
inquiline ['inkwilayn] (*zoo.*) Başkasının yuvasında oturan hayvan, ortakçı.
inquir·e [in'kwayə(r)]. Sual sormak: ~ **about s.o./stg.**, birisi/bir şey hakkında bilgi edinmek: ~ **after s.o.**, birinin hatırını sormak: ~ **into stg.**, bir şeyi tetkik etm., inceleyip araştırmak. ~**ies**, *ç* = ~Y. ~**ing**, araştırıcı, soruşturucu; mütecessis. ~**y**, sual; sorgu; inceleme; tahkikat; anket; soruşturma; tetkik; istifsar: **Court of** ~, tahkikat heyeti: **make inquiries about s.o.**, birisi hakkında tahkikat yapmak: **make inquiries after s.o.**, birinin hatırını sormak: **he is helping the police with their** ~**ies**, bir cinayeti işlediğinden şüphelenen bir kimseyi sorguya çekiyorlar. ~**-agent**, özel detektif.
inquisition [inkwi'zişn]. Resmî tahkik ve tetkik; soruşturma: **the I**~, engizisyon mahkemesi.
inquisitive [in'kwizitiv]. (Yersiz olarak) mütecessis; meraklı. ~**ness**, merak, tecessüs.
inquisitor [in'kwizitə(r)]. Engizisyon/tahkikat memuru. ~**ial** [-tōriəl], mütehakkimane bir surette soruşturma yapan; birinin özel işlerini soruşturan.
inroad ['inroud]. Akın; tecavüz. **make** ~**s upon one's capital**, sermayesinde rahneler açmak.
inrush ['inrʌş]. İçeriye doğru şiddetli akın/üşüşme; baskın.
ins. = INCHES; INSPECTOR; INSULATION; INSURANCE.
INS = INERTIAL NAVIGATION SYSTEM.
insalubri·ous [insə'lūbriəs]. Sağlığa aykırı (yer, iklim). ~**ty** [-briti], sağlığa aykırılık.
insane [in'seyn]. Şuuru muhtel; mecnun; deli. ~**ly**, mecnun/deli olarak.
insanitary [in'sanitəri]. Sağlığa zararlı.
insanity [in'saniti]. Akıl hastalığı; cinnet; delilik.
insatia·ble [in'seyşəbl]. Doymak bilmez; açgözlü. ~**bly**, açgözlü bir şekilde. ~**te** [-şət], doymak hiç bilmez.
inscrib·able [in'skraybəbl]. İçine çizilir. ~**e**, yazmak; kaydetmek; kazmak, hakketmek; (geometri) bir şekil içine dahilen temas etmek üzere diğer bir şekil çizmek. ~**ed**, yazılı; içine çizilmiş; iç + ; (*mal.*) yazılımlı, müseccel: ~ **stocks**, nama muharrer esham.
inscription [in'skripşn]. Kitabe; yazı; yazıt; kaydetme; tescil etme. ~**al**, kitabeye ait.
inscrutab·ility [inskrutə'biliti]. Sırrına erişilemezlik. ~**le** [-'skrūtəbl], sırrına erişilemez, hikmeti anlaşılamaz. ~**ly**, böyle bir şekilde.
insect ['insekt]. Böcek, haşere. ~**arium**/~**y** [-'teəriəm, -'sektəri], böceklik. ~**-eater**, böcekçil. ~**icide** [-'sektisayd], böcek öldürücü (ilâç). ~**ivorous** [-'tivərəs] (*zoo.*) böcekçil; (*bot.*) böcekkapan. ~**ology** [-'toləci], böcekler bilgisi.
insecur·e [insi'kyuə(r)]. Emin ve muhkem olmıyan; tehlikeye maruz; emniyetsiz: ~**ly**, emin olmıyarak; emniyetsizce. ~**ity** [-'kyūriti], emniyetsizlik.
inseminat·e [in'semineyt]. Tohum ekmek; döllemek, ilkah etm.; (*mec.*) fikrine sokmak. ~**ion** [-'neyşn], tohum ek(il)me; dölle(n)me: **artificial** ~, sunî ilkah/dölle(n)me.
insensate [in'senseyt]. Hissiz; akla mugayir; çılgınca.
insensib·ility [insensi'biliti]. Hissizlik; bayılma. ~**le** [-'sensibl], hissiz; kendini kaybetmiş, baygın; lâkayt; hissolunmaz; duymaz; belli belirsiz: **be knocked** ~, bir darbe ile kendinden geçmek. ~**ly**, hissolunmaz/duymaz bir şekilde; belli belirsiz olarak.
insensitive [in'sensitiv]. Hassas olmıyan.
insentient [in'sentiənt]. Cansız; duymaz.
inseparabl·e [in'sepərəbl]. Ayrılmaz; içtikleri su ayrı gitmez. ~**y**, ayrılmaz bir şekilde.
insert [in'sə̄t] *f.* Dercetmek; sokmak; ilâve etm.; bir şeyin içine ek koymak. ['insə̄t] *i.* Ek. ~**ion** [-'sə̄şn], derc; dercetme; sokma; ilâve (etme), ek; ara danteli.
inset ['inset] *i.* Dercedilen şey; büyük harita/resmin kenarındaki küçük harita/resim; (*mim.*) gömme; içiçe konmuş (şey). *f.* Dercetmek.
inshore ['inşō(r)]. Sahilde; sahile yakın. ~ **of**, ondan sahile daha yakın.
inside ['insayd]. İç; orta yer; karın; iç tarafındaki; dahilî; ev içindeki; içeride, içeriye; -in içinde, -in içine. ~**s**, karın ve bağırsaklar. **the** ~ **of an affair**, işin içyüzü: **have** ~ **information**, bir şeyi yerinden/kaynağından öğrenmek: ~ **out**, tersyüz, ters: **turn everything** ~ **out**, ortalığı altüst etm.: **know stg.** ~ **out**, bir şeyin içini dışını bilmek: **have pains in one's** ~, karnı ağrımak: ~ **of a week**, bir haftadan az. ~**-left**/**-right**, (*sp.*) sol/sağ iç. ~**r**, bir cemiyetin üyesi; bir sırrı bilenlerden biri.
insidious [in'sidiəs]. Gizli sokulur; sinsi; içinden pazarlıklı; başlangıçta önemsiz görünüp gerçekte vahim olan (hastalık). ~**ly**, böyle bir şekilde.
insight ['insayt]. Feraset; nüfuzu nazar; bir şeyin içyüzünü/bir insanın huyunu çabuk kavramak kabiliyeti.
insignia [in'signiə]. Bir makam/rütbe/nişanın resmî alâmetleri.
insignifican·ce [insig'nifikəns]. Ehemmiyetsizlik, önemsizlik. ~**t**, cüzî; dikkate değmez, önemsiz, ehemmiyetsiz; silik: ~**ly**, önemsiz olarak.
insincer·e [insin'siə(r)]. Gayri samimî; ikiyüzlü; mürai; sahte. ~**ity** [-'seriti], samimiyetsizlik; sahtelik; riyakârlık.
insinuat·e [in'sinyueyt]. İma etm., işrap etm.; sezdirmek, çıtlatmak; yavaşça ve kurnazca sokmak: ~ **oneself**, sokulmak. ~**ing**, ima edici. ~**ion** [-'eyşn], ima; kinaye; çıtlatma; tariz; üstü kapalı itham.
insipid [in'sipid]. Yavan; lezzetsiz; tuzsuz, tatsız. ~**ity** [-'piditi], yavanlık, lezzetsizlik. ~**ly**, yavan/tatsız olarak.
insist [in'sist]. ~ **(on)**, ısrar etm.; ayak diremek;

ısrarla tasdik etm.; üstüne varmak: **he ~ed on his innocence**, masum olduğunda ısrar etti: **I ~ on obedience**, muhakkak itaat isterim. **~ence**, ısrar (etme); ayak direme. **~ent**, musir; inatçı; müziç.

insobriety [inso'brayəti]. Ayyaşlık; itidalsizlik.

insofar [insə'fā(r)] = FAR.

insol. = INSOLUBLE.

insolation [insə'leyşn]. Güneş ışınlarına maruz bırakmak.

insole ['insoul]. Ayakkabının iç tabanı.

insolen·ce ['insəlens]. Küstahlık. **~t**, küstah: **~ly**, küstah olarak.

insolub·ility [insolyu'biliti]. Erimezlik, çözülmezlik, katışmazlık. **~le** [-'solyubl], erimez, çözülmez; halledilmez. **~ly**, çözülmez/halledilmez bir surette.

insolven·cy [in'solvənsi]. İflas, batkı(nlık); ödeme güçsüzlüğü. **~t**, müflis, batkın; aciz.

insomnia [in'somniə]. Uykusuzluk. **~c** [-niak], uykusuz kimse.

insomuch [insou'mʌç]. **~ as/that**, hattâ; o kadar ki.

insoucian·ce [a(n)'sūsiā(n)s]. Aldırmazlık; dikkatsizlik; ilgisizlik. **~t** [-siā(n)], aldırmaz; dikkatsiz; ilgisiz.

insp. = INSPECT·ION/~OR.

inspan [in'span]. (Öküz) arabaya koşmak.

inspect [in'spekt]. Teftiş/kontrol etm.; denetlemek, muayene etm.; yoklamak, bakmak. **~ion** [-kşn], teftiş, kontrol; denet(im), denetleme, muayene; murakabe, yoklama, bakma; (*sp.*) irdeleme: **board of ~**, teftiş vb. heyeti: **health ~**, sağlık yoklaması. **~or**, müfettiş; denetçi, denetmen, bakman; yoklamacı, kontrolcu; muayene memuru. **~oral** [-tərəl], müfettiş vb.ne ait. **~orate** [-tərit], müfettişlik; teftiş vb. heyeti. **~orship**, müfettişlik. **~ress** [-tris], kadın müfettiş.

inspira·tion [inspi'reyşn]. Telkin; vahiy; ilham; nefes/soluk alma: **~al**, telkin/ilhama ait. **~tory** [-'reytəri], soluk almaya ait.

inspir·e [in'spayə(r)]. İlham etm.; telkin etm.; teşvik etm.; vahyetmek; nefes/soluğu içeri çekmek: **~ respect**, hürmet telkin etm. **~ed**, mülhem; ilhamlı; vahiy almış: **an ~ article in a paper**, nüfuzlu bir kimse vb. tarafından gizlice yazılan/telkin edilen makale. **~ing**, heyecanlandırıcı; teşvik edici; umut verici.

inspirit [in'spirit]. Canlandırmak; gayret vermek. **~ing**, canlandırıcı.

inspissate [in'spiseyt]. Koyultmak; yoğunlaştırmak.

inst. = INSTALMENT; INSTANT; INSTITU·TE/-TION; INSTRUMENT.

instability [instə'biliti]. Sebatsızlık, dengesizlik, oynaklık, kıpırtı; istikrarsızlık; kararsızlık; devamsızlık.

install [in'stōl]. Resmen memuriyete koymak; yerleştirmek; kurmak; tanzim etm.; tesis etm.; tesisat yapmak; donatmak. **~ation** [-'leyşn], yerleştirme, kurma, tesis, montaj; yerleşme, döşem, tesisat, donatım, kurum; işe başlama.

instalment [in'stōlmənt]. Taksit, bölek; kısmen teslimat/ödeme; kurma. **buy on the ~ system**, taksitle satın almak.

instance ['instəns] *i.* Misal, örnek; defa, kere, sefer; rica, ısrar. *f.* Örnek olarak getirmek. **for ~**, meselâ: **in the first ~**, evvel emirde; ilkönce: **at the ~ of...**, -in ısrarıyle, -in isteği üzerine: **an isolated ~**, tek/münferit bir örnek: **in many ~s**, çok kere: **in the present ~**, bu defa/sefer: **Court of First ~**, bidayet mahkemesi.

instant ['instənt] *i.* An, lahza. *s.* Israr eden, hazır, yorulmaz; mübrem, anî, derhal. **come this ~!**, derhal gel!: **I expect ~ obedience**, derhal itaat isterim: **on the ~**, derhal: **the ~ I hear from him**, ondan haber alır almaz: **on the 4th ~ (inst.)**, bu ayın dördünde: **~ coffee, etc.**, hazır/derhal pişirilen kahve vb.: **~ replay**, (*rad.*) derhal tekrarlanma.

instantaneous [instən'teyniəs]. Anî; birden; hemen, çabucak, şıpşak; enstantane. **~ly**, birden; hiç beklemeden.

instant·er/~ly [in'stantə(r), 'instəntli]. Derhal, hiç beklemeden.

instauration [instō'reyşn]. Yenileme, tazeleme.

instead [in'sted]. Yerde. **~ of...**, -in yerine; bedel olarak: **~ of making a profit we made a loss**, kazanacak yerde kaybettik: **~ of playing, do some work!**, oynayacağına bir az iş gör!: **if you can't go let him go ~**, sen gidemezsen/senin yerine o gitsin: **I told him to come to me; ~ he ran away**, bana gelmesini söyledim, halbuki o kaçıp gitti.

instep ['instep]. Ayağın üst kısmı.

instigat·e ['instigeyt]. İlkah etm., tahrik etm., sevketmek; kışkırtmak; önayak almak. **~ion** [-'geyşn], sevk, tahrik; kışkırtma. **~or**, kışkırtan adam; elebaşı; önayak.

instil(l) [in'stil]. Damla damla akıtmak; yavaş yavaş zihnine yerleştirmek. **~ment**, yavaş yavaş yerleştir(il)me.

instinct ['instin(g)kt]. Sevkıtabiî; insiyak; içgüdü. **~ive** [-'stin(g)ktiv], içgüdüden doğan; içgüdülü: **~ly**, içgüdüyle.

institut·e ['instityūt] *i.* Müessese; kurum; enstitü. *f.* Tesis etm., kurmak; başlamak. **~ion** [-'tyūşn], tesis (etme), kurma; müessese, kurum, enstitü; cemiyet, dernek; müesses âdet: **~al**, müesseseye ait: **~alize** [-nəlayz], müessese kurmak/haline getirmek; (hasta vb.) müesseseye oturtmak.

Inst.P. = INSTITUTE OF PHYSICS.

instr. = INSTRUC·TIONS/-TOR; INSTRUMENT.

instruct [in'strʌkt]. Öğretmek; ders vermek; talimat vermek; emretmek, haber vermek. **~ion** [-kşn], öğretme, ders; emir: **~s**, talimat, yönerge; malumat; emirler; tenbih: **~s for use**, (ilâç vb.) kullanma şekli: **~-book**, rehber, kılavuz: **~al**, öğretici. **~ive**, ders verici; öğretici; ibret verici. **~or**, (*bilh.* amelî işler öğreten) muallim; öğretmen; usta. **~ress** [-tris], kadın öğretmen.

instrument ['instrumənt]. Alet; çalgı, saz; (*huk.*) senet, hüccet, kamusal belge, resmî evrak. **~al** [-'mentl], çalgı ile çalınan: **~ in (doing stg.)/to (a purpose)**, yardım eden, vesile olan. **~alist**, çalgıcı. **~ality** [-'taliti], **through the ~ of**, -in vasıtasiyle, yardımıyle, delâletiyle. **~ation** [-'teyşn], bir musiki parçasının aletle çalınacak kısmının düzeni.

insubordinat·e [insə'bōdinət]. İtaatsiz; serkeş; asi. **~ion** [-'neyşn], itaatsizlik; serkeşlik; asilik.

insubstantial [insʌb'stanşəl]. Hakikî olmıyan; esassız; kuvvetsiz; hayalî.

insufferabl·e [in'sʌfrəbl]. Tahammül edilemez; çekilmez. **~y**, tahammül edilemez/katlanılmaz bir derecede.

insufficien·cy [insə'fişənsi]. Eksiklik; yetişmezlik.

~**t**, kâfi olmıyan, yetişmez; eksik: ~**ly**, eksik olarak.

insufflat·e ['insəfleyt]. Üzerine/içine üflemek/hava vermek. ~**ion** [-'fleyşn], üfleme, hava verme. ~**or** ['insəfleytə(r)], üfleyici alet.

insulant ['insyulənt]. Ayırıcı, tecrit maddesi.

insular ['insyulə(r)]. Adaya ait; adada yaşıyan; fazla mahallî, darfikirli. ~**ism**/~**ity** [-'lariti], fazla mahallîlik, darfikirlilik. ~**ly**, darfikirli olarak.

insulat·e ['insyuleyt]. Ayırmak, yalıtmak, tecrit etm., izole etm.: ~**d**, tecritli, yalıtık. ~**ing**, tecrit edici, yalıtkan, izole. ~**ion** [-'leyşn], tecrit (etme), yalıtım, izolasyon. ~**or** ['in-], mücerrit, izolatör, yalıtkan.

insulin ['insyulin]. Ensülin.

insult [in'sʌlt] *f.* Tahkir etm.; şerefine dokunmak. ['insʌlt] *i.* Hakaret; haysiyet kıracak şey. **add ~ to injury**, bir kötülüğe başka bir kötülüğü katmak; özrü kabahatinden büyük olm.; üstüne tüy dikmek. ~**ing**, tahkir edici; hakaret nevinden; şeref kırıcı: ~**ly**, hakaret ederek.

insuperab·ility [insyūpərə'biliti]. Geçilemezlik; yenilemezlik. ~**le** [-'syūpərəbl], geçilemez; yenilemez, başa çıkılamaz. ~**ly**, aşılamaz bir şekilde.

insupportable [insʌ'pōtəbl]. Tahammül edilemez; dayanılmaz; haksız.

insur·able [in'şu̯ərəbl]. Sigorta edilebilir. ~**ance** [-rəns], sigorta, güvence; prim: **employment** ~, işçi sigortası: **endowment** ~, hayat halinde sigorta: **health** ~, hastalığa karşı sigorta: **life** ~, hayat sigortası, yaşam güvencesi; **marine** ~, deniz sigortası: ~**-card**, güvenceli belgesi, sigortalı sicil kartı. ~**e**, sigorta etm.; temin etm.; = ENSURE. ~**ed**, sigorta edilen kimse; sigortalı; garantili. ~**er**, sigortacı.

insurgen·ce, ~**cy** [in'sə̄cəns(i)]. İsyan. ~**t**, asi; ihtilâlcı.

insurmountabl·e [insə̄'mau̯ntəbl]. Başa çıkılamaz; aşılamaz. ~**y**, aşılamaz bir şekilde.

insurrection [insə'rekşn]. İsyan, kıyam, ayaklanma. ~**ary**, isyana ait; asi. ~**ist**, isyan taraftarı.

insusceptible [insə'septibl]. Duymaz, duygusuz.

int. = INTEREST; INTERIOR; INTERJECTION; INTERNAL; INTERNATIONAL; INTERPRETER; INTRANSITIVE.

intact [in'takt]. Dokunulmamış; tamam; sağ, hiç zarar görmemiş.

intaglio [in'talyo̯u]. Oyma sert taş.

intake ['inteyk]. İçeriye alınmış şeyin miktarı; (su vb.nin) içeriye girdiği yer; çekiş, alma; ithal/giriş (ağzı); alış.

intangib·ility [intanci'biliti]. Cisimsizlik; soyutlama. ~**le** [-'tancibl], el ile tutulmaz; cisimsiz; somut olmıyan; gayri maddî; soyut. ~**ly**, cisimsiz olarak.

integer ['intigə(r)]. Tam adet/sayı.

integral ['intigrəl]. Tam, tamam; bütün; integral; yekpare; tamamî; mütemmin. ~ **calculus**, integral hesabı: **be an ~ part of stg.**, bir şeyin tamamlayıcı parçası olm.

integran·d ['intigrand]. Tamamlanacak fonksiyon. ~**t** [-grənt], tamamlayıcı.

integrat·e ['intigreyt]. Tamamlamak, bütünlemek; tek cisim haline koymak, bir bütün halinde toplamak: ~**d circuit**, bütünleştirilmiş/toplanmış devre. ~**ion** [-'greyşn], bütünleme.

integrity [in'tegriti]. Doğruluk, dürüstlük; tamamlık.

integument [in'tegyumənt]. Deri, zar, kabuk. ~**ary**, deriye ait.

intellect ['intilekt]. Akıl, zekâ, beyin, dimağ; idrak kabiliyeti, kavram yeteneği. ~**ual** [-'lektyu̯əl] *s.* akıl/zekâ/düşünceye ait, fikrî: *i.* yüksek zekâ sahibi; münevver, entelektüel, anlıkçı: ~ **property**, fikrî mülkiyet, düşünü iyeliği: ~ **worker**, düşünü işçisi. ~**ualism**, anlıkçılık, zihniye. ~**ually**, zekâ ile; anlayarak.

intelligen·ce [in'telicəns]. Zekâ, akıl, anlık, anlayış; istihbarat; haber (alma): ~**-officer**, istihbarat subayı: ~ **quotient**, akıl ölçüsü. ~**t**, zeki, akıllı, fatin: ~**ly**, zeki olarak: ~**sia** [-'centsi̯ə], münevverler, aydınlar.

intelligib·ility [intelici'biliti]. Kolay anlaşılabilir olma; vuzuh. ~**le** [-'telicibl], kolay anlaşılır; vazıh. ~**ly**, anlaşılır bir şekilde.

Intelsat [in'telsat] = INTERNATIONAL TELECOMMUNICATIONS SATELLITE.

intempera·nce [in'tempərəns]. İtidalsizlik, ölçüsüzlük; taşkınlık, ifrat; ayyaşlık; sertlik, şiddet. ~**te**, itidalsiz, ölçüsüz, taşkın; müfrit; çok içer; sert, şiddetli: ~**ly**, taşkın/müfrit bir şekilde.

intend [in'tend]. Niyet etm., meram etm., maksadı olm.; kastetmek. **I ~ed no harm**, hiç bir kötülük kastetmedim: **was his remark ~ed?**, o sözü kasten mi söyledi?: **that remark was ~ed for you**, o sözü sizi kastederek söyledi (kızım sana söylüyorum, gelinim sen anla!): **this portrait is ~ed for me**, bu, güya benim resmim: **this watch was ~ed for you**, bu saat sizin içindi.

intendant [in'tendənt]. Memur, müfettiş.

intend·ed [in'tendid] *s.* Kasten/istiyerek yapılmış/söylenmiş; istenilmiş; tasarlanmış. *i.* (*kon.*) Yavuklu. **my words had the ~ effect**, sözlerim istediğim tesiri yaptı. ~**ment**, hakikî maksat/niyet.

intense [in'tens]. Keskin, şiddetli; pek çok; son derecede olan; derin; gergin; aşırı derecede ciddî (insan). ~**ly**, gayet, pek çok; büyük ilgi ile.

intensi·fication [intensifi'keyşn]. Artırma, kuvvetlendirme, koyulaştırma, yeğinleme. ~**fier** [-'tensifayə(r)], artırıcı, koyultucu, şiddetlendirici, çoğaltıcı. ~**fy**, artırmak, koyulaştırmak, teksif etm., koyultmak, kuvvetlendirmek, şiddetlendirmek. ~**ty** [-siti], şiddet; kesafet, koyuluk; kuvvet; yeğinlik. ~**ve**, şiddetli; kesif, koyu, yoğun; kuvvetli; yeğin; derin: ~**-care unit**, tehlikeli surette hastalar icin bir doktor/hastabakıcı grubu/özel koğuş: ~**ly**, şiddetli olarak.

intent [in'tent] *i.* Kasıt, niyet, maksat; amaç; erek; meal. *s.* Dikkatli; münhasıran bir şeye çevrilmiş. **to all ~s and purposes**, esas itibariyle: **be ~ on stg.**, zihni bir şeyle meşgul olm.: **be ~ on doing stg.**, bir şeyi yapmağa azmetmek, kastetmek.

intention [in'tenşn]. Niyet, kasıt, meram, amaç, erek. **with the ~ of -ing**, . . . maksadıyle: **I have not the slightest ~ of -ing/to . . .**, -e hiç niyetim yok: **do stg. with the best ~s**, bir şeyi hiç bir kötü niyetle yapmamak: **court a woman with honourable ~s**, bir kadına meşru bir maksatla kur yapmak: **heal by**

first ~, bıçak yarası cerahat toplamadan kapanmak. ~**al**, kastî. ~**ally**, kasten. ~**ed**, ... niyetli: **well-**~, iyi niyetli.
intent·ly [in'tentli]. Dikkatle, dikkatli olarak. ~**ness**, fevkalâde/kesif dikkat.
inter[1] [in'tə̄(r)]. Defnetmek, gömmek.
inter[2] ['intə(r)] (*Lat.*) Arasında.
inter-[3] ['intə(r)-] *ön.* Beyn-; -arası(nda); ara+; inter-; mütekabilen; birbirine.
inter. = INTERMEDIATE; INTERROGATIVE.
interact ['intərakt]. Birbirine müessir/etkili olm. ~**ion** [-'rakşn], birbirine tesir etme, interaksiyon.
interallied [intər'alayd]. Müttefikler arasındaki.
interbreed [intə'brīd]. Melezleş(tir)mek; tesalüp etm.
intercala·ry [in'tə̄kələri]. Ek/kebise olarak. ~**te** [-leyt], ek olarak toplamak; ilâve etm.; araya sokmak. ~**tion** [-'leyşn], arakatkı.
intercede [intə'sīd]. ~ **(with s.o.) for s.o.**, biri için şefaat etm., tavassut etm., araya girmek.
intercellular [intə'selyulə(r)]. Göze/hücreler arasındaki.
intercept ['intəsept] *i.* (*ast.*) Önleme. [-'sept] *f.* (Yolunu) kesmek; tutmak; önlemek. ~**ion** [-'sepşn], kesme; tutulma.
intercess·ion [intə'seşn]. Şefaat. ~**or**, şefaatçi.
interchange [intə'çeync]. Mübadele (etm.); değiştirme(k); münavebe (etm.); becayiş (etm.). ~**able**, mübadelesi mümkün; birbirinin yerine konulabilir; değiştirilebilir. ~**r**, değiştirici.
inter·city [intə'siti]. Şehirler arası(ndaki tren/servisler). ~**collegiate** [-kə'līciət], kolejler arası.
intercom ['intəkom]. İç telefon sistemi. ~**municat·e** [-kə'myūnikeyt], biribiriyle haberleşmek/münasebette bulunmak: ~**ion** [-'keyşn], biribiriyle haberleşme vb.
intercommuni·on [intəkə'myūniən] (*din.*) Karşılıklı münasebet. ~**ty**, (din/mülk) müşterek olma.
inter·connect [intəkə'nekt]. Birbiriyle bağla(n)mak. ~**continental** [-konti'nentl], kıtalararası. ~**costal** [-'kostəl], eğe/kaburgalar arası.
inter·course ['intəkōs]. Muaşeret; ilişki; cinsel ilişki. ~**cross**, melezleş(tir)mek; haç şeklinde olarak üzerinden geçmek.
interdenominational [intədinomi'neyşnl]. Mezhepler arası(nda vuku bulan).
interdepend [intədi'pend]. Birbirine bağlı olm. ~**ence**, birbirine bağlı/muhtaç olma. ~**ent**, birbirine bağlı/muhtaç.
interdict ['intədikt] *i.* Yasak emri; memnuiyet; (katoliklerde) dinî ayinlerden men. [-'dikt] *f.* Yasak etm.; menetmek, önlemek. ~**ion** [-'dikşn] (*ask.*) düşmanın bağlantısını kesme; hacir.
interest[1] ['int(ə)rist] *i.* Alâka; ilgi; merak; faiz, ürem; menfaat, yarar. **it is in your** ~ **to do this**, bunu yapmak sizin menfaatinizedir: **take an** ~ **in** ..., -e ilgi göstermek/merak etm.: **have an** ~ **in a business**, bir işe para yatırmış olm.: **bear** ~ **at 5%**, 5% faiz getirmek: **questions of public** ~, herkesi ilgilendiren meseleler: **this is not in the public** ~, bu halkın menfaatine değildir: **the shipping** ~, deniz ticareti ile ilgili olanlar: **place of** ~, turistik yer: ~ **rate**, faiz fiyat/oranı.
interest[2] *f.* İlgisini çekmek; alâkadar etm.; ... için önemli olm.; sarmak; ilgilendirmek. ~ **oneself/be** ~**ed in stg.**, bir şeye meraklı olm., bir şeye karşı ilgi göstermek. ~**ed**, *s.* alâkadar, ilgili: ~ **in stg.**, bir şeyin meraklısı: ~ **motives**, menfaatperestlik: **he is an** ~ **party**, o tarafsız değildir, bu işte kişisel çıkarı var. ~**ing**, alâka uyandırıcı; ilgi çekici, ilginç; meraklı; enteresan; önemli, dikkate değer.
interface ['intəfeys] (*elek.*) Arayüzey; ayrı ayrı sistemleri bağlıyan nokta/cihaz.
interfer·e [intə'fiə(r)]. Müdahale etm., karışmak: ~ **with**, -e karışmak, burnunu sokmak; dokunmak; engel olm.: **this tree** ~**s with the view**, bu ağaç manzaraya engel oluyor. ~**ence** [-əns], müdahale; karışma; men, engel; ışık/ısı dalgalarının inkisarı; (*rad.*) parazit, enterferans, girişim, gürültü. ~**ing**, karışan, vb. ~**ometer** [-'romitə(r)], girişim aracı.
inter·fluent [intə'flūənt]. Birbirinin içine akan. ~**fuse** [-'fyūz], karış(tır)mak.
interglacial [intə'gleyşəl]. Buz çağları arasındaki.
interim ['intərim] *s.* Muvakkat, geçici. *i.* Aralık vakti; vekil. **ad** ~, muvakkaten; vekâleten: ~ **dividend**, aragelir: **in the** ~, bu aralık/esnada.
interior [in'tiəriə(r)] *s.* İçerideki, iç; dahilî. *i.* İç; memleketin iç tarafı; ev içi.
interjacent [intə'ceysnt]. Arasında bulunan.
interject [intə'cekt]. Biri konuşurken birdenbire (bir şeyi) söylemek. ~**ion** [-'cekşn] (*dil.*) nida, ünlem.
inter·lace [intə'leys]. Birbirine geçirmek; çaprazlamak; ağ haline koymak. ~**lard**, ~ **a speech with jokes**, nutka nükte karıştırmak. ~**leave** [-'līv], kitap ciltlenirken yaprakları arasına boş kâğıtlar koymak. ~**line** [-layn], satırlar arasında yazmak: ~**ar** [-liniə(r)], satırlar arasında yazılmış.
interlock [intə'lok] *f.* Birbirine bağla(n)mak/kilitle(n)mek. *i.* Kilitleme tertibatı.
interlocutor [intə'lokyutə(r)]. Muhatap. ~**y**, ~ **judgement**, ara kararı.
interloper ['intəloupə(r)]. Hakkı olmadığı halde bir yere giren/bir işe müdahale eden kimse; yabancı.
interlude ['intəlyūd]. İki olay arasındaki fasıla; (*tiy.*) iki perde arasındaki aralık, ara oyunu.
intermarr·iage [intə'maric]. Çeşitli aileler/kabileler/sınıflar/milletler arasında evlenme. ~**y**, böyle evlenmek.
intermeddle [intə'medl]. Karışmak, burnunu sokmak.
intermedia·ry [intə'mīdyəri]. Mütevassıt, aracı. ~**te** [-diət], mütevassıt, aracı; iki olay arasında geçen (zaman); iki şey/şahıs arasında bulunan; orta; ara: ~**ly**, ara yerde bulunarak; vasıta olarak.
interment [in'tə̄mənt]. Gömme, defin; tedfin.
intermezzo [intə'metsou] (*tiy.*) Ara oyunu; (*müz.*) ara fasıl.
interminabl·e [in'tə̄minəbl]. Can sıkacak kadar uzun. ~**y**, sonsuz olarak.
intermingle [intə'min(g)gl]. Birbirine karış(tır)mak; mezcetmek; mezcolmak. ~ **with the crowd**, kalabalığa karışmak.
intermission [intə'mişn]. Fasıla; aralık verme.
intermit [intə'mit]. Geçici olarak tatil etm., kesilmek. ~**tent**, durup yine işliyen; aralı, kesikli, fasılalı: ~ **fever**, sıtma: ~**ly**, aralı olarak.
intermix [intə'miks]. Birbirine karış(tır)mak.
intern [intə̄n]. (Tehlikeli görülen bir kimseyi) belirli yerde oturtmak; kalebent etm.; enterne etm., gözaltına almak.

internal [in'tənl]. İç, dahilî; içe ait; derunî: ~ **combustion engine**, iç yakımlı makine. ~**ly**, içten, dahilen.
international [intə'naşnl] *s.* Beynelmilel; millet-/uluslararası, enternasyonal. *i.* Milletlerarası oyun/maç. ~ **date-line**, gün değiştirme hattı: ~ **exhibition/fair**, milletlerarası sergi: ~ **law**, devletler-/milletlerarası hukuk. ~**ism**, enternasyonalizm; uluslararası teşkilât. ~**ist**, enternasyonalizm taraftarı. ~**ize**, enternasyonal hale koymak.
internecine [intə'nīsayn]. Her iki taraf için öldürücü olan (harp).
intern·ee [intə'nī]. Hükümet tarafından bir yere kapatılan/enterne edilen kimse. ~**ment** [-'tənmənt], bir kimseyi kendiliğinden çıkması mümkün olmıyan bir yere kapatma; enterne etme; gözaltı.
internuncio [intə'nʌnçiou]. Papanın elçisi.
interpellat·e [in'təpəleyt]. Millet meclisinde bir vekilden istizah etm. ~**ion** [-'leyşn], istizah, gensoru.
interpenetrate [intə'penitreyt]. Tamamen içine girmek.
interplanetary [intə'planitəri]. Gezegenler arasında olan/arasına ait.
interplay ['intəpley]. Karşılıklı etki.
Interpol ['intəpol] = INTERNATIONAL CRIMINAL POLICE ORGANIZATION.
interpolat·e [in'təpəleyt]. Bir kitap vb.ne muaddel bir kelime/cümle sokmak; doldurmak; ara değerini bulmak. ~**ion** [-'leyşn], ara değerini bulma.
interpos·e [intə'pouz]. Arasına koymak; araya girmek; müdahale etm. ~**ition** [-pə'zişn], arasına koyma; müdahale.
interpret [in'təprit]. Anlamını açıklamak; yorumlamak; tercümanlık etm. ~**ation** [-'teyşn], izah, açıklama; tercüme; yorum, tefsir; (*id.*) uygulanma; şerh. ~**er** [-'təpritə(r)], tercüman.
interregnum [intə'regnəm]. Saltanat fasılası; fitret zamanı; erk aralığı, hükümetsiz bir devre; fasıla; mola.
interrelat·ed [intəri'leytid]. Birbiriyle alâkalı olan. ~**ion** [-'leyşn], karşılıklı ilgi/ilişik.
interrogat·e [in'terəgeyt]. Soru sormak, sorguya çekmek. ~**ion** [-'geyşn], istifham; sorgu; sual: **note/point/mark of** ~, soru işareti. ~**ive** [-'rogətiv], sorgu ifade eden; soru+; istifhamlı. ~**ory**, sual edici, soruşturucu; soru(lu).
interrupt [intə'rʌpt]. Fasılaya uğratmak; kesmek; birinin sözünü kesmek. ~**ed**, (*müh.*) kesintili. ~**er**, arasını kesen kimse/şey; (*elek.*) enterüptör, kesici, şalter. ~**ion** [-'rʌpşn], kesme, inkıta; sözün kesilmesi: **without** ~, durmadan, fasılasız.
intersect [intə'sekt]. Keşişmek; biri diğerini keserek ikiye bölmek. ~**ion** [-'sekşn], keşişme (yeri); faslı müşterek; kesişme noktası, arakesit.
intersex ['intəseks] = UNISEX.
interspace ['intəspeys] *i.* Ara, fasıla. *f.* Araları koymak/bırakmak.
intersperse [intə'spəs]. Arasına serpmek; ötesine berisine karıştırmak.
***inter·state** ['intəsteyt]. Devletler arasında olan/arasına ait. ~**stellar** [-'stelə(r)], yıldızlar arasına ait/arasında olan.
intersti·ce [in'təstis]. Aralık; çatlak; yarık, gedik. ~**tial** [-'stişl], çatlağa ait; gediği dolduran.
inter·tribal [intə'traybl]. Kabileler arası(na ait). ~**tropical**, tropikler arasında olan; tropikal kuşağa ait.
intertwine [intə'twayn]. Birbirine örmek/geçirmek; birbirine sarılmak.
interurban [intər'əbn]. Şehirler arasında olan/arasına ait.
interval ['intəvl]. Ara(lık), fasıla; (*tiy.*) perde arası. **at** ~**s**, arasıra, zaman zaman, seyrek.
interven·e [intə'vīn]. Araya girmek; müdahale etm.; aracılık etm., katılmak. ~**er**, (*huk.*) davaya katılan kimse. ~**tion** [-'venşn], araya girme; müdahale; tavassut; aracılık; katılma.
interview ['intəvyū]. Görüşme(k); -le mülâkat (yapmak); beyanat (almak); anket (yapmak).
inter·weave (*g.z.* ~**wove**, *g.z.o.* ~**woven**) [intə'wīv, -'wouv(n)]. (Çeşitli iplikleri) birlikte dokumak, birbirine örmek; ör(ül)mek.
intesta·cy [in'testəsi]. Vasiyetsizlik. ~**te** [-tit], vasiyetsiz ölmüş.
intestin·al [in'testinl]. Bağırsak+, bağırsaklara ait; dahilî. ~**e** [-tin] *i.* bağırsak: *s.* dahilî: **large/small** ~, kalın/ince bağırsak.
intima·cy ['intiməsi]. Sıkı dostluk, içli dışlı olma; mahremlik; cinsel ilişki. ~**te**[1] [-mit] *s.* sıkı fıkı, içli dışlı; kafadar; mahrem: *i.* candan arkadaş: ~**ly**, içli dışlı olarak.
intimat·e[2] ['intimeyt] *f.* Üstü kapalı anlatmak; ima etm.; bildirmek. ~**ion** [-'meyşn], haber; ima, üstü kapalı anlatma.
intimidat·e [in'timideyt]. Korkutmak; gözdağı vermek. ~**ion** [-'deyşn], korkutma; gözdağı. ~**or** [-deytə(r)], korkutan kimse. ~**ory** [-'deytəri], tehdit edici.
intimity [in'timiti]. İçyüz, ruhanilik; mahremlik.
intitule [in'tityūl]. Isim vermek.
into ['intu]. İçine doğru; -e, -in içeriye; [*bir fiil ile birlikte olduğu zaman o fiile bak*]. **change stg.** ~ **stg.**, bir şeyi bir şeye çevirmek: **grow** ~ **a man**, büyüyüp adam olm.: **work far** ~ **the night**, gece yarılarına kadar çalışmak: **5** ~ **12 goes 2 and 2 over**, 12de 5 iki defa var, 2 artar.
intoed ['intoud]. Ayak parmakları içeriye çevrilmiş.
intolerabl·e [in'tolərəbl]. Tahammül edilmez; çekilmez: ~**ness**, tahammül edilmezlik. ~**y**, tahammül edilmez bir şekilde; (*kon.*) çok.
intoleran·ce [in'tolərəns]. Müsamahasızlık; taassup; hoşgörmezlik. ~**t**, müsamahasız; mütaassıp; hoşgörmez: **he is** ~ **of this drug**, bu ilâç ona dokunur.
inton·ation [intou'neyşn]. Sesin ahenk/ifadesi; sesleme, tonlama, entonasyon. ~**e** [-'toun], yeknesak ve cansıkıcı bir tarzda okumak, muttarit bir sesle okumak; tilâvet etm.
intoxic·ant [in'toksikənt]. Sarhoş edici, mestedici. ~**ate**, sarhoş etm.; (sevinç vb.) çılgın bir hale getirmek. ~**ated**, sarhoş. ~**ating**, sarhoş edici. ~**ation** [-'keyşn], sarhoşluk.
intr. = INTRANSITIVE; INTRODUCTION.

intra- [intrə-] *ön.* İç tarafın(d)a; için(d)e; . . . içi.
intractab·ility [intraktə'biliti]. Serkeşlik; densizlik. **~le** [-'traktəbl], serkeş; ele avuca sığmaz; densiz. **~ly**, serkeşçe; densizce.
intrados [in'treydos] (*mim.*) Kemer alt/iç sırtı; (*hav.*) kanadın alt sathı.
intra·mural [intrə'myūrəl]. Duvarlar içinde; tek kolej/üniversiteye ait. **~national**, milletin içinde; tek millete ait.
intransigen·ce [in'transicəns]. Uzlaşmazlık; inat(çılık). **~t**, uzlaşmaz; inatçı.
intransitive [in'transitiv] (*dil.*) Geçişsiz/nesnesiz (fiil). **~ly**, geçişsiz olarak.
intrant ['intrənt]. (Cemiyet vb.ne) giren kimse.
intra·vehicular [intrəvi'hikyulə(r)]. Uzay gemisinin içinde olan. **~venous** [-'vīnəs], damar içine.
intrench = ENTRENCH.
intrepid [in'trepid]. Cesur, yılmaz; atılgan; pervasız. **~ity** [-'piditi], cesaret, yılmazlık, göz pekliği. **~ly**, cesur vb. olarak.
intrica·cy ['intrikəsi]. Muğlaklık, karışıklık; giriftlik. **~te** ['intrikit], girift; muğlak, karışık; girişik.
intrigue [in'trīg] *i.* Entrika; kumpas; oyun, dolap; desise, dolantı. *f.* Entrika yapmak; kumpas kurmak; dolap çevirmek; tecessüsünü tahrik etm.; şaşırtmak; merakını uyandırmak. **~r**, entrikacı.
intrinsic [in'trinsik]. Zatî, aslî, mündemiç; has. **~ally**, haddi zatında, aslen.
intro. = INTRODUC·E/-TION.
intro- [intrə-] *ön.* İçine; içeriye.
introduc·e [intrə'dyūs]. Takdim etm., tanıtmak; sokmak, dercetmek; ithal etm.; ileri sürmek, derpiş etm. **~tion** [-'dʌkşn], mukaddeme; başlama; giriş; başlangıç; içeri sokma, dercetme; takdim etme, tanıştırma: **letter of ~**, tavsiye mektubu: **give s.o. an ~ to s.o.**, birisi için birine tavsiye (mektubu) vermek: **the ~ of the telephone into everyday life**, telefonun günlük hayata girmesi. **~tory** [-təri], mukaddeme kabilinden; takdim edici; tanıtıcı, tanıtma +.
introit [in'trouit] (*din.*) Sesle söylenen bir başlangıç ilâhisi.
intromit [intrə'mit]. İçeriye göndermek; içine koymak; kabul etm.
introspect·ion [intrə'spekşn]. Kendi ruhunu tetkik etme; içgözlem; mürakebe; teemmül. **~ive**, kendi içini tetkik eden.
introver·sion [intrə'vəşn]. Kendi içine dönme. **~t** ['intr-] *s.* içe/kendi içine dönük: [-'vət] *f.* içeriye döndürmek.
intrud·e [in'trūd]. Zorla içeri sokmak; sokulmak, karışmak; (bir yere) münasebetsizce sokulmak: **~ on**, -e tecavüz etm.: **I hope I'm not ~ing**, inşallah münasebetsiz zamanda gelmedim. **~er**, hakkı olmadığı bir yere giren kimse; davet edilmediği halde bir meclis vb.ne sokulan biri; sığıntı.
intrus·ion [in'trūjn]. İçeri sok(ul)ma; girinti; zorla girme; tecavüz; münasebetsizce/haksız olarak girme. **~ive** [-siv] (*köt.*) sokulgan; mütecaviz.
intuit ['ıntyuit]. Sezgi ile bilmek/öğrenmek. **~ion** [-tyu'işn], sezgi, sezi(ş), içine doğma; hads: **~al**, sezgiye ait. **~ive** [-'tyuitiv], hads yolu ile keşfeden; sezgili; seziş ile olan: **~ly**, sezgi kabilinden.
intumesce [intyu'mes] (*tıp.*) Şişmek, kabarmak. **~nce** [-səns], şişme, kabarma.
intussusception [intəsə'sepşn] (*biy.*) Bir örgenliğin gıdasının dokuya değiştirilmesi.
inundat·e ['inʌndeyt]. Su basmak, suya boğmak: **be ~ed with . . .**, . . . ile batırılmak. **~ion** [-'deyşn], su basması, feyezan.
inurbane [inə'beyn]. Nazik/terbiyeli olmıyan.
inure [i'nyuə(r)]. (Meşakkat vb.ne) alıştırmak; -e karşı tahammülünü artırmak; (*huk.*) yürürlüğe girmek.
inutil·e [in'yūtayl]. Yararsız; kazançsız. **~ity** [-'tiliti], yararsızlık; kârsızlık.
Inv. = INVERNESS-SHIRE.
inv. = INVARIABLE; INVENTION; INVOICE.
invade [in'veyd]. İstilâ etm., tecavüz etm. **~r**, müstevli, istilâcı.
invaginate [in'vacineyt]. Kılıf içine koymak; üzerine kılıf geçirmek.
invalid[1] ['invəlīd]. Hasta, malul; illetli; hastalıklı. **be ~ed out of the army**, çürüğe çıkarılmak. **~ism**, hastalıklı olma; devamlı sıhhatsizlik.
invalid[2] [in'valid]. Hükümsüz; yetersiz; batıl; geçmez; olmamış gibi. **~ate** [-deyt], iptal etm., çürütmek, butlan kararı vermek. **~ation** [-'deyşn], hükümsüzlük, iptal. **~ity** [-və'liditi], hükümsüzlük, butlan.
invaluable [in'valyuəbl]. Son derece değerli; pek yararlı.
invar ['invā(r)] (*M.*) Az şişen nikelli çelik, invar.
invariab·ility [inveəriə'biliti]. Değişmezlik; sabitlik. **~le** [-'veəriəbl], değişmez; sabit. **~ly**, değişmiyerek; daima.
invas·ion [in'veyjn]. İstilâ; tecavüz: **~ of privacy**, mahremliğinin boz(ul)ması. **~ive** [-siv], tecavüz kabilinden.
invective [in'vektiv]. Acı söz; sövme, küfür.
inveigh [in'vey]. **~ against . . .**, aleyhinde şiddetli söz söylemek, şikâyet etm.; tenkit etm.
inveigle [in'veygl]. Hile ile kandırmak; ayartmak. **~ s.o. into doing stg.**, birini bir şey yapmağa kandırmak. **~ment**, kandırma.
invent [in'vent]. İcat etmek; ihtira etm.; uydurmak. **~ion** [-'venşn], icat; ihtira; uydurma; uydurma havadis. **~ive**, icat kabiliyeti olan. **~or**, mucit, muhteri, bulman.
inventory ['inventri] *i.* Müfredat/mevcut defteri; mal stoku, envanter, sayım (çizelgesi). **make/take/draw up an ~** /*f.* **~**, -in müfredatını düzenlemek.
Inverness [invə'nes]. İsk.'da bir şehir. **~ cloak/coat**, kolsuz erkek mantosu. **~shire** [-şə], Brit.'nın bir kontluğu.
invers·e [in'vəs]. Makûs; ters; evrik, zıt: **~ly**, makûs/ters olarak: **~ ratio**, ters oran/nispet. **~ion** [-'vəşn], makûs yapma/olma; ters çevrilme; (*yer.*) terselme; (*kim.*) evirtim; (*dil.*) devrik cümle.
invert [in'vət]. Makûs yapmak; tersine çevirmek. **~ed**, ters; baş aşağı; (*dil.*) devrik; (*kim.*) evirtik: **~ commas**, tırnak işareti. **~er**, çevirici; (*elek.*) redresör.
invertebrate [in'vətibrit]. Fıkrasız, omurgasız; (*mec.*) kararsız, iradesiz.
invest [in'vest]. Faize para yatırmak; plase etm.; giydirmek, sarmak; kuşatmak, muhasara etm.; birini makamına oturtmak; birine yetki vb. vermek/tevdi etm. **~ed**, yatırılmış.
investigat·e [in'vestigeyt]. Tetkik etm., teftiş etm., tahkik etm., araştırmak, incelemek. **~ion** [-'geyşn],

tetkik; teftiş; tahkik; araştırma; inceleme; soruşturma. **~ive**/**~ory** [-'ves-], tetkik vb.ne ait. **~or**, araştırıcı, müfettiş; detektif: **private ~**, özel detektif.
investiture [in'vestityuə(r)]. Memuriyetin resmen tevcihi; Kral(içe) tarafından nişan/rütbe/unvanların resmen tevcihi merasimi.
invest·ment [in'vestmənt]. Para yatırma; yatırım, plasman, envestisman, mevduat; yatırılan para; (*ask.*) kuşatma, muhasara etme: **steel shares are a good ~**, çelik hisse senetleri kârlıdır. **~or**, para yatıran, yatırımcı; sermayesini bir teşebbüse yatıran.
inveterate [in'vetərit]. Zamanla yerleşmiş, kökleşmiş; müzmin; azılı.
invidious [in'vidiəs]. Hatır kırıcı; kıskandırıcı.
invigilat·e [in'vicileyt]. Yazılı imtihanda nezaret etm. **~ion** [-'leyşn], böyle nezaret etme. **~or**, nezaret eden kimse.
invigorat·e [in'vigəreyt]. Kuvvetlendirmek, canlandırmak, dinçleştirmek. **~ing**, dinçleştirici.
invincib·ility [invinsi'biliti]. Yenilmezlik. **~le** [-'vinsibl], yenilemez, mağlup edilemez. **~ly**, yenilemez bir surette.
inviolab·ility [invayələ'biliti]. Nakzedilemezlik; dokunulmazlık; masuniyet. **~le** [-'vayələbl], nakzedilemez; dokunulmaz; bozulamaz.
invisib·ility [invizi'biliti]. Gözle görülemezlik. **~le** [-'vizibl], gözle görülemez; göze görünmiyen; gizlenmiş: **~ ink**, gizli mürekkep. **~ly**, görülemez bir şekilde; gizli olarak.
invit·ation [invi'teyşn]. Davet(iye). **~e** [-'vayt], davet etm., çağırmak: **~ trouble**, belâyı satın almak. **~ing**, cazip, cazibeli; lezzetli; hoş, latif: **~ly**, cazip olarak.
invocat·ion [invo'keyşn]. İstiane, istimdat; dua; rica. **~ory** [-'vokətəri], dua kabilinden.
invoice ['invoys] *i.* Fatura, satımca. *f.* Fatura çıkarmak. **as per ~**, fatura mucibince: **original/pro forma ~**, orijinal/proforma fatura.
invoke [in'vouk]. İstimdat etm.; dua ile yardım rica etm.; yalvarmak; sihir kuvvetiyle (cin vb.) davet etm. **~ a curse on**, inkisar etm.
involucre ['involukə(r)]. Bürüm; (*bot.*) bir daire teşkil eden ufak yapraklar.
involuntar·ily [in'voləntərili]. İstemiyerek. **~iness**, ihtiyarî olmama. **~y**, ihtiyarî olmıyan; istemeden; mecburî.
involut·e ['involyūt]. Tomar gibi; içeriye bükülmüş; münkeşif; içeri kıvrık. **~ion** [-'lyūşn], içeri kıvırma; (*mat.*) yüksek kuvvete çıkarma.
involve [in'volv]. Sarmak; ihata etm.; istilzam etm.; karıştırmak; dolaştırmak; mucip olm.; methaldar etm.; sokmak. **be ~d**, methaldar olm.; sürüklenmek; ilgili olm.: **his honour is ~d**, şerefi söz konusudur. **~d**, *s.* girift, çetrefil; muğlak; karışık; borçlu; (emlâk) ipotekli. **~ment**, sar(ıl)ma; karıştır(ıl)ma; sok(ul)ma.
invulnerab·ility [invʌlnərə'biliti]. Yaralanmazlık. **~le** [-'vʌlnərəbl], yaralanmaz; metin; mukavim.
inward ['inwəd]. Dahilî; içte, içe doğru. **~ly**, içte; içten. **~ness**, esas, asıl; içyüz. **~s**, içeriye doğru.
I/O = (*elek.*) INPUT/OUTPUT.
IO = INDIA OFFICE; INTELLIGENCE OFFICER.
~C = INTERNATIONAL OLYMPIC COMMITTEE.
~CU = INTERNATIONAL ORGANIZATION OF CONSUMERS' UNIONS.
iod·ide ['ayədayd]. İyodür. **~ine** [-dīn], iyot; tentürdiyot. **~oform** [-'odəfōm], iyodoform.
IOM = ISLE OF MAN.
ion ['ayən]. İyon.
-ion [-ən] *son.* -lik; durum; suret [RADIATION].
Ioannina [yo'aninə]. Yanya.
Ioni·a [ay'ounyə]. İyonya: **~n**, İyonya(lılar)a ait: **~ Islands**, Yedi Adalar, Yunan Adaları. **~c**[1] [-'onik], İyonya(lılar)a ait; (*mim.*) İyon düzeni; İyonik.
ionic[2] (*fiz.*) İyon +; iyona ait.
ionium [ay'ouniəm]. İyonyum.
ion·ization [ayənay'zeyşn]. İyonla(ş)ma. **~ize**, iyonlaş(tır)mak; iyonla(n)mak. **~osphere** [-'onəsfiə(r)], iyonosfer, iyon yuvarı.
***-ior** [-iə(r)] *son.* = -IOUR.
iota [ay'outə]. Yunancanın dokuzuncu harfi (I, ι); yota; pek küçük/önemsiz şey. **not one ~**, zerre kadar.
IOU [ayou'yū] = I OWE YOU; borç senedi.
-io(u)r [-iə(r)] *son.* -ci; ... yapan [SAVIOUR; WARRIOR].
-ious [-iəs] *son.* -li; ... olan. [CURIOUS; PRECIOUS].
IOW = ISLE OF WIGHT.
Iowa ['āyəwə]. ABD'nden biri.
IPA = INTERNATIONAL PHONETIC ALPHABET/ASSOCIATION.
ipecacuanha [ipikakyu'anə]. Altınkökü.
i.p.s. = INCHES PER SECOND.
ipse dixit ['ipsi'diksit] (*Lat.*) Kendi söyledi; kestirme ve amirane söz.
ipsilateral [ipsi'latərəl]. Bir cismin aynı tarafına ait.
ipso facto ['ipsou'faktou]. (*Lat.*) Yalnız bunun için, sırf bu hareketinden dolayı.
IPU = INTER-PARLIAMENTARY UNION.
IQ = INTELLIGENCE QUOTIENT.
-ique [-ik] *son.* = -IC.
ir- [ir-] *ön.* = IN- + R [IRREGULAR].
Ir. = IRELAND; (*kim.s.*) IRIDIUM; IRISH.
IR = INFRA-RED; INLAND REVENUE; INSTRUMENT READING. **~A** = IRISH REPUBLICAN ARMY.
irade [i'rād] (*Ar.*) İrade.
Ira·k/q [i'rāk]. Irak. **~i**, *i.* Iraklı: *s.* Irak +.
Iran [i'rān]. İran. **~ian** [i'reynyən] *i.* İranlı: *s.* İran +.
irascib·ility [irasi'biliti]. Öfkelilik. **~le**, çabuk öfkelenir; hemen parlar. **~ly**, öfkelenerek.
irate [ay'reyt]. Hiddetlenmiş; öfkeli; kızgın.
IR·BM = INTERMEDIATE-RANGE BALLISTIC MISSILE.
~C = INTERNATIONAL RED CROSS/REPLY CARD.
ire ['ayə(r)]. Öfke, hiddet.
Ire. = IRELAND.
ireful ['ayəful]. Öfkeli, hiddetli.
Ireland ['ayələnd]. İrlanda. **Northern ~**, K. İrlanda. **Republic of ~**, G. İrlanda.
iridaceous [ayri'deyşəs]. Süsengillere ait.
iridescen·ce [iri'desəns]. Sedef/opal gibi renkli ışınlar verme hassası; renk oynaşması; renkli pırıltı. **~t**, gökkuşağı gibi renkler gösteren; sedef gibi renkli.
iridium [ay'ridiəm]. İridyum.

Aranan kelime bu sayfada bulunmazsa, ilk olarak* IN- *notlarına bakınız.

iris[1] ['ayəris]. İris; kuzahiye; diyafram; (*şiir.*) alâimisema/gökkuşağı (mabudesi).
iris[2]. Süsen(gil), iris. **yellow ~**, bataklık süseni.
Irish ['ayəriş] *i.* İrlandalı(lar); İrlandaca: *s.* İrlanda +. **~ism** İrlandaca özel deyimi. **~man**, *ç.* **~men**, İrlandalı.
iritis [ay'raytis]. İris iltihabı.
irk [ə̄k]. Üzmek, sıkıntı vermek; usandırmak. **~some** [-səm], usandırıcı, bıktırıcı.
IRO = INLAND REVENUE OFFICE; INTERNATIONAL REFUGEE ORGANIZATION.
iron ['ayən] *i.* Demir; ütü; damga; ayak zinciri; üzengi; (*tıp.*) kırılmış ayak için destek; (*sp.*) maden uçlu değnek; (*mec.*) kuvvet, metanet. *s.* Demirden yapılmış; demir kadar katı; demir +. *f.* Ütülemek. **angle-~**, köşebent demiri: **cast ~** = CAST[3]: **curling ~**, saç maşası: **flat ~**, elbise ütüsü: **old ~**, hurda demir: **pig ~**, dökme demir: **soldering ~**, havya: **wrought ~**, dövme demir: **be in ~s**, (i) zincirli olm.; (ii) (gemi) yelkenleri kapanıp dümen tutmaz olm.: **have many ~s in the fire**, kırk tarakta bezi olmak: **strike while the ~ is hot!**, demiri tavında iken dövmeli: **clap/put s.o. in ~s**, birini prangaya vurmak.
iron. = IRONIC(AL).
iron·-age ['ayəneyc]. Demir çağı. **~-bound**, demir çemberli; demirle bağlı: **~ coast**, kayalık, yalçın sahil. **~clad**, zırhlı (gemi). **~-curtain**, 'demir perdeli' sınır: **behind the ~**, Rusya ve onun peyk devletlerinde bulunan. **~-foundry**, dökümhane. **~-Gate**, Demirkapı geçidi. **~-grey**, demir kırı. **~-horse**, (*kon.*) lokomotif.
iron·ic(al) [ay'ronik(l)]. İstihzalı; kaderin bir cilvesi gibi: **~ly**, istihzalı olarak; çift anlamlı olarak. **~ist**, istihzahlı yazar.
iron·ing ['ayənin(g)]. Ütüleme; ütülenecek şeyler: **~ board**, ütü tahtası. **~-lung**, çelik ciğer. **~-master**, demir imalatçı/fabrikatörü; demirci ustası. **~monger** [-mʌn(g)gə(r)], hırdavatçı, nalbur, hurdacı: **~y**, hırdavat, hurda; kapkacak; hırdavatçı mağazası. **~-mould**, demir pası lekesi. **~-ration(s)**, (*ask.*) özel görev için tayın. **~shod**, demir taban/nallı. **~sides**, cesur ve merhametsiz asker. **~smith**, demirci, **~stone**, demirli taş. **~ware** [-weə(r)], demir hırdavat/eşya. **~wood**, demir ağacı. **~work**, demir eşya: **~er**, demir fabrika işçisi; demirci: **~s**, demir/çelik fabrikası.
irony ['ayrəni]. İstihza: **~ of fate**, kaderin cilvesi.
irradia·nce [i'reydiəns]. Işık saçma, parlama. **~nt**, ışık saçan, parlak. **~te** [-dieyt], üzerine ışınlar saçmak, parlatmak; yaymak. **~tion** [-'eyşn], ışın saçma; parlama.
irrational [i'raşənl]. Gayri makul, akıl dışı; akla uymaz, saçma; (*mat.*) orandışı. **~ity** [-'naliti], akıl/mantıksızlık; saçma.
irreclaimable [iri'kleyməbl]. Islah edilemez; geri istenilemez; (*zir.*) elverişli hale getirilemez.
irre·concilable [irekən'sayləbl]. Telif edilemez; barıştırılamaz, uzlaştırılamaz. **~coverable** [-'kʌvərəbl], geri alınamaz; istirdadı imkânsız; telâfi edilemez. **~cusable** [-'kyūzəbl], reddolunamaz; kabulü mecburî. **~deemable** [-'dīməbl], ıslah edilemez: **~ bonds**, (*mal.*) süresi zarfında ödenmiyen senetler.
irredent·ism [iri'dentizm]. İrredantizm. **~ist**, irredantist.
irreducible [iri'dyūsibl]. Azaltılması mümkün olmıyan; (*tıp.*) reddedilemez; indirgenmez; (*mat.*) kısık. **~ fraction**, sadeleştirilemez bir kesir.
irre·fragable [i'refrəgəbl]. Cerh/inkâr edilemez. **~frangible** [iri'francibl], bozulamaz; inkisar etmez. **~futable** [-'fyūtəbl], ret ve cerhi kabil olmıyan; reddedilemez.
irreg. = **irregular** [i'regyulə(r)]. Düzensiz; usulsüz; yolsuz; ittıratsız; usul ve nizama aykırı; kural dışı; arızalı; (*dil.*) kıyassız, şaz: **~ life**, düzensiz/sefih hayat: **~ troops**, başıbozuk/çete askerleri. **~ity** [-'lariti], intizamsızlık; usule aykırılık; ittıratsızlık; düzensizlik; kıyassızlık. **~ly**, düzensizce vb.
irrelevan·ce/~cy [i'reləvəns(i)]. Yersiz olma; münasebetsizlik; sadetten dışarı olma. **~t**, yersiz; sadetten dışarı; münasebetsiz, münasebeti olmıyan: **~ly**, yersizce.
irreligi·on [iri'licən]. Dinsizlik; dine aykırılık. **~ous** [-cəs], dindar olmıyan; dinsiz; dine aykırı: **~ly**, dinsizce.
irre·mediable [iri'mīdyəbl]. Şifa bulmaz; tedavi edilemez; çaresiz; tamiri mümkün olmıyan. **~movable** [-'mūvəbl], kaldırılamaz; çıkarılamaz.
irreparabl·e [i'repərəbl]. Tamir kabul etmez; telâfi/giderilmesi mümkün olmıyan. **~y**, tamir edilemez bir surette.
irreplaceable [iri'pleysəbl]. Yeri doldurulamaz; yerine geçirilemez.
irrepressibl·e [iri'presibl]. Zaptolunmaz; tutulamaz; önüne geçilemez. **~y**, tutulamaz bir şekilde.
irreproachabl·e [iri'prouçəbl]. Kusursuz; kabahatsiz; muaheze edilecek şeyi olmıyan. **~y**, kusursuzca.
irresistibl·e [iri'zistibl]. Önüne durulmaz; mukavemet edilemez; dayanılmaz. **~y**, dayanılmaz bir şekilde.
irresolut·e [i'rezəlyūt]. Kararsız; mütereddit: **~ly**, kararsızca. **~ion** [-'lyūşn], kararsızlık.
irrespective [iri'spektiv]. **~ of . . ., . . .** sarfınazar, -e bakmaksızın, -i hesaba katmadan.
irresponsib·ility [irisponsi'biliti]. Sorumsuzluk; sersemlik. **~le** [-'ponsibl], gayri mesul; düşüncesiz; sersem; güvenilemez; sorumsuz. **~ly**, sorumsuzca; düşüncesizce.
irresponsive [iri'sponsiv]. Mukabele etmez; müteessir olmıyan; karşılık vermiyen.
irretentive [iri'tentiv]. (Akılda) iyi tutmıyan.
irretrievabl·e [iri'trīvəbl]. Telâfi edilemez; geri alınamaz; bir daha ele geçmez. **~y**, geri alınamaz bir şekilde; tamamen.
irreveren·ce [i'revərəns]. Dinî şeylere saygısızlık. **~t**, dinî şeylere saygısız; hürmet etmez, saymaz: **~ly**, saygısızca.
irreversible [iri'vāsəbl]. Tersine çevrilemez; feshedilemez; geri gelmiyen; (*kim.*) tek yönlü.
irrevocabl·e [i'revəkəbl]. Değiştirilemez; feshedilemez; gayri kabili rücu; kesin. **~y**, değiştirilemez bir şekilde.
irrigat·e ['irigeyt]. Sulamak; iska etm. **~ion** [-'geyşn], sulama, iska.
irritab·ility [iritə'biliti]. Titizlik; öfkelilik; tahriş edilebilme; irkilme. **~le** ['iritəbl], çabuk kızar, titiz, ters; çabuk tahriş edilir/iltihaplanır. **~ly**, kızarak; titizce.
irrita·nt ['iritənt]. Dalayıcı; irkilten. **~te** [-teyt],

gücendirmek; sinirlendirmek; tahriş etm., kaşındırmak; dalamak, irkiltmek. ~**tion** [-'teyşn], dargınlık, sinirlilik; taharrüş, kaşıntı; dalama; irkilme.

irrupt [i'rʌpt]. İstilâ etm.; zorla girmek. ~**ion** [-pşn], istilâ; içeriye üşüşme.

***IRS** = INTERNAL REVENUE SERVICE.

is [iz] *3cü, tek, şim.* = BE; dir.

Is. = ISLAND(S); ISLE(S).

-isation [-ay'zeyşn] *son.* = -IZATION.

isagogic [aysə'gocik]. Mukaddeme kabilinden.

IS·BN = INTERNATIONAL STANDARD BOOK NUMBER. ~**C** = IMPERIAL SERVICE COLLEGE; INTERNATIONAL STANDARDS CONFERENCE. ~**D** = INTERNATIONAL SUBSCRIBER DIALLING.

-ise [-ayz] *son.* = -IZE.

-ish [iş]. *Şu anlamlara gelen son ek*: (i) Oldukça; **greenish**, yeşilimsi; **oldish**, yaşlıca. (ii) Gibi, benzer; **foolish**, deli gibi. (iii) Mütemayil; **bookish**, kitabî.

isinglass ['ayzin(g)glas]. Balık tutkalı.

Isl. = ISLAND.

Islam ['izlām, -'lām]. İslâm (âlemi), İslamiyet, Müslümanlık. ~**ic** [-'lamık], İslâm(iyet)e ait: ~**s**, İslâmiyet bilimi. ~**ism** ['iz-], İslâmiyet.

island ['aylənd]. Ada. **traffic** ~, emniyet adacığı, röfüj. ~**er**, adalı.

isle [ayl]. Ada(cık). **the British** ~**s**, Büyük Britanya ve İrlanda. ~**t**, adacık.

ism [izm] (*alay.*) Doktrin, nazariye, teori, vb.

-ism [-izm] *son.* -(ci)lik [SOCIALISM].

isn't ['iz(ə)nt] = IS NOT; = BE.

iso- [ayso-] *ön.* Eş(it), aynı, müsavi, iso-; (*kim.*) izo-.

ISO = IMPERIAL SERVICE ORDER; INTERNATIONAL ORGANIZATION FOR STANDARDIZATION.

iso·bar [ayso'bā(r)]. Eşbasınç. ~**bath**, eşderinlik. ~**chromatic** [-kroᴜ'matik], eşrenkli. ~**chronous** [-'kroᴜnəs], eşzamanlı; eşfrekanslı. ~**clinic**, aynı mıknatıs eğim açısıyle. ~**dynamic**, eşkuvvetle; aynı mıknatıs sahalı. ~**gonic**, eş açılı.

isolat·e ['aysəleyt]. Tecrit etm., ayırmak, ayrıklamak; tefrit etm.; yalıtmak; tasfiye etm., arıtmak. ~**ed**, mücerret, yalıtkan; ücra; münferit; yalnız, tek başına. ~**ion** [-'leyşn], tecrit, tecerrüt, ayrıklama, izolasyon; ücralık, yalnızlık: ~ **hospital**, tecrit hastanesi: ~**ism**, tecrit politikası, yalnızcılık, infiratçılık: ~**ist**, infiratçı. ~**or**, izolatör.

iso·mer ['aysomə(r)]. İzomeri: ~**ic**, izomerili. ~**metric** [-'metrik], eşit ölçülü, izometrik. ~**morphous** [-'mōfəs], eşbiçimli. ~**pod**, eşbacaklı.

-ison [-isən] *son.* -lik [COMPARISON].

ISOR = INTERNATIONAL SOCIETY FOR ORIENTAL RESEARCH.

iso·sceles [ay'sosilīz] (*mat.*) İkizkenar. ~**seismal** [-'sayzməl], eşdeprem. ~**stasy**, (*yer.*) dengelenme. ~**therm** [-θəm], eşsıcaklık: ~**al**, eşısıl, izotermal. ~**tonic**, (*biy.*) eşbasınçlı. ~**tope** [-toᴜp], izotop. ~**trop·ic**, eşyönlü, izotropik: ~**y**, eşyönelim, izotropi.

Isr. = **Israel** ['izrey(ə)l]. Beni İsrail; İsrail devleti. ~**i** [-'reyli], İsrailli. ~**ian** [-liən] *i.* İsrailli: *s.* İsrail+. ~**ite** [-rəlayt] *i.* Beni İsrail'in biri; Yahudi. ~**itish**, Beni İsrail'e ait.

issue[1] ['isyū, 'işu] *f.* Çıkmak, sâdır olm., neşet etm.; çıkarmak; neşretmek; tedavüle çıkarmak; tevzi etm., vermek. ~ **passports**, pasaport vermek: ~ **a warrant of arrest**, bir tevkif müzekkeresi çıkarmak: ~ **money**, (kâğıt) para çıkarmak.

issue[2] *i.* Çıkış; çıkarma; akma; sudur; mahreç; encam, netice, son; zürriyet, evlât, çocuklar; nüsha; dağıtma, tevzi; bir defada tedavüle çıkarılan para vb.; ihraç, emisyon. **general/government** ~, (*ask.*) bütün askerlere verilen elbiseler vb.: ~ **boots**, beylik ayakkabı: **bring a matter to an** ~, meseleyi bir sonuca bağlamak: **die without** ~, çocuksuz ölmek: **evade the** ~, asıl konudan kaçmak: **in the** ~, neticede: **join** ~ **with s.o. about stg.**, bir meselede birinin fikrini kabul etmiyerek tartışmak: **obscure the** ~, asıl konuyu kaybettirmek: **the point at** ~, tartışılan nokta. ~**less**, çocuksuz.

Issus ['isʌs] (*tar.*) Dörtyol.

-ist [-ist] *son.* -ci [DENTIST]; ... taraftarı [SOCIALIST].

isthm·ian ['ismiən]. Kıstağa ait. ~**us** [-mʌs], kıstak, berzah.

Istanbul [istan'būl]. İstanbul, Istanbul.

IS·U = INTERNATIONAL SEAMEN'S UNION. ~**WG** = IMPERIAL STANDARD WIRE GAUGE.

it [it]. *Cansızlar hakkında kullanılan şahıs zamiri.* O; onu; ona. ~ **is raining**, yağmur yağıyor: ~ **is getting late**, geç oluyor: ~ **seems to me**, bana öyle geliyor ki: **he thinks he's *it***, küçük dağları ben yarattım diyor: **this book is absolutely *it***, bu kitap yamandır: **he hasn't got** ~ **in him to do that**, o bu işin adamı değildir.

It. = ITAL·IAN/-Y: **gin and** ~, cin ile İtalyan vermutu.

i.t. = IN TRANSIT.

IT = INCOME-TAX. ~**A** = INDEPENDENT TELEVISION AUTHORITY.

i.t.a. = INITIAL TEACHING ALPHABET.

ital. = ITALICS.

Ital·ian [i'talyən] *i.* İtalyalı; İtalyanca. *s.* İtalyan, İtalya+.

italic [i'talik]. İtalik. ~**s**, italik harfler. ~**ize** [-lisayz], italik harflerle basmak.

Ital·o [ita'loᴜ-] *ön.* İtalya+. ~**y** ['itəli], İtalya.

itch [iç] *f.* Kaşınmak, gidişmek. *i.* Kaşıntı. **the** ~, uyuz illet/sayrılığı: **(have an)** ~ **to do stg.**, bir şey yapmak için içi gitmek: **have an** ~ **for writing**, yazmağı şiddetle arzu etm.: **he's** ~**ing for trouble**, kaşınıyor/başının belâsını arıyor: **he has an** ~**ing palm**, paraya karşı haristir. ~**iness**, kaşıntı. ~**-mite**, uyuz böceği. ~**y**, kaşıntılı, uyuz.

-ite [-ayt]. (i) -e bağlı bir kimse [ISRAELITE]; ... taraftarı [DARWINITE]. (ii) (*kim.*) -it [DYNAMITE]; (*yer.*) -it [DOLOMITE].

item ['aytəm] *i.* Kalem; madde. *zf.* Dahi, keza. ~**s**, müfredat. **give the** ~**s**, madde madde saymak; tafsilat vermek: ~**s on the agenda**, gündemdeki konular: **news** ~**s**, muhtelif haberler: **the last** ~ **on the programme**, programdaki son numara. ~**ize**, liste yapmak.

iterat·e ['itəreyt]. Tekrarlamak. ~**ion** [-'reyşn] tekrarlama. ~**ive** ['it-], tekrarlıyan.

-itic ['-itik] *son.* -a ait [ARTHRITIC].

itiner·ancy [ay'tinərənsi]. Dolaşma, gezginlik. ~**ant**, seyyah, gezgin, dolaşan; seyyar, gezici. ~**ary** [-rəri], bir yolculukta takip edilecek yol, itinerer; yolcu kılavuz/programı; yolculuk kitabı. ~**ate**, yerden yere gezmek; dolaşmak.

-ition [-işn] *son.* -lik [SEDITION].

-itious [-işəs] *son.* -li; ... olan [MALICIOUS].

-itis [-aytis] *son.* . . . hastalık/iltihabı [NEURITIS].
-itive [-itiv] *son.* -itif, -lu [POSITIVE].
ITO = INTERNATIONAL TRADE ORGANIZATION.
-itous [-itəs]. -li; . . . olan [FELICITOUS].
its [its]. Bir şeyin, onun.
it's [its] = IT IS; IT HAS.
itself [it'self]. Kendi. **by ~**, kendi kendine; **in ~**, haddizatında.
IT·T = INTERNATIONAL TELEPHONE AND TELEGRAPH (CORPORATION). **~U** = INTERNATIONAL TELECOMMUNICATIONS UNION. **~V** = †INDEPENDENT TELEVISION; *INSTRUCTIONAL TELEVISION.
-ity [-iti] *son.* -lik [PROBITY].
IU = INTERNATIONAL UNIT.
-ium [-iəm] *son.* (*kim.*) -yum. [CALCIUM].
IV = INCREASED VALUE; INTRAVENOUS.
-ive [-iv] *son.* -li, . . . olan [NATIVE; MASSIVE].
I've [ayv] = I HAVE.
ivied ['ayvid]. Sarmaşık ile kaplanmış.
-ivorous [-ivərəs] *son.*-çil; . . . yiyen [CARNIVOROUS].
ivory ['ayvəri]. Fildişi; fildişi rengi; fildişinden yapılmış. **black ~**, (*mer.*) zenci köleler. **~-black**, fildişi külünden yapılmış kara boya. **~-tower**, (*mec.*) dünyadan ayrılmış bir sığınak.
ivy ['ayvi]. Sarmaşık; duvar sarmaşığı.
†**IW·T** = INLAND WATER TRANSPORT. **~W** = INDUSTRIAL WORKERS OF THE WORLD.
-ix [-iks] *son.* Kadın . . . [EXECUTRIX].
izard ['izəd]. (Pirenelerde) keçi gibi bir geyik.
-iz·ation [-ay'zeyşn] *son.* -leş(tir)me; et(tir)ilme. **~e**, -leş(tir)mek; et(tir)mek [CENTRALIZ·ATION/-E].

J

J [cey]. J harfi.
J = JACK; JEW(ISH); JOINT; JOULE; JOURNAL; JUDGE; JUSTICE. **~A** = JEWISH AGENCY; JUDGE ADVOCATE.
jab [cab]. Sivri bir şey ile dürtme(k); (boks) hafif fakat hızlı bir darbe, kısa vuruş.
jabber ['cabə(r)] (*yan.*) Maymun gibi çabuk ve anlaşılmıyacak şekilde konuşma(k). **~wocky**, saçma.
jabot [ja'bou]. Kırmalı dantel göğüslük, jabo.
JAC = JOINT ADVISORY COMMITTEE.
jacaranda [cakə'randə]. Mavi çiçekli bir çeşit tropikal ağaç, jakaranda.
jacinth ['jasinθ]. Bir çeşit zirkon.
Jack[1] [cak]. JOHN isminin bir şekli; orta adamın ismi; işçi; (iskambil) bacak: **every man ~**, herkes.
jack[2]. Kaldıraç, kriko, el manivelası; (*elek.*) priz. **~ up**, kriko ile kaldırmak.
jack[3]. Cıvadra sancağı. **Union ~**, İngiliz bayrağı: **yellow ~**, karantina flaması.
jack[4]. Erkek eşek/tavşan.
jack-a-dandy [cakə'dandi]. Fazla şık bir adam; züppe; (*çoc.*) titrek bir ışık.
jackal ['cakōl]. Çakal; başkasının süflî hizmetlerini gören kimse; bir menfaat umuduyle bir büyük adama bağlanan kimse.
jack·anapes ['cakəneyps]. Küçük çapkın; şımarık genç. **~aroo** [-rū] (*Avus.*) yeni arkadaş; acemi. **~ass**, eşek; ahmak: **laughing ~**, (*Avus.*) büyük yalı çapkını. **~boot** [-būt], çizme; (*mec.*) zorba/kabadayı(lık). **~daw** [-dō], küçük karga.
jacket ['cakit]. Ceket; dış örtü; zarf; (*müh.*) gömlek; (*bas.*) kitap gömleği; kabuk. **dust s.o.'s ~**, birini dövmek: **potatoes cooked in their ~s**, kabuğu ile pişirilen patates.
Jack·-Frost [cak'frost]. Ayazın somut ismi, Ayaz Paşa. **~-in-office**, kırtasiyeci ve titiz memur; büyüklük taslıyan memur. **~-in-the-box**, kapağı açılınca içinden bir yaya bağlı bebek vb. fırlıyan kutu. **~-Ketch**, cellât. **~knife** [-nayf] *i.* büyük sustalı çakı; (*sp.*) çakı şeklinde suya dalma: *f.* oynaklı kamyon çakı şeklinde katlanarak kazaya uğramak. **~-of-all-trades**, elinden her iş gelen adam. **~-o'-lantern**, bataklıkta görülen bir aydınlık. **~-plane**, kaba planya/rende. **~pot**, (iskambil) ortaya biriktirilen para; piyango ikramiyesi: **hit the ~**, büyük ikramiyeyi kazanmak; çok şanslı olm., vurgun vurmak, bol kazanç sağlamak. **~-Robinson, before you could say ~**, apansız, kaşla göz arasında. **~staff**, cıvadra sancağı gönderi, giz. **~straw** [-'strō], bostan korkuluğu: **~s**, ince saplarla oynanan bir oyun. **~(-Tar)**, denizci er (*krş.* Mehmetçik). ***~-up**, artış, zam.
Jacob ['ceykəb]. Yakup. **~'s ladder**, (i) Yunan kediotu; (ii) (*den.*) ip merdiven, şeytan çarmığı: **~'s staff**, ölçü latası; (*mer.*) hacı değneği. †**~ean** [cakə'biən], Ici James'in devrine ait. **~in** ['cakəbin], Dominiken papazı; aşırı radikal. **~ite** [-bayt] (*din.*) (Suriye'de) Yakubî mezhebinden biri; †IIci James'in taraftarı.
jaconet [cakə'net]. İnce pamuklu kumaş ki su geçmez halinde sargı bezi olarak kullanılır.
jactitation [cakti'teyşn] (*huk.*) Boş/yalan iddia; (*tıp.*) sakin durmama.
jade[1] [ceyd]. Yeşim/yada taşı; yeşil rengi.
jade[2]. Lağar beygir; haspa, oynak kız. **~d** [-did], bitkin, mecalsiz.
J.Adv.(Gen.) = JUDGE ADVOCATE (GENERAL).
Jaeger ['yeygə(r)] (*M.*) Hususî bir yün kumaş.
Jaffa ['cafə]. Yafa şehri. **~ (orange)**, tatlı bir portakal.
jag[1] [cag] *i.* Sivri ve pürüzlü çıkıntı. *f.* Pürüzlü bir tarzda kesmek/yırtmak; çentiklemek. **~ged** [-gid], sivri ve pürüzlü; çentikli.
jag[2] (*arg.*) Sarhoşluk; cümbüş.
JA(G) = JUDGE ADVOCATE (GENERAL).
jaguar ['cagyuə(r)]. Jag(u)ar.
***jail** [cey(ə)l] = GAOL.
jalap ['caləp]. Çalapa.
***jalop(p)y** [cə'lopi] (*arg.*) Eskimiş/köhne otomobil/uçak.
jalousie ['jalūzī]. Pancur.
jam[1] [cam]. Reçel. **it's money for ~**, (*kon.*) çok kolay: **~ tomorrow**, beklenecek iyilik.
jam[2] *i.* Sıkışıklık; sıkışık kalabalık, izdiham. *f.* Sıkıştırıp basmak; yuvarlanma/yürümesine engel olm.; (*rad.*) yayını bozmak, parazit yapmak; (*müh.*) sıkışmak. **~ on**, (frenler) zorla fren yapmak.
Jam. = **Jamaica** [cə'meykə]. Jamaika, Camayka; rom.
jamb [cam]. Kapı ve pencere ağzı vb.nin yanı olan taş/tahta direk; pervaz.
jamboree [cambə'rī]. Eğlenceli toplantı, cümbüş (*gen.* izcilerin büyük toplantısı).
jam·-packed ['campakt]. Kalabalıklı; hıncahınç. **~-session**, (*müz.*) hazırlıksız caz konseri.
Jan. = JANUARY.
jangle ['can(g)gl] *i.* (*yan.*) Ahenksiz gürültü; dırıltı, nifak. *f.* Ahenksiz ses çıkar(t)mak; çatırda(t)mak.
jani·ssary, ~zary ['canisəri, -izəri]. Yeniçeri.
janitor ['canitə(r)]. Kapıcı.
jannock ['canək] (*leh.*) Dürüst, samimî.
Janu·ary ['canyuəri]. Ocak ayı. **~s-faced** ['ceynʌsfeyst], ikiyüzlü.
Jap [cap] (*kon.*) Japonyalı; (*kıs.*) Japonya. **~an**[1] [cə'pan], Japonya: **~ese** ['capənīz] *i.* Japon(yalı); Japonca: *s.* Japonya +; Japon +.
japan[2] [cə'pan] *i.* Pek katı ve parlak bir nevi vernik. *f.* Bu vernikle kaplamak. **~ned leather**, rugan.
jape [ceyp]. Alay (etm.); istihza.
Japonic [cə'ponik] = JAPANESE. **~a**, Japon ayvası.

jar[1] [cā(r)]. Kavanoz; çömlek; küp.
jar[2] *i.* Kulakları tırmalıyan ses, gıcırtı; sarsma, sarsıntı; nifak, geçimsizlik. *f.* ~ **(on)**, kulakları tırmalamak; gıcırdamak; sarsmak; dokunmak, kötü etkilemek; uymamak. **the fall gave him a nasty** ~, düşmesi onu epeyce sarstı: **that's a bit of a** ~!, (*kon.*) bu pek tepeden inme oldu!
jar[3]. **on the** ~, yarı açık (kapı).
jarful ['cāful]. Küp dolusu.
jargon ['cāgn]. Bozuk şive; anlaşılmaz söz/dil; özel dil; meslekî argo. ~**ize** [-nayz], böyle bir dil kullanmak.
jarring ['cārin(g)]. Ahenksiz; uygunsuz; sarsan, çarpışan.
jarrah ['cara] (*Avus.*) Maun tipi ökaliptüs.
jasmin(e) ['casmin]. Yasemin.
jasper ['caspə(r)]. Yeşim taşı, jasp.
jaundice ['cōndis]. Sarılık hastalığı. ~**d**, safravî: **take a** ~ **view of the world**, dünyayı karanlık görmek.
jaunt [cōnt]. Kısa gezinti(ye gitmek). ~**ing-car**, (*İrl.*) gezinti arabası.
jaunt·ily ['cōntili]. Şen/kaygısız olarak. ~**iness**, şenlik, kaygısızlık. ~**y**, şen; kaygısız, gamsız, canlı.
Java ['cāvə]. Cava. ~**n**, Cavalı. ~**nese** [-'nīz] *i.* Cavalı; Cava dili: *s.* Cava+.
javelin ['cavəlin]. Kısa mızrak; harbe; cirit.
jaw [cō] *i.* Çene; ağız; (*kon.*) cansıkıcı öğüt, nasihat faslı, tekdir. *f.* (*kon.*) Çene çalmak; cansıkıcı öğüt vermek. **hold your** ~!, çeneni tut!, kes sesini!: **escape from the** ~**s of death**, ölümün pençesinden kurtulmak. ~**-bone**, çene kemiği. ~**-breaker**, telaffuzu pek güç kelime. ~**ed**, ... çeneli. ~**-**~, (*arg.*) uzun uzadıya konuşma(k).
jay [cey]. Alakarga, kestane kargası. ~**-walk(er)**, sokakta dalgın ve ihtiyatsızca yürümek (yürüyen kimse).
jazz [caz]. Caz (müziği ile dansetmek). *s.* Ahenksiz; gürültülü; tehzil. ~**-band**, cazbant.
JC = JESUS CHRIST; JOCKEY CLUB; JUVENILE COURT. ~**R** = JUNIOR COMBINATION/COMMON ROOM. ~**S** = JOINT CHIEFS OF STAFF.
jealous ['celəs]. Kıskanç, hasut. **be** ~ **of/for**, -den kıskanmak. ~**ly**, kıskanç olarak. ~**y**, kıskançlık, haset.
jean [cīn]. Bir nevi pamuk bezi. ~**s**, bu bezden yapılan pantolon; blucin, cinz.
Jeddah ['cedə]. Cidde.
jeep [cīp]. Cip, kaptıkaçtı.
jeer [ciə(r)] *i.* İstihza, alay; yuha. *f.* Yuha çekmek. ~ **at**, alaya almak; yuhaya tutmak.
Jehovah [ci'houvə]. Yehova.
jehu ['cihyū]. (Pervasız) arabacı.
jejune [ci'cūn]. Kıt, gıdasız; yavan, silik.
jejunum [ci'cūnəm]. İnce bağırsağın üst kısmı.
Jekyll and Hyde ['cekil ənd hayd]. ~ **existence**, hayatında iki kişinin rolünü nöbetleşe oynayan tek bir kimse.
jell [cel]. Pelteleşmek; (*mec.*) kesinleşmek. ~**ied**, pelteli. ~**ify** [-fay], pelteleşmek. ~**y**, *i.* pelte; murabba; donmuş etsuyu: *f.* pelteleş(tir)mek: **pound s.o. to a** ~, pestilini çıkarmak: ~**-fish**, denizanası, medüz.
jemmy ['cemi]. Ev hırsızlarının kullandıkları kısa bir manivela.
jennet ['cenit]. Küçük İspanyol atı.
jenny ['ceni]. Bazı hayvan ve kuşların dişilerine verilen isim; seyyar maçuna; portatif jeneratör.
jeopard·ize ['cepədayz]. Tehlikeye koymak. ~**y**, tehlike.
jerboa [cə'bouə]. Sibirya sıçrayan sıçanı, Arap tavşanı.
jeremiad [ceri'mayəd]. Yanık şikâyet; hazin figan.
Jericho ['cerikou]. Erika şehri: **go to** ~!, cehenneme git!
jerk[1] [cək] *i.* Anî hareket/sarsıntı; (*kon.*) ahmak. *f.* Birdenbire sarsarak hareket etm./durmak/atmak. ~**ily**, anî hareket/sarsıntı ederek.
jerk[2]. Sığır etini uzun parçalara doğrayıp güneşte kurutmak.
jerkin ['cəkin]. Dar ve kısa ceket (*gen.* deriden yapılmış).
jerk·iness ['cəkinis]. Düzensiz/anî hareket(ler). ~**y**, böyle hareketlerle yapılan.
jerry ['ceri] (*arg.*) Alman askeri; Almanlar; (*arg.*) lâzımlık. ~**-builder**, ucuz ve adi ev yapıcısı. ~**-built**, ucuzca yapılmış ve adi (ev), derme çatma.
Jersey[1] ['cəzi]. Anglo-Normand adalarından biri. ~**-cow**, çok yağlı süt veren bir inek türü.
jersey[2]. Kazak; (*sp.*) kılık; (*mod.*) jarse.
Jerusalem [cə'rūs(ə)ləm]. Kudüs. **the new** ~, gelecek dünya; cennet: ~ **artichoke**, yer elması.
jess [ces]. Atmaca köstegi(ni takmak).
jessamine ['cesəmin]. Yasemin.
jest [cest] *i.* Alay, şaka, latife, tuhaflık. *f.* Alay etm., şaka etm. **say stg. in** ~, bir şeyi şaka olarak söylemek. ~**er**, soytarı, maskara. ~**ing**, şaka ederek.
Jesuit ['cezyuit]. Cizvit. ~**ical** [-'itikl] (*köt.*) mürai, hilekâr, iki yüzlü.
Jesus ['cīzəs]. İsa peygamber, Hazreti İsa.
jet[1] [cet]. Oltu taşı, kara kehribar: ~**-black** (abanoz gibi) simsiyah.
jet[2] *i.* Fıskıye; (*oto.*) ciglör; (havagazı) alev/memesi; fışkırma; (*hav.*) tepki, jet. *f.* Fışkırmak. ~**-engine**, jet/tepkili motor. ~**-fatigue/lag**, uzun ve hızlı uçuşlardan hâsıl olan BODY-CLOCK'un bozulması. ~**(-plane)**/~**liner**, jet/tepki uçağı. ~**-propulsion**, tepki/fışkırtmalı işletme.
jetsam ['cetsəm]. Gemiyi kurtarmak için denize atılan eşya; deniz enkazı, çırpıntı.
jet·-set ['cetset] (*köt.*) Zengin sefihler: ~**ter**, zengin sefih. ~**-syndrome** = ~-LAG. ~**-stream**, jet rüzgârı; = ~WASH.
jettison ['cetisən] (*den.*) Dokuncada boşaltma(k), tehlikede yükü denize atma(k).
jetty ['ceti]. İskele; dalgakıran.
jet-wash ['cetwoş]. Tepkili motorun geri tazyik/hava dalgası.
Jew [cū] *i.* Yahudi, İbranî; (*köt.*) tefeci. *f.* (*kon., köt.*) alış verişte aldatmak.
jew. = JEWELLERY.
jewel ['cuəl]. Değerli taş; mücevher. **a** ~ **of a servant**, bulunmaz bir hizmetçi. ~**ed**, mücevherle süslü, murassa. ~**ler**, kuyumcu. ~**(le)ry** [-(ə)ri], mücevherat.
Jew·ess ['cūis]. Yahudi kadın. ~**fish**, sarı hani. ~**ish** [-iş], Yahudi, Musevî. ~**ry**, Yahudiler, Yahudi âlemi; Yahudi semti. ~**'s-ear**, yenilir bir mantar. ~**'s-harp**, ağız tamburası.
jezebel ['cezəbl]. Edepsiz/kötü kadın.
jib[1] [cib] (*den.*) Flok (yelkeni). **flying-**~, kontra

flok: **the cut of his ~**, (bir adamın) görünüşü. **~-boom**, büyük baston.

jib[2]. (At) ilerlemek istemeyip geri/yan yan gitmek. **~ at doing stg.**, bir şeyi yapmaktan kaçınmak, direnmek.

jibe = GIBE; GYBE.

JIC = JOINT INDUSTRIAL COUNCIL.

jiff(y) ['cif(i)] (*kon.*) An, lahza.

jig[1] [cig] *i.* Pek canlı bir raks ve bu raksa mahsus hava. *f.* Raks yapmak. **~ up and down**, dans eder gibi sıçramak.

jig[2]. Kalibre, mastar; iş bağlama düzeni; delme cihazı.

jigger[1] ['cigə(r)]. Bilardo istekası desteği; bir nevi küçük yelken; palanga; kontra mizana; belirli bir miktar içki.

jigger[2]. İnsanın etinin altına giren bir nevi pire; rişte.

jiggered ['cigəd] (*arg.*) **well I'm ~!**, olur şey değil!: **I'm ~ if I'll do it!**, yaparsam Arap olayım!

jiggery-pokery ['cigəri 'po̱ukəri] (*arg.*) Hileli planlar; hokkabazlık.

jiggle [cigl]. Hafif ve çabuk salla(n)ma(k).

jigsaw ['cigsō]. Makineli oyma testeresi. **~ puzzle**, muhtelif parçalar halinde kesilen bir resmi tekrar birleştirmekten ibaret bir oyun; (*mec.*) içinden çıkılmaz iş vb.

jihad [ci'had]. Cihat.

jilt [cilt] *i.* Fındıkçı/fettan kız. *f.* Bir adama evlenme vadedip sözünde durmamak.

***Jim Crow** [cim'kro̱u] (*köt.*) Zenci. **~ car**, yalnız zencilere mahsus bir vagon/otobüs vb.

jim-jams ['cimcamz] (*arg.*) Hezeyanı mürteiş; kasvet/sinirlilik nöbeti.

jingle ['cin(g)gl] (*yan.*) *i.* Çıngırtı, tıngırtı; basit vezinli bir şiir. *f.* Çıngırdamak, tıngırdamak.

jingo ['cin(g)go̱u]. Şoven. **by ~**, vallahi! **~ism**, şovenlik.

jink [cin(g)k]. Kurtulmak için hareket etme(k). **high ~s**, cümbüş, şetaret.

jinn(ee) ['cin(i)]. Cin.

jinricksha [cin'rikşə]. Uzak Doğuda insan tarafından çekilen araba; puspus.

jinx [cinks] (*arg.*) Uğursuz kimse/şey.

jitter ['citə(r)]. Sinirli olm. **~-bug**, *i.* SWING/HOT müzik/dans delisi: *f.* deli gibi SWING dans etm. **~s**, derin sinirlilik: **have the ~**, çok korkmak, fazla sinirli olm.

jive [cayv] *i.* Bir çeşit caz müziği. *f.* Bu müziği çalmak; bu müzikle dans etm.

jnr. = JUNIOR.

jnt stk = JOINT STOCK.

jo [co̱u] (*İsk.*) Sevgili.

job[1] [cob] *i.* İş, görev; götürü iş; hizmet; meşguliyet; zor bir iş; iltimaslı muamele. **that's a bad ~!**, aksilik!: **make the best of a bad ~**, (i) kötü şartlardan azamî yarar sağlamak; (ii) (mihneti kendine zevk etmedir âlemde hüner) *kabilinden*: **give s.o. up as a bad ~**, bundan hayır gelmez diye bırakmak: **do work by the ~**, götürü iş yapmak: **be on the ~**, (*kon.*) hareket/işbaşında olm.: **be paid by the ~**, götürü ücret almak: **this is not everybody's ~**, bu iş her babayiğitin kârı değil: **it's a good ~ that...**, bereket versin ki: **make a good ~ of stg.**, bir işi iyi yapmak: **we had a ~ to get there**, oraya gidinceye kadar hal olduk: **he knows his ~**, işini bilir: **a ~ lot**, toptan satış miktarı; ucuz alınan çeşitli eşya: **be out of a ~**, açıkta kalmak; işsiz olmak.

job[2] *f.* İş görmek; (araba vb.) kiralamak/kiraya vermek; komisyonculuk/simsarlık etm.

Job[3] [co̱ub]. Eyüp; sabrın timsali. **~'s comforter**, insanın yarasına tuz biber eken *kabilinden.*

job·ber ['cobə(r)]. Borsada bir nevi simsar; resmî işlerde suiistimal yapan kimse. **~bery**, resmî işlerde suiistimal. **~bing**, at ve araba kiraya verme; komisyonculuk, simsarlık: **a ~ workman**, götürü iş yapan işçi. **~-centre**, iş bulma burosu. **~-evaluation**, iş değerlendirilmesi. **~-hopper**, işini daima değiştiren biri. **~-work**, götürü iş/çalışma.

Jock [cok] (*ask. arg.*) İskoçyalı (askeri)nin lakabı.

jockey ['coki] *i.* Cokey; binici; (*müh.*) germe. *f.* Dalavere ile kandırmak; manevra yapmak. **~ s.o. into doing stg.**, kurnazlıkla kandırıp birine bir işi yaptırmak: **~ for position in a race**, bir yarışın başında kurnazlıkla en iyi yere geçmeğe çalışmak.

jocos·e [cə'ko̱us]. Şakacı, latifeci. **~ity** [-'kositi], şakacılık, soytarılık.

jocular ['cokyulə(r)]. Şakacı; güldürücü. **~ity** [-'lariti], şakacılık, neşelilik. **~ly**, şakacı olarak.

jocund ['cokʌnd]. Şen, neşeli; güler yüzlü. **~ity**, şenlik, neşe.

jodhpurs ['codpə̄z]. (Binicilik) dizden topuğa kadar olan kısmı dar külot.

joey[1] ['co̱ui] (*Avus.*) Küçük kanguru.

joey[2] (*mer. arg.*) Üç penilik (**3d**).

jog [cog]. Hafifçe dürtme(k)/sarsma(k). **~ along**, iyi kötü yuvarlanıp gitmek: **give s.o.'s memory a ~**, birinin bir şeyi hatırlamasına yardım etm.

joggle[1] [cogl] *i.* Hafif sarsma. *f.* Hafifçe sarsmak/sallamak.

joggle[2]. Diş/çentik/kertik (ile bağlamak).

jog-trot ['cogtrot]. Ağır ve rahat topal gidiş; kurt gidişi.

John [con]. * = LAVATORY. **~ Bull**, İngiliz millet/bireyi. **~ Chinaman**, tipik bir Çinli. **~ Company**, EAST INDIA COMPANY. ***~ Doe** [do̱u] (*huk.*) 'filan' anlamına gelen isim/ad. **~ Dory**, dülger balığı. **~ny**, (*arg.*) herif, adam. **~ Smith**, alelâde adam; herhangi bir kimse.

join [coyn] *f.* Birleş(tir)mek; yapış(tır)mak; kat(ıl)mak; bitiş(tir)mek; -e iltihak etm.; bir araya gelmek. *i.* İki şeyin birleştiği yer. **~ battle**, çarpışmaya başlamak: **~ forces/hands with s.o.**, birisiyle işbirliği yapmak: **~ a club**, bir klübe üye yazılmak: **~ one's ship**, (denizci) gemiye dönmek, tayin edildiği gemiye iltihak etm.: **~ up**, birleştirmek; askere yazılmak.

joinder ['coyndə(r)] (*huk.*) Birleş(tiril)me.

joiner[1] ['coynə(r)]. (Dernekler vb.ne) katılan bir kimse.

joiner[2]. Doğramacı. **~y**, doğrama işi.

joint[1] [coynt] *i.* İki şeyin birleştiği yer; irtibat; ek (yeri); eklem, mafsal; oynak yeri; bağlantı; boğum; (*mal.*) zincirleme; büyük parça et. *f.* Etin oynak yerlerini ayırmak. **find a ~ in s.o.'s armour**, birinin zayıf damarını bulmak: **out of ~**, ekleri sökülmüş, çıkık: **the time is out of ~**, ortalık altüst oldu: **a three-~ fishing rod**, üç parçalı olta sırığı: **his nose was put out of ~**, burnu kırıldı; pabucu dama atıldı.

joint[2] *s.* Birleşik; ortak, müşterek, elbirliğiyle

yapılan; toplu; birlikte olan. ~ **heir**, ortaklaşa vâris.

joint[3] (*arg.*) Meyhane.

joint-[4] *ön.* ~**ed**, mafsallı, eklemli, dirsekli, boğumlu; eklenmiş; oynak yerleri ayrılmış (et). ~**less**, eklem/bağlantısız. ~**ly**, birleşerek; ortaklaşa: ~ **liable/responsible**, ortaklaşa sorumlu: ~ **and severally liable**, müteselsilen ve münferiden mesul. ~**-stock company**, anonim ortaklık/şirket.

jointure ['coynçə(r)]. Evlendikleri zaman kocanın karısına tahsis ettiği para/mülk; ölünceye kadar bakma akdi.

joist [coyst]. Döşeme kirişi.

joke [couk] *i.* Şaka; latife. *f.* Şaka yapmak; şakadan söylemek. **joking apart**, şaka bertaraf: **the ~ of it is that...**, tuhafı şu ki: **practical ~**, el/eşek şakası: **a ~'s a ~**, latife latif gerek. ~**r**, şakacı; (iskambil) bazı oyunlarda en değerlı sayılan kâğıt.

jolli·fication [colifi'keyşn]. Cümbüş, eğlenti, âlem. ~**ty** ['coliti], neşelilik, cümbüş.

jolly ['coli]. Şen, neşeli; güler yüzlü, sevimli, hoş; güzel; (*kon.*) çok, enikonu; keyif halinde: **I'll take ~ good care not to go there again**, bir daha oraya gidersem bana da adam demesinler: **'I won't do it!' 'You ~ well will!'**, 'Ben bunu yapmam.' 'Top gibi yaparsın!': ~ **s.o.**, (bir şeyi yaptırmak için) birini kandırmak/yaltaklanmak. ~**-boat**, patalya; küçük filika.

jolt [coult] *i.* Sarsıntı. *f.* Sarsmak.

Jonah ['counə]. Yunus peygamber; uğursuz adam; 'düztaban'.

Jones [counz]. Aile ismi; alelâde kimse, halk, komşu. **keep up with the ~es**, bir aile komşularının iktisadî/sosyal seviyesine uymak/uymağa uğraşmak.

jonquil ['conkwil]. Fulya.

Jordan ['cōdən]. Ürdün devlet/nehri. **this side of ~**, bu dünyada. ~**ian** [-'deyniən] *i.* Ürdünlü: *s.* Ürdün+.

jorum ['cōrəm]. Büyük içki kâsesi.

***josh** [coş] (*arg.*) Şaka (etm.), takılma(k).

joss [cos]. Çin putu.

josser [cosə(r)] (*arg.*) Ahmak; herif; (*Avus.*) papaz.

joss·-house ['coshaus]. Çin mabedi. ~**-stick**, Çin mabedinde yakılan ödağacı.

jostle ['cosl]. İtip kakmak; dürtüşlemek; birbirine sürtünmek.

jot[1]. Zerre. **I don't care a ~**, bana vız gelir.

jot[2]. ~ **stg. down**, bir şeyi yazıvermek.

joule [cūl] (*elek.*) Jul (birimi).

jounce [cauns]. Sarsma(k).

journal[1] ['cənl]. Gazete; yevmiye defteri, günlük yazılık; ruzname, gündem; (*den.*) seyir jurnalı; andıç/muhtıra (defteri). **keep a ~**, andıç defteri tutmak.

journal[2]. Milin yataklara oturan kısmı. ~**-bearing**, çarkın mil yatağı.

journal·ese [cənə'līz] (*arg.*) Kötü gazeteci üslûbü. ~**ism** ['cən-], gazetecilik. ~**ist**, gazeteci. ~**ize**, gündeme yazmak.

journey ['cəni]. Yolculuk, gezinti, seyahat (etm.); gezmek. ~**man**, (*mer.*) kalfa; (*şim.*) işçi, iş gören adam. ~**-work**, götürü iş.

joust [caust] (*mer.*) At üzerinde mızrak oyunu (oynamak).

Jove [couv]. Jüpiter. **by ~!**, Vallahi.

jovial ['couviəl]. Şen; keyifli; güler yüzlü ve sokulgan. ~**ity** [-'aliti], güleryüzlülük, sokulganlık; şenlik; cümbüş.

jowl [caul]. Yüzün alt kısmı; çene: **cheek by ~**, haşır neşir.

joy [coy]. Sevinç, haz; neşe; zevk. **oh ~!**, aman ne güzel: **I wish you ~ (of it)**, (i) güle güle; (ii) (*alay*) Allah versin!, gözüm yok! ~**-bells**, zafer/düğün vb. için çalınan çanlar. ~**ful**, sevindirici; müjdeci; memnun edici; sevinçli; neşeli, memnun. ~**less** [-lis], kederli, kasvetli. ~**ous** = ~FUL. ~**-ride**, sahibinin iznini almadan otomobilinde yapılan gezinti: **go for a ~**, böyle bir gezintiye gitmek. ~**-stick**, (*kon.*) uçağın idare levyesi, kumanda kolu.

JP = JUSTICE OF THE PEACE.

Jr. = JUNIOR.

jt. = JOINT.

jubil·ance ['cūbiləns]. Pek çok sevinme. ~**ant**, büyük neşe içinde; pek memnun. ~**ate** [-leyt], çok sevinmek; sevinçle bağırmak. ~**ation** [-'leyşn], pek çok sevinme; bayram etme. ~**ee** [-lī], önemli bir olayın 50ci yıldönümü, kutlama töreni, jübile: **diamond ~**, 60cı yıldönümü: **silver ~**, 25ci yıldönümü.

Juda·ic [cū'deyik]. Yahudilere ait. ~**ism**, Yahudilik. ~**ize** [-ayz], yahudileş(tir)mek.

Judas ['cūdəs]. Yehuda; hain. ~ **kiss**, pek haince bir hareket. ~**-tree**, erguvan.

judder ['cʌdə(r)]. Titreme(k).

judge [cʌc] *i.* Hâkim, yargıç; (*sp.*) (yan) hakem; bir şeyden iyi anlıyan. *f.* Mahkemede (bir suçlu) hakkında karar vermek; (bir davayı) dinleyip hüküm vermek, yargılamak; muhakeme etm.; fikirde bulunmak; tahmin etm. **judging by ...**, -e bakılırsa; -e nazaran: ~ **of my surprise!**, hayretimi düşün!: **a good ~ of men**, insan sarrafı. ~ **Advocate (General)**, (*ask.*) Başsavcı.

judgement ['cʌcmənt]. Muhakeme kararı; yargı, hüküm; muhakeme, feraset; fikir: **the day of/Last ~**, kıyamet günü: **it's a ~ on you**, bu sana Allahın cezasıdır: **in my ~**, benim fikrimce: **pass ~ on**, hükmetmek: **reserve ~**, hükmü ertelemek: **sit in ~ on s.o.**, birisi hakkında hüküm vermeğe kendinde yetki bulmak. ~**-day**, mahşer/hüküm günü. ~**-debt**, hükme bağlı borç. ~**-hall**, mahkeme. ~**-seat**, hâkim makamı; mahkeme.

judgeship ['cʌcşip]. Hâkimlik, hâkim makamı.

judic·ature ['cūdikəçə(r)]. Adliye idaresi; hâkimlik: **the ~**, hâkimler. ~**ial** [-'dişl], mahkeme/hâkimliğe ait; kazaî, hükmî; adlî, tüzel, kanunî; hâkime yakışır, bitaraf: ~ **murder**, mahkeme kararıyle fakat haksız olan idam. ~**iary** [-'dişəri], adliye idaresi; hâkimler. ~**ious** [-şəs], tedbirli; makul.

judo ['cūdou]. Japon güreş metodu, judo.

judy ['cūdi] (*arg.*) Bir gangsterin metresi; güzel fahişe.

jug [cʌg]. Küçük testi; kulplu su kabı; (*arg.*) kodes(e tıkmak).

jugate ['cūgeyt]. Yaprakları çift olan.

jug·ful ['cʌgful]. Testi dolusu. ~**ged** [cʌgd], ~**-hare**, tavşan yahnisi.

juggernaut ['cʌgənōt] (*din.*) Hint mabudu; tapanlarını ezen tekerlekli mabut heykeli; (*mec.*) muazzam ve ezici bir müessese; (*oto.*) çok büyük ve uzun römorklu kamyon.

juggins ['cʌginz] (*arg.*) Safdil adam.
juggle ['cʌgl]. Elindeki top vb. gibi eşyayı havaya atıp tutmak; hokkabazlık yapmak. ~ **with figures/words, etc.**, rakamlar/kelimeler vb. ile oynamak. ~**r**, yukarıdaki şekilde hüner gösteren hokkabaz. ~**ry**, bu şekilde hokkabazlık.
Jugoslav ['yūgoslāv] *i.* Yugoslavyalı: *s.* Yugoslavya+. ~**ia** [-'slāviə], Yugoslavya.
jugula·r ['cʌgyulə(r)]. Boğaz/boyuna mensup, vidacî: ~ **vein**, boyun damarı. ~**te** [-leyt], boğazı kesip öldürmek.
juic·e [cūs]. Meyvanın suyu; özsu; usare; (*arg.*) benzin; (*arg.*) elektrik akımı: ~**less**, öz/suyu olmıyan, kuru. ~**iness**, özlülük; sululuk. ~**y**, özlü, sulu; usareli.
ju-jitsu [cū'citsū] = JUDO.
jujube ['cūcūb]. Hünnap; jelatinli şekerleme, pastil.
***juke-box** ['cūkboks]. İçine para atılınca plak çalan otomatik gramofon.
julep ['cūlep]. Şurup; viski/kanyak ile şeker, buz ve naneden mürekkep bir içki.
Julian ['cūliən]. Jülyen (takvimi).
July [cu'lay]. Temmuz.
jumble ['cʌmbl] *i.* Karmakarışık yığın; allak bullak durum. *f.* Karmakarışık etm. ~**-sale**, bir hayır kurumu vb. yararına ufak tefek eşya satışı.
jumbo ['cʌmbou]. İri yapılı ve hantal adam/hayvan; muazzam şey. ~**-jet**, (*hav.*) pek büyük jet uçağı.
jump [cʌmp] *i.* Atlama; sıçrayış; irkilme; engel; (fiyatlar hakkında) ansızın yükseliş. *f.* (Üzerine) atlamak; sıçramak; zıplamak; irkilmek. ~ **to a conclusion**, acele hüküm vermek: ~ **down s.o.'s throat**, birini şiddetle terslemek: **the engine ~ed the rails**, lokomotif yoldan çıktı: ~ **up/to one's feet**, sıçrayıp ayağa kalkmak: **he would ~ at it**, dünden hazır: **high/long ~**, yüksek/uzun atlama: ~**ed-up**, kendini beğenmiş. ~**er**[1], atlıyan kimse/at.
jumper[2]. Kaba kumaştan gömlek; örgülü yelek, triko, jarse.
jump·iness ['cʌmpinis]. Sinirlilik, ürkeklik. ~**ing**, atlama, sıçrama; sıçrıyan: ~**-off place**, hava akını vb. için ileri üs. ~**-jet**, (*hav.*) dikine kalkan uçak. ~**y**, sinirli ve ürkek; her sesten korkak.
junction ['cʌn(g)kşn]. Birleşme (yeri); ittisal, iltisak; kavşak; bağlantı. ~**-box**, (*elek.*) bağlantı kutusu.
juncture ['cʌn(g)kçə(r)]. Birleşme yeri; hal, durum, vaziyet, zaman. **at this ~**, bu (buhranlı) anda; bu safhada.
June [cūn]. Haziran.
jungle ['cʌn(g)gl]. Cengel; (*mec.*) karışıklık.
junior ['cūnyə(r)]. Daha genç; en genç; kıdem itibariyle aşağıda, ast. **the ~s**, gençler: ~ **counsel**, avukat yardımcısı: ~ **officer**, assubay: ~ **school**, okulun ilk kısmı: **he is ten years my ~**, o benden on yıl küçüktür: **Smith ~**, Smith'in oğlu/küçük kardeşi. ~**ity** [-'oriti], daha genç olma.
juniper ['cūnipə(r)]. Ardıç. **dwarf ~**, boduragaç.
junk[1] [cʌn(g)k]. Çin yelkenli gemisi; cönk.
junk[2]. Eski halat parçaları; pılı pırtı, eski ve değersiz eşya; eskiden gemicilerin yedikleri tuzlu sığır eti.
junket ['cʌn(g)kit] *i.* Bir nevi yoğurt. *f.* Âlem yapmak. ~**(ing)**, yiyip içme, cümbüş, âlem.
jun(r). = JUNIOR.
junta ['cʌntə] (*İsp.*) İdare meclisi; siyasî klik/hizip; cunta.
Jupiter ['cūpitə(r)]. Jüpiter; Müşteri; Erendiz.
Jur. = JURISPRUDENCE; LAW.
jurassic [cu'rasik]. Jura dağlar/zamanına ait.
juridical [cū'ridikl]. Adlî, kanunî; hükmî; tüzel. ~ **person**, tüzel kişi, hükmî şahıs.
juris·consult [cūris'konsəlt]. Hukuk bilgini; kanunları iyi bilen kimse. ~**diction** [-'dikşn], kaza hakkı, yargı yöntem/çevresi; hâkimin kaza hakkı cari olan daire; salâhiyet, yetki; görev, vazife. ~**pruden·ce** [-'prūdəns], hukuk bilimi: ~**t**, hukuk bilgini: ~**tial** [-'denşl], hukuk bilimine ait. ~**t** ['cūrist] hukukçu.
jur·or ['cuərə(r)]. Jüri üyesi. ~**y**, jüri (heyeti); (*sp.*) yargıcılar kurulu; (*san.*) seçici kurulu: ~**-box**, mahkemede jüri mevkii: ~**man**, *ç.* ~**men**, jüri üyesi: ~**-mast**, (*den.*) yardımcı/iğreti direk.
jussive ['cʌsiv] (*dil.*) Emir kipine ait.
just[1] [cʌst] *s.* Âdil; insaflı; müstahak; adalete uygun; doğru, haklı; hakkaniyetli. **sleep the sleep of the ~**, deliksiz bir uyku uyumak.
just[2] *zf.* Hemen; demin; henüz şimdi; tam, tamamen; şöyle bir; daradar: ~ **as you say**, tıpkı dediğiniz gibi: ~ **as he spoke**, konuşur konuşmaz: **I am ~ coming**, hemen şimdi geliyorum: **I did it ~ for a joke**, sadece şaka olsun diye yaptım: **I was ~ going to go out, when . . .**, tam sokağa çıkacağım sırada . . .: **that's ~ it!**, (i) iyi dedin ya!; işte mesele burada; (ii) işte tam bu!: ~ **listen!**, biraz dinle!: ~ **listen to him!**, şuna bak, nasıl saçmalıyor!: ~ **a moment!**, bir dakika!; bekleyin!; dur bakalım!: **I saw him ~ now**, onu şimdi/biraz evvel gördüm: **I can't do it ~ now**, onu hemen şimdi yapamam: **business is bad ~ now**, şu sırada işler kötü: **it is ~ four o'clock**, saat tam dört: ~ **once**, yalnız bir defa; bir defacık: **this book is ~ out**, bu kitap yeni çıktı: ~ **so**, (i) doğru, tamam!; (ii) tam öyle: ~ **then**, tam o anda: ~ **there**, tam orada: ~ **think of it!**, hayret!, inanılmaz şey!: ~ **take a seat, will you!**, şöyle bir az oturur musunuz: **I can't go ~ yet**, şimdilik henüz gidemem: **'Is it raining?' '~!'**, 'Yağmur yağıyor mu?' 'Serpiştiriyor': **'Was he angry?' 'Wasn't he ~!'**, 'Kızdı mı?' 'Hem de nasıl!': **'Well, I'll do as you say,' 'I should ~ think you will!'**, 'Pek iyi, sizin dediğiniz gibi yaparım.' 'Elbette öyle yapacaksın! (haddin varsa başka türlü yap!), : **if I get this job won't I ~ work!**, bu iş olursa öyle bir çalışacağım ki: **'Do you like strawberries?' 'Don't I ~!'**, 'Çilek sever misiniz?' 'Hem de nasıl!'
justice ['cʌstis]. Adalet, tüze, insaf, hak; doğruluk; hâkim; sulh hâkimi. ~ **of the Peace**, sulh hâkimi, önyargıç: †**the Lord Chief ~**, yüksek mahkemenin (QUEEN'S BENCH) dairesi reisinin unvanı: ***Department of ~**, adalet bakanlığı: **do ~ to stg.**, bir şeyin hakkını vermek: **in ~ to him**, onun hakkını vermiş olmak için: **bring to ~**, mahkemeye vermek: **he did not do himself ~**, kendini gösteremedi.
justicia·ble [cʌs'tişiəbl]. Sorguya çekilebilir. ~**r(y)** [-şiəri], yüksek hâkim.
justif·iable [cʌsti'fayəbl]. Hak verilebilir; mazur görülebilir; haklı çıkarılabilir. ~**ication** [-fi'keyşn], haklı sebep; mazur gösterme/görülme; haklı çıkarma; (*bas.*) satırın boyunu verme. ~**icatory**

[-fi'keytəri], kanıtlayıcı. ~**y** ['cʌstifay], haklı çıkarmak; ispat etm.; mazur göstermek; (*bas.*) satırın boyunu vermek.
just·ly ['cʌstli]. Âdilane. ~**ness** [-nis], haklı olma; doğruluk.
jut [cʌt]. ~ **out**, çıkıntı halinde bulunmak.
jute [cūt]. Hint kendiri; jüt.
juvenescen·ce [cūvə'nesəns]. Gençlik; genç olma; büyüme, gençliğe geçme. ~**t**, çocukluktan gençliğe geçen.
juvenil·e ['cūvənayl]. Gençliğe mahsus; çocuklara mahsus; çocuk halinde; (*yer.*) gün değmemiş: ~**ly**, çocuk/genç gibi. ~**ia** [-'niliə], gençliğinde yazılan eserler. ~**ity**, gençlik; genç olma.
juxtapos·e [cʌkstə'pouz]. Yanyana koymak. ~**ition** [-pə'zişn], yanyana bulunma.

K

[*K harfiyle başliyan kelime bulunmazsa, C harfiyle aynı kelimeye bakınız; mes.*: **kalends** = CALENDS.]

K [key]. K harfi.
K, k. = CONSTANT; KELVIN; KILO- (10^3); KING (*krş.* Q = QUEEN); KNIGHT; (*kim.s.*) POTASSIUM; £1000.
Kaaba ['kābə] (*din.*) Kâbe.
Kabul [ka'bul]. Kâbil.
kabob [kə'bob]. Kebap.
Kaffir ['kafə(r)]. (G.Afr.'da) bir zenci kabilesi: ~**s**, (*mal.*) altın madeni hisseleri.
kainite ['keynayt] (*zir.*) Kainit; kimyevî gübre.
kaino- [keyno-, kīno-] *ön.* Yeni.
kaiser ['kayzə(r)]. İmparator; Kayser.
kaka ['kākə]. (Yeni Zelanda) papağan: ~**po**, baykuş papağanı.
kale, kail [keyl]. Kıvırcık lahana. ~**yard**, bostan.
kaleidoscop·e [kə'laydəskoup]. Kaleydoskop. ~**ic** [-'skopik], biteviye değişen..
Kalends ['kalendz] = CALENDS.
kali ['keyli] (*bot.*) Salikorn. ~**genous** [kə'licinəs] (*kim.*) alkalili, kalevî; alkali hâsıl eden. ~**um** ['keyliəm] = POTASSIUM.
kamikaze [kami'keyzi] (*Jap.*) Hedefine doğru kasten düşürülen patlayıcı maddelerle dolu uçak; bunun pilotu.
kampong [kam'pon(g)]. (Malaya) köy.
kanaka ['kanəkə]. (Okyanusya) adam, işçi.
kangaroo [kan(g)gə'rū]. Kanguru. ~**-court**, işçiler vb. tarafından kurulan gayri kanunî mahkeme.
Kansas ['kanzəs]. ABD'nden biri.
kaolin ['kāolin, 'key-]. Kaolin, arıkil.
kapok ['keypok]. Yastık doldurmak için kullanılan bir nevi pamuk.
kappa ['kapə]. Yunancanın onuncu harfi (K, κ).
kaput [ka'pūt] (*arg.*) Mahvolmuş, bozuk.
Karachi [kə'rāçi]. Karaçi.
karate [kə'rāti]. Karate. ~**-chop**, karateye mahsus bir darbe.
karma ['kāmə]. Kader; talih.
kaross [kə'ros] (*G.Afr.*) Tüylü hayvan postundan yapılan aba.
kar(r)oo [kə'rū] (*G.Afr.*) Büyük kurak yayla.
karst [kāst] (*coğ.*) Karst.
***kart** [kāt] = GO-KART. ~**ing**, bu otomobillerle edilen yarış(lar).
kata- [katə-] *ön.* Aşağıya. ~**batic**, katabatik (rüzgâr). ~**bolism** [kə'ta-], katabolizm.
kavass [kə'vas] (*Tk.*) Kavas.
kayak ['kayak]. Eskimo balıkçısı kayığı.
KB = KING'S BENCH; KNIGHT BACHELOR.
kbar = KILOBAR.
KBE = KNIGHT COMMANDER (OF THE ORDER) OF THE BRITISH EMPIRE.
KC = KING'S COUNSEL; KNIGHT COMMANDER (OF THE ORDER) OF . . ..
kcal = KILOCALORIE.
KC·B/IE/MG/SI = KNIGHT COMMANDER (OF THE ORDER) OF THE BATH/INDIAN EMPIRE/ST MICHAEL AND ST GEORGE/STAR OF INDIA.
kc/s = KILOCYCLES PER SECOND.
KCVO = KNIGHT COMMANDER OF THE ROYAL VICTORIAN ORDER.
K·D = KNOCKED DOWN. ~**E** = KINETIC ENERGY.
kea ['keyə]. Yeni Zelanda koca papağani.
kebab [ki'bab]. Kebap.
keck [kek]. Kusmağa uğraşmak.
kedge [kec] *i.* ~ **(anchor)**, tonoz demiri. *f.* Gemiyi tonoz demirine bağlı yoma ile çekip yürütmek.
kedgeree [kecə'rī]. Balıklı yumurtalı pilav.
keek [kīk] (*İsk.*) Gizlice bakıverme(k).
keel [kīl] *i.* Geminin omurgası; (*şiir.*) gemi; (*zoo.*) karina. *f.* Karina etm. **false** ~, kontra omurga: **be on an even** ~, yatay olm.: ~ **over**, alabora olm. ~**age** [-ic], limana giren gemiye yüklenen resim. ~**-blocks**, kuru havuzda geminin omurgasının dayandığı kütükler. ~**ed**, omurgalı. ~**haul** [-hōl], ceza olarak birini omurganın altından geçirmek. ~**less**, omurgasız. ~**son**, iç omurga.
keen[1] [kīn]. Keskin; sert, şiddetli; hassas; gayretli, hevesli, istekli. **be** ~ **on stg.**, bir şeye hevesli olm.: **I am not very** ~ **on it**, bundan pek hoşlanmam; bunu pek canım istemiyor: **as** ~ **as mustard**, pek gayretli. ~**ly**, sert vb. olarak. ~**-set**, iştahlı.
keen[2] (*İrl.*) Ağlıyarak matem tutmak.
keep[1] [kīp] *i.* Bir hisarın iç kalesi.
keep[2] *i.* Yiyecek; gıda; boğaz. **work for one's** ~, boğaz tokluğuna çalışmak: **he isn't worth his** ~, yediği ekmeği hak etmiyor.
keep[3] *f.* (*g.z.(o.)* **kept** [kept]). Tutmak; alıkoymak; bırakmamak; saklamak, hıfzetmek; yedirip içirmek, beslemek; idare etm.; riayet etm.; kendini tutmak; devam etm., yapıp durmak. ~ **(good)**, bozulmamak, çürümemek: **you may** ~ **this**, bu sizde kalsın: **(in a shop) do you** ~ **soap?**, (dükkânda) sizde sabun bulunur mu?: ~ **at it**, çalışmak, gevşememek: ~ **s.o. at it**, bir işi yapması için birinin üstüne düşmek: ~ **at work**, işe devam etm.: ~ **one's bed**, (hastalıktan) yataktan çıkmamak: ~ **s.o. in clothes**, birinin giyimini kuşamını sağlamak: **don't let me** ~ **you!**, sizi alıkoymayayım: ~ **stg. from s.o.**, birisinden bir haber vb.ni gizlemek: ~ **s.o. from doing stg.**, birini bir şey yapmaktan alıkoymak: **how are you** ~**ing?**, nasılsınız?; sağlığınız iyi mi?: ~ **to the left**, soldan gitmek: **fish won't** ~ **in summer**, balık yazın çabuk bozulur: **this meat will be all the better for** ~**ing**, bu et bir kaç gün saklanırsa daha iyi olur: ~ **stg. to oneself**, gizleyip kimseye söylememek: **they** ~ **to themselves**, başkalarına sokulmuyorlar: ~ **s.o. to his promise**, birine sözünü tutturmak: ~ **one's seat**, yerinden kalkmamak; at üzerinden düşmemek: ~ **s.o. waiting**, birini bekletmek. ~ **away**, alargada tutmak; yaklaş(tır)mamak; vermemek. ~ **back**, alıkoymak; durdurmak; ihtiyat olarak tutmak; saklamak, ketmetmek; geri kalmak,

yaklaşmamak; **you are ~ing stg. back!**, dilinin altında bir şey var. ~ **down**, bastırmak; aşağıda tutmak; boyun eğdirmek; yükselmesine engel olm.; aşağıda kalmak, büzülüp saklanmak: ~ **expenses down**, fazla masrafı önlemek: ~ **down weeds**, muzır otların çoğalmasını önlemek. ~ **in**, içeride tutmak; salıvermemek; evden çıkmasını menetmek; izinsiz bırakmak; evde kalmak: **be kept in**, (öğrenci) izinsiz kalmak: ~ **the fire in**, ocağı söndürmemek: ~ **one's hand in**, alışkanlık/maharetini kaybetmemek: ~ **in with s.o.**, birisiyle iyi ilişkilerini korumak. ~ **off**, defetmek, yaklaştırmamak; uzak kalmak: **if the rain ~s off**, yağmur yağmazsa: ~ **off the grass!**, çimenliğe basma/yürüme!: ~ **your hands off!**, dokunma! ~ **on**, çıkarmamak; düşmesine engel olm.; yerinde durmak; devam etm.: ~ **on at s.o.**, birinin başının etini yemek, üstüne varmak: **don't ~ on about it!**, bunu kısa kes!, fazla ısrar etme!: ~ **on doing stg.**, bir şeyi yapıp durmak. ~ **out**, içeri bırakmamak; dışında kalmak: ~ **s.o. out of his rights**, birini hakkından mahrum etm.: ~ **out of a quarrel**, bir kavgaya karışmamak. ~ **together**, bir arada tutmak; dağılmasını önlemek; bir arada kalmak; dağılmamak, birleşik kalmak. ~ **under**, zaptetmek; boyunduruk altına almak; bastırmak: ~ **a fire under**, bir yangının büyümesini önlemek. ~ **up**, düşürmemek; devam etm., vazgeçmemek; revaçta tutmak; ipka etm.; idame etm.; muhafaza etm.; geri kalmamak: **he couldn't ~ up with the class**, sınıfta daima geri kalıyordu: ~ **up one's courage**, cesaretini kaybetmemek: ~ **it up!**, dayan!: ~ **s.o. up at night**, birinin yatmasına engel olm.: ~ **up with the times**, zamana uymak.

keep·er ['kīpə(r)]. Bekçi; muhafız; kâhya; (müze vb.) müdür; av bekçisi; kayış halkası; kilit mil yuvası: **boarding-house ~**, pansiyon sahibi. **~ing**, *i.* **be in s.o.'s ~**, birinin muhafazası altında olm.; himayesinde olm.: **in ~ with...**, -e uygun olarak, -e göre: **out of ~ with ...**, -e uymaz. **~sake** [-seyk], yadigâr, hatıra.

kef, keif [kef, kīf]. Keyif, dalgınlık.

keg [keg]. Varil, küçük fıçı.

kelp [kelp]. Varek, ketencik.

kelpie ['kelpi] (*İsk.*) At şeklinde bir su perisi. (*Avus.*) çoban köpeği.

kelson ['kelsən] = KEELSON.

kelt [kelt]. Yumurtlamaktan sonra olan alabalık.

kelter ['keltə(r)] = KILTER.

Kelvin ['kelvin]. **degree ~**, Kelvin ısı birimi.

kemp [kemp]. Kaba saç/yün. **~t**, taraklanmış.

ken [ken] *f.* Tanımak. *i.* Birinin bildiği/gördüğü saha.

kennel ['kenl]. Köpek kulübesi. **the ~s**, (av) köpeklerin(in) yatırıldığı yer.

keno- [kenou-] *ön.* Boş.

Kent [kent]. Brit.'nın bir kontluğu. **~ish**, bu kontluğa ait.

kentledge ['kentlic] (*den.*) Daimî safralık.

Kentucky [ken'tʌki]. ABD'nden biri.

kepi ['kepi]. Fransız askeri kasketi.

kept [kept] *g.z.(o.)* = KEEP: ~ **woman**, kapatma.

kerat·in ['kerətin]. Keratin. **~o-**, (*ön.*) boynuz+.

kerb [kə̄b]. Kaldırımın kenar taşı; kuyu bileziği; eğri kenar. **~-drill**, yolu geçecek yayalar için emniyet kaideleri. **~stone**, kenar taşı: **~-broker**, gayri resmî simsar: **~-market**, gayri resmî borsa. **~-weight**, (*oto.*) boş ağırlık.

kerchief ['kə̄çif]. Baş örtüsü; atkı, yemeni; mendil.

kerf [kə̄f]. (Testere ile yapılan) çentik.

kerfuffle [kə'fʌfl] (*kon.*) Sebepsiz telâş.

kermes ['kə̄mīz]. Kırmız böceği; kırmız (boyası). **~-oak**, kırmız meşe ağacı.

kern(e) [kə̄n] (*İrl.*) Piyade askeri; köylü.

kernel ['kə̄nəl]. Çekirdek içi; tane; (*mec.*) öz, esas.

kerosene ['kerəsīn]. Petrol, gaz.

kersey ['kə̄zi]. Kalın bir çeşit yünlü kumaş. **~mere** [-miə(r)] = CASHMERE.

kestrel ['kestrəl]. Kerkenez.

ketch [keç]. İki direkli yelkenli gemi, keç.

ketchup ['keçəp]. Kavanozda kurutulmuş mantar/domates salçası, keçap.

ketone ['kītoun]. Keton, aseton.

kettle ['ketl]. (Su kaynatmak için) ibrik. **put the ~ on**, su kaynatmak: **here's a pretty ~ of fish!**, ayıkla şimdi pirincin taşını. **~drum**, dümbelek.

keV = KILO-ELECTRON-VOLT.

key[1] [kī] *i.* Anahtar; tuş; kurma sapı; ses perdesi, ton; (*müh.*) kama; kılavuz, ana-: **major/minor ~**, ton majör/minör: **master/pass ~**, maymuncuk: **in the ~ of C**, do perdesi: ~ **map**, ana harita: ~ **industry**, ana sanayi: ~ **point**, önemli nokta: **touch the right ~**, (nutuk vb.) tam yerinde söylemek.

key[2] *f.* Kama ile tutmak; sıkmak; akord etm. **be ~ed up**, tam kıvamında olm.; merakla heyecanda olm.

***key**[3]. Adacık; kayacık.

key-[4], *ön.* **~board**, klavye. **~hole**, anahtar deliği. **~less**, anahtarsız (işliyen saat). **~-money**, kaparo, güvenmelik; hava parası. **~note**, ana nota; (*mec.*) esas, mihver. **~ring**, anahtar halkası. **~stone**, kilit/kemer taşı; (*mec.*) temel, esas. **~-way**, bir şafta kama almak için kesilmiş yiv. **~-word**, bir şifrenin anahtarı.

kg. = KILOGRAM; KING.

KG = KNIGHT (OF THE ORDER) OF THE GARTER. **~B**, (*Rus.*) gizli polis teşkilâtı. **~C** = KNIGHT GRAND CROSS (OF THE ORDER) OF....

khaki ['kāki]. Hâkî renk(li). **get into ~**, asker olm.

Khalif ['keylif]. Halife.

khamsin ['kamsin, -'sīn]. Hamsin rüzgârı.

khan[1] [hān]. Han, kervansaray.

Khan[2]. Han. **~ate**, hanlık.

Khartoum [kā'tūm]. Hartum.

Khediv·e [ki'dīv]. Hıdiv. **~(i)al** [-yəl], hıdive ait.

khi [kī]. Yunancanın yirmi ikinci harfi (X, χ).

Khorassan ['korəsan]. Horasan.

kHz = KILOHERTZ.

kiang ['kyan(g)]. Tibet atı.

kibble ['kibl]. Kabaca öğütmek.

kibbutz [ki'būts]. (İsrail) tarımsal topluluk/köy.

kibe [kayb]. (Ayakta) soğuktan hasıl olan şiş/çatlak.

***kibitzer** ['kibitsə(r)] (*arg.*) Karıştırıcı.

kiblah ['kibla]. Kıble.

kibosh ['kayboş]. Saçma. **put the ~ on**, matetmek.

kick [kik] *f.* Tepmek; çifte atmak; seğirdim yapmak; (*sp.*) vurmak *i.* Tepme; çifte; geri tepme, seğirdim; (*sp.*) vuruş. ~ **the bucket**, (*kon.*) nalları dikmek: **this drink has a ~ in it**, bu içki oldukça kuvvetli: **get a ~ out of stg.**, bir şeyin zevk/tadını çıkarmak: **get more ~s than ha'pence**, takdirden çok tenkide uğramak: ~ **up a fuss/rumpus**, mesele çıkarmak: ~ **one's heels**, sabırsızlanarak beklemek: **I felt like ~ing myself**, yaptığıma çok pişman oldum, dizimi dövdüm: **he has no ~ left in him**, bitkin ve mecalsizdir: ~ **off**, bir futbol maçına başlamak: **don't leave your things ~ing about**, eşyanı ötede beride bırakma!: **be ~ed out**, kovulmak: **be ~ed upstairs**, şerrinden kurtulmak istenilen bir politikacı vb. yüksek fakat nüfuzsuz bir mevkie tayin edilmek: **free ~**, frikik: **do stg. for ~s**, (*arg.*) bir şeyi sırf eğlence için yapmak. **~-back**, (*müh.*) geri tepme, seğirdim; (*arg.*) gayri resmî bir komisyon, bahşiş. **~er**, çifteli (at); *daima protesto/tenkit eden kimse. **~-off**, futbol maçının başlangıcı. **~-up**, (*kon.*) gürültü, kavga; cümbüş.

kickshaw ['kikşō]. Çerez kabilinden ufak tefek yiyecek; ufak tefek biblo.

kid[1] [kid] *i.* Oğlak; (*kon.*) çocuk; oğlak derisi. **handle s.o. with ~ gloves**, birini nezaket/tatlılıkla idare etm.: **not a job for ~ gloves**, (i) kirli/zor bir iş; (ii) bu meselede merhametsizce davranmalı.

kid[2] *f.* (*kon.*) Muziplik etm., aldatmak; takınmak. **you can't ~ me!**, öyle yağma yok!, bunu yutmam!: **I was only ~ding**, şakadan söyledim: **you must be ~ding!**, şakadan söylüyorsun yahu!

kiddle [kidl]. Dalyan.

kidd·y, *ç.* **~ies** ['kidi(z)] (*kon.*) Çocukçağız, yavrucuk.

kidnap ['kidnap]. Cebren kaçırmak; çocuk çalmak; dağa kaldırmak. **~per**, çocuk vb. çalan; dağa kaldıran. **~ping**, cebren kaçırma vb.

kidney ['kidni]. Böbrek; (*mec.*) huy, mizaç, tabiat. **~-bean**, börülce, fasulye. **~-machine**, (*tıp.*) böbreğin yerine çalışan cihaz. **~-stone**, nefrit.

***kike** [kayk] (*köt.*) Yahudi.

kilderkin ['kildəkin]. Küçük fıçı.

kilerg ['kīləg]. Kiloerg.

kill [kil] *f.* Öldürmek, katletmek. *i.* (Avda) hayvan öldürme; öldürülmüş hayvan. **be in at the ~**, avda hayvanın ölümünde/teşebbüste başarı anında hazır bulunmak: **~ or cure remedy**, şiddetli ve tehlikeli ilâç/tedbir/ameliyat: **~ with kindness**, gereğinden fazla özenle/fazla üstüne düşerek zarar vermek: **~ the lights**, (*tiy.*) ışığı öldürmek. **~er**, kaatil; öldürücü: **humane ~**, mezbahada hayvanları eziyetsizce öldürmeğe mahsus bir nevi tabanca: **~-whale**, tehlikeli bir cins yunus. **~ing**, *s.* öldürücü: **too ~ for words**, (*kon.*) dayanılmaz derecede tuhaf/gülünç. **~-joy**, oyunbozan; neşe bozan; bozguncu; abus suratlı. **~ off**, imha etm.; kökünü kazımak.

kiln [kiln]. Kireç/tuğla vb.ni yakmak/kurutmak için ocak; fırın.

kilo ['kīlo͟u] (*kon.*) Kilogram.

kilo- ['kīlo͟u-] *ön.* Kilo-; bin. **~amp**, kiloamper. **~cycle** ['kiləsaykl], kilosikl. **~gram(me)**, kilogram. **~hertz**, kiloherz. **~joule**, kilojul. **~litre** [-litə(r)], kilolitre. **~metre** [-mītə(r), -'lomitə(r)], kilometre. **~ton(ne)**, patlatıcı güç birimi (= 1.000 ton TNT). **~watt** [-wot], kilovat.

kilt [kilt]. İskoçyalılar ile efzonların giydikleri kısa eteklik, fistan. **~ed**, bu etekliği giyen.

kilter ['kiltə(r)] (*kon.*) Çalışır durumda. **out of ~**, çalışmaz halde.

kimono [ki'mo͟uno͟u]. Kimono.

kin [kin]. Hısım, akraba, kandaş. **near of ~**, yakın akraba: **next of ~**, en yakın akraba: **inform the next of ~**, ailesine haber vermek.

Kin. = KINROSS.

kin- [kin-] *ön.* Kin-; hareket.

-kin [-kin] *son.* -cik; küçük [MANNIKIN].

kind[1] [kaynd] *i.* Cins, nevi, tür, çeşit, türlü; soy; makule; keyfiyet. **payment in ~**, aynen verilen ücret: **repay s.o. in ~**, aynı ile karşılık vermek; mukabelebilmisilde bulunmak: **these ~ of men**, bu gibiler: **he is the ~ of man who always succeeds**, bu her zaman başarılı olan adamlardandır: **we had coffee of a ~**, sözüm ona kahve içtik: **in a ~ of way**, bir nevi; şöyle böyle: **nothing of the ~**, hiç böyle bir şey yok; hiç değil!: **something of the ~**, buna benzer bir şey, öyle bir şey: **I ~ of expected it**, bunu âdeta bekliyordum.

kind[2] *s.* Müşfik; hayırhah; iyi kalpli, hoş, sevimli; efendi gibi; dostane; nazik, mültefit. **be so ~ as to ...**, lütfen ...: **be ~ to s.o.**, birine iyi muamele etm., nazik davranmak: **it is very ~ of you**, çok naziksiniz; çok teşekkür ederim: **give him my ~ regards**, saygılarımı söyle!

kinda ['kayndə] (*kon.*) = KIND OF.

kindergarten ['kindəgātn]. Ana okulu.

kind-hearted [kaynd'hātid]. Şefkatli, iyi kalpli.

kindle[1] ['kindl]. Tutuş(tur)mak; yakmak; alev almak.

kindle[2]. **be in ~**, (tavşan vb.) gebe olmak.

kindliness ['kayndlinis]. İyilik.

kindling ['kindlin(g)]. Ateş yakmak için ufak odun; yonga.

kindly ['kayndli] *s.* İyi kalpli, müşfik; (hava) yumuşak, hoş, latif. *zf.* **will you ~ ...**, lütfen ...: **he didn't take it very ~**, pek hoşuna gitmedi; pek iyi karşılamadı: **take ~ to ...**, -e ısınmak; çabuk alışmak.

kindness ['kayndnis]. İyilik, iyi muamele/davranma; hayırhahlık; iltifat; lütuf.

kindred ['kindrid] *i.* Akrabalar; akrabalık. *s.* Hem cins, hemmeşrep; benzer: **a ~ spirit**, kafaca yakın bir adam.

kine [kayn] *ç.* (*mer.*) İnekler.

kinema [ki'nīmə] = CINEMA. **~tic** [-ni'matik], kinematik; harekete ait. **~tics**, kinematik bilgisi.

kinesics [ki'nīsiks]. SHRUG/NOD gibi anlamlı beden hareketleri (bilgisi).

kinetic [ki-, kay'netik]. Kinetik, harekete ait. **~s**, mekanik bilimin hareket bahsi.

king [kin(g)]. Kral; (dama) dama olan taş; (iskambil) papaz; (satranç) şah. **~ at/of Arms**, baş armacı: **~ of beasts**, aslan: **~ of birds**, kartal: **~ of ~s**, Allah. **~-bird**, bir çeşit cennet kuşu; bir nevi sinekyutan kuş. **~-bolt**, (*müh.*) ana cıvata. **~craft**, kral idareciliği. **~-cup** [-kʌp], altıntop. **~dom** [-dəm], kraliyet; devlet; (*biy.*) âlem, evren: **the United ~**, Büyük Britanya: **the animal ~**, hayvanat âlemi. **~fisher**, yalı çapkını: **wood ~**, İzmir yalı çapkını. **~less**, kralsız. **~let**, kralcık, önemsiz kral. **~like** [-layk], kral gibi. **~liness**, haşmet; kral gibi olma. **~ly**, kral gibi, krala yakışır; şahane, muhteşem. **~-maker**, kralı tahtaya çıkaran kimse. **~pin**, ana cıvata, koşum çivisi;

(*mec.*) bir kurulun en önemli kimse. **~post**, dam çatısının orta direği; baba. **~'s evil**, (*tar.*) sıraca hastalığı. **~ship**, krallık. *Başka kelimeler için* QUEEN *'e bakınız.*
kink [kin(g)k] *i.* Kıvrım; (*den.*) gamba, dolaşım; (düşüncede) garip/acayiplik, kapris. *f.* Gamba olm., dolaşmak.
kinkajou ['kinkəcū]. Kinkaju.
kinky ['kin(g)ki] (*arg.*) Cinsel sapık/dalâlete düşmüş; kaprisli; (*den.*) dolaşık.
Kinross [kin'ros]. Brit.'nın bir kontluğu.
kins·folk ['kınzfouk]. Akrabalar; hısım, kandaşlar. **~hip** [-şip], hısımlık, kandaşlık. **~man**, *ç.* **~men** [-zmən], akraba, kandaş.
kiosk/kiosque ['kiosk]. Gazete satılan kulübe; bandoya mahsus kameriye; köşk, kasır.
kip[1] [kip] (*arg.*) *i.* Pansiyon; yatak. *f.* Uymak. **have a ~**, uymak.
kip[2]. Hayvan yavrusu derisi.
kipper ['kipə(r)] *i.* Tütsülenmiş ringa balığı. *f.* (Balığı) tütsülemek.
kirk [kək] (*İsk.*) Kilise.
Kirk. = **Kirkcudbright** [kə'kūbri]. Brit.'nın bir kontluğu.
kirsch [kirş] (*Alm.*) Kiraz likörü.
kirtle [kətl] (*mer.*) Kadın fistanı.
kismet ['kismet]. Kısmet.
kiss [kis] *i.* Buse; öpücük. *f.* Öpmek; öpüşmek. **~ the book**, yemin ederken İncili öpmek: **~ the dust**, mağlûp olm., yenilmek; öldürülmek: **~ hands**, (büyük bir memuriyete tayin olunan birisi) kralın elini öpmek: **~ one's hand to s.o.**, öpücük göndermek: **~ the rod**, cezaya boyun eğmek: **~ of life**, baygın bir kimseye ağızdan ağıza soluk verilmesi. **~er**, (*arg.*) yüz, ağız. **~ing**, yakın olmıyan (akraba).
kit [kit]. Asker eşyası; bir yolcunun beraber getirdiği eşya; pılı pırtı; avadanlık; takım. **pack up one's ~**, pılıyı pırtıyı toplamak. **~-bag**, asker hurcu. **~-cat**, çelik çomak oyunu.
kitchen [kiçin]. Mutfak. **~-dresser**, mutfak tabaklığı. **~er**, mutfak sobası. **~ette** [-et], mutfakçık. **~-garden**, sebze bahçesi. **~maid**, mutfak hizmetçisi. **~-midden**, (*ark.*) ev çöplüğü. **~-parade**, (*ask. arg.*) mutfakta çalıştırılma ceza/görevi. **~-range** [-reync], mutfak sobası.
kite [kayt] (*zoo.*) Çaylak; (*sp.*) uçurtma. **fly a ~** (*mec.*) bir teklifin etkisi/karşılanmasını tecrübe etm. **~-balloon**, uçurtma balonu. **~-mark**, BRITISH STANDARDS INSTITUTE tarafından kabul edilen eşyalara konan uçurtma şeklinde özel simge.
kith [kiθ]. **~ and kin**, dost ve akraba; konu komşu.
kitten ['kitn]. Kedi yavrusu; canlı genç kız. **~ish**, oynak; işvebaz.
kittiwake ['kitiweyk]. Bir nevi küçük martı.
kittle ['kitl]. **~ cattle**, titiz ve müşkülpesent ve idaresi zor kimseler.
kitty[1] ['kiti]. Kedi (yavrusu).
kitty[2]. Kumarda:- miz olunan paranın toplamı, kanyot.
kiwi ['kīwī]. Kivi; †(*arg.*) RAF'ın uçmıyan üyesi; (*kon.*) Yeni Zelandalı.
***KKK** = KU KLUX KLAN.
kl. = KILOLITRE.
klaxon ['klaksən]. Klakson, oto kornası.
klepht [kleft] (*tar.*) Yunan özgür savaşçısı; (*köt.*) Yunan haydudu.
kleptomania [klepto'meynyə]. Kleptomani. **~c** [-niak], kleptoman.
klieg [klīg] (*sin.*) Kuvvetli projektör.
klipspringer ['klipspringə(r)]. Kaya antilopu.
klystron ['klistrən]. Klistron.
kloof [klūf] (*G.Afr.*) Vadi, dere.
km. = KILOMETRE; KINGDOM.
kn. = KNOT.
knack [nak]. Hüner; ustalık; maharet; işin sırrı. **have the ~ of doing stg.**, işin sırrını (nasıl yapılacağını) bilmek.
knacker ['nakə(r)]. Sakat/ölmüş at ve inekler alan ve derisini vb. satan kimse; yıkmacı.
knap[1] [nap]. Taş yontmak. **~per**, taş yontucu, taşçı.
knap[2]. Bayır tepesi; tepecik.
knapsack ['napsak] (*ask.*) Arka çantası.
knapweed ['napwīd]. Bileşikgillerden mor ve top çiçekli bir bitki.
knar [nā(r)]. Budak.
knav·e [neyv]. Alçak herif, dolandırıcı, düzenbaz; (iskambil) bacak. **~ery**, dolandırıcılık, alçaklık. **~ish**, hilekâr, alçak: **~ly**, alçakça: **~ness**, alçakçılık.
knead [nīd]. Yuğurmak; ovmak, masaj yapmak. **~ing-trough**, hamur teknesi.
knee [nī]. Diz; paraçol; dirsek şeklinde bir şey. **bend/bow the ~ to**, -e boyun eğmek: **bring s.o. to his ~s**, (*mec.*) diz çöktürmek: **go down on one's ~s to s.o.**, birinin ayaklarına kapanmak: **the future is on the ~s of the gods**, gelecek Allahın elindedir. **~-breeches**, dizkapaklarının altından bağlanan kısa pantolon. **~-cap**, diz kapağı. **-~d**, *son.* . . . dizli. **~-deep**, diz boyu derinliğinde olan. **~-high**, diz boyu. **~-hole**, yazıhane/okul sırasında diz boşluğu. **~-joint**, diz eklemi; (marangozluk vb.de) mafsallı dirsek.
kneel (*g.z.(o.)* **knelt**) [nīl, nelt]. Diz çökmek; dizüstü oturmak. **~er**, diz yastığı. **~ing**, dizüstü.
knee·-pan ['nīpan]. Diz kapağı. **~-pipe**, dirsek (boru).
knell [nel]. Matem çanı çal(ın)ma(k). **sound the ~ of**, -e elveda demek.
knelt [nelt] *g.z.(o.)* = KNEEL.
knew [nyū] *g.z.* = KNOW[1].
knicker·bocker ['nikəbokə(r)]. New York'ta ilk yerleşen Felemenkli (neslinden) kimse; New York şehri hemşerisi: **~-glory**, bir nevi dondurma: **~s**, dizlere bağlı bol pantolon, golf pantolonu; şalvar. **~s**, kısa pantolon; kadın donu.
knick-knack ['niknak]. Küçük süslü şey; biblo; çerez kabilinden yiyecek.
knife, *ç.* **knives** [nayf, nayvz] *i.* Bıçak; çakı. *f.* Bıçaklamak. **the ~**, neşter, ameliyat: **have one's ~ into s.o.**, birine kancayı takmak: **war to the ~**, kıyasıya kavga. **~-board**, bıçak temizlemek için zımparalı tahta. **~-edge**, bıçak ağzı; pek dar dağ sırtı; terazi kolu, rakkas vb.nin asılı durduğu ince çelik parçası. **~-grinder**, bıçak bileyici. **~-rest**, çatal bıçak sehpası.
knight [nayt] *i.* (*mer.*) Şövalye; silâhşor; (*şim.*) şövalye rütbesini ve isminin önüne SIR lakabı koyma hakkını haiz olan kimse; (satranç) fers. *f.* Şövalye rütbesi vermek. **black ~**, kötülük simgesi: **white ~**, iyilik simgesi; ıslahatçı: **~ of the pen**,

gazeteci: ~ **of the road,** (*alay.*) yolkesici. ~**-bachelor,** unvanı kaydıhayat şartıyle olan ve çocuklarına geçmiyen şövalye. ~**-errant,** orta çağda diyar diyar dolaşan şövalye. ~**hood,** şövalyelik. ~**ly,** şövalyeye yakışır; âlicenap; kahramanca.

knit (*g.z.(o.)* ~**(ted)**) [nit(id)]. Örmek; triko yapmak; (yara) kapanmak; birbirine birleştirmek: ~ **the eyebrows,** kaşlarını çatmak. *s.* Örülmüş; örme; merbut: **loosely** ~ **frame,** gevşek yapılı (kimse). ~**ted,** örülmüş, örme: ~ **eyebrows,** çatık kaşlar. ~**ter,** örücü. ~**ting,** örme işi; örgü; trikotaj: ~**-machine,** örgü makinesi: ~**-needle,** örgü şişi.

knob [nob]. Topuz; topak; pürtük; (*arg.*) baş, kelle. ~**ble,** küçük topuz. ~**b(l)y,** pürtüklü, topuzlu. ~**kerrie**/~**stick,** topuzlu sopa.

knock [nok] *i.* Vurma, darbe; kapı çalınması; (makine) kliket, vuruntu. *f.* Vurmak; çarpmak; kapıyı çalmak; (makine) kliketleşmek, sağır bir gürültü yapmak; (*arg.*) eleştirmek. ~ **s.o. on the head,** birinin başına vurmak, öldürmek: ~ **one's head against stg.,** başını bir şeye çarpmak. ~ **about,** hırpalamak, örselemek: ~ **about (the world),** feleğin çemberinden geçmek. ~ **back,** (*arg.*) içip bitirmek. ~ **down,** yere vurmak; yıkmak: **be** ~**ed down to s.o.,** (mezatta) birinin üzerinde kalmak. ~ **in,** vurup kakmak; vurup kırmak. ~ **off,** yerinden fırlatmak; paydos etm.: ~ **something off the price,** fiyatını kırmak. ~ **out,** vurup çıkartmak, sokmak; bir yumrukla sersemletmek, nakavt yapmak. ~ **over,** devirmek, altüst etm. ~ **up,** vurup yukarıya fırlatmak; (*kon.*) derme çatma yapmak; bitkin bir hale koymak; (tenisde) asıl oyundan evvel elini alıştırmak için biraz oynamak: ~ **s.o. up,** kapısını çalıp birini uyandırmak: **he is quite** ~**ed up,** bitkin bir haldedir: ~ **up against s.o.,** birine tesadüf etm.: ~ **up against stg.,** bir şeye çarpmak. ~**-about,** gürültülü şamatalı (soytarı, numara); kaba işe elverişli (elbise). ~**-down, a** ~ **blow,** sersemletici vuruş: ~ **price,** en aşağı fiyat. ~**ed-down,** (*müh.*) parça halinde; alıcı tarafından monte edilecek (makine/oto). ~**er,** kapı tokmağı; (*arg.*) eleştirici: ~**-up,** erken kalkan işçileri uyandırıcı. ~**-kneed** [-nīd], dizleri bitişik ve baldırları ayrık, paytak. ~**-out,** nakavt, yerde yenik: **technical** ~, (boks) hakem tarafından bitirilen maç.

knoll[1] [noul]. Yuvarlak tepe; tümsek.

knoll[2] [noul] = KNELL.

knop [nop] = KNOB.

knot[1] [not] *i.* Düğüm; bağ; boğum, budak; gemi sürat ölçüsü (**1 knot** = bir saatte bir deniz mili); fiyonga; (ahali/ağaç vb.) ufak küme. *f.* Düğümlemek; düğüm haline bağlamak; (kaşlarını) çatmak. ~**-grass,** çobandeğneği. ~**ted** [-tid], düğümlü; karmakarışık. ~**ty,** düğüm düğüm; boğumlu, budaklı: **a** ~ **point,** anlaşılmaz bir nokta; çatallı bir mesele.

knot[2]. Kanut kuşu.

knout [naut]. (*Rus.*) Bir nevi kamçı, knut.

know[1] (*g.z.* **knew,** *g.z.o.* **known**) [nou(n), nyū] *f.* Bilmek; tanımak; haberi olm., hakkında bilgisi olm.; ayırt etm.; -le cinsî münasebette bulunmak. **I don't** ~ **about that,** (i) bunun hakkında bir şey bilmiyorum; (ii) Vallahi, orasını bilemem: **he worked/ran all he knew,** alabildiğine çalıştı/koştu: **I** ~ **better than that,** (i) bu kadarcık şeyi bilirim/akıl ederim; (ii) ben bundan iyisini bilirim: **he** ~**s better than to do that,** artık bu kadarını da bilir!: **you ought to** ~ **better!,** bu kadarcık şeyi bilmeliydiniz!: **a man is** ~**n by his friends,** insan arkadaşından bellidir: **don't I** ~ **it!,** bilmez miyim?: **get to** ~ **s.o.,** birini zamanla tanımak; tesadüfen tanımak: **I would have you** ~ **that. . .,** şunu bilmiş ol ki. . .: ~ **how,** yolunu bilmek; yapmağa muktedir olm.: **'wouldn't you just like to** ~**!',** 'neler neler de maydanozlu köfteler!': **make oneself** ~**n to s.o.,** kendini birisine tanıtmak: **it has never been** ~**n to snow here,** buralara kar yağdığı hiç görülmemiştir: **not if I** ~ **it!,** dünyada yap(tır)mam!: ~ **of s.o.,** birini bilmek (fakat şahsen tanımamak): **not that I** ~ **of,** benim bildiğime göre değil: ~ **what one is talking about,** bahsettiği şeyi iyi bilmek: **I** ~ **not what,** bilmem ne: ~ **what's what,** (bir işte) pişmiş olm.; bir işten anlamak.

know[2] *i.* **be in the** ~, gizli bir şey hakkında bilgisi olm.; işin içyüzünü bilmek. ~**able** ['nouəbl], tefrik edilebilir; bilinir; tanınması kolay. ~**-all** [-ōl], ukalâ. ~**-how** [-hau], bir şeyin yapılması sırrı, know-how. ~**ing,** *s.* açıkgöz; şeytan; cin fikirli: **a** ~ **smile,** çok bilmiş/anlayışlı bir gülümseme: ~**ly,** kasten; bile bile.

knowledge ['nolic]. Bilgi; ilim, bilim; malumat; haber; malum şey; cinsî münasebet: **common** ~, herkesçe bilinen şey: **to (the best of) my** ~, benim bildiğime göre: **to my certain** ~, iyice biliyorum ki: **without my** ~, benim haberim olmadan: **you have grown out of all** ~, tanınmaz şekilde büyümüşsün. ~**able,** bilgili ve akıllı.

known [noun] *g.z.o.* = KNOW[1]. *s.* Belli; tanınmış; malum: ~ **as. . .,** . . . olarak tanınmış: **this is what is** ~ **as. . .,** buna . . . denilir: **a** ~ **thief,** herkesçe bilinen bir hırsız: **well** ~, meşhur, ünlü; herkesçe bilinen.

Knt. = KNIGHT.

knuckle ['nʌkl]. Parmak eklemi; koyunun but etinin diz tarafı. ~ **down/under,** teslim olm.: **rap s.o. over the** ~**s,** parmaklarının üzerine vurmak; (*mec.*) birini hafifçe haşlamak. ~**-bone,** aşık kemiği: ~**s,** aşık oyunu. ~**-duster,** demir muşta.

knurl [nəl] *i.* Pürtük, topuz; tırtıl. *f.* Maden üzerine tırtıl kesmek.

KO = KNOCK(ED) OUT.

koala [kou'ālə] (*Avus.*) Keseli ayı.

kodak [koudak] (*M.*) Fotoğraf makinesi.

kohl [koul]. Göz sürmesi.

kohlrabi [koul'reybi]. Şalgam gibi köklü lahana.

koodoo ['kūdū]. Kudu.

***kook(y)** ['kūk(i)]. Acayip, çılgın.

kookaburra ['kukəbərə] (*Avus.*) = (LAUGHING) JACKASS.

kopje ['kopi] (*G.Afr.*) Tepecik.

Koran ['kōrən, ko'rān]. Kur'an. ~**ic,** Kur'ana ait.

Korea [kə'riə]. Kore. ~**n,** *i.* Koreli: *s.* Kore +.

kosher ['kouşə(r)]. Kaşar; turfa olmıyan.

ko(u)miss ['kūmis]. Kımız.

k(o)urbash ['kuəbaş]. Kırbaç: **under the** ~, cebren, zorla.

k(o)usk(o)us ['kūskūs]. Kuskus.

ko(w)tow [kau'tau]. Çin usulü hürmet (etm.); secde

K harfiyle başlıyan kelime bulunmazsa, C harfiyle aynı kelimeye bakınız; mes.: **kalends** = CALENDS.

(etm.). ~ **to s.o.**, (*mec.*) birinin karşısında elpençe divan durmak.
KP = (*ask., arg.*) KITCHEN PARADE; KNIGHT (OF THE ORDER) OF ST PATRICK.
k.p.h. = KILOMETRES PER HOUR.
Kr. (*kim.s.*) = KRYPTON.
KR (*ask.*) = KING'S REGULATIONS.
kraal [krāl, krōl] (*G. Afr.*) Yerliler köyü.
kraft [krāft]. Ambalaj kâğıdı.
krait ['krayt]. Pama.
kraken ['krākən] (*mit.*) (Norveç) deniz canavarı.
Kraut [kraut] (*arg., köt.*) Alman.
krimmer ['krimə(r)]. Kırım kuzularının yünü.
krooboy ['krūboy]. (B. Afr.) denizci, kayıkçı.
krypton ['kripton]. Kripton.
KS = KING'S SCHOLAR.
Kt., kt. = KILOTON; KNIGHT; KNOT[1].
KT = KNIGHT (OF THE ORDER) OF THE THISTLE; KNIGHT TEMPLAR.
kudos ['kyūdos]. İtibar, şeref.
kudu ['kūdū] = KOODOO.
kukri ['kukri]. Gurka'ların kullandığı eğri kama.
kumis ['kūmis] = KOUMISS.
kummel [kuml]. Kimyon tohumundan yapılan bir likör.
Kurd [kəd]. Kürt. ~**ish** ['kədiş] *i.* Kürtçe: *s.* Kürt +.
Kuwait [ku'weyt]. Kûveyt.
kV(A). = KILOVOLT(-AMPERE).
kW(h). = KILOWATT(-HOUR).
kwashiorkor [kwoşiə'kō(r)] (*Afr.*) Protein kıtlığından hâsıl olan çocuk hastalığı.
Ky = KENTUCKY.
kyanize ['kayənayz]. Çürümesini önlemek için tahtayı emdirmek.
kyle [kayl] (*İsk., coğ.*) Boğaz.
kymograph ['kaymograf]. Tazyik değişiklerini ölçer, kimograf.
kyrie eleison ['kīrie e'leison] (*Yun.*) 'Ya rabbi merhamet et' dua/bestesi.

L

L [el]. L harfi.
L, l. = LABOUR; LAKE; LAMBERT; LATIN; LEAGUE; LEARNER-DRIVER; LEFT; LENGTH; LIBERAL; LICENCIATE; LITRE; LOAD-LINE; LOCAL; LONG; LOW; LUMEN; LUNAR; (*sayı*) 50.
£ = POUND STERLING.
la [lā] = LAH.
La. = (*kim.s.*) LANTHANIUM; LOUISIANA.
LA = LAW ASSOCIATION; LEGISLATIVE ASSEMBLY; LIGHT ALLOY; LLOYD'S AGENT; LOCAL AUTHORITY; LOS ANGELES; LOW ALTITUDE.
laager ['lāgə(r)] (*G.Afr.*) *i.* Müdafaa için öküz arabalarıyle çevrili kamp. *f.* Bir 'laager' kurmak.
Lab. = LABORATORY; LABOUR(ER); LABRADOR.
label ['leybl] *i.* Yafta, label; marka; etiket. *f.* Yafta yapıştırmak, yaftalamak, etiketlemek. **~ling**, yafta-/etiketleme.
labia ['leybiə] *ç.* = LABIUM. **~l**, şefevî, dudaklara ait; (*dil.*) dudak harfi: **~ize**, dudaklarla telaffuz etm. **~te** [-ieyt], şefevî: **~s**, (*bot.*) ballıbabagiller.
labile ['leybayl] (*kim.*) Bozulur, sabit olmıyan, değişir.
labi·o- ['leybiou-] *ön.* Dudak+: **~-dental**, diş-dudak (sesi). **~um**, *ç.* **~a** [-biə(m)], alt dudak.
laboratory [lə'borətri, 'lab(ə)rətri]. Laboratuvar.
***labor** ['leybə(r)] = LABOUR. **~ious** [lə'bōriəs], yorucu; zahmetli; çalışkan: **~ly**, gayret ve sebat ile; zahmetle: **~ness**, yoruculuk; çalışkanlık.
labour[1] ['leybə(r)] *i.* Emek, çalışma; zahmet, meşakkat; iş; işçilik; †İşçi Partisi; sendika; el emeği; doğurma (sancısı). **a ~ of love**, merak saikasıyle/'pir aşkına', hatırı için yapılan iş: **forced ~**, angarya: **hard ~**, kürek, ağır hapis cezası: **Ministry of ~**, Çalışma Bakanlığı: **skilled ~**, usta işi: **sweated ~**, az ücretli iş.
labour[2] *f.* Çalışmak; çabalamak; uğraşmak. **~ a point**, bir meselenin üzerinde lüzumundan fazla durmak: **~ along**, güçlükle ilerlemek: **~ under a burden**, bir yük altında ezilmek: **~ under a delusion**, bir hayale kapılmak: **~ under a sense of wrong**, kendini mağdur hissetmek.
labour-[3] *ön.* **~-bureau/-exchange**, iş(çi) bulma evi, iş bürosu. ***~-Day**, (eylülün ilk pazartesi) çalışma bayramı. **~-dispute**, patron ile işçiler arasında mücadele. **~ed**, (üslup) ağır, sunî; (nefes) zahmetle nefes alma. **~er**, rençper, işçi, ırgat. **~ing, a ~ man**, rençper, işçi: **the ~ class(es)**, işçi sınıfı. **~-intensive**, çok işçi istiyen (bir sanayi). **~ite**, İşçi Partisi üye/taraftarı. **~-saving**, daha az iş(çi) istiyen (bir makine/metod). **~some**, yorucu, zahmetli.
Labrador ['labrədō(r)]. Kanada'nın bir ili. **~ dog**, bir çeşit av köpeği.
labr·um, *ç.* **~a** ['leybrə(m)] (*biy.*) Üst dudak.
laburnum [lə'bənəm]. Sarısalkım.
labyrinth ['labərinθ]. Labirent; dolambaçlı yer.
lac[1] [lak]. Lak.
lac[2]. Yüz bin rupye.
LAC(W) = LEADING AIRCRAFT(WO)MAN.
lace [leys] *i.* Dantel(a); korse/ayakkabı bağı. *f.* Bağlarını bağlamak; dövmek; (çay vb.ne) konyak/rom katmak. **milk ~d with rum**, romlu süt. **~-bug**, armut kaplanı.
lacerat·e ['lasəreyt]. Yırtmak; tırmalamak; tahriş etm.; yaralamak. **~ion** [-'reyşn], yırtma, yara(lama).
lacertian [la'səşiən]. Kertenkelelere ait.
lachrym·al ['lakriml]. Göz yaşına ait: **~ation** [-'meyşn], göz yaşı, ağlama. **~atory** [-mətəri], göz yaşına ait: **~-bomb**, göz yaşartıcı bomba. **~ose** [-mouz], ağlamış; mahzun.
lack [lak] *i.* Eksiklik, noksan; ihtiyaç. *f.* Eksik olm. **~ (for)**, ihtiyacında olm., mahrum olm.: **for ~ of ...**, -sizlik yüzünden, olmadığı için, -den yoksun kalma.
lackadaisical [lakə'deyzikl]. Gevşek ve lâubali: rehavetli ve yapmacıklı.
lackaday [lakə'dey]. Hayıf!, heyhat!
lackey ['laki]. Uşak; peyk.
lack·ing ['lakin(g)]. Eksik; muhtaç. **he is ~ in courage**, kâfi derecede cesur değil. **~land**, (*tar.*) arazisiz. **~lustre** [-lʌstə(r)], fersiz.
laconic [lə'konik]. İcazlı, veciz; kısa ve kestirme. **~ally**, icazlı olarak; kestirme bir şekilde. **~ism** [-sizm], icaz, kısa söz.
lacquer ['lakə(r)]. Lake; vernik; lake mobilya. *f.* Lake ile kaplamak. **~ed**, lake.
lacrosse [lə'kros]. Kanada'ya mahsus ve hokeye benzer bir top oyunu.
lact·ate ['lakteyt]. Süt hâsıl etm.; süt vermek. **~ation** [-'teyşn], süt verme(nin süresi). **~eal**, süte ait, sütlü; keylusî. **~eous**, süte benziyen. **~escent** [-'tesənt], sütlü, süt gibi; süt veren. **~ic** ['laktik], süte ait; lebenî. **~iferous** [-'tifərəs], süt verici. **~o-**, *ön.* süt+. **~ose** [-tous], süt şekeri, laktoz.
lacuna, *ç.* **~e** [lə'kyūnə, -nī]. Eksiklik; açıklık.
lacustrine [lə'kʌstrin]. Göllere ait; gölsel; gölde yaşıyan; göl+.
lacy ['leysi]. Dantelli; dantel gibi.
lad [lad]. Genç, delikanlı, erkek çocuk. **a regular ~**, neşeli, çapkın: **(stable) ~**, yarış atlarına bakan ahırcı.
ladder ['ladə(r)] *i.* El merdiveni; iskele; balık geçidi; çorap kaçığı. *f.* (Çorap vb.) kaçmak. **accommodation ~**, (*den.*) borda iskelesi: **companion ~**, kamaraya inecek iskele: **scaling ~**, (*ask.*) hücum merdiveni: **I've a ~ in my stocking**, çorabım kaçtı: **be at the top of the ~**, yüksek mevkide bulunmak.
laddie ['ladi]. Küçük erkek çocuk.
lade [leyd]. Yükletmek. **~n**, yüklü.
la-di-da [lādi'dā]. Kibarlık satan; çalımlı.

ladi·es ['leydiz] *ç.* = LADY: '~', kadınlara (mahsus helâ). ~**fied** [-fayd], hanımefendilik taslıyan.
lading ['leydin(g)]. Bir geminin yükü. **bill of** ~, konişmento, yük belgesi.
ladle ['leydl] *i.* Kepçe, pota. *f.* ~ **(out)**, kepçe ile dağıtmak. ~**ful**, kepçe dolusu.
L.Adv. = LORD ADVOCATE.
lady, *ç.* **ladies** ['leydi(z)]. Hanım; hanımefendi; kibar hanım; LORD/KNIGHT eşlerine verilen unvan. ~ **barrister/doctor, etc.**, kadın avukat/doktor, vb.: **she looks a** ~, hanımefendiye benziyor: **a ladies' man**, kadınlardan hoşlanan ve onların hoşlandığı erkek: **my** ~, 'Lady' unvanı taşıyana hitap tarzı: **Our** ~, Meryemana. ~**bird**, hanım/gelin/uğur böceği. ~**-chapel**, kilisede Meryemanaya tahsis edilen kısım. ~**-Day**, Meryemanaya verilen haber yortusu (25 mart). ~**fy**, hanımefendiye yakıştırmak. ~**-help**, kibar kadın yardımcı. ~**hood**, kadınlık. ~**-in-waiting**, nedime. ~**-killer**, kadınlar karşısında başarı iddiasında olan adam, kadın avcısı. ~**like**, bir hanımefendiye yakışır. ~**love**, nişanlı kız, sevgili. ~**'s-finger**, bamya. ~**ship**, 'Lady' unvanı taşıyan kadına verilen lakap. ~**'s-maid**, kadının özel hizmetçisi. ~**'s-man**, kadınların dostluğunu seven adam. ~**'s mantle**, aslanpençesi. ~**-smock**, yabanteresi. ~**'s-slipper**, venüsçarığı.
lag[1] [lag]. Gecikme, sürükleme; sebeple netice arasındaki zaman farkı. ~ **behind**, geri kalmak, gecikmek.
lag[2]. Tecrit maddesi ile sarmak.
lag[3]. **an old** ~, (*arg.*) sabıkalı.
lagan ['lagən]. Deniz dibinde bulunan gemi enkazı.
lager ['lāgə(r)]. Alman birası.
laggard ['lagəd]. Tembel, haylaz; bati, geri kalan.
lagging ['lagin(g)]. (Ahşap) kaplama; döşeme; keçe/asbest döşeme; tecrit maddesi, izolasyon.
lagoon [lə'gūn]. Deniz/nehrin istilâsından hâsıl olan sığ göl; mercan adaları ortasında bulunan gölcük; deniz kulağı.
lah [lā] (*müz.*) La notası.
laic ['leyik]. Layik. ~**ize** [-isayz], layikleştirmek.
laid [leyd] *g.z.(o.)* = LAY[4]. ~ **paper**, papyekuşe.
lain ['leyn] *g.z.o.* = LIE[4].
lair ['leə(r)]. Vahşi hayvan in/yatağı; haydut yatağı.
laird [leərd] (*İsk.*) Emlâk sahibi. ~**ship**, emlâk sahipliği; sahibin emlâki.
laissez·-aller ['lesey-'aley] (*Fr.*) Sınırsız hürriyet politikası. ~***-faire*** [-'feə(r)], hükümetin ticaret işlerine karışmaması politika. ~***-passer*** [-'pasey], sınırlardan özel geçiş kartı, lesepase.
laity ['leyiti]. Ruhanî sınıfa mensup olmıyanlar, layikler.
lake[1] [leyk]. Göl. **the** ~ **District**/~**s**, K.İng.'de göller bölgesi: ~ **dwellings**, göllerin sığ yerlerinde kazıklar üzerinde inşa edilen meskenler.
lake[2]. Kırmızı boya maddesi.
lakh [lak] = LAC[2].
laky ['leyki]. Göller bol; göl gibi.
Lallan ['lalən] (*İsk.*) Düz arazi bölgesi. ~**s**, bu bölgede oturanların şivesi.
lallation [la'leyşn] (*dil.*) 'r' yerine 'l' telaffuz edilmesi; kusurlu telaffuz.
lalopathy ['lalǫupaθi] (*tıp.*) Konuşma bozulması.
lam[1] [lam] (*arg.*) ~ **into s.o.**, dayak atmak, darbe indirmek.
lam[2] (*arg.*) **on the** ~, kaçak.
lama ['lāmə]. Buda rahibi, lama. ~**sery** [lə'māsəri], lama manastırı.
lamb [lam] *i.* Kuzu. *f.* Kuzulamak.
lambaste [lam'beyst]. Dövmek, dayak atmak.
lambd·a ['lamdə]. Yunancanın onbirinci harfi (Λ, λ). ~**oid**, lambda şeklinde.
lamben·cy ['lambənsi]. Hafif parlaklık. ~**t**, alev gibi, parlıyan.
lambert ['lambət] (*fiz.*) Lambert, parlaklık birimi.
lamb·ing ['lamin(g)]. Kuzulama. ~**kin**, küçük kuzu; (*mec.*) çocuk. ~**like** [-layk], kuzu gibi; (*mec.*) nazik, uysal.
lambrequin ['lambrikin]. Kapı/raf üzerine asılan süs.
lamb·skin ['lamskin]. Kuzu derisi. ~**'s lettuce**, bir nevi salatalık. ~**'s tails**, fındık çiçekleri. ~**'s wool**, kuzu yünü (ile yapılan kumaş).
lame [leym] *s.* Topal; sakat. *f.* Topallatmak. ~ **duck**, sakat biri; iflâs etmek üzere bir şirket: **a** ~ **excuse**, zayıf bir mazeret.
lamell·a, *ç.* ~**ae** [la'melə, -lī] (*zoo.*) İnce pul/levha. ~**ar**, pullu, katmanlı. ~**iform**, pul/levha şeklinde.
lament [lə'ment] *i.* İnilti, ağıt; şikâyet; ölüye ağlama. *f.* İnlemek; dövünmek; şikâyet etm.; ölüye ağlamak. **the late** ~**ed**, merhum. ~**able** ['laməntəbl], ağlanacak; acınacak. ~**ation** [-'teyşn], ağlayış; ağıt. ~**ing**, ağlıyarak.
lamin·a, ç. ~**ae** ['laminə, -nī]. Varak; levha, yaprak; kat(mer). ~**ar**, yapraklı, yapraksı; levhalı; katlı, katmerli; düzgün. ~**ate** [-neyt] *f.* yapraklanmak; yaprak/varaka haline getirmek; haddeden geçirmek; kaplamak: *i.* plastik levha/tabaka. ~**ate(d)**, levhalı, varaklı, katlı, katmerli; levha/yaprak şeklinde. ~**ation**, yapraklanma; haddeden geçirme; ince levha (haline getirme), yaprak, tabaka, katmer.
lammergeier ['laməgayə(r)]. Uşakkapan kuşu, baysungur.
lamp [lamp]. Lamba; fener. **safety** ~, madenci feneri: **standard** ~, ayaklı lamba. ~**-black**, lamba sisi. ~**-glass**, lamba şişesi. ~**light**, lamba ışığı: ~**er**, sokak lambalarını yakan adam.
lampoon [lam'pūn] *i.* Hiciv. *f.* Hicvederek tahkir etm. ~**er**/~**ist**, hiciv yazarı.
lamp-post ['lamp·pǫust]. Fener direği.
lamprey ['lampri]. Bufa balığı, ırmak taşemeni.
lamp-shade ['lampşeyd]. Abajur.
lanate ['laneyt]. Yünlü, saçlı.
Lanarkshire ['lanəkşə]. Brit.'nın bir kontluğu.
Lanca·shire ['lan(g)kəşə]. Brit.'nın bir kontluğu. ~**ster**, bu kontluğun başkenti. ~**strian** [-'kastriən], bu kontluk/şehre ait.
lance [lāns] *i.* Mızrak. *f.* Deşmek. ~**-corporal**, er ile onbaşı arası rütbe. ~**olate** [-siəleyt] (*biy.*) mızrak başı şeklinde. ~**r**, mızraklı süvari. ~**t** [-sit] (*tıp.*) neşter; (*mim.*) mızrak başı şeklinde pencere.
lanci·form ['lansifōm]. İnce uçlu, mızrak başı şeklinde. ~**nate** [-neyt], yırtmak, deşmek; hançerlemek. ~**nating**, keskin (ağrı vb.).
Lancs. = LANCASHIRE.
land[1] [land] *i.* Kara; toprak; memleket; emlâk; arsa; arazi. †~**'s End**, Atlantiğe uzanan burun: **from** ~**'s End to John o' Groats**, Brit.'nin bir başından bir başına: **back to the** ~, toprağa (ziraata) dönüş: **by** ~, karadan: **dry** ~, kara (yani

deniz değil): **the Holy ~**, Arzı Mukaddes, Filistin: **the ~ of the living**, bu dünya: **make/sight ~**, karayı görmek: **native ~**, anavatan: **see how the ~ lies**, durumu anlamak; (*bazan*) ağzını aramak.
land[2] *f.* Karaya çık(ar)mak/in(dir)mek; götürmek; sokmak. **he always ~s on his feet**, daima dört ayak üstüne düşer: **I was ~ed with this great big house**, bu berhane başıma kaldı: **~ s.o. one**, birine tokat aşketmek: **that will ~ you in prison**, bu yüzden hapse girersin: **~ on the sea**, (uçak) denize inmek: **this will ~ us in trouble**, bu bizim başımıza iş açacak.
land[3]. (*Alm.*) İl, eyalet.
land-[4] *ön.* **~-agency**, emlâk simsarlığı. **~-agent**, çiftlik kâhyası.
landau ['landō]. Lando (araba).
land·-breeze ['landbrīz]. Meltem. **~ed** [-did] *s.* **~ property**, arazi, toprak, mülk: **~ proprietor**, arazi sahibi. **~fall** [-fōl] (*den.*) karanın görünmesi: **make a ~**, karayı görmek. **~-force(s)** (*ask.*) kara kuvvet(ler)i. **~-girl**, tarımda çalışan kadın. **~holder**, arazi sahibi.
landing ['landin(g)] *i.* Karaya çık(ar)ma/in(dir)me; (*hav.*) iniş; (*mim.*) sahanlık; (*mal.*) tahliye. **crash ~**, gövde ile iniş: **forced ~**, mecburî iniş. **~-aid** (*hav.*) iniş vasıtası. **~-craft**, (*ask.*) çıkartma teknesi. **~-gear**, iniş takımı. **~-ground**, iniş sahası. **~-net**, (balık) saplı/kepçe ağ. **~-run**, iniş rulesi. **~-stage**, iskele, rıhtım. **~-strip**, iniş pisti.
land·lady ['landleydi]. Emlâk sahibesi; ev sahibesi; pansiyoncu kadın. **~less**, arazi/mülksüz. **~locked** [-lokt], (liman, körfez) hemen her taraftan kara ile kuşatılmış. **~lord** [-lōd], emlâk sahibi; ev iye/sahibi; hancı, otelci. **~lubber** [-lʌbə(r)], denizciliğe alışık olmıyan adam. **~mark**, sınır işareti; alâmet; nirengi noktası; önemli olay. **~-measure** [-mejə(r)], arazi ölçüleri sistemi. **~-mine** [-mayn], kara mayını. **~-owner**, arazi sahibi. **~owning**, *i.* arazi/emlâk sahipliği: *s.* arazi/emlâk sahibi olan. **~rail**, kızıl su tavuğu. **~-regis·ter**, tapu sicili: **~tration** [-'treysn], tapu siciline yazılma: **~try**, tapu. **~scape** [-skeyp], manzara, yöre; peyzaj, manzara/açıkhava resmi: **~-architecture/-gardening**, bahçe mimarlığı: **~-architect/-gardener**, bahçe mimarı: **~-painter**, açıkhavacı, manzara ressamı. **~side**, (*hav.*) gümrüğe tabi taraf. **~-slide** [-slayd]/**-slip**, heyelân, toprak/yer göçmesi; (*id.*) siyasî hezimet. **~sman**, *ç.* **~smen** ['lanzmən], denize alışık olmıyan adam. **~ward** [-wəd], kara tarafına bakan: **~s**, karaya doğru. **~-worker**, tarım işçisi, rençper.
lane [leyn]. Dar yol/sokak; okyanus gemilerinin seyrettikleri belirli yol; iki sıra halk arasındaki geçit; (*oto.*) şerit. **red ~**, (*çoc.*) boğaz. **~-lines**, (*oto.*) şerit çizgileri.
lang [lan(g)] (*İsk.*) Uzun. **~ syne** ['sayn], geçmiş zamanlar(da).
lang. = LANGUAGE.
langoustine [lā(n)gū'stīn]. Küçük ıstakoz.
language ['lan(g)gwic]. Lisan, dil; konuşma tarzı. **bad ~**, küfür: **dead/living ~**, ölü/yaşıyan dil: **primitive ~**, ilkel dil: **source/target ~**, bir tercümenin asıl/hâsıl olan dili: **spoken/written ~**, konuşma/yazma dili. **~-laboratory**, (yabancı) dil öğrenmesine mahsus laboratuvar. **~-master/school**, (yabancı) dil öğretmen/okulu.
languid ['lan(g)wid]. Gevşek; baygın; cansız; mahmur.
languish ['lan(g)gwiş]. Gevşemek; zayıf düşmek; mecalsiz kalmak; süzülmek, erimek; çürümek. **~ after/for stg.**, bir şeyin isteğiyle erimek. **~ing**, *s.* mahzun, içli.
languor ['lan(g)gə(r)]. Gevşeklik; baygınlık; fütur; cansızlık; mahmurluk. **~ous** [-gərəs], gevşek, baygın, cansız.
langur [lən(g)'gūr]. Langur.
laniary ['laniəri]. Küçük azı dişi.
laniferous [la'nifərəs]. Yünlü; yapaklı.
lank [lan(g)k]. Uzun ve zayıf; (saç/ot) uzun ve ince ve düz. **~y**, uzun bacaklı ve zayıf.
lanner(et) ['lanə(r)(rit)]. Bir cins doğan.
lanolin ['lanəlin]. Lanolin.
lantern ['lantən]. Fener; projektör; ışıldak; fener şeklinde tepe penceresi. **bull's-eye**, hırsız feneri: **Chinese ~**, kâğıt fener: **magic ~**, hayalifener. **~-fish**, fener balığı. **~-jawed**, zayıf çehreli. **~-lecture**, projeksiyonlu konferans. **~-slide**, projeksiyon camı.
lanthanum ['lanθənəm]. Lantan.
lanthorn ['lantən] = LANTERN.
lanuginous [la'nyūcinəs]. Tüylü, havlı.
lanyard ['lanyəd]. Kordon; köstek; top ateşleme ipi; filadur.
Laodicea [leyou'disiə] (*tar.*) Goncalı. **~n**, Goncalılı; (*mec.*) kayıtsız.
lap[1] [lap] *i.* Diz üstü; kucak; kat; bir yarışta bir devir; (*meselâ* iki kereste) birinin diğerine bindirilen kısmı; perdah çarkı. **it is in the ~ of the gods**, Allahın elindedir: **the last ~**, bir yarışın son turu; (*mec.*) çoğu gitti azı kaldı.
lap[2] *f.* Yalıyarak içmek; (deniz dalgaları) şapırdamak; perdahlamak. **~ the course**, pisti bir defa dönmek: **~ped in luxury**, lükse gark olmuş: **~ over**, üst üste bindirmek: **~ a rope**, bir ipi sicim/tel ile sarmak: **~ up/down**, şapırtı ile içmek/yemek; (*mec.*) yutmak, inanmak.
lapar- [lapə(r)-] *ön.* (*tıp.*) Böğür/yana ait.
lap·belt ['lapbelt] (*oto.*) Emniyet kemeri. **~dog**, fino.
lapel ['lapl, lə'pel]. Yaka devriği.
lapful ['lapful]. Kucak dolusu.
lapi·cide ['lapisayd]. Taş yontucu. **~dary** [-dəri], taşlara ait; elmastraş. **~date** [-deyt], taşlamak. **~dify** [-'pidifay], taşa çevirmek. **~s lazuli** [-'lazyulay], lâcivert taşı.
Lap·land ['laplənd]. Laponya. **~lander**, Lapon(yalı). **~p(ish)**, Lapon(yalı); Laponca.
lappet ['lapit]. (Elbise vb.) sarkık parçası.
lapse[1] [laps] *i.* Sehiv; kusur, yanılma; zaman aşımı. **~ of duty**, vazifede kusur: **~ of memory**, birdenbire unutma: **~ of the tongue**, sürçi lisan: **with the ~ of time**, zamanla; gel zaman git zaman.
lapse[2] *f.* (Zaman) geçmek; zeval bulmak; sapmak; düşmek; kapılmak; hata yapmak; battal olm.; (hak/emlâk vb.) başkasına intikal etm. **~ into silence**, birdenbire susmak. **~d**, battal; gayri mer'i, geçersiz.
lapsus ['lapsəs] (*Lat.*) **~ *calami*** [-'kaləmay], kalem hatası: **~ *linguae*** [-'lin(g)gway], dil sürçmesi.
lapwing ['lapwin(g)]. Kızkuşu.
lar [lā(r)]. (Eski Roma) ev putu. **~es & Penates**, ev (putları); en değerli eşya.

larboard ['lābəd] (*den., mer.*) İskele (tarafı).
larceny ['lāsəni]. (*gen.*) **petty** ~, küçük hırsızlık; aşırma.
larch [lāç]. Melez çamı.
lard [lād] *i.* Domuz yağı. *f.* Et içine domuz yağından küçük parçalar koymak. ~ **one's writings with quotations**, yazılarına iktibaslar serpiştirmek.
larder ['lādə(r)]. Kiler.
lardy-dardy ['lādi'dādi] = LA-DI-DA.
large [lāc]. Büyük, iri; geniş. **as** ~ **as life**, doğal büyüklükte; sapasağlam: **at** ~, serbest, kaçmış, başıboş; genellikle: **taking it by and** ~, bütün olarak. ~**ly**, ekseriyetle, çoğunlukla; genellikle; umumiyetle. ~**ness**, büyüklük, irilik, genişlik: ~ **of heart**, cömertlik. ~**-hearted**, âlicenap, deryadil; yüce gönüllü, iyi yürekli. ~**-minded**, geniş kafalı; anlayışlı; müsamahakâr, hoşgörülü. ~**r**, daha büyük: ~**-than-life**, doğal şekilden daha büyük. ~**-size(d)**, büyük boy(lu şey).
largesse [lā'cis]. Atiyye; bahşiş; büyük armağan.
largish ['lāciş]. Oldukça büyük.
largo ['lāgou] (*müz.*) Yavaş, ağır ağır çalınan (parça), largo.
lariat ['lariət]. Bir atı kazığa bağlamak için kullanılan bir ip; kement.
lark[1] [lāk]. Tarla kuşu, toygar. **shore** ~, kulaklı tarla kuşu: **sky** ~, tarla kuşu: **wood** ~, orman tarla kuşu: **get up with the** ~, şafakla beraber kalkmak.
lark[2]. Şaka; eğlence; tuhaflık. ~ **about**, çocukça eğlenmek, şaka etm.: **do stg. for a** ~, bir şeyi sırf şaka için yapmak.
larkspur ['lākspə(r)]. Hezaren çiçeği.
larn [lān] (*arg.*) = LEARN.
larrikin ['larikin] (*Avus.*) Genç külhanbeyi.
larrup ['larəp] (*kon.*) Dayak atmak.
larv·a, *ç.* ~**ae** ['lāvə, -vī]. Sürfe, tırtıl, kurtçuk, lava. ~**al**, sürfevî, kurtçuk halinde. ~**icide** [-visayd], kurtçukkıran.
laryn·geal [lə'rincəl]. Gırtlak/hançereye ait. ~**gitis** [-'caytis], gırtlak iltihabı. ~**go-**, *ön.* gırtlak +. ~**x** ['larin(g)ks], gırtlak, hançere.
lascar ['laskə(r)]. Avrupa gemilerinde çalışan Hintli gemici.
lascivious [lə'sivyəs]. Şehvete düşkün; şehvet uyandırıcı. ~**ness**, şehvanîlik.
laser ['leyzə(r)] = LIGHT AMPLIFICATION BY STIMULATED EMISSION OF RADIATION; böyle bir ışık amplifikatörü, laser.
lash [laş] *i.* Kamçı ucu; kamçı darbesi; (*mec.*) acı hiciv, zem. *f.* Kamçılamak, kırbaçlamak; hicivli sözlerle tezyif etm. ~ **stg. to . . .**, bir şeyi -e iple bağlamak: ~ **oneself into a fury**, hiddetten kudurdukça kudurmak: ~ **its tail**, (kedi vb.) kuyruğunu hiddetle oynatmak: ~ **out**, (at) çifte atmak. ~**ing**, *i.* kırbaçla(n)ma; ipin ucuna bağlanan sicim, façuna: ~**s of (beer, etc.)**, (*arg.*) bolluk.
LASH, lash [laş] = LIGHTER[3] ABOARD SHIP.
lass [las] (*İsk.*) Kız. ~**ie**, kızcağız.
lassitude ['lasityūd]. Yorgunluk, kesiklik.
lasso ['laso, lə'sū] *i.* Laso; kement. *f.* Laso ile tutmak.
last[1] [lāst] *i.* Kundura kalıbı, lorta. **shoemaker, stick to your** ~!, çizmeden yukarı çıkma!.
last[2] *s.* Son, sonuncu; geçen. **at** ~, en sonunda, nihayet: **at long** ~, en sonunda, hele şükür: **the** ~ **but one**, sondan ikinci/bir önceki: **the** ~ **Day**, kıyamet günü: **we shall never hear the** ~ **of it**, bundan kurtuluş yok: **we haven't heard the** ~ **of it**, daha dur bakalım, daha başımıza neler gelecek: **in my** ~, son mektubumda: '~ **but not least**', son fakat önemli: **look one's** ~ **on**, son defa görmek, son görüşü olm.: **that was the** ~ **we saw of him**, gidiş o gidiş: **the** ~ **thing to frighten me**, hele bundan hiç korkmam: **this day** ~ **week**, geçen hafta bugün: **have the** ~ **word**, (i) tartışmada altta kalmak istememek; (ii) son söz kendisinde olm.: **the** ~ **word has been said on that**, içtihat kapısı kapandı.
last[3] *f.* Dayanmak; kalmak; sürmek; devam etm. **it's too good to** ~, (hava) bu güzel hava böyle devam etmez; (talih) bu böyle sürüp gitmez: **the journey** ~**ed two months**, gezi iki ay sürdü: **how long does your leave** ~?, izniniz ne kadardır?: **our food will only** ~ **a month**, yiyeceğimiz bir ay dayanır: **this overcoat will** ~ **me the winter**, bu palto beni yaza çıkarır.
last·ing ['lāstin(g)] *s.* Dayanıklı; devamlı; sürekli. ~**ly**, sonunda; nihayet; hulâsa.
Lat. = LATIN; LATITUDE.
LAT = LOCAL APPARENT TIME.
latch [laç] *i.* Mandal; ispanyolet; zemberek. *f.* Mandallamak; zemberekle kilitlemek. **door on the** ~, yalnız mandalla kapanmış kapı: ~ **on to**, takılmak; (*mec.*) anlamak.
latchet ['laçit]. (*mer.*) Ayakkabı bağı.
latchkey ['laçkī]. Sokak kapısı için cep anahtarı: ~ **child**, anası babası yokken evin anahtarını taşıyan çocuk.
late [leyt]. Geç; gecikmiş; eski, sabık; merhum. ~**r**, daha geç, daha sonra: ~**st**, en geç, en sonra, en son. **at the** ~**st**, en geç: **be** ~ **(for stg.)**, (bir şey için) gecikmek: **I was** ~ **in going to bed**, geç yattım: **it's a bit** ~ **in the day to change your mind**, fikrinizi değiştirmek için çok geç kaldınız: **early and** ~, sabah akşam, bütün gün: **it is getting** ~, vakit gecikiyor, geç oluyor: ~**r information made us change our plans**, daha sonra gelen haberler planımızı değiştirtti: ~ **in life**, ilerlemiş bir yaşta: ~ **at night**, gece geç vakit: ~ **into the night**, gece geç vakitlere kadar: **in the** ~ **nineties**, bin dokuz yüz senesine doğru: **the** ~ **Mr. Jones**, merhum Mr. Jones: **Mr. Jones** ~ **of Bristol**, bundan önce Bristol'da oturan Mr. J.: **in** ~ **summer**, yazın sonuna doğru: **arrive too** ~, iş işten geçtikten sonra gelmek; yetişememek: **I was too** ~, çok geciktim (yetişemedim): **before it is too** ~, iş işten geçmeden: **be/stay up** ~, geç vakte kadar yatmamak: **of** ~ **years**, son yıllar içinde. ~**-developer**, gelişmesi gecikmiş çocuk.
lateen [lə'tīn]. ~ **sail**, latin yelkeni.
late·ly ['leytli]. Bu günlerde, geçenlerde; bu yakında; ahiren: **as** ~ **as yesterday**, daha dün. ~**ness**, geçlik; gecikme: **the** ~ **of the season**, (i) mevsimin gecikmesi; (ii) mevsimin sonu. ~**-night**, *s.* gece yarısı ve sonraki: ~**er**, gece yarısından sonra çalışan/eğlenen kimse.
laten·cy ['leytənsi]. Bilkuvve/gizli olarak var olma. ~**t**, bilkuvve mevcut; gizli olarak var; meknî.
later ['leytə(r)] (*krş.d.*) = LATE.
-later [-lətə(r)] *son.* -i tapınan [IDOLATER].

lateral ['latərəl] *s.* Yandaki; canibî. *i.* Yan(al); yanlama.
laterite ['latərayt]. Kırmızı kil.
latest [leytist] (*üst.*) = LATE.
latex ['leyteks]. Lateks, lastik; bitki sütü.
lath [laθ]. Lata, kalas, çıta. **as thin as a ~**, değnek gibi zayıf: **~-and-plaster**, bağdadı.
lathe [leyð] *i.* Torna (tezgâhı). *f.* Torna etm. **~-bearer**, torna aynası. **~-dog**, torna mesnedi.
lather ['laðə(r)] *i.* Sabun köpüğü. *f.* Sabunlamak; sabun gibi köpür(t)mek; (*arg.*) dayak atmak.
lathi [lā'ti] (*Hint.*) Demir uçlu değnek.
Latin ['latin]. Latince. **~ characters**, Latin harfleri. **~ism**, Latince deyimi. **~ist**, Latince bilgini. **~ize**, Latinceye çevirmek.
latish ['leytiş]. Biraz geç.
latitud·e ['latityūd]. Genişlik; serbestlik; en; arz/enlem derecesi: **in these ~s**, bu iklimlerde. **~inal** [-'tyūdinl], arzî, enine olarak. **~inarian** [-dinęəriən], geniş mezhepli.
latrine [lə'trīn]. Apteshane; lağım.
-latry [-lətri] *son.* -i tapınma [IDOLATRY].
latten ['latən]. Kaplama, pirinç; yaldız; ince yaprak.
latter ['latə(r)]. Sonraki; son olarak söylenen. **~ end**, ölüm. **~-day**, yeni, son moda. **~ly**, geçenlerde.
lattice ['latis] *i.* Kafes; elek. *s.* Kafes şeklinde; eleksi; çaprazvari. **~-window**, küçük ve dörtköşeli camlardan mürekkep pencere. **~-work**, kafes işi.
Latvia ['latviə]. Lettonya. **~n**, Lettonyalı; Let dili.
laud [lōd]. Övmek; methetmek. **~able**, methe lâyık, övgüye değer, müstahsen; makbul; takdire değer.
laudanum ['lodnəm]. Afyonruhu, lavdanom.
laudatory ['lōdətəri]. Methedici, sitayişkârane.
laugh[1] [lāf] *i.* Gülme; gülüş; alay. **have the ~ on one's side**, tartışmayı kendi lehine çevirerek muhatabını bozmak: **have/get the ~ of s.o.**, birini bozmak, gülünç düşürmek: **with a ~**, gülerek.
laugh[2] *f.* Gülmek. **~ at s.o.**, birisiyle alay etm.: **~ at stg.**, bir şeye gülmek: **there's nothing to ~ at**, gülecek bir şey yok: **get (oneself) ~ed at**, kendisine güldürmek: **~ stg. off**, şakaya vurmak: **~ s.o. out of a thing**, alay ede ede vazgeçirtmek: **~ over stg.**, bir şeye gülmek; hatırlıyarak gülmek: **~ s.o. to scorn**, birisini alay ederek küçük düşürmek: **I'll make him ~ on the wrong side of his face/mouth**, ben ona gülmeyi gösteririm: **~ up one's sleeve**, bıyık altından gülmek.
laugh-[3] *ön.* **~able**, gülünç; güldürücü; gülecek. **~ing**, gülen; gülme, kahkaha: **burst out ~**, kahkaha atmak: **it's no ~ matter**, gülmeğe yer yok, mesele ciddîdir: **~-gas**, nitrojenli oksit gazı: **~ly**, gülerek: **~-stock**, gülünç bir şey/adam; maskara: **make a ~ of oneself**, âleme maskara olm. **~ter**, gülme, kahkaha: **hold the sides/split with ~**, katılırcasına gülmek: **roar with ~**, kahkaha koparmak.
launch[1] [lōnç] *i.* (Büyük) sandal: **motor ~**, motorlu sandal, motorbot: **steam ~**, çatana, istimbot.
launch[2] *f.* Kızaktan suya indirmek; çıkarmak, fırlatmak, (ortaya) atmak; yürütmek; (*mal.*) piyasaya sürmek. **~ an offensive/plan**, taarruz/plana başlamak: **~ forth on an enterprise**, bir teşebbüse girişmek: **~ out into expense**, hesapsız masraflara girişmek: **once he is ~ed on this subject...**, bir kere bu konuya girişti mi....
launch-[3] *ön.* **~er**, mancınık; katapult, lançer; fırlatıcı; fırlatma kule/rampası. **~ing**, suya indirme; havaya fırlatma: **~ pad**, fırlatma rampası: **~-vehicle**, fırlatma roketi: **~-window**, uzay gemisinin fırlatılmasına müsait müddet.
laund·er ['lōndə(r)]. Çamaşır yıkamak. **~erette** [-ret]/**~ermat**, müşteriler tarafından kullanılabilen otomatik çamaşır makineleri bulunan bir mağaza. **~ress** [-dris], çamaşırcı kadın. **~ry**, çamaşır(hane): **~-bag**, kirli çamaşır torbası: **~man**, çamaşırcı.
laura ['lōrə] (*tar.*) Münzevi hücreleri.
laur·aceae [lō'rasiī]. Gariye fasilesi; defnegiller. **~eate** ['loriət], başı defneli: †**Poet ~**, resmî başşair; meliküşşuara. **~el** [-əl], taflan ağacı; defne ağacı: **look to one's ~s**, şöhretini başkasına kaptırmamak: **reap ~s**, şöhret kazanmak: **rest on one's ~s**, bir başarıyla yetinmek: **~led** [-əld], başı defneli. **~ustinus** [-ʌs'tīnəs], yaban defnesi.
Lausanne [loụ'zan]. Lozan.
lav [lav] (*kon.*) = LAVATORY.
lava ['lāvə]. Lav.
lava·bo ['lavəboụ]. Lavabo; (*din.*) papazın ellerini yıkaması. **~ge** [-vic] (*tıp.*) lavaj. **~tion** [-'veyşn], yıkama. **~tory** [-vətri], yıkanma yeri; tuvalet: **public ~**, genel helâ/apteshane.
lave [leyv]. Yıkamak; üzerine su dökmek. **~ment**, yıkama; lavman, lavaj.
lavender ['lavində(r)]. Lavanta otu, karabaş otu. **~-water**, lavanta kolonyası.
laver[1] ['leyvə(r)]. Yenir bazı deniz yosunları. **~ bread**, bununla yapılan bir ekmek.
laver[2]. Vaftiz kurnası; el leğeni.
laverock ['lavrok] = LARK.
lavish ['laviş] *s.* Bol bol sarf/bezl·eden; müsrif, bol; müsrifane. *f.* El açıklığıyla sarfetmek; bezletmek. **~ly**, bolbol olarak. **~ness**, sahavet; bolluk.
law [lō]. Kanun, yasa; hukuk, türe; adalet; kaide, kural. **be a ~ unto oneself**, bildiğini okumak: **be at ~**, davalı olm.: **court of ~**, mahkeme: **give a week's ~**, bir hafta süre vermek: **go to ~**, mahkemeye gitmek: **go to ~ with s.o.**, birisinin aleyhine dava açmak: **have the ~ on s.o.**, birisinden davacı olm.: **keep the ~**, kanuna uymak: **lay down the ~**, ahkâm kurmak; dediğim dedik demek: **without wishing to lay down the ~**, haddim olmıyarak: **practise/be in the ~**, hukukçuluk/avukatlık etm.: **take the ~ into one's own hands**, bizzat ihkakı hak etm.: **administrative ~**, idare hukuku: **canon ~**, kilise kanunu: **civil ~**, medenî hukuk: **commercial ~**, ticaret hukuku: **common ~**, örf ve âdet hukuku, genel töre; **constitutional ~**, anayasa hukuku: **international ~**, beynelmilel/uluslararası hukuk: **martial ~**, örfi idare: **military ~**, askerî idare hukuku: **public ~**, kamu töresi, amme hukuku. **~-abiding**, kanuna ayar; namuslu; doğru, dürüst. **~-and-order**, meşruluk, kanuna uygunluk. **~-books**, kanunname. **~-breaker**, kanun tanımıyan; serkeş. **~court**, mahkeme. **~-French**, Anglo-Normand Fransızca hukuk deyimleri. **~ful** [lōfl], meşru; yasal; kanuna uygun; mubah: **~ly**, meşru olarak. **~giver/maker**, kanun yapan kimse, kanunî. **~-Latin**, Latince hukuk deyimleri. **~less** ['lōlis], kanun tanımaz; serkeş: **~ness**, nizamsızlık; fitne; kargaşalık. †**~-lord**,

Lordlar kamarasının hukukçu üyesi. **~-man**, adliyeci. **~-merchant**, ticaret hukuku.
lawn[1] [lōn]. İnce keten bezi; patiska. **~ sleeves**, piskoposlara mahsus patiska yenler; (*mec.*) piskoposluk payesi.
lawn[2]. Çimenlik. **~-mower**, çimen kırpma makinesi. **~-tennis**, tenis oyunu, alantopu.
law·-officer ['lō·ofisə(r)]. Yüksek rütbeli adalet memuru. **~suit** [-syūt], dava, yargı, duruşma. **~-term**, hukuk tabir/terimi; mahkemelerin açık olduğu süresi. **~yer**, dava vekili; avukat (*krş.* BARRISTER, SOLICITOR).
lax [laks]. Gevşek, ihmalci, rehavetli. **~ in morals**, hafifmeşrep: **~ attendance**, devamsızlık: **~ use of a word**, bir kelimenin yersiz kullanılması.
laxative ['laksətiv]. Liynet verici (ilâç), müshil, laksatif.
laxity ['laksiti]. İhmalcilik; hafifmeşreplik.
lay[1] [ley] *i.* Halk şiiri; nağme; şarkı; ezgi.
lay[2] *s.* Layik; ruhanî sınıftan olmıyan. **~ brother**, keşiş olmayıp da manastır'da çalışan kimse: **~ reader**, papaz olmayıp da ayinde yardım eden kimse.
lay[3] *g.z.* = LIE[4].
lay[4] (*g.z.(o.)* **laid**) [ley(d)] *f.* Koymak; bırakmak; yatırmak; sermek; kurmak. **~ about one**, sağa sola vurmak: **~ a bet**, bahse girmek: **~ the cloth**, sofrayı kurmak: **~ a complaint**, şikâyette bulunmak: **~ a course**, (*den.*) rota vermek: **~ a demand**, talepte bulunmak: **~ (dinner) for three**, üç kişilik sofra kurmak: **~ eggs**, yumurtlamak: **~ the fire**, ocağı hazırlamak: **~ a gun**, topu hedefe çevirmek: **~ a plan**, bir plan kurmak: **~ s.o. to rest**, birini toprağa vermek: **~ a ship alongside**, gemiyi yanaştırmak: **~ the table**, sofrayı kurmak: **~ that . . .**, bahse girmek. **~ aside**, bir tarafa koymak. **~ by**, (para vb.) bir kenara koymak. **~ down**, bir yere bırakmak; (halı/demiryolu) döşemek, ferşetmek: **~ down one's arms**, teslim olm.: **~ down conditions**, şartları tayin etm.: **~ down one's hand**, (kâğıt oyununda) elini göstermek: **~ down one's life**, hayatını feda etm.: **~ down one's office**, memuriyetini terketmek: **~ oneself down**, yatmak: **~ down a ship**, geminin esas kısmına başlamak: **~ down that . . .**, . . . şart koşmak: **~ down wine**, şarabı mahzene depo etm. **~ in**, tedarik etm., sağlamak, iddihar etm.; dayak atmak. **~ off**, **~ off workmen**, işçiler geçici olarak yol vermek: **~ off a bearing**, harita üzerinde bir noktanın kerterizini çizmek. **~ on**, (boya vb.) sürmek; (vergi) kesmek: **~ on electricity/water**, elektrik/su tesisatını yapmak: **~ it on thick/with a trowel**, ballandırdıkça ballandırmak, pohpohlamak: **~ on with a will**, kamçı vb. yapıştırmak. **~ out**, dizmek ve yaymak: **~ s.o. out**, birisini yere sermek: **~ out a camp/garden**, ordugâh/bahçe planını çizmek: **~ out a corpse**, ölüyü teçhiz ve tekfin etm.: **~ out money**, para harcamak: **~ out a road**, bir yolun güzergâhını tespit etm.: **~ oneself out to please**, göze girmeğe çalışmak. **~ up**, iddihar etm., toplamak: **~ up a ship/car, etc.**, gemi/otomobil vb. teçhizatını çıkarıp muvakkaten bir yerde muhafaza etm.: **be laid up (by illness)**, yatak hastası olmak.
lay-[5] *ön.* **~-about**, (*arg.*) çapkın; sefih; dolandırıcı. **~by** [-bay] (*oto.*) dinlenme parkı. **~-day(s)** (*den.*) yükletme/boşaltma müddeti, istarya.
layer[1] ['leyə(r)] *i.* Kat, tabaka; daldırma fidanı. *f.* Kat kat koymak; fidan daldırmak. **~ing**, daldırma, kardeşlenme.
layer[2] *i.* **good/bad ~**, çok/az yumurtlıyan (tavuk).
layette [le'yet]. Yeni doğmuş bebek için hazırlanmış çamaşır/elbiseler.
lay-figure ['leyfigə(r)] (*san.*) Manken; kukla.
lay·man, *ç.* **~men** ['leymən]. Layik, ruhanî sınıftan olmıyan kimse; bir meslek/bilimin yabancısı. **~out** [-aut], plan; maket; düzen; tertip; (*bas.*) sayfa tertibi. **~-preacher**, papaz olmıyan vaiz. **~-shaft**, karşı mil. **~stall** [-stōl], çöp yığını.
lazar ['lazə(r)]. Fakir ve hasta kimse, cüzamlı. **~et(to)** [-'ret(o)], hasta ve fakirlere mahsus hastane; karantina yeri; (*den.*) erzak ambarı. **~-house**, fakirler hastanesi.
laz·e [leyz]. Tembelleşmek. **~ away one's time/~ about**, hiç bir şey yapmıyarak tembelce vakit geçirmek, avarelik etm. **~iness** [-inis], tembellik, haylazlık. **~y**, tembel, haylaz: **~-bones**, tembel çocuk: **~-tongs**, zikzak maşa.
lb. = POUND (ağırlık). **~f.** = POUND FORCE.
LBP = LENGTH BETWEEN PERPENDICULARS.
LC, l.c. = LANDING-CRAFT; LEFT-CENTRE; LETTER OF CREDIT; *LIBRARY OF CONGRESS; LONDON CLAUSE; †LORD CHAMBERLAIN; LOWER CASE. **~C** = LONDON CHAMBER OF COMMERCE/COUNTY COUNCIL.
L Cdr = LIEUTENANT-COMMANDER.
LC·I = LANDING-CRAFT, INFANTRY. **~J** = LORD CHIEF JUSTICE. **~M** = LANDING-CRAFT, MECHANIZED; LOWEST COMMON MULTIPLE.
L-Cpl. = LANCE-CORPORAL.
LCT = LANDING CRAFT, TANK.
Ld. = LORD.
LD = LOAD DRAUGHT.
l.d.c. = LOWER DEAD CENTRE.
ldg. = LANDING; LEADING; LOADING; LODGING(S).
ld. lmt. = LOAD LIMIT.
Ldn. = LONDON.
L-driver ['el drayvə(r)] = LEARNER-DRIVER.
LDS = LICENCIATE IN DENTAL SURGERY.
LDV(F) = LOCAL DEFENCE VOLUNTEER (FORCE).
LE = LABOUR EXCHANGE; LOW EXPLOSIVE.
£E = POUND(S) EGYPTIAN.
lea [lī]. Çayır.
LEA = LOCAL EDUCATION AUTHORITY.
leach [līç]. Suda eriyen kısımlarını ayırmak için küller vb. yıkamak; (toprak) su etkisiyle madenî tuzlarını kaybetmek. **~ing**, toprak yıkanması.
lead[1] [led] *i.* Kurşun; kurşundan yapılmış; (*bas.*) anterlin; (*den.*) iskandil kurşunu. *f.* Kurşun ile kaplamak; bir şeye kurşun takmak. **black ~**, kurşunkalem kurşunu: **pig ~**, külçe kurşun: **red ~**, sülüğen tozu: **white ~**, üstübeç: **heave the ~**, iskandil atmak: **swing the ~**, temaruz etm.; hastalık taslamak.
lead[2] [līd] *i.* Önde bulunma; (*tiy.*) başrol; rehberlik, kılavuzluk; delâlet; köpek kayışı; (*elek.*) tel: **follow s.o.'s ~**, birini takip etm., birinin eserini takip etm.: **give the ~**, örnek olm.: **give s.o. a ~**, yol açmak, yol göstermek: **our boat had a ~ of one minute over the rest**, bizim kayık diğerlerinin bir dakika önünde idi: **(dog) on a ~**, (köpek) kayışlı: **take the ~**, önayak olm.: **take the ~ over s.o.**, önüne geçmek.

lead[3] (*g.z.(o.)* **led**) [līd, led] *f.* (Elinden tutup) alıp getirmek; yedmek; önlerine geçmek; müncer olm.; idare etm.; emrinde olm.; götürmek, çıkmak; çıkarmak: ~ **(at cards)**, açmak: ~ **a happy/miserable life**, bahtiyar/sefil bir hayat sürmek: ~ **s.o. a miserable life**, birine sefil bir hayat yaşatmak: ~ **a movement**, bir harekete önayak olm., başına geçmek: ~ **to nothing**, hiç bir sonuca çıkmamak, beyhude olm.: ~ **the way**, yol göstermek, kılavuzluk etm., öne geçmek: ~ **s.o. wrong**, birini baştan çıkarmak, ayartmak: **easily led**, kolayca başkasına tabi olan: **I am led to the conclusion that ...**, şu sonuca vardım ki .... ~ **away**, elinden tutup alıp götürmek; ayartmak: **be led away**, başkasının etkisine kapılmak. ~ **off**, elinden tutup alıp götürmek; başlamak. ~ **on**, önüne geçmek; yol göstermek; teşvik etm.: ~ **s.o. on to say stg.**, birini bir şeyi söylemeğe sevketmek: **that** ~**s on to what I was going to say**, bu asıl söyliyeceğim şeye götürür. ~ **up**, (elinden tutup) yukarı çıkarmak: ~ **up to a subject**, konuşmayı bir konuya götürmek/çevirmek.

lead·ed ['ledid]. Kurşunlu: ~ **window**, kurşun çerçeveli pencere. ~**en** [-dn], kurşundan yapılmış; kurşunî: ~**-footed**, ağır yürüyen.

leader ['līdə(r)]. Reis; kumandan; (*id.*) öncü, önder, lider, yönetici; elebaşı; (*bas.*) başmakale/yazı. ~**ship**, sevk ve idare kudreti; reislik; önder/liderlik vb.: **under the** ~ **of ...**, -in emir/idaresi altında. ~**-writer**, (*bas.*) başyazar.

leading[1] ['ledin(g)] *i.* (*mim.*) Kurşun çerçeve; (*bas.*) anterlin.

leading[2] ['līdin(g)] *s.* En mühim/önemli, başta gelen, ilerde olan, belli başlı, başlıca. ~ **article**, başmakale: ~ **cases**, emsal teşkil eden davalar: ~ **lady/man**, başaktris/aktör: ~ **part**, baş rol: ~ **question**, istenilen cevaba götüren sual, *fakat*: **the** ~ **question of the day**, günün en önemli meselesi. ~**-edge**, (*hav.*) hücum kenarı. ~**-rein**, biniciliğe ve at alıştırmağa mahsus yedek dizgin. ~**-strings**, yürümeğe başlıyan çocuğa mahsus askı: **be in** ~, başkasının vesayet ve idaresinde olmak.

lead·-off ['līdof]. Başlangıç. ~**-pencil** ['led-], kurşun kalem. ~**-screw** ['līd-], (torna) ana mili.

leady ['ledi]. Kurşunlu; kurşuna benzer.

leaf, *ç.* **leaves** [līf, līvz] *i.* Yaprak; varak; lama; (kapı) kanat. *f.* Yapraklanmak. ~ **of a table**, masanın uzatma eki: **in** ~, yeşermiş: **the fall of the** ~, yaprak dökümü, güz: **take a** ~ **out of s.o.'s book**, bir işte başkasına uymak, örnek almak: **turn a** ~ **down**, kitabın yaprağını kıvırmak: **turn over a new** ~, yaşayışını ıslah etm. ~**age** [-fic], yapraklar. ~**-hopper**, yaprakpiresi. ~**iness**, yaprakları bol olma. ~**less**, yapraksız. ~**let**, yaprakçık; (*bas.*) risale, broşür. ~**-miner**, yapraksineği. ~**-mould**, yaprak gübresi; funda toprağı. ~**y**, yapraklı.

league[1] [līg]. Fersah.

league[2]. Cemiyet; birlik, küme, lig. ~ **together**, birleşmek, ittifak etm.: **League of Nations**, Milletler Cemiyeti: **be in** ~ **with**, ile birlik etm.: **form a** ~ **against s.o.**, birinin aleyhine birleşmek. ~**r**, cemiyet üyesi; LAAGER. ~**-table**, (*mal.*) çalışma/başarısını karşılaştıran cetvel; (*sp.*) ekipler cetveli.

leak [līk] *i.* Sızıntı; delik; akıntı; (*elek.*) kaçak. *f.* Sızmak, akmak; sızdırmak; su etm.; kaçak yapmak; (*mec.*) (sır vb.) ifşa etm. ~ **out**, dışarı sızmak: **spring a** ~, (gemi) su edecek kadar yarılmak: **stop a** ~, su sızılan bir deliği tıkamak. ~**age** [-ic], sızıntı; su etme; ifşa; süzülme firesi; (*elek.*) kaçak, kaçırma. ~**proof**, sızdırmıyacak. ~**y**, sızar; delik(li).

leal [līl] (*İsk.*) = LOYAL.

lean[1] [līn] *s.* Zayıf; lağar; kıt. *i.* Yağsız et. **a** ~ **diet**, perhiz, bol olmıyan yemek: ~ **years**, kıtlık yılları.

lean[2] (*g.z.(o.)* ~**ed**/~**t**) [līn(d), lent] *f.* Meyletmek; temayül etm.; eğilmek. ~ **against**, -e dayanmak: ~ **back**, arkasına dayanmak: ~ **forward**, ileriye eğilmek: ~ **out**, sarkmak: ~ **over**, abanmak, inhiraf etm.: ~ **towards**, temayül etm., eğilmek: ~ **upon**, -e dayanmak; (*arg.*) birini sıkıştırmak/zorlamak. ~**-to shed**, sundurma.

leant [lent] *g.z.(o.)* = LEAN[2].

leap[1] (*g.z.(o.)* ~**ed**/~**t**) [līp(t), lept] *f.* Atlamak; sıçramak; üzerinden atlamak; (at) kısrağa binip çiftleşmek. ~ **at an offer**, bir teklifi can atarak kabul etm.: ~ **for joy**, sevincinden sıçramak, etekleri zil çalmak.

leap[2] *i.* Atlama, atılım, atılış, sıçrama. ~ **in the dark**, tehlikeli bir hareket; meçhul bir yere gidiş: **by** ~**s and bounds**, çok çabuk (ilerliyerek). ~**-day**, ekli/artık gün. ~**-frog**, birdirbir. ~**-year**, ekli/artık/kebise yıl.

leapt [lept] *g.z.(o.)* = LEAP[1].

learn (g.z.(o.) ~**ed**/~**t**) [lən(d), -t]. Öğrenmek; haber almak; bilgi edinmek. ~ **by heart/rote**, ezberlemek: ~ **from s.o.**, (i) birisinden haber/bilgi almak; (ii) birisine benzemeye çalışmak: ~ **a/one's lesson**, iyi bir ders almak; Hanyayı Konyayı anlamak: **it's never too late to** ~**/live and** ~, insan her yaşta öğrenebilir. ~**ed** ['lənid] *s.* malumatlı; âlim, bilgili. ~**er**, öğrenci, acemi: **a quick** ~, çabuk öğrenir: ~**-driver**, öğrenci şoför. ~**ing**, *i.* öğrenme; bilim, bilgi: **a man of great** ~, pek bilgili bir adam, mütebahhir.

lease [līs]. Uzun müddetle kiralama(k); kiraya verme(k); kira mukavelesi. **a ten years'** ~, on sene için kiralama: **take on a new** ~ **of life**, yeniden hayata doğmak; yeni bir hayat kazanmak. ~**hold**, kira ile tutma; kiralanmış. ~**holder**, kiracı; müstecir.

leash [līş] *i.* Köpeklerin boyunlarına takılan ip/sırım. *f.* Bir köpeğe sırım takmak.

least [līst]. En az; en küçük; asgarî. **at** ~, hiç olmazsa: **ten days at the (very)** ~, en aşağı on gün: ~ **of all would I do that**, yapmıyacağım bir şey varsa o da budur: **he deserves it** ~ **of all**, o buna herkesten daha az lâyıktır *yahut* müstahaktır: **not in the** ~, hiç bir şekilde; estağfurullah!: **not in the** ~ **degree/not the** ~ **bit**, hiç bir şekilde, hiç de: **it doesn't matter in the** ~, hiç önemi yok, hiç zarar yok: **that is the** ~ **of my cares**, bunu hiç düşünmem bile: **not the** ~ **merit of this book**, bu kitabın en büyük meziyetlerinden biri: **to say the** ~ **of it**, en hafif deyimiyle. ~**ways**, (*kon.*) hiç olmazsa; her halde.

leather ['leðə(r)] *i.* Kösele; meşin; deri. *s.* Köseleden yapılmış. *f.* Kösele ile kaplamak; (*arg.*) dayak atmak. ~ **bottle**, tulum: **morocco** ~, sahtiyan: **patent** ~, rugan: **Russia** ~, telatin: **nothing like** ~, *kendi çıkarını düşünerek bir tavsiyede bulunan kimse hakkında kullanılır.* ~**-dresser**, deri/kösele işliyen işçi. ~**ette** [-ret], meşin taklit eden kâğıt/

plastik. ~**ing**, dayak atma. ~**-jacket**, tipula kurdu. ~**n** [-ðən], deri/köseleden yapılmış. ~**y** [-ðəri], kösele gibi; (et) sahtiyan gibi.

leave[1] [līv] *i.* Müsaade, ruhsat; izin; mezuniyet. **by your ~!**, müsaadenizle!: **on ~**, mezunen, izinli: **shore ~**, karaya çıkma izni: **take one's ~**, veda etm.; ayrılmak: **take French ~**, veda etmeden gitmek, sıvışmak; izinsiz gitmek/bir iş yapmak: **take ~ of one's senses**, aklını bozmak, çıldırmak: **without ~**, izin/müsaadesiz.

leave[2] (*g.z.(o.)* **left**) *f.* Bırakmak, terketmek; bir yerden çıkmak; (emanet vb.) vermek, bırakmak; [*edilgen fiil* **be left** *çoğunlukla* kalmak *ile tercüme edilebilir.*] Hareket etm., ayrılmak. **let us ~ it at that**, (bu konuyu) burada bırakalım; burada keselim: **he is still too ill to ~ his bed**, henüz yataktan çıkamıyacak derecede hastadır: **~ him to himself!**, onu kendi haline bırak!: **~ hold/go of stg.**, salıvermek: **four from six ~s two**, altıdan dört çıktı iki kaldı: **he ~s his office at 5 o'clock**, dairesinden saat beşte çıkar: **he left school at eighteen**, liseyi on sekiz yaşında bitirdi: **~ the table**, sofradan kalkmak: **take it or ~ it!**, ister beğen, ister beğenme!: **left to oneself**, yalnız kalınca, yalnız başına: **he was left £1,000**, kendisine bin lira miras kaldı: **when the father died they were left very badly off**, babaları ölünce darda kaldılar: **there is only one bottle left**, yalnız bir şişe kaldı: **there was nothing left to me but to ~ the country**, bana memleketi terketmekten başka yapacak bir şey kalmadı (başka çare yoktu): **my secretary drew up the whole report, there was nothing left to me but to sign it**, bütün raporu kâtibim yazdı, bana yalnız imza etmek kaldı. **~ about**, ortada bırakmak. **~ alone**, kendi haline bırakmak; rahat bırakmak; geride bırakmak. **~ off**, vazgeçmek; bırakmak. **~ out**, dışarıda bırakmak; etmemek; atlamak. **~ over**, tehir etm., ertelemek: **be left over**, artmak, kalmak.

-leaved [-līvd] *son.* -yapraklı.

leaven ['levn] *i.* Maya; hamur. *f.* Mayalandırmak; tesir etm., etkilemek, şeklini değiştirmek. ~**ed**, mayalı.

leaver ['līvə(r)]. Terkeden; çıkan; ayrılan; mezun.

leaves [līvz] *ç.* = LEAF.

leaving ['līvin(g)] *i.* Bırakma; ayrılma; hareket etme. ~**-age**, resmî okul/lise bitirme yaşı. **~ certificate**, orta öğrenim diploması. ~**s**, artık.

Leb. = **Leban·on** ['lebənən], Lübnan. ~**ese** [-'nīz] *i.* Lübnanlı: *s.* Lübnan+.

lech [leç] *i.* Şehvet. *f.* Şehvete düşkün olm., hırs beslemek. ~**er**, şehvet düşkünü: ~**ous**, şehvete düşkün, zampara: ~**y**, şehvet, zamparalık.

lectern ['lektən]. Rahle.

lecture ['lekçə(r)] *i.* Genel ders; konuşma, konferans; vaız. *f.* Konferans/ders vermek; va'zetmek, tekdir etm. **~ on a subject**, bir konu hakkında konferans vermek: **give/read s.o. a ~**, birine va'zetmek; tekdir etm. ~**r**, konferansçı; konuşmacı; doçent. ~**ship**, doçentlik.

led [led] *g.z.(o.)* = LEAD[3]. *s.* **~ horse**, yedek at.

LED = LIGHT-EMITTING DIODE; LUMINOUS ELECTRONIC DEVICE(S).

ledge [lec]. Düz çıkıntı; raf; kaya tabakası, resif; dayanmalık.

ledger[1] ['lecə(r)] *i.* Ana/büyük defter, jurnal; sicil defteri.

ledger[2] *s.* Sabit; hareket etmiyen. ~**-blade**, sabit bıçak: ~**-line**, sabit olta.

lee [lī]. Rüzgâraltı; himaye. **~ side**, kuytu yan: **under the ~ of . . .**, . . . muhafazalı tarafından. ~**-board**, (geminin) düşme tahtası.

leech[1] [līç]. Sülük; (*mer.*) hekim.

leech[2]. Yelkenin kıç yakası.

Lee-Enfield [lī'enfīld]. Bir nevi yivli tüfek.

leek [līk]. Pırasa.

leer [liə(r)] *i.* Şehvet/kötü niyetle yan bakış. *f.* Böyle bakmak. ~**y**, kurnaz; uyanık.

lees [līz]. Tortu.

lee·ward ['līwəd, 'luəd]. Rüzgâraltı tarafına ait. ~**way**, geminin rüzgâraltı tarafına düşmesi: **make up ~**, kaybedilen vakit/geri kalan işi telâfi etm.

left[1] [left] *g.z.(o.)* = LEAVE[2].

left[2] *s.* Sol. *zf.* Soldan; sola doğru. *i.* Sol taraf. **the ~**, sol parti. ~**-hand**, sol taraftaki: **~ screw**, sağdan sola dönen vida. ~**-handed**, solak; sol eliyle vurulan/yapılan: **a ~ compliment**, kompliman yaparken çam devirme: **~ marriage**, uygun/denk olmıyan evlilik. ~**-hander**, solak; sol eliyle vurulan bir darbe. ~**ist**, (*id.*) solcu. ~**-luggage**, emanete verilen bagaj: **~ office**, emanet odası, bagaj yeri. ~**-wing**, (*id., sp.*) sol taraf(ına ait): ~**er**, solcu.

leg [leg]. Bacak; baldır; ayak; but; konç; bir geminin rota değiştirmeden aldığı yol; (*sp.*) bayrak koşusunun bir kısmı. **I am on my ~s all day**, bütün gün ayaktayım; bütün gün bana dur otur yok: **get on one's ~s again**, iyileşmek, yataktan kalkmak: **give s.o. a ~ up**, birisinin ata binmesine yardım etm.; müzaheret etm.: **have the ~s of s.o.**, birisinden daha hızlı koşmak: **keep one's ~s**, ayakta durabilmek: **be on his/its last ~s**, ölmek üzere olm.; sönmek üzere olm.; sıfırı tüketmek: **not leave s.o. a ~ to stand on**, iddialarını birer birer çürüterek diyecek bir şey bırakmamak: **pull s.o.'s ~**, biriyle alay etm.: **run as fast as one's ~s will carry one/~ it**, var kuvvetiyle koşmak: **get one's sea ~s**, geminin hareketine alışıp ayakta durabilmek: **set s.o./stg. on his/its ~s again**, tutup kaldırmak; canlandırmak; diriltmek: **show a ~**, yataktan kalkmak: **stand on one's own ~s**, kendi yağiyle kavrulmak.

leg. = LEGAL; LEGISLATIVE.

legacy ['legəsi]. Vasiyet ile birine bırakılan para/şey; tereke, bırakıt: **a ~ of the past**, mazinin mirası; geçmişten kalma; bergüzar.

legal ['līgl]. Kanunî, meşru, yasal; adlî, kanunî; caiz, tüzel. **take ~ advice**, adlî istişarede bulunmak: **~ remedy**, yasa/kanun yolları. ~**ism**, kanunlara aşırı riayet. ~**ist**, kanunlara aşırı riayet eden kimse. ~**ity** [-'galiti], kanuniyet; caiz olma. ~**ization** [-gəlay'zeyşn], kanunileştir(il)me. ~**ize**, tecviz etm., kanunileştirmek.

legate[1] ['legit] *i.* Elçi; Papa elçisi.

legate[2] [li'geyt] *f.* Vasiyetle bırakmak. ~**e** [legə'tī], varis: **residuary ~**, dağıtımdan sonra kalan servetin varisi.

legation [li'geyşn]. Orta elçilik; sefarethane.

legato [li'gātou] (*müz.*) Fasılasız, legato.

legend ['lecənd]. Menkıbe; hikâye; bir sikkenin üzerindeki yazı/kitabe; harita/resim işaretlerinin izahı. ~**ary** [-əri], efsanevî.

legerdemain [lecədi'meyn]. Elçabukluğu.
-legged [-'legid] *son.* -bacaklı.
legg·iness ['leginis]. Uzun bacaklı olma. ~**ing(s)**, tozluk, getir, dolak. ~**y**, uzun bacaklı; (bitki) gelişemeden uzayıp giden.
Leghorn [le'gōn]. Livorno; bir cins tavuk, legorn.
legib·ility [leci'biliti]. Okunaklılık. ~**le** ['lecibl], okunaklı. ~**ly**, okunaklı olarak.
legion ['līcən] (Eski Romada) alay; bazı askerî kıtalara verilen isim; bir çok. **their name is** ~, sayısızdırlar. ~**ary**, lejiyoner.
legislat·e ['lecizleyt]. Kanun yapmak, yasamak. ~**ion** [-'leyşn], kanun yapma, yasama, teşri; mevzu kanunlar. ~**ive** [-leytiv], kanun yapan, kanun koymaya ait, yasamalı, teşriî. ~**or**, kanun yapan/koyan kimse, kanun koyucusu; millet meclisi üyesi. ~**ure** [-leyçə(r)], kanun yapan heyetlerin hepsi; millet meclisi.
legist ['līcist]. Hukukçu.
legitima·cy [li'citiməsi]. Meşru olma; meşruiyet. ~**te**[1] [-mət] *s.* meşru, caiz, helâl, haklı; yasal: ~ **child**, helâlzade, meşru çocuk: ~ **pride**, haklı gurur. ~**te**[2] [-'meyt] *f.* meşru kılmak; meşruiyetini sağlamak; gayrimeşru çocuğun nesebini tashih etm. ~**tion** [-'meyşn], meşru kılma; (çocuk) nesebin tashihi.
legitimist [li'citimist]. Meşru tevali taraftarı.
***leg·man** ['legmən]. Gazeteci yardımcısı. ~**-of-mutton**, koyun budu şeklinde. ~**-show**, (*tiy., arg.*) bacak gösterisi.
legum·e ['legyūm]. Baklagillerden bitki ve tohumu. ~**inous** [-'gyūminəs], baklagillere ait, baklamsı.
lei [ley(ī)]. Çiçekten çelenk.
Leicestershire ['lestəşə]. Brit.'nın bir kontluğu.
Leics. = LEICESTERSHIRE.
leisure ['lejə(r)]. Boş vakit, meşguliyetsiz vakit; rahat. **be at** ~, meşguliyeti olmamak, serbest olm.: **do stg. at one's** ~, bir şeyi rahatça acelesiz ve uygun bir zamanda yapmak: **people of** ~, meşguliyetsiz ve vakti boş kimseler. ~**d** ['lejəd], vakti bol, hali vakti yerinde. ~**ly**, acelesiz, rahatça: **a** ~ **journey**, geze geze seyahat.
leitmoti·f/-v ['laytmoutīf, -tīv] (*Alm.*) Ana/kılavuz kavramı, leitmotiv.
lem = LUNAR EXCURSION MODULE.
leman ['lemən]. Metres.
lemma, *ç.* ~**ta** ['lemə(tə)] (*fel.*) Başlangıçtan kabul edilmiş teorem; (*bas.*) başlık, baş kelime.
lemme ['lemi] (*kon.*) = LET ME.
lemming ['lemin(g)]. Lemming.
Lemnos ['lemnos]. Limni adası.
lemon ['lemən] *i.* Limon; limon ağaç/rengi. *s.* Limonlu; limon +. **the answer's a** ~, (*arg.*) şüpheli bir meseledir. ~**ade** [-'neyd], limonata; gazoz. ~**-cheese**, limon suyu ile yapılan bir tatlı. ~**-drop**, limon şekeri. ~**-peel**, limon kabuğu. ~**-sole**, kızıldil. †~**-squash** [-'skwoş], limonata. ~**y**, limonlu, limon gibi.
lemur ['līmə(r)]. Maki.
lend (*g.z.(o.)* **lent**) [lend, lent]. İare etm.; ödünç vermek; borç vermek. ~ **an ear**, kulak asmak: ~ **itself to . . .**, -e müsait olm.: ~ **help/a hand to . . .**, yardım etm.: ~ **out books**, kira ile kitap vermek. ~**er**, iare eden; (*mal.*) ödünçcü, borç veren. ~**ing**, ödünç/borç verme: ~ **library**, kira ile kitap veren kitaplık.

length [len(g)kθ]. Uzunluk; boy; (*mod.*) giysilik, kupon. ~ **of time**, müddet: ~ **of service**, kıdem: **at** ~, (i) en sonunda, nihayet; (ii) uzun uzadıya; (iii) baştan sona kadar: **a dress** ~, bir elbiselik kumaş: **fall all one's/full** ~ **on the ground**, yere boylu boyuna düşmek, serilmek: **go to the** ~ **of**, . . . dereceye kadar varmak: **go to any** ~**(s)**, her çareye başvurmak, ne yapıp yapıp: ~ **over all/overall** ~, tam uzunluk: **over the** ~ **and breadth of the country**, memleketin dört yanında, her köşesinde: **of some** ~, oldukça uzun: **three-quarter** ~ **dress**, (*mod.*) $\frac{3}{4}$ boylu tuvalet: **turn in its own** ~, olduğu yerde dönmek: **go the whole** ~ **of the street**, sokağın başından sonuna kadar gitmek: **win by a** ~, (yarışı) bir kayık/at boyu farkla kazanmak.
length·en ['len(g)kθn]. Uzatmak; temdit etm., artırmak; uzamak: **his face** ~**ed**, surat astı. ~**ily**, uzun uzadıya bir surette. ~**iness** [-θinis], uzunluk; sözü uzatma. ~**ways/-wise** [-weyz, -wayz], uzunluğuna, boylu boyunca. ~**y**, uzun uzadıya; mufassal, ayrıntılı.
lenien·ce, -cy ['līniəns(i)]. Mülayemet; yumuşaklık, hoşgörürlük; müsamaha. ~**t**, mülayim; hoşgörülü; müsamahakâr.
lenit·ive ['lenitiv]. Yumuşatıcı; sükûnet verici (ilâç). ~**y**, mülâyimlik.
lens [lenz]. Adese; mercek; pertavsız; objektif; büyüteç; göz merceği, billursu mercek.
lent[1] [lent] *g.z.(o.)* = LEND.
lent[2]. Büyük perhiz. ~**en**, büyük perhize ait.
-lent *son.* -li [VIOLENT].
lenti·cular, -form [len'tikyulə(r), 'lentifōm]. Adese şeklinde, merceksi.
lentil ['lentl]. Mercimek.
lento ['lentou] (*müz.*) Lento.
lentoid ['lentoyd]. Adese şeklinde.
Leo ['līou]. Esed burcu; Aslan takımyıldızı. ~**nine** ['līənayn], aslan gibi.
leopard ['lepəd]. Leopar, pars. **American** ~, jaguar: **hunting** ~, çita: **snow** ~, kar parsı: **can the** ~ **change his spots?**, kırk yıllık Yani olur mu Kâni? ~**ess**, dişi pars.
leotard [līə'tād]. Bale dansçının tek parçalı giysisi.
Lepanto [li'pantou]. İnebahtı.
leper ['lepə(r)]. Miskin adam; cüzamlı adam.
lepidoptera [lepi'doptərə]. Pulkanatlılar; kelebekler vb.
leporine ['lepərayn]. Tavşangillere ait.
leprechaun ['leprəkōn] (*İrl., mit.*) Cüce bir cin.
lepro·sy ['leprəsi]. Cüzam; miskinlik. ~**us**, cüzamlı; miskin; abraş.
lepto- [lepto-] *ön.* İnce, küçük. ~**n**, (*nük.*) lepton.
Lesb·ian ['lezbiən]. Midillili; sevici: ~**ism**, sevicilik. ~**os** [-bos], Midilli adası.
lèse-majesté [leyz'majestey]. Vatan/krala ihanet.
lesion [lijn]. Bir dokuya hâsıl olan zarar; değişim, başkalaşma, tagayyür.
less [les]. Daha az; daha küçük; eksik, nakıs, noksan. **I was all the** ~ **surprised**, çok daha az şaştım, hiç şaşmadım: **grow** ~, azalmak: **we have** ~ **and** ~ **to eat every day**, yiyeceğimiz gittikçe azalıyor: **in** ~ **than no time**, bir anda, göz açıp kapayıncaya kadar: **London is no** ~ **expensive than Paris**, Londra pahalılıkta Paris'ten aşağı değildir: **he writes with no** ~ **knowledge than clarity**, bilgili olduğu kadar açıklık ile de yazıyor: **he has no** ~

than a thousand a year, yıllık geliri tam bin liradır: **he has not ~ than a thousand a year**, yılda en aşağı bin lira geliri var: **no ~ a person than the King himself**, bizzat kral: **none the ~**, buna rağmen; ne ise: **he resembled nothing ~ than a wrestler**, hiç de pehlivana benzemiyordu: **he can't talk his own language, still ~ Turkish**, Türkçe şöyle dursun kendi lisanını konuşamaz: **the ~ said the better**, nekadar az söylenirse o kadar iyidir.

-less [-lis] *son.* -siz; bi- [HATLESS, WITLESS].

lessee [le'sī]. Kiracı, müstecir.

less·en ['lesn]. Küçültmek, küçülmek; azal(t)mak. **~er**, daha küçük; daha az; (*zoo.*) küçük: **the ~ of two evils**, ehvenişer.

lesson ['lesn]. Ders; ibret. **draw a ~ from stg.**, bir şeyden ibret almak: **let that be a ~ to you**, bundan ibret al: **learn one's ~ (by bitter experience)**, boynunun ölçüsünü almak; Hanyayı Konyayı öğrenmek; akıllanmak.

lessor ['lesō(r)]. Kiraya veren, kiralayan.

lest [lest]. Olmasın diye; belki. **~ we forget**, unutmıyalım diye: **I feared ~ he should die**, öleceğinden/ölür diye korktum.

let[1] [let] *f.* Kiraya vermek. *i.* Kiralama, icar. **house to ~**, kiralık ev.

let[2] *i.* Mânia, engel; (*sp.*) yenilen. *f.* Mâni olm., menetmek.

let[3]. Bırakmak; izin vermek. [**let** *fiili başka bir fiilin başına geldiği zaman onu geçişli-ettirgen yapar, mes.* **fall**, düşmek: **let fall**, düşürmek: **know**, bilmek, **let know**, bildirmek.] **~ alone**, kendi haline bırakmak: **he can't even walk, ~ alone run**, koşmak şöyle dursun, yürüyemez bile: **~ be**, müdahale etmemek, kendi haline bırakmak: **~ the cost be ever so high**, ne kadar pahalı olursa olsun: **~ go**, salıvermek: **~ things go**, işin peşini bırakmak; kapıp koyuvermek: **he ~ himself go**, veryansın etti; açtı ağzını yumdu gözünü: **~ me hear what happened**, olanı biteni anlat. **~ down**, indirmek; düşürmek; irtifa kaybetmek; yarı yolda bırakmak; sözünü tutmıyarak birisini kırıklığa uğratmak: **he ~ me down badly**, beni çok kötü hayal kırıklığına uğrattı/atlattı; bu adamda olan umudum boş çıktı: **~ s.o. down gently**, birinin kabahatini tatlılıkla yüzüne vurmak; birini hafifçe cezalandırmak: **~ down a coat, etc.**, bir elbiseyi uzatmak: **~ the fire down**, ateşi kendi kendine sönmeğe bırakmak: **~ one's hair down**, saçını çözmek: **~ a tyre down**, lastiği söndürmek: **the chair ~ him down**, iskemle çökerek onu düşürdü. **~ go**, laçka/mola etm. **~ in**, içeri almak; geçme takmak; eklemek; gömmek: **this will ~ me in for a lot of work**, bu bir sürü iş demektir: **I've been ~ in for a thousand pounds**, bu bana bin liraya maloldu: **I didn't know what I was ~ting myself in for**, giriştiğim işin zorluklarını hesaplıyamadım, başıma gelecekleri bilmedim: **~ s.o. in on a secret**, bir sırrı birine açmak. **~ off**, (silâh, ok) atmak; salıvermek; affetmek: **~ s.o. off lightly**, hafif bir ceza ile salıvermek: **be ~ off with a fine**, bir para cezasıyle yakayı kurtarmak: **~ off steam**, istim koyuvermek; içini boşaltmak/dökmek. **~ on**, **~ on about stg.**, bir şeyi ifşa etm. **~ out**, çıkarmak; salıvermek; birisine kapıyı açmak; boşaltmak; uzatmak, genişletmek: **~ out at s.o.**, vurmak; çifte atmak: **~ boats out (on hire)**, kayık kiraya vermek: **~ out (a secret)**, (bir sırrı) ifşa etm., ağzından kaçırmak: **~ a strap out one hole**, kayışı bir delik açmak. **~ up**, kalkmağa izin vermek; gevşemek.

-let [-lit, -lət] *son.* Küçük; -cık [HAMLET].

let-down ['letdaun]. Hayal kırıklığı; atlat(ıl)ma.

lethal ['līθl]. Öldürücü.

letharg·ic [li'θācik]. Rehavetli; uyuşuk. **~y** ['leθəci], uyuşukluk, rehavet, letarji.

Lethe ['līθi] (*mit.*) Unutkanlık (nehri).

let·-in ['letin]. Gömme. **~-off**, ucuz kurtulma. **~-out**, kaçış, kurtuluş.

Lett [let]. Lettonyalı.

letter ['letə(r)] *i.* Harf; mektup. *f.* Harflerle basmak/süslemek. **bread and butter ~**, (*kon.*) şükran mektubu: **capital ~**, baş/büyük harf, majüskül: **covering ~**, anlatıcı mektup: **dead ~**, sahibi bulunmamış mektup: **registered ~**, taahhütlü mektup: **small ~**, ufak harf, minüskül: **~ of credit**, akreditif (mektubu), bankalararası sayca belgesi: **~ of introduction**, tanıtma mektubu: **~ of recall**, (elçi vb.) geri çağırma mektubu. **~-bomb** [-bom], mektup bombası. **~-book**, mektup kopya defteri. **~-box**, mektup kutusu. **~-card**, mektup gibi kapatılan kartpostal. **~-carrier**, postacı. **~-drop**, (*id.*) casusların gizli posta kutusu. **~ed**, harfli; (*mec.*) okumuş. **~-head**, mektup başlığı; başlıklı mektup kâğıdı. **~ing**, yazı; hat, harfler. **~-perfect**, (*tiy.*) rolünü harfi harfine ezberlemiş. **~press**, kitap metni. **~s**, harfler, hurufat; yazı; edebiyat: **man of ~**, edebiyatçı: **man with ~ after his name**, ismin sonuna diploma/dernek üyesi simgesi olan harfleri koyabilen adam: **~-patent**, ferman, berat. **~-writer**, meslekî mektup yazıcısı.

Lettish ['letiş]. Let dili.

lettuce ['letis]. Salata. **Cos ~**, marul.

leuco- [lyūko-] *ön.* Beyaz, ak; löko-. **~cyte** [-kə'sayt], lökosit, akyuvar.

leukaemia [lyu'kīmiə]. Kan kanseri.

Levant [li'vant] *i.* Akdenizin doğu kıyısındaki adalar ve memleketler. *f.* Borçlarını ödemeden sıvışmak. **~er**, böyle sıvışan kimse; Levanten; orada doğudan esen rüzgar. **~ine** [-ayn, levn'tīn, -tayn], tatlısu frengi, Levanten.

levee[1] ['levi]. Bir hükümdar/büyük şahıs tarafından yapılan resmî kabul.

***levee**[2] [li'vī, 'levi]. Nehir kenarında su taşmasına engel olacak set.

levee[3]. **~ en masse**, nefiri âm, toptan seferberlik.

level[1] ['levl] *i.* Seviye, düzey; yüz; hiza; tesviye aleti, düzeç, nivo. **find one's ~**, kendi çevre ve seviyesini bulmak: **on a ~ with ...**, ile bir hizada, bir seviyede: **on the ~**, düzlükte; dürüst: **out of ~**, yatay/düzlem olmıyan.

level[2] *s.* Düz; düzlem, ufkî, yatay. **~ with**, bir hizada: **a ~ race**, eşit yarış: **do one's ~ best**, elinden geleni yapmak: **keep a ~ head**, soğukkanlılığını korumak: **lay (a place) ~ with the ground**, yerle yeksan etm.

level[3] *f.* Tesviye etm., düzle(t)mek. **~ accusations against s.o.**, birisine karşı ithamlarda bulunmak: **~ a blow at s.o.**, birisine bir darbe indirmek: **~ a gun at s.o.**, tüfeği bir kimseye çevirmek: **~ up**, bir hizaya getirmek: **~ with s.o.**, (*kon.*) dürüst olm., doğrusunu anlatmak.

level-[4] *ön.* **~-crossing**, (*dem.*) düz/hemzemin geçit. **~-headed**, dengeli, ölçülü, mazbut; soğukkanlı.

~ler ['levələ(r)] (*müh.*) düzelteç; (*id.*) toplumsal eşitlik taraftarı. **~ness**, düzlük. **~-pegging**, (*kon.*) başbaşa varış, dengelenmiş bir durum.
lever ['līvə(r)] *i.* Manivela, kol, kaldıraç; (*mec.*) vasıta, alet. *f.* Manivela ile kaldırmak. **~age** [-ric], manivela gücü; temayül.
leveret ['levərit]. Tavşan yavrusu.
leviable ['leviəbl]. Tarh ve tahsili mümkün.
leviathan [li'vayəθən]. Ejderha; pek büyük bir hayvan/gemi vb.
levigate ['levigeyt]. Toz haline getirmek; düz yapmak.
levis ['līviz] (*M.*) = JEANS.
levitat·e ['leviteyt]. Havaya kalkmak/kaldırmak; havada durmak. **~ion** [-'teyşn], havaya kaldır(ıl)ma.
Levite ['līvayt] (*din.*) Levi kabilesinden biri; kâhin yardımcısı; (*kon.*) Yahudi.
levity ['leviti]. Hiffet; hoppalık.
levy ['levi] *i.* Toplama; vergi; asker toplama. *f.* Para/asker toplamak. **~ blackmail**, birine şantaj yapmak: **~ a fine on s.o.**, birisinden para cezası almak: **~ in mass**, toptan seferberlik: **~ a tax**, vergi tarhetmek: **~ a tribute on . . .**, -den haraç almak: **~ war on s.o.**, birisiyle savaşmak.
lewd [lyūd]. İffetsiz; fuhşa ait, açık saçık. **~ly**, iffetsizce; açık saçık olarak. **~ness**, açıksaçıklık, fuhuş.
lewis ['lūis]. Demir kama. **~-gun**, hafif makineli tüfek. **~ite**, levizit.
lexi·cal ['leksikl]. Bir dilin kelimelerine ait; sözlüklere ait. **~co-**, *ön.* sözlük+: **~grapher** [-'kogrəfə(r)], lügatçi, sözlükçü: **~graphy**, lügatçilik, sözlükçülük; sözlük yapma işi: **~n**, lügat, sözlük. **~s** ['leksis], bir dilde bulunan/kimsenin kullandığı kelimeler; sözlük.
ley [ley] (*zir.*) Geçici otlak.
LF = LAND FORCES; LOADLINE, FRESHWATER; LOW FREQUENCY.
LG = LONDON GAZETTE.
lgth. = LENGTH.
LH = LEFT-HAND(ED); LEGION OF HONOUR; LIGHT-HOUSE.
Li. (*kim.s.*) = LITHIUM.
LI = LIGHT INFANTRY; *LONG ISLAND.
liab·le ['layəbl]. Mesul; sorumlu; mükellef, tabi; maruz, duçar; müstait; muhtemel. **~ility** [-'biliti], zimmet; mesuliyet, sorumluluk; mükellefiyet; maruz olma; temayül; (hastalığa) istidat; (*mal.*) borç, yüküm: **assets and ~ties**, alacak ve borçlar, aktif ve pasif, matlup ve zimmet: **limited ~**, sınırlı sorumluluk, mahdut mesuliyet: **limited ~ company**, sınırlı sorumlu ortaklık, mahdut mesuliyetli şirket.
liais·e [li'eyz] (*kon.*) İrtibatı olm. **~on** [-zon], irtibat; vasletme; ilişki; münasebet: **~-officer**, irtibat subayı.
liana [li'anə]. Sarmaşan.
liar ['layə(r)]. Yalancı.
lias ['layəs]. Kireç taşı. **~sic** [-'asik], bu taşa ait.
Lib. = LIBERAL; LIBERATION; LIBERIA(N); LIBRARY.
libation [lay'beyşn]. Eskiden ilâhların şerefine şarabın toprağa dökülmesi, (*alay.*) içki içme.
libber ['libə(r)] (*kon.*) = LIBERATIONIST.
libel ['laybl] *i.* İftira; isnat uydurma; bühtan. *f.* İftira etm.; isnat etm. **bring an action for ~ against s.o.**, birisi aleyhine iftira davası açmak. **~lous**, iftiralı, müfteriyane.
liberal ['libərəl] *s.* Cömert, eliaçık; bol; özgürlüğe ait; erkin. *i.* Hürriyet/terakki taraftarı, liberal, erkinci, serbest fikirli. **~ education**, toplumsal bilimler öğrenimi. **~ism**, liberallik; özgürlük; erkincilik; (*id.*) hürriyetperverlik. **~ist**, erkinci, liberal. **~ity** [-'raliti], cömertlik, eliaçıklık; fikir genişliği. **~ization** [-lay'zeyşn], erkin/liberal kılma. **~ize**, erkin/liberal kılmak, erkinlik telkin etm.
liberat·e ['libəreyt]. Serbest bırakmak; azat etm.; koyuvermek; kurtarmak. **~ion** [-'reyşn], kurtarma, kuruluş, azatlık: **women's ~**, kadınların erkeklere eşit olmasının taraftarlığı. **~or**, halâskâr, kurtarıcı.
libert·arian [libə'teəriən]. Hürriyet taraftarı. **~icide** [-'bətisayd], hürriyeti imha etme/eden kimse.
libertin·age ['libətinic]. Çapkınlık, hovardalık; sefihlik. **~e** [-tayn], çapkın, hovarda; sefih.
liberty ['libəti]. Hürriyet, özgürlük; serbestlik. **be at ~ to do stg.**, bir şeyi yapmakta serbest olm.: **set at ~**, serbest bırakmak: **take the ~ of (doing stg.)**, ictisar etm., yüreklilik göstermek: **take liberties with a person**, başına çıkmak; lâubalileşmek. **~-boat**, (*den.*) izinlileri karaya çıkaran çatana. **~-man**, izinli bahriyeli. ***~-ship**, prefabrike inşa edilmiş şilep.
libid·inous [li'bidinəs]. Şehvanî; şehvete düşkün. **~o** [-'baydou], şehvet; cinsiyet iştiyakı; libido.
libra ['laybrə] (*Lat.*) Libre; İngiliz lirası; (*ast.*) Mizan/Terazi burç/takımyıldızı.
librar·ian [lay'breəriən]. Kütüphaneci. **~y** ['laybrəri], kütüphane, kitaplık: **free/public ~**, ücretsiz kitap veren kütüphane: LENDING **~**: **mobile/travelling ~**, gezici kütüphane: REFERENCE **~**.
librat·e [lay'breyt]. Sallanmak. **~ion** [-'breyşn], sallantı.
librett·ist [li'bretist]. Libretto yazarı. **~o** [-tou], opera güftesi; libretto, betikçe.
Libya ['libiə]. Libya. **~n**, *i.* Libyalı; *s.* Libya+.
lice [lays] *ç.* = LOUSE.
licence ['laysəns] *i.* Ruhsat(iye), izin (tezkeresi), ehliyet(name); müsaade, lisans; (*sp.*) yetki belgesi; hadden aşırı serbestlik.
license ['laysəns] *f.* Ruhsat vermek; izin tezkeresi vermek; yetki vermek. **~d**, ruhsatlı: **~ engineer**, yüksek mühendis. **~e** [-'sī], imtiyaz sahibi; ruhsatlı kimse; lisansiye; PUBLIC-HOUSE sahip/müdürü. **~r/-or**, ruhsat veren.
licentiate [lay'senşiət]. Doktor/öğretmenlik vb. etmeğe ruhsatlı kimse.
licentious [lay'senşəs]. Çapkın; hafifmeşrep. **~ly**, çapkınca. **~ness**, çapkınlık.
lichen ['laykin]. Her cins yosunun genel adı; ciğerotu, liken. **~ous**, yosunlu.
lich-gate ['liçgeyt]. Üstü damlı mezarlık kapısı.
licit ['lisit]. Meşru, yasal; mubah.
lick[1] [lik] *i.* Yalama. **at full ~**, (*kon.*) alabildiğine bir hızla.
lick[2] *f.* Yalamak; (*arg.*) üstün gelmek; dayak atmak. **~ s.o.'s boots**, yaltaklanmak: **he is not fit to ~ that man's boots**, o adamın kestiği tırnak olamaz: **~ the dust**, kahrolunmak; öldürülmek: **~ one's lips/chops**, yalanmak; ağzının suyu akmak:

this ~**s me**, buna aklım ermez, buna akıl erdiremem: ~ **into shape**, adam etm.: **as hard as he could** ~, alabildiğine koşarak.

lickerish ['likəriş]. Tatlı yemekleri seven; obur; sefih.

lick·ing ['likin(g)]. Yalama; (*arg.*) yenilme; dayak. ~**-spittle**, çanak yalayıcı.

licorice ['likəris] = LIQUORICE.

lid [lid]. Kapak; gözkapağı. **that puts the** ~ **on it!**, (*arg.*) bir bu eksikti; şimdi tamam!

lidar = LIGHT RADAR.

lid·ded ['lidid]. Kapaklı. ~**less**, kapaksız.

lido ['laydou]. Lido, açık hava yüzme havuzu.

lie[1] (*g.z.(o.)* **lied**, *hal. o.* **lying**) [lay(d), 'layin(g)] *f.* Yalan söylemek.

lie[2] *i.* Yalan. **a bare-faced** ~, göz göre göre yalan: **a white** ~, iş bitiren yalan; düruğu maslahatâmiz: **give s.o. the** ~ **(direct)**, tekzip etm.: **a pack of** ~**s**, yalan dolan.

lie[3] *i.* Vaziyet, durum. **the** ~ **of the land**, arazi vaziyeti; (*mec.*) vaziyet, hal, şerait, durum.

lie[4] (*g.z.* **lay**, *g.z.o.* **lain**, *hal. o.* **lying**) [lay, ley(n), 'layin(g)]. *f.* Yatmak; uzanmak; durmak; bulunmak, olmak, kâin olm.; vâki olm.; düşmek; medfun olmak. **no action would** ~ **in this case**, bu halde dava mesmu olamaz: **no appeal** ~**s against the decision**, karar temyiz edilemez: ~ **at the point of death**, ölmek üzere olm.: **as far as in me** ~, elimden geldiği kadar: **here** ~**s ...**, ... burada medfundur: **the snow never** ~**s there**, orasını kar tutmaz: ~ **under suspicion**, şüphe altında kalmak: **time** ~**s heavy on my hands**, işsizlikten sıkılıyorum. ~ **about**, meydanda kalmak; ötede beride durmak. ~ **by**, ilerdeki ihtiyaç için bir kenarda durmak. ~ **down**, yatmak: **take stg. lying down**, ses çıkarmadan kabul etm.: **he won't take it lying down**, kolay kolay kabul etmiyecek. ~ **in**, loğusa olm. ~ **off**, (gemi) alargada/açıkta yatmak. ~ **over**, ertelenmek, tehir edilmek; muallakta kalmak; bir yana yatmak. ~ **to**, geminin başını rüzgâra çevirip durmak; orsa alabanda eğlendirmek. ~ **up**, yatakta kalmak; yatmak; (gemi) teçhizat çıkarılıp bir yerde yatmak.

lie-[5] *ön.* ~**-abed**, geç kalkan kimse. ~**-detector**, yalan(cılık) detektörü, yalan makinesi.

lief [līf]. Memnuniyetle, istiyerek. **I would as** ~ **die as do this**, bunu yapmaktansa ölmek daha iyi: **I would as** ~ **not go**, gitmesem daha iyi olur.

liege [līc] (*tar.*) Derebeyine tabi kimse. ~**-lord**, metbu; kendisine uyruk olunan kimse.

lie-in ['lay·in] (*id.*) Bir kimse/grubun protesto ederken alenen yere uzanması.

lien ['līən]. İhtiyatî haciz; matlup, alacak; rehin; ipotek.

lieu [lyū]. **in** ~ **of**, yerine, bedel olarak.

Lieut. = LIEUTENANT.

lieutenan·cy [lef'tenənsi; *den.* †lə-, *lū-] (*den.*) Yüzbaşılık; (*ask.*) teğmenlik. ~**t**, (*den.*) yüzbaşı; (*ask.*) teğmen, mülâzim; (*id.*) vekil: **flag** ~, amiral yaveri: **flight** ~, (*hav.*) yüzbaşı: **second** ~, (*ask.*) asteğmen: **sub-**~, (*den.*) teğmen. ~**-colonel**, (*ask.*) yarbay, kaymakam. ~**-commander**, (*den.*) binbaşı. ~**-general**, korgeneral. ~**-governor**, vali vekili; genel valiye bağlı vali.

life, *ç.* **lives** [layf, layvz] *i.* Hayat; ömür; yaşam, can; yaşama/dayanma süresi. *s.* Hayat boyunca, hayatsal; hayat+. **bring to** ~, diriltmek: **carry one's** ~ **in one's hands**, kelleyi koltuğa almak: **the** ~ **to come**, ahret: **come to** ~, canlanmak: **do stg. for dear** ~, bir şeyi var gücüyle/canla başla yapmak: **draw from** ~, bir modele bakarak resim yapmak: **escape with one's** ~, postu kurtarmak: **fly/run for one's** ~, can korkusuyle kaçmak: **for (his/her)** ~, kaydıhayat şartıyle: **I can't for the** ~ **of me understand**, buna hiç aklım ermiyor: **be a good** ~, (sigorta deyimi) sigortaya pek elverişli olm.: **not on your** ~!, dünyada olmaz!, aslâ!: **run for your lives!**, kaçabilen kaçsın!: **seek s.o.'s** ~, birinin canına kasdetmek: **he has seen** ~, 'görmüş, geçirmiş, feleğin çemberinden geçmiş': **one's station/position in** ~, insanın toplumdaki yeri: **still** ~, natürmort, cansız doğa: **the water swarms with** ~, suda bir çok canlı yaratıklar kaynaşıyor: **take s.o.'s** ~, birini öldürmek: **take one's own** ~, kendini öldürmek, intihar etm.: **at my time of** ~, benim yaşımda, bu yaştan sonra: **to the** ~, tıpkı, aynen: **true to** ~, yaşanmış: **without accident to** ~ **or limb**, (kimsenin) kılına halel gelmeden: **upon my** ~, başım hakkı için; süphanallah! ~**-belt**, cankurtaran kemeri. ~**-blood**, kan, can. ~**boat**, cankurtaran sandalı, tahlisiye gemisi. ~**buoy** [-boy], cankurtaran simidi. ~**-guard**, cankurtaran adam; silâhtar, hassa askeri: †**the** ~**s**, Kraliçenin süvari muhafızları. ~**(-imprisonment)**, ömür boyunca hapis. ~**-insurance**, hayat sigortası. ~**-interest**, kaydıhayat şartıyle intifa hakkı. ~**-jacket**, cankurtaran yeleği. ~**less** [-lis], cansız, ölü; ruhsuz. ~**like** [-layk], canlı mahluk gibi; tıpkı. ~**-line**, cankurtaran halatı, dalgıcı deniz üstüne bağlıyan ip. ~**long**, hayat süresince, dirimli: **a** ~ **friend**, çok eski dost. ~**-peer(age)** [-pī(r)(ic)], kaydıhayat şartıyle (unvanı çocuklarına geçmiyen) lord(luk). ~**-preserver**, topuzlu baston; lobut. ~**r**, (*kon.*) ömür boyunca hapse mahkûm kimse. ~**-saving**, can kurtaran/kurtarma. ~**-sentence**, ömür boyunca hapsed(il)me kararı. ~**-size(d)** [-sayz(d)], doğal büyüklükte. ~**span/-time**, hayat/yaşam süresi: **in his** ~, o hayatta iken: **we shan't see it in our** ~, bizim ömrümüzde görmiyeceğiz. ~**-support system**, geçindirme sistemi. ~**-table**, (sigorta) ölüm cetveli. ~**-tenant**, kaydıhayat şartıyle mülk sahibi/kiracı. ~**time** = ~SPAN. ~**work**, bütün hayatın vakfedildiği iş meslek.

lift[1] [lift] *i.* Asansör; yükseltme, kaldırma, taşıma; bir şeyin bir hamlede kaldırdığı yüksekliği; bir şeyin kaldırma kuvveti; (*hav.*) kaldırıcı kuvvet: **a** ~ **in the clouds**, bulutların yükselmesi: **give s.o. a** ~, birisini arabasına almak: **give s.o. a** ~ **up**, birisine elini vermek, yardım etm.: **get a** ~ **up in the world**, mevkiini yükseltmek: **thumb a** ~, otostop yapmak.

lift[2] *f.* Kaldırmak; yükseltmek; (*zir.*) sökmek; (*arg.*) çalmak; kalkmak. ~ **a cup**, (*arg.*, *sp.*) kupa kazanmak: ~ **something down**, indirmek: ~ **up one's head**, başını kaldırmak; (*mec.*) herkesin yüzüne bakabilmek: ~ **a child out of bed**, çocuğu kucaklayıp yataktan çıkarmak: ~ **potatoes**, patates sökmek/toplamak: ~ **s.o. up**, birini tutup kaldırmak: ~ **up one's voice**, sesini yükseltmek. ~**-bridge**, iner kalkar köprü. ~**ing**, kaldırma: ~ **bar**, (*sp.*) kaldırma çubuğu: ~ **power/capacity**, kaldırma gücü. ~**-off**, (*hav.*) (roket) kalkma.

~**-operator**, asansörcü. ~**-pump**, koç/yükseltme tulumbası. ~**-stage**, (*tiy.*) yükselir alçalır sahne. ~**-thumbing**, otostop yapma.
liga·ment ['ligəmənt]. Bağ; kiriş. ~**te** [-'geyt] (*tıp.*) bağlamak. ~**ture** [-gəçə(r)], bağ; (*tıp.*) kanı durduran bağ.
light[1] [layt] *i.* Işık, ziya, aydınlık, nur; gündüz; far, lamba; tavan/döşeme üzerindeki ışık penceresi; noktai nazar, bakım. **ancient** ~**(s)**, pencere hakkı: **safety** ~, güven ışığı: **act according to one's** ~**s**, kendi telakkisine ve kanaatine/ölçülerine göre hareket etm.: **appear in the** ~ **of a swindler**, dolandırıcıya benzemek: **at first** ~, şafakta: **bring to** ~, meydana çıkarmak: **come to** ~, meydana çıkmak: **the** ~ **of day**, gündüz: ~ **dues**, deniz feneri vergisi: **get in s.o.'s** ~, birisine karanlık etm.; önüne çıkmak, engel olm.; ayağına dolaşmak: **give s.o. a** ~, birine ateş/kibrit vermek: **in the** ~ **of this information/news**, bu haberlerin ışığında: **place stg. in a good** ~, bir şeyi uygun bir açıdan göstermek: **a leading** ~, mümtaz ve mutena/seçkin bir kimse: **be in one's own** ~, kendi kendisine karanlık etm.: ~**s out**, ışıkları söndürme: **begin to see** ~, anlamak, farkına varmak: **see things in a new** ~, durum bambaşka olduğunu anlamak: **set** ~ **to stg.**, tutuşturmak: ~**s and shades of expression**, anlatım incelikleri: **stand in s.o.'s** ~, birine karanlık etm.; bağımsızlığına ket vurmak: **steam without** ~**s**, (gemi) ışıkları karartılmış olarak ilerlemek.
light[2] (*g.z.(o.)* ~**ed/lit** ['layt(id), lit]. *f.* Yakmak; tutuşturmak; aydınlatmak; ateş/ışık vermek; tutuşmak, alev almak; parıldamak. ~ **a fire**, ateş yakmak: **the match will not** ~, kibrit yanmıyor: ~ **up**, ışık vermek; aydın olm.: **lit up**, aydınlanmış; (*arg.*) çakır keyf: **his face lit up**, yüzü güldü: ~ **the way for s.o.**, birine ışık tutmak.
light[3] (*g.z.(o.)* ~**ed/lit**) *f.* Konmak. ~ **on one's feet**, ayakları üstüne düşmek: ~ **upon**, rastlamak.
light[4] *s.* Hafif, ince, yeğni; açık (renk): ~ **hair**, sarı saç: ~ **as a feather**, tüy gibi (hafif): **do stg. with a** ~ **heart**, bir şeyi neşe ile/kaygusuzca yapmak: **make** ~ **of**, yabana atmak; bir çırpıda çıkarmak: **be a** ~ **sleeper**, uykusu hafif olm.: **travel** ~, az eşya ile seyahat etm. ~**-armed**, hafif silâhlı.
lighten[1] ['laytn]. Hafifletmek.
lighten[2]. Aydınlatmak, ışıldamak; (*sin.*) saydamlatmak; (bir rengi) daha açık yapmak; şimşek çakmak; aydınlanmak, açılmak.
lighter[1] ['laytə(r)] *s.* Daha hafif; daha açık.
lighter[2] *i.* Yakıcı alet; yakan kimse: **cigarette-**~, çakmak.
lighter[3] *i.* Mavna, salapurya, şat, duba, layter. ~**age** [-ric], mavna ile boşaltma/taşıma; bunun ücreti. ~**man**, *ç.* ~**men**, mavnacı, salapuryacı.
light·-fingered [layt'fingə̄d]. *Yankesici hakkında* eli uzun. ~**-footed** [-'futid], çevik, tez. ~**-handed** [-'handid], eli hafif; becerikli; eli boş. ~**-headed**, sayıklıyan; hoppa. ~**-hearted** [-'hātid], gamsız, şen: ~**ly/in a** ~ **manner**, düşüncesiz(ce). ~**-heeled** [-'hīld], çevik, tez. ~**-horse(man)**, hafif süvari. ~**house**, fener kulesi: ~**-keeper**, fenerci. ~**-infantry(man)**, hafif piyade. ~**ing**, tenvirat; aydınlatma; ışıklama: ~**-up time**, ışıkları yakma zamanı. ~**ish**, oldukça hafif/açık (renk). ~**ly**, hafifçe: ~ **come** ~ **go**, haydan gelen huya gider: **get off** ~, ucuz kurtulmak: **speak** ~ **of s.o.**, birisini istihfaf etm.: **take stg.** ~, hafiften almak, ciddîye almamak. ~**-minded**, hoppa, hafif mizaçlı. ~**ness**, hafiflik; çeviklik; ciddî olmama; hiffet.
lightning ['laytnin(g)] *i.* Şimşek, yıldırım. *s.* Şimşek gibi. **as quick as** ~**/with** ~ **speed/like greased** ~, şimşek gibi, şaşırtıcı bir hızla. ~**-conductor**, paratoner, yıldırımsavar. ~**-strike**, ihtarsız grev.
light·-o'love [laytə'lʌv]. Hafifmeşrep kadın; dildade. ~**-proof**, ışığa izoleli; ışıkgeçmez; opak. ~**s**, akciğer. ~**ship** [-şip], fener gemisi. ~**some** [-səm], şen; narin. ~**-weight** [-weyt] (*sp.*) hafifsıklet, yeğni ağırlık; (*mod.*) (kumaş) hafif, ince; (*mec.*) önemsiz adam. ~**-well**, (*mim.*) aydınlık.
lign·eous ['ligniəs]. Haşebî, odunsu, ağaçsıl. ~**ification** [-fi'keyşn], odunlaşma. ~**ite** [-nayt], linyit. ~**um vitae** [-nəm 'vaytī], peygamber agaç/tahtası.
likable ['laykəbl] = LIKEABLE.
like[1] [layk] *s. & e.* Müşabih, benzer; aynı, eş; gibi. **be** ~, benzemek: **as** ~ **as not/**~ **enough**, belki de: **fellows** ~ **you**, senin gibiler: **he ran** ~ **anything**, alabildiğine koştu: **he snored** ~ **anything**, horul horul horluyordu: **women are** ~ **that**, kadınlar böyledir: **that's just** ~ **a woman**, bir kadından bundan başka ne beklersin?: ~ **master** ~ **man**, efendi nasılsa uşak öyledir: **today is nothing** ~ **so/as hot as yesterday**, bugünkü sıcak dünkü sıcağın yanında hiç bir şey değil: **that's something** ~**!**, (*takdirle*) ha şöyle!: **that's something** ~ **a ship**, işte gemi diye buna derler: **it will cost something** ~ **ten pounds**, aşağı yukarı on liraya malolacak: **what's he** ~**?**, nasıl bir adam?
like[2] *i.* Benzeri: eş. **do the** ~, aynını/tıpkısını yapmak: **I never saw the** ~ **of it**, böylesini/bunun gibisini hiç görmedim: **we shall never see his** ~ **again**, onun gibisini bir daha göremeyiz: **the** ~**s of you and me**, sizin ve benim gibiler.
like[3] *i.* Çok tercih edilen şey. ~**s and dislikes**, (birinin) hoşlandığı ve hoşlanmadığı şeyler.
like[4] *f.* Hoşlanmak; sevmek, beğenmek; istemek. **I** ~ **him**, o hoşuma gidiyor: **I** ~ **that!**, maşallah!; ne âlâ!; yağma yok: **I should** ~ **to have seen him**, keşki onu görmüş olsaydım; onu görmek isterdim: **I can do as I** ~ **with him**, o avucumun içindedir, ona ne istersem yaptırırım: **how do you** ~ **him?**, onu nasıl buluyorsunuz?: **how do you** ~ **your tea/egg?**, çay/yumurtanız nasıl olsun?: **as much as (ever) you** ~, ne kadar istersiniz: **just as you** ~**!**, siz bilirsiniz!: **I should** ~ **time to examine this**, bunu tetkik etm. için zamana ihtiyacım var: **you may say what you** ~**, but I am going there**, siz ne derseniz deyiniz ben oraya gidiyorum: **whether you** ~ **it or not**, isteseniz de istemeseniz de.
-like (*son.*) -varî; benzer; gibi; -imsi [CATLIKE].
like·able ['laykəbl]. Sevimli, sempatik. ~**lihood** [-lihud], ihtimal: **in all** ~, pek muhtemeldir ki. ~**liness**, ihtimal. ~**ly**, muhtemel; -acak gibi; (görünüşe göre) münasip; yakışıklı: **as** ~ **as not**, muhtemeldir ki, olabilir ki: **not** ~**!**, ne münasebet!, ne gezer!: **that's a** ~ **story!**, olacak sey değil!, külâhıma dinlet! ~**-minded**, hemfikir; yekdil; kafadar. ~**n**, benzetmek. ~**ness**, benzerlik, müşabehet; insan resmi: **it is a good** ~, (resmi) çok benziyor. ~**wise** [-wayz], aynı veçhile, kezalik; hem, dahi.
liking ['laykin(g)]. Beğenme; hoşlanma; zevk; meyl, düşkünlük. **have a** ~ **for**, -den hoşlanmak: **I**

have taken a ~ to him, ona ısındım, kanım kaynadı: **is this to your ~?**, bu zevkinize göre midir?
lilac ['laylək] *i.* Leylâk. *s.* Açık mor.
liliaceous [lili'eyşəs]. Zambakgillere ait.
lilliputian [lili'pyüşn]. Ufacık; minimini; cüce.
lilt [lilt]. Şen bir şarkı, oynak hava; kıvraklık.
lily ['lili]. Zambak; nilüfer. **~-livered**, korkak, alçak: **~-of-the-valley**, inci çiçeği; müge: **~-white**, bembeyaz.
LIM = LINEAR-INDUCTION MOTOR.
lima·ceous/-cine [lay'meyşəs, 'liməsayn]. Salyangoza ait. **~x** ['laymaks], sümüklüböcek.
limb [lim]. Uzuv; üye; organ; dal. **a ~ of Satan**, şeytanın art ayağı: **out on a ~**, yapayalnız. **-~ed**, *son*. . . . uzuvlu.
limber[1] ['limbə(r)] *i.* Top toparlağı. *f.* Topu toparlağına takmak.
limber[2] *s.* Bükülür, eğilir; çevik. *f.* **~ (up)**, çevikleştirmek. **~ness**, çeviklik.
limbless ['limlis]. Uzuvsuz.
limbo ['limbou]. Araf, cehennem dibi; gayya kuyusu.
lime[1] [laym]. Ihlamur ağacı.
lime[2]. Misket limonu, ekşi limon. **~-juice**, misket limonunun suyu.
lime[3] *i.* Kireç. *f.* (Toprağa) kireç serpmek; (dala) ökse macunu sürmek. **bird ~**, ökse macunu: **quick ~**, sönmemiş kireç: **slaked ~**, sönmüş kireç. **~-burner**, kireç ocakçısı. **~-kiln**, kireç ocağı. **~light**, kalsiyum ışığı; sahne ışığı: **be in the ~**, göz önünde olm., halkın dilinde dolaşmak.
limen ['laymen] (*tıp.*) Eşik.
limerick ['limərik]. Beş mısralık mizahî manzume.
lime·stone ['laymstoun]. Kireç taşı; tebeşir. **~-tree**, ıhlamur ağacı. **~-twig**, ökse macunlu dalcık. **~-wash**, badana(lamak). **~water**, ilâç olarak kullanılan kireçli su.
***limey** ['laymi] (*arg.*) Bir İngiliz (bahriyelisi).
limicole ['limikol]. Çamurkoşar.
liminal ['liminəl] (*tıp.*) Eşiğe ait.
limit[1] ['limit] *i.* Had, aşama, derece, gaye; uç, sınır, hudut. *s.* Yan. **he's the ~**, o artık fazla oluyor: **that's the ~!**, bu kadar olur!, bu kadarı da fazla!: ***on/off ~s**, (*ask.*) giril·ir/-mez: **within a two-mile ~**, iki mil içinde: **it is true within ~s**, belirli bir dereceye kadar doğrudur: **without ~**, hadsiz hesapsız, sınırsız.
limit[2] *f.* Tahdit etm., sınırlamak; kısmak. **~ oneself to . . .**, -le iktifa etm./yetinmek.
limita·ry ['limitəri]. Tahdit edilmiş; hudutlu; hudutta; hudut olarak kullanılan. **~tion** [-'teyşn], tahdit, sınırlama; süre, mühlet; zaman aşımı: **he has his ~s**, (onun da) zayıf noktaları var: **Statute of ~s**, zaman aşımını tayin eden kanun.
limit·ed ['limitid]. Mahdut, hudutlu, sınırlı; dar; (*mal.*) limited: **~ company**, limited şirket, sınırlı ortaklık: **~ liability company**, sınırlı sorumlu ortaklık. **~er**, sınırlayıcı; (*elek.*) limitör. **~less**, hadsiz hesapsız, sınırsız. **~rophe** [-trouf], hudutta bulunan (bölge). **~-switch**, limitör.
limn [lim] (*mer.*) Resmetmek, resmini çizmek; tasvir etm. **~er** ['limnə(r)], ressam.
limnology [lim'noləci]. Gölbilim.
limousine ['limuzīn]. Kapalı araba/otomobil; (*kon.*) lüks bir otomobil.
limp[1] [limp] *f.* Topallamak, aksamak. *i.* Topallama, aksaklık.
limp[2] *s.* Gevşek; yumuşak; rehavetli; pısırık. **feel as ~ as a wet rag**, suyu çıkmış limon gibi bitkin olm.
limpet ['limpit]. Kayalara yapışık duran bir deniz böceği; karından-ayaklılardan biri. **stick like a ~**, sülük gibi yapışmak. **~-mine**, gemi dibine yapıştırılan mayın.
limpid ['limpid]. Berrak, duru. **~ity** [-'piditi], berraklık, duruluk.
limp·ing ['limpin(g)]. Topallıyarak. **~ly**, gevşek olarak. **~ness**, gevşeklik.
limy ['laymi]. Kirece ait; kireçli.
linac ['linak] = LINEAR ACCELERATOR.
linage ['laynic] (*bas.*) Satır toplamı; satır başına ücret.
linchpin ['linçpin]. Dingil çivisi; (*mec.*) (bir teşkilât için) çok önemli bir kimse.
Lincoln ['lin(g)kən]. İng.'de bir şehir. **~ green**, parlak bir yeşil. **~shire** [-şə], Brit.'nın bir kontluğu.
Lincs. = LINCOLNSHIRE.
linctus ['lin(g)ktʌs]. Öksürük ilâcı.
linden ['lindn]. Ihlamur (ağacı).
line[1] [layn] *i.* Çizgi; hat; yol, hareket; doğrultu; çubuk; satır; mısra; saf; sülâle; olta. **what is his ~ of business?**, işi necidir?, işi hangi alandadır?: **cross the Line**, ekvatordan geçmek: **in direct ~**, babadan oğula: **one must draw the ~ somewhere**, her şeyin bir haddi var: **I draw the ~ at . . .**, -ya kadar gitmem: **drop s.o. a ~**, birine bir iki satır göndermek: **fall into ~ with . . .**, -e uymak: **fall out of ~**, (fikir vb.) ayırmak: (gemi) saftan çıkmak: **front ~**, cephe hattı: **give s.o. a ~ on stg.**, ipucu vermek: **~ of goods**, mal çeşidi: **it's hard ~s on him**, ona çok yazık: **hot ~**, iki millet reisini bağlıyan özel telefon hattı: **ten cars in a ~**, bir sıra halinde on otomobil: **lay it on the ~**, açık ve kuvvetle konuşmak: **the ~s of a ship**, geminin şekil/biçimi: **ship of the ~**, savaş gemisi: **shipping ~**, deniz nakliye kumpanyası: **something in that ~**, aşağı yukarı bu neviden: **that is not in my ~**, bu bana göre değil; bu benim işim değil: **pure ~**, (*biy.*) arıdöl: **railway ~**, demiryolu hattı; şimendifer kumpanyası: **~ of thought**, fikir silsilesi: **the ~ to be taken**, tutulacak yol: **read between the ~s**, üstü kapalısını kavramak: **he is working on the right ~s**, doğru yol üzerinde çalışıyor: **somewhere along the ~**, bir yerde: **static ~**, (*hav.*) açma kordonu.
line[2] *f.* Çizgileri çizmek; çizgilerle doldurmak. **~ through**, çizmek, silmek: **~ up**, sıraya girmek, sıralar teşkil etm.; dizmek: **~ with trees**, (yol vb.) yanlarında ağaçlar dikmek.
line[3] *f.* Astar koymak; kaplamak.
linea·ge ['lini·ic]. Soy; sülâle; nesil. **~l**, hattî, çizgiye ait: **~ descendant**, doğrudan doğruya torun. **~ment**, yüz hattı: **~s**, çehre. **~r**, hattî, çizgil, çizgisel, doğrusal; birinci derece: **~ accelerator**, çizgiboyu hızlandırıcı: **~ equation**, birinci derecede denklem: **~ measurement**, boy/uzunluk ölçüsü.
lined[1] [laynd]. Astarlı. **a well-~ purse**, dolgun kese.
line·d[2]. Çizgili; buruşuk. **~-drawing**, tarama resim.
linen ['linən]. Keten bezi; içgömleği ve yatak çarşafı gibi keten bezinden yapılmış eşya; çamaşır. **wash one's dirty ~ in public**, (bir cemiyet/aile vb. hakkında) kendi içyüzünü ortaya dökmek. **~-draper**, bezci.

line-of-battle ['laynəvbatl]. **~ship**, (*mer.*) savaş gemisi.
liner ['laynə(r)]. Büyük yolcu uçak/vapuru, transatlantik; (*müh.*) silindir kovan/gömleği; çizgici.
lines·man, *ç.* **-men** ['laynzmən]. (Telgraf/demiryolu vb.) hattı işçisi; (*sp.*) cizgi/hat hakemi.
line-up ['laynʌp] (*kon.*) (*ask.*) Sıraya durma; (*sp.*) oyuncuların yerlerini tutması; (*id.*) adayların ayrı ayrı partilerine bağlanması.
lin.ft. = LINEAR FOOT.
ling[1] [lin(g)]. Bir nevi funda, süpürge otu.
ling[2]. Morina cinsinden bir balık.
-ling [-lin(g)] *son.* Küçük, -cik [GOSLING]; (*köt.*) önemsiz [PRINCELING].
ling. = LINGUISTICS.
linger ['lin(g)gə(r)]. Bir yerden ayrılmak istemiyerek kalmak, gidişini ertelemek; hastalığı uzayıp ölmemek. **~ on a subject**, bir konuyu uzatmak. **~ing, a ~ death**, uzun bir can çekişme; **a ~ doubt**, kurtulunmaz bir şüphe: **a ~ look**, gözünü ayırmadan bir bakış.
lingerie ['la(n)jəri] (*Fr.*) Kadın içgömleği.
lingo ['lin(g)gou] (*kon.*) Yabancı dil; bir meslek/sınıfa mahsus kelimeler.
lingua franca [lin(g)gwə'franka] (*İt.*) Çeşitli diller konuşan halk tarafından kullanılan karışık bir dil; ortak anlaşma vasıtası olan bir dil: **English is the ~ of commerce**, İngilizce ticaret çevresinde ortak dildir.
lingu·al ['lin(g)gwəl]. Dile ait, lisanî. **~iform**, dil şekli(nde). **~ist**, dil uzmanı; dilci; çok yabancı dil bilen. **~istic** [-'gwistik], dil bilgisine ait: **~s**, lisaniyat, dilbilim. **~late** [-gyuleyt], dil şeklinde. **~o-**, *ön.* dil+.
liniment ['linimənt]. Vücude sürmek için yağlı bir ilâç.
lining ['laynin(g)]. Astar; dublür; iç kaplaması; (*müh.*) balata; tecrit. **there's a silver ~ to every cloud**, her şeyde bir hayır vardır.
link[1] [lin(g)k] *i.* Zincir halka/baklası; bağ; rabıta. *f.* Bağlamak, raptetmek. **~ arms**, (bir çok kişi) kol kola girmek: **missing ~**, noksan halka, boşluk; insanla maymun arasındaki yaratık: **~ of sausages**, tek sosis kangalı.
link[2] *i.* Meşale.
link[3] *i.* (*İsk.*) **~s**, deniz kenarındaki kum/çimenli arızalı arazi; (*sp.*) golf oyunu sahası.
link-[4] *ön.* **~age** [-kic], bağlantı; koşum; kol düzeni; manivela. **~-boy**, meşaleci. **~ing**, *s.* bağlayıcı. **~man**, meşaleci; (*sp.*) aracı; (*id.*) arabulucu. **~-trainer**, (*M.*) uçuş/şoförlük benzeticisi.
linn [lin] (*İsk.*) Şelâle; uçurum; nehrin derin ve sakin kısmı.
Linn(a)ean ['liniən]. Linne'ye ait: **~ system**, onun bitkileri tasnif sistemi.
linnet ['linit]. Keten/kenevir kuşu.
lino ['laynou] = LINOLEUM; LINOTYPE. **~-cut**, (*san.*) linol oyma. **~leum** [li'nouliəm], linoleom, yer muşambası. **~type** ['laynətayp] (*bas.*) linotip, dizgi makinesi.
linseed ['linsīd]. Keten tohumu. **~-cake**, keten tohumu küspesi. **~-oil**, bezir yağı.
linsey-woolsey [linzi'wulzi]. Yün ile keten/pamuk kaba kumaş; (*mec.*) bellisiz şey, saçma.
lint [lint]. Keten tiftiği; tımar tiftiği.
lintel ['lintl]. Lento; üst eşik.
lint·er ['lintə(r)] (*dok.*) Çekirdek temizleyicisi. **~y**, tiftikli.
liny ['layni]. Çizgili; buruşuk.
lion ['layən]. Aslan; herkesin merakını uyandıran kimse; görülmeğe değer yer. **make a ~ of/~ize s.o.**, başarı göstermiş bir kimseyi toplantılara davet ederek nazarı dikkati ona celbetmek; (bu davetleri sık sık tertip edenlere **~-hunter** denir): **mountain ~**, Amerika aslanı: **the ~'s mouth**, çok tehlikeli bir yer: **the ~'s share**, aslan payı: **twist the ~'s tail**, kasten İng.leri kızdıracak yayında bulunmak: **British ~**, İng.'nin simgesi olan aslan. **~ess**, dişi aslan. **~-hearted**, aslan yürekli, cesur. **~ize**, *yukarıya bkz.*
lip [lip]. Dudak, ağız; (*arg.*) yüzsüzlük. **hang on s.o.'s ~s**, birisinin ağzına bakmak: **keep a stiff upper ~**, kendine hâkim olm., korku/keder göstermemek: **none of your ~!**, yüsüzlüğün lüzumu yok! **~-deep**, sathî, yüzeysel, samimî olmıyan. **~ped** [lipt], dudaklı: **thin ~**, ince dudaklı: **tight ~**, sırrı söylemiyen. **~-read**, (sağırlar) sözü dudak hareketlerinden anlamak. **~salve**, dudak merhemi. **~-service**, samimî olmıyan cemile; göze girmek için yapılan vaitler. **~stick**, dudak boyası, ruj.
lipid ['lipid] (*kim.*) Yağ (gibi bir madde).
lipography [li'pogrəfi] (*dil.*) Harf/kelime(ler) atlanması.
liq. = LIQUID(ATION).
liquat·e ['likweyt] (*mad.*) Bir alaşım eriterek maddelerini ayırtmak. **~ion** [-'kweyşn], bu süreç.
lique·faction [likwi'fakşn]. Erime; sıvılaşma; mayileşme. **~fy** [-fay], eritmek; su haline getirmek, sıvı haline koymak, sıvılaş(tır)mak. **~scent** [-'kwesənt], sıvılaşır. **~ur** [-'kə̄(r)], likör.
liquid ['likwid] *s.* Mayi, sıvı; seyyal; berrak; nakde kolay çevrilir; arıtımlı, likit; elde bulunan (para); akıcı ses. *i.* Mayi, sıvı, sulu olan cisim. **~ assets**, nakde kolay çevrilir mal. **~amber**, günlük ağacı. **~ate** [-'deyt], tasfiye etm., arıtmak; öldürmek, yok etm. **~ation** [-'deyşn], tasfiye, arıtma, likidasyon; yok etme. **~ator**, tasfiye memuru; likidatör. **~ity** [-'kwiditi], likidite, arıtım.
liquor ['likə(r)]. İçki; mahlul; (*kim.*) çözelti. **be in/the worse for ~**, çakırkeyf olm.
liquorice ['likəris]. Meyankökü; meyanbalı.
lir·a, *pl.* **~e** ['līrə, -e]. Türk/İtalyan parası, lira.
Lisbon ['lizbən]. Lizbon.
lisle [layl]. **~ thread**, fildekos.
lisp [lisp] *f.* S ve Z harflerini th/dh gibi telaffuz etm.; peltek konuşmak, pelteklemek. *i.* Böyle telaffuz.
lissom ['lisəm]. Eğilip bükülür; çevik.
list[1] [list] *i.* Fihrist; defter; cetvel; liste; katalog; kadro. *f.* Bir defter/cetvele yazmak. **on the active ~**, faal hizmette: **alphabetical ~**, alfabe sırasıyle cetvel: **be on the danger ~**, (hasta hakkında) ölüm tehlikesinde olm.
list[2]. (Gemi) yan yatma(k).
list[3] *f.* (*mer.*) = ~EN; kulak vermek.
list[4] *i.* **~s**, JOUST/güreş sahası.
list[5] *f.* (*mer.*) İstemek. **the wind bloweth where it ~eth**, rüzgâr nereden isterse oradan eser.
listed ['listid] *s.* Listede bulunan; (*mal.*) kote olan.
listen ['lisn]. Kulak vermek, dinlemek. **~ to . . .**, -i dinlemek; -e dikkat etm.; -in sözünü tutmak: **~ in**, kulak misafiri olm.; radyoyu dinlemek. **~er**, dinleyici: **be a good ~**, başkasının sözlerini

dikkatle ve sabırla dinlemek: **~s never hear good of themselves**, kulak misafiri kendisi hakkında iyi bir şey işitmez: **~s' requests**, (*rad.*) dinleyicilerin istekleri.

listless ['listlis]. Kayıtsız; gayretsiz, gevşek; melül. **~ly**, gevşek bir halde. **~ness**, gevşeklik; kayıtsızlık.

list-price ['listprays]. Kesin/maktu fiyat.

lit [lit] *g.z.(o.)* = **light**[2,3]. *s.* **~ up**, (*arg.*) sarhoş.

lit. = LITERAL; LITERARY; LITERATURE.

litany ['litəni]. Kilisede kısa dualardan mürekkep ayin.

-lite [-layt] *son.* . . . taşı [OOLITE].

***liter** ['lītə(r)] = LITRE.

literacy ['litərəsi]. Okuyup yazma kabiliyeti, okuryazarlık, okumuşluk.

literae humaniores ['litərī hūmani'orez] (*Lat.*) Edebiyat; (Oxford'da) klasik diller imtihanı.

literal ['lit(ə)rəl]. Harfî; lafzî; harfi harfine; mecazî değil; hakikî, gerçek. **~ism**, harfi harfine yorum taraftarlığı. **~ist**, harfi harfine yorumlıyan/çeviren kimse. **~ize** [-layz], harfi harfine çevirmek. **~ly**, harfi harfine; tamamen: **he ~ has to beg for his food**, geçinmek için tam anlamıyle dileniyor.

litera·ry ['litərəri]. Edebiyata ait, edebî; yazın + : **~ man**, edip. **~te** [-rit], okur yazar; okumuş. **~*ti*** [-'rāti], edipler. **~*tim***, harfi harfine. **~ture** ['litrəçə(r)], edebiyat, literatür; edebiyat mesleği; edebiyat eserleri; kitabiyat; risale, rehber: **I wish I had some ~**, keşki yanımda okunacak bir şey bulunsaydı: **scientific ~**, fennî eserler.

-lith [-liθ] *son.* Taş [MONOLITH].

litharge ['liθāc]. Mürdesenk, yanmış kurşun.

lithe [layð]. Eğilir bükülür; çevik. **~ly**, çevik bir surette. **~ness**, çeviklik.

lith·ia ['liθiə]. Lityum oksidi. **~ic**, taş/lityuma ait. **-~ic**, *son.* -litik. **~ium** [-iəm], lityum.

litho- [liθo-] *ön.* Taş + ; (*yer.*) kayaç +. **~graph** [-θəgrāf] (*bas.*) taşbasması resim, litograf; taşbasması yapmak: **~er** [-'θogrəfə(r)], taşbasmacı: **~ic** [-θə'grafik], taşbasmasına ait: **~y** [-'θogrəfi], taşbasması, litografya; taşbasmacılığı. **~logy** [-'θoləci], taşbilim. **~lysis** [-'θolisis] (*tıp.*) ilâçla safra vb. taşını eritme. **~phyte** [-θəfayt], mercan gibi kireçli polip. **~print**, litograf. **~sphere** [-sfiə(r)], taşyuvar, taşküre. **~tomy** [-'θotəmi], safra vb.den taş çıkarma ameliyatı. **~tripsy**/**~trity**, safra vb. taşını ezme ameliyatı.

Lithuania [liθyu'eyniə]. Litvanya. **~n**, *i.* Litvanyalı; Litvanyaca: *s.* Litvanya +.

litig·ant ['litigənt]. Davacı. **~ate**, dava açmak, mahkemeye müracaat etm. **~ation** [-'geyşn], dava (etme). **~atory** [-'geytəri], davaya ait. **~ious** [-'ticəs], davadan hoşlanır; kavgacı olan; kavgalı.

litmus ['litməs]. Litmus. **~ paper**, turnusol kâğıdı. **~ test**, (*id., mec.*) kesin bir deneme.

litotes ['laytotīz] (*edeb.*) Bir şeyi olduğundan az gösterme.

litre, *liter ['litə(r)]. Litre.

Litt.D = DOCTOR OF LETTERS.

litter[1] ['litə(r)]. Sedye; teskere; tahtırevan.

litter[2] *i.* Domuz/köpek vb.nin bir batında doğurduğu yavrular; yataklık. *f.* Bir batında çok yavru doğurmak.

litter[3] *i.* Ahırlarda kullanılan saman vb.; çörçöp, döküntü; karmakarışıklık. *f.* Dağıtmak; eşyayı karmakarışık yığmak. **'drop no ~!'**, çöplerini atma!: **~ up**, karmakarışık etm. **~-bag**, çöp torbası. **~-bin**, çöp tenekesi. **~-bug**/**-lout** [-bʌg, -laut], çöplerini her yere atan kimse.

littérateur [lïterā'tə(r)]. Edip.

little ['litl]. Küçük, ufak; cüce; az. **a ~**, biraz: **~ by ~**, azar azar, tedricen: **every ~ helps**, ne kadar az olursa olsun işe yarar: **for a ~ (while)**, bir süre, biraz (zaman): **so that's your ~ game!**, demek kurduğun kumpas buydu!: **he ~ knows/dreams what fate awaits him**, başına gelecekten haberi yok: **~ or nothing**, hiç denilecek kadar, az buçuk: **the ~ ones**, yavrular: **the ~ people**, periler: **think ~ of s.o.**, birini küçük görmek, aşağı görmek: **think ~ of stg.**, bir şeyi değersiz tutmak: **think ~ of others**, (i) herkesi küçük görmek; (ii) başkalarını düşünmemek: **he thinks ~ of walking 20 miles**, onun için 20 mil işten bile değil: **I know his ~ ways**, ben onun acayipliklerini/şeytanlıklarını bilirim: **he did what ~ he could**, elinden gelen azıcık yardımı esirgemedi. **~-end**, (*oto.*) piston kolu ayağı. **~-Englander**, imparatorluk siyaseti aleyhtarı olan İngiliz. **~-go**, (Cambridge üniversitesi) ilk imtihan. **~ness**, küçüklük; azlık; dar düşüncelilik; miskinlik; önemsizlik.

littoral ['litərəl] *i.* Sahil, kıyı. *s.* Kıyı +, kıyısal.

liturg·ic(al) [li'tācik(l)] (*din.*) Ayin/dualara ait. **~ics**, ayinlerin tarih/yorumu. **~y** ['litəci], cemaatle ibadete mahsus dualar; ayin.

livable ['livəbl]. İçinde yaşanır; oturma/yerleşmeye uygun; (hayat) değerli.

live[1] [layv] *s.* Diri, canlı, hayatta; (*elek.*) tansiyonlu. **~ bait**, canlı olta/tuzak yemi: **~ coals**, kor halinde kömür: **~ (performance)**, (*rad.*) yapılan anda yayınlanan temsil: **~ wire**, tansiyonlu tel; (*mec.*) pek faal ve girişken adam.

live[2] [liv] *f.* Yaşamak; geçinmek; ikamet etm.; oturmak, yatmak. **~ down a scandal/mistake, etc.**, bir rezalet/hata vb.ni unutturmak: **one has got to ~**, geçim dünyası bu!: **~ and learn!**, 'bir yaşıma daha girdim'; yaşıyan görür: **~ and let ~**, herkesin yaşamağa hakkı var; müsamahalı ol; kendinden pay biç!: **(servant/employee) ~ in**, (hizmetçi/işçi) çalıştığı yerde yatmak ve yiyip içmek: **long ~!**, yaşasın!: **~ on**, yaşamağa devam etm.: **~ on very little**, çok az yemek; az para ile geçinmek: **he has very little to ~ on**, geçinecek parası çok az: **~ on s.o.**, birisinin parasıyle geçinmek; birisinin sırtından geçinmek: **~ on vegetables**, sebze yiyerek yaşamak: **~ out**, çalıştığı yerde yatmamak; (bir genç) evde oturmamak: **I can't ~ up to my wife**, karımın gidiş/yaşayışına uyamıyorum.

-lived [-livd] *son.* -ömürlü [LONG-LIVED].

live·lihood ['layvlihud]. Maişet; rızk; geçinme: **make a decent/scanty ~**, çok/az para kazanmak. **~liness** [-linis], şetaret; canlılık; oynaklık; çeviklik. **~long, the ~ day/night/summer**, uzun/sonsuz/bitmek tükenmek bilmez gün/gece/yaz vb. **~ly**, canlı; şen, neşeli; civelek, kıvrak, oynak. **~n, ~ up**, canlandırmak. **~r**[1] ['livə(r)], (filan tarzda) yaşıyan: **evil/loose ~**, sefih, ahlâksız.

liver[2]. Karaciğer. **have a ~**, karaciğeri bozuk olm.; karasevdalı/safralı/titiz ve ters olm. **~-fluke**, karaciğer kelebeği.

liveried ['livərid]. Resmî elbiseli (uşak).

liverish ['livəriş]. Karaciğeri bozuk; safralı; titiz, ters.

Liver·pool ['livəpūl]. Liverpool şehri. ~**pudlian** [-'pʌdliən], Liverpool'da yaşıyan kimse; Liverpool'a ait.

liver·wort ['livəwɔ̄t]. Kuzu yosunu. ~**y**[1], karaciğer gibi; = ~ISH.

livery[2] ['livəri]. Büyük konaklarda uşakların giydikleri özel elbise; livre. ~**-company**, Londra'da büyük esnaf cemiyeti. ~**-horse**, kira beygiri. ~**man**, esnaf cemiyetinin üyesi; ahırbaşı. ~**-stable**, kiraya verilen atların ahırı.

lives [layvz] *ç.* = LIFE; [livz] *şim.* = LIVE[2].

livestock ['layvstok]. Bir çiftlikteki canlı hayvanlar.

livid ['livid]. Ezik renginde olan. ~ **with anger/cold**, hiddet/soğuktan mosmor.

living[1] ['livin(g)] *s.* Diri, canlı, hayatta. **a** ~ **death**, ölümden beter bir hayat: **in the land of the** ~, yaşıyanlar arasında: **no** ~ **man could do better**, bugün (hayatta bulunanlar arasında) bunu hiç kimse daha iyi yapamaz.

living[2] *i.* Hayat tarzı; geçinme; geçim; yaşama; bir yere papaz tayin etme/olunma hakkı. **family** ~, bir aileye tanınmış olan bu hak: **earn one's own** ~, eli ekmek tutmak, ekmeğini çıkarmak: **make a** ~, hayatını kazanmak: **standard of** ~, yaşama düzeyi, hayat standardı: **a** ~ **wage**, asgarî geçinme ücreti. ~**-allowance**, yeme-içme ve barındırma giderleri, iaşe ve ibate masrafları. ~**-room**, oturma oda/salonu. ~**-theatre**, tiyatro (*yani sinema değil*).

lixiviat·e [lik'sivieyt] = LEACH. ~**ion** [-'eyşn], toprak yıkanması.

lizard ['lizəd]. Kertenkele.

†**LJ** = LAW JOURNAL; LORD JUSTICE. ~**J** = LORDS JUSTICES.

'll [-əl] (*kis.*) = SHALL; WILL[2].

LL = LEASE-LEND; LIMITED LIABILITY; LORD LIEUTENANT.

ll. = LINES.

llama ['lāmə] (*zoo.*) Lama.

LL·B/D/M = BACHELOR/DOCTOR/MASTER OF LAWS.

Lloyd's [loydz]. Deniz sigortası kumpanyası, Loyit.

lm. = LUMEN.

LM = *LEGION OF MERIT; LONG METRE; LORD MAYOR; LUNAR MODULE. ~**C** = LLOYD'S MACHINERY CERTIFICATE. ~**S(R)** = LONDON, MIDLAND & SCOTTISH (RAILWAY). ~**T** = LOCAL MEAN TIME.

lmt = LIMIT.

ln = NATURAL LOGARITHM.

LN·E(R) = LONDON & NORTH EASTERN (RAILWAY). ~**G** = LIQUEFIED NATURAL GAS.

lo [lou] *ünl.* (*mer.*) İşte!, bak!

loach [louç]. Taşısıran.

load[1] [loud] *i.* Yük, ağırlık; hamule; dolu. **I have a** ~ **on my mind**, zihnimi meşgul eden bir şey var: **take a** ~ **off one's mind**, rahat nefes aldırmak, ferahlatmak: ~**s of**, (*kon.*) pek çok, bol bol.

-load[2] *son.* . . . yükü [BOATLOAD].

load[3] *f.* Yükletmek, tahmil etm.; takmak; (silâh) doldurmak. ~ **favours, etc., on s.o.**/~ **s.o. with favours**, birine lütuf vb. yağdırmak, ibzal etm. ~**ed**, yüklü, yüklenmiş; dolu; (*arg.*) sarhoş: ~ **cane**, ucu kurşunlu değnek: ~ **dice**, cıvalı zar. ~**er**, yükleyici; doldurucu: **muzzle** ~, namludan doldurulan tüfek. ~**ing**, yükle(t)me, tahmil. ~**-line**, (*den.*) su kesimi, yük çizgisi. ~**master**, (*hav.*) yük uçağındaki yükler için mesul olan uçakçı. ~**-shedding**, (*elek.*) genel karartmayı önlemek için mahallî güç kesilmesi. ~**star/stone** = LODE.

LO = LIAISON OFFICER; LONDON OFFICE. ~**A** = LEAVE OF ABSENCE; LENGTH OVER ALL.

loaf[1], *ç.* **loaves** [louf, -vz]. Bir ekmek, somun; (*arg.*) baş. **a** ~ **of sugar**, şeker kellesi: **half a** ~ **is better than no bread**, bu hiç yoktan iyidir: **use your** ~!, (*arg.*) düşün biraz!

loaf[2] *f.* ~ **about/around**, haylazca vakit geçirmek; sokak arşınlamak. ~**er**, vaktini boş geçiren; haylaz herif, kaldırım mühendisi: *~**s**, (*arg.*) = PLIMSOLLS.

loam [loum]. Kum ve balçık ve bitkisel topraktan mürekkep özlü toprak. ~**y**, bu toprağa ait.

loan [loun] *i.* İstikraz, kredi; ödünç verme/alma, ikraz; iğreti, ariyet. *f.* Ariyet vermek; ikraz etm., faiz karşılığında ödünç para vermek. **have the** ~ **of**, ödünç almak: **on** ~ **to . . .**, -e ödünç verilmiş: **raise a** ~, istikrazda bulunmak, borçlanmak. ~**able**, ödünç olarak/ariyeten verilir. ~**-collection**, sergi/müzeye ariyeten verilen resimler vb. ~**-office**, özel kredi bankası. *~**shark**, tefeci, dolandırıcı. ~**-value**, alınabilecek ödünç para limiti. ~**-word**, bir dile başka bir dilden harfi harfine alınan bir kelime.

loath [louθ]. İsteksiz. **be** ~ **to do stg.**, bir şeyi yapmağa gönlü olmamak: **I am** ~ **for you to do this**, bunu yapmanızı istemezdim: **he did it nothing** ~, memnuniyetle/canına minnet yaptı.

loath·e [louð]. Nefret etm., iğrenmek. ~**ing**, nefret, iğrenme; istikrah. ~**some** ['louθsəm], iğrenç; müstekreh.

loaves [louvz] *ç.* = LOAF[1].

lob [lob] *f.* Havaya atmak, aşırmak. *i.* Havaya atılmış/vurulmuş bir top.

loba·r ['loubə(r)] (*tıp.*) Loplara ait. ~**te** [-beyt], loplu; lop şeklinde.

lobby ['lobi] *i.* Koridor, dehliz, dalan; vestiyer. *f.* (Meclis koridorlarında) mebusların oylarını istemek. ~**-correspondent**, parlamento gazetecisi.

lobe [loub]. Bir organın yuvarlak ve çıkıntılı kısmı; lop; fus; kulak memesi. ~**ctomy**, lop ameliyatı. ~**d**, (*mim.*) oymalı.

lobelia [lou'bīliə]. Lobelya çiçeği.

lobotomy [lou'botəmi] (*tıp.*) Bir nevi beyin ameliyatı, lobotomi.

lobster ['lobstə(r)]. Istakoz. **spiny** ~, langust. ~**-pot**, ıstakoz sepeti.

lobule ['lobyūl]. Lopçuk.

lob-worm ['lobwɔ̄m]. Balık yemi için kullanılan solucan.

local ['loukl] *s.* Mahallî, yerel, mevziî; (*tiy.*) yöresel; yerel, yerli; oralı buralı. *i.* **the** ~, (*arg.*) mahalledeki birahane/gazete vb.: ~ **colour**, (*edeb.*) yerel renk (veren tarif): ~ **government**, mahallî idare: †~ **option**, içkiler satılışının mahallî yasağı: ~ **time**, yerel saat. ~**e** [-'kāl], olay yeri. ~**ism** [-kəlizm], yöresel tabiat; dar fikirlilik; yöresel deyim/telaffuz. ~**ity** [-'kaliti], yer; civar; semt; çevre: **have a bump of** ~, kolayca cihet tayin edebilmek, her hangi bir yerde yolunu bulabilmek. ~**ization** [-kəlay'zeyşn], yerelleş(tir)me; tahdit ed(il)me. ~**ize** [-layz], mevziîleştirmek, yerelleştirmek, yereltmek, yersemek; tahdit etm.; tecrit etm.: ~**d**, yerel; lokal; sınırlı,

yayılmamış. ~**ly**, kendi mahallesinde; civarında; çevresinde.
locat·e [lou'keyt]. Yerini tayin/keşfetmek. **be ~ed in a place**, bir yerde yerleştirilmek. ~**ion** [-'keyşn], yerini tayin etme/keşfetme; yerleştirme; mevki: **on ~**, (*sin.*) dışarıda. ~**ive** ['lokətiv] (*dil.*) kalma/ bulunma durumu, -de hali. ~**or**, lokeytör.
loc. cit. = LOCO CITATO.
loch [loğ] (*İsk.*) Göl. **sea ~**, körfez.
lock[1] [lok] *i.* Lüle; perçem; kâkül.
lock[2] *i.* Kilit; tüfek çakmağı; tıkama; hareketli nehir/kanal seddi. **air ~**, hava hücre/bölmesi: **canal ~**, kanal havuzu, savak: **combination ~**, şifreli kilit: **dead ~**, kör düğüm: **mortice ~**, bindirme kilit: **Yale ~**, (*M.*) güvenli kilit: **~ stock and barrel**, topu birden; ne var ne yok hepsi: **under ~ and key**, kilit altında; hapiste: **pick a ~**, bir kiliti anahtarsızca açmak.
lock[3] *f.* Kilitle(n)mek; kenetlenmek; (makine parçaları) iç içe geç(ir)mek; (fren) bloke ed(il)mek. **~ away**, kilit altında bulundurmak: **~ in**, birinin üzerinden kapıyı kilitlemek: **~ out**, kapıyı kilitleyip birini dışarıda bırakmak; (fabrika) lokavt yapmak: **~ up**, kilit altında bulundurmak; hapsetmek; (sermaye) bloke etm.
lock-[4] *ön.* ~**age** ['lokic], (savak havuzları) seviye farki/geçme ücreti. ~**ed**, *s.* kilitli, kilitlenmiş. ~**er**, dolap; ambar: **chain ~**, (*den.*) zincirlik: DAVY JONES's ~. ~**et** [-kit], madalyon. ~**-gate**, kanal/ havuz kapağı. ~**-in** = SIT-IN. ~**jaw** [-cō], tetanos, kazıklı humma. ~**nut** [-nʌt], emniyet somunu, ters/ kontra somun. ~**-on**, (*hav.*) radarla otomatik uzay izlemesi. ~**out**, lokavt, iş kapatımı. ~**smith** [-smiθ], çilingir. ~**stitch** [-stiç], çözülmez dikiş. ~**-up**, mahpuslar nezarethanesi. ~**-washer**, tespit rondelası, yaylı rondela.
loco[1] [loukou] = LOCOMOTIVE.
***loco**[2] (*İsp., arg.*) Deli, çılgın.
loco citato [lokousi'tātou] (*Lat.*) Yukarıda zikredilen kitap/yerde.
locomot·ion [loukə'mouşn]. Bir yerden kalkıp başka bir yere gitme; hareket; yürüme. ~**ive** ['loukəmoutiv], hareket ettirici; lokomotif. ~**or**, harekete ait.
locum(-tenens) ['loukəm'tenenz] (*Lat.*) Geçici olarak başkasının görevini üzerine alan kimse; vekil.
locus ['loukəs] (*Lat.*) Yer. **~ standi**, salâhiyet, yetki.
locust ['loukʌst]. Doğuya mahsus büyük ve zararlı çekirge; ekin çekirgesi, Afrika göçmen çekirgesi. ~**-bean**, keçi boynuzu, harup. ~**-tree**, harup ağacı. ~**-years**, yoksunluk/güçlük yılları.
locution [lo'kyūşn]. Tabir, deyim; anlatış tarzı.
locutory ['lokyutəri]. (Manastır) konuşma odası.
lode [loud]. Maden damarı; cevher kökü. ~**star**, kutup yıldızı, hedef, rehber, kılavuz. ~**stone**, doğal mıknatıs.
lodge[1] [loc] *i.* Kapıcı/bahçıvan evi; farmason locası. **shooting ~**, av köşkü. ~**-keeper**, (büyük evde) bahçe kapıcısı.
lodge[2] *f.* Birini geçici olarak bir evde oturtmak; bir yerde geçici olarak oturmak; yerleşmek. **~ a complaint**, bir şikâyette bulunmak: **~ with s.o.**, birinin evinde oturmak; biriyle düşüp kalkmak. ~**r**, başkasının evinde bir iki oda kiralıyan kimse, pansiyoner: **take in ~s**, kendi evinde bir(kaç) oda kiraya vermek.
lodging ['locin(g)]. Barınacak yer; mesken, konut. ~**s**, pansiyon. ~**-house**, pansiyon: **common ~**, (düşkünler için) misafirhane.
loess ['loues]. Lös, tozla.
L of N = LEAGUE OF NATIONS.
loft [loft] *i.* Tavanarası, damaltı; güvercinlik; büyük bir ev/kilise mahfili; şirvan. *f.* Tavanarasına koymak; (golf) topu vurup havaya kaldırmak. ~**er**, özel bir golf değneği.
loft·ily ['loftili]. Yüksekten; kibirli/gururlu bir surette. ~**iness**, yükseklik; çalım, kibir, gurur. ~**y**, yüksek; âli; ulvî; bülent, azametli, kibirli, gururlu.
log [log] *i.* Kütük, tomruk; (*den.*) parakete; gemi jurnalı. *f.* Gemi jurnalına kaydetmek; ağacı tomruklara biçmek/kesmek. **patent ~**, uskurlu parakete: **heave/stream the ~**, parakete atmak: **King ~**, faaliyet göstermiyen fakat zararsız bir hükümdar hakkında kullanılır.
log. = LOGARITHM; LOGIC; LOGISTICS.
loganberry ['lougənberi]. Böğürtlen ile ağaç çileğinin birleşmesinden hâsıl olan meyva.
logarithm ['logəriðm]. Logaritma. ~**ic**, logaritma +.
log·-book ['logbuk]. Gemi jurnalı; rota jurnalı; yol/ seyir defteri. ~**-cabin**, kütüklerden yapılmış kulübe.
-loger [-locə(r)] *son.* ... bilgini [ASTROLOGER].
logg·ed [logd] *s.* Ağırlanmış; kaydedilmiş. ~**er** = LUMBERJACK: ~**heads, at ~**, araları açık.
loggia ['lociə]. Revak; kemeraltı.
logging ['login(g)]. Ağaçları tomruk haline biçme/ kesme.
logic ['locik]. Mantık ilmi; (*elek.*) hesap makinesinin mantıkî faaliyeti. ~**al**[1] [-kl], mantıkî. -~**(al)**[2], (*son.*) ... bilgisine ait [BIOLOGICAL]. ~**ally**, mantıkî olarak. ~**ian** [-'cişn], mantıkçı.
-logist [-locist] *son.* ... bilim uzmanı; -bilgini; -log [BIOLOGIST].
logistics [lo'cistiks] (*ask.*) Ordular hareket/ levazımatına ait işler (bilgisi); lojistik.
logo ['logou] (*bas.*) Simge, rumuz. ~**gram/-graph** [-gəgram, -graf], bir kelime ifade eden stenografi sembolü. ~**rrhoea** [-'riə], sözçokluğu; uzun uzadıya konuşma.
Logos ['logos]. Allahın Sözü, Hazreti İsa.
logotype ['logətayp] (*bas.*) Birkaç harf kapsayan klişe.
-logue [-log] *son.* ... sözü [EPILOGUE].
logwood ['logwud]. Bakkam.
***logy** [louci]. Rehavetli; uyuşuk.
-logy [-loci] *son.* ... fen/bilgi/bilimi; -loji [BIOLOGY].
loin [loyn]. Fileto. ~**s**, bel altı, sulp, döl: **gird up one's ~**, etekleri sıvamak: **sprung from the ~ of**, -in sulbünden gelme. ~**-chop**, pirzola. ~**-cloth**, peştamal.
loiter ['loytə(r)]. Boş gezmek, sürtmek, dolaşmak; gecikmek; sallanmak; oyalanmak. ~**er**, boş gezen, dolaşan.
loll [lol]. Tembelce oturmak; (dil) ağzından sarkmak. **~ about/back, etc.**, tembelce oturmak, uzanmak, yayılıp oturmak, gevşemek: **~ out its tongue**, (köpek) dilini sarkıtmak.
lollipop ['lolipop]. Ufak değnekteki (yuvarlak) şekerleme/dondurma; bu şekilde bir trafik işareti.

~-man, bu işareti tutup çocukları emniyetle yoldan geçiren adam.
lollop ['loləp]. Tembelce oturmak/dolaşmak.
lolly ['loli] = LOLLIPOP; (*kon.*) para.
London ['lʌndən]. Londra. **~er**, Londralı. **~-pride**, bir nevi taşkıran çiçeği. **~-smoke**, sis.
lone [loun]. Tenha; kimsesiz. **play a ~ hand**, bir işte yalnız başına kalmak. **~liness**, yalnızlık; ıssızlık. **~ly**/**~some** [-sʌm], yalnız, kimsesiz; tenha, ıssız. **~r** ['lounə(r)] (*kon.*) yalnız başına geçinen kimse.
long[1] [lon(g)] *f.* **~ to do stg.**, bir şeyi yapmağı çok istemek: **~ for**, -in özlemini çekmek, -e can atmak, imrenmek: **he ~s for Istanbul**, İstanbul burnundan tütüyor: **I ~ to see you**, seni göreceğim geldi.
long[2] *s.* Uzun. *i.* Uzun süre. **be ~ in the arm**, kolları uzun olm.: **the arm of the Law is very ~**, kanunun gücü her yere yetişir: **as ~ as I live**, ömrüm oldukça: **it will take as ~ as three years**, üç yıl kadar sürer: **you can play there as ~ as you don't go near the river**, nehrin yanına gitmemek şartıyle orada oynayabilirsiniz: **a week at the ~est**, en fazla bir hafta: **I had only ~ enough to eat a sandwich**, yalnız bir sandviç yiyecek vakit buldum: **how ~ will it take?**, ne kadar sürecek?: **how ~ have you been here?**, buraya geleli ne kadar oldu?: **he hasn't ~ to live**, fazla yaşayamaz: **three ~ miles**, üç milden fazla: **a ~ price**, yüksek bir fiyat: **a ~ purse**, dolu kese: **the ~ and the short of it**, işin özeti: **the best by a ~ way**, çok büyük bir farkla en iyisi: **go a ~ way**, uzak gitmek; büyük bir etki yapmak, pek faydalı olmak: **he will go a ~ way**, bu adam çok ilerler: **take the ~est way round**, en uzak yoldan gelmek; bir işi gereksiz şekilde yapmak: **he is a ~ while/time in coming**, çok uzadı, geç kaldı.
long. = LONGITUD·E/-INAL.
long·-ago ['lon(g)əgou]. Eski zaman(a ait). **~boat** [bout], büyük sandal, şalupa. **~-bow**, eski İngiliz kemankeşlerinin kullandığı çok kuvvetli bir yay: **draw the ~**, mübalağa etm., abartmak. **~-clothes**, kundak. **~-distance (call, etc.)**, şehirlerarası telefon/otobüs vb.; uzun mesafeli yarış vb. **~-drawn out**, uzun uzadıya, uzayıp giden. **~-eared** [-iəd], uzun kulaklı.
longeron ['loncərən] (*hav.*) Lonjeron.
longev·al [lon(g)'cīvəl]. Uzun ömürlü, muammer. **~ity** [-'ceviti], uzun ömürlülük.
long·hand ['lon(g)hand]. Adi yazı, el yazısı (*yani stenografi değil*). **~-headed** [-hedid], uzunbaşlı; (*mec.*) zeki, açıkgöz. **~ing**, *i.* büyük arzu/istek: **have a ~ for**, . . . arzusunda olm./bulunmak. **~ish**, oldukça uzun.
longitud·e ['loncityūd]. Boylam, tul. **~inal** [-'tyūdinl] *s.* tulânî, boyuna: *i.* uzunluk, tulânî boy; uzunlama kirişi.
long·-last ['lon(g) lāst]. **at ~**, en nihayette, sonunda. **~-lived** [-livd], uzun ömürlü. **~-lost**, çoktan kaybolmuş: **a ~ friend**, çoktandır görülmiyen ahbap. **~-measure**, uzunluk ölçüsü. **~-range**, uzun mesafe/müddet/menzilli (top, hava tahmini vb.). ***~shore·man**, *ç.* **-men** [-'şōmən], yükleme-boşaltma işçisi, liman işçisi. **~-shot**, uzaktan ateş (etme). **~-sighted** [-'saytid], presbit; dürbün, uzağı gören; (*mec.*) geleceği iyi anlıyan. **~-standing**, müzmin, süreğen; eski. **~-stop**, (*sp.*) son müdafi/savunucu; (*mec.*) son müdafaa/savunma. **~-suffering**, *s.* cefakeş, sabırlı, hazımlı; müsamahakâr: *i.* sabır, müsamaha, hoşgörü. **~-tailed**, uzun kuyruklu. **~-term**, uzun vade/süreli. **~ways/-wise** [-weyz, -wayz], uzunluğuna. **~-winded**, (*sp.*) nefesi kesilmez; (*mec.*) uzun uzadıya konuşan.
lonicera [lo'nisərə]. Hanımeli.
loo[1] [lū]. Bir iskambil oyunu.
loo[2]. (*kon.*) Apteshane, yüz numara.
looby ['lūbi] (*arg.*) Ahmak, aptal.
loofah ['lūfə]. Lif; kol kabağı.
look[1] [luk] *i.* Bakış; görünüş; manzara. **have a ~ at**, gözden geçirmek: **take a good ~ at**, iyice bakmak, süzmek: **have/take a ~ round (the town)**, (şehri) dolaşmak, gezmek: **one could see by his ~ that he was angry**, kızdığı yüzünden belli idi: **I don't like his ~s**, bu adamın yüzünü hiç beğenmiyorum: **I don't like the ~ of the thing**, bana bu iş şüpheli görünüyor: **from the ~ of him**, görünüşüne bakılırsa: **he has the ~ of his father**, o babasını andırıyor: **good ~s**, güzellik.
look[2] *f.* Bakmak; görünmek. **~ like**, benzemek: **it ~s like raining**, yağmur yağacağa benziyor: **she ~s her age**, yaşını gösteriyor: **he ~ed a query at me**, yüzüme sorar gibi baktı: **you ~ well**, iyi/sağlıklı/sağlam görünüyorsun: **you ~ well in that hat**, o şapka size yakışıyor. **~ about**, **~ about one**, çevresine bakmak: **~ about for s.o.**, gözleriyle birisini araştırmak: **~ about for a job**, bir iş aramak. **~ after**, bakmak; mukayyet olm.; çekip çevirmek; idare etm.: **he is old enough to ~ after himself**, artık kendini idare edecek yaştadır. **~ at**, bakmak: **to ~ at him one would think he was starved**, yüz/vücudüne bakan onu açlıktan ölüyor zanneder: **what sort of man is he to ~ at?**, (şeklen) nasıl bir adam?: **he's not much to ~ at, but . . .**, görünüşte bir şeye benzemiyor, amma . . .: **the way of ~ing at things**, telâkki, görüş tarzı. **~ back**, arkaya/geriye bakmak: **~ back upon the past**, maziye dönüp bakmak: **what a day to ~ back to!**, bu günü daima zevkle hatırlayacağız! **~ down**, aşağıya bakmak: **~ down a list**, bir listeyi gözden geçirmek: **~ down upon**, hor görmek, tepeden bakmak. **~ for**, aramak; beklemek: **he is ~ing for trouble**, belâsını arıyor. **~ forward**, ileri bakmak: **I am ~ing forward to seeing him**, onu göreceğim zamanı zevkle bekliyorum. **~ in**, **~ in at the window**, pencereden içeriye bakmak: **~ in upon s.o.**, geçerken birisine uğramak. **~ into**, tetkik etm.; göz önünde tutmak; (dosya vb.) karıştırmak. **~ on**, bakmak; boş durup seyirci olm.; = **~** UPON. **~ out**, dışarı bakmak; nazır olm.; dikkat etm.; aramak: **~ out (for yourself)!**, dikkat et!, kendine sakın!: **everyone must ~ out for themselves**, herkes başının çaresine bakmalı: **~ out a train in the timetable**, tarifede trene bakmak. **~ over**, göz gezdirmek; nazır olm.: **~ over a house**, bir evi gezmek, bir eve bakmak: **~ s.o. all over**, birisini baştan aşağı süzmek. **~ round**, etrafına bakmak; dönüp bakmak, gezmek, dolaşmak. **~ through**, gözden geçirmek, süzmek: **~ s.o. through and through**, birine içini okur gibi bakmak. **~ to**, **~ to stg.**, bir şeye bakmak: **~ to the future**, geleceği düşünmek: **~ to s.o. to do stg.**, bir iş için birisine güvenmek: **I ~ to going to Scotland this autumn**, bu sonbahar İskoçya'ya gideceğimi umuyorum: **I ~ed to find a beautiful woman but I met an old hag**, güzel bir

kadın bulacağımı beklerken bir acuze ile karşılaştım. ~ **up**, yukarıya bakmak; başını kaldırmak: ~ **up to s.o.**, birine itibar etm.; **business is ~ing up**, işler canlanıyor: ~ **up a word in the dictionary**, bir kelime için sözlüğe bakmak: ~ **s.o. up**, birisini gidip görmek. ~ **upon**, bakmak, saymak, telâkki etm.: **nice to ~ upon**, güzel.

look-[3] *ön.* ~**er**, bakan kimse: **good ~**, (*kon.*) güzel, yakışıklı: ~**-on**, seyirci. ~**-in**, teklifsiz bir ziyaret: **not to have a ~**, kazanması hiç muhtemel olmamak. -~**ing**, *son.* ... görünüşlü/yüzlü. ~**ing-glass**, *i.* ayna: *s.* tersine çevrilmiş, tamamen değişmiş, altüst. ~**-out**, gözetleme (yeri); gözcü; manzara: **keep a ~**, dikkat etm., dikkatli bulunmak: **be on the ~ for**, kollamak: **it is a poor ~ for him**, geleceği karanlık görünüyor: **that's his ~**, bu onun bileceği şey. ~**-see**, (*kon.*) acele ve kısa bakış: **take a ~**, bakıvermek.

loom[1] [lūm] *i.* Dokuma tezgâhı; (*elek.*) hazır tel düzeni.

loom[2] *f.* Karaltı gibi gözükmek. ~ **large**, olması pek yakın görünmek: ~ **up**, karanlık/sisten hayal meyal ve olduğundan daha büyük görünmek: **dangers ~ing ahead**, tehdit eden tehlikeler.

loon[1] [lūn]. Bir nevi dalgıç kuşu.

loon[2]. Ahmak adam; serseri; genç erkek. ~**y**, meczup, kaçık.

loop [lūp] *i.* İlmek; ilik; halka; büklüm; nehir/yol dirseği; perde bağı; (*rad.*) lup, çerçeve; (yol) dolaşık; (*tıp.*) gebelikten koruyan bir cihaz. *f.* İlmeklemek. ~ **the ~**, (*hav.*) takla atmak. ~**er**, bir cins tırtıl. ~**hole**, (*ask.*) mazgal, barbakan; (*mec.*) kaçamak. ~**ing-the-~**, (*hav.*) luping. ~**-line**, ana hattan ayrılıp sonra tekrar kavuşan telgraf hattı/demiryolu.

loose[1] [lūs] *i.* Gevşek; ayrı; sallanan, laçka; bağlanmamış, başıboş; boşanmış; açık; sarkık; seyrek; liynetli. **become/get ~**, gevşemek; ayrılmak; oynamak, yerinden çıkmak; çözülmek: **break ~**, boşamak, kurtulmak: **cast ~**, geminin halatlarını salıvermek: ~**ly clad**, bol elbiseli: ~ **end of rope**, ipin sarkan ucu: **be at a ~ end**, işsiz olm., yapacak işi olmamak: **go on the ~**, hovardalık/çapkınlık etm.: **let/set ~**, serbest bırakmak, salıvermek: ~ **change**, (cebinde) bozuk para: ~ **cover**, koltuk/kanape vb. için kaldırılabilen örtü: ~ **living**, sefahat: **carry money ~ in one's pocket**, parayı (çanta icinde değil) cebinde taşımak: **a ~ translation**, serbest tercüme.

loose[2] *f.* Salıvermek; serbest bırakmak; çözmek; (ok) atmak. ~ **one's hold**, sıkı tutmamak, gevşek bırakmak: ~ **hold of stg.**, salıvermek.

loose-[3] *ön.* ~**-fitting**, laçka, gevşek; (elbise) bol. ~**-leaf**, yaprakları ayrı ayrı olan (defter). ~**ly**, gevşek/laçka/sarkık vb. bir surette: **word ~ employed**, tam yerinde kullanılmıyan kelime: ~ **woven**, seyrek dokunmuş. ~**strife**, (*bot.*) altın kamışı.

loosen ['lūsn]. Gevşetmek; laçka etm.; çözmek; gevşemek; çözülmek. ~ **the bowels**, mülayemet vermek: ~ **a cough**, öksürüğü söktürmek: ~ **s.o.'s tongue**, dilini çözmek.

loot [lūt] *i.* Yağma, çapul; ganimet, yağma malı. *f.* Yağma etm., çapullamak.

lop[1] (*g.z.(o.)* ~**ped**) [lop(t)]. ~ **(off)**, budamak; ucunu kesmek; düşürmek.

lop[2]. ~ **over**, sarkmak: ~ **along**, kısa atlayışlarla ilerlemek.

lope [loup] *f.* (Kurt vb.) uzun adımlarla yürümek. *i.* Bu yürüyüş.

lop-ear ['lop·iə(r)]. Sarkık kulak; kulakları sarkık bir cins tavşan. ~**ed**, sarkık kulaklı.

lopho- ['loufou-] *ön.* Perçem+.

lop·pings ['lopingz]. Kesilmiş ağacın orta ve ufak dalları. ~**-sided**, bir tarafa yatkın, aksak.

loquac·ious [lo'kweyşəs]. Geveze, çalçene. ~**ity** [-'kwasiti], gevezelik.

loquat ['loukwot]. Yenidünya ağaç/meyvası, maltaeriği.

lor [lō(r)] *ünl.* = LORD.

loran ['lorən] = LONG-RANGE NAVIGATION.

lord [lōd]. Efendi; sahip; lord. ~ **it over**, tahakküm etmek istemek: **the Lord**, Cenabı Hak: **the ~'s Day**, pazar günü: **good ~!**, Allah! Allah!; yok canım! **in the year of our ~**, milâdın ... senesinde. ~**ling**, genç ve önemsiz bir asilzade. ~**ly**, lorda lâyık; muhteşem; kibirli, azametli. ~**s-and-ladies**, (*bot.*) yılan yastığı. ~**ship**, lordluk; metbuluk: **your/his ~**, zati asilâneleri.

lore ['loə(r)]. Bilgi, ilim.

lore[2] (*zoo.*) Gaga/ağız ile gözler arasındaki yer.

lorgnette [lōn'yet]. Saplı gözlük.

loricate ['lorikeyt]. Zırhlı (hayvan).

loriner ['lorinə(r)] (*mer.*) Saraç.

loris [loris]. Lori(giller).

lorn [lōn]. (*şiir.*) Yalnız, kimsesiz.

lorry ['lori]. Kamyon; dört tekerlekli çiftlik arabası: **articulated ~**, oynaklı kamyon.

lory ['lori]. Lori; fırçadilli(giller).

lose (*g.z.(o.)* **lost**) [lūz, lost]. Kaybetmek. **be lost/~ oneself in ...**, -e dalmak: **you have lost the poor fellow his job**, zavallıyı işinden ettin: **the joke was lost on him**, nükte/şakayı anlamadı: **the affair lost nothing in the telling**, bu mesele anlatılırken dallandı budaklandı: **this doctor has lost several patients**, (i) bu doktorun hastalarından bir çoğu öldü; (ii) bu doktor müşterilerinden bir çoğunu kaybetti: ~ **one's reason**, aklını kaçırmak: **I lost most of what he said**, söylediğinin çoğunu işitmedim: **I have lost sight of him**, (i) onu (kalabalıkta vb.) gözden kaybettim; (ii) onu gördüğüm yok: ~ **one's strength**, kuvvetten düşmek: **my watch ~s ten minutes a day**, saatim günde on dakika geri kalıyor.

los·er ['lūzə(r)]. Mağlup, yenik; kaybeden kimse: **I am the ~ by it**, bu işte kaybeden benim: **be a bad ~**, oyunda kaybedince kendine hâkim olmamak. ~**ing**, *s.* **a ~ game**, kaybedileceği muhakkak olan oyun: **a ~ concern**, kazançlı olmıyan bir iş.

loss [los]. Kayıp; zayi olma; dokunca, yitim, zarar, ziyan, telef: **(by evaporation, etc.)** fire: **be at a ~**, şaşırmak; ne yapacağını bilmemek: **cut one's ~es**, zarardan kâr etm.: **he/it is no ~**, bu kayıp sayılmaz: ~ **of voice**, ses yitimi. ~**es**, kayıplar; zayiat. ~**-leader**, yok pahasına satış.

lost [lost] *g.z.(o.)* = LOSE. *s.* Kaybolmuş. **look/seem ~**, yadırgıyor gibi görünmek: **be ~ to all sense of shame**, alnının damarı çatlamak. ~**-property (office)**, kayıp eşya için başvurma yeri. ~**-wax process**, (*mad.*) mumla kalıplama.

lot [lot]. Kur'a; piyango; kısmet, talih, nasip; takım, miktar, adet; çok; kısım, hisse, pay; açık artımaya çıkarılan malların beheri; arsa, parsel; parti, parça, bölüm; taife, güruh. **a ~ / ~s of**, bir sürü, çok: **all the ~**, hepsi, sürü sepet: **a bad ~**, sağlam ayakkabı değil: **cast/draw ~s**, kur'a çekmek: **it did not fall to my ~**, bana nasip olmadı: **in ~s**, takım halinde: **make a ~ of s.o.**, birini başına çıkartmak: **buy in one ~**, hepsini toptan almak: **that's the ~**, hepsi bu kadar: **think a ~ of oneself**, kendini bir şey zannetmek: **throw in one's ~ with ...**, -le mukadderatını birleştirmek: **what a ~ of people!**, ne kadar kalabalık!: **the whole/all the ~ of you**, hepiniz.

loth [lo̱u̱θ] = LOATH.

lothario [lo'θārio̱u̱]. Çapkın, sefih.

Lothian ['lo̱u̱ðia̱n]. **East/West ~**, Brit.'nın iki kontluğu.

lotion ['lo̱u̱şn]. Losyon.

lottery ['lotəri]. Piyango; kısmet meselesi.

lotto ['loto̱u̱]. Tombala oyunu.

lotus ['lo̱u̱tʌs]. Mısır fulu; efsanevî çiçek, lotüs. **~-eater**, (*mit.*) lotüs yiyip tatlı hayallere dalan kimse; zevk ve sefasına düşkün.

loud [la̱u̱d]. Gürültülü, patırdılı; (ses) yüksek; (renk) çiğ. **be ~ in one's praises of**, fazla methetmek: **out ~**, cehren, yüksek sesle. **~-hailer**, hoparlör. **~ly**, yüksek sesle, bağırarak: **~ dressed**, gösterişli giyinmiş. **~-mouthed** [-ma̱u̱θt], ağzı gevşek/kalabalık. **~ness**, yükseklik, gürültü. **~-speaker**, (*rad.*) hoparlör.

lough [lo(ğ)] (*İrl.*) Göl; körfez.

***Louisiana** [luizi'anə]. ABD'nden biri.

lounge [la̱u̱nc] *i.* (Otel) hol, salon; (ev) oturma salonu. *f.* **~ (about)**, hiç bir şey yapmaksızın tembelce oturmak/dolaşmak. **~-chair**, rahat bir koltuk. **~-lizard**, (*arg.*) kadınsı bir genç, jigolo. **~r**, tembelce oturan/dolaşan kimse. **~-suit**, günlük elbise.

loupe [lūp]. Pertavsız.

lour [la̱u̱ə(r)] = LOWER[3]. **~ingly**, suratsızca; tehditkâr olarak.

lous·e, *ç.* **lice** [la̱u̱s, lays]. Bit; kehle: **~-fly**, sinekbiti: **~wort**, bitotu. **~iness** ['la̱u̱zi-], bitlilik. **~y**, bitli; (*arg.*) alçak, sefil; kötü: **~ with (money)**, (*arg.*) (parası) bol.

lout [la̱u̱t]. Hantal, kabasaba, ayı gibi bir adam. **~ish**, mankafa; hantal.

louvre, louver ['lūvə(r)]. Yukarıdan ışık alan şevli pencere; pancurlu pencere. **~ board**, pancur tahtası.

lovabl·e ['lʌvəbl]. Sevilir, sevimli; hoş: **~ness**, sevimlilik; hoşluk. **~y**, sevimli/hoş olarak.

lovage ['lʌvic]. Selâmotu; baharlı bir içki.

love[1] [lʌv] *f.* Sevmek; âşık olm.; -den hoşlanmak. **as you ~ your life**, canının kıymetini biliyorsan: **Lord ~ you!**, ne münasebet!: **'Will you come?' 'I should ~ to'**, 'Gelir misiniz?' 'Memnuniyetle'.

love[2] *i.* Aşk; sevgi, muhabbet; sevgili; aşk mabudu; (*sp.*) pata. **be in ~**, âşık olm.: **~ in a cottage**, iki gönül bir olunca samanlık seyran olur: **fall in ~ with s.o.**, birine gönlünü kaptırmak/vurulmak: **first ~**, ilk gözağrısı: **do stg. for the ~ of it**, bir şeyi merak saikasıyle/zevk için yapmak: **it cannot be had for ~ or money**, bu ne para ile ne de hatır için bulunur: **work (just) for ~**, fisebilillah/pir aşkına çalışmak: **make ~**, cinsel temasta bulunmak: **make ~ to s.o.**, kur yapmak; flört etm.: **give him my ~!**, gözlerinden öperim!: **there is no ~ lost between them**, biribirlerinden hoşlanmazlar: **an old ~ of mine**, eski sevgililerimden biri: **he sends you his ~**, size selâm söyledi: **what a ~ of a child, etc.!**, ne cici/hoş bir çocuk vb.

love-[3] *ön.* **~-affair**, aşk macerası. **~-all**, (*sp.*) sıfıra sıfır sayı, pata. **~-apple**, (*mer.*) domates. **~-bird**, muhabbet kuşu, serçe papağanı. **~-child**, gayri meşru çocuk. **~-feast**, (*din.*) kardeş sevgisini gösteren bir ziyafet. **~-in**, aşk ifade etm. için HIPPY'ler toplantısı. **~-knot**, özel bir kurdele düğümü. **~less**, sevgisiz; sevgi göstermiyen. **~-letter**, aşk mektubu. **~liness**, güzellik; sevimlilik. **~-lock**, zülüf; kâkül; bukle. **~-lorn**, sevgilisinden terk edilmiş. **~ly**, gayet güzel, latif; hoş, sevimli. **~-making**, flört etme, kur yapma; cinsel temaslar. **~-match**, aşk evlenmesi. **~-philtre/-potion** [-filtə(r), -po̱u̱şn], aşk iksiri. **~r** ['lʌvə(r)], âşık; sevgili: **a ~ of stg.**, müptela; düşkün: **...-~**, *son.* ... seven, ... meraklısı. **~rly**, âşık gibi; sevgiliye uygun. **~-sick**, sevdazede; mecnun. **~-song/-story**, aşk türkü/hikâyesi. **~struck**, tamamen âşık olmuş. **~-token** [-to̱u̱kn], aşk simgesi.

loving ['lʌvin(g)] *s.* Muhabbetli; seven. **~-cup**, bir ziyafette elden ele gezdirilir kulplu gümüş şarap kupası. **~-kindness**, şefkat, hayırhahlık.

low[1] [lo̱u̱] *f.* Böğürmek.

low[2] *s.* Alçak, yüksek olmıyan; düşük; zayıf; münhat; deni, kaba; (ses) pes; (fiyat) ucuz. **of ~ birth**, aşağı tabakadan: **a ~ bow**, derin reverans: **~ dress**, dekolte elbise: **bring/lay s.o. ~**, yere sermek: **lie ~**, bir köşede durmak, saklanmak: **in ~ spirits**, süngüsü düşük, keyifsiz: **so ~ had he sunk**, bu dereceye düşmüş: **be/run ~ on stg.**, (*mal.*) stokları düşük olm. **~-born**, aşağı tabakadan. **~-bred**, soysuz, kaba. **~-brow**, fikir meselelerine ilgisiz. **~-class**, adi, bayağı; aşağı tabakadan. **~-Countries**, Hollanda ile Belçika. **~-down**, rezil, alçak: **give s.o. the ~**, (*arg.*) birine bir mesele hakkında (gizli) fikir/bilgi vermek.

lower[1] ['lo̱u̱ə(r)] *s., krş.d.* = LOW[2]. (Daha) aşağı vb.; madun; alttaki: **~ Chamber/House**, ikinci/avam kamarası: **~ classes**, aşağı tabaka: **~ deck**, (*den.*) erlerle erbaşlar: **~ school**, orta okul: **~ world**, cehennem. **~most**, en aşağı.

lower[2] *f.* İndirmek; düşürmek; azaltmak; (ses) yavaşlatmak; (yelken) mayna etm. **~ing**, alçaltan; takat kesen, zayıflatan; indir(il)me.

lower[3] ['la̱u̱ə(r)] *f.* Surat asmak; (gök) kasvetli olm., kararmak. **~ing**, suratsız; kasvetli; tehditkâr.

low·-key ['lo̱u̱kī]. Cılız; sakin, durgun. **~land** [-lənd], düz (arazi): **the ~s**, G. İskoçya: **~er**, G. İskoçyalı. **~-level**, aşağı hizada olan. **~liness**, tevazu, alçak gönüllülük. **~-loader**, alçak platformlu treyler. **~ly**, mütevazı, alçak gönüllü. **~-necked** [-nekt] (*mod.*) dekolte. **~-pitched** [-piçt], (dam) alçak, tatlı meyilli; (ses) pes perdeli; (tavan) basık. **~-profile**, (davranış) yatıştırıcı. **~-rise** [-rayz] (*mim.*) yüksek olmıyan bina. **~-slung**, (*oto.*) alçak inşa. **~-spirited**, kederli, süngüsü düşük. **~-water**, cezir: *s.* **~ mark**, (deniz) cezrin en aşağı seviyesi; (*mec.*) çekik durum.

lox[1] [loks] (*kıs.*) = LIQUID OXYGEN.

***lox**[2]. Tütsülenmis sombalığı.

loxo- [lokso̱u̱-] *ön.* Eğrilmiş .... **~drome**, (*den.*) kerte hattı.

loyal ['loyəl]. Sadık, samimî; saltanata sadık. **drink the ~ toast**, kral(içen)in sağlığına kadeh kaldırmak. **~ist**, hanedana sadık kimse. **~ly**, sadıkça, samimî olarak. **~ty**, (saltanata) sadakat; samimiyet.

lozenge ['lozinç]. Main; eşkenar dörtgen; baklava şekli; pastil.

LP = LABOUR PARTY; LONG-PLAYING (RECORD); LOW PRESSURE. **~G** = LIQUEFIED PETROLEUM GAS. **~O** = LONDON PHILHARMONIC ORCHESTRA.

L-plate ['elpleyt] (*oto.*) LEARNER-DRIVER işareti.

L'pool = LIVERPOOL.

LP·S = LORD PRIVY SEAL. **~TB** = LONDON PASSENGER TRANSPORT BOARD.

Lr (*kim.s.*) = LAWRENCIUM.

LR·(S) = LLOYD'S REGISTER (OF SHIPPING); LONG-RANGE. **~V** = LUNAR ROVING VEHICLE.

LS = LAW/LINNAEAN SOCIETY; LOAD-LINE, SUMMER. **~D** = £.S.D.; LYSERGIC ACID DIETHYLOMIDE.

£.s.d. [eles'dī] (*Lat.*) = POUNDS, SHILLINGS AND PENCE.

LS·E = LONDON SCHOOL OF ECONOMICS/STOCK EXCHANGE. **~O** = LONDON SYMPHONY ORCHESTRA. **~T** = LANDING SHIP, TANK; LOCAL STANDARD TIME.

Lt. = LIEUTENANT.

£T = POUND(S) TURKISH.

LT = LAWN TENNIS; LOAD-LINE, TROPICAL; LOCAL TIME; LONG TON; LOW TEMPERATURE/TENSION. **~A** = LAWN TENNIS ASSOCIATION.

Lt-Col./Cdr = LIEUTENANT-COLONEL/COMMANDER.

Ltd = LIMITED.

Lt-Gen./Gov. = LIEUTENANT-GENERAL/-GOVERNOR.

Lt H/V = LIGHT·HOUSE/-VESSEL.

l.ton = LONG TON.

Lu. (*kim.s.*) = LUTECIUM.

lub. = LUBRICAT·E/-ION.

lubber ['lʌbə(r)]. Hantal, kabasaba, beceriksiz adam. **~liness**, hantallık, beceriksizlik. **~ly**, beceriksizce.

lubrica·nt ['lūbrikrənt] *s.* Yağlıyan. *i.* Yağ; yağlama madde. **~te** [-keyt], yağlamak: **well ~d**, (*arg.*) kafayı çekmiş. **~ting**, yağlama +. **~tion** [-keyşn], yağlama. **~tor** [-tə(r)], yağcı; yağlama düzeni; yağdan.

lubric·ity [lū'brisiti]. Yağlılık; kaypaklık; şehvete düşkünlük. **~(i)ous** [-brişəs, -kəs], düz, yağlı; kaypak; şehvete düşkün.

luce [lūs]. Büyük turna balığı.

lucen·cy ['lūsənsi]. Parlaklık, berraklık. **~t**, parlak, berrak.

lucerne [lū'sən]. Kabayonca.

lucid ['lūsid]. Vazıh, iyi anlaşılır; berrak; parlak. **have ~ intervals**, (deli/sayıklıyan hasta) arasıra kendisine gelmek. **~ity** [-'siditi], vuzuh; berraklık; açıklık. **~ly**, vazıh/berrak olarak.

lucif·er ['lūsifə(r)]. Sabah yıldızı; şeytan: **as proud as ~**, gayet kibirli: **~ match**, kibrit. **~ugous** [-'sifyūgəs], ışıktan uzaklaşan/dönen.

luck [lʌk]. Baht, talih, ikbal, şans. **as ~ would have it**, tesadüfen, talih eseri olarak: **bad ~**, aksilik; talihsizlik: **better ~ next time!**, inşallah gelecek defa daha iyi olur: **a bit/piece/stroke of ~**, düşeş: **be down on one's ~**, talihi ters gitmek; düşkün olm.: **good ~**, talih: **good ~!**, uğurlu olsun!: **hard ~!**, vah! vah!; yazık!; aksilik!: **yes, worse ~!**, sorma!, maalesef! **~ily**, bereket versin ki. **~less**, uğursuz. **~y**, talihli; kısmetli, bahtiyar; uğurlu: **~ dog!**, köftehor!: **~ hit/shot**, tesadüfen hedefi isabet ettirme: **how ~!**, ne âlâ!: **make a ~ shot**, (*mec.*) boş atıp dolu tutmak: **thank your ~ stars!**, bir yiyip bin şükret!. **~-bag/-dip/-tub**, piyango torbası.

lucr·ative ['lūkrətiv]. Kazançlı, kârlı: **~ly**, kâr getirerek: **~ness**, kârlılık. **~e** [-kə(r)], para(lı kazanç): **do stg. for filthy ~**, bir şeyi sırf para için yapmak.

lucubrat·e [lūkyu'breyt]. Geceleyin geç çalışmak. **~ion** [-'breyşn], böyle çalışma; yorucu bir iş.

luculent ['lūkyulənt]. Parlak, berrak.

lud [lʌd]. **my ~** (*huk., kon.*) = LORD.

Luddite ['lʌdayt]. Otomasyon/makineleştirme aleyhtarı.

ludicrous ['lūdikrəs]. Gülünç. **~ly**, gülünç bir surette. **~ness**, gülünç olma.

ludo ['lūdou]. Dama gibi bir çocuk oyunu.

lues ['lūiz] (*Lat.*) Veba; frengi.

luff [lʌf] *i.* Yelkenin rüzgâr yakası. *f.* Orsa etm.; yat yarışında rakibinin rüzgâr tarafına gitmek.

lug[1] [lʌg] *i.* Şiddetli çekiş. *f.* Sürüklemek.

lug[2]. (Bir şey raptetmek için) kulak; sap; (*elek.*) pabuç; çarık.

luggage ['lʌgic]. Yol eşyası, bagaj, yük. **left ~ (office)**, bagaj/emanet yeri. **~-van**, bagaj vagonu.

lug·ger ['lʌgə(r)]. Dört köşeli yelkenli ufak gemi. **~-hole**, (*arg.*) kulak. **~sail** ['lʌgseyl], dört köşeli yelken.

lugubrious [lū'gūbriəs]. Hazin, acıklı; yanık. **~ly**, acıklı olarak. **~ness**, yanıklık.

lug(worm) ['lʌg(wōm)]. Kum kurdu, arenikola.

lukewarm ['lūkwōm]. Ilık; gevşek, gayretsiz. **be rather ~ about stg.**, bir şeye karşı ilgisiz/meraksız olm.

lull [lʌl] *i.* Geçici durgunluk/dinlenme. *f.* Uyuşturmak, dinlendirmek. **in the ~**, aralık/fasılasında.

lullaby ['lʌləbay]. Ninni.

lumba·go [lʌm'beygou]. Belağrısı, lumbago. **~r** [-bə(r)], sırtın alt tarafı/bele ait.

lumber ['lʌmbə(r)]. Lüzumsuz eşya; kesilmiş kereste; kabuklu kereste. **~ up**, lüzumsuz eşya ile doldurmak; karmakarışık yığmak: **~ along**, hantal hantal yürümek. **~ing**[1], *i.* kerestecilik. **~ing**[2], *s.* hantal; ağır (yürüyüş). **~jack/man**, ağaçları kesen adam; keresteci. **~-jacket**, deri ceket. **~mill**, hezar/kereste fabrikası. **~-room**, lüzumsuz eşya bulunan oda, boş oda. **~yard**, kereste deposu.

lumbo- [lʌmbou-] *ön.* Bel +.

lumbrical ['lʌmbrikl]. Parmak adalesi(ne ait).

lumen ['lūmen] (*fiz.*) Lümen.

lumin- ['lūmin-] *ön.* Işık +. **~ance**, yayınlanan ışık. **~ary**, ışık veren bir cisim; (*mec.*) büyük bilgin. **~escence** [-'nesəns], parlaklık; ışıldama. **~escent/~iferous** [-'nifərəs], ışık veren. **~osity** [-'nositi], parlaklık, aydınlatma gücü. **~ous** [-nəs], parlak; ışıklı; ışık saçıcı, aydınlatıcı: **~ paint**, karanlıkta görünen boya.

lump[1] [lʌmp] *i.* Büyük parça; topak, şiş, yumru; ahmak; kendi başına çalışıp vergi kaçakçılığını yapan inşaat işçileri. **a big ~ of a boy**, iri yarı bir çocuk: **have a ~ in the throat**, boğazı düğümlenmek: **in the** ~, toptan, götürü: **a ~ of sugar**, bir şeker tanesi.

lump[2] *f.* Yığmak. ~ **along**, hantal hantal yürümek: **if you don't like it you may ~ it!**, beğenmezsen beğenme.

lump·er ['lʌmpə(r)]. Liman hamalı. ~**-fish**, deniz tavşanı. ~**ing**, *s.* (*kon.*) büyük. ~**ish**, hantal, ahmak. ~**-sucker** = ~-FISH. ~**-sugar**, kesme şeker. ~**-sum**, toptan, götürü. ~**y**, pıhtılı; topaklı; (deniz) dalgalı.

lunacy ['lūnəsi]. Cinnet, delilik, akıl hastalığı.

lunar ['lūnə(r)]. Aya ait, kamerî; ay+. ~**ian** [-'neəriən], ay bilgini. ~**-module**, uzay gemisi. ~**naut**, aya giden astronot. ~**scape** [-skeyp], ay manzarası.

lunate ['lūneyt] (*biy.*) Hilâl/yeni ay şeklinde.

lunatic ['lūnətik]. Deli, mecnun. ~**-asylum**, tımarhane. ~**-fringe**, (*id.*) bir partinin en aşırı taraftarları.

lunch [lʌnç] *i.* Öğle yemeği; kuşluk. *f.* Öğle yemeğini yemek. ~**eon** [-çən], öğle yemeğı: ~**-party**, yarı resmî ziyafet: ~**-voucher**, ücrete ek olarak verilen ve lokantada yemek için değiştirilen alındı.

lune(tte) ['lūn(et)]. Ay şekli; ay tabya; delik.

lung [lʌn(g)]. Akciğer. **at the top of his ~s**, avazı çıktığı kadar: **the ~s of a city**, açık yerler, parklar: **iron ~**, (*tıp.*) çelik ciğer.

lunge[1] [lʌnc] *f.* Uzun bir kayışla at terbiye etm.

lunge[2] *i.* Hamle, saldırış; atılım (duruş); meç/kılıç ile hamle. ~ **out at s.o.**, birine yumrukla vurmağa çalışmak: ~ **forward**, birdenbire kendini ileri atmak.

lungfish ['lʌngfiş]. Akciğerli balık.

lunging ['lʌncin(g)]. Kendini ileri atma. ~**-rein**, at terbiye etm. için bir kayış.

lung·-power ['lʌngpauə(r)]. Birinin ses kuvveti. ~**worm**, akciğer kılkurdu. ~**wort**, akciğer otu.

lunisolar [lūni'soulə(r)]. Ay-gün+.

lupin ['lūpin]. Acı bakla.

lupine ['lūpayn]. Kurt(lar)a ait, kurt gibi.

lupus ['lupəs]. Deri veremi.

lurch [lǝ̄ç] *i.* (Gemi) anî yalpa; (*oto.*) ansızın sıçrama; (sarhoş) sendeleme. *f.* Böyle anî bir hareket yapmak, sendelemek, bocalamak. **leave s.o. in the ~**, birini yüzüstü bırakmak.

lurcher ['lǝ̄çə(r)]. Tazı melezi.

lure ['lyuə(r)] *f.* Cezbetmek; ayartmak; yemlemek; çağırtmak; vait/yalan ile çekmek, çığırtmak. *i.* Cazibe; hile; tuzak; çağırtkan; salıverilmiş doğanı geri çağırmak için bir yem takılarak havaya atılan kuşa benzer bir şey; oltaya takılan yalancı yem, çapara. **the ~ of the deep**, denizin cazibesi.

lurid ['lyuərid]. Bir yangından göğe akseden kızıllık gibi; korkunç bir kızıllıkta; bakır renkli; korkunç bir şekilde tasvir eden (üslup). ~**ly**, böyle korkunç olarak. ~**ness**, böyle korkunçluk.

lurk [lǝ̄k]. Kötü niyetle gizlenmek. ~ **about/be on the ~**, gizli gizli dolaşmak. ~**ing**, gizlenmiş: **a ~ suspicion**, belli belirsiz bir şüphe.

luscious ['lʌşəs]. Pek tatlı ve usareli (meyva); fazla tatlı (şarap); çok süslü (üslup); insanın ağzını sulandıran (tasvir). ~**ly**, böyle tatlı olarak. ~**ness**, böyle tatlılık.

lush[1] [lʌş] *s.* Mebzul; usareli.

lush[2] *f.* (*arg.*) İçki iç(ir)mek. *i.* *Alkol düşkünü.

lust [lʌst] *i.* Şehvet, şehvanilik; hırs. *f.* ~ **for/after**, şiddetle istemek; hırs beslemek. ~**ful**, şehvanî: ~**ly**, şehvanî olarak: ~**ness**, şehvanilik.

lustra·l ['lʌstrəl]. Taharete ait. ~**te** [-treyt], taharetlenmek. ~**tion** [-'treyşn], taharet(lenme).

lustr·e ['lʌstə(r)]. Parlaklık; cilâ, perdah; şaşaa; avize: **shed ~ on**, -e şöhret vermek: ~**less**, donuk, fersiz: ~**-ware**, sırlı çömlek. ~**ine** [-trīn], parlak ipek kumaş. ~**ous** [-trəs], parlak; cilâlı.

lustrum ['lʌstrəm]. Beş senelik müddet.

lusty ['lʌsti]. Gürbüz, dinç, kuvvetli, güçlü.

lute[1] [lyūt]. Lavta; ut. ~**nist**, lavtacı.

lute[2] *i.* Macun, balçık. *f.* Lökünlemek; hamurlamak.

luteous ['lūtiəs]. Portakal gibi sarı.

luting ['lyūtin(g)]. Lökünleme.

lux [lʌks]. Işık (ölçüsü); lüks.

luxat·e ['lʌkseyt]. Yerinden çıkarmak. ~**ion** [-'seyşn], bir kemiğin yerinden oynama/çıkarılması; çıkık.

luxe [lüks, lʌks] (*Fr.*) ***de*** ~, dölüks, şatafatlı.

Luxemburg ['lʌks(ə)mbǝ̄g]. Lüksemburg. ~**er** [-'bǝ̄gə], Lüksemburglu.

luxuri·ance [lʌg'zyuəriəns]. Mebzuliyet, bolluk. ~**ant**, mebzul, bol; bereketli; gümrah. ~**ate**, (bitki) mebzul olm.; (insan) bolluk ve zevk içinde yaşamak. ~**ous**, tantanalı; pek süslü; zevk ve sefaya dalmış; naz ve nimet içinde: ~ **apartment**, lüks apartıman: **live a ~ life**, lüks yaşamak.

luxury ['lʌkşəri]. Lüks; lüküs hayat; her zaman tadılmıyan zevk. **I gave myself the ~ of a cigar**, fevkalâdeden olarak bir puro alıp içtim.

LV = LUNCHEON VOUCHER.

Lw. (*kim.s.*) = LAWRENCIUM.

LW = LOAD-LINE, WINTER; LONG WAVE; LOW WATER. ~**L** = LOAD WATER LINE. ~**M** = LOW WATER MARK.

lx = LUX.

-ly[1] [-li] *son. s.* . . . gibi [KINGLY].

-ly[2] *son. zf.* . . . olarak; . . . bir suret/şekilde [BADLY].

lycanthropy [li'kanθrəpi] (*tıp.*) Kurt gibi hareket etme hastalığı.

lycée ['līsey] (*Fr.*) Lise.

lyceum [lay'siəm]. Edebiyat derneğinin binası.

lych [liç] = LICH.

Lycia ['lisiə]. Likya bölgesi.

lyddite ['lidayt]. Lidit (patlayıcı maddesi).

Lydia ['lidiə]. Lidya bölgesi. ~**n**, *i.* Lidyalı; Lidya dili; şehvet düşkünü; kadın tabiatlılık: *s.* Lidya+; şehvetli; kadın tabiatlı.

lye [lay]. Küllü su.

lying[1] ['layin(g)] *hal.o.* = LIE[1]. *i.* Yalan söyleme, yalancılık; yalancı.

lying[2] *hal.o.* = LIE[3]. *s.* Yatan; uzanmış; bulunan; vâki. ~**-in**, loğusalık: ~ **hospital**, doğumevi.

lymph [limf]. Lenf, ak kan; sıvı. ~**atic** [-'fatik], lenfatik; gevşek, pısırık. ~**o-**, *ön.* lenf+.

lyncean ['linsiən]. Vaşağa ait; keskin gözlü.

lynch [linç]. Linç (etmek). ~**ing**, linçetme. ~**-law**, linç hukuku.

lynx [links]. Vaşak: **black-eared ~**, karakulak, istep vaşağı. ~**-eyed**, keskin bakışlı/gözlü.

lyre ['layə(r)]. Rebap, lir. ~**-bird**, lir kuşu.

lyric ['lirik]. Lirik. ~**al**, liriğe ait; heyecanlı. ~**ism** [-sizm], liriklik.

lyrist ['layərist, 'lirist]. Lir çalgıcısı; lirik şairi.

lysis ['laysis] (*biy.*) Göze çözülmesi.

-lysis [-lisis] *son.* . . . çözülmesi, -liz [ELECTROLYSIS].

lyso- [laysə-] *ön.* Çözülme+.
lysol ['laysol]. Lizol.
lysso- [lisǫu-] *ön.* Kuduz+.

-lytic [-litik] *son.* . . . çözülmesine ait; -litik [ANALYTIC].
LZ = LANDING ZONE.

M

M [em]. M harfi.
M, m. = MAJESTY; MALE; MARRIED; MASTER; MEAN; MEDICAL; MEGA-; MEMBER; METRIC; MIDDLE; MILE; MILLI-; MILLION (*sayısı sonunda*); MINUTE; MODERN; MOLECULAR; MOMENT; MONDAY; MONTH; MORNING; MOTORWAY; (*sayı*) 1,000.
μ = MICRO(N).
ma [mā] (*kon.*) = MAMMA, MOTHER.
mA = MILLIAMPERE.
MA = MASTER OF ARTS; MIDDLE AGES; MILITARY ACADEMY/ATTACHÉ.
MA & F = MINISTRY OF AGRULTURE AND FISHERIES.
Ma'am [mām] = (*Kraliçeye hitap ederken*) MADAM. ***school-~**, kadın öğretmen.
mac [mak] (*kon.*) = MACKINTOSH.
macabre [mə'kābr]. Ürpertici, meşum.
macaco [mə'kākou]. Makak; al yanaklı maymun.
macadam [mə'kadəm]. Şose. **~ize**, kırılmış taşları döşeyip üstlerinden silindir geçirerek şose yapmak.
macaroni [makə'rouni]. Makarna.
macaroon [makə'rūn]. Bademli kurabiye.
macassar [mə'kasə(r)]. **~ oil**, bir nevi saç yağı.
macaw [mə'kō]. Büyük bir cins papağan.
mace[1] [meys]. Gürz; matrak; topuz; topuz şeklinde merasim asâsı. **~(-bearer)**, bu asâyı taşıyan memur.
mace[2]. Küçük hindistancevizinin kabuğu, besbase.
Mace[3] (*M.*) Bir nevi gözyaşartıcı ve sinirleri tahriş eden gaz.
macedoine ['masedwān] (*Fr.*) Peltesinde meyva/sebzeler.
Macedonia [masi'douniə]. Makedonya. **~n**, *i.* Makedonyalı: *s.* Makedonya+.
macerat·e ['masəreyt]. Suda ıslatıp yumuşatmak. **~ion** [-'reyşn], böyle yumuşat(ıl)ma.
Mach [mak] (*hav.*) **~ number**, Mak sayısı.
mach. = MACHINE(RY).
machete [mə'çeyti] (*İsp.*) = MATCHET.
machiavellian [makiə'veliən]. Gayet sinsi ve hilekâr. **~ism**, hilekârlık, makyavelizm.
machicolation [maçiko'leyşn]. Eski kalelerin kulelerindeki mazgal.
machinat·e [maki'neyt]. Kumpas kurmak. **~ion** [-'neyşn], entrika; kumpas kurma. **~or**, entrikacı.
machine [mə'şīn] *i.* Makine; bisiklet; kompütör. *f.* Bir makine ile şekil vermek/tekâmül ettirmek; işlemek; makine ile dikmek. **~-gun**, makineli tüfek. **~-language**, kompütör dili. **~-made** [-meyd], fabrika işi. **~-readable**, doğru kompütörle okunur. **~ry** [-nəri], makineler; mekanizma; vasıtalar, araçlar: **~ of government**, idare makinesi. **~-shop**, atölye. **~-time**, (bir iş için) gerekli makine/kompütör vakti. **~-tool**, makineli alet; makine/imalât aletleri; avadanlık tezgâhı. **~-translation**, (*dil.*) kompütörle yapılan çevirme.
machin·ing [mə'şīnin(g)]. Makinede işleme. **~ist**, makinist.
mackerel ['makrəl]. Uskumru. **dried ~**, çiroz: **horse ~**, istavrit: **Spanish ~**, kolyoz. **~-sky**, kapalı havada görünen top top bulutlar.
mac(k)intosh ['makintoş]. Yağmurluk.
mac(k)le [makl] (*bas.*) Leke. **~d**, lekeli.
macle [makl]. İkiz (kristal); madende bulunan siyah benek.
macramé [mə'krami] (*Tk.*) Mahrama.
macro- ['makrou-] *ön.* Uzun..., endo-; büyük.... **~cephalic** [-se'falik], uzun başlı. **~cosm** [-kozm], kâinat, evren. **~graph** [-graf], göz görüşü resim. **~n**, sesli harfin uzun olduğunu gösteren işaret (ā). **~phage** [-feyc], makrofag. **~scopic**, göze görülür. **~structure**, dışyapı.
mad [mad]. Deli, mecnun; kuduz; öfkeli. **as ~ as a hatter/March hare**, zırdeli: **~ about/on football, etc.**, futbol vb. delisi: **~ for revenge**, intikama susamış: **be ~ with s.o.**, birine hiddetinden deli olm.: **drive s.o. ~**, çıldırtmak; **socialism gone ~**, aşırı/delice sosyalizm.
madam ['madəm]. Bayan, Madam; (*köt.*) genelevci kadın. ***~e***, *ç.* ***mesdames*** [-'dam, mey'dam] (*Fr.*) Bayan, Madam.
mad·cap ['madkap]. Delişmen, zıpır, delifişek. **~den** [-d(ə)n], çıldırtmak; delirtmek; gücendirmek: **~ing**, üzücü: **~ingly**, üzücü bir şekilde. **~der**[1], daha deli.
madder[2] ['madə(r)]. Kızılkök, boya kökü; kökboyası.
madding ['madin(g)]. **the ~ crowd**, gürültülü kalabalık, büyük şehrin velvelesi.
made [meyd] *g.z.(o.)* = MAKE. *s.* **loosely ~**, bol yapılmış/gevşek (elbise): **well ~**, biçimli, sağlam: **a ~ man**, başarısı temin edilmiş. **~-up**, uydurma; makiyajlı.
Madeira [mə'diərə]. Mader adası; mader şarabı. **~ cake**, pandispanya.
mademoiselle [mad(ə)mə'zel] (*Fr.*) Evlenmemiş kadın; Fransız mürebbiyesi.
mad·house ['madhaus]. Tımarhane. **~ly**, delice. **~man**, *ç.* **~men**, deli. **~ness**, delilik.
Madonna [ma'donə]. Meryemana; Meryemana tasviri. **~ lily**, beyaz zambak.
madras [mə'dras]. Çubuklu pamuk kumaş.
madrepore ['madripō(r)]. Bir türlü mercan; onu yapan böcek.
madrigal ['madrigl]. Aşka dair kısa manzume; üç/daha çok kişi tarafından söylenen çalgısız bir şarkı.
maelstrom ['meylstrom]. Norveç kıyısında bir girdap; herhangi büyük girdap.
maenad ['mīnad] (*mit.*) Bakūs rahibesi.
maestoso [maes'touzou] (*İt., müz.*) Yavaş ve ihtişamlı, maestoso.

maestro [ma'estrou] (*İt.*) Üstat; mayestro, orkestra şefi.
Mae West ['meywest] (*hav., arg.*) Cankurtaran yeleği.
maffick ['mafik]. Gürültülü kalabalık halinde şenlik yapmak.
mafi·a ['mafiə] (*İt.*) (Gayrimeşru) gizli dernek. **~oso** [-'ouzou], bu derneğin bir üyesi.
mag. = MAGAZINE; MAGISTRATE; MAGNET(ISM); MAGNETO.
magazine [magə'zīn] (*ask.*) Cephanelik; fişek hazinesi; şarjör; (*bas.*) mecmua, dergi; (*sin.*) doldurmalık. **house ~**, bir şirketin özel dergisi: **powder ~**, barut deposu: **~ rifle**, mükerrer ateşli tüfek.
magdalen ['magdəlin]. Tövbekâr fahişe.
mage [meyc] (*mer.*) Sihirbaz; bilgin.
magenta [mə'centə]. Kırmızı ile eflâtun arasında bir renk.
maggot ['magət]. Kurt; sürfe; hulya. **~y**, kurtlu.
Magi ['meycay] *ç.* = MAGUS. **~an** [-ciən], Mecusî.
magic ['macik] *s.* Sihirli, büyülü. *i.* Sihir, büyü, sihirbazlık. **as if by ~**, mucize kabilinden: **black ~**, büyü: **white ~**, iyi niyetle yapılan büyü: **work like ~**, mucize gibi. **~al**, sihirli, büyüleyici: **have a ~ effect**, bir büyü tesiri yapmak: **~ly**, sihirli olarak. **~ian** [mə'cişn], sihirbaz, büyücü. **~-lantern**, hayalifener.
magisterial [macis'tiəriəl]. Mütehakkim, hâkimane; sulh hâkimine ait. **~ly**, hâkimane bir surette.
magistra·cy ['macistrəsi]. Sulh hâkimliği; hâkimler. **~l** [mə'cistrəl], sahip/öğretmen(ler)e ait; (*tıp.*) özel (ilâç). **~te** ['macistreyt], sulh hâkimi, (ön) yargıç: **examining ~**, sorgu hâkimi: **~ship**, hâkimlik. **~ture** [-trəçə(r)] = **~cy**.
magma ['magmə]. Magma.
Magna Charta [magnə'çātə]. İng.'de 1215'de şahsî ve siyasî hürriyeti sağlıyan kanun.
magnalium [mag'neyliəm]. Magnezyum-alüminyum alaşımı.
magnanim·ity [magnə'nimiti]. Âlicenaplık, ulu gönüllülük. **~ous** [-'nanimәs], âlicenap; gönlü yüce; deryadil: **~ly**, âlicenap olarak.
magnate ['magneyt]. Eşraf, ileri gelen(ler). **industrial ~**, sanayi kodamanlarından.
Magnesia[1] [mag'nīziə]. Manisa.
magnesi·a[2] [mag'nīşə]. Magnezya: **sulphate of ~**, İngiliz tuzu. **~um** [-'nīziəm], magnezyum: **~ flare**, yanan magnezyum telinin oluşturduğu kuvvetli ışık.
magnet ['magnit]. Mıknatıs; (*mec.*) cazibeli kimse/şey. **bar ~**, çubuk mıknatıs: **horseshoe ~**, at nalı mıknatıs. **~ic** [-'netik], mıknatıslı; çeken; cazibeli: **~ally**, mıknatıslı olarak; mıknatıs ile: **~-mine**, mıknatıslı mayın: **~s**, mıknatıs bilgisi. **~ism** [-'tizm], mıknatısiyet, manyetizma. **~ization** [-tay'zeyşn], mıknatıslaştır(ıl)ma. **~ize**, mıknatıslaştırmak; manyetizma yapmak. **~o** [-'nītou], manyeto. **~o-**, *ön.* mıknatıs+. **~ron** [-nitron], magnetron.
magnific(al) [mag'nifik(l)]. Muazzam; muhteşem, mutantan. **~at**, Meryemana'ya ilâhi.
magnification [magnifi'keyşn]. Büyütme.
magnificen·ce [mag'nifisəns]. İhtişam; azamet; debdede. **~t**, muhteşem, mutantan, debdebeli, azametli; mükemmel: **~ly**, muhteşem vb. olarak.
magnif·ier ['magnifayə(r)]. Pertavsız; mübalağacı. **~y**, büyütmek; hakkında mübalağa etm.; izam etm.: **~ing glass**, pertavsız, lup, büyüteç: **~ing power**, büyütme gücü.
magniloquen·ce [mag'niləkwəns]. Şatafat, tumturak; şatafatlı söz/üslup. **~t**, şatafatlı, tumturaklı.
magnitude ['magnityūd]. Büyüklük, çokluk, azamet; önem, ehemmiyet; (*ast.*) parlaklık, kadir (sınıfı); (*fiz.*) genlik.
magnolia [mag'nouliə]. Manolya. ***~-State**, Mississippi.
magnum ['magnəm]. Binlik şişe. **~ opus**, şaheser, en önemli eser.
magpie ['magpay]. Saksağan; hedefte dış dairelerden biri.
Mag·us, *ç.* **~i** ['meygʌs, -cay]. Mecusî.
Magyar ['magyā(r)]. Macar; Macarca.
mahara·jah [māhə'rācə]. Mihrace. **~nee** [-nī], mihrace karısı.
Mahatma [mə'hātmə]. Budist evliyası.
Mahdi ['mādi]. Mehdi.
mahjong [mā'con(g)]. Çin domino oyunu.
mahogany [mə'hogəni]. Maun (ağacı); maun rengi; (*mec.*) yemek masası.
Mahomet(an) [mə'homit(ən)] = MOHAMMED(AN).
mahonia [mə'houniə]. Mahunya.
Mahound [mə'hūnd] (*mer.*) = Mohammed.
mahout [mə'haut]. Fil seyisi.
maid [meyd]. Kız; kadın hizmetçi. **~ of honour**, nedime; damdonör: **old ~**, geçkin/evlenmemiş yaşlı kız; (iskambil) papaz kaçtı: **~-of-all-work**, her işe bakan hizmetçi.
maidan [may'dān]. Meydan.
maiden ['meydn] *i.* Kız; bakire. *s.* Çiftleşmemiş (hayvan); yeni, kullanılmamış; hiç fethedilmemiş (kale); hiç yarış kazanmamış (at). **~ forest**, balta girmemiş orman: **~ name**, kızlık adı: **~ speech**, bir mebusun ilk nutku: **~ voyage**, bir geminin ilk seferi. **~hair**, **~ fern**, baldırıkara otu. **~hood**, kızlık, bekâret. **~like**/**~ly**, kız gibi, kıza yakışır; afif.
maidservant ['meydsəvənt]. Kız hizmetçi.
mail[1] [meyl]. Zırh elbise. **~ed**, zırhlı: **the ~ fist**, kuvvet ile tehdit.
mail[2]. Posta (ile göndermek). **~-bag**, posta çanta/torbası. **~-boat**, posta vapuru. **~-cart**, posta arabası; çocuk arabası. **~-coach**, posta arabası. **~-order**, posta ile gönderilen sipariş: **~ house**, yalnız posta ile satışlar yapan şirket. **~-packet/-train/-van**, posta vapur/tren/furgonu.
maim [meym]. Sakatlamak. **~ed**, sakat; malul; çolak.
main[1] [meyn] *i.* Kuvvet; (*mer.*) Okyanus; su/havagazı ana borusu, elektrik ana kablosu. **with might and ~**, var kuvvetiyle: **in the ~**, alelekser: **take one's power from the ~s**, elektriği ana hattan almak.
main[2] *s.* Ana; baş; başlıca; belli başlı; önemli; temel, öz, asıl, esaslı. **all ~ services**, ana hizmetler (su/havagazi/elektrik): **the ~ force (of the army, etc.)**, ordu vb.nin ana kuvveti: **by ~ force**, cebren.
main[3] *i.* Horoz dövüşü.
main-[4] *ön.* **~brace**, (*den.*) mayistra prasyası: **splice**

the ~, içkiler dağıtmak; (*mec.*) içmek, sarhoş olm. ~**-deck**, palavra, ana güverte.
*****Maine** [mēyn]. ABD'nden biri.
main·land ['meynlənd]. Ada olmıyan kara. ~**ly**, başlıca. ~**mast**, ana direk, grandi direği, mayistra. ~**prize** [-prayz] (*huk.*) kefaletle koyuverme. ~**s**, (*elek. vb.*) ana hatlar. ~**sail** [-s(ə)l], mayistra yelkeni. ~**spring**, ana yay; başlıca âmil. ~**stay**, ana istralya; dayanak noktası: **he is the ~ of the business**, o işin temelidir. * ~**-Street**, bir şehrin ana caddesi(ndeki . . .).
maintain [meyn'teyn]. Tutmak; muhafaza etm., bakmak, idame etm.; müdafaa etm.; aynı seviyede tutmak; beslemek; masrafını görmek; iddia etm. ~**able**, tutulabilir; müdafaası kabil.
maintenance ['meyntənəns]. Bakım, tamir; nafaka; iaşe, geçindirme; idame. **in ~ of this contention**, bu iddianın ispatı için: ~ **order**, nafaka kararı: ~ **of one's rights**, hakkının savunması.
main·top ['meyntop] (*den.*) Grandi çanaklığı. ~**yard**, grandi sereni.
maison(n)ette [meyzo'net]. Küçük ev; bir iki katlı bir apartman.
maître d'hôtel ['metrdoutel] (*Fr.*) Başkâhya/garson, metrdotel.
maize [meyz]. Mısır (buğdayı).
Maj.(-Gen.) = MAJOR(-GENERAL).
majest·ic [mə'cestik]. Muhteşem, heybetli. ~**y** ['macisti], haşmet; şevket: **His/Her ~**, zati şahane; haşmetlû; Kral(içe) Hazretleri: **Your ~**, Haşmetmeap: **On His/Her ~'s Service**, devlet hizmetinde (*resmî evrak üzerine yazılır*).
Majlis [mac'lis] (*Ar.*) Meclis, parlamento.
majolica [mə'colikə]. Mineli çini, majolika.
major[1] ['meycə(r)] *i.* (*ask.*) Binbaşı; (*huk.*) büyük, reşit; (*müz.*) majör.
major[2] *s.* Daha büyük; pek büyük; başlıca; önemli; reşit.
*****major**[3] (*eğit.*) Başlıca bir mevzu(u takip etm.).
major-[4] *ön.* ~**-domo** [-doumou], başkâhya. ~**-general**, (*ask.*) tümgeneral. ~**ity** [mə'coriti], ekseriyet, çoğunluk; reşit olma; binbaşılık: **join the great ~**, ölmek: **the silent ~**, halkın ekserisi (ki siyasî kanaatleri tarafsızdır): **a simple ~**, (seçim vb.de) yüzde ellisinden fazla.
majuscule ['macəskyūl]. Büyük harf.
make[1] [meyk] *i.* Cins, çeşit, biçim; marka; imal; yapı; fıtrat. **be on the ~**, ne yapıp yapıp zengin/başarılı olm. için çalışmak.
make[2] (*g.z.(o.)* **made**) [meyk, meyd] *f.* Yapmak, etmek, kılmak; yaratmak, imal etm.; husule getirmek; teşkil etm.; kazanmak. **make** *fiili İng.'de ettirgen çatısında da kullanılır.* ~ **for/towards**, -e doğru gitmek, kapağı atmak: **he is not so stupid as you ~ him**, zannetiğiniz kadar aptal değildir: **he is as dishonest/honest as they ~ them**, son derece namussuz/namuslu dur: **he made as if/though to get up**, kalkacak gibi oldu: **this book made him**, onu adam eden bu kitaptır; bu kitap onu adam etti: **what made you do that?**, bunu ne diye yaptın?: **we must ~ it do if we can't get anything better**, daha iyisini bulamazsak bununla idare etmeliyiz: **don't ~ a fool of yourself!**, kendini gülünç etme!: **he was made for this job**, tam bu işin adamı: **he made for the house**, eve doğru yürüdü: **idleness does not ~ for wealth**, zenginliğin yolu tembellik değildir: ~ **good**, başarmak: ~ **stg. good**, bir şeyi telâfi etm.: **he will ~ a good doctor/soldier**, iyi bir doktor/asker olur: **we shan't ~ it**, (tren vb.ne) yetişemiyeceğiz: **we'll ~ the village today**, köye bugün varacağız: **show what you are made of!**, kendini göster!: **I don't know what to ~ of it/I can ~ nothing of it**, buna aklım ermiyor, hiç bir şey anlamıyorum: **will you ~ one of the party?**, siz de bizimle birlikte gelir misiniz?: **this book ~s pleasant reading**, bu kitap zevkle okunuyor: **these stones ~ hard walking**, bu taşlar üzerinde zahmetle yürünüyor: **that ~s ten**, bununla on oldu; dalya on: **what do you ~ the time?**, sizin saatinize göre saat kaç? ~ **away**, ~ **away with stg.**, kaldırmak; mahvetmek; aşırmak: ~ **away with s.o.**, birini öldürmek, yok etm.: ~ **away with oneself**, intihar etmek. ~ **off**, kaçmak, sıvışmak: ~ **off with stg.**, alıp götürmek; bir şeyi yürütmek. ~ **out**, anlamak, çözmek; sökmek: ~ **out an account**, fatura/hesabı yapmak: ~ **out a list**, liste yapmak: **I can just ~ out stg. in the distance**, uzakta hayal meyal bir şey seçiyorum: **how do you ~ that out?**, bunu nereden çıkardınız?; buna nasıl hükmediyorsunuz?: **he made himself out to be a rich man**, kendisinin zengin olduğunu söyledi: **he is not such a villain as people ~ out**, herkesin söylediği kadar kötü bir insan değildir. ~ **over**, havale etm., devretmek: **he made over his farm to his son**, çiftliğini oğlunun üstüne yaptı; *fakat*: **he made over £5,000 a year**, yılda beş bin liradan fazla kazandı. ~ **up**, uydurmak; tamamlamak; birleştirmek; makiyaj yapmak, yüzünü boyamak; telâfi etm.: ~ **it up**, barışmak, uzlaşmak: ~ **up to s.o.**, gönlünü almak; -e yaranmak; yüzüne gülmek: **we must ~ it up to him**, ona bunu ödemeliyiz/tazmin/telâfi etmeliyiz: ~ **up an account/a list**, hesap/listeyi yapmak, tamamlamak: ~ **up the books**, hesabı kapatmak: ~ **up the fire/stove**, ateş/sobayı canlandırmak: ~ **up material into a dress**, kumaştan elbise yapmak: ~ **up a lie/story**, yalan/hikâye uydurmak: ~ **up lost ground**, geri kalan işi telâfi etm.: ~ **up for lost time**, kaybedilen vakti telâfi etm.: ~ **up one's mind**, karar vermek, azmetmek: ~ **oneself up**, yüzünü boyamak, makiyaj yapmak: ~ **up a prescription**, bir reçete yapmak. ~**-and-break**, (*elek.*) açılış ve kapanış (cihazı), şalter. ~**-believe**, yalancıktan, uydurma. ~**-do**, yasak savan; iğreti. ~**r**, yapıcı; fabrikatör; yaratıcı; Halik: **go to one's ~**, Allahına kavuşmak. **-~r**, *son.* -i yapan; -ci. ~**-ready**, istihsal/üretme hazırlığı. ~**shift**, geçici tedbir; iğreti; yasak savan. ~**-up**, düzgün; makyaj, yüz boyama; (*bas.*) mizanpaj. ~**weight**, abra; (*mec.*) önemsiz kimse/şey.
making ['meykin(g)] *i.* İmal, yapma. ~**s**, küçük kazançlar. **this event was the ~ of him**, onu adam eden bu olaydır: **he has the ~s of a poet**, onda şairlik hamuru var: **this quarrel was none/not of my ~**, bu kavgayı ben çıkarmadım.
mal- [mal] *ön.* Fena/kötü . . ..
Malacca [mə'lakə]. ~ **cane**, kestane rengi bir baston.
malachite ['maləkayt]. Bakır taşı; malakit.
malaco- [malәko-] *ön.* Yumuşak. ~**logy** [-'koləci], yumuşakçalar bilimi.
mal·adjustment [malə'cʌstmənt]. İntibaksızlık, uyumsuzluk. ~**administration** [-ədminis'treyşn], kötü idare, idaresizlik; vazifeyi suiistimal. ~**adroit**

[-ədroyt], beceriksiz; münasebetsiz: **~ly**, beceriksizce: **~ness**, beceriksizlik. **~ady** [-ədi], hastalık, illet. **~aise** [-'leyz], keyifsizlik, rahatsızlık; sıkıntı; endişe, tasa. **~apert** [-əpə̄t], şımarık; küstah. **~apropism** [-əpropizm], bir kelime/deyimin yanlış yerde ve şekilde kullanılması. **~apropos** [-apro'pou], yersiz.

malar ['meylə(r)]. Yanak (kemiği).

malari·a [mə'leəriə]. Sıtma, malarya. **~al**/**~an**/**~ous**, sıtmalı. **~ology** [-ri'oləci], sıtmabilim.

malarkey [mə'lāki]. Saçma, boş sözler.

Malay [mə'ley]. Malayalı. **~a** [-yə], Malaya. **~an**, Malaya +.

malcontent ['malkəntent]. Gayrimemnun; hükümetten gayrimemnun.

male [meyl]. Erkek; eril.

male- [mali-] *ön.* Kötü-. **~diction** [-'dikşn], lânet, beddua. **~dictory** [-'diktəri], lânet edici. **~factor**, cani. **~fic** [mə'lefik], muzır, zararlı: **~ence** [-fisəns], zarar: **~ent**, zararlı. **~volence** [-vələns], kötü niyet, kindarlık, bedhahlık. **~volent**, kötü niyetli, kindar.

mal·feasance [mal'fīzəns]. (Memur hakkında) kanuna aykırı hareket; suiistimal. **~formation** [-fō'meyşn], kusurluluk, sakatlık. **~formed** [-'fōmd], kusurlu, sakat. **~function**, kusurlu bir şekilde işlemek.

malic·e ['malis]. Kin, garaz; kötü niyet; hiyanet; habaset. **of/with ~ prepense/aforethought**, kasten. **~ious** [mə'lişəs], şirret; habis, hain; kindar, garazkâr, kötü niyetli.

malign [mə'layn] *s.* Menhus; muzır; meşum. *f.* İftira etm.; günahına girmek. **~ancy** [-'lignənsi], habislik. **~ant** [-nənt], muzır; şerir; habis; (hastalık vb.) vahim, öldürücü: **~ly**, kötü niyetle. **~er** [-'laynər], iftiracı. **~ity** [-'ligniti], bedhahlık; habislik.

malinger [mə'lin(g)ə(r)]. Temaruz etm., yalancıktan hastalanmak. **~er** [-rə(r)], yalandan hasta.

malison ['malisn]. Lânet.

mall [mōl, māl]. Ağaçlı yol; SHOPPING PRECINCT.

mallard ['maləd]. Yaban ördeği; yeşilbaş.

malleab·ility [maliə'biliti]. Dövülgenlik; yumuşaklık. **~le**, dövülgen, dövülür; yumuşak; uysal.

mallee ['malī] (*Avus.*) Cüce ökaliptüs.

mallemuck ['malimʌk] = FULMAR; PETREL.

malleolus ['maliələs]. Ayak bileğinin yan kemiği.

mallet ['malit]. Tokmak, tokaç.

malleus ['maliəs]. Kulağın çekiç şeklinde bir kemiği.

mallow ['malou]. Ebegümeci.

malm [mām]. Yumuşak kireç taşı; kireçli balçık.

malmsey [māmzi]. Yun.'dan keskin ve tatlı bir şarap.

mal·nutrition [malnyu'trişn]. Gıdasızlık; kötü beslenme. **~odorous** [-'oudərəs], kötü kokulu. **~practice** [-'praktis], kanun/ahlâka aykırı hareket; bir hekimin kötü tedavisi/ihmalkârlığı; irtikâp.

malt [mōlt] *i.* Malt. *f.* Hububattan malt yapmak.

Malt·a ['mōltə]. Malta. **~ese** [-'tīz] *i.* Maltız, Maltalı; Maltaca: *s.* Malta +.

malt·-extract [mōlt'ekstrakt]. Arpa özü, malt hulâsası. **~-house**/**~ing**, malt fabrikası. **~ose** [-tous], maltoz, nişasta şekeri. **~ster**, malt imalâtçısı. **~y**, maltlı, malta ait.

mal·treat [mal'trīt]. Hırpalamak, örselemek; kötü davranmak; **~versation** [-və̄'seyşn], ihtilâs; irtikâp.

mam [mam] (*çoc.*) = MAMMA[1].

mamba ['mambə] (*G.Afr.*) Zehirli bir yılan.

mambo ['mambou] (*İsp.-Am.*) Rumba gibi bir dans (müziği).

mamelon ['mamilən]. Meme gibi tepecik.

Mameluke ['maməlūk]. Memlûk; köle.

mamilla [mə'milə]. Meme. **~ry**, memeye ait; meme gibi. **~te** ['mamileyt], memeli; meme şeklinde çıkıntılı.

mam(m)a[1] [mə'mā]. Anneciğim.

mamma[2] ['mamə]. Meme. **~l**, memeli hayvan: **higher ~**, öz memeli. **~lia** [mə'meyliə], memeli hayvanlar sınıfı: **~n**, memeli(lere ait). **~logy** [ma'maləci], memeliler bilimi. **~ry**, göğüs/memelere ait.

mammo- [mamo(u)-] *ön.* Göğüs +.

mammon ['mamən]. Hırs/servet putu; haksız olarak kazanılmış/kötü olarak kullanılan mal. **~ish**, para seven. **~ism**, servet tapınması.

mammoth ['maməθ] *i.* Mamut. *s.* Dev gibi, kocaman.

mammy ['mami]. Anneciğim; *yaşlı zenci kadın/dadı.

man,[1] *ç.* **men** [man, men]. Adam, insan; erkek; er; kimse; amele, işçi; insanoğlu, ademoğlu, beşer; (dama vb.) taş. **~ about town**, sosyeteye mensup bir serseri: **~ alive!**, yahu!: **(as) ~ and boy**, çocukluktan beri: **~ and wife**, karı koca: **as a ~**, insanlık bakımından; erkek olarak: **as one ~**, hepsi beraber: **be a ~!**, cesur ol!: **every ~ jack**, herkes: **fellow ~**, hemcins, arkadaş: **~ Friday**, köle, uşak: **inner ~**, derundaki adam; (*alay.*) mide: **little ~!**, çocuğum!: **a ~'s ~**, erkek adam: **the ~ of the house**, evin erkeği: **a ~ of the people**, basit ve herkesçe sevilen adam: **officers and men**, subaylar ve erler: **to a ~**, herkes: **~ to ~**, erkekçe, samimî olarak: **the very ~**, tam aradığım/istediğim adam: **her young ~**, (kızın) erkek arkadaş/dost/yavuklusu.

man[2] *f.* **~ a fort**, kaleye kuvvet koymak: **~ a ship**, gemiye tayfa koymak: **fully ~ned**, tam kadrolu, adamları tamam.

man. = MANAGER; MANUAL; MANUFACTURED.

-man [-mən] *son.* -ci [WATCHMAN].

manacle ['manəkl]. Kelepçe (takmak).

manage[1] ['manic] *f.* İdare etm.; kullanmak; çekip çevirmek; becermek; muvaffak olm.; geçinmek. **we'll ~ it somehow**, nasıl olsa içinden çıkarız; elbette bir yolunu buluruz: **how on earth did you ~ to break that vase?**, nasıl yaptın da o vazoyu kırdın?: **he tried to mount his horse but couldn't ~ it**, ata binmeğe çalıştı, beceremedi: **he can't ~ this horse at all**, bu atı hiç zaptedemez: **I ~d to escape**, bir kolayını bulup kaçtım: **'what day shall I come?' 'Well, can you ~ Saturday?'**, 'ne gün geleyim?' 'Cumartesi nasıl?/gelebilir misiniz?': **I can't ~ more than £100**, yüz liradan fazla sarfedemem: **I can't ~ all that meat**, bu etin hepsini yiyemem: **if we go away how will we ~ about the dog?**, gezintiye gidersek köpeği ne yaparız?

manage-[2] *ön.* **~ability** [-cə'biliti], idare edilebilme. **~able** ['manicəbl], idare edilebilir; kullanışlı.

~**ment** [-mənt], idare (etme), yönetim; idareciler, yönetmenler; müdürlük. ~**r**, idareci, müdür, yönetmen; (*sp.*) menejer, yönetici: **acting** ~, sorumlu: **business** ~, yönetmen. ~**ress** [-əris], müdire. ~**rial** [-'ciəriəl], idare/müdüre ait; işletme +; yönetimle.

managing ['manicin(g)]. İdareci; becerikli; işgüzar ve mütehakkim; mesul; sorumlu. ~**-director**, idare müdürü; yetkili kişi.

manakin ['manəkin]. Mono(giller).

mañana [man'yānə] (*İsp.*) Yarın; yarın olacak/yapılacak.

manatee [manə'tī]. Manati, deniz ineği.

man-at-arms [manət'āmz]. Asker; zırhlı süvari asker.

Manchester ['mançistə]. Manchester şehri. ~ **goods**, pamuk kumaşlar.

man-child ['mançayld]. Erkek çocuk.

Manchu [man'çū]. Mançu(ryalı); Mançu dili. ~**ria** [-'çuəriə], Mançurya. ~**rian**, *i.* Mançu(ryalı): *s.* Mançurya +.

manciple ['mansipl]. (Kolej vb.) levazım memuru.

Mancunian [man'kyūniən]. Manchester'li.

-mancy [-mənsi] *son.* . . . ile keşif/kehanet [NECROMANCY].

mandamus [man'damʌs] (*Lat.*) Yüksek mahkemeden verilen emir.

mandarin[1] ['mandərin]. Mandaren; uzun müddet iktidarda kalan eski kafalı politikacı; (*kon.*) başsubay.

mandarin[2]/~**e** [-rīn]. Mandalina (ağacı).

mandat·ary ['mandətəri]. Mandater. ~**e** [-deyt] *i.* emir; vekillik; manda; vesayet; Papa iradesi; iktidardaki partiyi seçen seçmenlerin verdiği talimat: [-'deyt] *f.* manda altına koymak: ~**d**, manda altında (memleket). ~**ory** ['mandətəri], mandaya ait; vekil; zarurî: ~ **power/state**, mandater.

mandib·le ['mandibl]. Alt çene; mandibül; kuş gagalarının parçalarından her biri; böcek ağzının çıkıntılı kısmı. ~**ular** [-'dibyulə(r)], çeneye ait. ~**ulate** [-lət], çeneli.

mandolin(e) ['mandəlin]. Mandolin.

mandorla [man'dōlə] = VESICA.

mandra·gora, ~**ke** [man'dragərə, 'mandreyk]. Adamotu; kankurutan.

mandr·el/~**il** ['mandril]. Fener mili; malafa; çıkrık iği; mandrel.

mandrill ['mandril] (*zoo.*) Mandril.

mane [meyn]. Yele; perçem.

man-eater ['manītə(r)]. Adam yiyen kaplan/köpek balığı; ısıran at; yamyam.

manège [ma'neyj]. Binicilik (okulu).

manes ['meynīz] *ç.* Ruhlar.

***maneuver** [mə'nūvə(r)] = MANOEUVRE.

manful ['manful]. Mert, cesur. ~**ly**, erkekçe, yiğitçe. ~**ness**, yiğitlik; cesaret.

mangan·ese [man(g)gə'nīz]. Manganez. ~**ic**, manganezli; manganeze ait.

mange [meync]. Uyuz.

mang·el/~**old (wurzel)** ['man(g)gl(wəzl)]. Hayvan pancarı.

manger ['meyncə(r)]. Yemlik. **a dog in the** ~, kendi kullanmadığı bir şeyden başkasının yararlanmasını istemiyen kimse.

mangi·ly ['meyncili]. Pintice bir surette. ~**ness**, uyuzluk; pintilik.

mangle[1] ['man(g)gl] *i.* Çamaşır mengenesi. *f.* (Çamaşırı) mengeneden geçirmek.

mangle[2] *f.* Parçalamak, yırtmak, delik deşik etm. ~ **a language**, bir dili ezip büzmek: ~ **a quotation**, yarım yamalak iktibas etm.

mango ['man(g)gou]. Hint kirazı, mango.

mangold = MANGEL.

mangonel ['man(g)gənel] (*tar.*) Taş/okları atan mancınık.

mangrove ['man(g)grouv]. Rizofora, mangrov.

mangy ['meynci]. Uyuz; (*arg.*) pintice.

man·handle ['manhandl]. Elle (insan gücüyle) hareket ettirmek; hırpalamak. ~**hole** [-houl] (*müh.*) adam/giriş deliği, menhol. ~**hood** [-hud], beşeriyet; erkeklik; büluğ; yiğitlik; bir devletin erkekleri. ~**hour** [-auə(r)], işçi(lik) saati.

manhattan [man'hatn]. Vermut ve viskili kokteyl.

mania ['meyniə] *i.* Cinnet; mani, tutku, manya. -~, *son.* -mani [KLEPTOMANIA]. ~**c** [-niak], tehlikeli deli; manyak: ~**al**, manyaya ait; deli, çılgın.

manic ['manik]. ~ **depress·ion**, şiddetli ferahlık ile bedbinlik nöbetleşe gösteren hastalık: ~**ive**, böyle bir hasta.

manicur·e ['manikyuə(r)]. Elbakımı, manikür (yapmak). ~**ist**, manikürcü.

manifest[1] ['manifest] *i.* (*den.*) Gemi bildirgesi, manifesto.

manifest[2] *s.* Zahir, belli, aşikâr, açık, ortada. *f.* Açıkça göstermek; izhar etm. ~ **itself**, tecelli etm.; belli olm. ~**ation** [-'teyşn], görünme. ~**ly**, açıkça. ~**o** [-'festou] (*id.*) beyanname, bildirge.

manifold ['manifould] *s.* Türlü türlü, katmerli; çok. *i.* Çoğaltma makinesiyle yazılan yazı; (*müh.*) birbirine bitişik borular; toplama/taksim borusu; kolektör. *f.* Bir yazının çoğaltma makinesiyle bir çok suretini çıkarmak.

manikin ['manikin]. Ufacık adam; merdümek; kukla; manken.

Manil(l)a [mə'nilə]. Manila. ~ **paper**, ambalaj kâğıdı. ~ **rope**, kendir ip.

man·-in-the-moon. Ayın yüzünde farzolunan adam yüzü. ~**-in-the-street**, alelâde kimse, adi adam, sokaktaki vatandaş.

manioc ['maniok]. Manyok.

manipulat·e [mə'nipyuleyt]. El ile işlemek; idare etm.; suiistimal etm. ~**ion** [-'leyşn], el ile işlet(il)me; idare ed(il)me. ~**ive**/~**ory**, el ile işletmeye ait. ~**or**, idare eden; işletici, manipülatör.

Manitoba [mani'toubə]. Kanada'nın bir ili.

man·kind [man'kaynd]. Ademoğlu, insanlık, insanoğlu. ~**less**, adamsız, insansız. ~**like**, adam gibi, yiğit; erkeksi (kadın). ~**liness**, mertlik, yiğitlik, erkeklik. ~**ly**, mert, merdane, yiğitçe. ~**-made**, sunî, doğal olmıyan.

manna ['manə]. Kudret helvası; balsıra.

manned [mand] (*hav.*) Tayfalı (uzay gemisi).

mannequin ['manikin]. Manken.

manner ['manə(r)]. Tarz, tavır, töre, usul, yol; âdet. ~**s**, terbiye; muaşeret; âdet; **good** ~**s**, muaşeret adabı; **bad** ~**s**, görgüsüzlük, terbiyesizlik, muaşeret adabına riayetsizlik: **all** ~ **of people/things**, her türlü/cins halk/eşya: **as (if) to the** ~ **born**, sanki böyle/bu iş için doğmuş: **forget one's** ~**s**, terbiyesini bozmak; kendini unutmak: **in a** ~ **of speaking**, tabir caizse, söz gelişi: **in like** ~, aynı tarzda: **no ~ of doubt**, hiç şüphe yok: **teach s.o. ~s**, birine terbiye dersi vermek: **what ~ of man is he?**, nasıl bir adam?. **~ed** [-nə̄d], sahte, aşırı, yapmacıklı: **-~**, (*son.*) (filan tarzda) hareket eden: **bad-~**, terbiyesiz; **well-~**, terbiyeli: **coarse ~**, kaba. **~ism**, yapmacık; (yazara ait) özellik. **~less**, görgü/terbiyesiz. **~ly**, terbiyeli.

mannish ['maniş]. Erkek gibi; erkeksi. **~ness**, erkek gibi olma.

manoeuvr·ability [mənuvrə'biliti]. Hareket ed(il)ebilme. **~e** [-'nūvə(r)] *i.* manevra, hile; tertibat: *f.* manevra yapmak; (gemi) kullanmak: **~s**, manevra, askerî tatbikat.

man-of-war [manəv'wō(r)]. Savaş gemisi. **Portuguese ~**, fizalya.

manomet·er [mə'nomitə(r)]. Manometre, basınçölçer. **~ric**, manometreye ait.

manor ['manə(r)]. Malikâne; tımar. **lord of the ~**, malikâne sahibi. **~-house**, malikâne sahibinin köşkü. **~ial** [mə'nōriəl], 'manor'a ait.

manpower ['manpauə(r)]. El emeği; işçiler; iş gücü; bir memleketin asker sayısı.

manqué [mā(n)'key] (*Fr.*) Beceremiyen.

mansard ['mansād]. **~ roof**, dik çatı.

manse [mans] (*İsk.*) Papaz evi.

manservant ['mansə̄vənt] *ç.* **menservants** ['mensə̄vənts]. Uşak.

-manship [-mənşip] *son.* -cilik [SPORTSMANSHIP].

mansion ['manşən]. Kâşane, büyük konak. **The ~ House**, Londra belediye reisinin dairesi.

***man·-sized** ['mansayzd]. Büyük/zor (bir iş). **~slaughter** [-slōtə(r)], kasten olmıyarak/kazaen öldürme.

mansuetude ['manswityūd]. Yumuşaklık.

mantel·piece/-shelf ['mantlpīs, -şelf]. Ocak rafı, şömine üstü.

mantic ['mantik]. Kehanete ait.

-mantic *son.* . . . kehanetine ait [NECROMANTIC].

mantilla [man'tilə]. İspanyol kadınlarının kullandığı başörtüsü.

mantis ['mantis]. Peygamber devesi.

mantissa [man'tisə]. Ondalık bölümü.

mantle ['mantəl] *i.* Harmani; manto; (*biy.*) örtenek; (*yer.*) kabuk; lamba gömleği. *f.* Harmani ile örtmek; yayılıp renk vermek. **~t**, kısa manto; (*ask.*) kurşun geçmez kalkan.

mantrap ['mantrap]. Adam tuzağı.

manual[1] ['manyuəl] *s.* El ile yapılan; elişi; elle. **~ labour**, el emeği, el işi.

manual[2]. El kitabı; risale; dua kitabı; org klaviyesi. **operations ~**, çalıştırma el kitabı: **sign ~**, kral(içe) imzası. **~ly**, el ile.

manufact·ory [manyu'faktəri]. Fabrika. **~ure** [-'fakçə(r)] *i.* imal, yapım; mamul şey: *f.* yapmak, imal etm.; uydurmak: **~r** [-çərə(r)], imalâtçı, fabrikacı, fabrikatör: **~s**, (sınaî) mamulât. **~uring** [-çərin(g)], işleme; yapım; imalât.

manumi·ssion [manyu'mişn]. Esaretten azat. **~t**, esaretten azat etmek, azatlamak.

manur·e [mə'nyuə(r)]. Gübre(lemek): **artificial/chemical ~**, sunî/kimyevî gübre: **liquid ~**, fışkı şerbeti: **~-spreader**, gübreleme makinesi; gübre yayıcı. **~ial**, gübreye ait.

manuscript ['manyuskript]. Yazma; el yazması; müsvedde.

manward ['manwəd]. İnsana doğru.

Manx [manks]. Man adasına ait; Man dili. **~ cat**, kuyruksuz kedi. **~man**, Man'lı.

many ['meni]. Çok, birçok; o kadar; müteaddit; türlü, muhtelif. **as ~ again/twice as ~**, bir bu kadar daha: **there were as ~ as a hundred people there**, orada yüz kişi kadar vardı: **as ~ as you like**, ne kadar isterseniz: **a good ~**, oldukça, birçok: **a great ~**, pek çok, bir hayli: **how ~?**, kaç tane?: **~ of us**, çoğumuz, içimizden çoğu: **so ~**, o kadar çok; şu kadar: **I told him in so ~ words**, ona açıkça/kolay anlaşılır bir şekilde anlattım/söyledim: **three too ~**, üç tane fazla. **~-sided**, çok yanlı.

Maori ['mauəri]. Yeni Zelanda yerlisi(nin dili).

map [map] *i.* Harita, plan. *f.* Haritasını yapmak. **draw a ~**, harita yapmak: **on/off the ~**, (*mec.*) önemli/önemsiz: **put on the ~**, (*mec.*) bir yerin şöhretini yaymak: **wipe off the ~**, yok etm. **~-grid**, harita kafesi.

***MAP** = MILITARY ASSISTANCE/MUTUAL AID PROGRAMME.

maple ['meypl]. Akçaağaç; isfendan çınarı. **common ~**, ova akçaağacı: **Norway ~**, çınarımsı akçaağaç. **~-leaf**, bunun yaprağı; Kanada remzi. **~-syrup**, akçaağaç şurubu.

map·per ['mapə(r)]. Haritacı. **~ping**, haritacılık. **~-reference**, nirengi noktası. **~-section**, pafta.

maquette [ma'ket] (*san.*) Maket, model.

maquis [ma'kī] (*Fr.*) 1941–44'de Nazilere karşı savaşan çeteler.

mar [mā(r)]. Bozmak; ihlâl etm. **make or ~**, ya (iyi bir şey) yapmak ya bozmak.

Mar. = MARCH; MARINE; MARITIME.

marabou ['marəbū]. Marabu.

marabout ['marəbūt]. Murabut.

maraschino [marə'skīnou]. Ekşi bir kirazdan yapılan bir likör; marasken.

marasm·ic [mə'razmik] (*tıp.*) **~**MUS'a ait. **~mus**, zayıflayıp erime hastalığı.

Marathon ['marəθən] *i.* Maraton (koşusu). *s.* (*mec.*) Çok uzun bir müddet süren.

maraud [mə'rōd]. Plaçkaya çıkmak; yağma etm. **~er**, plaçkacı; yemiş/mahsul hırsızı.

marbl·e ['mābl] *i.* Mermer; bilye. *s.* Mermerden yapılmış: **~d**, mermer döşeli; mermer taklidi, benekli, ebru; hareli. **~ing**, ebru; hare.

marc [māk]. Üzüm posası, cibre; bununla hâsıl edilen kanyak.

marcasite ['mākəsayt]. Markazit.

marcel [mā'sel]. **~ wave**, özel bir saçlar ondülasyonu.

marcescent [mā'sesənt] (*bot.*) Kurumuş fakat düşmemiş (yaprak vb.).

March[1] [māç]. Mart ayı.

march[2]. Hudut, serhat, sınır. **~ with**, ile sınırdaş olm.

march[3] *i.* Askerî yürüyüş; marş; terakki, ilerleme. *f.* Yürümek. **forced ~**, sıkı yürüyüş: **forward ~!**, yürü!: **quick ~!**, ileri arş!: **give s.o. his ~ing orders**, birine yol vermek: **steal a ~ on s.o.**, gizli olarak üstünlük kazanmak.

March. = MARCHIONESS.

marcher ['māçə(r)]. Yürüyen; resmî geçitte yürüyüş yapan. **~-lord**, uç beyi.

marchioness ['māşənes]. Markiz.

marchpane ['māçpeyn] = MARZIPAN.

march-past ['māçpast]. Resmî geçit.

marconi(gram) [mā'kouni(gram)] (*mer.*) Telsiz telegrafla gönderilen haber.
Mardi gras ['mādigrā] (*Fr.*) Karnaval sonundaki salı günü.
mare [meə(r)]. Kısrak. **the grey ~ is the better horse**, evde hükmeden karısıdır; karısı kendisine üstündür. **~'s-nest**, asılsız bir haber, hulya. **~'s-tail**, zemberekotu; at kuyruğu gibi bulut.
maremma [mə'remə] (*İt.*) Bataklık.
margarine [mācə'rīn, 'māgərīn]. Margarin.
margay ['māgey]. Kaplan kedisi.
marge [māc] (*şiir.*) = MARGIN: (*kon.*) = MARGARINE.
margin ['mācin]. Kenar; (*bas.*) boşluk; (*mal.*) ayrım, marj; zırh; pay; mesafe; ara; tolerans. **allow s.o. some ~**, bir dereceye kadar hareket serbestîsi vermek: **allow a ~ for mistakes**, hatayı hesaba katmak: **allow a ~ for safety**, ihtiyat payı bırakmak: **by a narrow ~**, daradar, az bir farkla. **~al**, kenar+; sınırsal, marjinal; deniz kıyılarında bulunan; çevresel: **~ia** [-'neyliə]/**~-note**, haşiye: **~-seat**, (*id.*) oy verme neticesi hiç belli olmıyan bir seçim bölgesi. **~ate** [-neyt], kenarlı.
margrav·e ['māgreyv] (*tar.*) Uç beyi. **~ine** [-vīn], onun karısı.
marguerite [māgə'rīt]. Papatya.
Maria [mə'rayə]. Kadın ismi. **Black ~**, (*kon.*) hapishane arabası. **~n** ['meəriən], Meryemana/(*İng.*/*İsk.*) Kraliçe Mary'e ait.
mariculture ['marikʌlçə(r)] = SEA-FARMING.
marigold ['marigould]. Kadife çiçeği. **marsh ~**, altıntopu.
marijuana [mari'hwānə] (*İsp.*) Hint keneviri yaprakları, marihuana, esrar.
marinade [mari'neyd]. Şarap turşusu(nu kurmak).
marine [mə'rīn] *s.* Deniz+; denize ait, denizsel, bahrî. *i.* Deniz piyade/silâhendazı. **merchant ~**, ticaret filosu: **tell it to the ~s!**, külahıma dinlet! **~r** ['marinə(r)], gemici: MASTER-**~**: **~'s compass**, gemici pusulası. **~-science**, deniz bilimi.
Mariolatry [meəri'olətri] (*köt.*) Meryemana'ya tapma.
marionette [mariə'net]. Kukla.
marish ['mariş] (*mer.*) Bataklık(lı).
marital ['maritl]. Kocalık/evlilik hayatına ait.
maritime ['maritaym]. Denizciliğe ait; denize ait, denize yakın. **~-law**, deniz ticaret hukuku. **~-pine**, yalı çamı.
Maritsa [mə'ritsə]. Meriç nehri.
marjoram ['mācərəm]. Mercanköşk (otu). **pot ~**, yabanî mercanköşk, farekulağı.
mark[1] [māk] *i.* Alâmet, belirti, işaret; çizgi, çetele; marka, damga; nişan, hedef; bere; numara; (*eğit.*) değer, not; mark; rumuz. **as a ~ of (my) esteem**, takdir nişanesi olarak: **below/not up to the ~**, (i) keyifsiz; (ii) tam ehil değil; (iii) istenilen kalitede değil, kifayetsiz: **I am not up to the ~**, keyifsizim; bu işin tam ehli değilim: **a man of ~**, önemli bir adam: **make one's ~**, (i) temayüz etm.; belirmek; (ii) (yazma bilmiyenler hakkında) imza yerine işaret koymak: **be (a bit) off the ~**, tahminde biraz yanılmak; hedefi tutmamak: **get off the ~ quickly**, (bir yarışta) derhal hareket etm.; (bir işe) derhal girişmek: **'save the ~'!**, tövbeler olsun!; sözüm ona: **be wide of the ~**, hedefi tutmamak; yanlış tahmin etm.: **toe the ~**, hizaya girmek; herkese uymak; usule riayet etm.; yola gelmek.
mark[2] *f.* Çizmek; işaret koymak, işaretlemek; nişan yapmak; berelemek; marka yapmak; (*eğit.*) değerlendirmek; (*eğit.*) düzeltmek; dikkat etm.; göstermek; numara vermek. **~ down/up**, (*mal.*) fiyatını indirmek/artırmak: **~ my words!**, sözüme mim koy!; duvara yazıyorum: **~ time**, yerinde saymak: **the 19th century was ~ed by great scientific discoveries**, 19uncu yüzyılın özelliğini büyük ilmî keşifler teşkil eder: **~ a man**, (*sp.*) posizyonu izlemek.
mark-[3] *ön.* **~-down**, fiyat tenzil/indirimi. **~ed** [mākt] *s.* damgalı; işaretli; mimli; göze çarpan: **~ card**, işaretli iskambil kâğıdı: **a ~ man**, mimli bir adam: **~ly** ['mākidli], aşikâr olarak. **~-on**, maliyete zam yapma. **~er**, hedefte olan isabetleri gösteren şahıs; bilardo sayıları işaret eden kimse; nişantaşı; (*hav.*) marker; kılavuz.
market ['mākit] *i.* Çarşı; pazar; genel satak, piyasa; hal. *f.* Pazarda satmak; piyasaya çıkarmak, ortaya atmak. **bear ~**, kötümser piyasa: **black ~(eer)**, kara borsa(cı): **bull ~**, iyimser piyasa: **Common ~**, bazı Avrupa devletlerinin ticarî birleşmesi, Ortak Pazar: **corn ~**, hububat borsası: **home ~**, iç piyasa: **money ~**, para piyasası: **stock ~**, borsa: **street ~**, sokak çarşısı: **be in the ~ for stg.**, bir şeyi satın almak istemek: **be on/come into the ~**, satışa çıkmak: **corner the ~**, bir malı piyasadan kaldırmak: **go ~ing**, pazara gitmek, alışverişe gitmek: **find a ready ~**, revaç görmek: **the ~ has risen**, fiyatlar yükseldi: **put on the ~**, satışa çıkarmak. **~able**, satılabilir. **~-analysis**, piyasa tetkiki. **~-cross**, çarşı yerinde dikili haç. **~-day**, çarşı/pazar günü. **~eer**, pazarcı, satıcı. **~-garden(er)**, bostan(cı). **~-house**, hal. **~ing**, pazarcılık, piyasaya çıkarma, pazarlama. **~-place/-square**, çarşı/pazar yeri. **~-price/-value**, satış/pazar fiyatı. **~-research**, piyasa tetkik/incelemesi. **~-town**, haftada bir iki defa çarşı kurulan şehir.
markhor ['mākō(r)]. Yılan-yiyen keçi.
marking ['mākın(g)] *i.* İşaretle(n)me; çizme; (*eğit.*) değerlendirme, düzeltme; *gen. ç.* benekler, işaretler. **~-gauge** [-geyc], nişankes. **~-ink**, sabit marka boya/mürekkebi.
marks·man, *ç.* **-men** ['māksmən]. Nişancı; atıcı: **~ship**, nişancılık.
mark-up ['mākʌp] (*mal.*) Yeniden zam yapma; toptan ile perakende fiyatlar arasındaki fark.
marl [māl] *i.* Özlü kireçli toprak. *f.* Bu toprakla gübrelemek.
marline ['mālin]. İki kollu ince halat; kırçıla. **~spike** [-spayk], (halat kollarını açmak için) çelik, kavilya.
marly ['māli]. MARL gibi/kapsıyan.
marmalade ['māməleyd]. Portakal reçeli.
marmite ['māmayt] (*ev.*) Toprak tencere.
Marmor·a ['mām(ə)rə]. **Sea of ~**, Marmara Denizi. **~eal** [-'mōriəl], (*şiir.*) mermer gibi, mermerden yapılmış.
marmoset ['māməzet]. İpektüylü maymun, marmoset.
marmot ['māmət]. Dağ sıçanı.
Maronite ['marənayt]. Maruni.
maroon[1] [mə'rūn] *s.* Vişne çürüğü rengi.
maroon[2] *i.* Patlayıcı fişek.
maroon[3] *f.* Karaya çıkarıp ıssız bir adada bırakmak. **be ~ed**, dışarıyla ilişkisi kesilmek.

marplot ['māplot]. Bir tedbir/teşebbüsü boş bir müdahale ile bozan kimse.
marq. = MARQUIS.
marque [māk]. **letters of** ~, (vaktiyle) verilen korsanlık fermanı.
marquee [mā'kī]. Büyük çadır, tente.
marquetry ['mākitri]. Kakma işi.
mar·quis, -quess ['mākwis]. Marki. ~**ate** [-zit], markilik. ~**e** [-'kīz], marki karısı; uçlu beyzî şekilde yüzük.
marram ['marəm]. Kıyıda büyüyen bir ot.
marriage ['maric]. Evlenme, izdivaç. **arranged** ~, ana baba tarafından tertip edilen evlenme: **civil** ~, medenî evlenme: **registry-office** ~, evlenme dairesinde yapılan evlenme: **religious** ~, kilisede yapılan evlenme: **trial** ~, evlenmeden evvel ve tecrübe olarak bir çiftin beraber yaşamaları: **give s.o. in** ~, kocaya vermek: **relative by** ~, sıhrî akraba: **seek s.o.('s hand) in** ~, bir kıza talip olm.: **take s.o. in** ~, bir kimse ile evlenmek. ~**able**, evlenecek çağda, gelinlik. ~**-bed**, (*mec.*) karı koca yatağı. ~**-broker**, evlenme tellâlı. ~**-certificate/lines**, evlenme kâğıdı. ~**-licence**, evlenme ruhsatı. ~**-portion**, çeyiz. ~**-settlement**, evlenirken gelir tahsisi. ~**-vows**, evlenme yemini.
married ['marid]. Evlenmiş. ~ **man**, ev bark sahibi: **a** ~ **couple**, karıkoca: **get** ~, evlenmek.
marron glacé ['maron'glase]. Kestane şekeri.
marrow ['marou]. İlik; öz; sakız kabağı. **spinal** ~, omurilik. ~**bone**, ilikli kemik. ~**fat**, ~ **pea**, iri taneli bezelya. ~**less**, iliksiz. ~**y**, ilikli.
marry[1] ['mari]. Evlen(dir)mek; nikâhla vermek; kocaya vermek; (*mec., müh.*) birleş(tir)mek. ~ **beneath one**, dengi olmıyanla evlenmek: ~ **into a family**, evlenme yolu ile bir aileye girmek: ~ **money**, zengin bir kimse ile evlenmek: ~ **off a daughter**, kızını birine evlendirmek.
marry[2] *ünl.* (*mer.*) Ya!; acayip!
Mars [māz] (*mit.*) Savaş ilâhı; (*ast.*) Mars/Merih/Sakıt gezegeni.
Marseilles [mā'seylz]. Marsilya şehri.
marsh [māş]. Bataklık.
marshal ['māşəl] *i.* Mareşal, müşir; teşrifat memuru; AIR-~; FIELD-~. *f.* Dizmek, sıralamak, sıraya koymak. ~ **s.o. in/out**, birini törenle içeri getirmek/dışarı götürmek: ~ **facts**, olayları toplayıp mantıkî bir düzene koymak. ~**ling yard**, trenlerin manevra/ayırma istasyonu. ~**ship**, mareşallik.
marsh·-gas ['māşgas]. Metan, bataklık gazı. ~**iness**, bataklık olma. ~**land**, bataklık yer. ~**-mallow**, hatmi. ~-MARIGOLD. ~**y**, bataklık, bataksal, sulak.
marsupial [mā'syūpiəl]. Keseli (hayvan).
mart [māt]. Çarşı; pazar yeri; ticaret merkezi; mezat dairesi.
martello [mā'telou]. ~ **tower**, yuvarlak hisarcık.
marten ['mātən]. Sansar(giller). **beech** ~, kaya sansarı: **pine** ~, ağaç sansarı, zerdeva.
martial [māşl]. Savaşa ait, harbî, cengâver; savaşa elverişli. **court** ~, divanı harp, askerî mahkeme: ~ **law**, örfî idare, sıkı yönetim.
Martian ['māşən]. Merih'e ait; varsayılan Merih'li mahluk.
martin ['mātin]. **house** ~, şehir/pencere kırlangıcı: **sand** ~, kum kırlangıcı.
martinet [māti'net]. Aşırı disiplinci.
martingale ['mātin(g)geyl]. Baş vurmasına engel olm. için beygire takılan kayış, kelepser.
martini[1] [mā'tīni]. Bir cins tüfek.
martini[2]. Bir cins kokteyl.
Martinmas ['mātınməs]. 11 Kasım; kış başlangıcı.
martlet ['mātlət]. Kara sağan.
martyr ['mātə(r)] *i.* Şehit; din uğrunda ölen adam; fikir kurbanı; mağdur; mazlum. *f.* Şehit etm. **a** ~ **to rheumatism**, romatizma kurbanı: **make a** ~ **of oneself**, şöhret kazanmak için fedakârlık eder görünmek. ~**dom**, şehitlik; büyük acı. ~**ize** [-rayz], şehit etm. ~**ology** [-'roləci], şehitler sicili. ~**y** [-ri], şehit namına yapılan abide.
marvel ['māvl] *i.* Mucize; acibe. *f.* Şaşmak, taaccüp etm. **it's a** ~ **to me**, harika, beni hayrette bırakıyor: **work** ~**s**, mucize gibi tesir etm. ~**lous** [-viləs], acayip, fevkalâde; şaşılacak: ~**ly**, fevkalâde olarak; (*kon.*) çok.
Marx·ian ['māksiən]. MARX(ISM)'e ait. ~**ism**, marksizm. ~**ist**, marksist.
***Maryland** ['me(ə)rilənd]. ABD'nden biri.
marzipan [māzi'pan]. Badem ezmesi.
masc. = MASCULINE.
mascara [mas'kārə]. Kirpik boyası.
mascot ['maskot]. Uğur getiren adam; uğur için taşınan şey; tılsım; uğurluk.
masculin·e ['maskyulin]. Erkeğe ait, erkeğe benziyen; (*dil.*) eril, müzekker. ~**ity** [-'liniti], erkeklik.
maser ['meyzə(r)] = MICROWAVE AMPLICATION BY STIMULATED EMISSION OF RADIATION; böyle bir mikrodalgalar amplifikatörü.
mash [maş] *i.* Ezilmiş ve sulu bir madde; lapa; ezme. *f.* Lapa haline koymak; ezmek. **bran** ~, kepek lapası: ~**ed potatoes**, patates ezmesi.
masher ['maşə(r)] (*mer.*) Kadın avcılığı taslıyan züppe.
mashie ['maşi]. Demir uçlu bir golf değneği.
masjid [mas'cid]. Mescit.
mask [māsk] *i.* Maske; örtü; nikap; taş maske; alçıdan yüz kalıbı. *f.* Maskelemek; örtmek; örtbas etm., gizlemek. ~**ed ball**, maskeli balo: **drop/throw off the** ~, maskeyi yüzünden indirmek: **under the** ~ **of**, . . . perdesi altında. ~**er**, maskeli kimse.
masochis·m ['mazəkizm]. Kendine yapılan kötülük/zulümden (cinsî) zevk alma sapıklığı. ~**t**, kendine kötülük yapan kimse.
mason ['meysn]. Taşçı; duvarcı; farmason. ~**ic** [mə'sonik], masonluğa ait. ~**ry** [-sənri], duvarcılık; duvarcı işi; taşçı işi; masonluk.
masque [māsk]. Amatörler tarafından verilen temsil; bunun için yazılan piyes. ~**rade** [-'reyd], maskeli balo; kılık değiştirme; taslama, gibi görünme: ~ **as . . .**, taslamak, . . . gibi görünmek/geçinmek.
mass[1] [mas]. Katolik kilise âyini; bunun için yazılan musiki.
mass[2] *i.* Kütle; hacım; yığın, küme; mecmu. **the** ~**es**, avam takımı: **a** ~ **of people**, büyük kalabalık: **people in the** ~, genellikle halk: **the great** ~ **of the people**, halkın çoğunluğu: ~ **of manoeuvre**, ihtiyatta bırakılan kuvvetler: ~ **executions**, toptan idamlar: ~ **rising**, bütün memleketin ayaklanması.
mass[3] *f.* Yığmak; toplamak; cemetmek; bir araya getirmek; kütle halinde toplanmak.

***Mass.** = **Massachusetts** [masə'çūsits], ABD'nden biri.

massacre ['masəkə(r)] *i.* Katliam. *f.* Kılıçtan geçirmek, katliam etm.

mass·age [ma'sāj, 'ma-]. Oğma, oğuşturma(k), masaj (yapmak). ~**eur**/**-euse** [-'sə(r), -'səz], erkek/kadın masajcı; tellâk.

massif ['masif] (*yer.*) Kütle.

massive ['masiv]. Ağır ve kalın; kocaman; som; lenduha; kütlevî. ~**ly**, ağır bir surette.

mass·-media [mas'mīdiə]. Kütle haberleşme araçları (TV, radyo, gazete). ~**-meeting**, kalabalık miting. ~**-production**, seri halinde imal/yapım/istihsal/üretim. ~**y** = MASSIVE.

mast[1] [māst]. Gemi direği. **fore-/main-/mizzen-**~, prova/grandi/mizana direği: **mooring** ~, (*hav.*) bağlama kulesi: **a flag at half** ~, matem alâmeti olarak yarıya indirilmiş bayrak: **sail before the** ~, bir gemide tayfa olarak hizmet etm.

mast[2]. Meşe ve kayın ağaçlarının palamudu.

mastectomy [mas'tektəmi] (*tıp.*) Göğüs/meme ameliyatı.

master[1] ['māstə(r)] *i.* Âmir; sahip; reis; başkan; efendi; usta, uzman, üstat; muallim, öğretmen, hoca; tüccar gemisi kaptanı; üst gelen; *genç asilzadelere verilen lakap.* ~ **of Arts**, sosyal bilimlerden mezun (İng. üniversitelerinde mezuniyet diploması ile Doktora arasında bir derece): ~ **of Ceremonies**, teşrifat memuru: ~ **of the Horse**, Mirahor: ~ **of Hounds**, bir tilki/geyik avını idare eden adam: ~ **of Laws**, hukuk mezunu: ~ **of the Mint**, darphane müdürü: ~ **of the Rolls**, evrak/arşiv dairesi müdürü: ~ **of Science**, fen mezunu: **be one's own** ~, bağımsız olm.: **be** ~ **in one's own house**, kendi evinin efendisi olm.: **you are not** ~ **of yourself**, iradeniz elinizde değil: **the young** ~, küçük bey.

master[2] *f.* Zaptetmek; amirce idare etm.; itaat ettirmek; hâkim olm. ~ **a difficulty**, bir güçlüğü yenmek: ~ **a subject**, bir konuya hâkim olm.

master-[3] *ön.* Ana-, esas, asıl, baş. ~**-at-arms**, savaş gemisinde inzibat çavuşu. ~**-builder**, mimar/yapı kalfası. ~**-clock**, ana saat. ~**-copy**, asıl nüsha. ~**ful**, mütehakkim; inatçı; iradesi kuvvetli. ~**-hand**, usta, erbap. ~**hood** [-hud], sahiplik. ~**-key**, ana anahtar. ~**ly**, üstatça. ~**-mariner**, tüccar gemisi kaptanı. ~**-mason**, baş duvarcı. ~**-mind**, *i.* başkalarını idare eden akıl: *f.* (politika/suç vb.) akıllıca tertip edip yönetmek. ~**piece**, şaheser. ~**ship**, efendilik; sahiplik; hocalık; hüküm; hüner. ~**stroke** [-strouk], ustaca bir tedbir. ~**-switch**, ana şalter. ~**y**, hâkimiyet; galebe; üstünlük; üstatlık.

mast-head ['māsthed] *i.* Direk baş/tepesi. *f.* Ceza olarak gemici oraya göndermek; yelkenler oraya çekmek.

mastic ['mastik]. Sakız; mastika.

masticat·e ['mastikeyt]. Çiğnemek. ~**ion** [-'keyşn], çiğneme.

mastiff ['māstif]. Samsun.

mastitis [mas'taytis]. Meme iltihabı.

mastodon ['mastədon]. Mastodont.

mastoid ['mastoyd] *s.* Meme başı şeklinde; mememsi. *i.* Mastoit çıkıntısı; çıkıntılı kemik.

masturbat·e ['mastəbeyt]. İstimna yapmak, abaza çekmek. ~**ion** [-'beyşn], istimna, (*arg.*) otuzbir.

mat[1] [mat] *i.* Hasır; paspas; keçe; nihale; (*sp.*) minder; palet; karmakarışık yığın. *f.* Hasır döşemek; hasır örmek; saç ve emsalini birbirine yapıştırıp top etm. **be on the** ~, azarlanmak: **collision** ~, (*den.*) usturmaca.

mat[2] *s.* Donuk; mat. *f.* Donuk hale koymak.

matador ['matədō(r)] (*İsp.*) Boğa güreşçisi.

match[1] [maç] *i.* Kibrit. **strike a** ~, kibrit çakmak.

match[2] *i.* Maç; oyun; karşılaşma; müsabaka.

match[3] *i.* Misal, misil, eş. **be a** ~ **for**, -e denk olm., eş olm.: **make a good** ~, fevkalâde bir eş bulmak: **a good** ~ **of colours**, birbirini tutan renkler: **meet one's** ~, dengine rastlamak.

match[4] *f.* Birbirine uymak; mütenasip olm.; birbirine uydurmak; eşini bulmak. ~ **s.o. against another**, boy ölçüştürmek: **be well** ~**ed**, uyuşmak; birbirine uygun olm.; hemahenk olm.; birbirinin dengi olm.

match-[5] *ön.* ~**board(ing)**, birbirine geçme tahta. ~**box**, kibrit kutusu.

matchet ['maçit]. Geniş yüzlü bıçak, pala.

match·ing ['maçin(g)] *i.* (*sin.*) Uyuşum: *s.* uygun; birbirine uyan. ~**less** [-lis], misli yok, emsalsiz, eşi görülmemiş. ~**lock**, fitilli tüfek. ~**maker**, çöpçatan; kibrit fabrikatörü. ~**-point**, (*sp.*) maçı kazandırabilir sayı. ~**wood**, kibrit çöpü: **made of** ~, çerden çöpten: **burn like** ~, çıra gibi yanmak: **smashed to** ~, parça parça edilmiş.

mate[1] [meyt] *i.* Eş; arkadaş; iş ortağı; kapı yoldaşı; yamak; tüccar gemilerinde ikinci kaptan.

mate[2] *f.* Çiftleş(tir)mek; evlen(dir)mek; eş olm.; eşini bulmak.

mate[3]. Satrançta mat (etmek).

maté ['matey]. Paraguay çayı.

mateless ['meytlis]. Eşsiz.

mater ['meytə(r)] (*Lat.*) (*arg.*) Anne. ***alma*** ~, bir kimsenin okuduğu okul/üniversite: ~***familias*** [-fə'miliəs], çoluk çocuk sahibi kadın.

materia [mə'tīriə] (*Lat.*) ~ ***medica***, tıpta kullanılan maddeler(e ait bilim).

material [mə'tiəriəl] *i.* Madde; kumaş; malzeme, gereç; bir kitap için gereken malzeme. *s.* Maddî, maddesel; cismanî; elzem. ~**s**, levazım, malzeme, gereç: **raw** ~, ham madde/gereç. ~**ism**, maddecilik, özdekçilik, maddiyat. ~**ist**, maddeci, özdekçi. ~**istic** [-'listik], maddî, özdeksel; maddeciliğe ait. ~**ize**, maddeleştirmek; gerçekleştirmek; tahakkuk etm., müncer olm.

matern·al [mə'tənl]. Ana(lığ)a ait; ana gibi/tarafından: ~ **aunt**, teyze: ~ **grandparent(s)**, ananın ana babası: ~ **uncle**, dayı. ~**ity**, analık; doğum: ~ **benefit**, doğum sigortasından verilen para: ~ **home/hospital**, doğum evi.

matey ['meyti] (*kon.*) Dostça, sokulgan.

math(s). = MATHEMATICS.

mathematic·al [maθi'matikl]. Matematik +, matematiksel, riyazî. ~**ian** [-mə'tişn], matematikçi, riyaziyeci. ~**s** [-'matiks], matematik, riyaziye: **applied/pure** ~, tatbikî/nazarî matematik.

matinée ['matiney] (*Fr., tiy.*) Gündüz oyunu, matine.

mating ['meytin(g)]. Birleşim; çiftleşme. ~ **parts**, (*müh.*) geçme/eş parçalar. ~ **season**, (*zoo.*) çiftleşme zamanı, ilkbahar.

matins ['matinz]. Anglikan kiliselerinde sabah ibadeti.

matriarch ['meytriāk]. İlkel kabilelerde hem ana hem hâkime sayılan kadın, maderşah. **~al** [-'ākl], maderşahî, anaerkil. **~y**, maderşahilik, anaerki.
matric [mə'trik] = MATRICULATION.
matrices ['meytrisīz] *ç.* = MATRIX.
matricid·al ['meytrisaydl]. Ana katline ait. **~e**, ana katili; ana öldürme/katli.
matriculat·e [mə'trikyuleyt]. Üniversiteye girmek için imtihan vermek. **~ion** [-'leyşn], üniversiteye kaydolunma ve bunun için gerekli olan imtihan, olgunluk sınavı.
matrimon·ial [matri'mouniəl]. İzdivaç/evliliğe ait. **~y** [-məni], Evlilik, evlenme.
matri·x, *ç.* **~xes**, **~ces** ['meytriks(iz), -sīz] (*biy.*) Dölyatağı; (*bas.*) harf kalıbı; (*müh.*) dişi kalıp; matris; (*yer.*) değerli taş parçasını taşıyan kaya; (*mat., elek.*) matris.
matron ['meytrən]. Yaşlı ve muhterem evli kadın; ana kadın; hatun; bir hastane gibi kurumun başkanı olan kadın; bir okulda çocukların sağlığına ve üstlerine başlarına bakan kadın. **~age**/**~hood**, böyle bir kadın olma; kadınlar. **~ly**, ana kadına yakışan. **~ship**, (okul vb.de) kadın memuriyeti.
mat(t) [mat]. Mat, donuk; sağır (renk); buzlu (cam).
matter[1] ['matə(r)] *i.* Madde, özdek; cevher, cisim; mesele, dava, sorun, iş; ehemmiyet, önem; eser konusu; cerahat, irin. **that's (quite) another ~**, o başka bir mesele/bahis: **as a ~ of course**, tabiî olarak; hiç düşünmeden: **(a) ~ of fact**, vakıa, hakikat: **as a ~ of fact**, zaten; doğrusu: **for that ~**, ona gelince: **it is a ~ for rejoicing that . . .**, sevinmeye değer bir meseledir ki: **grey ~**, boz madde: **in the ~ of . . .**, -in hususunda: **it makes no ~**, zarar yok; fark yok; önemi yok: **no great ~**, bir şey değil: **it will be a ~ of two months**, bu iki aylık bir meseledir: **settle ~s**, meseleyi halletmek, çözmek, kapatmak: **it's a ~ of taste**, bu bir zevk meselesidir: **what's the ~?**, ne var?, ne oldu?: **what's the ~ with you?**, neniz var?, size ne oldu?: **well, what ~!**, ne çıkar?: **is there anything the ~ with you?**, size bir şey mi oldu?. **~-of-fact**, maddî, hissiz, kuru, pratik.
matter[2] *f.* Ehemmiyetli/önemli olm. **it does not ~**, önemi yok: **it ~s a good deal to me**, benim için önemi var: **it doesn't ~ to me whether he comes or not**, gelse de gelmese de bence eşit.
matting ['matin(g)]. Hasır örgüsü; keçe. **coco-nut ~**, koko yol keçesi.
mattock ['matək]. Uçları yassı bir nevi kazma, tirpidin.
mattress ['matris]. Minder, şilte, somya. **spring ~**, yaylı somya, cennet yatağı.
matur·ation [matyu'reyşn]. Olgunlaşma. **~e** [mə'tyuə(r)] *s.* olgun; kemale ermiş; erişkin; yetişkin; yaşını başını almış; geçkin; kıvamında; vadesi gelmiş (bono): *f.* olgunlaşmak; pişmek; kemale ermek; ödenme zamanı gelmek; süresi gelmek; olgunlaştırmak, pişirmek: **after ~ consideration**, düşünüp taşındıktan sonra. **~ely**, olgun vb. olarak. **~eness**/**~ity** [-'tyūriti], olgunluk; erişkinlik; kemal; vade, ödenme tarihi; erinlik.
matutinal [matyu'taynl]. Sabaha ait; sabahlık; erken.
maudlin ['mōdlin]. Sarhoşluktan cıvık ve ağlamalı bir halde olan; cıvık ve ağlamalı bir sevgi gösteren.
maul[1], **mall** [mōl] *i.* Tokmak.
maul[2] *f.* Dövüp berelemek; hırpalamak; örselemek; yaralamak.
maulstick ['mōlstik]. Ressam değneği.
maunder ['mōndə(r)]. Mırıldanarak ve tutarsız konuşmak; gayesiz ve dalgın dalgın gezinmek.
Maundy ['mōndi]. **~ Thursday**, paskalyadan önceki perşembe günü. **~ money**, o gün kraliçe tarafından fakirlere dağıtılan para.
Mauser [mauzə(r)]. **~ rifle**, mavzer tüfeği.
mausoleum [mōsə'liəm]. Türbe, anıtkabir, mezar, mozole.
mauve [mouv]. Leylak rengi; leylakî.
***maverick** ['mavərik] *i.* Damgalanmamış sahipsiz dana/tay; (*mec.*) sahipsiz kimse. *f.* Başıboş gezmek.
mavis ['meyvis] (*leh.*) Ardıç kuşu.
maw [mō]. Karın; kursak; hayvan ağzı.
mawkish ['mōkiş]. Tiksindirici; yavan, tatsız; marazî şekilde hassas, fazla içli. **~ly**, tiksindirici bir surette.
max. = MAXIMUM.
maxi ['maksi] (*kon.*) Çok uzun (elbise, etek vb.); normalden fazla uzun (şey).
maxilla [mak'silə]. Maksila, (üst) çene. **~ry** [-ləri], çeneye ait, çenel; fekkî.
maxim[1] ['maksim]. Vecize; özdeyiş; darbımesel; düstur; şiar.
Maxim[2]. Maksim tüfeği.
maxima ['maksimə] *ç.* = MAXIMUM. **~l**, maksimuma ait; en büyük/yüksek.
maxim·ize ['maksimayz]. Azamî haddine eriştirmek. **~um** [-məm] *i.* en büyük/yüksek derece, azamî had, tavan, maksimum; gaye; narh: *s.* azamî, en büyük/yüksek.
maxwell ['makswəl]. Maksvel, mıknatıs akımı birimi.
May[1] [mey] *i.* Mayıs ayı; (*bot.*) mayıs çiçeği, akdiken.
may[2] (*g.z.* **might**) [mey, mayt] *f.* (*Yardımcı fiil; bk. dahi* MIGHT[1]). *Bu fiil birleştiği fiile ihtimal/müsaade anlamlarını ekler.* **~ I come in?**, girebilir miyim?: **~ they be happy!**, mutlu olsunlar: **be that as it ~**, her ne olursa olsun: **it ~ be that . . .**, olabilir ki: **he ~ come tonight**, (i) bu akşam belki gelir; (ii) bu akşam gelebilir; bu akşam gelmesine izin var: **it ~ rain**, yağmur yağabilir; yağmur yağması muhtemeldir: **we ~ as well stay where we are**, bulunduğumuz yerde kalsak daha iyi: **work as he ~ he will never pass this exam**, nekadar çalışırsa çalışsın bu imtihanı veremez: **if I ~ say so**, kusura bakmayın amma . . .: **I hope we ~ meet again**, umarım ki yine görüşürüz: **tell me when you are coming so that I ~ meet you**, ne zaman geleceğinizi söyleyiniz de sizi karşılayayım: **who ~ you be?**, siz kimsiniz?, siz kim oluyorsunuz?: **you ~ walk ten miles without seeing a soul**, bir tek kimse görmeden on mil yürüyebilirsiniz.
maybe ['meybi]. Belki; ihtimal ki; olabilir ki.
May·day ['meydey]. Bir mayıs (bayramı): **~ call**, (*rad.*) tehlike işareti. **~fly**, su sineği, günlükböcek.
mayhap ['meyhap] (*mer.*) Olabilir.
mayhem ['meyhem]. Birini sakatlıyarak savunmasız bırakmak suçu.
mayonnaise [meyə'neyz]. Mayonez.

mayor [meə(r)]. Belediye reisi. **lady** ~, kadın belediye reisi: **Lord-**~, büyük belediye reisi. ~**al**, belediye reisine ait. ~**alty** [-rəlti], belediye reisliği. ~**ess**, belediye reisinin karısı.
may·pole ['meypoul]. Mayısın birinde bayram yapmak için dikilen direk, fırdöndü. ~**queen** [-kwīn], bu bayramın kraliçesi seçilen genç kız.
mazarine [mazə'rin]. Koyu mavi (renk).
Mazdaism ['mazdəizm]. Mazda/zerdüşt dini.
maze [meyz] *i.* Labirent. *f.* Şaşmak; sersemletmek. **be in a** ~, ne yapacağını bilmemek.
mazer ['meyzə(r)]. Tahta kadeh/kâse.
mazout [ma'zūt]. Mazot.
mazurka [mə'zəkə]. Canlı Leh dansı.
mb. = MILLIBAR.
MB = BACHELOR OF MEDICINE; METROPOLITAN/MUNICIPAL BOROUGH; MOTORBOAT; MOULDED BREADTH. ~**E** = MEMBER (OF THE ORDER) OF THE BRITISH EMPIRE.
Mc(s) = MEGACYCLE(S).
MC = MASTER OF CEREMONIES; MEDICAL CORPS; *MEMBER OF CONGRESS; MILITARY COLLEGE/CROSS; MORSE CODE; MOTOR-CYCLE. ~**C** = MARYLEBONE CRICKET CLUB.
McCoy [mə'koy] (*arg.*) **the real** ~, fevkalâde.
MCM(V) = MINE-COUNTER-MEASURES (VESSEL).
Md = *MARYLAND; (*kim.s.*) MENDELEVIUM.
MD = DOCTOR OF MEDICINE; MANAGING DIRECTOR; MARKET DAY; MENTALLY DEFICIENT; MOULDED DEPTH. * ~**T** = MOUNTAIN DAYLIGHT TIME.
Mdlle (*Fr.*) = MADEMOISELLE.
me [mī]. Beni; (*kon.*) ben. **to** ~, bana: **from** ~, benden: **ah** ~!, eyvah!: **dear** ~!, yok canım; ne yazık
***Me.** = MAINE.
ME = MIDDLE EAST/ENGLISH. ~**A** = MIDDLE EAST AIRLINES.
mead[1] [mīd]. Baldan yapılmış bir likör.
mead[2] = **meadow** ['medou]. Çayır, otlak. ~**-grass**, İngiliz çimi. ~ **saffron**, itboğan, güzçiğdemi. ~**-sweet**, erkeç sakalı. ~**y**, çayır gibi.
meagre ['mīgə(r)]. Zayıf; kıt; yavan. ~**ly**, zayıf olarak. ~**ness**, zayıflık; kıtlık.
meal[1] [mīl]. (Arpa/mısır vb.) kaba un.
meal[2]. Yemek, taam. **at** ~**s**, yemeklerde: **make a** ~ **of**, yiyip bitirmek, silip süpürmek: yemek yerine yemek.
mealies ['mīliz]. Mısır buğdayı.
meal·s-on-wheels ['mīlzonwīlz]. Yaşlılar için evlerine dağıtılan yemekler. ~**-ticket**, yemek karnesi. ~**-time**, yemek saati. ~**-worm**, un kurdu. ~**y**, unlu, un gibi: ~**-bug**, unlubiti: ~**-mouthed**, yapmacıktan tatlı dilli; yaltak; riyakâr.
mean[1] [mīn] *i., s.* Orta; ortalama; vasat; vasatî: *ç.* = ~s. **the golden/happy** ~, ne ifrat ne tefrit; ikisi ortası: ~ **sea level**, ortalama deniz seviyesi: ~ **time**, ortalama saat.
mean[2] *s.* Cimri, nekes; alçak, aşağı; namert. **take a** ~ **advantage of s.o.**, bir fırsatı adice kullanarak birisine üstün gelmek: **the** ~**est Frenchman expects good cooking**, en aşağı bir Fransız bile yemeğin iyi pişirilmesini ister: **he has no** ~ **opinion of himself**, kendini epeyi beğenmiştir: **he is no** ~ **scholar**, o önemli bir bilgindir: **think** ~**ly of s.o.**, (i) birini pek gözü tutmamak; (ii) küçümsemek.
mean[3] (*g.z.(o.)* **meant**) [mīn, ment] *f.* Demek istemek, kastetmek; anlamı olm.; muradetmek; kararlaştırmak, tasarlamak, tasmim etm.; ifade etm.: **I didn't** ~ **to be rude**, bu nezaketsizliği istiyerek yapmadım: **he** ~**s well**, (-e rağmen) iyi niyet sahibidir: **he** ~**s no harm**, kötülük kasdetmiyor, iyi niyetle hareket ediyor: **I** ~ **to write a book about Turkey**, Türkiye hakkında bir kitap yazmak niyetindeyim: **I** ~ **what I say**, laf olsun diye söylemiyorum, bu konuda ciddîyim: **I** ~ **to be obeyed**, bana itaat edilmesini isterim yoksa . . .: **that remark was** ~**t for you**, bu sözü sizi kastederek söyledim/söyledi vb.: **I** ~**t this necklace for you**, bu gerdanlığı size vermeği/sizin için düşünüyordum: **the name** ~**s nothing to me**, bu ismi hiç hatırlamıyorum; bu isim bana hiç bir şey ifade etmiyor: **this portrait is** ~**t to be me**, bu güya/sözde benim resmim: **what do you** ~ **by behaving like that!**, bu hareketinizle ne demek istiyorsunuz?; ne cesaretle böyle hareket ediyorsunuz?
meander [mi'andə(r)] *i.* Büklüm, menderes. *f.* Yılankavî olm., sağda solda dolaşmak; maksatsız dolaşmak; (*mec.*) insicamsızca konuşmak. ~**ing**, *i.* dolambaçlı yol; insicamsız konuşma: *s.* yılankavî; insicamsız.
meaning ['mīnin(g)] *i.* Mana, anlam; meal; kasit, amaç. *s.* Manalı, anlamlı. **what's the** ~ **of this?**, (i) bunun manası nedir? (ii) bu ne demek?, bu ne!, bu nasıl şey!: **well-**~, iyi kalpli; (aslında) iyi niyetli. ~**ful**, çok anlamlı; ciddî. ~**less**, manasız, anlamsız; abes.
mean·ly ['mīnli]. Cimri bir surette; aşağı olarak. ~**ness**, cimrilik; aşağılık, çingenelik.
means [mīnz] *ç.* = MEAN[1]; vasıta, araç, vesile; yol, suret; imkânlar; servet, irat, gelir, para: **a** ~ **to an end**, gaye için vasıta: **by all** ~, (i) hayhay, elbette; (ii) ne yapıp yapıp: **by all** ~ **let him learn Turkish**, varsın Türkçe öğrensin: **by any** ~ **you can**, ne yapıp yapıp; her ne suretle olursa olsun: **he is not by any** ~ **a rich man**, hiç de zengin bir adam değildir: **by** ~ **of . . .**, . . . yoluyla: **it is beyond my** ~, benim harcım değil; bu benim için imkânsız: **live beyond one's** ~, gelirinden fazla sarfetmek; ayağını yorganına göre uzatmamak: **a man of** ~, varlıklı bir adam; hali vakti yerinde bir adam: **by no (manner of)** ~, hiç değil; hiç bir suretle; katiyen; ne gezer: **there is no** ~ **of doing it**, bunu yapmağa imkân yok: **private** ~, bir şahsın kendi geliri (bir görevden aldığı ücret dışında): **by some** ~ **or other**, herhangi bir şekilde; ne yapıp yapıp: **by** ~ **of . . .**, . . . sayesinde/vasıtasıyle: **he has been the** ~ **of . . .**, onun vasıtasıyle . . .: **without** ~, gelirli olmıyan; fakir: **ways and** ~, türlü türlü vasıta *bilh.* malî vasıta: **Committee of Ways and** ~, bütçe encümeni. ~**-test**, emekli/işsizlik vb. aylığının bir kimsenin özel gelirine göre ödenmesi.
meant [ment] *g.z.(o.)* = MEAN[3].
mean·time/~**while** ['mīntaym, -wayl]. Bu arada. **in the** ~, bu müddet zarfında, bir yandan; bununla beraber.
meas. = MEASURE(MENT).
measl·es [mīzlz]. Kızamık. **German** ~, kızamıkçık. ~**y**, kızamığa aıt; (*mec.*) değersiz, sefil.
measur·able ['mejərəbl]. Ölçülebilir; yakın. ~**ably**, ölçülür bir surette. ~**e**, *i.* ölçü; mikyas; ölçme; aşama, derece; had; ölçek, vezin; nizam; (*dil., müz.*) ölçü; (*yer.*) damar: *f.* ölçmek; mesaha etm.;

tartmak; ölçüsü ... kadar olm.: **angular** ~, açı ölçüsü: **cloth** ~, özel bir kumaş ölçüsü: **cubic/linear** ~, küp/boy ölçüsü: **liquid** ~, sıvı hacim ölçüsü: **short** ~, eksik ölçü: **solid/square** ~, hacim/yüz ölçüsü: **beyond/out of all** ~, çok fazla, ölçüsüz: ~ **one's length (upon the ground)**, boylu boyuna yere serilmek: **made to** ~, ısmarlama: ~ **out**, ölçerek tayin etm./dağıtmak: **in some** ~, bir dereceye kadar: **take** ~**s**, tedbir almak. ~**ed**, ölçülü: ~ **walk**, ağır yürüyüş. ~**eless**, ölçüsüz, hadsiz, sonsuz. ~**ement**, ölç(ül)me, ölçü. ~**er**, ölçmen. ~**es**, (*huk.*) önlemler, tedbir; (*yer.*) damarlar. ~**ing**, *i.* ölçme + : ~**-chain**, arazi ölçme zinciri: ~**-glass**, dereceli bardak: ~**-moth**, ölçmengüve.

meat [mīt]. Et; rızk; lüp; esas. **as full of** ~ **as an egg**, özlü, esaslı: **music is** ~ **and drink to him**, müzik onun için gıda gibidir: **that book is rather strong** ~ **for the young**, bu kitap çocuklar için çok ağırdır. ~**-fly**, et sineği. ~**less**, etsiz. ~**-safe**, teldolap. ~**y**, etli; özlü.

Mecca ['mekə]. Mekke; (*mec.*) herkesin ziyaret etmek istediği yer; bir din/öğretinin doğduğu yer.

meccano [me'kānou̯] (*M.*) Modeller kurmak için bir takım mini makine parçaları.

mech. = MECHANIC(S).

mechan·ic(ian) [mi'kanik, mekə'nişn]. Makineci; makine işçisi; mekanikçi. ~**ical**, mekanik; makineye ait, makine ile işlenen; mihanikî: ~**ly**, mihanikî olarak: ~**ness**, mekanikçilik. ~**ics**, mekanik. ~**ism** ['mekənizm], makine tertibatı, mekanizma; (*mec.*) oluş, işleyiş; (*fel.*) mekanikçilik. ~**ist**, makinist; (*fel.*) mekanikçilik taraftarı. ~ **ization** [-nay'zeyşn], makineleş(tir)me. ~**ize**, makineleş(tir)mek; (*ask.*) atlı vasıtalar/süvari yerine otomobil ile tanklar al(ın)mak, motorize etm. (*müh.*) mekanize etm.

Med. = MEDIEVAL; MEDITERRANEAN.

med. = MEDICAL; MEDICINE; MEDIUM.

M Ed. = MASTER OF EDUCATION.

medal ['medl]. Madalya. **gold-/silver-/bronze-**~, (*sp.*) kazananların 1ci/2ci/3cüsüne verilen madalya. ~**led**, madalyalı. ~**lion** [mə'dalyən], madalyon. ~**list**, madalya yapan/kazanan.

meddle ['medl]. Karışmak; lüzumsuz yere müdahale etm. ~ **in**, -e müdahale etm.: -e burnunu sokmak: ~ **with**, -e karışmak, dokunmak, kâhyalık etm. ~**r**, müdahaleci; her şeye burnunu sokan kimse; işgüzar. ~**some** ['medlsəm], her şeye burnunu sokan, müdahaleci.

Medes [mīdz]. Medler. **a law of the** ~ **and Persians**, asla değişmez âdet/gelenek.

media ['mīdi̯ə] *ç.* = MEDIUM; araçlar, vasıtalar. MASS-~.

mediaeval = MEDIEVAL.

media·l ['mīdi̯əl]. Orta(da); içyan. ~**n**, orta(da), medyan; kenarortay. ~**nt**, (*müz.*) gamın üçüncü notası.

mediate[1] ['mīdi̯ət] *s.* Araçlı, dolaylı.

mediat·e[2] ['mīdieyt] *f.* Aracılık etm., araya girmek. ~**ion** [-'eyşn], aracılık. ~**ize** [-di̯ətayz], eklemek, birleştirmek. ~**or** [-eytə(r)], aracı; arabulucu. ~**rix** [-triks], kadın arabulucu.

medic ['medik]. **young** ~, öğrenci doktor. ~**able** [-kəbl], (ilâçla) tedavi edilebilir. *~**aid**/~**are** [-keyd, -ke̯ə(r)], resmî sağlık servis/sigortası.

medical ['medikl] *s.* Tıbbî; hekimliğe ait. *i.* Tıp öğrencisi. ~ **board**, sağlık kurulu: ~ **man**, doktor: ~ **Officer of Health**, sağlık memuru. ~**ly**, tıbbî bir surette; ilâçlarla.

medica·ment ['medikəmənt, -'di-]. İlâç. ~**ster** [-kastə(r)] (*mer.*) şarlatan. ~**te** [-keyt], ilâçlarla tedavi etm.; ~**tion** [-'keyşn], tedavi etme.

medicin·al [me'disinl]. İlâç gibi kullanılabilir; şifalı; tıp +. ~**e** ['medisn, 'medsin], ilâç; hekimlik, tıp: **patent** ~, hazır ilâç: **preventive** ~, koruyucu hekimlik: **give s.o. a dose of his own** ~, birine mukabelebilmisil yapmak: **take one's** ~, hoşa gitmiyen bir şey yapmak, acısını çekmek: ~**-ball**, (*sp.*) çalışma/sağlık topu: ~**-chest**, ecza/ilâç kutusu: ~**-man**, vahşîlerin büyücü hekimi.

medick ['medik]. Kelebek otu.

medico ['medikou̯] (*kon.*) Doktor. ~-, *ön.* hekim + ; tıp +.

medieval [medi'īvl]. Ortaçağa ait. ~**ism**, Ortaçağın âdetler/ruhu. ~**ist**, Ortaçağ tarihçisi. ~**ize**, Ortaçağın eşyalar/karakterine benzetmek.

Medina [me'dīnə]. Medine.

mediocr·e [mīdi'ou̯kə(r)]. Orta, vasat; aşağı; pek parlak değil. ~**ity** [-'okriti], orta (derecelik), vasat olma; alelâde insan.

meditat·e ['mediteyt]. Düşünceye dalmak, murakebeye varmak; düşünmek; zihninde bir şey kurmak, niyet etm., tefekkür etm. ~**ion** [-'teyşn], düşünme, düşünüp taşınma; dalgınlık; murakebe. ~**ive** ['meditətiv], dalgın; düşünceli: ~**ly**, dalgın olarak.

mediterranean [meditə'reynyən]. Kıtalar ortasında. **the** ~ **(Sea)**, Ak/Ara Deniz(i).

medi·um, *ç.* ~**a** ['mīdi̯əm, -di̯ə] *i.* Orta, vasat; araç, vasıta, çare, yol; ortam; delâlet; medyum, aracı. *s.* Orta(lama), aracı, vasatî, ortanca. **happy** ~, tam karar; ne ifrat ne tefrit.

medlar ['medlə(r)]. Muşmula; beşbıyık.

medley ['medli]. Karmakarışık (şey), karışık kalabalık; (*edeb., müz.*) birkaç parçadan teşkil edilen parça; çeşit çeşit renkli bir şey. **make a** ~, karıştırmak.

medulla [mi'dʌlə]. İlik, öz; medulla; omurilik. ~**ry**, öz +.

Medusa [mi'dyūzə] (*mit.*) Yılansaçlı Gorgonlardan biri; (*zoo.*) deniz anası, medüz. ~**l/n**, medüzlere ait.

meed [mīd]. Mükâfat, ödül. **one's** ~ **of praise**, hak ettiği övgü.

meek [mīk]. Alçak gönüllü; halim; uysal; mazlum. ~**ly**, alçak gönüllü olarak. ~**ness**, alçak gönüllülük; meskenet.

meerschaum ['mi̯əşəm] (*Alm.*) Denizköpüğü; Eskişehir/lüle taşı(ndan yapılmış pipo).

meet[1] [mīt] *s.* Münasip; lâyık; yakışır, uygun.

meet[2] *i.* (Av başlanmadan evvel) avcılar toplantısı.

meet[3] (*g.z.(o.)* **met**) [mīt, met] *f.* Rast gelmek, yüzyüze gelmek; bir araya gelmek; buluşmak; görüşmek; karşılamak. ~ **s.o.**, (i) birine rast gelmek, karşılamak; (ii) ödün vermek, uyuşmağa hazır olm.: ~ **the case**, durum/hal/şartlara uymak: ~ **one's death**, bir kaza ile ölmek: **make both ends** ~, geçinebilmek, idare etm.: ~ **one's eyes**, göze ilişmek: **there is more in it than** ~**s the eye**, pek göründüğü gibi değil: ~ **with an accident, etc.**, kaza vb.ne uğramak: ***pleased to** ~ **you!**, müşerref oldum: ~ **a train**, bir treni

karşılamak: **this jacket won't ~**, bu ceket küçüktür/iliklenmez.
meeting ['mītin(g)] *i.* İçtima, oturum, toplantı, celse, miting; (nehirler) kavuşma. **general ~**, umumî heyet, genel kurul. **~-house**, kilise. **~-place**, toplantı yeri; uğrak; randevu.
meet·ly ['mītli]. Uygun/lâyık olarak. **~ness**, uygunluk.
MEF = MIDDLE EAST FORCES.
mega- [megə-] *ön.* Büyük . . ., . . . büyüten; (*mat.*) 10^6, mega-. **~lith** [-liθ], büyük taş, abide. **~lo-**, *ön.* büyük: **~mania** [-lou'meyniə], büyüklük kuruntusu, megalomani: **~polis** [-'lopəlis], pek büyük şehir(in hayatı). **~phone** [-foun], megafon. **~ron**, (*ark.*) toplantı salonu. **~ton (bomb)**, büyük/milyonton bomba. **~watt**, megavat.
meg·ger ['megə(r)] (*kon.*) Megom ölçeği. **~ohm** [-oum], megom: **~meter**, megom ölçeği.
megrim ['mīgrim]. Başağrısı; migren. **the ~s**, can sıkıntısı; atlarda olan inme.
meiosis [may'ousis] (*edeb.*) = LITOTES; (*biy.*) göbek/öz değişmesi.
melamine ['meləmīn]. (Mobilya için) bir plastik.
melanchol·ia [melən'kouliə]. Malihulya, malankoli; karasevda: **~c** [-liak], melankoli hastası. **~ic** [-'kolik], karasevdalı, melankolik; mahzun. **~y** ['melənkəli] *i.* malihulya, melankoli; karasevda; melâl: *s.* gamlı, meraklı; hüzün verici.
Melan·esia [melə'nīziə]. Melanezya: **~n**, Melanezyalı. **~ism** ['me-] (*tıp.*) fazla esmer olma. **~ite** [-nayt], koyu kara bir nartaşı. **~o-**, *ön.* kara, esmer: **~chroi** [-'nokrouay], beyaz ırkın esmer adamları: **~sis** [-'nousis], dokularda kara maddenin fazlalığı: **~tic** [-'notik], bu fazlalığa ait.
Melba ['melbə]. **~ toast**, çok ince kızartılmış ekmek.
***meld** [meld]. Karış(tır)mak, birleş(tir)mek.
mêlée ['meley]. Göğüsgöğüse çarpışma; kördövüşü, arbede.
MELF = MIDDLE EAST LAND FORCES.
melinite ['melinayt]. Melinit.
melio- ['mīliə-] *ön.* Daha iyi. **~rate** [-reyt], ıslah etm.; iyileş(tir)mek. **~ration** [-'reysn], ıslah; iyileş(tir)me. **~rism**, iyimserlik mesleği. **~rist**, iyimser bir kimse.
melli·ferous [me'lifərəs]. Bal hâsıl eden. **~fluous** [-fluəs], bal gibi; tatlı (ses): **~ly**, tatlı bir şekilde.
mellow ['melou]. Olgun; (ses, renk) tatlı; (şarap) yumuşak; (*kon.*) çakırkeyif. **(grow) ~**, olgunlaşmak; yaş/tecrübe ile hoşgörülü/temkinli olm. **~ly**, olgun/tatlı/hoşgörülü olarak. **~ness**, olgunluk; tatlılık; hoşgörü.
melodi·c [mi'lodik]. Melodi/nağmeye ait. **~on** [-'loudiən] (*müz.*) Am. orgu. **~ous**, ahenkli: **~ly**, ahenkli olarak. **~st** ['melədist], besteci, şarkıcı. **~ze** [-dayz], bestelemek.
melodrama [melə'drāmə]. Melodram, heyecanlı dram. **~tic** [-drə'matik], melodram gibi, çok heyecanlı.
melody ['melədi]. Ezgi, nağme; melodi.
melon ['melən]. Kavun. **water-~**, karpuz.
melt (*g.z.* **~ed**, *g.z.o.* **~ed/molten**) ['melt(id), moultən] *f.* Eri(t)mek; yumuşa(t)mak. **~ away**, eriyip kaybolmak: **~ down**, parça parça şeyleri eritip birleştirmek: **~ into tears**, gözlerinden yaş boşanmak. **~ing**, (*mec.*) yumuşatan: **~ly**, yumuşatan bir şekilde: **~-point**, erime noktası: **~-pot**, pota: **be in the ~**, erimek; baştan başa değiştirilmek.
melton ['meltən]. Kalın bir yün kumaş(tan yapılmış palto). **~-pie**, bir nevi etli börek.
mem. = MEMBER; MEMORANDUM; MEMORIAL.
member ['membə(r)]. Uzuv; aza, üye; kiriş. **~ of Parliament**, mebus, milletvekili. **-~ed**, *son.* (*zoo.*) -uzuvlu. **~ship**, azalık, üyelik; üyelerin sayısı: **~ dues/fees**, üyelik ücreti.
membrane ['membreyn]. Zar, perde; gışa.
memento [mə'mentou]. Yadigâr; hatıra.
memo ['mīmou] = MEMORANDUM.
memoir ['memwā(r)]. İlmî muhtıra; hatıra. **~s**, hatırat.
memora·bility [memərə'biliti]. Unutulmazlık; önem. **~ble** ['memərəbl], hatırlamağa değer; unutulmaz; mühim, önemli. **~bly**, unutulmaz bir şekilde. **~ndum**, *ç.* **~nda** [-'randə(m)], muhtıra, müzekkere, nota, andıç: **make a ~ of stg.**, not etm.; not almak: **~ of association**, bir şirketin kuruluş senedi: **~-book**, muhtıra defteri, karne.
memorial [mi'mōriəl] *i.* Abide, anıt; yadigâr; muhtıra, arzuhal, dilekçe. *s.* Hatırlatıcı (anıt vb.). **~ize**, *f.* Hatırasını kutlulamak; birine dilekçe sunmak.
memor·ize ['meməravz]. Ezberlemek. **~y** [-ri], hafıza, bellek; hatıra: **to the best of my ~**, hatırladığıma göre: **of blessed ~**, rahmetli: **in ~ of . . .**, -in hatırasına: **within living ~ this town was ploughland**, bu şehrin tarla olduğu zamanı hatırlıyanlar vardır: **~(-bank)**, (kompütör) hafıza bankası, bilgisayar.
memsahib ['memsāb] (*Hint.*) Avrupalı bayan.
men [men] *ç.* = MAN.
menace ['menəs, -nis] *i.* Tehdit; tehdit eden şey. *f.* Tehdit etm.
ménage [mey'naj] (*Fr.*) Aile; ev idaresi.
menagerie [mi'nacəri]. Vahşî hayvanlar koleksiyonu; hayvanat bahçesi.
mend [mend]. Tamir etm., onarmak; iyi hale koymak; ıslah etm.; yamamak; (sağlık) iyileşmek. **be on the ~**, iyileşmek: **~ one's ways**, durumunu düzeltmek: **least said, soonest ~ed**, ne kadar az söylersen o kadar çabuk unutulur; fazla kurcalama! **~able** [-dəbl], tamir edilir.
mendaci·ous [men'deyşəs]. Yalancı: **~ly**, yalancı olarak. **~ty** [-'dasiti], yalancılık.
mendel·evium [mendə'līviəm]. Mendelevyum. **~ian** [-'dīliən], Mendel(ciliğ)e ait. **~ism** [-dəlizm], Mendelcilik.
mendic·ancy ['mendikənsi]. Dilencilik. **~ant**, dilenci. **~ity** [-'disiti], dilencilik.
menfolk ['menfouk]. Ailenin erkekleri.
menhir ['menhiə(r)] (*ark.*) Tek taş anıt.
menial ['mīniəl] *s.* Süflî; aşağı. *i.* Hizmetçi. **~ly**, hizmetçi gibi.
menin·geal [menin'ciəl]. Beyin zarına ait. **~ges** [-'cīz] *ç.* = **~x**. **~gitis** [-'caytis], beyin zarı iltihabı, menenjit. **~x** [-nin(g)ks], beyin zarı.
meniscus [mi'niskəs]. Bir tarafı içbükey öbürü dışbükey olan adese; menisk.
men·opause ['menəpōz]. Aybaşı kesimi, menopoz. **~ses** [-sīz], aybaşı, hayız. **~strua·l** [-struəl], aybaşına ait: **~te** [-strueyt], aybaşı görmek: **~tion** [-'eyşn], hayız, (kadın) aybaşı.

mensura·ble/ ~**l** ['menşərə(b)l]. Ölçülebilir. ~**tion** [-'reyşn], ölçme usulü.
-ment [-mənt] *son.* -lık, -ma [CONTENTMENT].
mental ['mentl]. Akla ait; zihnî. ~ **arithmetic**, zihnî hesap: ~ **home/hospital**, tımarhane: ~ **specialist**, akliyeci: **make a** ~ **reservation**, içinden pazarlık etm. ~**ity** [-'taliti], zihniyet. ~**ly**, zihnî olarak: ~ **afflicted**, şuuru bozuk.
menthol ['menθol]. Mantol.
mention ['menşn] *i.* Anma; zikir. *f.* Anmak; zikretmek; adını anmak; bahsetmek. **don't** ~ **it!**, estağfurullah!: **we need hardly** ~ **that . . .**, söylemeğe lüzum yoktur ki . . .: ~**ed in dispatches**, savaşta yaptığı hizmete karşılık olarak kumandan raporunda adı anılmış olan: **receive an honourable** ~, bir müsabaka vb.de derece almayıp sadece zikre lâyık görülmek: **make** ~ **of**, anmak, zikretmek: **not to** ~, bundan başka, üstelik: **nothing worth** ~**ing**, anmağa değmez bir şey: ~ **s.o. in one's will**, vasiyetnamede varisler arasında zikretmek. ~**able**, zikredilir, bahsedilir.
mentor ['mentō(r)]. Müşavir; akıl hocası; danışman.
menu ['menyū]. Yemek listesi.
mephiti·c [mi'fitik]. Bataklık/topraktan çıkan zararlı ve pis kokulu (hava). ~**s** [mi'faytis], bu pis kokulu hava.
-mer [-mə(r)] *son.* (*kim.*) -mer; molekül [POLYMER].
mercantil·e ['mākəntayl]. Ticarete ait; esnafça: ~ **marine**, deniz ticaret filosu. ~**ism** [-'kantilizm], merkantilizm. ~**ist**, merkantilizm taraftarı.
mercenar·iness ['māsinərinis]. Para hırsı, esnaf zihniyeti; menfaatperestlik. ~**y**, *s.* ücretli; para hırsı ile yapılmış; esnaf zihniyetli: *i.* ücretli asker.
mercer ['māsə(r)]. Kumaşçı. ~**ize** [-rayz], merserize etm. ~**y** [-ri], kumaşçılık.
merchandise ['māçəndayz] *i.* Ticarî eşya; mal, emtia; ayniyat, özdek. *i.* Ticaret yapmak.
merchant ['māçənt] *i.* Tüccar, tecimen, tacir. *s.* Ticarete ait, ticarî, tüccar+. ~ **of death**, (*köt.*) silâhlar fabrikatör/tüccarı. ~**able**, satılır. ~**-bank(er)**, ticaret banka(cı)sı. ~**man**, *ç.* ~**men**/ ~**ship**, yük gemisi. ~**-navy**, deniz ticaret filosu. ~**-prince**, pek önemli ve zengin tüccar. ~**-service**, deniz ticaret filo/mesleği.
Mercia ['māsiə] (*tar.*) İng.'nin ortasında bir kraliyet; (*şim.*) idarî bir bölge.
merci·ful ['māsifl]. Merhametli; yufka yürekli: ~**ly**, merhametli, merhameten; çok şükür, bereket versin: ~**ness**, merhametlilik. ~**less**, merhametsiz, katı yürekli; amansız: ~**ly**, merhametsizce: ~**ness**, merhametsizlik.
mercur·ial [mə(r)'kyūriəl]. Cıvalı, cıva gibi; sebatsız, dakikası dakikasına uymayan. ~**ic**/ ~**ous**, (*kim.*) cıvalı, cıva+. ~**ic chloride**, aksülümen. ~**y** ['mā-] (*mit.*) belâgat/hüner/hırsızlık tanrısı; tanrıların habercisi, Merkür; (*ast.*) Utarit gezegeni; (*kim.*) cıva; barometre/termometrede bulunan cıva sütun: **the** ~ **is falling/rising**, hava/hararet değişip kötüleşiyor/iyileşiyor.
mercy. Merhamet; acıma; aman; rahmet. ~ **(on us)!**, aman!, ya Rabbi!: **be at the** ~ **of . . .**, kaderi -in elinde olm.: **at the** ~ **of the waves**, dalgaların keyfine bağlı: **I am at your** ~, boynum kıldan ince: **for** ~**'s sake!**, Allah rızası için; Allah aşkına: **left to the tender mercies of . . .**, -in eline düşmüş: **be thankful for small mercies!**, öp de başına koy!: **throw oneself on s.o.'s** ~, birinin ocağına düşmek: **sister of** ~, rahibe: **what a** ~**!**, ne âlâ!, hele şükür! ~**-seat**, Rahman tahtı.
mere[1] [miə(r)] *i.* Küçük ve sığ göl.
mere[2] *s.* Saf, sade; sadece, sırf; -dan başka bir şey değil. **he is a** ~ **boy**, daha çocuktur: **a** ~ **nobody**, önemsiz adam; cim karnında bir nokta: **a** ~ **nothing**, pek önemsiz bir şey, devede kulak: **the** ~ **sight of him**, onu görmek bile. ~**ly**, mahza, yalnız, âdeta.
meretricious [meri'trişəs]. Sahte, sunî, yapma.
merganser [mā'gansə(r)]. Dalıcı balıkçıl bir ördek.
merge ['māc]. Birleş(tir)mek; dahil olm.; yutulmak, içinde kaybolmak; (renk) çalmak. ~**r**, birleşme, füzyon, katılma, iltihak.
meridi·an [mə'ridiən]. Meridyen, öğlen; öğlen/tul dairesi: ~ **altitude**, öğlen yüksekliği, güneş vb.nin en yüksek noktası. ~**onal**, Avrupa güney kısmına ait; tul dairesine ait: ~ **parts**, tul dairesi kısımları.
meringue [mə'rang]. Yumurta akından yapılan bir nevi tatlı/kremalı pasta.
merino [mə'rīnou]. Merinos koyun/yünü.
Merionethshire [meri'oniθşə]. Brit.'nın bir kontluğu.
merit ['merit] *i.* Değer, liyakat; meziyet; ORDER[2]. *f.* Müstahak olm., değmek. **judge stg. on its** ~**s**, değerine göre hüküm vermek. * ~ **system**, meziyete göre terfi sistemi: **the** ~**s of a case**, bir davanın iyi/ kötü tarafları. ~**ocracy** [-'tokrəsi], idare eden yüksek zekâlılar sınıfı. ~**ocrat** [-təkrat], bu sınıfın üyesi. ~**orious** [-'tōriəs], değerli, övgüye değer, meziyet sahibi.
merlin ['mālin]. Güvercin doğanı.
merlon ['mālon]. İki mazgal arasındaki siper.
mer·maid, ~**man** ['māmeyd, -mən] (*mit.*) Deniz kız/adamı, yarı insan yarı balık.
mero- [merə-] *ön.* Kısmen, mero-. -~**us** [-mərəs] *son.* . . . kısımlı.
merr·ily ['merili]. Neşeli olarak. ~**iment** [-mənt], neşe, şetaret; keyif; cümbüş. ~**iness**, neşeli olma. ~**y**, şetaretli; şen, neşeli; güleryüzlü; çakırkeyif: **make** ~, cümbüş etm., âlem yapmak: **make** ~ **over stg./s.o.**, bir şey/kimseyi alaya almak; bir şey vesilesiyle çok eğlenmek: ~**-andrew**, soytarı: ~**-go-round**, atlıkarınca: ~**-maker**, cümbüş eden, âlem yapan: ~**-making**, cümbüş (etme): ~**-thought** [-θōt], lâdes kemiği, Nuh teknesi.
***mesa** ['meysə] (*İsp.*) Dik yanlı yüksek ova.
mésalliance [me'zaliã(n)s] (*Fr.*) Dengi olmıyanla evlenme.
meseems [mi'sīmz] (*mer.*) Bana öyle geliyor ki.
mesentery ['mesəntəri]. Bağırsak askısı.
mesh [meş] *i.* Ağ gözü, örgü, gözenek. *f.* (Çark dişleri) birbirine geçmek; ağ ile tutmak.
mesial ['miziəl]. Orta çizgisine ait.
mesmer·ic [mez'merik]. Manyatizmaya ait. ~**ism** ['mezmərizm], manyatizma; ipnotizma. ~**ize** [-rayz], manyatizma yapmak.
mesne [mīn] (*huk.*) Mütevassıt, orta.
meso- [mesə-] *ön.* Ara-, orta-, mezo-; ikincil.
meson ['mesən] (*nük.*) Meson.
Mesopotamia [mesəpə'teymyə]. Elcezire, Irak.
meso·sphere [mesə'sfiə(r)]. Orta küre/yuvar. ~**tron**, mesotron.
Mespot ['mespət] (*arg.*) = MESOPOTAMIA.

mess[1] [mes] *i.* Karışıklık; kirlilik, pislik. **get into a ~**, üstünü başını kirletmek; başını belâya sokmak; karmakarışık olm.: **make a ~ of things**, yüzüne gözüne bulaştırmak; berbat etm.: **make a ~ of the tablecloth**, masa örtüsünü kirletmek: **here's a pretty ~!**, ayıkla pirincin taşını!
mess[2] *f.* Kirletmek: **~ about/around**, oynayıp durmak, sinek avlamak: **~ stg./s.o. about**, karıştırmak; dokunmak, oynamak: **~ things up**, işleri berbat etm., yüzüne gözüne bulaştırmak. **~-up**, karışıklık; çorba, arapsaçı.
mess[3] *i.* Asker/bahriyeli sofrası, mahfil; bu sofrada oturanlar. *f.* Bu sofrada yemek yemek. **~-allowance**, tayın bedeli. **~-deck**, manga.
message ['mesic]. Özel haber; mesaj. **get the ~**, (*kon.*) anlamak: **leave a ~ for s.o.**, birisi için özel bir haber bırakmak: **run ~s**, ufak tefek işlere koşmak.
messenger ['mesincə(r)]. Özel haber götüren, haberci, ulak; (*biy.*) genetik bilgi taşıyan madde: **Queen's ~**, diplomatik kuriye. **~-boy**, özel haber vb. götüren çocuk.
Messia·h [me'sayə]. Mesih. **~nic** [-si'anik], mesihe ait.
mess·-jacket ['mescakit] (*ask.*) Sofrada giyilen ceket. **~-mate** [-meyt], sofra arkadaşı. **~-tin**, aş kabı, karavana.
Messrs. ['mesə̄z]. MR'*in çoğulu; gen. firmalar hakkında kullanılır.*
messuage ['meswic] (*huk.*) Mesken, müştemilat ve arazileriyle bir ev.
messy ['mesi]. Kirli; karmakarışık.
met *g.z.(o.)* = MEET[3].
met. = METAPHYSICS; METALLURGY; METEOROLOGY; METROPOLITAN: **the Met**, (*kon.*) †METEOROLOGICAL OFFICE; *METROPOLITAN OPERA HOUSE.
meta- ['metə-] *ön.* Meta-; yarı; sonra; ötede; değiş(tir)me. **~bol·ic** [-bolik], metabolik: **~ism** [-'tabəlizm], metabolizma: **~ize** [-layz]. **~carp·al** [-'kāpl], eltarağına ait: **~us** [-pəs], eltarağı. **~centr·e** [-'sentə(r)] (*den.*) muvazenet/denkleşme merkezi: **~ic height**, denkleşme merkezi yüksekliği. **~ genesis** [-'cenisis], metagenez.
metal [metl] *i.* Maden, metal; yol balastı. *s.* Madenî. *f.* Yol balastıyle düzeltmek; madenle döşemek. **base ~**, anametal: **bell ~**, pirinç: **gun ~**, top tuncu: **noble/rare ~**, soy metal: **sheet ~**, madenî levha, saç. **~-fatigue**, maden kağşaması. **~led (road)**, makadam yolu. **~lic** [mi'talik], madenî, metal(ımsı), madenli. **~lize** [-layz], metallemek; madenle kaplamak. **~lography** [-'logrəfi], metalografi. **~loid** [-loyd], madene benzer, madenimsi. **~lurg·ist** [mi'taləcist], kalcı, maden bilgini: **~y**, kal/maden bilimi, metalürji.
metamer·e ['metəmi̯ə(r)]. Metamer, bölüt. **~ic** [-merik] (*kim.*) yapı aynı vasıf farklı olan; (*zoo.*) metamere ait. **~ization** [-'tamərayzeyşn], bölütlenme.
metamorph·ic [metə'mōfik]. Başkalaşıma ait; başkalaşmış. **~ism**, başkalaşım. **~ose** [-fou̯z], başkalaştırmak. **~osis** [-fəsis], başkalaşma, istihale.
metaphor ['metəfə(r)]. Mecaz; istiare. **mixed ~**, birbirini tutmıyan mecazlar. **~ic(al)** [-'forik(l)], mecazî: **~ly**, istiare suretiyle.
metaphras·e ['metəfreyz]. Aynen tercüme (etm.); başka sözlerle ifade etm. **~tic** [-'frastik], (tercüme) aynen, harfi harfine.
metaphysic·al [metə'fizikl]. Fizikötesine ait; doğaüstü. **~s**, fizikötesi, metafizik.
meta·plasm ['metəplazm]. Metaplazma. **~stasis** [-'tastəsis], ansızın geçme; değişiklik. **~tarsus** [-'tāsəs], ayak tarağı kemikleri. **~thesis** [-'taθəsis] (*dil., kim.*) göçüşme.
mete [mīt]. Ölçmek, taksim etm. **~ out punishment/rewards**, ceza/ödül dağıtmak.
metempsychosis [metempsi'kou̯sis]. Tenasüh, ruh göçmesi.
meteor ['mīti̯ə(r)]. Meteor, şahap. **~ shower**, akanyıldız yağmuru: **~ stream**, meteor akımı. **~ic** [-'orik], meteor/göktaşına ait; gazyuvarına ait; (*mec.*) şimşek gibi parlayıp geçen. **~ite/~oid**, göktaşı. **~olog·ic(al)** [-rə'locik(l)], meteorolojiye ait: **~ist** [-'roləcist], hava bilgini, meteorolog: **~y**, hava bilgisi; meteoroloji.
meter[1] ['mītə(r)] *i.* Zaman/hız vb.ni ölçen cihaz; saat, kontör, ölçek, sayaç. *f.* Ölçmek, saymak. **feed the ~**, gayri kanunî olarak parking saatine para koymak.
***meter**[2] = METRE.
-meter [-mitə(r)] *son.* (i) -metresi, -sayacı [AMMETER]. (ii) -vezni [PENTAMETER].
Meth. = METHODIST.
methane ['mīθeyn]. Metan, batak gazı. **~-tanker**, metan taşıyan gemi.
methinks [mi'θin(g)ks] (*mer.*) Bana öyle geliyor ki.
method ['meθəd]. Usul; kaide; tarz; yöntem; metot; nizam. **there's ~ in his madness**, göründüğü kadar deli değil. **~ical** [mi'θodikl], muntazam, düzgün, düzenli, yöntemli, tertipli; usulü dairesinde çalışan: **~ly**, düzenli vb. olarak. **~ism** ['meθədizm], Protestan bir mezhebi. **~ist**, bu mezhebin üyesi. **~ize** [-dayz], intizam vermek. **~ology** [-'doləci], yöntem bilimi, metodoloji.
methought [mi'θōt] (*mer.*) Bana öyle geliyordu ki.
meth·s [meθs] (*kon.*) = **~**YLATED SPIRITS. **~yl** ['meθil], metil: **~ated spirits**, yakacak ispirto: **~ene** [-līn], metilen.
meticulous [mi'tikyuləs]. Titiz; çok dikkatli; dakik. **~ly**, titiz olarak.
métier ['metyey] (*Fr.*) Meslek; FORTE[1].
metis ['meytis]. (Kanada'da) Avrupalı ile Kızılderili melezi.
metonic [mi'tonik]. **~ cycle**, ay çevrimi.
metonymy [mi'tonimi]. Bir şeyin yerine ona benzeyen başka bir şeyin ismi kullanılma (KING, CROWN).
metope ['metəpi, -ou̯p] (*mim.*) Metop.
metr·e ['mītə(r)]. Metre; (*edeb.*) hece/şiir vezni. **~ic** ['metrik], metre/vezne ait; metrik: **go ~**, metre sistemine çevirmek: **~ system**, ondalık usul; metre sistemi. **~icate/~ify** ['metrikeyt, -fay], metre sistemine çevirmek. **~i(fi)cation** [-(fi)'keyşn], metre sistemine çevir(il)me. **~ology** [me'troləci], ölçme bilimi. **~onome** [-trənou̯m] (*müz.*) tempoyu gösteren cihaz, metronom.
metropoli·s [mi'tropəlis]. Devlet merkezi; payitaht, başkent; büyük şehir: **the ~**, Londra, **~tan** [metrə'politən], devlet merkezine ait; başpiskopos, despot, metropolit.
-metry [-metri] *son.* . . . ölçmesi [GEOMETRY].

mettle ['metl]. Ataklık, ateşlilik, cesaret: **put s.o. on his ~**, göreyim seni diye teşvik etm.: **show one's ~**, kendini göstermek. **~d**/**~some**, atılgan, atak, ateşli; sert başlı.
mew[1] [myu]. Martı.
mew[2]. Miyavlama(k).
mew[3] *i.* Doğan kafesi. *f.* (Doğan) kafesine koymak; (*mec.*) kapamak; hapsetmek.
mews [myūz]. (Şehirde) bir sıra ahırlar; (sonra) ev olarak kullanılan bu ahırlar. **Royal ~**, Saray ahırları.
Mexic·an ['meksikən] *i.* Meksikalı: *s.* Meksika+. **~o** [-kou], Meksika: **~ City**, Meksiko.
mezzanine ['mezənīn]. Asma kat.
mezzo- [metsou-] *ön.* Yarım, orta. **~forte**/**~soprano** [-'fôti, -sə'prānou], mezzoforte/-soprano. **~tint**, bir nevi bakır klişe.
MF = MEDIUM FREQUENCY. **~H** = MASTER OF FOXHOUNDS.
mf·g/**~r** = MANUFACTUR·ING/-ER.
Mg (*kim.s.*) = MAGNESIUM.
mg. = MILLIGRAM.
MG = MACHINE-GUN. **~B** = MOTOR GUN-BOAT. **~k** = MODERN GREEK.
Mgr = MANAGER; MONSEIGNEUR; MONSIGNOR.
MH = *MEDAL OF HONOUR. **~D** = MAGNETOHYDRODYNAMICS. **~R** = *MEMBER OF THE HOUSE OF REPRESENTATIVES. **~z** = MEGAHERTZ.
mi [mī] (*müz.*) Mi notası.
MI = MILITARY INTELLIGENCE. **~. . .** = MEMBER OF THE INSTITUTE OF . . ..
mia·ow/**~ul** [mī'yau(l)] (*yan.*) *f.* Miyavlamak. *i.* Mırnav.
miasma, *ç.* **-ta** [may'azmə, -tə]. Pis buğu; miyasma.
mica ['maykə]. Mika. **~ceous** [-'keyşəs], mikalı, mika gibi.
mice [mays] *ç.* = MOUSE[1].
Mich. = MICHAELMAS; MICHIGAN.
Michaelmas ['miklməs]. 29 Eylül; Sen Mişel yortusu; †QUARTER-DAY'lerden biri. **~-term**, (*eğit.*) güz devresi.
Michigan ['mişigən]. ABD'nden biri.
mick [mik] (*köt.*) İrlandalı; katolik. **~ey** ['miki], **take the ~ out of s.o.**, (*arg.*) ona alay etm.
mickle ['mikl] (*İsk.*) **many a ~ makes a muckle**, damlıya damlıya göl olur.
micro- ['maykrou-] *ön.* *Küçüklük ifade eder*; mikro-; (*mat.*) 10^{-6}; -cik; hassas; belirsiz.
microb·e ['maykroub]. Mikrop. **~ial**/**~ic** [-'kroubiəl, -bik], mikroba ait, mikrop nevinden.
micro·biology [maykroubay'oləci]. Mikrobiyoloji, hücre bilimi. **~cephalous** [-'sefələs], çok küçük başlı. **~circuit(ry)** [-'sə̄kit(ri)] (*elek.*) mikrodevre(ler). **~cosm** [-kozm], evrenin özeti olan insan; küçük bir dünya temsil eden bir cemiyet vb. **~-dot**, nokta kadar küçültülmüş bir fotoğraf. **~-film**, mikrofilim(le fotoğraf almak). **~meter** [-'kromitə(r)], mikrometre. **~n** [-kron], mikron, milimetre bindesi; μ. **~phone** [-foun], mikrofon. **~scop·e** [-skoup], mikroskop, gözetleç: **~ic** [-'skopik], yalnız mikroskopla görülür; çok küçük: **~y**, mikroskopla bakma/inceleme. **~structure**, içyapı, mikrostrüktür.
mictur·ate ['miktyəreyt]. İşemek. **~ition** [-'rişn], işeme.
mid [mid]. Orta; (*şiir.*) arasında. **in ~ air**, havada.
Mid. = MIDLANDS.
mid·course [mid'kōs] (*hav.*) Uçuş ortasında. **~day**, öğle üzeri.
midden ['midn]. Gübrelik; mezbelelik. (*ark.*) çöp yığını.
middle ['midl] *i.* Orta; bel. *s.* Ortadaki. **in the ~ of it all**, tam ortasında: **be in the ~ of doing stg.**, bir şeyle meşgul olm.: **there is no ~ way**, ikisinin ortası yoktur: **right down the ~**, yarı yarıya. **~-age(d)**, orta yaş(lı). **~-Ages**, Ortaçağ. **~-class**, orta tabaka(ya ait). **~-East**, Orta Doğu. **~man**, *ç.* **-men**, kabzımal, komisyoncu; aracı, mutavassıt. **~most**, ortaya en yakın. **~sex**, Brit.'nın bir kontluğu. **~-watch**, (*den.*) gece vardiyası (saat 24,00–04,00). **~-weight**, (*sp.*) orta ağırlık. ***~-West**, ABD.nin batı ortası.
middling ['midlin(g)]. İyice; ne iyi ne kötü; orta. **~s**, orta mal; kaba/kepekli un.
Middx. = MIDDLESEX.
middy[1] ['midi] = MIDSHIPMAN.
middy[2] (*Avus.*) Bira bardağı (dolusu).
midge [mic]. Tatarcık, titrersinek.
midget ['micit]. Cüce; minimini.
midi ['midī] (*mod.*) Baldıra kadar etek/palto vb. **~nette**, tuhafiyeci kızı.
Mid.L. = MIDLOTHIAN.
midland ['midlənd]. Bir memleketin iç kısmı: **the ~s**, Orta İngiltere.
Midlothian [mid'louðiən]. Brit.'nın bir kontluğu.
mid·most ['midmoust]. En ortadaki. **~night** [-nayt], gece yarısı: **burn the ~ oil**, geç vakitlere kadar çalışmak. **~rib**, yaprağın orta damarı. **~riff**, hicabı hâciz, diyafram. **~ship**, gemi ortası: **~man**, *ç.* **-men**, (*den.*) asteğmen: **~s**, gemi ortasında. **~st**, orta, arada: **in the ~ of all this**, tam bu arada, bu sırada: **in our ~**, içimizde, aramızda: **in the ~ of them**, ortalarında. **~stream**, nehrin ortası. **~summer**, yaz ortası: **~Day**, 21 Haziran; QUARTER-DAY-'lerin biri: **~ madness**, zırdelilik. **~way** [-wəy], yarı yolda: **~ between A and B**, A ile B arasında tam yarı yolda. **~week**, hafta arası. **~wife**, *ç.* **~wives** [-wayf, -wayvz], ebe: **~ry** [-'wifəri], ebelik. **~winter**, kış ortası; karakış.
mien [mīn]. Eda, surat.
miff [mif] *i.* Kavgacık. *f.* Keyfini kaçırmak.
might[1] [mayt] *g.z.* = MAY[2]. **~ I see him?**, acaba kendisini görebilir miyim?: **we ~ as well go a little further**, (oldu olacak) biraz daha uzağa gidebiliriz: **one ~ as well throw money away as give it to him**, buna para vermek parayı sokağa atmak demektir: **it ~ be better to tell him**, kendisine söylemek belki de daha iyidir: **he ~ have been thirty**, otuz yaşında ya var ya yoktu: **he ~ have been a bit more generous**, biraz daha cömert olamaz mıydı: **you ~ shut the door when you come in**, kapıyı kapayamaz mıydın?: **you ~ shut the door, will you?**, kapıyı kapar mısınız: **strive as they ~ they could not move it**, ne kadar çabaladılarsa da onu kımıldatamadılar.
might[2] *i.* Kudret; kuvvet, güç. **with all one's ~**/**~ and main**, var gücüyle. **~ily**, kudretli olarak; (*kon.*) çok. **~iness**, kudret, güç; muazzam olma. **~y**, kudretli; vâsi; muazzam; (*arg.*) son derece.
mignonette [minyə'net]. Muhabbet çiçeği.
migraine [mī'greyn] (*Fr.*) = MEGRIM.
migra·nt ['maygrənt] *s.* Göçücü; göçebe. *i.* Göç-

men, muhacir. ~**te** [-'greyt], göçmek. ~**tion** [-'greyşn], hicret, göç, taşınma. ~**tory** [-grətəri], göçücü, göçebe; seyyar.
mihrab ['mīrāb] (*Ar.*) Mihrap.
mikado [mi'kādou]. Japon imparatoru, mikado.
Mike[1] [mayk] = MICHAEL. **for the love of** ~, (*arg.*) Allah aşkına.
mike[2] (*kon.*) = MICROPHONE.
mil [mil]. Bin; (*tıp.*) mililitre; inç bindesi: **five per ~ (5‰)**, binde beş.
mil. = MILITARY.
milady [mi'leydi] (*kon.*) = MY LADY.
milage ['maylic] = MILEAGE.
milch-cow ['milçkau]. Süt ineği, sağmal inek; (*mec.*) yağlı kuyruk.
mild [mayld]. Mülâyim, yumuşak; halim; mutedil, ılımlı, sert değil; uslu; hafif; tatlı: **draw it ~!**, mübalağa etme!, atma! ~ **and bitter**, hafif ile acı karışık bira.
mildew ['mildyū] *i.* Küf; külleme, mildiyu, pas. *f.* Küflenmek.
mild·ly ['mayldli]. Yumuşakça; hafifçe: **to put it ~**, en hafif deyimle. ~**ness**, yumuşaklık; tatlılık.
mile [mayl]. Mil; 1760 yarda [= 1,61 km.]; uzaklık: **Admiralty/nautical ~**, deniz mili [= 1,85 km.]: **passenger-~**, yolcu başına mil: **statute ~**, kara mili: **be ~s ahead of s.o.**, birini kat kat geçmek. ~**age** [-ic], mil hesabıyle uzaklık: **low-~ car**, az kullanılmış otomobil. ~**r**, (*kon.*) bir mil koşan insan/at. ~**stone**, miltaşı: ~**s in one's life**, bir insanın hayatındaki önemli olaylar.
milfoil ['milfoyl]. Civanperçemi.
miliary ['miliəri]. Darı tanesine benzer.
milieu [mīl'yə] (*Fr.*) Etraf, muhit, civar, ortam.
militan·cy ['militənsi]. Savaş hali, savaşçılık, cenkçilik. ~**t**, *s. & i.* uğraşan, savaşan, muharip; savasçı, cenkçi: ~**ly**, savaşçı gibi.
militar·ily ['militərili]. Askerî bir şekilde; askerce; asker gibi. ~**iness**, asker gibi olma. ~**ism**, savaşçılık; militarizm. ~**ist**, savaşçı. ~**ize**, askerileştirmek. ~**y**, *s.* askerî: **the ~**, asker sınıfı; ordu: ~ **academy**, harbiye, askerlik okulu: ~ **attaché**, askerî ataşe: ~ **forces**, kara kuvvetleri: ~ **police**, askerî inzibat kolu: ~ **service**, askerlik (hizmeti): ~ **tribunal**, askerî mahkeme.
militate ['militeyt]. ~ **against stg.**, bir şeye uygun olmamak/engel olm.
militia [mə'lişə]. Milis; (*tar.*) İngiliz ordusunda bir nevi redif askeri.
milk [milk] *i.* Süt. *f.* Sağmak; süt vermek. **condensed/evaporated ~**, süt özü: **dried ~**, süt tozu: **new ~**, henüz sağılmış süt: **skim ~**, yağ alınmış süt: **whole ~**, halis/yağlı süt: **come home with the ~**, (*kon.*) sabaha karşı eve dönmek: **a land of/flowing with ~ and honey**, pek bolluk ve bayındır memleket: **it's no use crying over spilt ~**, oldu olacak kırıldı nacak. ~**-and-water**, yavan, gayretsiz, değersiz. ~**-bar**, süt salonu, mahallebici dükkânı. ~**-can**, süt kabı; güğüm. ~**er**, sağıcı; sağmal inek: **a good ~**, bol bol süt veren inek. ~**-float**, sütçü arabası. ~**ing**, sağma: ~**-parlour**, çiftlikteki sağma yeri. ~**-maid**, sağıcı kız. ~**man**, sağıcı; sütçü. ~**-pail**, süt gerdeli. ~**-powder**, süt tozu. ~**-pudding**, sütlaç. ~**-run**, (*ask.*) alelade sefer/uçuş. ~**-separator**, süt santrifüjü. ~**-shake**, şurupla karıştırılmış süt. ~**sop**, (*köt*) lapacı. ~**-tooth**, süt dişi. ~**-white**, süt gibi beyaz. ~**y**, sütlü; süt gibi: ~ **Way**, kehkeşan, samanyolu, gökdere.
mill [mil] *i.* Değirmen; kumaş ve iplik fabrikası. *f.* Öğütmek; frezelemek; tırtıllamak; haddelemek, dövüşmek. ~ **around**, (koyun vb.) kaynaşmak: **go/pass through the ~**, bir fabrikada en ağır el işlerinde çalışarak tecrübe görüp pişmek; (*mec.*) büyük meşakkatler çekip tecrübelerle hayatta pişmek: **rolling-~**, haddehane: **saw-~**, kereste fabrikası. ~**-board**, kalın mukavva; kartonpat. ~**ed** [mild], öğütülmüş; tırtıllı; dövülmüş, haddelenmiş.
millen·ary [mi'lenəri]. Bininci yıldönümü. ~**nium** [-'lenyəm], bin yıllık müddet: **the ~**, tam bir sulh ve saadet devri.
millepede ['milipīd]. Kırkayak; çok bacaklı.
miller ['milə(r)]. Değirmenci. ~**'s thumb**, dere iskorpiti.
millesimal [mi'lesiməl]. Binde bir; bin kısımlı.
millet ['milit]. Darı.
mill-hand ['milhand]. Fabrika işçisi.
milli- [mili-] *ön.* Mili-; binde bir; (*mat.*) 10^{-3}.
†**milliard** ['milyād]. Bin milyon, milyar, 10^9.
milli·bar [mili'bā(r)]. Milibar. ~**gram(me)**, miligram. ~**litre**, mililitre. ~**metre**, milimetre. ~**pede** = MILLEPEDE.
milliner ['milinə(r)]. Kadın şapkacısı; tuhafiyeci; modistra. ~**y**, tuhafiyeci eşyası; kadın ve çocuk elbisesi.
milling ['milin(g)]. Öğütme; hadde/değirmenden geçirme; işleme; frezeleme; (para) tırtıl; (*mec.*) haddeden çek(il)me. ~**-cutter/-machine/-wheel**, freze bıçak/makine/çarkı.
million ['milyən]. Milyon. **he is one in a ~**, eşi yoktur: **the ~s**, halk. ~**aire(ss)** [-'neə(r), (-ris)], (kadın) milyoner. ~**fold**, milyon katli/misli. ~**th**, milyonuncu.
mill·pond ['milpond]. Değirmen havuzu. ~**-race**, değirmen arkı. ~**stone**, değirmentaşı: **be between the upper and the nether ~**, örs ile çekiç arasında kalmak: **a ~ round one's neck**, insanın hayatta başarılı olmasına engel olan şey: ~**-grit**, arkoz. ~**-stream** = ~-RACE. ~**-wheel**, değirmen çarkı.
milord [mi'lōd] = MY LORD; zengin İngiliz.
milt [milt]. Dalak; (balık) sperma kesesi. ~**er**, üreme mevsiminde erkek balık.
mime [maym]. Mim; sessiz tablo. ~**ograph** ['mimiəgraf], mimograf. ~**sis** [mi'mīsis], (*biy.*) taklit (etme), kamuflaj. ~**tic** [-'metik], taklit edici.
mimic ['mimik] *i.* Mimik; taklit; mukallit; meddah. *f.* Taklit etm. ~**ry**, mukallitlik; taklit; benzerlik.
mimosa [mi'mouzə]. Mimoza, küstümotu.
min. = MINERAL; MINIMUM; MINING; MINIS·TER/-TRY; MINUTE.
mina·cious/~tory [mi'neyşəs, -nətəri]. Tehditkâr.
minaret ['minəret]. Minare.
mince [mins] *i.* Kıyma. *f.* Kıymak, doğramak. **he does not ~ matters/his words**, sözünü esirgemez. ~**meat**, kıyma; içyağı kuru üzüm şeker vb. ile yapılan bir tatlı: **make ~ of s.o.**, parça parça etm., pestilini çıkarmak. ~**-pie**, ~MEAT ile doldurulmuş börek. ~**r**, kıyma makinesi.
mincing[1] ['minsin(g)]. Nazlı, kırıtkan.
mincing[2]. ~**-machine**, kıyma makinesi.
mind[1] [maynd] *i.* Akıl; beyin; hatıra; fikir; istek, niyet. **bear in ~**, hatırda tutmak, unutmamak: **call**

to ~, hatırlamak: **give s.o. a piece of/tell s.o. one's** ~, ağzına geleni söylemek, iyice haşlamak: **I have a good/half a** ~ **to**, şeytan diyor ki: **he knows his own** ~, o ne yapacağını bilir, azim sahibidir: **make up one's** ~, karar vermek: **we must make up our** ~ **to the fact that...,**... fikrine kendimizi alıştırmalıyız: **to my** ~, fikrimce, bana göre: **that's a weight off my** ~, yüreğime su serpildi; içim ferahladı: **take s.o.'s** ~ **off his troubles**, dertlerini unutturmak: **have stg. on one's** ~, aklını kaçırmak: **he puts me in** ~ **of his father**, babasını andırıyor/hatırlatıyor: **put me in** ~ **of it tomorrow!**, yarın bana hatırlat!: **be of sound/in one's right** ~, aklı başında olm.: **set one's** ~ **on stg.**, bir şeyi aklına koymak: **take it into one's** ~ **(to do stg.)**, (bir şeyi yapmak) aklına esmek: **time out of** ~, oldum olasıya; ezelden beri: **be in two** ~**s about stg.**, karar verememek, bocalamak.

mind[2] *f.* Dikkat etm., kulak vermek; bakmak, korumak; aldırış etm. ~ **(yourself)!**, dikkat et!: ~ **you don't break it!**, sakın kırma!, aman, kırarsın!: ~ **what you are about!**, ne yaptığınıza dikkat edin: **I don't** ~ **him**, (i) zararsız bir adam; hiç kötü adam değildir; (ii) ona hiç aldırmam!: **I don't** ~ **your going there sometimes**, arasıra oraya gitmenize bir diyeceğim yok: **if you don't** ~ **my saying so**, sözüme gücenmezseniz: **never** ~**!**, adam sende!, zarar yok!; hiç aldırma!; **never** ~ **the expense!**, masrafın önemi yok: **never** ~ **what he says**, söylediğine bakma!, aldırış etme!: **I shouldn't** ~ **a drink**, susadım, bir şey içsek fena olmaz: **would you** ~ **shutting the door!**, lütfen kapıyı kapar mısınız: ~ **your own business!**, (*arg.*) burnunu sokma!

mind-[3] *ön.* ~**-bender**, (*arg.*) hayal kurduran ilâç; şaşırtıcı şey; ikna eden kimse. ~**ed** [-did], niyetli, istekli: -~, *son.*... düşünceli,... fikirli: **if you are so** ~, eğer böyle istiyorsanız: **mechanically** ~, makineden anlar, makine vb.ne aklı yatar. ~**er**, (makine vb.) işletici; (çocuk) bakıcı. ~**ful**, düşünerek, hatırlayarak: ~ **of one's health**, sağlığına dikkat eden: ~**ly**, dikkatle. ~**less**, hiç düşünmeden; akılsız; ahmak.

mine[1] [mayn] *zm.* Benim; benimki.

mine[2] *i.* Maden ocağı; lağım; mayın. *f.* Maden ocağı kazmak; lağım açmak; mayın koymak. ~ **for gold**, altın araştırmak. ~**-counter-measures (vessel)**, mayın tarama ve yıkma (gemisi). ~**-field**, maden ocağı bölgesi; (*ask.*) mayın tarlası. ~**-hunter**, mayın tarayıcı (gemisi). ~**-layer**, mayın dökücü (gemisi). ~**r**, madenci, maden işçisi; (*ask.*) mayıncı, lağımcı; (*zoo.*) delik kazan böcek.

mineral ['minərəl] *i.* Maden; mineral. *s.* Madenî, madensel, maden+; mineral+. ~**ize** [-layz], minerale değiş(tir)mek. ~**ogical** [-'locikl], mineralbilime ait. ~**ogist** [-'raləcist], maden bilgini, mineralog. ~**ogy**, mineralbilim, mineraloji. ~**-rights**, maden hakları. ~**-water**, maden suyu.

Minerva [mi'nə̄və] (*mit.*) Akıl tanrıçası.

minestrone [minı sıro̱u̱ni] (*İt.*) Etli sebzeli çorba.

mine·-shaft ['maynşaft]. Maden kuyusu. ~**-sweeper**, mayın tarayıcı (gemisi).

minever ['minivə(r)] = MINIVER.

mingle ['min(g)gl]. Karış(tır)mak; katmak.

mingy ['minci] (*kon.*) Hasis, cimri.

mini- ['mini-] *ön.* Küçük, mini-. ~**atur·e** [-(ə)çə(r)], minyatür; küçücük: ~**ist**, minyatür ressamı: ~**ize** [-rayz], küçültmek. ~**bus**, minibüs. ~**cab** [-kab], küçük taksi. ~**fy** [-fay], küçültmek; azaltmak. ~**kin**, küçücük adam/şey.

minim ['minim] (*tıp.*) Damla; (*müz.*) iki dörtlük.

minim·al ['miniməl]. En kısa/küçük. ~**ize** [-mayz], küçümsemek; azaltmak; asgarileştirmek. ~**um** [-məm] *s.* asgarî, en az, en düşük, en küçük: *i.* en küçük miktar, minimum; taban: ~ **thermometer**, asgarî dereceyi kaydeden termometre.

mining ['maynin(g)]. Madencilik; madenciliğe ait.

minion ['minyən] (*köt.*) Gözde; köle, peyk. **the** ~**s of the law**, polis, zabıta memurları vb.

mini-skirt ['miniskə̄t]. Mini etek.

minister[1] ['ministə(r)] *f.* Hizmet/yardım etm.; idare etm. ~ **to s.o.('s needs)**, birinin ihtiyacını temin etm.

minister[2] *i.* Vekil, bakan, nazır; orta elçi; papaz. **prime-**~, başbakan: †~ **of state**, devlet bakanı; ikinci derece bakan. ~**ial** [-'ti̱əṟi̱əl], vekil/bakana ait; hükümet idaresine ait; iktidarda bulunan partiye ait; papazlığa ait: ~ **broadcast**, (*rad.*) bakan tarafından yapılan yayın: ~**ly**, bakan olarak.

ministration [minis'treyşn]. Hizmet; ihtimam; papaz tarafından cemaatin dinî ihtiyaçlarının karşılanması.

ministry ['ministri]. Vekillik, vekâlet, nezaret, bakanlık; kabine, hükümet; papazlık. **War** ~, harbiye bakanlığı.

minisub ['minisʌb]. Küçük araştırma denizaltısı.

minium ['mini̱ə̱m]. Sülüğen.

miniver ['minivə(r)]. Resmî elbiseleri süsliyen beyaz kürk.

mink [min(g)k]. Amerika vizonu; bataklık samuru; vizon kürkü.

***Minn.** = **Minnesota** [mini'so̱u̱tə]. ABD'nden biri.

minnow ['mino̱u̱]. Golyan balığı.

Minoan [may'no̱u̱ən] (*ark.*) Eski Girit kültürüne ait.

minor ['maynə(r)] *s.* Daha küçük; küçükçe; önemsiz; ikinci dereceden. *i.* Reşit olmamış kimse. **Asia** ~, Anadolu: **Smith** ~, iki Smith kardeşin küçüğü. ~**ity** [-'noriti], azınlık, ekalliyet; azlık; sağirlik, küçüklük: **be in a** ~ **of one**, fikrinde yalnız kalmak: ~**-vote**, azınlık oyu.

minotaur ['maynətō(r)] (*mit.*) (Girit'te) yarı insan yarı boğa bir canavar.

minster ['minstə(r)]. Manastır kilisesi.

minstrel ['minstrəl]. Ortaçağda saz şairi; şair, ozan. ~**sy**, saz şairliği, hanendelik.

mint[1] [mint]. Nane.

mint[2] *i.* Darphane, para basımevi. *f.* Para basmak, darbetmek. **in** ~ **condition**, yepyeni: **have a** ~ **of money**, para kesmek.

mint-[3] *ön.* ~**age** ['mintic], para bas(ıl)ma. ~**-julep** [-'cūlep], naneli içki. ~**-mark**, darphane remzi. ~**-sauce** [-sōs], kuzu ile yenilen nane salçası. ~**-state**, (para/pul) yepyeni; hiç kullanılmamış.

minuend ['minyuend] (*mat.*) Eksiltilen.

minuet [minyu'et]. Bir cins dans, menüet.

minus ['maynəs] *e.* Eksik, az, noksan; -siz. *s.* -den az/aşağı. *i.* Eksi işareti (−). ~ **the leaves**, yapraksız: **a** ~ **quantity**, sıfırdan aşağı miktar: **ten** ~ **two**, on eksi iki.

miniscule ['minʌskyūl] (*bas.*) Küçük harf; (*mec.*) pek küçük.

minute[1] ['minit] *i.* Dakika; lahza; muhtıra. ~**s (of a**

meeting), mazbata, zabıtlar, tutanak: **I'll come in a ~**, şimdi gelirim: **he may come any ~ (now)**, şimdi neredeyse gelir: **make/write a ~**, derkenar yazmak: **make a ~ of stg.**, not tutmak: **on/to the ~**, dakikası dakikasına: **wait a ~!**, biraz bekle!
minute[2] [may'nyūt] *s.* Ufacık, minimini; önemsiz; çok ince; dakik. **~ly**, dikkatle, inceden inceye. **~ness**, ufacık olma; özenme.
minute-[3] ['mi-] *ön.* **~-book**, zabıtlar defteri. **~-gun**, tehlike/matem topu. **~-hand**, yelkovan, dakika ibresi. * **~-man**, her tehlikeye hazır asker/füze.
minutiae [may'nyuşiī]. Gavamız; incelikler.
minx [min(g)ks]. Haspa; kurnaz kız.
Miocene ['mayəsīn] (*yer.*) Miyosen.
mirac·le ['mirəkl]. Keramet; mucize; harika: **by a ~**, mucize kabilinden: **~ play**, mirakl oyunu: **work ~s**, mucize yapmak, keramet göstermek; mucize gibi tesir etm. **~ulous** [mi'rakyuləs], mucize kabilinden, harikulade.
mirage [mi'rāj]. Serap, ılgım.
mire ['mayə(r)] *i.* Çamur, bataklık; pislik. *f.* Kirletmek, çamura batırmak.
mirk [mə̄k] = MURK.
mirror ['mirə(r)] *i.* Ayna. *f.* Aksettirmek. **rear-view ~**, dikiz aynası: **vanity ~**, tuvalet aynası. **~ed**, aynalı. **~-finish**, çok parlak. **~-image**, ayna aksi. **~-screw**, şapkalı vida. **~-writing**, ters yazı.
mirth [mə̄θ]. Neşe; gülme. **~ful**, şen, eğlenceli, gülüşen. **~less**, neşesiz.
MIRV = MULTIPLE INDEPENDENTLY TARGETED RE-ENTRY VEHICLE; bir füze.
miry ['mayri]. Çamurlu; iğrenç.
mis- [mis] *ön. Bir kelimeye* kötü/zıt/eksik *vb. gibi olumsuz anlamlar veren bir ek; mes.* **(mis)advise**, (kötü) öğüt vermek: **(mis)judge**, (yanlış) hüküm vermek.
misadventure [misəd'vençə(r)]. Kaza; aksi tesadüf.
misalliance [misa'layəns]. Dengi olmıyan kimse ile evlenme; uygunsuz birleşme.
misanthrop·e/~ist ['mizənθroup, mi'zanθrəpist]. İnsandan kaçan. **~y**, insandan kaçma.
misappl·ication [misapli'keyşn]. Yanlış tatbik; suiistimal, kötüye kullanma. **~y** [-ə'play], yerinde kullanmamak; beyhude yere sarfetmek.
misapprehen·d [misapri'hend]. Yanlış anlamak; yanılmak. **~sion** [-şn], yanılma.
misappropriat·e [misə'prouprieyt]. Zimmete geçirmek. **~ion** [-'eyşn], güveni kötüye kullanma.
misbe·come [misbi'kʌm]. -e uygun olmamak. **~gotten** [-'gotn], gayri meşru; piç; alçak.
misbehav·e [misbi'heyv]. Edepsizlik etm., yaramazlık etm. **~iour**, yaramazlık.
misbelie·f [misbi'līf]. Yanlış itikat; imansızlık. **~ver**, imansız; zındık; kâfir.
misc. = MISCELLANEOUS.
miscal·culate [mis'kalkyuleyt]. Yanlış hesaplamak. **~l** [-kōl], yanlış isim vermek.
miscarr·iage [mis'karic]. Çocuk düşürme; (mektup) yerine varmıyarak kaybolma; (proje) suya düşme: **~ of justice**, adlî hata. **~y**, çocuk düşürmek; boşa çıkmak; suya düşmek; (mektup vb.) yerine varmayıp kaybolmak.
miscasting [mis'kāstin(g)]. Yanlış hesaplama; (*tiy.*) oyuncular yanlış seçilmesi.
miscegenation [misici'neyşn]. Irkların ve *bilh.* beyazlarla siyahların karışması.
miscellan·eous [misə'leyniəs]. Türlü türlü; çesitli, muhtelif. **~y** [mi'seləni], çeşitli konulara ait eserlerden derlenmiş dergi; türlü türlü eşyanın toplanması.
mischance [mis'çāns]. Kaza; aksilik; talihsizlik.
mischief ['misçif]. Yaramazlık, şeytanlık; afacanlık; zarar; fesat; muziplik; hainlik. **be up to some ~**, yaramazlık/şeytanlık yapmak; kumpas kurmak: **keep s.o. out of ~**, yaramazlıktan alıkoymak için bir çocuğa iş vermek/onu oyalamak: **make ~**, fesat karıştırmak: **make ~ between people**, aralarını bozmak: **out of pure ~**, sırf şeytanlıktan. **~-maker**, fesatçı; münafık; arabozan; ortalığı karıştıran.
mischievous ['misçivəs]. Muzip; yaramaz; zararlı, muzır; garazkâr, hain; arabozan. **~ly**, muzip vb. olarak. **~ness**, muziplik vb.
miscible ['misibl]. Karıştırılabilir.
misconce·ive [miskən'sīv]. Yanlış anlamak. **~ption** [-'sepşn], yanlış anlama, hata.
misconduct [mis'kondʌkt] *i.* Kötü hareket/davranış; kötü idare. [-kən'dʌkt] *f.* Kötü idare etm. **~ oneself**, kötü davranışta bulunmak.
misconstru·ction [miskən'strʌkşn]. Yanlış anlama. **~e** [-'strū], yanlış anlamak; ters anlam vermek.
miscount [mis'kaunt] *i.* Yanlış sayılma. *f.* Yanlış hesap etm./saymak.
miscrea·nt ['miskriənt]. Suçlu; habis. **~ted** [-'eytid], bozulmuş; biçimsiz.
misdeal [mis'dīl]. Kâğıt oyunlarında kâğıdı yanlış dağıtma(k). **~ing**, namussuz/vicdansız davranış.
misdeed [mis'dīd]. Kabahat; fenalık; yanılma, suç.
misdemean [misdi'mīn]. **~ oneself**, kötü harekette bulunmak. **~our** [-nə(r)], kabahat, kusur; (*huk.*) (ağır) suç.
misdescription [misdis'kripşn]. Yanlış/aldatıcı tarif/anlatma.
misdirect [misday'rekt]. Yanlış öğüt/salık vermek; (mektubunun) adresini yanlış yazmak; (işi) kötü idare etm. **~ion** [-kşn], yanlış öğüt vb.
misdoing [mis'dūin(g)] = MISDEED.
mise en scène [mīzā(n)'sen] (*Fr.*) Sahne düzeni, mizansen.
miser ['mayzə(r)]. Hasis, cimri.
miserabl·e ['mizrəbl]. Sefil; bedbaht; miskin; mendebur; berbat; feci: **I am feeling pretty ~**, pek fenayım: **a ~ salary**, pek cüzî maaş: **~ weather**, berbat hava. **~y**, sefil/bedbaht olarak; (*kon.*) çok, son derecede.
miser·liness ['mayzəlinis]. Hasis/cimri olma; para hırsı. **~ly**, hasis gibi; tamahkâr; (*kon.*) pek küçük.
misery ['mizəri]. Sefalet, perişanlık; ıstırap; acı. **put an animal out of its ~**, bir hayvanı öldürüp eziyetten kurtarmak: **you little ~!**, (*kon.*) seni hınzır yumurcak!
misfeasance [mis'fīzəns] (*huk.*) Vazifeyi kötüye kullanma.
misfire [mis'fayə(r)]. Ateş almama(k), teklemek; (nükte) anlaşılmamak; yerinde olmamak.
misfit [mis'fit]. Uymıyan elbise; yanlış görevde bulunan adam, yerinin adamı olmıyan kimse; topluma uyamıyan kimse.
misfortune [mis'fōtyūn]. Bedbahtlık, mutsuzluk, talihsizlik; idbar; kaza; düşkünlük.
mis·give (*g.z.* **~gave**, *g.z.o.* **~given**) [mis'giv(n), -geyv]. Şüpheye düsürmek. **~giving**, şüphe, endişe,

korku, kuşku: **with some ~/not without ~s**, biraz tereddütle/korkarak.
misgovern [mis'gʌvən]. Kötü idare etm. **~ment**, kötü/beceriksiz/yetkisiz idare.
misguided [mis'gaydid]. Dalâlete düşmüş; yanlış yola sapmış. **~ly**, yanlış fikir/öğütle.
mishandle [mis'handl]. Hor kullanmak; kötü davranmak; örselemek; kötü idare etm.
mis·hap [mis'hap]. Kaza; aksilik. **~hit**, (*sp.*) kötü/yanlış vuruş.
mishmash ['mişmaş] (*kon.*) Karmakarışıklık.
misinform [misin'fōm]. Yanlış haber vermek. **~ed**, yanlış haber almış.
misinterpret [misin'təprit]. Yanlış anlam vermek; yanlış tercüme etm. **~ation** [-'teyşn], yanlış anlam/tercüme/yorumlama.
misjudge [mis'cʌc]. Yanlış hüküm vermek; hatalı fikir edinmek. **~ment**, hatalı fikir; yanlış hüküm.
mis·lay (*g.z.(o.)* **~laid**) [mis'ley(d)]. Yanlış/hatırlanamıyacak bir yere koymak; kaybetmek.
mis·lead (*g.z.(o.)* **~led**) [mis'līd, -'led]. Baştan çıkarmak; doğru yoldan saptırmak; yanlış yol/yere götürmek; aldatmak: **~ing**, yanıltıcı, aldatıcı.
mismanage [mis'manic]. Kötü idare etm. **~ment**, kötü idare.
mis·name [mis'neym]. Yanlış isim koymak/zikretmek. **~nomer** [-'nouma(r)], yanlış isim/terim kullanma.
miso- [miso-, mayso-] *ön.* Nefret. **~gamy** [-'sogəmi], evlenmeden nefret. **~gynist** [-'socinist], kadın düşmanı. **~logy**, mantıktan nefret. **~neism** [-'nīizm], yenilikten nefret.
misplace [mis'pleys]. Yanlış yere koymak. **~d**, yerinde değil; yersiz.
misprint [mis'print]. Baskı/tertip hatası (yapmak).
mispri·sion [mis'prijn] (*huk.*) Yanlış hareket; bir suça göz yumma; küçük/hakir görme. **~ze** [-prayz], küçük/hakir görmek.
mispro·nounce [misprə'nauns]. Yanlış telaffuz etm. **~nunciation** [-nʌnsi'eyşn], yanlış telaffuz (etme).
misread [mis'rīd, *g.z.(o.)* -red]. Yanlış okumak/anlamak.
misrepresent [misrepri'zent]. Tazvir etm.; yanlış tarif etm. **~ation** [-'teyşn], yanlış tarif (etme).
misrule [mis'rūl]. Kötü idare (etmek). **Lord of ~**, (*tar.*) Noel cümbüşlerinin reisi.
miss[1] [mis] *i. Evli olmıyan kadın unvanı*; kız; hanım kız: **~ 19(78)**, (*mod.*) en modern kız: **~ Great-Britain**, Brit.yı temsil eden güzellik kraliçesi.
miss[2] *i.* İsabet etmeme; manke; (atışta) boşa gitme, karavana. *f.* İsabet etmemek; yetişememek, kaçırmak; atlamak; aramak; göreceği gelmek, boşluk hissetmek, hasret çekmek; eksik olm.; (*sp.*) ıska geçmek. **give stg. a ~**, atlamak, geçmek, vazgeçmek: **we shall all ~ him**, onu çok arıyacağız: **he's no great ~**, yokluğunu pek hissetmiyoruz: **it will never be ~ed**, eksikliğini kimse farketmez, kimse yokluğunu hissetmez: **you haven't ~ed much**, önemli bir şey kaçırmış olmadınız: **it's hit or ~**, rasgele; ne olursa olsun diye; baht işi (ne çıkarsa bahtına): **~ the market**, piyasa fırsatını kaçırmak: **~ the point**, bir şeyin esasını anlamamak: **~ one's way**, yolu şaşırmak: **who is ~ing?**, kim eksik?: **a ~ is as good as a mile**, (bazı hallerde) başarısızlığın küçüğü de büyüğü de farksızdır (*mes. bir treni bir dakika/saat farkla kaçırmak ayni şeydir*): **near ~**, (*hav.*) (iki uçak) az kaldı carpıştı; (*sp.*) az kaldı isabet etti.
***Miss.** = MISSISSIPPI.
missal ['misəl]. Katoliklerin dua kitabı.
missel(-thrush) ['misl(θrʌş)]. Ökse ardıcı.
misshapen [mis'şeypn]. Çelimsiz, biçimsiz.
missile ['misayl]. Atılan şey; (*ask.*) mermi, füze; (*hav.*) roket, misil. **guided ~**, güdümlü mermi/füze.
missing ['misin(g)] *s.* Eksik, noksan; namevcut; kaybolmuş; (savaşta) kayıp.
mission ['mişn]. Özel memuriyet, vazife, görev; elçilik; misyon, özel heyet. **foreign ~s**, dışarıya gönderilen misyoner heyetleri: **his ~ in life**, kendi için tayin ettiği hayat vazifesi. **~ary** [-şənəri], misyoner.
missis ['misiz]. *Evli kadının unvanı (ki gen.* **Mrs.** *yazılır). krş.* MISSUS.
***Mississippi** [misi'sipi]. ABD'nden biri.
missive ['misiv]. (Resmî) mektup.
***Missouri** [mi'zuəri]. ABD'nden biri.
misspent [mis'spent]. Yanlış yere sarfedilmiş. **a ~ youth**, tembelce/çapkınca geçirilen gençlik.
miss·us ['misəz] (*kon.*) *Hizmetçi tarafından ev hanımına verilen unvan*; hanımefendi: **my/the ~**, köroğlu; bizimki. **~y**, *genç kıza verilen unvan.*
mist [mist] *i.* Sis; buğu; donukluk; karartı. *f.* Sisle kaplamak; sisli olm. **~ over**, buğula(n)mak.
mistake[1] [mis'teyk] *i.* Hata; yanlışlık. **by ~**, yanlışlıkla: **make no ~ about it!**, anlamadım deme!, duydum duymadım deme!: **she's a pretty woman and no ~**, o kadın güzel mi güzel.
mistake[2] (*g.z.* **mistook**, *g.z.o.* **~n**) [mis'teyk(n), -tuk] *f.* Yanlış anlamak. **be ~n**, yanılmak: **~ s.o. for s.o. else**, birini başkasına benzetmek. **~n**, *s.* Yanlış, hatalı: **~ly**, yanlış olarak.
mistaught [mis'tōt] *s.* Yanlış olarak öğretilmiş.
mister ['mistə(r)]. (*gen.* **Mr.** *yazılır*). *Erkeğin ismi önünde kullanılan unvan.* Bey, Beyefendi. *Bazı memurlara verilen unvan, mes.* **Mr. President/Speaker**, Reis bey. **don't call me ~/~ me!**, bana 'beyefendi' demeyin!
mistily ['mistili]. Buğulu/sisli olarak; buğudan görülür.
mistime [mis'taym]. Vaktini yanlış hesap etm.; bir şeyi vakitsiz yapmak/söylemek.
mistletoe ['misltou]. Burc, ökseotu.
mistook [mis'tuk] *g.z.* = MISTAKE[2].
mis·translate [mistranz'leyt]. Yanlış tercüme etm./çevirmek. **~treat** [-'trīt], kötü davranmak.
mistress ['mistris]. *Evli kadınlara hitap unvanı* (MRS.); muallime; hizmetçinin efendisi; sahibe; metres, kapatma.
mistrial [mis'trayəl] (*huk.*) Hatadan dolayı iptal edilmiş yargılama.
mistrust [mis'trʌst] *i.* Güvensizlik. *f.* İtimat etmemek; hakkında şüphe etm. **~ful**, güvenmiyen; vesveseli.
misty ['misti]. Sisli; hayal meyal.
misunder·stand (*g.z.(o.)* **~-stood**) [misʌndə'stand, -'stud]. Yanlış anlamak. **~standing**, yanılmaca, anlaşamazlık; geçimsizlik. **~stood**, *s.* yanılmaca, anlaşılmamış; yanlış anlaşılmış; kıymeti takdir edilmemiş.
misuse [mis'yūs] *i.* Hor kullanma; suiistimal; yanlış kullanma. [-'yūz] *f.* Hor kullanmak; örselemek; yanlış maksada hasretmek; kötüye kullanmak.

*MIT = MASSACHUSETTS INSTITUTE OF TECHNOLOGY.

mite [mayt]. Ufacık şey *bilh.* çocuk; kene, akar, peynir kurdu; uyuz böceği; pek ufak bir sikke. **not a ~ left**, zerresi kalmadı: **the widow's ~**, çok veren maldan, az veren candan.

Mithras ['miθras] (*mit.*) Aydınlık/güneş tanrısı.

mithridatism [miθri'datizm] (*tıp.*) Gittikçe zehir miktarını artırarak vücuda bağışıklık verme.

mitigat·e ['mitigeyt]. Yumuşatmak, hafifletmek; tadil etm., azaltmak. **~ion** [-'geyşn], yumuşat(ıl)ma; tadil.

mitosis [mi'tousis] (*biy.*) Mitoz.

mitrailleuse [mitra'yə̄z] (*Fr.*) Makineli tüfek, mitralyöz.

mitr·al ['maytrəl]. Piskopos tacına ait: **~ valve** (*biy.*) ikili kapakçık. **~e** [-tə(r)], piskopos tacı; şev gönye: **~-block/box**, şev gönyeyi kesme kutusu: **~d**, taçlı (piskopos): **~-gear**, şev dişli.

mitt(en) ['mit(n)]. Kolçak; parmaksız eldiven.

mittimus ['mitiməs] (*Lat., huk.*) Hapis cezası ilânı; (*kon.*) memuriyetten çıkarma.

mity ['mayti]. Kurtlu (peynir).

Mitylene [miti'līni]. Midilli adası.

mix [miks]. Karıştırmak; tahlit etm.; karmak; birleştirmek; (*sin.*) bileştirmek; ihtilat etm.; (banyo) su ılıştırmak. **~ up**, birbirinden ayırt edememek; karıştırmak. **~ed**, *s.* karma, karışık; katışık; mahlut; bileşik, muhtelit: **all ~ up**, karma karışık: **get ~ up**, zihni karışmak: **~ bathing**, kadın ve erkek bir arada yüzme usulü: **~ marriage**, muhtelif ırklardan kimselerin evlenmesi: **get ~**, karışmak. **~er**, karıştırıcı âlet; bileştirici, bileştirme aygıtı: **a good ~**, sokulgan/herkesle iyi geçinen kimse: **~-tap**, karıştırıcı/ılıştırma musluğu. **~t.** = **~ture** [-çə(r)], karıştırma; karışık şey; halita, mahlut; terkip; (*kim.*) karışım: **rich/weak ~**, zengin/fakir mahlut. **~-up**, kargaşalık; karışıklık; kördövüşü; arapsaçı.

mizzen ['mizn]. Mizana: **~-mast**, mizana/arka direği.

mizzle[1] [mizl]. Kaçmak.

mizzle[2] = MIST + DRIZZLE; çiseleme(k).

Mk(d). = MARK(ED).

MKSA = METRE-KILOGRAM-SECOND-AMPERE (ölçme sistemi).

mkt. = MARKET.

ml. = MILLILITRE.

ML = MINE-LAYER; MOTOR-LAUNCH. **~A** = MEMBER OF LEGISLATIVE ASSEMBLY; MODERN LANGUAGES ASSOCIATION. **~C** = MEMBER OF LEGISLATIVE COUNCIL.

mld. = MOULDED.

M Litt. = MASTER OF LITERATURE.

MLR = MINIMUM LENDING RATE.

mm. = MILLIMETRE.

MM = MERCANTILE MARINE; MILITARY MEDAL.

Mme. = MADAME.

Mn. (*kim.s.*) = MANGANESE.

MN = MERCHANT NAVY.

mnemonic [ni'monik]. Hatırlayıcı: **~s**, hafızayı kuvvetlendirme sistemi.

mo[1] [mou] (*kon.*) = MOMENT: **half/wait a ~!**, bir dakika bekleyin!; hemen gelirim!

mo.[2] (*yer.*) Çok ince kum tanesi.

Mo. = MISSOURI; (*kim.s.*) MOLYBDENUM.

MO = MAIL ORDER; MASS OBSERVATION; MEDICAL OFFICER/ORDERLY; MONEY ORDER.

moa ['mouə]. (Azman/cüce) moa.

moan [moun] *i.* İnilti; figan. *f.* İnlemek.

moat [mout]. (Su ile dolu) kale hendeği.

mob [mob] *i.* Kalabalık; ayak takımı, güruh. *f.* (Bir güruh hakkında) saldırmak; birine üşüşüp hücum etm. **~ law**, linç kanunu: **~ rule**, ayak takımı hâkimiyeti. **~bish**, güruh gibi; gürültülü.

mob. = MOBILI·ZATION/ZE.

mob-cap ['mobkap] (*mer.*) Kadınların ev içinde giydikleri çeneden bağlı başlık.

mobil·e ['moubayl]. Müteharrik, devingen, devinsel; oynak; değişken; gezici, seyyar; (*san.*) hareket ifade eden bir tip heykel. **~ity** [-'biliti], müteharriklik; oynaklık: **the ~ of an army**, ordunun hareket kabiliyeti. **~ization** [-lay'zeyşn], seferberlik. **~ize** ['mou-], seferber ed(il)mek.

mob·ocracy [mo'bokrəsi]. Güruh egemenliği. **~sman**, (*mer.*) yankesici. **~ster**, gangster.

moccasin[1] ['mokəsin] *i.* Geyik derisinden yapılan çarık, mokasen.

moccasin[2] *i.* Kancadişli engerek.

Mocha ['moukə]. Moha; Yemen kahvesi.

mock [mok] *f.* **~ (at)**, alay etm., maskara etm.; önem vermemek; alay için taklit etm.; eğlenmek; şaka etm. *i.* Yapma, sahte, taklit. **make a ~ of s.o.**, birini maskara etm. **~-**, *ön.* gibi; sunî, olmıyan. **~ery** [-kəri], alay, maskara; gülünç bir şey; oyun: **the trial was a mere ~**, muhakeme komediden ibaretti. **~ing**, alaycı: **~-bird**, alaycı kuş: **~ly**, alay ederek. **~-up**, doğal büyüklükte (uçak vb.) modeli.

mod [mod] *s.* (*kon.*) Son modaya ait; modaya uygun. *i.* Son moda/yenilik taraftarı.

mod. = MODERATE; MODERN; MODIFICATION. **~ cons.** = MODERN CONVENIENCES: **with all ~**, her türlü konforu ve kolaylıkları havi (ev).

MOD = MINISTRY OF DEFENCE; MONEY ORDER DEPARTMENT.

modal ['moudəl]. Kip/hal/tavra ait. **~ity** [-'daliti], kiplik, cihet, keyfiyet.

mode [moud]. Tavır, tarz; moda; usul; koşul, şart; minval; (*müz.*) makam; (*gram.*) kip, hal.

model ['modl] *i.* Model, örnek, maket, nümune; tip; (*mod.*) biçim; (*san.*) manken, model. *s.* Örnek olan, mükemmel; model olan; model+. *f.* Modelini yapmak; modellik etm.; oyumlamak. **~ler**, (*san.*) modelci, model ressamı; biçim veren. **~ling**, modelini yapma; oyumlama; biçim verme. **~-testing**, (*müh.*) model denemesi.

moderat·e ['modərit] *s.* Mutedil, makul, ölçülü, ılımlı, orta, alelâde; aşırı derece/miktarda olmıyan. *f.* [-reyt], tadil etm., hafifle(t)mek; azal(t)mak. **~ion** [-'reyşn], itidal, ılım, ölçülülük: **~s**, (Oxford üniversitesi) ilk resmî imtihan. **~or** [-'reytə(r)], ara bulucu; reis; **~IONS** yapan hoca; (*nük.*) hafifletici madde.

modern ['modə̄n] *s.* Asrî; çağcıl; modern, yeni; şimdiki zamana ait. *i.* Çağdaş; son moda/yenilik taraftarı: **~ history**, 1453'den sonraki tarih: **~ languages**, bugün konuşulan diller. **~ism**, yenilik taraftarlığı; çağcıllık; yeni düşünce; yeni kelime. **~ist**, yenilik taraftarı. **~ity** [-'də̄niti], yenilik; yeni olma. **~ization** [-nay'zeyşn], asrileştirme, çağcıllaş(tır)ma; modernize etm., yenileştirme.

~**ize** ['mod-], çağcıllaş(tır)mak; modernize etm., yenileştirmek. ~**ly**, yeni/modern bir surette. ~**ness** = ~ITY.
modest ['modist]. Mütevazı, alçak gönüllü; afif. ~**ly**, alçak gönüllü olarak. ~**y**, tevazu, alçak gönüllülük; sadelik; iffet, utangaçlık: **with all due** ~, övünmek gibi olmasın amma.
modicum ['modikəm]. Parçacık, biraz.
modif·iable ['modifayəbl]. Değiştirilir. ~**ication** [-fi'keyşn], tadil; değiştirme; (*biy.*) değişke(me); değişiklik. ~**ied**, değişik. ~**y** [-fay], tadil etm.; tahfif etm., azaltmak; şeklini vb. değiştirmek; (*biy.*) değişkemek.
mod·ish ['moudiş] *s.* Son moda; güzel giyinmiş: ~**ly**, son modaya göre. ~**iste** [-'dīst] (*Fr.*) tuhafiyeci.
Mods. = MODERATIONS.
modul·ar ['modyulə(r)]. Kip/çap/modüle ait; modül şeklinde: ~**ize** [-rayz], modül şekline koymak, modüller birleştirmek. ~**ate** [-leyt], modüle etm.; sesini tadil etm., gamını değiştirmek. ~**ation** [-'leyşn], tadil, tonlu geçiş; modülasyon. ~**ator** ['mod-], modülatör. ~**e**, çap, emsal; kip; modül. ~**us** [-ləs], oran birimi.
modus ['moudəs] (*Lat.*) Tarz, usul: ~ ***operandi***, hareket tarzı, icra yolu: ~ ***vivendi***, yaşayış tarzı; (*ask.*) geçici anlaşma.
Mogul [mou'gʌl]. Moğol; Hindistan imparatoru; (*kon.*) çok zengin/nüfuzlu iş adamı.
Moh. = MOHAMMED(AN).
MOH = MEDICAL OFFICER/MINISTRY OF HEALTH.
mohair ['mouheə(r)]. Tiftik (kumaş).
Mohammedan [mou'hamidn] = MUHAMMEDAN.
moho ['mouhou] (*yer.*) Çekirdek kabuğu ile yerkabuğu arasındaki fasılalılık. ~**le** [-houl], çekirdek kabuğuna kadar açılacak bir deşik.
moiety ['moyəti]. Yarı; hisse.
moil [moyl] *i.* Ağır/yorucu iş. *f.* Çalışıp yorulmak.
moiré ['muarey]. Hareli ipek kumaş.
moist [moyst]. Yaş, nemli, rutubetli. ~**en** ['moysn], rutubetlendirmek; hafifçe ıslatmak, nemletmek. ~**ure** ['moysçə(r)], rutubet, nem. ~**urize** [-rayz], nemlen(dir)mek.
moither ['moyðə(r)] (*leh.*) Şaşırtmak, endişeli olm.
moke [mouk] (*arg.*) †Eşek; (*Avus.*) zayıf at; *Zenci.
mol. = MOLE⁴; MOLECUL·E/-AR.
molar¹ ['moulə(r)]. Azı (dişi).
molar² (*fiz.*) Kitleye ait; (*kim.*) mole ait.
molasses [mə'lasiz]. Melas, şeker tortusu.
mold [mould] = MOULD.
Moldavia [mol'dēyviə]. Buğdan.
mole [moul]. (Renkli) ben.
mole². Mendirek, dalgakıran.
mole³. Köstebek. ~**-cricket**, danaburnu.
mole⁴ *i.* (*kim.*) Mol, molekül-gram.
molecul·ar [me'lekyūlə(r)]. Zerre/moleküle ait, moleküler: ~ **weight**, molekül ağırlığı. ~**e** ['molikyūl], zerre, molekül.
mole·hill ['moulhil]. Köstebek yuvası: **make a mountain out of a** ~, habbeyi kubbe yapmak. ~**-rat**, kör fare. ~**skin**, köstebek kürkü: ~**s**, kaba pamuk kadifeden yapılmış pantolon.
molest [mə'lest]. Taciz etm., sarkıntılık etm.; dokunmak; tedirgin etm. ~**ation** [-'teyşn], taciz etme, dokunma.
moll [mol]. Fahişe; gangsterin metresi.
mollif·ication [molifi'keyşn]. Yumuşatma, uysallaştırma. ~**y** [-fay], teskin etm., yumuşatmak; gönül almak.
mollusc ['molʌsk]. Naime; molüsk, yumuşakça(lar). ~**oid** [-'lʌskoyd], yumuşakçamsı.
molly ['moli]. Hanım evlâdı; lapacı. ~**coddle** [-kodl], nazlı büyütmek.
molt [moult] = MOULT.
molten ['moult(ə)n] *g.z.o.* = MELT.
molto ['moltou] (*İt., müz.*) Çok.
moly ['mouli] (*bot.*) Yabanî sarmısak.
molybdenum [mə'libdinəm]. Molibden.
***mom** [mom] (*kon.*) = MUMMY². ~**ism**, anneye aşırı düşkünlük.
moment ['moumənt]. An, lahza; ehemmiyet, önem; (*fiz.*) vezniyet, moment. **be of** ~, önemli olm.: **not for one** ~!, katiyen, asla!: **one/half a** ~, bir dakika!, biraz dur!: **the** ~ **I saw him**, onu gördüğüm anda: **this** ~, derhal, bir an önce: ~ **of truth**, hiç kaçınılmaz karar vakti. ~**arily** [-tərili], bir an için; geçici olarak. ~**ary**, bir an süren; geçici. ~**ly**, her an; bir an için. ~**ous** [-'mentəs], çok önemli. ~**um**, vezniyet; moment; hız(lama); can gücü.
***momm·a**/~**y** ['momə, -mi] (*çoc.*) Anneciğim.
mon- [mon-] *ön.* = MONO-.
Mon. = MONDAY; MONMOUTHSHIRE.
monac(h)·al ['monəkəl]. Manastıra ait. ~**ism**, manastır hayat/sistemi.
Monaco ['monəkou]. Monako.
monad ['monad]. Bir, birim; (*fel.*) monad; zerre, atom. ~**ic** [-'nadik], bir(im) vb.ne ait.
monandr·ous [mo'nandrəs]. Tek kocalı(lık usulüne ait); (*bot.*) tek erkeklik organıyle. ~**y**, tek kocalılık; tek erkeklik organıyle olma.
monarch ['monək]. Hükümdar, kral(içe). ~**al** [-'nākl], hükümdara ait/uygun. ~**ic(al)**, hükümdar(lığ)a ait. ~**ism** [-'kizm], krallık sistemi. ~**ist**, krallık taraftarı. ~**y**, saltanat, krallık, monarşi, tekerklilik: **constitutional/limited** ~, meşrutî/sınırlı krallık.
monast·ery ['monəstri]. Manastır. ~**ic** [mə'nastik], keşişlik/manastır hayatına ait: ~ **order**, keşişler tarikatı. ~**icism** [-'sizm], manastır hayat/sistemi.
monatomic [monə'tomik]. Tek atomlu.
Monday ['mʌndi]. Pazartesi. ~**ish**, ~ **feeling**, (pazar gününden sonra) tembellik.
mondial ['mondiəl]. Âlemşümul; bütün dünyaya ait.
monet·arism ['monitərizm]. Malî işlerde paranın hakim olduğu inancı. ~**arist**, böyle inanan kimse. ~**ary** ['mʌnitəri], para+; paraya ait; nakdî. ~**ize** [-tayz], (maden) para olarak tedavüle koymak.
money ['mʌni]. Para; nakit; servet. **it's a bargain for the** ~, o fiyatta kelepirdir: **it will bring in big** ~, bu işte çok para var: **come into** ~, paraya konmak; para sahibi olm.: **not every man's** ~, herkesin işine gelmez: **throw good** ~ **after bad**, zararlı bir işe devamda inat etm.: **he's the man for my** ~, benim istediğim/aradığım adam budur: **you've had your** ~**'s worth**, masrafını bol bol çıkarttın: **it's** ~ **for jam/old rope**, (*arg.*) = EASY ~: **earnest** ~, kaparo, pey: **easy** ~, kolay kazanılan para; (*kon.*) kolay bir iş: **even** ~, (yarış vb.) eşit tutarla bahis tutuşma: **folding** ~, (*kon.*) kâğıt para: **hard** ~, madenî para, sikke: **key** ~, hava parası: **paper** ~, kâğıt para,

banknot: **ready** ~, peşin para, akımlı anamal. **~-bag**, para torbası; (*kon.*) zengin bir cimri: **~s**, zenginlik, servet. **~-box**, kumbara. **~-changer**, sarraf. **~ed** [-nid], zengin, paralı. **~-grubber**, (*köt.*) para düşkünü. **~-lender**, tefeci, faizci. **~-making**, para kazanma (işi). **~-market**, borsa, para piyasası. **~-order**, havale, para gönderimi. **~-spinner**, (*kon.*) uğurlu bir iş. **~'s-worth**, parasına değer.

'mong(st) [mʌn(g)(st)] = AMONG(ST).

-monger [-mʌn(g)gə(r)] *son.* -ci, ... satıcısı, ... taciri; ... çıkaran *anlamında bir ek* [CHEESE-~, WAR-~].

Mongol ['mongəl]. Moğol. **~ia** [-'gouliə], Moğolistan: **Outer** ~, Dış Moğolistan. **~ian**, *i.* Moğolca: *s.* Moğol+. **~ism** ['mon-] (*tıp.*) doğuştan biçimsiz başlı ve aklı gecikmiş belirtili bir hastalık, mongolizm. **~oid** [-'lōyd], Moğol tipi.

mongoose ['mon(g)gūs]. Mongos. **Egyptian** ~, firavun sıçanı.

mongrel ['mʌn(g)grəl]. Melez; soyu karışık her şey (*bilh.*) köpek. **~ly**, *s.* soyu karışık.

moni(c)ker ['monikə(r)] (*arg.*) İsim.

monies ['mʌniz] *ç.* = MONEY.

moniliform [mo'niliform] (*biy.*) Tespih şeklinde.

mon·ism ['monizm] (*fel.*) Bircilik, monizm. **~ist**, bircilik taraftarı.

monition [mo'nişn]. İkaz, uyarma.

monitor[1] ['monitə(r)] *i.* (*zoo.*) Varan(giller).

monitor[2] *i.* Az su çeken zırhlı gemi, monitor.

monitor[3] *i.* (*rad.*) (Yabancı) telsiz yayınlarını kontrol etm. için takip eden kimse/cihaz; (*nük.*) radioaktivite/ışın tesirini kontrol eden cihaz. *f.* Böyle takip/kontrol etm., dinlemek.

monit·or[4] *i.* Vaiz; bir okulda küçük sınıflara nezaret eden yüksek sınıf öğrencisi: **~y**, ikaz eden; ikaz mektubu. **~ress** [-tris], kadın/kız ~OR[4].

monk [mʌn(g)k]. Keşiş; rahip. **~ery**, (*köt.*) manastır (hayatı).

monkey[1] ['mʌn(g)ki]. Maymun; (*arg.*) beş yüz lira. **~ about with stg.**, kurcalamak, karıştırmak, haltetmek: **~ tricks**, açıkgözlük; münasebetsizlik: **put one's ~ up**, öfkelendirmek: **you young ~!**, seni çapkın seni!

monkey[2]. Kazık kakma makinesi; şahmerdan(başı).

monkey·ish ['mʌn(g)ki·iş]. Maymun gibi. **~-jacket**, (*den.*) kısa ve dar ceket. **~-puzzle**, Şili çamfıstığı. **~-wrench**, İngiliz/çift ağızlı anahtar(ı).

monk·hood ['mʌn(g)khud]. Keşişlik; keşişler. **~ish**, keşiş gibi; keşiş hayatına ait. **~'s-hood**, bir çeşit düğünçiçeği.

Monmouthshire ['monməθşə]. Brit.'nın bir kontluğu.

mono- ['monou-] *ön.* Tek, bir, mono-. **~basic** [-'beysik] (*kim.*) tek bazlı. **~bloc(k)**, yekpare gövdeli. **~chrome** [-kroum], tek renkli (resim). **~cle** [-nəkl], monokl, tekgözlük. **~clinal** [-'klaynl] (*yer.*) tek eğimli (katman). **~cotyledon**, tek çenek/kotiledon. **~cular** [-'nokyulə(r)], tek gözlü(ğe ait). **~dic**, ~DY'ye ait. **~drama** [-nədrāmə], monodram. **~dy**, tek sesli şarkı/mersiye, monodi.

monogam·ist [mə'nogəmist]. Tekeşli olan kimse. **~ous** [-məs], tekeşli, tekevli. **~y**, monogami, tekeşlilik.

mono·gram ['monəgram]. Bir şahıs isimlerinin ilk harflerinden yapılan tek şekil halinde marka; monogram; (sanatçı) simge(si). **~graph** [-grāf], yalnız bir şey/ şahıs hakkında bir eser; monografi. **~gynous** [-'nocinəs], tek karılı. **~kini**, tek parçalı BIKINI. **~lith(ic)** ['monəliθ(ik)]. tek taş(lı). **~logue** [-log], monolog. **~mania** [-'meyniə], sabit fikir hastalığı, merak illeti, monomani: **~c** [-niak], sabit fikirli hasta. **~mer**, monomer. **~metallism**, (*mal.*) tek maden ölçü/mikyası. **~mial**, (*mat.*) tek terimli. **~plane** [-pleyn], **(high-/low-/mid-wing)** ~, (üst-/alt-ortadan) tek yüzeyli uçak.

monopol·ist [mə'nopəlist]. İnhisarcı, tekelci; tekel taraftarı: **~ize** [-layz], inhisar altına almak. **~y** [-li], inhisar, tekel; tröst.

monorail ['monəreyl]. Tek raylı demiryol.

monosyllab·ic [monəsi'labic]. Tek heceli. **~le** [-'siləbl], tek hece(li kelime).

monothe·ism ['monəθī·izm]. Tektanrıcılık. **~ist**, tektanrıcı, muvahhit.

monoton·e ['monətoun]. Yeknesak ahenk, monoton. **~ous** [mə'notənəs], yeknesak; cansıkıcı; tekdüzen. **~y** [mə'notəni], yeknesaklık; yeknesaklıktan doğan can sıkıntısı; tekdüzenlik.

mono·tron ['monətron] (*nük.*) Monotron. **~type** [-tayp] (*biy.*) tek tip; (*bas.*) tek baskı, monotip. **~xide** [-'noksayd], monoksit, biroksit.

mon·seigneur/ **~signor** [mōnsen'yə(r), -'sīnyō(r)] (*din.*) Monsenyör.

monsoon [mon'sūn] (*Hint.*) Mevsim rüzgârı; muson; yağmur mevsimi.

monster ['monstə(r)] *i.* Hilkat garibesi; canavar, çok büyük bir şey. *s.* Dev gibi, azman.

monstrance ['monstrəns] (*din.*) Altın/gümüş kap.

monstro·sity [mon'strositi]. Hilkat garibesi, azman; canavarlık; pek kötü/çirkin bir şey. **~us** ['monstrəs], azman; inanılmaz derecede; müthiş: **it's perfectly** ~, olur rezalet değil; bu işitilmemiş şey: **~ly**, müthişçe; gayritabiî olarak; (*kon.*) çok.

Mont. = MONTANA; MONTGOMERYSHIRE.

montage ['montāj] (*sin.*) Kurgu.

***Montana** [mon'tanə], ABD'nden biri.

montane ['monteyn]. Dağlı bölgeye ait.

Montenegr·in [monti'nīgrin]. Karadağlı. **~o** [-grou], Karadağ.

Montgomeryshire [mont'goməriṣə]. Brit.'nın bir kontluğu.

month [mʌnθ]. Ay. **calendar/lunar** ~, takvim/aya göre ay: **a ~ of Sundays**, kırk yıl; çok uzun müddet: **this day** ~, gelecek ay bugün. **~lies**, aylık dergiler; aybaşı (hayız). **~ly**, ayda bir olan; aylık.

monticule ['montikyūl]. Tepecik.

monument ['monyumənt]. Abide; anıt. **~al** [-'mentl], anıta ait; muazzam, heybetli; anıtsal: **~ize** [-təlayz], hatırlatmak, zikretmek: **~ly**, anıtla; (*kon.*) çok.

-mony [-məni] *son.* -lik, -me [MATRIMONY].

moo [mū]. Böğürme(k).

mooch [mūç] (*arg.*) Şapşalca yürümek, çalmak; *yalvarmak.

mood[1] [mūd] (*dil.*) Fiil kipi.

mood[2]. Ruh haleti. **he is in one of his bad ~s**, yine aksiliği üzerinde: **in a good ~**, keyfi yerinde, neşeli: **be in the ~ to ...**, -e mütemayil olm., -i canı istemek: **not to be in the ~ to**, içinden gelmemek: **he is in a generous ~ this morning**, bu sabah cömertliği tuttu: **he is in no laughing ~**, yüzü hiç gülmüyor; şakası yok: **a man of ~s**, günü gününe uymaz.

~**ily**, huysuzca, vb. ~**iness**, huysuzluk, vb. ~**y**, huysuz, dargın; küskün; günü gününe uymaz.

moon [mūn]. Ay, kamer. **full** ~, dolunay, bedir: **new** ~, yeniay, hilâl: **satellite** ~, uydu: ~ **about**, dalgın dalgın etrafta gezinmek: **the changes/phases of the** ~, ayın safhaları: **cry for the** ~, olmıyacak şey istemek: **the man in the** ~, aydede; bu dünyadan çok uzak yaşıyan muhayyel bir kimse: **I know no more about it than the man in the** ~, ben nereden bileyim?: **once in a blue** ~, kırk yılda bir, bayramdan bayrama. ~**beam**, ayın ışını. ~**calf** [-kāf], aptal. ~**craft**, aya giden uzay gemisi. ~**-crawler**, ayda gezen kaptıkaçtı. ~**less**, ay ışığı olmıyan. ~**light**, mehtap, ay ışığı: ~**er**, (*arg.*) asıl işinden ayrı geceleyin başka bir iş yapan işçi: ~**ing**, böyle bir iş yapma. ~**lit**, mehtapta olan. ~**rise/set**, ay doğuş/batışı. ~**rock**, aydan alınmış bir kaya nümunesi. ~**scape**, ay manzarası. ~**shine**, mehtap; saçma sapan söz; (*arg.*) kaçak içki: ~**r**, içki kaçakçısı. ~**shot**, uzay gemisinin aya yolculuğu. ~**stone**, aytaşı. ~**struck**, çılgın, deli. ~**walk**, ay yüzeyinde yürüyüş. ~**y**, ay gibi; dalgın; halsiz.

moor[1] ['muə(r)] *i.* Yüksek ağaçsız ve fundalıklı boş arazi; *bataklık.

Moor[2] *i.* Faslı, Mağribi, K.Afrikalı.

moor[3] *f.* Gemiyi halatla karaya bağlamak; çifte demir ile demirlemek.

moor-[4] *ön.* ~**age** [-ric], demirleme/şamandıra ücreti. ~**cock**, erkek orman tavuğu. ~**hen**, dişi orman tavuğu; yeşil ayaklı su tavuğu. ~**ing**, demirleme, bağla(n)ma: ~**-berth**, demir yeri: ~**-buoy** [-boy], bağlama şamandırası: ~**-mast**, (*hav.*) bağlama kulesi: ~**-post**, palamar babası: ~**s**, palamar; şamandıralar; demir(leme) yeri: **take up her** ~**s**, (gemi) dubaya bağlanmak; demirlemek: **cut one's** ~**s**, acele uzaklaşmak için palamarı kesmek. ~**ish**, Fas+, Mağribî. ~**land** = MOOR[1].

moose [mūs]. Kanada geyiği, mus.

moot [mūt] *s.* Münakaşalı. *f.* Müzakereye koymak; ileri sürmek. *i.* (*tar.*) Meclis. **a** ~ **point**, su götürür bir mesele.

mop [mop] *i.* Saplı tahta bezi; bulaşık yıkamağa mahsus sicim fırça. *f.* Islatarak silmek. **Mrs.** ~, (*kon.*) gündelikçi kadın: ~ **up**, silip süpürmek, temizlemek: ~ **one's brow**, mendille alnını silmek: ~ **the floor with**, (*arg.*) haklamak.

MOP = MINISTRY OF PENSIONS.

mope [moup]. ~/**be in the** ~**s**, süngüsü düşük olmak ve can sıkıntısı içinde bulunmak, dudak sarkıtmak.

moped ['mouped]. Motorlu bisiklet, moped.

mopish ['moupiş]. Süngüsü düşük.

mopoke ['moupouk] (*Avus.*) Benekli bir baykuş.

moppet [mopit] (*kon.*) Kızcağız; kukla.

mopping-up ['mopin(g)ʌp]. Temizleme: ~ **operations**, (*ask.*) savaştan sonra yenilen düşman kıtalarını yıkma hareketleri.

moquette [mo'ket]. Bir halı/döşemelik kumaşı.

moraine [mə'reyn]. Buzultaşı, moren.

moral ['morəl] *s.* Manevî; ahlâkî, törece, törel; iyi ahlâklı, dürüst. *i.* Kıssadan hisse: ~**s**, ahlâk, töre (bilimi): ~ **courage**, medenî cesaret, celâdet: ~ **defeat**, manevî yenilme. ~**e** [mo'rāl], maneviyat; yürek gücü. ~**ism** ['morəlizm], moralizm, törelcilik. ~**ist**, ahlâkçı, törelci. ~**ity** [mə'raliti], ahlâk(îlik), törelcilik; fazilet; (*tiy.*) moralite oyunu. ~**ize** ['morəlayz], ahlâka dair mütalaa ve fikir ileri sürmek; ahlâktan dem vurmak. ~**izing**, törelcilik. ~**ly**, ahlâkça, törele göre.

morass [mə'ras]. Bataklık (arazi).

morator·ium [morə'tōriəm]. Borçların ertelenmesi, moratoryum. ~**y** ['morətəri], erteleyen.

morbid ['mōbid]. Marazî, hastalıklı; iğrenç; nahoş şeylere marazî bir ilgi gösteren. ~**ity**, marazî olma, hastalık. ~**ly**, marazî olarak. ~**ness**, marazî bir ilgi.

morda·city [mō'dasiti]. Isırıcılık; dokunaklılık. ~**nt** ['mōdənt], ısırıcı; iğneli, canyakıcı, dokunaklı.

more [mō(r)] MUCH/MANY'*nin krş.d.* Daha; daha çok; daha ziyade. ~ **and** ~, gittikçe: **all the** ~, haydi haydi, evleviyetle: **as many** ~ **(again)**, bu kadar daha: **I'll have as many** ~ **as you can spare**, bundan fazla ne kadar verebilirseniz alırım: **the** ~ **the better**, ne kadar çok olursa o kadar iyi: ~ **than enough**, yeter de artar: ~ **or less**, aşağı yukarı, şöyle böyle: **the** ~ **you talk the less you think**, ne kadar çok konuşursan o kadar az düşünürsün: **a little** ~ **and I should have killed him**, biraz daha üstüme varsaydı onu öldürecektim; az kaldı onu öldürüyordum: **never** ~!, (bir daha mı?) Allah göstermesin!: **it is no** ~, artık ortada yok; yerinde yeller esiyor: **he is no** ~ **Russian than I am**, kim demiş onu Rus diye?: **'I can't understand it.' 'No** ~ **can I.'** 'Ben bunu anlamıyorum.'—'Benden de al, o kadar.': **'He said you couldn't speak Spanish.' 'No** ~ **I can.'** 'Sizin İspanyolca bilmediğinizi söyledi.'—'Bilmem, ya!': **one or** ~, bir veya bir kaç: **the** ~**'s the pity!**, çok daha yazık: **the** ~ **so as...**, bilhassa şunun için ki...: **what** ~ **could you want!**, bundan iyisi can sağlığı: **what is** ~, dahası var; üstelik. ~**ish** [-riş], hoşça yenilir; daha yenilir.

morel [mə'rel]. Kuzumantarı.

morello [mə'relou]. Vişne kirazı.

moreover [mō'rouvə(r)]. Bundan başka; şu da var ki.

Moresque [mō'resk]. Fas+, Mağribî.

morganatic [mōgə'natik]. Küfüv olmıyan evlenmeye ait.

morgue [mōg]. Morg; (*bas.*) arşivler.

moribund ['moribʌnd]. Ölüm halinde; ölümcül; cançekişir; (âdet, fikir vb.) ortadan kalkmak üzere.

Morisco [mə'riskou] = MOOR[2]; 1492'den sonra Endelüs'te kalan Müslüman.

morn [mōn] (*şiir.*) Sabah; yarın.

morning ['mōnin(g)]. Sabah; öğleden evvel; sabahlık. **the first thing in the** ~, sabahleyin erkenden: **Good** ~!, sabahlarınız hayır olsun; günaydın!: **it is my** ~ **off**, bugün öğleden evvel izinliyim. ~**-coat**, jaketatay. ~**-room**, küçük salon. ~**-sickness**, gebe kadının sabah rahatsızlığı. ~**-star**, sabah yıldızı (Venüs). ~**-watch**, (*den.*) 04,00–08,00 vardiyası.

Morocc·an [mə'rokən] *i.* Faslı: *s.* Fas+: ~ **leather**, sahtiyan, maroken. ~**o** [-kou], Fas.

moron ['mōrən]. Ebleh, ahmak. ~**ic** [mə'ronik], ebleh gibi.

morose [mə'rous]. Abus, huysuz, titiz, haşin, gülmez. ~**ly**, huysuzca, vb. ~**ness**, huysuzluk, vb.

-morph [-mōf] *son.* ... biçimi.

morphem·e ['mōfīm] (*dil.*) Yapım eki, morfem. ~**ics**, kelime yapımı bilgisi.

Morph·eus ['mōfyūs]. Uyku ilâhı, Morfeus; (*mec.*) uyku. **~ia**/**~ine** [-fiə, -fīn], morfin: **~-addict**, morfinoman.
morpho- [mō'fo-] *ön.* Yapı/şekil/biçim+; morfo-. **~logist**, biçim bilgini. **~logy**, yapı/biçim bilgisi, morfoloji. **-~us**, *son.* . . . şekilli.
morris ['moris]. **~ (dance)**, bir halk dansı.
morrow ['morou]. Yarın; erte. **good ~!**, (*mer.*) günaydın: **on the ~ of . . .**, . . . ertesinde.
morse[1] [mōs]. Cevherli toka.
morse[2] (*zoo.*) Mors.
morse[3]. **~(-code)**, mors alfabesi. **~-key**, maniple. **~-operator**, manipülatör.
morsel ['mōsl]. Lokma; parça; küçük kısım.
mort[1] [mōt]. Avda hayvanın ölümünü bildiren boru çalınması.
mort[2]. Uç yaşında sombalığı.
mort[3]. **a ~ of . . .**, (*leh.*) bir çok . . ..
mortal ['mōtl] *i.* İnsan, beşer. *s.* Öldürücü; fani. **~ combat**, ölünceye kadar mücadele: **a ~ enemy**, can düşmanı: **~ fear**, can korkusu: **~ sins**, büyük günahlar, günahı kebair. **~ity** [-'taliti], vefiyat, fanilik, telefat; ölüm oranı. **~ly** ['mōtəli] ölecek bir şekilde; ciddîce.
mortar[1] ['mōtə(r)]. Havan (topu); dibek.
mortar[2] *i.* Harç. *f.* Harçla bağlamak. **~-board**, harç teknesi; (*kon.*) üniversiteye mahsus dörtgen bir şapka.
mortgag·e ['mōgic] *i.* İpotek, rehin, tutu. *f.* İpotek etm., tutulandırmak. **~-bank**, emlâk bankası. **~ed**, ipotekli. **~ee** [-gi'cī], ioptekli alacak sahibi. **~or** [-'cə(r)], ipotek tesis eden borçlu.
mortice ['mōtis] = MORTISE.
***morti·cian** [mō'tişn]. Cenaze müteahhiti. **~fication** [-fi'keyşn], riyazet; zillet; kendini alçak hissetme; hayal kırıklığı; (*tıp.*) dokuların gangren hali. **~fy** [-fāy], nefse eza etm.; riyazet yapmak; tezlil etm.; gangren olm., çürümek.
morti·se/**~ce** ['mōtis] *i.* Delik, zıvana; (geçme işte) dişi. *f.* Zıvana açmak.
mortmain ['mōtmeyn]. Meşruta.
mortuary ['mōtyuəri] *i.* Morg. *s.* Ölüm/defne ait.
morwong ['mōwon(g)] (*Avus.*) Yenilir bir balık.
Mosaic[1] [mou'zeyik] *s.* Musa peygamberine ait.
mosaic[2] *i.* (*san.*) Mozaik. **~ist** [-sist], mozaik sanatçısı.
Moscow ['moskou]. Moskova.
moselle [mou'zel] (*Alm.*) Sek bir beyaz şarap.
Moslem ['mozləm] = MUSLIM.
mosque [mosk]. Cami, mescit.
mosquito [mos'kītou]. Sivrisinek. **~-boat**/**-craft**, küçük ve pek hızlı motorbot(lar). **~-net**, cibinlik.
moss[1] [mos]. Bataklık.
moss[2]. Yosun, liken. **~grown**, yosunla örtülmüş. **~iness**, yosun gibi/yosunlu olma. **~-trooper**, (*İsk.*) yağmacı, akıncı. **~y**, yosun gibi, yosunlu.
most [moust]. MUCH/MANY*'nin üst.d.* En ziyade; pek çok; son derecede; ziyadesiyle; en büyük adet/miktar/meblağ vb. **at ~**, olsa olsa; en fazla; nihayet: **at the very ~ £100**, topu topu yüz lira: **make the ~ of oneself**, kendini göstermek: **make the ~ of one's hair**, saç tuvaletini kendine en yakışan şekilde yapmak: **make the ~ of a story**, bir hikâyeyi ballandıra ballandıra anlatmak: **it is a lovely day; let's make the ~ of it**, bugün hava çok güzel, aman ziyan etmiyelim: **we haven't much petrol; we must make the ~ of it**, çok benzinimiz yok fakat olanıyle idareimaslahat etmemiz lâzım: **he is more enterprising than ~**, pek çoklarından/çok kimselerden daha girişkendir. **-most**. *son. Bazı kelimelerin sonuna gelerek en çok, en ziyade anlamını ifade eder, mes.,* **innermost**, en iç. **~ly**, genellikle, umumiyetle; başlıca.
mot [mou] (*Fr.*) Nükte. ***bon ~***, pek nükteli söz: ***~ juste***, tam anlamlı/yerinde söz.
mot. = MOTOR.
MOT = MINISTRY OF TRANSPORT. **~-test**, eskimiş otomobil denemesi.
mote [mout]. Çöp; zerre. **the ~ in another's eye** (insanın kendi büyük kusurlarına oranla) başkasının küçük bir kusuru.
motel [mou'tel]. Motel, konak.
motet [mou'tet] (*müz.*) Çalgısız bir ilâhi.
moth [moθ]. Pulkanatlı, pervane; gece kelebeği; güve. **~ball**, elbiseleri koruyan naftalin bilyesi; (*den.*) makine/topları koruyan hava geçmez plastik zarf: **go into ~s**, (*den.*) böyle korunmuş bir gemi ihtiyata ayrılmak. **~-eaten**, güve yemiş; köhne; (*mec.*) modası geçmiş.
mother ['mʌðə(r)] *i.* Anne, ana, valide. *f.* Analık etm.; evlât gibi beslemek. **~'s darling**, hanım evlâdı, mahallebi çocuğu: **~ earth**, tabiat, toprak: **every ~'s son**, istisnasız her fert: **~ wit**, feraset, zekâ. **~-country**/**land**, anavatan. **~hood**, analık. **~-in-law**, kayın valide. **~ly**, ana(lığ)a ait; ana gibi. **~-naked**, çırçıplak. **~-of-pearl**, sedef. **~-ship**, ana gemi. **~-tongue**, anadil. **~-wit**, aklıselim.
motif [mou'tīf]. Motif, örge.
motile ['moutayl] (*biy.*) Hareket edebilır.
motion ['mouşn]. Hareket; kımıldanma; makine tertibatı, mekanizma; def'i tabiî; önerge, teklif, takrir; işaret. **~ s.o. to do stg.**, bir işaretle birini bir şeyi yapmağa davet etm.: **put forward**/**propose a ~**, bir teklif vermek/yapmak: **the ~ was carried**, teklif kabul edildi: **put**/**set in ~**, hareket ettirmek, işletmek: **while in ~**, hareket esnasında. **~al**, harekete ait. **~less**, hareketsiz; durgun. ***~-picture**, filim.
motiv·ate ['moutiveyt]. -e sebep olm.; doğurmak; güdü olm.; yaptırtmak. **~ation** [-'veyşn], güdü; sebep. **~e** ['mou-] *i.* sebep, gerekçe, amil, güdü, saik: *s.* hareket ettirici: **~less**, sebepsiz.
motley ['motli]. Renk renk; alaca bulaca; çeşit çeşit. **a ~ crowd**, her çeşit halktan kalabalık.
motocross [moutou'kros]. Motokros.
motor ['moutə(r)] *i.* Motor; otomobil. *s.* Hareket ettirici, oynatma+, işletici; motorlu; amil, motor. *f.* Otomobil ile gitmek/gezmek. **~-bicycle** = **~**CYCLE; MOPED. **~-bike** [-bayk] (*kon.*) = **~**-CYCLE. **~-boat**, motorbot. **~-bus**, otobüs. ***~cade** [-keyd], (resmî) otogeçidi. **~car**, otomobil. **~coach**, koltuklu otobüs, pulman. **~cycl·e**, motosiklet: **~ist**, motosikletçi. **~-driven**, motorlu. **~-horn**, klakson, korna. **~ing**, otomobil kullanma, otomobil turizmi. **~ist**, otomobil kullanan kimse. **~ize** [-rayz], motorize etm., motorlaştırmak. **~-lorry**, kamyon. **~man**, vatman. **~-pump**, motopomp. **~-scooter**, motorlu bisiklet, moped. **~-show**, otomobil sergisi. **~-torpedo-boat**, hücum botu. **~-train**, mototren. **~-traffic**, otomobil işletme/seyrüsefer/trafiği. **~-vehicle**, motorlu vasıta. **~way**, otomobil yolu;

ekspres yol, otoyol, asfalt. ~**-works**, otomobil fabrikası.
motte [mot] (*ark.*) Höyük.
mottle ['motl] *i.* Benek. *f.* Beneklemek, lekelemek. ~**d**, benekli; ebrulu, alacalı.
motto ['motou]. Şiar; arma rümuzu; parola.
moufflon ['mūflon]. Muflon, yaban koyunu.
moujik ['mucik]. Rus köylüsü.
mould[1] [mould] *i.* Küf, mantar. *f.* Küflenmek.
mould[2] *i.* Kalıp, matris; dökme kalıbı, mulaj; şekil; yaradılış. *f.* Kalıba dökmek; kalıplamak; biçim vermek; yoğurmak.
mould[3]. (Bahçe) toprak.
mould-[4] *ön.* ~**-board**, kulak demiri. ~**ed**, kalıplanmış, biçim verilmiş. ~**er**[1], dökmeci. ~**er**[2], çürüyüp toz haline gelmek. ~**iness**, küflük. ~**ing**, silme; zıh; pervaz. ~**y**, küflü; bayat; (*arg.*) yavan, sıkıntılı.
moult [moult]. Tüy/saç vb.ni dökme(k).
mound [maund]. Küme; tepecik; tümsek yer; höyük, öbek. ~**-bird**, iri-ayaklı kuş.
mount[1] [maunt] *f.* Binmek; bindirmek; üzerine çıkmak; mukavva/beze yapıştırmak; biri için at tedarik etm.; yukarı çıkmak; yükselmek; artmak. ~ **guard**, nöbetçi olm.: ~ **the throne**, cülus etm.: **this ship** ~**s ten guns**, bu geminin on tane topu var: ~ **up**, artmak; çok olm.
mount[2] *i.* Çerçeve, karton, altlık; yuva; sehpa; mahfaza; binek.
mount[3] *n.* Dağ, tepe, cebel.
mountain ['mauntin]. Dağ. ~**s of . . .**, (*arg.*) . . . çok. ~**-ash**, üvez agacı. ~**-battery**, (*ask.*) dağ bataryası. ~**-chain**/**-range**, dağ silsilesi, sıra dağlar. ~**-dew**, (*kon.*) İskoç viskisi. ~**eer** [-'niə(r)], dağlı; dağcılık yapmak: ~**ing**, dağcılık. ~**ous**/~**y**, dağlı; dağlık; dağları çok; dağ gibi. ~**-pass**, dağ geçidi. ~**-sickness**, yükseklikten gelen rahatsızlık. ~**-side**, dağ eteği.
mountebank ['mauntiban(g)k]. Sokak cambazı; sahte doktor; şarlatan.
mount·ed ['mauntid] *s.* Atlı; mukavvaya yapışmış (foto vb.): **diamond-**~, elmas kaşlı: **silver-**~, gümüş geçirilmiş: ~**-police**, atlı polis: ~ **troops**, süvari asker. ~**ie**, (*kon.*) Kanada atlı polisi. ~**ing**, altlık, montaj; binme: ~**-block**/**-stone**, binek taşı.
mourn [mōn]. Matemini tutmak; ölümüne ağlamak; hasret çekmek. ~**er**, matemli; matemci. ~**ful** ['mōnfl], hüzünlü, kederli; melül; ağlamış; yanık. ~**ing**, matem; matemli; karalar: **half** ~, yarı matem elbisesi: **in** ~, matem elbisesi giymiş: ~**-band**, siyah pazıbent: ~**-paper**, siyah kenarlı mektup kâğıdı.
mousaka [mu'sākə] (*ev.*) Musakka.
mouse[1], *ç.* **mice** [maus, mays] *i.* Fındık faresi; küçük fare, sıçan; (*mec.*) korkak. *f.* Sıçan avlamak. **harvest** ~, cüce sıçan: **spiny** ~, dikenli fare.
mouse[2] (*den.*) (Bir kancayı) ağız bağı ile bağlamak.
mouse-[3] *ön.* ~**-coloured**, koyu gri. ~**r**, (kedi vb.) iyi fare avcısı. ~**-trap**, fare kapanı; (*arg.*) adi/bayağı peynir.
mousse [mūs]. Çalkalanmış ve dondurulmuş krema.
mousseline [mūs'līn]. Fransız muslini.
moustache [mus'tāş]. Bıyık; (*ast.*) kıvılcım.
mousy [mausi]. Fare gibi.
mouth *i.* [mauθ] Ağız; fem. *f.* [mauð], ~ **one's words**, kelimeleri resmî bir eda ile ve tane tane telaffuz etm. **make** ~**s at s.o.**, alay etmek için terbiyesizce dudak büküp yüzünü buruşturmak: **useless** ~, iş görmeyip yalnız yiyip içen, fuzulî şahıs: **by word of** ~, şifahen, sözlü olarak. ~**ed**, ağızlı. ~**er**, ağız kalabalığı eden. ~**ful**, ağız dolusu; ağızlık; bir porsiyon (yemek): **say a** ~, çok/önemli bir şey söylemek. ~**-organ**, ağız mızıkası. ~**piece**, ağızlık; sözcü: **be the** ~ **of s.o.**, başkasının namına konuşmak; başkasının sözünü tekrar etm. ~**-wash**, gargara. ~**y**, geveze.
movable ['mūvəbl]. Müteharrik, oynak; zamanı değişen. ~**s**, mobilya; menkul eşya, taşınır mallar.
move[1] [mūv] *i.* Kımıldanma; hareket (ettirme); taşınma; göç; tedbir, teşebbüs; (satranç vb.) sürme. **be always on the** ~, bir türlü yerleşememek; daima hareket halinde olm.: **I'm always on the** ~, dur yok otur yok: **get a** ~ **on**, (*kon.*) çabuk olm., işe girişmek: **we must make a** ~, artık biz kaçalım/gidelim; bir şey yapmalıyız: **he is up to every** ~ **(in/of the game)**, o ne kurttur; onunla başa çıkılmaz; o kaçın kur'ası.
move[2] *f.* Tahrik etm., işletmek; kımıldatmak; yürütmek; yer değiştirmek; (*ast.*) devinmek; nakletmek; kaldırmak; tesir etm., müteessir etm.; teklif etm.; kımıldamak, yer değiştirmek; hareket etm.; yürümek; taşınmak, göçmek. ~ **that . . .**, . . . teklif etm., teklifte bulunmak: **be** ~**d (by emotion)**, mütehassis olm.: **keep moving!**, durmayınız!: **when the spirit** ~**s me**, canım istediği zaman; aklıma estiği zaman: **it is time we were moving**, artık biz gidelim: ~ **in high society**, yüksek sosyeteye devam etm. ~ **about**, ötede beride gezmek, dolaşmak; mütemadiyen taşınmak; bir yerden başka yere kaldırmak. ~ **in**, taşınılan eve girmek. ~ **off**, hareket etm., gitmek, kımıldamak. ~ **on**, başka bir yere göçmek; (polis) birinin bir yerde durmasını menetmek, bir kalabalık dağıtmak. ~ **out**, dışarı çıkmak; bir yerden göçmek, taşınmak; çıkarmak. ~ **up**, yukarı çıkmak; terfi etm./edilmek.
move·d [mūvd] *s.* Müteessir; etkilenmiş. ~**ment**, hareket, kımıldanış; (*mal.*) devinim; saatin mekanizması; (*müz.*) bir piyesin parçası; (*tıp.*) bağırsakların işlemesi. ~**r**, hareket ettiren; teklif eden.
movie ['mūvi] (*arg.*) Sinema filmi. **the** ~**s**, sinema. ~**-house**, sinema.
moving ['mūvin(g)] *s.* Müteharrik, oynar, hareket halinde; işler, canlı; acıklı; etkili; işletici. **house-**~, ev taşınması, göç. ~**-picture**, sinema filmi. ~**-staircase** = ESCALATOR.
mow (*g.z.* ~**ed**, *g.z.o.* ~**n**) [mou(d/n)]. Ot biçmek; çimen kırpmak. ~ **down the enemy**, düşmanı biçmek. ~**er**, tırpancı: **motor** ~/~**ing-machine**, motorlu biçme/kırpma makinesi. ~**n**, *g.z.o.*
MOW(PB) = MINISTRY OF WORKS (AND PUBLIC BUILDINGS).
MP = MELTING-POINT; MEMBER OF PARLIAMENT; METROPOLITAN/MILITARY POLICE. ~**C** = METROPOLITAN POLICE COLLEGE/COMMISSIONER. ~**G/H** = MILES PER GALLON/HOUR. ~**NI** = MINISTRY OF PENSIONS AND NATIONAL INSURANCE.
Mr. ['mistə(r)] = MISTER. Bay, efendi. ~ **Right**, (*alay.*) evlenecek kocası.
MR = MAP REFERENCE; MASTER OF THE ROLLS. ~**AF** = MARSHAL OF THE ROYAL AIR FORCE. ~**BM** = MEDIUM RANGE BALLISTIC MISSILE. ~**C** = MEDICAL RESEARCH COUNCIL.

~ **CA** = MULTI-ROLE COMBAT AIRCRAFT. ~ **L** = MULTIPLE ROCKET LAUNCHER.

Mrs. ['misiz] = MISTRESS. Bayan, hanımefendi.

***MRV** (*hav.*) = MULTIPLE RE-ENTRY VEHICLE.

Ms [miz] = MISS, MRS; *fark etmiyerek evli/ evlenmemiş kadına verilen unvan.*

MS = MAIL-STEAMER; MANUSCRIPT; METRIC SYSTEM; MILD STEEL; MINE-SWEEPER; MINISTRY OF SUPPLY; *MOTOR-SHIP. ~**c** = MASTER OF SCIENCE. * ~**gt** = MASTER SERGEANT. ~**L** = MEAN SEA LEVEL. ~**S** = MANUSCRIPTS. * ~**T** = MOUNTAIN STANDARD TIME.

Mt. = MOUNT(AIN).

MT = MEAN TIME; METRIC TON; MOTOR TRANSPORT. ~**B** = MOTOR TORPEDO BOAT. ~**BF/O** = MEAN TIME BETWEEN FAILURES/OVERHAULS. ~**I** = MOVING TARGET INDICATOR.

mt·d = MOUNTED. ~**g** = MEETING; MORTGAGE.

mu [myū]. Yunancanın onikinci harfi (M, μ); MICRON.

much [mʌç]. Çok; kadar. ~ **of an age/size**, aşağı yukarı aynı yaş/boyda: ~ **as I should like to, I cannot come**, çok isterdim ama maalesef gelemem: ~ **as I like him...**, kendisini çok severim, ama...: ~ **to my astonishment he did not come**, ne dersiniz (vadettiği/beklenildiği halde) gelmedi; **as** ~ **again**, bu kadar daha, bir misli daha: **I thought as** ~, bunu bekliyordum; korktuğum çıktı: **it's as** ~ **as saying he is a liar**, bu ona yalancı demeğe gelir: **we are asked to feed the neighbours when it is as** ~ **as we can do to feed ourselves**, bizden komşuları beslememizi istiyorlar, halbuki kendimizi besliyebilirsek ne mutlu!: **he looked at me as** ~ **as to say...**, söylemek ister gibi baktı: **ever so** ~ **richer**, çok daha fazla zengin: **'What will it cost?' 'Ever so** ~**'**, 'Kaça gelecek?' 'Pek pahalıya': **how** ~**?**, ne kadar?: ~ **he knows about it!**, (*istihza ile*) tamam, şimdi bildi!: **make** ~ **of s.o.**, (i) birisi için bayram yapmak/ağırlamak; (ii) başının üstünde gezdirmek: **make** ~ **of stg.**, izam etm., büyütmek; mübalağa etm.: **I can't make** ~ **of it**, ondan pek anlamam: **(pretty)** ~ **the same**, hemen hemen aynı: **not** ~**!**, (*arg.*) ne münasebet!, ne gezer!: **not** ~ **of a doctor**, adamakıllı bir doktor değil: **so** ~ **the better!**, daha iyi ya!; isabet!: **so** ~ **so that...**, o derecede ki...: **so** ~ **for your promise!**, nerede kaldı senin sözün!: **he would not so** ~ **as answer**, cevap bile vermedi: **so** ~ **for that question, now for the next**, işte bu mesele böyle, şimdi ötekine geçelim: **this** ~ **is certain**, şurası muhakkaktır ki: **one can have too** ~ **of a good thing**, her şeyin fazlası fazla: **you can't have too** ~ **of a good thing**, fazla mal göz çıkarmaz: **that's (a bit) too** ~ **of a good thing**, bu kadarı da biraz fazla. ~**ness, it's much of a** ~, ha öyle olmuş ha böyle (ikisi de bir); ha Hoca Ali ha Ali Hoca.

mucilage ['myūsilic]. Zamk; öz.

muck [mʌk]. Gübre; pislik; çamur. ~ **about**, (*kon.*) sürtmek: ~ **in**, işleri paylaşmak: ~ **out a stable**, bir ahırın gübresini temizlemek: ~ **up a job**, (*kon.*) bir işi berbat etm.

mucker ['mʌkə(r)] (*arg.*) Ağır düşüş; *kaba bir insan. **come a** ~, ağır düşmek.

muckle [mʌkl] = MICKLE.

muck·rake ['mʌkreyk]. Rezalet/skandal arıyan kimse. ~**-up**, (*arg.*) karışıklık, karmakarışık.

mucous ['myūkəs]. Muhatî; balgamî; sümüksel. ~ **membrane**, mukoza zarı.

mucro ['myūkrou] (*biy.*) Sivri uç.

mucus ['myūkəs]. Muhat; mukoza; balgam; sümük.

mud [mʌd]. Çamur, balçık. ~**-bank**, sığlık. ~**-bath**, çamur banyosu. ~**brick**, kerpiç. ~**-crack**, bıçılgan. ~**-dauber** [-'dōbə(r)], kumarısı. ~**dily**, çamurlu (olarak). ~**diness**, çamurluluk.

muddle ['mʌdl] *i.* Karışıklık; arapsaçı. *f.* Şaşırtmak; karıştırmak. **be in a** ~, zihni karışmak; işleri karmakarışık olm.: ~**d with drink**, başı dumanlı: **get in a** ~, işleri karışmak; belâya çatmak: ~ **things up**, karıştırmak: ~ **through**, yapılan hatalara rağmen işin içinden muvaffakıyetle çıkmak. ~**-headed**, zihni karışık; sersem; kalın kafalı.

mud·dy ['mʌdi]. Çamurlu. ~**-flat**, çamur tabakası. ~**-guard**, (*oto.*) çamurluk. ~**lark**, afacan. ~**-slinging**, (*mec.*) biribirine çamur atma.

muesli [mūzli] (*ev.*) Doğranmış hububat, kuru yemiş, bal vb.den hâsıl olan bir yemek.

muezzin ['mūezin]. Müezzin.

muff[1] [mʌf]. Manşon; elkürkü.

muff[2]. Beceriksizin biri. ~ **a shot**, ıska geçmek.

muffin ['mʌfin]. Kızartılıp tereyağı ile yenilen ince ve sünger gibi pide.

muffle ['mʌfl] *i.* Çevreleç, mufla. *f.* Büründürmek; sarıp sarmalamak; (çan vb. sesini boğmak için) sarmak. ~ **oneself up**, kendini sarıp sarmalamak. ~**d**, örtülü. ~**r**, boyun atkısı; susturucu.

mufti[1] ['mʌfti]. Müftü.

mufti[2] (*ask.*) Sivil elbise.

mug[1] [mʌg] *i.* Maşraba; bardak; (*arg.*) çehre.

mug[2] *s.* (*kon.*) Safdil, bön.

mug[3] *f.* (*arg.*) Çok çalışmak. ~ **up a subject**, bir sınav için bir konuya çok çalışmak.

mug[4] *f.* Hırsızlık için birine hücum etm.

mug-[5] *ön.* ~**ger**[1], Hint timsahı. ~**ger**[2], birine hücum eden hırsız. ~**ging**, böyle bir hücum. ~**gins**, (*arg.*) ahmak, budala. ~**gy**, nemli ve ağır (hava). ~**-shot**, (*arg.*) polis arşivleri için fotoğraf. * ~**wump**, (*arg.*) büyük adam, patron.

Muhammedan [mu'hamidn]. Müslüman. ~**ism**, Müslümanlık, İslâm(iyet). ~**ize** [-dənayz], Müslümanlığa dön(dür)mek.

mulatto [myu'latou]. Beyaz ile zenci melezi.

mulberry ['mʌlberi]. Dut (ağacı).

mulch [mʌlç] *i.* Bitkilerin köklerini sıcaktan korumak için yere serilen gübre/kuru ot/yapraklar. *f.* Böyle bir tabaka ile örtmek.

mulct [mʌlkt]. Para cezası (almak).

mule[1] [myūl]. Arkasız terlik.

mul·e[2]. Katır; inatçı adam; masura (iplik sarma) makinesi. ~**eteer**, katırcı. ~**ish**, katır gibi, inatçı: ~**ness**, inat.

muliebrity [myūli'ebriti]. Kadınlık; kadın nitelikleri.

mull[1] [mʌl] *i.* İnce muslin; organdi.

mull[2] *f.* Bira/şarabı baharat ile kaynatmak.

mull[3] *i.* (*İsk.*) (*yer.*) Burun.

mull[4] *f.* ~ **over**, derin düşünmek.

mullah ['mulə] (*din.*) Molla.

mullein ['mʌlin] (*bot.*) Deve dili, sığırkuyruğu.

muller ['mʌlə(r)]. Havan, öğütme taşı.

mullet ['mʌlit]. Tekir balığı. **grey** ~, kefal balığı: **red** ~, barbunya: **striped** ~, has kefal.

mulligatawny [mʌligə'tōni]. CURRY ile yapılmış çorba.
mullion ['mʌlyən]. Pencere bölmesi, kolona.
mullock ['mʌlək] (*Avus.*) Çöp; altınsız kayaç.
mulloway ['mʌləwey] (*Avus.*) Büyük yenilir deniz balığı.
mult. = MULTIPLE.
mult·angular [mʌl'tan(g)gyūlə(r)]. Çok açılı. ~**eity** [-'tī iti] (*mer.*) çokluk, katmerlik.
multi- ['mʌlti-] *ön.* Çok, muhtelif. ~**-cellular**, çok gözeli. ~**-coloured**, renk renk. ~**farious** [-'feəriəs], çeşit çeşit; muhtelif. ~**florous** [-'flōrəs], çok çiçekli. ~**foil**, katmerli. ~**form**, çeşit biçimli. ~**lateral**, çok yüzlü; (*id.*) çok yan/taraflı. ~**lingual**, ikiden fazla dil konuşan/kullanan. ~**-millionaire**, katmerli milyoner. ~**-national**, çok uluslu. ~**nomial** [-'noumiəl] (*mat.*) ikiden fazla terimli. ~**pack**, bir ambalajda satılan (çeşitli) mallar. ~**parous** [-'tipərəs], çok bebek doğuran. ~**partite** [-'pātayt], çok bölümlü. ~**phase** [-feyz], çok safhalı, müteaddit fazlı. ~**plane**, çok kanatlı (uçak).
multiple ['mʌltipl] *s.* Muhtelif, müteaddit, katmerli; çoklu, toplu; karışık. *i.* (*mat.*) Kat, misil. **lowest common** ~, en küçük ortak kat. ~**-store**, bir çok şehirde şubesi olan büyük mağaza.
multiplex ['mʌltipleks]. Kat kat, katmerli; (*elek.*) bir telde bir çok haberler gönderme sistemine ait.
multipl·icand [mʌltipli'kand]. Çarpılan. ~**ication** [-'keyşn], zarp; çoğalma; çarpma: ~ **sign**, çarpı işareti (×): ~ **table**, çarpım tablosu. ~**icity** [-'plisiti], çokluk, kesret. ~**ier** [-playə(r)], çarpan, katlandırıcı. ~**y**, zarp etm.; çoğaltmak; çarpmak: ~**ing**, çoğaltan; çarpan.
multi·racial [mʌlti'reyşəl]. Çok ırklı.
multitud·e ['mʌltityūd]. Kalabalık; izdiham; çokluk. ~**inous** [-'tyūdinəs], pek çok; kalabalık olan.
mum[1] [mʌm] *s.* Sessiz. **keep** ~, ses çıkarmamak: ~**'s the word!**, sakın bir şey söyleme!, kimse duymasın!
mum[2] *f.* Dilsiz oyunu oynamak.
mum[3] = MUMMY[2].
mumble ['mʌmbl]. Mırıldanma(k); anlaşılmaz tarzda konuşma(k).
mumbo jumbo ['mʌmbou 'cʌmbou]. Anlamsız tören/dil.
mummer ['mʌmə(r)]. Maskeli aktör; halk oyununda oyuncu. ~**y**, halk oyunu; maskeli eğlence; (*köt.*) anlamsız tören.
mumm·ification [mʌmifi'keyşn]. Mumyalaş(tır)ma. ~**ify** ['mʌmifay], mumyalaştırmak, mumya yapmak. ~**y**[1], mumya.
mummy[2] (*çoc.*) Anneciğim.
mump [mʌmp]. Somurtmak; mırıldanarak dilenmek.
mumps [mʌmps]. Kabakulak.
mun. = MUNICIPAL; MUNITIONS.
munch [mʌnç] (*yan.*) Kıtırdatarak yemek; çiğnemek.
Munchausen [mʌn(g)k'hauzn]. Fevkalade yalan hikâye(ci).
mundane ['mʌndeyn]. Dünyevî; kâinata ait.
Munich ['myūnik] (*köt.*) Milletlerarasındaki yatıştırma bir politika/hareketi.
municipal [myu'nisipl]. Belediyeye ait. ~**ity** [-'paliti], belediye idaresi. ~**ize** [-'nisipəlayz], belediye idaresinın altına geçirmek. ~**ly**, belediye tarafından.
munificen·ce [myū'nifisəns]. Cömertlik. ~**t**, cömert, âlicenap, yüce gönüllü: ~**ly**, cömertçe.
muniment ['myūnimənt]. Senet, vesika, hüccet. ~**-room**, arşiv odası. ~**s**, evrak, arşiv.
munition [myu'nişn] *i.* (*gen.ç.*) Mühimmat; (*ask.*) levazım(at), gereçler. *f.* Levazımatı tedarik etm.
muon ['myūon] (*nük.*) Müon. ~**ium** [-'ouniəm], hidrojen izotopu, müonyum.
mural ['myūrəl] *s.* Duvara ait/asılı. *i.* Duvar resmi.
murder ['mə̄də(r)] *i.* Tasarlıyarak katil, cinayet. *f.* Katletmek, öldürmek; (*mec.*) bozmak. **cry blue** ~, fazla protesto etm.: **judicial** ~, kanunî fakat hak/insafsız idam: ~ **will out!**, hakikat/kabahat sonunda meydana çıkar. ~**er**, kaatil: ~**ess**, kadın kaatil. ~**ous**, katletmeğe niyetli; öldürücü: ~**ly**, böyle olarak.
mure [myuə(r)]. Hapsetmek.
murex ['myureks]. Dikenli salyangoz.
muriate ['myuərieyt]. Hidroklorid, klorlu.
murine ['myūrayn]. Faregillere ait/benzer.
murk [mə̄k]. Karanlık, hüzün. ~**y**, kararmış; isli: **a** ~ **past**, karanlık ve şüpheli bir geçmiş.
murmur ['mə̄mə(r)] *i.* Mırıltı, çağıltı; ses; (kalp) hıçkırık; homurtu. *f.* Mırıldanmak, çağıldamak; homurdanmak. ~ **at/against stg.**, bir şeye karşı homurdanarak söylenmek. ~**ous**, mırıldanan; homurdanan.
murphy ['mə̄fi] (*İrl.*, *arg.*) Patates.
murrain ['mʌrin]. Kırçın; (*mer.*) lânet.
murrey ['mʌri]. Dut rengi.
mus. = MUSEUM; MUSIC(IAN).
Mus.B/D = BACHELOR/DOCTOR OF MUSIC.
muscadine ['mʌskədin]. Misket üzüm/şarabı.
muscardine ['mʌskə(r)din]. Kireç illeti.
muscat(el) [mʌskə'tel]. Misket (üzümü vb.).
muscle [mʌsl]. Adale, kas; kuvvet. **not move a** ~, kılını kıpırdatmamak: ~ **in**, (*arg.*) (gangster gibi) zorla bir işe girmek. ~**-bound**, (fazla idmandan) kasları tutulmuş. ~**d**, kaslı; kuvvetli. ~**less**, kassız; zayıf. ~**man**, (*arg.*) gangster zorbası.
muscology [mʌs'koləci]. Yosunlar bilgisi.
Muscov·ite ['mʌskəvayt]. Rus, Moskof, Moskovalı. ~**y** [-vi] (*tar.*) Rusya, Moskof.
muscula·r ['mʌskyulə(r)]. Adalî, adaleli, kasıl; kuvvetli. ~**rity** [-'lariti], kuvvet. ~**ture**, adale/kas sistemi.
muse[1] [myūz] *i.* (*mit.*) Dokuz güzel sanat tanrıçasından her biri; şiir perisi; müz. **invoke the** ~, ilham davet etm.
muse[2] *f.* Düşünceye dalmak.
museum [myu'ziəm]. Müze. **a** ~ **piece**, bir müzede teşhir edilmeğe lâyık; (*alay.*) müzelik.
mush[1] [mʌş]. Pelte; lapa.
***mush**[2]. Kızakla kar üzerinden seyahat (etm.).
mushroom ['mʌşrum] *i.* Mantar; türedi; birdenbire ortaya çıkan. *f.* Mantarları toplamak; birdenbire ortaya çıkmak/yayılmak; mantar gibi büyümek.
mushy ['mʌşi]. Pelte/lapa gibi; (*mec.*) zayıf.
music ['myūzik]. Musiki; müzik; çalgı, hava; müzikbilim; orkestra. **hot** ~, bir nevi caz müziği: **rough** ~, yuhalayarak düşmanca gösteri yapma: **synthetic** ~, çalgısız elektronik musiki: **face the** ~, muhalif/tenkitçileri cesaretle karşılamak: **set to** ~, bestelemek. ~**al** [-kl], müziğe

ait, müziği sever; çalgılı, ahenkli; (*sin.*) müzikal; (*tiy.*) müzikli oyun: ~**-box**, çalgılı kutu: ~**-chairs**, bir çocuk oyunu: ~**-instrument**, çalgı: ~**-top**, pırlangıç. ~**ale** [-'kāl], müzik toplantısı. ~**assette** [-kəset], müzik kaseti. ~**-hall**, müzikhol. ~**ian** [-'zişn], musikişinas; çalgıcı, müzisyen. ~**ology** [-'koləci], müzikbilim. ~**-stand**, nota sehpası. ~**-stool**, piyano iskemlesi.

musk [mʌsk]. Mis; misk otu. ~**-deer**, misk geyiği; kançıl.

muskeg ['mʌskeg]. (Kanada'da) bataklık.

musket ['mʌskit]. Misket/kaval tüfeği. ~**eer** [-'tiə(r)], tüfekçi; silâhşor. ~**ry**, küçük silâhlarla ateş.

musk- [mʌsk] *ön.* ~**-mallow**, amber çiçeği. ~**-melon**, kavun. ~**-ox**, misk sığırı. ~**-rat**, misk/bizam sıçanı, desman. ~**-rose**, misk gülü. ~**y**, misk kokulu.

Muslim ['muzlim] *i.* Müslüman. *s.* İslâm+. ***Black** ~**s**, zenciler milliyetçi derneği.

muslin ['mʌzlin]. Muslin; muslinden yapılmış. **book** ~, mermerşahi.

musquash ['mʌskwoş]. Misk sıçanı(nın kürkü).

***muss** [mʌs] (*kon.*) *i.* Karmakarışıklık, intizamsızlık. *f.* Buruşturmak, karıştırmak.

mussel ['mʌsl]. Midye.

Mussulman ['mʌslmən] (*mer.*) Müslüman.

must[1] [mʌst] *i.* Şıra.

must[2] *i.* Küf; kül.

must[3]. (Erkek fil/dev) çılgın(lık), kızgın(lık).

must[4] *f. Çekimde hiç değişmiyen bir yardımcı fiil; genellikle gereklilik kipi ifade eder.* Mecbur olm., lâzım olm.; gerekmek, icabetmek; her halde ... olm.: **I** ~ **go**, gitmeliyim, gitmem lâzım: **I** ~ **not/mustn't go**, gitmemem lâzım, gitmem yasaktır; [gitmem lâzım değil, I NEED NOT GO]: **you** ~ **learn Turkish**, (i) Türkçe öğrenmeniz lâzım; (ii) Türkçe öğrenseniz iyi olur: **you *must* learn T.**, muhakkak Türkçe öğrenmelisiniz: **you** ~ **have forgotten me**, beni unutmuşsunuzdur: **you *must* know him**, onu tanımamanıza imkân yok: **I** ~ **be going**, artık gitmeliyim: **I am going because I *must***, mecbur olduğum için gidiyorum (yoksa kalırdım): **do so if you** ~, gerekiyorsa/zorunlu ise yapınız: **England, you** ~ **know, is not all factories**, şurasını söyleyeyim ki İngiltere fabrikadan ibaret değil: **it** ~ **be ten o'clock**, saat, her halde, on vardır: **I** ~ **have made a mistake**, her halde bir hata yaptım/yapmış olmalıyım: **if you go that way you *must* meet him**, oradan giderseniz muhakkak ona rastlarsınız: **just as we were starting he** ~ **break his leg**, tam çıkacağımız sırada aksi gibi bacağı kırıldı.

mustach·e/~**io** [mus'taş(iou)] = MOUSTACHE.

mustang ['mʌstan(g)]. Yabanî at.

mustard ['mʌstəd]. Hardal (tozu). **French** ~, sirkeli hardal. ~**-gas**, iperit. ~**-plaster**, hardal yakısı. ~**-seed**, hardal tanesi; (*mec.*) ufacık fakat çok etkili bir şey.

muster ['mʌstə(r)] *i.* Asker toplama; toplantı; cemetme. *f.* Topla(n)mak, yoklama yapmak. **pass** ~, teftişten geçirilmek; elverişli olm.; kabul edilebilmek: ~ **up courage**, cesaretini toplamak.

must·iness ['mʌstinis]. Küflülük; köhnelik. ~**y**, küf kokulu; küflü; köhne.

muta·bility [myūtə'biliti]. Değişebilme; bekasızlık; kararsızlık. ~**ble** ['myūtəbl], değişebilen. ~**gen** [-cen] (*biy.*) değiştiren madde. ~**nt**, mutan(t). ~**te** [-'teyt] (*biy.*) değişmek. ~**tion** [-'teyşn], değişme; istihale; (*biy.*) mutasyon, değişim. ~**tive**, değişebilir.

mute [myūt] *s.* Sessiz; söylenmemiş; dilsiz. *i.* Dilsiz insan; (*dil.*) okunmıyan harf; ücretli ağlayıcı. *f.* Bir çalgı vb.nin sesini kısmak. **deaf** ~, sağır ve dilsiz kimse. ~**d**, sağır, sessiz. ~**ly**, sessizce. ~**-swan**, sessiz kuğu kuşu.

mutilat·e ['myūtileyt]. Bir organını kesmek; sakat etm.; bozmak, kırmak. ~**ion** [-'leyşn], sakat olma; boz(ul)ma.

mutin·eer [myūti'niə(r)]. İsyancı (asker). ~**ous** ['myū-], isyan halinde, isyana ait. ~**y**, *i.* (askerî) isyan: *f.* isyan etm.; ayaklanmak.

mutism ['myūtizm]. Sessizlik, dilsizlik.

muto- ['myūto-] *ön.* Değiş(tir)en.

mutt [mʌt] (*arg.*) Aptal, kalın kafalı, ahmak.

mutter ['mʌtə(r)] *f.* Mırıldamak; homurdanmak; gizli olarak söylemek. *i.* Mırıltı.

mutton ['mʌtn]. Koyun (eti). **dead as** ~, tamamen ölmüş; ölü gibi: ~ **dressed up as lamb**, genç gibi giyinmiş makiyajlı ihtiyar kadın: **leg of** ~, koyun budu (şeklinde). ~**-chop**, koyun pirzolası. ~**-head(ed)**, ahmak, aptal. ~**y**, koyun eti gibi.

mutual ['myūçuəl]. Karşılıklı; mütekabil; müşterek: **a** ~ **friend**, müşterek dost. ~**ism**, (*biy.*) karşılıklı asalaklık. ~**ly**, karşılıklı olarak; müştereken.

***mutuel** ['myūtyuəl] = TOTALIZATOR.

muzzi·ly ['mʌzili]. Ağır/sersem olarak. ~**ness**, kasvet, sersemlik.

muzzle [mʌzl] *i.* Hayvan burnu; top/tüfek ağzı; ağızlık, burunsalık. *f.* Burunsalık takmak; (*mec.*) ağzına gem vurmak; çanına ot tıkmak. ~**-loader**, ağızdan dolma top/tüfek. ~**-velocity**, kurşunun ağızdaki hız.

muzzy ['mʌzi]. Ağır, kasvetli; sarhoş, sersem.

mV = MILLIVOLT.

Mv. (*kim.s.*) (*mer.*) = MENDELEVIUM.

MV = MERCHANT/MOTOR VESSEL; MUZZLE VELOCITY. ~**O** = MEMBER OF THE ROYAL VICTORIAN ORDER.

mW = MILLIWATT.

MW = MEDIUM WAVE(S); MEGAWATT. ~**B** = METROPOLITAN WATER BOARD. ~**T** = MINISTRY OF WAR TRANSPORT.

Mx. = MAXWELL; MIDDLESEX.

my [may]. Benim. ~**!**, olur şey değil!; aman! ~ **boy/friend, etc.**, çocuğum, arkadaşım, vb.

MY = MOTOR YACHT.

myalgia [may'alciə]. Kas/adale ağrısı.

myalism ['mayəlızm]. Büyücülük.

myall ['mayəl] (*Avus.*) Akasya (ağacı).

myasthenia [mayəs'θīniə] (*tıp.*) Kaslar zayıflığı.

mycelium [mi'seliəm]. Miselyum.

Mycenaean [may'sīniən] (*tar.*) Mikene'ye ait.

myco- [mayko-] *ön.* Mantar+. ~**logist** [-'koləcist], mantar uzmanı. ~**logy**, mantarbilim. ~**sis** [-'kousis], mantar hastalığı.

myelitis [mayə'laytis]. Omurilik iltihabı.

myo- [mayou-] *ön.* Kas/adaleye ait. ~**cardial** [-'kādiəl], miyokard. ~**cardium**, yürek kası. ~**electric**, kas hareketlerinden oluşan cereyana ait. ~**logy** [-'oləci], kasbilim.

myop·e ['mayoup]. Uzak görmez. ~**ia** [-'oupiə], miyopluk, miyopi. ~**ic**, miyop.

myosis [may'ousis]. Göz bebeğin ufalanması.
myosotis [mayə'soutis]. Unutmabeni gibi çiçekler.
myria- ['miriə-] *ön.* Çok; (*mat.*) 10^4. **~d**, çok büyük adet: **~s of**, binlerce. **~pod**, çokayaklı.
myrmidon ['məmidən]. Bir zalim vb.nin para ile tutulan hizmetkârı. **the ~s of the law**, *polis ve benzeri devlet memurları hakkında kötüleyici bir deyim.*
myrrh [mə(r)]. Mür(rüsafi).
myrtle ['mətl]. Mersin.
myself [may'self]. Ben kendim.
Mysia ['misiə] (*ark.*) Misya.
myster·ious [mis'tiəriəs]. Esrarengiz; gizli kapaklı; esrarengiz tavırlı. **~y** ['mistəri], esrarlı şey; anlaşılmaz şey; hikmet; muamma: **~-play**, mister oyunu. **~-tour**, kesin olmıyan yerlere gezinti.
mystic ['mistik] *s.* Tasavvufî; gizemsel. *i.* Sufî; mistik; gizemci. **~al**, tasavvufa ait; esrarlı; gizemsel. **~ism** [-sizm], tasavvuf, mistisizm; gizemcilik.
mystif·ication [mistifi'keyşn]. Aldat(ıl)ma. **~ied** [-fayd], hayrette kalmış. **~y**, esrarlı bir oyunla aldatmak; akıl ermez bir şeyle hayrette bırakmak; esrarengiz görünmek; esrarengiz göstermek.
mystique [mis'tik]. Din/sanat/meslek vb.nin esrarlı havası; esrarlı ve tesir edici bir hüner.
myth [miθ]. Esatir hikâyesi, mit; masal; hurafe; ismi var cismi yok. **~ical**, esatirî. **~icize** [-isayz], esatire çevirmek. **~o-**, *ön.* esatire ait: **~logy** [-'θoləci], esatir, mitoloji.
Mytilene [miti'lîni]. Midilli Adası.
myxo- [miksə-] *ön.* Balgam/sümüğe ait. **~ma** [-'soumə], balgamlı şiş/tümör: **~tosis** [-'tousis], bir adatavşanı hastalığı.

N

N [en]. N harfi; (*mat.*) kesin olmıyan bir sayı. **to the ~th degree,** (*mat.*) her hangi bir kuvvete kadar; (*mec.*) her hangi bir/son dereceye kadar.

N, n. = NAME; NANO-; NATIONAL(IST); NAVY; NEUTER; NEW; NEWTON; NIGHT; (*kim.s.*) NITROGEN; NORMAL; NORSE; NORTH(ERN); NOUN; NUCLEAR; NUMBER; NURSING.

Na. (*kim.s.*) = SODIUM.

NA = NATIONAL ACADEMY/ARMY/ASSOCIATION; NAUTICAL ALMANAC; NAVAL ATTACHÉ; NORTH AFRICA/AMERICA; NURSING AUXILIARY. **~AFI/ Naafi** ['nafi] = NAVAL, ARMY AND AIR FORCE INSTITUTES.

nab [nab] (*arg.*) Kapmak; aşırmak; yakalamak.

nabob ['neybob]. Nevvab; çok zengin adam.

nacelle [nə'sel] (*hav.*) Beşik, sepet, kaporta.

nacre ['neykə(r)]. Sedef. **~ous** [-kriəs], sedefli.

NA·DEFCOL = NATO DEFENCE COLLEGE. **~DGE, Nadge** [nac] = NATO AIR DEFENCE GROUND ENVIRONMENT.

nadir ['neydiə(r)]. Semtikadem, ayakucu, nadir; en aşağı nokta/safha.

N.Afr. = NORTH AFRICA(N).

nag[1] [nag] *i.* Ufak beygir.

nag[2] *f.* Dırlamak; hiç durmadan kusur bulmak. **~ at s.o.**, birinin başının etini yemek. **~ger**, dırlıyan kadın. **~ging**, azarlama; kusur bulma.

naiad ['nayəd] (*mit.*) Irmak/çeşme perisi.

nail [neyl] *i.* Çivi; mıh; tırnak; pençe. *f.* Çivilemek; mıhlamak. **~ down**, çivi ile kapatmak: **~ up**, çiviliyerek kapatmak; çiviliyerek asmak: **as hard as ~s**, çok sağlıklı ve dayanıklı: **as right as ~s**, dosdoğru: **hit the ~ on the head**, tam üzerine basmak: **~ a lie to the mast/counter**, yalanını meydana çıkarmak; teşhir etm.: **that's another ~ in his coffin**, bu onun sonunu (ölümünü) biraz daha yaklaştırır: **on the ~**, (*arg.*) derhal; peşin para ile: **he stood ~ed to the spot**, donakaldı, mıhlandı: **~ s.o. (down) to his promise**, birine sözünü tutturmak. **~-biting** [-'baytin(g)] (*tıp.*) onikofaji; (*mec.*) heyecanlı, endişeli. **~-brush**, el/tırnak fırçası. **~er**, çivici, çakıcı. **~-head**, çivi başı: **~ed**, çivi başlı (yazı). **~ing**, (*arg.*) mükemmel. **~less**, tırnaksız; çivisiz. **~-polish**, tırnak cilâsı. **~-scissors**, tırnak makası. **~-works**, çivi fabrikası.

naïve [na'īv, neyv]. Saf; sadedil; bön. **~ty** [-iti], sadedillik.

naked ['neykid]. Çıplak; yapraksız (ağaç). **~ sword**, yalın kılıç: **visible to the ~ eye**, gözle (dürbün/ mikroskopsuz) görülür: **stark ~**, çırılçıplak. **~ly**, çıplak olarak; açıkça. **~ness**, çıplaklık.

NALGO/Nalgo ['nalgou] = NATIONAL & LOCAL GOVERNMENT OFFICERS' ASSOCIATION.

N.Am. = NORTH AMERICA(N).

namable ['neyməbl]. Ad takılır.

namby-pamby ['nambi'pambi]. Yavan bir güzellikte ve gülünç bir şekilde hassas yapmacıklı (kadın); mahallebi çocuğu hanım evlâdı ve yapmacıklı (genç); marazî bir şekilde hassas (üslup vb.).

name[1] [neym] *i.* İsim, ad, nam, unvan; şöhret. **get a bad ~**, adı çıkmak: **by ~**, isminde: **know by ~**, gıyaben tanımak: **call (each other) ~s**, birbirine fena sözler söylemek: **'to mention/~ no ~s'**, isim açıklamak istemiyorum: **I'll do so or my ~ is not . . .**, bunu yapmazsam bana da adam demesinler: **send in one's ~**, (bir ziyaretçi hakkında) ismini içeri haber vermek; bir müsabaka vb.ne ismini yazdırmak: **put one's ~ down**, ismini yazdırmak: **a king in ~ only**, yalnız adı kral; sözde kral: **what in the ~ of goodness/fortune are you doing?**, ne yapıyorsun Allah aşkına?

name[2] *f.* İsim koymak; ad takmak; zikretmek; tayin etm. **~ s.o. †after/*for s.o.**, birine birinin ismini vermek.

name-[3] *ön.* **~-day**, isim yortusu. **~-dropping**, tanıdığı önemli şahısların adlarını daima anma âdeti. **~less**, isim/adsız; meçhul, ağza alınmaz; anlatılamaz: **a person who shall be ~**, ismini söylemiyeceğim bir zat. **~ly**, yani; şöyle ki. **~-part**, (*tiy.*) başrol. **~-plate**, tabela. **~sake** [-seyk], adaş. **~-tape**, sahibinin ismini gosteren ve elbiseye dikilen şerit.

nancy ['nansi] (*arg.*) Kadın gibi erkek.

nankeen [nan'kīn]. Nankin/pamuk bezi. **~s**, pamuk pantolon.

nanny ['nani]. Dadı. **~-goat**, dişi keçi.

nano- ['nanou-] *ön.* Cüce; küçük; (*mat.*) 10^{-9}.

nap[1] [nap]. Şekerleme; hafif uyku. **take/have a ~**, hafif uykuya dalmak; kestirmek.

nap[2] *i.* Hav. *f.* Havı kaldırmak.

nap[3] *i.* Bir iskambil oyunu. *f.* Kazanacağı sanılan atın ismini vermek. **go ~**, bütün parasıyle bahse girmek.

napalm ['napām]. Naftalin ile Hindistan cevizi yağı karıştırılmış bir madde. **~ bomb**, bu madde ile yapılan yangin bombası, napalm bombası.

nape [neyp]. **the ~ of the neck**, ense.

napery ['neypəri]. Sofra örtüleri vb.; ev çamaşırı.

naphtha ['nafθə]. Neft. **~lene** [-līn], naftalin.

napkin ['napkin]. Peşkir; peçete; kundak bezi.

Naples [neyplz]. Napoli.

napless ['naplis]. Havsız.

na-poo [na'pū] (*ask., arg.*) İş yok; faydasız.

nappe [nap] (*yer.*) Örtü.

napping ['napin(g)]. **catch s.o. ~**, birini gafil avlamak.

nappy ['napi] (*kon.*) Çiş bezi.

N.Arch. = NAVAL ARCHITECT.

narciss·ism [nā'sisizm]. Kendine tapınma, narsi(si)zm. **~us** [-səs], nergis, zerrin; çok güzel ve kendini beğenmiş erkek.

narco- [nāko-] *ön.* Narko-. **~sis** [-'kousis], narkoz, uyutma, uyuşukluk. **~tic** [-'kotik], narkozlayan,

bayıltıcı, uyuşturucu, narkotik (madde). ~**tization** [-kətay'zeyşn], uyuşturma, narkotizasyon. ~**tize**, uyuşturmak; uyutmak.
nares ['neərīz]. Burun delikleri.
narghile ['nāgili]. Nargile.
nark [nāk] *i.* (*arg.*) Jurnalcı, polis casusu; (*Avus.*) rahatsız eden kimse/şey. *f.* Rahatsız etm.
narrat·e [nə'reyt]. Nakletmek; öykülemek, hikâye etm., anlatmak. ~**ion** [-'reyşn], nakletme; anlatma. ~**ive** ['narətiv] *i.* nakil; hikâye; ifade; fıkra: *s.* nakil ve rivayete ait. ~**or** [nə'reytə(r)], nakleden; hikâyeci, öykücü; (*sin.*) açıklayıcı.
narrow ['narou] *s.* Dar; mahdut, sınırlı. *f.* Daraltmak; darlaşmak. ~**-boat**, kanal mavnası. ~**-gauge railway**, dekovil, dar hatlı demiryolu. ~**ly**, dar/sınırlı olarak; az kaldı; darı darına. ~**-minded**, darkafalı; eski kafalı; mutaassıp. ~**ness**, darlık; sınırlılık. ~**s**, boğaz; dar liman ağzı.
narthex ['nāθeks] (*mim.*) Dış dehliz, son cemaat yeri.
narwhal ['nāwəl]. Deniz gergedanı.
***nary** ['nari] (*kon.*) Hiç.
NAS = NATIONAL ASSOCIATION OF SCHOOLMASTERS; NAVAL AIR SERVICE/STATION. ~**A** = *NATIONAL AERONAUTICS AND SPACE ADMINISTRATION.
nasal [neyzl] *s.* Buruna ait; burun/genizden gelen. *i.* Genizden okunan harf. ~**ism**/~**ity** [-'zaliti], genizden okunma. ~**ization** [-zəlay'zeyşn], genizleşme. ~**ize**, genizleş(tir)mek.
nascent ['nasənt]. Doğan; vücude gelen; mütekevvin.
naso- ['neyzə-] *ön.* Burun+.
nasti·ly ['nastili]. Nahoş/pis/iğrenç olarak. ~**ness**, nahoşluk vb.
nasturtium [nəs'tə̄şm]. Latin çiçeği, frenk teresi.
nasty ['nāsti]. Hoşa gitmiyen; nahoş; pis; fena kokulu; iğrenç; garazkâr. **a** ~ **sea**, dalgalı deniz: **turn** ~, hiddete kapılmak; tehditkâr olm.: **that's a** ~ **one!**, (*kon.*) *lâfı ağza tıkayan bir cevap hakkında kullanılır; nahoş bir haber alındığı zaman söylenir.*
Nat. = NATIONAL(IST); NATIVE; NATURAL(IZED).
N.At. = NORTH ATLANTIC.
Natal[1] [nə'tal]. G.Afr.'nın bir ili.
natal[2] ['neytl]. Doğuma ait. ~**ity** [nə'taliti], doğum oranı.
nata·nt ['neytənt]. Yüzen. ~**tion** [nə'teyşn], yüzme. ~**torial** [neytə'tōriəl], yüzmeye ait. *~**torium**, (iç) yüzme havuzu.
nates ['neytīz]. Butlar, kıç.
Nat.Gal. = NATIONAL GALLERY.
nat.his(t). = NATURAL HISTORY.
nation ['neyşn]. Millet, ulus, devlet, memleket. **United** ~**s**, Birleşmiş Millet/Uluslar: **most favoured** ~ **(clause)**, (mukaveleye göre) en çok kayrılan ulus. ~**al** ['naşənl] *s.* millî, ulusal(lık+); iç, memleket+: *i.* tebaa, uyruk, vatandaş; (*bas.*) = PAPER: ~ **assistance**, hükümetten yoksullara dağıtılan yardım: * ~ **convention**, cumhurreisi adayını seçen parti kongresi: † ~ **Government**, koalisyon: ~**-grid**, (*elek.*) santralları bağlıyan güç şebekesi: * ~**-Guard**, (*ask.*) ilk yedek kuvvet: ~**-park**, halk için millî park. ~**alism**, milliyetçilik, milletseverlik, nasyonalizm. ~**alist**, milliyetçi, ulusçu; milliyetperver. ~**ality** [-ə'naliti], milliyet; tabiiyet, uyrukluk. ~**aliz·ation** [-lay'zeyşn], millî-/ulus-/devletleştir(il)me: ~**e**, millî-/ulus-/devletleştirmek: ~**er**, (*id.*) uluslaştırılma taraftarı. ~**ally**, millî bir surette; ulus bakımından.
nativ·e ['neytiv]. Yerli; (*Avus.*) beyaz ırktan yerli; doğma; memlekete ait; memlekette yetişen. ~ **language/tongue**, anadil: ~ **land**, anavatan: ~ **water**, taşıl su. ~**ity** [-'tiviti] (*din.*) doğum: ~**-play**, (*tiy.*) İsa'nın doğumu hakkında bir oyun.
NATO/Nato ['neytou] = NORTH ATLANTIC TREATY ORGANIZATION.
nat.phil. = NATURAL PHILOSOPHY.
natron ['neytrən]. Natron.
NATSOPA = NATIONAL SOCIETY OF OPERATIVE PRINTERS, GRAPHICAL & MEDIA PERSONNEL.
natter ['natə(r)] (*kon.*) Gevezelik etm.; mırıldanmak. ~**jack** [-cak], haçlı kara kurbağası.
natty ['nati] (*kon.*) Zarif, süslü; eli ince işe yatkın.
natural ['naçərəl] *s.* Tabiî, doğal; tabiat/doğaya ait; anadan doğma; cibilli; sunî değil; halis; normal. *i.* Anadan doğma budala; (*müz.*) natürel. ~ **child**, piç: ~ **father**, piçin babası: ~ **history**, hayvan/bitkilerin meraklılar tarafından incelenmesi: ~ **science(s)**, doğal bilim(ler): **die a** ~ **death**, eceliyle ölmek: **it comes** ~ **to him**, ona çok kolay gelir. ~**ism** ['naçrəlizm], doğal/tabiî hal; doğa(l)cılık; (*san.*) natüralizm. ~**ist**, doğa(l)cı; hayvan/bitkileri inceliyen meraklı: ~**ic**, doğaya ait, doğa(l)cılığa ait; natüralizmaya ait: ~**ically**, doğal bir şekilde. ~**ization** [-lay'zeyşn], tabiiyet/uyrukluğa kabul ed(il)me; alıştır(ıl)ma; yerleştir(il)me. ~**ize**, tabiiyet/uyrukluğa kabul etm.; hayvan/bitkileri yeni iklime alıştırmak; yerleştirmek. ~**ly** [-çərəli], tabiî/doğal bir surette, kolayca: ~!, tabiî!, elbette!
nature ['neyçə(r)]. Doğa, tabiat; fıtrat; yaradılış; nitelik; içerik; mahiyet; mizaç. **human** ~, insan hali: **against** ~, doğaya aykırı; **by** ~, fıtraten, yaradılış olarak: **from** ~, canlı bir model/tabiî manzaradan: **stg. in the** ~ **of . . .**, -in kabilinden. **-**~**d**, *son.* -huylu, . . . tabiatlı. ~**-worship**, doğal cisimlere tapınma; çıplak halde yaşama usulü: ~**per**, böyle tapınan/yaşıyan kimse; doğacı.
naturis·m ['neyçərizm]. Doğacılık. ~**t**, doğacı.
naught [nōt]. Hiç, sıfır. **bring to** ~, akamete uğratmak: **come to** ~, boşa çıkmak, suya düşmek: **set at** ~, hiçe saymak, yabana atmak.
naught·ily ['nōtili]. Yaramazca. ~**iness**, yaramazlık. ~**y**, yaramaz, huysuz.
nause·a ['nōsiə]. Bulantı; iğrenme, istikrah. ~**ate** [-ieyt], mide bulandırmak; iğrendirmek; bıktırmak. ~**ating**/~**ous**, mide bulandırıcı; iğrenç, müstekreh, bıktırıcı.
naut. = NAUTICAL.
nautch-girl ['nōçgəl]. Hint rakkase/çengisi.
nautical ['nōtikl]. Gemiciliğe ait. ~ **almanac**, deniz seferlerine ait bilgi kapsayan yıllık: ~ **mile**, deniz mili.
nautilus ['nōtiləs]. Güzel kabuklu bazı deniz böceklerine verilen ad, notilus.
nav. = NAVAL; NAVIGATE; NAVY.
naval ['neyvl]. Savaş gemileri/bahriyeye ait; deniz+. ~ **architecture**, gemi mühendisliği: ~ **base**, deniz üssü: ~ **battle**, deniz muharebesi: ~ **forces**, harp donanması; deniz kuvvetler/kıtaları. ~ **officer**, deniz subayı. ~ **power**, deniz kuvveti; donanması kuvvetli olan devlet. ~ **ranks**, İng. Bahriyesindeki aşamalar (ADMIRAL OF THE FLEET,

ADMIRAL, VICE-ADMIRAL, REAR-ADMIRAL, COMMODORE, CAPTAIN, COMMANDER, LIEUTENANT-COMMANDER, LIEUTENANT, SUB-LIEUTENANT, MIDSHIPMAN). ~ **Reserve**, deniz yedek kuvveti.
nave[1] [neyv] (*oto.*) Tekerlek başlığı.
nave[2] (*mim.*) Kilisenin orta yeri, nef, sahın.
navel ['neyvl]. Göbek; orta yer, merkez. ~ **orange**, göbekli portakal.
navi·cert ['navisət]. Tarafsız gemiye savaş zamanında verilen serbest geçiş belgesi. ~**cular** [nə'vikyūlə(r)], gemi şeklinde.
navigab·ility [navigə'biliti]. Gidiş gelişe uygunluk; sevk kabiliyeti. ~**le** ['navi-], gidiş gelişe uygun (sular); denize dayanabilir, kullanılabilir (gemi).
navigat·e ['navigeyt]. Gemi yolculuğu yapmak; gemi idare etm./kullanmak. ~**ion** [-geyşn], deniz yolculuğu; navigasyon, seyrüsefer; gemicilik; denizcilik bilimi: **aerial** ~, uçakçılık, uçak yolculuğu: **inland** ~, kanal/nehir yolculuğu: ~ **laws**, denizcilik kanunu: ~ **lights**, uluslararası usullere göre bir gemide bulunması gereken ışıklar; sefer/borda fenerleri. ~**or**, gemici; gemi/uçağın rotasından mesul olan subay; navigatör.
navvy ['navi]. Toprak tesviyesi ve başka ağır işlerde çalışan işçi. **steam** ~, kazma makinesi, ekskavatör.
navy ['neyvi]. Bir devletin deniz kuvveti, bahriye. **merchant** ~, ticaret filosu: **Royal** ~, İngiltere deniz kuvveti: **weekend** ~, (*alay.*) = ROYAL NAVAL RESERVE. ~**-blue**, lâcivert. *~ **Department**, Deniz Bakanlığı. ~ **list**, deniz subaylarının terfi listesi. ~**-register**, deniz kütüğü. ~**-yard**, tersane.
nawab [na'wōb] = NABOB.
nay [ney]. Hayır. **it is important, ~, a matter of life and death**, mühim değil adeta hayat memat meselesidir: **I cannot say him** ~, ona hayır diyemem: **he will not take** ~, menfi cevap kabul etmez.
naze [neyz]. Sahil çıkıntısı, burun.
Nazi ['nātsi] (*Alm.*) = NATIONAL SOCIALIST; Nazi.
Nb. (*kim.s.*) = NIOBIUM.
NB = NAVAL BASE; NEW BRUNSWICK; NORTH BRITAIN; NOTA BENE. ~**C** = NATIONAL BOOK COUNCIL/ *BROADCASTING COMPANY. ~**G** (*kon.*) = NO BLOODY GOOD. ~**L** = NATIONAL BOOK LEAGUE. ~**S** = *NATIONAL BUREAU OF STANDARDS.
N by E/W = NORTH BY EAST/WEST.
NC = NATIONAL CONGRESS/COUNCIL; NORTH CAROLINA; NUMERICAL CONTROL. ~**B** = NATIONAL COAL BOARD. ~**O** = NON-COMMISSIONED OFFICER. ~**R** = (*bas.*) NO CARBON (PAPER) REQUIRED. ~**U** = NATIONAL CYCLISTS' UNION. ~**V** = NO COMMERCIAL VALUE.
Nd (*kim.s.*) = NEODYMIUM.
ND = NATIONAL DEBT; *NEW DEAL; NO DATE.
N.Dak. = NORTH DAKOTA.
né [ney] (*Fr.*) . . . doğmuş.
Ne (*kim.s.*) = NEON.
NE = NAVAL ENGINEER; *NEW ENGLAND; NORTHEAST(ERN).
neap [nīp]. ~ **(tide)s**, on beş günde bir kere diğerlerine oranla çok az fark eden met ve cezir; cüzî met: **be** ~**ed**, karaya oturmuş bir gemi az yukselen met sebebiyle kara üzerinde kalmak.
Neapolitan [niə'politən]. Napolili; Napoli şehrine ait.
near[1] [niə(r)] *e., s.* Yakın; karip; takribî; civarında; (*kon.*) cimri. *f.* Yaklaşmak. **as ~ as I can remember**, hatırımda kaldığına göre: **is he anywhere ~ as tall as his father?**, boyu hakikaten babasınınki kadar uzun mu? (hiç zannetmem!): **I am nowhere ~ as rich as you are**, ben sizin kadar zengin olmaktan uzağım: **to come/draw** ~, yaklaşmak: **I came ~ to being drowned**, az kaldı boğuluyordum: **those who are ~ and dear to us**, yakınlarımız: ~ **at hand**, yanında, yakınında: ~**ing forty**, kırkına merdiven dayamış: **go by the ~est road**, kestirme yoldan gitmek: **the ~ side**, sol taraf: **it was a ~ thing**, dar kurtuldum/-du vb.; bıçak sırtı bir farkla; uç uca, ucu ucuna: ~ **upon a hundred**, yüz ya var ya yok.
near-[2] *ön.* ~**by** [-bay], yakında, yanında, civarında. ~**est (and dearest)**, en yakın (akrabalar). ~**ly** [-li], hemen hemen; takriben; yakın: **I ~ fainted**, az kaldı bayılıyordum: **he is not ~ as rich as you**, o sizin kadar zengin olmaktan uzaktır. ~**ness**, yakınlık; (*kon.*) cimrilik. ~**-sighted** [-'saytid], miyop.
neat[1] [nīt] *s.* Muntazam; zarif; üstü başı temiz, düzgün; basit ve iyi; tertipli; (rakı, viski vb.) susuz.
neat[2] *i.* Sığır. ~**'s foot**, sığır paçası.
'neath [nīθ] = BENEATH.
neatherd ['nīthəd]. Sığırtmaç.
neat·ly ['nītli]. Muntazam/zarif/düzgün olarak. ~**ness**, düzgünlük, zariflik.
neb [neb]. Burun; gaga; uç.
NEB = NATIONAL ENTERPRISE BOARD; NEW ENGLISH BIBLE.
***Neb(raska)** [ni'braskə]. ABD'nden biri.
nebul·a, *ç.* ~**ae** ['nebyulə, -lī] (*ast.*) Bulutsu; (*tıp.*) göz bebeğinde duman. ~**ar**, bulutsuya ait. ~**ous**, bulutsu gibi, nebülöz; sisli; (*mec.*) müphem, belli belirsiz, hayal meyal.
necessar·ily ['nesisərili]. Çaresiz, ister istemez. ~**y**, *s.* lâzım, zarurî, zorunlu, gerekli; gereken; vazgeçilmez: *i.* lâzım olan şey/eşya: **the** ~, bir şey için gerekli olan para: **the ~ies of life**, zarurî ihtiyaçlar: **be** ~, lâzım/gerekli olm., gerekmek: **do the** ~, gereken şeyleri yapmak/tedbirleri almak: **if** ~, icabederse.
necessi·tate [ni'sesiteyt]. İcabetmek; zarurî kılmak, gerekmek. ~**tous**, muhtaç, fakir, yoksul. ~**ty** [ni'sesiti], zorunluluk, zarurî ihtiyaç; lüzum; mecburiyet: **of** ~, zarurî olarak: ~ **knows no law**, mustar kalınca her şey yapılır.
neck [nek]. Boyun; (şişe) boğaz: **a ~ of land**, küçük kıstak: **stiff** ~, boyun tutulması; inatçılık: **wry** ~, eğri boyun: **break the ~ of a task**, bir işin çoğunu yapıp bitirmek: ~ **and crop**, tamamen; olduğu gibi; palas pandıras: **fall on s.o.'s** ~, birinin boynuna sarılmak: **get it in the** ~, (*arg.*) şiddetli bir darbeye uğramak; pek fena alabanda yemek: ~ **and** ~, başabaş: ~ **or nothing**, ya devlet başa ya kuzgun leşe: **save one's** ~, postu kurtarmak: **be up to one's ~ in debt**, uçan kuşa borçlu olm.: **be up to one's ~ in work**, işi başından aşmak. ~**-band**, elbise yakası. ~**cloth**, boyunbağı. -~**ed**, *son.* . . . boyunlu. ~**erchief**, boyun atkısı. ~**ing**, (*mim.*) sütun bileziği; (*arg.*) aşıkla kucaklaşma. ~**lace** [-lis], gerdanlık, kolye. ~**let**, boyun kürkü. ~**tie/wear**, kravat/boyunbağı vb.
necro- [nekro-] *ön.* Ceset/ölüme ait; nekro-. ~**biosis** [-bī'ousis], nekrobiyoz. ~**logy** [-'kroləci], ölüler listesi, ölüm ilânı, ölünün kısa biyografisi. ~**mancy**

['nekrəmansi], ruhları çağırarak tefeül; sihirbazlık. **~phagous** [-'krofəgəs], cesetçil. **~polis** [-'kropəlis], mezarlık. **~sis** [-krousis], nekroz.
nectar ['nektə(r)]. Kevser; balözü, nektar. **~ine** [-rin], tüysüz şeftali, durakı. **~y**, (*bot.*) ballık.
NED = NEW ENGLISH DICTIONARY. **~C/O** = NATIONAL ECONOMIC DEVELOPMENT COUNCIL/OFFICE.
neddy ['nedi] (*kon.*) Eşek; (*kon.*) = NEDC.
née [ney] (*Fr.*) (Evli bir kadının) kızlık ismi olan: **Mrs. Smith ~ Jones.**
need[1] [nīd] *i.* İhtiyaç; lüzum; zaruret. **in ~**, muhtaç; fakir: **have/be/stand in ~ of...**, -e muhtaç olm.: **in case of ~**, gerekliğinde, lüzumu halinde: **my ~s are few**, fazlada gözüm yok; ihtiyaçlarım sınırlıdır: **in times of ~**, müşkül zamanda; kıtlık zamanında.
need[2] *f.* Muhtaç olm.; icabetmek; istemek. **he ~s a lot of asking**, yalvartmadan bir şey yapmaz: **why ~ he have come tonight (of all nights)?**, ne diye tutup da bu akşam geldi?: **you only ~ed to ask**, sormanız yeterli idi: **he ~ not go, ~ he?**, onun gitmesi lâzım değil, değil mi?: **you ~ not have done it**, yapmıyabilirdiniz: **you ~n't have been so rude**, (yaptığınız) bu nezaketsizliğe hiç gerek yoktu.
need·ful ['nīdfəl]. Gerekli; NECESSARY. **~iness**, yoksulluk, sefalet; ihtiyaç.
needle [nīdl] *i.* İğne; tığ; örgü şişi; ibre; çuvaldız; (*mec.*) saik, üvendire. *f.* Dikmek; (*mec.*) teşvik etm.; sinirlendirmek. **it's like looking for a ~ in a haystack**, saman yığınında iğne aramak gibi (*yani* bulmak hemen hemen imkânsız): **as sharp as a ~**, şeytan gibi zeki. **~-bath**, kuvvetli ve ince duş. **~-case**, iğne kutusu. **~craft**, dikişçilik (ustalığı). **~-fish**, iğne balığı. **~-game**, eşit ekipler arasındaki heyecanlı maç. **~-time**, (*rad.*) plağa kaydedilmiş müzik programları. **~-woman**, dikişçi kadın. **~work**, dikişçilik; nakış işleri; iğne işi; işleme.
needless ['nīdlis]. Gereksiz; beyhude. **~ly**, gereksizce.
needs [nīdz] *zf. Yal.* **must** *ile kullanılır*; **if ~ must**, mutlak lâzımsa; zorunlu ise: **~ must when the devil drives**, mutlak yapmalıyım; kurtuluş yok.
needy ['nīdi]. Fakir, yoksul.
ne'er [neə(r)] = NEVER. **~-do-well/-weel**, adam olmaz; serseri.
nefarious [ni'feəriəs]. Habis, şerir, hain.
neg. = NEGATIVE; NEGOTIABLE.
negat·e [ni'geyt]. İnkâr etm., reddetmek. **~ion** [-'geyşn], inkâr; ret; nefi, olumsuzluk: **the ~ of ...**, -in zıddı. **~ive** ['negətiv] *s.* nefi, olumsuz; (*mat.*) eksi; (*müh.*) geri: *i.* (*sin.*) negatif; (*dil.*) olumsuzluk eki; menfi, zıt: *f.* reddetmek; inkâr etm.; olumsuz cevap vermek: **~ly**, olumsuz olarak: **~ness**, olumsuzluk.
neglect [ni'glekt] *f.* İhmal etm.; iyi bakmamak; aldırmamak. *i.* İhtimamsızlık, bakımsızlık; ihmal. **~ed**, bakımsız; mühmel; metruk. **~ful**, ihmalci; dikkatsiz; kayıtsız.
negligé(e) ['neglijey]. Ev elbisesi, neglije, robdöşambr.
neglig·ence ['neglicəns]. İhmal, savsaklama; gaflet; kusur; ihtimam-/itina-/kayıtsızlık. **~ent**, ihmalci, kayıtsız, dikkatsiz; özen göstermiyen: **~ly**, dikkatsizce, baştansavma olarak; saygısızca. **~ible**, önemsiz; sayılmaz.
negoti·able [ni'gouşiəbl]. Havale ve ciro edilebilir, aktarılır; cirolu; alış verişe müsait; (*yer.*) geçilebilir. **~ate** [-şi·eyt], müzakereye girişmek, görüşmek; havale ve ciro etm. **~ation** [-şi·'eyşn], müzakere, görüşme; akdetme. **~ator** [-eytə(r)], müzakereye memur kimse; murahhas, delege.
negr·ess ['nīgris]. Zenci kadın. **~ito** [-'grītou], cüce zenci ırkı. **~itude** [negri'tyūd], zenci nitelikleri. **~o** ['nīgrou], zenci. **~oid** [-groyd], zenciye benzer; zenci ırkının üyesi. **~oism**, zencilere mahsus deyim/âdet vb. **~ophil** [-fil], zenci ırkının taraftarı.
negus ['nīgəs]. Necaşi.
neigh [ney]. Kişneme(k).
neighbour ['neybə(r)]. Komşu. **one's duty towards one's ~**, insanlara karşı görevlerimiz. **~hood** [-hud], civar; cihet; çevre; konukomşu: **in the ~ of £10**, takriben £10. **~ing**, komşu, yakın, bitişik; civardaki. **~ly**, iyi komşu gibi; dostça.
neither ['nayðə(r)]. Hiç birisi; ve ne de. **~ ... nor ...**, ne ... ne ...: **if you don't go ~ shall I**, siz gitmezseniz ben de gitmem: **that's ~ here nor there**, hiç münasebeti yoktur.
nekton ['nektən]. Nekton.
nelly ['neli]. **not on your ~**, (*arg.*) katiyen olmaz/yapmıyacağım.
nelson ['nelsən] (*boks.*) Çapraz.
nemato- ['neməto-] *ön.* İplik gibi. **~cyst** [-sist], yakıcı kapsül. **~de**, iplik kurdu (gibi).
nem. con [nemkon] = NEMINE CONTRADICENTE.
nemesis ['nemisis] (*mit.*) İntikam ilâhesi; (*mec.*) müstahak ceza verilmesi.
nemine ['nemini] (*Lat.*) Hiç bir kimse .... ***~contradicente*** [kontrdī'senti], kimse karşı olmıyarak; ittifakla, hep birlikte.
N.Eng. = *NEW ENGLAND.
nenuphar ['nenyufā(r)]. Nilüfer.
neo- ['nīou] *ön.* Yeni-, neo-. **~lith(ic)**, (*ark.*) neolitik, yeni/cilâlı taş (çağına ait). **~logism** [-'oləcizm], yeni kelime/türetim; eski kelimelerin yeni anlamda kullanılması.
neon ['nīən]. Neon (gazı). **~ light**, neon ışığı: **~ sign**, neon reklamı.
neo·nate ['nīouneyt]. Yeni doğmuş bebek. **~phyte** [-fayt] (*din.*) yeni dönme. **~plasm** [-plazm], neoplazma, yeni doku. **~prene** [-prīn], neopren, bir plastik. **~teric** [-'terik], yeni icat edilmiş; yeni usulden.
Nepal [ni'pōl]. Nepal. **~ese/~i** [nepə'līz, ni'pōli] *i.* Nepalli(ler); Nepal dili: *s.* Nepal+.
nepenthes [ni'penθīz] (*şiir.*) Keder giderici bir ilâç; (*bot.*) nepentes.
neper ['neypə(r)] (*mat.*) Oran birimi.
neph- [nef-] *ön.* Bulut+.
nephew ['nefyu]. Yeğen (erkek).
nephology [ni'foləci]. Bulut bilimi.
nephr- [nefr-] *ön.* Böbrek+. **~ite** [-rayt], bir nevi yeşim taşı. **~itic** [-'fritik], böbreğe ait. **~itis** [-'fraytis], nefrit, böbrek yangısı. **~ology**, böbrek bilimi.
ne plus ultra [nīplʌs'ʌltrə] (*Lat.*). Daha ilerisi olmaz; son derecesi.
nepotism ['nepətizm]. Akraba kayırma; nüfuz ticareti.
Neptun·e ['neptyūn]. Deniz ilâhı; Neptün gezegeni. **~ium**, neptunyum.
NER·A = *NATIONAL EMERGENCY RELIEF ADMINIS-

TRATION. ~C = NATIONAL ENVIRONMENT RESEARCH COUNCIL.

nereid ['nīri·id] (*mit.*) Deniz perisi.

nervate ['nəveyt] (*bot.*) Damarlı.

nerve [nəv] *i.* Sinir, asap; cesaret. *f.* Cesaret vermek. **get on s.o.'s ~s**, birinin sinirine dokunmak: **have the ~ to**, cüret etm., yüzü tutmak: **lose one's ~**, cesaretini kaybetmek: **a man of ~**, pek cesaretli; pek soğukkanlı: **you have got a ~!**, ne cesaret!; buna da yüz ister!: **to be in a state of ~s**, sinirli olm.: **strain every ~**, alabildiğine çabalamak. **~less**, cansız; cesaretsiz; (*bot.*) damarsız; (*biy.*) sinirsiz.

nervous ['nəvəs]. Ürkek; sıkılgan; evhamlı; sinirli; asabî; sinirlere ait. **be ~ about doing stg.**, bir şeyi yapmaktan çekinmek/korkmak: **be ~ about s.o.**, birini merak etm./endişe etm. **~ly**, ürkek vb. olarak. **~ness**, ürkeklik, sıkılganlık, çekingenlik. **~-system**, sinir sistemi.

nerv·ure ['nəvyə(r)] (*biy.*) Damar. **~y** [-vi], sinirli, sinirlenmiş; ürkek.

nescien·ce ['neşyəns]. Cahillik; bilmeme. **~t**, cahil; bilmiyen.

ness [nes] (*yer.*) Burun.

-ness [-nis] *son.* -lik [GOODNESS].

nest [nest] *i.* Yuva; (haydut) yatağı; melce; küçük içiçe kutular vb. *f.* Yuva yapmak. **~-box**, folluk. **~-egg**, fol; ihtiyaten bir tarafa konulan küçük sermaye.

nestl·e ['nesl]. Kendi yuvasını yapmak; sinmek; sığınmak; sokulmak; saklanmak. **~ing**, *i.* kuş yavrusu.

net[1] [net] *s.* Safi, net, katkısız; öz; gerçek. *f.* (Bir iş) katkısız kazanç temin etm.: **he ~ted a tidy little sum**, bu işte epeyi para vurdu.

net[2] *i.* Ağ, şebeke; tül, file, süzek; (*den.*) şıpka; (*fiz.*) net. *f.* Ağ ile tutmak/örtmek; ağ (şeklinde) örmek. **~-ball**, voleybol gibi bir oyun. **~-play**, ağ oyunu: **~-post**, ağ ayağı.

Neth. = NETHERLANDS.

nether ['neðə(r)]. Alttaki. **~ garments**, pantolon ve don: **~ world**, cehennem.

Netherland·er ['neðələndə(r)]. Felemenkli, Hollandalı. **~ish**, Hollanda'ya ait. **~s**, Hollanda, Felemenk.

nethermost ['neðəmoust]. En alttaki.

nett [net] = NET[1].

nett·ed ['netid]. Ağ halinde; ağ gibi. **~ing**, ağ örme; ağ örgüsü; cibinlik.

nettle ['netl] *i.* Isırgan. *f.* Canını yakmak; (*mec.*) kızdırmak. **grasp the ~**, zorlukları cesaretle karşılamak. **~-rash**, kurdeşen.

network ['netwək] *i.* Ağ, şebeke. *f.* (*rad.*) Şebekeden yayınlamak. **~-analysis**, grafik çözülmesi.

neur·al ['nyūrəl]. Sinirsel, nöral. **~algia** [-'ralcia], nevralji, sinir ağrısı. **~asthenia** [-ras'θīnia], nevrasteni. **~itis** [-'raytis], sinir iltihabı, nevrit. **~o-** [-ro-] *ön.* nöro-, nevro-, sinire ait. **~ologist** [-'roləcist], asabiyeci, sinirbilgini, nörolog. **~ology**, nevroloji, sinirbilim. **~on**, sinir. **~osis** [-'rousis], sinir hastalığı, nevroz. **~otic** [-'rotik], sinir hastası, asabî.

neut. = NEUT·ER/-RAL.

neuter[1] ['nyūtə(r)] *s.* Cinsiyetsiz; (*dil.*) dişi/erkek olmıyan; yansız; (fiil) geçişsiz; tarafsız, nöt(ü)r.

neuter[2] *f.* İğdiş etm. **~ed**, *s.* iğdiş edilmiş (hayvan).

neutral ['nyūtrəl]. Tarafsız, yansız, bitaraf, nöt(ü)r; (renk) kurşunî; (*müh.*) ölü nokta. **~ity** [-'traliti], yan-/tarafsızlık. **~ize** [-trəlayz], etkisiz bırakmak; akamete uğratmak; yansızlaştırmak; etkisini gidermek; nötürlemek: **~r**, (*kim.*) yansızlayıcı madde. **~ly**, yansız bir surette.

neutr·ino [nyū'trīnou]. Nötrino. **~tron** [-tron], nötron, atom çekirdeği.

***Nev(ada)** [ne'vādə]. ABD'nden biri.

névé ['nevey] (*yer.*) Buzulkar.

never ['nevə(r)]. Hiçbir zaman; asla; katiyen. **~ a one**, hiç biri bile değil: **~ again will I go there**, bir daha oraya gitmem: **he ~ came back**, bir daha hiç gelmedi: **be he ~ so angry**, ne kadar kızarsa kızsın: **you surely ~ said that!**, nasıl oldu da bunu söyledin?: **I have ~ yet seen it**, onu daha hiç görmedim: **well I ~!**, Allah! Allah!: **on the ~ ~**, (*arg.*) taksitle satın alma usulü. **~-ending**, bitmez tükenmez; aralıksız. **~-failing**, tükenmez; yanılmaz, birebir. **~more** [-mō(r)], bir daha hiç. **~theless** [-ðə'les], bununla beraber; maamafih; ancak.

new [nyū] *s.* Yeni; taze; acemi; yeni çıkmış/keşfolunmuş; şimdiye kadar görülmemiş vb.; alışılmamış; taze-/yenilenmiş. *zf.* Yeni olarak; yeniden; son zamanlarda. **~-born**, yeni doğmuş.

New· Brunswick [-'brʌnzwik]. Kanada'nın bir ili. **~castle** [-kasl], İng.'de bir şehir: **carry coals to ~**, dereye su taşımak.

new-comer [-kʌmə(r)]. Yeni gelen.

newel(-post) ['nyuəl(poust)]. Tırabzan babası.

New-England [nyū'in(g)glənd]. ABD'nin K-D kısmında bulunan altı devlet. **~er**, bu devletlerin bir yerlisi.

new·-fangled. Yeni çıkma. **~-fashioned**, yeni moda(ya göre).

New·foundland [nyūfənd'land]. Kanada'nın bir ili, Ternöv. [-'faundlənd], ternöv köpeği. ***~ Hampshire** [-'hampşə], ABD'nden biri. ***~ Jersey** [-'cəzi], ABD'nden biri.

new·ish ['nyūiş]. Oldukça yeni. **~-laid**, günlük (yumurta). **~-look**, (1948'de) son moda. **~ly**, geçenlerde; son zamanlarda.

***New Mexico** [-'meksikou]. ABD'nden biri.

newness ['nyūnis]. Yeni olma; yenilik.

news [nyūz]. Havadis; haber. **be in the ~**, herkesin ağzında olm.: **break the news to s.o./break the ~ gently**, alıştıra alıştıra söylemek/haber vermek: **a good/bad piece of ~**, iyi/kötü haber: **this is ~ to me**, bunu işitmemiştim: **what's the ~?**, ne var ne yok?: **exclusive ~**, atlatma haber: **false ~**, asılsız haber: **latest ~**, son haberler/saat: **~-in-brief**, kısa haberler. **~-agency**, haber alma acenta/ajansı; bayilik. **~-agent**, bayi, gazeteci (dükkânı). **~-boy**, gazeteci. **~-caster**, radyo habercisi. **~-editor**, haberler şefi. **~-flash**, (*rad.*) anî haberler. **~-letter**, haber bülteni. **~man**, gazeteci. **~-monger**, havadis kumkuması. **~paper**, gazete: **~ clipping/cutting**, gazete kupür/kesiği. **~-print**, gazete kâğıdı. **~-reader** = ~-CASTER. **~-reel**, haber filmi, aktüalite. **~-room**, gazete salonu; radyo haber salonu. **~-service**, haber ajansı. **~-stall/-stand**, gazete bayiliği. **~-theatre**, haber filimlerini gösteren sinema. **~-vendor**, gazete bayii.

New· South Wales. Avus.'nın bir ili.

new·-style [-stayl]. Yeni usul; şimdi kullanılan

(takvim). ~**sworthy**, neşredilmeğe lâyık. ~**sy** [-zi] (*kon.*) haberler/dedikodu ile dolu (mektup vb.).
newt [nyūt]. Su kertenkelesi, semender.
newton ['nyutən] (*fiz.*) Newton birimi.
new·-town [-taun]. Bahçeli Evler/Levent gibi şehir dışında planlanmış mahalle. ~**-World**, Amerika kıtası, Batı Yarımküresi, Yeni Dünya. ~**-Year**, yeni yıl; yılbaşı: **see the** ~ **in**, yılbaşını kutlamak: **wish s.o. a Happy** ~, yeni yılınız kutlu olsun demek.
***New· York** [nyū'yōk]. ABD'nden biri; N.Y. şehri: ~**er**, N.Y. şehirlisi. ~ **Zealand** [-'zīlənd], Yeni Zelanda: ~**er**, Yeni Zelandalı.
next [nekst]. Gelecek; en yakın; ertesi; sonraki; öteki; önümüzdeki; bitişik; yanında; bundan sonra. **to be continued in our** ~, devamı gelecek sayıda: **he lives** ~ **door to us**, bitişiğimizde oturur: **the thing** ~ **my heart**, üzerinde titrediğim şey, en çok istediğim şey: **the** ~ **largest**, ondan sonra en büyüğü: ~ **to nothing**, hemen hemen hiç; yok pahasına: **there was** ~ **to nobody at the meeting**, toplantıda hemen hemen hiç kimse yoktu: **wear flannel** ~ **the skin**, fanilayı tenine giymek: **the** ~ **time I see him**, bir daha onu gördüğüm zaman: **what** ~!, olur şey değil!; nerede bu bolluk!: **what** ~, **please?**, (dükkânda) başka ne istiyorsunuz?: **who comes** ~?, sıra kimde?: **the year after** ~, öbür sene. ~**-door**, ~ **neighbour**, bitişik komşu. ~**-of-kin**, en yakın akraba.
nexus ['neksəs]. Bağ, rabıta. **cash** ~, para ödünçleri.
NF = NATIONAL FEDERATION; NORMAN-FRENCH; NEWFOUNDLAND. ~**S** = NATIONAL FIRE SERVICE. ~**SE** = NATIONAL FEDERATION OF THE SELF-EMPLOYED. ~**T** = NATIONAL FILM THEATRE. ~**U** = NATIONAL FARMERS' UNION.
NG = NATIONAL GALLERY/*GUARD. ~**A** = NATIONAL GEOGRAPHICAL ASSOCIATION. ~**S** = *NATIONAL GEOGRAPHICAL SOCIETY.
NH = *NEW HAMPSHIRE. ~**I/S** = NATIONAL HEALTH INSURANCE/SERVICE. ~**P** = NOMINAL HORSE-POWER.
NI = NATIONAL INSURANCE; NAVAL INTELLIGENCE; NORTHERN IRELAND.
niacin ['nayəsin]. Nikotin asidi, niyasin.
Niagara [nay'agərə]. Dik şelâle, sel.
nib[1] [nib]. Kalemucu.
nib[2] (*arg.*) Şık, iyi giyinmiş. **his** ~**s**, kendini beğenmiş kimse, hazretleri.
nibble ['nibl] *f.* Kemirmek; dişlemek; (koyun gibi) otlatmak: çimlenmek. *i.* Ufacık lokma. **I never had a** ~, hiç bir balık oltamın yemine dokunmadı bile.
niblick ['niblik]. Yuvarlak demir başlı golf değneği.
Nicaea [nāy'siə]. İznik.
Nicaragua [nikə'ragyuə]. Nigaragua. ~**n**, *i.* Nigaragualı: *s.* Nigaragua +.
nice [nays]. Hoş, sevimli; lezzetli, tatlı; cazip; çekici; nefis; ince; hassas; titiz, müşkülpesent. **a** ~ **distinction**, ince bir fark: **be** ~ **to s.o.**, birine iyi/nazikâne muamele etm.: **it is** ~ **of you to ...**, -mekle nezaket gösterdiniz: **it is** ~ **and cool**, hava çok tatlı ve serin: **this is a** ~ **mess**, işler arapsaçına döndü; ayıkla pirincin taşını!: **be too** ~ **about stg.**, ince eleyip sık dokumak: **the child is very** ~ **about his food**, çocuk yemek seçiyor/yemekte nazlanıyor. ~**ish**, oldukça hoş vb. ~**ly**, hoş vb. bir surette; tamamen.
Nicene [nay'sīn]. İzniğe ait.
nice·ness ['naysnis]. Hoşluk, sevimlilik; titizlik. ~**ty** [-siti], ince nokta, incelik: **to a** ~, tam karar; tavında; tamamıyle: **the niceties of a language**, bir dilin incelikleri.
niche [niç]. Duvarda hücre.
nichrome ['naykroum]. Nikel krom alaşımı.
nicish ['naysiş] = NICEISH.
nick[1] [nik] *f.* Çentmek, kertmek. *i.* Çentik, kertik, çetele. **in the** ~ **of time**, tam zamanında; ancak: **in good** ~, (*arg.*) iyi bir halde.
nick[2] (*arg.*) *i.* Hapishane. *f.* Tevkif etm.; çalmak.
Nick[3]. **old** ~ **(himself)**, Şeytan.
nickel ['nikl]. Nikel; *beş sentlik parası. ~**ing**, nikelleme. *~**odeon** = JUKE-BOX. ~**-plated**, nikel kaplama. ~**-silver**, Alman gümüşü.
nicker ['nikə(r)] (*arg.*) Bir İng. lirası.
nick-nack ['niknak] = KNICK-KNACK.
nickname ['nikneym]. Lakap (takmak); takma ad.
Nicomedia [nikə'mīdiə]. İzmit.
Nicosia [nikə'sīə]. Lefkoşa.
nicotin·e ['nikətīn]. Nikotin. ~**ic**, nikotine ait. ~**ism**, nikotinizm.
nictitat·e ['niktiteyt]. Göz kırpmak. ~**ing membrane**, niktitant zar.
nid·ify ['nidifay]. Yuva yapmak. ~**us** ['nīdəs], yuva, böcek yuvası.
niece [nīs]. Yeğen (kız).
niello [ni'elou]. Savat.
niff [nif] (*arg.*) (Pis) koku. ~**y**, kokulu.
***nifty** ['nifti] (*arg.*) Şık, kendine çekidüzen vermiş; pis kokulu.
niggard ['nigəd]. Cimri adam. ~**ly**, cimri, pinti.
nigger ['nigə(r)] (*köt.*) Zenci. **work like a** ~, domuzuna çalışmak: **a** ~ **in the woodpile**, çapanoğlu: ~**-brown**, koyu kahverengi.
niggl·e [nigl]. Kılı kırk yarmak, fazla titiz olm. ~**ing**, lüzumsuz teferruatlı; kılı kırk yaran.
nigh [nay]. Yakın. ~ **on**, aşağı yukarı.
night [nayt]. Gece; karanlık. **at/by** ~, geceleyin: **good** ~!, geceniz hayırlı olsun!: **a dirty** ~, fırtına/yağmurlu bir gece: **have a good/bad** ~ **('s rest)**, iyi/fena uyumak: **in the** ~, geceleyin: **make a** ~ **of it**, geceyi zevk ile geçirmek; sabahlamak: **a** ~ **out**, zevk ile geçirilen gece; bir hizmetçinin izinli olduğu gece: **first** ~, piyesin ilk temsili: ~ **and day**, gece gündüz. ~**bird**, gece kuşu; (*mec.*) geceleyin dolaşan (külhanbeyi) bir kimse. ~**-black**, zifirî karanlık. ~**cap**, gece başlığı, takke; yatarken içilen içki. ~**club**, gece kulübü, bar. ~**dress/-gown**, gecelik. ~**fall**, akşam üzeri; sular karardığı zaman. ~**-fighter**, (*hav.*) gece avcı uçağı. ~**-glass**, özel gece dürbünü. ~**hawk**, gece hırsızı. ~**ie**, (*kon.*) = ~DRESS. ~**ingale**, bülbül. ~**jar**, çobanaldatan. ~**-letter**, ucuz gece (tel) mektubu. ~**-life**, şehrin gece kulüpleri. ~**light**, idare lambası. ~**-line**, gece oltası. ~**-long**, bütün gece süren. ~**ly**, her gece olan/yapılan. ~**mare**, kâbus, korkulu rüya. ~**-safe**, geceleyin kullanılan banka kutusu. ~**school**, gündüz çalışanlar için gece okulu. ~**shade** [-şeyd], yabanyasemin: **black** ~, köpeküzümü: **deadly** ~, güzelhatunçiçeği. ~**-shift**, gece çalışan ekip, gece postası. ~**shirt**, gecelik entari. ~**side**, (gezegen) güneşe bakmıyan taraf. ~**-sight** [sayt], (tüfek) özel gece gezi. ~**soil**, apteshane çukurlarından çıkarılan pislikler. ~**time**,

geceleyin. ~**-walker**, gece dolaşan fahişe; uykuda gezen kimse. ~**-watch**, gece vardiyası: ~**man**, bekçi.
nigr- [nigr-] *ön.* Siyah, kara. ~**escent** [-'gresənt], siyahlaşan. ~**itude** [-grityūd], siyahlık.
nihilis·m ['nihilizm]. Hiçlik, yokluk; nihilizm. ~**t**, nihilizm taraftarı, nihilist.
-nik [-nik] *son.* (*Rus.*) -düşkünü [BEATNIK].
nil [nil]. Hiç; sıfır.
Nil·e [nayl]. Nil nehri. ~**ometer** [-'lomitə(r)], bir nehrin yüksekliğini ölçer alet. ~**otic**, Nil bölgesine ait; bu bölgesinde yaşıyanlara ait.
nimbl·e ['nimbl]. Çevik; tetik; tez: ~**-fingered**, (*mec.*) yankesici gibi. ~**y**, çevikçe.
nimb·o-stratus [nimbou'streytəs]. Katman karabulut. ~**us**, karabulut, nimbüs; nuraylası, hale.
Nimrod ['nimrod]. Nemrut; büyük avcı.
nincompoop ['nin(g)kəmpūp]. Alık, avanak.
nine [nayn]. Dokuz. **have ~ lives (like a cat)**, yedi canlı olm.: **dressed up to the ~s**, iki dirhem bir çekirdek: **a ~ days' wonder**, birdenbire meşhur olup kısa zamanda unutulan şey: **~ times out of ten**, hemen her defa. ~**fold**, dokuz kat; dokuz misli. †**999**, (telefon) imdat numarası. ~**pins**, şişe şekilli dikili dokuz tahtayı uzaktan bir tahta topla devirmekten ibaret olan oyun: **go down like ~**, iskambil gibi devrilmek. ~**teen**, on dokuz: **talk ~ to the dozen**, makine gibi konuşmak: ~**th**, ondokuzuncu. ~**tieth** [-ti·iθ], doksanıncı. ~**-to-five(r)**, (*köt.*) muntazam görev yapan kimse. ~**ty**, doksan: **the ~ties**, 1890 ile 1900 arasındaki yıllar.
ninny ['nini]. Alık.
ninth [naynθ]. Dokuzuncu; dokuzda bir. ~**ly**, (sırada) dokuzuncu olarak.
niobium [nay'oubiəm]. Niyobyum.
nip[1] [nip] *i.* Çimdik; hafif ısırma. *f.* Çimdiklemek; hafifçe ısırmak; (kırağı) haşlamak; (*arg.*) çabuk gitmek. **there is a ~ in the air**, hava sert: **~ in the bud**, bir kötülüğün vb. daha başlangıçta önüne geçmek: **~ off**, ucunu dişleyip/çimdikleyip koparmak; kaçmak.
nip[2] *i.* Bir yudum içki. *f.* Azar azar fakat devamlı olarak içki içmek.
Nip[3] (*köt.*) Japonyalı.
nipper ['nipə(r)]. (*arg.*) Çocuk.
nipp·ers ['nipə(r)z]. Ufak kerpeten, kışkaç. ~**ing**, keskin, ısırıcı; soğuk.
nipple ['nipl]. Memebaşı; şişe emziği; (*müh.*) meme şeklinde bir uç, nipel.
Nippon ['nipən]. Japonya.
nippy ['nipi]. (*kon.*) Çevik, atik; (hava) keskin. **look ~ about it!**, haydi çabuk ol!
nirvana [nə'vānə]. (Budizm'e göre) ahiret saadeti.
nisi ['naysi] (*Lat., huk.*) Olmazsa, yoksa.
Nissen ['nisn]. ~ **hut**, tünel şeklinde oluklu saçtan yapılan baraka.
nit [nit]. Bit sirkesi, yavşak; ahmak.
***nitery** ['naytəri] (*kon.*) Gece kulübü.
nitid ['nitid]. Parlak; parlıyan.
nitr·ate ['naytreyt] *i.* Azotiyet, nitrat. [-'treyt] *f.* Asit nitrikle işlemek. ~**e** [-tə(r)], güherçile. ~**ic**, ~ **acid**, asit nitrik, hamızî azot. ~**id·e** [-trayd], nitrür: ~**ed**, nitrürlenmiş: ~**ing**, nitrürleme. ~**ification** [-ifi'keyşn], nitratlaş(tır)ma. ~**ify**, nitratlaştırmak. ~**ite** [-trayt], nitrit. ~**o-**, *ön.* nitro-: ~**-cellulose**, nitroselüloz: ~**-glycerine**, nitrogliserin.
nitrogen ['naytrəcən]. Azot, nitrojen. ~**-narcosis**, (*den. tıp.*) vurgun. ~**ous** [-'trocinəs], azot/nitrojenli.
nitrous ['naytrəs]. Güherçileli, azotlu. ~**-acid**, nitrit asidi. ~**-oxide**, nitrojenli oksit gazı.
nitty-gritty [niti'griti] (*arg.*) Bir konunun esas/özü.
nitwit ['nitwit]. Budala.
nix[1] [niks] (*arg.*) Hiç.
nix[2]. Su cücesi. ~**ie**, su perisi.
NJ = NEW JERSEY.
NL = NATIONAL LIBERAL/LIBRARY; NAVY LIST. ~**BI** = NATIONAL LIFE-BOAT INSTITUTION. ~**F** = NATIONAL LIBERATION FRONT. ~**RB** = NATIONAL LABOUR RELATIONS BOARD.
n.m. = NAUTICAL MILE. ~**a.** = NET MONTHLY ACCOUNT.
N.Mex. = NEW MEXICO.
NNE/W = NORTH-NORTH-EAST/-WEST.
no [nou]. Hayır; yok; öyle değil; hiç: olumsuz cevap. ~**es**, bir teklif aleyhine oy verenler. **it is ~ distance**, uzak değil: **friend or ~ (friend) he can't behave like that**, dost olsun, ne olursa olsun, böyle hareket edemez: **he is ~ genius**, elbette dâhi değil: **in less than ~ time**, pek az sonra, hemen, bir anda: **~ man/one**, hiç bir kimse: **make ~ mistake!**, duydum duymadım deme!; şunu bil!: **I made ~ reply**, cevap vermedim: **there is ~ saying what he will do next**, bundan sonra ne yapacağı bilinmez: **~ smoking!**, sigara içilmez: **at ~ time**, hiç bir vakit: **whether he comes or ~**, gelse de gelmese de: **tell me whether you are coming or ~**, gelip gelmiyeceğinizi haber veriniz.
No. = (*kim.s.*) NOBELIUM; NUMBER.
***no-account** [nouə'kaunt]. Önem/değersiz.
Noah ['nouə]. Nuh peygamber. ~**'s ark**, Nuh'un gemisi.
nob [nob] (*arg.*) Baş, kelle; kibar.
no-ball ['noubōl] (*sp.*) Yanlış atılan top.
nobble ['nobl] (*arg.*) Yarışın neticesiyle karışmak; rüşvet vermek; (bir cani) yakalamak.
nobelium [nou'bīliəm]. Nobelyum.
nob·ility [nou'biliti]. Asalet, soyluluk: **the ~**, asılzadeler, kibarlar. ~**le** ['noubl] *s.* asil; ulvî; soylu; kibar: *i.* asılzade, soylu: **~ gas**, (argon vb.) etkisiz gaz: **~ metal**, (altın vb.) soy metal: ~**-minded**, muhteşem, âlicenap: ~**man**, *ç.* ~**men**, asılzade. ~**ly**, asilâne; âlicenaplıkla; mükemmel olarak.
nobody ['noubodi] *zm.* Hiç kimse. *i.* Değersiz/önemsiz adam; adı sanı yok: **he's a mere ~**, o solda sıfırdır.
no·-claim [nou'kleym]. ~ **bonus**, poliçeye göre bir müddet zarfında talep etmiyene verilen prim indirimi. ~**-hoper** [-'houpə(r)] (*Avus.*) işe yaramayan kimse.
noct- [nokt-] *ön.* Geceye ait. ~**ambulist** [-'tambyulist], uykuda gezen. ~**ivagant** [-'tivəgənt], geceleyin dolaşan. ~**ule** [-tyūl], erken uçan yarasa. ~**urnal** [-'tənl], geceleyin olan; geceye ait; leylî: **~ emission**, düş azma. ~**turne** [-tən] (*müz*) noktürn.
nocuous ['nokyuəs]. Zararlı.
nod [nod] *i.* Baş sallama; başla işaret. *f.* Kabul/tasdik/selâm vb. ifade etmek için başını sallamak; pineklemek. **have a ~ding acquaintance with s.o.**, biriyle pek az tanışmak, sadece selâmlaşmak.
nodal ['noudl]. Düğüme ait; düğüm noktası.

noddle [nodl]. Baş (sallamak).
noddy ['nodi]. Ahmak, budala.
nod·e [noud]. Boğum; ukde; düğüm. ~**ule** ['nodyūl], yumrucuk, düğümcük, şekilsiz yuvarlak bir parça.
Noel ['nouel]. Noel.
noetic [nou'ītik]. Akıl/zekâya ait; nazarî, kuramsal. ~**(s)**, akıl bilgisi.
nog[1] [nog]. Takoz; ağaç çivi/kama.
nog[2]. Bir çeşit bira: **egg** ~, yumurtalı likör.
noggin ['nogin]. Küçük kulplu bardak; bir içki ölçüsü.
no-go ['nougou]. Geç(il)mez; GAUGE. ~**!**, olmaz!: ~ **area**, (*ask.*) yasak bölgesi.
nohow ['nouhau]. Hiç bir suretle.
NOIC = NAVAL OFFICER-IN-CHARGE.
nois·e [noyz]. Gürültü, patırdı; velvele; ses: ~ **abroad**, (bir haberi) yaymak, tellâllık etm.: **be a big** ~, borusu ötmek: **make a** ~ **in the world**, meşhur olm.: **white** ~, (*rad.*) başka sesleri örten anlamsız ses: ~**s off**, (*tiy.*) kulis gürültüsü: ~**-insulation**, sese karşı tecrit: ~**less**, sessiz, gürültüsüz: ~**-pollution**, insanı rahatsız eden yüksek ses (çıkarma). ~**ily**, gürültülü olarak, gürültü ederek.
noisome ['noysəm]. Muzır; müteaffin; iğrenç.
noisy ['noyzi]. Gürültülü, patırdılı; gürültücü.
nolens volens ['noulenz'voulenz] (*Lat.*) İster istemez.
no-load ['nouloud] (*elek.*) Boşa işleme.
nom. = NOMINAL; NOMINATIVE.
nomad ['noumad]. Göçebe; bedevî. ~**ic** [nə'madik], göçebe. ~**ism**, göçebelik.
no-man ['noumən] (*arg.*) 'Evet efendimci'nin tam tersi; aksi. ~**'s-land**, sahipsiz arazi; (*ask.*) düşman kıtalar arasındaki arazi.
nomarch ['noumāk] (*Yun.*) Vali. ~**y**, vilayet.
nom de · guerre [nō(m)də'ger] (*Fr.*) Asker/aktörün takma adı. ~***plume***, yazarın takma adı.
nome [noum]. Bölge, mahalle.
nomenclature [nə'menkləçe(r)]. Bir bilim/sanatın terimleri; tasnifcilik, ıstılahçılık; sistematik bir liste; terimler dizgisi; mal bölümleme çizelgesi.
nomin·al ['nominl]. İsmi olup cismi olmıyan; itibarî, saymaca; varsayımlı; anma, standard; isim(ler)e ait; sanal; nominal; lafzî: **he is the** ~ **head**, adı/ismen reis: ~ **income**, itibarî/saymaca gelir: ~**ism**, adcılık. ~**ate** [-neyt], nasbetmek; tayin etm.; bir memuriyet için teklif etm.; adaylığa seçmek. ~**ation** [-'neyşn], aday gösterme, adaylık; tayin; teklif. ~**ative** [-nətiv] (*dil.*) yalın durum. ~**ator** [-neytə(r)], tayin/teklif eden; adaylığa seçen. ~**ee** [-'nī] *s.* başkası adına: *i.* aday, mansup.
NOMS (*tıp.*) = NATIONAL ORGAN MATCHING SERVICE.
non- [non-] *ön. Olumsuzluk ifade eden ön ek*; gayri; ademi; -değil; -olmıyan; -dışı; -siz. ~**-acceptance**, kabul etmeme. ~**-addictive**, alıştırıcı olmıyan (ilâç). ~**age** [-nic], sabavet, çocukluk.
nona·genarian [nonəci'neərian]. Doksan yaşında olan (kimse). ~**gon** ['nonəgən], dokuz köşeli/yanlı şekil.
non·-aggression [nonə'greşn]. Ademi tecavüz; saldırmazlık. ~**-alcoholic**, alkolsüz. ~**-aligned** [-əlaynd], tarafsız, taraftar olmıyan. ~**-appearance**, hazır bulunmayış.
nonary ['nonəri]. Dokuza ait.
non-belligerent [nonbə'licərənt]. Savaş dışı.
nonce [nons]. **for the** ~, bu kere; geçici; şimdiki zaman. ~**-meaning/-word**, tek bir münasebet için uydurulan anlam/kelime.
nonchalan·ce ['nonşələns]. Kayıtsızlık. ~**t**, kayıtsız; kaygısız: ~**ly**, kayıtsızca.
non·collegiate [nonkə'līciət]. Koleje ait olmıyan.
non-com. = NON-COMBATANT/-COMMISSIONED.
non·-combatant [non'kombətənt]. Savaş dışı: ~**s**, orduda silâh taşımıyan memur/erler. ~**-commissioned (officer)**, küçük subay, gedikli erbaş. ~**-committ·al**, suya sabuna dokunmaz; kaçamaklı; müphem: ~**ed**, tarafsız. ~**-conductor**, (*fiz.*) iletmez (madde). ~**-conform·ist**, (*din.*) Anglikan kilisesinden ayrılan protestan: ~**ity**, böyle protestan olma; uyumsuzluk. ~**-cooperation**, medenî itaatsizlik. ~**-corrosive**, paslan(dır)maz, çürü(t)mez. ~**descript**, tasnif ve tarif edilemez; tuhaf, garip. ~**-dimensional**, boyutsuz, derecesiz. ~**-discriminatory**, eşit, tefrikasız; fark etmiyen. ~**-disposable**, yok edilemez (madde).
none [nʌn]. Hiç; hiç kimse; hiç bir. ~ **so blind as those who won't see**, en fena kör görmek istemiyendir: ~ **but he knows the secret**, bu sırrı ondan başka kimse bilmiyor: **you know,** ~ **better, how poor I am**, ne kadar fakir olduğumu siz herkesten iyi bilirsiniz: **any food is better than** ~ **(at all)**, her hangi bir yemek hiç yoktan iyidir: ~ **of your cheek!**, yüzsüzlüğün lüzumu yok!: ~ **of them are coming**, hiç biri gelmiyecek: ~ **of this is suitable**, bunun hiç bir tarafı/kısmı uygun değil: **I was** ~ **too soon**, tam zamanında yetiştim: **he is** ~ **too well (off)**, (malî) durumu pek o kadar iyi değil: **I like him** ~ **the worse for that**, bundan dolayı onu daha az seviyor değilim: **he is** ~ **the worse for his illness**, hastalık geçirdiği halde sağlığına hiç etki etmedi. ~**such** = NONSUCH.
non·entity [no'nentiti]. Önemsiz/solda sıfır bir adam; var olmıyan şey. ~**-essential** [-i'senşl], fer'î, tali; ikinci dereceden. ~**-event** ['nonivent] (*kon.*) önemli görünen fakat önemsiz olan hadise. ~**-execution**, (*huk.*) yerine getirmezlik, ademi icra. ~**-existent**, gayri mevcut, var olmıyan. ~**-ferrous**, demirsiz, demirden olmıyan.
nonillion [nou'nilyən] (*mat.*) †10^{54}; *10^{30}.
non·-(in)flammable [non(in)'flaməbl]. Tutuşmaz; ateş almaz. ~**-intervention**, (*id.*) karışmama. ~**-iron**, (*mod.*) ütülenmez. ~**-magnetic**, mıknatıslanmaz. ~**-metallic**, metalsiz. ~**-negotiable**, (*mal.*) muamele görmez, geçmez. ~**pareil** [-pərel], eşsiz, kıyas kabul etmez; (*bas.*) küçük bir harf büyüklüğü. ~**-party**, (*id.*) partilere ait olmıyan, tarafsız. ~**-payment**, ödenmeme. ~**plus** [-'plʌs], şaşırtmak: **be** ~**sed**, apışıp kalmak. ~**-productive**, üretim dışı; prodüktif olmıyan, verimsiz. ~**-professional**, amatör; mesleksiz. ~**-profit-making**, kamu yararına çalışan (dernek). ~**-quota**, kota dışı. ~**-recurring**, (*mal.*) düşünülemiyen/tekrarlanmıyan (giderler). ~**-resident**, ikamet etmiyen, oturmıyan: ~ **landowner**, kendi emlâkinde oturmıyan mülk sahibi: ~ **student**, gündüzlü/yatısız öğrenci. ~**-return·able**, geri alınmaz/atılır (şişe vb.): ~**-valve**, geri tepmeli vana, çek valf. ~**sens·e** ['nonsns], saçma; boş sözler; ahmaklık: ~**ical** [-'sensikl], saçma sapan; abuk sabuk. ~***-sequitur*** [-'sekwitə(r)] (*Lat.*) mantıksız bir muhakeme/sonuç. ~**-skid**, kaymaz.

~-smoker, sigara içmiyen kimse; sigara içilmez bir yer. ~-starter, (*kon.*) sonunda yarışa girmiyen (at, kimse). ~-stick, (*ev.*) yapışmaz (tencere). ~-stop, devamlı, durmaksızın, sürekli, arasız: ~-flight, duraksız uçuş: ~-run, devamlı işleme. ~such [-SAÇ], eşsiz. ~suit ['nonsyūt], bir davada yeter deliller olmamasıyle/davacının mahkemeye gelmemesi sebebiyle muhakeme önlenmesi kararı vermek. ~-transferable, özel, şahsî; ciro edilmez. ~-U, (*kon.*) = NOT UPPER-CLASS. ~-union, sendika dışı; sendikaya bağlı olmıyan. ~-voting, (*mal.*) oy hakkı olmıyan/vermiyen. ~-white, beyaz ırktan olmıyan.

noodle[1] ['nūdl]. Alık.

noodle[2]. Şehriye, erişte.

nook [nuk]. Bucak, köşe; ucra yer.

noon nūn]. Öğle vakti. ~**day**/~**tide**, öğle.

noose [nūs] *i.* İlmik; kement. *f.* İlmikle tutmak. **put one's head in the** ~, tuzağa düşmek.

nor [nō(r)]. Ve ne de. **neither** ... ~ ..., ne ... ve ne de....

nor' = NORTH.

Nor. = NORMAN; NORWEGIAN.

Nordic ['nōdik]. İskandinav ırkına ait.

Norfolk ['nōfək]. Brit.'nın bir kontluğu. ~ **jacket**, avcı ceketi.

norland ['nōlənd]. Kuzey bölgesi.

norm [nōm]. Düstur, nümune, örnek; cetvel, norm; alelade tip. ~**al**, adi, alelade, olağan; tabiî, doğal; normal; düzgülü; amut, dikey. ~**ality** [-'maliti], aleladelik, normallik. ~**alize** [-layz], düzgülemek: ~**d**, düzgülü, normalize. ~**ally**, adi/olağan vb. olarak; kendiliğinden.

Norman ['nōmən]. Normanlardan biri; Normanlara ait. ~**dy**, Normandiya.

Norse [nōs] *i.* (Eski) Norveççe. *s.* İskandinav. ~**man**, *ç.* ~**men**, Eski Norveçli.

north [nōθ] *i.* Kuzey, şimal; (*den.*) yıldız. *s.* Kuzeye ait, şimalî. **magnetic** ~, mıknatısî kuzey: **the** ~ **country**, İng.'nin kuzeyi: ~ **star**, kutup yıldızı. ~**amptonshire** [-'θamtənşə], Brit.'nın bir kontluğu. ~**ants.** = ~AMPTONSHIRE. ~**-Britain** = SCOTLAND. ~**-by-east**/**-west**, yıldız kerte poyraz/karayel. ~**-east**, kuzey-doğu; (*den.*) poyraz: ~**-by-east**/**-north**, poyraz kerte doğu/yıldız: ~**er**, poyraz rüzgârı: ~**erly**/~**ern**, kuzey-doğuya ait: ~**ward(s)**, kuzey-doğuya doğru. ~**erly** ['nōðəli], kuzeye ait; kuzeyden gelen (rüzgâr): ~ **course**, kuzeye doğru rota. ~**ern** [-ðən], kuzeye ait: ~**er**, kuzeyli adam: ~**-lights**, kuzey fecri: ~**most**, en kuzeydeki. ~-~**-east**/**-west**, yıldız poyraz/karayel. ~**-pol·ar**, kuzey kutbuna ait: ~**e**, kuzey kutbu. ~**umb·(erland)** [-'θʌmbələnd], Brit.'nın bir kontluğu: ~**rian** [-briən], bu kontluğa ait. ~**ward(s)** [-wəd(z)], kuzeye doğru. ~**-west**, kuzeybatı; (*den.*) karayel: ~**-by-north**/**-west**, karayel kerte yıldız/batı: ~**er**, karayel rüzgârı: ~**erly**/~**ern**, kuzey batıya ait: ~**ward(s)**, kuzey batıya doğru.

Norw·ay ['nōwey]. Norveç. ~**egian** [-'wīciən] *i.* Norveçli; Norveççe: *s.* Norveç+.

nor'wester [nō'westə(r)] (*kon.*) Şiddetli karayel rüzgârı; muşamba şapka.

Nos. [*kıs.*] = NUMBERS.

nose [nouz]. Burun; uç; koku duyusu. ~ **about**, eşlemek; kolaçan etm.; **(ship)** ~ **her way through fog, etc.**, (gemi) sis vb.de yolunu arayıp bulmak: ~ **a thing out**, ısrarla arayarak meydana çıkarmak: **blow one's** ~, burnunu silmek, sümkürmek: **count**/**tell** ~**s**, sırf sayıya dayanarak karar vermek: **cut off one's** ~ **to spite one's face**, gâvura kızıp oruç bozmak: **follow one's** ~, dosdoğru gitmek; sağduyusunu kullanmak: **hold one's** ~, burnunu tıkamak: **have a good** ~, (köpek) iyi koku almak: **lead s.o. by the** ~, birini parmağında çevirmek: **make a long** ~, nanik yapmak: **pay through the** ~, ateş pahasına almak: **put s.o.'s** ~ **out of joint**, birinin pabucunu dama atmak; birinin burnunu kırmak: **speak through the** ~, genizden konuşmak: **turn up the** ~, burun kıvırmak. ~**bag**, yem torbası. ~**-cone**, (*hav.*) roketin ön kısmı. -~**d**, (*son.*) -burunlu: **Roman** ~, koç burunlu. ~**-dive**, pike, dalış. ~**gay**, çiçek demeti. ~**-ring**, burun halkası, hırızma. ~**-turret**, baş kale/tareti. ~**-wheel undercarriage**, (*hav.*) burun tekerlekli iniş takımı. ~**y** = NOSY.

nosh [noş] (*arg.*) Yemek, gıda.

nosing ['nouzin(g)]. Bir tiriz/basamak vb.nin çıkıntılı yeri.

noso- [nə'so-] *ön.* Hastalık+. ~**graphy**, hastalıklar tarifi. ~**logy**, hastalık tasnif/bilimi, nozoloji.

nostalg·ia [nos'talciə]. Daüssıla; vatan hasreti, yurtsama, nostalji. ~**ic**, sıla hastası/yurtsamaya ait.

nostril ['nostril]. Burun deliği.

no-strings ['noustrin(g)z] (*kon.*) Şart/yükümsüz.

nostrum ['nostrəm]. Şarlatan ilâcı; kocakarı ilâcı.

nosy ['nouzi]. Her şeye burnunu sokan. ~ **Parker**, böyle bir adam.

not [not]. *Olumsuzluk edatı.* Değil. **I do** ~ **know**/**don't know**/**know** ~, bilmiyorum: ~ **at all**, hiç, asla; bir şey değil: ~ **everybody can do this**, değme adam bunu yapamaz: ~ **a few**, az değil: **'Are you going?' '~ I'**, 'Gidecek misin?' 'Ben mi?, ne münasebet!': ~ **that**/~ **but what**, maamafih; o demek değildir ki; ve lâkin: **'Has anyone gone by?' '~ that I know of'**, 'Birisi geçti mi?' 'Benim bildiğime göre kimse geçmedi': **I think** ~, zannetmem.

not. = NOTICE.

nota bene [noutə 'beney] (*Lat.*) Dikkat; uyarı deyimi, nota bene.

notab·ility [noutə'biliti]. Meşhur kimse; ilerigelen. ~**le** [-təbl] *s.* tanınmış; dikkate değer; muteber; zikre değer: *i.* eşraftan biri. ~**ly**, bahusus; epeyce: göze çarpacak derecede.

notar·ial [nou'teəriəl]. Notere ait. ~**ize** ['noutərayz], noter tarafından tasdik et(tir)mek. ~**y (public)**, noter, belgitleyici.

notation [nou'teyşn]. Terkim usulü; sayma.

notch [noç] *i.* Çentik, çetele, kertik. *f.* Çentmek, kertmek; çetele yapmak. ~**ed**, çentikli, girintili.

note[1] [nout] *i.* Not; izah; muhtıra; tezkere; nota; banknot; ehemmiyet, önem. **credit** ~, kredi senedi: **compare** ~**s**, karşılıklı düşünce ve izlenimlerini söylemek: ~ **of exclamation**, ünlem işareti: ~ **of hand**, borç senedi: **a man of** ~, önemli kimse, ünlü adam: **take** ~, dikkat etm.: **take** ~**s**, not etm.: **there was a** ~ **of anger in what he said**, sözlerinde hiddet kokusu vardı: **he struck just the right** ~, sözleri çok uygun düştü: **it is worthy of** ~ **that...**, dikkate değerdir ki.

note[2] *f.* Dikkat etm.; not etm., kaydetmek. **I'll just ~ that down**, bunu kaydedivereyim.

note-[3] *ön.* **~book**, muhtıra/not defteri; karne. **~-case**, cüzdan, portföy. **~d** [-id], meşhur; maruf; görülmüş. **~paper** [-peypə(r)], mektup kâğıdı. **~worthy** [-wə̄ði], dikkate değer; önemli.

nothing ['nʌθin(g)]. Hiç; hiç bir şey; sıfır. **~ but the best**, en iyisinden aşağı olmaz: **come to ~**, suya düşmek: **~ doing!**, yağma yok!: **there's ~ doing there**, orada yapacak bir şey yok; orada iş yok: **that is ~ to do with me**, o bana ait değil; umurumda değil: **have ~ to do with...**, ... ile hiç münasebeti olmamak: **I will have ~ to do with him**, onun yüzünü bile görmek istemem: **it is ~ less/else than cheating**, dolandırıcılıktan başka bir şey değil: **all that goes for ~**, bütün bunlar hiçe sayılıyor: **there is ~ for it but to swim to shore**, sahile yüzmekten başka yapacak bir şey yok: **he is ~ if not generous**, o da cömert değilse kim cömerttir?: **~ like so much**, hiç de o kadar değil: **only a hundred pounds, a mere ~**, ata deveye değil ya yüz liranın içinde: **~ near so pretty as her sister**, hiç te kardeşi kadar güzel değil: **it is not for ~ that...**, tevekkeli (değil): **he is ~ of a scholar**, hiç âlim değil: **to say ~ of...**, ... üstelik, ... de caba: **it's ~ to me whether you do it or not**, ister yap ister yapma bana göre hava hoş.

notice ['noutis] *i.* İhbar, ilân, bildiri(m), duyuru; bildirme, tebliğ; afiş; dikkat. *f.* Farkında olm.; aldırış etm. **to avoid ~**, göze çarpmamak için: **it has come to my ~ that**, öğrendiğime göre: **until further ~**, yeni duyuruya kadar: **give s.o. ~**, önceden haber vermek; (hizmetçiyi) savmak; (hizmetçi/kiracı) çıkacağını haber vermek: **I gave him a week's ~**, (savmadan) bir hafta önce haber verdim: **I must have ~**, önceden haberim olmalı: **legal ~**, resmî ilân: **at a moment's ~**, (önce haber vermeden) birdenbire, hemen: **at short ~**, kısa süreyle; vakit bırakmadan: **take ~ of**, göz önünde tutmak: **take no ~**, aldırış etmemek: **without ~**, bildirimsiz; ilânsız; haber ver(il)meden. **~able**, dikkate değer; göze çarpan; duyulur, sezilir. **~-board**, ilân/bildiri tahtası. **~-period**, ihbar öneli.

notif·iable [nouti'fayəbl]. Haber verilmesi elzem. **~ication** [-fi'keyşn], ihbar; tebliğ, bildirme, bilgi verme. **~y**, haberdar etm.; tebliğ etm.; bildirmek, afişe etm.; açıklamak.

notion ['nouşn]. Fikir; mefhum, kavram; zan. **that's a good ~!**, çok iyi bir fikir!: **you have no ~ how dull it was**, ne kadar sıkıcı olduğunu tasavvur edemezsiniz: **I have a ~ he is going to resign**, istifa edeceğini hissediyorum: **'What's the time?' 'I haven't a ~!'**, 'Saat kaç?' 'Hiç bir fikrim yok.' **~al**, tasavvur halinde.

notori·ety [noutə'rayəti]. Şöhret (*gen.* kötü); dile düşmüşlük: **seek ~**, göze çarpmak istemek, kendini göstermek (*alaylı deyim*). **~ous** [-'tōriəs], mahut; adı çıkmış; dile düşmüş: **~ly**, herkesin bildiği gibi: **~ness** = NOTORIETY.

Nottinghamshire ['notin(g)əmşə]. Brit.'nın bir kontluğu.

Notts. = NOTTINGHAMSHIRE.

notwithstanding [notwið'standin(g)]. (Buna) rağmen; her ne kadar; bununla beraber.

nougat ['nūgā]. Kozhelvası; nuga.

nought [nōt]. Sıfır; (*başka anlamlarda gen.* NAUGHT *yazılır*): **~s and crosses**, bir çocuk oyunu.

noun [naun] (*dil.*) İsim, ad. **abstract ~**, soyut ad: **collective ~**, topluluk adı: **common ~**, cins adı: **concrete ~**, somut ad: **proper ~**, özel ad: **verbal ~**, ad-fiil.

nourish ['nʌriş]. Beslemek. **~ing**, besleyici, gıdalı. **~ment**, gıda, yemek, besin.

nous [naus]. Akıl, zekâ; (*kon.*) sağduyu.

Nov. = NOVEMBER.

nova [nouvə] (*ast.*) Nova.

Nova Scotia ['nouvə'skouşə]. Kanada'nın bir ili; Yeni İskoçya.

novation [nou'veyşn]. Yenileme, aktarım.

novel ['novl] *i.* Roman. *s.* Yeni; yeni usul, yeni çıkma; taptaze. **~ette**/**~la** [-və'let, -'velə], kısa roman, hikâye. **~ist** ['novə-], romancı, roman yazarı. **~ize** [-layz], dramı romana çevirmek. **~ty**, yenilik; yeni moda; yeni çıkmış şey.

November [nə'vembə(r)]. İkinciteşrin/kasım (ayı).

novi·ce ['novis]. Acemi; papaz çömezi. **~tiate** [nə'vişieyt], acemilik devresi; çömezlik; müritlik.

novocaine ['nouvəkeyn] (*tıp.*) Novokain.

now [nau] *zf.* Şimdi; bu anda; işte; bu halde; imdi; henüz; artık. *i.* Şimdiki zaman. **~... ~...**, gâh ... gâh ...: **~, what's the trouble?**, ne var bakalım?: **~ then!**, sakın ha!; haydi!: **the train ought to be here by ~**, tren şimdiye kadar gelmiş olmalıydı: **between ~ and then**, o zamana kadar: **oh come ~!**, haydi canım!; amma yaptın ha!: **he was even ~ on his way**, o anda yola çıkmış bulunuyordu: **(every) ~ and then/again**, arasıra: **~ for it!**, haydi bakalım!; buyurun bakalım!: **from ~ on**, şimdiden sonra; bundan böyle: **just ~**, demin, hemen şimdi; **I can't come just ~**, hemen şimdi gelemem: **they won't be long ~**, nerede ise gelirler (fazla gecikmezler): **~ or never/if ever is the time**, yapacaksan şimdi yap!; ya şimdi ya hiç!: **until/up to ~**, şimdiye kadar: **well ~!**, Allah! Allah!; yok canım! **~adays** [-ədeyz], bu günlerde; şimdiki zamanlarda.

noway(s) ['nouwey(z)]. Hiç bir veçhile, asla, katiyen olmıyarak.

Nowel [nou'el] = NOEL.

no·where ['nouweə(r)]. Hiç bir yerde. **~wise**, (*mer.*) hiç bir surette.

nowt [naut] (*leh.*) Hiç.

noxious ['nokşəs]. Muzır, zararlı; öldürücü. **~ly**, zararlı olarak. **~ness**, zararlı olma.

nozzle [nozl]. Ağızlık; emzik, meme; hortumbaşı; üfleç; enjektör.

Np. (*kim.s.*) = NEPTUNIUM.

NP/n.p. = NATIONAL PARK; NEW PARAGRAPH; NICKEL-PLATED; NOBEL PRIZE; NOTARY PUBLIC. **~A** = NEWSPAPER PUBLISHERS' ASSOCIATION. **~L** = NATIONAL PHYSICAL LABORATORY.

N-power = NUCLEAR POWER.

nr. = NEAR.

NR = NAVAL RATING; NORTH RIDING. **~A** = *NATIONAL RECOVERY ADMINISTRATION/ †RIFLE ASSOCIATION. **~DC** = NATIONAL RESEARCH AND DEVELOPMENT COUNCIL. **~R** = NET REPRODUCTIVE RATE. **~T** = NET REGISTER TONNAGE.

NS = NATIONAL SOCIALISM/SOCIETY; NAVAL STATION; NEW SERIES/STYLE; NICKEL STEEL; NOVA SCOTIA. **~B** = NATIONAL SAVINGS BANK. **~C** = NATIONAL SECURITY COUNCIL. **~O** = NAVAL STAFF OFFICER. **~PCC** = NATIONAL SOCIETY FOR THE

PREVENTION OF CRUELTY TO CHILDREN. ~**W** = NEW SOUTH WALES.
-n't [-(ə)nt] *son.* = NOT [DON'T].
NT = NATIONAL THEATRE/TRUST; NEW TESTAMENT; (*Avus.*) NORTHERN TERRITORY; NO TRUMPS. ~**F** = NAVAL TASK FORCE. ~**P** = NORMAL TEMPERATURE AND PRESSURE.
nth [enθ] = N.
Nth. = NORTH.
nu [nyu]. Yunancanın onüçüncü harfi (N, *ν*).
nuance [nyu'āns]. İnce fark, nüans.
nub [nʌb]. Yumru, düğme; öz. ~**ble**, ufak yumru. ~**bly**, yumrulu.
nubiform ['nyūbifōm]. Bulut şeklinde.
nubil·e ['nyūbayl]. (Kız) evlenecek yaşa gelmiş; gelinlik. ~**ity** [-'biliti], gelinlik olma; olgunluk.
nucellus [nyu'seləs] (*bot.*) Evin, öz.
nuchal ['nyūkl]. Enseye ait.
nuci- [nyū'si] *ön.* Fındık vb.ne ait. ~**ferous**, fındıklı. ~**vorous**, fındıkçıl.
nucle·ar ['nyūkliə(r)]. Nüveye ait; nükleer; çekirdek+; atom+: ~ **chemistry/physics**, atom/çekirdek kimya/fiziği: ~**fission**, atom çekirdeği parçalanması: ~ **power**, atom gücü; (*id.*) atom silâhlarını idare edip kullanabilen ulus: ~**-reactor/-submarine/-weapon/-warfare**, atom reaktör/denizaltı/silâh/savaşı. ~**ate** [-eyt] *f.* çekirdeklen(dir)mek: *s.* çekirdekli. ~**ic**, nükleik. ~**o-**, *ön.* çekirdek+. ~**ole** [-klioul], çekirdekçik. ~**us**, *ç.* ~**i** [-kliəs, -kliay], göbek, öz, nüve, çekirdek, nükleon.
nude [nyūd] *s.* Çıplak. *i.* Çıplaklık; çıplak insan (heykel/resmi). **in the** ~, çıplak (halde). ~**ness**, çıplaklık.
nudge [nʌdz]. El ile dürtme(k); hafifçe dürterek ikaz etm.; dürtüşlemek.
nudi·e ['nyūdi]. Çıplak gezenleri gösteren (filim vb.). ~**sm**, çıplak gezenlerin alışkanlık/merakı. ~**st**, çıplak gezen kimse: ~ **camp/colony**, çıplak gezenler kampı. ~**ty**, çıplaklık.
nugatory ['nyūgətəri]. Önemsiz, değersiz; hükümsüz.
nugget ['nʌgit]. İşlenmemiş küçük altın külçesi.
NUGMW = NATIONAL UNION OF GENERAL AND MUNICIPAL WORKERS.
nuisance ['nyūsəns]. Sıkıntı veren/taciz eden şey/hareket; dert; başbelâsı. **a little** ~, (çocuk) başağrısı: **the man's a** ~, bu adam da başbelâsı: **'commit no** ~**!'**, buraya pislik atmayınız; aptes bozmayınız!: **what a** ~!, vah vah!; yazık!; Allah belâsını versin! ~**-tax**, dokuncalı vergi. ~**-value**, fazla ödenen prim, dokunulmama değeri.
NUJ = NATIONAL UNION OF JOURNALISTS.
***nuke** [nyūk] (*arg.*) Atom silâhı.
null [nʌl]. Hükümsüz, battal. ~ **and void**, tamamen hükümsüz, sanki hiç olmamış gibi. ~**ification** [-lifi'keyşn], iptal edilme. ~**ify** [-fay], iptal etm.; hiç olmamış saymak. ~**ity**, hükümsüzlük; batıl olma; hiçlik; nüfuz ve itibarı olmıyan adam.
num. = NUMBER; NUMERAL.
NUM = NATIONAL UNION OF MINEWORKERS.
numb [nʌm] *s.* Uyuşuk. *f.* Uyuşturmak.
number[1] ['nʌmbə(r)] *i.* Adet; sayı; rakam; numara; takım; nüsha; (*tiy.*) numara, eğlendiri, atraksiyon. ~**s**, çok: **a** ~ **of**, birkaç: **great** ~**s of**, birçok, çok: **a small** ~ **of**, birkaç, biraz: **back** ~, (*bas.*) eski sayı; (*mec.*) artık önemli değil, modası geçmiş: **cardinal** ~, asıl sayı: **even** ~, çift sayı: **fractional** ~, kesir sayısı: **odd** ~, tek sayı: **opposite** ~, (*id.*) = OPPOSITE: **ordinal** ~, sıra sayısı: **partitive** ~, (*dil.*) üleştirme sayısı: **prime** ~, bölünmez sayı: **round** ~, yuvarlak sayı: **serial** ~, dizi sayısı: **six-figure** ~, altı haneli rakam: **whole** ~, tam sayı: **among the** ~, aralarında: **any** ~ **of**, çok miktarda: **they were ten in** ~, sayıları on kadardı: **look after** ~ **one**, kendi çıkarına bakmak: **be overcome by** ~**s**, sayı üstünlüğüne yenilmek: **one of their** ~, onlardan biri: **his** ~ **is up**, (*arg.*) yandı, mahvoldu: **in round** ~**s**, toparlak hesap: **without/beyond** ~, sayısız; sayıya gelmez, hesap edilemez.
number[2] *f.* Saymak; hesap etm.; numara koymak; numaralamak. **their army** ~**s ten thousand**, ordularının yekûnu on bindir: ~ **off**, (*ask.*) numara saymak: ~ **off!**, (emir) sağdan say! ~**ed**, numaralı, numaralanmış: ~ **account**, yalnız numarasıyle teşhis edilen banka hesabı. ~**ing**, numaralama; sayılama. ~**less**, sayısız; hesapsız. ~**-one**, (*kon.*) kendi; birinci derece şey/kimse; (*den., kon.*) ikinci kaptan: **look after** ~, kendi çıkarına bakmak. ~**-plate**, numara plakası. *~**s-game**, gayri meşru piyango. ~**-two**, (*kon.*) ikinci derece şey/kimse.
numdah ['numdā]. Nakışlı keçe halı.
numer·able ['nyūmərəbl]. Sayılabilir. ~**acy** [-rəsi], hesaplama kabiliyeti. ~**al**, rakam, sayı, adet; adedî: **Arabic/Roman** ~, Arap/Romen rakamı. ~**ation** [-'reyşn], sayma, hesap etme. ~**ator** [-reytə(r)], üst terim. ~**ical** [-'merikl], sayı ve rakama ait, sayısal; adedî: ~ **control**, (*müh.*) makinelerin delikli şeritle otomatik işlenmesi: ~ **superiority**, sayıca üstünlük. ~**ous** [-mərəs], müteaddit, çok; kalabalık.
numismati·cs [nyūmız'matiks]. Meskûkât/sikkeler bilimi. ~**st** [-'mizmətist], meskûkât uzmanı.
numm·ary ['nʌməri]. Sikkeye ait. ~**ular** [-yulə(r), sikke şeklinde. ~**ulite** [-layt] (*yer.*) nümülit.
numnah ['numnə]. Belleme.
numskull ['nʌmskʌl]. Mankafa.
nun [nʌn]. Rahibe, sör. ~**'s veiling**, ince şayak.
nunci·ature ['nʌnşəçə(r)]. Papa elçiliği. ~**o** [-şiou], elçi: **Papal** ~, Papa elçisi.
nuncle ['nʌn(g)kl] (*mer.*) = UNCLE.
nuncupat·ive, ~**ory** ['nʌnkyūpətiv, -təri]. ~ **will**, şifahî/yazılı olmıyan vasiyetname.
nun·hood ['nʌnhud]. Rahibe/sörlük. ~**like**, rahibe gibi. ~**nery** [-nəri], rahibe manastırı.
NUPE = NATIONAL UNION OF PUBLIC EMPLOYEES.
nuptial ['nʌpşl]. Düğüne ait; zifafa ait. ~**s**, düğün: ~ **chamber**, gelin odası, gerdek. ~**-flight**, (karıncalar vb.) çiftleşme uçuşu.
NUR = NATIONAL UNION OF RAILWAYMEN.
nurse [nə̄s] *i.* Dadı; hastabakıcı, hemşire. *f.* Emzirmek; hastaya bakmak; dizinde/kucağında tutmak; idare ile kullanmak. **night** ~, gece hastabakıcısı: **wet** ~, sütnine: ~ **a grudge, etc.**, kin vb. beslemek, gütmek. ~**ling**, bebek. ~**-maid**, dadı kız. ~**ry** [-səri], çocuk odası; fidanlık, köken; balık yetiştirmeğe mahsus havuz: ~ **garden**, fidanlık: ~ **governess**, küçük çocuklar için mürebbiye: ~**-man**, *ç.* ~**men**, fidanlık bahçıvanı: ~**-rhyme** [-raym], çocuklar için tekerleme. ~**-school**, yuva (okulu).
nursing ['nə̄sin(g)]. Bakma, bakım. ~**-home**,

bakımevi, şifa yurdu. ~**-mother**, bebeğini emziren anne.
nurture ['nə̄çə(r)] *i.* Besleyiş; büyütme; talim ve terbiye. *f.* Beslemek; büyütmek; terbiye etm.
NU·S/T = NATIONAL UNION OF STUDENTS/TEACHERS.
nut [nʌt] *i.* Fındık (çekirdeği); cıvata somunu; küçücük parça (kömür); (*arg.*) kafa; fazla şık adam; (*arg.*) *ahmak. *f.* Fındık toplamak. **off his** ~, (*arg.*) bir tahtası eksik: **hard/tough** ~ **to crack**, demir leblebi: = ~s.
nutat·e [nyū'teyt] (*bot.*) Büyümesinde eğilmek/dönmek. ~**ion** [-'teyşn] (*ast.*) üğrüm; (*bot.*) yönelim, eğilme, nütasyon.
nut·-brown ['nʌtbraun]. Fındık renginde. ~**-case**, (*arg.*) deli. ~**-cracker**, köknar kargası: ~**s**, fındık kıracağı. ~**-gall**, (tabaklık) meşe mazısı. ~**-hatch**, sıvacıkuşu. ~**meg**, küçük hindistancevizi.
nutria ['nyūtriə]. Bataklık kunduzu kürkü.
nutri·ent ['nyūtriənt]. Gıda maddesi(ne ait). ~**ment**, besin, gıda. ~**tion** [-'trişn], beslenme, besleyiş. ~**tious** [-'trişəs]/~**tive** [-tritiv], besleyici.
nut·s [nʌts] (*arg.*) Saçma!: **be dead** ~ **on stg.**, (*arg.*) bir şeye tutkun olm., divanesi olm.: **he can't run for** ~, (*kon.*) ne yapsan koşamaz: ~**s and bolts**, somun ile cıvatalar; (*mec.*) esas parçalar, temel. ~**shell** [-şel], fındık kabuğu: **put the matter in a** ~, kısaca anlatmak. ~**ter**, (*arg.*) deli. ~**ty**, fındıkla dolu; fındık tadı veren; (*arg.*) deli: **be** ~ **on**, -e tutkun olm.
nux vomica [nʌks'vomikə]. Kargabüken.
nuzzle ['nʌzl]. Koklamak; burunla eşelemek.
NW·(FP) = NORTH-WEST (FRONTIER PROVINCE). ~**T** = NOT WATER-TIGHT.
NY = NEW YEAR; NEW YORK. ~**C** = NEW YORK CITY.
nyct- [nikt-] *ön.* Gece +. ~**alopia** [-tə'loupiə], gece körlüğü. ~**itropic** [-ti'troupik] (*bot.*) geceleyin dönen. ~**iphobia** [-ti'foubiə], geceden korkma.
nylon ['naylon] (*M.*) Naylon.
nymph [nimf]. Su/orman perisi; huri; genç kadın; (*biy.*) nemf. ~**omania** [-fou'meyniə], nemfomani: ~**c** [-niak], şehvet düşkünü kadın.
NZ = NEUTRAL ZONE; NEW ZEALAND.

O

O [ou]. O harfi; (*mat.*) sıfır; = OH; *hitap ünlemi (pek az kullanılır)*: **O God!**, ya Allah!
O' [ə-] = OF; *isimlerde* = SON OF; -oğlu [O'CONNOR].
-o- [-ou-] *birleştirme eki.* [ANGLO-].
O. = OCEAN; OFFICE(R); OHIO; OLD; ORDER; ORGANIZATION; (*kim.s.*) OXYGEN.
oaf [ouf]. Budala, beceriksiz çocuk; salak adam. **~ish**, budala, salak.
oak [ouk] (*bot.*) Meşe (ağacı): **cork ~**, mantar meşesi: **evergreen/holm ~**, pırnal: **Russian ~**, kaya meşesi: **heart of ~**, aslan yüreklilik: **hearts of ~**, meşe tahtasından yapılmış eski İng. savaş gemileri. **~-apple**, yaş mazı. **~(en)**, meşe odundan yapılmış. **~-gall**, mazı. **~-tree**, meşe ağacı.
oakum ['oukm]. Üstüpü, kalafat ipi.
OAL = OVERALL LENGTH. **~DCE** = OXFORD ADVANCED LEARNER'S DICTIONARY OF CURRENT ENGLISH.
O & M = ORGANIZATION AND METHODS.
OAP = OLD-AGE PENSION(ER).
oar [ō(r)]. Kürek. **feather an ~**, pala çevirmek: **pull a good ~**, iyi kürekçi olm.: **put in one's ~**, münasebetsizce karışmak: **rest on one's ~s**, işleri yavaşlatmak, dinlenmek. **-~ed**, (*son.*) . . . kürekli. **~-fish**, kayış balığı. **~sman**, *ç.* **~smen**, kürekçi: **~ship**, kürekçi mahareti. **~y**, kürek şeklinde.
OAS = ON ACTIVE SERVICE; *ORGANIZATION OF AMERICAN STATES.
oasis [ou'eysis]. Vaha.
oast(house) ['ousthaus]. Şerbetçiotunu kurutmağa mahsus ocak.
oat [out]. Yulaf tanesi. **~s**, yulaf: **sow one's wild ~s**, gençlik çılgınlıkları yapmak. **~-cake**, yulaf bisküviti. **~en**, yulaftan yapılmış. **~meal**, yulaf unu.
oath [ouθ]. Yemin, ant; küfür. **let/rap out an ~**, küfür savurmak: **put s.o. on his ~/administer an ~ to s.o.**, birine yemin ettirmek; ant içirmek: **make/take/swear an ~**, yemin etm., ant içmek, kitaba el basmak.
OAU = ORGANIZATION OF AFRICAN UNITY.
ob- [ob-] *ön.* Karşı; önünde.
ob. = OBIIT; OBVERSE.
OB = OLD BOY; OUTBOARD; OUTSIDE BROADCAST.
obbligato [obli'gātou] (*İt., müz.*) Obbligato; mecburî.
ob·conical [ob'konikl] (*biy.*) Başaşağı mahrut şeklinde. **~cordate** [-'kōdeyt], tepeden bağlı yürek şeklinde.
obdura·cy ['obdyurəsi]. İnatçılık. **~te**, inatçı; tövbe etmez.
OBE = OFFICER (OF THE ORDER) OF THE BRITISH EMPIRE.
obedien·ce [ə'bīdyəns]. İtaat. **~t**, itaatli; muti; söz anlar: **your ~ servant/yours ~ly**, *asttan üste/bir ticarethaneden müşterilere yazılan mektubun sonunda kullanılır.* **~ly**, itaatli olarak.
obeisance [o'beysəns]. Baş eğme. **make ~**, baş eğmek; biat etm.
obelisk ['obəlisk]. Sütun; dikili taş; mil; (*bas.*) müracaat işareti (†): **double ~** (‡).
obes·e [o'bīs]. Şişman. **~ity**, şişmanlık.
obey [ou'bey, ə'bey]. İtaat etm.; söz dinlemek; imtisal etm., uymak.
obiit ['obi·it] (*Lat.*) Öldü.
obiter ['obitə(r)] (*Lat.*) **~*dictum***, (*huk.*) hâkimin gayri resmî beyan edilmiş fikri.
obituary [ə'bityuəri]. **~ notice**, (gazetede) ölüm ilânı; ölünün olumluğu: **~ column**, gazetede ölüm ilânlarına ayrılmış sütun.
obj. = OBJECT(ION).
object[1] ['obcikt] *i.* Şey, cisim, nesne; murat, hedef, emel, amaç, erek, gaye, maksat; (*dil.*) tümleç. **direct ~**, -i hali, nesne, yükleme durumu: **indirect ~**, dolaylı tümleç: **an ~ of pity/ridicule**, acınacak/gülünecek şey: **money no ~**, paranın önemi yok: **an ~ for study**, inceleme konusu: **an ~ lesson**, bir mevzu hakkında tam bir ders: **what is the ~ of all this?**, bütün bundan amaç ne?: **with the ~ of. . .,** . . . maksat/amacıyle.
object[2] [əb'cekt] *f.* İtiraz/protesto etm.; karşı gelmek; razı olmamak; mümanaat göstermek. **~ to**, uygun görmemek, -den hoşlanmamak, beğenmemek; reddetmek: **~ that . . .**, . . . diye itiraz/protesto etm. **~ion** [-'cekşn], itiraz, protesto, karşılama; karşı durma; mahzur, beis, sakınca, engel, mâni: **if you have no ~**, mahzur görmezseniz, izninizle: **make no ~ to**, -de sakınca görmemek; -e razı olm.: **raise an ~**, bir mahzur ileri sürmek; bir itirazda bulunmak: **take ~ to**, -e itiraz etm. **~ionable**, mahzurlu; sakıncalı; nahoş; tahammül edilmez, dayanılmaz.
object·ive [əb'cektiv] *s.* Afakî, nesnel, objektif; maksada ait; tümlece ait. *i.* Hedef, maksat; dürbünün büyük merceği; (*sin.*) mercek, objektif: **~ly**, afakî/nesnel olarak. **~ivism**, afakilik taraftarı. **~ivity** [-'tiviti], afakilik, nesnellik. **~less** ['obciktlis], nesnesiz; maksat/hedef/amaçsız. **~or** [-'cektə(r)], itirazcı, protesto eden.
objurgat·e ['obcəgeyt]. Azarlamak, paylamak. **~ion** [-'geyşn], azarlama, tekdir. **~ory** [-'geytəri], azarlıyan.
oblate[1] ['obleyt]. Kutupları yassılanmış (sferoid vb.)
oblat·e[2]. Manastır hayatına vakfolunmuş (kimse). **~ion** [-'leyşn], Allah/mabuda sunulan şey.
obligat·e ['obligeyt]. Mecbur etm., zorlamak. **~ion** [-'geyşn], mecburiyet, zorunluk; ödev, mükellefiyet, yükümlülük; vecibe, farz; taahhüt, borç, yüküm, minnet: **meet one's ~s**, taahhütlerini yerine getirmek; borçlarını ödemek: **put oneself under an ~ to s.o.**, birine karşı minnet altında kalmak: **I am under no ~ to . . .,** . . . boynumun

borcu değildir; ... zorunda değilim. ~**ory** [o'bligətəri], mecburî; zarurî, zorunlu.
oblig·e [ə'blayc]. Mecbur etm.; mükellef etm.; yükümlü kılmak; minnet altında bırakmak; lütuf göstermek. **be ~d**, mecbur olm.; mükellef olm.; minnettar olm.: **~ a friend**, hatır için yardım etm.: **can you ~ me with a light?**, ateşinizi lütfedermisiniz?: **~ me by shutting/I should be much ~d if you would shut the door**, kapıyı kapatmak lütfunda bulunur musunuz?: **I should be much ~d if you would write to him**, ona lütfen yazarsanız çok minnettar olurum: **you will ~ me by not doing this again**, bunu bir daha yapmazsanız çok memnun olurum. ~**ee** [obli'cī], alacaklı. ~**ing** [ə'blay-] *s.* lütufkâr; mültefit; yardım etmeğe hazır. ~**or** ['obligō(r)], borçlu.
obliqu·e [ə'blīk]. Eğri, eğik, yansı, mail, verev; savma, dolambaçlı. **~ case**, (*dil.*) isimlerin çekim hali: **~ oration/narrative**, naklî ifade. ~**ely**, eğri/mail/dolambaçlı olarak. ~**eness**/~**ity** [-nis, -'blıkwiti], meyil, eğrilik; seciyesizlik.
obliterat·e [ə'blitereyt]. Silmek; aşındırmak; yok etm. ~**ion** [-'reyşn], sil(in)me; aşın(dır)ma.
obliv·ion [ə'bliviən]. Unut(ul)ma: **pass into ~**, unutulup gitmek; adı batmak. ~**ious**, unutkan; (*bazan, fakat yanlış olarak*) haberdar olmıyarak: **~ of the fact that...**, ... büsbütün unutarak: ~**ly**, unutarak.
oblong ['oblon(g)] *s.* Boyu eninden fazla. *i.* Dik dörtgen, mustatil.
obloquy ['obləkwi]. Levm; ayıplanma. **be held up to ~**, açıkça tenkit ve takbihe uğramak.
obnoxious [əb'nokşəs]. Menfur, iğrenç; sevimsiz; nahoş. ~**ly**, nahoşça; iğrenç olarak. ~**ness**, iğrençlik, nahoşluk.
oboe ['oubou]. Obua.
obovate [ou'bouveyt] (*biy.*) Dar kısmı aşağı söbe.
obs. = OBSERVATION; OBSOLETE.
obscen·e [əb'sīn]. Açık saçık; müstehcen: ~**ly**, açık saçık olarak. ~**ity** [-'seniti], müstehcenlik, açık saçık olma; *ç.* küfürler.
obscur·antism [obskyu'rantizm]. Cehalet taraftarlığı. ~**antist**, cehalet taraftarı; medeniyet/ilerleme aleyhtarı. ~**e** [əb'skyuə(r)] *f.* karartmak; gizlemek; örtmek; örtbas etm.: *s.* karanlık; gün görmez; muğlak; açık değil; meçhul; mütevazı: **~ author**, bilinmiyen yazar: **~ style**, muğlak üslup. ~**ely**, karanlık/meçhul/muğlak olarak. ~**eness**/~**ity**, karanlık; kapalılık; vuzuhsuzluk; meçhullük.
obsequies ['obsikwiz]. Cenaze töreni.
obsequious [əb'sīkwiəs]. Alçak derecede mütevazı; zelil; mütebasbıs.
observ·able [ob'zə̄vəbl]. Fark/tarassut edilebilir; önemli; dikkate değer. ~**ance** [-vəns], din/yasaya uyma; imtisal; riayet, uyum: **religious ~s**, dinî ahkâm ve âyinler. ~**ant**, dikkatli, her şeyi düşünen; din/kanuna uyan: ~**ly**, dikkatli olarak.
observat·ion [obzə'veyşn]. Tarassut; gözetleme; rasat; tetkik; inceleme; gözlem, müşahede; mütalaa; ihtar; söz: **(to) escape ~**, görülmemek (için): **keep under ~**, gözlem altında bulundurmak. ~**ory** [-'zə̄vətəri], rasathane, gözlemevi.
observe [əb'zə̄v]. Riayet göstermek; uymak; gözetlemek, tarassut etm.; dikkat et., dikkatle bakmak; mütalaada bulunmak, söylemek; ihtarda bulunmak; farkında olm. **~ silence**, ağzını açmamak: **he never ~s anything**, hiç bir şeyin farkına varmaz. ~**r**, rasıt, gözlemci.
obsess [əb'ses]. Zihnine takılmış olm.; başka bir şey düşündürmemek. **be ~ed by an idea**, bir fikir aklından çıkmamak. ~**ion** [-'seşn], musallat olan fikir; zihninden çıkmıyan fikir; saplantı; daimî endişe; derdi günü.
obsidian [əb'sidiən] (*yer.*) Doğal cam.
obsole·scence [obsə'lesəns]. Modası geçmekte olma, eskime: **built-in/planned ~**: (otomobil vb.) yalnız birkaç yıl dayanmak için üretim. ~**scent**, terk edilmeğe yüz tutmuş olan, modası geçer. ~**te** [-'līt], kullanılmaz olmuş, terkedilmiş; meriyetsiz, modası geçmiş: ~**ly**, terkedilmiş bir surette: ~**ness**, meriyetsizlik, modası geçmişlik.
obst. = OBSTETRICS.
obstacle ['obstəkl]. Engel; mâni; mânia.
obstetric [ob'stetrik]. Ebeliğe ait. ~**ian** [-'trişn], doğum uzmanı. ~**s**, ebelik, doğurtma sanatı.
obstina·cy ['obstinəsi]. İnatçılık; dikkafalılık. ~**te** [-nit], inatçı; dikkafalı; (hastalık) tedavisi zor, müzmin: ~**ly**, inatçı olarak.
obstreperous [əb'strepərəs]. Haşarı, azgın; şamatacı ve serkeş. ~**ly**, haşarı/azgın olarak. ~**ness**, haşarılık vb.
obstruct [əb'strʌkt]. Tıkamak; engel olm., hail olm.; menetmeğe çalışmak. **~ the traffic**, gidiş-gelişi güçleştirmek; yolu tıkamak: **~ the view**, manzarayı kapamak. ~**ion**, engel, mâni, set; tıkama; vücutte mecra tıkanması; (Parlamentoda) müzakerelerin ilerlemesine mâni olma. ~**ive**, hail.
obtain [əb'teyn]. Elde etmek/edinmek, ele geçirmek; istihsal etm., üretmek; âdet olm., geçerli olm., cari olm.; hüküm sürmek; mazhar olm. **his ability ~ed him a good post**, kabiliyeti ona iyi bir mevki kazandırdı. ~**able**, elde edilebilir; bulunur.
obtru·de [əb'trūd]. İleri sokmak; sokulmak: **~ oneself upon s.o.**, birine münasebetsizce sokulmak. ~**sion** [-jən], sok(ul)ma. ~**sive** [-siv], münasebetsizce sıkıntı veren; yılışık; göze batar/çarpacak.
obturat·e ['obtyureyt]. Tıkamak. ~**ion** [-'reyşn], tıka(n)ma. ~**or**, tıkama, tıkayıcı.
obtuse [əb'tyūs]. Sivri olmıyan; küt; kalınkafalı. **~ angle**, geniş açı. ~**ly**, küt olarak. ~**ness**, kalınkafalılık.
obverse ['obvə̄s] *i.* (Para/madalyon) yüz tarafı. *s.* Yüz tarafına çevrilmiş.
obver·sion [əb'və̄şn]. Başka anlam çıkar(ıl)ması. ~**t**, bir önermeden başka anlam çıkarmak.
obviate ['obvieyt]. Önüne geçmek; çaresini bulmak; atlatmak.
obvious ['obviəs]. Aşikâr; bedihî; meydanda; apaçık. ~**ly**, aşikâr olarak. ~**ness**, apaçıklık, vb.
oc- [ok-] *ön.* OB- + C.
OC = OBSERVER CORPS; OFFICER CADET/COMMANDING; ORAL CONTRACEPTIVE; ORDNANCE CORPS.
ocarina [okə'rīnə] (*müz.*) Okarina.
occasion[1] [o'keyjn] *i.* Fırsat; vesile; hal, durum, vaziyet; vaka; lüzum. **as ~ requires**, duruma göre; gereğinde: **should the ~ arise**, icabında, gereğinde: **to celebrate the ~**, olayı kutlamak için: **on one ~**, bir defa: **go about one's lawful ~s**, kimseye bir zararı dokunmadan işiyle gücüyle meşgul olm.: **on several ~s**, birçok defa: **on such an ~**, böyle bir hal/

durumda: **rise to the ~**, lâyıkı ile başarmak; uhdesinden gelmek: **on the ~ of his marriage**, evlendiği zaman; düğünü münasebetiyle.
occasion[2] *f.* Sebep olm., mucip olmak.
occasional [ə'keyjnl]. Tek tük; ara sıra olan; rasgele, tesadüfî. **~ music**, özel bir olay için müzik: **~ table**, küçük salon masası. **~ity**, ara sıra olma. **~ly**, ara sıra olarak.
occident ['oksidənt]. Garp, batı. **~al** [-'dentl], garbî, batı(sal): **~ism**, Batı/Avrupa medeniyeti vb.: **~ist**, Batı/Avrupa kültürünü tercih eden: **~ize** [-layz], batılaştırmak.
occip·ital [ok'sipitəl]. Artkafaya ait. **~ut** ['oksipʌt], artkafa.
occlu·de [o'klūd]. Tıkamak, kapatmak; (*kim.*) massetmek. **~sion** [-jən], kapatılma; massed(il)me. **~sive**, kapatıcı; (*dil.*) patlayıcı.
occult[1] [o'kʌlt] *s.* Gizli; gaibe ait. **the ~ (sciences)**, sihirbazlık, gaipten haber verme gibi gizli bilimler.
occult[2] *f.* (*ast.*) Bir yıldız başka yıldızın önüne geçerek onu kapatmak. **~ation** [-'teyşn], gölgelenme, gölgeye girme.
occupan·cy ['okyupənsi]. İşgal. **~t**, işgal eden; bir evin sahip/kiracısı: **the ~s of the car**, otomobildeki kimseler.
occupation [okyu'peyşn]. İş, meslek; iş güç, meşgale; işgal. **army of ~**, işgal ordusu: **be in ~ of a house**, bir evde oturmak. **~al**, iş/mesleğe ait: **~ disease/therapy**, işten gelen hastalık/tedavi: **~ hazard**, işin sebep olduğu tehlike. **~-road**, özel yol.
occup·ier ['okyupayə(r)] = ~ANT. **~y**, işgal etm., -de oturmak; (bir şehri) zaptetmek; iş vermek: **be occupied in . . .**, . . . ile meşgul olm.: **~ one's time in doing stg.**, bir şeyi yapmakla vakit geçirmek, vaktini bir şeye hasretmek.
occur [ə'kə̄(r)]. Vukubulmak; zuhur etm.; ara sıra meydana çıkmak; bulunmak; hatırına gelmek. **this must not ~ again**, bu bir daha tekerrür etmemeli. **~rence** [ə'kʌrəns], vaka, hadise; vukubulma: **everyday ~**, günlük hadise: **be of frequent ~**, sık sık vuku bulmak.
ocean ['ouşn]. Okyanus, uludeniz. **~-going (ship)**, okyanusta sefer eden (gemi). **~aut** [-'nōt] = AQUANAUT. **~ia** [-şi'eyniə], Okyanusya. **~ic** [-'anik], okyanusa ait: **~s**, okyanus keşif ve araştırması. **~ograph·er** [-'no-], uludeniz bilgini: **~y**, uludenizbilimi, oseanografi.
ocellus [o'seləs] (*biy.*) Basit göz, gözcük.
ocelot ['ousilot]. G.Am.'nın bir nevi kaplanı.
-ocene [-əsīn] *son.* (*yer.*) -osen [PLEISTOCENE].
ochlocra·cy [ok'lokrəsi]. Ayaktakımı hâkimiyeti. **~t** ['okləkrat], ayaktakımı lideri.
ochre ['oukə(r)]. Toprak boya. **red ~**, aşı boyası: **yellow ~**, sarı aşıboyası.
-ock [-ək] *son.* -cik; küçük [HILLOCK].
o'clock [ə'klok]. **what ~ is it?**, saat kaç?: **two ~**, saat iki.
OCR = OPTICAL CHARACTER RECOGNITION.
-ocra·cy [-'okrəsi] *son.* -okrası, -erki, -hâkimiyeti [PLUTOCRACY]. **-~t** [-əkrat] *son.* -okrat, . . . olan, -ci [BUREAUCRAT].
oct. = OCTANE; OCTAVO.
Oct. = OCTOBER.
octa- ['okt(ə)-] *ön.* Sekiz. **~d** [-tad], sekiz değerli atom/kök; sekizlik grup. **~gon** [-gən], sekiz açı/köşeli, oktagon: **~al** [-'tagənl], sekiz açı/köşeli. **~hedr·al** [-'hīdrəl], sekiz yüzeyli: **~on**, sekiz yüzeyli cisim. **~meter** [-'tamitə(r)], vezni sekiz tefileden ibaret olan mısra. **~ne** [-teyn], oktan. **~nt** [-tənt], dairenin sekizde biri, oktant. **~ve** [-teyv], oktav; sekizli. **~vo** [-'teyvou] (*bas.*) (**8vo** *yazılır*) sekizlik kitap.
oct·ennial [ok'teniəl]. Sekiz yıl süren; sekiz yılda bir. **~et**, (*müz.*) sekiz kişilik koro/orkestra; onlar için yazılan parça. **~illion** [-'tilyən], oktilyon (†10^{48}; *10^{27}).
octo- [oktou-] *ön.* Sekiz. **~ber** [-'toubə(r)], birinciteşrin, ekim ayı. **~genarian** [-cə'neəriən], seksen yaşında olan (kimse). **~pod** ['oktəpod], sekiz ayaklı. **~pus** [-pʌs], ahtapot. **~roon** [-'rūn], kanının sekizde biri zenci olan kimse. **~syllabic** [-si'labik], sekiz heceli.
octroi ['oktrwā]. Şehre giriş vergisi, oktruva.
OCTU/Octu ['oktyū] = OFFICER CADET TRAINING UNIT.
octuple ['oktyupl]. Sekiz katlı.
ocul·ar ['okyulə(r)] *s.* Göze ait; gözle görülen. *i.* Oküler, gözleme merceği. **~ist**, göz hekimi, gözcü. **~o-**, *ön.* göz+.
o.d. = OUTER DIAMETER/DIMENSION; OVERDRAFT.
OD = ORDNANCE DATUM.
odalisque ['oudəlisk] (*Tk.*) Odalık.
odd [od]. Tek (*çift değil*); eşsiz; tek tük, seyrek; tuhaf, acayip. **~s** = ODDS. **in ~ corners**, kıyıda bucukta, umulmadık yerlerde: **the ~ game**, berabere kalındığı zaman sonuç almak için oynanan oyun: **employed on ~ jobs**, öteberi işlerde çalışan: **forty ~**, kırk küsür: **make up the ~ amount/money**, bir meblağın üstünü tamamlamak: **at ~ moments/times**, boş vakitlerde: **strike one as ~**, garibine gitmek: **well that's ~!**, tuhaf şey! **~ish**, acayip. **~ity**, acayip adam/şey; antika insan. **~-job-man**, geçici işçi. **~-looking**, tuhaf. **~ly**, acayip/tuhaf olarak: **~ enough**, tuhaf şey budur . . .. **~ment(s)**, kırıntı, döküntü; ufak tefek şeyler. **~s** [odz], fark; üstünlük; eşitsizlik: **long/short ~**, bahis oranında büyük/küçük fark: **the ~ are against him**, ihtimaller aleyhinedir: **fight against great ~**, büyük üstünlük/müşküllere karşı çarpışmak: **be at ~ with s.o.**, araları açık olm.: **the ~ are that**, muhtemeldir ki: **~ and ends**, ufak tefek şeyler; kırıntı döküntü: **~ and ends of tools**, kırık dökük aletler: **give s.o. ~**, bir oyunda iki rakipten zayıf olana sayı vermek: **it makes no ~**, zarar yok; hepsi bir: **~ on/against a horse**, (at yarışında) bir atın lehine/aleyhine olan ihtimaller: **what's the ~!**, ne zarar var? ne çıkar?
ode [oud]. Bir nevi lirik şiir.
ode·on/~um [ou'diən, -əm]. Konser salonu, küçük tiyatro.
Odin ['oudin] (*mit.*) İskandinav başilâhı.
odious ['oudiəs]. Nefret verici, menfur, iğrenç. **~ly**, iğrenç bir surette. **~ness**, iğrençlik.
odium ['oudiəm]. Nefret; muhitçe sevilmeme. **bring ~ upon s.o.**, birini muhitinin nefretine uğratmak: **incur ~**, herkesin nefretine uğramak.
odometer [ou'domitə(r)]. Tekerlek ölçeri, odometre.
odont- [odont-] *ön.* Diş+; diş gibi/şeklinde. **~algia** [-'talciə], diş ağrısı. **~ic** [-'dontik], dişe ait. **~oid**, diş şeklinde. **~ologist** [-'toləcist], diş bilgini, odontolog. **~ology**, diş bilimi.

odor·ant/**~iferous** ['o̱udərənt, -'rifərəs]. Koku neşreden. **~ize** [-rayz], koku yaymak/geçirmek. **~ous** [-rəs], (güzel) kokulu.
odour ['o͡udə(r)]. Koku. **body ~**, vücut kokusu: **be in good ~**, gözde olm.: **be in bad ~**, gözden düşmek: **die in the ~ of sanctity**, çok iyi bir Hıristiyan diye nam bırakarak ölmek. **~less**, kokusuz.
Odyssey ['odisi]. Odise; heyecanlı sergüzeşt; destan.
oe- [i-, ī-], *ön.* = E-.
OE = OLD ENGLISH/ETONIAN. **~CD** = ORGANIZATION FOR ECONOMIC COOPERATION AND DEVELOPMENT. **~D** = OXFORD ENGLISH DICTIONARY. **~EC** = ORGANIZATION FOR EUROPEAN ECONOMIC COOPERATION.
oedema [i'dīmə] (*tıp.*) Ödem.
oeno·logy [ī'noləci]. Şarap bilgisi. **~phile** [-fayl], şarap seven; şarap bilgini.
o'er [ō(r)] = OVER.
oerlikon ['əlikən] (*M.*) Otomatik uçaksavar topu.
oersted ['əsted]. Mıknatıslık ölçeği, oersted.
oesophagus [ī'sofəgəs]. Yemek borusu; boğaz, meri.
oestr·ogen ['īstrəcen] (*tıp.*) Östrojen. **~us** [-trʌs], dişi kösnüsü.
OET = OCCUPIED ENEMY TERRITORY.
of [ov, əv]. -in; -den. **~ this**, bunun, bundan. **~ itself**, kendi kendine: **a child ~ five**, beş yaşında bir çocuk: **the city ~ Paris**, Paris şehri: **a fool ~ a man**, aptalın biri: **the love ~ God**, Allahın kullarına olan sevgisi; kulun Allah sevgisi: **a paradise ~ a place**, cennet gibi bir yer.
OF/**o.f.** = OIL-FILLED.
off [ōf, of]. Uzakta; uzağa; dışarıya; -den (uzak); sol taraf(taki); (*elek.*) açık (devre). [*Bir fiilin yanında olduğu zaman anlamı o fiil ile verilmiştir; genellikle bir yerden bir yere hareket/bir hareketin durması anlamını ifade eder.*] **be ~!**, çek arabanı!: **from the ~**, başlangıçtan: **be badly/well ~**, hali vakti yerinde ol(ma)mak: **be badly ~ for sugar, etc.**, şeker vb.ni az kalmak: **how are we ~ for coal?**, kömürümüz ne kadar kaldı?: **breakfast ~ bread and cheese**, kahvaltıyı peynir ekmekle yapmak: **you are better ~ where you are**, şimdiki durumunuz daha iyi: **be ~ colour**, hasta olm.: **come ~ the grass!**, çimenden çık/çekil: **the concert is ~**, konser verilmiyecek: **the deal is ~**, pazarlık/iş bozuldu: **~ day**, izinli gün; çalışılmıyan gün; insanın her zamanki gibi başarılı olmadığı gün: **~ duty**, görevi bitmiş, serbest; görev dışında: **eat ~ silver plate**, gümüş tabaktan yemek: **be ~ one's food**, canı yemek istememek: **hats ~!**, şapkaları çıkarın!: **I'm ~**, ben gidiyorum: **the meat is a bit ~**, et biraz ağırlaşmış: **~ and on**, ara sıra, kâh kâh: **noises ~**, (*tiy.*) dıştan ses: **allow five per cent. ~ for ready money**, peşin para için yüzde beş indirim yapmak: **the house is ~ the main road**, ev caddeden sapa düşer: **in the ~ season hotels are cheaper**, mevsimi olmadığı zaman oteller daha ucuzdur: **I have very little ~ time**, çok az serbest vaktim var: **~ the peg**, hazır (elbise).
Off. = OFFICE(R); OFFICIAL.
offal ['ofl]. Mutfak ve mezbaha süprüntüsü; cife; pislik. **~s**, kasaplık hayvanların baş, işkembe, ciğer vb. gibi kısımları, sakatat.
off·-beat ['ofbīt]. Mutat hilâfına, teklifsiz, anormal. **~-day**, izin; tam sağlam olmadığı bir gün.
offence [ə'fens]. Cünha, kabahat; suç, aykırılık; ihlâl; alınma, gücendirme; hücum, saldırı, taarruz. **give ~**, hatırını kırmak, gücendirmek: **no ~ meant**, kimsenin hatırı kalmasın: **take ~**, alınmak, burulmak, hatırı kalmak, küsmek: **weapons of ~**, saldırı silâhları. **~less**, kabahat/suçsuz; masum, saf.
offend [ə'fend]. Gücendirmek, hatırını kırmak; kabahat işlemek, kusur etm. **be ~ed**, alınmak, küsmek; hatırı kalmak/kırılmak: **~ against (the law, etc.)**, ihlâl etm., -e riayetsizlik etm. **~er**, kabahat işliyen: **first ~**, ilk defa olarak suçlu: **old/hardened ~**, sabıkalı suçlu. **~ing**, gücendiren; tiksindirici; suçlu.
***offense** [ə'fens] = OFFENCE.
offensive [ə'fensiv] *s.* Taarruza ait, saldırıyla ilgili; hatır kırıcı; tiksindirici; ileri geri. *i.* Taarruz, saldırı: **take the ~**, taarruza geçmek, saldırmak. **~ly**, hatır kırıcı bir surette.
offer ['ofə(r)] *i.* Teklif, öneri; sunma, takdim, arz. *f.* Takdim etm., teklif etm.; sunmak; arzetmek; göstermek; vermek; ileri sürmek; zuhur etm. **a firm ~**, kesin teklif: **~ battle**, muharebeye davet etm.: **he ~ed to strike me**, bana vuracak gibi oldu. **~ing**, feda edilen şey; kurban; zekât. **~tory** [-tri], kilisede zekât toplama/toplanan para.
off-hand ['ofhand]. Hazırlıksız; irticalen, ceffelkalem; hemen, ha deyince. **~**/**~ed** [-'handid], teklifsiz, lâubali; nezaketsiz, soğuk tavırla: **~ly**, teklif/nezaketsizce: **~ness**, teklifsizlik.
office ['ofis]. Yazıhane, idarehane, büro, işyeri; bölüm, daire, örgüt; nezaret, bakanlık; memuriyet, vazife; (*din.*) âyin. **~s**, ticarî daire; delâlet: **branch ~**, şube: **†Foreign/Home/War ~**, Dışişleri/İçişleri/Harbiye Bakanlığı: **head ~**, genel merkez: **registered ~**, şirket merkezi: **be in/out of ~**, (parti) iktidarda bulun(ma)mak: **take ~**, (parti) iktidara geçmek; (bakan) makama geçmek: **through the good ~s of...**, -in delâletiyle/sayesinde. **~-bearer/-holder**, memur. **~-block**, büyük daireler binası. **~-boy**, bir ticarî dairede ayak işlerini gören çocuk; odacı. **~-hours**, iş saatleri. **~-worker**, yazıhane memuru.
officer ['ofisə(r)] *i.* Zabit, subay; memur. *f.* Subaylar tedarik etm.; subay olm. **~ of the court**, icra memuru: **~ of the day**, nöbet subayı: **~ of state**, (*tar.*) yüksek aşamalı memur: **~ in waiting**, (bazı alaylarda) nöbet subayı: **field ~**, (*ask.*) yüksek aşamalı subay: **flag ~**, amiral: **medical ~**, sağlık memuru: **non-commissioned/petty/warrant ~**, gedikli erbaş: **police ~**, polis: **staff ~**, kurmay subayı.
official [ə'fişəl] *i.* Memur, (resmî) görevli, aylıklı, maaşlı. *s.* Resmî, kamu+, devlet+. **~dom/ism**, bürokrasi, kırtasiyecilik. **~ese**, (*köt.*) resmî dil/deyimler. **~ly**, resmî olarak.
offici·ant [ə'fişənt] (*din.*) İcra eden papaz. **~ary**, memuriyete ait. **~ate** [-şieyt], resmî görev yapmak; (*din.*) âyin icra etm.: **~ as host, etc.**, ev sahibi vb. görevini görmek. **~nal** [-'fisinəl], ilâçta kullanılan (madde); eczanede satılan ilâç. **~ous** [-'fişəs], işgüzar; çalmadan oynar; yılışık: **~ly**, işgüzar olarak.
offing ['ofin(g)]. **the ~**, karadan uzak fakat gör-

ülebilen açık deniz; alarga, engin: **in the ~**, açıkta; yakın istikbalde: **a job in the ~**, muhtemel/tasavvurda olan iş/vazife.
off·ish ['ofiş] (*kon.*) Sokulmaz, soğuk; çekingen. **~-licence**, evde içilecek içkiler için satış ruhsatı. **~-peak**, en yüksek/sıkışık durum dışı. * **~-post**, garnizon dışında. **~print**, ayrı baskı; ayrıbasım. **~-putting**, (*kon.*) vazgeçiren. **~-season**, mevsim dışı.
offset ['ofset]. (*Bazan* OUTSET *yerinde kullanılır.*) *i.* Filiz, piç dal, daldırma; bedel, karşılık, denge; (*bas.*) ofset. *f.* Dengelemek, denkleştirmek: **serve as an ~ to stg.**, bir şeyin güzelliğini belirtmek.
off·shoot ['ofşūt] (*bot.*) Filiz, sürgün, piç; şube; torun, bir ailenin dalı. **~-shore** [-şō(r)], karadan gelen, biraz uzakta, alarga: **~ company**, memleketin dışında kurulan şirket: **~ rig**, denizde bulunan petrol kuyusu: **~ wind**, meltem. **~side** [-sayd] (*sp.*) ofsayt. **~spring**, zürriyet, oğul, döl; yavru, çoluk çocuk. **~-white**, tam beyaz olmıyan.
Oflag ['oflag] (*Alm., ask.*) Esir subaylarının kampı.
OFS = ORANGE FREE STATE.
OFT = OFFICE OF FAIR TRADING.
oft, often [oft, ofn]. Çok defa; sık sık; ekseriya. **as ~ as**, her vakit ki: **as ~ as not/more ~ than not**, ekseriya, çok defa: **how ~**, kaç defa: **it cannot be too ~ repeated**, ne kadar tekrar edilse yeridir.
OG = OLYMPIC GAMES.
ogee [ou'cī]. 'S'-şeklinde (korniş); sivri (kemer).
og(h)am ['ogəm]. Yirmi harfli Keltçe/İrlandaca alfabesi.
ogiv·al [ə'cayvl]. Sivri kemere ait; 'S'-şeklinde. **~e** ['oucayv], sivri kemer.
ogle ['ougl]. Cilve/sevdalı bakış(larla süzmek). **~r**, böyle bakan kimse.
ogr·e ['ougə(r)]. İnsan eti yiyen dev; gulyabani; umacı; canavar. **~ess** [-gris], dişi dev/canavar. **~ish**, dev/canavar gibi.
oh [ou] *ünl. Birkaç hisleri ifade eden ünlem; hitap ünlemi.*
o.h.c. = OVERHEAD CAMSHAFT.
Ohio [o'hayou]. ABD'nden biri.
ohm [oum]. Om. **~ic**, om+. **~meter**, om ölçeği.
OHMS = ON HER/HIS MAJESTY'S SERVICE.
oho [ou'hou] *ünl. Hayret ifade eden nida.*
o.h.v. = OVERHEAD VALVE.
OIC = OFFICER-IN-COMMAND.
-oid [-oyd] *son.* -şeklinde; -oyd; ... gibi; -msi [SPHEROID].
oil [oyl] *i.* Yağ; petrol; gaz; *PETROLEUM; (*Avus. arg.*) haberler. *f.* Yağlamak. **castor ~**, Hint yağı: **cod-liver ~**, balık/morina yağı: **corn ~**, mısır yağı: **cottonseed ~**, pamuk yağı: **crude ~**, ham yağ/petrol: **fuel ~**, yakacak yağı, mazot: **light ~**, ince yağ: **lubricating ~**, yağlama/makine yağı: **mineral ~**, maden/taş yağı: **burn the midnight ~**, gece yarısına kadar çalışmak, göz nuru dökmek: **pour ~ on the flames**, körüklemek, yangına körükle gitmek: **pour ~ on troubled waters**, fırtınayı yatıştırmak: **paint in ~s**, yağlı boya ile resim yapmak: **strike ~**, petrol keşfetmek; vurgun vurmak: turnayı gözünden vurmak: **~ s.o.'s palm**, rüşvet yedirmek: **~ the wheels**, tekerlekleri yağlamak; (*mec.*) işi kolaylaştırmak. **~-base(d)**, yağ esaslı, yağdan. **~-bearing**, yağ veren (bitki); petrollü. **~-cake**, küspe, köftün. **~-can**, yağdanlık. **~cloth**, amerikan bezi; muşamba. **~-colour(s)**, yağlı boya (resim). **~ed**, yağlı, yağlanmış. **~er**, yağ gemisi, sarnıçlı gemi; yağ(layı)cı; yağlama düzeni. **~field**, petrol alanı. **~-filled**, yağlı. **~-fired**, yağ yakıtlı. **~-fuel**, yakma yağı. **~-heater**, yağ yakar soba. **~iness**, kaypaklık, yağlılık. **~ing**, yağlama. **~man**, yağ/yağlı boya satıcısı. **~paint(ing)**, yağlı boya (resim). **~-proof**, yağa dayanır, yağ geçirmez. **~skin**, ince muşamba; gamsele: **~s**, gamseleden ceket ve pantolon. **~-slick**, tesadüfen akıtılmış ve deniz yüzünde yüzen petrol. **~stone**, bileği taşı. **~stove**, gaz (yağı) sobası. **~-tanker**, yağ gemisi, tanker. **~-well**, petrol kuyusu. **~y**, yağlı; yağlanmış; kaypak; (*mec.*) mütebasbıs.
ointment ['oyntmənt]. Merhem. **a fly in the ~**, iyi bir şeyin mahzurlu tarafı, (sinek küçüktür ama mide bulandırır).
OK [ou'key] (*kon.*) = ALL CORRECT; peki; doğru. *f.* Peki demek; tasdik etm.
okapi [ou'kāpi]. Okapi.
okay [ou'key] = OK.
Okla(homa) [ouklə'houmə]. ABD'nden biri.
okra ['okrə]. Bamya.
-ol [-ol] *son.* (*kim.*) = ALCOHOL.
old [ould]. İhtiyar, yaşlı; eski, kadim; külüstür; modası geçmiş. **any ~ thing**, (*kon.*) ne olursa olsun, rasgele: **an ~ friend**, yaşlı bir dost; eski dost: **from of ~**, eskiden beri: **grow ~**, yaşlanmak: **an ~ hand**, eski kurt; tecrübeli kimse: **as ~ as the hills**, çok eski; Nuh nebiden kalma: **how ~ are you?**, kaç yaşındasın?: **five years ~**, beş yaşında: **~ maid**, yaşlı kız: **~ man/chap!**, ahbap! **the ~ man**, babam; iş sahibi, patron; (gemide) kaptan: **the same ~ thing/story**, eski hamam eski tas: **that's an ~ trick**, bu oyun/hileyi herkes bilir: **~ woman**, koca karı; (erkek hakkında) lapacı; korkak; mahallebeci; titiz: **my ~ woman**, bizimki (karım): **the ~ year**, hemen bitmiş/bitmekte olan yıl. **~-age**, yaşlılık: **~ pension**, yaşlılık aylığı: **~ pensioner**, yaşlı emekli. **~-boy**, okul mezunu: **~ network**, okul mezunlarının birbirine yardım etmek için münasebetleri. **~-clothes man**, eskici. **~en, in ~ times**, eski zamanlarda. **~-fashioned**, modası geçmiş; terkedilmiş; eski kafalı. **~-Glory**, (*kon.*) ABD'nin bayrağı. **~-Guard**, muhafazakârlar grubu. **~-hat**, (*arg.*) modası geçmiş; eski kafalı. **~ish**, oldukça yaşlı. **~-maidish** [-meydiş], yaşlı kız gibi; fazla titiz. **~-man**, (*kon.*) patron, müdür; kaptan; koca. **~ster**, genç olmıyan/yaşlı biri. **~-time**, eski zamanlara ait. **~-womanish**, (erkek) yaşlı kadın gibi; fazla meraklı. **~-World**, *i.* Doğu Yarımküresi, Avrupa ile Asya: *s.* bu yarımküreye ait; eski zamanlara ait.
olea·ceous [ouli'eyşʌs] (*bot.*) Zeytinsi. **~ginous** [-'acinəs], yağlı, yağ veren. **~nder** [-'andə(r)], zakkum ağacı. **~ster** [-'astə(r)], yabanî zeytin.
oleo- ['oulio-] *ön.* Yağ(lı). **~graph**, yağlı boya taklidi resim. **~-leg**, amortisörlü/teleskopik uçak dikmesi. **~margarine**, sunî tereyağı, margarin. **~meter** [-'omitə(r)], yağ koyuluk ölçeri. **~-oil**, hayvan yağı.
O-level ['oulevl] = ORDINARY LEVEL.
olfact·ion [ol'fakşn]. Koklama. **~ory** [-təri], koku hissine ait, şemmî.
olid ['olid] (*mer.*) Pis kokulu.

oligarch ['oligāk]. Bir oligarşinin üyesi. **~ic(al)** [-'gākik(l)], oligarşiye ait. **~y** [-gāki], küçük bir zümre/sınıfın hâkim olduğu idare/hükümet, oligarşi.
olig(o)- [olig(o)-] *ön.* Az.
olio ['ouliou] (*ev.*) Türlü yemeği; (*mec.*) türlü türlü eşyanın toplanması.
oliv·aceous [oli'veyşəs]. Zeytunî, sarımsı yeşil. **~ary** ['olivəri], zeytin şekli. **~e** ['oliv] *i.* zeytin (ağacı): *s.* zeytunî, zeytinsi: **~-branch**, barış işareti olan zeytin dalı: **hold out the ~-branch**, barış için ilk teşebbüsü yapmak: **~-green**, zeytunî renk: **~-oil**, zeytinyağı: **~-tree**, zeytin ağacı. **~ine** [-vīn] (*yer.*) olivin.
-olog·ist, ~y [-'oləci(st)] = -LOGIST; -LOGY.
Olymp·iad [ou'limpiad]. Olimpiyat. **~ian** [-piən], ilâhların mekânı olan Olimpos dağına ait; lâhutî; pek muhteşem ve azametli; insanüstü soğukkanlılık ve istiğna sahibi. **~ic (games)**, Olimpiyatlar. **~us** [-pəs], **Mount ~**, (Türkiye'de) Keşişdağı, Uludağ; (Yunanistan'da) Olimpos dağı.
-olysis [-olisis] *son.* = -LYSIS.
OM = (MEMBER OF THE) ORDER OF MERIT; ORDNANCE MAP.
-oma [-oumə] *son.* Şiş, yumru, ur [GLAUCOMA].
Oman [ou'mān]. Umman.
ombre ['ombə(r)]. Bir iskambil oyunu.
ombro- ['ombro-] *ön.* Bulut + ; yağmur +. **~graph**, otomatik yağmur ölçeği. **~logy** [-'broləci], yağmur bilimi. **~meter** [-'bromitə(r)], yağmur ölçeri.
ombudsman ['ombədzmən] (*id.*) Özel kişilerin haklarını koruyan memur.
omega ['oumigə]. Yunancanın sonuncu harfi (Ω, ω); (*mec.*) sonu(ncusu).
omelet(te) ['omlit]. Omlet, kaygana. **savoury/sweet ~**, sebze/reçelli omlet.
omen ['oumen]. Fal. **~ ill/well**, gelecek için kötü/iyi belirti olm.: **of bad/good ~**, uğursuz/uğurlu: **regard as a bad/good ~—draw a bad/good ~ from ...**, -i kötü/iyiye yormak.
omicron [o'maykron]. Yunancanın onbeşinci harfi (O, o).
ominous ['ominəs]. Meşum, uğursuz; netameli; tehditkâr. **~ly**, uğursuzca, vb. **~ness**, uğursuzluk.
omission [o'mişn]. Zühul, ihmal; unutulmuş şey; atlanmış kelime; kusur.
omit [ou'mit, o'mit]. Yanlışlıkla unutmak; ihmal etm.; atlamak.
omni- [omni-] *ön.* Bütün, hep, her şey, her yerde. **~bus** [-bəs] *i.* omnibüs, otobüs: *s.* bir kaç şey/madde ihtiva eden: **~ bar**, (*elek.*) toplama çubuğu: **~ clause**, (*id.*) birkaç meseleyle ilgili madde. **~-directional**, her yön/istikametli. **~poten·ce** [-'nipətəns], tam ve mutlak kudret: **~t**, *s.* istediğini yapabilir: *i.* mutlak bir kudret sahibi; Allah, Kadiri mutlak. **~present**, her yerde hazır. **~scien·ce** [-'nişəns], her şeyi bilme: **~t**, âlimi kül; her şeyi bilir: **~tly**, her şeyi bilir gibi. **~um** ['omniəm], muhtelif şeylerin yekûnu. **~vorous** [-'nivərəs], her şeyi yiyen; omnivor: **~ reader**, ne bulursa okuyan.
omoplate ['oumәpleyt]. Kürek kemiği.
omphalo- ['omfəlo-] *ön.* Göbeğe ait. **~s**, göbek; kalkan göbeği; (*mit.*) orta yer, merkez.
on [on]. Üzerinde; üzerine; üstünde; -de; temas halinde olarak; civarında; kuşatarak; yönünde; ilerisinde; (*elek.*) kapalı (devre). [*Fiil ile olduğu zaman o fiile bak; fiil ile beraber olduğu zaman* ilerleme/devam/bağlantı *anlamlarını ifade eder.*] **~ my entering the room**, ben odaya girince: **~ hearing this**, bunu işitince: **~ Tuesday**, salı günü: **~ June 10th**, on Haziranda: **~ with your coat!**, ceketini giy!: **~ with the work!**, işe devam et!: **the brakes are ~**, frenlidir: **from that day ~**, o günden beri, o gün bugün: **the examination is now ~**, sınav başladı/devam ediyor: **it's ~**, (*elek.*) devresi kapalı; çalışıyor; cereyan açılmış; (*kon.*) hay hay!, olur! olacak!: **he is just ~ twenty**, yirmi yaşında ya var ya yok: **just ~ a year ago**, aşağı yukarı bir yıl önce: **later ~**, daha sonra: **the police are ~ to him**, zabıta onun peşindedir: **what's ~ at the cinema?**, sinemada ne oynuyor?: **what's ~ today?**, bu gün ne var?: **without anything ~**, çırçıplak: **well ~ in years**, yaşı ilerlemiş.
o.n. = OCTANE NUMBER.
onager ['onəgə(r)]. Yaban eşeği.
on-and-off ['onəndof] (*elek.*) Açık ve kapalı.
onanism ['ounənizm]. İstimna, onanizm.
on-board ['onbōd] (*den., hav.*) Gemi/uçakta bulunan (mal, silâh vb.).
ON·C/D = ORDINARY NATIONAL CERTIFICATE/DIPLOMA.
once [wʌns]. Bir defa; yalnız bir defa; eskiden: **at ~**, hemen, derhal; aynı zamanda: **do too much at ~**, (i) birçok şeyi birden yapmak; (ii) bir şeyle aralıksız ilgilenmek: **all at ~**, birdenbire; hepsi birlikte: **~ (and) for all**, ilk ve son defa; (tehditle) son defa olarak: **for ~**, bir defaya mahsus olarak: **for this ~**, bir defalık: **~ more/again**, bir kere daha, tekrar, yine: **~ upon a time**, vaktiyle; bir varmış bir yokmuş: **~ a week**, haftada bir defa: **~ in a while/way**, nadiren. **~-over, give s.o. the ~**, birini teftiş etm. **~r**, (*kon.*) bir şeyi bir defa yapan; (*arg.*) £1 banknotu.
onco- [onkə-] *ön.* Şiş/kabarcık/ura ait.
oncoming ['onkʌmin(g)]. Yaklaşan, gelen.
one [wʌn]. Bir; tek; [*Fr. 'on'/Alm. 'man' gibi fiillerin edilgen halini teşkil etmeğe yarar*; insan; *mes.* **when ~ thinks**, düşünüldüğü zaman, insan düşündüğü zaman]. **~ and all**, istisnasız hepsi, herkes: **~ after the other**, arka arkaya: **any ~ of you**, içinizden herhangi biri: **the next but ~**, daha sonraki: **~ by ~**, birer birer: **it makes ~ angry**, bu insanı kızdırır: **~ John Smith**, J.S. isminde biri: **I like good plays, but loathe bad ~s**, iyi piyesleri severim, fenalarından nefret ederim: **a duck and her young ~s**, ördek ve yavruları: **our dear ~s**, sevdiklerimiz: **he's a knowing ~**, çok bilmişin biridir: **I am not much of a ~ for football**, futbol bana gelmez: **I am not the ~ to ...**, (onu) yapacak adam değilim: **you can have ~ or the other, but not both**, ya birini ya ötekini alabilirsiniz, fakat ikisi birden olmaz: **~'s own house**, insanın kendi evi: **the old ~s**, yaşlılar: **~ and six(pence)**, bir buçuk şilin: **the advice of ~ so wise is invaluable**, böyle akıllı bir adamın tavsiyesi çok değerlidir: **that's ~ (up) to us**, (*arg.*) bununla biz bir sayı kazandık: **that's ~ way of doing it**, bu böyle de yapılabilir: **be at ~ with s.o.**, birisiyle hemfikir olmak. **~-armed**, tek kollu, çolak: **~ bandit**, (*arg.*) = FRUIT MACHINE. **~-eyed**, tek gözlü. **~-horse(d)**, tek atlı; (*mec.*) adi, aşağılık. **~-idea'd** [-ay'diəd], dar/tek fikirli.
oneir·ic [o'nīrik]. Rüyalara ait. **~o-**, *ön.* rüya +: **~mancy**, rüyadan falcılık.

one·-man [wʌn'man]. Kişisel, şahsi: ~ **show**, (*tiy.*) bir kişilik oyun; (*san.*) bir ressamın resim sergisi; (*mec.*) tek kişi nüfuzlu olan teşebbüs/şirket vb. ~**ness**, birlik. ~**-off**, özel, fevkalâde; bir kişi/olay için yapılan (şey). ~**r** ['wʌnə(r)], fevkalâde bir kimse/şey; tokat; (*arg.*) büyük bir yalan.
onerous ['onərəs]. Ağır, külfetli, sıkıntılı. ~**ly**, sıkıntılı olarak. ~**ness**, sıkıntı, ağırlık.
one·self [wʌn'self]. Kendisi. ~**-sided**, tek taraflı; muvazene/denksiz; tarafsız olmıyan, aleyhinde olan; eşit değil; tek yönlü. ~**-step**, tek adım (dansı). ~**-time**, evvelki, sabık, eski; tek bir defa için. ~**-track**, tek pistli; (*mec.*) darkafalı. ~**-up**, (*sp.*) ileride: ~**manship**, daima ileride bulunma hüneri. ~**-way**, tek yönlü: ~ **street**, tek istikametli yol, yalnız gidiş yolu.
onion ['ʌnyən]. Soğan. **know one's** ~**s**, (*arg.*) işini iyi bilmek. ~**skin**, pek ince ve parlak bir kâğıt.
onlooker ['onlukə(r)]. Seyirci. **the** ~ **sees most of the game**, oyunu en iyi gören seyircidir.
only ['o͜unli] *s.* Tek; yegâne. *zf.* Yalnız, sade. *b.* Fakat. ~ **you can do it**, sizden başka bunu kimse yapamaz: **I** ~ **came here today**, buraya daha bu gün geldim: **he is** ~ **rich because he is dishonest**, ancak dürüst olmamak suretiyle zengin oldu: **if** ~ **I could see him!**, ah onu bir görebilsem!: **if** ~ **I could see him, I could persuade him**, onu bir görebilsem ikna ederdim: **my one and** ~ **hope**, tek umudum: **I would go away tomorrow,** ~ **that I have nowhere to go to**, yarın çıkıp giderdim amma (ne yapayım ki) gidecek yerim yok: **it is** ~ **too true**, maalesef hakikat budur: **he'd be** ~ **too glad/pleased**, o dünden hazır, canına minnet. ~**-begotten**, tek doğmuş çocuğu.
onomatopoeic [onomətə'pīik]. Yansıma; taklidî ahenkle yapılmış (kelime), *mes.* **bow-wow** (köpek); **bang!** (top sesi).
on·rush ['onrʌş]. Hücum; hamle; saldırış. ~**set**, hücum, saldırış, hamle: **from the** ~, başlangıcından. ~**-shore** [-sō(r)], karalara (doğru): ~ **wind**, imbat. ~**slaught** [-slōt], hücum, saldırış.
Ont(ario) [on'te͜ərio͜u]. Kanada'nın bir ili.
onto ['ontu] = ON TO; üzerine.
onto·geny [on'tocəni]. Bireyoluş. ~**logy** [-'toləci], varlık bilgisi.
onus ['o͜unəs]. Yük; mesuliyet, sorumluluk. **the** ~ **of proof lies on/with the plaintiff**, ispat davacıya düşer.
onward ['onwəd]. İlerliyen. ~**s**, ileri. **from now** ~, bundan böyle/sonra: **from tomorrow** ~, yarından başlıyarak.
onymous ['oniməs]. İsimli; ismi bilinmiş.
onyx ['oniks]. Damarlı akik.
oo- [o͜uo-] *ön.* Ovo-; oo-; yumurta+. ~**cyte** [-sayt], oosit. ~**sphere**, oosfer.
oodles [ūdlz] (*kon.*) Bolluk; pek çok.
oof [ūf] (*arg.*) Para. ~**y**, zengin.
ooh [o͜u, ū] *ünl. Bir kaç his ifade eden nida.*
oolite ['o͜uəlayt]. Taneli kireçtaşı.
oology [o͜u'oləci]. Kuş yumartaları bilimi.
oompah ['ūmpā] (*yan.*) Ahenkli bando sesi.
oops [ūps] *ünl.* Hapı yuttum!
ooz·e [ūz] *i.* Balçık; sızıntı. *f.* Sızmak; sızdırmak. **my courage is oozing away**, cesaretim kesiliyor: **he** ~**s conceit**, baştan başa kibir; azametinden yanına yarılmıyor. ~**y**, sızıntılı.
op- [op-] *ön.* = OB- + p. [OPPOSITE].
op. [op] (*kon.*) = OPERATION; OPERATOR; OPTICAL; OPUS.
OP = OBSERVATION POST; (*mal.*) OPEN POLICY; (*tiy.*) OPPOSITE PROMPT(ER); OUT-OF-PRINT; OVER PROOF. ~**A** = OVERSEAS PARLIAMENTARY ASSOCIATION.
opacity [o͜u'pasiti]. Kesafet; donukluk; şeffaf olmama; kalınkafalılık.
opal ['o͜upl]. Panzehir taşı, opal. ~**escent/-ine** [-pə'lesənt, -'layn], opal gibi oynak renkler saçan.
opaque [o͜u'peyk]. Şeffaf olmıyan, donuk; saydamsız; ışık geçirmez.
op-art ['opāt]. Op-art.
OPC = OVERSEAS PRESS CLUB.
op. cit. (*Lat.*) = IN THE WORK ALREADY QUOTED; zikredilmiş kitapta.
ope [o͜up] (*şiir.*) Açmak.
OPEC = ORGANIZATION OF PETROLEUM EXPORTING COUNTRIES.
open[1] ['o͜upn] *s.* Açık; kilitlenmemiş; açılmış; meydanda, alenî; duçar. *i.* Açık (ev dışında); açık deniz; saha, alan, meydanlık. ~ **boat**, güvertesiz gemi/sandal: **keep the bowels** ~, bağırsakları yumuşak tutmak: **break** ~, kırıp açmak: ~ **champion(ship)**, herkese açık bir yarışmada şampiyon(luk): **cut** ~, kesip açmak: ~ **to doubt**, su götürür: **half** ~, aralık: **keep** ~ **house/board**, (*mec.*) evinin kapısını açık tutmak; misafirperver olm.: **keep an** ~ **mind**, (fikren) tarafsız kalmak: ~ **race, etc.**, herkese açık yarış vb.: **the** ~ **sea**, engin, açık deniz: **an** ~ **secret**, herkesçe bilinen bir sır: ~ **shed**, sundurma: **be** ~ **to advice**, fikir/tavsiye vb.ni kabule hazır olm.: **it is** ~ **to you to object**, itiraz etmekte serbestsiniz: **wide** ~, apaçık.
open[2] *f.* Açmak; başlamak. ~ **the bowels**, bağırsakları boşaltmak. ~ **out**, yaymak; sermek; açılmak: ~ **out a hole**, bir deliği genişletmek. ~ **up**, açmak; başlamak; açıp genişletmek.
open-[3], *ön.* ~**able**, açılabilir; açılır. ~**-air**, açık hava. ~**-armed**, samimiyetle (karşılıyarak). ~**-cast (mine)**, yer yüzünde (maden ocağı). ~**-cheque**, adi/çizgisiz çek. ~**-city/-town**, (*ask.*) savunmıyan şehir. ~**-eared**, kulağı delık; çok dikkatli. ~**-ended**, tahdit olunmamış. ~**er**, açıcı; açacak. ~**-eyed**, açık gözlü; uyanık; şaşmış. ~**-handed**, eli açık, cömert. ~**-heart·ed**, açık kalpli, samimî: ~ **surgery**, doğru yürekte yapılan ameliyat. ~**-hearth**, (*mad.*) açık ocak. ~**ing**, aç(ıl)ma; başlangıç; ilk hareket; delik, ağız; açıklık; giriş, aç(ıl)ış: **a good** ~ **for a young man**, bir delikanlı için iyi bir imkân (iş vb.): **an** ~ **for trade**, ticaret için mahreç, pazar: ~ **night**, (*tiy.*) açılış gecesi; piyesin ilk gecesi. ~**ly**, açıkça; açıktan açığa; el âleme karşı. ~**-minded**, açık fikirli; yeni fikirleri kabul eden. ~**-mouthed**, ağzı açık, şaşmış; obur. ~**ness**, açıklık; genişlik; açık sözlülük; tarafsızlık. ~**-order**, (*ask.*) dağınık nizam. ~**-plan**, (*mim.*) iç duvarları az olan sistem. ~**-prison**, engel/tahditleri az olan bir hapishane. ~**-question**, kesin olmıyan bir konu. ~**-sandwich**, meze gibi üstü açık bir sandviç. ~**-season**, belli hayvanların avlanmasının caiz olduğu mevsim. ~**-shop**, işçileri tek bir sendikaya bağlı olmıyan fabrika vb. ~**-University**, radyo ile mektup vasıtasıyle öğreten üniversite. ~**-work**, kafes oyma; seyrek örgü; açıkta işlenen ocak.
opera[1] ['opərə]. Opera. **comic** ~, operakomik.
opera[2], *ç.* = OPUS.

operable ['opərəbl]. Ameliyat edilebilir.
opera·-cloak ['opərəkloٜuk]. Tiyatroda giyilen pelerin. ~**-glass(es)**, opera dürbünü. ~**-house**, opera ev/tiyatrosu. ~**tic** [-'ratik], operaya ait.
operat·e ['opəreyt]. Ameliyat yapmak; işlemek; tesir etm.; işletmek: ~ **on s.o. for appendicitis**, birine apandisit ameliyatı yapmak. ~**ing**, işletme; çalış(tır)ma; faaliyeti gösteren: ~**-table/theatre**, ameliyat masa/odası.
operat·ion [opə'reyşn]. Ameliyat; işle(t)me; tesir; işlem, muamele, faaliyet; kullanma; yürürlük; (*ask.*) harekât, tatbikat: **come into** ~, yürürlüğe girmek; faaliyete geçmek, geçerli olm.: ~**al**, iş/muamelelere ait; işle(t)meye hazır. ~**ive** ['opərətiv] *s.* ameliyata ait; amil, müessir, etkili: *i.* amele, işçi: **the** ~ **word**, en önemli kelime. ~**or** [-reytə(r)], makine işleten adam, işletmeci; (*mal.*) acyocu; operatör: **wireless** ~, telsizci.
operculum [o'pəkyuləm]. Operkulum.
operetta [opə'retə]. Operet.
ophi·dian [o'fidiən]. Yılanlara ait; yılan gibi. ~**do-**, *ön.* yılan+. ~**te** [-fayt], bir çeşit somaki.
ophthalm·ia [of'θalmiə]. Göz iltihabı, oftalmi. ~**ic**, göze ait. ~**o-**, *ön.* göz+, oftalmo-. ~**ology** [-'moləci], göz bilimi, oftalmoloji. ~**oscope** [-məskoup], oftalmoskop.
opiate ['oupiət]. Uyuşturucu, narkotik; afyonlu.
opine [o'payn]. Farzetmek; zannında bulunmak.
opinion [ə'pinyən]. Kanaat; fikir; zan; düşünce; mütalaa. **in my** ~, bence, kanaatimce: **have/hold a high** ~ **of**, takdir etm.: **have no/a poor** ~ **of**, -e fazla değer vermemek: **be of the** ~ **that**, . . . kanaatinde bulunmak: **I am entirely of your** ~, fikrinize tamamen katılıyorum: **public** ~, kamu oyu, efkâri umumiye: **take another** ~, (*tıp.*) bir başka doktora da sormak: **expert** ~, bilimsel düşünce. ~**ated** [-neytid], fikrinden dönmez; inatçı. ~**-poll**, kanaatler anketi; anket kâğıdı.
opisometer [opi'somitə(r)]. Eğri ölçeri.
opisthograph [ə'pisθəgrāf] (*ark.*) İki tarafı yazılı levha/plaka.
opium ['oupyəm]. Afyon. ~ **den**, afyonkeşler kahvesi. ~**-eater/-fiend**, afyon tiryakisi. ~**-poppy**, haşhaş.
OPM = OUTPUT PER MAN.
opossum [ə'posəm] (*Amer.*) Kuskus(giller); (*Avus.*) keselisıçan(giller).
opp. = OPPOSI·TE/~TION.
oppidan ['opidən]. Şehirli.
oppilate ['opileyt] (*tıp.*) Tıkamak, seddetmek.
opponen·cy [ə'pounənsi]. Muhalefet; rekabet. ~**t**, muhalif; rakip; hasım, yağı; (*tiy.*) antagonist: ~**s**, (*sp.*) rakip takım.
oppos·able [ə'pouzəbl]. Karşısına konabilir; muhalefet edilebilir. ~**e**, karşı(sına) koymak; muhalefet etm.; önüne geçmek; aleyhinde olm.: ~**d**, karşısında; muhalif; zıt, ters, aksi: **country as** ~ **to town**, kır, şehrin aksine olarak . . ..
opportun·e ['opətyūn]. Uygun zamanda olan; tam vaktinde gelen; muvafık, uygun: ~**ly**, uygun olarak; vaktinde gelerek. ~**ism** [-'tyūnizm], fırsatlardan istifade, oportünizm. ~**ist**, zamane adamı; fırsat düşkünü, oportünist, fırsatçı. ~**ity**, fırsat; vesile: **give an** ~, meydan vermek: **seek an** ~, vesile aramak: **seize an** ~, fırsattan istifade etm.: **a golden** ~, ele geçmez fırsat, kelepir.
opposite ['opəzit]. Mukabil; karşıkarşıya; karşısında; zıt, ters, aksi; karşıt. **the exact** ~, taban tabana zıt, tam tersi: **one's** ~ **number**, karşı tarafta aynı rütbe/görevde olan kimse: **the** ~ **sex**, öteki cins; kadın/erkekler.
opposition [opə'zişn]. Muhalefet; mukavemet; itiraz; muhalif parti; zıddiyet; rekabet; istikbali ecram; (*ast.*) karşı konum. **Her Majesty's** ~, Parlamento'da baş muhalif parti: **leader of the** ~, baş muhalif partinin lideri.
oppress [ə'pres]. Zulmetmek, ezmek, tazyik etm., eziyet vermek. ~**ion** [ə'preşn], zulüm, baskı, tazyik, tagallüp; sıkıntı, kasvet. ~**ive**, zalim; basıcı, ezici; ağır; can sıkıcı, kasvetli. ~**or**, zalim, gaddar.
opprobri·ous [ə'proubriəs]. Hakaret edici; küfürlü. ~**um**, hacalet, rezillik.
oppugn [ə'pyūn]. Karşı koymak, tenkitle hücum etm.
opsimath ['opsimaθ]. Yaşlı öğrenci.
opsonin ['opsonin]. Bakterilere karşı kullanılan bir nevi antikor.
-opsy [-opsi] *son.* -opsi [BIOPSY].
opt [opt]. Seçmek. ~ **for**, seçmek, tercih etm.: ~ **out**, toplum/cemiyetten çekilmek.
opt. = OPTICAL; OPTIONAL.
optative ['optətiv/-'teytiv] (*dil.*) İstek kipi.
optic ['optik]. Görmeğe ait; görsel, ışıksal. ~ **nerve**, göz siniri. ~**al**, görmeye ait; görüş+: ~ **illusion**, mevcut olmıyan şeyi görür gibi olma, göz yanıltısı: ~ **instruments**, dürbün/mikroskop gibi aletler: ~**ly**, gözleriyle, görüşle; optik araçla. ~**ian** [-'tişn], gözlükçü. ~**s**, görme bilimi, optik, ışık bilgisi.
optim·al ['optiməl] = ~UM. ~**ism** [-mizm], nikbinlik, iyimserlik. ~**ist**, *i.* nikbin, iyimser. ~**istic** [-'mistik] *s.* nikbin(ce), iyimser. ~**ize** [-mayz], en iyi seviye/miktarını bulmak. ~**um** [-məm], en âlâ/kârlı/uygun, optimum.
option ['opşn]. Seçme/tercih (hakkı); yetki; intihap; ihtiyarilik; bekleme hakkı, opsiyon. **have an** ~ **on stg.**, bir şey üzerinde tercih hakkı olm.: **imprisonment without the** ~ **of a fine**, yerine para cezası verilemiyen hapis cezası. ~**al**, ihtiyarî, seçimli, tercihli, isteğe bağlı.
opto- [opto-] *ön.* Göz+, opto-. ~**-electronics**, optoelektronik. ~**meter** [-'tomitə(r)], optometre. ~**metry** [-mitri], optometri, göz muayenesi. ~**phone** ['optəfoun], optofon.
opulen·ce ['opyuləns]. Zenginlik; bolluk: **live in** ~, refah içinde yaşamak. ~**t**, zengin; bol; servetli: ~**ly**, zengin/bol olarak.
opus, *ç.* ***opera*** ['oupəs, 'opərə] (*Lat., müz.*) Eser. ~**cule** [-'pəskyūl], küçük eser.
or[1] [ō(r)]. Altın rengi.
or[2] (*mer.*) Evvelden. ~ **ere . . .**, -den önce.
or[3]. Yahut; veya; yoksa; ya da. **either . . .** ~ **. . .**, ya . . . ya . . .: **not either . . .** ~ **. . .**, ne . . . ve ne . . .: **shall you go** ~ **not?**, gidecek misiniz gitmiyecek misiniz?
OR = OFFICIAL RECEIVER/REFEREE; OPERATING/ORDERLY ROOM; OPERATIONAL RESEARCH; OTHER RANKS; OWNER'S RISK.
orach(e) ['oriç]. Kara pazı.
orac·le ['orəkl]. Eski Yunanlılarda vb. sorulan şeylere tanrıların verdikleri cevap; gaipten haber; kehanet: **consult an** ~, fala bakmak: **work the** ~, piston işletmek; iltimas sağlamak. ~**ular**

[-'rakyulə(r)], iki anlamlı; kehanet kabilinden; mütehakkimane. ~**y** ['orəsi], konuşma kabiliyeti.
oral ['ōrəl]. Şifahî; sözlü; ağza ait, ağızsıl. ~**ly**, sözlü olarak.
orange ['orinc]. Portakal; portakal rengi. **bitter/Seville** ~, turunç: **mandarin** ~, mandalina: **mock** ~, filbahri çiçeği: **tangerine** ~, mandalina gibi bir portakal: ~**s and lemons**, bir çocuk oyunu. ~**ade** [-ceyd], portakal gazozu. ~**-blossom**, portakal çiçeği. ~**man**, K.İrl.'da bir protestan. ~**-peel**, portakal kabuğu. ~**ry** [-cəri], kapalı limonluk. ~**-stick**, manikür için kullanılan kürdan gibi bir odun parçası.
orang-outang [oran(g)'utan(g)]. Orangutan maymunu.
orat·e [o'reyt]. Hitap etm., nutuk söylemek. ~**ion** [-'reyşn], nutuk, söylev, hitabe; cansıkıcı nutuk. ~**or** ['orətə(r)], hatip. ~**orical** [-'torikl], hatipliğe ait; belâgate ait. ~**orio** [-tōriou] (*müz.*) oratoryo. ~**ory**[1] [-tri], nutukçuluk, hatiplik; belâgat.
oratory[2] ['orətəri]. Küçük hususî kilise.
orb [ōb]. Küre; göz küresi. ~**icular** [-'bikyulə(r)], yuvarlak, dairevî; halka/küre şeklinde.
orbit ['ōbit]. Göz çukuru; (*ast.*) mahrek, yörünge ~**al** [-təl], göz çukuruna ait; yörüngeye ait: ~ **road**, şehri kuşatan yol.
orc(a) [ōk(ə)] = KILLER-WHALE; deniz ejderhası.
Orcadian [ō'keydiən]. ORKNEY adalara ait.
orch. = ORCHESTRA(L).
orchard ['ōçəd]. Yemiş bahçesi.
orchestic [ō'kestik]. Dansa ait. ~**s**, dans/bale sanatı.
orchestra ['ōkistrə]. Orkestra; (*tiy.*) orkestra yeri. ~**l**, orkestraya ait. ~**te** [-treyt], orkestra için bestelemek. ~**tion** [-'treyşn], notaların orkestra aletlerine göre düzeni, orkestrasyon.
orchi·d ['ōkid]. Orkide. ~**daceous** [-'deyşəs], salepgillere ait. ~**dist**, orkide koleksiyoncu/yetiştiricisi. ~**s**, salep otu; salepgiller.
orchitis [ō(r)'kaytis]. Erbezi iltihabı.
ord. = ORDAINED; ORDINARY; ORDNANCE.
ordain [ō'deyn]. İrade etm.; (Allah) takdir etm., mukadder kılmak; ruhanî rütbe tevcih etm. **be** ~**ed**, papazlığa tayin olunmak.
ordeal [ō'dīl]. Ateşten gömlek; çetin bir tecrübe; mihnet.
order[1] ['ōdə(r)] *i.* İntizam, düzen, nizam; usul, yol; usul ve adap; sıra, saf; mertebe, derece; tabaka, sınıf; tarikat; (*ask.*) emir, buyruk, komut, ihtar; (*mal.*) ısmarlama, sipariş; (*mim.*) başlık, sütun düzeni; (*mat.*) basamak; (*biy.*) takım, ordo. ~**!** ~**!**, *meclis vb.de bir üyeye müzakere usulüne davet için seslenme*: **in** ~ **of age/rank/seniority, etc.**, yaş/aşama/kıdem vb. sırasıyle: **arms at the** ~, tüfekle hazırol vaziyeti: ~ **on a bank**, banka havalesi: ~ **of battle**, savaş düzeni: **call for** ~**s**, sipariş almak için uğramak: **call s.o. to** ~, (meclis vb.de) reis birine müzakere usullerini hatırlatmak: **close/extended** ~, (*ask.*) yanaşık/açık düzen: ~ **of the day**, günlük emir, ordu emri: **Holy Orders**, papazlık: **take Holy** ~**s**, papaz olm.: **all in** ~, her şey yerli yerinde; düzgün; nizama uygun: **in good** ~, düzgün; işliyen; iyi bir halde: **put in** ~, düzeltmek, intizama koymak; sıraya koymak: **in** ~ **to do stg.**, bir şey yapmak için: **in** ~ **that stg. may be done**, bir şey yapabilmesi için: **keep** ~, düzeni sağlamak: **keep children in** ~, çocukları uslu tutmak: **made to** ~, sipariş, ısmarlama (elbise): **made out to** ~, (çek) ad/buyruklusuna yazılı, nama muharrer: **in marching** ~, (*ask.*) yürüyüş teçhizatıyle: **give s.o. his marching** ~**s**, (*kon.*) birini kovmak: **money/postal** ~, para/posta havalesi: **of the** ~ **of 10,000**, 10 bin civarında: **the old** ~ **of things**, eski devir, eski düzen ve usul: **out of** ~, bozuk, işlemez; yersiz, usulsuz; nizam dışı: **out of its** ~, sıradan çıkmış: **standing** ~, (*mal.*) muteber emir: **standing** ~**s**, (*id.*) içtüzük, dahilî nizamname: **till further** ~**s**, başka emir gelinceye kadar.
order[2] *i.* Nişan. ~ **of knighthood**, şövalyelik rütbesi. *Başlıca İngiliz şövalye nişanları şunlardır*: (i) ~ **of the Garter (G.)**; (ii) ~ **of the Bath (B.)**; (iii) ~ **of St. Michael and St. George (M.G.)**; (iv) ~ **of the British Empire (B.E.)**; (v) **Royal Victorian** ~ **(R.V.O.)**. *Garter Nişanının yalnız bir rütbesi vardır*: **Knight of the Garter (K.G.)**: *ötekilerin dört veya beş rütbesi vardır*: (i) **Grand Cross**, *mes.* **(Knight) Grand Cross of the Bath (G.C.B.)**; (ii) **Knight Commander**, *mes.* **Knight Commander of the Bath (K.C.B.)**; (iii) **Commander/Companion**, *mes.* **Companion of St. Michael and St. George (C.M.G.)**; (iv) **Officer**, *mes.* **Officer of the British Empire (O.B.E.)**; (v) **Member**, *mes.* **Member of the Victorian Order (M.V.O.)**. *Başka nişanlar*: ~ **of Merit**, Liyakat/Nişanı: **Distinguished Service** ~, (*ask.*) Mükemmel Hizmet Nişanı.
order[3] *f.* Emretmek, emir vermek; tanzim etm., idare etm.; tayin etm.; sipariş etm., ısmarlamak: ~ **arms!**, hazırol!: ~ **an officer to Scotland**, bir subayı İskoçyaya sevketmek/tayin etm. ~ **about**, (sağa sola) emretmek; emirler vermek. ~ **off**, ayrılmasını emretmek: ~ **a player off the field**, (hakem) oyuncuyu sahadan çıkarmak.
order·ed ['ōdəd] *s.* Muntazam, düzgün: **well** ~, düzenli, iyi idare edilen. ~**less**, emir/siparişsiz; düzensiz. ~**liness**, intizam, düzen(lik). ~**ly**, *s.* tertipli, düzenli; toplu usullü; uslu; muntazam: *i.* emir eri: ~ **officer**, emir/nöbetçi subayı: ~ **room**, kışlalarda kalem odası.
ordinal ['ōdinl] *s.* Sıra/derece gösteren; (*biy.*) takıma ait. *i.* (*din.*) âyin kitabı. ~ **number**, sıra sayısı.
ordinance ['ōdinəns]. Talimatname, yönetmelik; ihtar; ferman; âyin.
ordinand ['ōdinand]. Papazlığa namzet.
ordinar·ily ['ōdinərili]. Bermutat, alelade, umumiyetle, genellikle. ~**iness**, alelade/olağan olma; genellik; adilik. ~**y**, alelade, normal, mutat, genel, her zamanki, olağan, alışılmış; tipik; adi, bayağı: **above/out of the** ~, normalin üstünde: **a very** ~ **kind of man**, alelade/kendi halinde bir adam: **out of the** ~, müstesna, ayrık, seçkin, mümtaz, fevkalade: ~ **seaman**, (bahriyede) üçüncü sınıf gemici: ~ **share**, adi hisse: **physician-in-**~ **to the Queen**, Kraliçenin özel doktoru.
ordinate ['ōd(i)nit] (*mat.*) Tertip hattı, ordinat.
ordination [ōdi'neyşn]. Papazlığa kabul edilme.
ordnance ['ōdnəns]. Top; askerî levazım ve teçhizat dairesi, ordonat. ~**-datum**, orta deniz seviyesi. ~**-map**, (askerî) harita. ~**-officer**, topçu subayı. † ~**-survey**, haritacılık bürosu.
ordure ['ōdyuə(r)]. Pislik; müzahrefat.
ore [ō(r)]. Maden filizi; cevher; külçe.

oread ['oriad] (*mit.*) Dağ perisi.
orectic [o'rektik]. İştaha ait.
Ore(g). = **Oregon** ['origən], ABD'nden biri.
org. = ORGAN; ORGANIC; ORGANIZATION.
organ ['ōgən]. Uzuv, organ; vasıta olan şey/kimse; cihaz; organ, aygıt; gazete; org, erganun. **barrel** ~, latarna: **mouth** ~, ağız mızıkası: **the vocal** ~**s**, ses cihazı. ~**-blower**, org körüğü. ~**-builder**, orgu yapan kimse.
organd·ie/y ['ōgəndi]. Çok ince muslin, organdi.
organ-grinder [ōgn'grayndə(r)]. Latarnacı.
organic [ō'ganik]. Uzvî; esasî, arızi değil; organik, örgütsel. ~ **act/law**, (*id.*) anayasa. ~**ally**, uzvî vb. olarak.
organism ['ōgənizm]. Uzuv, canlı doku, beden; teşekkül, teşkilât; organizma.
organist ['ōgənist]. Orgcu.
organiz·able ['ōgənayzəbl]. Örgütlenebilir. ~**ation** [-'zeyşn], örgütle(n)me, teşkilâtlandırma; teşkil; teşekkül; teşkilât, düzen, örgüt, organizasyon; idare(cilik); bünye, yapı. ~**e**, teşkilâtlandırmak; örgütlemek; tanzim ve tertip etm.; düzenlemek; kurmak; tertiplemek; idare etm. ~**er**, tanzim ve tertip eden; örgütçü, teşkilâtçı, yönetmen, idareci; düzenleyici.
organ-loft [ōgn'loft]. Org galerisi.
organo- [ō'ganou-] *ön.* (*kim.*) Organik; uzuv+. ~**gram**, teşkilât simgesi.
organz·a [ō'ganzə]. İnce ve şeffaf ipek kumaş, organza. ~**ine** [-zīn], organzin ibrişimi.
orgasm ['ōgazm]. Şiddetli heyecan/hareket; âni nöbet; cinsî münasebette heyecan.
org·iastic [ōci'astik]. ORGY'ye ait. ~**y** ['ōci], sefahat âlemi; cümbüş, curcuna; *ç.* **orgies**, eski zamanlarda Baküs adına yapılan gizli ve gayri ahlâkî ayinler.
orgn = ORGANIZATION.
oriel ['ōriəl]. ~ **window**, büyük binanın üst katında cumbalı pencere.
orient ['ōriənt] *i.* Şark; doğu. *f.* Doğuya dön(dür)mek; ~ATE. ~ **pearl**, en iyi cinsten inci. ~**al** [-'entl] *s.* şarkî, doğuya mahsus, doğusal: *i.* doğulu kimse, Asyalı. ~**alism**, doğu bilimi, şarkiyat. ~**alist**, doğu bilgini, şarkiyatçı, müsteşrik.
orientat·e ['oriənteyt]. Bir binayı köşeleri doğuya bakacak şekilde olarak kurmak; bir şeyin yerini tayin etm.; tevcih etm.; yönel(t)mek: ~ **oneself**, kendi durumunu tayin/takdir etm. ~**ed** [-tid], yöneltik, yönlü. ~**ing**, yönetken. ~**ion** [-'teyşn], cihet tayini; yönel(t)me; konum, oryantasyon.
orifice ['orifis]. Delik; ağız; açıklık.
oriflamme ['oriflam]. Şeref bayrağı; gösterişli/çok renkli bir şey.
orig. = ORIGIN(AL).
origan(um) ['origən, -'rigənəm]. Kurt helvası.
origami [ori'gāmi]. (Japon) kâğıt katlama sanatı.
origin ['oricin]. Mebde, menşe, menba, kaynak; kök, asıl, esas; nesil, soy; köken, orijin. **certificate of** ~, menşe şahadetnamesi, köken belgesi: **country of** ~, menşe memleketi, köken ülkesi. ~**al** [ə'ricinl] *s.* aslî, esasî; gerçek, asıl; özgün, orijinal; ilk; kopya olmıyan; gelme; ilk defa meydana konmuş, yepyeni; yeni fikirler meydana getirmek iktidarı olan: *i.* ilk/asıl yazı; aslî nüsha; metin: ~ **sin**, Hıristiyanların inançlarına göre bütün insanların var olan günahı. ~**ality** [-'naliti], yepyenilik; bambaşka bir tarzda olma; kariha sahibi olma, yeni fikirler meydana getirmek iktidarı, orijinallik; özgünlük; kimseye benzemezlik. ~**ally**, ilk olarak; başlangıçta. ~**ate** [-neyt], ihdas etm., icat etm., yaratmak, ihtira etm.; ortaya koymak; meydana gelmek; türemek. ~**ator** [-neytə(r)], kurucu, yaratıcı.
orinasal [ōri'neyzl] (*dil.*) Hem ağız hem de burunla seslenen.
oriole ['ōrioul]. **golden** ~, sarı asma.
Orion [ə'rayən]. Cebbar burcu, Oriyon.
orison ['orizən]. Dua.
-orium [-ōriəm] *son.* . . . yeri [AUDITORIUM].
Ork. = **Orkney (Islands)** ['ōkni]. Brit.'nın bir kontluğu.
orlop ['ōlop] (*den.*) Alt güverte.
ormer ['ōmə(r)] (*zoo.*) Deniz kulağı.
ormolu ['ōməlu]. Yaldız taklidi pirinç.
orn. = ORNAMENT; ORNITHOLOGY.
ornament ['ōnəmənt] *i.* Süs, bezek, biblo, ziynet. *f.* Süslemek, tezyin etm. **an** ~ **of his country**, memleketinin yüzakı. ~**al** [-'mentl], süslü; güzel; gösterişli; bezekçil: ~**ly**, süslü olarak. ~**ation** [-'teyşn], bezekleme, süs.
ornate [ō'neyt]. Pek süslü; fazla süslenmiş; mükellef. ~**ly**, pek süslü olarak.
***ornery** ['ōnəri] (*kon.*) Aşağı, kaba, nahoş.
ornith·ic [ō'niθik]. Kuşlara ait. ~**o-**, *ön.* kuş+: ~**logical** [-'locikl], kuşlara ait, ornitolojiye ait: ~**logist** [-'θoləcist], ornitolog, kuş mütehassısı: ~**logy**, kuşlar bahsi, kuş bilimi, ornitoloji.
oro·genesis/~**geny** [ōrə'cenisis, o'rocəni]. Dağların yaratılışı, dağoluşması. ~**graphy** [-'rogrəfi], dağlara ait coğrafya konusu. ~**logy** [-ləci], dağ bilgisi, oroloji. ~**meter** [-mitə(r)], yükseklik/rakım barometresi.
orotund ['ōrətʌnd]. Dolgun sesli, tantanalı söz/yazı.
orphan ['ōfən]. Öksüz, yetim. ~**age** [-ic], yetimler yurdu, darüleytam; öksüzlük. ~**ed**, yetim kalmış. ~**hood**, yetimlik.
Orph·ean, ~**ic** ['ōfiən, -fik] (*mit.*) Orfeus ve onun müziğine ait/benzer.
orpiment ['ōpimənt]. Sarı zırnık.
Orpington ['ōpin(g)tən]. Bir nevi tavuk.
orrery ['orəri]. Güneş ve gezegenlerin hareketlerini gösteren model.
orris ['oris]. Bir nevi susam/süsen. ~**-root**, bu bitkinin kökü. ~**-powder**, bu kökün tozu.
ort [ōt] (*mer.*) Kırıntı; kalan parça.
orth. = ORTHOGRAPHY; ORTHOPAEDIC.
orthicon ['ōθikon]. Televizyon resmini alıcı tübü.
ortho- [ōθou-] *ön.* Doğru . . ., orto-. ~**chromatic** [-krou'matik], ışık ile gölgeye göre renklerin tam kıymetini veren. ~**clase**, ortoklaz. ~**dontics** [-'dontiks], dişleri düzeltme sanatı. ~**dox** ['ōθədoks], akidesi sahih, inancı sağlam; genellikle kabul edilen bir gerçek/fikre uygun; usul ve erkâna uygun, ortodoks; Ortodoks kilisesine mensup: ~**y**, inancın sağlamlığı; ortodoksluk; fikirlerinin örfe uygunluğu. ~**dromy** [-'droumi], düzgidiş. ~**epy** [-epi], doğru telaffuz (bilimi). ~**gonal** [-'θogənl], dik(gen), amudî. ~**graphy** [-grəfi], imlâ, doğru yazma. ~**paed·ics**, **-y** [ōθou'pīdi(ks)], vücuttaki biçimsizlikleri düzeltme sanatı, ortopedi. ~**pterous** [-'θoptərəs], düz kanatlı böceklere ait. ~**ptics**, gözlerin doğru kullanılışı bilgisi. ~**scope**

[-skoup], gözün içini muayeneye mahsus alet.
ortolan ['ōtəlan]. Ortolan.
-ory [-əri] *son. s.* -meye ait, -layıcı [PREPARATORY]: *i.* -me yeri [DORMITORY].
oryx ['oriks]. G.Afr.'ya mahsus büyük antilop.
Os. (*kim.s.*) = OSMIUM.
OS = OLD SERIES/STYLE; ORDINARY SEAMAN; ORDNANCE SURVEY; OUT-OF-STOCK; OUTSIZE; OVERSEAS. ~**A** = †OFFICIAL SECRETS ACT.
osc. = OSCILLATING.
***Oscar** ['oskə(r)] (*sin.*) Oskar ödülü.
oscillat·e ['osileyt]. Saat rakkası gibi hareket etm., sallanmak; salınmak, titremek; sarsılmak; bocalamak; sarsmak. ~**ing**, titrer, salınan, sallama, raksan. ~**ion** [-'leyşn], raks hareketi; titreme, salınım, sallanma; titreşim; osilasyon. ~**or** ['osileytə(r)], titretici, titreşim üretici; sallayıcı; osilatör: ~**y**, titreyici, sallanan, rakseden; titreşimli.
oscillo·gram ['osilougram]. Osilogram, titreme resmi. ~**graph** [-graf], salınım kaydedici, osilograf. ~**scope** [-skoup], salınım ölçeri, osiloskop.
oscine ['osayn]. Öten kuş.
-oscopy = -SCOPY.
oscitation [osi'teyşn]. Esneyiş, uyuklama; dikkatsizlik.
oscul·ant ['oskyulənt]. Öpen; dokunan; birleşen. ~**ar**, ağız/öpmeye ait. ~**ate** [-leyt], öpmek; yaklaşarak dokunmak; (*biy.*) alâkası olm.; (*mat.*) yaslanmak. ~**ation** [-'leyşn], öpme; yaslanma. ~**atory** ['os-], öpmeye ait; yaslanma+. ~**um**, (*biy.*) oskulum.
-ose [-ous] *son.* . . . çok olan, -le dolu [VERBOSE]; (*kim.*) -oz [DEXTROSE].
osier ['ouziə(r)]. Bodur söğüt; sepetçi söğüdü.
-osis [-ousis] *son.* . . . durum/usul/işlemesi; -oz [OSMOSIS]; (*tıp.*) . . . hastalığı [NECROSIS].
-osity [-'ositi] *son.* -lik [VERBOSITY].
Osmanli [oz'manli]. Osmanlı.
osmium ['ozmiəm]. Osmiyum.
osmo·sis [oz'mousis]. Çeşitli sıvılar/gazların geçişme/süzülmeleri; ozmoz. ~**tic** [-'motik], süzülücü, ozmotik.
o.s.p. (*Lat.*) = DIED WITHOUT ISSUE.
osprey ['ospri, -prey]. Balık kartalı; (*mod.*) sorguç.
OSS = *OFFICE OF STRATEGIC SERVICES.
oss·eous ['osiəs]. Kemikten ibaret. ~**icle** ['osikl], kemikçik. ~**ification** [-fi'keyşn], kemikleşme. ~**ify** [-fay], kemikleş(tir)mek. ~**uary** ['osuəri], ölmüşlerin kemiklerine mahsus mahzen/sandık/mağara.
ost. = OSTEOPATH(Y). ~**eal** ['ostiəl], kemikten ibaret, kemikli. ~**eitis** [-ti·aytis], kemik (dokusu) iltihabı.
ostensib·ility [ostensi'biliti]. Suri olma; görünüş. ~**le** [-'tensibl], suri, zahirî; görünüşte; gerçek olmıyan. ~**ly**, suri olarak.
ostentat·ion [osten'teyşn]. Gösteriş, nümayiş, gösteri, çalım. ~**ious** [-şəs], nümayişçi, gösterişçi, cakalı, çalımlı.
osteo- [ostio(u)-] *ön.* Kemik+, osteo-. ~**arthritis** [-ā'θraytis], osteoartrit. ~**genesis** [-'cenisis], kemik oluşu. ~**logy** [-'oləci], kemik bilimi. ~**myelitis** [-mayə'laytis], kemik iliği iltihabı. ~**path** ['ostioupaθ], kırıkçı: ~**y** [-'opəθi], kırıkçılık.
ostler ['oslə(r)]. Han seyisi, tavla uşağı.
ostraci·sm ['ostrəsizm] (*tar.*) Sürgüne gönder(il)me; (*şim.*) ilişkiyi kes(il)me. ~**ze** [-sayz] (*tar.*) adamı sürgüne göndermek; (*şim.*) toplum dışı ilân etm.; biriyle her türlü ilişkiyi kesmek.
ostre- [ostri-] *ön.* İstridye+.
ostrich ['ostriç]. Devekuşu. ~**-farming**, tüyleri için devekuşlarının yetiştirilmesi. ~**-plume**, tüy(ler)i.
OT = OLD TESTAMENT.
otalgia [ou'talciə]. Kulak ağrısı.
OT·C = OFFICERS' TRAINING CORPS. ~**H** = OVER THE HORIZON (RADAR).
other ['ʌðə(r)]. Başka, diğer; sair; öbür; o bir, öteki. **the** ~**s**, ötekiler: **every** ~, her ikinci: **the** ~ **day**, geçen gün: **some . . .** ~**s . . .**, bazısı . . . bazısı . . .: **one or** ~ **of us**, aramızdan biri: **the** ~ **world**, öbür dünya: **I could do no** ~ **than . . .**, benim için -den başka yapacak bir şey yoktu: **fancy coming this day of all** ~**s!**, başka günleri bırakıp sen tut da bu gün gel! ~**ness**, farklı/başka olma. ~**where**/~**while** [-weə(r), -wayl] (*mer.*) başka yerde/zamanda. ~**wise** [-wayz], başka suretle; başka türlü; yoksa; aksi takdirde; ve illâ: **he could not do** ~ **than . . .**, -den başka bir şey yapamadı: **he is rather mean,** ~ **he is pleasant**, bir az cimridir, yoksa hoş adamdır. ~**worldly** [-'wəldli], dünyevî olmıyan; ahret adamı; bu dünyadan değil.
otic ['outik]. Kulağa ait.
-otic [-otik] *son.* . . . acısı çeken, . . . hastası olan [NEUROTIC]; -e ilişık [EROTIC].
otiose ['outious, 'ouşi-]. Faydasız, gereksiz, lüzumu olmıyan; fuzulî; haylaz.
ot·itis [ou'taytis]. Kulak iltihabı. ~**o-**, *ön.* oto-, kulak+. ~**ology** [-'toləci], kulak bilimi.
-otomy [-otəmi] *son.* = -TOMY; . . . ameliyatı.
ottava rima [o'tāvə'rīmə] (*İt.*) Her biri 10 heceli olarak, 8 mısralı bir şiir kıtası.
Ottawa ['otəwə]. Kanada'nın başkenti.
otter ['otə(r)]. Su samuru, lutr. ~**(-board)** = PARAVANE. ~**-shrew**, su köstebeği.
Ottoman[1] ['otəmən]. Osmanlı(lara ait).
ottoman[2]. Sedir.
OU = OPEN/OXFORD UNIVERSITY. ~**BC** = OU BOAT CLUB.
oubliette [ūbli'et]. Tavandan girilen gizli zindan.
ouch[1] [auç] (*mer.*) Toka, broş; süs.
ouch[2]. *Sancı ifade eden ünlem*; Ah!, aman!
OUDS = OXFORD UNIVERSITY DRAMATIC SOCIETY.
ought[1] [ōt] *f. Çekilmiyen yardımcı fiil; genellikle gereklilik kipi fiil ile çevrilir.* Lâzım/gerekli/elverişli/uygun olm. **I** ~ **to go**, gitmem lâzım; gitmeliyim: **I** ~ **to have gone**, gitmeliydim: **I** ~ **to know, but I don't**, bilmem gerek amma bilmiyorum: **behave as one** ~, gerektiği gibi hareket etm.: **you** ~ **to read this book**, bu kitabı her halde okuyunuz: **she** ~ **to be married soon**, (i) (yaşı geçiyor) bir an önce evlenmesi gerek; (ii) (çekici olduğu icin) bu kızın her halde çabuk kısmeti çıkar.
ought[2] *i.* Hiç; sıfır; = AUGHT.
ouija ['wīcə]. ~**-board**, ispiritizma toplantılarda kullanılan ibre/alfabeli tahta.
ounce[1] [auns]. İngiliz tartı ölçüsü, ons. **avoirdupois** ~, librenin $\frac{1}{16}$i = 28,35 gram: **fluid** ~, †PINT'in $\frac{1}{20}$i = 0,028 litre; *PINT'in $\frac{1}{16}$i = 0,030 litre: **troy** ~, librenin $\frac{1}{12}$i = 31,1 gram: **he hasn't an** ~ **of sense**, on paralık aklı yok.
ounce[2]. Karakulak; kar parsı.
OUP = OXFORD UNIVERSITY PRESS.
our [auə(r)]. Bizim, bize ait. ~**s**, bizimki: **this house**

is ~, bu ev bizimdir: **a friend of** ~, ahbaplarımızdan biri. ~**self** [-'self], *tekil şekli yalnız hükümdarlar ve gazeteciler tarafından* MYSELF *yerine kullanılır.* ~**selves** [-'selvz], WE' *yi kuvvetlendirmek için kullanılır*: **we** ~ **prefer to live in London**, biz kendimiz Londra'da oturmağı tercih ediyoruz: *dönüşlü*, **we wash** ~, yıkanırız.

-ous [-əs] *son.* -li. [JOYOUS].

ousel [ūzl]=OUZEL.

oust [aust]. Yerinden çikarmak; tardetmek; birini yerinden edip kendisi o yeri almak. ~**er**, (*huk.*) kanunsuz tardedilme.

out [aut]. Dışarı; hariçte; -den; -den dışarı; evde değil; (*sp.*) dışarda. [*Fiille birlikte* dışarı *veya* tamamlama *anlamlarını ifade eder, mes.*: **run** ~, (i) dışarıya koşmak; (ii) tükenmek: **think stg.** ~, bir şeyi düşünüp taşınmak.] ~ **and** ~, tamamen, son derece: **all** ~, alabildiğine (koşmak/çalışmak vb.): **my wife is** ~, eşim evde değil: **he is** ~ **and about again**, (bir hasta hakkında) artık kalktı, iyileşti: **the secret is** ~, sır ifşa edildi: **the miners are** ~ **again**, madenciler yine grev yapıyorlar: **be** ~ **in one's calculations**, hesaplarında yanılmak: **he is ten pounds** ~ **in his accounts**, hesabında on liralık açık var: **day** ~, (hizmetçi) izinli gün: **the fire is** ~, ateş sönmüş: **know the ins and** ~**s of stg.**, bir şeyin içini dışını bilmek: **be** ~ **of it**, (i) bir çevreyi yadırgamak; (ii) bir iş vb. ile ilişkisini kesmek; (iii) (yarış vb.de) kaybedeceği muhakkak olm.: **be** ~ **of sugar**, şekeri kalmamak/eksik bulunmak: **feel** ~ **of it**, bir çevrede kendini yabancı hissetmek: **he only listened** ~ **of politeness**, nezaketen dinledi: **drink** ~ **of the bottle**, şişeden içmek: **you will be well** ~ **of the whole business**, bu işten yakayı sıyırsanız sizin için çok iyi olur: **my patience is** ~, sabrım tükendi: **put him** ~**!**/~ **with him!**, onu dışarı at!: **there is no other way** ~, başka çıkar yol yok: ~ **with it!**, (i) ver bakalım!; (ii) ağzından baklayı çıkar! *Başka* OUT OF . . . *deyimler için* OUT-OF-'*a bakınız.*

out- *e. Bir fiile ve bazan bir sıfat veya isme eklendiği zaman* üstünlük/fazlalık *ifade eder, mes.*: **row**, kürek çekmek; ~**-row s.o.**, başkasından daha iyi kürek çekmek, kürek çekmekte birini yenmek: **size**, boy; **an** ~**size in shoes**, en büyük boyda ayakkabı. *Bu suretle* **out** *edatı hemen her kelimenin başına konarak yeni bir kelime türetilebilir, mes.*: **I am sure we** ~**-rain you**, bizim memlekette muhakkak sizinkinden daha fazla yağmur yağar. **Out** *ile başlayıp sözlükte bulunmıyan kelimeleri asıl kelimede arayıp* **out** *ile aldıkları yeni anlamı yukardaki açıklamadan çıkarmak mümkündür.*

out·back ['autbak] (*Avus.*) Şehirlerden çok uzak yer, toplumsal hayatsız taşra. ~**balance**, daha ağır gelmek; geçmek, daha önemli olm. ~**bid**, ~ **s.o.**, (briç/mezatta) birisinden fazla pey sürmek. ~**board** [-bōd], dıştan takma (deniz motoru). ~**bound**=~WARD-BOUND. ~**break** [-breyk], zuhur; çıkış; vuku; feveran; kıyam: ~ **of temper**, öfke taşma. ~**building** [-'bildin(g)], mülhak bina: ~**s**, müştemilât. ~**burst** [-bə̄st], patlama, infilâk; fışkırma; kopma; taşkınlık.

out·cast ['autkāst]. Döküntü, kimsesiz, düşkün; serseri: ~**e**, Hindistan'da: kast dışı olan. ~**class**, (başkalarına) pek üstün olm.: **he is quite** ~**ed**, başkalarına oranla çok geri kaldı. ~**come** [-kʌm], netice, sonuç; son; akibet. ~**crop**, arz tabakasının yeryüzüne çıkması. ~**cry**, *i.* feryat; haykırma; şikâyet/itiraz sesi; vaveylâ: *f.* daha çok bağırmak.

out·distance [aut'distəns]. Daha önce gitmek; birini geçmek. ~**do** (*g.z.* ~**did**, *g.z.o.* ~**done**) [-dū, -did, -dʌn], üstünde olm., geçmek; -den galebe çalmak: **not to be outdone**, altta kalmamak. ~**door**, ev dışında/açık havada yaşıyan/bulunan/vukubulan vb.: ~**s**, ev dışında, açık havada.

outer ['autə(r)]. Dış tarafta bulunan; haricî; en uzak. ~**most**, en dışta, en uzakta. ~**-wear**, dış elbiseler.

out·face [aut'feys]. Birinin yüzüne bakarak yıldırmak; meydan okumak. ~**fall** [-fōl], mansap, ağız, kavuşak; mahreç; suyun boşaldığı yer. ~**field** [-fīld] (*sp.*) iç alanın dış tarafı(nda oynıyanlar).

outfit ['autfit]. Teçhizat, donatım; takım, avadanlık; gereçler, levazımat; sefer levazımatı; elbise. **first-aid** ~, ilk yardım kutusu: **the whole** ~, takım taklavat. ~**ter**, hazırcı; erkek elbisesi satıcısı. ~**ting**, donatma.

out·flank [aut'flan(g)k] (*ask.*) Cenah taşmak; iğfal etm.; yanından geçmek. ~**flow**, dışarıya akan (su, gaz vb.nin) miktarı; mahreç. ~**fly**, uçuşa geçmek.

out·general [aut'cenərəl]. Düşmandan daha iyi manevra yapmak. ~**going**, çıkan, kalkan: ~**s**, masraf, sarfiyat.

outgrow (*g.z.* ~**grew**, *g.z.o.* ~**grown**) [aut'grou(n), -'grū], ~ **s.o.**, birisinden daha çabuk büyümek: ~ **clothes**, (büyüdükçe) elbisesi dar gelmek. ~**th** ['autgrouθ], hayvan/bitki gövdesinde hâsıl olan fazla cisim; netice, sonuç.

outgun [aut'gʌn]. Daha iyi/çabuk ateş etm.; daha çok tüfek/top bulun(dur)mak.

out·-Herod [aut'herəd]. ~ **Herod**, zalim Herod'dan daha zalim olm.; birini kendi işinde yenmek. ~**house**, mülhak bina: ~**s**, müştemilât.

out·ing ['autin(g)]. Gezi(nti), tenezzüh. ~**-jockey** [-'coki], yarışta daha iyi ata binmek; (*mec.*) daha iyi manevra yapmak.

out·land ['autland]. Yabancı (memleket); hududa yakın, taşra: ~**er**, yabancı, taşralı: ~**ish**, pek garip; yakışıksız; vahşî; yabancı. ~**last** [-'lāst], (başkasından) daha çok sürmek, dayanmak; birisinden artakalmak. ~**law** [-lō] *i.* kanun dışı (kimse), kanı helâl: *f.* kanunî haklardan mahrum etm.; yasak etm., feshetmek: ~**ry**, kanun dışına çıkar(ıl)ma. ~**lay** [-ley], sarfiyat, sarfetme; giderler, giderleme; bir teşebbüse başlamak için gereken masraf. ~**let**, mahreç; ağız, delik, menfez; (*mal.*) çıkak, mahreç, ihracat yeri, pazar; (*fiz.*) çıkış. ~**lier** [-layə(r)] (*yer.*) tanık/şahit tepe. ~**line** [-layn] *i.* ~**(s)**, dış hatları; çevre çizgisi; çizik; şekil; taslak: *f.* taslağını çizmek, krokisini yapmak: **main/general/broad** ~**s of a plan**, bir plan vb.nin ana hatları: **in** ~, kabataslak. ~**live** [-liv], (başkaları öldüğü halde) yaşamak, artakalmak. ~**look** [-luk], manzara; görünüş; olasılık, ihtimal: **breadth of** ~, genişgörüşlülük: **the** ~ **is not cheerful**, ilerisi/durum pek parlak değil. ~**lying** [-layin(g)], merkezden dışarda olan; etrafta olan; uzakça.

out·manoeuvre [autmə'nūvə(r)]. Düşmandan daha iyi manevra yapmak. ~**march** [-'māç] (*ask.*) daha çabuk/uzak yürüyüş yapmak. ~**match** [-'maç], üstün olm./çıkmak, geçmek. ~**moded** [-'moudid], modası geçmiş. ~**most** [-moust], en dıştaki. ~**number** [-'nʌmbə(r)], sayıca üstün olm.

out-of·-action [autəv'akşn]. İşlemez, çalışmaz, bozuk. ~**-alignment**, hizadan çıkmış, çizgiden dışarı. ~**-balance**, denksiz, düzensiz. ~**-control**, kumanda edilmez. ~**-date**, gün/modası geçmiş, bayatlamış; tarihe karışmış. ~**-door(s)** = OUTDOOR. ~**-fashion**, modası geçmiş. ~**-focus**, ayarsız, bulanık. ~**-gear**, boşta, avara; düzenden çıkmış, bozuk. ~**-hand**, elden çıkmış; kumanda edilmez. ~**-hours**, resmî iş saatleri dışı. ~**-joint**, ekleri sökülmüş, çıkık. ~**-mind**, düşünülmemiş, unutulmuş. ~**-order**, bozuk, işlemez; tamire muhtaç; yersiz, nizam dışı. ~**-patience**, sabrı tükenmiş. ~**-place**, yersiz; uygun değil. ~**-pocket**, cepten çıkmış (masraflar). ~**-print**, baskısı tükenmiş. ~**-reach**, yetişilmez. ~**-season**, mevsimsiz, vakitsiz; mevsimi değil. ~**-sight** [-'sayt], görünmez (yerde); gözden uzak; gizli. ~**-the-way**, hücra, ıssız, sapa; alelâde olmıyan, garip. ~**-trim**, düzensiz, denksiz. ~**-true**, ufkî değil; eğri; merkezine uygunsuz. ~**-tune**, akortsuz, ahenksiz; uymaz. ~**-wedlock**, evlenmesiz. ~**-work**, işsiz; aylak.

out·pace [aut'peys]. -den daha çabuk gitmek; önüne geçmek. ~**-patient** [-peyşənt], hastanede yatmadan tedavi edilen hasta: ~**s' department**, hastane dispanseri. ~**port**, dış liman: ~**er**, dış hamal. ~**post**, ileri karakol; başkentten çok uzak yer. ~**pour(ing)**, içini dökme, izhar; taşma. ~**put**, verim (gücü), randıman; istihsal, üretim; çıkış.

outrage ['autreyc] *i.* Tecavüz, taarruz; zorbalık; suikast; rezalet. *f.* Zorlamak; tecavüz etm.; din/iffet/kanun vb.ne karşı hareket etm. ~**ous** [-'reycəs], hadden aşırı; son derece mütecaviz; müthiş; rezilane; gaddar: ~**ly**, müthiş vb. olarak. ~**ness**, rezalet.

out·range [aut'reync]. (Top) -den daha uzun menzilli olm. ~**rank**, daha yüksek aşamada bulunmak. ~**reach**, daha uzağa uzatmak/yetişmek; birini geçmek. ~**-relief**, (*tar.*) fakir ailelere edilen para yardım. ~**ride** (*g.z.* ~**rode**, *g.z.o.* ~**ridden**) [-rayd, -roud, -ridn], at/araba ile daha uzak/çabuk gitmek; ileri gitmek, önünden geçmek: ~**r**, araba ön/yanındaki atlı uşak. ~**rigger**, dirsekli çıkıntı; iskarmozları küpeşteden dışarıda bulunan sandal.

out·right ['autrayt] *s.* Açık; müspet; dobra dobra; kesin, katî. [-'rayt] *zf.* Tamamıyle; büsbütün; açıkça; kesin olarak; derhal: **buy stg.** ~, derhal ve peşin para ile almak: **kill** ~, hemen/derhal öldürmek. ~**rival**, rekabet ederek yenmek.

out·run (*g.z.* ~**ran**, *g.z.o.* ~**run**) [aut'rʌn, -'ran]. -den daha çabuk koşmak: **his ambition** ~**s his ability**, ihtirası kabiliyetinden üstündür: ~ **the constable**, har vurup harman savurarak borçlara girmek. ~**runner**, araba yanında koşan uşak/köpek; arabanın ayrı atı.

out·set ['autset]. Başlangıç, iptida: **at the** ~, ilkönce, ilk ağızda: **from the** ~, başlanğıçtan beri. ~**shine** (*g.z.(o.)* ~**shone**) [-'şayn, -şon], -den daha parlak olm., gölgede bırakmak.

outside [aut'sayd]. Dış, haricî; dış taraf, hariç; dışarı, hariçte, dışında. **at the (very)** ~, olsa olsa: **an** ~ **chance**, küçük bir ihtimal: **get an** ~ **opinion**, dışarıdan birinin fikrini almak: ~ **porter**, serbest hamal; istasyon dışarısında ve kendi hesabına çalışan hamal: ~ **price**, en yüksek fiyat: ~ **work**, (i) işçinin fabrikada değil kendi evinde yaptığı iş; (ii) evin dış kısmında onarım ve süsleme; (iii) görev/iş saatleri dışında yapılan iş. ~**-left**/**-right**, (*sp.*) sol/sağ açık. ~**r** [-də(r)], bir meslek/parti/mahfil vb.ne mensup olmıyan kimse; görgüsüz/kibar olmıyan kimse; (at yarışlarında) geçerli olmıyan bir at; (*huk.*) üçüncü şahıs.

out·sit [aut'sit]. -den fazla oturmak/kalmak. ~**size(d)** [-sayz(d)] (*mod.*) fevkalâde büyük. ~**skirts**, civar, varoş, kenar, dolay; kenar mahalleler. ~**smart**, -den daha kurnaz olm. ~**span**, hayvanları koşumlarından çıkarmak. ~**spoken** [-'spoukn], açık, dobra, tok sözlü; kör kadı: ~**ly**, açıkça: ~**ness**, tok sözlülük. ~**spread** [-'spred], **with** ~ **wings**, kanatları açık. ~**standing**, çıkıntılı; önemli; göze çarpan; mütebariz; mümtaz; kalbur üstü; muallakta kalan; tedahülde kalan; (*mal.*) ödenmemiş, tahsil olunmamış. ~**stare** [-'steə(r)], birine dik dik bakıp utandırmak. ~**station** [-steyşn] (*Avus.*) tabi olan koyun/sığır çiftliği. ~**stay** [-'stey], -den fazla kalmak: ~ **one's leave**, iznini geçirmek: ~ **one's welcome**, bir evde çok kalarak kendisini kovdurmak. ~**stretched** [-'streçt], uzanmış, uzatılmış. ~**strip**, -den daha ileri gitmek; geçmek. ~**talk**, -den daha çabuk/yüksek sesle konuşmak; susturmak.

outvote [aut'vout]. Biri/bir partiyi fazla oylarla yenmek. ~**r**, bölgede oturmıyan fakat oy veren kimse.

outward ['autwəd]. Dış, zahirî. **the** ~ **journey**, dışarıya (yabancı memleketlere) sefer: ~**-bound ship**, limandan çıkan/çıkmakta olan gemi. ~**s**, dışarıya doğru.

out·wear (*g.z.* ~**wore**, *g.z.o.* ~**worn**) [aut'weə(r), -'wō(r)(n)]. -den fazla dayanmak/sürmek: ~**worn**, *s.* modası geçmiş. ~**weigh** [-'wey], -den fazla gelmek, daha önemli olm. ~**wit**, -den daha kurnazca davranmak; kafese koymak: ~ **the police**, zabıtayı şaşırtmak. ~**work**, fabrika dışında yapılan iş: ~**er**, dışında çalışan işçi.

ouzel [ūzl]. **ring-**~, kolyeli ardıç kuşu.

ova ['ouvə] *ç.* = OVUM. ~**l** [ouvl], beyzî, söbe, yumurtamsı, oval. ~**ry** [-vəri], yumurtalık, mebiz; tohumluk. ~**te** [-veyt], yumurta şeklinde.

ovation [ou'veyşn]. **(standing)** ~, halkın (ayağa kalkıp) bir kimseyi çılgınca alkışlaması.

oven [ʌvn]. Fırın, ocak. ~**-bird**, çömlekçi kuşu. ~**proof**, (*ev.*) fırına dayanır. ~**-ready**, fırına hazır (yemek). ~**ware**, fırına dayanır tabaklar.

over ['ouvə(r)]. Üstünde, üzerinde; yukarısında; fevkında; aşırı; -den fazla: öbür tarafın·a (-da); karşı yakasın·a (-da); bütün sathına; baştan başa; hakkında; nazaran; bitmiş. ~ **again**, bir daha: **all** ~ **again**, yeni baştan: ~ **against**, karşısında: **all** ~, her tarafında: **it's all** ~, bitti: **be wet all** ~, tepeden tırnağa ıslanmak: **be all** ~ **dust**, elbise toz içinde kalmak: **all** ~ **the place**, baştan başa/her tarafa (dağılmış vb.): ~ **and** ~, tekrar tekrar; yuvarlanarak: **men of twenty and** ~, yirmi yaşında ve yirmiden yukarı olanlar: **he is** ~ **eighty**, sekseni geçkindir: ~ **and above this**, üstelik, bundan başka: **that is** ~ **and done with**, oldu bitti: **5 into 13 goes twice and 3** ~, 13te 5 iki defa var, 3 kalır: ~ **the border**, sınırın ötesin(d)e: **what's come** ~ **you?**,

Aranan kelime bu sayfada bulunmazsa, ilk olarak OUT- ***notlarına bakınız.***

sana ne oldu?, sana ne oluyor?: ~ **there/yonder**, karşıda, orada: **several times** ~, üstüste bir kaç defa: ~ **the last ten years**, son on yıl içinde: ~ **the way**, karşı tarafta.

over- *e. Bir fiile ve bazan bir sıfat/isme eklendiği zaman şu anlamları taşır:* (i) lüzumundan fazla; gerektiğinden fazla; *mes.* **eat** = yemek, ~**eat** = fazla yemek; **load** = yükletmek, ~**load** = fazla yükletmek: (ii) en üst; üstünlük; örtme, *mes.* **coat** = ceket, ~**coat** = palto; **lord** = amir, ~**lord** = metbu; **come** = gelmek, ~**come** = hakkından gelmek. **Over** *edatı hemen her kelimenin başına konarak yeni bir kelime türetilebilir.* **Over** *ile başlayıp sözlükte bulunmıyan kelimeleri asıl kelimede arayıp* **over** *ile aldıkları yeni anlamı yukardaki açıklamadan çıkarmak mümkündür.*

over·abundance [ouvə(r)ə'bʌndəns]. Aşırı bolluk. ~**act**, (*tiy.*) bir rolü abartılı oynamak. ~**-age** [-eyc], belli bir yaştan büyük. ~**age** ['ouvəric], fazlalık. ~**aged** [-'eycd] (*müh.*) aşırı yaşlanmış. ~**all** [-ōl] *i.* arkadan ilikli göğüslük: *s.* tam: ~ **length**, tam boy, dış uzunluk: ~**s**, çekme tulum, iş elbisesi. ~**-anxious**, fazla endişeli. ~**arch** [-'āç], üzerinden kemer yapmak. ~**arm**, **swim** ~, kulaç atarak yüzmek. ~**awe** [-'ō], korkutup hareket ve muhalefetten menetmek.

over·balance [ouvə'baləns]. Daha ağır basmak; dengesini bozmak; dengesini kaybetmek, devrilmek. ~**bearing**, zorba, mütehakkim. ~**bid**, (briç/mezatta) daha yüksek pey sürmek. ~**blown**, fazla açmış (çiçek). ~**board**, geminin küpeştesi üzerinden denize düşmüş: **man** ~!, denize adam düşmüş! ~**bold**, delice cesur. ~**book**, (otel, uçak vb.) fazla yerler tutmak. ~**brim**, taşmak. ~**build**, fazla binalar yapmak. ~**burden**, fazla yükletmek. ~**busy**, çok fazla meşgul.

over·call [ouvə'kōl]. (Briç/mezatta) fazla artırmak. ~**-capitalize**, bir teşebbüs için fazla sermaye tedarik etm. ~**cast**, *f.* karartmak: *s.* bulutlu, bulanık, kapalı, sümbülî; endişeli: **face** ~ **with fear/sorrow**, korku/kederle kaplı yüz. ~**charge** [-'çāc] *f.* fahiş fiyat istemek; fazla yükle(t)mek/doldurmak: ['ouvə-] *i.* fahiş fiyat, gabin, kazık; fazla yük; ilâve, ek, zam. ~**cloud** [-'klaud], bulutlandırmak: ~**ed**, bulutlu, sümbülî. ~**coat** ['ouvəkout], palto, pardüsü. ~**come** (*g.z.* ~**came**, *g.z.o.* ~**come**) [-'kʌm, -'keym], hakkından gelmek, yenmek; zaptetmek: **be** ~ **by grief/fear, etc.**, keder/korku vb.ne kapılmak. ~**-confident**, kendine fazla güvenen. ~**crop**, (*zir.*) aşırı derece toprağı işleyip verimliliğini tüketmek. ~**crowd** [-'kraud], fazla kalabalık ile doldurmak: ~**ed**, çok kalabalıklı: ~**ing**, (ev/bölge/memleket) nüfusu çok fazla kesif olma. ~**-current**, aşırı cereyan/akım.

over·do (*g.z.* ~**did**, *g.z.o.* ~**done**) [ouvə'dū, -'did, -'dʌn]. İfrata vardırmak; ifrat etm.; çok pişirmek: ~ **oneself/it**, kendini çok yormak. ~**done**, çok pişmiş; fazla değer verilmiş. ~**dose** [-dous], fazla ilâç verme/alma; fazla büyük doz. ~**draft** ['ouvə-], açık itibar/kredi; kredi limitini aşma. ~**draw** (*g.z.* ~**drew**, *g.z.o.* ~**drawn**) [-'drō(n), -'drū], bankadaki mevduatından fazla para çekmek: ~**n account**, karşılıksız hesap. ~**dress**, *f.* haddinden fazla itina ile giyinmek: *i.* üst elbise. ~**drive**, *f.* haddinden fazla sürmek/götürmek; tüketmek, yormak: *i.* (*oto.*) fazla hız düzeni. ~**due** [-'dyū], vadesi geçmiş; gecikmiş.

over·eat [ouvə(r)'īt]. Fazla yemek. ~**-estimate**, fazla değerlendirmek. ~**-exertion**, yorgunluk. ~**-exposed**, fazla teşhir edilmiş; (*sin.*) fazla ışık verilmiş; TV'da fazla görünmüş (aktör).

over·fall [ouvə'fōl]. Çağlayan; bank. ~**fatigue** [-fə'tīg] *f.* fazla yormak: *i.* fazla yorgunluk. ~**fish**, bir nehir/gölden fazla balık avlamak. ~**flow** [-'flou] *f.* taşmak: ['ouvə-] *i.* kanal/havuz vb.de fazla suların dökülmesine mahsus oluk: ~ **meeting**, toplantı yerine sığmıyan halka mahsus bir toplantı: ~**ing**, taşma; taşkın, bol. ~**fly**, üzerinden/ötesine uçmak. ~**full**, fazla dolu.

over·ground [ouvə'graund]. Yer üstündeki. ~**grow** (*g.z.* ~**grew**, *g.z.o.* ~**grown**) [-'grou(n), -'grū], (bitki) bir yer/duvar vb.ni kaplamak. ~**grown**, *s.* otlarla kaplanmış: ~ **child**, yaşından fazla büyümüş çocuk; genç irisi. ~**growth**, fazla büyüme.

over·hand (*sp.*) Eli omuzundan daha yüksek olan (vuruş). ~**hang** [-'han(g)] *f.* asılıp sarkmak; üzerine sarkmak; üstünde bulunmak, hâkim olm.: ['ouvə-] *i.* asılı kaya/parça, çıkıntı: ~**ing**, sarkık.

overhaul [ouvə'hōl] *f.* Teftiş ve muayene etm., incelemek, onarmak; tamir etm.; arkadan yetişmek. ['ouvə-] *i.* Teftiş, inceleme, dikkatli muayene; tamir; onarım, revizyon.

overhead [ouvə'hed] *zf.* Başın üstünde, yukarıda; havada; (*mec.*) tepeden. ['ouvə-] *s.* Yukarıda olan; havaî; asılı, asma: ~ **cable**, havaî kablo. ~**s**, genel masraflar, sürekli giderler.

over·hear (*g.z.(o.)* ~**heard**) [ouvə'hiə(r), -'hə̄d]. (Bir şeye) kulak misafiri olm.; tesadüfen işitmek. ~**heat** [-'hīt], fazla ısıtmak/ısınmak; kızdırmak: ~**ed**, aşırı ısınmış: ~**ing**, aşırı ısınma. ~**hung**, üstünden asılmış; asma, sarkma.

over·indulgence [ouvərin'dʌlcəns]. Fazla düşkünlük. ~**indulgent**, fazla şımartıcı. ~**joyed** [-'coyd], ziyadesiyle memnun; etekleri zil çalıyor. ~**kill**, düşmanı birkaç defa imha etme kabiliyeti.

over·laden [ouvə'leydn]. Fazla yüklenmiş/süslenmiş. ~**laid** [-'leyd] *g.z.o.* = OVERLAY[1]. ~**land**, *s.*, *zf.* kara(dan), kara yolu(ndan): *f.* (*Avus.*) (hayvan sürüleriyle) karadan uzun yolculuk etm.: ~**er**, böyle bir yolcu/sığırtmaç. ~**lap** [-'lap] *f.* üst üste katlanmak; bin(dir)mek; tedahül etm.: ['ouvə-] *i.* sarkan kısım; asma, bindirme: ~**ping**, bindirmeli. ~**lay**[1] (*g.z.(o.)* ~**laid**) [-'ley(d)], kaplamak: *i.* kaplama, örtü. ~**lay**[2], *g.z.* = ~LIE. ~**leaf** [-'līf], bir sayfanın arkasında(ki). ~**lie** (*g.z.* ~**lay**, *g.z.o.* ~**lain**, *hal.o.* ~**lying**) [-'lay, -'ley(n), -'layin(g)], üzerine yat(tır)mak; (kadın) uykusunda çocuğu üzerine yatıp boğmak. ~**load** [-'loud] *f.* fazla yüklemek: ['ouvə-] *i.* fazla/ek yük; (*elek.*) fazla cereyan, sürşarj.

overlook [ouvə'luk]. Yüksekten bakmak; -e nazır olm.; yan/arkadan yaptığı/yazdığı şeye bakmak; müsamaha göstermek, hoşgörmek, -e göz yummak; unutmak, ihmal etm.; nezaret etm.; çarpmak, nazarı değmek. ~ **it this time!**, bu sefer bağışla/hoşgör!: ~**ing the sea**, denize bakan.

overlord ['ouvəlōd]. Metbu; amir.

over·master [ouvə'māstə(r)]. Hakkından gelmek, rametmek: ~**ing**, mütehakkim; mukavemet edilmez. ~**much** [-'mʌç], çok fazla, gereğinden çok.

overnight ['ouvənayt] *i.* Dün gece. *s.* Geceleyin; bir gecelik/geceye mahsus. [-'nayt] *zf.* Geceleyin; gece esnasında. ~-**bag**, küçük el çantası. ~-**stay**, bir gecelik yatısı.

over·pass ['ouvəpās] *i.* Üstünden geçen yol, üstgeçit: [-'pas] *f.* üstünden geçmek; görmemezlikten gelmek. ~**pay**, *f.* fazla ödemek: *i.* aşırı ödeme/tediye/ücret. ~**play**, (*tiy.*) abartılı oynamak. ~**plus**, fazlalık. ~-**populated**, fazla nüfuslu. ~**power** [-'pauə(r)] hakkından gelmek; mağlup etm., yenmek: ~**ing**, kahhar; tahammül edilmez. ~**prescribe** [-pri'skrayb] (*tıp.*) fazla ilâç vermek. ~**pressure** [-'preşə(r)], fazla tazyik. ~**print**, üstüne/sürşarj basmak. ~**produc·e** [-prə'dyūs], fazla imal etm./üretmek: ~**tion** [-'dʌkşn], fazla imal, aşırı imalât. ~**proof** [-prūf], mutlak alkoldan fazla alkollü.

over·rate [ouvə'reyt]. Çoğumsamak, fazla değer vermek. ~**reach** [-'rīç], hile ile yenmek; (at) yürürken ard ayağının tırnağı ön ayağının ökçesine dokunmak: ~ **oneself**, iktidarından fazla yapmak; haddini aşırmak. ~**rich**, aşırı zengin; (*müh.*) çok kuvvetli.

over·ride [*g.z.* ~**rode**, *g.z.o.* ~**ridden**) [ouvə'rayd, -'roud, -'ridn]. Çok binerek yormak; ayak altında çiğnemek; üstün gelmek, daha önemli olm.; kırılmış bir kemiğin bir ucu diğerinin üzerine binmek. ~ **one's authority**, yetkisini aşmak: **this decision** ~**s all others**, bu karar ötekileri iptal eder/hükümsüz bırakır.

over·rule [ouvə'rūl]. Cerhetmek; hükümsüz bırakmak. ~**run** (*g.z.* ~**ran**, *g.z.o.* ~**run**) [-'rʌn, -'ran], haddini aşmak; akın/istila edip yağmalamak; her tarafına yayılmak: (bir makineyi) çok işletmek.

over·sea ['ouvəsī]. Deniz aşırı: ~**s** [-'sīz], denizaşırı memleketler·de/-den/-e. ~**see** [-'sī], gözetmek, nezaret etm.: ~**r** [-siə(r)], müfettiş, müdür; nezaretçi; ırgatbaşı; bakman. ~**sell** [*g.z.(o.)* ~**sold**], teslim edilebilen miktardan fazla satmak; (*mec.*) değerlerini mübalağa etm. ~**set**, devirmek; altüst etm.; devrilmek. ~**sexed** [-'sekst], müfrit derecede cinsiyete düşkün. ~**shade**/~**shadow** [-'şeyd, -'şadou], gölge etm.; gölgede bırakmak; gölgelendirmek. ~**shoes** [-şūz], potin üzerine giyilen kundura; galoş. ~**shoot** (*g.z.(o.)* ~**shot**) [-'şut, -şot], (hedefi) aşırmak; (*hav.*) uzun gelmek: ~**shot wheel**, üstten su alan çark. ~**sight** [-sayt], dikkatsizlik; sehiv; nezaret: **by/through an** ~, dikkatsizlikle. ~**size(d)** [-sayz(d)], büyük boy; hantal. ~**sleep** (*g.z.(o.)* ~**slept**) [-'slīp, -'slept], uyuya kalıp gecikmek. ~**spend** (*g.z.(o.)* ~**spent**), (gelirinden) fazla sarfetmek. ~**spill**, dökülen/taşan miktar; (*mec.*) başka bir yer/yeni kurulan şehre taşınan bir şehrin ziyade nüfusu. ~**spread** [-'spred], kaplamak; yayılmak. ~**staff**, kadrodan fazla memur/işçileri kullanmak: ~**ed** [-'stāft] *s.* (kadrodan) fazla memur/işçıleri olan. ~**state** [-'steyt], mübalağa etm., büyütmek: ~**ment**, mübalağa, ifrat. ~**stay** = OUTSTAY. ~**steer** [-'stī(r)] (*oto.*) istediğinden fazla dönmek. ~**step**, tecavüz etm.; haddini aşmak. ~**strain** [-'streyn] *f.* (kendini) yormak; aşırı zorlamak; fazla germek: ['ouvə-] *i.* fazla yorgunluk; aşırı zorlanma/gerilme. ~**strung**, fazla sinirli. ~**subscribe** [-səb'skrayb], bir borçlanma/istikraz için fazla hissedarlar kaydolunmak.

overt ['ouvət]. Meydanda; açık.

over·take (*g.z.* ~**took**, *g.z.o.* ~**taken**) [ouvə'teyk(n), -'tuk]. Arkadan yetişmek; yetişip geçmek; başına gelmek: ~ **arrears of work**, geri kalan işi yetiştirmek. ~**tax** [-'taks], fazla vergi tarhetmek; ağır vergilerle ezmek: ~ **s.o.'s patience**, birinin sabrını taşırmak: ~ **one's strength**, kendini yıpratmak. ~**throw** (*g.z.* ~**threw**, *g.z.o.* ~**thrown**) [-'θrou(n), -'θrū] *f.* devirmek; yıkmak; alt etm., yenmek: ['ouvə-] *i.* çökme, yıkılma; devirme; devrilme. ~**thrust** [-θrʌst] (*yer.*) bindirme. ~**time** [-taym], görev dışı çalışılan zaman; artık çalışma/fazla mesai (ücreti). ~**tone** [-toun], ahenk sesi; (*mec.*) tazammun. ~**top** [-'top], -den daha yüksek olm.; tepesini aşmak. ~**trump** [-'trʌmp], daha yüksek koz oynamak; yenmek. ~**ture** [-tyuə(r), -çə(r)], müzakere teklifi; (*müz.*) uvertür, başlangıç: **make** ~**s to s.o.**, bir iş hakkında ilk teklifi yapmak; bir meseleyi açmak. ~**turn** [-'tən], devirmek; altüst etm.; devrilmek, alabora olm.: ~**ed**, devrik.

over·weening [ouvə'wīnin(g)]. Kibirli; mağrur; kendini beğenmiş. ~**weight** [-weyt] *i.* nizamî haddi aşan ağırlık; sıklet fazlalığı: [-'weyt] *s.* ağırlığı fazla olan: *f.* fazla yüklemek. ~**whelm** [-welm], kahretmek, batırmak; ezmek: **be** ~**ed**, şaşkına dönmek: **be** ~**ed with joy**, sevincinden kendini kaybetmek: **I am** ~**ed by your generosity**, cömertlikle beni son derece mahcup ediyorsunuz: ~**ing**, kahir; ezici; mukavemet edilemez. ~**wind** (*g.z.(o.)* ~**wound**) [-'waynd, -'waund], (saat vb.) fazla kurmak. ~**winter**, -de kışlamak. ~**work** [-'wək] *f.* fazla çalıştırmak: ~ **(oneself)**, sağlığını bozacak derecede çalışmak; tahammülden ziyade çalışmak: *i.* fazla çalışma. ~**wrought** [-'rōt], fazla heyecan/çalışmaktan bitkin.

ovi-[1] [ouvi-] *ön.* Ovi-; yumurta +, yumurtaya ait.

ovi-[2] *ön.* Koyun +; koyuna ait.

ovi-[3] *ön.* ~**duct** [-dʌkt], yumurta geçit/kanalı. ~**form**, yumurta şeklinde, beyzî; koyun gibi. ~**ne** [-vayn], koyun cinsinden. ~**parous** [-'vipərəs], yavrusunu yumurtadan çıkaran. ~**positor** [-'pozitə(r)], yumurtlama borusu.

ov·o- ['ouvou-, -və-] *ön.* Yumurta +; ovo-. ~**ogenesis** [-'cenisis], yumurta oluşması. ~**oid** [-voyd], yumurta şeklinde. ~**ule** [-vyūl], yumurtacık. ~**um**, *ç.* ~**a** [-vəm, -və], yumurta; tohum.

ow [ou, au] *ünl. Sancı ifade eden nida.*

ow·e [ou]. Borcu olm., borçlu olm.; mecbur olm.: **'I** ~ **you'**, borç ikrarı. ~**ing**, borç olarak; ödenmesi lâzım; bakiye: ~ **to**, . . . yüzünden, -den dolayı.

owl [aul]. Baykuş, puhu; (*mec.*) vekar/akıllı bir kimse: ~**s**, gece yırtıcıları: **barn** ~, peçeli baykuş: **eagle** ~, puhu kuşu: **little** ~, kukumav: **long-eared** ~, kulaklı orman baykuşu: **scops** ~, cüce baykuş: **snowy** ~, K. kutbu bölgesine ait beyaz baykuş: **tawny** ~, alaca baykuş. ~**et** [lit], baykuş yavrusu. ~-**eyed**, baykuş gözlü; yarı kör. ~**ish**, baykuş gibi; baykuş bakışlı. ~-**light**, alaca karanlık.

own[1] [oun] *f.* Tasarruf etm., malik olm., sahip olm.; tanımak, kabul etm., itiraf etm. **he** ~**s three houses**, üç evi var: ~ **up (to)**, itiraf etm.

own[2] *s., zm.* Kendi, kendinin, kendininki. **my** ~ **house**, kendi evim: **the house is my** ~, ev kendime ait:

Aranan kelime bu sayfada bulunmazsa, ilk olarak OVER- ***notlarına bakınız.***

~ **brother**, öz kardeş: **come into one's** ~, kendi malını elde etm.; lâyık olduğu mevkii almak; kendi alanına girmek: **I do my** ~ **cooking**, yemeğimi kendim pişiriyorum: **get one's** ~ **back**, kuyruk acısını çıkarmak; öç almak: **hold one's** ~, mevkiini tutmak; mukavemet etm.: **he has money of his** ~, kendi parası var: **on one's** ~, kendi başına; başlı başına; yalnız başına: **I am all on my** ~ **today**, bugün kendi kendimeyim: **love truth for its** ~ **sake**, gerçeği gerçek için sevmek: **my time is my** ~, vaktimi istediğim gibi kullanabilirim.

own·-brand [o͜un'brand]. (Bir mağazada) satılan kendi markası/malı. ~**er**, sahip, iye; mal sahibi; patron; tasarruf eden: ~**-driver**, kendi otomobilini kullanan: ~**-occupier**, kendi evinde oturan kimse: ~**ship**, sahiplik, iyelik, mülkiyet, tasarruf: **'under new** ~**ship'**, sahibi değişmiştir. ~**-label** = ~-BRAND.

ox, *ç*. ~**en** [oks(n)]. Öküz.

oxal·ate ['oksəleyt]. Oksalat. ~**ic** [-'salik], oksalik.

oxbow ['oksbo͜u]. Akmaz (göl).

Oxbridge ['oksbric] = Ox(FORD) + (CAM)BRIDGE; asırlardanberi tesis edilmiş herhangi bir üniversite (*krş*. REDBRICK).

ox·cart ['okskāt]. Öküz arabası. ~**-eye**, birkaç nevi papatya.

Oxf. = OXFORD. ~**am** = OXFORD COMMITTEE FOR FAMINE RELIEF.

Oxford ['oksfəd]. İng.'de bir üniversite şehri: ~ **bags**, (*kon.*) çok geniş pantolon: ~ **blue**, koyu mavi: ~ **group/movement**, (*din.*) özel Hıristiyan tarikatleri: ~ **shoes**, bir nevi bağlı ayakkabı. ~**shire** [-şə], Brit.'nın bir kontluğu.

oxhide ['okshayd]. Öküz postu(ndan yapılmış deri).

oxi- [oksi-] *ön.* Oksi-; oksijene ait. ~**dant** [-dənt], oksitleyici. ~**dation** [-'deyşn], oksitlenme, yükseltgenme, oksidasyon, paslanma. ~**de** [-sayd], oksit. ~**dizable** [-sidayzəbl], oksitlenir, paslanır. ~**dize**, oksitle(n)mek, yükseltge(n)mek; küflenmek, paslanmak. ~**dized**, okside, oksitlenmiş. ~**dizer**, yükseltgen, oksitleyici.

Oxon. = OXFORD(-SHIRE)/UNIVERSITY; OXONIAN. ~**ian** [ok'so͜uniən], Oxford üniversitesine mensup.

oxtail ['oksteyl]. Öküz kuyruğu; bir nevi çorba.

Oxus ['oksəs]. Amu Derya nehri.

oxy- ['oksi-] *ön.* Oksi-; oksijene ait. ~**-acetylene**, oksijen asetilen(li). ~**gen** [-cin], oksijen, pasözü: ~**ate** [-neyt], oksijenle karıştırmak.

oxy·moron [oksi'mōrən]. Sözleri tenakuzla kuvvetlendirmek usulü. ~**tone** [-to͜un], yüksek tonla seslenen son hece.

oye·r ['oyə(r)] (*huk.*) Dinlemek: ~ **and terminer**, dinleme ve karar verme. ~**z!** [o͜u'yez], mübaşirin 'dinle!' sözü.

oyster ['oystə(r)]. İstridye. **pearl** ~, inci midyesi: **as close as an** ~, çenesini bıçak açmıyor. ~**-bar**, istridye satan lokanta vb. ~**-bed/-farm/-park**, istridye yetişen sığlık/yer. ~**-catcher**, deniz saksağanı, istridye avcısı. ~**-shell**, istridye kabuğu.

oz. = OUNCE.

ozon·e ['o͜uzo͜un]. Ozon; (*kon.*) tertemiz ve dinçleştirici hava. ~**ize** [-nayz], ozonlaştırmak.

***ozt(r).** = TROY OUNCE.

P

P [pī]. P harfi. **mind one's P's and Q's**, terbiyeli olmasına dikkat etm.
P, p. = PAGE; PAN-; PARKING; PAWN; (NEW) PENCE/PENNY; PERSON; PHARMACY; (*kim.s.*) PHOSPHORUS; PIANO; PICO-; PINT; POISE[2]; POPE; PRESIDENT; PREVENTION; PRINCE; PRINCIPAL; PROTESTANT; PUBLIC.
pa [pā] (*kon.*) Baba.
Pa. = PHILADELPHIA; (*kim.s.*) PROTACTINIUM.
PA = PARENTS' ASSOCIATION; PARTICULAR AVERAGE; PER ANNUM; PERSONAL ASSISTANT; POWER AMPLIFIER; POWER OF ATTORNEY; PRESS ASSOCIATION; PUBLIC ADDRESS; PUBLISHERS' ASSOCIATION. **~A** = PAN-AMERICAN WORLD AIRWAYS.
pabulum ['pabyuləm]. Gıda.
PABX = (telefon) PRIVATE AUTOMATIC BRANCH EXCHANGE.
Pac. = PACIFIC.
PAC = *PAN-AMERICAN CONGRESS; PUBLIC ASSISTANCE COMMITTEE.
paca ['pakə]. Paka.
pace[1] [peys] *i.* Adım, hatve; yürüyüş, gidiş; sürat, hız. **go the ~**, çabuk koşmak; sefahat içinde yaşamak: **the ~ is too hot for me**, ben onlarla yarış edemem: **keep ~ with...**, -e adım uydurmak: **put a horse through its ~s**, bir atı dolaştırıp göstermek: **put s.o. through his ~s**, birini yoklamak, imtihan etm.: **quicken one's ~**, adımlarını açmak: **set/make the ~**, (yarışta) hızı ayarlamakta örnek olm.
pace[2] *f.* Adımlamak, arşınlamak; bir koşucu/bisikletçi vb.yle beraber yarışarak onu idman ettirmek. **~ up and down**, bir aşağı bir yukarı gezmek.
pace[3] ['peysi] (*Lat.*) Müsaadesiyle; hatırı kalmasın.
pace·d [peyst] *son.* Adımla: **thorough-~**, tam(amen). **~-maker**, (koşucu vb.) idman ettiren kimse; (*tıp.*) kalp çalıştıran cihaz. **~r**, adımlıyan (at vb.).
pacha ['paşə] = PASHA.
pachy- [paki-] *ön.* Paki-; kalın; şişman. **~dermatous** [-'dəmətəs], kalın derili hayvanlara ait; vurumduymaz.
pacif·ic [pə'sifik]. Sulhperver, barışsever; yumuşak başlı: **the P~**, Büyük Okyanus, Pasifik: **~ally**, barışsever bir şekilde. **~ication** [-'keyşn], yatıştır(ıl)ma; teskin etme. **~icatory** [-'keytəri], yatıştırıcı, teskin edici. **~ism** ['pasifizm], barışseverlik, sulhculuk. **~ist**, barış taraftarı, sulhcu. **~y** [-fay], sulh yapmak; teskin etm., sakinleştirmek; yatıştırmak; gönül almak.
pack[1] [pak] *i.* Takım; güruh; sürü; bohça, arkaçantası; semer; (*tıp.*) sargı. **a ~ of cards**, iskambil destesi: **film ~**, filimpak: **ice ~**, (*tıp.*) buz kesesi; (*coğ.*) buz birikintisi: **wet ~**, (*tıp.*) ıslak bez: **~ of hounds**, av köpeği sürüsü: **~ of lies**, yalan dolan.
pack[2] *f.* (Eşyayı) bavula koymak; denk etm.; istif etm., paket yapmak, ambalaj yapmak; sıkı tıkmak; kıtık ile tıkamak; sürü halinde toplanmak: **~ (up)**, eşyasını toplayıp sandıklarına koymak, tası tarağı toplamak; gitmeğe hazırlanmak: **~ up**, (*arg.*) vazgeçmek; kaçmak: **these things ~ easily**, bunlar kolayca paket olur: **~ a meeting/jury, etc.**, bir meclis/jüri vb.de kendi taraftarlarının çoğunluğunu sağlamak: **the room is ~ed**, oda hıncahınç: **~ed like sardines**, balık istifi: **send s.o. ~ing**, (*kon.*) birini kovmak: **~ together**, sıkı sıkı toplanmak.
packag·e ['pakic]. Bohça; paket; küçük deste; ambalaj; koli: **~ deal**, toplu muamele/pazarlık: **~ holiday/tour**, toplu gezi. **~ing**, paketleme, ambalaj (hazırlanması).
pack·-animal ['pakaniməl]. Yük hayvanı. **~-drill**, (*ask.*) tam teçhizatla yürüyüş cezası. **~er**, ambalaj/paket yapan kimse/makine/şirket. **~et** [-kit], paket; deste: **~-boat**, yolcu ve posta gemisi. **~-horse**, yük beygiri. **~-ice**, yığın buzla, deniz buzlası, bankiz.
packing ['pakin(g)]. Ambalaj; denk bağlama; salmastra, pakin; tıkaç; conta: **~ extra/included**, ambalaj hariç/dahil. **~-case**, eşya sandığı. **~-needle**, çuvaldız.
pack·man ['pakmən]. Seyyar satıcı. **~-saddle**, semer. **~-thread**, çuvaldız ipi.
pact [pakt]. Misak; mukavele, muahede, antlaşma, ahitname, pakt.
pad[1] [pad] *i.* Küçük yastık; (yara vb.için) pamuk yastık; tıkaç; sumen; zımbalı not defteri; istampa; tabla simidi; palan, belleme; bazı hayvanların yumuşak tabanı; parmağın yumuşak kısmı; tilki ve tavşan pençesi.
pad[2] *f.* İçini yün/pamuk/kıtık vb. ile doldurmak; fodra etm.; yara/kırık kemiği korumak için ufak yastık koymak; bir yazı/kitaba gereksiz şeyler/haşviyat katmak. **~ along**, kurt/tilki gibi sessizce koşmak: **~ out**, şişirmek; (*bas.*) uzatmak; (*arg.*) tıraş etm. **~ding**, dolgu maddesi; fodra; haşviyat.
paddle ['padl] *i.* Iskarmozsuz kısa kürek, pala; vapurun yan çark tahtası, padıl; su değirmeninin kanadı; su kaplumbağasının ayağı. *f.* Kanoyu kısa kürek ile yürütmek; çıplak ayaklarını suya sokup oynamak. **~ one's own canoe**, bağımsız olm./çalışmak. **~-boat/-steamer**, yandan çarklı gemi. **~-box**, davlumbaz. **~-fish**, kaşık ağızlı mersin balığı. **~r**, kürekçi; ayaklarını suya sokup oynayan. **~-wheel**, yan çarkı, pervane, kanatlı dolap.
paddling ['padlin(g)]. Suya sokup oynama. **~-pool**, küçükler için oynama havuzu.
paddock ['padək]. Ahır/harada küçük çayır; yarışlardan evvel atların koşu alanındaki toplanma yeri; (*Avus.*) tarla.
Paddy[1] ['padi]. İrlandalı'nın lakabı.

paddy[2]. Çeltik. ~ **field**, çeltik tarlası.
paddy[3] (*kon.*) Öfke; hiddet. **be in a** ~, hiddetli olm.
padishah ['pādişə]. Padişah, sultan; (*kon.*) önemli bir kimse.
padlock ['padlok]. Asma kilit (ile kilitlemek).
padre ['pādrey]. Ordu/bahriyeye mensup papaz.
paean ['pīən]. Zafer türküsü.
paed- ['ped-] *ön.* Çocuk+. ~**erast** [-ərast], kulampara, oğlancı. ~**iatrician** [pīdiə'trişn], çocuk doktoru. ~**iatrics** [-'atriks], çocukbilim, çocuk hekimliği, pediyatri. ~**ophilia** [pedə'filiə], çocukla sevişmek sapkısı.
paeon ['pīən] (*edeb.*) Bir uzun ile üç kısa heceli bir vezin.
paeony ['pīəni] = PEONY.
pagan ['peygən]. Putperest; ehlikitap olmıyan; kâfir. ~**ism**, putperestlik, şirk.
page[1] [peyc] *i.* Sayfa. *f.* (Kitap vb.) sayfalarını numaralamak. **front-**~, birinci sayfa: ~ **news**, çok önemli havadis.
page[2] *i.* İç oğlanı; peyk; otel komisi. *f.* (Otelde) bir misafiri komi vasıtasıyle çağır(t)mak.
pageant ['pacənt]. Debdebeli alay/gösteri; (*tiy.*) peycent. ~**ry**, tantana, debdebe.
page·boy ['peycboy]. Genç peyk; (otelde) komi. ~**hood**, peyklik. ~**ship**, komilik.
pagin·al ['pacinl]. Sayfaya ait. ~**ation** [-'neyşn], kitap sayfalarının numaralanması. ~**ate**, sayfaları numaralamak.
pagoda [pə'goudə]. Pagoda.
pah [pā] *ünl. İğrenmeyi ifade eden nida.*
PAH = *PAN-AMERICAN HIGHWAY.
paid [peyd] *g.z.(o.)* = PAY[2]. *s.* Ödenmiş; tediye edilmiş; ücretli. **put** ~ **to**. . ., -i temizlemek. ~**-up**, tamamen ödenmiş.
pail [peyl]. Gerdel, kova; helke. ~**ful**, kova dolusu.
paillasse ['palyas] = PALLIASSE.
paillette [pal'yet] (*Fr.*) Minecilikte/süs için kullanılan maden pul.
pain [peyn] *i.* Acı, sızı, ağrı; elem. *f.* ~/**give** ~ **to**, acıtmak, ağrıtmak, incitmek, canını yakmak; kederlendirmek. ~**s**, zahmet, meşakkat: **be in** ~, acı duymak; bir yeri ağrımak: **on** ~ **of death**, ölüm cezasıyle: **it** ~**s me to say this**, bunu söylemek bana elem veriyor: ~**s and penalties**, kanunî cezalar: **put a wounded animal out of its** ~, yaralı bir hayvanı öldürüp eziyetten kurtarmak: **take/be at great** ~**s to do stg.**, bir şeyi yapmak için çok uğraşmak: **take** ~**s over stg.**, bir şeye son derece özen göstermek. ~**ed**, canı sıkılmış, kederlenmiş, kederli. ~**ful**, acı veren; ıstırap veren; meşakkatli; cansıkıcı, müteessir edici, üzücü: ~**ly**, acı vererek; cansıkıcı olarak. ~**-killer**, ağrı kesen (ilâç). ~**less**, ağrı/acısız: ~**ly**, ağrısız bir surette. ~**staking** [-zteykin(g)], itinalı; hamarat; özene bezene.
paint [peynt] *i.* Boya; düzgün, allık vb. *f.* Boyamak; boya ile resmetmek; tarif ve tasvir etm.; düzgün vb. sürmek. ~ **the face**, makiyaj yapmak: **he** ~**s**, ressamdır: ~ **the town red**, sokaklarda cümbüş yaparak ortalığı altüst etm. ~**-box**, renkler kutusu. ~**-brush**, boya fırçası. ~**ed**, boyanmış: ~**-lady**, (*zoo.*) renkli bir kelebek; (*köt.*) fahişe. ~**er**[1], nakkaş; boyacı; ressam.
painter[2] (*den.*) Kayığın çıması. **cut the** ~, ilgiyi kesmek; bağımsız olm.
paint·-gun ['peyntgʌn]. Boya tabancası. ~**ing**, boyalı resim; nakkaşlık; ressamlık; boya(n)ma. ~**ress** [-tris], kadın ressam. ~**-shop**, boyahane; boya dükkânı. ~**-stripper**, boya çıkarıcı (madde). ~**-thinner**, boya sulandırıcısı. ~**y**, (fazla) boyalı.
pair[1] [peə(r)] *i.* Çift; iki adet; karı koca; eş; (*id.*) karşılıklı olarak mecliste bulunmıyan iki muhalif üye. **bridal** ~, gelinle güvey: **carriage and** ~, iki atlı araba: **in** ~**s**, çift çift olarak: **a** ~ **of compasses**, pergel: **a** ~ **of scissors**, makas: **a** ~ **of steps**, üç ayaklı merdiven: **a** ~ **of suspenders**, †erkek jartiyeri; *pantolon askısı: **a** ~ **of trousers**, pantolon.
pair[2] *f.* Çift çift düzenlemek; eşini bulmak; eş olm.; çiftleş(tir)mek; (*id.*) iki muhalif üyenin karşılıklı olarak oy vermemek için meçliste bulunmamak üzerinde uyuşmak.
***pajama(s)** [pə'cāmə(z)] = PYJAMA(S).
Pak·(i) ['pak(i)] (*arg.*) Pakistanlı. ~**istan** [pakis'tān], Pakistan: ~**i**, Pakistanlı.
pal [pal] (*kon.*) Arkadaş; kafadar. ~ **up with**, -le kafadar olm.
Pal. = PALESTINE.
palace ['paləs]. Saray.
paladin ['palədin]. Şövalye; şampiyon.
pal(a)eo- ['paliou-] *ön.* Paleo-; eski. ~**cene** [-sīn], paleosen dizgesi. ~**graphy** [-'ogrəfi], eski yazıları okuyup anlamak bilimi. ~**lithic** [-'liθik], eski/yontma taş çağına ait. ~**ntology** [-on'toləci], paleontoloji, taşılbilim. ~**zoic** [-'zouik], paleozoik.
palanquin [palən'kīn]. Tahtırevan.
palat·able ['palətəbl]. Lezzetli; hoşa giden. ~**al**, damağa ait; (*dil.*) damak ünsüzü: ~**ize** [-təlayz] (*dil.*) damağı ile seslemek. ~**e**, damak: **have a fine** ~, ağzının tadını bilmek: **have no** ~ **for** . . ., -e karşı iştahı olmamak.
palatial [pə'leyşl]. Saray gibi, muhteşem.
palatin·ate [pə'latineyt]. Palatinlik. ~**e**[1] ['palətayn], palatin.
palat·ine[2]. Damak+; damağa ait. ~**o-** [-tou-] *ön.* damak+.
palaver [pə'lāvə(r)]. *Bilh.* zenci/vahşî kabilelerde müzakere; palavra; boş lakırdı.
pale[1] [peyl] *i.* Kazık; (*mer.*) sınır. **beyond/outside the** ~ **of society**, (parya gibi) cemiyete kabul edilemez.
pale[2] *s.* Solgun, soluk; sönük; uçuk; açık (renk). *f.* ~/**turn** ~, sapsarı kesilmek, sararmak, rengi uçmak: ~ **before stg.**, bir şeyin gölgesinde kalmak: ~ **into insignificance**, tamamen önemsiz olm. ~**face**, Amerika yerlilerine göre 'soluk benizli' Avrupalı. ~**-faced**, rengi uçmuş. ~**ly**, solgun vb. olarak. ~**ness**, solgunluk vb.
paleo- ['paliou-] *ön.* = PALAEO-.
Palestin·e ['paləstayn]. Filistin. ~**ian** [-'tiniən] *i.* Filistinli: *s.* Filistin+.
palette ['palet]. Palet, boya tablası.
palfrey ['pōlfri] (*mer.*) Binek atı (*bilh.* kadın için).
palikar ['palikā(r)] (*Yun.*) Palikarya, Rum delikanlısı.
palimpsest ['palimpsest]. Üzerindeki yazı silinip yeniden başka yazı yazılmış olan papirüs/parşömen.
palindrome ['palindroum]. Baştan ve sondan aynı şekilde okunan kelime/cümle: *'madam'*.
paling ['peylin(g)]. Parmaklık; şarampol.
palingenesis [palin'cenisis]. Yeniden doğma; üremede asıl özelliklerin hiç değişmemesi.

palisade ['pali'seyd]. Ağaç/demir kazıklarla yapılmış çit; şarampol. ~**d**, böyle çitli.
palish ['peyliş]. Oldukça solgun.
pall[1] [pōl] *i.* Tabut örtüsü, cenaze şalı; örtü; manto; (*mec.*) örtü, perde.
pall[2] *f.* Yavanlaşmak; tadını kaybetmek. **it never** ~**s on one**, insan ona hiç doyamaz.
Palladian [pə'leydiən] (*mim.*) Rönesans üslubuna ait.
palladium[1] [pə'leydiəm]. Atina tanrıçası Pallas'ın (Truvayı koruyan) heykeli; muhafaza vasıtası.
palladium[2] (*kim.*) Paladyum.
pall-bearer ['pōlbεərə(r)]. Resmî cenazede tabut örtüsünü tutanlardan biri.
pallet ['palit]. Ot yatak; istif rafı. ~**isation**, (gemi/kamyonda) bütün eşyaların standart istif raflarında taşınması.
palliasse ['palyas] (*Fr.*) Ot minder.
palliat·e ['palieyt]. Hafifletmek; muvakkaten dindirmek. ~**ion** [-'eyşn], hafifletme; mazeret, hafifletici sebep. ~**ive** [-iətiv], hafifletici (şey/ilâç, vb.); muvakkat çare.
pall·id ['palid]. Solgun; sönük, dönük: ~**ly**, solgun olarak: ~**ness**, solgunluk; dönüklük. ~**or** [-lə(r)], solgunluk, vb.
pally ['pali]. Arkadaşça.
palm[1] [pām]. Hurma ağacı; palmiye. **carry off/bear the** ~, galebe çalmak; mükâfat/ödül kazanmak.
palm[2]. Avuç, aya; kefne; gemi demirinin çapası. ~ **stg. off on s.o.**, birine (yapma/değersiz) bir şeyi yutturmak: ~ **a card**, kâğit oyununda elçabukluğu ile bir kâğıt elde etmek/saklamak: **grease the** ~, rüşvet vermek.
palm-[3] *ön.* ~**ar** [-mə(r)], aya+. ~**ate** [-meyt], aya şeklinde, elsi, el damarlı. ~**ed** [pāmd], ayalı. ~**er** [-mə(r)] (*tar.*) Mukaddes Diyar'dan dönen Hıristiyan hacı. ~**iped(e)** ['palmiped, -pīd], perdeayaklı. ~**ist** ['pāmist], el falcısı: ~**ry**, el falı. ~**-oil**, hurma yağı; (*mec.*) rüşvet. ~**-Sunday**, İsa'nın Kudüse girişinin hatırası olan Paskalyadan önceki pazar günü. ~**y** ['pāmi], hurma ağaçlarına ait; (*mec.*) başarılı, muzaffer: ~**days**, (geçmişteki) mutlu günler.
palolo [pə'loulou]. Palolo kurdu.
palamino [palə'mīnou]. Altın/kaymak renkli at.
palp [palp]. Dokunmak, elle tutmak. ~**able** [-pəbl], elle dokunulabilir/tutulur; meydanda; belli. ~**ate** [-peyt], elle tutmak/muayene etm.
palpebral ['palpibrəl]. Göz kapağına ait.
palpitat·e ['palpiteyt]. Titremek; (yürek) oynamak. ~**ion** [-'teyşn], yürek oynaması, çarpıntı; hafakan.
palp·(us), *ç.* ~**i** ['palp(ʌs), -pī]. Böceğin dokuma organı.
pals·ied ['pōlzid]. Sarsak; inmeli. ~**y**, inme; sallabaşlık; sarsaklık.
palter ['pōltə(r)]. Hileli hareket etm., savsaklamak; şaka etm., ciddîye almamak. **now, no** ~**ing!**, savsaklamak yok!
paltr·iness ['pōltrinis]. Miskinlik, değersizlik. ~**y**, miskin, değersiz, bayağı.
palud·al/-ous [pa'lūdəl, -əs]. Batak·çıl/-sal; sıtmalı. ~**ism** ['pal(y)ūdizm], sıtma.
paly ['peyli] (*şiir.*) Oldukça solgun.
palynology [pali'noləci]. Çiçektozu bilimi.
pampas ['pampəs]. G.Am.'da geniş ağaçsız fakat otlu ovalar, pampa. ~**-grass**, bu ovalarda yetişen çok yüksek ot.
pamper ['pampə(r)]. Naz ve nimet içinde büyütmek; şımartmak.
pamphlet ['pamflit]. Risale, kitapçık, broşür, cüz. ~**eer** [-'tiə(r)], risale muharriri, kitapçık yazarı; hicviyeci.
pan[1] [pan] *i.* Yassı kap; çanak, güveç; leğen; tava; toprakta yassı bir çukur; eski tüfeklerde ağızotu tavası; terazi gözü. **hard** ~, toprak altında sert bir tabaka: **a flash in the** ~, kısa süren gayret/teşebbüs; sonuçsuz bir hamle.
pan[2] *f.* Altınlı toprak/çakılı demir tavada yıkayıp altını ayırmak; (*sin.*) çevrinmek. ~ **out**, yıkayıştan bir miktar altın çıkmak; neticelenmek: **it didn't** ~ **out as we expected**, umduğumuz gibi çıkmadı.
Pan[3]. Eski Yunanlıların kır tanrısı; tabiat.
pan-[4] *ön.* Tam..., hep..., bütün, her umumî; pan-.
Pan. = PANAMA.
panacea [panə'sīə]. Her derde deva; devayı kül.
panache [pə'naş]. (Mihverdeki) sorguç; (*mec.*) gösteriş.
Pan-Am. = PAN-AMERICAN (WORLD AIRWAYS).
Panama [panə'mā]. Panama. ~**(-hat)**, ince hasır şapka. ~**nian** [-'mēyniən] *i.* Panamalı: *s.* Panama+.
Pan-American [panə'merikən]. Bütün Amerika devletlerine mahsus/ait.
pancake ['pankeyk] *i.* Gözleme, krep; lalanga. *f.* (Uçak) askıda inmek. **as flat as a** ~, yamyassı.
panchromatic [pankrou'matik]. Bütün renklere hassas; pankromatik.
pancrea·s ['pan(g)kriəs]. Pankreas. ~**tic** [-kri'atik], pankreasa ait.
panda ['pandə]. Panda. ~**-car/-crossing**, panda gibi çizgili polis otomobili/yaya geçidi.
pandect ['pandekt] (*tar.*) Kanunlar mecmuası.
pandemic [pan'demik]. Bir (kaç) memlekete sirayet eden (hastalık).
pandemonium [pandi'mouniəm]. Bütün şeytanların toplandığı yer; velvele, hengâme, gürültü. ~ **broke out**, kıyamet koptu.
pander ['pandə(r)] *i.* Pezevenk, kaltaban. *f.* Pezevenklik etm. ~ **to s.o.**, birisine yüz vermek: ~ **to some vice**, bir kötülüğü teşvik etm./hoş görmek.
pandit ['pandit] = PUNDIT.
P & O = PENINSULA AND ORIENT (STEAMSHIP CO.).
Pandora [pan'dōrə] (*mit.*) Güzel kadın. ~**'s box**, insanın bütün kötülüklerinin menşei.
p. & p. = POSTAGE AND PACKING.
P & S = PORT AND STARBOARD.
pane [peyn]. Pencere camının bir tek parçası.
panegyric [pani'cirik]. Methiye, övgü, menkıbe; kaside.
panel ['panəl] *i.* (Kapı) ayna tahtası; kaplama tahtası; levha, kitabe; pano, tablo; bölme; yağlı boya resim için kullanılan ince tahta; (*id.*) memur vb. listesi; (sosyal sigorta) hastalar listesi; (*rad.*) panel, açık oturum. *f.* Tahta kaplama ile kaplamak. ~**-board**, resim tahtası; tevzi tablosu. ~**-discussion**, (*rad.*) panel tartışması. ~**-doctor**, sosyal sigorta doktoru. ~**-game**, (*rad.*) panel oyunu. ~**-heating**, panolarla kaplanmış kalorifer tesisatı.

Aranan kelime bu sayfada bulunmazsa, ilk olarak* PAN- *notlarına bakınız.

paneless ['peynlis]. Camsız (pencere).
panel·ling ['panəlin(g)]. Tahta kaplama. **~-pin**, geniş başlı çivi. **~-saw**, aynalık testeresi. **~-speaker**, (*rad.*) açık oturumlarda konuşan kimse.
panful ['panful]. Kap/tava dolusu.
pang [pan(g)]. Anî ve şiddetli sancı; ıstırap. **the ~s of death**, can çekişme: **the ~s of remorse**, vicdan azabı.
panga ['pan(g)gə] (*Afr.*) Uzun ve ağır bıçak.
pangolin [pan(g)'goulin]. Pangolin, pullumemeligiller.
***panhandle** ['panhandl] *i.* Tava sapı (şeklinde başka eyaletler arasında bir eyaletin parçası). *f.* (*arg.*) Dilemek.
Pan-Hellenism [pan'helənizm] (*tar.*) Bütün Yunanlıların birleşmesi (ilkesi).
panic ['panik] *i.* Anî ve yersiz telaş ve korku; dehşet, ürküntü; panik. *f.* Anî ve çok defa esassız bir telaşa düşmek. **~ky**, kolayca telaşa düşen; telaş verici.
panicle ['panikl]. Yulaf ve darı gibi olan başak.
panic-monger ['panikmʌngə(r)]. Esassız telaşa sebep olan/panik çıkaran kimse.
Pan-Islam [pan'islām]. Bütün Müslümanların birleşmesi (ilkesi).
panjandrum [pan'candrʌm]. *Şatafatlı bir rütbe ve memuriyet ifade eden uydurma bir unvan, bilh.* **the Great ~**.
pannage ['panic] (*tar.*) Domuzu ormanda besleme hak/ücreti.
pannier ['paniə(r)]. Yük hayvanının her iki tarafında taşınan küfelerin biri; küfe.
pannikin ['panikin]. Tenekeden yapılan ufak bir kap.
panning ['panin(g)] (*sin.*) Alıcıyı etrafa çevirme. **~-shot**, çevrinme.
panoply ['panəpli]. Tam takım zırh ve silâh. **in full ~**, tamamen donanmış.
panoptic [pa'noptik]. Bir görünüşte bütünü gören/gösteren. ***~on**, zindancı yerinin etrafında inşa edilen dairevî hapishane.
panoram·a [panə'rāmə]. Geniş manzara, panorama; çevrinme resmi. **~ic** [-'ramik], panoramik: **~ window**, manzaraya bakan geniş pencere.
panpipe(s) ['panpayp(s)]. Bir kaç kamış/borudan yapılmış çoban çalgısı.
pansy ['panzi]. Hercai menekşe; (*kon.*) kadın gibi genç, HOMOSEXUAL.
pant [pant]. Sık sık nefes almak, solumak; çok istemek. **~ for breath**, nefes nefese olm.: **~ for/after stg.**, şiddetle istemek.
pantal·et(te)s [pantə'lets]. Kadın donu. **~oon** [-'lūn], palyaço; onun giydiği dar pantolon; *ç.* pantolon.
pantechnicon [pan'teknikən]. Ev eşyası taşımağa mahsus büyük araba.
panthe·ism['panθi·izm]. Varlık birliği felsefesi; panteizm. **~on** [-θiən], bütün tanrılara mahsus tek tapınak; panteon; meşhurların gömüldüğü bina/kilise.
panther ['panθə(r)]. Pars, panter.
panti- [panti-] *ön.* = PANTY-. **~es** [-tiz] *ç.* (*kon.*) çocuk donu; dar kadın donu, külot.
pantile ['pantayl]. S-şeklinde dam kiremidi.
panto ['pantou] (*kon.*) = ~MIME. **~-**, *ön.* = PAN-: **~graph**, pantograf. **~mime** [-maym] (*mer.*) pandomima, sessiz tiyatro; (*şim.*) bir peri masalına dayanan piyes.
pantry ['pantri]. Sofra takımının korunduğu ve yıkandığı oda; kiler. **~man**, kilerci.
pants [pants]. Don; *pantolon. **be caught with one's ~ down**, (*arg.*) katiyen hazır olmamak: **scare the ~ off s.o.**, birini çok korkutmak.
Pan-Turan(ian)ism [pantyuə'reyn(iən)izm]. Bütün Türklerin birleşmesi (ilkesi), Turancılık.
panty- [panti-] *ön.* Hem külot hem de . . .; külotlu. **~-girdle/-hose/skirt**, külotlu korse/çorap/etek.
panzer ['pantsə(r)] (*Alm.*) Zırhlı.
pap [pap]. Meme (şeklinde); sulu gıda; lapa.
papa [pə'pā] (*mer., çoc.*) Baba.
papa·cy ['peypəsi]. Papalık; papalık idaresi ve hükümeti. **~l** ['peypl], Papaya ait: **~ism**, papalık taraftarlığı. **~ist**, papalık taraftarı.
papaverous [pə'peyvərəs]. Gelincik gibi.
pa·(w)paw, **~paya** [pə'pō, -'payə]. Papaya/kavun ağacı.
paper ['peypə(r)] *i.* Kâğıt; gazete; senet, vesika; sınav soruları; (kongre vb. için yazılan) tetkik, araştırma, etüt. *s.* Kâğıttan yapılmış. *f.* Kâğıt ile kaplamak. **~ over the cracks**, kusurlar/hatalar/uyuşmazlığı gizlemek: **~s**, evrak; kimlik cüzdanı; gemi evrakı: **blotting ~**, kurutma kâğıdı: **brown ~**, paket/ambalaj kâğıdı: **carbon ~**, kopya kâğıdı: **graph ~**, grafik kâğıdı: **laid ~**, papyekuşe: **letter/note ~**, mektupluk kâğıdı: **local/provincial ~**, şehir/taşra gazetesi: **national ~**, memleket gazetesi: **official ~**, resmî gazete; pullu kâğıt: **poster ~**, ilân kâğıdı: **ruled ~**, çizgili kâğıt: **scrap/waste ~**, kırpıntı kâğıt: **ship's ~s**, gemi evrakı: **sized ~**, tutkallı kâğıt: **tracing ~**, ince/şeffaf resim kâğıdı: **voting ~**, oy kâğıdı: **be in the ~(s)**, hakkında gazetede yazılmak: **lock up the ~**, gazeteyi bağlamak: **put to/down on ~**, yazmak: **read a ~**, gazete okumak; konferans vermek: **send in one's ~s**, istifa etm.: **set a ~**, sınav soruları hazırlamak. **~-back**, kâğıt ciltli/ciltlenmemiş (kitap). **~-boy/-girl**, gazete dağıtıcısı. **~-chase**, kâğıt izli bir nevi kır koşusu. **~-clip**, kâğıt raptiyesi. **~-credit**, vadeli senet vb. ile kredi. **~-hanger**, duvar kâğıtçısı. **~-knife**, kâğıt bıçağı. **~-mill/-works**, kâğıt fabrikası, kâğıthane. **~-money**, kâğıt para, banknot. **~-profits**, oranlama/tahminî kazanç. **~-war(fare)**, gazete savaşı; düşmana uçaktan ilânlar atılması. **~-weight**, prespapye. **~-work**, evrak işi. **~y**, kâğıt gibi.
Paph·ian ['peyfiən]. Venüs tapınmaya mahsus Pafos şehrine ait; fuhşa ait; Pafos'lu; fahişe. **~os** ['pey-, 'pafos]. Pafos şehri.
Paphlagonia [paflə'gouniə] (*tar.*) Kastamonu bölgesi.
papier mâché [papyey 'maşey]. Kartonpat.
papill·a [pə'pilə]. Tomur, kabarcık; kılsoğanı. **~ary**, tomur vb. gibi. **~oma** [papi'loumə], siğil, urcuk.
papist ['peypist]. Katolik; papalık taraftarı.
papoose [pə'pūs]. Kızılderililer çocuğu.
pappus ['papəs] (*bot.*) Papus, diken pamuğu.
pappy ['papi]. Sulu; lapa gibi.
paprika ['paprikə]. Bir nevi kırmızı biber.
papul·a/~e ['papyul(ə)] (*bot.*) Kabarcık.
papyr·aceous [papi'reyşəs]. Kâğıt gibi (ince).

~**ology** [-'rolәci] (*ark.*) papirüs bilimi. ~**us**, *ç.* ~**i** [pә'payrәs, -ray], papirüs.
par [pā(r)]. Müsavilik, eşitlik; başabaş olma, parite, itibarî değer. **be on a** ~ **with...**, -e eşit olm., aynı şey olm.; -le aynı seviyede olm.: **at** ~, başabaş, itibarî değerinde: **above/below** ~, başabaş/pariteden yukarı/aşağı: **feel below** ~, biraz keyifsiz olm.
par. = PARAGRAPH; PARALLEL; PARISH.
para ['parә] (*kon.*) PARACHUTIST; PARAGRAPH.
para-[1] [parә-] *ön.* Yanındaki; ötesindeki; nizamsız, usule aykırı; yardımcı; (*kim.*) tadil edilmiş.
para-[2] *ön.* Koruyan, sığınan; önüne geçen.
para-[3] *ön.* -e bağlı fakat tam(amen) olmıyan, gibi; -e ilâve edilen; -e tabi edilen, yarı; para-; tali.
parabiosis [parәbi'ousis] (*biy.*) Doğal/sunî birleştirilme, parabiyoz.
parable ['parәbl]. Bir pay çıkarmak/ manevî bir gerçeği göstermek için anlatılan hikâye. **speak in** ~**s**, kinayeli konuşmak.
parabol·a [pә'rabәlә]. Parabol. ~**ic** [parә'bolik], parabola ait, parabol+, parabolik. ~**oid** [pә'rabәloyd], paraboloit.
para·chronism [pә'rakrәnizm]. Tarih sıralanmasına ait hata. ~**chrosis** [parә'krousis] (*mad.*) ışıkta renk değiştirmesi.
parachut·e ['parәşūt] *i.* Paraşüt. *f.* Paraşütle düş(ür)mek/götürmek: ~ **troops**, paraşütçü birlikleri. ~**ist** [-'şūtist], paraşütçü.
paraclete ['parәklīt] (*din.*) Şefaatçi.
parade [pә'reyd] *i.* Nümayiş, gösteriş; defile, gösteri, geçit; merasim; talim; teftiş nizamı; piyasa yeri. *f.* Gösteriş yapmak; teşhir etm.; (askeri) içtimaa çağırmak; (asker) içtimaa çıkmak. ~**-ground**, talimhane.
paradigm ['parәdaym] (*dil.*) Kip, çekimörneği. ~**atic** [-dig'matik], kipe ait.
paradis·e ['parәdays]. Cennet: **bird of** ~, cennet kuşu: **an earthly** ~, yeryüzü cenneti: **live in a fool's** ~, gerçeği görmiyerek yalancı/geçici bir mutluluk içinde yaşamak. ~**iac** [-'disiak], cennete ait; cennet gibi.
paradox ['parәdoks]. Görünüşte mantıksız ve çelişik fakat çok defa gerçeğe uygun bir söz, paradoks. ~**ical** [-'doksikl], paradoks kabilinden. ~**y**, paradoks.
paradrop ['parәdrop]. Paraşütle düş(ür)me(k).
paraffin ['parәfin]. Gaz, petrol, parafin. **liquid** ~, sıvı halinde vazelin. ~**-oil**, gazyağı. ~**-wax**, parafin.
paragoge ['parәgoci] (*dil.*) Bazı hallerde harf/hecenin eklenmesi.
paragon ['parәgәn]. Fazilet/mükemmellik örneği; kusursuz şey/şahıs.
paragraph ['parәgrāf] *i.* Satırbaşı, paragraf; küçük fıkra. *f.* Bir yazıyı paragraflara ayırmak; bir şey/şahıs hakkında küçük bir fıkrayı yazmak. ~**er**, fıkra yazarı. ~**ic** [-'grafik], fıkra/paragrafa ait. ~**-mark**, paragraf işareti (¶), çengel (§).
Paraguay ['parәgway]. Paragvay. ~**an** [-'gwayәn] *i.* Paragvaylı: *s.* Paragvay+.
parakeet ['parәkīt]. Bir nevi küçük papağan.
parakite ['parәkayt]. Paraşüt görevini yapan uçurtma; kuyruksuz uçurtma.
paralinguistics [parәlin'gwistiks]. (Ton/jest vb.ne ait) tali dil bilgisi.
paralla·ctic [parә'laktik]. Paralaksa ait. ~**x** ['parәlaks], paralaks, ıraklık açısı.
parallel ['parәlel] *s.* Muvazi, koşut, paralel; aynı, benzer; aynı sonuca giden. *i.* Muvazi hat, koşut; (*coğ.*) arz dairelerinden biri; mukayese, karşılaştırma. *f.* Muvazi/koşut olm.; benzemek; mukayese etm., karşılaştırmak. **draw a** ~ **between two things**, iki şeyi karşılaştırmak, aralarında koşutluk kurmak: **without** ~, emsalsiz; hiç görülmemiş. ~**-bars**, (*sp.*) paralel bar, koşut ağaç. ~**epiped** [-'lepiped], paralel yüzlü. ~**ism**, muvazilik; benzerlik. ~**ogram** [-'lelәgram], muvazi-/paralelkenarlı, paralelogram.
paralogi·sm [pә'ralәcizm]. Mantıkî olmıyan düşünüş; sahte görünüş. ~**ze** [-cayz], yanlış düşünmek/sonuç çıkarmak.
paraly·se/-ze ['parәlayz]. Felce uğratmak, kötürüm etm.; (*mec.*) gücünü kırmak; etkisiz bırakmak; durdurmak: **the strike** ~**d the railways**, grev bütün trenleri durdurdu: **be** ~**d with fear**, korkudan donakalmak. ~**sis** [pә'ralisis], inme; felç, kötürümlük; (*mec.*) durdurulma. ~**tic** [-'litik], inmeli, mefluç, kötürüm: **have a** ~ **stroke**, felç gelmek, inme inmek.
para·magnetic [parәmag'netik]. Mıknatısla çekilebilen, paramagnetik. ~**matta** [-'matә] = PARRAMATTA. *~**medic**, *i.* (*ask.*) paraşütçü hastane hademesi: ~**(al)**, *s.* tıbba bağlı. ~**meter** [pә'ramitә(r)] (*mat.*) parametre, katsayı; her hangi bir karakteristik. ~**military** [parә'militәri] *s.* asker(liğ)e bağlı: ~ **(forces)**, yarı/yardımcı askerî gruplar. ~**mount** [-maunt], üstün, faik; en önemli: ~**cy**, üstünlük: ~**ly**, üstün olarak. ~**mour** [-mū(r)], gayri meşru sevgili; metres.
para·noia [parә'noyә]. Deliliğe varan megalomani, paranoya: ~**c**, *s.* paranoya/evham deliliğine ait: *i.* paranoyak. ~**normal**, normal fennî araştırmanın vb. dışında.
parapet ['parәpit]. Korkuluk; barbata; istihkâm siperi.
paraph [pә'raf]. İmzaya yazılan özel çizgi, paraf.
paraphernalia [parәfә'neylyә]. Herhangi teçhizat takımı; gereç, cihaz; öteberi, takım taklavat.
paraphrase ['parәfreyz]. Bir yazının anlamını daha açık olarak/başka kelimelerle ifade etme(k).
paraplegi·a [parә'plīciә]. Bedenin aşağı yarısının felce uğraması. ~**c**, bu felce ait.
paras ['parәz] *ç.* = PARACHUTE TROOPS.
parasit·e ['parәsayt]. Başkasının sırtından geçinen; tufeylî, asalak, emici; (*rad.*) parazit. ~**ic** [-'sitik]. asalak halinde olan; başka hayvan/bitkinin üstünde yaşıyan. ~**icide** [-'sitisayd], asalak öldürücü madde. ~**ism** [-saytizm], asalaklık. ~**ized** [-tayzd], asalaklı. ~**ology** [-'tolәci], asalakbilim.
parasol ['parәsol]. (Güneşten koruyan) şemsiye.
parataxis [parә'taksis] (*dil.*) Müstakil olarak sıralanan kelime/cümleler.
paratroop·er ['parәtrūpә(r)]. Paraşütçü askeri. ~**s**, paraşütçü birlikleri.
paratyphoid [parә'tayfoyd]. Paratifo.
paravane ['parәveyn]. Mayınları geminin yanlarından savmağa mahsus bir alet, paravan.
parboil ['pāboyl]. Yarı kaynatmak.
parbuckle ['pābʌkl] *i.* Fıçı sapanı. *f.* Bununla kaldırmak/indirmek.
parcel ['pās(ә)l] *i.* Paket, koli; parsel; takım, yığın. *f.*

Baderna etm. ~ **out**, pay pay ayırmak; ifraz etm.: **part and** ~ **of**, -le hallihamur olan. ~**-post**, koli servisi; posta kolisi.

parch [pāç]. Kavurup kurutmak. **be** ~**ed with thirst**, susuzluktan yanmak.

parchment ['pāçmənt]. Tirşe, parşömen.

pard[1] [pād] = LEOPARD.

***pard**[2] (*arg.*) = PARTNER.

pardon ['pād(ə)n] *i.* Af; suçun bağışlanması. *f.* Affetmek; suçunu bağışlamak. ~**!/I beg your** ~**!**, affedersiniz!; efendim? ~ **me!**, affedersiniz!; bakmayın!; ama! ama! ~**able**, affedilebilir; mazur görülebilir. ~**ably**, affedilir bir şekilde. ~**er** [-dnə(r)] (*din.*) günahların affını satabilen kimse; affedici.

pare [peə(r)]. Yontmak; kabuğunu soymak; ayıklamak; kenarını kısmak.

paregoric [pari'gorik]. Teskin edici (ilâç).

parenchyma [pə'ren(g)kimə]. Parenkima.

parent ['peərənt] *i.* Baba, anne. *s.* Ana; esaslı. ~**age** [-tic], nesil, soy. ~**al** [pə'rentl], ebeveyne ait. ~**hood**, babalık, analık. ~**s**, ebeveyn, ana baba. ~**-ship**, anagemi. ~**-teacher association**, okul aile birliği.

parenthe·sis, *ç.* ~**ses** [pə'renθəsis, -sīz]. Parantez, ayraç; ara (cümle); kere; istitrat. ~**tic** [-'θetik], istitrat kabilinden: ~**ally**, istitraden.

parer ['peərə(r)]. Soyma makine/bıçağı.

parergon [pa'rəgən]. Tali iş; asıl işinden yapılan başka bir iş.

paresis ['parisis]. Hafif felç.

par excellence [pār'ekselā(n)s] (*Fr.*) Fevkalade.

parget ['pācıt]. Alçı, sıva; kabartma alçı işi.

parhelion [pā'hīlyən]. Yalancı güneş; güneş halesinde parlak leke.

pariah ['pariə]. Parya: ~**-dog**, sokak köpeği.

Parian [peəriən]. Paros adasına ait; pek güzel beyaz porselen.

parietal [pə'rayətl]. Cidarî; paryetal, yankafa.

paring ['peərin(g)] (*gen.*) ~**s**, kırpıntı; döküntü.

pari·mutuel [pāri'mütyüel] (*Fr.*) = TOTALIZATOR. ~***passu*** [-'pasyu] (*Lat.*) eşit adımla; aynı zamanda ve aynı hızla.

Paris ['paris]. Paris. ~**ian** [pə'riziən] *i.* Parisli: *s.* Paris +.

parish ['pariş]. Bir papazın dinî bölgesi; mahalle. **go on the** ~, mahalle tarafından beslenmek: **the whole** ~, bütün mahalle. ~**ioner** [pə'rişənə(r)], bir papazın dinî bölgesinde oturan kimse.

parity[1] ['pariti]. Tam eşitlik; başa baş olma, parite; benzerlik.

parity[2] (*tıp.*) Çocukları doğurmuş olma gerçeği; doğurulmuş çocukların toplamı.

park [pāk] *i.* Etrafı çevrili ağaçlık geniş yer, koru, park; savaş gereçleri/top/araba/otomobiller vb.nin toplu bulunduğu yer; topçu karargâhı. *f.* Top/otomobil vb.ni bir yere toplayıp bırakmak; (*oto.*) park etm. **car** ~, otomobillerin muvakkaten bırakıldığı yer: **national** ~, millî park: **public** ~, park: ~ **a car in a street**, otomobili geçici olarak bir sokakta bırakmak/park etm.

parka ['pākə]. Başlıklı deri ceket; parka, anorak.

parkerize ['pākərayz] (*müh.*) Parkerlemek.

parkin ['pākin]. Bir nevi yulaf bisküviti.

park·ing ['pākin(g)] (*oto.*) Park, durak; bırakma: **no** ~**!**, park edilmez!: ~**-brake**, el freni: ~**-lights**, park fener/ışıkları: ~**-lot**, park yeri: ~**-meter**, park saati: ~**-ticket**, park etme bileti; park ceza ilân/makbuzu. ~**-land**, çitle kuşatılmış koru/otluk. ~**way**, ağaçlı yol.

Parkinson ['pākinsən]. ~**'s disease**, titremeli felç, Parkinson hastalığı. ~**'s law**, (*alay.*) bir işin verilen müddetin sonuna kadar süreceği teorisi.

parky ['pāki] (*kon.*) Soğuk (hava).

Parl. = PARLIAMENT(ARY).

parlance ['pāləns]. Konuşma tarzı. **in common** ~, konuşma dilinde/diliyle: **in legal** ~, hukuk dilinde.

***parlay** ['pāley] *f.* Önceden kazanılmış para ile yeni bir bahse girmek. *i.* Böyle bahse girme.

parley ['pāli] *i.* (*Bilh.* barış/teslim/mütareke hakkında) müzakere/oylaşım. *f.* Müzakereye girmek. ~**voo** [-'vū] (*arg.*) Fransız; Fransızca (konuşmak).

parliament ['pāləmənt]. Parlamento; millet meclisi: **the Houses of** ~, Londrada parlamento sarayı: **both houses of** ~, İngiliz parlamentosunun Avam ve Lordlar kamaraları. ~**arian** [-'teəriən], parlamento üyesi; (*tar.*) parlamento taraftarı. ~**ary**, parlamento/meclise ait; (söz) terbiyeli.

parlour ['pālə(r)]. Küçük salon, oturma/misafir odası. **bar** ~, bir birahanenin arka odası: ~ **games**, toplantılara mahsus eğlenceli oyunlar: ~ **tricks**, bir toplantıya gelenleri eğlendiren marifetler. * ~**-car**, (*dem.*) lüks salon vagonu. ~**maid**, sofra hizmetçisi kadın, sofracı.

parlous ['pāləs]. Tehlikeli; korkutucu, telâş verici.

Parm·a ['pāmə]. ~**-violet**, güzel kokulu bir menekşe. ~**esan** [-mi'zan], Parma'ya ait; Parma (peyniri).

Parnassus [pā'nasəs] (*mit.*) Güzel sanat tanrıçalarına mahsus Parnas dağı.

parochial [pə'roukiəl]. PARISH/mahalleye ait; mahallî; (*mec.*) darkafalı, sınırlı. ~**ity** [-'aliti], darkafalılık.

parody ['parədi] *i.* Ciddî bir eserin gülünç bir şekilde taklidi, yansılama. *f.* Bu tarzda taklit etm., yansılamak; birinin üslubunu taklit etm. **a mere** ~ **of a poet**, şair bozuntusu.

parole [pə'roul]. Bir mahpus/esirin kaçmıyacağı hakkında verdiği söz; (*ask.*) parola. **be on** ~, böyle namus üzerine verilen sözle serbest bırakılmak.

paronomasia [parənə'meysiə]. Cinas.

paronym ['parənim] (*dil.*) Aynı kökten bir kelime. ~**ous** [pə'ronimәs], kökteş.

paroti·d [pə'rotid] (*tıp.*) Kulağa yakın: ~ **gland**, kulakaltı (salya) bezi. ~**tis** [parə'taytis], bu bezin iltihabı.

-parous [-pərəs] *son.* (*zoo.*) (Doğurmaya ait) -doğuran [VIVIPAROUS].

paroxysm ['paroksizm]. Anî ve şiddetli nöbet; akse. ~**al**, bu nöbete ait.

parquet ['pākey] *i.* Oda zeminine döşenen ensiz tahta; parke. *f.* Parke döşemek.

par(r) [pā(r)]. Küçük sombalığı.

parramatta [parə'matə]. Yünle ipek/pamuk elbise kumaşı.

parricide ['parisayd]. Ana/baba/yakın akrabasını öldürme: ana baba kaatili; vatan haini.

parrot ['parət] *i.* Papağan. *f.* Hiç anlamadan sözleri tekrarlamak. ~**-disease** = PSITTACOSIS. ~**-fashion**, böyle tekrarla(n)ma, papağan gibi. ~**-fish**, papağan balığı. ~**ry**, hiç anlamadan tekrarlanma.

parry ['pari]. Darbeyi çelme(k), defetme(k), savuşturma(k). ~ **a question**, sıkıcı bir soruyu baştan savma bir cevap/karşı soru ile atlatmak.

parse [pāz]. Bir kelime/cümleyi dilbilgisi kuralına göre incelemek.

parsec ['pāsek] (*ast.*) Parsek.

Parsee [pā'sī]. Parsî; Zerdüştî.

parsimon·ious [pāsi'mouniəs]. Aşırı derecede tutumlu; nekes, cimri. ~**y** ['pāsiməni], nekeslik, cimrilik.

parsley ['pāsli]. Maydanoz. **cow** ~, yabanî frenk maydanozu.

parsnip ['pāsnip]. Yabanî havuç. **fine words butter no** ~**s**, lafla peynir gemisi yürümez.

parson ['pāsn]. İngiliz papazı. ~**'s nose**, pişmiş tavuğun kıçı. ~**age**, papaz evi. ~**ic(al)** [-'sonik(l)], papaza ait.

part[1] [pāt] *i.* Kısım; parça; cüz; fasıl, fasikül, bölüm; pay, hisse; rol; taraf, cihet, yan, yön. *zf.* Kısmen. **for my** ~, bence, bana kalırsa: **in** ~, kısmen, bazı yönleriyle: **in** ~**s**, bazan, bazı yerlerde; kısım kısım: **in these** ~**s**, bu taraflarda, bu memlekette: **he looks the** ~, tam işinin adamı görünüyor: **for the most** ~, en çoğu: **I had no** ~ **in it**, ben dahil değildim; ben işin içinde yoktum: **on the one** ~ **. . . and on the other** ~, bir taraftan . . ., öbür taraftan da . . .: **on the** ~ **of s.o.**, birisinin namına: **a man of** ~**s**, maharetli/hünerli/usta/değerli bir adam: **orchestral** ~**s**, bir müzik parçasında muhtelif aletleri çalanlara düşen kısımlar: **play a** ~, rol oynamak: **play the** ~ **of**, . . . süsü vermek: ~**s of a sentence**, cümlenin öğe unsurları: ~**s of speech**, kelime türü: **take** ~ **in . . .**, -de iştirak etm./katılmak, -e dahil olm.: **take the** ~ **of . . .**, (i) . . . süsü vermek; (ii) kayırmak, tutmak, taraftar olm.: **take stg. in good/bad** ~, bir şeyi iyi/kötü karşılamak/telâkki etm.

part[2] *f.* Ayırmak; tefrik etm.; kırmak; ayrılmak; kırılmak: ~ **with stg.**, vermek, terketmek, vazgeçmek: ~ **company with s.o.**, birisinden ayrılmak: **the best of friends must** ~, hiç bir şey ebedî değildir; ayrılık mukadderdir.

part. = PARTICIPLE; PARTNER.

par·take (*g.z.* ~**took**, *g.z.o.* ~**taken**) [pā'teyk(n), -tuk]. ~ **of/in**, iştirak etm., katılmak, dahil olm.: ~ **of a meal**, yemek yemek. ~**r**, iştirak eden.

parterre [pā'ter]. Bahçedeki çiçek tarhları; (*tiy.*) zemin katı.

part-exchange [pātiks'çeync]. **take stg. in** ~, bir otomobil vb.ni satarken başka/daha eski otomobili kısmî mübadele olarak almak.

parthenogene·sis [pāθenə'cenisis] (*biy.*) Partenogenez. ~**tic** [-ci'netik], partenogeneze ait.

Parthian ['pāθiən]. **a** ~ **shot/shaft**, Eski Partların kaçarken attıkları oklar gibi ayrılırken söylenen dokunaklı söz.

parti [pā'tī] (*Fr.*) Eş. ~ ***pris*** [-prī], peşin hüküm.

partial ['pāşl]. Kısmî, kesimli; bölümsel; dar, sınırlı; yarı; tikel; genel olmıyan; (*ast.*) parçalı (tutulma); insafsızca tarafgir. **be** ~ **to stg.**, bir şeye düşkün olm./kapılmak; hoşlanmak. ~**ity** [-şi·'aliti], tarafgirlik; beğenme, rağbet. ~**ly**, kısmen.

particip·ant [pā'tisipənt]. İştirak eden, katılan, ortak. ~**ate** [-peyt], ~ **in stg.**, bir şeye dahil olm., katılmak, iştirak etm., ortak olm. ~**ation** [-'peyşn], iştirak, katılma. ~**atory** [-'peytəri], iştirak edici.

particip·ial [pāti'sipiəl]. Ortaca ait, ortaç gibi: ~**ly**, ortaç olarak. ~**le** ['pātisipl], ortaç: **past** ~, geçmiş zaman ortacı: **present** ~, şimdiki zaman/hal ortacı.

particle ['pātikl]. Parçacık, tanecik, zerre, cüz; (*dil.*) ilgeç, edat, ek.

particoloured ['pātikʌləd]. Karışık renkli; alaca.

particular[1] [pə'tikyulə(r)] *s.* Mahsus; has, özgü; hususî, genel değil, özel, şahsî; muayyen; tek; pek dikkatli; ince eleyip sık dokunan; titiz, müşkülpesent. **in** ~ / ~**ly**, bilhassa: **be** ~ **about one's food**, yemek seçmek: **be** ~ **about one's dress**, giyinmesine çok özenmek, giyim konusunda titiz olm.: **I like his pictures but I don't like this** ~ **one**, onun resimlerini severim, hoşuma gitmiyen yalnız bu: **I like all his pictures but I am** ~**ly fond of this one**, bütün resimlerini severim fakat bilhassa bundan hoşlanıyorum.

particular[2] *i.* Ayrıntı; nokta; husus. ~**s**, tafsilat, ayrıntılar: **alike in every** ~, her hususta aynı: **in this** ~ **he is superior to his brother**, bu hususta kardeşine üstündür. ~**ity** [-'lariti], hususiyet, özellik. ~**ize** [-'tikyulərayz], tayin ve tahsis etm., ayırmak; birer birer/özellikle söylemek.

particulate [pə'tikyuleyt]. Ayrı ayrı parçacıklı (madde).

parting ['pātin(g)] *i.* Ayrılma; veda; saç elif/ayrımı. *s.* Taksim edici; ayrılırken yapılan. **a** ~ **kiss**, ayrılık busesi: **a** ~ **shot**, ayrılırken söylenen dokunaklı söz: ~ **tool**, (torna) keski kalemi: **be at the** ~ **of the ways**, dört yol ağzında olm.

partisan [pāti'zan]. Tarafgir; tarafsız olmıyan; partızan; çeteci. ~**ship**, tarafgirlik.

-partite [-pātayt] *son.* . . . kısımlı; . . . taraflı [TRIPARTITE].

partition [pā'tişn] *i.* Bölme (duvarı); taksim etme, bölüştürme. *f.* Bölmek; taksim etm.; paylaşmak. ~ **off**, bölmelere ayırmak. ~**ed**, bölmeli, parçalı; bölünmüş.

partitive ['pātitiv]. Kısım ifade eden (kelime).

partly ['pātli]. Kısmen.

partner ['pātnə(r)] *i.* Ortak, şerik; dans arkadaşı (dam, kavalye). *f.* Ortak olm.; ortak olarak vermek. **active** ~, çalışan/faal ortak: **sleeping** ~, yönetime katılmıyan/gayri faal ortak. ~**ship**, ortaklık, şirket: **go/enter into** ~ **with s.o.**, birine ortak olm.: **limited** ~, sınırlı ortaklık, komandit şirket: **take s.o. into** ~, birini ortaklığa almak.

part-owner ['pātounə(r)]. Tasarruf/mal ortağı.

partridge ['pātric]. Keklik; çıl. **red-legged** ~, kınalı keklik.

part·-song ['pātson(g)]. En az üç kişi tarafından çalgısız okunan şarkı. ~**-time**, kısmî zaman; süreksiz zaman: ~ **job/work**, süreksiz/aralı iş; günün bütün iş saatlerini doldurmıyan görev: ~**r**, kısmî zaman işçisi, aylakçı: ~**-student**, yarı kolejde yarı fabrikada çalışan genç.

parturi·ent [pā'tyūriənt]. Doğurmak üzere olan; doğuran. ~**tion** [-'rişn], doğurma.

part-work ['pātwɜ̄k]. Fasikül halinde neşredilen kitap.

party ['pāti]. Fırka, parti, hizip; cemiyet; zümre, grup; takım, ekip; (bir kontrat vb.de) taraf; garden parti vb. gibi toplantı, eğlence, davet; şahıs, zat. ~ **dress**, bir davete gitmek için elbise: **dinner** ~, ziyafet: **evening** ~, suvare: **firing** ~, kurşuna dizen müfreze; bir cenaze vb.de havaya ateş eden müfreze: **rescue** ~, kurtarma ekibi: **third** ~, üçüncü şahıs: **be a ~ to a crime**, bir cinayete katılmak: **I will be no ~ to such a step**, ben böyle bir teşebbüse katılamam: **give a** ~, eğlence düzenlemek; dans/ziyafet vb. için davet etm.: **will you join our ~?**, bizimle beraber gelecek/gelir misiniz?: **he was one of the** ~, o da gruba dahildi, o da onlardan biri idi: **a ~ of the name of Smith**, S. adında birisi: **a funny old** ~, antika bir ihtiyar: ~ **spirit**, particilik zihniyeti, partiye sadakat; toplantı/eğlence vb.nin hayranlığı. ~**-coloured** = PARTI-COLOURED. ~**-line**, sınır çizgisi; paylaşılmış telefon hattı; (*id.*) parti siyaseti. ~**-wall**, arı duvarı.

parvenu, *diş.* ~**e** ['pāvənyū]. Sonradan görme; zıpçıktı, türedi.

parvis ['pāvis]. Kilise önündeki avlu.

pas [pā] (*Fr.*) Adım; kıdem. ~ ***de deux***, ikili dans.

pascal ['paskəl] (*fiz.*) Basınç birimi, paskal.

paschal ['paskəl]. Paskalyaya ait.

pash [paş] (*arg.*) = PASSION.

pasha ['pāşə]. Paşa.

pass[1] [pās] *i.* Geçit; iki dağ arası. **hold the** ~, en önemli yeri korumak; dayanmak: **sell the** ~, ihanet etm.

pass[2] *i.* Paso, abone; yol tezkeresi; hal, vaziyet, durum; (imtihanda) geçme, geçecek derece; (futbol) pas, aktarma: **come to** ~, vukubulmak: **things have come to a pretty** ~, işler şimdi tam benzedi/karıştı: **things have come to such a ~ that...**, işler öyle bir duruma girdi ki: **conjuror's** ~, hokkabazın bir elçabukluğu: **free** ~, (tren, tiyatro vb. için) paso: **get a** ~, imtihanda geçme notu almak: **make a ~ at s.o.**, -le flört etm.: **make a ~ at doing stg.**, bir işi denemek.

pass[3] *f.* Geçmek, aşmak; tecavüz etm.; tasdik etm., kabul etm.; geçirmek; addedilmek, sayılmak; rayiç olm.; pas vermek, aktarmak. ~ **friend (all's well)**, (parola soran nöbetçinin cevabı) geç!: **he ~es for a great writer**, büyük bir yazar sayılır: ~ **a law**, bir kanunu kabul etm.: **let s.o.** ~, birini geçirmek, -e yolvermek: **let me say in ~ing**, bu arada söyleyeyim ki: ~ **a motion**, (i) bir teklifi kabul etm.; (ii) defi hacet etm.: **that won't ~!**, bu olmaz/makbul değil! ~ **away**, ölmek; ebediyete geçmek; tarihe karışmak. ~ **by**, önünden/yanından geçmek; atlamak. ~ **off**, **the pain has ~ed off**, ağrı geçti: **everything ~ed off without a hitch**, her şey arızasız geçti: ~ **oneself off for...**, taslamak; kendine... süsü vermek: ~ **off a false coin on s.o.**, birine sahte para sürmek: ~ **stg. off as a joke**, bir şeyi şakaya vurmak. ~ **on**, geçip gitmek; geçip devam etm.: **read this and ~ it on!**, bunu okuduktan sonra başkalarına veriniz/geçiriniz/dolaştırınız. ~ **out**, dışarıya çıkmak; bayılmak; ölmek; dışarıya geçirmek. ~ **over**, öbür tarafa geçmek; ölmek; aşmak; geçirmek; aldırmamak, göz yummak; geçiştirmek: ~ **over to the enemy**, düşmana katılmak. ~ **round**, etrafını dolaşmak; dolaş(tır)mak. ~ **under**, altından geç(ir)mek. ~ **up**, fırsat vb.ni atlamak. ~ **through**, görüp geçirmek.

pass. = PASSAGE; PASSIVE.

passable ['pāsəbl]. Şöyle böyle, zararsız; oldukça iyi; geçilir.

passage ['pasic]. Geçme; geçit; koridor; (bir kitapta) parça; (*fiz.*) menfez; (*ast.*) geçiş; seyahat ücreti. **a ~ of arms**, sert sözler teatisi: **have a good/bad** ~, deniz yolculuğu iyi geç(me)mek: **bird of** ~, göçücü/muhacir kuş: **work one's** ~, gemide çalışarak yol ücretini ödemek; bir şeyi hak etmek için çalışmak. ~**-way**, geçit, koridor.

passbook ['pasbuk]. Hesap cüzdanı, sayışım yazılığı.

passé, *diş.* ~***e*** [pa'sey] (*Fr.*) Geçmiş, eski; tarihe karışmış; modası geçmiş; solmuş, yaşlanmış (kimse).

***passel** ['pasəl]. (Büyük) bir takım/grup.

passenger ['pasincə(r)]. Yolcu; (*mec.*) bir grup/şirkette işini yapmıyan üye. ~**-mile**, (tren/uçak vb.) yolcu mili. ~**-seat**, (*oto.*) şoförün yanındaki yer. ~**-train**, yolcu katar/treni.

passe-partout [paspā'tū] (*Fr.*) Bütün kapıları açan anahtar; resim altlığı.

passer-by ['pāsə(r)bay]. Tesadüfen geçen kimse. **the ~s-by**, gelip geçenler.

passerine ['pasərīn]. Serçe(giller).

passib·ility [pasi'biliti]. Hassasiyet, duygululuk. ~**le** ['pasibl], hassas, duygulu.

passim ['pasim] (*Lat.*) Ötesinde berisinde; her yerinde.

passing ['pāsin(g)] *s.* Geçen; geçici; fani. *zf.* Pek çok, son derece. ~ **events**, olupbitenler; günün sorunu: **he made a ~ remark**, tesadüfen bir düşünce ileri sürdü. ~**-bell**, matem çanı.

passion ['paşn]. İhtiras; aşk; şiddetli istek, iptilâ, tutku; öfke, hiddet. **be in a** ~, şiddetle öfkelenmek: **a fit of** ~, hiddet galeyanı: **have a ~ for s.o.**, birine vurgun olm.: **have a ~ for stg.**, bir şeye son derece düşkün olm.: **ruling** ~, bir kimsenin en büyük merakı: **the P**~, İsa'nın ıstırabı. ~**ate** [-nit], heyecanlı, ateşli, ihtiraslı; tez mizaçlı; çabuk öfkelenen: ~**ly**, heyecanlı vb. olarak: ~**ness**, heyecanlılık. ~**-flower**, çarkıfelek. ~**less**, heyecansız; duygusuz, soğuk. ~**-play**, İsa'nın son günlerini temsil eden piyes. ~**-week**, Paskalya'dan evvelki hafta.

passiv·ation [pasi'veyşn]. Dinginleşme, pasivasyon. ~**ate** ['pasiveyt] dinginleştirmek. ~**ator**, dinginleştirici. ~**e**, muti; mukavemet etmiyen, karşı koymıyan; itiraz etmiyen; (*mec.*) davranışı ağır, davranışsız, eylemsiz; (*kim.*) pasif, dingin, edilgen; (*dil.*) meful; edilgen fiil: **take up a ~ attitude**, pasif davranmak: ~ **resistance**, (*id.*) pasif mukavemet: ~**-voice**, (*dil.*) edilgen çatı. ~**ity** [-'siviti], mukavemetsizlik; hareketsizlik; eylemsizlik; dinginlik.

passkey ['paskī]. (Otel vb.) bütün kapıları açan anahtar, maymuncuk.

passover ['pāsou̯və(r)]. Yahudilerin hamursuz bayramı.

pass·port ['pāspōt]. Pasaport, geçişlik. ~**word** [-wə̄d], parola.

past [pāst]. Geçmiş, sabık, geçmiş zamana ait; öbür tarafa geçerek; sonra; öbür tarafına. **the** ~, geçmiş, mazi; geçmiş zaman kipi: ~ **definite/historic**, belirli geçmiş zaman: ~ **indefinite**, belirsiz geçmiş zaman: **in the** ~, eskiden; şimdiye kadar: **for some time** ~, bir süreden beri: **he walked ~ the house**, evinin önünden yürüyerek geçti: **ten minutes ~ two**, ikiyi on geçe: **he is ~ seventy**, yetmişini geçmiştir: ~ **all understanding**, insanın aklı almıyan: ~ **endurance**, tahammül edilmez: ~ **(one's) work**, amelimanda: **be ~ caring for stg. or s.o.**, (bir dereceden sonra) artık vızgelmek; aldırmamak: **a thing of the ~**, geçmiş zamana ait, tarihe karışmış: **a town with a ~**, tarihî bir şehir: **a woman with a ~**, geçmişte maceraları olan kadın.

pasta ['pastə] (*İt.*) Makarna gibi yemekler.

paste [peyst] *i.* Hamur; pasta; macun, kola, tutkal, zamk; çiriş; kıbrıstaşı. *f.* Yapıştırmak, macunlamak; tutkal sürmek; (*arg.*) dövmek. ~**board**, mukavva, karton. ~**brush**, kola/tutkal fırçası. ~**-jewellery**, elmas taklit eden mücevherler. ~**-up**, basılmak için bir kâğıt üzerine yapıştırılmış ayrı metin/resimler.

pastel ['pastəl]. Pastel; kuru/tebeşir boya (resmi).

pastern ['pastən]. Atın bileği (köstek yeri), bukağılık.

pasteurize ['pastərayz]. Pastörize etm.; mikroplarını gidermek.

pastiche [pas'tiş]. Benzek, pastiş.

pastil(le) ['pastīl]. Pastil; şekerleme.

pastime ['pastaym]. Eğlence, oyun.

past-master [pāst'māstə(r)]. (Farmasonlukta) bir evvelki reis; (*mec.*) maharet sahibi, usta.

pastor[1] ['pāstə(r)]. Papaz; mürşit; çoban.

pastor[2]. Sığırcık kuşu.

pastoral ['pāstərəl] *s.* Çobanlara ait; kırlara ve köylere ait; papazlara *bilh.* piskoposlara ait; otlamağa mahsus. *i.* Köylü hayatına dair şiir, çoban şiiri. ~ **people/tribe**, hayvancılıkla yaşıyan halk. ~**e** [-'rali] (*tiy.*) pastoral. ~**ist** ['pas-] (*Avus.*) hayvan yetiştirici.

pastry ['peystri]. Hamur işi; börek, yufka; pasta. ~**-cook**, pastacı; hamur işi aşçısı.

pastur·able ['pasçərəbl]. Otlamaya uygun. ~**age** [-ric], otlak, mera; otlatma. ~**e** [-çə(r)] *i.* otlak, çayır, sığırtmaç, yaylak: *f.* otla(t)mak.

pasty[1] ['pasti] *i.* Börek, mantı.

pasty[2] ['peysti] *s.* Hamur gibi; hamurumsu; yapışkan. ~**-faced**, uçuk benizli.

pat[1] [pat] *i.* (*yan.*) El ile çabuk ve hafif vuruş. *f.* El ile pek hafifçe vurmak; okşamak. **a ~ on the back**, sırtını okşama. ~ **s.o. on the back**, teşvik/tebrik etm./cesaret vermek için birinin sırtını okşamak: ~ **oneself on the back**, kendi yaptığı bir şeyi beğenmek.

pat[2] *zf.* Tamamıyle uygun; tam zamanında; hiç tereddüt etmeden. **stand ~**, (*mec.*) değiştirmeyi reddetmek.

Pat[3]. İrlandalı(nın lakabı).

pat. = PATENT; PATTERN.

patagium [patə'cīəm] (*zoo.*) Kanat zarı.

patch [paç] *i.* Yama; küçük arazi parçası, parsel; yara üzerine yapıştırılan/ağrılı gözü orten bez parçası. *f.* Yamamak. **a ~ of blue sky**, bulutlar arasında bir parça mavi gök: **cabbage/potato ~**, lahana/patates tarhı: **not to be a ~ on s.o.**, birinin eline su dökememek: **strike a bad ~**, talihi muvakkaten ters gitmek. ~ **up**, kabaca tamir etm./yamamak: ~ **things up**/~ **up a quarrel**, barışmak: **a ~ed-up peace**, derme çatma bir sulh.

patch·ily ['paçili]. Düzgün olmıyarak. ~**iness**, düzgün olmama. ~**-test**, (*tıp.*) bir nevi alerji denemesi. ~**work** [-wōk], çeşitli renk ve büyüklükte parçalardan dikilmiş şey: **a ~ of fields**, küçük ve değişik görünüşte tarlalardan mürekkep toprak. ~**y**, düzgün olmıyan: **his work is ~**, yaptığı iş kısmen iyi kısmen kötüdür.

pate [peyt]. Kelle, kafa.

pâté ['patey] (*Fr.*) Pasta, börek; et macunu.

patella [pə'telə]. Dizkapağı.

paten ['patən] (*din.*) Ayinde kullanılan altın/gümüş tabakçık.

patent[1] ['peytənt] *s.* Aşikâr, besbelli. ~**ly**, açıkça, aşikâr olarak.

patent[2] ['patənt] *i.* İhtira beratı, buluş belgesi; imtiyaz, patenta; icat. *s.* Beratlı, patentalı; icatkâr, hünerli. *f.* Patenta almak. ~**able**, patentası alınabilir. ~**-agent**, patenta alınma muamelelerini yapan kimse. ~**ee** [-'tī], berat sahibi; patenta alan. ~**-leather**, rugan. ~**-log**, (*den.*) uskurlu parakete. ~**-medicine**, hazır ilâç. ~**-office**, ihtira/patenta bürosu.

pater ['peytə(r)] (*Lat.*) **the ~**, (*kon.*) babam. ~***familias*** [-fə'milias], ev bark sahibi.

patern·al [pə'tānl]. Babaya ait; babaca; pederane; baba +: ~**ism**, (hükümet vb.) baba gibi davranış: ~**ly**, baba gibi olarak. ~**ity**, babalık: **of doubtful ~**, babası şüpheli.

paternoster ['patənostə(r)]. Hazreti İsa'ya ait meşhur bir Latince dua: tespih; tespih gibi kancalı balık oltası.

path [pāθ]. İnce yol, patika, keçi yolu; iz; (yıldız) mahrek; meslek. **leave the beaten ~**, herkesin gittiği yoldan ayrılmak (ve başka bir çığır açmak): **cross s.o.'s ~**, birinin önüne çıkmak; birinin arzusuna karşı gelmek.

-path *son.* . . . tedavi eden [OSTEOPATH]; . . . hastası [PSYCHOPATH].

path. = PATHOLOGY.

Pathan [pə'tān]. Afganistan'da bir kabilenin üyesi.

pathetic [pə'θetik]. Acıklı, acınacak, dokunaklı. ~ **fallacy**, eşyaların beşerî hisler hissedebildiği farzı. ~**ally**, acınacak bir şekilde.

path·finder ['pāθfayndə(r)]. Çığır açan kimse; kâşif, bulucu. ~**less** [-lis], yolsuz; geçilmez.

pathic ['paθik]. Kurban; oğlan.

-pathic [-'paθik] *son.* . . . hastalık/tedavisine ait [HYDROPATHIC]; hisse ait [TELEPATHIC].

patho- [paθə-] *ön.* Hasta(lık)/acı/ıstırap . . ., pato-. ~**genic**, hastalık hâsıl eden. ~**logical** [-'locikl], hastalığa ait, marazî. ~**logist** [-'θoləcist], hastalıklar bilimi uzmanı, patolog. ~**logy**, hastalıklar bilimi, patoloji.

pathos ['peyθos]. Dokunaklı ve keder verici husus.

pathway ['pāθwey]. İnce yol, patika.

-pathy [-paθi] *son.* . . . hastalık/ıstırap/acısı; . . . tedavisi [PSYCHOPATHY]; his [TELEPATHY].

patien·ce ['peyşəns]. Sabır; dayanma, tahammül; yalnız oynanan iskambil oyunu: **have ~ with s.o.**, birine karşı sabırlı davranmak: **possess one's soul in ~**, sabretmek: **try/tax s.o.'s ~**, birinin sabrını tüketmek. ~**t** [-şnt] *s.* sabırlı; dayanıklı: *i.* hasta: **a doctor's ~s**, bir doktorun müşterileri: ~**ly**, sabırlı olarak.

patina ['patinə] (*yer.*) Kayaç kiri; (*ev.*) eski bronz eşya/mobilya üzerinde hâsıl olan yeşil pas/perdah.

patio ['patiou] (*İsp.*) Havaya açık iç avlu; ev ile bahçe arasındaki döşeli taraça.

patisserie [pa'tisəri]. Pastahane.

Pat. Off. = PATENT OFFICE.

patois ['patua]. Mahallî lehçe.

patriarch ['peytriāk]. İbrahim/İshak/Yakup gibi ilk resüllerden biri; Ortodoks kilisesinin piskoposu, patrik; aile/kabile reisi; muhterem ihtiyar, pir. **~al** [-'ākl], patriklere ait; pederşahî; yaşlı ve muhterem. **~ate**, patriklik. **~y** ['peytriāki], pederşahilik.

†**patrial** ['peytriəl] *s.* Anavatana ait. *i.* Babası İng. uyruğu olduğundan İng.'de ikamet etmeye hakkı olan. **~ity** [-'aliti], böyle hakkı olma.

patrici·an [pə'trişn]. Asılzade; aristokrat. **~ate** [-şieyt], asılzadeler; aristokrasi.

patri·cide ['patrisayd] = PARRICIDE. **~lineal** [-'liniəl], babanın soyuna ait. **~mony** [-məni], baba/ecdattan kalma miras; kilise vakfı.

patriot ['patriət]. vatanperver; yurtsever. **~ic** [-'otik], vatanperver(ane). **~ism** [-iətizm], vatanperverlik, yurt sevgisi; hamiyet.

patristic [pə'tristik]. İlk kilise babaları/onların yazılarına ait.

patrol [pə'troul] *i.* Devriye; kol. *f.* Devriye gezmek, kola çıkmak; etrafını dolaşmak. **highway ~**, yol devriyesi. **~-boat/-car**, (kara)kol gemi/arabası.

patron ['peytrən]. Velinimet; hami, müzahir; gedikli müşteri, patron: **~ saint**, koruyucu aziz. **~age** ['patrənic], himaye, müzaheret; müşterilik; hami sıfatı takınma. **~al** [-'trounəl] (*din.*) koruyucu azize ait. **~ess** ['peytrənis], kadın hami vb. **~iz·e** ['patrənayz], himaye etm., müzaheret etm., korumak; bir dükkân/sinema vb.nin müşteri/gedikli/seyircisi olm.; hami sıfatı takınmak: **a ~ing air**, yukarıdan alma, himayekâr bir eda.

patronymic [patrə'nimik]. Aile adı, soyadı; lakap.

***patsy** ['patsi] (*arg.*) Kurban.

patten ['patn]. Nalın, takunya.

patter ['patə(r)] *f.* Pıtır pıtır ses vermek, pıtırdamak. *i.* Pıtırtı, hafif ses; (*tiy.*) hokkabazın şaşırtıcı sohbeti; (*dil.*) bir grubun lehçesi.

pattern ['patən]. Numune; model, örnek; biçim; mostra; döküm kalıbı; şablon; resim; (çifte) hedefi sarma kabiliyeti; (*mod.*) patron. **~-bombing**, dizi bombalama. **~-book**, mostra/model/numune defteri. **~-card**, mostra kartı; jakar kartı. **~-maker**, döküm kalıpçısı. **~-room/-shop**, döküm kalıpları hazırlanma yeri.

patty ['pati]. Bir nevi börek; mantı.

patulous ['patyūləs] (*bot.*) Açık; yaygın.

paucity ['pōsiti]. Azlık, kıtlık.

Paul [pōl]. **~ Jones**, esnasında arkadaşlar değiştirilme usulü olan bir dans. **~ Pry**, görme/anlama meraklısı.

paunch [pōnç]. İşkembe, karın; iri göbek.

pauper ['pōpə(r)]. Fakir, yoksul adam. **~ism**, yoksulluk. **~ize**, yoksul düşürmek; rasgele sadaka vererek dilenciliğe teşvik etm.

pause [pōz] *i.* Geçici bir durma; durak(lama); vakfe, mola, fasıla; (*müz.*) uzatma işareti; (*tiy.*) durgu. *f.* Duraklamak; tereddüt etm. **make s.o. ~**, birini düşündürmek/tereddüde sevketmek.

pavage ['peyvic]. Kaldırım döşenmesi; buna ait vergi.

pavan ['pavən]. Bir İspanyol dansı.

pave [peyv]. Kaldırım döşemek. **~ the way for s.o.**, birinin işini kolaylaştırmak, yolunu açmak.

pavé ['pavey] (*Fr.*) Kaldırım; (yüzük vb.) mücevherleri yan yana kakma.

pave·ment ['peyvmənt]. (Yaya) kaldırım; döşeme: **~-artist**, kaldırım üzerine resimleri çizen dilenci. **~r**, kaldırımcı.

pavilion [pə'vilyən]. Büyük sivri çadır; tente; süslü hafif yapı; paviyon.

pav·ing ['peyvin(g)]. Taş döşeme: **~-stone**, kaldırım/parke taşı. **~iour** [-viə(r)], kaldırımcı.

pavlova [pav'louvə] (*Avus.*) Kremalı bir pasta.

pavonine ['pavənayn]. Tavus kuşuna ait.

paw [pō] *i.* Pençe; hayvanayağı; (*arg.*) el. *f.* (At) yeri deşmek; eşelemek; (*arg.*) ellemek.

pawky ['pōki] (*İsk.*) Nükteye bürünerek iğneli dokunaklı sözler söyliyen.

pawl [pōl]. Kastanyola; dişli çark mandalı.

pawn[1] [pōn]. (Satranç) piyade, piyon, paytak. **be s.o.'s ~**, birinin aleti olm.: **be a mere ~ in the game**, bir işte önemsiz bir alet olm.

pawn[2] *i.* Rehin. *f.* Rehne koymak. **in ~**, rehin olarak verilmiş: **put in ~**, rehne koymak: **take out of ~**, rehinden çıkarmak. **~broker**, rehinci, faizci. **~shop**, rehinci dükkânı. **~-ticket**, rehin makbuzu.

pax [paks]. **~!**, tövbe!

PAX = (telefon) PRIVATE AUTOMATIC EXCHANGE.

pay[1] [pey] *i.* Maaş; ücret; aylık. **take-home ~**, vergi ve sigorta ödemelerinden ayrı net ücret: **be in s.o.'s ~**, birisinden ücret almak; birinin hizmetinde olm.

pay[2] (*g.z.(o.)* **paid** [peyd]). Ödemek, tediye etm.; borcunu vermek; kârlı olm.; arzetmek, göstermek; etmek. **~ attention**, dikkat etm.: **~ no attention**, boş vermek, aldırmamak: **it will ~ for itself**, masrafını çıkarır: **the business does not ~**, bu iş kazanç getirmez: **~ s.o. to do stg.**, birine para ile bir şeyi yaptırmak: **it will ~ you to do this**, bunu yapmakta faydanız var: **~ money into a bank**, bankaya para yatırmak: **~ respect to s.o.**, birine saygı göstermek: **~ one's respects**, saygılarını sunmak: **~ one's way**, normal bir hayat yaşıyacak kadar kazanmak. **~ away**, sarfetmek, harcetmek. **~ back**, geri vermek, ödemek; karşılığını vermek: **~ s.o. back**, (i) birinden alınan parayı iade etm.; (ii) birinden acısını çıkarmak. **~ down**, peşin vermek. **~ for**, . . . için para vermek: **~ for a mistake, etc.**, bir hata vb.nin cezasını çekmek: **I'll make you ~ for this**, ben bunun acısını senden çıkarırım. **~ in**, tediye etm., para yatırmak: **~ in a cheque**, bankaya çek yatırmak. **~ off**, (borç, hesap) (taksitle) temizlemek/ödemek: **~ off a servant**, hizmetçiye ücretini verip yol vermek: **~ off a ship('s company)**, bir sefer sonunda ticaret gemisi tayfalarına ücretlerini verip yol vermek; savaş gemisinin tayfasına gelecek sefere kadar izin vermek. **~ out**, harcetmek; **(rope)**, halatı kaloma etm.: **I'll ~ you out for that**, ben bunun acısını senden çıkarırım: **I'll ~ him out for that**, onun da benden alacağı olsun! **~ up**, borcunu ödemek: **~ up!**, parayı ver bakalım!

pay·able ['peyəbl]. Ödenebilir; ödenmesi lâzım olan: **accounts ~**, pasif borçlar: **~ at sight/on demand/to bearer/to order**, görüldüğünde/ibrazında/hamiline/emre ödenecek. **~-as-you-earn** [-əzyū'ən], gelir (stopaj) vergisi. **~-bed**, (hastanede) ücretli yatak. **~book**, (*ask.*) hem maaş cüzdanı hem de hizmet dosyası. **~-day**, ödeme/tediye günü. **~-dirt**, (*mad.*) verimli toprak; (*mec.*) kazançlı iş.

PAYE = PAY-AS-YOU-EARN (TAX).

pay·ee ['peyī]. Alıcı; alacaklı; kendisine para

verilen kimse. ~**er**, ödeyici; tediye eden. ~**ing**, ödeme; tediye: **a** ~ **concern**, kazançlı bir iş: ~ **guest**, hususî bir evde pansiyoner. ~**load**, (*hav.*) kazançlı yük. ~**master**, (*ask.*) mutemet; (*den.*) levazım memuru: †~**-General**, muhasebe işlerine bakan devlet dairesinin başı. ~**ment**, tediye, ödeme; ücret; hizmet mukabili: **down** ~, kaparo: ~ **in full**, tasfiye.

paynim ['peynim] = PAGAN; kâfir, *bilh.* SARACEN.

***pay·ola** [pey'oulə] (*kon.*) Rüşvet/şantaj vb. kanunsuz ödeme. ~**-packet**, ücret/maaş zarfı. ~**-patient**, (hastanede) ödeyen hasta. ~**-phone**, para ile işletilen telefon. ~**-roll/-sheet**, maaş bordrosu, aylık çizelgesi; ödenen maaşlar: **be on the** ~, kadroda bulunmak.

paysage [peyi'zāj] (*Fr.*) Manzara; (*san.*) peyzaj.

Pb. (*kim.s.*) = LEAD[1].

PB = PRAYER BOOK. †~**I** (*kon.*) = POOR BLOODY INFANTRY. ~**X** = PRIVATE BRANCH EXCHANGE.

PC/p.c. = PANAMA CANAL; PARISH COUNCIL(LOR); PATROL CRAFT; PER CENT; PETTY CASH; PIONEER CORPS; PITCH CIRCLE; POLICE COLLEGE/CONSTABLE; PORTLAND CEMENT; POST-CARD; PRIME COST; PRINTED CIRCUIT; PRIVY COUNCIL(LOR). ~**B** = PRINTED CIRCUIT BOARD. ~**C** = PAROCHIAL CHURCH COUNCIL. ~**M** = PULSE CODE MODULATION.

Pd = PAID; (*kim.s.*) PALLADIUM; PERIOD.

PD/p.d. = PER DAY; PERSONNEL/PHYSICS/POLICE/PROBATE DEPARTMENT; PITCH DIAMETER; PORT DUES; POSITION DOUBTFUL. †~**SA** = PEOPLE'S DISPENSARY FOR SICK ANIMALS. *~**T** = PACIFIC DAYLIGHT TIME.

PE = PROBABLE ERROR; PHYSICAL EDUCATION.

p/e = PRICE-TO-EARNINGS (RATIO).

pea [pī]. Bezelye. **dried** ~, kuru bezelye: **green** ~, taze bezelye: **sweet** ~, ıtırşahi: **as like as two** ~**s**, bir elmanın bir yarısı biri, bir yarısı biri: **as simple/easy as shelling** ~**s**, çok kolay.

peace [pīs]. Sulh; barış; rahat. **at** ~, rahatta; (*mec.*) ölmüş: **break/disturb the** ~, asayişi bozmak: **conclude/make** ~, sulh akdetmek: **hold one's** ~, susmak: **justice of the** ~, sulh hakimi: **keep the** ~, güvenliği korumak: **leave s.o. in** ~, birini rahat bırakmak: **live in** ~, birbirleriyle iyi geçinmek, kavgasız yaşamak: **make one's** ~ **with s.o.**, birisiyle barışmak: **have** ~ **of mind**, başı dinç olm. ~**able**, barışçı; güvenlikli, asayişli; sakin. *~**-Corps**, gelişen uluslarda çalışan Barış Gönüllüleri. ~**-feeler**, barış hakkında iskandil etme. ~**ful**, rahat, sakin, asude; barışsever: ~ **coexistence**, (*id.*) iki karşıt ideoloji arasında açık savaş hali yokluğu. ~**-keep·er**, iki düşman/savaşan memleket arasında mütareke tertip eden kimse/grup: ~**ing forces**, böyle bir mütarekeyi infaz eden kıtalar. ~**maker**, barıştırıcı, arabulucu. ~**-offering**, sulh temin edecek hediye. ~**-pipe**, Kızılderililer arasında barış remzi olan tütün çubuğu: **smoke the** ~, barışmak. ~**-talks**, barış görüşme/konuşmaları. ~**-time**, barış zamanındaki: ~ **establishment**, (*ask.*) hazarî kuvvet.

peach [pīç]. Şeftali (ağacı); açık kırmızı (renk); (*arg.*) güzel kız. **what a** ~ **of a child!**, maşallah altıntopu gibi çocuk.

peach[2]. (*arg.*) Gammazlık etm.

pea·cock ['pīkok]. Tavus kuşu: ~ **butterfly**, gündüz tavus kelebeği. ~**fowl** [-faul], tavus. ~**hen**, dişi tavus.

pea·-green ['pīgrīn]. Filizî, yeşil. ~**-jacket**, kısa gemici paltosu.

peak[1] [pīk] *i.* Zirve, şahika, doruk; en üst/yüksek nokta; (*den.*) cunda; (*mod.*) kasket güneşliği, siper; (*mat.*) ayrıt, tepe. *s.* En üst/yüksek; pik. ~ **hours**, demiryol/dükkân vb.nin en işlek saatleri: ~ **load**, (*elek.*) azamî/pik yük: **prices have reached their** ~, fiyatlar en yüksek noktasına bastılar. ~**ed**[1] [-kt], doruklu.

peak[2] *f.* Zayıflamak. ~**ed**[2] [-kt], zayıf(lamış). ~**y**, zayıf ve solgun (çocuk).

peal [pīl] *i.* Kilise kulesinin çan tertibatı; birçok çanların sesi. *f.* Çanları çalmak; çanlar çalınıp ses çıkarmak; (gök) gürlemek. ~ **of laughter**, kahkaha.

pea·nut ['pīnʌt]. Yerfıstığı. ~**pod**, bezelye kabuğu.

pear [peə(r)]. Armut. **prickly** ~, frenkinciri: **wild** ~, ahlat ağacı. ~**-tree**, armut ağacı.

pearl [pəl] *i.* İnci; küçük puntoda harf. *f.* İnci avlamak; (su, ter) inci gibi taneler hâsıl etm., incilenmek. ~**-barley**, frenk arpası, arpa şehriyesi. ~**-button**, sedef düğme. ~**-diver/-fisher**, inci avcısı. ~**-grey**, açık külrengi; gümüşî. †~**ies**, sedef düğmeli elbiseleri giyen Londra'daki seyyar satıcılar. ~**y**, inci gibi; inci rengi: ~ **Gates**, (*kon.*) cennet: ~ **King/Queen** = ~IES.

†**pearmain** ['peə(r)meyn]. Beyaz etli bir elma.

peasant ['pezənt]. Köylü. ~**ry**, köylüler, köylü sınıfı.

pease [pīz]. Bezelye. ~**-pudding**, kuru bezelye püresi.

pea·-shooter ['pīşūtə(r)]. Kuru bezelye taneleri atan boru (oyuncak). ~**-soup**, kuru bezelye çorbası: ~**er**, çok koyu ve sarı sis.

peat [pīt]. Çürümüş bitkilerden mürekkep kesek, yer tezeği, turba. ~**-bog**, yer tezeğinin teşekkül ettiği bataklık. ~**-moss**, PEAT'i teşkil eden çürümüş yosun; bunun bulunduğu bataklık. ~**y**, turba gibi.

***peavey** ['pīvi]. (Keresteci) çivili kanca.

pebbl·e ['pebl]. Çakıltaşı, galet; necef: **not the only** ~ **on the beach**, gökten zembille inmemiş ya!; Amasyanın bardağı biri olmazsa biri daha. ~**y**, çakıllı.

p.e.c. = PHOTO-ELECTRIC CELL.

pecan [pi'kan] (*K.Am.*) bir çeşit ceviz (ağacı).

pecca·dillo [pekə'dilou]. Önemsiz kusur, küçük suç. ~**nt** ['pe-], kabahatli.

peccary ['pekəri]. Pekari, göbekli domuz.

peck[1] [pek]. Kuru şeyler ölçüsü; kilenin dörtte biri. **a** ~ **of troubles**, bir yığın dert.

peck[2]. Gagalama(k); keskin bir şeyle yarmak. ~ **at**, gaga ile vurmak; dişlerin ucuyle çiğnemek. ~**er**, (*kon.*) gaga: **keep one's** ~ **up**, yılmamak, umutsuzluğa kapılmamak. ~**ing**, gagalama: ~ **order**, (*kon.*) kıdem sırası. ~**ish**: **feel** ~, (*arg.*) karnı zil çalmak.

pecora ['pekōrə]. Çiftlik hayvanları.

pect·en ['pekten] (*zoo.*) Tarak gibi bir yapı. ~**inate**, tarak şekli.

pectin ['pektin]. Pektin, pelte.

pectoral ['pektərəl]. Göğüse ait, sadrî.

peculat·e ['pekyuleyt]. İhtilâs etm., (para) aşırmak; parayı zimmetine geçirmek. ~**ion** [-'leyşn], ihtilâs, (para) aşırma.

peculiar [pi'kyūliə(r)]. Has, hususî, özel, özgü, mahsus; ferdî, zatî; acayip, tuhaf, garip. **~ity** [-li'ariti], hususiyet, özellik, hassa; gariplik, tuhaflık. **~ly**, hususî olarak; bilhassa.
pecuniary [pi'kyūniəri]. Para+; paraya ait; akçalı, nakdî; paradan ibaret. **~ embarassment**, para sıkıntısı.
pedagog·ic [pedə'gocik]. Eğitbilimsel. **~ue** ['pedəgog], pedagog, eğitbilimci; lala, terbiyeci. **~y** [-goci], çocuk terbiye usulü, pedagoji, eğitbilim.
pedal ['pedəl] *i.* (Org/piyano/bisiklet/torna) ayak basamağı, ayaklık, pedal. *f.* Pedal ile hareket ettirmek. **~o**, (plajda) pedalla hareket ettirilen küçük padılbot.
pedant ['pedənt]. Ukalâ, bilgiç; malumatfuruş; ilim alanında ince eleyip sık dokuyan kimse. **~ic** [-'dantik], ukalâca. **~ry** ['pedəntri], ukalâlık, bilgiçlik, malumatfuruşluk; ilim alanında titizlik.
pedate ['pedeyt] (*zoo.*) Ayaklı; (*bot.*) parmaklar şeklinde (yaprak).
peddl·e ['pedl]. Seyyar sokak satıcılığı yapmak; işportacılık yapmak; saçma ile uğraşmak. **~er** = PEDLAR. **~ing**, işportacılık; önemsiz.
pederast ['pedərast] = PAEDERAST.
pedestal ['pedistl]. Kaide; ayak; heykel altlığı. **put s.o. on a ~**, birini mükemmel saymak.
pedestrian [pi'destriən]. Yaya yürüyen, piyade; (üslup) yavan, cansız, pespaye. **~-crossing**, yaya geçidi. **~ize**, taşıtları yasak edip bir caddeyi yayalara bırakmak. **~**-PRECINCT.
pedicab ['pedikab]. Bisikletli RICKSHAW.
pedic·el/~le ['pedisəl, -dikl] (*biy.*) Sapçık. **~ellate** [-seleyt], sapçıklı. **~ulate** [pi'dikyuleyt], sapçıklı, ayakçıklı.
pedicul·ar/~ous [pi'dikyulə(r), -ləs]. Bitli. **~osis** [-'lousis], bitlerden hâsıl olunan kaşıntı.
pedicure ['pedikyuə(r)]. Pedikür, ayakbakımı.
pedigree ['pedigrī] *i.* Şecere; nesil, soy. *s.* Safkan, cins.
pediment ['pedimnt] (*mim.*) Alınlık.
pedlar ['pedlə(r)]. Ayak esnafı, seyyar satıcı, gezici; işportacı; (*mec.*) dedikoducu.
pedo- [pedə-] *ön.* = PAEDO-.
pedo·logy [pi'doləci]. Toprakbilim. **~meter** [-mitə(r)], adımsayar, pedometre.
peduncle·le [pi'dʌn(g)kl]. Çiçek sapı; (*zoo.*) sap gibi uzuvcuk. **~ular** [-kyūlə(r)], sap gibi. **~ulate** [-leyt], saplı.
pee [pī] (*kon.*) İşeme(k), sidik.
Peeblesshire ['pīblzşə]. Brit.'nın bir kontluğu.
peek [pīk]. Bakıvermek.
peekaboo ['pīkəbū] (*mod.*) Şeffaf; küçük delikli.
peel[1] [pīl] (*tar.*) Küçük hisar.
peel[2]. Fırıncı küreği.
peel[3] *i.* Yemiş kabuğu. *f.* Kabuğunu soymak; sıyırmak. **~ (off)**, soyulmak; (deri) pul pul dökülmek; (*arg.*) soyunmak; (*hav.*) bir uçak filosundan ayrılıp pike yapmak. **~er**[1], soyucu; soyma bıçak/makinesi. **~ing**, pul pul dökülme, soyulma: **~s**, soyuntu.
†**peeler**[2] ['pīlə(r)] (*arg.*) Polis.
peen [pīn] *i.* Sivri/kama uçlu çekiç. *f.* Çekiçle dövmek/ezmek.
peep[1] [pīp] (*yan.*) Civciv gibi ötme(k).
peep[2]. Gizlice bakıverme; şöyle bir bakış. **(take a) ~ at**, hırsızlama bakıvermek; bir aralıktan bakmak: **at ~ of day**, şafakta, güneş doğarken. **~er**, gizlice bakıveren; (*arg.*) göz. **~-hole**, gözetleme deliği. **~ing Tom**, (*arg.*) röntgenci. **~-show**, adeseli küçük delikten görülen resimler. **~-sight**, delikli nişangâh; topun göz nişangâhı.
peer[1] [piə(r)]. Karanlıkta/hayal meyal olan bir şeye dikkatle bakmak; hayal meyal görünmek.
peer[2] *i.* Eş; akrandan biri; İng.'de asalet rütbesini haiz olan kimse, lord; LIFE-~. **~age** [-ric], lordlar sınıfı; lordluk; asılzadelerin salnamesi. **~ess** [-ris], lord'un eşi; asılzade kadın. **~less**, eşsiz, emsalsiz.
peev·e [pīv]. Sinirlendirmek; huysuzlaştırmak: **~d**, küskün, huysuz. **~ish**, titiz, hırçın, densiz, tedirgin, aksi.
pe(e)wit ['pīwit, 'pūit]. Kızkuşu. **~-gull**, gülermartı.
peg[1] [peg] *i.* Ağaç çivi; küçük kazık; mandal; akort vidası; bir yudum (viski). **a ~ to hang a grievance on**, şikâyet/dert yanma vesilesi: **a square ~ in a round hole**, yerinin adamı değil; yanlış görevde: **take s.o. down a ~ or two**, birinin kibrini kırmak, burnunu kırmak.
peg[2] *f.* Ağaç çivi ile mıhlamak. **~ away at stg.**, bir işte azim ve sebatla çalışmak: **~ clothes on the line**, çamaşırı ipe mandallamak: **~ down**, kazığa bağlamak: **~ the exchange**, kambiyoyu tespit etm.: **~ out**, (*arg.*) kuyruğu titretmek, ölmek: **~ out a claim**, yeni keşfedilen altın vb.ni ihtiva eden bir arazide belirli bir parçayı kazıklarla sınırlandırarak üzerinde hak iddia etm.; (*mec.*) haklar iddia etm.: **~ prices**, fiyatları tespit etm.
Pegasus ['pegəsəs] (*mit.*) Kanatlı at; (*ast.*) Kanatlıat; şairin ilhamı.
PEI = PRINCE EDWARD ISLAND.
peg·-leg ['pegleg] (*kon.*) Tahta bacak. **~-top**, saplı topaç: **~ trousers**, kalçadan inceliyen pantolon.
peignoir ['peynwā(r) (*Fr.*) (Kadın) robdöşambr.
pejorative [pi'corətiv]. Anlam bayağılaşması; kötüleyici, kötümsel.
pekan ['pekən] (*zoo.*) K.Am.'da bir çeşit gelincik.
peke [pīk] (*kon.*) = PEKINGESE DOG.
Pekin(g) [pī'kin(g)]. Pekin. **~ese** [-'nīz, -'gīz], Pekinli; Pekin köpeği.
pekoe ['pīkou]. Nefis cinsten siyah çay.
pelage ['pelic]. Hayvan kürkü.
pelagi·an [pi'leyciən]. Enginsel, derin denize ait. **~c**, enginsel, pelajik.
pelargonium [pelə'gouniəm]. Itırçiçeği, sardunya.
Pelasgi·an/~c [pe'lazgiən, -cik] (*ark.*) Ege bölgesindeki Pelasgi kabilesine ait.
pelerine ['pelərin] (*mod.*) Pelerin.
pelf [pelf]. İrtikâp ile alınan para; vurgun; yağma.
pelican ['pelikən]. Kaşıkçıkuşu, (beyaz) pelikan. **Dalmatian ~**, tepeli pelikan. **~-crossing**, bir çeşit yaya geçidi.
pelisse [pi'līs]. Kürk manto.
pellagr·a [pi'lagrə]. Vitaminsizlikten gelen hastalık, pelagra. **~ous**, pelagraya ait.
pellet ['pelit] *i.* Herhangi bir şeyden ufak top, yumak; tane; hap; saçma tanesi; topak. *f.* Topak/saçmayla vurmak. **~ize**, topaklamak.
pellic·le ['pelikl]. Dericik, ince zar; filim. **~ular** [-'likyulə(r)], dericik/filim gibi.
pell-mell [pel'mel]. Karmakarışık bir halde; allak bullak.

pellucid [pi'lyūsid]. Berrak, şeffaf. **~ity** [-'siditi], berraklık.
Pelmanism ['pelmənizm] (*M.*) Hafız alıştıran bir sistem; bir iskambil oyunu.
pelmet ['pelmit]. Pencere/kapının üst kısmını örten perde.
Peloponnes·us [peləpə'nīsəs]. Mora. **~ian** [-'nīşən], Moralı; Moraya ait.
pelorus [pi'lorəs]. Kerteriz gülü.
pelt[1] [pelt] *i.* Deri; kürklü deri; pösteki.
pelt[2] *f.* **~ s.o. with stones, etc.**, birine taş vb. yağdırmak: **~ with rain**, yağmur bardaktan boşanmak: **~ing rain**, sicim gibi yağmur: **at full ~**, alabildiğine koşarak.
pelvi·c ['pelvik]. Leğen+. **~s**, havsala (alt karın), leğen.
Pembroke·shire ['pembrukşə]. Brit.'nın bir kontluğu. **~-table**, bir cins katlanır masa.
Pembs. = PEMBROKESHIRE.
***pemmican** ['pemikən]. Pastırma gibi kurutulmuş ve dövülmüş et; (*mec.*) hulâsa.
pen[1] [pen] *i.* Ağıl; kümes. *f.* Ağıla koymak. **~ up**, kapatmak.
pen[2] *i.* Kalem; (*mec.*) yazarlık. *f.* Kaleme almak, yazmak. **have a fluent ~**, kolayca yazabilmek: **live by the ~**, meslekten yazar olm.
pen[3]. Dişil kuğu.
***pen**[4] (*arg.*) = PENITENTIARY.
pen. = PENINSULA.
PEN = INTERNATIONAL ASSOCIATION OF PLAYWRIGHTS, EDITORS, ESSAYISTS AND NOVELISTS.
penal [pīnl]. Cezaya ait, cezaî; ceza gerektiren; ceza+. **~ code**, ceza kanunu: **~ servitude**, (*tar.*) kürek cezası; (*şim.*) ağır hapis/kapatım. **~ize** [-nəlayz], cezalandırmak, cezaya çarpmak; eziyet etm. **~ty** ['penəlti], ceza; para cezası; kefaret; (*sp.*) penaltı, ceza: **~ area/box**, (*sp.*) ceza sahası: **~ clause**, (bir mukavelede) zamanında teslim edilmiyen sipariş hakkında tazminat hükmü: **under/on ~ of death**, ölüm cezasıyle: **pay the ~ of a mistake, etc.**, bir hata vb.nin cezasını çekmek.
penchant [pā(n)'şā(n)]. İstidat, anıklık, temayül, eğilim, iptilâ, tutku.
pencil ['pensl] *i.* Kurşun kalem. *f.* Kurşun kalem ile yazmak; kurşun/makyaj kalem(iy)le işaret etm. **charcoal ~**, karakalem: **eyebrow ~**, kaşlar için makyaj kalemi: **lead ~**, kurşun kalem: **~ of light**, şua, ışın. **~led** [-ld], kalemle işaret edilmiş. **~ling**, kalemle çizme. **~-sharpener**, kalemtraş.
pencraft ['penkrāft]. Hattatın hüneri; hattatlık; yazar hüner/üslubu.
penance ['penəns]. Kefaret.
pen-and-ink ['penən(d)in(g)k]. Kalemle yazılmış/çizilmiş.
penates [pi'neytīz] (*mit.*) Aile/ev mabutları.
pence [pens] *ç.* = PENNY.
pend·ant ['pendənt] *i.* Askı; kolye; (*den.*) flama. **~ent**, sarkık; muallak: **~ive**, (*mim.*) bingi, pandantif. **~ing**, muallak; kararlaştırılmamış . . . zarfında, sırasında: **~ his arrival**, gelinceye kadar: -TRAY. **~ulate** [-dyuleyt], rakkas gibi sallanan. **~uline** [-layn], asılı kuş yuvası. **~ulous** [-ləs], sarkık; sallanan. **~ulum** [-ləm], rakkas, sarkaç, pandül; SWING[2].
peneplain ['pīnipleyn]. Yontukova, peneplen.
penetra·ble ['penitrəbl]. Girilebilir. **~te** [-treyt], delip girmek, nüfuz etm.; sinmek; içine girmek; işlemek; hulûl etm. **~ting**, *s.* anlayışlı; keskin (göz); uzaktan/kolay işitilir (ses); acı ve keskin (çığlık): **~ly**, delip girerek. **~tion** [-'treyşn], girinim, penetrasyon; hulûl; nüfuz etme; sokuluş, geçişme: **~-test**, içeri işleme/penetrasyon deneyi. **~tive** [-'treytiv], delip girebilen.
pen·-feather ['penfeðə(r)]. Uçma tüyü. **~-friend**, yalnız mektuplaşma usulüyle arkadaş.
penguin ['pengwin]. Penguen.
penholder ['penhouldə(r)]. Demir kalem sapı.
peni·al/~le ['pīniəl, -nayl] (*tıp.*) Kamışa ait.
penicill·ate ['penisileyt] (*biy.*) Püsküllü; çizgili. **~in** [-'silin], penisilin.
peninsula [pə'ninsyulə]. Yarımada. **~r**, yarımadaya ait: **the ~ War**, 1808–14 İspanya savaşı. **~te** [-leyt], yarımadayı hâsıl etm.
penis ['pīnıs]. Erkeklik uzvu, kamış, penis.
peniten·ce ['penitens]. Pişmanlık, tövbe, nedamet. **~t**, pişman, tövbekâr, nadim. **~tial** [-şəl], pişmanlığa ait. **~tiary** [-'tenşəri], ıslahhane; *hapishane. **~tly**, pişman olarak.
pen·knife ['pen·nayf]. Çakı. **~man**, hattat; yazar: **~ship** [-mənşip], hattatlık. **~-name**, (yazar) müstear isim, takma ad.
Penn(a). = PENNSYLVANIA.
pennant ['penənt]. Bayrakçık, flama, flandra, gidon.
penni·ferous [pe'nifərəs]. Tüylü. **~form**, tüy gibi/şeklinde.
penniless ['penilis]. Meteliksiz; yoksul.
pennon ['penən]. Flama, flandra; bayrak(çık).
penn'orth ['penəθ] (*kon.*) = PENNYWORTH.
Pennsylvania [pensil'vēynyə]. ABD'nden biri.
penny ['peni]. (*ç.* **pennies** ['peniz] *olursa sikke sayısını ve* **pence** [pens] *olursa para miktarını gösterir.*) Peni; (2.1971'e kadar) bir şilinin $\frac{1}{12}$ kısmı, bir liranın $\frac{1}{240}$ kısmı); (2.1971'denberi) bir liranın $\frac{1}{100}$ kısmı: **new ~** (100p. = £1), yeni peni: **old ~** (240d = £1), eski peni: **ten/two a ~**, çok ucuz: **he hasn't a ~ (to bless himself with/his name)**, meteliksizdir: **earn/turn an honest ~**, namusuyle helâl para kazanmak: **in for a ~ in for a pound**, (nasıl olsa) öyle de battık böyle de: **look twice at every ~**, pek tutumlu olm.: **it will cost a pretty ~**, epeyceye malolacak: **a ~ for your thoughts**, binin yarısı beş yüz (o da sende yok): **take care of the pence and the pounds will take care of themselves**, küçük masraflara dikkat edersen, büyükleri kendiliğinden gözetilmiş olur: **~ wise pound foolish**, küçük işlerde hasis büyük işlerde müsrif: **not a ~ the worse**, hiç bir zarar görmeden. **~-a-liner**, kötü gazeteci. **~-dreadful**, ucuz ve değersiz cinaî roman. **~-farthing**, biri büyük biri küçük tekerlekli bisiklet. **~-in-the-slot (machine)**, para atınca bilet vb. veren makine, otomatik makine. **~-piece**, bir penilik para: **I haven't a ~**, meteliğim yok. **~royal**, yarpuz. **~weight**, bir ölçü (*takriben 1,5 gram*). **~-whistle**, çığırtma denilen bir nevi teneke flüt. **~worth**, penilik.
penolog·ical [pīnə'locikl]. Ceza işlerine ait. **~ist** [-'noləcist], ceza işleri bilgini. **~y**, ceza ve hapishane işleri bilgisi.
pen·-point ['penpoynt]. Kalem ucu. **~-portrait**, yazılmış portre/tarif.
pensile ['pensayl]. Sarkık.

pension[1] ['pā(n)syo(n)]. Pansiyon.

pension[2] [penşn] *i.* Emekli aylığı, tekaüt maaşı. *f.* ~ **(off)**, emekliye ayırmak, tekaüt maaşı bağlamak. **retire on a** ~, emekli olm., tekaüt edilmek. ~**able**, emekli aylığına hak veren (iş). ~**ary**/~**er**, emekli, mütekait. ~**-fund**, emekli sandık/fonu. ~**less**, emekliliksiz.

pensive ['pensiv]. Dalgın, düşünceli. ~**ly**, dalgınca. ~**ness**, dalgınlık.

penstock ['penstok]. Savak, verici boru.

pent [pent]. ~ **up/in**, kapanmış; hapsedilmiş; zaptedilmiş fakat taşmak üzere olan (his, hiddet vb.).

penta- ['pentə-] *ön.* Beş-, penta-. ~**cle** [-təcl], sihirbazlıkta kullanılan beş köşeli yıldız. ~**d** [-tad], beşlik. ~**gon** [-gən], beş dılılı, beşgen, muhammes: ~**al** [-'tağənl], beşgen şeklinde. ~**gram** [-təgram], beş köşeli yıldız. ~**meter** [-'tamitə(r)], beş heceli mısra. ~**teuch** [-'tyūk], Tevratın ilk beş kitabı. ~**thlon** [-'taθlon], (Olimpik Oyunlarında) beş oyunlu bir müsabaka. ~**tonic**, (*müz.*) beş tonlu gama ait.

Pentecost ['pentikost]. Yahudilerde:- gülbayramı: Hıristiyanlarda:- hamsin yortusu. ~**al**, bu yortuya ait.

penthouse ['penthaus]. Sundurma; çatı katı(ndaki apartman), rötire.

pent·ode ['pentoud]. Pentod. ~**oxide** [-'toksayd], pentoksit.

penult(imate) [pi'nʌlt(imit)]. Sondan önceki.

penumbra [pi'nʌmbrə]. Yarı gölge.

penur·ious [pi'nyūriəs]. Kıt; yoksul; cimri. ~**y** ['penyuri], yoksulluk, kıtlık, sıkıntı.

pen-wiper ['penwaypə(r)]. Kalem sileceği.

peon ['pīən]. Piyade askeri; gündelikçi; (*mer.*) paytak. ~**age** [-nic], gündelikçilik.

peony ['pīəni]. Şakayık, ayıgülü.

people ['pīpl] *i.* (*yalnız tek*) Halk, ahali; insan; aile ve akraba; (*huk.*) kamu: (*ç.* ~**s**) millet, ulus. *f.* İskân etm.; (insan) yerleş(tir)mek, şenel(t)mek. ~ **at large**, genellikle herkes: ~ **say**, diyorlar: ~ **want one day's holiday a week**, insan haftada bir gün tatil istiyor: **the common** ~, halk tabakası: **how are your** ~?, sizinkiler ne halde?: **my** ~ **came from Ireland**, biz aslen İrlandalıyız: **the King and his** ~, Kral ve tebaası: **old/young** ~, ihtiyarlar/gençler: **what are you** ~ **going to do?**, sizler ne yapacaksınız?

pep [pep] (*arg.*) Kuvvet; ataklık, hararet, gayret. **full of** ~, girişken, gayretli.

PEP = POLITICAL AND ECONOMIC PLANNING.

pepper ['pepə(r)]. Biber (ekmek). **cayenne/chilli/paprika** ~, kırmızı biber cinsleri: **long** ~, darıfilfil: **whole** ~, tane biber. ~**-box/-pot**, biberlik. ~**corn**, biber tanesi; (*mec.*) önemsiz kimse/şey: ~ **rent**, yalnız itibarî kira. ~**mint**, nane; nane ruhu; nane şekeri. ~**y**, biberli; tez mizaçlı, hemen parlar (adam).

pep·-pill ['pep·pil]. Kuvvet/gayret veren hap. ~**-talk**, gayrete teşvik/nasihat. ~**tone** [-toun], pepton.

pep·sin ['pepsin]. Hazmı kolaylaştıran madde, pepsin. ~**tic**, hazma ait.

per[1] [pə̄(r)]. Vasıtasıyle, delâletiyle. ~ **cent.** = PERCENT. ~ **week**, haftada: ~ **head**, adam başına: **as** ~ **invoice/sample**, fatura/örneğe uygun olarak.

per[2] (*Lat.*) *e.* ~ ***annum***, yılda; her yıl. ~ ***capita***, adam başına. ~ ***centum*** = PERCENT. ~ ***contra***, tersine; karşı tarafta(ki). ~ ***mensem***, ayda; her ay. ~ ***pro(curationem)***, namına. ~ ***saltum***, birden. ~ ***se***, kendiliğinden.

per- [pə̄(r)-] *ön.* ... tarafından, ... içinden.

per. = PERIOD; PERSON.

Pera ['perə]. Beyoğlu.

PERA = PRODUCTION ENGINEERING RESEARCH ASSOCIATION.

peradventure [pərəd'vençə(r)]. Belki, şayet; kazara: **beyond** ~, şüphesiz.

perambulat·e [pə'rambyuleyt]. Çevresini dolaşmak, gezmek. ~**or**, çocuk arabası.

percale [pə'keyl]. Sık dokunmuş pamuk bez.

perceiv·able [pə'sīvəbl]. Görülür, fark edilir. ~**e**, farketmek, farkına varmak; kavramak, algılamak, idrak etm.; kestirmek.

percent [pə'sent]. Yüzde. ~**age** [-tic], yüzdelik; yüzde oranı; komisyon: **a small** ~ **of patients recovered**, hastaların pek azı kurtuldu: ~**-error**, hata oran/yüzdesi.

percept ['pə̄sept]. Farkedilen şey. ~**ible** [-'septibl], duyulur, hissedilir; farkına varılır: **barely/hardly** ~, belli belirsiz. ~**ibly**, farkedilecek derecede. ~**ion** [-'sepşən], his, duygu; algı, idrak; (verginin) tahsili. ~**tive** [-tiv], algı/idrak kabiliyetine ait. ~**tivity** [-'tiviti], algı/idrak kabiliyeti.

perch[1] [pə̄ç]. Tatlısu levreği. **sea-**~, lüfer.

perch[2] *i.* Tünek; bir ölçü (*takriben 5 metre*); bir ırmakta yol göstermek için dikilmiş sırık. *f.* Tüneklemek. **knock s.o. off his** ~, tünekten indirmek, burnunu kırmak.

perchance [pə'çāns]. Şayet; belki, kazara.

percheron ['perşərō(n)]. Büyük yük beygiri.

perchlor·ate [pə(r)'klōrat]. Perklorat. ~**ic**, perklorlu.

percipien·ce [pə'sipiəns]. Anlayışlılık; algı, idrak. ~**t**, anlayışlı; algı/idraki keskin.

percolat·e ['pə̄kəleyt]. Süz(ül)mek; sız(dır)mak; filtreden geç(ir)mek. ~**ion** [-'leyşn], süzülme; sızma. ~**or** [-leytə(r)], süzgeç(li kahve cezvesi).

percuss [pə'kʌs] (*tıp.*) Hafifçe vurmak. ~**ion** [-'kʌşn], şiddetle vuruş; vurma basıncı; çarpma; müsademe: ~ **cap**, kapsol: ~ **instruments**, vurularak çalınan çalgılar (davul, zil vb.). ~**ive**, vuruş/vurmaya ait.

percutaneous [pəkyū'teyniəs]. Ciltten geç(ir)en.

perdition [pə'dişn]. Cehennem azabına uğrama; mahvolma. **consign to** ~, lânet etm.

perdu(e) [pə̄'dyū]. Saklı, gizli; gizlenmiş.

perdurable [pə'dyūrəbl]. Daimî, ebedî, ölmez.

père [peər] (*Fr.*) Baba; (*din.*) per.

peregrin·ate ['perigrineyt]. Seyahat etm., dolaşmak. **-ation** [-'neyşn], uzun seyahat, dolaşma. ~**e** [-grin], yabancı; göçebe; çok tuhaf: ~ **(falcon)**, doğan kuşu.

peremptor·ily [pə'remptərili]. Kesin/müspet olarak. ~**iness**, kesinlik; mutlaklık. ~**y**, katî, kesin, olumlu, müspet, mutlak; kestirme, mütehakkim.

perennial [pə'reniəl] *s.* Daimî; sürekli, mütemadi; toktağan, kalımlı. *i.* Bir kaç yıl yaşıyan bitki.

perf. = PERFECT; PERFORATED; PERFORMANCE.

perfect ['pə̄fikt] *s.* Mükemmel, kusursuz, eksiksiz; tam, bütün; (*dil.*) mazi, geçmiş (zaman). [pə'fekt] *f.* İkmal etm., mükemmelleştirmek; tamamlamak.

~**ible** [-tibl], ikmal edilir. ~**ion** [-'fekşn], mükemmellik, kusursuzluk; ikmal; eksiksizlik, tamlık: **to** ~, mükemmelen; tamamen: ~**ist**, ikmali arzu eden. ~**ive**, (*dil.*) tamamlanma ifade eden (zaman). ~**ly**, tamamen; mükemmelen.

perfervid [pə'fə̄vid]. Son derece hararetli.

perfid·ious [pə'fidiəs]. Hain, haince; vefasız. ~**y** ['pə̄fidi], hainlik; vefasızlık.

perforat·e ['pə̄fəreyt]. Delmek; içinden geçmek. ~**(d)** [-tid] *s.* delikli, tırtıllı. ~**ion** [-'reyşn], delme; ufak delik: ~ **of a stamp**, pul tırtılı. ~**or**, delme makinesi.

perforce [pə'fōs]. İster istemez; zorla; mecburen; zoraki.

perform [pə'fōm]. İcra etm., yapmak, ifa etm., yerine getirmek. ~ **on a musical instrument**, bir çalgı çalmak: ~ **in a play**, bir piyeste bir rol oynamak. ~**ance**, icra, ifa, yerine getirme; işleme; eser; temsil, numara, oyun; (*huk.*) ödeme: **evening** ~, suvare: **private** ~, kapalı oyun: **public** ~, kamuya açık temsil: **put up a good** ~, başarmak, işin içinden iyi bir şekilde çıkmak: **a sorry** ~, fena bir temsil; başarısız bir iş. ~**er**, aktör; icra edici: **a good/poor** ~, işini iyi/kötü yapan kimse. ~**ing**: ~ **dogs**, numara yapan köpekler: ~ **right**, (*tiy.*) oyun/temsil hakkı.

perfume ['pə̄fyum] *i.* Güzel koku, rayiha; ıtır, lavanta, parföm. [-'fyūm] *f.* Güzel koku yaymak/sürmek. ~**d**, kokulu, ıtırnalı. ~**less**, kokusuz. ~**r**, lavantacı. ~**ry** [-məri], lavantacılık; ıtrıyat.

perfunctory [pə'fʌn(g)ktəri]. Mühmel; yarım yamalak; baştan savma; iş olsun diye; âdet yerini bulsun diye.

perfus·e [pə'fyūz]. Serpmek, sıvamak. ~**ion**, serp(il)me.

Pergamon ['pə̄gəmən]. Bergama.

pergola ['pə̄gələ]. Çardak.

perhaps [pə'haps]. Belki; olabilir ki; şayet.

peri ['pīri]. Peri.

peri- ['peri-] *ön.* Peri-, çevresel, dış; çevresinde, etrafında. ~**anth** [-anθ], çiçek örtüsü. ~**apt**, giyinen tılsım. ~**astron**, enberi. ~**cardium** [-'kādiəm], kalbin dış zarı, perikard. ~**carp**, tohum zarı, perikarp. ~**gee** [-cī], yerberi. ~**helion** [-'hīliən], günberi.

peril ['peril]. Tehlike, muhatara: **in** ~, tehlikede: **touch him at your** ~**!**, ona dokunursan vay sana!: **you do this at your** ~, bunu yaparsan günahı boynuna!: ~**s of the sea**, deniz riziko/dokuncaları. ~**ous**, tehlikeli: ~**ly**, tehlikeli bir şekilde.

peri·lune ['perilūn]. Ayberi. ~**meter** [pə'rimitə(r)], çevre, muhit. ~**natal** [-'neytl], doğumdan önce ile sonraki vakit. ~**neum** [-'nīəm], apışarası.

period ['piəriəd] *i.* Devir; müddet, süre; devre, dönem; çağ, zaman; nöbet; cümle; nokta. *s.* Belirli bir döneme ait; (*tiy.*) çağcıl. **the** ~, şimdiki zaman: **monthly** ~**s**, (kadının) aybaşı. ~**ic(al)** [-'odik(l)] *s.* muntazam devrelerde yapılan; çevrimsel, devrî; (*tıp.*) dönemsel; vakit vakit vuku bulan; dönemli, devirli; süreli. ~**ical**, *i.* mecmua, dergi; süreli yayın. ~**ically**, dönemli/devirli olarak. ~**icity** [-'disiti], tekerrür, devrelilik. ~**-piece**, özel bir çağa ait eser.

peri·odontal [periə'dontl]. Dişlerin etrafındaki dokuya ait. ~**osteum** [-'ostiəm], kemik dış zarı.

peri·patetic [peripə'tetik]. Aristo felsefesine ait; seyyar, gezgin. ~**peteia** [-pi'tiə], hayatında anî bir değişiklik.

peripher·al [pə'rifərəl] *s.* Dış kenara ait, çevresel; kenardaki. *i.* Bir kompütörün herhangi bir kısmı: ~ **sciences**, bir bilimin yardımcı fenleri. ~**y**, çevre, muhit.

periphrasis [pə'rifrəsis]. Dolambaçlı söz.

periscop·e ['periskoup]. Periskop. ~**ic** [-'skopik], periskopa ait; geniş açılı (adese).

perish ['periş]. Telef olm., mahvolmak; can vermek; harap/münkariz olm.; çürümek, bozulmak. **I'll do it or** ~ **in the attempt**, ben bunu ölürüm de yine yaparım: ~ **the thought!**, bu düşünce bizden uzak olsun; Allah göstermesin! ~**able**, fani; geçici; bozulabilen; çabucak çürüyen: ~**s**, çabuk çürüyen/bozulan mallar (et/yemiş gibi). ~**ed**, çürümüş, bozulmuş: **be** ~ **with cold**, soğuktan donmak, çok üşümek. ~**ing**, öldürücü (soğuk).

perisso- [pə'risou-] *ön.* Arızalı; tek (sayılı).

peristalith [pe'ristəliθ] (*ark.*) Mezarlık etrafındaki dik taşlar halkası.

peristal·sis [peri'stalsis]. Bağırsakların yutma hareketleri. ~**tic**, bu hareketlere ait.

peristyle ['peristayl]. Avluyu çevreliyen sıralanmış sütunlar; böyle bir avlu.

periton·eum [peritə'nīəm]. Sıfak, karınzarı, periton. ~**itis** [-'naytis], periton iltihabı, peritonit.

periwig ['periwig]. Peruka.

periwinkle ['periwin(g)kl]. (*bot.*) Cezayir menekşesi; (*zoo.*) ufak bir nevi deniz salyangozu.

perjur·e ['pə̄cə(r)]. ~ **oneself**, yalan yere yemin etm.; yemininden dönmek. ~**er**, yalancı tanık. ~**y**, yalan yere yemin; yemininden dönme; yalancı tanıklık.

perk[1] [pə̄k] = PERQUISITE. ~**s**, (*arg.*) aylık dışından fazla alınan para/mal vb.

perk[2] (*kon.*) = PERCOLATE.

perk[3]. ~ **up**, (kuş gibi) çevikçe başını kaldırmak; (kulaklarını) dikmek; canlanmak: ~ **s.o. up**, birini canlandırmak; süslemek. ~**y**, canlı açıkgöz ve biraz yüzsüz.

perl·ite ['pə̄layt] (*yer.*) Perlit. ~**itic** [-'litik], perlit +. ~**on**, (*M.*) (*dok.*) perlon.

perm[1] [pə̄m] (*kon.*) = PERMANENT WAVE.

perm[2] (*kon.*) = PERMUT·ATION/~(AT)E.

perma·frost ['pə̄məfrost]. (Kutup bölgelerinde) daimî donmuş toprak. ~**lloy** [-loy], kolayca mıknatıslanan nikelle demir alaşımı.

permanen·ce ['pə̄mənəns]. Daimilik, devam, değişmezlik. ~**t**, daimî; devamlı, sürekli; değişmez, sabit, yerleşik, durağan; (*müh.*) kalıcı; (*id.*) asaleten tayin edilmiş: ~**ly**, daimî olarak: ~**-wave**, (saç) permanant: ~**-way**, (*dem.*) döşeli yol.

permanganate [pə'man(g)gənit]. Permanganat.

permea·bility [pə̄miə'biliti]. (Su/gaz) geçirgenlik. ~**ble** ['pə̄miəbl], geçirimli, geçirgen. ~**te** [-mieyt], süzmek; nüfuz etm. ~**tion** [-'eyşn], süz(ül)me.

permian ['pə̄miən] (*yer.*) Perm +.

permiss·ible [pə'misibl]. Caiz; mubah; helâl. ~**ion** [-'mişn], izin, ruhsat, müsaade. ~**ive**, izin verici, müsaade eden; müsaadekâr: **the** ~ **society**, her nevi ahlâkı kabul eden toplum: ~**ness**, her şeyi kabul etme.

permit ['pə̄mit] *i.* Ruhsat, müsaade; permi, paso, ruhsat tezkeresi. [-'mit] *f.* Müsaade etm., izin ve

ruhsat vermek; yol vermek; rıza göstermek; bırakmak; kabul etm.; uygun görmek.
permut·able [pə̄'myutəbl]. Değiş(tiril)ir. ~**ation** [-'teyşn], değiş(tir)me, tebadül, değiş tokuş; değişim, becayiş. ~**(at)e** [-'myūt, -'teyt], sırasını değiştirmek.
pernicious [pə'nişəs]. Muzır; menhus; zararlı, azılı.
pernickety [pə̄'nikiti]. Titiz, müşkülpesent; (iş) nazik, çok dikkat icabeden.
perorat·e ['perəreyt]. Bir nutku bitirmek; uzun uzadıya konuşmak. ~**ion** [-'reyşn], nutkun sonu.
peroxide [pə'roksayd]. Peroksit. ~**-blonde**, (*köt.*) saçları peroksitle ağartılmış bir kadın.
perp. = PERPENDICULAR; PERPETUAL.
perpend [pə'pend]. Düşünceye dalmak; tasarlamak.
perpendicular [pə̄pən'dikyulə(r)]. *s.* Düşey, dikey, amudî, şakulî; kaim; dik. *i.* Kaim hat, amut. **out of the** ~, düşey olmıyan. ~**ity** [-'lariti], düşeylik. ~**ly** [-'dikyuləli], düşey/dik olarak.
perpetrat·e ['pə̄pitreyt]. İrtikâp etm., yapmak. ~**ion** [-'treyşn], irtikâp etme, yapma. ~**or**, mücrim, mürtekip.
perpetu·al [pə'petyuəl]. Daimî, aralıksız, fasılasız, sonsuz; mükerrer; sürekli, mütemadi: ~**ly**, daimî/sonsuz olarak. ~**ate** [-tyueyt], devam ettirmek; sürdürmek; ipka etm.; ebedileştirmek. ~**ity** [-'tyūiti], daimilik: **in/for/to** ~, ebediyen, müebbeden.
perplex [pə'pleks]. Şaşırtmak; zihnini karıştırmak. ~**ed** [-kst], şaşırmış, şaşkın. ~**ing**, şaşırtıcı. ~**ity**, şaşkınlık; tereddüt, teşevvüş.
perquisite ['pə̄kwizit]. Aylığa ilâveten alınan para/ayniyat; ek ödenek. **get** ~**s**, çimlenmek.
perry ['peri]. Armut şarabı.
pers. = PERSON(AL).
persecut·e ['pə̄sikyūt]. Zulmetmek, eziyet etm. ~**ion** [-'kyūşn], zulüm, eziyet: ~ **mania**, herkesin kendi aleyhinde bulunduğu vehminden ibaret bir hastalık.
persever·ance [pə̄si'viərəns]. Sebat, azim, ısrar. ~**e**, sebat etm., ikdam göstermek; devam etm.
Persia ['pə̄şə]. İran; Acemistan, Fars. ~**n** ['pə̄jn] *i.* İranlı, Acem; Acemce, Farsça: *s.* İran +, Farisî: ~ **carpet/rug**, Acem halısı: ~ **cat**, Ankara kedisi: ~ **Gulf**, Basra körfezi: ~ **lamb**, astragan (kürk).
persiennes [pə̄(r)si'enz]. Jaluzi.
persiflage ['pə̄siflāj]. Şaka, hafif alay.
persimmon [pə̄'simən]. Amerika/Trabzon hurması.
persist [pə'sist]. Israr etm., sebat etm., inat etm.; devam etm., sürmek; üstelemek. ~**ence**, ısrar; sebat. ~**ent**, musir; inatçı; sürekli, devamlı.
person ['pə̄sn]. Kişi, kimse; şahıs, fert, birey, zat; vücut; (*dil.*) şahıs. **artificial/legal** ~, tüzel kişi, hükmî şahıs: **natural** ~, hakikî şahıs: **in** ~, bizzat, şahsen: **have a commanding** ~, vücudu heybetli olm.: **be no respecter of** ~**s**, hem nalına hem mıhına vurmak. ~***a*** [-'sounə] (*Lat.*) kişi, şahıs: ~ ***(non) grata***, (*id.*) kabul edil(miy)en kişi. ~**able** [-nəbl], yakışıklı, endamlı. ~**age** [-nic], önemli adam, büyük zat, şahıs, kişi, kimse. ~**al**, kişisel, şahsî, zatî; hususî, özel, ferdî, bireysel; kendine ait; menkul: ~ **column**, (bir gazetede) küçük özel ilânlar: **don't let us be** ~, şahsiyata girmiyelim. ~**alit·y** [-'naliti], şahsiyet; varlık, benlik; hal, durum, vakar; önemli kişi: *ç.* ~**ies**, şahsiyat. ~**alize** [-nəlayz], şahsî kullanılış için hazırlamak; ~IFY. ~**ally**, şahsen; bizzat; fikrimce: **I don't** ~ **like beer**, ben kendim bira sevmem. ~**alty**, menkul zatî eşya; şahsî servet. ~**ate**, bir şahıs rolünü yapmak; (*tiy.*) bir şahsı oynamak. ~**ification** [-sonifi'keyşn], teşahhus, tecessüm, kişileştirme. ~**ify** [-fay], tecessüm etm., şahıslandırmak, kişileştirmek: **he is virtue** ~**ified**, mücessem fazilettir. ~**nel** [-'nel], bir iş/kuruma mensup memurlar; müstahdemler, personel, görevliler, elemanlar; (*den.*) tayfa: ~ **department**, zat işleri.
perspective [pə'spektiv]. Menazır; perspektif; manzara. **in** ~, menazıra göre: **see stg. in its true** ~, bir şeyi olduğu gibi/gerçek yüzüyle görmek.
perspex ['pə̄speks] (*M., hav.*) Hafif şeffaf ve kırılmaz bir plastik.
perspicac·ious [pə̄spi'keyşəs]. Anlayışlı, ferasetli; sürati intikal sahibi. ~**ity** [-'kasiti], anlayış, feraset, sürati intikal.
perspicu·ity [pə̄spi'kyūiti]. Vazıh olma, açıklık. ~**ous** [-'spikyuəs], vazıh, açık.
perspir·ation [pə̄spi'reyşn]. Terleme, ter: **break into** ~, terlemeğe başlamak. ~**e** [pə'spayə(r)], terlemek.
persua·de [pə'sweyd]. İkna etm.; razı etm., kandırmak: **be** ~**d that ...**, -e kail olm. ~**sion** [-'sweyjn], ikna; kandırma; inandırma; kanaat; itikat, inanç. ~**sive** [-'sweysiv], ikna edici; inandırıcı, kandırıcı; saik; teşvik eden (hareket/söz/ödül).
pert [pə̄t]. Şımarık, şuh; arsız.
PERT/Pert [pə̄t] = PROGRAMME EVALUATION AND REVIEW TECHNIQUE.
pertain [pə'teyn]. Ait olm.; merbut olm.; raci olm.
pertinac·ious [pə̄ti'neyşəs]. Musir; inatçı. ~**ity** [-'nasiti], sebat; ısrar; inat.
pertinen·ce ['pə̄tinəns]. Uygunluk. ~**t**, münasip; uygun; yerinde.
perturb [pə'tə̄b]. Rahatsız etm.; meraklandırmak, endişeye düşürmek. ~**ation** [pə̄tə'beyşn], heyecan; endişe, merak; (*ast.*) tedirginlik, sarsım.
pertussis [pə'tʌsis] (*tıp.*) Boğmaca öksürüğü.
peruke [pə'rūk]. Peruka.
Peru [pə'rū]. Peru. ~**vian** [-'rūviən] *i.* Perulu: *s.* Peru +.
perus·al [pə'rūzl]. Mütalaa; dikkatle okuma. ~**e**, mütalaa etm.; dikkatle okumak; göz gezdirmek.
perva·de [pə'veyd]. Nüfuz ve istilâ etm.; her tarafa yayılmak. ~**ding**, ~**sive**, nüfuz ve istilâ eden, her tarafa yayılan. ~**sion** [-'veyjn], istilâ, yayılma.
perver·se [pə'və̄s]. Ters, aksi; huysuz, titiz; bozuk; sapkın. ~**sion** [-'və̄şn], tahrif; bozma; baştan çıkarma; bozukluk, dalâlet, sapıklık. ~**sity**, terslik, aksilik; titizlik, huysuzluk; sapkı. ~**t** [pə'və̄t] *f.* tahrif etm.; bozmak, ifsat etm.; baştan çıkarmak; dininden döndürmek; saptırmak: ['pə̄və̄t] *i.* mürtet; sapık; cinsî dalâlete düşmüş.
pervious ['pə̄viəs]. Geçilebilir; nüfuz edilir. ~**ness**, geçilebilme.
***pesky** ['peski]. Belâlı, yorucu, rahatsız edici.
pessary ['pesəri]. Rahim ağzına konan prezervatif.
pessimis·m ['pesimizm]. Bedbinlik, kötümserlik. ~**t** [-ist], bedbin, kötümser: ~**ic** [-'mistik], bedbin(ce), kötümser: ~**ically** [-kəli], bedbince, kötümser olarak.
pest [pest] (*mer.*) Veba, taun; (*şim.*) başbelâsı,

musibet; (*zir.*) asalak. ~**er**, izaç etm., musallat olm.; çullanmak; başının etini yemek; tebelleş olm. ~**-house**, (*mer.*) veba hastanesi. ~**icide** [-tisayd] (*zir.*) asalak yokedici madde. ~**iferous** [-'tifərəs], veba neşreden, muzır, iğrenç. ~**ilence** ['pestiləns], sâri ve öldürücü hastalık; veba, taun. ~**ilent**, öldürücü, mühlik; müfsit; menfur. ~**ilential** [-'lenşl], bulaşıcı, sâri; müteaffin; melun ve menfur.

pestle ['pesl] *i.* Havaneli, tokmak. *f.* Havaneli/tokmakla dövmek.

pestology [pes'toləci] (*zir.*) Asalaklar(ın yokedilmesi) bilimi; (*tıp.*) veba gibi bulaşık hastalıklar ilmi.

pet[1] [pet] *i.* Kedi/köpek gibi evde zevk için beslenen hayvan; cici; herkese tercih edilen. *f.* Nazlı büyütmek; sevgi göstermek, okşamak. **my** ~!, cicim!, canım!: ~ **aversion**, en çok nefret edilen adam/şey: ~ **grievance**, derdi günü: ~ **name**, sevilen bir kimseye takılan ad.

pet[2] *i.* Küskünlük, gücenme. **be in a** ~, küsmek.

petal ['petl]. Tüveyç/taçyaprağı. ~**ine** [-layn], bu yaprağa ait. ~**(l)ed** [-ld], bu yapraklı.

-petal [-pitəl] *son.* ... cihetine; -e doğru [CENTRIPETAL].

petard [pi'tād]. Kestane fişeği, petar. **be hoist with one's own** ~, kendi kazdığı kuyuya düşmek.

Peter[1] ['pītə(r)]. Bir erkek ismi. **Blue** ~, hareket flaması: **rob** ~ **to pay Paul**, başkasına vermek için birinden gasbetmek; eski borcunu ödemek için yeniden borç almak.

peter[2]. ~ **out**, tükenmek; yavaşça yok olm.; suya düşmek; (*oto.*) benzinsizlikten durmak.

peter[3] (*arg.*) Zindan; demir kasa. ~**man** = SAFEBREAKER.

petersham ['pītəşem]. Kalın ipek kurdele; (*mer.*) ağır palto/pantolon.

petiol·ar/~**ate** ['petioulə(r), -leyt]. Saplı (yaprak). ~**e**, yaprak sapı.

petit [pə'tī] (*Fr.*) ~***-four***, küçük bisküvit. ~***-maître*** [-'metr], züppe. ~***-point*** [-pua(n)] (*dok.*) bir cins el işlemesi. ~***e*** [-'tīt], ince/zarif (kadın).

petition [pi'tişn] *i.* İstida, dilekçe; arzuhal, rica. *f.* İstida etm.; rica etm.; dilenmek. ~**ary** [-nəri], dilekçeye ait. ~**er**, davacı, dilekçi.

petr. = PETROL(EUM).

petrel ['petr(ə)l]. Fırtına kuşu. **fulmar** ~, kutup fırtına kuşu: **Leach's** ~, okyanus fırtına kuşu: **storm(y)** ~, fırtına kırlangıcı; (*mec.*) gelince ortalığı birbirine karıştıran/zuhuru karışıklığa alâmet sayılan kimse.

petri·faction [petri'fakşn]. Taşlaşma. ~**fied** [-fayd], taş kesilmiş; kaskatı; donakalmış. ~**fy** [-fay], taşlaşmak, taş haline koymak/gelmek; korkutmak, şaşırtmak.

petro- ['petrə-, -'tro-] *ön.* Petro-; taş+; kayaç+. ~**chemistry**, petrol kimyası. ~**graphy**, kayaçbilgisi. ~**l**, benzin: ~ **station**, benzin istasyonu, garaj: ~ **tank**, benzin deposu: ~ **tanker**, sarnıçlı gemi/kamyon. ~**leum** [pi'trouliəm], petrol, taşyağı, gaz. ~**liferous** [petrə'lifərəs], petrol·lü/-taşır (toprak). ~**logical** [-'locikl], kayaçbilimsel. ~**logist** [-'troləcist], kayaçbilgini. ~**logy**, taşbilim, kayaçbilim, petroloji.

petticoat ['petikout]. İç eteklik, kombinezon. ~ **government**, kadınlar saltanatı.

pettifogg·er ['petifogə(r)]. Küçük ve aşağılık avukat; safsatacı; mugalâtacı. ~**ing**, kılı kırk yaran, safsatacı.

petti·ly ['petili]. Miskin olarak. ~**ness**, miskinlik; önemsizlik; dar düşüncelilik; küçüklük.

***petting** ['petin(g)] (*kon.*) Okşama, öpüşme.

pettish ['petiş]. Hırçın; çabuk küser.

petty ['peti]. Ehemmiyetsiz, önemsiz; küçük; darkafalı; miskin; adi. ~ **cash**, müteferrika: ~ **larceny**, ufak hırsızlık, aşırma: ~ **officer**, (*den.*) küçük zabit, çavuş.

petulan·ce ['petyuləns]. Huysuzluk; titizlik; alınganlık. ~**t**, tez mizaçlı; huysuz, ters, titiz; küseğen; alıngan: ~**ly**, huysuz vb. olarak.

petunia [pi'tyūniə]. Petunya.

pew [pyū]. Kilisede ibadet edenlere mahsus arkalıklı peyke; mahfil.

pewit ['pyuit] = PEEWIT.

pewter ['pyūtə(r)]. Kalay ile başka bir maden alaşımı. ~ **ware**, bu alaşımdan yapılan kaplar.

pf. = PIANOFORTE.

***Pfc.** (*ask.*) = PRIVATE, FIRST CLASS.

PG = PAYING GUEST; PROVING GROUND. ~**A** = PROFESSIONAL GOLFERS' ASSOCIATION.

pH = HYDROGEN ION CONCENTRATION.

PH = PUBLIC HEALTH; *PURPLE HEART.

phaeton ['feytn]. Payton.

phago- ['fagə-] *ön.* ... yutarı. ~**cyte** [-sayt], yutargöze.

-phag·ous [-fagəs] *son.* ... yiyen, -çıl [PHYTOPHAGOUS]. -~**y** [-faci] *son.* ... yemek âdeti [ANTHROPOPHAGY].

phalang·eal [fə'lanciəl] PHALANX[2]'a ait. ~**es** ['falancəz] *ç.* = PHALANX[2]

phalanx[1] ['falan(g)ks]. Eski Yunanistanda mızraklı alay, falanj: aynı amaçla birleşmiş insanlardan mürekkep inzibatlı topluluk.

phalanx[2]. Parmak kemiği.

phalarope ['faləroup]. **red-necked** ~, kırmızı boyunlu kum kuşu.

phall·ic [falik]. Tenasül aletine ait. ~**us**, erkeğin tenasül aleti.

Phanar ['fanə(r)]. Fener. ~**iot** [fə'nariət], Fenerli; Osmanlı imparatorluğunda Rum memuru.

phanerogam ['fanərəgam]. Çiçekli bitki.

phantasm ['fantazm]. Hayalet, hulya; tayf; vehim. ~**agoric** [-mə'gorik], hayalî görünüşlere ait.

phantasy ['fantəzi] = FANTASY.

phantom ['fantəm]. Hayal, tayf, hayalet; heyulâ; ismi var cismi yok.

phar. = PHARMAC·IST/-Y.

Pharaoh ['feərou]. Firavun.

Pharis·aical [fari'seyikl]. Farizler gibi; riyakâr, mürai, ikiyüzlü. ~**ee** ['farisī], Fariz; sahte sofu, riyakâr, ikiyüzlü.

pharmac·eutical [fāmə'syūtikl]. Eczacılığa ait, ispençiyarî. ~**eutics** [-tiks], eczacılık. ~**ist** ['fāməsist], eczacı. ~**ology** [-'koləci], eczacılık bilimi. ~**opoeia** [-kə'piə], ilâçlar kitabı; farmakope, kodeks. ~**y** ['fāməsi], eczacılık; eczane.

pharos ['feəros]. Fener.

pharyn·geal [farin'ciəl]. Yutağa ait. ~**gitis** [-'caytis], yutak iltihabı. ~**go-**, *ön.* yutak+. ~**x** ['farin(g)ks], gırtlak, yutak.

phase [feyz] *i.* Safha, aşama; hal, evre; (*elek.*) faz; (*yer.*) asçağ. *f.* (İş vb.) safhalarla bitirmek. ~ **down**/**in**/**out**, bir projeyi safhalarla azaltmak/başlamak/

bitirmek: **single-~**, tek fazlı, monofaze: **three-~**, üç fazlı, trifaze.
-phasia [-'feyziə] *son.* ... söyleyişi [APHASIA].
phasic ['feyzik]. Safha/faza ait.
Ph.D. (*Lat.*) = DOCTOR OF PHILOSOPHY.
pheasant ['fezənt]. Sülün. **ring-necked ~**, halkalı sülün. **~ry**, sülünler yetiştirilen yer, sülünlük.
phen·ic ['fīnik]. Fenik, karbole ait. **~ol**, fenol, asitfenik.
phenology [fi'noləci]. Doğal hadiselerin devrelerini tetkik.
phenomen·a [fi'nominə] *ç.* = ~ON; olaylar. **~al**, olaylara ait; garip, fevkalâde; hayret verici; muazzam: **~ly**, fevkalâde olarak. **~on**, *ç.* **~a**, bilince yansıyan olay, hadise; doğal hadise; cilve, tecelli; olağanüstü olay/kimse vb.
phenyl ['fīnil]. Fenil.
phew [fyū] *ünl. Sabırsızlık/tiksinti/hayret/yorgunluk vb.ni ifade eden nida.*
phi [fay]. Yunancanın yirmi-birinci harfi (Φ, ϕ).
phial ['fayəl]. Küçük şişe.
phil- [fil-] *ön.* ... seven.
phil. = PHILOLOGY; PHILOSOPHY.
-phil(e) [-fil, -fayl] *son.* ... sever/perver; -dostu [BIBLIOPHILE].
philabeg ['filəbeg] = FILIBEG.
Philadelphia [filə'delfiə] (*tar.*) Alaşehir; ABD'nde bir şehir.
philander [fi'landə(r)]. Kur yapmak, flört etm. **~er**, flört eden; kadın peşinden koşan.
philanthrop·e ['filənθroup]. İnsansever. **~ic** [-'θropik], insaniyetperver(ane); hayırsever; hamiyetli; şefkatlı. **~ist** [-'lanθrəpist], insansever; hayır sahibi. **~y**, hayırseverlik.
philatel·ic [filə'telik]. Pulculuğa ait. **~ist** [-'latəlist], pul meraklısı; pulcu. **~y**, posta pulları merakı, pulculuk.
philharmonic [fil(h)ā'monik]. **~ Society**, müzik sevenler cemiyeti, filharmonik.
philhellen·e [filhe'līn]. Yunanlıları seven (kimse); (*tar.*) Yunanistan istiklâli taraftarı. **~ism** [-'helinizm], bu istiklâl taraftarlığı.
philippic [fi'lipik]. Sert ve acı nutuk/yazı.
Philippin·e ['filipīn]. Filipin. **~es** [-'pīnz], Filipin Adaları/Cumhuriyeti. **~o** [-'pīnou], Filipinli.
Philistin·e ['filistayn]. Eski Filistin kabilesine ait; cahil tahsilsiz ve zevksiz adam. **~ism**, cahillik tahsilsizlik ve zevksizlik.
phillumenist [fi'lūminist]. Kibrit kutusu etiketleri meraklısı.
philo- [filo-] *ön.* ... sever.
philolog·ical [filə'locikl]. Dilbilgisine ait. **~ist** [-'loləcist], filolog, dil bilgini. **~y**, filoloji, lisan ilmi; dilbilgisi.
philomel ['filəmel] (*şiir.*) Bülbül.
philosoph·er [fi'losəfə(r)]. Filozof; kalender: **the ~'s stone**, haceri felsefî, iksiri azam. **~ical** [-'sofikl], felsefî; kalenderane: **take things ~ly**, başına geleni sabırla ve kalenderane kabul etm. **~ize** [-'losəfayz], filozof gibi konuşmak/düşünmek; felsefe konularıyle meşgul olm. **~y** [-fi], felsefe.
-philous [-filəs] *son.* ... seven [HYDROPHILOUS].
philtre ['filtə(r)]. Aşk iksiri.
phiz [fiz] (*kon.*) Yüz; = PHYSIOGNOMY.
phleb·itis [fli'baytis]. Damar iltihabı, flebit. **~o-**, (*ön.*) damara ait. **~otomy** [-'botəmi], kan alma, hacamat.
phlegm [flem]. Balgam; soğukluk, duygusuzluk. **~atic** [fleg'matic], heyecanlanmaz; duygusuz; lenfavî, soğukkanlı.
phlog- [floc-] *ön.* Yanma/iltihaba ait.
phlox [floks]. Nakıl çiçeği; floksa.
-phob·e [-foub] *son.* ... korkan; -düşman/-aleyhtarı [ANGLOPHOBE]. **~ia** [-biə] *i.* korku, fobi: *son.* ... korkusu; -den nefret etme [HYDROPHOBIA].
Phoebus ['fībəs] (*mit.*) Güneş mabudu.
Phoenicia [fi'nīşiə]. Fenike. **~n**, *i.* Fenikeli: *s.* Fenike+.
phoenix ['fīniks] (*mit.*) Anka kuşu, feniks; (*mec.*) emsalsiz kimse.
phon [fon]. Ses birimi, fon.
phon. = PHONETICS.
'phone[1] [foun] = TELEPHONE. **~-box**, telefon hücre/kabini. **~-in**, (*rad.*) dinleyicilerin telefonla katıldıkları program. **~-tapping**, telefondan muhabereyi kapma.
phone[2]. Basit ses. **~me** ['founīm], fonem, anlamlı ses birliği. **~tic** [fə'netik], fonetik, sesçil: **~ally**, fonetikçe, seslere göre: **~ alphabet**, fonetik alfabe: **~ spelling**, seslere göre/fonetik imlâ. **~tician**/ **~ti(ci)st** [foune'tişn, -'neti(si)st], fonetik uzmanı, sesbilgini. **~tics** [-'netiks], sesbilgisi, fonetik.
phon(e)y ['founi] (*kon.*) Taklit, sahte.
phonic [fonik]. Sese ait; akustiğe ait. **~s**, söyleniş bilgisi.
phono- ['founə-] *ön.* Fono-; ses+. **~genic**, fonojenik. **~gram**, ses sembolü, fonogram. **~graph**, fonograf: **~er** [-'nogrəfə(r)], stenograf: **~ic** [-nə'grafik], ses (kaydedilmesin)e ait: **~y** [-'nogrəfi], fonografi. **~logy** [-'noləci], fonoloji, sesbilimi.
-phor·e [-fō(r)] *son.* (*fiz.*) ... taşıyan [SEMAPHORE]. **-~ous** [-fərəs] *son.* (*biy.*) ... taşıyan [CARPOPHOROUS].
phos- ['fos-] *ön.* Fos-; ışığa ait. **~gene** [-cīn], fosgen. **~phate** [-feyt], fosfat(lamak); fosfatlı. **~phide** [-fayd], fosfid. **~phite** [-fayt], fosfit.
phosphor·ate ['fosfəreyt]. Fosforla birleştirmek. **~-bronze**, fosforla bronz alaşım. **~esce** [-'res], yakamozlanmak: **~nce** [-'resəns], fosforışı; yakamoz: **~nt**, fosforışıl; yakamozlanan. **~ic** [-'forik], fosforik. **~ism** ['fosfərizm], (çene) fosforla zehirlenme. **~o-**, *ön.* fosforo-. **~ous** [-fərəs], fosforlu. **~us**, fosfor.
phos·phuretted ['fosfəretid]. Fosforla birleşmiş. **~sy-jaw**, (*kon.*) = ~PHORISM.
phot [fot] (*fiz.*) Işık birimi, fot.
phot. = PHOTOGRAPH(Y).
photo ['foutou] (*kon.*) = PHOTOGRAPH.
photo- ['foutou-] *ön.* Foto-; ışık+. **~cell**, fotosel, ışık gözü. **~chrome** [-kroum], renkli fotoğraf. **~copier** [-'kopiə(r)], fotokopi makinesi. **~copy**, fotokopi (almak). **~electric**, foto-/ışıkelektrik+. **~-engraving**, klişe(cilik). **~-finish**, bır yarışın yalnız fotoğrafla tayin edilebilen sonu. **~flash**, flaş lambası. **~flood**, projektör lambası. **~genic**, ışık hasıl eden/yayan; resmegider, fotojenik.
photograph ['foutəgrāf] *i.* Fotoğraf. *f.* Resim çekmek, fotoğrafını almak. **~er** [fə'togrəfə(r)], fotoğrafçı. **~ic** [foutə'grafik], fotoğrafa ait, fotoğrafla. **~y** [fə'togrəfi], fotoğrafçılık.

photo·gravure [fou̯təgrə'vyuə̯(r)]. Fotogravür; klişe. ~**meter** [fə'tomitə(r)], fotometre, ışıkölçer. ~**micrography** [fou̯təmay'krogrəfi], mikroskopla fotoğraf çekme. ~**n** [-tən], foton, ışıközü. ~**sphere** [-sfiə̯(r)], ışık yuvarı, fotosfer. ~**stat**, fotokopi(si çekmek).
phrase [freyz] *i.* İbare; ifade tarzı; cümle; tabir; (*müz.*) bir melodinin bir kısmını teşkil eden kısa bir parça. *f.* Bir fikri ifade etmek için kelime ve cümleler seçmek; tümcelemek. **as the ~ goes**, meşhur deyim ile. ~**-book**, yabancı dil kılavuzu. ~**-monger**, süslü cümleler söyliyen kimse. ~**ogram** [-ziə̯gram], (stenografi) bir cümleyi temsil eden sembol. ~**ology** [-zi'oləci], ifade tarzı, anlatım.
phratry ['fratri] (*sos.*) Kabile kısmı.
phrenetic [fri'netik]. Çılgın, deli.
phrenology [fri'noləci]. Frenoloji.
Phrygia ['friciə̯] (*tar.*) Frikya (Kütahya çevresi). ~**n cap**, hürriyet alâmeti olan şapka.
phthisi·s ['fθisis]. Verem. ~**cal**, vereme ait, veremli.
phut [fʌt] (*yan.*) Mermi vb. sesi. **go ~**, (*arg.*) suya düşmek, tamamen bozulmak.
phylactery [fi'laktəri]. Yahudilerce kullanılan muska; tılsım.
phyletic [fay'letik]. Filum/ırka ait.
phyllo- [filə-] *ön.* Yaprak+. ~**xera** [-'loksərə], filoksera, asma biti.
phylo- [faylou̯-] *ön.* Irk+; kabile+.
phylum ['fayləm]. Filum.
phys. = PHYSIC·AL/S.
physic ['fizik] *i.* İlâç, *bil.* müshil. *f.* İlâç/müshil vermek. ~**al** [-kl], fiziğe ait, fiziksel, fizikî; doğal; maddî; bedenî, tensel: ~ **education/training**, beden terbiyesi. ~**ally** [-kəli], fizikî/bedenî olarak. ~**ian** [-'zişn], hekim, doktor. ~**ist** ['fizisist], fizik uzmanı, fizikçi. ~**ky** [-ki], müshil gibi. ~**o-**, *ön.* fiziko-. ~**s**, fizik bilimi.
physio- [fizio-] *ön.* Doğa/tabiata ait; fizyo-. ~**gnomy** [-'onəmi], yüz, çehre; görünüş. ~**graphy** [-'ogrəfi], fizyografi. ~**logy** [-'oləci], fizyoloji. ~**therapy** [-'θerəpi], fizyoterapi, fizik tedavisi.
physique [fi'zīk]. Vücudun bünye ve kuvveti. **of poor ~**, cılız, kuvvetsiz.
-phyt·e [-fayt] *son.* ... bitkisi [ZOOPHYTE]. ~**o-** [fito-], *ön.* fito-; bitki+; bitkisel.
pi[1] [pay]. Yunancanın onaltıncı harfi (Π, π); pi; daire çevresinin çapına oranı (3,14159).
pi[2] (*arg.*) = PIOUS.
pian·issimo [pya'nisimou̯] (*İt., müz.*) Çok hafif. ~**ist** ['pyanist, 'piə̯-], piyanist. ~***o***[1] ['pyānou̯] (*İt.*) hafif, piyano. ~**o**[2] ['pya-], piyano: **grand/upright ~**, kuyruklu/dik piyano. ~**oforte** [-nə'fōt(i)] = PIANO[2]. ~**ola** [-'nou̯lə], piyanola, mekanik piyano.
piastre [pi'astə(r)]. Kuruş.
piazza [pi'atsə] (*İt.*) Meydan; *kapalı taraça.
†**PIB** = PRICES AND INCOMES BOARD.
pibroch ['pibro(k)h]. Gayda ile çalınan marş.
PIC = PERMANENT INTERNATIONAL COMMISSION.
pica ['paykə] (*bas.*) Pika harf, katrat.
picarel ['pikərel]. İstrongilos. **blotched ~**, izmarit.
picar·esque [pikə'resk]. Külhanbeyi maceralarına ait. ~**oon** [-'rūn], külhanbeyi; korsan.
***picayune** [pikə'yūn] *i.* Önemsiz kimse/şey. *s.* Alçak, adi; rezil.
piccalilli [pikə'lili]. Türlü turşu.
piccaninny [pikə'nini]. *Zenci çocuk; (*Avus.*) asıl yerli çocuk; (*mer.*) yavru.
piccolo ['pikəlou̯]. Küçük flüt, pikolo.
pick[1] [pik] *i.* Sivri kazma.
pick[2] *i.* Seçme; güzide şey. **the ~ of the bunch**, en iyisi, en seçmesi.
pick[3] *f.* Sivri bir aletle delmek, kazmak, açmak; ayıklamak; toplamak, devşirmek; seçmek. ~ **acquaintance with s.o.**, birisiyle dostluk kurmaya vesile aramak: ~ **a bone**, kemiğin etini ayıklamak: **have a bone/crow to ~ with s.o.**, birisiyle paylaşılacak kozu olm.: ~ **s.o.'s brains**, birisinden bilgi koparmak, onun bütün bildiğini öğrenmek: ~ **and choose**, titizce seçmek: ~ **holes in stg.**, bir şeyin tenkit edilecek taraflarını bulmak: ~ **a lock**, kilidi maymuncukla açmak: ~ **to pieces**, didiklemek; didik didik etm.: ~ **pockets**, yankesicilik yapmak: ~ **a quarrel**, kavga etmek için vesile aramak: ~ **sides**, = ~ UP: ~ **one's steps/way**, dikkatle/ihtiyatla yürümek: ~ **one's teeth**, dişlerini karıştırmak. ~ **at**, ~ **at one's food**, istek/iştahsız yemek yemek. ~ **off**, el ile tutup kaldırmak; toplamak; dikkatle nişan alıp vurmak. ~ **(up)on, I don't know why he ~ed on me**, bilmem neden buldu buldu da beni buldu. ~ **out**, el ile tutup çıkarmak; seçmek: ~ **out s.o. in a crowd**, kalabalıkta birini seçmek/görmek. ~ **over**, (meyva vb.ni) birer birer inceleyip iyilerini ayırmak. ~ **up**, eğilip bir şeyi yerden almak; rasgele bulmak; yolda durup birini otomobil vb.ne almak; (hasta) iyileşmek; **(sides)**, bir oyunda (iki kaptan) oyuncularını seçmek: ~ **up stg. cheap**, ucuz almak, kelepir olarak bulmak: ~ **up courage**, cesaretini toplamak: **(searchlight) ~ up a plane**, (bir ışıldak) uçağı yakalamak: ~ **up a language, etc.**, bir lisan vb.ni çabuk öğrenmek/kapmak: ~ **up a livelihood**, hayatını oradan buradan kazanmak: ~ **up speed**, hızını artırmak: ~ **up one's strength**, (hasta) kendini toplamak, kuvvet bulmak.
pick·-a-back ['pikəbak]. **carry s.o. ~**, birini sırtta taşımak. ~**axe** [-aks], kazma (ile kazmak). ~**er**, toplayıcı; toplama aleti.
pickerel ['pikərəl]. Turna balığı/yavrusu.
picket ['pikit] *i.* Kazık; ileri karakol; (grev sırasında) çalışmak isteyen işçilere engel olmak için nöbet bekliyen işçi; grev gözcüsü. *f.* (Atı) kazığa bağlamak. ~ **a factory**, (grev sırasında) bir fabrikaya PICKET dikmek. ~**-boat**, karakol gemisi. ~**-fence**, tahta parmaklık. ~**-line**, grev gözcüsü sırası. ~**-rope**, kazık ipi.
picking ['pikin(g)]. Toplama, devşirme. ~ **and stealing**, aşırma: ~**s**, ufak tefek kâr: **get ~s**, çöplenmek, çimlenmek.
pickle ['pikl] *i.* Turşu; salamura; (*müh.*) paklama çözeltisi, paklayıcı; sıkıntılı durum; yaramaz çocuk. *f.* Salamuraya yatırmak; tuzlamak; turşu kurmak; (*müh.*) paklamak, dekape etm. **be in a nice/sorry ~**, zor bir durumda olm.; üstü başı kirli ve karmakarışık olm.: **you little ~!**, (çocuğa) seni gidi seni!: **have a rod in ~ for s.o.**, birisi için kızılcık sopası saklamak. ~**d**, turşulu, turşu+; tuzlu; paklanmış; (*arg.*) sarhoş. ~**ing**, *s.* paklama+; dekapaj. ~**r**, paklak.
pick·lock ['piklok]. Kilit açan kimse; hırsız; maymuncuk. ~**-me-up** [-mi·ʌp] (*kon.*) canlandırıcı içki; canlandırıcı şey. ~**pocket**, yankesici, tırnakçı. ~**-up** [-ʌp], pikap, gramofon; küçük yük/

yolcu arabası; (*rad.*) stüdyo alma düzeni; (*kon.*) yolda durup birinin otomobile alınması.
picnic ['piknik] *i.* Piknik, kır yemeği, yemekli kır gezisi. *f.* Böyle bir gezintiye gitmek; bir evde rahatsızlıkla oturmak. **this is no ~!**, bu kolay bir iş değil! **~ker**, kır gezisine giden. **~-site**, piknik yeri.
***picky** ['piki] (*kon.*) Fazla titiz.
pico- [piko-] *ön.* (*mat.*) Piko-; 10^{-12}.
picric ['pikrik] (*kim.*) Pikrik.
picto·graph ['piktəgrāf]. Resim işaret/yazısı. **~rial** [-'tōriəl], resimli (dergi): **~ly**, resimle; resim olarak.
picture ['pikçə(r)] *i.* Resim, tablo; tasvir; levha; timsal; pek güzel şey; filim. *f.* Tasvir etm. **the ~s**, sinema: **motion-/moving-~**, filim: **~ to yourself ...!**, ... tasavvur et!: **he is the ~ of his father**, tıpkı babası: **he is the ~ of health**, aslan gibi sağlam: **that child is a perfect ~**, o çocuk bebek gibi güzel: **come into the ~**, sahaya girmek, bahis konusu olm.: **be very much in the ~**, bir meselede çok önemli rolü olm.: **be out of the ~**, sayılmamak; haberdar olmamak: **put s.o. in the ~**, birini haberdar etm. **~-book**, resimli kitap. **~-card**, (iskambil) papaz vb. resimli kâğıt. **~-frame**, resim kasnak/çerçevesi. **~-gallery**, resim salonu; resim müzesi. **~-hat**, (*mod.*) geniş kenarlı şapka. **~-house/-theatre**, sinema. **~-postcard**, resimli kartpostal. **~-rail**, tablo asmalığı. **~sque** [-'resk], resmi yapılacak kadar güzel, pitoresk. **~-tube**, (TV) resim lambası. **~-writing**, hiyeroglifler.
piddl·e [pidl] (*mer.*) Önemsiz işlerle uğraşmak; çişini etm. **~ing**, önemsiz, ufak tefek.
piddock ['pidək]. Folas.
pidgin ['picin]. **~ English**, yarı bozuk İngilizce yarı Çince bir lisan, ki, Çinde tüccarlar ile hizmetçiler tarafından kullanılır.
pie[1] [pay] *i.* Saksağan.
pie[2] *i.* Etli/meyvalı börek. **fruit ~**, torta: **shepherd's ~**, içi kıymalı patates ezmesinden yapılıp fırında pişirilen bir yemek: **have a finger in the ~**, bir işe karışmak: **~ in the sky**, şimdiki ıstıraptan sonra olabilecek saadet.
pie[3]. **printer's ~**, karmakarışık matbaa harfleri; (*mec.*) karışıklık.
piebald ['paybōld]. Alacalı.
piece [pīs] *i.* Parça; kısım; tane; sikke, akçe; yama; (satranç/dama) taş; piyes. **~ together**, birleştirmek, eklemek, yan yana koymak: **a ~ of advice**, bir tavsiye: **all of a/one ~**, yekpare; aynı cinsten: **all to/in ~s**, paramparça, hurdahaş: **a ~ of artillery**, bir top: **by the ~**, tane ile; parça başına: **fall/go to ~s**, parça parça olm.; harap olm.; iler tutar tarafı kalmamak: **a ~ of (good) luck**, talih eseri, düşeş: **take to ~s**, sökmek: **a ~ of water**, bir küçük göl vb.: **this is a ~ of my work**, bu benim işimden bir örnektir. **~-goods**, mensucat, parça mal. **~meal** [-mīl], bölük pürçük, parça parça. **~-of-cake**, (*arg.*) çok kolay bir iş. **~-rate**, işe göre/parça başına ücret. **~-work**, götürü çalışma/hizmet.
pie·-chart ['payçāt]. Daire dilimleriyle oranlı miktarları temsil eden diyagram. **~-crust** [-krʌst], torta üstündeki pasta.
pied [payd]. İki renkli; alaca.
pied-à-terre [pyeyda'teə(r)] (*Fr.*) Baş sokacak yer; bir kimsenin başka yerdeki küçük evi.
piedmont [pi'eydmont]. Dağ eteği.
pie·man, *ç.* **~men** ['paymən]. Börekçi.
pier [piə(r)]. Denize uzanmış iskele; rıhtım; (*mim.*) payanda, ayaklık, destek. **~age** [-ric], iskele/rıhtım ücreti.
pierc·e [piəs]. Delmek; delip geçmek; delip açmak. **~ing**, acı, keskin; iliğe işliyen (soğuk): **~ly**, acı/keskin olarak.
pier-glass ['piə(r)glas]. Büyük ayna.
pierr·ette [piə'ret]. Kadın palyaço. **~ot** [-rou], palyaço, paskal.
piet·ism ['payətizm]. Aşırı dindarlık. **~y** ['payəti], dindarlık: **filial ~**, ana babaya karşı sevgi ve saygı.
piezo- [pīetso-] *ön.* Pizo-; baskı+. **~-electric effect**, pizo-elektrik etkisi.
piffle ['pifl]. (*arg.*) Saçma. Saçmalamak.
pig [pig] *i.* Domuz; pis herif; obur; *(*arg.*) polis; (*müh.*) maden külçesi. *f.* (Domuz) yavrulamak. **~ it**, ahırda gibi yaşamak: **don't be a ~!**, (i) oburluk etme!; (ii) insaf et!; tatsızlık etme!
pigeon ['picin]. Güvercin; tahtalı; safdil, aval. **carrier/homing ~**, muhabere güvercini: **clay ~**, (*sp.*) sunî güvercin, plak: **wood-~**, tahtalı güvercin. **~-breasted/-chested**, çıkık göğüslü. **~-hole**, yazıhane gözü; (evrakı vb.) gözlere koymak; hasır altı etm. **~-toed**, ayaklarını içeri basarak yürüyen.
pig·gery ['pigəri]. Domuz ahırı; çok pis yer. **~gish** [-giş], pis; pisboğaz: **~ness**, pisboğazlık. **~gy**, (*çoc.*) domuz(cuk). **~headed** [-hedid], dikkafalı, inatçı. **~-iron**, pik demir. **~let/-ling**, domuz yavrusu. **~-like**, domuz gibi; pisboğaz. **~man**, domuz çobanı.
pigment ['pigmənt]. Hayvan/bitki dokularına renk veren madde; pigman, boya maddesi; (*tıp.*) pigment. **~al/~ary** [-'mentl, -təri], bu maddeye ait. **~ation** [-'teyşn], pigmantasyon.
pigmy/pygmy ['pigmi]. Cüce.
pig·nut ['pignʌt]. Yer fıstığı. **~skin**, domuz derisi. **~sticking**, mızrak ile yaban domuzu avcılığı. **~sty**, domuz ahırı; pek pis ev/oda. **~tail**, uzun ve arkaya sarkık saç örgüsü. **~wash/~swill**, domuz yemi; mutfak süprüntüsü.
pika ['paykə]. Islıklı tavşan(giller).
pike[1] [payk] *i.* Tatlısu turna balığı. **~perch** [-pəç], uzun levrek.
pike[2] *i.* Kargı; zirve; kuru ot yığını.
pike[3] = TURNPIKE.
pikelet [payklit]. Bir cins yassı pide.
pike·man ['paykmən]. Kargılı asker; TURN~. **~staff**, kargı sapı; ucu sivri demirli baston: **as plain as a ~**, kör kör parmağım gözüne.
pil·aff/-aw [pi'laf]. Pilav.
pilaster [pi'lastə(r)]. Dört köşeli direk, duvarayağı.
pilchard ['pilçəd]. Ateş balığı, sardalya.
pile[1] [payl] *i.* Yığın, küme; (*fiz.*) pil; büyük ve muhteşem bina. *f.* **~ (up)**, yığmak, küme haline koymak; biriktirmek; yığılmak, birikmek. **~ arms**, tüfek çatmak: **make one's ~**, küpünü doldurmak, yükünü tutmak: **~ it on**, (*kon.*) mübalağa etm., abartmak; **~ on the agony**, (bir şey hakkında) acı/korkunç ayrıntı vermek.
pile[2]. Büyük kazık.
pile[3]. Hav.
pile[4]. Basur memesi. **~s**, basur, mayasıl.
pile-[5] *ön.* **~-driver**, şahmerdan. **~-up** [-lʌp] (*kon.*) çok taşıtlarla vukubulan kaza. **~wort** [-wāt], basurotu.

pilfer ['pilfə(r)]. Aşırmak. ~**age** [-ric], aşırma. ~**er**, para aşıran, eli uzun.
pilgrim ['pilgrim]. Hacı; seyyah, yolcu. **the ~ Fathers**, 1620'de Amerikaya göçen İngilizler. ~**age** [-mic], hac; hacca gitme(k); uzun yolculuk (etm.).
piliferous [pi'lifərəs] (*bot.*) Tüylü.
pill [pil]. Hap, komprime; doğumu önleyici hap; (*arg.*) top. **be on the ~**, (kadın) doğumu önleyici hapı muntazaman yutmak: **bitter ~ to swallow**, (*mec.*) isteksizce yapılacak bir şey, tezlil.
pillage ['pilic] *i.* Yağma, çapul, soygun. *f.* Yağma etm., soymak.
pillar ['pilə(r)]. Direk; sütun, ayak; rükün; (*yer.*) peri bacası. **be driven from ~ to post**, mekik dokumak. ~**-box**, mektup kutusu.
pill-box ['pilboks]. Hap kutusu; (*ask.*) beton makineli tüfek yuvası.
pillion ['pilyən]. Terki. **ride ~**, terkiye binmek.
pillory ['piləri] *i.* Teşhir direği; teşhir cezası. *f.* (Bir suçluyu ceza olarak) teşhir etm.
pillow ['pilou]. Baş yastığı. **take counsel of one's ~**, bir şeye hemen karar vermeyip yatmak ve kararı ertesi güne bırakmak. ~**-case**/**-slip**, yastık yüzü. ~**-fight**, (*çoc.*) yastıklarla dövüşme. ~**y**, yastık gibi; yumuşak.
pilose ['paylouz]. Saçlı, tüylü.
pilot ['paylət] *i.* Kılavuz; rehber; pilot. *f.* Gemiye kılavuzluk etm.; uçak kullanmak; yol göstermek. ~**age**, kılavuzluk (ücreti). ~**-fish**, Malta palamudu. ~**-jacket**, gemicilerin kalın şayak ceketi. ~**-light**, işaret lambası; (gaz) pilot/tutuşturma alevi. †~**-officer**, (*hav.*) asteğmen. ~**-scheme**, örnek plan/proje. ~**-show**, (*rad.*) tecrübe olarak temsil edilen bir piyes.
pil(l)ule ['pilyul]. Hapçık; kürecik.
pimento [pi'mentou]. Yenibahar.
pimp [pimp] *i.* Pezevenk, kaltaban. *f.* Pezevenklik etm.
pimpernel ['pimpənel]. Farekulağı.
pimpl·e ['pimpl]. Ergenlik; sivilce; ufak bir tepecik. ~**y**, ergenlikli, sivilceli.
pin[1] [pin] *i.* Toplu iğne; mil, pin; şiş; kama. ~**s**, (*arg.*) bacaklar. **I don't care a ~!**, hiç umurumda değil; bana vız gelir: **you could have heard a ~ drop**, sinek uçsa işitilirdi: ~**s and needles**, karıncalanma: **be on ~s and needles**, çok meraklanmak, diken üzerinde durmak: **for two ~s I'd box your ears**, benden tokat yemediğine şükret!: **safety ~**, çengelli iğne: **split ~**, gupilya.
pin[2] *f.* İğnelemek; iğne ile tutturmak, bağlamak; perçinlemek. **~ s.o.'s arms to his side**, birinin kollarını arkasından kıskıvrak yakalamak: **be ~ned against a wall**, duvara sıkıştırılmak: **be ~ned under a fallen beam**, düşen bir kalasın altında sıkışmak: **~ s.o. down to facts**, birini vakiaları kabule/sırf vakiaları söylemeğe mecbur etm.: **~ one's hopes on . . .**, umudunu -e bağlamak.
pinafore ['pinəfō(r)]. Çocuk önlüğü.
pinaster [pay'nastə(r)]. Bir cins fıstık çamı.
pince-nez ['pa(n)sney] (*Fr.*) Kelebek gözlük.
pincers ['pinsəz]. **(pair of) ~**, kerpeten, kıskaç, tutaç. ~**-movement**, (*ask.*) kıskaç hareketi.
pinch[1] [pinç] *i.* Çimdik; tutam; sıkıntı, darlık. **it will do at a ~**, zaruret halinde yasak savar: **it was a close ~**, bıçak sırtı kadar bir şey kaldı: **feel the ~**, zaruret içinde kalmak; çok sıkıntı çekmek: **give s.o. a ~**, birini çimdiklemek: **the ~ of hunger/poverty, etc.**, açlık/fakirlik vb.nin ıstırabı.
pinch[2] *f.* Çimdiklemek; sıkıştırıp sıkıntı vermek/acıtmak; (ayakkabı) sıkmak, vurmak; fazla tutumlu olm.; (*arg.*) aşırmak, yakalamak, kıstırmak. **be ~ed for money**, para sıkıntısı çekmek: **~ and scrape**, dişinden tırnağından artırmak: **that's where the shoe ~es**, işte dert burada: **everyone knows best where his own shoe ~es**, herkes kendi derdini herkesten iyi bilir.
pinchbeck ['pinçbek]. Altın taklidi; yapma, sahte.
pincushion ['pinkuşn]. İğne yastığı.
pine[1] [payn] *i.* Çam (ağaç/tahtası). **Austrian ~**, kara çam: **Jerusalem ~**, Halep çamı: **Scotch ~**, sarı çam: **stone ~**, fıstık çamı.
pine[2] *f.* **~ for**, -in özlemini çekmek: **he ~s for London**, Londra gözünde tütüyor: **~ away**, yavaş yavaş güçten düşmek.
pine·al ['payniəl]. Kozalak gibi/şeklinde. ~**apple** [-napl], ananas. ~**-barren**, çamlık kumsal. ~**-bunting**, akbaşlı yelve. ~**-cone** [-koun], çam kozalağı. ~**-kernel**, çam fıstığı. ~**-marten**, ağaç sansarı. ~**ry**, ananas seri; çam ormanı. ~**tum** [-'nītəm], çamlık, çam ağaçlarının koleksiyonu.
pinfold ['pinfould] (*zir.*) Ağıl.
ping [pin(g)] (*yan.*) Kurşun vızıltısı. ~**-pong**, pingpong, masa topu.
pin·head ['pinhed]. İğne başı; (*mec.*) küçücük şey. ~**-hole**, iğne/pin deliği; ufak delik.
pinion[1] ['pinyən] *i.* Kanat (tüyü). *f.* Kuş kanadının ucunu kesmek; kollarını bağlamak.
pinion[2] (*müh.*) Küçük dişli çark, pinyon.
pink[1] [pin(g)k] *i.* Küçük karanfil. *s.* Pembe; (*id.*) komünizme eğik. **in the ~ (of condition)**, yanakları kıpkırmızı; mükemmel idmanlı; (meyva vb.) tam olgun, mükemmel: **the ~ of perfection**, mükemmelliğin en yüksek derecesi.
pink[2] *f.* Kumaşın kenarlarını oya ile süslemek; kılıç ile delmek. ~**ing**[1], oya.
pink[3] *f.* (*yan.*) (Otomobil) kliketleşmek. ~**ing**[2], kliket.
pink·ish/~**y** ['pin(g)ki(ş)]. Pembemsi. ~**o**, (*arg.*) komünizme eğik kimse.
pin-money ['pinmʌni]. (Kadının) cep harçlığı.
pinnace ['pinəs]. Altı/sekiz kürekli filika: **steam ~**, çatana.
pinnacle ['pinəkl]. Bir bina üzerindeki küçük sivri tepeli kule; zirve; en yüksek derece.
pinn·a ['pinə] (*zoo.*) Dışkulağın üst kısmı; yüzgeç (şekli); telek; (*bot.*) yapracık. ~**ate** [-neyt], telekdamarlı. ~**i-**, *ön.* kanat-, yüzgeç-. ~**iped**, yüzgeçayaklı.
pinny ['pini] (*çoc.*) = PINAFORE.
***pinocle** ['pinokl]. Bezik'e benziyen bir oyun.
piñon [pīn'yōn]. Çam fıstığı.
pin·point ['pinpoynt] *i.* İğne ucu; (*mec.*) küçücük bir şey. *f.* Kesin olarak yerini tayin etm./keşfetmek/bombalamak. ~**prick**, önemsiz kaşıntı. ~**stripe** [-strayp] (*mod.*) çok ince çizgili (kumaş).
pint [paynt]. Bir galon'un sekizde biri (= †0,568/*0,473 litre). **have a ~**, bir bardak bira çekmek. ~**a**, (*kon.*) bir bardak bira/süt vb.
pin·-table ['pinteybl]. Eğlence/kumara mahsus mekanik cihaz. ~**tail** [-teyl], kılkuyruk (ördeği): ~**ed sand-grouse**, Arap tavuğu.
pintle ['pintl]. Menteşe mili; mil; dümenin iğneciği.

***pinto** ['pintou]. Alacalı at.
pint-sized ['payntsayzd] (*köt.*) Normalden daha çok küçük, bacaksız.
pin-up ['pinʌp]. Bir yere asılmaya değer kız resmi. **~-girl** [-gəl], resmi çekilmeye değer güzel kız.
pinworm ['pinwəm] (*zoo.*) Sivri kuyruk.
piny ['payni]. Çam gibi; çamları bol.
PIO = PUBLIC INFORMATION OFFICER.
pioneer [payə'niə(r)]. Yol açmak için önden giden kimse; önayak olan; (*mer.*) baltacı neferi. **~ work**, bakir/el değmemiş bir konu/iş.
pious ['payəs]. Dindar, sofu; (*mer.*) anasına babasına saygılı. **~ fraud**, sahte sofu, riyakâr, iki yüzlü.
pip[1] [pip] *i.* Ufak çekirdek; (iskambil/domino/zar vb. üzerindeki) sayı, benek; (*ask., kon.*) aşama gösteren yıldız.
pip[2] *i.* Tavukların dilaltı illeti. **have/get the ~**, (*kon.*) sıkılmak, üzülmek; **give s.o. the ~**, birinin keyfini bozmak.
pip[3] *f.* (*kon.*) = BLACKBALL; yenmek; kurşunla hafifçe vurmak. **be ~ped** [pipt] **at the post**, (maç/yarışta) son dakikada yenilmek.
pip[4]. (Askerlik/telefonda) P harfi. **~ emma = p.m.**, öğleden sonra.
pip[5] (*yan.*) Kısa ve tiz bir ses; (*rad.*) saat işareti; (telefon) 'konuşma müddeti bitti' işareti.
pipe [payp] *i.* Boru; çubuk; pipo; künk; lüle; kaval, mizmar; 477 litrelik şarap ölçüsü; düdük; (*yer.*) baca. *f.* Boru ile nakletmek/götürmek; çocuk gibi ince bir sesle söylemek; (*den.*) düdük ile kumanda vermek. **~ on board**, gemiye çıkan bir kimseyi forsun düdüğü ile selâmlamak: **the ~s**, gayda: **smoke the ~ of peace**, sulh yapmak, barışmak: **put that in your ~ and smoke it!**, bunu unutma!; kulağında küpe olsun!: **~ up**, taganniye başlamak. **~-clay**, lüleci çamuru; beyaz deri vb. temizlemek için kullanılan bir nevi kil. **~-dream**, hayalî fikir; gerçek olmıyacak bir istek. **~d-TV**, bir santraldan kablo ile yayılan TV servisi. **~-fish**, deniz/yılan iğnesi. **~ful**, pipo dolusu. **~-line**, (petrol vb. için) nakil borusu; (*mec.*) eşyaların fabrikadan sarfedenlere devamlı akışı: **it's in the ~**, yapılacak, hazırlanır. **~-major**, askerî gaydacıların çavuşu.
piper ['paypə(r)]. Gaydacı; kavalcı; öksüz balığı. **pay the ~**, icabeden masrafı ödemek: **who pays the ~ calls the tune**, parayı veren düdüğü çalar.
pipette [pi'pet]. Pipet.
piping ['paypin(g)] *i.* Gayda/kaval çalınması; çalınan hava; borular; (*mod.*) süsliyen kaytan. *s.* Çok; tamamen.
pipistrel(le) [pipi'strel]. Cüce yarasa.
pipit ['pipit]. İncirkuşu. **meadow/tree ~**, çayır/ağaç incirkuşu.
pipkin ['pipkin]. Ufak güveç.
pippin ['pipin]. Türlü cins elmaların adı.
pippy ['pipi]. Çekirdekli.
pip-squeak ['pipskwīk] (*arg.*) Önemsiz/rezil kimse/şey.
piquan·cy ['pīkənsi]. (Tat) dokunaklılık, acılık, keskinlik; bir şeyin ilginç tarafı. **~t**, acı, yakıcı, keskin; tuzlu biberli: **~ly**, acı vb. olarak.
pique [pīk] *i.* Güceniklik, kırgınlık, küskünlük. *f.* Küstürmek, içini yakmak; izzeti nefsine dokunmak. **~ oneself on stg.**, bir şeyle övünmek/iftihar etm.
piqué ['pīkey]. Pike (kumaşı).
piquet [pi'ket]. 32 kâğıtlı bir iskambil oyunu, piket.
piracy ['payrəsi]. Korsanlık; deniz haydutluğu; telif hakkının gaspı.
Piraeus [pay'riəs]. Pire.
piranha [pi'ranhə]. Piraya.
pirat·e ['payrət] *i.* Korsan (gemisi). *f.* Telif hakkını gaspedip bir kitabı yayımlamak: **~d**, izinsiz (yayım): **~-station**, (*rad.*) izinsiz yayan istasyon. **~ical** [-'ratikl], korsancasına.
pirouette [piru'et]. Bir ayak üzerinde tam çark etme(k); bir atın birdenbire dönüşü.
pisc·atorial [piskə'tōriəl]. Balıkçılığa ait. **~es** ['pisīz] (*ast.*) Balıklar. **~icide** [-sayd], balık öldürücü (madde). **~iculture** [-'kʌlçə(r)], balık yetiştirme sanatı. **~ina** [-'sīnə]/**~ine**[1] [-'sīn], balık/yüzme havuzu. **~ine**[2] [-sayn] balığa ait. **~ivorous** [-'sivərəs], balıkçıl.
pish [piş] (*yan.*) *Hoşnutsuzluk nidası.*
pisiform ['pisifōm]. Bezelye şeklinde.
piss [pis] (*kaba.*) *i.* Sidik. *f.* İşemek. **~ off!**, (*arg.*) defol! **~ed** [-st] (*arg.*) sarhoş.
pistachio [pis'taşyou]. Şam fıstığı.
pistil ['pistil] (*bot.*) Dişilik organı, pistil. **~lary** [-ləri], pistile ait. **~late** [-leyt], pistilli.
pistol ['pistl]. Tabanca (ile vurmak). **~-shot**, tabanca kurşunu; tabanca atış/menzili.
piston ['pistən]. Piston. **~-ring**, segman. **~-rod**, piston kolu.
pit[1] [pit] *i.* Çukur, oyuk; kuyu; obruk; yerde kazılan tuzak; çopur; (*tiy.*) parter; maden ocağı. **the bottomless ~**, gayya, cehennem: **the ~ of the stomach**, göğüs çukuru.
pit[2] *f.* (Asit, pas) madeni karıncalandırmak; oyuklaşmak; (çiçek illeti) yüzde çopur bırakmak. **~ oneself against s.o.**, boy ölçüşmek.
***pit**[3]. Meyva çekirdeği(ni çıkarmak).
pit-a-pat ['pitə'pat] (*yan.*) Hafif hafif çarpma; tıkırdama. **(heart) go ~**, yürek tıp tıp atmak.
pitch[1] [piç]. Zift (ile kaplamak).
pitch[2] *i.* Mertebe, derece; yükseklik; meyil; ses perdesi; yalpa; sokak/pazar satıcısının belirli yeri; (kriket oyunu) meydan; (*müh.*) adım, diş açıklığı; (*hav.*) hatve: **full ~**, (top vb.) atılan bir şeyin yere çarpmadan başka bir şeye vurması: **to the highest ~**, son dereceye kadar, son derecede: **to such a ~ that . . .**, oyle bir mertebede ki . . ..
pitch[3] *f.* Atmak; yere dikmek; (çadır) kurmak; bir şeyi havaya atıp belirli bir yere düşürtmek; sesin perdesini ayarlamak; konmak; yere inmek; (gemi) baş vurmak, toslamak; (*hav.*) yunuslamak. **~ one's hopes/ambitions very high**, gözü yükseklerde olm. **~ in(to)**, yumruk/dil ile tecavüzde bulunmak; tehalükle girişmek; bir yere başaşağı düşmek. **~(up)on**, -e konmak; üzerine düşmek; seçmek, karar vermek: **~ on one's head**, tepe üstü düşmek.
pitch-[4] *ön.* **~-and-toss**, yazı mı tura mı oyunu. **~-black**, simsiyah. **~blende**, uranyum oksidi. **~-dark**, zifirî karanlık. **~-diameter**, diş açıklık dairesi çapı. **~ed** [piçt] *s.* **high-~**, tiz: **~-battle**, meydan savaşı.
pitcher[1] ['piçə(r)]. Testi, sürahi, ibrik. **little ~s have long ears**, çocuktan al haberi. **~-plant**, ibrikotu.
pitch·er[2] (*sp.*) Atıcı. **~fork** [-fōk] *i.* yaba, çatal; (*müz.*) diyapazon: *f.* yabalamak: **be ~ed into doing stg.**, (*kon.*) bir şeyi zorla/ister istemez yaptırılmak.

~**ing**, (*den.*) baş vurma, toslama; (*hav.*) yunuslama.
pitch·-pine ['piçpayn]. Çıralı çam ağacı. ~**y**, zift gibi (siyah).
piteous ['pitiəs]. Acınacak halde.
pitfall ['pitfōl]. Tuzak olarak kazılan üstü hafifçe örtülmüş çukur; tuzak; gizli tehlike. **there are a lot of ~s in this business**, bu işte ayağını denk almalı.
pith [piθ]. (Bitkide) öz; cevher, kudret; esaslı kısım.
pithead ['pithed]. Maden ocağının ağzı.
pithecanthropus [piθikan'θroupəs]. Maymun ile insan arasındaki fosil hayvan.
pith- ['piθ-] *ön.* ~**-helmet**, mantarlı şapka. ~**ily**, veciz/özlü olarak. ~**iness**, vecizlik; kısa ve keskin üslup. ~**y**, özlü; veciz; muhtasar ve müfit; kısa ve keskin (üslup).
piti·able ['pitiəbl]. Acınacak. ~**ful**, merhametli; acınacak, acıklı; miskin. ~**less**, amansız, merhametsiz.
pit·man, *ç.* ~**men** ['pitmən]. Madenci.
pito·meter [pi'tomitə(r)] (*hav.*) Basıölçer. ~**t-comb/tube** ['pītou-], pito petek/borusu.
pit·prop ['pitprop]. Maden direği. ~**-stop**, (*oto.*) yarışlar zarfındaki ikmal durağı.
pittance ['pitəns]. Pek az ücret. **a mere** ~, ölmiyecek kadar kazanç.
pitt·ed ['pitid] *s.* Çiçek bozuklu, çopur; (*müh.*) asit/pastan karıncalanmış, oyuklu; (*biy.*) kalbursu. ~**ing**, (*müh.*) oyuklaşma.
pituitary [pi'tyuitəri]. Balgama ait.
pituri ['pitəri] (*Avus.*) Uyuşturucu bir ilâç.
pity ['piti]. Merhamet; acıma; şefkat, rikkat. ~/**take ~ on**, acımak; merhamet etm.: **for ~'s sake!**, Allah aşkına!: **inspire** ~, acındırmak: **it's a thousand pities that...**, çok yazık ki...: **out of** ~, merhameten: **what a ~!**, ne yazık!
pivot ['pivət] *i.* Mil; iğ, saplama; mihver. *f.* Mihver etrafında dön(dür)mek. ~**al**, mil/mihvere ait; merkezî; (*mec.*) en önemli.
pix·y, -ie ['piksi]. Peri, cin. *~**ilated** [-'leytid], deli, kaçık; sarhoş.
pizzicato [pitsi'kātou] (*İt., müz.*) (Keman) parmakla çekilme, pizzicato.
pizzle [pizl] (*kaba.*) (Boğa vb.) erkeklik organı; kamçı.
pk = PARK; PEAK; PECK[1]. ~**t** = PACKET.
pl. = PLACE; PLAIN[1]; PLATE; (*ask.*) PLATOON; PLURAL.
PL = PLIMSOLL LINE, POET LAUREATE; PRIMROSE LEAGUE. ~**A** = PORT OF LONDON AUTHORITY.
placab·ility [plakə'biliti]. Kolay yatıştırılma. ~**le** ['plakəbl], kolay yatışır/affeder.
placard ['plakād] *i.* Yafta. *f.* Üzerine yafta yapıştırmak.
placat·e [plə'keyt]. Teskin etm., yatıştırmak; hatırını yapmak, gönlünü almak. ~**ory**, yatıştırıcı.
place[1] [pleys] *i.* Yer; mevki; mahal; meydan; memuriyet, kapı; konak, ev. **in ~ of**, yerine, bedel olarak: **in the first** ~, ilkönce; evvelâ, evvelemirde; **it is not my ~ to do it**, bunu yapmak bana düşmez, benim görevim değil: **to four ~s of decimals**, dördüncü kesre kadar: **know one's** ~, haddini bilmek: **lay a ~ (at table)**, sofrada bir kişilik yer kurmak: **in the next** ~, sonra; bundan başka: **out of** ~, kendi yerinde olmıyan; yersiz, uygunsuz, münasebetsiz: **feel out of** ~, yadırgamak: **look out of** ~, yama gibi durmak; münasebet almamak, uygun düşmemek: **in its proper** ~, yerli yerinde: **put s.o. in his** ~, birine haddini bildirmek: **take** ~, vukubulmak, olmak: **take a** ~, bir işe girmek; bir ev kiralamak; bir yerde oturmak; bir yeri zaptetmek: **a ~ in town/the country**, konak/sayfiyelik.
place[2] *f.* Koymak; yerleştirmek; göreve yerleştirmek; (para) yatırmak. **be awkwardly ~d**, zor bir durumda olm.: ~ **a book with a publisher**, bir kitabı yayımcıya kabul ettirmek: **I can't ~ him**, adını hatırlıyorum fakat kim olduğunu kestiremiyorum; kim olduğunu tamamen tayin edemiyorum: ~ **confidence in s.o.**, birine güvenmek: ~ **an order**, bir sipariş vermek: ~ **a matter in s.o.'s hands**, bir işi birinin eline vermek, birine tevdi etm.: **be well ~d in a class**, sınıftaki derecesi iyi olm.
placebo [plə'sībou]. Yatıştırıcı bir ilâç.
place·-card ['pleyskād]. (Ziyafette) davetlinin yerini gösteren kart. ~**-kick**, (rugby) alanda yerleştirilmiş topa vuruş. ~**man**, (*köt.*) memur, evetefendimci. ~**-name**, köy/tepe vb. ismi, yer adı.
placenta [plə'sentə]. Meşime, eten(e), plasenta.
placer ['pleysə(r)]. Aluvyon maden yatağı.
placid ['plasid]. Sakin; durgun; halim; halim selim. ~**ity** [-'siditi], sükûnet.
placket ['plakit]. Kadın eteğindeki cep.
plafond ['plafō(n)] (*mim.*) (Resimli) tavan; (*mal.*) azamî fiyat.
plage [plāj]. Plaj, deniz kumsalı.
plagiar·ism ['pleyciərizm]. İntihal, çalıntı, eser hırsızlığı. ~**ist**, intihalci, eser hırsızı. ~**ize** [-rayz], intihal etm., eser çalmak. ~**y** = ~ISM/~IST.
plagio- ['pleycio-] *ön.* Eğri, yansı.
plagu·e [pleyg] *i.* Veba; taun; belâ, musibet. *f.* Taciz etm., tazip etm., üzmek; rahatsız etm.; kasıp kavurmak. **a ~ on him!**, kör olasıca!: ~ **s.o.'s life out**, birinin başının etini yemek: ~**some** [-səm], rahatsız edici: ~**-spot**, vebalı yer; (*mec.*) idareye daima sıkıntı veren bir bölge. ~**ily**, belâli olarak. ~**y** [-gi], baş ağrıtıcı.
plaice [pleys]. Yaldızlı pisibalığı.
plaid [plad] (*İsk.*) Kumaş (şalı).
plain[1] [pleyn] *i.* Ova; sahra, kır; çöl.
plain[2] *s.* Vazıh, sarih, apaçık, aşikâr; sade; düz; güzel değil. **(person) be** ~, (insan) güzel olmamak: **be ~ with s.o.**, birisine dobra dobra söylemek: ~ **dealing**, dürüst hareket: **in ~ clothes**, sivil elbiseli (polis): **in quiet ~ clothes**, sade giyinmiş: **in ~ English**, açıkçası; İngilizcesi: **in ~ words**, açıkçası. ~**-chant/-song**, bir nevi ilâhi. ~**-dealing**, dürüstlük. ~**ly**, açıkça; sadece; tok sözlü olarak. ~**ness** [-nis], sadelik, basitlik; vuzuh, açıklık; toksözlülük; çirkinlik. ~**-sailing**, kolay bir iş. ~**sman**, ovalı. ~**-spoken**, tok sözlü; dobra dobra söyliyen.
plaint [pleynt]. Şikâyet. ~**iff**, davacı, müddei, şikâyetçi. ~**ive**, iniltili, ağlamış, sızlamalı.
plait [plat] *i.* Örgü, saç örgüsü. *f.* Saç/hasır örmek.
plan [plan] *i.* Tedbir, proje; tasavvur; tasar; niyet; fikir; plan, resim, harita; (*mim.*) yatay kesit. *f.* Tertip etm. düzenlemek; planını çizmek; tasavvur etm.; niyet etm.; tasarlamak; planla(ştır)mak. **everything went according to** ~, her şey plana uygun olarak cereyan etti: **the best ~ would be to...**, yapılacak en iyi şey... dir: ~ **to do stg.**, bir şeyi yapmağa niyet etmek.
planar ['pleynə(r)] (*mat.*) Düzleme ait.

planch [plānç]. Altlık. ~**et** [-şit], sikke levhası. ~**ette** [-'şet], bir cins ispritizma tahtası.
plane[1] [pleyn]. ~**(-tree)**, çınar (ağacı).
plane[2] *i.* Rende, planya. *f.* Rendelemek. **rabbet** ~, kiniş rendesi, düztaban: **smoothing** ~, eğmeçli rende: ~ **iron**, rende tığı.
plane[3] *i.* Düz satıh; düzlem; seviye; uçağın kanadı. *f.* (Uçak) motoru işletmeden uçmak. ~ **down**, motoru işletmeden inmek: ~ **along the water**, (idroplan) su üzerinde kaymak. ~**-geometry**, düzlem geometrisi. ~**-table**, plançete.
'plane[4] = AEROPLANE.
planet ['planit]. Seyyare, gezegen. ~**arium** [-'teəriəm], gökevi, yıldızlık. ~**ary** [-təri], gezegence: ~ **system**, gezegenler dizgesi. ~**oid** [-toyd], küçük gezegen. ~**ology** [-'toləci], gezegenler bilimi.
plangent ['plancənt]. (Ses) titrek; iniltili.
plani- [plani-] *ön.* Düz(lem). ~**meter** [-'nimitə(r)], planimetre, yüz ölçeri. ~**metry** [-'metri], yüz ölçmesi.
planing ['pleynin(g)]. Rendeleme; (*hav.*) süzülme, planör ile uçma; (*den.*) kayıcı, kayar: ~ **bottom**, (*den.*) kayar düzlük.
planish ['planiş]. Dövüp düzlemek; perdah etm.
planisphere ['planisfiə(r)]. Düzlemyuvar.
plank [plan(g)k] *i.* Uzun tahta, kalas. *f.* Tahta döşemek. ~ **down money**, (*kon.*) parayı nakden ödemek: ~ **oneself down**, pat diye bir yere oturmak: **walk the** ~, gemiden denize doğru uzatılmış bir kalas üzerinde gözleri bağlı olarak yürümek ki korsan gemilerinde idam şekli idi. ~**-bed**, mindersiz tahta yatak. ~**ing**, kalaslar, kalas döşemesi.
plankton ['plan(g)kton]. Plankton.
plan·less ['planlis]. Tasar/projesiz; planlaştırılmamış. ~**ner**, tasarımcı, plancı, şehirci. ~**ning**, tasarlama, düzenleme, proje yapma, planla(ş-tır)ma; plancılık: **town** ~, şehircilik.
plano·-concave/-convex [pleynou'konkeyv, -veks]. Bir yüzü düz öbür yüzü içbükey/dışbükey. ~**meter** [-'nomitə(r)], düzlem ölçeği.
plant[1] [plānt] *i.* Demirbaş eşya; sanayide kullanılan her türlü aletler/makineler/cihaz vb.; fabrika, tesisat.
plant[2] *i.* Bitki, fidan; ot; fide. *f.* (Fidan vb.) dikmek. ~ **a blow**, bir darbe indirmek: ~ **a bullet on the target**, kurşunu hedefe yerleştirmek: ~ **a field with barley**, bir tarlaya arpa ekmek: ~ **an idea in s.o.'s mind**, birinin aklına bir fikir koymak, telkin etm.: ~ **oneself in front of s.o.**, birinin karşısında dikilmek: ~ **out**, (fide) başka yere/saksıdan çıkarıp dikmek.
plant[3] (*arg.*) Hile, dolandırıcılık.
plantain ['plantin]. Sinirotu; bir nevi muz. ~**-eater**, muzçul.
plantar ['plantə(r)]. Tabana ait.
plant·ation [plan'teyşn]. Fidanlık; dikmelik; şekerkamışı/pamuk/çay vb. ekilen tarla. ~**er**, bu tarlaları idare eden kimse, çiftlik müdürü; dikici; fidan dikme makinesi. ~**-food**, gübre vb. ~**-house**, ser, limonluk.
plantigrade ['plantigreyd]. (Ayı vb.) tabanları üstünde yürüyen.
plant·let ['plāntlit]. Küçük bitki. ~**like**, bitki gibi. ~**-louse**, *ç.* ~**-lice** [-laus, -lays], bitki biti. ~**ocracy** [-'tokrəsi], çiftçiler hükümeti.
plaque [plak]. Maden safhası; plaka; tabela; (*tıp.*) vücutte bir leke: ~**tte** [-'ket], (resimli) küçük tabela.
plash[1] [plaş] *i.* Çamurlu gölcük; (*yan.*) çağıltı; suya çarpma sesi. *f.* Çağıldamak; suda çırpınmak. ~**y**, gölcüklü; çağıltı gibi.
plash[2] *f.* Dallarla çit örmek.
plasm·(a) ['plazm(a)] (*tıp.*) Kan ve lenfa suyu, plazma; (*fiz.*) yüksek derece iyonlanmış gaz. ~**a physics**, bu gazlara ait bilgi. ~**(at)ic**, plazmaya ait.
plasmodium [plaz'moudiəm]. Plazmodyum; sıtma mikrobu.
plaster ['plāstə(r)] *i.* Sıva; alçı; yakı. *f.* Sıvamak; yakı yapıştırmak. **adhesive** ~, yakı bezi: **court** ~, İngiliz yakısı: ~ **of Paris**, alçı: **a** ~ **saint**, sahte veli; fazla uslu çocuk. ~**-board**, kıtıklı alçı levha, kartonpiyer. ~**er**, sıvacı. ~**y**, sıva gibi; alçılı.
plastic ['plastik] *s.* Plastik; sünük, sıvık; yoğurulur, yoğrumlu; (*köt.*) sunî, sahte. *i.* Plastik özdek/madde. ~ **arts**, plastik/yoğrumlu sanatlar: ~ **bomb**, plastik (patlayıcı maddeli) bomba: ~ **surgery**, plastik/estetik ameliyat/cerrahlık. ~**ine** [-sīn], mumlu kil, plastisin. ~**ity** [-'tisiti], sünüklük, yumuşaklık; plastiklik, yoğrukluk; yoğurulabilme. ~**ize** [-sayz], yoğurmak; sünükleştirmek. ~**s**, plastik/sünük maddeler.
plastron ['plastrən]. Göğüslük, plastron.
-plasty [-plasti] *son.* . . . plastik ameliyatı.
plat. = PLATEAU; PLATOON.
platan ['platən]. Bir cins çınar ağacı.
plate [pleyt] *i.* Tabak; madenî levha, saç; plak; fotoğraf camı; altın/gümüş (kaplamalı) sofra takımı; takma diş dizisi; basma resim; (*yer.*) katman. *f.* Madenî levha/zırhla kaplamak. **armour** ~, zırh levhası: **photographic** ~, fotoğraf camı. ~**-armour**, saç zırh; gemi zırhı.
plateau, *ç.* ~**x** ['platou(z)]. Yayla, plato; süslü tepsi.
plate·d ['pleytid]. Kap(lama)lı; zırhlı. ~**ful**, tabak dolusu. ~**-glass**, ayna/kalın pencere camı; düz cam. ~**layer** [-leyə(r)], ray döşeyicisi. ~**let**, plaket. ~**-mark** = HALLMARK.
platen ['platən]. Makine tahtası; matbaa makinesinin baskı yapan kısmı; yazı makinesinde kâğıt silindiri.
plate·-powder ['pleytpaudə(r)]. Arina, parlatma tozu. ~**r**, kaplamacı. ~**-rack**, tabaklık, tabak rafı.
platform ['platfōm]. Düz çatı, tahtaboş; set, seki, taraça; sahanlık; basamak, peron; top temeli; platform; siyasî partinin programı. **a good** ~ **speaker**, iyi bir siyasî hatip. ~**-ticket**, (*dem.*) istasyona giriş bileti.
plating ['pleytin(g)]. Kaplama; kaplamacılık; kaplama levhası.
platin·ize ['platinayz]. Platinle kaplamak. ~**oid** [-oyd], platin gibi, platinle bulunan (maden). ~**um** [-nəm], platin: ~ **black**, toz halinde platin: ~ **blonde**, (*kon.*) açık sarımsı gümüşî saçlı kadın.
platitud·e ['platityūd]. Bayağılık; basmakalıp, beylik. ~**inize** [-'tyūdinayz], tatsız tuzsuz konuşmak; basmakalıp şeyler söylemek. ~**inous** [-nəs], basmakalıp ve yavan (söz/kimse).
Plato ['pleytou]. Eflâtun. ~**nic** [plə'tonik], Eflâtun felsefesine ait, platonik; nazariyeden ibaret; zararsız, tesirsiz: ~ **love**, ideal, manevî aşk. ~**nist** ['pleytənist], Eflâtun felsefesinin taraftarı.

platoon [plə'tūn]. Askerî müfreze, takım.
platter ['platə(r)]. Ağaçtan yapılmış tabak.
platy- ['plati-] *ön.* Düz, yassı. ~**pus** [-pʌs], gagalı memeli, ornitorink. ~**rrhine** [-rayn], yassı burunlu.
plaudits ['plōdits]. Alkış.
plausib·ility [plōzi'biliti]. Akla yakınlık. ~**le** ['plōzibl], akla yakın, makul; gözbağıcı, yüze gülücü, zahiren makul gerçekte değil. ~**ly**, makul olarak.
play[1] [pley] *i.* Oyun; oynama; piyes, sahne eser/yapıtı; eğlence; şaka; kumar; (*müh.*) hareket (serbestisi), faaliyet; laçka. **be at** ~, oynamak: **call into** ~, meydana çıkarmak; (bir vazife yapmağa) davet etm.: **come into** ~, ortaya çıkmak, rol oynamak: **in** ~, ciddî olmıyarak, alay için; (*sp.*) oyunda: **in full** ~, tam faaliyette: **give full** ~ **to one's abilities, etc.**, birinin istidadının vb. gelişmesine tam imkân vermek: **make a** ~ **for stg.**, bir şeyi şoyle bir denemek: **make much** ~ **of stg.**, bir olay vb.ni durmadan büyüterek/şişirerek bir maksat için kullanmak: **the** ~ **runs high**, büyük çapta kumar oynanıyor: ~ **on words**, cinas, kelime oyunu.
play[2] *f.* Oynamak; eğlenmek; kumar oynamak; (*müz.*) çalmak, çalınmak. ~ **the fine lady**, kibar hanım rolü oynamak, tavrını takınmak: ~ **the man**, erkekçe hareket etm.: ~ **a fish**, oltaya takılan balığı sağa sola oynatarak kuvvetten düşürmek: **I'll** ~ **you for drinks**, sizinle içkisine oynarım (kaybeden içkileri ısmarlıyacak): **I'll** ~ **you for five pounds**, sizinle beş lirasına oynarım: ~ **for one's own hand**, kendine yontmak: ~ **into s.o.'s hands**/~ **s.o.'s game**, birinin ekmeğine yağ sürmek: ~ **the game**, oyunu usulüne göre oynayıp yenilmekten korkmamak; namuslu davranmak: ~ **a part**, rol oynamak: ~ **for time**, vakit kazanmak için oyalamak. ~ **at**, (filan oyunu) oynamak: **(children)** ~ **at being soldiers, etc.**, çocuklar askerlik vb. oynamak: **what are you** ~**ing at?**, ne kumpas kuruyorsun?: ~ **s.o. at chess**, birisiyle satranç oynamak. ~ **away**, kumarda (servetini vb.) kaybetmek: **we are** ~**ing away tomorrow**, yarın karşı tarafın alanında oynuyoruz. ~ **back**, tekrar çalmak. ~ **down**, önemini azaltmak. ~ **off**, ~ **off a match**, berabere kaldıktan sonra sonuç almak için tekrar oynamak: ~ **off s.o. against s.o. else**, kendi çıkarı için birini başkasına karşı kullanmak. ~ **on**, oynamağa devam etm.: ~ **(up)on s.o.'s feelings**, birinin merhamet vb. hissinden yararlanmak: **the fire-engine** ~**ed on the house**, itfaiye hortumları eve yöneltti. ~ **out**, oyunu sonuna kadar oynamak: **the organ** ~**ed the people out**, halk kiliseden çıkıncaya kadar org çaldı: **be** ~**ed out**, gücü kalmamak; modası geçmiş olm., pabucu dama atılmak. ~ **up**, gayretle oynamak: ~ **up to s.o.**, birine yaranmak, dalkavukluk etm.
play-[3] *ön.* ~**able**, oynanabilir. ~**-acting**, uydurma. ~**-actor**, sahne aktörü. ~**back**, tekrar çalma: ~ **head**, ses bölümü. ~**bill**, tiyatro ilânı. ~**-book**, bir piyesin metni. ~**-box**, oyuncak kutusu. ~**-boy**, eğlence düşkünü. ~**er**, oyuncu; aktör, artist; çalgıcı: ~ **piano**, otomatik piyano. ~**fellow**, oyun arkadaşı, oynaş. ~**ful**, şakacı, neşeli, oynak: ~**ly**, şakacı/neşeli olarak. ~**goer**, tiyatro meraklısı. ~**ground**, oyun alanı; eğlence yeri; saha. ~**-group**, gayri resmî bir anaokulu. ~**house**, tiyatro; çocukların oyunevi. ~**ing**, oynama: ~**-cards**, oyun/iskambil kâğıtları (**clubs**, ispati; **diamonds**, karo; **hearts**, kupa; **spades**, maça): ~**-field**, oyun alanı. ~**mate** [-meyt], oyun arkadaşı, oynaş. ~**-pen**, küçük çocuk için ağıl. ~**school**, anaokulu. ~**some** [-səm], oynak, oynamayı seven. ~**suit**, (*mod.*) tek parçalı eğlence/oyun kostümü. ~**thing**, oyuncak. ~**time**, oyun zamanı; teneffüs vakti. ~**wright** [-rayt], tiyatro yazarı.
plaza ['plāzə] (*İsp.*) Meydan.
plea [plī]. Müdafaaname, sav, defi; bahane; vesile. ~ **for mercy**, aman talebi: **on the** ~ **of . . .**, . . . bahanesiyle.
plead [plīd]. Dava etm.; bir davayı ileri sürmek yahut davaya karşı savunmada bulunmak; bir mahzuru ileri sürmek; öne sürmek; yalvarmak. ~ **guilty/not guilty**, suç/sorumluluğu kabul etm./reddetmek: ~ **illness, etc.**, hastalığını vb. ileri sürmek (bahane etm.): ~ **with s.o.**, birine yalvarmak: ~ **s.o.'s cause with s.o.**, birisi için başka birine şefaat etm. ~**er**, avukat; davacı. ~**ing**, yalvarıcı; savunma sanatı; ithamname ve müdafaaname; yalvarma: **special** ~, mugalata, yanıltmaca: ~**ly**, yalvararak.
pleasan·ce ['plezəns] (*mer.*) Zevk; özel eğlence yeri. ~**t**, hoş; şirin, canayakın: **make oneself** ~ **to s.o.**, birinin yüzüne gülmek; birinin gözüne girmeğe çalışmak; iltifat etm.: ~**ly**, hoşça: ~**ness**, zevk, hoşluk, şirinlik: ~**ry**, latife, şaka.
pleas·e [plīz]. Hoşuna gitmek; memnun etm.; göze girmek. **(if you)** ~**!**, lütfen, rica ederim: **do as you** ~**!**, istediğinizi yapınız; siz bilirsiniz!: **do as one** ~**s**, istediğini yapmak: **hard to** ~, müşkülpesent: ~ **God!**, inşallah: **there is no** ~**ing him**, onu memnun etmek mümkün değil: ~ **yourself!**, siz bilirsiniz, nasıl isterseniz. ~**ed**, memnun, razı: **be** ~ **to do stg.**, bir şeyi memnuniyetle yapmak; (resmî) buyurmak: **he is very well** ~ **with himself**, kendini beğenmiş; yaptığından memnun. ~**ing**, hoş; canayakın; sempatik.
pleasur·able ['plejərəbl]. Memnun edici, hoşa gider. ~**ably**, hoşça, zevkli olarak. ~**e** [-jə(r)], haz, zevk, memnuniyet; eğlence; keyif; tenezzüh: **at** ~, istenildiği kadar/zaman; keyfemayeşa: **at the** ~ **of . . .**, -in keyfine göre: **at the Queen's will and** ~, Kraliçenin emir ve idaresiyle: **without consulting my** ~, bana danışmadan, razı olup olmadığımı sormadan: **office held during (our)** ~, (Kraliçe) arzumuza bağlı görev: **I have much** ~ **in informing you that . . .**, size bildirmekle memnunum: ~ **resort**, eğlence şehir/yeri: **what is your** ~**?**, arzu/emriniz nedir? ~**-boat**, gezinme sandal/vapuru. ~**-ground**, eğlence meydanı, bayram yeri. ~**-trip**, gezinme.
pleat [plīt]. Kırma, plise (yapmak).
pleb [pleb] (*arg.*) = ~EIAN. * ~**e** [plīb] (*arg.*) Deniz/Harp Okulunun en yeni öğrencisi. ~**eian** [pli'biən], ayak takımının üyesi; (*köt.*) halk tabakasından; (*ç.*) avam. ~**iscite** [-bisayt], plebisit, tümdanış.
plectrum ['plektrəm]. Mızrap; tezene.
***pled** [pled] *g.z.(o.)* = PLEADED.
pledg·e [plec] *i.* Rehin, tutu; vaat, söz; teminat, inanca; tövbe; sağlığına içme. *f.* Rehin/teminat olarak vermek; sağlığına içmek. ~ **oneself to . . .**, vadetmek, söz vermek; ahdetmek: ~ **of good faith**, hüsnüniyet teminatı: **put stg. in** ~, bir şeyi rehine

koymak: **take/sign the ~**, içki içmeğe tövbeli olm.: **I am under ~ of secrecy**, bu sırrı söylememeğe söz verdim. **~ee** [-'cī], rehin alan. **~or** [-'cō(r)], rehin veren.

Pleiades ['playədīz] (*ast.*) Süreyya, Ülker; (*mec.*) fevkalâde akıllı insanların grubu.

pleistocene ['playstəsīn]. Pleistosen, yakın bölüm.

plen·ary ['plīnəri]. Tam; genel, umumî; mutlak: **~ assembly**, genel kurul toplantısı: **~ powers**, tam yetki. **~ipotentiary** [plenipə'tenşəri], tam yetkili (elçi vb.). **~ish**, doldurmak; döşemek. **~itude** [-tyūd], tamamlık; bolluk.

plent·eous/~iful ['plentiəs]. Bol, mebzul; bereketli: **~ly**, bolbol; yetecek kadar: **~ness**, bolluk, mebzuliyet. **~y**, *i.* bolluk; çokluk; mebzuliyet: **~ of**, çok (sayıda); bereketli.

plenum ['plīnəm]. Dolgunluk; basınçlı oda; genel toplantı. **~ system**, basınçlı havalandırma sistemi.

pleonasm ['plīənazm]. Bir kavramı fazla sözlerle anlatma, ıtnap.

plethor·a ['pleθərə]. Gereğinden fazla çokluk; dolgunluk; fazlalık; (*tıp.*) çok kan toplanması, pletor. **~ic** [pli'θorik], kan çokluğuna ait.

pleur·a ['pluərə]. Akciğer/göğüszarı, plevra. **~al**, bu zara ait. **~isy** [-risi], bu zarın iltihabı, plörezi, satlıcan. **~o-**, *ön.* akciğer/göğüs +.

plex·al ['pleksəl]. Pleksüse ait. **~iform**, pleksüs şeklinde. **~iglass**, (*M.*) plastik cam. **~or**, (*tıp.*) küçük muayene çekici. **~us**, pleksüs, sinir örgüsü: **solar ~**, mide dibindeki sinir örgüsü.

plia·ble ['playəbl]. Eğilebilir, bükülür; yumuşak, uysal. **~ncy**, eğilip bükülme. **~nt**, eğilip bükülür.

plica, *ç.* **~e** ['playkə, -sī]. Deri katmeri; büklüm. **~te** [-keyt], katmerli; büklümlü. **~tion** [-'keyşn], katmer; katlanma.

-plicat·e [-plikeyt, -kət] *son. f.* ... misli art(ır)mak. *s., i.* ... misli olan. **-~ion** [-'keyşn] *son.* ... misli art(ır)ma [DUPLICAT·E, ~ION].

pliers ['playə(r)z]. Kıskaç, kerpeten; kargaburun; pens.

plight[1] [playt] *i.* Hal, vaziyet, durum. **be in a sorry ~**, müşkül/acıklı bir durumda olm.

plight[2] *f.* **~ one's word/troth**, (evlenmeğe) söz vermek; ant içmek.

Plimsoll ['plimsəl]. **~ line/mark**, (*den.*) azamî su kesimi işareti. **~s**, üstü bez tabanı lastik ayakkabı.

plinth [plinθ]. Sütun kürsüsü; heykel ayaklığı; süpürgelik.

pliocene ['playəsīn]. Pliyosen; üstneojen.

plod [plod]. Ağır ağır/yorgun gibi yürümek. **~ along**, ağır ağır fakat sebatla yürümek/çalışmak. **~der**, sürekli gayretle çalışan kimse. **~dingly**, ağır ağır çalışarak.

-ploid [-ployd] *son.* (*biy.*) ... kromozomlu [DIPLOID].

plombé ['plō(m)be] (*Fr.*) Resmen kurşunlanmış.

plonk[1] [plon(g)k] (*yan.*) *Ağır düşüş sesi.* **~ o.self down**, (*kon.*) ağır ağır oturmak.

plonk[2] (*arg.*) İçki, *bilh.* ucuz şarap.

plop [plop] (*yan.*) *i. Ağır bir şeyin suya düşme sesi*: cumburlop. *f.* Lop diye suya düşmek.

plos·ion ['plouʒn] (*dil.*) Nefes patlaması. **~ive** [-siv], patlayıcı ünsüz(e ait). **-~ive**, *son.* patlayıcı.

plot[1] [plot] *i.* Arsa; tarh; küçük arazi parçası, parsel.

plot[2] *i.* Entrika, dolap; gizli tertip; suikast; (piyes/hikâye) olaylar dizisi, ana çizgi, plan. *f.* Dolap çevirmek, kumpas kurmak; suikast tertip etm.

plot[3] *i.* Taslak, plan, kroki; (*hav.*) noktalama, tersimat. *f.* Harita/grafiğini çizmek; (*hav.*) tersim etm., noktalamak.

plot-[4] *ön.* **~less**, (piyes/hikâye) çizgisiz. **~ter**, entrikacı.

plough [plau] *i.* Saban, pulluk. *f.* Çift sürmek, toprağı saban ile sürmek. **the ~**, Büyükayı: **~ s.o. in an exam.**, (*kon.*) birini sınavda çaktırmak/dökmek: **follow the ~**, çiftçilik yapmak: **put one's hand to the ~**, bir işe gayretle girişmek. **~ back**, **~ back the profits**, kazançlarını yine işine yatırmak. **~ in**, saban ile gömmek. **~ through**, **~ through a book**, bir kitabı yavaş yavaş ve sonuna kadar okumak: **~ one's way through the mud**, çamurda güçlükle ilerlemek: **(ship) ~ through the waves**, (gemi) dalgaları yarmak. **~ up**, bir çayırı sabanla sürmek; anız bozmak; (mermi, bomba) toprağı kazmak. **~-boy**, çiftçi yamağı. **~land**, sabanla sürülmüş arazi. **~man**, çiftçi, sabancı. **~share** [-şeə(r)], sabanın uç demiri.

plover ['plʌvə(r)]. Yağmurkuşu. **golden ~**, altın yağmurcun: **Kentish ~**, kesik kolyeli yağmurkuşu: **ringed ~**, kolyeli yağmurkuşu.

***plow** = PLOUGH.

ploy [ploy] (*kon.*) Sefer; iş(letme).

Plt (Off.) = PILOT (OFFICER).

PL·P = PARLIAMENTARY LABOUR PARTY. **~R** = PUBLIC LENDING RIGHT.

pluck[1] [plʌk] *f.* Yolmak; soymak; koparmak; (*arg.*) imtihandan döndürmek. **~ out/off**, çekip koparmak: **give a ~ at stg.**, iki parmağıyle tutup çekmek: **~ s.o. by the sleeve**, birini yeninden çimdikler gibi çekmek: **~ up courage**, cesaretini toplamak.

pluck[2] *i.* Cesaret, yiğitlik; kabadayılık. **~ily**, yiğit olarak. **~iness**, cesaret. **~y**, yiğit, gözü pek.

plug [plʌg] *i.* Tapa; tıkaç; (*elek.*) fiş, priz; (*oto.*) buji; (helâda) su haznesi kolu; (*arg.*) yumruk darbesi. *f.* Tıkamak; (*arg.*) yumruklamak; (*rad.*) bir plak vb. için reklam yapmak. **sparking ~**, buji: **wall ~**, priz, erkek fiş: **~ tobacco**, ağız tütünü. **~ away**, sebatla çalışmak. **~ in**, (*elek.*) fişi prize sokmak. **~-in**, fişli (cihaz). ***~-ugly**, (*arg.*) külhanbeyi, zorba.

plum [plʌm]. Erik; (*arg.*) en iyisi. **the ~s**, en iyi memuriyetler vb.: **French ~s**, erik kurusu.

plumage ['plūmic]. Kuşun tüyleri.

plumb [plʌm] *i.* Şakul, çekül; iskandil kurşunu. *s.* Amudî, şakulî, düşey, dikey; (*arg.*) tastamam. *f.* İskandil etm.; çekül aleti ile düzeltmek; inceden inceye tetkik etm.; evin su tertibatını kurmak.

plumbago [plʌm'beygou]. Kurşunkalem madeni, plombajin; (*bot.*) dişotu.

plumb·er ['plʌmə(r)]. Kurşuncu, lehimci. **~iferous** [-'bifərəs], kurşunlu. **~ing** [-min(g)], evin boru tertibatı; su döşemi; kurşunculuk. **~less**, dipsiz. **~-line**, şakul, gez, çekül (ipi).

plum-cake/-duff [plʌm'keyk, -'dʌf]. Kuru üzümlü kek/puding.

plume [plūm]. Büyük ve gösterişli tüy; sorguç. **~ itself**, (kuş) tüylerini düzeltmek: **~ oneself on stg.**, bir şeyle övünmek: **borrowed ~s**, karganın tavus tüyleri takması gibi sahte unvan vb.: **~ of smoke**, bacaktan çıkan duman kuyruğu. **~less**, tüysüz. **~ry**, tüyler.

plummet ['plʌmit] *i.* Çekül/iskandil kurşunu. *f.* Dalmak, inmek, düşmek.

plummy ['plʌmi]. Eriklerle dolu; erik gibi; (*kon.*) zengin; dolgun (sesli).
plumose ['plūmous]. Tüylerle döşenmiş; tüy gibi.
plump[1] [plʌmp] *s.* Semiz; tombul; etine dolgun. ~**ly**, semiz olarak. ~**ness**, semizlik.
plump[2] (*yan.*) *Ağır düşme sesi*; gümbürtü, cumburlop; ansızın.
plump[3] *f.* ~ **for**, -e oy vermek; tercih etm.: ~ **up**, (yastık vb.) semirtmek.
plum-pudding [plʌm'pudin(g)] *bilh.* Noel'de yenilen kuru üzümlü puding.
plum·ule ['plūmyul]. Hav tüyü. ~**y** [-mi], tüy gibi; tüylerle süslü.
plunder ['plʌndə(r)] *i.* Yağma, soygun, çapul. *f.* Yağma etm., soymak, çapullamak. ~**er**, yağmacı, soyguncu.
plunge [plʌnc] *f.* Daldırmak, batırmak; sokmak, saplamak; atılmak, dalmak; (gemi) baş vurmak. *i.* Suya dalma; saldırış. **take the** ~, geri dönülmesi imkânsız bir işe girişmek ('ok yaydan çıktı' *gibilerden*). ~**r** [-cə(r)], dalma/tulumba pistonu; (*kon.*) azgın kumarbaz/acyocu.
pluperfect [plū'pə̄fikt]. Hikâye birleşik zamanı. *mes.* **he had seen**, görmüştü.
plural ['pluərəl]. Cemi, çoğul. ~ **of majesty/respect**, saygı çoğulu: ~ **vote**, birden fazla oy kullanma hakkı. ~**ity** [-'raliti], çokluk; ekseriyet; bir adamda birkaç görevin birleşmesi. ~**ize** ['pl-], çoğullamak.
pluri- [plūri-] *ön.* Çok.
plus [plʌs]. Artı işareti (+); sıfırdan fazla; ilâvesiyle; müspet, olumlu. ~ **side of an account**, hesabın alacak evi. ~**-fours**, golf pantolonu.
plush [plʌş]. Pelüş. ~**y**, pelüslü; çok rahat.
plut·archy ['plūtāki] = ~OCRACY. ~**o** [-tou] (*mit.*) cehennem hükümdarı; (*ast.*) Plüton. ~**cracy** [-'tokrəsi], zenginerki, plutokrasi. ~**crat** [-təkrat], nüfuzlu zengin; pek zengin adam. ~**latry** [-'tolətri], zenginlik tapınması. ~**nian** [-'tounian], cehenneme ait. ~**nic** [-'tonik], derinlik (kayaçları). ~**nium** [-'touniəm], plutonyum.
pluvi·al ['plūviəl]. Yağmur+. ~**o-**, *ön.* yağış+, yağmur+. ~**ometer** [-'omitə(r)], yağmurölçer. ~**ous**, yağmura ait; yağmurlu.
ply[1] [play] *n.* Katmer, kat; plise; ip kolu. **cross/radial** ~, çapraz/radiyal katlı: **five-**~ **wood**, beş katlı kontrplak; **three-**~ **rope**, üç kollu halat.
ply[2] *f.* Kuvvetle işletmek, kullanmak; sıkıştırmak; belirli bir şekilde sefer yapmak. ~ **the oars**, çala kürek kürek çekmek: ~ **a trade**, bir sanat icra etm.: ~ **s.o. with drink**, birine durmadan içki içirmek: ~ **s.o. with questions**, birini sorularla sıkıştırmak: **car** ~**ing for hire**, kira otomobili, taksi.
Plymouth ['pliməθ]. Brit.'nın deniz kuvvetlerine mahsus bir limanı. ~**-rock**, plimut tavuğu.
plywood ['playwud]. Kontrplak.
Pm. (*kim.s.*) = PROMETHIUM.
PM, p.m. = PAST MASTER; PAYMASTER; PERMANENT MAGNET; PHASE MODULATION; POSTMASTER; POST MERIDIEM; POST MORTEM; PRIME MINISTER; PROVOST MARSHAL. ~**G** = PAYMASTER/POSTMASTER GENERAL. ~**X** = PRIVATE MANUAL EXCHANGE.
PN·dB = PERCEIVED NOISE DECIBELS. ~**EU** = PARENTS' NATIONAL EDUCATIONAL UNION.
pneuma ['nyūmə]. Nefes, ruh, can.
pneum·atic [nyū'matik]. Hava basınçlı, pnömatik; basınçlı hava ile işliyen; havalı; hava+: ~**ally**, hava basıncıyle: ~**-drill**, havalı matkap: ~**-gun**, havalı tüfek: ~**-pump**, havalı tulumba: ~**s**, pnömatik (bilimi): ~**-tube**, pnömatik boru (postası); (*oto.*) iç lastik: ~**-tyre**, (*oto.*) lastik. ~**o-**, *ön.* hava+; akciğer+; pnömo-. ~**ococcus**, pnömokok. ~**onia** [-'mouniə], akciğer yangısı.
po [pou] (*kon.*) Lâzımlık, oturak.
Po. (*kim.s.*) = POLONIUM.
PO = PATENT OFFICE; PETTY OFFICER; POSTAL ORDER; POST-OFFICE; POWER-OPERATED; PRINCIPAL OFFICER.
poach[1] [pouç] *f.* (Yumurtayı kabuksuz olarak) suda pişirmek. ~**ed-egg**, yaşmaklı yumurta.
poach[2]. Toprak yaş iken hayvan tarafından çiğnenip katı ve çukur çukur olm.
poach[3]. İzinsiz avlamak; başkasının malını haksız olarak almak. ~ **on s.o.'s preserves**, başkasının alanına tecavüz etmek. ~**er**, izinsiz avlayan avcı.
PO·B = POST OFFICE BOARD/BOX. ~**C** = PORT OF CALL.
pochard ['pouçəd]. Elmabaş. **red-crested** ~, macar ördeği.
pock [pok]. Kabarcık. ~**-mark**, çiçek bozuğu: ~**-marked**, işkembe suratlı, çopur.
pocket ['pokit] *i.* Cep; kese; torba; altın ve başka maden filizini havi olan kuyu; (*hav.*) hava boşluğu. *s.* Küçük. *f.* Cebe koymak; (hislerini) zaptetmek; (tahkir vb.ni) hazmetmek. **be in** ~, (bir işten) kâr etm., kazançlı çıkmak: **be out of** ~, cep/keseden eklemek; zararlı çıkmak: **out-of-**~, peşin yapılan (masraflar): **have s.o. in one's** ~, birini avucunda tutmak: **always have one's hand in one's** ~, durmadan para vermeğe mecbur olm.: **line one's** ~**s**, çulunu tutmak, kesesini doldurmak: ~**s under the eyes**, gözlerin altındaki sarkık etler: ~**s of resistance**, savaştan sonra kalan düşman grupları. ~**-battleship**, cep zırhlısı. ~**-book**, muhtıra defteri; para cüzdanı; cep kitabı. ~**-borough**, (*tar.*) mebusları bir kişi/ailenin nüfuzu ile seçilen bölge. ~**-edition**, cep basımı. ~**ful**, cep dolusu. ~**-handkerchief**, mendil. ~**-knife**, çakı. ~**-money**, cep harçlığı.
poco ['poukou] (*İt., müz.*) Az; yavaş.
pod [pod] *i.* (Bakla vb.) kabuk, zar; (*hav.*) bölme. *f.* Kabuk bağlamak; kabuğunu soymak. **engine** ~, (*hav.*) motor kabuğu. ~**ded** [-did], baklamsı (yemiş).
-pod [-pod] *son.* . . . ayak(lı) [GASTROPOD].
podagra [pə'dagrə]. Nıkris, damla hastalığı.
poddy ['podi] (*Avus.*) Elle yedirilen dana.
podgy ['poci]. Şişko; bodur.
***podi·atry** [po'dīətri]. Pedikürcülük. ~**um** ['poudiəm], podyum, sekiduvar.
-podous [-pədəs] *son.* Ayaklı.
***POE** = PORT OF ENTRY.
poe·m ['pouim]. Şiir, manzume. ~**sy** [-izi] (*mer.*) şiir sanatı.
poet ['pouit]. Şair, ozan. ~**aster**, şair bozuntusu. ~**ess**, kadın şair. ~**ic(al)** [-'etik(l)], şairane; şiire ait. ~**ics**, şiir sanatı. ~**ize** [-itayz], şiir yazmak. ~-LAUREATE. ~**ry**, şiir sanatı, nazım; şiirler: **concrete** ~, hem şiir hem de resimli bir sanat.
po-faced ['poufeyst] (*kon.*) Vakarlı/keyifsiz yüzlü.
pogo ['pougou]. ~ **stick**, yaylı sıçrama bastonu (oyuncak).
pogono- ['pogəno-] *ön.* Sakal-.

pogrom ['pogrəm] (*Rus.*) Tertip edilmiş katliam.
poignan·cy ['poygnənsi]. Keskinlik; dokunaklılık. ~**t**, keskin, yakıcı; dokunaklı, tesirli; ıstırap verici: ~**ly**, dokunaklı surette.
poinsettia [poyn'setiə]. Büyük kırmızı çiçek gibi yapraklı bir bitki.
point[1] [poynt] *i.* Nokta; derece; kerte; uç; burun; cihet, yön; mesele; sadet; maksat, amaç; husus; hususiyet, özellik, vasıf; (*elek.*) sorti, fiş; (*mal.*) birim; (*sp.*) sayı, puvan; (*bas.*) punto; (*mat.*) virgül: **cardinal** ~, anayön: **at all** ~**s**, her yönüyle; her bakımdan: **be at/on the** ~ **of doing stg.**, bir şeyi yapmak üzere olm.: **be to the** ~, (söz) isabetli olm., yerinde olm.: **beside the** ~, sadetten hariç; yersiz: **come to the** ~, sadede gelmek; asıl işe gelmek: **at the** ~ **of death**, ölmek üzere iken: **give** ~**s to . . .**, -e taş çıkarmak: **figures that give** ~ **to his argument**, iddiasını sağlamlaştıran rakamlar: **the** ~**s of a horse, etc.**, at vb.nin bedenî vasıfları: **the case in** ~, bahis konusu olan mesele: **in** ~ **of fact**, gerçekte; aslına bakarsanız: **in** ~ **of numbers**, sayıca, sayı itibarıyle: **the** ~ **of a joke**, bir nüktenin maksat/inceliği: **make a** ~, bir noktayı ispat etm.: (av köpeği) ferma etm.: **make a** ~ **of . . .**, -e bilhassa dikkati çekmek; -e önem vermek: **I make a** ~ **of being in bed by eleven**, saat on birde muhakkak yatarım (buna önem veririm): **off the** ~, sadetten hariç: **rash to the** ~ **of madness**, çılgınlık derecesinde atılgan: ~ **of no return**, (*hav.*) 'dönüşü yok' noktası: **railway** ~**s**, demiryolu makası: **what's the** ~ **of doing this?**, bunu yapmakta ne mana var?, bunu ne diye yapıyorsun?: **two** ~ **five**, iki virgül beş.
point[2] *f.* Sivriltmek; bir noktaya çevirmek, yöneltmek; göstermek; delâlet etm.; (av köpeği) ferma etm. ~ **a moral**, (kıssadan) hisse çıkarmak: ~ **a wall**, duvar derzetmek. ~ **at**, parmak ile göstermek: ~ **one's stick at stg.**, bir şeyi değnekle işaret etm. ~ **out**, dikkati çekmek; ihtar etm.; belirtmek; göstermek: **may I** ~ **out that . . .?**, şu noktayı hatırlatabilir miyim ki . . .?
point-[3] *ön.* ~**-blank**, yatay ateş edilmiş: **fire at s.o.** ~, birine çok yakından/silâhı dayayarak ateş etm.: **ask s.o.** ~, ağzında gevelemeden birdenbire sormak: **refuse** ~, kesin olarak reddetmek. ~**-duty**, **policeman on** ~, belirli bir yerde görev gören polis; seyrüseferi idare eden polis, işaret memuru. ~**ed** [-tid], sivri uçlu; dokunaklı/iğneli/imalı (söz). ~**er** [-tə(r)], fermacı av köpeği; iğne, dilcik, ibre, gösterge. ~**illisme** ['pwantiyizm] (*san.*) noktacılık. ~**ing** ['poyntin(g)], noktalama, gösterme; (*mim.*) derz yap(ıl)ma. ~**less** [-lis], uçsuz; anlamsız; yararsız; amaçsız; ipsiz sapsız; beyhude, boşuna. ~**sman**, (*dem.*) makasçı. ~**-to-**~ **(race)**, kırda yapılan engelli at koşusu.
poise [poyz] *i.* Müvazene, denge; temkin, ağır başlılık; duruş, hal. *f.* Dengede tutmak. **be** ~**d**, asılmak.
poison ['poyzən] *i.* Zehir. *f.* Zehirlemek; ağılamak. *s.* Zehirli. **take** ~, kendini zehirlemek: **he hates me like** ~, elinden gelse beni bir kaşık suda boğar: **one man's meat is another man's** ~, birisi için zehir olan şey başkası için iksir olabilir. ~**ing**, zehirle(n)me; ağıla(n)ma. ~**ous**, zehirli; (böcek vb.) ağılı; öldürücü; menhus; muzır. ~**-pen (letter)**, kötü niyetle yazılan imzasız (mektup).
poke[1] [pouk]. Torba, çuval. **buy a pig in a** ~, bir şeyi görmeden satın almak.
poke[2] *i.* Dürtüş; dirsek vurma. *f.* Parmak/baston vb. ile dürtmek; dürterek sokmak. ~ **fun at s.o.**, birisiyle alay etm.: **give s.o. a** ~ **in the ribs**, şaka için birinin kaburgalarını parmak/dirsekle dürtmek: ~ **a hole in stg.**, dürterek delik açmak: ~ **one's nose into . . .**, -e burnunu sokmak. ~ **about**, kurcalamak, karıştırmak. ~ **out**, ~ **s.o.'s eye out**, dürterek birinin gözünü çıkarmak: ~ **the fire out**, ateşi küskü ile fazla karıştırıp söndürmek: ~ **one's head out of the window**, başını pencereden uzatmak.
poker[1] ['poukə(r)]. Küskü; ocak süngüsü. **as stiff as a** ~, baston yutmuş gibi. ~**-work**, kızgın demir ile tahta üzerine işleme, pirogravür.
poker[2]. Poker. ~**-dice**, poker zarları. ~**-face**, (poker oyuncusu gibi) hislerini hiç belli etmiyen yüz.
poky ['pouki]. (Oda) dar ve adi; (ev) nohut oda bakla sofa: (iş, memuriyet) önemsiz, hakir.
Pol. = POL·AND/ISH; POLITIC·AL/S.
POL = PETROLEUM OIL AND LUBRICANTS.
***polack** ['poulak] (*arg., köt.*) Polonya menşeinden biri.
Poland ['poulənd]. Polonya, Lehistan.
polar ['poulə(r)]. Kutbî, kutba ait, kutupsal, kutup+. ~**-bear**, beyaz/kutup ayı(sı). ~**-circle**, kutup medar/dairesi. ~**ity** [-'lariti], kutupluk, kutbiyet. ~**ization** [-ray'zeyşn], kutuplaşma, polarizasyon, ucaylanma. ~**ize**, kutuplamak, polarmak, ucaylamak; çözümlemek: ~**d light**, kutuplanmış ışık: ~**r**, çözümleyici, polargı. ~**oid** [-royd], kutuplayıcı.
polder ['pouldə(r)]. Deniz hizasının altında ziraate elverişli hale konmuş toprak.
pole[1] [poul]. Kutup, uçlak. ~**s apart**, aralarında dağlar kadar fark var. ~ **Star**, Demirkazık, Kutupyıldızı.
pole[2]. Sırık; direk; ok; kelpe; uzunluk ölçüsü = 5,03 metre. **under bare** ~**s**, (gemi) yelkenler inik olarak. ~**-jump/vault**, sırıkla atlama.
Pole[3]. Polonyalı, Lehli.
pole-axe ['poulaks] *i.* Mezbahada hayvanları öldürmeğe mahsus topuz. *f.* Bu aletle öldürmek.
polecat ['poulkat]. Kokarca. **marbled** ~, benekli kokarca.
polem·ic [pə'lemik]. Münakaşa(ya ait): ~**s**, kalem tartışması, polemik. ~**ology** [pouli'moləci], savaşlar tetkiki.
polenta [pə'lentə]. Mısır unundan yapılmış lapa.
police [pə'līs] *i.* Zabıta, kolluk; polis. *f.* İnzibat altına almak; güvenliği sağlamak; idare etm. **military** ~ **(man)**, askerî inzibat (görevlisi): **motor** ~ **(man)**, motosikletli polis (memuru): **mounted** ~, atlı polis: **railway** ~, demiryolu zabıtası: **secret** ~, gizli/sivil polis: **traffic** ~, seyrüsefer/trafik polisi. *~**-captain**, komiser. ~**-commissioner**, polis/emniyet müdürü. ~**-constable**, polis memuru. ~**-court**, sulh mahkemesi. ~**-force**, polis kıta/servisi. ~**-magistrate**, sulh mahkemesi hâkimi. ~**man**, *ç.* ~**men**, polis/zabıta memuru: **plain-clothes** ~, sivil elbiseli polis memuru. ~**-matron**, karakolda kadın sanıklara bakan kadın memur. ~**-officer**, (aşamalı) polis memuru. ~**-station**, karakol. ~**-van**, karakol/hapishane arabası. ~**-wom·an**, *ç.* ~**en**, kadın polis memuru.

policlinic [poli'klinik]. Özel evdeki klinik; hastane dispanseri, poliklinik.

policy[1] ['polisi]. Siyasa, siyaset, politika, kural, öğreti; tutum, hareket tarzı; tedbir. **domestic/foreign** ~, (*id.*) iç/dış politika: **a matter of public** ~, umum/halkın çıkarını ilgilendiren bir mesele.

policy[2]. Sigorta mukavelesi; poliçe. **take out a** ~, (bir şeyi bir yere) sigorta ettirmek. ~**-holder**, poliçe sahibi.

policy[3] (*İsk.*) Sayfiye arazisi.

polio·(myelitis) ['pouliou(mayə'laytis)]. Çocuk felci, polyomiyelit. ~ **virus**, polyomiyelit virüsü.

polish[1] ['poliş] *i.* Cilâ, perdah; kundura boyası; parlaklık; nezaket, naziklik, görgü. *f.* Parlatmak; cilâlamak, perdahlamak; kundura boyamak; kabalığını/görgüsüzlüğünü gidermek. ~ **off**, silip süpürmek; çabuk bitirmek. ~ **up**, parlatmak: ~ **up one's English**, İngilizcesinin pasını silmek: ~ **up a poem**, bir manzumeyi gözden geçirip süslemek/düzeltmek.

Polish[2] ['pouliş] *i.* Polonyalı, Lehli; Lehçe. *s.* Polonya +, Leh +.

polish·ed ['polişt]. Cilâlı; parlatılmış; parlak: ~ **manners**, terbiyeli/ince/nazik hal ve tavır: ~ **style**, zarif/tıraşide üslup. ~**er**, parlataç, cilâ makinesi; cilâcı; cilâ maddesi. ~**ing**, parlatma, cilâlama; perdah +; cilâ +.

politburo ['politbyūrou]. Bir komünist partisinin yönetim kurulu.

polite [pə'layt]. Nazik, kibar, terbiyeli. **do the** ~ **(thing)**, görev vb. gereği nezaket göstermek: ~ **society**, terbiyeli ve kibar insanların çevresi. ~**ly**, nezaketle, iltifatla; kibar olarak. ~**ness**, nezaket, naziklik, terbiyelilik; iltifat.

politic ['politik]. İhtiyatlı, müdebbir, akıllı; kurnaz. **the body** ~, devlet, siyasî cemiyet. ~**al** [pə'litikl], siyasî, siyasal; politikaya ait. ~**ian** [-'tişn], siyaset adamı, politikacı; devlet adamı. ~**ize** [-'litisayz], politikacı rolünü oynamak; siyasî şekil vermek. ~**o**, *i.* meslekî politikacı. ~**o-**, *ön.* siyaset +, siyasal. ~**s**, politika, siyasiyat: **go into** ~, siyasî hayata atılmak: **what are your** ~**?**, siyasî kanaatleriniz nedir?

polity ['politi]. Hükümet şekli; idare; devlet.

polka ['polkə]. Polka dans/havası. ~**-dot**, yuvarlak noktalı (kumaş).

poll[1] [poul] *i.* Baş; oy verme; verilen oyların sayısı; soruşturma, anket. *f.* Seçimde oy vermek; oy almak. **declare the** ~, seçimlerin sonucunu ilân etm.: **go to the** ~, seçimde oy vermek: **head the** ~, seçimde kazanmak.

poll[2] *i.* Baş; başın tepesi; boynuzsuz inek vb. *f.* (Öküz vb.) boynuzlarını kesmek; ağacın tepesini budamak.

poll[3] *i.* ~ **parrot**, ehlî papağan.

pollack ['polak]. Merlanos/mezgit cinsinden bir balık.

pollard[1] ['poləd] *i.* Tepesi budanmış ağaç; boynuzları kesilmiş hayvan. *f.* Tepesini budamak; boynuzlarını kesmek.

pollard[2]. İnce kepekle karışmış un.

polled [pold] *s.* Boynuzları kesilmiş (hayvan); tepesi budanmış (ağaç).

pollen ['polin]. Polen, çiçek tozu. ~**-analysis** = PALYNOLOGY. ~**-count**, (astım hastaları için) havadaki polen taneleri sayılması.

pollex ['poleks]. Başparmak.

pollin·ate ['polineyt]. Çiçektozu yaymak; tozlaşmak. ~**ation** [-'neyşn], tozlaşma. ~**ic**, çiçektozuna ait. ~**iferous**, polenli, polen hâsıl eden.

polling ['poulin(g)]. Oy verme/alma: ~ **booth**, oy verme hücresi.

polloi [po'loy] (*Yun.*) ***hoi*** ~, çoğunluk; (*köt.*) ayaktakımı.

poll·ster ['poulstə(r)]. (Seçimde) önceden sonucu hesaplıyan/(ankette) soruşturan kimse. ~**-tax**, başa vergi.

pollut·e [pə'l(y)ūt]. Kirletmek, telvis etm.; kutsallığını bozmak. ~**ion** [-'lūşn], kirletme; kirlenme; pislik: **noise** ~, (uçak vb.) çok fazla gürültü yapma.

polly ['poli] (*kon.*) Papağan. ~**anna** [-'anə], güleryüzlü nikbin.

polo ['poulou]. Çevgen, polo. ~**-neck**, (*mod.*) yüksek çevrilmiş (yaka).

polonaise [polə'neyz]. Polonez dans/havası.

polonium [pə'louniəm]. Polonyum.

polony [pə'louni]. Bir cins sucuk.

poltergeist ['poltəgayst]. Cin, gürültücü ve fesat çıkaran peri.

poltroon [pol'trūn]. Korkak/götsüz adam. ~**ery**, korkaklık, namertlik.

Poly ['poli] (*kon.*) = POLYTECHNIC.

poly- ['poli-] *ön.* Poli-; çok . . . ~**andry** [-andri], çok kocalılık. ~**anthus** [-'anθəs], büyük ve güzel renkli çuhaçiçeği. ~**chrome** [-kroum], çok renkli. ~**clinic**, poliklinik, genel hastane. ~**gam·ist** [-'ligəmist], çok evli/karılı: ~**y**, poligami, çok ev/karılılık. ~**glot**, çok dil bilen. ~**gon**, çok köşeli, çokgen, poligon. ~**gonum** [-'ligənəm], çobandeğneği. ~**graph** [-graf], çoğaltma/yalan makinesi. ~**gyny** [-'ligini], çok karılılık. ~**hedron** [-'hīdrn], çokyüzlü. ~**math** [-maθ], çeşit bilgili, allâme. ~**mer** [-mə(r)], polimeri: ~**ize** [-'limərayz], polimeri halinde birleş(tir)mek. ~**morphous** [-'mōfəs], çok şekilli. ~**nesia** [-'nīziə], Polinezya: ~**n** [-'nījn], Polinezyalı. ~**nia** [-'liniə] (*den.*) buz alanında açık su. ~**nomial** [-'noumiəl], çok terimli. ~**p**, polip. ~**phase** [-feyz] (*elek.*) çok fazlı. ~**phony** [-'lifəni], polifoni. ~**phyllous** [-'filəs], çok yapraklı. ~**pod**, çok ayaklı; kırkayak. ~**poid**, polip gibi. ~**pus** [-pəs] (*tıp.*) polip. ~**semy**, çok anlamlı olma. ~**stomatous** [-'stoumətəs], çok ağızlı. ~**styrene** [-'stayrīn], polistiren. ~**syllabic** [-si'labik], çok heceli. ~**technic** [-'teknik], çeşitli bilgileri kapsayan; sanat/mühendis okulu; bir nevi üniversite. ~**theism** [-θi·izm], politeizm, çoktanrıcılık. ~**thene** [-θīn], polietilen. ~**urethane** [-'yuriθeyn], poliüretan. ~**vinyl** [-'vaynil], polivinil.

pomace ['pʌmis]. Meyva vb.nin ezmesi.

poma·de [pə'mad]. Merhem(le yağdırmak). ~**nder** [-'mandə(r)], güzel kokulu baharat kutusu. ~**tum** [-'meytəm] = ~DE.

pome [poum]. Elma gibi herhangi meyva. ~**granate** ['pom(i)granit], nar. ~**lo** [-lou], altıntop.

pomi·culture ['pomikʌlçə(r)]. Meyva yetiştirilmesi. ~**ferous** [-'mifərəs], meyvalı; elma gibi meyva hâsıl eden.

pommel ['pʌml] *i.* Kılıç kabzasının ucundaki yuvarlak; eğer kaşı. *f.* Yumruklamak.

pomm·ie/~**y** ['pomi] (*Avus., arg.*) Yeni göçmüş İngiliz.

pomolog·y [pou'moləci]. Meyva yetiştirme bilgisi. ~**ical**, buna ait. ~**ist**, meyva yetiştiren biri.
pomp [pomp]. Debdebe, tantana, alayış. **with ~ and circumstance**, büyük törenle.
†**Pompey** ['pompi] (*arg.*) Portsmouth şehri; bir deniz üssü.
pom-pom ['pompom] *den.* Ufak seri ateşli top.
pompon ['pompon]. Püskül, ponpon.
pompo·sity [pom'positi]. Azametfuruşluk, kendini beğenmişlik, sahte vakar; tumturaklı saçma. ~**us** [-pəs], tantanalı, debdebeli; azametli; sahte vakarlı; tumturaklı, şatafatlı: ~**ly**, debdebeli olarak.
'pon [pon] *kıs.* = UPON.
ponce [pons] (*arg.*) Orospu ile ve onun kazançlarından yaşıyan erkek; pezevenk.
poncho ['ponçou]. Baştan geçirilen kepenek/yağmurluk.
pond [pond]. Havuz; gölek. ~**age**, havuz hacmi. ~**-life**, durgun su içinde yaşıyan yaratıklar.
ponder ['pondə(r)]. Düşünceye dalmak; düşünüp taşınmak; ölçüp biçmek. ~**able**, tartılır: ~**s**, maddî şeyler. ~**ous**, ağır, hantal; havaleli; cansıkıcı.
***pone** [poun]. Mısır ekmeği.
pong [pon(g)] *i.* Pis koku. *f.* Pis kokmak.
pongee [pʌn'cī]. Yumuşak ipek kumaş.
poniard ['ponyəd]. Hançer(lemek).
pontif·f ['pontif]. Ruhanî reis: **the sovereign ~**, Papa. ~**ical** [-'tifikl], Papaya mensup; kurumlu, itiraz kabul etmez. ~**icate**, *i.* papalık: *f.* ruhanî reislik etm.; tumturaklı cafcaflı sözler söylemek.
pontoon[1] [pon'tūn] *i.* Duba; köprü dubası; tombaz, ponton. *f.* Dubalı köprü kurmak.
pontoon[2] *i.* Bir iskambil oyunu, yirmi bir.
pony ['pouni]. Küçük at, midilli; (*arg.*) £25. ~**-tail**, (kadın) saç kuyruğu. ~**-trekking**, atla kır gezintisi.
poodle ['pūdl]. Kıvırcık tüylü köpek, kaniş.
poof [puf] (*arg.*) = HOMOSEXUAL; kadınsı erkek.
pooh [pū]. *Küçümseme edatı.* ~**-**~, küçümsemek, alaya almak; küçümseyerek reddetmek.
pool[1] [pūl]. Gölcük; su birikintisi; bir nehrin derin ve sakin kısmı; bahçe havuzu.
pool[2]. Kumar masasında pay sandığı; pay kumbarası, kanyot; bir nevi bilardo; (*mal.*) trost, birlik, pool. **typing ~**, bir kurum vb.nin daktilolar takımı. * ~**-game**/**-room**, bilardo oyun/salonu. ~**s**, (futbol) toto.
pool[3]. Bir merkezde toplamak, birleştirmek.
poop [pūp] *i.* Pupa, kıç. *f.* (Dalga) geminin kıç tarafından içeriye girmek. **be ~ed**, geminin kıçı büyük bir dalga altında kalmak; (*arg.*) yorgun argun olm. ~**-deck**, kıç güvertesi.
poor [puə(r), pō(r)]. Fakir, yoksul, muhtaç; zavallı; miskin, değersiz; noksan; verimli olmıyan, kısır; silik; zayıf; bakımsız. **the ~**, fakirler: **the ~ chap**, zavallı; adamcağız: **in my ~ opinion**, benim aciz kanaatime göre: **have a ~ opinion of s.o.**, birisine pek değer vermemek: **a ~ sort of mother**, analar kusuru: **~ you!**, vah zavallı! ~**house**, darülaceze, düşkünler evi. ~**-law**, fakirlere mahallî idarelerce edilen yardım hakkında kanun. ~**ly**, çok iyi olmıyarak, fena; keyifsiz, hasta. ~**ness** [-nis], fakirlik; mahsulsüzlük; eksiklik, değersizlik. ~**-relief**, fakirlere yardım. ~**-spirited**, keyifsiz; korkak.
pop[1] [pop] (*yan.*) *ünl.* Pat!, küt!, çat!, güm! *i.* Patlama sesi. *f.* (Hafif sesle) patlamak; (*arg.*) rehine vermek. **be in ~**, rehinde olm.: **go ~**, pat diye patlamak: **~ the question**, (*arg.*) evlenme teklifini yapmak. **~ in**, uğrayıvermek, girivermek. **~ off**, (*arg.*) nalları dikmek. **~ over**/**round**, gidivermek. **~ up**, çıkıvermek, sipsivri çıkmak.
pop[2] (*kon.*) Baba(cığım).
pop[3] (*yan.*) Çıtçıtla iliklemek.
pop[4] (*kon.*) = POPULAR. **~ art**/**music**, adi ve genç halkın hoşuna giden sanat/müzik. **~ festival**, bu müzik konseri. **~ group**, bu müziği çalan takım.
pop. = POPULATION.
***pop-corn** ['popkōn]. Patlatılmış mısır.
pope[1] [poup]. Papa; ortodoks papazı. ~**ry**, (*köt.*) Papa taraftarlığı, katoliklik.
pope[2]. Pilatika.
pop·-eyed ['popayd]. Pırtlak gözlü. ~**-gun** [-gʌn], patlangaç, mantar tabancası, oyuncak tüfek.
popinjay ['popincey]. Züppe.
popish ['poupiş] (*köt.*) Papalığa ait; katolik dinine ait.
poplar ['poplə(r)]. Kavak. **Lombardy**/**trembling**/**white ~**, piramit/titrek/akça kavak.
poplin ['poplin]. Poplin kumas.
popper ['popə(r)] (*kon., mod.*) Çıtçıt.
poppet ['popit] (*kon.*) Küçük bir kimse, cici; (torna) gezer punta gövdesi. ~**-valve**, dikme valf.
popping ['popin(g)]. Patlama (sesi).
popple ['popl] *i.* Dalga çırpıntısı; şapırtı. *f.* (Su) şapırdamak.
poppy ['popi]. Gelincik; parlak kırmızı renk. **Flanders ~**, 1'ci Cihan Savaşında ölen İngiliz askerlerini hatırlatan kırmızı gelincik: **opium ~**, haşhaş: **Shirley ~**, bahçelerde geliştirilmiş gelincik.
poppycock ['popikok] (*arg.*) Saçma, boş sözler.
pop-shop ['popşop] (*arg.*) Rehinci dükkânı.
popsy ['popsi] (*kon.*) Cici güzel kız.
populace ['popyuləs]. Ayaktakımı, avam.
popular ['popyulə(r)] *s.* Halka ait; halk+; halkın hoşuna gider; herkesin anlıyabileceği tarzda; tutulur, makbul, rağbette. *i.* Halkın hoşuna giden gazete. **~ error**/**belief**, genel hata/kanaat: **a ~ boy**, herkes tarafından sevilen çocuk: **~ government**, halk hükümeti. ~**ity** [-'lariti], genel sevgi; herkesçe makbul olma; rağbet. ~**ize** [-rayz], halka sevdirmek; halkın seviyesine indirmek, basitleştirmek. ~**ly**, makbul olarak; herkesçe anlaşılarak/kabul edilerek.
populat·e ['popyuleyt]. İskân et(tir)mek; mamur etm., bayındırmak: **thickly ~d**, kesif nüfuslu. ~**ion** [-'leyşn], nüfus, ahali: ~**-explosion**, dünya nüfusunun anî patlaması.
populous ['popyuləs]. Nüfusu çok; kalabalık.
POR = PORT OF REFUGE.
porbeagle ['pōbīgl]. Dev köpekbalığı.
porcelain ['pōslin]. Porselen, çini, seramik.
porch [pōç]. Kapı saçaklığı; kapı önünde sundurma, rüzgârlık; revak.
porcine ['pōsayn]. Domuza ait, domuz gibi.
porcupine ['pōkyupayn]. Oklu kirpi.
pore[1] [pō(r)] *i.* Mesame, gözenek, delik(çik), por.
pore[2] *f.* **~ over a book**, bir kitaba dalmak: **~ over a subject**, bir konu üzerinde uzun uzadıya düşünmek.
poriferous [pō'rifərəs]. Gözenekli.

pork [pōk]. Domuz eti. ~**-butcher**, domuz kasabı. ~**er**, genç besili domuz. ~**-pie**, domuz etiyle yapılmış kıymalı börek: ~ **hat**, yuvarlak yassı şapka. ~**y**, domuz eti gibi; semiz.

porn(o) ['pōn(ou)] (*kon.*) = ~GRAPHY. ~**grapher** [-'nografə(r)], açık saçık şeyler satıcı/yazarı. ~**graphic** [-nə'grafik], açık saçık, müstehcen. ~**graphy** [-'nografi], bahname edebiyatı; müstehcen/açık saçık yazılar.

poro·meric [pōrə'merik]. Deriye benziyen gözenekli plastiklere ait. ~**plastic** [-'plastik], hem gözenekli hem de plastik. ~**sity** [-'rositi], mesamat/gözeneklilik; süzgeç gibi olma. ~**us** [-rəs], mesameli, gözenekli; süzgeç gibi.

porphyr·itic [pōfi'ritik]. Porfirsi. ~**ogenite** ['pōfirouçenayt], (Bizans) porfir odasında doğmuş imparator ailesinin üyesi. ~**y** [-ri], porfir, somaki (mermer).

porpois·e ['pōpəs]. Domuz balığı. ~**ing**, (*hav.*, *arg.*) yunuslama.

porri·dge ['poric]. Yulaf unundan yapılmış lapa; (*arg.*) hapsedilme. **save your breath to cool your** ~!, öğütlerinizi kendiniz dinleyin! ~**nger** [-rincə(r)], 'porridge' kabı; çorba tası.

port[1] [pōt]. Liman, barınak, iskele. **home** ~, menşe limanı: ~ **of call/destination**, varma limanı: ~ **of discharge/embarkation**, boşaltma/yükletme limanı: ~ **of entry**, hudut gümrüğü kapısı: ~ **of refuge**, sığınak limanı: ~ **of registry**, bağlama limanı: **put into** ~, limana girmek: **any** ~ **in a storm**, başı sıkışan adam ince eleyip sık dokumaz.

port[2] *i.* Geminin iskele tarafı. *s.* İskele tarafına ait. *f.* (Gemiyi) iskeleye döndürmek: **go to** ~, iskeleye doğru gitmek. ~**-watch**, gemi iskele vardiyası; liman nöbeti.

port[3] *i.* Lombar, lombuz, pencere, delik; (*müh.*) istim/gaz vb. ağız/yolu.

port[4]. Tavır, hal, doğal durum.

port[5]. ~ **arms**, tüfeği teftişe hazır tutmak.

port[6]. ~**-wine**, porto şarabı.

port[7] (*Avus.*) = PORTMANTEAU.

Port. = PORTUGUESE.

portab·ility [pōtə'biliti]. Taşınabilme. ~**le** [-təbl], taşınabilir, söküp takılır; portatif; seyyar, gezer; el+.

port-admiral [pōt'admirəl]. Limanın deniz kumandanı.

portage ['pōtic]. Taşı(n)ma; nakliye ücreti; bir sandalı bir nehirden alıp başka bir nehre/bir set üzerine taşıma.

portal ['pōtl]. Cümle kapısı; methal, giriş.

portcullis [pōt'kʌlis]. Yukarıdan aşağı kapanan tarak şeklinde kale kapısı.

Porte [pōt]. **the Ottoman/Sublime** ~, Babıâli; (*tar.*) Osmanlı İmparatorluğu, Türkiye.

porte-cochère [pōtko'şeə(r)] (*Fr.*) Araba kapısı.

porten·d [pō'tend]. Yakında vukua geleceğine işaret olm.; delâlet etm. ~**t** ['pōtənt], geleceği gösteren belirti; şer alâmeti, kötüye işaret; mucize, harikulade bir şey; anlamlı belirti: ~**ous** [-'tentəs], uğursuz, meşum, muzip, harikulade; mucize gibilerden.

porter[1] ['pōtə(r)]. Sert İng. birası, porter.

porter[2]. Kapıcı; hamal. ~**age** [-ric], hamaliye. ~**-house**, aşçı dükkânı: ~ **steak**, en iyi cins biftek.

portfolio [pōt'fouliou]. Evrak çantası, cüzdan, portföy, belgitlik; (*id.*) bakanlık. **minister without** ~, sandalyesiz bakan.

porthole ['pōthoul]. Lomboz, lombar, kamara penceresi.

portico ['pōtikou]. Kemeraltı, revak, sütunlu giriş.

portière ['pōtieə(r)] (*Fr.*) Kapı perdesi.

portion ['pōşn]. Hisse, pay; nasip; (*huk.*) sehim; miktar, parça; bir tabak yemek, porsiyon. ~ **out**, paylaştırmak, taksim etm.

Portland ['pōtlənd]. ~ **cement**, iyi bir cins çimento: ~ **stone**, Malta taşına benzer bir yapı taşı.

portly ['pōtli]. Şişman, iri yarı; heybetli.

portmanteau [pōt'māntou]. Bavul; çift bölmeli deri çanta. ~ **word**, iki ayrı kelimeden yapılmış kelime, *mes.* MOTOR + HOTEL = MOTEL.

portolano [pōtə'lānou] (*İt.*, *den.*) Kılavuz.

Porto-Ric·o ['pōto'rīkou]. Porto Riko. ~**an**, Portorikalı.

portrait ['pōtreyt]. İnsan/baş resmi, portre, tasvir. **have one's** ~ **taken**, fotoğraf çektirmek: **sit for one's** ~, resmini yaptırmak. ~**ist**/~**-painter**, başressamı. ~**ure**, portre ressamlığı.

portray [pō'trey]. Birinin resmini yapmak; tasvir etm., tarif etm., tanımlamak. ~**al**, tasvir/tarif etme, tanımlama.

portreeve ['pōtrīv] (*tar.*) Şehir reisi.

portress ['pōtris]. Kadın hamal/kapıcı.

Portug·al ['pōtyugəl]. Portekiz. ~**uese** [-'gīz] *i.* Portekizli; Portekizce: *s.* Portekiz+: ~ **man-of-war**, (*zoo.*) fizalya.

pos. = POSITION; POSITIVE.

POSB = POST OFFICE SAVINGS BANK.

pose [pouz] *i.* Tavır, vaziyet, hal, durum; (*sin.*) poz, duruş; sahte tavır. *f.* Belirli bir poz ver(dir)mek; ileri sürmek, sormak; bir soru ile birini afallatmak; sahte bir tavır takınmak; (*sin.*) poz almak, durmak. ~ **as a doctor**, doktorluk taslamak: **without** ~, samimî, yapmacıksız. ~**r**, zor bir soru; poz alan: **give/set s.o. a** ~, birine çetin bir soru sormak. ~***ur*** [-'zə̄(r)] (*Fr.*), sahte tavırlı.

posh [poş]. (*arg.*) Pek şık, gösterişli. ~ **oneself up**, giyinip kuşanmak.

posit ['pozit] = POSTULATE; yerine koymak.

position [pə'zişn] *i.* Vaziyet, hal, duruş; mevzi; yer; durum; toplumsal seviye; mevki; görev, vazife. *f.* Yerini tayin etm. **ship's** ~, punt: **determine the** ~, puntu tayin etm. ~**al**, vaziyet vb.ne ait.

positiv·e ['pozitiv] *s.* Müspet, olumlu; muayyen, belirli, kesin, katî; aşikâr, açık; hakikî, gerçek; muhakkak; emin, kani; fazla emin. *i.* Pozitif: ~ **sign**, artı/toplama işareti (+): **a** ~ **miracle**, tam bir mucize. ~**ism**, (*fel.*) pozitivizm, olguculuk.

positron ['pozitron]. Müspet elektron.

posology [pə'soləci]. İlâç miktarları bilgisi.

poss. = POSSESS·ION/~IVE; POSSIBLE.

posse[1] ['posi]. Müfreze, takım.

posse[2] (*Lat.*) ***in*** ~, bilkuvve, gizil.

possess [pə'zes]. -e malik olm., -in sahibi olm., tasarruf etm. **all I** ~, varım yoğum: **be** ~**ed by fear**, korkuya kapılmak: **be** ~**ed with an idea**, (yanlış) bir fikre kapılmak: ~ **oneself**, kendini tutmak: ~ **oneself of**, zaptetmek, ele geçirmek: ~ **one's soul in peace**, başını dinlemek. ~**ed**, *s.* perili; mecnun.

possession [pə'zeşn]. Tasarruf, temellük; iyelik, elmenlik; mülk, mal; müstemleke. ~**s**, mal, servet; zatî eşya: **be in** ~ **of**, -e malik olm.; **be in the** ~ **of**

s.o., (bir şey) birinin elinde olm.: **in full ~ of his faculties**, aklî melekelerine tamamen hâkim: **get/take ~ of stg.**, bir şeyi elde etm./zaptetmek/tasarruf etm.: **remain in ~ of the field**, muharebe meydanına hâkim olm.: **house to be sold with vacant ~**, derhal tahliye edilecek satılık ev.

possess·ive [pə'zesiv]. Mülkiyet/sahiplik ifade eden; mütehakkim: **~ case**, (*dil.*) belirten/tamlayan durumu, -in hali: **~ pronoun**, iyelik zamir/adılı: **~ suffix**, iyelik eki. **~or** [-sə(r)], mal sahibi; iye; tasarruf eden; zilyet, eldeci, elmen.

posset ['posit]. Baharatlı şarap ile sıcak sütten ibaret olan bir içki.

possibilit·y [posi'biliti]. İmkân, olanak; ihtimal; kabil olma; mümkün şey. **allow for all ~ies**, her ihtimali düşünmek: **if by any ~ I do not come**, eğer her hangi bir nedenle gelmiyecek olursam: **I cannot by any ~ be there in time**, vaktinde orada olmama imkân yoktur: **the proposal has ~ies**, teklifin başarı ihtimali yok değildir.

possibl·e ['posibl]. Mümkün, olanaklı; muhtemel; olur, olabilir; belki: **as far as ~**, mümkün mertebe: **as soon as ~**, bir an evvel: **it is just ~ I may not come**, gelmemem de imkânsız değildir: **it is just ~ to live on £2000 a year**, senede 2000 lira ile kıtakıt yaşamak mümkündür: **what ~ reason have you to refuse this post?**, ne diye bu görevi reddettin, Allah aşkına?: **score a ~**, (atış müsabakasında) tam puvan kazanmak. **~y**, belki, mümkün olarak.

possum ['posəm] = OPOSSUM. **play ~**, ölmüş gibi yapmak; ... gibi görünmek; tınmamak; yalancıktan hastalanmak.

post[1] [pou̯st] *i.* Kısa direk; dikme, kazık; (*den.*) baba, bodoslama; (*mim.*) payanda, sütun. **go to the ~**, yarışa girmek: **be left at the ~**, (yarışın başında) geride kalmak: **win on the ~**, yarışın sonunda/son dakikada/at başı farkla kazanmak: **winning ~**, (bir yarışta) bitiriş direği.

post[2] *f.* **~ (up)**, direk üzerine/genel bir yere dikmek; yapıştırmak; gecikmiş/kaybolmuş geminin ismini neşretmek; (*bk. dahi* POST[4]); (bir klüpte) üyelik ücretini ödememiş bir üyenin ismini ilân etm.: **'~ no bills!'**, buraya ilân yapıştırılmaz!

post[3] *i.* Posta; postane. *f.* Posta ile göndermek; posta kutusuna atmak; posta arabası/menzil ile seyahat etm. **general ~**, (i) sabahları yapılan ana tevzi; (ii) köşe kapmacaya benzer bir oyun: **there has been a general ~ among the staff**, memurlar arasında esaslı bir değişiklik oldu: **open one's ~**, mektuplarını okumak: **by return of ~**, gelecek posta ile.

post[4] *f.* **~ (up)**, yevmiye defterindeki hesapları ana deftere geçirmek; tam bilgi vermek: **~ oneself up in a matter**, bir mesele hakkında bilgi edinmek: **keep s.o. ~ed**, birini durum vb.den daima haberdar etm.

post[5] *i.* Memuriyet, görev, vazife; (*ask.*) nokta, mevki, karakol. *f.* Bir yere koymak, yerleştirmek; tayin etm. **die at one's ~**, görev başında ölmek: **take up one's ~**, göreve başlamak.

post[6] (*ask.*) **last ~**, yat borusu: **sound the last ~ (over the grave)**, bir askerin cenazesinde mezar başında tören icabı 'yat borusu' çalmak.

post-[7] *ön.* Sonraki; -den sonra gelen; izleyici; post-. **~age** [-tic], posta ücret/bedeli: **~-due**, taksa: **~-stamp**, posta pulu. **~al**, postaya ait: **~-order**, posta gönderim/havalesi: **~-packet**, koli. **~-box**, posta kutusu. **~-boy**, tatar, postiyon. **~-captain**, (*den.*) albay olan kaptan. **~card**, kartpostal. **~-chaise** [-şeyz], tatar arabası. **~code** [-kou̯d], (adres sonunda) şehir ile sokak kodu. **~date** [-deyt], sonraki tarihi atmak, geç tarihi koymak: **~d**, geç tarihli. ***~e restante*** [-res'tā(n)t] (*Fr.*) postrestant.

poster ['pou̯stə(r)]. Duvar ilânı; resmî ilân; afiş, tabela; yafta.

posterior [pos'ti̯əri̯ə(r)] *s.* Sonraki, muahhar; arkadaki, gerideki. *i.* Kıç; arka; art.

posterity [pos'teriti]. Nesil, zürriyet, kuşak; gelecek nesil/kuşaklar; sonrakiler.

postern ['postən]. (Hisar) arka/yan kapı.

post·-fix ['pou̯stfiks]. Son ek. **~-free**, posta ücretsiz. **~-glacial**, buzul çağından sonra. **~-graduate**, üniversite mezununun sonraki tahsiline ait. **~-haste** [-heyst], alelacele, müstacelen, ivedilikle. **~-horn**, posta arabasına ait çalınan uzun boru. **~-horse**, menzil at/beygiri. **~humous** ['postyuməs], ölümünden sonraki; babasının ölümünden sonra doğmuş; yazarın ölümünden sonra yayımlanmış.

postiche [pos'tīş]. Ek. ilâve; sahte.

postillion [pos'tilyən]. Postiyon.

post·-impressionism [pou̯stim'preşnizm]. Artizlenimcilik. **~man**, *ç.* **~men**, postacı. **~mark**, posta damgası. **~master**, posta müdürü: †**~-General**, Posta ve Telgraf Bakanı. **~-meridian** [-mə'ridi̯ən], öğleden sonraya ait. ***~-meridiem*** (*Lat.*), öğleden sonra. **~mistress** [-mistris], kadın posta müdürü. **~-mortem** [-'mōtəm], **~ examination**, ölü açımı, otopsi. **~-natal** [-'neytl], doğumdan sonra olan. **~-nuptial** [-'nʌpşl], evlendikten sonra olan. **~-office**, postane. **~palatal** [-'palətəl], artdamaksı.

postpone [pou̯s'pou̯n]. Tehir etm., ertelemek, tecil etm.; geciktirmek; başka zamana bırakmak. **~ment**, tehir, tecil, talik, erteleme, geciktirme.

post·position ['pou̯stpəzişn]. İlgeç, edat. **~prandial** [-'prandi̯əl], yemekten sonraki. **~script** ['pou̯skript], mektup haşiyesi; eklenti; zeyl, postskript, ek.

postula·nt ['postyulənt]. Talep eden; (papazlık) namzet, aday. **~te** [-lit] *i.* mevzu, konu; kaziye, konut, lâzım olan şart. [-leyt] *f.* Şart koymak; ispatsız olarak kabul ettirmek; talep etm.

posture ['postyu̯ə(r)] *i.* Vaziyet, tavır, duruş. *f.* Vücude vaziyet vermek. **~ as ...**, ... takınmak, taslamak.

post-war ['pou̯stwō(r)]. Harp/savaştan sonra(ki).

posy ['pou̯zi]. Çiçek demeti, buket.

pot[1] [pot] *i.* Çömlek; kavanoz; kap; saksı; testi; lâzımlık; kanyot; (*arg.*) ödül kupası. *f.* Kavanoz/kaba koymak; (bitki) saksıya koymak; (bilardo) çukura düşürmek; (*arg.*) tüfek ile vurmak; (kitap) icmal etm., kısaltmak. **a big ~**, (*arg.*) kodaman: **go to ~**, suya düşmek, iflâs etm.: **have ~s of money**, altın babası olm.: **keep the ~ boiling**, (i) geçimini kazanmak; (ii) sohbetin soğuyup tavsamasını önlemek: **the ~ called the kettle black**, tencere tencereye dibin kara demiş: **~s and pans**, kap kacak.

pot[2] (*arg.*) = MARIJUANA.

pot. = POTENTIAL.

potable ['pou̯təbl]. İçilir.

potage ['potāj] (*Fr.*) Çorba.

potam·ic [po'tamik]. Irmak/nehirlere ait. **~o-**, *ön.* nehir+. **~ology** [-tə'moləci], nehir bilimi.
potas·h ['potaş]. Kalya, potas. **~sium** [pə'tasiəm], potasyum.
potation [pə'teyşn]. İçme. **~s**, işret âlemi.
potato, *ç.* **~es** [pə'teytou]. Patates. **sweet ~**, yer elması. **~ starch**, patates unu.
pot·-bellied ['potbelid]. Karnı şişkin, iri göbekli. **~-boiler**, sırf para kazanmak için yazılan yazı. **~-bound**, (bitki) kökleri saksısından daha büyük. **~-boy**, birahane garsonu. **~(h)een**, (*İrl.*), kaçak viski.
poten·cy ['poutənsi]. Kuvvet, kudret; tesir, dokunaklılık. **~t**, kuvvetli, dokunaklı. **~tate** [-teyt], hükümdar.
potent·ial [pə'tenşl] *s.* Kuvveti olan, muhtemel; (*dil.*) iktidarî. *i.* Mümkün olan şey; imkân; değer; (*dil.*) iktidar kipi, yeterlik fiili; (*fiz.*) gizilgüç, potansiyel, tevettür, tefazul. **~ialit·y** [-şi'aliti], imkân, mümkün olan hal: **situation full of ~ies**, her türlü imkânlara uygun durum; her şeyin olması muhtemel bir durum. **~iometer** [-şi'omitə(r)], potansiyometre. **~ly**, kuvvetli olarak.
pother ['poθə(r)]. Karışıklık, curcuna.
pot-herbs ['pothə̄bz]. Yemeklerde kullanılan nane/maydanoz gibi otlar. **~-hole**, (*yer.*) dev kazanı, obruk; (*oto.*) yol çukuru. **~hook**, S-şeklinde kanca; bu şekilde harf ucu. **~house**, meyhane, birahane. **~-hunter**, sırf ödül kazanmak için müsabakalara giren oyuncu.
potion ['pouşn]. İçilecek ilâc; şerbet.
pot·-luck ['potlʌk]. **come and take ~ with us**, bize yemeğe buyurun ve ne çıkarsa bahtınıza. **~man**, birahane garsonu. **~pourri** ['poupūri], kavanozda korunmuş güzel kokulu taçyaprakları; karışık şiir; potpuri. **~sherd** ['potşə̄d] (*ark.*) kırık çömlek parçası. **~-shot**, **take a ~ at stg.**, birdenbire çıkıveren bir av vb.ne rasgele ateş etm.; (*mec.*) bir kere talihini denemek. **~-still**, bir cins viski imbiği. **~tage** [-tic], çorba, türlü: **a mess of ~**, bir tabak çorba; (*mec.*) maddî bir menfaat. **~ted**, (bitki) saksıda; (kitap) kısaltılmış.
potter[1] ['potə(r)] *i.* Çömlekçi. **~y**, çömlekçilik; çömlek fabrikası; çanak çömlek: **the ~ies**, Staffordshire kontluğunun başlıca çömlekçilik ile meşgul bölgesi.
potter[2] *f.* **~ (about)**, ufak tefek şeylerle uğraşmak; sinek avlamak: **~ along**, acele etmeden yürümek.
potting ['potin(g)]. Çömlekçilik; (*ev.*) kavanozda konserve etme; (*zir.*) saksıya dik(il)me. **~-shed**, bostancı kulübesi.
pottle [potl] (*mer.*) 2,25 litrelik sıvı ölçüsü; bu miktarı alan kap.
potty[1] ['poti]. (*arg.*) Değersiz, önemsiz, ehemmiyetsiz; kolay; kaçık.
potty[2] (*çoc.*) Lâzımlık, oturak.
pouch [pauç] *i.* Torba, kese; (gözlerin altında) sarkık et; (*id.*) *kuriye çantası. *f.* Dercep etm., yutmak; (elbise) kabarmak. **~ed** [-çt], keseli.
pouf(fe) [pūf] (*Fr.*) Büyük yastık.
poult [poult]. Piliç; palaz. **~erer** [-trə(r)], tavukçu.
poultice ['poultis] *i.* Lapa, kataplasma. *f.* Lapa koymak.
poultry ['poultri]. Kümes hayvanları, tavuklar. **~-yard**, kümes.
pounce[1] [pauns] *i.* Pençe; kuş pençe/tırnağı. *f.* **~ (up)on**, üstüne atılmak, saldırmak, çullanmak; pençelemek.
pounce[2] *i.* Perdah/ponza tozu. *f.* Perdahlamak, ponzalamak.
pounce[3] *f.* Küçük delikli desenle süslemek.
pound[1] [paund] *i.* Lira; İngiliz lirası; libre, funt [= 0,454 kg.]. **~ avoirdupois** [avədə'poyz], ağırlık libresi: **green ~**, EEC'nin ziraat işleri için kullanılan sunî para.
pound[2] *i.* Başıboş hayvanların yakalanıp kapandıkları ağıl.
pound[3] *f.* Havanda dövmek; ufalamak; mütemadiyen vurmak; yumruklamak; çarpmak. **the boat was ~ing on the rocks**, gemi kayalara çarpıyordu: **~ along**, (insan) güm güm basarak yürümek; (gemi) dalgalara çarparak ilerlemek.
pound·age ['paundic]. Lira başına komisyon, gümrük resmi vb.; POUND[2]'daki hayvanları geri almak için verilen ücret. **~al**, kuvvet ölçüsü, pavndal. **-~er**, *sön.* ... librelik. **~ing**, dövme, vuruş. **~-note**, sterlin banknotu.
pour [pō(r)] *f.* Dökmek; yağdırmak; boşaltmak; şiddetle yağmur yağmak; sel gibi akmak; üşüşmek. **~ in**, sel gibi içeriye akmak. **~ off**, bir sıvıyı bir kaptan başka bir kaba dökmek. **~ out**, dökmek; boşaltmak; sel gibi akmak: **~ out one's heart**, kalbini açmak, içini dökmek. **~ing**, *s.* **~ rain**, sel gibi yağmur: **a ~ wet day**, çok yağmurlu gün: *i.* (döküm) dökme, boşaltma.
pour·boire [puə'bwā(r)] (*Fr.*) Bahşiş. ***~parler*** [-'pāley], **~*s***, (*id.*) ilk müzakere(ler).
pout[1] [paut]. Mezgitgillerden bazı cins balık.
pout[2]. Somurtma(k); dudak bükme(k). **~er**, somurtkan kimse: **~-pigeon**, kursağını şişirebilen bir güvercin.
poverty ['povəti]. Fakirlik; yoksulluk; kıtlık. **~-line**, kâfi geçimi sağlıyan asgarî gelir seviyesi. **~-stricken**, yoksul, sefalet içinde.
POW = PRINCE OF WALES; PRISONER OF WAR.
powder ['paudə(r)] *i.* Toz; pudra; barut. *f.* Toz haline getirmek; serpmek; pudra sürmek. **keep one's ~ dry**, her ihtimale karşı hazır bulunmak: **smell ~ for the first time**, ilk defa çarpışmaya girmek: **waste one's ~ and shot**, emeğini israf etm. **~-blue**, kobalt mavisi. **~ed**, tozlu; toz halinde/gibi; ... tozu; toz+. **~-flask/horn**, (*mer.*) barutluk. **~iness**, toz halinde olma. **~-magazine**, (*den.*) barut deposu, cephanelik. **~-mill**, barut fabrikası. **~-monkey**, (*den., tar.*) toplara barut getiren miço. **~-puff**, pudra pomponu. **~-room**, (otel vb.de) 'bayanlara'; barut deposu. **~y**, toz halinde, tozlaşır.
power ['pauə(r)]. Kudret; kuvvet; güç, derman, takat; iktidar, erk; devlet; yetki, salâhiyet; kabiliyet, yetenek. **a ~ of**, (*arg.*) çok: **the ~s that be**, amir durumunda bulunanlar: **it is beyond my ~**, elimde değil; buna muktedir değilim: **his ~s are failing**, (ihtiyarlıktan vb.) melekeleri zayıflıyor: **exceed one's ~s**, yetkisini aşmak: **come into ~**, (bir parti) iktidara geçmek: **fall into s.o.'s ~**, birinin eline düşmek: **give s.o. full ~s**, birine tam yetki vermek: **the Great ~s**, Büyük Devletler: **have s.o. in one's ~**, birini avucunun içinde/elinde tutmak: **more ~ to him/his elbow!**, Allah gücünü artırsın!: **~ of life and death**, idam veya af yetkisi.
power[2] *f.* Güç sağlamak/vermek; elektrik cereyanı

vermek; motorla işletmek; güçlendirmek. ~ **down/up**, güç sarfiyatını azaltmak/artırmak.
power-[3] *ön.* ~**-assisted**, takat yardımlı. ~**-boat**, motorbot. ~**-dive** [-dayv] (*hav.*) uçağın motorlu dalışı. ~**-driven**, motorla işliyen. -~**ed**, *ön.* . . . kudretli; . . . takatlı; . . . güçlü. ~**-factor**, güç/yük katsayısı. ~**ful**, kuvvetli, güçlü: ~**ly**, güçlü olarak. ~**-house/-plant/-station**, kuvvet merkezi; elektrik santralı. ~**less**, kuvvetsiz, güçsüz, âciz: **I am ~ in the matter**, bu hususta bir şey yapamam. ~**-of-attorney**, vekâlet(name). ~**-point**, elektrik prizi. ~**-politics**, devletlerin özel kuvvetlerine bağlı uluslararası politika. ~**-station**, elektrik santralı. ~**-steering**, makineli dümen/direksiyon cihazı. ~**-tools**, makineli alet/takımlar. ~**-transmission**, güç iletmesi.
pow-wow ['pauwau] *i.* Kızılderililerin toplantısı; (*alay.*) müzakere, toplantı. *f.* Müzakere etm., toplantı yapmak.
pox [poks]. Frengi.
pozz(u)olana [potsə'lānə]. Lav.
pp. = PAGES; PERPENDICULARS.
p.p. = PAST PARTICIPLE; PATENT PENDING; POSTAGE PAID.
PP·E = PHILOSOPHY POLITICS AND ECONOMICS. ~**I** = (*rad.*) PLAN POSITION INDICATOR; (*mal.*) POLICY PROOF OF INTEREST.
pp·m = PARTS PER MILLION. ~**n** = PRECIPITATION.
PPS = PARLIAMENTARY PRIVATE SECRETARY; PULSES PER SECOND; ADDITIONAL POSTSCRIPT.
Pr., pr. = PAIR; (*kim.s.*) PRASEODYMIUM; PRESIDENT; PRESSURE; PROVINCIAL.
PR = PARACHUTE REGIMENT; PARLIAMENTARY REPORTS; PROPORTIONAL REPRESENTATION; PUBLIC RELATIONS; PUERTO RICO. ~**A** = PRESIDENT OF THE ROYAL ACADEMY.
practicab·ility [praktikə'biliti). Tatbiki mümkün olma; elverişlilik; pratiklik. ~**le** ['prak-], tatbiki/icrası mümkün; yapılabilir; geçilir; makul. ~**ly**, pratik olarak.
practical ['praktikl]. Amelî, kılgın; becerikli, uygulamalı, elinden iş gelir; hesabını kitabını bilir; pratik; kullanışlı; elverişli; uygulanabilir; tatbikî. ~ **joke**, el şakası, azizlik, muziplik: ~ **example**, somut örnek. ~**ity** [-'kaliti], kullanışlılık; pratik iş; uygulama. ~**ly** ['prak-], tatbikat itibarıyle; hemen hemen, âdeta: ~ **none**, hemen hiç.
practice ['praktis] *i.* Kuram karşılığı; amel, kılgı; tatbik(at); uygulama; ameliyat, pratik; âdet, usul, türe; tecrübe, meleke, idman, alışma; hareket tarzı; (hekim/avukatın) müşterilerinin hepsi ve çalıştığı bölge. **in** ~, bilfiil, gerçekte, tatbikatta: **do stg. for** ~, bir işi alışmak için yapmak: **make a ~ of doing stg.**, bir şeyi âdet edinmek: **to talk a language well needs a lot of** ~, bir dili iyi konuşmak çok pratiğe bağlıdır: **out of** ~, idmansız; pratiğini kaybetmiş: ~ **makes perfect**, yapa yapa (boza) öğrenilir: **this doctor/lawyer has a large** ~, bu hekim/avukatın çok müşterisi var.
practise *f.* Yapmak, icra etm., tatbik etm.; meşketmek; idman etm.; doktorluk/avukatlık etm.: ~ **a deceit**, hile yapmak: ~ **what you preach!**, yaptığın iş sözüne uysun! ~**d**, *s.* tecrübeli; meleke edinmiş; mahir, usta.
practitioner [prak'tişənə(r)]. **medical** ~, doktor: **general** ~, ihtisası olmıyan doktor.
prae- [prī-] *ön.* (*Lat.*) = PRE-. ~**poster** = PREFECT. ~**torian** [-'tōriən], ~ **guard**, (*tar.*) Roma imparatorunun muhafız takımı.
pragmat·ic(al) [prag'matik(l)]. Kendini beğenmiş ve herkesin işine karışan; hodbin; pragmacı, mütehakkim. ~**ism** ['pragmətizm], maddilik; pragmatizm, pragmacılık; yararcılık; işgüzarlık; ukalâlık.
Prague [prāg]. Praha.
prairie ['preəri]. Çayırlık; K.Am.'da geniş ağaçsız kır. *~**-chicken**, kır tavuğu. ***-dog**, çayır köpeği. ~**-oyster**, çiğ/pişmemiş yutulan yumurta. *~**-schooner**, göçebelerin uzun kapalı arabası. ~**-wolf**, kır kurdu.
praise [preyz] *i.* Övme; medih; sitayiş. *f.* Övmek, methetmek; yüceltmek. **beyond all** ~, ne kadar methetsem azdır: **sing the ~s of**, göklere çıkarmak: **sing/sound one's own ~s**, kendini övmek: **speak in ~ of s.o.**, birinden sitayişle bahsetmek/övmek. ~**worthy** [-wə̄ði], takdire değer, methe lâyık.
praline [pra'līn]. Ceviz şekerlemesi.
pram [pram]. Çocuk arabası = PERAMBULATOR; küçük bot.
prance [prāns]. Hoplamak, sıçramak, oynamak. ~ **about**, şuraya buraya sıçramak.
prandial ['prandiəl]. Yemeğe ait.
prang [pran(g)] (*arg.*) Başarıyla bombalamak; (uçak) düş(ür)üp parçalan(dır)mak.
prank[1] [pran(g)k] *i.* Yaramazlık, gençlik çılgınlığı, şeytanlık. **play ~s on s.o.**, birine azizlik yapmak. ~**ish** [-kiş], yaramaz.
prank[2] *f.* Süslemek. ~ **oneself up/out**, süslenmek.
praseodymium [prasiou'dimiəm]. Praseodim.
prate [preyt]. Lafazanlık etm., dem vurmak.
pratincole ['pratin(g)koul]. Bataklık kırlangıcı.
pratique [pra'tīk] (*Fr.*) Pratika.
prattle ['pratl]. Çocuk gibi konuşma(k); çene çalma(k). ~**r**, çenebaz; dedikoducu.
prawn [prōn]. Deniz tekesi, büyük karides.
praxis ['praksis]. Âdet; tatbikat; alışkanlık.
pray [prey]. Dua etm.; çok rica etm., yalvarmak. **I ~ he may soon return**, Cenabı Hakkın izni ile/inşallah yakında yine döner: ~ **be seated!**, buyurunuz oturunuz!: **he's past ~ing for**, (i) (bir hasta hakkında) artık umut yok; (ii) ıslah kabul etmez, yola gelmez: **and what do you want, ~?**, siz ne istiyorsunuz, Allah aşkına?
prayer ['preə(r)]. Dua; yalvarma; istida; dilek, istek; ['preyə(r)], duacı. **book of common** ~, kamuya mahsus dualar kitabı: **evening/family/morning ~s**, akşam/aile/sabah duası: **the Lord's** ~, PATERNOSTER: ~**s for the dead**, ölüler için okunan dualar: **say one's ~s**, duasını etm. ~**-beads**, tespih. ~**-book**, dua kitabı. ~**-carpet/-rug**, seccade. ~**ful**, ibadetkâr; dindar; dualı. ~**less**, duasız; dua etmiyen. ~**-meeting**, dua meclisi. ~**-wheel**, dualarla yazılı dönen silindir.
praying ['preyin(g)]. Dua eden. ~**-mantis**, peygamber devesi.
pre- [prī-] *ön.* Önce(den); öncel; önünde; ön-; ilk; erken. **Pre-** *ile başlayıp sözlükte bulunmıyan kelimeler için asıl kelimeye bakınız.*
preach [priç]. Va'zetmek, dinsel öğüt vermek. ~ **to s.o.**, birine uzun uzadıya öğüt vermek: ~ **at s.o.**, (kilise kürsüsünden) adını söylemeksizin birini kastederek va'zetmek (kızım sana söylüyorum

. . .): ~ **the Gospel**, İncil/Hıristiyanlığı yaymak. ~**er**, vaiz. ~**ify** [-ifay], uzun uzadıya ahlâka ait mütalaada bulunmak/öğüt vermek. ~**ing**, vaız verme usulü. ~**y**, va'zetmeyi seven.

preamble ['prīambl]. Mukaddeme, önsöz.

pre·arrange [prīə'reync]. Önceden tertip etm.: ~**d**, danışıklı. ~**-assembled**, önceden hazırlanmış/toplanmış.

prebend ['prebənd]. Bir nevi papaz arpalığı. ~**ary**, arpalık sahibi olan papaz.

prec. = PRECEDING.

pre-Cambrian [prī'kambriən]. Prekambriyum.

precarious [pri'keəriəs]. Güvenilemez; kararsız; tehlikeli. **a** ~ **living**, kararsız ve yetersiz kazanç. ~**ly**, tehlikeli vb. olarak.

precat·ive/~**ory** ['prekətiv, -təri] (*dil.*) Talep/dilek ifade eden (kelimeler).

precautio·n [pri'kōşn]. İhtiyat, önlem, tedbir: **as a** ~, ne olur ne olmaz, ihtiyaten. ~**nary**, ihtiyatî. ~**us** [-şəs], ihtiyatlı.

precede [pri'sīd]. Önünden gitmek, öne geçirmek; takaddüm etm.; takaddüm hakkı olm. ~**nce**/~**ncy** ['presidəns(i)], takaddüm (hakkı): **have/take** ~ **of s.o.**, birinin önüne geçme/takaddüm hakkına malik olm.: **give** ~, takdim etm.: **this takes** ~ **of all others**, bu hepsinden daha önemlidir. ~**nt** ['presidənt] *i.* misal, örnek; yapılageliş: **according to** ~, emsal/örneği gibi, usule göre: [pri'sīdənt] *s.* evvelki, önceki, mukaddem: ~**ed** ['pre-], emsalli.

precentor [pri'sentə(r)]. Kilisede başmuganni.

precept ['prīsept]. Kaide, usul, düstur. ~**ive**, kaideye ait; öğretici. ~**or** [-'septə(r)], muallim, öğretmen: ~**ial** [-'tōriəl], öğretmene ait. ~**ress** [-tris], kadın öğretmen.

precession [pri'seşn] (*ast.*) Devinme olayı. ~ **of the equinoxes**, ılım noktalarının gerilemesi.

precinct ['prīsin(g)kt]. (Mukaddes) bir yerin çevresi; *seçim bölgesi: **pedestrian/shopping** ~, taşıtlara yasak olup yayalara mahsus carşı/cadde/meydan: ~**s**, etraf, daire, çevre.

preci·osity [presi'ositi]. Dil/sanatta fazla incelik/yapmacık; tasannu. ~**ous** ['preşəs], değerli, kıymetli; nadide, az bulunur; yapmacıklı, tasannulu; (*arg.*) çok; canım, iki gözüm: **he took** ~ **good care not to go there again**, bir daha oraya gitmemeğe son derece dikkat etti: ~**ness**, değerlilik; yapmacıklı olma.

precipice ['presipis]. Uçurum, yar; (*mec.*) tehlikeli bir durum, kriz.

precipit·ance, -ancy [pri'sipitəns(i)]. Acelecilik; atılma; düşünmeden davranma. ~**ant**[1]/~**ate**[1] [-tənt, -tit] *s.* acul, atılgan; düşünmeden yap(ıl)an: **a** ~ **retreat**, paldır küldür geri kaçma: [-'teyt] *f.* tacil etm., pek çabuk sonuca vardırmak. ~**ation**[1] [-'teyşn], acele, atılma.

precipit·ant[2]/~**ate**[2] [pri'sipitənt, -ət] (*kim.*) *i.* Tortu; çöküntü; çökelek, çökelti: [-teyt] *f.* çöktürmek, çökel(t)mek. ~**ation**[2] [-teyşn], tortulanma, çökelti; yağış. ~**ator** [-'teytə(r)], elektrofiltre; çöktürücü; yatıştırıcı.

precipitous [pri'sipitəs]. Uçurum gibi; sarp, dik; = PRECIPITATE[1].

précis ['preysī]. Hulâsa (etm.), özet(lemek).

precis·e [pri'says]. Kesin, katî; hassas; muayyen; müdekkik, titiz. ~**ely**, kesin olarak: **at two o'clock** ~, tam (elifi elifine) saat ikide: ~ **(so)!**, tamam! ~**ion** [-'sijn] *i.* kesinlik, katiyet; belginlik; vuzuh, açıklık; hassaslık; dakiklik: *s.* hassas, ince: ~ **bombing**, isabetli bombalama: ~ **engineer**, hassas aletleri yapan/kullanan mühendis: ~ **instruments**, hassas aletler.

preclu·de [pri'klūd]. Menetmek, önüne geçmek; meydan vermemek. ~**sion** [-'klūjn], menetme; dışarıda bırakma. ~**sive**, önleyici.

precoc·ious [pri'kouşəs]. Vaktinden evvel yetişmiş; çabuk inkişaf etmiş; büyümüş de küçülmüş. ~**ity** [-'kositi], vakitsiz olgunluk.

precognition [prīkog'nişn]. Önceden bilgi; (*huk.*) ilk olarak şahitlerin sorguya çekilmesi.

preconce·ive [prīkən'sīv]. Önceden ve incelemeden bir fikir edinmek: ~**d idea**, peşin hüküm, ön yargı. ~**ption** [-'sepşn], peşin hüküm, önyargı.

preconcert [prīkən'sət]. Önceden danışıp karar vermek. ~**ed**, danışıklı.

preconize ['prīkənayz]. Kamuya ilân etm.; ismine seslenmek.

pre-conquest [prī'kon(g)kwest]. 1066'de İng.'ye çıkan Normanlardan önce.

precursor [pri'kəsə(r)]. Öncü; haberci; işaret. ~**y**, mukaddeme olarak.

pred. = PREDICATE.

predacious [pri'deyşəs] = PREDATORY.

predate [prī'deyt]. Erken/geçmiş tarih atmak.

predator ['preditə(r)]. Yırtıcı hayvan/kuş. ~**y**, yırtıcı; yağmacı; tamahkâr.

prede·cease [prīdi'sīs]. -den evvel ölme(k). ~**cessor** [-'sesə(r)], selef; ata, cet.

predestin·(at)e [prī'destin(eyt)] *f.* Geleceği kaza ve kader ile tayin etm., takdir etm. ~**ate**/~**ed** [-nit, -nd], böyle tayin/takdir edilmiş. ~**ation** [-'neyşn], kaza ve kader; takdir.

predetermine [prīdi'təmin]. Önceden tahmin etm./tayin ve tespit etm.

predicab·le/~**ility** ['predikəbl, -'biliti]. İddia/isnat edilebil·ir/-me.

predicament [pri'dikəmənt]. Kötü hal; müşkül durum. **be in an awkward** ~, 'aşağı tükürsem sakalım, yukarı tükürsem bıyığım' vaziyetinde olm.

predicant ['predikənt]. Vaiz.

predicat·e ['predikit] *i.* Müsnet; (*dil.*) haber, yüklem. [-keyt] *f.* Kaziyede hüküm ve isnat etm. ~**ion** [-'keyşn], hüküm, isnat. ~**ive** [-kətiv], tasdik eden: ~ **verb**, ek eylem: ~**ly**, yüklem olarak.

predict [pri'dikt]. Önceden haber vermek; kehanette bulunmak. ~**ability**, önceden haber verilebilme. ~**able**, önceden haber verilir/sezilir: **in the** ~ **future**, yakın gelecekte. ~**ion** [-'dikşn], kehanet, önceden haber verme: **your** ~ **came true**, dediğiniz/keşfiniz çıktı. ~**or** [-tə(r)], uçaksavar toplarının ateş edecekleri noktayı tayin eden alet.

predilection [prīdi'lekşn]. Tercih; meyil. **have a** ~ **for stg.**, bir şeyi tercih etm.; bir şeye eğimli olm.

predispos·e [prīdis'pouz]. Uygun bir duruma getirmek. **be** ~**d to do stg.**, önceki bir durumu göze alarak bir şeyi yapmağa eğimli olm. ~**ition** [-pə'zişn], istidat, kabiliyet, yetenek; (bir hastalığa) müstait olma.

predomin·ance [pri'dominəns]. Üstünlük, faikıyet, galebe. ~**ant**, üstün, faik, galip; çoğunluğu olan. ~**ate**, üstün olm.; daha çok olm., çoğunluk teşkil etm.

pre·-doom ['prīdūm]. Önceden mahkûm etm. ~**-election** [-i'lekşn] *i.* önceden seç(il)me: *s.* seçmeden önceki. ~**-eminent**, üstün, faik; mümtaz, seçkin. ~**-empt**, önceden satın almak: ~**ion** [-'empşn], başkalarından önce satın alma hakkı; şüf'a: ~**ive**, bu hakkına ait: ~ **attack**, (*ask.*) vukuu yakın olan düşman hücumunu önleyen hücum.

preen [prīn]. (Kuş) gagasıyle tüylerini taramak. ~ **oneself**, kendine çekidüzen vermek; övünmek.

pref. = PREFACE; PREFER·ENCE/~RED; PREFIX.

prefab ['prīfab] (*kon.*) Takma ev. ~**ricate** [-'fabrikeyt], hazır yapmak, önceden imal etm./inşa etm./hazırlamak: ~**d**, prefabrike: ~**d house**, hazır yapılmış/takma ev: ~**d parts**, hazır yapılmış parçalar.

prefa·ce ['prefis]. Mukaddeme/önsöz (yapmak). ~**tory** [-fətəri], mukaddeme/giriş olan; önsöze ait.

prefect ['prīfekt]. İng. okullarında bazı ayrıcalık/yetkiler verilen kıdemli çocuk; (Fransa vb.de) vali, polis komiseri. ~**orial** [-'tōriəl], valiye ait. ~**ure** [-fekçə(r)], valilik; vali konağı.

prefer [pri'fə̄(r)]. Tercih etm., hoşlanmak, yeğlemek; tayin etm., terfi ettirmek; ileri sürmek. ~**able** ['prefrəbl], tercih edilir, müreccah. ~**ence** [-rəns], tercih; rüçhan, yeğlik: **have a ~ for stg.**, bir şeyi tercih etm.: **I have no ~**, bence hepsi bir: **in ~**, tercihen: ~ **share**, imtiyazlı hisse. ~**ential** [-fə'renşl], tercih hakkı olan, tercih edilen, yeğli; imtiyazlı, ayrıcalıklı, öncelikli. ~**ment** [pri-'fə̄mənt], terfi; bir memuriyete tayin edilme; tercih etme. ~**red** [-'fə̄d], tercih edilen; faydalı, kârlı; = ~ENTIAL: ~ **share**, imtiyazlı hisse.

pre·figure [prī'figə(r)]. Gelecek bir hadise/hal temsil etm., ona delâlet etm.; önceden fikir edinmek. ~**fix** ['prīfiks] *i.* ön ek; bir özel adın önüne konan unvan: [-'fiks] *f.* önüne koymak/eklemek. ~**-glacial** [-'gleyşl], buzul çağından önceki.

pregnable ['pregnəbl]. Zaptolunur.

pregnan·cy ['pregnənsi]. Gebelik, hamilelik. ~**t**, gebe, hamile; semereli; yüklü; manidar, anlamlı: ~ **with consequences**, sonuçlar doğuracak olan: ~ **with meaning**, çok manalı: ~**ly**, manalı olarak.

prehensi·le [pri'hensayl]. (Maymun kuyrukları gibi) tutma hassası olan. ~**on** [-şn], tutma; anlama, kavrama.

prehistor·ic [prīhis'torik]. Tarihten önceki. ~**y** [-'histəri], tarih öncesi, prehistuvar.

pre·heat [prī'hīt]. Önceden ısıtmak: ~**er**, önceden ısıtıcı. ~**ignition** [-ig'nişn], erken ateşleme.

prejudge [prī'cʌc]. Araştırmadan hüküm vermek; önyargısı olm.

prejudic·e ['precudis] *i.* Peşin hüküm, önyargı; sebepsiz beğen(me)me; tarafgirlik; garaz; halel, zarar. *f.* Zarar vermek, ziyan etm., halel getirmek: **have a ~ against**, -e karşı peşin hükmü olm., tarafsız olmamak: **without ~**, bütün hakları mahfuz kalarak, haklarına dokunmaksızın; ihtirazî kayıtla: **without ~ to anyone**, kimseye zarar vermeden. ~**ed** [-dist], peşin hüküm besliyen, tarafgir; zarar görmüş, haleldar. ~**ial** [-'dişl], zararlı, muzır, halel verici.

prela·cy ['preləsi]. (Baş)piskopos'un rütbe/idaresi. ~**te** [-lit], yüksek rütbeli rahip.

prelect [prī'lekt]. Konferans vermek. ~**or**, konferans veren; yarprofesör, konferansçı.

prelim [pri'lim] (*kon.*) İlk/ön imtihan/sınav: *ç.* (*bas.*) kitabın baş sayfaları. ~**inar·y** [-minəri] *s.* mukaddeme/ön olan; başlangıç kabilinden: *i.* mukaddeme, ön; baslangıçta yapılan şey: ~**ies**, başlangıç; önişleri.

prelu·de ['prelyud] *i.* Asıl olaya başlangıç niteliğinde olan şey; mukaddeme tarzında olan vaka; önoyun; (*müz.*) uvertür, peşrev. *f.* Mukaddeme gibi bir şey söylemek/yapmak. ~**sive**, başlangıca ait.

prem. = PREMIUM.

prematur·e ['prematyuə(r)]. Mevsimsiz; vaktinden evvel; **(child)** vaktinden evvel doğmuş: **be ~**, vaktini beklemeden yapmak; acele etm. ~**ely**, vaktinden evvel/erken olarak. ~**eness**/~**ity**, vaktinden evvel olma; mevsimsizlik.

premeditat·e [prī'mediteyt]. Önceden kararlaştırmak/kastetmek, taammüden yapmak. ~**ed**, kasdî; bile bile; önceden kararlaştırılmış, taamüden yapılan. ~**ion** [-'teyşn], taammüt; kurma suç.

premi·er ['premyə(r)] *s.* Kıdemli; baştaki. *i.* Başbakan. ~**ère** [prəm'yer] (*Fr., tiy.*) ilk oynanım; (*sin.*) ilk oynatım. ~**ership**, başbakanlık.

pre·mise[1], **-miss** ['premis] *i.* Kaziye; mukaddeme: **major ~**, kübra: **minor ~**, suğra. *f.* [pri'mayz], mukaddeme gibi irat etm., ön bilgi olarak vermek.

premises[2] ['premisiz] *ç.* Bir ev/lokal/yer/dükkânın odaları ve arazisi. **no one allowed on the ~**, buraya girilmez: **see s.o. off the ~**, birini kapı dışarı etm.

premium ['prīmiəm]. Mükâfat, ödül; ikramiye; acyo; prim, değer payı, kesenek; sigorta ücreti. **be at a ~**, çok aranılmak, herkes tarafından istenilmek: **put a ~ on (idleness, etc.)**, (tembelliği vb.) teşvik etm.: ~**-bond**, ikramiyeli resmî tahvil.

premolar [prī'moulə(r)]. Küçük azı dişi(ne ait).

premonit·ion [prīmə'nişn]. Önceden hissetme, içine doğma. ~**ory** [-'monitəri], ihtar eden, uyaran, ikaz eden: ~ **symptoms**, hastalığı haber veren belirti.

prenatal [prī'neytl]. Doğumdan önceki(ne ait).

prentice ['prentis] = APPRENTICE. ~ **hand**, acemi.

preoccup·ation [prīokyu'peyşn]. Zihin/fikir meşguliyeti; dalgınlık: **one's chief ~**, zihni işgal eden şey; en büyük endişe. ~**ied** [-'okyupayd], fikri dağınık, zihni başka bir şeyle meşgul. ~**y**, zihnini işgal etm., başka şey düşündürmemek.

prep. = (*kon.*) PREPARAT·ION/~ORY; PREPOSITION.

pre·-pack(age) [prī'pak(ic)]. Eşyaları perakende satılmadan önce ambalaj yapmak: ~**(e)d**, böyle ambalaj yapılmış. ~**paid** [-'peyd] *g.z.(o.)* = PREPAY; peşin/önceden ödenmiş.

preparat·ion [prepə'reyşn]. Hazırlama; tertip; düzenleme; müstahzar, anıklama; (okulda) hususî çalışma, ev ödevi: **make (one's) ~s for stg.**, bir şey için tertibat almak. ~**ory** [pri'parətəri], hazırlayıcı, ihzarî: ~ **to doing stg.**, başlamadan önce: ~ **school**, PUBLIC SCHOOL'lara hazırlayan ilk okul.

prepare [pri'peə(r)]. Hazırlamak, anıklamak, tertip etm., yapmak; hazırlanmak; lâzım gelen tertibatı almak. ~ **s.o. for a bad piece of news**, birini fena bir habere alıştırmak. ~**d**, hazır: **be ~ to . . .**, . . . göze almak.

pre·pay (*g.z.(o.)* **~paid**) [prī'pey(d)]. Peşin/önceden ödemek. **~payment**, peşin ödeme.
prepense [pri'pens]. **with malice ~**, bile bile, kasten.
preponder·ance [pri'pondərəns]. Üstünlük. **~ant**, üstün, faik; galip; nafiz: **~ly**, üstün olarak; galip şekilde. **~ate** [-reyt], üstün gelmek, daha çok olm., daha nüfuzlu/önemli olm.
preposition [prepə'zişn]. Çekim edatı, öntakı. **~al**, öntakıya ait: **~ly**, öntakı olarak.
prepossess [prīpə'zes]. Önceden meşgul etm., zihnini işgal etm.; celbetmek; gönlünü çekmek; peşin hüküm beslemek. **~ s.o. with an idea**, birini bir fikirle büyülemek/ilham etm.: **I was ~ed by the boy's good manners**, çocuğun terbiyeli tavrı üzerimde çok iyi etki yaptı. **~ing**, çekici, cazibeli, hoş. **~ion**, önceden işgal; meyil; peşin hüküm.
pre·posterous [pri'postərəs]. Akıl almaz; mantıksız; havsalaya sığmaz. **~potent** [-'poutənt], pek etkili; (*biy.*) hâkim. **~puce** ['prīpyūs], sünnet derisi, gulfe. **~requisite** [-'rekwizit], önceden gerekli olan (şart/şey). **~rogative** [-'rogətiv], imtiyaz, ayrıcalık; özel hak.
pres. = PRESENCE; PRESENT; PRESIDENT.
presage ['presic] *i.* İstikbale ait belirti; fal; önceden seziş. [pri'seyc] *f.* Belirti olm., delâlet etm.; gelecekten haber vermek; içine doğmak.
presby- [prezbi-] *ön.* Yaşlılara ait. **~opia** [-'oupiə], yaşlılarda miyopluk, presbiyopi. **~ter** ['prezbitə(r)] (*din.*) ileri gelen yaşlı adam; papaz: **~ian** [-'tiəriən] (*İsk.*) protestan kilisesine ait: **~y** [-bitri], kilisenin doğu kısmı; (*İsk.*) papazlar toplantısı; papaz evi.
preschool [prī'skūl] *s.* Çocukların okula gitmeden önceki hayatına ait. *i.* Anaokulu.
prescien·ce ['presiəns]. Önceden bilme, basiret. **~t**, ilerisini gören; basiretli.
presci·nd [pri'sind]. (Zihnen) ayırmak; ortadan kaldırmak. **~ssion** [-'sijn], ayrılma.
prescribe [pri'skrayb]. Emretmek; tenbih etm.; (*tıp.*) tavsiye etm., reçete vermek. **~d, ~ task**, verilen belirli görev: **within the ~ time**, tayin edilen süre içinde.
prescript ['prīskript]. Emir, kanun. **~ion** [-'skripşn], reçete; zaman aşımı (ile kazanılmış hak). **~ive**, örf ve âdetle yerleşmiş; zaman aşımı ile kazanılmış.
presence ['prezəns]. Hazır bulunma, huzur; vakar. **in the ~ of**, huzurunda, hazır bulunduğu halde: **have a good ~**, vakur ve heybetli olm.: **he makes his ~ felt**, varlığını etrafına hissettiriyor: **~ of mind**, soğukkanlılık: **saving your ~**, haşa huzurdan: **your ~ is requested**, hazır bulunmanız rica olunur. **~-chamber**, arz odası.
present[1] ['prezənt] *s.* Hazır; mevcut; aktüel, şimdiki. *i.* Şimdiki zaman; halihazır; hal. **at~**, simdiki halde; bu anda: **at the ~ time**, bu zamanda, halihazırda: **be ~**, hazır bulunmak: **by these ~s**, (*huk.*) bu vesikaya göre: **for the ~**, şimdilik: **up to the ~**, şimdiye kadar: **the ~ writer**, bu satırların yazarı.
present[2] *i.* Hediye, armağan.
present[3] [pri'zent] *f.* Takdim etm., sunmak; hediye etm.; prezante etm., tanıtmak; arzetmek; göstermek; ibraz etm. **~ arms**, (*ask.*) selâma durmak: **~ oneself**, ispatı vücut etm.: **~ a pistol at s.o.'s head**, birinin başına tabanca dayamak: **to ~ a play**, bir piyes sahneye çıkarmak: **~ stg. to s.o./~ s.o. with stg.**, birine bir şeyi hediye etm./sunmak. **~able** [-təbl], takdim edilebilir; derli toplu, yakışıklı: **do make yourself ~**, kendine çekidüzen ver; âlem içine çıkacak bir hale gir. **~ation** [prezən'teyşn], arzetme; sunma, sun(ul)uş; ibraz; huzura çıkma; (bir dava vb.ni) anlatış: **on ~**, ibrazında: **~ copy**, hediyelik nüsha. **~-day**, bügünkü, modern; bu anda vukubulan. **~ee** [-'tī], alıcı. **~er** [-'zentə(r)] (*rad.*) sunucu.
presenti·ent [pri'senşiənt]. Önceden hisseden. **~ment** [-'zentimənt], önceden hissetme, önsezi.
presently ['prezəntli] (*mer.* & *) Şimdi, bu anda, derhal; (*şim.*) biraz sonra.
presentment [pri'zentmənt]. Arz, takdim; (*huk.*) jüri tarafından takdim edilen suçlama yazısı.
preserv·ation [prezə'veyşn]. Muhafaza, koruma: **in a good state of ~**, iyi muhafaza edilmiş. **~ative** [pri'zōvətiv], koruyucu; koruma ecza/maddesi. **~e**, *f.* muhafaza etm., korumak; kurtarmak; idame etm.; konservesini yapmak: *i.* konserve, reçel: **game ~**, av hayvanlarını korumak için ayrılan koru vb. **~ed**, muhafaza edilmiş; konserve halinde: **well/badly ~ building**, iyi bakıl(ma)mış bina: **well ~ (man)**, yaşına göre genç.
preset ['prīset] *f.* Önceden ayar etm. *s.* Önceden ayar edilmiş.
presid·e [pri'zayd]. Riyaset etm., başkanlık yapmak: **~ at/over a meeting**, bir toplantıya başkanlık yapmak. **~ency** ['prezidənsi], riyaset, başkanlık. **~ent** [-dənt], reis; başkan: **~ of the Board of Trade**, İngiliz Ticaret Bakanı. **~ential** [-'denşl], riyaset/başkanlığa ait. **~ium** [pri'zidiəm], komünist) daimî encümen.
press[1] [pres] *i.* Baskı, pres, baskaç; cendere; mengene; matbaa, basımevi; matbuat, basın; izdiham; tehalük. **clothes ~**, ütü makinesi: **gutter ~**, her skandaldan röportaj neşreden gazeteler: **mass-circulation ~**, yüksek tirajlı basın: **rotary ~**, rotatif makine: **underground ~**, gizli basın: **yellow ~**, yaygara koparan gazeteler: **~ of business**, işin çokluğu, fazla meşguliyet: **carry a ~ of sail**, bütün yelkenleri açmak: **have a good ~**, gazetelerde iyi geçmek: **in the ~**, basılmakta olan.
press[2] *f.* Basmak; bastırmak; sıkıştırmak; sıkmak; tazyik etm.; üzerine düşmek, ısrar etm., üstelemek; (elbise) ütülemek; sıkışmak; zorla askerliğe almak. **~ forward/on**, tacil etm.; acele etm.; adımını sıklaştırmak: **time ~es**, vakit dardır: **be ~ed for time**, vakti dar olm., sıkışmak: **~ into service**, askerliğe almak; zorla kullanmak; el koymak.
press. = PRESSURE.
press-[3] *ön.* **~-agent**, haber/basın ajanı. **~-attaché**, basın ataşesi. **~-baron/-lord**, (*köt.*) basın kralı. **~-box**, gazeteciler locası: **~-button**, çıtçıt, basma düğme. **~-card**, basın kartı. **~-conference**, basın toplantısı. **~-cutting**, gazete kesiği, gazeteden kesilmiş yazı. **~ed** [-st], sıkış(tırıl)mış; ütülenmiş; daralmış: **be hard ~**, sıkışık vaziyette olm. **~er**, presci; basımevi baskıcısı; ütücü; baskı merdanesi. **~-gallery**, Parlamento'da basın locası. **~-gang**, (*tar.*) donanma için cebren adam toplamağa memur olan kol. **~ing**, mübren; müstacel; aceleci; mühim;

mecburî; sıkıcı; müziç. **~-libel**, basın suçu. **~man**, *ç.* **~men**, gazeteci; makinist. **~-photographer**, gazete fotoğrafçısı. **~-proof**, son prova. **~-room**, makine dairesi, pres atelyesi. **~-show**, gazetecilere önceden gösterme(k). **~-stud**, çıtçıt, fermejüp. **~-up**, yüzükoyun olarak kollarının gücünü geliştiren bir alıştırma.

pressure ['preşə(r)]. Basma; sıkma; baskı; tazyik, basınç; cebir. **bring ~ to bear on s.o.**, birinin üzerine baskı yapmak: **~ of business**, işlerin çokluğu dolayısıyle: **under ~ of necessity**, zaruret sevki ile: **work at high ~**, hummalı bir şekilde çalışmak. **~-**, *ön.* tazyikli, basınçlı. **~-cabin**, (*hav.*) normal basınçlı kabin. **~-cooker**, buhar çıkarmıyan sıkı kapaklı tencere, otoklav. **~-gauge** [-geyc], manometre, basıölçer. **~-group**, (*id.*) baskı grubu. **~stat**, presostat, basınç denetimi. **~-suit**, (*hav.*) yüksek irtifalar için baskılı elbise.

pressurize ['preşərayz]. Baskılamak; basınç altına koymak; basınç sağlamak. **~d**, baskılı, tazyikli, basınçlı: **~ cabin**, (*hav.*) basınçlı kabin.

prester ['prestə(r)] (*mer.*) Papaz.

prestidigitator [presti'diciteytə(r)]. Hokkabaz.

prestig·e [pres'tīj]. Nüfuz, şan ve şeref, şöhret, ün, saygınlık. **~ious** [-'ticyʌs], nüfuzlu, ünlü.

presto[1] ['prestou] *ünl.* **hey ~!**, (hokkabazın nidası) 'oldu da bitti maşallah!'; haydi bakalım.

presto[2] (*İt., müz.*) Çabuk.

presum·ably [pri'zyūməbli]. İhtimal ki; galiba; her halde. **~e**, tahmin etm., ihtimal vermek; addetmek, farzetmek, saymak; haddini tecavüz etm., kalkışmak: **~ on s.o.'s kindness**, (yüz bulunca) birinin tepesine/başına çıkmak: **I hope I am not ~ing on your kindness**, umarım ki iyiliğinizi suiistimal etmiyorum: **Mr. Smith, I ~!**, zannederim/yanılmıyorsam siz Mr. S.'siniz.

presump·tion [pri'zʌmşn]. Tahmine dayanan hüküm; istidlâl; ihtimal; haddini bilmeyiş, tasallüf. **~tive**, veraset itibarıyle tayin edilmiş: **heir ~**, muhtemel varis: **~ evidence**, durum ve şartlardan çıkarılan delil/karine. **~tuous** [-tyuəs], haddini bilmiyen, fodul.

presuppos·e [prīsə'pouz]. Önceden farzetmek. **~ition** [-pə'zişn], önceden farzedilen şey.

pret. = PRETERITE.

pretence [pri'tens]. Yalandan yapma; yapmacık; bahane, vesile; iddia. **false ~s**, sahtekârlık, hile: **he makes no ~ to...**, hiç bir... iddiası yoktur: **under the ~ of**, bahanesiyle.

pretend [pri'tend]. Yalandan yapmak; ... gibi yapmak; uydurmak; iddiada bulunmak. **~ illness/to be ill**, yalancıktan hastalanmak: **(children) let's ~ to be soldiers!**, askerlik oynıyalım: **he does not ~ to be clever**, zekilik iddiasında değildir: **he's only ~ing**, aslı yok, mahsus öyle yapıyor. **~er**, saltanat müddeisi; bir tahta hak iddia eden.

preten·sion [pri'tenşn]. İddia; hak davası; ehliyet iddiası; hak: **a man of no ~s**, iddiasız bir adam. **~tious** [-şəs], iddialı, gösterişli, azametli; yüksekten atıp tutan: **~ speech**, cafcaflı diksiyon.

preter- ['prītər-] *ön.* Öte, üstü, dışı.

preterite ['pretərit]. Geçmiş zaman kipi.

preter·mit [prītə'mit]. Vazgeçmek, ihmal etm. **~natural** [-'naçərəl], gayri doğal/tabiî; doğa üstü/ote, anormal.

pretext ['prītekst] *i.* Bahane, vesile. [-'tekst] *f.* Vesile yapmak, bahane etm. **under/on the ~ of**, bahanesiyle.

pretone ['prītoun] (*dil.*) Vurgulu heceden önceki hece/ünlü.

Pretoria [pri'tōriə]. G.Afr. Birliğinin başkenti.

prett·ify ['pritifay]. Süsliyerek güzelleştirmek; (*köt.*) cicili bicili yapmak. **~ily**, güzel/hoş bir şekilde. **~iness**, güzellik. **~y**, güzel (*kadın/çocuk; erkek ise köt.*); hoş, sevimli; oldukça: **here's a ~ mess/pass/state of affairs!**, ayıkla pirincin taşını!, gel de işin içinden çık!: **~ much the same**, hemen hemen eskisi gibi/aynı: **~-~**, cicili bicili, gösterişli.

prev. = PREVIOUS(LY).

prevail [pri'veyl]. Hüküm sürmek; âdet olm.: yenmek. **~ upon s.o. to do stg.**, birini ikna etm.; birinin gönlünü etm. **~ing**, hüküm süren; galip; cari, geçerli: **~ wind**, düzenli rüzgâr.

prevalent ['prevələnt]. Hüküm süren, cari, geçerli; umumî, genel.

prevaricat·e [pri'varikeyt]. Baştan savma cevap vermek; kaçamaklı söz söylemek; yalanla kandırmak. **~ion** [-'keyşn], yalan. **~or** [-keytə(r)], yalancı.

prevent [pri'vent]. Önlemek, menetmek, engel olm.; meydan vermemek; bırakmamak. **~able**, önlenebilir, önüne geçilir. **~ion** [-venşn], önleme, menetme, engelleme, mâni olma; önünü alacak tedbir. **~ive**, önleyici, menedici; engel; hastalığı önliyen ilâç/tedbir: **~ medicine**, hastalıklardan korunma usullerini inceliyen tıp kolu: **~ service**, kaçakçılıkla mücadeleye memur edilen sahil muhafızları ve kolcu gemileri.

preview ['prīvyū] (*sin.*) Deneme oynatımı; önceden görme.

previous ['prīvyəs]. Önceki, evvelki, mukaddem, sabık. **~ to...**, -den önce. **~ly**, evvelce, şimdiye kadar, önceleri.

prey [prey]. Av, şikâr. **~ upon**, avlayıp yemek; soymak: **bird of ~**, yırtıcı kuş: **an easy ~**, dişe gelir: **be a ~ to...**, -e duçar olm., kurban olm.: **~ upon one's mind**, zihnini kurcalamak, rahatsız etm.

price [prays] *i.* Fiyat, paha, eder; kıymet, değer; bedel. *f.* Fiyat koymak; değerini tahmin etm. **asking ~**, talep edilen fiyat: **cash ~**, peşin fiyat: **ceiling ~**, tavan eder, azamî fiyat: **cost ~**, maliyet fiyatı: **current ~**, cari/geçer fiyat: **cut ~**, tenzilâtlı fiyat: **fair ~**, uygun fiyat: **firm/fixed ~**, kesin/değişmez fiyat; narh: **floor ~**, taban/asgarî fiyat: **gross ~**, gayri safi/katkılı fiyat: **high ~**, yüksek fiyat; pahalı: **low ~**, ucuz (fiyat): **market ~**, piyasa fiyatı: **maximum ~**, tavan/azamî fiyat: **minimum ~**, taban/asgarî fiyat: **net ~**, safi/net fiyat: **reduced ~**, tenzilâtlı fiyat: **retail ~**, perakende fiyatı: **spot ~**, peşin para: **total ~**, yekûn (fiyatı): **unit ~**, birim fiyatı: **wholesale ~**, toptan fiyat: **at any ~**, ne pahasına olursa olsun: **not at any ~**, dünyada/katiyen hayır: **you can buy it at a ~**, parayı gözden çıkarırsanız alabilirsiniz: **beyond ~**, paha biçilmez: **set a ~ on s.o.'s head**, birinin başı için para koymak: (*arg.*) **what ~ my new car?**, yeni otomobilime ne dersin bakalım! **~-ceiling**, en yüksek fiyat sınırı. **~-conscious**, daima malların fiyatını düşünen. **~-cut**, fiyat indirme, tenzilât: **~ting**, fiyat kırma. **~d**, fiyat konulmuş: **high/low ~**, yüksek/ucuz fiyatlı. **~-fixing**, (hükümet) azamî fiyat koyma; (*köt.*) (imalâtçılar) asgarî fiyat koyma. **~-index**, fiyat endeksi. ~**less**, paha biçilmez; bulunmaz: **he's a ~ fellow**, (*arg.*) ömürdür. ~**-list**, fiyat listesi, tarife. ~**-ring**, (*köt.*) fiyatlar koyan tüccarlar grubu. ~**-war**, fiyat savaşı, rekabet mücadelesi. ~**y**, (*kon.*) çok pahalı.

prick ['prik] *f.* (İğne/diken gibi) batmak, sokmak, delmek; iğnelemek. *i.* İğne/diken batması; hafif yara. ~ **off names on a list**, bir listedeki isimlere işaret etm.: ~ **out plants**, fideleri aralıklı dikmek: ~ **up the ears**, (at, köpek) kulaklarını dikmek; (insan) kulak kabartmak: **kick against the ~s**, beyhude yere kafa tutarak kendine zarar getirmek. ~**ing, the ~s of conscience**, vicdan azabı.

prick·le ['prikl] *i.* Diken. *f.* İğnelemek. ~**ly**, dikenli; kirpi gibi; (mesele) çapraşık; (insan) titiz, huysuz: ~ **heat**, sıcak memleketlerde terden hâsıl olan ısılık: ~ **pear**, frenkinciri.

pricy ['praysi] = PRICEY.

pride [prayd] *i.* Kibir, gurur, azamet, izzetinefis; iftihar, övünme, kıvanç. *f.* ~ **oneself upon stg.**, bir şeyle övünmek/kıvanmak/iftihar etm.: **a ~ of lions**, aslan sürüsü: ~ **comes before a fall**, kibirin sonu fenadır: **false ~**, yersiz izzetinefis: **the country was in its ~**, kırların en güzel zamanı idi: **he is the ~ of his family**, ailesi onunla iftihar ediyor: **proper ~**, izzetinefis: **put one's ~ in one's pocket, pocket/swallow one's ~**, gururunu yenmek: **swell with ~**, göğsü kabarmak: **take an empty ~ in doing stg.**, bir şeyden yok yere gurur duymak: **take ~ in doing stg.**, bir şeyi iyi yapmakla gurur duymak.

Priene [prī'eni] (*tar.*) Güllübahçe.

priest [prīst]. Rahip, papaz. ~**craft**, papazlık mesleği; (*köt.*) papazların politika işlerine karışması. ~**ess**, kadın papaz, rahibe. ~**hood**, rahiplik, papazlık: **the ~**, papazlar: **enter the ~**, papaz olm. ~**ly**, papazlığa ait; rahip gibi. ~**-ridden**, rahip sınıfının nüfuz ve hakimiyetinin altında olan (millet/memleket).

prig [prig] *i.* Ukalâ, kendini beğenmiş, malumatfüruş, bilgiçlik taslayan. *f.* (*arg.*) Aşırmak. ~**gish**, ukalâca; fazilet taslayan.

prim [prim]. Pek soğuk resmî ve düzenli; sunî şekilde pek düzgün (bahçe). ~ **up one's mouth**, dudaklarını büzmek: ~ **and proper**, söz ve kıyafet hususunda pek fazla titiz ve müsamahasız.

prima·cy ['praymәsi]. Başpiskoposluk; üstünlük. ~**-*donna*** [primә'donә] (*İt.*) primadonna; (*mec.*) sebatsız bir kimse. ~**eval** = PRIMEVAL. ~ ***facie*** ['praymәfeysiī] (*Lat.*) ilk bakışta; ilk intıba üzerine; vehleten: **a ~ case**, ilk delillere göre haklı görünen dava. ~**ge** [-mic], eklenen gemi ücreti. ~**l** [-mәl], ilkel; baş.

primary ['praymәri]. Asıl, ana, aslî, esaslı, ilk(el), birincil; primer; giriş+; başlıca, en önemli. ~ **colours**, ana renkler: ~ **education**, ilk öğretim: * ~ **(election)**, ilk seçim; parti adayı seçimi: ~ **feathers**, el uçma tüyleri: ~**-school**, ilkokul.

primate ['praymәt] (*din.*) Başpiskopos. ~**s**, (*zoo.*) hayvanların üst sınıfı, maymunlar. ~**ship**, başpiskoposluk.

prime[1] [praym] *s.* Birinci; baş, başlıca; esaslı; âlâ, en iyi, seçme. *i.* En iyisi; kıvam, tav, kemal devresi, olgunluk çağı. **in ~ condition**, mükemmel bir halde, tam kıvamında: **of ~ importance**, en önemli: **in the ~ of life/one's ~**, hayatın en olgun/zinde devresinde: ~ **Minister**, Başbakan: ~ **necessity**, en zarurî ihtiyaç: ~ **number**, bölünmez sayı, asal: **be past one's ~**, artık genç olmamak; zamanı geçmiş olm.

prime[2] *f.* (Tüfek/topun) ağızotunu koymak; boyanın ilk astarını sürmek; (tulumba/kazana) su koymak: (insanın) kulağını doldurmak.

primer ['praymә(r)]. İlk okuma kitabı; kısa ilk kitap; ateşleme tapası; dolgu cilâ/boyası.

primeval [pray'mīvl]. En eski, ilk; iptidaî, ilkel; dünyanın en eski devirlerine ait. ~ **forest**, balta girmemiş orman.

priming ['praymin(g)]. Ağızotu; (boya) astar; ateşleme+; doldurucu.

primipara [prī'mipәrә]. İlk çocuğunu doğuran kadın.

primitiv·e ['primitiv] *s.* İptidaî, ilkel; en eski; pek basit, kaba; eski usul. *i.* (*san.*) Rönesanstan önceki devre ait (ressam). ~**ism**, basit/kaba hareketler.

primogenit·or [praymә'cenitә(r)]. (İlk) cet, ata. ~**ure** [-içә(r)], ekber evlât olma; ekberiyet.

primordi·al [pray'mōdiәl]. En eski; iptidaî; başlangıçtanberi var olan. ~**um**, (*biy.*) = RUDIMENT.

primp [primp]. Saçlarını taramak; kendine çekidüzen vermek.

prim·rose ['primrou̯z]. Yaban çuhaçiçeği. **the ~ path**, zevk ve sefa yolu. ~**ula**, çuhaçiçeği(giller).

primus ['praymәs]. İlk, birinci; baş. ~**(-stove)**, (*M.*) bir nevi gaz sobası.

prin. = PRINCIPAL; PRINCIPLE.

prince [prins]. Prens; hükümdar; şehzade. ~ **of the Church**, kardinal: ~ **of darkness/this world**, İblis: ~ **of light/peace**, Hazreti İsa: ~ **of the blood**, hükümdarın oğlu/torunu. ~ **of Wales**, İng. Veliahdı. ~**-consort**, kadın hükümdarın kocasına verilen unvan. ~**dom**, prenslik. ~**let**/~**ling**, önemsiz prens. ~**like**, prens gibi; prense lâyık; cömert. ~**ly**, prense lâyık; muhteşem, müsrif. ~***ps***, ilk, baş. ~**-Regent**, naip olan prens. ~**ss**, prenses: ~**-Royal**, hükümdarın en yaşlı kızına verilen unvan.

principal ['prinsipl] *s.* Bellibaşlı; esaslı, başlıca; en önemli; ana+; temel+. *i.* Baş; müdür; işin sahibi; reis; sermaye, anamal: ~ **parts**, (*dil.*) fiilin esaslı şekilleri (*mes.* GO, WENT, GONE). ~**ity** [-'paliti], prenslik, prens malikânesi. ~**ly**, başlıca, ekseriyetle. ~**ship**, müdürlük.

principle ['prinsipl]. Prensip, ilke, usul, kaide, kural; düstur; umde. ~**s**, erkân, yöntem, yol; ahlâk kuralları: **act up to one's ~s**, ilkelerine bağlı kalmak: **first ~**, mebde, baş, başlangıç: **a matter of ~**, prensip meselesi: **in ~**, prensip/ilke olarak: **on ~**, prensip itibarıyle. ~**d**, prensip sahibi; prensipli.

prink [prin(g)k]. Süslemek, düzeltmek. ~ **oneself up/out**, giyinip kuşanmak. ~**ing scissors**, testere gibi bir kenar kesen makas.

Prinkipo ['prin(g)kipou̯]. Büyükada.

print [print] *i.* Damga; matbu şey; basma kumaş, emprime; (*sin.*) klişeden basılmış resim; epröv, baskı örneği; kopya, nüsha; = FINGER~. *f.* Tabetmek, basmak; (*sin.*) klişeden kâğıda geçirmek. **blue-~** = BLUE. **in ~**, matbu, basılmış: **he likes to see himself in ~**, yazısını neşredilmiş görmekten hoşlanıyor: **large/small ~**, büyük/küçük harfler: **out of ~**, mevcudu kalmamış/tükenmiş (kitap): **rush into ~**, olur olmaz bir şeyi gazetede/kitap şeklinde neşretmek. **~able**, basılabilir, basılması uygun. **~ed**, matbu, basılı, basılmış: **~-circuit**, (*elek.*) basma devre/bağlantısı: **~-material**, emprime (kumaş), basma bez: **~-matter**/**~papers**, matbu evrak, basılmış eserler/kâğıtlar. **~er**, matbaacı, basımcı; matbaa işçisi; baskıcı; matbaa makinesi; kaydedici cihaz: **~'s devil**, basımevi çırağı: **~'s ink**, matbaa mürekkebi: **~'s mark**, basımevinin özel amblemi: **~'s pie**, karışmış matbaa harfleri: **~'s reader**, baskı düzeltici, müsahhih. **~ing**, tabetme, matbaa; matbaacılık, basım; baskı: **~-house**/**works**, basımevi, matbaa: **~-machine**, baskı aygıtı: **~-out-paper**, kopya kâğıdı: **~-press**, baskı/matbaa makinesi. **~-out**, (bilgisayar) basılmış kayıtlar. **~-works**, bez basmahanesi.

prior[1] ['prayə(r)] *s.* Sabık, evvel; önceden; mukaddemki; kıdemli. **~ to . . .**, -den önce/evvel. **~ity** [-'oriti], öncelik/evvellik (hakkı); rüçhan, kıdem, takaddüm; geçiş üstünlüğü.

prior[2]. Başkeşiş. **~ess** [-ris], başrahibe. **~y**, manastır.

prise [prayz] = PRIZE[2].

prism [prizm]. Menşur, biçme, prizma. **~atic** [-'matik], menşurî, biçmesel, prizmatik; biçme şeklinde. **~oid**, biçme şeklinde.

prison ['prizn] *i.* Hapishane, ceza/kapatım/tevkif evi; zindan. *f.* (*şiir.*) Kapamak, sınırlamak. **send to ~**, hapsetmek: **open ~**/**~ without bars**, inzibatsız hapishane. **~-breaker**, hapishane kaçağı. **~er**, mahpus, mevkuf, tutuklu, kapatımlı; esir: **take ~**, esir almak: **~ at the bar**, yargılanan sanık: **~ of conscience**/**state**, din/politika sebeplerinden mahpus: **~ of war**, savaş esiri: **~'s base**, esir kapmaca oyunu. **~-house**, (*şiir.*) hapishane.

prissy ['prisi]. Fazla titiz; fazilet taslayıcı.

pristine ['pristayn]. Evvelki; ilk; asıl; eski zamana ait.

prithee ['priði] (*mer.*) Lütfen, rica ederim.

privacy ['privəsi]. Mahremlik; yalnızlık; inziva; halvet. **a desire for ~**, kendi âleminde yaşama isteği; yabancı nazarlardan uzak kalma isteği.

private ['prayvit] *s.* Hususî, özel, kişisel; şahsî, zata mahsus; alenî olmıyan; mahrem. *i.* (*ask.*) Er, nefer. **~ car**, özel otomobil (*bir makama bağlı otomobil* = PERSONAL CAR): **~ company**, şahsî şirket: **~ and confidential**, özel ve gizlidir: **~ education**, özel (okulda olmıyan) öğrenim: **~ eye**, (*kon.*) hususî detektif: **~ house**, mesken, oturulan ev; ikametgâh: **~ income**/**means**, ücretten başka şahsî gelir: **~ lesson**, hususî ders: **~ member**, kabine üyesi olmıyan mebus: **~ parts**, edep yerleri: **~ person**, memuriyeti ve rütbesi olmıyan kimse; resmî sıfatı olmıyan kimse; halktan adam: **talk to s.o. in ~**, birisiyle baş başa konuşmak: **~ school**, özel okul (*gen.* PUBLIC SCHOOL'lara öğrenci yetiştiren ilkokul).

privateer [prayvə'tiə(r)] *i.* Özel kişilere ait olup düşman gemilerine hücuma izinli ticaret gemisi; böyle bir geminin kaptan ve tayfası. *f.* Böyle bir gemi ile dolaşmak.

privati·on [pray'veyşn]. Mahrumiyet; ihtiyaç; yoksulluk. **~ve**, mahrum eden, yoksul olan.

privet ('privit]. Kurtbağrı.

privilege ['privilic] *i.* İmtiyaz, ayrıcalık; öncelik hakkı; rüçhan; nasip; şeref. *f.* İmtiyaz vermek; muaf tutmak. **breach of ~**, imtiyazını suiistimal: **be ~d to do stg.**, bir şeyi yapmak imtiyazına malik olm.: **it is my ~ to address you here tonight**, bu akşam size hitap etmekle şeref duyuyorum: **parliamentary ~**, (mebuslar) dokunulmazlık hakkı. **~d**, *s.* imtiyazlı; mümtaz, seçkin; muaf; müşerref: **~ classes**, (*sos.*) (para/öğretim vb. bakımından) imtiyazlı sınıflar. **~-ticket**, demiryol işçilerine verilen ucuz bilet.

priv·y, *ç.* **~ies** ['privi(z)] *s.* Has; özel, hususî. *i.* Apteshane; *ç.* edep yerleri. **be ~ to stg.**, gizli bir şeyden haberdar olm.: **~ Council(lor)**, Kraliçenin özel meclisi (üyesi): **~ Purse**, has hazine: **~ Seal**, has mühür: **Lord ~ Seal**, Kraliçenin has mühürdarı (İng. hükümetinde yarı fahrî bir memur).

prize[1] [prayz] *i.* Mükâfat, ödül; ikramiye, özence; (*den.*) ganimet; savaş ganimeti olarak zaptedilen gemi. *f.* Takdir etm., -e çok itibar etm./değer vermek. **~ Court**, deniz müsadere mahkemesi: **he's a ~ fool**, (*kon.*) bulunmaz bir ahmaktır: **lawful ~**, meşru ganimet: **~ ox**, (bir ziraat sergisinde) madalya kazanan sığır.

prize[2] *i.* Manivela (kuvveti). *f.* Bir şeyi manivela ile zorlamak/açmak/kaldırmak.

prize-[3] *ön.* **~-fighter**, para için ve eldivensiz boks eden kimse, profesyonel boksör; pek kuvvetli bir adam. **~-giving**, ödül dağıtma töreni. **~-money**, (*den.*) ganimet payı; ikramiye. **~-winner**, (müsabaka/imtihan) birinci gelen.

pro[1] [prou] = PROFESSIONAL.

pro[2] (*Lat.*) İçin; lehte; zarfında. **~(s) and con(s)**, lehte ve aleyhte (olanlar).

pro-[1] [prou-] *ön.* . . . yerinde; . . . taraftarı.

pro-[2] *ön.* Evvel, ön(ünde).

PRO = PUBLIC RECORD OFFICE/RELATIONS OFFICER.

pro-am [prou'am] (*sp.*) Profesyoneller ile amatörler.

prob. = PROBABLE; PROBATE; PROBLEM.

probab·ility [probə'biliti]. İhtimal, muhtemel olma/şey, olasılık: **in all ~**, her ihtimale göre, her halde. **~le** ['probəbl], kuvvetli muhtemel, ihtimalî, olası: **more than ~**, çok mümkün: **~ lifetime**, muhtemel hayat süresi. **~ly**, ihtimal ki, belki de, galiba.

proband ['prouband] (*biy.*) Bir aileye ait jenetik araştırma için başlangıç olan kimse.

probang ['prouban(g)]. Boğaz içine sokulan cerrah aleti.

probate ['proubeyt]. Vasiyetnamenin resmen ispat ve tasdik edilmesi. **~ duty**, veraset vergisi: **take out ~ of a will**, bir vasiyetnameyi resmen tasdik ettirmek.

probation [prə'beyşn]. Tecrübe devresi; staj; (genç suçluyu) göz hapsine alınmak şartıyle salıverme. **on ~**, gözetim/nezaret altında: **~ officer**, böyle gençlere bakan memur. **~ary**, **~ period**, tecrübe süresi; staj müddeti. **~er**, stajyer; PROBATION altındaki genç suçlu.

probative ['proubətiv]. Tecrübe/imtihana ait; delil veren.

probe [proub]. Mil (ile yoklamak); sonda (koymak); sondaj (yapmak); deşmek; yoklamak, incelemek.

probit ['probit]. (İstatistik) ihtimal birimi.

probity ['proubiti]. Dürüstlük, doğruluk; namuskârlık.
problem ['problim]. Mesele, dava, sorun; problem; tecrübe. **he's a ~ to me**, onu hiç anlıyamam: **solve/thrash out a ~**, bir meseleyi çözmek/halletmek: **~-child**, idare edilmez/ele avuca sığmaz bir çocuk: **~-play**, (*tiy.*) sorun oyunu, tezli piyes. **~atic(al)** [-'matik(l)], şüpheli, meşkûk, belkili, ihtimalî: **~ly**, şüpheli olarak.
proboscis [prə'bosis]. Fil/bazı böceklerin hortumu; uzun burun.
proc. = PROCEEDINGS; PROCESS.
procedur·al [prə'sīcərəl]. (Dava) usullü, usule ait. **~e**, muamele, tarz, yöntem, usul, kaide; gidiş; dava usulü, yargılama: **summary ~**, kısa yargılama yöntemi.
proceed [prə'sīd]. İlerlemek, yürümek; çıkmak, sâdır olm.; başlamak; davranmak; devam etm.; dava açmak. **~ against s.o.**, birinin aleyhine dava açmak: **~ to blows**, yumruk yumruğa gelmek: **before we ~ any further**, daha fazla ilerlemeden önce: **how do we ~ now?**, şimdi/bundan sonra ne yapacağız/hangi tarafa gidecegiz?: **~ from ...**, -den ileri gelmek/neşet etm.: **the negotiations now ~ing**, devam etmekte olan müzakereler: **~ with stg.**, bir şeye devam etm.
proceeding [prə'sīdin(g)]. Hareket tarzı; muamele; gidiş. **~s**, harekât, muamele, duruşma, müzakere; merasim; raporlar; zabıtname: **legal ~s**, takibat: **the ~s of a society**, bir cemiyetin müzakere zabıtları: **take ~s against s.o.**, birine dava açmak.
proceeds ['prousīdz]. Hâsılat; kazanç, verim.
process ['prouses] *i.* Ameliye, vetire, süreç, olay; muamele, formalite, takibat; tarz; yöntem, usul; amel; metod, işleme; (*biy.*) çıkıntı, uzantı. *f.* Belirli bir muameleye tabi tutmak; işlemek. **during the ~ of construction**, inşaatın devamı esnasında: **it is a slow ~**, bu uzun bir iştir, zaman ister: **in ~ of time**, zamanla. **~ed**, işlenmiş: **~ foods**, özel işlem görmüş yiyecekler. **~ing**, işleme, dönüşüm (endüstrisi). **~-server**, mubaşir.
procession [prə'seşn]. Alay; mevkip; geçit resmi. **walk in ~**, heyet/alay halinde geçmek. **~al**, alaya ait. **~ary**, alay+.
procla·im [prə'kleym]. İlân etm., açıkça bildirmek/duyurmak. **~mation** [proklə'meyşn], ilân, duyuru; beyanname, bildirme.
procli·tic [prə'klitik]. Sonra gelen kelime ile söylenen bir kelime/ek. **~vity**, meyil, eğim; eğilim; inhimak.
proconsul [prou'konsəl]. (Umumî) vali; prokonsül. **~ate/~ship**, (umumî) valilik; prokonsüllük.
procrastinat·e [prə'krastineyt]. Tehir etm.; işi geciktirmek; ertelemek; oyalanmak. **~ion** [-'neyşn], tehir; ağır alma; erteleme.
procreat·e ['proukrieyt]. Tevlit etm., üremek. **~ion** [-'eyşn], tevlit, tenasül, üreme, üretme. **~ive**, tevlit edebilen.
procrustean [prə'krəstiən]. Zorla yola getiren.
procto- ['prokto-] *ön.* (*tıp.*) Rektuma ait.
proctor ['proktə(r)]. Üniversite öğrencilerinin düzeninden sorumlu olan kimse. **Queen's ~**, miras/boşanma davalarına bakan memur. **~ial** [-'tōriəl], bu makamlara ait.
procumbent [prə'kʌmbənt]. Yüzükoyun uzanmış; (*bot.*) yeryüzünde büyüyen bitki.
procurable [prou'kyūrəbl]. Elde edilir; bulunur.
procurat·ion [prokyū'reyşn]. Vekâlet; tedarik, istihsal. **~or**, vekil: **~ fiscal**, (*İsk.*) savcı.
procure [prə'kyuə(r)]. Elde etm., edinmek; elde ettirmek; istihsal etmek, üretmek; pezevenklik etm. **~ment**, satın alma. **~r**, pezevenk. **~ss**, kadın pezevenk.
prod [prod]. Dürtüş(lemek), dürtme(k).
prod. = PRODUCE; PRODUCT(ION).
prodigal ['prodigl]. Müsrif, tutumsuz; mirasyedi. **be ~ of/with**, bol bol vermek; esirgememek, ibzal etm.: **~ son**, uzun bir sefahat hayatından sonra ailesine dönen genç. **~ity** [-'galiti], müsriflik; bolluk. **~ly**, müsrif olarak.
prodig·ious [prə'dicəs]. Harikulade, şaşılacak; muazzam. **~y** ['prodici], harika, mucize; ucube: **infant ~**, tansık çocuk musikişinas vb.
prodrome ['prodroum]. İlk kitap; (*tıp.*) bir hastalığın ilk araz/belirtisi.
produce ['prodyūs] *i.* Mahsul, hâsılat, imal, ürün, elde edilen şey; istihsalât, verim. [prə'dyūs] *f.* Hâsıl etm., istihsal etm., elde etm., üretmek, bileşmek; meydana getirmek; çıkarmak; ibraz etm., olmasını sağlamak. **~ a play**, bir piyesi monte etm./sahneye koymak. **~r**, müstahsil, üretici; sahneye koyan, prodüktör; (*sin.*) yönetmen, yapımcı; (*tiy.*) rejisör: **~-gas**, üreteç/jeneratör gazı.
product ['prodʌkt]. Mahsul, mamul, ürün, hâsılat; muhassala, bileşke; (*mat.*) çarpım; (*mal.*) gelir. **gross national ~**, gayri safi ulusal gelir. **~ion** [prə'dʌkşn], istihsal, üretme, üretim; imal; mahsul, ürün; meydana çıkarma; eser, yapıt; sahneye koyma; (*sin.*) yapım, prodüksiyon, çalışma; gösterme, ibraz: **~-manager**, yapım görevlisi. **~ive**, mümbit, bereketli, bitek, verimli; müsmir; kazançlı. **~ivity** [prodʌk'tiviti], mahsuldarlık, verimlilik, prodüktivite; mümbitlik; biteklik.
proem ['prouim]. Mukaddeme, önsöz.
prof. = PROFESS·ION(AL)/~OR.
profan·e [prə'feyn] *s.* Mukaddes/kutsal olmıyan; kutsal şeylere karşı saygısız; dine ait olmıyan. *f.* Kutsal şeylere saygı göstermemek; kirletmek. **~ity** [-'faniti], kutsal şeylere karşı saygısızlık; küfür, sövme.
profess [prə'fes]. Açıktan açığa itiraf etm.; iddiada bulunmak; bir sanatı tatbik ve icra etm.; okutmak, öğretmek. **he ~es to be English**, İngiliz olduğunu iddia ediyor: **I do not ~ to be a scholar**, ben alim/bilgin olduğumu iddia etmiyorum. **~ed** [-st], itiraf edilmiş; açıktan açığa (düşman vb.). **~edly** [-sidli], açıkça, itiraf ettiği gibi; ağzı ile söylediği gibi. **~ion** [-'feşn], meslek, uğraş; işgücü; beyan, izhar: **by ~**, meslek itibarıyle: **~al**, *s.* meslekten yetişme; işe ait, meslekî, meslek+: *i.* (*tiy.*) meslekten oyuncu; (*sp.*) profesyonel, kazançcı, paralı oyuncu. **~or** [-'fesə(r)], profesör; öğretmen; alim, bilgin: **assistant ~**, doçent, asistan [?]: ~ EMIRITUS: **~ate/~ship**, profesörlük, profesör makamı: **~ial** [-fi'sōriəl], profesöre ait.
proffer ['profə(r)]. Sunmak, arz ve teklif etm., önermek.
proficien·cy [prə'fişənsi]. Bilgi, becerik, maharet,

ustalık; kabiliyet, güç; yeterlik, yordamlık. **~t**, maharetli, becerikli, mahir, bilgili, usta; uzman; gücü yeter; ehliyetli, yeterlikli: **~ly**, ustalıkla.

profile ['proufayl] *i.* Yandan resim/görünüş, yan bakış; (*müh.*) profil, yanay, kesit; (*id.*) bir politikacının şöhreti. *f.* Yandan göstermek; profilini aksettirmek; profil kesmek/yapmak. **keep a low ~**, göze çarpmamak.

profit ['profit] *i.* Kâr, kazanç; temettü; istifade; fayda, menfaat, yarar(lılık); işletme kazancı. *f.* Kazanç getirmek; fayda vermek. **~ and loss**, kâr ve zarar, kazanç ve yitirce: **at a ~**, kazançla, kârına: **~ by/from . . .**, -den istifade etm./yararlanmak: **make a ~ out of stg.**, bir şeyden kâr etm., kazanmak: **turn stg. to ~**, bir şeyden istifade etm., kâr etm. **~ability** [-tə'biliti], kâr-/kazanç-/gelirli-/verimlilik, rantabilite. **~able** [-təbl], kârlı, kazançlı, faydalı, verimli, gelirli. **~ably**, kazançlı olarak; kazanç/fayda ile. **~eer** [-'tiə(r)] *i.* muhtekir, vurguncu, istifci, fırsat düşkünü: *f.* ihtikâr/vurgun yapmak: **war ~**, savaş zengini: **~ing**, vurgunculuk. **~less**, kazançsız; neticesiz, beyhude. **~-sharing**, kârın bir kısmının işçilere paylaştırılması sistemi.

profliga·cy ['profligəsi]. Sefahat; çapkınlık, hovardalık. **~te**, sefih, çapkın, hovarda: **~ly**, hovarda gibi.

pro forma [prou'fōmə] (*Lat.*) Şekle uyarak, formalite icabı; proforma (fatura).

prof·ound [prə'faund]. Pek derin: **~ly**, son derece; derin derin: **~ secret**, çok gizli sır/giz: **~ scholar**, mütebahhir, bilgisi engin. **~undity** [-'fʌnditi], derinlik.

profus·e [prə'fyūs]. Pek çok, bol; tutumsuz, mebzul; müsrif: **be ~ in/of**, esirgememek, bol vermek: **~ly**, bol bol: **~ness**, bolluk. **~ion** [-'fyūjn], bolluk; israf; mebzuliyet, tutumsuzluk; bolca harcama.

prog[1] [prog] (*arg.*) (Gezi için) yiyecek şey.

prog[2]**(gins)** ['prog(inz)] (*arg.*) = PROCTOR.

prog. = PROGRAMME; PROGRESS.

progen·itive [prə'cenitiv]. Döl/çocuğa ait. **~itor**, cet, ata, soy. **~iture**/**~y** [-'ceniçə(r), 'procəni], zürriyet, evlât, nesil, kuşak, soy; döl döş.

prognath·ous, -ic [prog'neyθəs, -ik]. Çıkık çeneli (*bilh. zenciler hakkında*).

prognos·is [prog'nousis]. Hastalığın olabilir sonucu hakkında düşünce. **~tic** [-'nostik] *s.* geleceği gösteren: *i.* = ~IS; hastalık alâmet/işareti. **~ticate** [-keyt], gelecek hakkında haber vermek; ileride zuhuruna delâlet etm. **~tication** [-'keyşn], böyle haber verme; hastalık işareti.

program·me ['prougram] *i.* Program, plan, düzenleç. *f.* Programlamak. **live ~**, (*rad.*) vukubulduğu anda yayılan program: **what's (on) the ~ for today?**, (*kon.*) bügün ne yapacağız? **~mer**, programcı; (*elek.*) program makinesi. **~ming**, program yapma: **~ language**, bilgisayar dili.

progress[1] ['prougres] *i.* Terakki; ilerleme; gidiş, yürüyüş; önemli bir kişinin resmî gezisi: **the ~ of events**, hadiselerin cereyanı, olayların akışı: **in ~ of time**, zamanla; gel zaman git zaman: **the work now in ~**, şimdi yapılmakta olan iş.

progress[2] [prə'gres] *f.* İlerlemek; yükselmek, terakki etm. **~ion** [-greşn], ilerleme; (*mat.*) dizi; birbirini takip etme: **arithmetic/geometric ~**, aritmetik/geometrik dizi. **~ive**, *s.* müterakki, ilerleyici; adım adım ilerliyen: *i.* terakkiperver, ilerici: **in ~ stages**/**~ly**, tedricen, adım adım.

prohibit [prou'hibit]. Yasak etm., önlemek, engel olm. **~ed**, yasak, haram. **~er**, yasak eden, önleyen. **~ion** [-'bişn], memnuiyet, yasak; hacir; *içki yasağı: **~ist**, bu yasak olmanın taraftarı. **~ive** [-'hibitiv], yasak edici, menedici; engelleyici, mâni olan: **~ price**, yanaşılmaz fiyat. **~ory**, yasak edici.

project ['procekt] *i.* Plan, proje, tasar(ı); tertip, tasavvur, tasarım. [prə'cekt] *f.* Niyet etm., tasarlamak; proje yapmak; planını çizmek; fırlatmak, atmak; iz düşürmek; fırlamak, çıkıntı teşkil etm. **~ile** [-'cektayl], mermi; atılan şey. **~ing**, çıkıntılı, ileri doğru fırlamış. **~ion** [-'cekşn], atma, fırlatma; çıkıntı, fırlak yer; çıktığı mesafe; (harita) izdüşüm; (*sin.*) projeksiyon: **~ist**, projeksiyoncu. **~or**, gösterici; gösterme makinesi, projektör, ışıldak; projeksiyon +.

prolapse [prə'laps] *f.* (*tıp.*) Yerinden ileri/aşağıya kaymak. ['prou-] *i.* Bir uzvun böyle kayması.

prolat·e ['prouleyt]. Yayık, yayvan. **~ive** [prə'leytiv] (*dil.*) uzatan, bütünleyen.

prolegomena [prouli'gominə]. Önsöz.

prolep·sis [prou'lepsis] (*dil.*) Vaktinden önce kullanılması. **~tic**, ilerisini düşünerek.

proletar·ian [prouli'teəriən]. İşçi sınıfından (kimse), proleter, emekçi. **~iat** [-riət], işçi sınıfı, ayaktakımı, proletarya.

prolicide ['proulisayd]. (Doğuşta) çocuk katli.

prolif·erate [prə'lifəreyt]. Tomurcuk vermek; çabuk çoğalmak. **~eration** [-'reyşn], tomurcuk verme; çoğalma. **~ic**, velût, doğurgan, verimli, mahsullü: **~acy**/**-ness**, velûtluk; verimlilik, bereket, bolluk.

prolix ['prouliks]. Sözü uzatan, ıtnaplı; usandırıcı. **~ity**, söz uzunluğu, ıtnap.

prologue ['proulog]. Başlangıç, prolog, önsöz, öndeyiş.

prolong [prou'lon(g)]. Uzatmak, sürdürmek, temdit etm. **~able**, uzatılır. **~ation** [-'geyşn], uzatma, uzanma; geciktirme. **~ed**, *s.* uzatılmış; sürekli.

prom. = PROMENADE (CONCERT); PROMONTORY.

promenade [promə'nād] *i.* Gezinti (mahalli); (kıyıda) mesire; piyasa. *f.* Gezinmek. **~-concert**, ayakta durup dolaşabilen dinleyicilerin bulunduğu bir konser. **~-deck**, (*den.*) gezinti/üst güverte(si).

Prometh·ian [prə'mīθiən] (*mit.*) Gökten ateş çalıp insana veren Prometheus'a ait: **~ spark**, ateş. **~ium**, prometyum.

prominen·ce ['prominəns]. Çıkıntı; tebarüz, belirme; şöhret, ün; ehemmiyet, önem; (*ast.*) fışkırma: **come into ~**, ün kazanmak, önemli olm., sivrilmek. **~t**, çıkıntılı; bellibaşlı; mütebariz, seçkin, mümtaz; şöhretli, ünlü: **~ly**, göze çarparak.

promiscu·ity [promis'kyūiti]. Karmakarışıklık; cinsî meselelerde lâubalilik. **~ous** [prə'miskyuəs], (karma) karışık; müteferrik; özel bir şahıs/cins/soy vb.ne bağlı olmıyan; rasgele: **~ly**, karmakarışık/rasgele olarak: **~ness** = ~ITY.

promis·e ['promis, -miz] *i.* Vait, vaat; söz (verme). *f.* Vadetmek; söz vermek; delâlet etm. **breach of ~**, evlenme sözünü tutmama: **a boy of ~**, kendisinden çok şey umut olunan çocuk: **hold out a ~ to s.o.**, birine bir şeyi söz vermek: **Land of ~**, arzı mevud: **he shows great ~**, kendisinden çok şey umulur: **the**

plan ~s well, plan çok umutlu görünüyor: **you'll be sorry for it, I ~ you!**, pişman olacaksın, emin ol! **~ed Land**, Filistin; arzı mevud; cennet. **~ee** [-'sī], kendisine bir şey vaat edilen kimse. **~er/~or**, söz veren kimse. **~ing**, umut verici, umutlandırıcı; geleceği parlak.

promissory [pro'misəri]. **~ note**, emre muharrer/vadeli senet, bono.

promontory ['promәntәri]. (Denizde) dirsek, burun.

promot·e [prə'moʊt]. Terfi ettirmek, yükseltmek; kışkırtmak, teşvik etm., ilerletmek; kolaylaştırmak: **~ a company**, bir şirket kurmak. **~er**, kışkırtan, teşvik eden; tesis eden, kurucu: **company ~**, anonim şirketler kurucusu. **~ion** [-'moʊşn], terfi, yüksel(t)me; teşvik.

prompt [prom(p)t] *s.* İşini çabuk yapan; tez davranan. *f.* Akıl öğretmek; tahrik etm., sevketmek; suflörlük etm. **~ly**, tezelden, hemen, derhal: **for ~ cash**, peşin para ile: **~ delivery**, hemen teslim. **~-box**, suflör yeri. **~er**, suflör, fıslayıcı. **~itude** [-tityūd], çabukluk; çabuk davranma/kavrama. **~ly**, hemen, derhal. **~ness**, çabukluk. **~-side**, (*tiy.*) suflör tarafı.

promulgat·e ['proməlgeyt]. Neşretmek, yaymak; ilân etm. **~ion** [-'geyşn], yayım, ilân, duyuru. **~or**, yayımcı.

pron. = PRONOUN; PRONUNCIATION.

prone [proʊn]. Boylu boyuna uzanmış, yüzükoyun; meyyal, eğingen, mütemayil.

prong [pron(g)]. Yaba, çatal; yaba/çatal dişi. **~ed**, yabalı. **~-horn**, Am. antilopu.

pronominal [prə'nominl]. Zamir/adıla ait. **~ly**, zamir olarak.

pronoun ['proʊnaʊn]. Zamir, adıl. **demonstrative ~**, işaret/gösterme zamiri. **indefinite ~**, belgisiz zamir: **interrogative ~**, soru zamiri: **personal ~**, kişi zamiri: **possessive ~**, iyelik/mülkiyet zamiri: **reflexive ~**, dönüşlü zamir: **relative ~**, ilgi/nispet zamiri.

pronounc·e [prə'naʊns]. Telaffuz etm., söylemek; resmî eda ile söylemek: **~ for/in favour of s.o.**, birini iltizam etm., tarafını tutmak: **~ judgement**, (hâkim) hüküm vermek. **~eable** [-səbl], telaffuz edilir. **~ed** [-st] *s.* vurgulanmış; kesin; sert. **~ement**, beyan, ilân; açık bildirme, anlatma; hüküm, kararın bildirilmesi. **~ing**, **~ dictionary**, söyleniş/telaffuzlu sözlük.

***pronto** ['prontoʊ] (*İsp.*, *arg.*) Hemen, çabuk; hazır.

pronunciation [prə'nʌnsieyşn]. Telaffuz, söyleyiş, söyleniş, okunuş.

proof[1] [prūf] *i.* Delil, kanıt, ispat; tecrübe, deneme, deney; basımevi provası; deneme, baskı; (içki) alkol derecesinin ölçüsü: **bring/put stg. to the ~**, bir şeyi denemek: **give/show ~ of stg.**, bir şeye delâlet etm., bir şeyi göstermek: **the ~ of the pudding is in the eating**, değeri tecrübe ile anlaşılır; 'Halep oradaysa arşın burada'.

proof[2] *f.* Dayanıklı ve özellikle su geç(ir)mez hale koymak. *s.* **~ against stg.**, bir şeye dayanıklı.

-proof, *son.* ... korkmaz, dayanır, geçmez, tesir etmez, *mes.* **bullet-~**, kurşun işlemez; **water~**, su geç(ir)mez, gamsele.

proof-read·er ['prūfrīdə(r)]. Musahhih, düzeltmen. **~ing**, provayı okuma/tashih etme/düzeltme.

prop[1] [prop] *i.* Destek; payanda, dayak(lık); rükün; zahir. *f.* Yaslamak. **~ up**, desteklemek, askıya almak; zahir olm.

prop[2] (*kon.*) = PROPELLER; (*tiy.*) PROPERTY.

prop. = PROPER; PROPOSITION; PROPRIETOR.

propaedeutics [proʊpi'dyūtiks]. İlköğretim.

propagand·a [propə'gandə]. Propaganda. **~ist**, propagandacı; mürevvic.

propagat·e ['propəgeyt]. Tenasül yolu/tohum ile çoğaltmak, artırmak; yaymak, neşretmek. **~ion** [-'geyşn], çoğalma, yayılma. **~or**, çoğaltan/neşreden kimse; fide yetiştirme cihazı.

propane ['proʊpeyn]. Propan.

propel [prə'pel]. İleriye sürmek, yürütmek, itmek; işletmek; yöneltmek, tahrik etm., sevketmek; fırlatmak. **~lant**, yakacak; işletici/yönetici/fırlatıcı/itici madde. **~ler**, pervane; çark, uskur; ileriye sürücü: **adjustable/fixed pitch ~**, ayarlanan/sabit hatveli pervane: **contra-rotating/handed ~s**, kontra dönüşlü pervaneler: **pusher/tractor ~**, itici/çekici pervane: **~-shaft**, transmisyon mili: **~ slipstream**, pervane rüzgârı. **~ turbine** = TURBO-PROPELLER.

propensity [prə'pensiti]. Temayül, meyil, meyelân, eğilim.

proper ['propə(r)]. Münasip, uygun, lâyık; muntazam, usul/yönteme göre; hususî, özel; zatî, kişisel, has; hakikî; (terbiye) pek çok titiz, çabuk utanır; (*arg.*) yakışıklı. **do the ~ thing by s.o.**, birine karşı vicdanen en doğru olan şeyi yapmak: **London ~**, asıl Londra. **~-fraction**, öz/saf kesir. **~ly**, lâyıkı ile, uygun bir şekilde: **he very ~ refused**, reddetti ve doğrusu da bu idi. **~-noun**, özel isim.

propert·ied ['propətid]. Mal mülklü. **~ies**, emlâk; (*tiy.*) sahne donatımı. **~y**, mal, mülk, emlâk; varlık, servet; iyelik, mülkiyet; vasıf, nitelik, hassa, hususiyet, özellik, mahiyet; (*tiy.*) aksesuar: **a man of ~**, mal mülk/gelir sahibi: **that's my ~**, o benimdir: **that secret is public ~**, o sırrı sağır sultan bile duydu: **~-develop·er**, emlâk spekülatörü: **~ment**, emlâk spekülasyonu: **~-man**, (*tiy.*) donatımcı.

prophe·cy ['profisi] *i.* Vahye dayanarak gaipten haber verme, kehanet. **~sy** [-say] *f.* gaipten haber vermek; kehanette bulunmak: **~ rain**, yağmur yağacağını söylemek. **~t** [-fit], peygamber, yalvaç; kâhin; gaipten haber veren kimse: **the P~**, Muhammed: **no man is a ~ in his own country**, kimsenin kadri kendi çevresinde bilinmez. **~tic** [-'fetik], peygamberce; kehanet gibilerden.

prophyla·ctic [profi'laktik]. Hastalıktan koruyan (ilâç, tedbir); koruyucu, önleyici. **~xis**, (hastalıktan) korunma, profilaksi.

propinquity [prə'pinkwiti]. Yakınlık; civar.

propitiat·e [prə'pişieyt]. Gönül almak; hiddetini yatıştırıp kendini affettirmek; yatıştırmak. **~ion** [-'eyşn], yatıştırma, gönül alma; kefaret. **~ory** [-'eytəri], yatıştıran, gönül alan.

propitious [prə'pişəs]. Müsait, uygun; uğurlu; kerim; umutlu. **the ~ moment**, eşref saat, en uygun zaman. **~ly**, uygun vb. olarak. **~ness**, uygunluk vb.

Aranan kelime bu sayfada bulunmazsa, ilk olarak* PRO- *notlarına bakınız.

prop-jet ['propcet] = TURBO-PROP.
proponent [prə'pounənt]. Teklif eden kimse.
proportion [prə'pōşn] *i.* Tenasüp, orantı, çekim; nispet, oran; hisse, pay, nicelik, miktar; *ç.* bir cismin genişlik uzunluk ve derinliği. *f.* Uygun paylara ayırmak; miktar tayin etm. **in ~**, nispet/oranla; mütenasip: **in ~ as**, ... nispeten/oranla; **out of ~**, nispet/oransız, mütenasip olmıyan: **sense of ~**, oran kavramı. **~al**, nispî, mütenasip, orana göre, orantılı: **inversely ~**, ters orantılı: **~ representation**, (*id.*) orantılı temsil. **~ate**, ölçülü, uygun. **~ed**, *s.* **well ~**, mütenasip, ölçülü, endamlı. **~ment**, paylara ayırma; orantılılık.
propos·al [prə'pouzl]. Teklif, öneri; (*id.*) önerge; evlenme teklifi. **~e**, teklif etm., önermek; niyet etm., isteklenmek, kurmak; evlenme teklifi yapmak: **~ a candidate**, birinin adaylığını koymak: **~ s.o.'s health**, birinin sağlığına içmeği teklif etm.: **man ~s, God disposes**, tedbir bizden takdir Allahtan. **~er, (of a bill, etc.)**, bir kanun vb. teklifi yapan/öneren: **~ of a member for a club, etc.**, birini bir klüb vb. üyeliğine teklif eden.
proposition [propə'zişn]. Teklif, öneri; sorun; önerme; iş, teşebbüs, girişim; (*dil.*) cümlecik. **a paying ~**, para/kazançlı iş: **a tough ~**, çözülmesi güç sorun: **he's a tough ~**, Allahın belâsı adamdır. **~al**, teklif vb.ne ait, önermesel.
propound [prə'paund]. İleri sürmek, serdetmek, sunmak, irat etm.; mütalaa için arzetmek. **~er**, ileri süren, meydana koyan.
propping ['propin(g)]. Destekleme, dayak vurma.
propria ['propriə] (*Lat.*) ***in ~ persona***, bizzat, şahsen.
propriet·ary [prə'prayətəri]. Mal sahipliğine ait: **~ medicine**, reçetesi bir şahıs/firmanın malı olan ilâç; hazır ilâç. **~or**, iye, sahip; mal/mülk sahibi, yapı iyesi: **~ship**, iye/sahipliği. **~ress** [-tris], kadın sahip, sahibe.
propriet·y [prə'prayəti]. Uygunluk, münasip olma; yakışık olma. **the ~ies**, muaşeret/terbiye icapları.
props [props] (*tiy.*) = PROPERTIES.
proproctor [prou'proktə(r)]. PROCTOR yardımcısı.
propuls·ion [prə'pʌlşn]. İleriye yürütme/fırlatma; itici kuvvet; tahrik. **~ive**, yürütücü, fırlatıcı, devitken, tahrik edici.
propyl ['propil]. Propil. **~ene**, propilen.
propyl·aeum/~on [propi'līəm, 'propilon]. Mabet/tapınak girişi.
pro rata [prou'rātə] (*Lat.*) Mütenasiben, nispet/oranlı (uygun) olarak.
prorog·ue [prə'roug]. (Meclis vb.) ara vermek. **~ation** [prourə'geyşn], ara verme.
pros. = PROSECU·TION/-TOR.
prosaic [prou'zeyik]. Şairane karşıtı; nesre ait; (*mec.*) yavan, bayağı, alelâde.
proscenium [prou'sīniəm] (*tiy.*) Kemerli önsahne.
proscri·be [pro'skrayb]. Medenî haklardan ıskat etm./yoksun bırakmak; sürgüne yollamak; kanun dışı ilân etm.; yasak etm., lağvetmek. **~ption** [-'skripşn], sürgüne gönderme; yasak etme, fesih, ilga.
prose [prouz]. Nesir, düzyazı.
prosecut·e ['prosikyūt]. Aleyhine dava açmak; kovuşturmak; takip etm., izlemek; bir işte devam etm. **~ion** [-'kyūşn], ceza takibat/kovuşturması; iş takip/izlemi; sebatla devam etme: **†Director of Public ~s**, başsavcı. **~or**, müddei, davacı: **Public ~**, müddeiumumî, savcı.
proselyt·e ['prosilayt]. Mühtedi, dönme. **~ize** [-litayz], kendi dinine çevirmek.
pros·ify ['prouzifay]. Düzyazıya çevirmek; düzyazı yazmak. **~ody** ['prosədi], aruz, vezin/şiir sanatı. **~opopoeia** [-soupo'piə] (*edeb.*) ölmüşler/cansız şeyleri konuşturma sanatı.
prospect[1] ['prospekt]. Manzara, görünüm, görünüş; umut; ihtimal, olasılık. **his ~s are brilliant**, geleceği parlaktır. **~ive**, muhtemel, olabilir; geleceğe ait.
prospect[2] [prəs'pekt] *f.* Toprağı taşıdığı madenler bakımından incelemek/araştırmak. **~ing**, araştırma. **~or**, maden araştıran kimse: **oil ~**, petrol araştırıcısı.
prospectus [prəs'pektəs]. Tarifname, tanıtma ilânı; rehber; prospektüs, tanıtmalık.
prosper ['prospə(r)]. Muvaffak olm., başarmak, işi iyi gitmek; refaha ermek, bolluğa kavuşmak; bayındır/mamur olm.; kolaylaştırmak, bolluk vermek. **~ity** [-'periti], bolluk, refah, mamurluk, bayındırlık. **~ous** [-pərəs], mamur, bayındır; bolluk/refah içinde; kazançlı; müsait, uygun.
prostate ['prosteyt]. Prostat, kestanecik.
prosth·esis ['prosθisis] (*dil.*) Bir kelimenin başına bir harf/hece ilâvesi; (*tıp.*) sunî uzuv/diş ilâvesi, protez. **~odontics** [-θə'dontiks], sunî dişler ilâvesi bilgisi, diş protezi.
prostitut·e ['prostityūt] *i.* Fahişe. *f.* Fuhşa vermek; süfli işte kullanılmak üzere vermek/satmak. **~ion** [-'tyūşn], fahişelik; kötü maksat/işe verilme.
prostrat·e ['prostreyt] *s.* Yüzükoyun uzanmış, yere kapanmış; mecalsiz, güçsüz, takatsız. [-'treyt] *f.* Yere atıp yatırmak; bitkin hale koymak, mecalsiz bırakmak. **~ oneself**, secdeye varmak, yere kapanmak: **fall ~**, yeri ölçmek. **~ion** [-'treyşn], bitkinlik, takatsızlık; secdeye varmak.
prostyle ['proustayl]. Dört sütunlu revak.
prosy ['prouzi]. Yavan, usandırıcı (söz, vb.).
Prot. = PROTECTORATE; PROTESTANT.
protactinium [proutak'tiniəm]. Protaktinyum.
protagonist [prou'tagənist]. Mübariz, belirgin; (*tiy.*) protagonist, kahraman; bir büyük işe önayak olan.
protasis ['protəsis] (*dil.*) Şart/koşullu yancümle.
protean [proutiən]. Değişen; çok yönlü.
protect [prə'tekt]. Korumak, muhafaza etm., saklamak. **~ion** [-'tekşn], koru(n)ma, sıyanet, himaye, muhafaza; siper: **~ism**, koruyuculuk, himayecilik: **~ist**, koruyuculuk taraftarı. **~ive**, koruyucu, koruma +. **~or** [-'tektə(r)], koruyucu, hami; kral naibi: **~ate** [-rit], hamilik; büyük bir devletin koruması altındaki küçük bir devlet, protektora; kral naipliği: **~y**, ıslahevi; genç güçsüzler evi. **~ress** [-tris], kadın korkuyucu.
protégé ['protejey] (*Fr.*) Mahmi; birisi tarafından korunan/kayrılan, korunmuş.
prote·in ['proutīn]. Protein; albümin özü. **~o-**, *ön.* proteo-; proteine ait.
pro tem(pore) [prou'tem(pəri)] (*Lat.*) Muvakkat/geçki/geçici olarak, iğreti.
protest[1] ['proutest] *i.* Protesto, ihbar; itiraz; gösteri; protestoname, beyanname. **do stg. under ~**, bir şeyi istemiyerek/gönülsüz yapmak: **sign under ~**, istemiyerek ve ihtiyat kaydıyle imza etm.

protest[2] [prə'test] *f.* İtirazda bulunmak; protesto etm.; iddia etm.; beyan ve ifade etm.; teminat vermek. **~ant**[1], protesto eden kimse.

Protestant[2] ['protistənt]. Protestan. **~ism**, Protestanlık, Protestan mezhebi.

protest·ation [protes'teyşn]. Protesto etme; itiraz(name). **~er** [-'testə(r)], protesto eden; itiraz eden; (*id.*) nümayişçi, gösterişçi. **~-meeting**, nümayiş, gösteriş.

proteus ['proutiəs]. Değişen kimse/şey; mağara semenderi(giller).

prothesis ['proθisis] (*dil.*) = PROSTHESIS.

protista [prə'tistə]. Tek gözeli hayvan/bitkiler.

protium ['proutiəm]. Protium, bayağı hidrojen.

proto- [prouto-] *ön.* Proto-; ilk(el), birincil.

protocol ['proutəkol]. Zabıtname; protokol, tutanak, teşrifat.

proton ['prouton]. Proton.

proto·phyte ['proutəfayt]. Tek gözeli bitki. **~plasm**, ilk biçim, öz suyu, protoplazma. **~type** [-tayp], ilk/temel örnek, prototip; en güzel örnek. **~zoon**, *ç.* **~zoa** [-zouon, -zouə], tek gözeli hayvan-(lar).

protract [prou'trakt]. Uzatmak; mikyas ve minkale yardımıyle plan çizmek. **~ed**, sürüncemeli; uzamış. **~or**, minkale, iletki, ayarlı/oynar gönye; (*biy.*) bir organı uzatıcı sinir.

protru·de [prou'trūd]. Dışarı fırlamak; dışarı çıkmak; pırtlamak. **~ding**, fırlak, çıkıntılı, pırtlak. **~sion** [-jn], çıkar(ıl)ma; çıkıntı. **~sive** [-siv], dışarıya çıkan.

protuberan·ce [prou'tyūbərəns]. Şiş; tümsek; yumru; fışkırma. **~t**, şişkin; tümsek; yumru.

proud [praud]. Mağrur, kibirli, gururlu, azametli, kurumlu; (*müh.*) çıkık. **be ~ of stg.**, -ile iftihar etm., övünmek, gurur duymak: **be ~ to do stg.**, bir şeyi yapmakla şeref duymak: **do s.o. ~**, (*arg.*) birini fevkalâde ağırlamak: **do oneself ~**, (*arg.*) kendisi için hiç bir şey esirgememek; boğazına iyi bakmak: **~ flesh**, yara etrafında hâsıl olan şiş. **~ly**, gururlu bir şekilde.

prov. = PROVERB(IAL); PROVINC·E/-IAL; PROVISIONAL; PROVOST.

prov·able ['prūvəbl]. İspat edilir. **~e**, ispat etm.; delâlet etm.; araştırmak, soruşturmak; tahkik etm.; delil olm.; denemek; bulunmak, çıkmak. **what he said ~d to be correct**, söylediği doğru çıktı: **it remains to be ~d**, (ne malum?) ispat edilsin bakalım: **~ a will**, bir vasiyetnameyi tasdik ettirmek/onaylatmak. **~en, not ~**, (*İsk.*) suçu sabit olmamış/tanıklanmamış.

provenance ['provinəns]. Menşe, kaynak, asıl.

provender ['provində(r)]. Hayvanlara verilen ot vb., yem; (*alay.*) yemek.

proverb ['provəb]. Darbımesel, atasözü. **~ial** ['vəbyəl], darbımesel olmuş; ünlü, meşhur.

provid·e [prə'vayd]. Tedarik etm., sağlamak, vermek, hazırlamak, teçhiz etm.; şart/koşul koymak: **~ against stg.**, bir şeye karşı tedbir almak: **be ~d for**, ihtiyaçları temin edilmek: **~ s.o. with stg.**, birine bir şeyi sağlamak/bulmak/hazırlamak. **~ed/~ing, ~ that**, *b.* şu şartla ki.

providen·ce ['providəns]. Basiret, ihtiyat, takdir; Cenabı Hak, Tanrı. **~t**, basiretli, idareli, tutumlu. **~tial** [-'denşl], Allahın hikmet ve takdirine ait; Allahtan (olan/gelen vb.); tam vaktinde yetişen.

provider [prə'vaydə(r)]. Tedarik eden/sağlayan/hazırlayan kimse. **universal ~**, her çeşit eşya satan mağaza/tüccar.

provinc·e ['provins]. Eyalet, vilâyet, il; salâhiyet, yetki, saha: **the ~s**, taşra: **that's outside/not within my ~**, o benim bilgim/yetkim içinde değildir. **~ial** [prə'vinşl], taşraya ait; il + ; taşralı; görgüsüz, geri, darkafalı: **~ism**, taşra ağzı; taşraseverlik: **~ize**, taşralaştırmak.

proving ['prūvin(g)]. Deney, deneme, tecrübe, kontrol. **~-ground**, tecrübe/deneme sahası.

provision [prə'vijn] *i.* Tedarik, sağlama, tedbir; şart, koşul, yargı: *ç.* erzak, azık; gereçler, levazım. *f.* Erzak ve levazım vermek/sağlamak. **come within the ~s of the law**, kanunun hükümleri altına girmek: **there is no ~ to the contrary**, aksi hakkında hüküm/yargı yoktur: **make ~ for/against stg.**, bir şeyin temini için gerekli olan tedbirleri almak: **make ~ against stg.**, bir şeyin önüne geçmek için tedbir almak: **make ~ for one's family**, ailenin ihtiyaçlarını temin etm.; kendi ölümünden sonra ailesinin geleceğini sağlamak. **~-merchant**, erzak satıcısı.

provisional [prə'vijnl]. Muvakkat, geçici; iğreti. **~ly**, geçici/iğreti olarak.

proviso [prə'vayzou]. Şart, koşul. **~rily** [-zərili], koşula bağlı/geçici olarak. **~ry**, koşula bağlı; geçici.

Provo ['prouvou] = PROVISIONAL; PROVOCATEUR.

provocateur [prəvoka'tör] (*Fr.*) Tahrikçi, etkinci.

provocat·ion [provə'keyşn]. Kışkırtma, tahrik; meydan okuma. **~ive** [prə'vokətiv], kışkırtıcı, tahrik edici; kızdırıcı.

provok·e [prə'vouk]. Kışkırtmak, kızdırmak; tahrik etm.; meydan okumak; sebep olm.; davet etm.: **~ an incident**, olay çıkarmak: **be ~d**, darılmak. **~ing**, cansıkıcı; darıltıcı.

provost ['provəst]. Kolej/katedral müdürü; (*İsk.*) belediye reisi. **Lord ~**, büyük şehrin belediye reisi. **~-marshal** [prə'vou], askerî inzibat başkanı. **~ship**, kolej müdürlüğü; belediye reisliği.

prow [prau] (*den.*) Pruva.

prowess ['prauis]. Yiğitlik, şecaat; muvaffakıyet, başarı; maharet, ustalık.

prowl [praul] *f.* Sinsi sinsi av peşinde dolaşmak. *i.* Sinsi sinsi gezinme. **~ about/be on the ~**, kötü bir amaçla etrafta dolaşmak, kolaçan etm.

prox. [proks] (*Lat.*) = PROXIMO. ***~ acc.*** (*Lat.*) = HE CAME CLOSE (TO A PRIZE).

proxim·al ['proksiml]. (Merkez/ekleme) yakın olan. **~ate** [-mət], karip, en yakın. **~ity** [-'simiti], yakınlık; yöre, çevre, civar.

proximo ['proksimou] (*Lat.*) Gelecek ay içinde; proksimo.

proxy ['proksi]. Vekâlet; vekil; yetkili; vekillik/yetkileme belgesi, vekâletname. **by ~**, vekâleten: **stand ~**, vekil olm.

prs. = PAIRS.

PR·S = PERFORMING RIGHTS SOCIETY; PRESIDENT OF THE ROYAL SOCIETY. **~T** = PETROLEUM REVENUE TAX.

prude [prūd]. (Kadın hakkında) iffet konusunda aşırı derecede titiz olan; fazilet taslayıcı.

pruden·ce ['prūdəns]. İhtiyat, sakınganlık; basiret, özgörü. ~**t**, ihtiyatlı, tedbirli, ölçülü, düşünceli, sakıngan. ~**tial** [-'denşl], ihtiyat/sakınganlığa ait. ~**tly**, sakıngan vb. olarak.
prud·ery ['prūdəri]. Aşırı derece utangaçlık; fazilet taslama. ~**ish** = PRUDE.
prune[1] [prūn]. Kuru erik.
prun·e[2]. Budamak. ~**er**, budayıcı. ~**ing**, budama+.
prunella [pru'nelə]. Karamandola kumaşı.
prurien·ce, ~**cy** ['pruəriəns(i)]. Şehvanî fikirlere düşkünlük; marazî tecessüs; gidişme. ~**t**, şehvanî fikirli, marazî tecessüs sahibi.
pruri·go, -tis [pruə'raygou, -tis]. Kaşıntı hastalığı; gizli sıtma. ~**ginous** [-'ricinəs], buna ait.
Prusa ['prūsə] (*tar.*) Bursa.
Prussia ['prʌşə]. Prusya. ~**n**, *i.* Prusyalı: *s.* Prusya+: ~ **blue**, koyu lâcivert (boya). ~**nize**, prusyalılaştırmak.
prussic ['prʌsik]. ~ **acid**, asit prusik.
pry[1] [pray]. ~ **about**, tecessüs etm., gözetlemek, kolaçan etmek: ~ **into s.o.'s affairs**, başkasının işlerine burnunu sokmak.
***pry**[2] = PRIZE[2].
PS = PARLIAMENTARY/PERMANENT/PRIVATE SECRETARY; PHYSICAL SCIENCES; POLICE SERGEANT; (*Lat.*) POSTSCRIPT; PRIVY SEAL; (*tiy.*) PROMPT-SIDE.
psal·m [sām] (*din.*) Mezmur; zebur. ~**mist**, zebur yazarı, Davut Peygamber. ~**mody**, mezmur okuma sanatı. ~**ter** ['sōltə(r)], zebur. ~**tery**, (*müz.*) bir nevi santur.
psepholog·ist [se'folәcist]. Seçimler bilgini. ~**y**, seçimler bilgisi.
pseudo ['(p)syūdou] *s., ön.* Sahte, yalan, yapma, düzme; sözde, güya, sanki. ~**-event**, propaganda için uydurulan bir olay. ~**morph** [-mōf], sahte şekil. ~**nym** [-nim], takma ad, müstear isim: ~**ous** [-'donimәs], takma adla yazan/yazılmış.
pshaw [(p)şō] *ünl. Sabırsızlık/küçümseme ifade eden nida.*
psi [psay]. Yunancanın yirmi üçüncü harfi (Ψ, ψ).
p.s.i.(g.) = POUNDS PER SQUARE INCH (GAUGE).
psilanthropy [say'lanθrәpi]. Hazreti İsa'nın sırf insan olduğunu iddia eden akide.
psilosis [say'lousis] (*tıp.*) Saçları döken/ülser hâsıl eden hastalıklar.
psittac·ine ['(p)sitәsayn]. Papağangillere ait. ~**osis** [-'kousis], papağan humması.
psor·a/~**iasis** ['(p)sōrә, -'rayәsis]. Uyuz hastalığı.
ps(s)t [p(ʌ)st] *ünl. Dikkat çeken nida.*
PS·T = *PACIFIC STANDARD TIME. ~**V** = †PUBLIC SERVICE VEHICLE.
psych. = PSYCH·IATRY/OLOGY.
psych·e ['(p)sayki]. Ruh; akıl. ~**edelic** [-kә'delik], kuruntu/evham hâsıl eden (uyuşturucu madde). ~**iatric** [-atrik], akıl hastalıklarına ait. ~**iatrist** [-'kayәtrist], ruh hekimi. ~**iatry**, ruh/akıl hastalıkları bilgisi, ruh hekimliği, psikiyatri. ~**ic**, *n.* medyum. ~**ic(al)**, *s.* ruha ait, ruhsal; ispritizmaya ait.
psycho- [(p)saykou-] *ön.* Psik(o)-; ruh-. ~**analy·sis** [-ә'nalisis], ruhçözüm, psikanaliz: ~**st** [-'anәlist], ruhçözümcü, psikanalist: ~**tic**, ruhçözümsel: ~**ze** [-layz], psikanaliz yapmak. ~**log·ical** [-'locikl], psikolojik, psikolojiye ait: **the** ~ **moment**, belirli durum ve koşullar içinde harekete geçmek için en uygun zaman; eşref saat: ~**ist** [-'kolәcist], psikolog, ruhiyatçı, ruh bilgini: ~**y** [-ci], ruhbilim, psikoloji. ~**metry** [-'komitri], psikometre. ~**path(y)** [-'paθ(i)], psikopat(i). ~**sis** [-'kousis], psikoz. ~**somatic** [-sә'matik], hem akla hem de bedene ait (hastalık). ~**tic** [-'kotik], psikoza ait.
psychro- [(p)saykro-] *ön.* Soğuk+; psikro-.
Pt. (*kim.s.*) = PLATINUM.
pt. = PART; PAYMENT; PINT; POINT; PORT.
PT, p.t. = PAST TENSE; PHYSICAL TRAINING. ~**A** = PARENT-TEACHER ASSOCIATION. *~**boat** = MOTOR TORPEDO BOAT.
ptarmigan ['tāmigәn]. Kartavuğu.
PTC = POSTAL TELEGRAPH CODE.
pte. = PRIVATE (SOLDIER).
pterido·logy [(p)teri'dolәci]. Eğreltiotları bilgisi. ~**phyte** ['(p)teridәfayt], eğreltiotu.
ptero- [(p)tero-] *ön.* Kanat+, kanatlı.
PT·FE = POLYTETRAFLUOROETHYLENE. ~**O** = PLEASE TURN OVER; PUBLIC TRUSTEE OFFICE.
Ptolemaic [toli'meyik]. Batlamyos'a ait.
ptomaine ['toumeyn]. Çürüyen leşlerde bulunan kalevî zehirli bir madde, ptomain.
ptosis ['ptousis] (*tıp.*) Bir organın aşağıya kayması.
Pty. (*Avus.*) = PROPRIETARY.
Pu. (*kim.s.*) = PLUTONIUM.
pub. = PUBLIC(ATION); (*kon.*) PUBLIC-HOUSE; PUBLISHER.
pub·erty ['pyūbәti]. Erginlik, erinlik, buluğ. ~**es** [-bīz], erginlikle edep yerlerinde çıkan tüyler; kasık yeri. ~**escen·ce** [-'besәns], erginlik/erginliğe erişme; (*biy.*) ufak tüyler: ~**t**, erginliğe gelen. ~**ic**, kasık yerine ait.
public ['pʌblik] *s.* Umumî, genel; herkese ait, özel olmıyan, millî, amme+, kamu+; alenî, açık. *i.* Halk, amme, kamu. **the general** ~/~ **at large**, halkın çoğu: **go out in** ~, adam içine/ortaya çıkmak: **go** ~, özel bir ortaklığın hisselerini kamulaştırmak: **in** ~, alenen, elâleme karşı, apaçık: **make** ~, kamuya tanıtmak: **open to the** ~, herkes girebilir: ~ **auction**, açık artırma, müzayede: ~ **corporation**, millî dernek/şirket: ~ **image**, kamu fikrince bir kimse/şirketin tasviri: ~ **law**, amme/kamu hukuku: ~ **life**, memuriyet hayatı: ~ **money**, milletin parası, mirî mal: ~ **opinion**, umumî efkâr, kamuoyu: ~ **person** = LEGAL PERSON: ~ **policy**, millî politika/siyaset: ~ **relations (officer)**, cemiyet temasları/halk münasebetleri (memuru): †~ **school**, kibar tabakaya özgü ve başlıca Oxford ve Cambridge universiteleri/harp okullarına hazırlayan liseler (*adına karşın bu okullar bütünlükle özeldir*): ~ **service**, amme/kamu hizmeti; memurluk; halka hizmet; **the** ~ **services**, amme hizmetleri: **his life was spent in** ~ **service**, hayatı halka hizmetle geçti: **his life was spent in the** ~ **service**, hayatı memurlukta geçti: ~ **spirit**, yurtseverlik: ~ **utility**, kamu yararına çalışan dernek/şirket: ~ **welfare**, kamu yararı, amme menfaatı: ~ **works**, nafia/bayındırlık işleri.
public·an ['pʌblikәn]. Bira evinin sahibi; (*mer.*) tahsildar. ~**ation** [-'keyşn], neşretme, yay(ıl)ma, yayımlama; çıkış; neşredilmiş eser, neşriyat, yayın; (*huk.*) ilân, duyuru: ~ **in parts**, bölümlü yayım. ~**-house**, bira evi, meyhane. ~**ist** [-lisist], muharrir, yazar. ~**ity** [-'lisiti], ilân(cılık); reklâm; aleni-

lik, açıklık; tanıtım, propaganda: ~**-agent**, tanıtımcı. ~**ize** [-sayz], açıklamak, tanıtmak. ~**ly**, alenen; halk tarafından; açıkça. ~**-minded/-spirited**, kamu yararına düşünen, yardımsever; vatanperver.
publish ['pʌbliş]. Neşretmek, yaymak, yayımlamak; çıkarmak; ifşa etm., açıklamak, ortaya dökmek; kamuya sunmak. ~**er**, naşir, editör, yayım(layı)cı: ~**'s**/~**ing-house**, yayınevi.
puce [pyūs]. Pire renginde.
puck[1] [pʌk]. (Yaramaz) peri/(*mec.*) çocuk. ~**ish**, şakacı, şeytan.
puck[2]. Buz hokeyinde kullanılan lastik disk.
pucker ['pʌkə(r)] *f.* Buruşturmak; katlanmak; kıpkırışık olm. *i.* Kırışık, buruşukluk.
pud[1] [pud]. (Çocuk) el; (hayvan) önayak.
pud[2] (*kon.*) = PUDDING.
pudding ['pudin(g)]. Puding. **black** ~, domuz eti, kanı ve yulaf unundan yapılan bir yemek: **rice** ~, bir çeşit sütlaç. ~**-cloth**, içinde puding pişirilen bez. ~**-face**, (*kon.*) ablak yüz. ~**-head**, ahmak.
puddle ['pʌdl] *i.* Su birikintisi; sıvacı çamuru, kumlu harç. *f.* Balçık su ile yoğurmak; kızgın demirleri döverek birbirine tutturmak. ~ **about**, su ve çamur karıştırmak; çamura bata çıka yürümek.
puden·cy ['pyūdənsi]. Utangaçlık, mahcupluk. ~**da** [-'dendə] *ç.* (kadın) edep yerleri.
pudg·e [pʌc] (*kon.*) Bodur bir kimse/şey.
pueril·e ['pyuərayl]. Çocukça; boş, vahi. ~**ity** [-'riliti], çocukluk, ahmaklık.
puerperal [pyu'əpərəl]. Çocuk doğumuna ait.
puff [pʌf] *i.* Nefha, soluk, üfleme; püf; pufböreği; kumaş kabarıklığı; abartmalı ilân; pudra pomponu; [puf] (*kon.*) = HOMOSEXUAL. *f.* Üflemek, püflemek; çok övmek, abartmalı şeklinde ilân etm. ~ **and blow**, nefes nefese olm., solumak: ~ **oneself up**, kurum satmak: ~ **out**, şişirmek, kabartmak: ~ **up**, şişirmek; göklere çıkarmak. ~**-adder**, şişen engerek. ~**-ball**, kurtmantarı. ~**-box**, pudra kutusu. ~**ed** [-ft], ~ **sleeves**, kabarmış yenler: ~ **up**, kurumlu, avurtlu: ~ **face**, şişirilmiş yüz. ~**er**, üfleyen; abartmalı ilân yazarı; (*zoo.*) fahaka; (*çoc.*) lokomotif.
puffin ['pʌfin]. (*Fratercula artica*) Kuzey denizlerine mahsus şişkin gagalı martı(?).
puff·iness ['pʌfinis]. Şişkinlik; (*tıp.*) nefha, soluk. ~**-pastry**, yufkalı hamurişi. ~**-**~, (*çoc.*) lokomotif. ~**y**, şişkin, kabarık; püfür püfür esen.
pug[1] [pʌg]. Küçük buldok köpeği. ~**-nosed**, yassı burunlu.
pug[2]. Hayvan ayağı izi.
pug[3]. Tuğlacı çamur/balçığı (yoğurmak, sıvamak).
pugg(a)ree ['pʌgəri]. Hafif sarık; enseyi güneşten koruyan ve şapkadan sarkan muslin şerit.
pugilis·m ['pyūcilizm]. Boks sanatı, yumrukoyunu. ~**t**, boksör: ~**ic** [-'listik], boks(ör)e ait.
pugnaci·ous [pʌg'neyşəs]. Kavgacı. ~**ty** [-'nasiti], kavgacılık.
puisne ['pyūni] (*huk.*) Madun kıdemli (hâkim).
puissant ['pwīsənt] (*şiir.*) Kudretli, muazzam.
puke [pyūk] (*arg.*) Kus(tur)mak.
pukka ['pʌkə]. Hakikî, gerçek, katıksız, halis; devamlı, sağlam. ~ **sahib**, kibar centilmen.
pulchritud·e ['pʌlkrityūd]. Güzellik. ~**inous** [-'tyūdinəs], güzel.
pul·e [pyūl]. Ağlamak: ~**ing**, (*köt.*) ağlayan, zayıf.
pul·ex ['pyūleks]. Pire. ~**icide** [-lisayd], pirekıran.
pull [pul] *f.* Çekmek; cezbetmek; asılmak. *i.* Çekiş, çekme; asılış; cezp; bir içim (bira vb.); kürek hamlesi; tutup çekecek şey. ~ **at stg.**, bir şeyi çekmek, bir şeye asılmak: ~ **a boat**, kürek çekmek: **give a** ~, bir hamlede çekmek: **have a** ~, sözü geçer olm., arka/torpilli olm.; (*arg.*) uzun bir yudum içmek: **have a** ~ **over s.o.**, başkasına üstün olan bir yanı olm.: ~ **to pieces**, parça parça etm.: ~ **s.o. to pieces**, birini şiddetle tenkit etm., didik didik etmek. ~ **about**, oraya buraya sürüklemek, hırpalamak, örselemek. ~ **away**, çekip ayırmak, kopartmak. ~ **down**, aşağı çekmek, indirmek; yıkmak; sağlığını bozmak. ~ **in**, içeriye çekmek; (*oto.*) durdurmak; (tren) istasyona girmek; (atı) durdurmak. ~ **off**, çıkarmak; kaldırmak; (*kon.*) başarmak. ~ **on**, üstüne çekmek. ~ **out**, çıkarmak; sökmek; (tren) istasyondan çıkmak; (uçak) pikeden çıkmak: ~ **out from behind a vehicle**, (*oto.*) bir araba vb.nin önüne geçmek için arkasından çıkıvermek. ~ **over**, çekip devirmek: (*oto.*) ~ **over to one side**, kenara çekmek. ~ **round**, ayıl(t)mak; (hasta) iyileş(tir)mek. ~ **through**, birini fena bir durumdan kurtarmak; (hasta) iyileşmek; işin içinden çıkmak. ~ **to**, ~ **the door to**, kapıyı çekerek kapatmak. ~ **together**, elbirliğiyle çalışmak: ~ **oneself together**, kendini toplamak, toparlanmak. ~ **up**, yukarı çekmek, kaldırmak; sökmek; at/arabayı durdurmak; (*mec.*) dizginlerini çekmek.
pull·ed [puld]. ~ **down**, (adam) çökmüş. ~**er**, gerici, çekici; çektirme.
pullet ['pulit]. Piliç (dişi).
pulley ['puli]. Makara, bobin, kasnak; palanga. **fast and loose** ~, sabit ve avara kasnak. ~**-block**, makara, mandoz. ~**-wheel**, makara dili.
Pullman ['pulmən]. ~ **(car)**, (*dem.*) koltuklu lüks vagon, yataklı vagon.
pull·-out ['pulaut]. Çekme. ~**over**, kazak, triko.
pullulate ['pʌlyuleyt]. Çabuk çoğalmak; kum gibi kaynamak.
pulmo- ['pʌlmou-] *ön.* Akciğer +. ~**nary** [-mənəri], akciğer (hastalığın)a ait. ~**nate**, akciğerli.
pulp [pʌlp] *i.* Sebze/meyvaların eti; küspe; kâğıt hamuru; her hangi sulu şekilsiz madde; lapa; öz. *f.* Dövüp lapa ve hamur gibi yapmak. **crushed/reduced to a** ~, ezilmiş, pestil gibi olmuş. ~**er**, küspe makinesi. ~**-wood**, hamur odunu. ~**less**, (meyva) etsiz. ~**y**, lapa gibi; yumuşak; pelte gibi.
pulpit ['pulpit]. Mimber; kürsü; (*den.*) pruva korkuluğu. **the influence of the** ~, kilisenin nüfuzu. ~**eer** [-'tiə(r)] (*köt.*) vaiz; mimberden siyasal öğüt vermek.
pulsar ['pʌlsə(r)] = PULSATING STAR.
puls·ate [pʌl'seyt]. Nabız gibi atmak, kalp gibi çarpmak; zonklamak; titremek. ~**ating**, titreşimli: ~ **star**, zonklayan yıldız. ~**ation** [-'seyşn], titreşim; (*tıp.*) vuru. ~**e**[1], *i.* nabız, vurum; nabız atması, çarpıntı; empülsiyon; sadme: *f.* nabız gibi atmak; ihtizaz etm.: **feel one's** ~, nabzını yoklamak: ~**-jet**, (*hav.*) kesikli çalışan jet motoru.
pulse[2]. Bakliyat.
-pulsion [-'pʌlşn] *son.* . . . it(il)mesi [PROPULSION].
pulver·ize ['pʌlvərayz]. Toz haline getirmek; ezmek; püskürtmek: ~**d**, toz halinde, ezilmiş: ~**r**,

püskürtücü, tozlayıcı. **~ulent** [-'verulənt], tozlu, toz halinde.
pulvinate(d) ['pʌlvineyt(id)] (*mim.*) Kabarma; (*bot.*) yastık şeklinde.
puma ['pyūmə]. Amerika aslanı, puma.
pumice ['pʌmis]. Ponza(lamak). **~-stone**, süngertaşı.
pummel ['pʌml]. Yumruklamak.
pump[1] [pʌmp] *i.* Tulumba, pompa, şişirgeç. *f.* Tulumba ile/gibi çekmek, pompalamak. **~ s.o.**, (*arg.*) birinden bilgi/haber edinmeğe çalışmak: **~ out**, suyunu tulumba ile çekip (kuyu vb.ni) kurutmak: **~ up**, tulumba ile (su) çekmek; hava basıp şişirmek.
pump[2]. **~s**, rugan iskarpinler.
pumpkin ['pʌmkin]. Helvacı kabağı.
pun [pʌn]. Cinas (yapmak); kelime oyunu.
punc. = PUNCTUATION.
punch[1] [pʌnç] *i.* Zımba; (*müh.*) nokta; (*sp.*) muşta, yumruk. *f.* Zımbalamak; zımba ile delik açmak; yumrukla vurmak; nokta ile işaret etm. **he packs a heavy ~**, sert yumrukla vuruyor: **pull one's ~es**, bütün kuvvetiyle vurmamak.
punch[2]. Punç.
Punch[3]. Polişinel; şişman ve kambur bir kukla; bir cins ağır at. **~-and-Judy show**, Karagöz oyununa benziyen bir kukla oyunu.
punch-[4] *ön.* **~ball**, armuttop, yumruk topu. **~-bowl**, punç için büyük kâse; (*coğ.*) dağ bayırında yuvarlak ve derin çukur. **~-drunk**, (boksör) yumruklanmadan aklı başında olmayan. **~ed** [pʌnçt], delikli: **~-card**, delikli kart.
puncheon[1] ['pʌnşn]. Kısa dayak.
puncheon[2]. Büyük fıçı.
punch-up ['pʌnçʌp] (*arg.*) Dövüş(me).
punctat·e ['pʌn(g)kteyt] (*biy.*) Benekli; noktalı. **~ion** [-'teyşn], benekli olma.
punctilio [pʌn(g)k'tiliọu]. Törene düşkünlük. **~us** [-liəs], törene düşkün; çöpatlatmaz.
punctual ['pʌn(g)ktyuəl]. İşini zamanında yapan; tam zamanında; dakikası dakikasına; muntazam, düzenli; şaşmaz. **~ity** [yu'ality], dakiklik. **~ly** [-yuəli], tam zamanında.
punctuat·e ['pʌn(g)ktyueyt]. Noktalamak; işaretle sağlamlaştırmak; ikide bir sözlerini (kahkaha/nida ile) kesmek. **~ion** [-'eyşn], noktalama.
punctum [pʌn(g)ktəm] (*biy.*) Benekçik.
puncture ['pʌn(g)kçə(r)] *i.* Sivri bir şeyle yapılan delik; iğne ile delme, ponksiyon. *f.* Delmek, deşmek. **have a ~**, (*oto.*) lastiği delinmek. **~-proof**, delinmez.
pundit ['pʌndit]. Hindu dinî alimi; allâme, derin bilgili.
pungen·cy ['pʌncənsi]. Dokunaklılık, keskinlik. **~t**, dokunaklı, keskin; tuzlu biberli; müessir, etkili: **~ly**, keskin bir şekilde.
Punic ['pyūnik]. Kartacalılara ait.
punish ['pʌniş]. Cezalandırmak, terbiyesini vermek, tedip etm.; (*arg.*) (et vb.ni) temizlemek, silip süpürmek. **~able**, cezalandırılabilir, cezayı hak etmiş. **~ment**, ceza, tedip, cezalandırma: **capital ~**, ölüm cezası: **corporal ~**, beden cezası.
punitive ['pyūnitiv]. Cezaya ait; tenkil edici. **a ~ force**, tedip kuvveti, uslandırma gücü.
Punjab [pʌn'cāb]. Pencap ülkesi. **~i**, Pencaplı; Pencap dili.
punk [pʌn(g)k]. Çürük tahta; tav; (*arg.*) değersiz şey, saçma; (*arg.*) değersiz kimse.
punkah ['pʌn(g)kə]. Tavana asılı büyük bir yelpaze, panka.
punnet ['pʌnit]. Küçük meyva sepeti.
punster ['pʌnstə(r)]. Cinasçı.
punt[1] [pʌnt] *i.* Sırık ile yürütülen dibi düz bir cins kayık. *f.* Böyle bir kayığı kullanmak.
punt[2]. (Rugby futbol oyununda) top yere düşmeden ayak ile vurmak.
punter ['pʌntə(r)]. Kumarcı; at yarışlarında bahse giren; hava oyuncusu.
puny ['pyūni]. Nahif, arık, cılız, sıska; âciz, güçsüz, zayıf.
pup [pʌp]. Köpek yavrusu. **in ~**, gebe (köpek): **conceited young ~**, hoppa delikanlı: **sell s.o. a ~**, birini kafese koymak.
pupa, *ç.* **~e** ['pyūpə, -pay]. Pupa, krizalit. **~te** [-peyt], pupa olm. **~tion** [-'peyşn], pupa olma.
pupil[1] ['pyūpl]. Talebe, öğrenci, okullu; buluğa ermemiş ve vesayet altında çocuk. **~lage** [-pilic], vesayet halinde olma. **~lary** [-ləri], öğrenciye ait.
pupil[2]. Gözbebeği, hadeka.
puppet ['pʌpit]. Kukla. **~-show**, kukla oyunu.
puppy ['pʌpi]. Köpek yavrusu; hoppa delikanlı. **~hood**, yavru olma. **~ish**, köpek yavrusu gibi.
purblind ['pəblaynd]. Yarı kör; darkafalı.
purchas·e[1] ['pəçis]. Satın alma(k); alım, alış; mübayaa; satın alınan şey. **at ten years' ~**, on senelik gelirine bedel: **your life would not have been worth an hour's ~**, bir saatten fazla yaşamazdınız: **~-tax**, işletme vergisi. **~ing power**, satın alma gücü.
purchase[2]. Mihanikî kuvvet; çekme gücü; makara, palanga; dayanak noktası. **get/secure a ~ on stg.**, bir şeye dayan(dır)mak; sıkı tutmak.
purdah ['pədə]. (Hindistan'da) kadınları erkek gözlerinden saklamak için perde; kaçgöç.
pure [pyūə(r)]. Saf, halis, öz; arı; pak; temiz; katışıksız; afif; sade; süssüz. **~ mathematics**, kuramsal matematik. **~-blooded/-bred**, saf kan, cins; su katılmadık. **~ly**, saf vb. olarak. **~-minded**, afif düşünceli. **~ness**, saflık vb.
purée ['pyūrey] (*Fr.*) Ezme, püre.
purfl·e [pəfl]. Kenarı süslemek. **~ing**, süslü kenar.
purg·ation [pə'geyşn]. (Müshil ile) temizleme. **~ative** ['pəgətiv], müshil, sürgün ilâcı. **~atory**, (*din.*) Araf; acı çekme yeri. **~e** [pəc], müshil (vermek); boşaltma(k), temizle(n)me(k): **~ one's offence**, (*huk.*) cezalanmak.
puri·fication [pyuərifi'keyşn]. Temizle(n)me, tasfiye, arıtma. **~fy** ['pyuərifay], temizlemek, tasfiye etm., arıtmak. **~sm** [-rizm], titizlik; arıtmacılık. **~st**, (*dil.*) açıklık meraklısı; titiz; arıtmacı. **~tan** [-ritən], din/ahlâk hususunda pek mutaassıp/bağnaz/sofu olan kimse; Püriten: **~ical** [-'tanikl], bağnaz, sofu: **~ism** [-tənizm], Püriten mezhebinin yöntemi. **~ty**, saflık; temizlik; iffet; (*dil.*) fesahat, açıklık, özlük.
purl[1] [pəl] *i.* Çağıltı. *f.* Çağıldamak.
purl[2]. Örgü örerken ilmeği ters yapma(k).
purler ['pələ(r)] (*kon.*) **come/take a ~**, ağır düşmek.
purlieu ['pəlyū]. Hudut, had, sınır: **~s**, civar, etraf, çevre, yöre.
purlin ['pəlin]. (Çatıda) sırt kirişi.
purloin ['pəloyn]. Aşırmak.
purpl·e [pəpl]. Mor, erguvanî; koyu menekşe rengi:

born in the ~, yüksek bir aileye *ve bilh.* hükümdar ailesine mensup: ~ **in the face**, alı alına moru moruna, pek öfkelenmiş: ~ **passages**, (bir yazıda) parlak kısımlar: **be raised to the** ~, kardinal tayin olunmak: ~**-heart**,* bir askerî madalya; (*kon.*) bir cins PEP-PILL. ~**ish**/~**y**, mor rengine çalan.

purport ['pōpōt] *i.* Meal, diyem; mefhum, kavram; mana, anlam. [pə'pōt] *f.* Anlamında olm.; göstermek. **it** ~**s to be a letter from X**, (diyemine bakılırsa) bu mektubun X tarafından yazıldığı iddia ediliyor.

purpose ['pōpəs] *i.* Maksat, amaç, erek, niyet, emel, meram, gaye, uygulamalık, kast. *f.* Niyet etm., demek istemek, kastetmek. **at cross** ~**s**, birbirinin amacına aykırı: **for/with the** ~ **of**, . . . niyetiyle/niyetinde: **on/of set** ~, kasten, mahsus, bile bile, isteyerek: **answer the** ~, işine uymak, isteğe uygun olm.: **answer/serve several** ~**s**, çeşitli işlere yaramak: **come to the** ~, konuya gelmek: **not to the** ~, konu dışı: **speak to the** ~, pek yerinde söylemek: **to no** ~, boş yere, nafile: **work to good/some** ~, iyi ve verimli olarak çalışmak: **to what** ~?, neye? neye yarar?, ne diye?: **a novel with a** ~, tezli roman: **general-**~ **(lorry etc.)**, her işe yarar (kamyon vb.). ~**-built**, özel bir maksat için inşa edilmiş. ~**ful**, maksatlı; anlamlı, önemli. ~**less**, maksatsız; beyhude; anlamsız. ~**ly**, kasten, mahsus, bile bile, isteyerek.

purpura ['pōpyurə]. Purpura hastalığı; domuz humması.

purr [pō(r)] *i.* Kedi mırıltısı. *f.* Mırıldamak.

purse [pōs]. Para kesesi. **common** ~, ortak kese: **privy** ~, has hazine: **public** ~, devlet hazinesi: **tight** ~, cimri: **according to the length of one's** ~, servet/gelirine göre: **that is beyond my** ~, o benim harcım değil: **you can't make a silk** ~ **out of a sow's ear**, arık etten yağlı tirit olmaz. ~**ful**, kese dolusu. ~**-net**, kese şeklinde balık ağı. ~**-proud**, zenginliği ile gururlanan. ~**r**, gemi yazmanı ve levazım memuru; gemi veznedarı. ~**-strings**, kese bağları: **hold the** ~, (*mec.*) (aile vb.) sarfiyatını idare etm.: **loosen/tighten the** ~, giderlerini artırmak/azaltmak.

purslane ['pōslin]. Semizotu.

pursuan·ce [pə'syūəns]. İfa, takip; yerine getirme, uygulama: **in** ~ **of . . .**, -i takip ederek. ~**t**, takip eden; yerinde, uygun: ~ **to . . .**, -e göre/uygun olarak.

pursu·e [pə'syū]. Takip etm., izlemek; avlamak, kovalamak, peşine düşmek; devam etm.; aramak. ~**it** [-'syut], takip, izleme, peşinden gitme, kovalama; meşgale; araştırma: **set off in** ~, izlemeye koyulmak: *~**-plane**, avcı uçağı: ~**-race**, kovalama yarışı.

pursuivant [pə'swīvənt]. Teşrifatçı; uşak.

pursy ['pōsi]. Şişman ve dar soluklu; buruşuk, katlanmış; zengin.

purulen·ce/cy ['pyuəryuləns(i)]. Cerahatlilik. ~**t**, cerahatli, irinli.

purvey [pə'vey]. Erzak ve levazım tedarik etm. ~**ance**, tedarik etme. ~**or**, erzak müteahhidi.

purview ['pōvyū]. Saha, alan; meal.

pus [pʌs]. Cerahat, irin.

PUS = PERMANENT UNDER-SECRETARY; *PHARMACOPOEIA OF THE UNITED STATES; *PRESIDENT OF THE UNITED STATES.

push[1] [puş] *i.* İtme; kakma; dürtüş; girişim; teşebbüs, girginlik, cerbeze; ilerleme. **at a** ~, icabederse, gerekirse; kaçınılmaz durumda: **get the** ~, (*kon.*) işinden çıkarılmak: **when it comes to the** ~, mesele/durum ciddileşirse/sıkışınca.

push[2] *f.* İtmek, dürtmek, kakmak; sürmek; basmak, sokmak. ~ **one's advantage**, elde edilen bir çıkarı son derecesine kadar/dek sömürmek: ~ **oneself (forward)**, itip kakarak ilerlemek; girginlik etm.: **he does not know how to** ~ **himself**, kendini satmasını bilmiyor. ~ **in**, itip içeri sokmak; itip içeri girmek. ~ **off**, kayığı iterek iskeleden uzaklaştırmak: ~ **off!**, alarga!; (*arg.*) çek arabanı! ~ **on**, ileriye sürmek; ilerlemek: ~ **on with the work**, işe direşmeyle devam etmek. ~ **out**, dışarıya itmek; sürmek; çıkmak; çıkarmak. ~ **to**, itip kapatmak. ~ **under**, itip daldırmak: ~ **under the carpet**, (*mec.*) saklayıp unutmak. ~ **upstairs**, (*mec.*) önemsiz bir göreve yükseltmek.

push-[3] *ön.* ~**-bicycle**, bisiklet. ~**-button**, basma düğme. ~**-cart**, el arabası. ~**er**, itici; (*arg.*) esrar ilâçlar satıcısı. ~**ful/-ing**, girişken, pişkin, sıkılmaz; becerikli, girgin. ~**-over, it's a** ~, (*kon.*) çok kolay bir iş. ~**-pit**, (*den.*) kıç korkuluğu. ~**-pull**, (*müh.*) puşpul. ~**-rod**, itme çubuğu.

pusillanim·ity [pyūsila'nimiti]. Korkaklık, alçaklık. ~**ous** [-'laniməs], korkak.

puss [pus]. Kedi, pisi; haspa: ~ ~**!**, pisipisi! ~**-in-the-corner**, köşe kapmaca oyunu. ~**y(-cat)**, kedi: * ~**-foot**, PROHIBITION taraftarı.

pustul·ar ['pʌstyulə(r)]. Sivilceye ait. ~**ate**, sivilceli. ~**e** [-yūl], sivilce.

put (*g.z.(o.)* ~) [put]. Koymak, vazetmek, sunmak, yerleştirmek; ifade etm., anlatmak, arzetmek; tahmin etm., oranlamak. **I** ~ **his age at 30**, yaşını 30 oranlıyorum: ~ **a horse at/to a fence**, bir atı atlamak üzere bir engele sürmek: ~ **(their) heads together**, baş başa vermek: ~ **into harbour**, limana girmek: ~ **into English**, İngilizceye çevirmek: **I** ~ **it to you that . . .**, müsaadenizle arzederim ki . . .: **to** ~ **it mildly**, en hafif deyimle: ~ **a question**, sual sormak: ~ **a resolution**, (bir meclis vb.de) bir teklif vermek: ~ **to sea**, (gemi) alarga etm.: ~ **s.o. to do stg.**, birine bir şeyi yaptırmak: **you can do anything if you are** ~ **to it**, insan mecbur olunca her şeyi yapar. ~ **about**, (gemiyi) geriye çevirmek; yaymak. ~ **across**, öbür tarafa geçirmek: ~ **a deal across**, bir alışverişi başarıyla tamamlamak: **you can't** ~ **that across me**, ben bunu yutmam, ben buna gelemem. ~ **away**, bir tarafa koymak, saklamak; para biriktirmek; (*arg.*) ziftlenmek: ~ **s.o. away**, birini tımarhaneye götürmek. ~ **back**, yerine geri vermek; (saati) geri almak; (gemi) geri dönüp limana gelmek. ~ **by**, (parayı) bir kenara koymak, saklamak; ayırmak. ~ **down**, aşağı koymak; yere koymak; bırakmak; yazmak, kaydetmek; addetmek, saymak, isnat etm.; bağışlamak: ~ **down passengers**, yolcuları indirmek: ~ **down a rebellion**, bir isyanı bastırmak: ~ **that down to me**, onu benim hesabıma yaz: **I** ~ **it down to his youth**, gençliğine verdim/bağışladım: **I** ~ **him down as/for an Englishman**, onu İngiliz sanıyorum. ~ **forth**, göstermek; harcamak, sarfetmek; (ileri) sürmek. ~ **forward**, ileri sürmek, arzetmek; ilerletmek: ~ **oneself forward**, sokulmak, girginlik etm.: ~ **one's best foot forward**, adımlarını sıklaştırmak; elinden geleni yapmak. ~ **in**, içeri sokmak, dercetmek; dikmek; koymak; (*huk.*) göstermek: ~ **in a claim/application, etc.**, dilekçe/istida vb. resmen vermek: ~ **in a good day's work**, tam bir günlük işi yapıp bitirmek, başarmak: ~ **in at a port**, bir limana girmek/uğramak: ~ **in for a post**, bir yere adaylığını koymak. ~ **off**, çıkartmak, kaldırmak; tehir etm., ertelemek; avutmak, oyalamak, savsaklamak; tiksindirmek; çelmek; şaşırtmak; (gemi) iskeleden ayrılmak/hareket etm.: ~ **s.o. off doing stg.**, birini bir şey yapmaktan vazgeçirmek, yürek/istek bırakmamak, soğutmak: ~ **off one's guests**, misafirlere haber göndererek daveti ertelemek: **be ~ off stg.**, bir şeyden soğumak, tiksinmek, ürkmek, ağzı yanmak: **don't ~ me off!**, beni şaşırtma! ~ **on**, üzerine koymak; giymek; katmak, eklemek, ilâve etm.; takınmak: *s.* yapma, yapmacık: ~ **the clock on**, saati ileri almak: ~ **the gramophone on**, gramofon işletmek/çalmak: ~ **the radio on**, radyoyu açmak: ~ **the light on**, ışığı yakmak: ~ **on a train**, bir treni servise koymak: ~ **a play on**, bir piyesi sahneye koymak: ~ **s.o. on to a job**, birine bir iş vermek: **who ~ you on to it?**, bunu size kim gösterdi/öğretti?: ~ **me on to Oxford 54321**, (telefon) Oxford 54321'i veriniz. ~ **out**, dışarı koymak, atmak; çıkarmak; uzatmak; söndürmek; yanıltmak; darıltmak; bozmak, şaşırtmak: ~ **one's arm out**, (i) kolunu uzatmak; (ii) kolu çıkmak: ~ **s.o.'s eyes out**, birinin gözlerine mil çekmek: **he was very ~ out**, kötü bozuldu; pek dargındı: **he was not in the least ~ out**, hiç istifini bozmadı: ~ **oneself out for s.o.**, birisi için sıkıntı çekmek: **don't let me ~ you out**, aman sizi rahatsız etmiyeyim, size sıkıntı vermeyim: ~ **s.o. out in their reckoning**, birinin hesabını bozmak: ~ **money out to interest**, parayı faize vermek/yatırmak: **all work is done on the premises, nothing is ~ out**, bütün iş atelyede/bina içinde yapılır, dışarı verilmez. ~ **through**, iyi bir sonuca götürmek/çıkarmak: **he ~ his foot through the ice**, ayağı buzu deldi: ~ **me through to the director**, (telefon) bana müdürü veriniz. ~ **to**, ~ **it to s.o.**, birine soru yöneltmek. ~ **together**, bitiştirmek, birleştirmek; çatmak; kurmak; birbirine katmak. ~ **up**, yukarı koymak; yüksekçe bir yere yapıştırmak; dikmek, kurmak, inşa etm.; kaldırmak; ileri sürmek, arzetmek; adaylığını koymak; aday göstermek; sandık/bohçaya koymak, istif etm.: ~ **up at a place**, bir yerde konaklamak: ~ **s.o. up (for the night)**, birini evinde/yatırmak: ~ **up a bird/hare, etc.**, avda bir kuş/tavşan vb. kaldırmak: ~ **up a fight**, karşı koymak, çarpışmak: ~ **up one's hands**, ellerini kaldırmak, teslim olm.: ~ **up the money for an undertaking**, bir teşebbüs için para komak/yatırmak: ~ **s.o. up to a thing**, birini doldurmak/aklına koymak: ~ **stg. up for sale**, bir şeyi satışa çıkarmak: ~ **up an umbrella**, şemsiye açmak: ~ **up with**, katlanmak, dayanmak; nazını çekmek: **~-up, a ~ job**, danışıklı dövüş. ~ **upon**, üstüne koymak: **be ~ upon**, kendini ezdirmek: **I won't be ~ upon**, kimseyi enseme bindirmem; her zaman okka altına ben gidemem; yağma yok!

putamen [pyū'teymen]. Erik vb.nin çekirdeği.

putative ['pyūtətiv]. Mefruz, var sayılan; meşru farzedilir.

put-put(t) ['putput] (*yan.*) Küçük motor(bot)un sesi çıkarma(k); küçük motorbot; portatif jeneratör.

putr·efaction [pyūtri'fakşn]. Çürüme, tefessüh, taaffün, kokuşma. ~**efied**, çürük. ~**efy** [-fay], çürümek, tefessüh/taaffün etm., kokuşmak. ~**escence** [-'tresəns], taaffün, kokuşma. ~**escent**, çürümeğe başlamış; pis kokulu. ~**id**, ufunetli, kokmuş, çürük; iğrenç.

put(t) [pʌt]. (Golf) topu hafifçe vurmak. ~**er**, bu vuruş için özel değnek.

puttee ['pʌti]. Dolak.

putty ['pʌti]. Camcı macunu; lökün.

puzzl·e [pʌzl] *i.* Muamma; şaşırtmaca; bilmece, bulmaca. *f.* Muamma gibi gelmek; düşün(dür)mek; şaşır(t)mak. ~ **stg. out**, düşünüp taşınarak bir şeyin içyüzünü bulmak: ~ **over stg.**, bir şeyin üzerine kafasını yormak. ~**edom**/~**ement**, şaşkınlık. ~**ed**, şaşkın. ~**er**, kafasını yoran kimse; şaşırtıcı bir mesele. ~**ing**, şaşırtıcı.

PV·A/C = POLYVINYL ACETATE/CHLORIDE.

Pvt = PRIVATE (*SOLDIER).

PW = POLICE-WOMAN; PUBLIC WORKS.

pwt. = PENNYWEIGHT.

PX = *POST EXCHANGE.

pyaemia [pay'īmiə] (*tıp.*) Vücutta çok çıban çıkaran bir kan zehirlenmesi.

pycnometer [pik'nomitə(r)]. Yoğunluk ölçeri.

pyedog ['paydog]. Melez köpeği.

pyelitis [payi'laytis]. Böbrek içi iltihabı.

pygm·aean ['pigmiən]. Cüce gibi. ~**y**, cüce (gibi).

pyjama(s), ***paj-** [pi'cāmə(z)]. Pijama, gecelik.

pylon ['paylon]. Sütun, pilon.

pylorus [pay'lorəs]. Mide kapısı, pilor.

pyo- [payə-] *ön.* İrin. ~**rrhea** [-'riə], (*bilh.* diş etinde) irin akması.

pyr- [payr-] *ön.* Ateş/sıcaklığa ait. ~**acantha** [-rəkanθə], kuş alıcı.

pyramid ['pirəmid]. Ehram, piramit. ~**al**, piramit şeklinde. ~**-selling**, bir malın satış haklarını bir kaç kişiye satma; kartopu satişi.

pyre ['payə(r)]. **funeral** ~, ölünün cesedini yakmak için toplanan odun yığını.

pyr·ethrum [pay'rīθrəm]. Pire otu: ~ **powder**, böcek öldürücü toz. ~**etic** [-'rītik] (*tıp.*) ateş/hummaya ait. ~**ex** [-riks] (*M.*) ateşe dayanır cam (tabaklar vb.): ~**ia**, (*tıp.*) ateş(li olma). ~**heliometer** [-hīli'omitə(r)], günerkolçer. ~**ites** [-'raytīz], pirit.

pyro- [payro-] *ön.* Ateş/ısı/sıcaklığa ait; ateş+; piro-. ~**chemical**, yüksek ısı kimyasına ait. ~**electric**, piroelektriğe ait. ~**genetic**, ateş/humma doğuran. ~**genous** [-'rocinəs] (*yer.*) ateşten gelen/volkanik (kaya). ~**latry** [-'rolətri], ateşe tapma. ~**mania** [-'meyniə], piromani; kundakçılık deliliği. ~**meter** [-'romitə(r)], ateş ölçeri, pirometre. ~**phobia** [-'foubiə], ateşten korku. ~**technic·(al)**, hava fişeklerine ait: ~**s**, hava fişekçiliği.

Pyrrhic ['pirik]. **a ~ victory**, (gerçekte bir felâket olan) görünüşteki zafer/yengi.

python [payθən]. Kocaman yılan, piton.

pythoness ['payθənes]. Falcı kadın.

pyx [piks]. Sikke numunelerine mahsus kutu; (*din.*) kutsal ekmeğe mahsus kutu.

Q

Q [kyū]. Q harfi.
Q, q. = QUEEN (*krş.* K = KING); QUESTION.
Q and A = QUESTION AND ANSWER.
QAR·ANC/NNS = QUEEN ALEXANDRA'S ROYAL ARMY NURSING CORPS/NAVAL NURSING SERVICE.
QB = QUEEN'S BENCH.
QC = QUALITY CONTROL; QUEEN'S COUNSEL; QUICK-CHANGE.
QE·D/F = QUOD[2].
q.f. = QUICK-FIRING/-FREEZE.
Q-fever [kyū'fīvə(r)]. Tifüs gibi hafif bir hastalık.
QGM = QUEEN'S GALLANTRY MEDAL.
QH·C/P/S = QUEEN'S HONORARY CHAPLAIN/PHYSICIAN/SURGEON.
Qld = QUEENSLAND.
qlty = QUALITY.
QM = QUARTERMASTER; QUEEN'S MESSENGER. **~G/S** = QUARTERMASTER-GENERAL/SERGEANT.
qnty = QUANTITY.
QPS = QUEEN'S POLICE MEDAL.
qr. = QUARTER.
Q-ship ['kyūşip]. Gizlenmiş silâhlı gemi.
QS·O = QUASI-STELLAR OBJECT. **~TOL** = (*hav.*) QUIET SHORT TAKE-OFF AND LANDING.
qt(s) = QUART(S).
q.t. (*arg.*) = QUIET: **on the (strict)** ~, hususî/gizli olarak.
qt·r = QUARTER. **~y** = QUANTITY.
qu. = QUERY.
qua [kwey] (*Lat.*) Sıfatıyle; . . . olarak.
quack[1] [kwak] (*yan.*) *i.* Ördek sesi, gak gak. *f.* Ördek gibi bağırmak. **~-~**, (*çoc.*) ördek.
quack[2]. Doktor taslağı; şarlatan; sahte. **~ery**, doktorluk taslama; şarlatanlık. **~ish**, şarlatan gibi.
quad. [kwod] = QUADRANGLE; QUADRAT; QUADRUPLE(T).
quadr- [kwodr-] *ön.* Dört . . .; dörtlü. **~agenarian** [-əci'neəriən], kırk yaşında olan kimse. **~angle** [-an(g)gl], dörtgen; (okul/üniversite) büyük iç avlu. **~angular** [-'dran(g)gyūlə(r)], dört köşeli, dörtgen şeklinde. **~ant** [-ənt], bir dairenin dörtte biri; kadran. **~at**, (*bas.*) katrat. **~ate**, (*zoo.*) dörtgenli. **~atic** [kwə'dratik], (*mat.*) ikinci dereceli. **~ature** ['kwodrəçə(r)], kareleme. **~ennial** [kwə'drenyəl], dört yılda bir olagelen; dört yıl süren. **~ilateral** [kwodri'latərəl], dört kenar(lı); dörtgen. **~ille** [-'dril], kadril. **~illion** [-yən], katrilyon (†10^{24}; *10^{15}). **~isyllabic** [-si'labic], dört heceli. **~ivalent** [-'veylənt] (*kim.*) dört değerli. **~oon** [-'drūn], dörtte bir zenci melezi. **~ophonic** [-drə'fonik], çift stereofonik. **~uped** [-druped], dört ayaklı. **~uple** [-'drūpl] *s.* dört kat; dört misli: *f.* dört katına çıkarmak. **~uplet** [-drūplit], dördüz: **~s**, bir batında doğmuş dört çocuk. **~uplicate** [-'drūplikeyt] *f.* dörtle çarpmak, dört misli artırmak: *s.* dört misli: **in** ~, dört nüsha olarak.
quaff [kwāf]. Büyük yudumlarla içmek.
quag(gy) [kwag(i), kwog(i)]. Bataklık(lı).
quagga ['kwagə]. Yaban eşeği.
quagmire ['kwagmayə(r)]. Bataklık; batak; çamur.
quail[1] [kweyl] *i.* Bıldırcın.
quail[2] *f.* Ürkmek, yılmak.
quaint [kweynt]. Tuhaf; antika; eski moda fakat hoş. **~ly**, tuhafça. **~ness**, tuhaflık.
quak·e [kweyk] *f.* Titremek, deprenmek: ~ **in one's shoes**, korkudan tiril tiril titremek: *i.* = EARTHQUAKE. **~er**, özel bir Protestan mezhebi üyesi. **~ing**, titreme; raşe, lerze: ~ **grass**, zembilotu.
qualif·ication [kwolifi'keyşn]. Nitelik, vasıf(landırma), nitelendirme; ehliyet, yeter(li)lik; yetenek; şart, kayıt, koşul, öncelik; tahdit, sınırlama: **without** ~, kayıtsız şartsız. **~ied** [-ifayd], ehliyetli, yeterli, yetenekli; sertifikalı, diplomalı; yeterlik belgesi olan; salâhiyetli, yetkili; mahdut, sınırlı; şartlı, koşullu: **be** ~ **to do stg.**, gerekli olan nitelikleri taşımak: ~ **approval**, şart/koşula bağlı takdir; sınırlı takdir/beğenme. **~y** [-fay], tavsif etm., vasıflandırmak, nitele(ndir)mek; tadil etm., değiştirmek; istisna ileri sürerek sınırlandırmak; ehliyet/yeterlik belgesi vermek; hafifletmek, azaltmak; ehliyet kesbetmek: ~ **as a doctor**, (imtihan verip) doktor olm.: ~ **s.o. for stg.**, birini bir iş/görev için ehliyetli kılmak/lâyık olduğunu göstermek: ~ **oneself for a post**, bir iş için gerekli olan nitelikleri kazanmak.
qualit·ative ['kwolitətiv]. Keyfiyet/mahiyete ait; nasıllık ve nitelikle ilgili; nitelik +, nitel, kalitatif: ~ **analysis**, keyfî tahlil, nitel analiz, madde analizi: **~ly**, nitel olarak, niteliğine göre. **~y** [-iti], keyfiyet, nitelik; hassa, haslet, nasıllık; kalite; sıfat, durum; mahiyet; vasıf: **the** ~, (*mer.*) kibar sınıf: **a person of** ~, kibar bir adam: **a wine of** ~, iyi bir cins şarap: **high/poor** ~, niteliği yüksek/düşük: ~ **not quantity**, az olsun öz olsun: **~-control**, kalite/nitelik kontrolu: **~-newspaper**, (aydınlar için) az tirajlı gazete.
qualm [kwām]. Mide bulantısı; vicdan üzüntüsü; kuruntu, endişe, kuşku. **have no ~s about doing stg.**, bir şeyi yapmaktan hiç çekinmemek. **~ish**, midesi bulanmış; vicdanen üzüntülü.
quandary ['kwondəri]. Müşkül/kötü durum, içinden çıkılması zor durum. **be in a** ~, dört dönmek.
quanti·fy ['kwontifay]. Miktarını tayin etm., saymak, ölçmek. **~tative**, kemiyet/nicelik/miktarına ait; nicel, sayısal; nicelik +: ~ **analysis**, nicel analiz, miktar analizi: **~ly**, nicel olarak, miktarına göre. **~ty** [-titi], miktar; kemiyet, nicelik; çokluk; aruz ölçüsü; (*dil.*) bir hecenin

uzunluğu: **a great ~ of...**, pek çok: **in great ~ies**, çok miktarda: **negligible ~**, (*mec.*) önemsiz bir kimse: **unknown ~**, (*mec.*) etkisi kesin olmıyan bir kimse: **~-discount**, toptan iskonto: **~-surveyor**, yapı işlerinde gereç oranlayıcısı.
quant·um, *ç.* **~a** ['kwontə(m)] *i.* Kemiyet, nicelik; asgarî/yeter miktar; (*fiz.*) tutam, kuvantum, güç/ enerji birimi. *s.* Kuvantum +.
quaquaversal [kweykwə'vāsl] (*yer.*) Her yöne eğik.
quarantine ['kworəntīn] *i.* Karantina, sağlık korunması. *f.* Karantinaya koymak; tecrit etm., ayırmak.
quark [kwāk] (*nük.*) Kuramsal zerre.
quarrel ['kworəl] *i.* Kavga; bozuşma; ağız kavgası; niza; münazaa. *f.* Bozuşmak, kavga etm. **~ with one's bread and butter**, kendi ekmeği ile oynamak: **I have no ~ with his behaviour**, davranışına diyeceğim yok: **pick a ~ with s.o.**, birisiyle kavga aramak: **take up s.o.'s ~**, bir kavgada birinin tarafını tutmak. **~some**, kavgacı, didişken.
quarrier ['kwori·ə(r)]. Taş ocakçı, taşçı.
quarry[1] ['kwori]. Avlanan hayvan, şikâr, av.
quarry[2]. Taş ocağı(ndan taş çıkarmak); (*mec.*) araştırmak. **~ing**, ocaktan taş çıkarma; taşçılık. **~-man**, taşçı, taş ocağı işçisi.
quart [kwōt]. Bir sıvı ölçüsü ki galon'un dörtte biridir = †1,136 litre; *0,946 litre.
quartan ['kwōtən] (*tıp.*) Her 4'cü gün olan ateş.
quarter[1] ['kwōtə(r)]. Aman; af, merhamet. **cry/ask for ~**, aman dilemek: **give ~**, aman vermek, canını bağışlamak.
quarter[2] *i.* Dörtte biri, rubu; çeyrek; üç aylık dönem; ayın dördü, evre; (*ast.*) dördün, terbi; 28 libre = 12,7 kilo; tahıl ölçüsü = 2,9 hektolitre; *25 sent; çeyrek mil; taraf, cihet, yön; mahalle, semt; muhit, çevre; bir hayvanın dörtte biri, omuz, but; (*den.*) kıç omuzluğu: *ç.* ikametgâh, konak, yatacak yer; (*den.*) savaş/talim zamanında tayfaya ayrılan yer. *f.* Dört eşit parçaya ayırmak; çeşitli evlere asker yerleştirmek: **be ~ed with/on s.o.**, (*ask.*) birinin evine yerleştirilmek: **at close ~s**, yakından, yaklaşmış olarak: **from all ~s**, her taraftan: **all hands to ~s!**, (savaş gemisinde) herkes yerine!: **beat/pipe to ~s**, gemide savaş hazırlığı emrini vermek: **take up one's ~s with...**, gidip ...in yanına yerleşmek: **we shall get no help from that ~**, o taraftan yardım görmiyecegiz: **a ~'s rent**, üç aylık kira. **~age** [-ric], üç aylık ücret vb. **~-back**, (*sp.*) ileriler arkasındaki oyuncu. **~-bell**, çeyrekler çalan çan. **~-bill**, (*den.*) tayfaya savaş yerlerini tayin eden liste. **~-bred**, (*zir.*) bir çeyrek saf kanlı hayvan. †**~-day**, üç aylık kira/maaşların ödendiği günler (25 mart, 24 haziran, 29 eylül, 25 aralık). **~-deck**, (*den.*) kıç güvertesi: **the ~**, geminin deniz subayları: **salute the ~**, gemiye binerken selâm vermek. **~-final**, (*sp.*) çeyrek son. **~ing**, dört parçaya ayır(ıl)ma; yerleştir(il)me; armanın dörtte biri. **~-light**, (*oto.*) yan pencere. **~ly**, üç aylık/her üç ayda bir (yayımlanan/ödenen). **~master**, (*den.*) serdümen; (*ask.*) levazım subayı: †**~-General**, (*ask.*) levazım başkanı: **~-sergeant**, levazım subayı emrindeki çavuş. **~-mile(r)**, çeyrek millik koşu(larda koşucu). **~n**, **~ loaf**, 4 librelik somun. **~-plate**, (*sin.*) 108 × 83 mm cam/resim. †**~-sessions**, üç ayda bir olan mahallî sulh mahkemesi. **~staff**, (*tar.*) kalın sopa olan silâh. **~-tone**, (*müz.*) çeyrek nota. **~-wind**, kıç omuzluğundan esen rüzgâr.
quart·et(te) [kwō'tet]. Dört çalgılık parça(yı çalan/söyleyen sanatçılar); dört kişilik grup/ hanende takımı, kuartet: **string ~**, dört kişilik telli çalgı takımı. **~ile** [-tayl], çeyreğe ait. **~o** [-tou] (*bas.*) (**4to** *yazılır*), çeyrek boy forma; dört yapraklı olan sekiz sayfalı forma.
quartz [kwōts]. Ku(v)ars. **~ite** [-sayt], ku(v)arsit.
quasar ['kweyzā(r)] = QUASI-STELLAR OBJECT.
quash [kwoş]. Nakzetmek, geri çevirmek, iptal etm., bozmak, kaldırmak. **~ing**, *i.* bozma, nakız.
quasi- ['kweysay, -zi] *ön.* Hemen hemen; yarı; benzer sanki. **~-stellar**, yıldızsı.
quassia ['kwasiə]. Acıağaç, kavasya.
quater- [kwatə(r)-] *ön.* Dörde ait, dört misli vb. **~centenary** [-sen'tīnəri], dört yüzüncü yıldönümü. **~nary** [kwō'tānəri], dörtten ibaret; (*yer.*) 4'cü zaman/son tabakaya ait; (*kim.*) dörtlü bileşik.
quatrain [kwo'treyn]. Dört mısralık şiir parçası, dörtlük.
quaver ['kweyvə(r)] *i.* Sekizlik nota, kroş; ses titreme, tril. *f.* Ses titremek, tril yapmak.
quay [kī]. Rıhtım. **~age** [-ic], rıhtım parası. **~side**, rıhtım (yanındaki saha).
Que. = QUEBEC.
quean [kwīn] (*mer.*) Edepsiz/oynak kız.
queasy ['kwīzi]. Bulantı getirici; midesi çabuk bulanır; müşkülpesent.
Quebec [kwi'bek]. Kanada'nın bir şehir/ili.
queen [kwīn] *i.* Kraliçe; muhteşem kadın; (iskambil) kız, dam; (satranç) ferz, vezir. *f.* Ferz çıkmak: **~ it (over s.o.)**, kraliçe gibi davranmak. **~-bee**, arıbeyi. **~-dowager**, dul kraliçe. **~ly**, kraliçe gibi; kraliçeye yakışır. **~-mother**, ana kraliçe. **~sland**, Avus.'nın bir ili. *krş.* KING.
queer [kwiə(r)] *s.* Tuhaf, acayip; keyifsiz; ne idüğü belirsiz ve biraz şüpheli; (*kon.*) = HOMOSEXUAL. *f.* Bozmak, altüst etm. **I'm feeling rather ~**, bir hoşluğum var: **he's a ~ fish**, o bir âlem: **on the ~**, el altından, kuşkulu bir şekilde: **be in ~ street**, parasız kalmak; adı çıkmak: **~ s.o.'s pitch**, el altından birinin iş/düzenini bozmak. **~ly**, tuhaf olarak. **~ness**, tuhaflık; keyifsizlik.
quell [kwel]. Bastırmak; tenkil etm.; teskin etm., yatıştırmak.
quench [kwenç]. Söndürmek; su ile soğutmak, sulamak, su vermek; gidermek; bastırmak. **~ one's thirst**, içme isteği kandırmak. **~able**, söndürülür, sulanır. **~ed** [-çt], su verilmiş. **~er**, söndüren; içme isteği kandıran, (*kon.*) içki. **~ing**, su verme.
quern [kwān]. El değirmeni.
querulous ['kweryuləs]. Sızlayıcı, iniltili; alil ve ihtiyar kimse gibi durmadan yakınan.
query ['kwiəri] *i.* İstifham, soru, sual; soru işareti. *f.* Soru işareti koymak; sormak; şüphe etm., kuşkulanmak.
quest [kwest]. Araştırma; arama. **~ about/after**, ara(ştır)mak.
question ['kwesçən] *i.* Sual, soru, sorgu; mesele, sorun, bahis konusu; şüphe, kuşku; (*id.*) gensoru. *f.* Soru sormak; şüphelenmek, kuşkulanmak. **be ~ed**, sorguya çekilmek: **call in ~**, -den şüphelenmek, itiraz etm.: **beyond/past (all) ~**, hiç şüphe yok: **in ~**,

bahis/söz konusu olan: **there is no ~ of his being dismissed**, işinden çıkarılması hiç söz konusu değildir: **academic/idle ~**, beyhude bir soru: **loaded ~**, (*kon.*) çok anlamlı/taraflı bir soru: **out of the ~**, söz konusu olamaz; mümkün değildir, olanaksızdır; ne gezer: **put a ~**, soru sormak: **put the ~**, (*kon.*) bir kıza talip olm.: **put the ~ (to a meeting, etc.)**, meseleyi oya koymak: **raise a ~ about stg.**, bir şey hakkında itirazda bulunmak: **there was some ~ of ...,...** belirsiz bir şekilde söz konusu idi: **without ~**, şüphe/kuşkusuz, muhakkak. **~able**, su götürür, şüpheli, kuşkulu. **~er**, soru(lar) soran kimse; soruşturan. **~ing**, soru tonlamasıyle: **~ly**, soru sorarak; şüphelenerek. **~-mark**, soru işareti. **~-master**, (*rad.*) soru/bulmaca programı yöneticisi. **~naire** [-'neə(r)], soru cetvel/liste/varakası; anket/sorgu kâğıdı. **~-time**, (*id.*) mecliste bakanlara yapılan soruşturma, gensoru zamanı.

quetzal ['kwetsəl]. Küesal.

queue[1] [kyū] *i.* Bekliyen halk dizisi, sıra, kuyruk. *f.* **~ (up)**, kuyruk/sıra olm., sıraya girmek, dizilip sırada beklemek: **jump the ~**, sıradaki yerinden ileriye geçmek. **~-minded**, sırayı görüp hemen oraya giren kimse.

queue[2]. Arkaya sarkık saç örgüsü.

quibble ['kwibl] *i.* Mugalâta, safsata; kaçamaklı söz. *f.* Safsataya boğmak; baştan savma cevap vermek; kılı kırk yarmak.

quick [kwik] *s.* Çabuk, seri, tez, süratli; çevik; kavrayışlı; canlı, diri. *i.* Canlı et. **the ~ and the dead**, canlılar ve ölüler: **bite one's nails to the ~**, tırnaklarını (etine) kan oturuncaya kadar ısırmak: **cut to the ~**, içine zehir gibi işlemek. **~-change**, (*tiy.*) çabuk değişme; (*hav.*) rolünü çabuk değiştirebilen (uçak). **~en**, canlandırmak; çabuklaştırmak. **~-firing**, seri ateşli (top). **~-freeze**, çabuk dondurulan. **~ie** [-ki], (*kon.*) mini ve çabuk yapılan (filim vb.). **~lime** [-laym], sönmemiş kireç. **~ly**, çabuk olarak/geçerek. **~ness**, çabukluk, hız, sürat; çeviklik; sürati intikal. **~sand**, kayrak kumlar; (*mec.*) çok müşkül bir durum. **~set**, **~-fence/-hedge**, taze dikenli fidanlardan yapılmış çit. **~-sighted**, gözü keskin; çabuk anlıyan. **~silver**, cıva, zeybak. **~step**, bir cins dans. **~-tempered**, çabuk öfkelenen. **~-witted**, çabuk anlıyan, kavrayışlı. **~works**, (*den.*) geminin yalnız yüklü iken su altında kalan kısmı.

quid [kwid]. Bir çiğnem ağız tütünü; (*kon.*) İng. lirası.

quidnunc ['quidnʌn(g)k] (*Lat.*) Dedikoducu.

quid pro quo [kwidprou'kwou]. (*Lat.*) Taviz; bedel; mukabele, karşılık.

quiescen·ce/~cy [kway'esəns(i)]. Sakinlik; hareketsizlik. **~t**, sakin, sessiz; hareketsiz; geçici olarak durgun: **~ly**, sakin vb. olarak.

quiet ['kwayət] *s.* Sakin, dingin; rahat; durgun; sessiz; hafif (ses); uslu; kendi halinde; sade, gösterişsiz. *i.* Rahat, sükûnet, dinginlik. *f.* **~(en)**, teskin etm., yatıştırmak; **~ down**, yatışmak, sükûnet bulmak. **be ~!**, sus!, rahat dur!: **keep ~**, susmak; rahat durmak; uslu oturmak; rahat durdurmak: **keep stg. ~**, bir şeyi örtbas etm. **~ly**, sakin vb. olarak. **~ness/~ude** [-nis, -tyūd], sessizlik, sükûnet, dinginlik, rahat. **~us** [-'ītəs], **give s.o. his ~**, işini bitirmek, öldürmek.

quiff [kwif]. Alında bir bukle.

quill [kwil]. Kuş kanadının büyük tüyü, telek; tüy kalem; kirpi dikeni. **~-driver**, kötü yazıcı, karalamacı.

quilt [kwilt] *i.* İçi pamuk/yünlü yatak örtüsü; yorgan. *f.* Elbise/yorgan gibi şeylerin içine pamuk/yün koymak. **~ed**, kapitone.

quin [kwin] (*kon.*) = QUINTUPLET. **~-**, *ön.* beş-. **~ary** ['kwaynəri], beş rakamlı; beşe ait. **~ate** [-neyt], beş yaprakçıklı (yaprak).

quince [kwins]. Ayva (ağacı). **~-cheese**, ayva tatlısı.

quin·centenary/~gentenary [kwinsen'tīnəri, -cen-]. Beşyüzüncü yıldönümü. **~cunx** [-kʌnks], (dörtgende) her köşede ve ortada biri bulunan beş şeyin tertibi.

quinine [kwi'nīn]. Kinin.

quinqu·agenarian [kwinkwəcə'neəriən]. Elli yaşında (kimse). **~e-** [-kwi], *ön.* beş. **~ennial** [-'kweniəl], beş yıl süren; beş yılda bir olagelen. **~ereme** [-kwirīm], iki tarafta beş sıra kürek olan kadırga. **~ivalent** [-'kwivələnt], (*kim.*) beş değerli.

quinsy ['kwinzi]. Hunnak, boğak, anjin.

quint- [kwint-] *ön.* Beş-. **~al**, kental (*İsp.*: 46 kg; *Fr.* 100 kg). **~an**, (*tıp.*) her 5'ci gün olan ateş.

quintessen·ce [kwin'tesəns]. Özetin özeti; özünün özü. **~tial** [-ti'senşl], bu öz(et)e ait.

quint·et(te) [kwin'tet]. Beş çalgı ile çalınan parça; bunu çalan beş sanatçı. **~illion** [-'tiliən], kentilyon (†10^{30}; *10^{18}). **~uple** [-'tyūpl] *s.* beş kat; beş misli: *f.* beş katına çıkarmak. **~uplet** [-'tyūplit], beşiz: **~s**, bir batında doğmuş beş çocuk. **~uplicate** [-plikit] *f.* beşle çarpmak, beş misli artırmak: *s.* beş misli.

quip [kwip]. Dokunaklı cevap/yanıt; nükteli söz (söylemek).

quire ['kwayə(r)]. 24'lük kâğıt destesi.

quirk [kwə̄k] = QUIP; kaçamaklı söz; yazıda süs, paraf; tuhaf davranış.

***quirt** [kwə̄t]. Küçük kırbaç.

Quisling ['kwizlin(g)]. (Savaş zamanında) saldırıcılarla çalışan kimse, vatan haini.

quit [kwit] *f.* Bırakmak, terketmek; vazgeçmek. *s.* Kurtulmuş, azade, başıboş, özgür. **~ hold of**, salıvermek, bırakmak: **notice to ~**, kiracıya evin boşaltılması için ihbar: **~ you like men!**, (*mer.*) yiğitçe davranınız!

quite [kwayt]. Bütün bütün; tamamen, bütünlükle; pek çok; oldukça, az çok. **~ good**, oldukça iyi: **~ right**, pek yerinde; tamam; pek haklı, doğru: **~ so!**, elbette!, şüphesiz!, kuşkusuz!: **I don't ~ know**, pek iyi bilmiyorum.

quitrent ['kwitrent]. İtibarî kira.

quits [kwits]. **be ~**, fit olm.: **I'll be ~ with him**, ben ondan acısını çıkarırım: **cry ~**, 'artık yetişir'/'başa baş olduk' demek: **double or ~**, ya mars ya fit.

quittance ['kwitəns]. Affolunma, kurtuluş; makbuz.

***quitter** ['kwitə(r)] (*arg.*) İşten çekilen; hain; kaba soğan.

quiver[1] ['kwivə(r)]. Ok kuburu, sadak; tirkeş. **~ful**, kubur dolusu (ok): **a ~ of children**, bir ailenin kalabalık çocukları.

quiver[2] *i.* Titreme; kıpırtı. *f.* Kıpırdamak; titremek; pelteleşmek.

quixotic [kwik'sotik]. Don Kişot gibi ülkücü/idealist ve hayalperest.

quiz [kwiz] *f.* Alaya almak, takılmak; alaycı merak

ile bakmak; rasgele sorular sorarak bilgisini yoklama(k). *i.* Alaycı. ~**-master**, (*rad.*) soru/bulmaca programı yöneticisi. ~**-show**, soru/bulmaca programı. ~**zical**, tuhaf; alaycı.

quod[1] [kwod] (*arg.*) *i.* Hapishane. *f.* Hapsetmek.

quod[2] (*Lat.*) Bu, şu, ki. ~ ***erat demonstrandum/faciendum***, ispat/yapılması icap eden bu idi. ~ ***vide***, buna bakınız.

quoin ['kōin]. Duvarın dış köşesi; (*bas.*) çerçeve takozu; *krş.* COIGN.

quoit ['kōit] (*sp.*) Atılan yassı ip/demir halka. ~**s**, halka oyunu.

quondam ['kwondam]. Önceden (var olan).

quorum ['kwōrəm]. Nisap, gerekli/yeter çoğunluk.

quot. = QUOTATION.

quota ['kwoutə]. Hisse, pay; kontenjan, kota.

quot·able ['kwoutəbl]. İktibas edilebilir; söylenir. ~**ation** [-'teyşn], iktibas, alıntı; geçer değer; aktarma, alma; nakil, zikir; fiyat koyma/tayini, kote etme: ~ **marks**, tırnak işareti. ~**e**, iktibas etm., aktarmak, üzerine almak; söylemek; tırnak işareti koymak: ~ **a price**, fiyat koymak/tayin etm.: ~**s**, (*kon.*) tırnak işareti: ~ "....." **un**~, bir iktibasın başlangıcı ile sonu.

quoth [kwouθ] (*mer.*) Dedim/dedi vb. **'No',** ~ **I,** 'Hayır' dedim.

quotidian [kwou'tidiən]. Her gün(kü); önemsiz.

quotient ['kwouşənt] (*mat.*) Dış kısmet, bölüm.

Qur'an = KORAN.

q.v. (*Lat.*) = QUOD[2] VIDE.

qy. = QUERY.

R

R [ā(r)]. R harfi. **the three R's (reading, (w)riting, (a)rithmetic)**, ilk öğrenim temelleri (okuma, yazma, hesap).
R, r = RADIUS; RAIL·ROAD/WAY; RAND; RÉAUMUR; REGIMENT; REGINA; REGISTERED; REPUBLICAN; RESISTANCE; REX; RIGHT; RIVER; ROGER; ROYAL.
℞ (*Lat.*) = PRESCRIPTION.
Ra. (*kim.s.*) = RADIUM.
RA = ROYAL ACADEM·ICIAN/-Y; ROYAL ARTILLERY. **~AF** = ROYAL AUSTRALIAN/AUXILIARY AIR FORCE.
rabbet ['rabit]. Oluk/kiniş (açmak); lambalı geçme (yapmak). **~-plane**, kiniş rendesi.
rabbi ['rabay]. Haham. **~nical** [-'binikl], hahama ait: **~ly**, hahamlara göre.
rabbit ['rabit] *i.* Ada tavşanı; (*mec.*) korkak. *f.* Tavşan avlamak. **Welsh ~/rarebit**, üzerindeki peynirle birlikte kızartılmış ekmek. **~-burrow/-hole**, tavşan yuvası. **~-fish**, deniz kedisi. **~-hutch**, evcil tavşan kafesi. **~-punch**, (*sp.*) enseye haşin bir vuruş. ~-WARREN.
rabble ['rabl]. Ayaktakımından olan kalabalık. **the ~**, ayaktakımı.
Rabelaisian [rabə'leyziən]. Rabelais(in yazıların)a ait; coşkun ve kaba mizaçlı.
rabid ['rabid]. Kudurmuş; azgın, mutaassıp. **~ity** [-'biditi], kudurmuş olma, azgınlık. **~ly**, azgınca; delice.
rabies ['reybīz]. Kuduz.
RAC = ROYAL ARMOURED CORPS/AUTOMOBILE CLUB.
race[1] [reys] *i.* Irk; kuşak, nesil, soy, cins. **the human ~**, insan cinsi, insanoğlu, beni Âdem: **yellow ~**, Moğol ırkı, sarı ırk.
race[2] *i.* Yarış, koşu; müsabaka; hızlı deniz/met akıntısı; değirmen ardı; bilyeli yatak. *f.* Koşuya girmek, yarış etm.; alabildiğine koşmak, pek hızlı hareket etm.; bir makineyi pek hızlı işletmek. **flat ~**, engelsiz yarış.
race-[3] *ön.* **~-card**, (at vb.) yarışlar programı. **~course/track**, yarış saha/pisti. **~horse**, yarış atı. **~-meeting**, yarış karşılaşma/toplantısı.
racem·e [ra'sīm]. Çiçek salkımı; demet. **~ose** ['rasimous], salkım şeklinde.
race·r ['reysə(r)]. Yarış at/bisikleti vb. **~-relations**, bir ülkedeki ırklar arasındaki ilişkiler. **~-riot**, ırk düşmanlığının yarattığı kargaşalık.
rachi·s ['reykis]. Omurga; (*bot.*) eksen; (*zoo.*) tüy sapı. **~tic** [ra'kitik], raşitik. **~tis** [-'kaytis], raşitizm.
Rachmanism ['rakmənizm]. Fakir kiracıların sömürülmesi.
rac·ial ['reyşəl]. Irka ait, ırkî, ırkla ilgili. **~(ial)ism** ['reysizm, reyş-], ırkçılık. **~(ial)ist**, ırkçı. **~ially**, ırk olarak; ırk bakımından, ırkça.
racing ['reysin(g)] *i.* Koşma, yarışma; (at) yarışlar(ı). *s.* Pek hızlı koşan/akan; yarış+. **~-stable**, yarış atları tavlası. **~-track**, yarışlık, yarış pisti.
rack[1] [rak] *i.* Parmaklık raf, askı; saman/kuru ot konan yemlik; silâhlık; (*müh.*) kremayer; (*tar.*) işkence aracı. *f.* Bu araçla insanın organlarını germek; rafa koymak. **be on the ~**, işkence çekmek: **~ one's brains**, kafasını yormak: **be ~ed with pain**, şiddetli acı duymak: **go to ~ and ruin**, mahvolmak; batmak; iflâs etm.: **luggage ~**, file.
rack[2]. Hafif/yayık bulut.
racket ['rakit]. Raket, tokaç. **~s**, topun raketle duvara atılmasıyle oynanan bir nevi top oyunu.
racket[2]. Şamata, velvele; cümbüş; dolandırıcılık. **kick up a ~**, gürültü yapmak: **stand the ~**, acısını çekmek; dayanmak; masrafını karşılamak. **~eer** [-'tiə(r)], anaforcu, vurguncu, dalaveracı. **~y**, gürültücü.
racking ['rakin(g)]. **~-plant**, (şişe) doldurma aracı.
rack·-railway. Dişli demiryolu. **~-rent**, pek yüksek kira (istemek): **~er**, böyle kiralar istiyen ev sahibi.
***racon** ['rakon] = RADAR BEACON.
raconteur [rakon'tā(r)] (*Fr.*) Hikâyeci, öykücü.
rac(c)oon [rə'kūn]. Küçükayı. **~-dog**, tanuki.
racquet = RACKET[1].
racy ['reysi]. **~ anecdote/style**, canlı ve orijinal hikâye/üslup: **~ of the soil**, yerli ve öz (üslup vb.).
rad [rad] (*tıp.*) (Işınma) soğurulma birimi.
Rad. = RADNORSHIRE.
rad. = RADAR; RADIAN; RADICAL; RADIO; RADIUS.
RADA, Rada ['rādə] = ROYAL ACADEMY OF DRAMATIC ART.
radar ['reydā(r)] = RADIO DETECTION AND RANGING; radar. **~-beacon/-beam**, radar far/huzmesi. **~-display/-screen**, radar gösterge/perdesi. **~-trap**, (*oto.*) fazla süratle ilerliyenleri yakalamak için radar tuzağı. **~-tube**, radar lambası.
RADC = ROYAL ARMY DENTAL CORPS.
radcm = RADAR COUNTERMEASURES.
raddle ['radl]. Koyunları markalamakta kullanılan kırmızı aşı boyası(yla boyamak). **~d face**, kabaca makiyajlanmış çehre.
radiac ['reydiak] = RADIOACTIVITY DETECTION INDICATION AND COMPUTATION.
radial ['reydiəl]. Şua/ışın gibi; radyal, merkezden çıkan; yıldız biçiminde; (*biy.*) ışınsal; döner kemiğe ait. **~ize** [-layz], yıldız biçimine düzenlemek. **~ly**, radyal olarak. ~-PLY.
radian ['reydiən]. Yarıçap yayı birimi, radyan.
radian·ce/~cy ['reydiəns(i)]. Parlaklık, nur; şaşaa, parıltı; ışın halinde çıkan şey. **~t**, *s.* parlak, parıldıyan; ışınlar saçan; yayılan, dağılan; güler yüzlü. *i.* Işık/ısının çıktığı nokta: **~ element**, yansıtıcı eleman.
radiat·e ['reydiət] *s.* Işın halinde; yıldız şeklinde.

[-di'eyt] *f.* Işımak; ışınlar saçmak; merkezî bir noktadan yay(ıl)mak; neşe saçmak. ~**ion** [-'eyşn], ışınlar saçma; ışın/ısı çıkması; (*fiz.*) ısınım, ışıma, radyasyon; merkezî bir noktadan yayılma. ~**or** ['rey-], radyatör, kalorifer, dilimli ısıtıcı.

radical ['radikl] *s.* Köke ait; cezrî, köksel, radikal; kesin, köklü, esasî. *i.* Radikal (partinin üyesi), köktenci; (*mat.*) kök, cezir. ~**ism**, radikallik, radikalizm, köktencilik. ~**ly**, kökünden, kesin olarak.

radices ['radisīz] *ç.* = RADIX.

radicle [radikl]. Kökçük; kök taslağı.

radii ['reydiay] *ç.* = RADIUS.

radio ['reydiou]. Radyo/telsiz (alıcısı). ~-, *ön.* radyo-, telsiz+; (röntgen) ışınlara ait; radyoaktif-; döner kemiğe ait. ~**-activ·e**, radyoaktif, ışınetkin: ~**ity**, radyoaktif olma, ışınetkinlik. ~**-cab**/**-car**, radyofonlu taksi/otomobil. ~**-biology**, radyobiyoloji. ~**carpal** [-'kāpəl], döner kemik ile bileğe ait. ~**genic** [-'cenik], ışınetkinlikten elde edilen; radyo yayınlarına uygun. ~**goniometer** [-goni'omitə(r)], yön bulucu radyo. ~**gram**, radyogram; radyolu gramofon. ~**graph**, radyograf, röntgen filmi: ~**er** [-'ografə(r)], röntgenci: ~**y**, radyografi. ~**isotope** [-'aysətoup], radyoizotop. ~**log·ist** [-'oləcist], radyolog, röntgen bilgini, radyolojist: ~**y**, röntgen bilimi, ışın yayımı bilgisi. ~**meter** [-'omitə(r)], ışınölçer. ~**phone**, radyofon. ~**scopy** [-'oskəpi], (röntgen) radyoskopi. ~**-star**, radyo dalgalarını yayan yıldız. ~**therapy** [-'θerəpi], (röntgen) ışınlarla iyileştirme, radyoterapi.

radish ['radiş]. Turp.

radium ['reydiəm]. Radyum.

radi·us, *ç.* ~**i** ['reydiəs, -iay]. Yarıçap; (*tıp.*) döner kemik. ~ **of action**, gemi/uçağın etki/erim alanı: **within a ~ of three miles**, üç mil çevresinde.

radix ['reydiks] (*mat.*) Esas rakam.

RAdm. = REAR-ADMIRAL.

Radnorshire ['radnəşə]. Brit.'nın bir kontluğu.

radome ['reydoum] (*hav.*) Anten/radar kubbesi.

radon ['radon]. Radon.

RAE = ROYAL AIRCRAFT ESTABLISHMENT.

RAeS = ROYAL AERONAUTICAL SOCIETY.

RAF/**Raf** [raf] = ROYAL AIR FORCE. ~**R** = RAF REGIMENT. ~**VR** = RAF VOLUNTEER RESERVE.

raffia ['rafyə]. Bir cins hurma ağacı; bunun yapraklarından yapılmış bir lif sicim.

raffinate ['rafineyt]. Tasfiye maddesi.

raffish ['rafiş]. Rezil, kabadayı, hovarda.

raffle ['rafl] *i.* Eşya piyangosu, tombola. *f.* Piyangoya koymak.

raft [rāft] *i.* Sal, kelek. *f.* Salla gezmek/nakletmek. ~**sman**, salcı.

rafter ['rāftə(r)]. Çatı kirişi, bağlama merteği.

rag[1] [rag]. Paçavra; değersiz şey; (*köt.*) gazete. **in ~s and tatters**, lime lime: **feel like a wet ~**, gevşek ve bitkin bir durumda olm.: **meat cooked to a ~**, fazla pişirilerek parça parça olmuş et.: **without a ~ to his back**, elbisesiz, yoksul.

rag[2] *i.* Kaba şaka, muziplik; gürültü, heyhey. *f.* Gürültü ve muziplikle eğlenmek; (askerlik/okul hayatında) eskiler yenilere muziplik etm. ve alaya almak.

rag[3] = RAGTIME.

rag-[4] *ön.* ~**amuffin** [-əmʌfin], baldırı çıplak; külhanbeyi, keloğlan. ~**-and-bone man**, paçavracı, eskici. ~**bolt**, büyük kancalı bulon. ~**book**, yırtılmaz kumaşla yapılan çocuk kitabı. ~**-doll**, paçavradan yapılmış kukla. ~**-fair**, bit pazarı.

rage [reyc] *i.* Öfke, hiddet, şiddet; heves, özen, istek, tutku. *f.* Köpürmek, kudurmak, öfkelenmek, küplere binmek; (rüzgâr) şiddetle esmek; (veba) salgın halinde hüküm sürmek. ~ **at**/**against stg.**, bir şeye köpürmek: **be all the ~**, pek rağbette olm., pek tutulmak, alıp yürümek: **be in a ~**, çok öfkeli olm.: **fly**/**fall into a ~**, küplere binmek: **have a ~ for stg.**, bir şeyin delisi olm.

ragged ['ragid]. Partal; pejmürde; fersude; yırtık, lime lime; intizamsız, düzensiz. ~**ly**, partal vb. olarak. ~**-school**, yoksullar okulu.

ragging ['ragin(g)]. Muziplik.

raging ['reycin(g)]. Kudurmuş; şiddetli, hiddetli, öfkeli; çılgın.

Raglan ['raglən]. Raglan paltosu.

ragman ['ragmən]. Paçavracı.

ragout [ra'gū] (*Fr.*) Yahni; tas kebabı.

rag·-picker ['ragpikə(r)]. Paçavracı. ~**-stone**, bir cins çatı taşı. ~**-tag**, ~ **and bobtail**, yoksullar topluluğu. ~**time**, ilkel caz müziği. ~**-trade**, (*köt.*) hazır elbise sanayii. ~**-weed**/**-wort** [-wīd, -wɜ̄t], yakubotu.

raid [reyd] *i.* Akın; çapul; baskın. *f.* Akın etm.; baskın yapmak. ~**er**, akıncı; düşmanın ticaret gemilerini yakalayan/kırıp geçiren savaş gemisi.

rail[1] [reyl]. Tırabzan üstü; küpeşte (üstü); bir çayır/bahçe etrafına konulan çitin demir/tahta parçaları; demiryolu/tramvay rayı; = ~WAY. **by ~**, trenle: **leave**/**go off the ~s**, raydan çıkmak; (*mec.*) yol/çığrından çıkmak: **live ~**, elektrikli ray: **price on ~**, trene teslim fiyatı.

rail[2] *f.* Şikâyet etm.; küfretmek; dil uzatmak.

rail[3] *i.* Su tavuğu(giller). **land-~** = (CORN)CRAKE: **water-~**, su yelvesi.

rail·age ['reylic]. Demiryolu nakliyatı (ücreti). ~**-car**, otoray. ~**chair**, ray yatağı. ~**head**, (*dem.*) en uzak erilmiş nokta. ~**ing(s)**[1], parmaklık(lı çit); tırabzan üstü.

railing[2]. Şikâyet, küfür.

raillery ['reyləri]. Alaya alma; takılma.

***railroad** ['reylroud] *i.* = RAILWAY. *f.* Demiryolu ile taşımak/nakletmek; (*mec.*) (mecliste) bir tasarıyı süratle ve zorla geçirmek.

railway ['reylwey]. Demiryolu, şimendifer; tren. **broad**/**narrow**/**standard gauge ~**, geniş/dar/normal hatlı demiryolu. ~**-cutting**, demiryolunun yarması. ~**-gauge**, demiryolu ray genisliği. ~**-line**/**-track**, demiryolu hattı. ~**man**, *ç.* **-men**, demiryolu işçi/görevlisi. ~**-porter**, istasyon hamalı.

raiment ['reymənt]. Elbise(ler).

rain [reyn] *i.* Yağmur. *f.* Yağmur yağmak; yağdırmak. **it's ~ing cats and dogs**, bardaktan boşanırcasına yağmur yağıyor: **it never ~s but it pours**, felâket (*bazan* saadet) yalnız gelmez. ~**bow**, ebekuşağı, alkım, gök/yağmur kuşağı: **all the colours of the ~**, çeşitli renkler ile: ~-TROUT. ~**check**, (*sp.*) yağarsa seyirciye başka gün için verilen bilet. ~**coat**, yağmurluk. ~**-doctor** = ~-MAKER. ~**drop**, yağmur damlası. ~**fall**, yağış; bir yerde belirli bir zamanda yağan yağmur miktarı. ~**-forest**, tropikal orman. ~**-gauge** [-geyc], yağışölçer. ~**less**, yağmursuz, kuru; çöl gibi. ~**mak·er**, yağmur yağdırabilen büyücü: ~**ing**, sunî metodlarla yağmur miktarının çoğaltılması. ~**proof**, yağmur geçmez. ~**-shadow**, dağlarla yağmurdan korunmuş bölge. ~**-water**, yağmur suyu(ndan toplanan su). ~**y**, yağmurlu: **one must put by for a ~ day**, ak akça kara gün içindir.

raise [reyz] *f.* Kaldırmak; yukarı kaldırmak; yükseltmek; dikmek; inşa etm., yapmak; yetiştirmek; çıkarmak; ileri sürmek; ortaya çıkarmak, meydana getirmek; hâsıl etm.; ayaklandırmak; (para, vergi) toplamak; radyo/telefonla . . . ile temasa geçmek. *i.* = RISE. ~ **an army**, bir ordu toplamak: ~ **a cry**, çığlık koparmak: ~ **s.o. from the dead**, bir ölüyü diriltmek: ~ **hopes**, umutlandırmak: ~ **land**, (*den.*) (gemiden) kara görmek: ~ **an objection**, itirazda bulunmak: ~ **a ship**, batmış gemiyi yüzdürmek: ~ **a smile**, dinliyenlerde gülümseme uyandırmak: ~ **s.o.'s spirits**, birinin yürek gücü/maneviyatını yükseltmek. ~**d**, kalkık, kabarık, kabartma; yetiş(tiril)miş. ~**r**, yetiştirici.

raisin ['reyzn]. Kuru üzüm.

raison d'être ['reyzon'detr] (*Fr.*) Hikmeti vücut; varlığın nedeni.

raj [rāc] (*Hint.*) Hâkimiyet, hükümdarlık, egemenlik. ~**a(h)** [-cə], raca.

rake[1] [reyk] *i.* Hovarda; sefih/düşkün adam; zendost, zampara.

rake[2] *i.* Meyil, eğim; (*den.*) baca/direğin kıça doğru eğimi; (*tiy.*) sahne yokuşu.

rake[3] *i.* Tırmık; fırın küsküsü; bahçıvan tarağı. *f.* Tırmıklamak; taramak. ~ **one's memory**, hafıza/belleğini yoklamak: ~ **a ship**, bir gemiyi baştan başa topa tutmak: ~ **a trench**, bir siperi yan ateşine almak/makineli tüfek ile taramak. ~ **in**, (gazinoda mizleri) tırmık ile toplamak: ~ **in money**, çok para kazanmak. ~ **off**, bir işte gayri meşru bir yoldan para almak. ~ **out**, ~ **out the fire**, ateşi söndürmek için kömürlerini çıkarmak. ~ **over**, (toprağı) tırmıklamak; (*mec.*) geçmişi tekrarlamak. ~ **up**, eşelemek, kurcalamak; (*mec.*) geçmişi ortaya çıkarmak. ~**-off**, gayri meşru kazanç.

rak·ing ['reykin(g)] (*den.*) Kıça doğru eğilen (direk, baca). ~**ish**[1], baca ve direkleri kıça doğru yatık ve görünüşte hızlı (gemi).

rakish[2]. Çapkınca, serbest, özgür.

rally[1] ['rali]. Yeniden düzene girme(k); kuvvetlenme(k); canlanma(k); sıhhat kazanma(k); yeniden toplama(k); toplamak; tekrar düzene sokmak; yeniden ihya etm.; (tenis vb.de) üstüste bir kaç vuruş; (*id.*) miting; (*sp.*) otomobil yarışı, rally. ~**-driver**, otomobil yarışçısı.

rally[2]. Takılmak, alaya almak.

ram [ram] *i.* Koç; (*ast.*) Koç (burcu); savaş gemisinin mahmuzu; (*müh.*) baş; şahmerdan; akar su gücüyle işliyen bir nevi tulumba. *f.* Vurarak pekiştirmek; zorla tıkıştırmak; sokmak; (gemi) mahmuz/pruvasıyle başka gemiye çarpmak. **battering-** ~, koç(başı).

ram- [ram-] *ön.* Dal/kola ait.

RAM = ROYAL ACADEMY OF MUSIC.

Ramadan [ramə'dan]. Ramazan.

ramal ['reyməl]. Dala ait.

rambl·e ['rambl]. Maksatsız dolaşma(k). avare ve başıboş gezinme(k); ipsiz sapsız konuşmak/yazmak, dili dolaşmak; sayıklamak. ~**er**, başıboş gezen adam; sarmaşık gülü. ~**ing**, başıboş gezen; rabıtasız, bağlantısız, düzensiz, abuk sabuk.

RAMC = ROYAL ARMY MEDICAL CORPS.

ramif·ication [ramifi'keyşn]. Dallanıp budaklanma; ayrıntı; şube, dal, kol. ~**y** [-fay], dallanıp budaklanmak; kollara ayrılmak.

ram·jet ['ramcet]. Tepkili jet (uçağı). ~**mer**, tokmak(çı).

ramose ['ramous]. Dallı.

ramp[1] [ramp] *i.* Hafif meyil/eğim; rampa; şev; yanaşmalık; (*tiy.*) eğik düzey.

ramp[2] *i.* Desise, dolap, oyun, düzen; pek yüksek fiyat; anafor.

ramp[3] *f.* Şahlanmak, kudurmak. ~ **and rage**, kıyamet koparmak, köpürmek, küplere binmek.

rampage [ram'peyc]. **(go on the)** ~, cinleri tutmak; oraya buraya koşarak çılgınca gürültü yapmak. ~**ous**, gürültücü; ele avuca sığmaz.

rampant ['rampənt]. Şaha kalkmış; müfrit, aşırı, son derece; taşkın; dizginsiz.

rampart ['rampāt]. Toprak tabya; sur; set; müdafaa vasıtası, korunma aracı.

ramrod ['ramrod]. Harbi. **as stiff as a** ~, baston yutmuş gibi.

ramshackle ['ramşakl]. Köhne, derme çatma, eskiyip yıpranmış.

ramshorn ['ramzhōn]. Yassı tatlısu-salyangozu.

ran [ran] *g.z.* = RUN[1].

RAN = ROYAL AUSTRALIAN NAVY.

ranch [ranç] *i.* K.Am.'da büyük çapta hayvan yetiştirmeğe mahsus çiftlik. *f.* Böyle bir çiftliği idare etm.; asgarî derecede ekip biçerek ve hayvanları otlamağa bırakarak çiftçilik yapmak. ~**er**/~**man**, böyle bir çiftliğin sahip/işçisi.

rancid ['ransid]. Ekşimiş, ekşimsi, kokmuş. ~**ity** [-'siditi], ekşimiş olma.

ranco·ur ['ran(g)kə(r)]. Kin, hınç; kuyruk acısı. ~**rous**, kinci.

rand [rand] (*G.Afr.*) Para birimi.

R&·A = ROYAL AND ANCIENT (GOLF CLUB). ~**B** (*müz.*) = RHYTHM AND BLUES. ~**D** (*mal.*) = RESEARCH AND DEVELOPMENT.

random ['randəm]. Rasgele, tesadüfî; gelişigüzel. **hit out at** ~, hem nalına hem mıhına vurmak. ~**ize** [-mayz], rasgele olarak seçmek.

randy ['randi]. Şamatacı; arsız; şehvetli.

ranee ['rāni]. Raca karısı; Hint kraliçesi.

rang [ran(g)] *g.z.* = RING[2].

range[1] [reync] *i.* Sıra, dizi; dağ sıra/silsilesi; saha, alan; el/göz/sesin gidebileceği yer, erim; bölge, mıntıka; mesafe, uzaklık; menzil; atış uzaklığı; atış meydanı; (*mal.*) sınıf, kalite; genişlik, vüsat; (*zir.*) mera; (*ev.*) mutfak ocağı. **at a** ~ **of . . .**, . . . uzaklığında: **out of** ~, menzil/erim dışı: **(with)in** ~, menzil/erim içinde: ~ **of a ship**, bir geminin seyir uzaklığı: ~ **of speeds**, (uçak, vb.) en az ile en çok hız arasındaki fark: ~ **of temperature**, hararet/ısı farkı: **the whole** ~ **of politics**, siyaset alanı: **a wide** ~ **of patterns**, bir malın bir çok çeşiti.

range[2] *f.* Uzanmak; dolaşmak; gezmek; filan bölgede bulunmak; menzili . . . olm.; sıra ile dizmek; bir yöne çevirmek. ~ **a gun**, topun menzilini ayarlamak: **his activities** ~ **from music to shooting**, faaliyet sahası musikiden avcılığa kadar uzanır: **the temperature** ~**s from zero to eighty**, ısı sıfırla seksen arasında değişir: ~ **oneself on s.o.'s side**, birine katılmak, taraftar olm.: ~ **over the country**, memleketin her tarafına yayılıp dolaşmak.

~-**finder**, uzaklık ölçüsü aracı, telemetre. ~**r**, (devlet) orman muhafızı; ergin (kız) izci.

rank[1] [ran(g)k] *i.* Rütbe; aşama; mertebe; dizi, sıra; saf. *f.* Saymak; addetmek; sıraya koymak; tasnif etm. **he ~s as England's greatest man**, İngiltere'nin en büyük adamı sayılır: **I don't ~ him very high**, ben onu o kadar önemli bulmuyorum: ~ **and fashion**, en kibar sınıf: ~ **and file**, efrat, erat, bireyler; aşağı tabaka: **other ~s**, efrat, erat: **pull ~**, (*kon.*) aşamasından dolayı nüfuzlu olm. (*İng. aşamaları için* = AIR FORCE, ARMY, NAVY.)

rank[2] *s.* Mebzul, bol; kaba; galiz; kokmuş, ekşimiş. ~ **outsider**, -e hiç mensup/ilgili olmayan; pek kaba bir kimse: ~ **poison**, salt zehir; ~ **treachery**, halis hiyanet. ~**ly**, mebzul/kaba vb. olarak. ~**ness**, mebzuliyet, bolluk; galizlik; kabalık; kokmuşluk.

ranker ['ran(g)kə(r)]. Er; alaylı subay.

rankle ['ran(g)kl]. İçine dert olm.; -in içinde sızlamak.

ransack ['ransak]. Karıştırarak aramak; arayarak altüst etm.; çapullamak.

ransom ['ransəm] *i.* Fidye, kurtulmalık. *f.* Fidye vermek; para vererek esaretten kurtarmak. **hold s.o. to ~**, bir esir için fidye istemek: **worth a King's ~**, paha biçilmez.

rant [rant]. *f.* Atıp tutmak; yüksekten atmak; yüksek sesle ve aktör gibi jestler yaparak konuşmak. ~**(ing)**, *i.* farfaralık; atıp tutma. ~**er**, farfara bir adam.

ranunculus [rə'nʌn(g)kyuləs]. Bir nevi düğünçiçeği; bahçe şakayığı.

RAOC = ROYAL ARMY ORDNANCE CORPS.

rap[1] [rap] (*yan.*) *i.* Hafif darbe/vuruş; kapıyı çalma. *f.* Hafifçe vurmak; çalmak; silkmek. **give s.o. a ~ on the knuckles**, birinin parmaklarına vurmak; birine haddini bildirmek: ~ **out an oath**, bir küfür savurmak: **take the ~**, kabahati üzerine almak.

rap[2]. Zerre, tozan. **not to care a ~**, metelik vermemek: **not worth a ~**, on para etmez.

rapac·ious [rə'peyşəs]. Haris, gözü doymaz; açgözlü; gaspedici; yırtıcı. ~**ity** [-'pasiti], harislik, gözü doymazlık; açgözlülük; yırtıcılık.

RAPC = ROYAL ARMY PAY CORPS.

rapcon (*hav.*) = RADAR APPROACH CONTROL.

rape[1] [reyp] (*mer.*) Zorla alıp götürme(k), kız kaçırma(k); (*şim.*) ırzına geçme(k), zorla ilişme(k).

rape[2]. Küçük şalgam, kolza.

rape[3]. Üzüm cibresi.

rapid ['rapid] *s.* Süratli, hızlı. ~**s**, *i.* ırmağın uçur gibi akıntılı yeri, ivinti, çağlarca, deli ırmak: **shoot the ~s**, kano ile ivintiyi geçmek: ~ **fire**, seri/çabuk ateşli: ~ **slope**, dik yokuş. ~**ity**/~**ness** [-'piditi], sürat, hız. ~**ly**, süratle, çarçabuk, hızla.

rapier ['reypiə(r)]. İnce uzun kılıç, meç.

rapi·ne ['rapayn]. Yağma, çapulculuk. ~**st** ['reypist], ırzına geçen.

rapper ['rapə(r)]. Kapı tokmağı; çalan/vuran kimse.

rapport [ra'pō(r)] (*Fr.*) (Dostça) münasebet; uygunluk. ~***eur*** [-'tə̄(r)], raportör, sözcü.

rapprochement [ra'proşmā(n)] (*Fr.*) Barışma.

rapscallion [rap'skaliən]. Haylaz; külhanbeyi.

rapt [rapt]. Vecde gelmiş; dalgın. ~ **attention**, can kulağı: **be ~ in**, -e dalmak.

raptor ['raptə(r)]. Yırtıcı kuş. ~**ial** [-'tōriəl], yırtıcı (kuş/hayvan).

raptur·e ['rapçə(r)]. Vecit; istiğrak; sevinç deliliği: **be in ~s**, etekleri zil çalmak: **go into ~s over stg.**, bir şeye delice sevinmek; bir şeye hayran olm. ~**ous**, heyecanlı: ~ **applause**, şiddetli alkış: ~**ly**, delice; heyecanlı olarak.

rare [reə(r)]. Nadir, az bulunur, azrak; seyrek; nefis, çok güzel; nadide; müstesna; yoğun olmıyan; (*ev.*) az pişmiş (biftek); (*kon.*) büyük, fevkalâde. ~**bit** = RABBIT. ~**faction** [-ri'fakşn], seyrekleş(tir)mek. ~**fy** [-fay], yoğunluğunu azaltmak; hafifletmek; seyrekleştirmek. ~**ly**, nadiren, seyrek olarak, ayda yılda bir. ~**ness**, nadir/seyreklik.

rar·ing ['reərin(g)]. Coşkun; istekli, gayretli: ~ **to ...**, ... çok istemek. ~**ity**, nadir/az bulunur şey; nadide bir şey; hintkumaşı; nadirlik, seyreklik; yoğunluk azlığı.

RAS = ROYAL ASIATIC/ASTRONOMICAL SOCIETY. ~**C** = ROYAL ARMY SERVICE CORPS.

rascal ['rāskl]. Çapkın; yaramaz; müzevir; dolandırıcı. ~**ity** [-'kaliti], çapkınlık; habaset. ~**ly** ['raskəli], çapkın; habis; kurnaz.

rase [reyz] = RAZE.

rash[1] [raş] *i.* İsilik; deride ufak kızıl lekeler; kurdeşen.

rash[2] *s.* Düşüncesiz; akılsız; aceleci, ivecen; ihtiyatsız; hesapsız; uluorta. ~**ly**, düşüncesizce vb. ~**ness**, ihtiyatsızlık; düşüncesizlik; atılganlık.

rasher [raşə(r)]. **a ~ of bacon**, domuz pastırması dilimi.

rasp [rāsp] *i.* Kaba eğe; törpü; törpü sesi. *f.* Törpülemek; eğe gibi ses vermek. ~**atory** [-pətəri], cerrah törpüsü.

raspberry ['rāzbəri]. Ağaççileği; ahududu; (*arg.*) *alay/hoşlanmama ifade eden bir ses.* ~**-cane**, agaççileği kamışı.

rasp·er ['rāspə(r)]. Büyük eğe/törpü. ~**ing**, eğe gibi ses verme; sert, haşin.

raster ['rastə(r)]. Televizyon rasteri.

rat [rat] *i.* Büyük fare/sıçan, keme; (*mec.*) hain, dönek; greve katılmayan işçı. *f.* Fare avlamak; (*arg.*) düşman tarafına kaçmak, ihanet etm.; greve katılmamak. **black/ship ~**, sıçan(giller), ev kemesi: **brown/Norwegian ~**, göçmen keme: **mole ~**, kör fare: ~**s!**, saçma!: **like a drowned ~**, sırsıklam: **smell a ~**, kuşkulanmak, kokusunu almak.

ratable ['reytəbl] = RATEABLE.

rat·bag ['ratbag] (*Avus., arg.*) Acayip/nahoş bir kimse. ~**-catcher**, fare/sıçan yok eden kimse; fareci.

ratch(et) [raç(it)]. Mandal; cırcır; kilit. ~**-brace**, cırcır matkap. ~**-wheel**, dişli çark.

rate[1] [reyt] *i.* Bir şeyin başka şeye oranla ölçüsü; nispet, oran; derece, mertebe; gidiş, hız, sürat; (*mal.*) değer, kur, faiz miktarı, fiyat; belediye resmi; sınıf. **at any ~**, her halde, her nasılsa: **at that ~**, o hesapla, o halde; bu suretle, bu gidişle: **at the ~ of fifty miles an hour (50 m.p.h.)**, saatte elli mil hızla: **he was living at the ~ of ten pounds a week**, haftada on lira harcayarak yaşıyordu: **at the ~ of a pound each**, tanesi bir liradan: **the Bank ~**, merkez bankası (Bank of England) iskonto sınırı: **hourly/weekly ~**, saat/hafta başına randıman/fiyat/ücret: ~ **of climb**, (*hav.*) tırmanma oranı: ~ **of exchange**, kambiyo/döviz kuru: ~ **of discount**, iskonto fiyatı: ~ **of interest**, faiz yüzdesi: ~ **of return**, kazanç oranı: **come upon the ~s**, belediye yardımıyle

yaşamağa mecbur olm.: **the death ~ was 10 per 1,000**, ölüm oranı binde ondu: **railway ~s**, demiryolu nakliye/taşıma ücretleri.
rate[2] *f.* Değer biçmek; saymak; tasnif etm.; sayılmak, addolunmak: **this house is ~d at £200 per annum (p.a.)**, (gerçekleşme memurlarınca) bu evin yıllık kirası 200 İngiliz lirası tahmin edilmiştir.
rate[3] *f.* Azarlamak.
rate-[4], *ön.* **~able** ['reytəbl], değeri biçilir; vergi/belediye resmine tabi: **~ value**, vergi için biçilen değer. **~ably**, oranla. **~d** [-tid] *s.* biçilmiş, değerlenmiş, nominal. **~-payer**, belediye resmi mükellef/sorumlusu. **-~r**, *son.* ... derece/sınıfındandır.
rather ['rāðə(r)]. Bir az, oldukça; tercihen; daha doğrusu; hay hay!, elbette! **~ than...**, -den ise, -den çok: **~ a lot**, oldukça, biraz fazla: **~ fat**, şişmanca: **anything ~ than this**, bu olmasın da ne olursa olsun: **I'd ~ die than do that**, onu yapmaktansa ölürüm: **I'd ~ not**, yapmasam iyi olur; izninizle yapmayayım: **I ~ think we have met before**, daha önce görüştük gibime geliyor.
***rathskeller** ['rātskelə(r)] (*Alm.*) Bodrumdaki birahane/lokanta.
ratif·ication [ratifi'keyşn]. Tasdik, onay(lama). **~y** [-fay], tasdik etm., onaylamak, doğrulamak.
rating[1] ['reytin(g)] (*den.*) Gemicinin aşama/sınıfı; belediye resimlerinin oranlaması; (motor vb.) saymaca gücü; nominal güç/değer. **the ~ authorities**, belediye resimlerini oranlayan ve toplayan yönetim.
rating[2]. Azarlama.
ratio ['reyşiou]. Nispet, oran.
ratiocinat·e [rati'osineyt]. Muhakeme etm., uslamlamak. **~ion** [-'neyşn], muhakeme. **~ive**, muhakemeye ait.
ration ['raş(ə)n] *i.* Tayın; istihkak. *f.* Tayına bağlamak; adam başına miktar tayın etm. **emergency/iron ~**, ihtiyat/yedek tayını. **~-card**, karne, vesika. **~s**, erzak.
rational ['raşənəl]. Akıl/us sahibi, aklı başında; oransal, ussal; makul, mantığa uygun, mantıklı, rasyonel; insaflı; elverişli, uygun. **~e** [-'nāl(i)], sebepler izahı. **~ism**, akılcı felsefesi, akılcılık, usçuluk. **~ist**, akılcı, usçu. **~ization** [-lay'zeyşn], rasyonalizasyon. **~ize** [-layz], akla uydurmak; (bir endüstriyi) rasyonel bir şekilde teşkilâtlandırmak/örgütlendirmek. **~ly**, rasyonel/mantıklı bir şekilde.
ratite ['ratayt] (*biy.*) Karinasız (kuş).
ratlin(e)s ['ratlinz]. Iskalara.
RATO = ROCKET-ASSISTED TAKE-OFF.
rat·-race ['ratreys] (*mal., kon.*) Hayat mücadelesi. **~sbane** [-beyn], sıçanotu; sıçan zehiri. **~-tailed**, sıçan kuyruklu; sıçan kuyruğu şeklinde (süs).
rattan [ra'tan]. Hezaren, duvar yosunu.
rat-(tat)-tat [rat(ə)'tat] (*yan.*) Kapı halkasının çalınma sesi; tak tak.
ratten ['ratən]. Sanayi işlerinde kundaklamak.
ratter ['ratə(r)]. Fare tutan (kedi, köpek).
rattle ['ratl] *i.* Kaynana zırıltısı; zırıltı, takırtı, çıtırtı; çıngıraklı yılanın çıngırağı. *f.* Takırda(t)mak, çatırda(t)mak; (*kon.*) şaşırtmak, bozmak. **~ along**, (araba vb.) hızlı ve gürültülü gitmek: **~ a person**, birinin iki ayağını bir pabuca sokmak: **death ~**, ölüm hırıltısı: **~ off**, (bir dua vb.ni) çabukça okumak: **~ on**, cırcır ötmek. **~-brained/-headed**, akılsız; boş kafalı. ***~r/†-snake**, çıngıraklı yılan. **~-trap**, köhne (araba); kırık dökük.
rattling ['ratlin(g)]. Takırtılı. **at a ~ pace**, dolu dizgin: **~ good**, (*kon.*) birinci sınıf, çok iyi.
rat·-trap ['rat·trap]. Sıçan kapanı. **~ty**, sıçan gibi; sıçana ait; (*mec.*) öfkeli.
raucous ['rōkəs]. Kısık/boğuk (ses).
***raunchy** ['rōnçi]. Şapşal; kaba ve dobra dobra söyliyen.
ravage ['ravic] *i.* Zarar, viranlık: **~s**, yıkıntı, tahribat. *f.* Tahrip etm., harap etm.; yağma etm., yıkıp bozmak.
RAVC = ROYAL ARMY VETERINARY CORPS.
rave[1] [reyv]. Çıldırmak; sayıklamak; sapıtmak; abuk sabuk söylemek. **~ about stg.**, bir şeye delicesine hayran olm./çıldırmak: **a ~ notice**, (*tiy.*) pek tebrik edici bir eleştirme.
rave[2]. Daha yük koyabilmek için bir arabanın yan taraflarına takılan parmaklık.
ravel ['ravl]. Çöz(ül)mek; iplik iplik karıştırmak.
raven[1] ['reyvn] *i.* Kuzgun, kara/büyük karga. *s.* Kuzgunî.
raven[2] ['ravn] *f.* Av ardından dolaşmak; yağma etm.; oburcasına yemek. **~ing/~ous**, çok acıkmış; aç gözlü, gözü doymaz; haris.
ravine [rə'vīn]. Dar ve derin kayalık dere/çukuru.
raving ['reyvin(g)] *s.* Çıldıran; sayıklayan. *i.* Abuk sabuk sözler. **~ beauty**, fevkalade güzel kimse: **~ mad**, çılgınca deli.
ravish ['raviş]. Kapıp götürmek; ırzına geçmek; tutkun etm. **~ing**, tutkun edici, gönül kapıcı; çekici.
raw [rō] *s.* Çiğ, ham, işlenmemiş; pişmemiş; açık yara gibi pek hassas/duygulu; soğuk ve nemli (hava); acemi, toy. *i.* Hassas nokta, yara. **in the ~**, doğa halinde; çıplak: **a ~ hand**, acemi işçi; toy bir genç: **~ material**, ham madde: **~ recruit**, acemi asker: **~ spirit**, su katılmamış ispirto: **touch s.o. on the ~ (spot)**, bamteline basmak. **~-boned**, kemikleri fırlamış, lağar (at). **~hide** [-hayd], tabaklanmamış deri. **~ish**, oldukça çiğ. **~ness**, çiğlik, hamlık, rutubet.
ray[1] [rey] *i.* Şua, ışın; parıltı; (*bot.*) katmerli çiçeğin dış yapraklarından biri. *f.* Işıldamak.
ray[2]. Öz-kedi-balığı: **electric ~**, torpil balığı: **starry ~**, yıldızlı vatoz: **thornback ~**, vatoz: **~-skate**, tırpana.
ray[3] (*müz.*) Re.
rayah ['raya] (*Tk.*) Reaya.
ray·ed [reyd]. Şualı. **~less**, şuasız; ışıksız, kara.
rayon ['reyon] (*M.*) Sunî ipek.
raze [reyz]. Temelinden yıkmak; hafifçe yaralamak. **~ to the ground**, yerle yeksan/bir etm.
razor ['reyzə(r)]. Ustura. **safety ~**, jilet: **set a ~**, usturayı bilemek. **~-back**, Fin balinası; dar sırtlı domuz. **~-bill**, usturagagalı alk. **~-blade**, ustura/jilet bıçağı. **~-clam/-fish/-shell**, ustura midyesi. **~-edge**, ustura ağzı: **on a ~**, (*mec.*) müşkül bir durumda. **~-slasher**, usturayla hücum eden cani. **~-strop**, berber kayışı.
***razz** [raz] (*arg.*) Şiddetli tenkit (etm.); alay etm.
razzia ['raziə]. Akın; yağmacılık, köleler toplanması.
razz·le-dazzle ['razldazl] (*arg.*) Heyecan, cümbüş:

go on the ~, cümbüş yapmak. ~**matazz** [-mə'taz] (*kon.*) heyecan, cümbüş; şarlatanlık.

Rb. (*kim.s.*) = RUBIDIUM.

RC = RED CROSS; REINFORCED CONCRETE; ROMAN CATHOLIC. ~**A** = RADIO CORPORATION OF AMERICA; ROYAL COLLEGE OF ARTS. ~**AF** = ROYAL CANADIAN AIR FORCE. ~**M** = RADIO COUNTERMEASURES; ROYAL COLLEGE OF MUSIC: ~**P** = ROYAL CANADIAN MOUNTED POLICE. ~**N** = ROYAL CANADIAN NAVY/COLLEGE OF NURSING. ~**O/P** = ROYAL COLLEGE OF ORGANISTS/PHYSICIANS. ~**S** = ROYAL COLLEGE OF SCIENCE/SURGEONS; ROYAL CORPS OF SIGNALS. ~**T** = ROYAL CORPS OF TRANSPORT. ~**VS** = ROYAL COLLEGE OF VETERINARY SURGEONS.

Rd. = (*kim.s.*) RADON; ROAD.

RD = REFER (CHEQUE) TO DRAWER; RESEARCH AND DEVELOPMENT. ~**C** = RURAL DISTRICT COUNCIL. ~**F** = RADIO DIRECTION FINDER. ~**V** = RENDEZVOUS.

re[1] [ray] = RAY[3].

re[2] [rī]. **in** ~ **Jones v. Smith**, Jones'le Smith davasında: ~ **your letter of May 1st**, 1 mayıs tarihli mektubunuza cevap olarak/mektubunuz dolayısıyle.

Re. (*kim.s.*) = RHENIUM.

re- *ön.* Geri; tekrar; yeniden; *mes.* **turn** = dönmek, **return** = geri dönmek; **write** = yazmak, **re-write** = yeniden yazmak. *Bu önek hemen her fiilin başına konabileceği için* **re-** *ile başlıyan bütün fiiller sözlüğe alınmamıştır. Bulamadığınız bir kelime için fiile bakınız ve anlamını yukarıki açıklamaya göre değiştiriniz.*

RE = ROYAL ENGINEERS. * ~**A** = RURAL ELECTRIFICATION ADMINISTRATION.

reach[1] [rīç] *i.* El/bir aletin yetişebileceği uzaklık; topun menzili; alan, saha; bir ırmağın bükülmiyen düz kısmı. **beyond one's** ~, insanın iktidarı dışında; yetişemiyeceği yerde: **have a long** ~, (kol ile) çok ileriye uzanabilmek: **out of** ~, yetişemiyecek yerde: **within** ~ **of his hand**, elinin yetişebileceği yerde: **within easy** ~ **of the station**, istasyona yakın: **no help was within** ~, çevrede yardım edecek kimse yoktu: **posts within the** ~ **of all**, herkesin elde edebileceği memuriyetler/görevler: **within the** ~ **of small purses**, zengin olmayanların erişebileceği fiyatta.

reach[2] *f.* Yetişmek, ermek, ulaşmak, varmak, vasıl olm.; uzanmak, uzatmak. ~ **out**, uzatmak: ~ **fifty**, ellisine basmak: **as far as the eye could** ~, göz alabildiğine: **it has** ~**ed my ears that** ..., ... kulağıma çalındı. ~**able**, yetişilir. ~**-me-downs**, (*arg.*) hazır elbise.

re-act[1] ['rīakt]. Tekrar oynamak/temsil etm.

react[2] [ri'akt]. Tepki yapmak; karşı tesir/etki yapmak; tesir yapmak, tepkimek; reaksiyon göstermek. ~**ance** [-təns], reaktans. ~**ion** [-'akşn], aksülamel, mukabele, karşılık; reaksiyon; (*fiz.*) tepki; (*kim.*) tepkime; geri dönme; yankı. ~**ionary** [-nəri], mürteci, gerici, tutucu. ~**ivate** [-tiveyt], tekrar hareketlendirmek. ~**ive**, karşı tesir yapan; tepkin. ~**or**, (*tıp.*) bır aşı vb.ne tepki gösteren; (*fiz.*) reaktör, atom işleyici/ayırıcı; karşılayıcı.

read[1] [rīd, *g.z.(o.)* red]. Okumak; anlam/sonuç çıkarmak; bakıp anlamak. **I can** ~ **him like a book**, onun içini dışını bilirim: ~ **into a sentence stg. that is not there**, bir cümleden anlatmadığı bir anlam çıkarmak: ~ **medicine**, tıp öğrenimi yapmak: ~ **s.o. to sleep**, okuyarak birini uyutmak: ~ **up a subject**, bir konu hakkında okuyup bilgi edinmek: **this play** ~**s well but I doubt if it would act well**, bu piyesin okuması iyi fakat oynanabileceği şüpheli. ~ **out/aloud**, yüksek sesle okumak. ~ **through**, göz gezdirmek; baştan başa okumak.

read[2] [red] *g.z.o.* = READ[1]: **take the minutes as** ~, bir toplantı tutanakları okunmuş sayarak kabul etm.: **well-**~, çok okumuş.

readable ['rīdəbl]. Okunaklı; okumağa değer.

readdress [rīə'dres]. Yeni adresini yazıp postaya atmak.

reader ['rīdə(r)]. Okuyan, okur, okuyucu; (*bas.*) doğrultucu; bir nevi üniversite doçenti; okuma kitabı.

readi·ly ['redili]. İstiyerek; kolay olarak. ~**ness** [-nis], hazır olma.

reading ['rīdin(g)] *i.* Okuma, mütalaa; kıraat; tahsil, öğrenim; (*fiz.*) okunma, işaret, kayıt; (*id.*) okunuş. *s.* Okuyan; okuma+. **the** ~ **public**, okuyucular (sınıfı). ~**-book**, okuma kitabı. ~**-desk**, rahle; okuma masası. ~**-glass**, pertavsız. ~**-lamp**, masa lambası. ~**-matter**, okunacak şeyler. ~**-room**, okuma salonu.

readjust [rīə'cʌst]. Düzeltmek; düzenlemek, tanzim etm. ~ **one's ideas**, düşüncelerini yeni duruma uydurup değiştirmek.

read-out ['rīdaut]. Bilgisayar bilgileri okunması.

ready ['redi] *s.* Hazır; kolay, çabuk; meyyal. *i.* (*ask.*) Hazırol durumu; (*den.*) apiko. *f.* Hazırlatmak. **be** ~ **to do stg.**, bir şeyi yapmağa hazır olm.; bir şeyi yapmağı göze almak: **make/get** ~, hazırla(n)mak: ~ **for action**, çarpışmaya hazır; eteğibelinde: **come to the** ~, (*ask.*) hazırol durumu almak: **guns at the** ~, ateşe hazır toplar: ~ **money**, peşin para; hazır para, akçe: **a** ~ **pen**, kolay yazar kimse: **these goods command a** ~ **sale**, bu mallar derhal satılabilir: **a** ~ **tongue**, kolay konuşur kimse: **rather too** ~ **to suspect people**, herkesten hemen şüphelenir: **he is very** ~ **with excuses**, bahane/mazeret bulmağa hazır: **a** ~ **wit**, hazırcevap(lık). ~**-cooked/-to-eat**, önceden pişmiş. ~**-made/-to-wear**, ~ **clothes**, hazır giyim/elbise. ~**-money**, nakit, peşin para. ~**-reckoner**, hesap cetveli.

reafforestation [rīəforis'teyşn]. Yeniden ormanlaştır(ıl)ma.

reagent [rī'eycənt]. Miyar, ayıraç, belirteç, tepkin; reaktif.

real [riəl]. Hakikî, asıl, gerçek; sahici; maddî, aynî, özdeksel; gayri menkul, taşınmaz, mal+. ~ **estate**, emlâk, arsa, mülk, gayri menkul mallar: ~ **†McKay/*McKoy/thing** [mə'kay, -'koy], asıl/âlâ şey, mükemmel: ~ **time**, (bilgisayar) bilgi işlemesinin hadise/işletme ile hemen hemen uyuşması. ~**ise** = ~IZE. ~**ism**, hakikat, gerçek(çi)lik, realizm. ~**ist**, realist, gerçekçi. ~**istic** [-'listik], doğayı olduğu gibi gösteren; gerçekçi; doğa/gerçeğe uygun; realist, amelî; işsel. ~**ity** [-'aliti], hakikat; künh; gerçeklik; hakikî/gerçek şey: **in** ~, hakikaten, gerçekten.

realiz·able [riə'layzəbl]. Gerçekleştirilir; paraya çevrilir. ~**ation** [-'zeyşn], kuvveden fiile çıkma; tahakkuk et(tir)me, gerçekleş(tir)me, olma; idrak, anlama, kavrama. ~**e** [-layz], tahakkuk ettirmek, gerçekleştirmek; icra etm.: hakikat/gerçek olarak görmek; idrak etm., kavramak, anlamak; paraya çevirmek, realize etm.; uygulamak.

really ['riəli]. Hakikaten; gerçekten; sahiden. ~**?**, gerçek/sahi mi? öyle mi?; yaa!: **not** ~**?**, olur mu?: **say what you** ~ **think**, olduğu gibi düşündüğünüzü söyleyiniz: **you** ~ **must have a talk with him**, onunla ne olursa olsun görüşmelisiniz.

realm [relm]. Devlet, memleket; krallık; (*mec.*) saha, alan.

***realt·or** ['rialtō(r)]. Mülk simsarı, emlâk komisyoncusu. ~**y**, gayri menkul mal.

ream[1] [rīm]. 500 tabakalık kâğıt topu: **write** ~**s**, sayfalar doldurmak.

ream[2]. Raymalamak; bir hartuç kesesinin kenarını dışarıya çevirmek; kalafat etmek için armoz genişletmek. ~**er**, rayma, biz, pürüzalır; raymacı; kalafatçı.

reanimate [rī'animeyt]. Yeniden canlandırmak.

reap [rīp]. Ekin biçmek; mahsul/ürün toplamak; elde etm.: ~ **as one sows**, ektiğini biçmek. ~**er**, orakçı; orak makinesi: **the R**~, Azrail: ~**-binder/-machine**, biçerbağlar. ~**ing-hook**, orak.

reappear [riə'piə(r)]. Tekrar/yeniden görünmek/ortaya çıkmak.

rear[1] [riə(r)] *i.* Arka, geri, sırt, art; (*kon.*) helâ. *s.* Arka taraf/yana, geriye ait; art+. **bring up the** ~, en son gelmek.

rear[2] *f.* Dikmek, inşa etm., yapmak, kurmak; yükseltmek; büyütmek, yetiştirmek; şaha kalkmak.

rear-[3] *ön.* ~**-admiral**, tuğamiral. ~**guard**, dümdar, artçı: ~ **action**, geriye çekilme çarpışması. ~**(-view) mirror**, dikiz aynası. ~**most**, en arkadaki. ~**ward**, arkada, geride: ~**s**, arka/geriye doğru.

rearm [rī'ām]. Yeniden silâhlandırmak; yeni silâhlarla donatmak. ~**ament**, yeni silâhlarla donatma.

reason[1] [rīzn] *i.* Sebep, illet, neden, gerektirici; akıl, us, kavrama, idrak; insaf. **by** ~ **of**, -den dolayı, sebebiyle: **there is** ~ **to believe that . . .**, . . . inanmak yerindedir, . . . anlaşılmaktadır: **for some** ~ **or other**, her nedense: **for no other** ~ **than that I forgot**, biricik sebebi unutmuş olmamdır: **he complains with (good)/not without** ~, haklı olarak şikâyet ediyor: **you have** ~ **to be proud**, iftihar etmekte haklısınız: **hear/listen to** ~, söz anlamak, akıllı olm.: **I cannot in** ~ **pay more**, bundan fazla para vermem akıllıca değildir: **everything in** ~, akla yakın olmak şartıyle her şey; her şey ölçülülük içinde: **lose one's** ~, aklını bozmak: **it's all the more** ~ **for . . .**, . . . için ayrıca bir sebeptir: **it stands to** ~ **that . . .**, . . . aşikâr/apaçıktır: ~ **of State**, siyasî sebep: **the** ~ **why . . .**, . . . sebep/nedeni.

reason[2] *f.* Muhakeme etm., yargılamak; netice/sonuç çıkarmak; sonuca varmak. ~ **s.o. into/out of doing stg.**, delililer ileri sürerek birini inandırıp bir şey yaptırmak/yapmaktan vazgeçirmek: ~ **with s.o.**, birini delillerle inandırmağa çalışmak. ~**able**, insaflı, makul, akla yakın; haklı, münasip; yeter miktarda. ~**ably**, makul olarak. ~**ed**, sebepli, bir sebebe dayanan, makul, akla uygun. ~**ing**, muhakeme, yargılama; mantıklı düşünme. ~**less**, sebepsiz; mantıksız.

reassure [rīə'şō(r)]. Tatmin etm.; yeniden inanca vermek; temin etm., güven vermek; güvenini pekiştirmek; yatıştırmak; tekrarlı sigorta etm.; = REINSURE.

Réaumur [rey'oumyur]. Reomür (ısı derecesi).

reave (*g.z.(o.)* **reft**) [rīv, reft]. Zorla elde etm., zaptetmek, yağma etm. ~**r**, (sığır) yağmacı.

rebate[1] ['rībeyt] *i.* İskonto; tenzilât, indirim; ikram. *f.* İskonto etm.; tenzilât yapmak; azaltmak, indirmek.

rebate[2]. = RABBET.

rebec(k) ['rībek] (*mer.*) Üç telli kemençe.

rebel ['rebl] *i.* & *s.* İsyan eden, asi, baş kaldıran. [ri'bel] *f.* İsyan etm., baş kaldırmak, ayaklanmak. ~**lion** [-yən], ayaklanma, baş kaldırma. ~**lious** [-yəs], ayaklanan, baş kaldıran; serkeş, söz dinlemez, itaatsiz.

re·bind (*g.z.(o.)* ~**bound**) [rī'baynd, -'baund]. Yeniden bağlamak/ciltlemek.

rebirth [rī'bəθ]. Yeniden doğma/dünyaya gelme; canlanma; (*mec.*) rönesans.

rebound[1] [ri'baund]. Geri sekme(k); aksetmek. **take s.o. on the** ~, birinin bir duygudan soğumasından yararlanmak.

rebound[2] *g.z.(o.)* = REBIND. Yeniden bağlanmış/ciltlenmiş.

rebroadcast [rī'brōdkāst] (*rad.*) *i.* Naklen program. *f.* Yeniden yaymak.

rebuff [ri'bʌf] *i.* Ret, geri çevirme; ters cevap; başarısızlık. *f.* Şiddetle reddetmek.

rebuke [ri'byūk] *i.* Azar; serzeniş; tevbih. *f.* Azarlamak, serzeniş etm.

rebus ['rībʌs]. Resimli bilmece.

rebut [ri'bʌt]. Cerhetmek; tekzip etm.; çürütmek. ~**tal**, cerh, çürütme.

rec. = RECEIPT; RECORD.

recalcitra·nce [ri'kalsitrəns]. İnatçılık; itaatsizlik. ~**nt**, inatçı; itaatsiz, söz dinlemez; bir şeye kafa tutan. ~**te**, inatçılık etm., karşı gelmek.

recall [ri'kōl] *f.* Geri çağırmak; avdetini emretmek; (yargıyı) yürürlükten kaldırmak; hatırlamak, hatıra getirmek. *i.* Geri çağrılma.

recant [ri'kant]. Sözünü geri almak; vaz geçmek; mezhebinden dönmek. ~**ation** [-'teyşn], sözünü geri alma; dönme, vazgeçme.

recap ['rīkap] (*kon.*) = ~**itulate** [-kə'pityuleyt], (bir meselenin bellibaşlı noktalarını) tekrar özetlemek: ~**itulation** [-'leyşn], tekrar özetle(n)me.

recast [rī'kāst]. Yeni biçime sokmak; şeklini değiştirmek; daha iyi düzenlemek.

recce ['reki] (*ask., arg.*) = RECONN·AISSANCE/~OITRE.

recd. = RECEIVED.

reced·e [ri'sīd]. Geri çekilmek; uzaklaşmak; rücu etm. ~**ing**, çekik: ~ **chin**, kaçık çene.

receipt[1] [ri'sīt]. = RECIPE.

receipt[2] *i.* Makbuz, alındı kâğıdı; alma; alınma; tesellüm. *f.* Ödeme makbuzu vermek. ~**s**, irat, gelir: **acknowledge** ~ **of stg.**, bir şeyin alındığını haber vermek: **I am in** ~ **of your letter**, mektubunuzu aldım; **pay on** ~, alındığı zaman ödemek.

receiv·able [ri'sīvəbl]. Al(ın)acak, borçlu, tahsil olunacak. ~**e**, almak, kabul etm.; elde etm., ele geçirmek; telakki etm.; hırsıza yataklık etm.: ~**d**

Aranan kelime bu sayfada bulunmazsa, ilk olarak RE- *notlarına bakınız.*

with thanks, (makbuz üzerine yazılan cümle) teşekkürle alınmıştır: **she is not ~ing today**, bügün misafir kabul etmiyor. **~ed**, *s.* genellikle kabul edilmiş; alelade. **~er**, alıcı, alan; (*mal.*) tahsildar, tasfiye memuru; (*elek.*) alıcı (cihazı), ahize, almaç; kulaklık; (*sp.*) karşılayan; hırsız yatağı. **~ing**, alış, alma; yataklık: **be on the ~ end**, (*kon.*) (nahoş) bir şeyin alıcısı olm.: **~-order**, bir müflisin mallarına el koyma kararı: **~-station**, telsiz alıcı merkezi.
recency ['rīsənsi]. Yenilik; son zamanda olma.
recens·e [ri'sens]. Gözden geçirmek, düzeltmek. **~ion** [-'senşn], düzeltme; düzeltilmiş metin.
recent ['rīsənt]. Yakın geçmişe ait; yeni; son zamanda olan. **~ly**, geçenlerde, son zamanlarda: **as ~ly as yesterday**, daha dün: **until quite ~ly**, çok yakın zamana kadar. **~ness**, yenilik.
receptacle [ri'septəkl]. Kap; zarf; depo, havuz.
reception [ri'sepşn]. Kabul, karşılama; kabul tarzı; alma; alınma; misafir kabulü; kabul töreni; tesellüm. **a cold ~**, istiskal: **get a warm ~**, (i) hararetle karşılanmak; (ii) geldiğine geleceğine pişman olm. **~ (desk)**, resepsiyon. **~ist**, (otel/doktorun evinde vb.) kabul eden kimse, resepsiyonist.
receptiv·e [ri'septiv]. Kavrayıcı; anlayışlı. **~ity** [-'tiviti], çabuk kavrayış; alırlık; (*rad.*) alma gücü.
receptor [ri'septə(r)]. Alıcı (cihaz/organı).
recess [ri'ses] *i.* Tatil, paydos; hücre, bucak, köşe, girinti. *f.* Hücre açmak; hücreye koymak. **~ed** [-'sest], gömme. **~ion** [-'seşn], çekilme, gerileme; girinti: **~ary**, gerilemeye ait. **~ive**, (*biy.*) çekilgen; (*bot.*) çekinik.
recharge [rī'çāc]. Yeniden doldurmak/şarj etm. **~ one's batteries**, (*mec.*) dinlenmek; RECUPERATE. **~d**, şarjlı.
recherché [rə'şerşey] (*Fr.*) Zor/dikkatle seçilmiş; az bulunur.
recidiv·ism [ri'sidivizm]. Suç alışkını; suçu yineleme. **~ist**, sabıkalı.
recipe ['resipi]. Yemek yapma usul/yöntemi; reçete; tedbir.
recipient [ri'sipyənt]. Alan kimse. **~ of a letter**, mektup gönderilen.
reciproc·al [ri'siprəkl]. Karşılıklı; mütekabil; (*dil.*) işteş, ortak; (*mat.*) karşıt. **~ate** [-keyt], karşılıklı verip almak; karşılık olarak vermek; gitgel hareketiyle işlemek. **~ating**, karşıt, gitgel; pistonlu. **~ity** [resi'prositi], karşılıklı durum, karşıtlık; karşılıklılık, mütekabiliyet.
recit·al [ri'saytl]. Nakletme, anlatma, hikâye etme; ezber okuma; tek bir sanatçının bir çalgı üzerinde bir musiki parçasını çalması, resital. **~ation** [resi'teyşn], ezber okuma. **~ative** [-tə'tiv] (*müz.*) (operada) ezberden okunan parça. **~e** [-'sayt], inşat etm., ezber okumak; birer birer zikretmek.
reck [rek] (*mer.*) Dikkat etm.; hesap etm. **~less** [-lis], uluorta; pervasız; kayıtsız; çekinmeyen: **~ly**, sakınmadan.
reckon ['rekən]. Hesap etm., saymak; tahmin etm.; zannetmek; telakki etm. **~ on**, -e güvenmek, bel bağlamak: **~ in**, hesaba katmak: **~ up**, hesap etm., yekûn etm.: **we shall have to ~ with . . .**, . . . göze almalıyız, hesaba katmalıyız. **~er**, hesap eden: **ready ~**, hesap cetveli. **~ing**, hesap: **day of ~**, hesap/kıyamet günü: **dead ~**, parakete hesabı: **be out in one's ~**, hesabı yanlış çıkmak, hesapta aldanmak.
re-claim[1] [rī'kleym]. Geri istemek, iadesini istemek; geri almak.
recla·im[2] [ri'kleym]. Islah etm., düzeltmek, tarıma elverişli bir hale getirmek: **past ~**, ıslah olmaz: **~ land from the sea**, denizi doldurmak. **~mation** [reklə'meyşn], yola getirme; tarıma elverişli bir hale getirme.
reclin·ate ['reklineyt] (*bot.*) Aşağıya eğilmiş. **~e** [ri'klayn], yaslanmak; dayanmak; boylu boyuna uzanmak. **~ing**, arkaya yatmış, yaslanmış: **~-seat**, yaslanma koltuğu.
reclus·e [ri'klūs]. Münzevi, köşeye çekilmiş, dünyadan çekilmiş. **~ion** [-'klūjn], inziva.
recoal [rī'koul]. (Gemi) yeniden kömür almak.
recognition [rekəg'nişn]. Tanıma, tanınma; itiraf, teslim; tasdik. **in ~ of his past services**, geçmişteki hizmetlerine karşılık olarak: **alter beyond/past ~**, tanınmıyacak derecede değiş(tir)mek.
recogniz·able [rekəg'nayzəbl]. (Kolayca) tanınır. **~ance** [ri'kognizəns], kefaletname, kefillik kâğıdı. **~e** ['rekəgnayz], tanımak; itiraf etm., kabul ve tasdik etm., onaylamak, doğrulamak. **~ed**, tanınmış; kararlaşmış; muteber, geçerli, saygın; onaylı; beylik.
recoil [ri'koyl]. Geri tepme(k); tepki; geri çekilme(k); korkudan/iğrenerek geri çekilme(k); çekinmek. **his evil deeds will ~ upon his head**, kötülüklerinin cezasını çekecek.
re-collect[1] [rīkə'lekt]. Yeniden toplamak.
recollect[2] [rekə'lekt]. Hatırlamak. **~ion** [-'lekşn], hatıra, hatırlama: **I have a dim ~ of it**, onu hayal meyal hatırlıyorum: **to the best of my ~**, hatırladığıma göre: **it has never occurred within my ~**, hatırlıyabildiğim süre içinde böyle bir şey olmamıştır.
recommend [rekə'mend]. Tavsiye etm.; bırakmak, tevdi etm., emanet etm.; iltimas etm.; tembih etm.; salık vermek. **~ation** [-'deyşn], tavsiye; iltimas; tavsiye mektubu; nasihat; salık verme.
recommission [rīke'mişn]. (Bir gemiyi) yeniden hizmete koymak: (bir memuru) tekrar hizmete almak.
recommit [rīkə'mit]. Yeniden tevdi etm./heyete iade etm.
recompense ['rekəmpens]. Mükâfat/ödül (vermek); telâfi (etm.), karşılama(k); yerini doldurma(k); zarar ödemek, karşılığını vermek.
reconcil·e ['rekənsayl]. Barıştırmak; aralarını bulmak; uzlaştırmak; razı etm.; telif etm.: **be ~ed**, barışmak, uzlaşmak: **~ oneself to . . .**, -e alışmak, ısınmak. **~iation** [-sili'eyşn], barışma; uzlaşma. **~iatory** [-'eytəri], barıştıran.
recondite [ri'kondayt]. Derin; muğlak; anlaşılmaz.
recondition [rīkən'dişn]. Yenilemek; tamir edip yenilemek.
reconn·aissance [ri'konisəns]. İstikşaf; keşif; açılama; arama, yoklama. **~oitre** [rekə'noytə(r)], keşif yapmak; araştırmak, yoklamak; açılamak.
reconstitute [rī'konstityūt]. Yeniden kurmak/teşkil etm.; olayları/parça parça haberleri birleştirip bir bütünü meydana getirmek.
reconstruct [rīkən'strʌkt]. Yeniden inşa etm.; yeniden kurmak; bozup yapmak; imar etm. **~ a crime**, bir cinayetin vukubuluş şeklini yeniden kurmak:

~ed lorry, etc., kamyon vb. bozması. **~ion** [-kşn], yeniden kuruş/kurma; canlandırım; imar.
record[1] ['rekōd] *i.* Sicil, kayıt; not; tutanak, zabıtname; plak; rekor. **~s**, evrak, dosya: **he has a bad ~**, geçmişteki hal ve hareketi iyi değildir; sicili bozuktur: **off the ~**, gayri resmî olarak: **make an attempt on the ~**, rekora denemek: **break the ~**, rekor kırmak: **put on ~**, kayda geçirmek, kaydetmek: **it is on ~ that...**, -diği olmuştur: **service ~**, sicil.
record[2] [ri'kōd] *f.* Kaydetmek; yazmak; bant/plağa almak.
record-[3], *ön.* **~-breaker**, rekortmen. **~-breaking**, rekor kıran. **~ed**, (*rad.*) kaydedilmiş/naklen (program). **~er**, †bazı şehirlerin sulh hâkimi; kaydeden kimse, yazıcı; kayıt cihazı; eski moda flüt. **~-holder**, plak kutusu; (*sp.*) rekortmen. **~ing**, kaydedici, yazıcı; seslendirme: **~-angel**, Yazıcı melek: **~-unit**, ses takımı. **~-Office**, Arşivler. **~-player**, pikap. **~-sleeve**, plak gömleği.
re-count[1] [rī'kau̯nt] *f.* Yeniden saymak. ['rī-] *i.* (Seçimde) verilen oyların yeniden sayılması.
recount[2] [ri'kau̯nt] *f.* Anlatmak; nakletmek. **~ one's woes**, derdini dökmek.
recoup [ri'kūp]. Tazmin etm., karşılamak, kapamak; telâfi etm. **~ oneself**, zararını çıkarmak.
recourse [ri'kōs]. Müracaat, baş vurma, danışma. **have ~ to**, -e başvurmak/danışmak.
re-cover[1] [rī'kʌvə(r)]. Yeniden kaplamak.
recover[2] [ri'kʌvə(r)]. Geri almak; istirdat etm., tekrar ele geçirmek; elde etm., bulmak; telâfi etm., yerini doldurmak, karşılamak; iyileşmek, şifa bulmak; açılmak, ayılmak; eski durumu bulmak. **~ oneself**, kendini toplamak; silkinmek; kendine gelmek: **~ one's balance**, düşecek iken kendini tutup düşmemek; dengesini bulmak: **~ one's breath**, soluk almak: **~ consciousness**, ayılmak, kendine gelmek: **~ one's expenses**, masrafını çıkarmak: **~ lost ground**, kaybedilen nüfuz vb.ni karşılamak.
recover·able [ri'kʌvərəbl]. Geri alınır, elde edilir, vb.; olumlu alacak, **~ed**, iyileşmiş. **~y**, istirdat; geri alma; elde etme; eski durumu bulma; düzeltme; iyileşme, sağlık bulma; kalkınma: **past ~**, umutsuz bir durumda: **the patient is making a good ~**, hasta çabuk iyileşiyor.
recrean·cy ['rekri̯ənsi]. Korkaklık, alçaklık. **~t**, korkak, alçak, namert; mürtet.
re-creat·e[1] [rīkri'eyt]. Yeniden yaratmak. **~ive**, yeni yaratıcı.
recreat·e[2] ['rekrieyt]. Dinlendirmek; eğlendirmek; oyalamak. **~ion** [-'eyşn], başını dinlendirme; dinlenme, eğlence, oyalanma; istirahat; teneffüs, ara: **~-ground/-room**, teneffüs/oyun alan/odası. **~ional/~ive**, eğlendirici, dinlendirici, oyalayıcı.
recriminat·e [ri'krimineyt]. Karşılıklı şikâyet etm./yakınmak. **~ion** [-'neyşn], karşılıklı yakınma; suçlama.
recrudescence [rīkru'desəns]. Nüksetme; yeniden şiddetlenme.
recruit [ri'krūt] *i.* Acemi (nef)er; yeni üye; yeni işçi. *f.* Askere almak, asker toplamak; taraftar toplamak. **~ (one's health)**, sağlığını iyileştirmek. **~ing/~ment**, askere alma; personel araştırması.
rectal ['rektəl]. Kalın bağırsağın son kısmına ait.
rectang·le ['rektan(g)gl]. Mustatil, dikdörtgen. **~ular** [-'tan(g)gyūlə(r)], dikdörtgen(e ait); dik açılı.
rectif·ication [rektifi'keyşn]. Düzeltme, doğrulama, doğrultma; tasfiye; rektifiye. **~ier** [-'fayə(r)], düzeltici, doğrultucu; (*elek.*) redresör, doğrultmaç; tasfiye cihazı. **~y** [-fay], düzeltmek, doğrultmak; tashih etm.; tasfiye ve taktir etm.; (*elek.*) dalgalı akımı doğru akıma değiştirmek, redrese etm.
rectilinea·l/~r [rekti'lini̯əl, -i̯ə(r)]. Düz çizgili, hatları doğru.
rectitude ['rektityūd]. Doğruluk; dürüstlük; istikamet, yön.
recto ['rekto̯u]. Kitabın sağ taraftaki sayfa; yaprağın ön tarafı.
rector ['rektō(r)]. Mahalle papazı; rektör. **~ial** [-'tōriəl], rektöre ait. **~y**, mahalle papazının evi.
rectrix ['rektriks]. Kuyruk tüyü.
rectum ['rektʌm]. Kalın bağırsağın son kısmı, göden (bağırsağı), rektum.
recumbent [ri'kʌmbənt]. Uzanıp yatan, yatık.
recuperat·e [ri'kyūpəreyt]. (Hastalıktan sonra) iyileşmek; sağlık/kuvvetini vb. yeniden kazanmak. **~ion**, iyileşme (müddeti). **~ive**, iyileştirici.
recur [ri'kə̄(r)]. Tekrar vuku bulmak, yeniden olm., tekerrür etm.; tekrar hatıra gelmek; avdet etm. **~rence** [-'kʌrəns], yeniden olma; tekrar vukua gelme; tekerrür; nüksetme. **~rent/~ring**, arada sırada vukua gelen, tekerrür eden: **~ decimal**, tekrarlı ondalık.
recycling [rī'sayklin(g)] (*kim.*) İşlemelerden tekrar geçir(il)me; yeniden kullan(ıl)ma.
red [red] *s.* Kırmızı, kızıl; al. *i.* Kırmızı renk; (*kon.*) aşırı solcu, komünist, Rus. **be in the ~**, (*kon.*) borçlu olm.: **not have a ~ cent**, pek yoksul olm.: **become ~ in the face**, öfkelenip yüzü kıpkırmızı kesilmek: **have ~ cheeks/a ~ face**, sağlam olm.; utanmak: **like a ~ rag to a bull**, kırmızı rengin boğayi kızdırması gibi öfkelendiren kimse/şey: **see ~**, gözünü kan bürümek; son derecede öfkelenmek: **turn/go ~**, kızarmak, kızıllaşmak.
redact [ri'dakt]. Basılmak için hazırlamak. **~ion** [-'dakşn], basılmak için hazırlanma; yeni basım.
red·-admiral. Bir çeşit kırmızı kelebek. **~-alert**, en ciddî/önemli tehlike işareti/tehlikeli durum.
redan [ri'dan] (*ask.*) Dış açı teşkil eden iki siper.
red·-backed ['redbakt]. Kırmızı sırtlı (kuş). **~-blooded**, dinç, kuvvetli; cesur, yiğit, yürekli. **~breast** = ROBIN. **~brick, ~ university**, bu asırda tesis edilmiş/modern bir üniversite (*krş.* OXBRIDGE). **~cap**, (*ask., arg.*) askerî inzibat eri. **~-carpet**, (*kon.*) hakkında şerefle davranmak. **~coat**, (*mer.*) İng. askeri. **~ Crescent**, Kızılay. **~ Cross**, Kızılhaç. **~-currant**, frenküzümü. **~-duster** = **~**-ENSIGN. **~den** [redn], kızarmak, kızıllaşmak; kırmızılaştırmak. **~dish/~dy** ['redi(ş)], kırmızımsı, kırmızımtırak.
rede [rīd] (*mer.*) Öğüt, nasihat, tavsiye; hikâye; deyim, atasözü.
redeem [ri'dīm]. Fidye vererek kurtarmak; rehinden çıkarmak; halâs etm.; (borcunu) ödemek; (söz) yerine getirmek; telâfi etm.; günahını affet-

tirmek. **~ing feature**, kusurlarını unutturan iyi bir vasıf. **~able**, ödenmesi gereken (senet), satın alınabilir. **~er, the R~**, Hazreti İsa.
redemption [ri'demşn]. Tediye, ödeme; amortisman; fidyesini verip geri alma; rehinden çıkarma. **the ~ of sins**, (Hıristiyanlıkta) insanların günahlarının Hazreti İsa'nın ölümüyle affedildiği itikadı: **past ~**, ıslah edilmez.
red-ensign [red'enzayn]. İng. ticaret filosunun bayrağı.
redeploy [rīdi'ploy]. Askerler/işçileri yeni bir yer/işe göndermek. **~ment**, verimini artırmak için fabrika düzeltilmesi.
red·-eyed ['redayd]. Ağlamaktan gözleri kızarmış. **~-flag**, tehlike işareti; isyan bayrağı. **~-Guard**, genç Çin etkincisi. **~-handed**, suçüstü. **~-hat**, kardinal şapkası. **~-head(ed)**, kızıl saçlı. **~-herring**, tütsülenmiş ringa balığı; (*mec.*) asıl konudan çıkaran konu, oyalama. **~-hot**, ateşte kıpkırmızı olmuş; kızgın: **~ communist**, aşırı komünist: **~ news**, en son haber. **~-Indian**, Kızılderili.
redintegrate [re'dintigreyt]. Yeniden birleştirmek.
redirect [rīday'rekt]. Yeniden göndermek; (mektup) adresini değiştirmek.
red·-lane ['redleyn] (*çoc.*) Boğaz. **~-lead** [-led], sülüğen. **~-legged**, [-'leg(i)d], kızıl bacaklı. **~-letter, ~ day**, (*din.*) bayram günü; sayılı gün. **~-light**, tehlike işareti; genelev işareti: **see the ~**, tehlikeyi sezmek: **~ district**, genelev mahallesi. **~-man** = ~SKIN. **~-meat**, sığır/koyun eti. **~-necked**, kızıl gerdanlı (kuş). **~ness**, kırmızılık, kızıllık.
redolen·cy ['redələnsi]. (Güzel/keskin) koku. **~t, ~ of/with**, (güzel/keskin) kokulu; kokan; hatırlatıcı.
redouble [ri'dʌbl]. Bir kat daha artırmak.
redoubt [ri'daut]. Palanka, tabya.
redoubt·able, ~ed [ri'dautəbl, -tid]. Heybetli; yürekli, cesur; korkunç.
redound [ri'daund]. **~ to**, artırmak; yardımı dokunmak; iyi tesir etm.: **this ~s to your credit**, bu size çok itibar kazandıracak; bununla iftihar edebilirsiniz.
red·-out ['redaut]. Göz kızarması. **~-pepper**, kırmızı biber. **~poll**, bir çeşit kızıl inek; bir çeşit kenevir kuşu. **~-rag**, (*mec.*) kızdıran şey.
redress [ri'dres] *i.* Tamir, onarma; yerine koyma; karşılama, ödeme, tazmin. *f.* Tamir etm., düzeltmek; tashih etm.; doğrultmak.
Red· Sea ['redsī]. Kızıldeniz, Şap Denizi. **~shank**, kızılbacak: **spotted ~**, pas rengi/benekli kızılbacak. **~-shift** (*ast.*) kırmızıya kayma. **~shirt** [-şə̄t], anarşist. **~skin**, Kızılderili; K.Am. yerlisi. **~start**, bahçe kızılkuyruğu: **black ~**, ev kızılkuyruğu. **~-tape**, kırtasiyecilik. **~-throated**, kızıl gerdanlı.
reduc·e [ri'dyūs]. Küçül(t)mek; indirmek; daraltmak; kısaltmak; (*kim.*) indirgemek; düşürmek; kısmak, azal(t)mak, alçaltmak; bir duruma sokmak; (*mat.*) eşitlemek; zayıflatmak; fethetmek: **~ stg. to ashes**, bir şeyi kül haline sokmak: **~ a dislocated/broken limb**, çıkık/kırık bir kemiği yerine koymak: **~ to poverty**, yoksulluğa düşürmek: **~ to the ranks**, (*ask.*) bir subayı erliğe indirmek: **~ to silence**, susturmak, ilzam etm.: **~ to writing**, yaz(dır)mak. **~ed** [-'dyūst], azalmış, indirilmiş; indirgenmiş: **in ~ circumstances**, darlık içinde. **~er**, indirgen, daraltıcı, redüktör. **~ible**, küçül(tül)ür vb. **~ing**, küçül(t)en; kendini zayıflatan; indirgen. **~tion** [-'dʌkşn], azal(t)ma; küçül(t)me; indirme; düşürme; kısaltma; (*kim.*) indirge(n)me, redüksiyon; (*mal.*) indirim, tenzil(ât); (*ask.*) fethetme, ele geçirme; (*tıp.*) organı normal yerine getirme.
redundan·cy [ri'dʌndənsi]. Çokluk; gereksizlik. **~t**, çok, fazla; ziyade; gereksiz, lüzumsuz; bol: **make ~**, işçilerin fazlalığından birini emekliye ayırmak.
reduplication [ridyūpli'keyşn]. İki misline çıkarma; artırma.
red·wing ['redwın(g)]. Pas rengi ardıç kuşu. **~wood**, kırmızı kereste veren ağaç; sekoya.
reed [rīd]. Kamış, saz; düdük/boru dili, sipsi. **a broken ~**, güvenilmez, ipiyle kuyuya inilmez. **~bed**, sazlık. ~-BUNTING. **~ed**, (*mim.*) yiv süsü ile. **~ling** = BEARDED TIT. **~mace** [-meys], su kamışı. **~pen**, kamış kalem. **~pipe**, kaval; kamışlı org borusu. ~-WARBLER. **~y**, kamışlık, sazlık; kaval gibi öten.
reef[1] [rīf] (*den.*) Camadan. **(take in a) ~**, yelkeni camadana vurmak; (*mec.*) ihtiyatla/sakınarak hareket etm.: **shake out a ~**, camadanı fora etm.
reef[2]. Sığ kayalık; resif; maden damarı.
reefer[1] ['rīfə(r)] (*arg.*) Deniz asteğmeni; (*mod.*) bir çeşit kruvaze ceket.
***reefer**[2] (*arg.*) Esrarlı sigara.
reefer[3] (*den.*) = REFRIGERATED SHIP.
reef·ing ['rīfin(g)]. Camadan. **~-knot**, camadan bağı.
reek [rīk] *i.* Kötü koku; buğu. *f.* Buğusu çıkmak; tütmek; kötü koku yaymak. **he ~s of garlic**, sarmısak kokuyor: **the place ~s with drunkenness**, burada sarhoşluktan geçilmiyor. **~y**, buğulu, dumanlı.
reel[1] [rīl] *i.* Makara; çıkrık; bobin. *f.* Makara vb.ne sarmak. **~ off**, sayıp dökmek, sıralamak.
reel[2]. Sendelemek; dönmek.
reel[3]. Bir İskoç raksı.
re-ent·er [rī'entə(r)]. Yeniden girmek. **~rant** [-'entrənt], girintili köşe/açı. **~ry**, (*hav.*) yeniden atmosfere giriş.
re-establish [rī·is'tabliş]. Yeniden kurmak; eski durumuna getirmek.
reeve[1] [rīv] (*tar.*) Kasaba memuru; (Kanada'da) şehir meclisi reisi.
reeve[2] (*g.z.(o.)* **~d/rove**) [rīv(d), rouv] *f.* (Halatı) makaraya geçirerek bağlamak; (gemi) sığ yerde/buzlar arasında dikkatle ilerlemek.
re-export [rīeks'pōt]. Yeniden mal çıkarma(k)/ithal (etm.).
Ref./ref. = REFEREE; REFERENCE; REFORM·ATION/-ED.
refect·ion [ri'fekşn]. Hafif yemek; yemek/içki ile ferahlatma. **~ory**, yemekhane.
refer [ri'fə̄(r)]. Havale etm.; arzetmek; göndermek; müracaat etm.; oya başvurmak/koymak; ait olm.; ima etm.; dokunmak; zikretmek; isnat etm.; maletmek. **~ to drawer!**, (banka) karşılığı bulunmıyan çeki sahibine havale ediniz!: **~ring to your letter of the 16th**, 16 tarihli mektubunuza gelince/karşılık olarak: **in his letter he ~s to your book**, mektubunda kitabınızı zikrediyor: **this matter ~s to you**, bu mesele size aittir: **in saying this, I am not ~ring to anyone present**, bunu söylerken burada bulunan hiç kimseyi kastetmiyorum: **he ~red to**

his watch for the exact time, saatin kaç olduğunu öğrenmek için saatine baktı: **we will not ~ to the matter again**, bir daha bu meseleye dokunmıyacağız: **never ~ to him in my presence!**, benim yanımda onun adını ağzına alma!: **some people ~ his success to good luck**, bazıları onun başarısını talihe atfediyorlar.

referee [refə'rī] (*sp.*) Hakem (olm.); (*huk.*) uzlaştırıcı, bilirkişi, eksper; (*mal.*) referans gösterilen kimse.

reference ['refərəns]. Müracaat, baş vurma; gönderme; havale; münasebet; alâka, ilişki, ilgi; salâhiyet, yetki; ima, telmih; zikir; iyihal kâğıdı, tanıklık, bonservis; referans; (kitaplarda) fazla bilgi için hangi kaynaklara başvurulacağına ait not: **with ~ to...**,... münasebetiyle/dolayısıyle, -e dair/göre: **give s.o. as a ~**, birisini referans göstermek: **have ~ to...**, ait olm., taalluk etm.: **have good ~s**, bonservisleri olm.: **make ~ to**, zikretmek, söylemek, anmak: **terms of ~ of a commission**, bir kurulun yetkisi: **without ~ to...**, sarfınazar ederek; hesaba katmıyarak; danışmaksızın: **work of ~**, müracaat/el kitabı. **~-library**, araştırma için başvurulan kitaplık. **~-point**, nirengi noktası. **~-star**, bağlantı yıldızı.

referendum [refə'rendəm]. Halkoyu, tümdanış hakkı, referandum, plebisit.

refill [rī'fil] *f.* Yeniden doldurmak. ['rīfil] *i.* Yedek pil/kurşun/kâğıt vb. **~ing station**, benzin alma istasyonu.

refine [ri'fayn]. Tasfiye etm., arıtmak, inceltmek; kabalığını gidermek. **~d**, tasfiye edilmiş, arıtılmış; ince, zarif; kibar; ince zevk sahibi. **~ment**, tasfiye; zariflik, incelik; kibarlık: **a ~ of cruelty**, akla gelmedik işkence. **~ry**, tasfiyehane, arıtımevi.

refit [rī'fit] *f.* Yeniden teçhiz etm./donatmak; onarmak; tamir etm./edilmek. ['rīfit] *i.* Teçhiz/tamir edilme, donatma; onarılma.

refl. = REFLECTIVE; REFLEXIVE.

reflat·e [rī'fleyt]. Para darlığından sonra tedavüldekini yeniden çoğaltmak. **~ion** [-'fleyşn], tedavüldeki paranın yeniden çoğaltılması, reflasyon.

reflect [ri'flekt]. Aksettirmek, yansıtmak; düşünmek, düşünceye dalmak. **~ on/about stg.**, hakkında düşünmek: **~ on s.o.**, birinde kabahat bulmak, namusuna dokunmak, ayıplamak: **~ credit on s.o.**, -e şeref/onur kazandırmak: **be ~ed**, aksetmek: **this speaker ~ed popular opinion**, bu hatip halkın düşüncelerini yansıttı. **~ance**, yansıma faktörü. **~ion** [-kşn], aksetme, yansıma, tepke, akis; düşünce, tefekkür: ayıplama, kusur bulma: **cast ~s on s.o.**, birini ayıplamak, birinin namusuna dokunmak: **on ~**, düşünüp taşındıkça. **~ive**, yansıtıcı, aksettirici; düşünceli, mütefekkir. **~or**, yansıtaç, yansıtıcı; ayna; reflektör.

reflex ['rīfleks] *i.* İnikâs, yansıma; münakis/yansıyan hareket, refleks; tepke. *s.* Münakis, yansıyan; yansımalı. **~ion** [-'flekşn] = REFLECTION. **~ive** [ri'fleksiv], **~ verb**, dönüşlü fiil; = PRONOUN.

refloat [rī'flout]. (Karaya oturmuş gemiyi) yüzdürmek.

reflu·ent ['refluənt]. Geri(ye) akan. **~x** ['rīflʌks], geriye akma; cezir; gidim, inme.

re-form[1] [rī'fōm]. Yeniden teşkil etm.; yeni hale koymak; (askerler) dağıldıktan sonra tekrar sıraya girmek.

reform[2] [ri'fōm] *i.* Islah, düzeltme; tanzim. *f.* Islah etm.; düzeltmek, tanzim etm.; yola getirmek; kötü huylarından vazgeçmek; yola gelmek. **~ation** [refə'meyşn], ıslah etme/olunma; düzelt(il)me; tanzimat: **the R~**, dinsel devrim, reformasyon. **~atory** [ri'fōmətri], ıslahevi. **~er**, ıslahatçı, düzeltici, devrimci.

refract [ri'frakt]. Işığı kırmak/saptırmak/yansıtmak. **~ing telescope**, kırılmalı teleskop. **~ion** [-kşn], sap(tır)ma; ışığı kırma; ışık kırılması. **~ive**, sapma+, saptırıcı. **~ory**, erimez, ateşe dayanır (madde), tuğlamsı; (*mec.*) asi, serkeş.

refrain[1] [ri'freyn] *i.* Nakarat; lakırdının persengi.

refrain[2] *f.* Kendini tutmak; ictinap etm., sakınmak, kaçınmak. **be unable to ~ from**, -den kendini alamamak.

refrangible [ri'francibl]. Kırılır, yansıtılır.

refresh [ri'freş]. Tazelemek; serinletmek; canlandırmak. **~ oneself**, açılmak, ferahlanmak; yorgunluğunu gidermek: **~ the inner man**, yiyerek/içerek canlanmak. **~er**, tazeleyici (içki); (*huk.*) avukatın katma ücreti: **~ course**, unutulan bilgileri tazelemek/en son bilgileri öğrenmek için kurs. **~ing**, tazeleyici; serinletici. **~ment**, dinlenme; ferahlandırıcı şey; meşrubat, hafif yemek/içki: **~-car**, büfe vagonu: **~-room**, istasyon büfesi.

refrigera·nt [ri'fricərənt]. Soğutucu (madde); soğutkan. **~te** [-reyt], soğutmak; buz içine koymak. **~ted**, soğutulmuş. **~ting**, soğutma+. **~tion** [-'reyşn], soğut(ul)ma. **~tor** [-tə(r)], buz dolabı; soğutma makinesi; frijider; soğutmalı (gemi vb.).

refringence [ri'fricəns] = REFRACTION.

reft [reft] *g.z.o.* = REAVE. *s.* Mahrum, ari, yoksun.

refuel [rī'fyūəl]. (Gemi/uçak) kömür/mazot/benzin almak.

refuge ['refyuc]. Sığınak, melce, barınak. **take ~**, sığınmak, barınmak; iltica etm.; kapağı atmak. **~e** [-'cī], mülteci, sığınık.

refulgen·ce [ri'fʌlcəns]. Parlaklık, debdebe, ihtişam. **~t**, parlak.

re-fund[1] [rī'fʌnd] *f.* Yeniden sermaye tedarik etm.

refund[2] ['rīfʌnd] *i.* Paranın iade edilmesi; geri verilen para. [ri'fʌnd] *f.* (Alınmış parayı) geri vermek; telâfi etm.

refusal [ri'fyūzl]. Reddetme, ret; kabul etmeme. **have the ~ of stg.**, kabul edip etmemeğe hakkı olm.: **have the first ~ of stg.**, bir ev vb.ni satın almağa istekli olanlar arasında seçme hakkına sahip olm.: **I will take no ~**, olumsuz cevap kabul etmem; lamı cimi yok!

refuse[1] [ri'fyūz] *i.* Kabul etmemek; reddetmek; razı olmamak; imtina etm., kaçınmak. **~ s.o. stg.**, birine bir şeyi vermemek.

refuse[2] ['refyūs] *i.* Kırpıntı, süprüntü; döküntü; çöp, pislik. **~-collector**, çöpçü (arabası). **~-dump/heap**, mezbele, çöplük.

re-fuse[3] [rī'fyūz]. Yeniden eritmek; (*elek.*) yeni sigorta yanmak.

refut·able ['refyutəbl]. Cerhedilir. **~ation** [-'teyşn],

Aranan kelime bu sayfada bulunmazsa, ilk olarak** RE- **notlarına bakınız.

yalanlama; cerh. ~e [ri'fyūt], yalanlamak; cerhetmek.

reg. = REGION(AL); REGISTER(ED); REGISTRAR; REGULATION.

regain [ri'geyn]. Tekrar ele geçirmek. ~ **consciousness**, ayılmak, kendine gelmek: ~ **one's house**, evine dönmek.

regal [rīgl]. Kral(içey)e ait/lâyık/yakışır; görkemli, şahane.

regale [ri'geyl]. Yemekle ağırlamak; eğlendirmek.

regalia [ri'geylyə]. Hükümdarın (taç vb.) resmî süsü; farmason belirtileri.

regard[1] [ri'gād] *i.* Münasebet, ilişki; bakış, nazar; itibar; hürmet, saygı, muhabbet. **in/with** ~ **to**, hakkında, dair; -e gelince, nazaran: **in this** ~, bu konu/hususta, bu münasebetle: **having** ~ **to**, göz önünde tutarak; -e göre: **have no** ~ **for**, ... umurunda olmamak; hiçe saymak, önem vermemek: **out of** ~ **for s.o.**, birinin hatırı için, birinin yüzü suyu hürmetine: **pay no** ~ **to**, aldırmamak, -e hiç dikkat etmemek: **send s.o. one's kind** ~**s**, birine selâm göndermek: **with kind** ~**s from**, ... tarafından selâmlarla.

regard[2] *f.* Bakmak; göz önünde tutmak; telakki etm., saymak; ait olm., dokunmak. **as** ~**s** ..., -e gelince; hususunda, münasebetle. ~**ful**, ~ **of**, -i unutmıyarak, göz önünde tutarak; hatırını sayarak; ihtimam ederek. ~**ing**, hakkında, hususunda; ait. ~**less**, ~ **of**, aldırmıyarak, göz önünde tutmıyarak, bakmıyarak, umursamıyarak; (*kon.*) **talk** ~, hem nalına hem mıhına vurmak: **spend** ~, har vurup harman savurmak: **he was got up** ~, en pahalı tarzda giyinmiş kuşanmıştı.

regatta [ri'gatə]. Kotra/yat yarışları; deniz sporları günü.

regd. = REGISTERED.

regelate [reci'leyt]. Tekrar don(dur)mak.

regen·cy ['rīcənsi]. Saltanat naipliği, rejans. **the R**~, Wales prensi George'un saltanat naipliği (1810–20). ~**t**, saltanat naibi.

regenerat·e [rī'cənəreyt] *f.* Yeniden hayat vermek, canlandırmak; ıslah etm.; diriltmek; maneviyatını yükseltmek. [-rit] *s.* Islah olunmuş. ~**ion** [-'reyşn], yenile(n)me; diriltme. ~**ive**, ıslah edici; rejeneratif. ~**or**, yeniden ısıtıcı; tekrar hâsıl edici.

regicide ['recisayd]. Hükümdar katili/katli.

régie [rey'ji] (*Fr.*) Tekel, reji.

régime [rey'jīm] (*Fr.*) Hükümet şekli, düzen, yönetim; rejim, perhiz. ~**n** ['recimen] (*mer.*) = ~.

regiment ['recimənt] *i.* (*ask.*) Alay; kalabalık. *f.* Sıkı ve yeknesak bir tarzda zorlamak. ~**al** [-'mentl], alaya mensup/ait: ~**s**, üniforma. ~**ation** [-'teyşn], hükümetin kişisel işlere ve özel teşebbüslere aşırı şekilde karışması.

Regina [ri'caynə] (*Lat.*) Kraliçe; *krş.* REX.

region ['rīcn]. Ülke, bölge, mıntıka, havale; nahiye; yöre, cıvar. **in the** ~ **of** ..., -in cıvarında; aşağı yukarı ...: **the nether** ~**s**, cehennem. ~**al** [-cənl], belirli bölgeye ait; bölgesel; bölge +.

regisseur [reji'sör] (*tiy.*) Rejisör, asistan.

register[1] ['recistə(r)] *i.* Sicil, kütük; resmî defter; künye defteri; kayıt; cetvel; liste, fihrist; kayıt aracı; saat, kontör; bir orgun borularını idare eden cihaz; bir fırının ısısını düzenliyen hava deliği; ızgara, menfez; ses/çalgının genişliği; iki sayfa satırlarının hiza birliği. **in** ~, tam ayarlı, mutabık; bir hizada: **out of** ~, mutabık değil; bir hizada değil: **parish** ~, bir mahallede doğan ölen ve evlenenlerin defteri: **ship's** ~, geminin uyrukluk belgesi.

register[2] *f.* Kaydetmek; tescil etm., kütüklemek; kütüğe geçirmek; taahhütlü olarak göndermek; iyice tatbik etm.: (sinemada keder, sevinç vb.ni) ifade etm.; intibak etm.; kaydolmak; (otelde) adını deftere kaydetmek. ~**ed**, taahhütlü, tescil edilmiş; kaydedilmiş; adı yazılmış.

registr·ar [recis'trā(r)]. Evrak müdürü; sicil/nüfus memuru; (hastanede) kıdemli doktor: ~**-general**, nüfus genel müdürü. ~**ation** [-'treyşn], kaydetme; kayıt, tescil; kütüğe geçirme, yazım. ~**y** [-tri], sicil dairesi; defterhane: ~ **office**, evlenme memurluğu, düğünevi; hizmetçi yönetim evi: **certificate of** ~, geminin bayrak tasdiknamesi: **port of** ~, sicil limanı, geminin yazılı bulunduğu liman.

regius ['rīciəs]. Kral(içey)e ait.

reglet ['reglit] (*mim.*) Kordon; (*bas.*) çizgi, çıta.

regna·l ['regn(ə)l]. Saltanat başına ait. ~**nt**, saltanat süren; hükümdar olan.

regorge [ri'gōc]. Kusmak; tekrar yutmak.

Reg. Pat. = REGISTERED PATENT.

regress [ri'gres] *f.* Geri çekilmek. [rī'gres] *i.*/~**ion** [-'greşn], gerileme, çekilme; irtica. ~**ive** [-'gresiv], gerileyici.

regret [ri'gret] *i.* Esef, teessüf, üzüntü; pişmanlık, nedamet. *f.* Teessüf etm., üzülmek; acı(n)mak. **it is to be** ~**ted that...**, teessüf olunur ki, yazık ki. ~**ful**, nadim, pişman. ~**table**, teessüf olunacak; acınacak.

regroup [rī'grūp]. Düzenlerini değiştirmek; yeni grup teşkil etm.

Regt. = REGIMENT.

regulable ['regyuləbl] = REGULATABLE.

regular ['regulə(r)] *s.* Muntazam, düzenli; düzgün, yöntemli, usule uygun; beylik, mutat; müdavim, alışık, gedikli; meslekten; (*ask.*) muvazzaf; (*dil.*) kıyas/kurallı; (*kon.*) adamakıllı, gerçekten. *i.* Nizamiye askeri. **it was a** ~ **battle**, sanki bir çarpışma gibi idi: **he's a** ~ **nuisance**, tam başbelâsıdır. ~**ity** ['lariti], intizam, düzen(lilik); ittirat; devam(lılık); yollu yöntemli olma. ~**ize** [-lərayz], yöntemine uydurmak.

regulat·able [regyu'leytəbl]. Tanzim edilir, ayarlanır, kabili ayar. ~**e** ['reg-], tanzim etm., düzenlemek, ayarlamak, düzeltmek; yönetmek. ~**ion** [-'leyşn] *i.* nizamname, yönetmelik; nizam, kaide; ayarlama: *s.* nizama uygun, nizamî, beylik: ~**s**, talimatname; yönetmelik; tüzük; mevzuat: **Queen's** ~**s**, askerî nizamname. ~**ive**, ayarlayıcı, tanzim edici. ~**or**, ayarlayıcı, regülatör, düzengeç, düzeltici; nazım; ayar cihaz/kolu; saat maşa/rakkası; düzenleyici.

regulus ['regyuləs] (*ast.*) Aslan burcunda bir yıldız; (*mad.*) cüruflu maden külçesi; (*zoo.*) calı kuşu.

regurgitat·e [rī'gəciteyt]. Kusmak; (su, gaz) geri fırlamak. ~**ion** [-'teyşn], kusma.

rehabilitat·e [rīhə'biliteyt]. Namus ve saygınlığını iade etm.; eski memuriyet/haklarını iade etm. ~**ion** [-'teyşn], eski hale gelme/getirme; rehabilitasyon.

rehash [rī'haş] *f.* Eti ikinci defa pişirmek; bir hikâye/kitabı bir az değiştirip tekrar ortaya koymak. ['rī-] *i.* Böyle bir yemek/eser; temcit pılavı.

rehear [rī'hiə(r)]. (Davayı) yeniden dinlemek. ~**ing**, ikinci dinleme.
rehears·al [ri'həsl]. Prova, deneme; sayıp dökme: **dress** ~, genel/son çalışma, giysi denemesi. ~**e**, prova etm.; sayıp dökmek; uzun uzadıya anlatmak.
reheat [rī'hīt]. Yeniden ısıtma(k)/ısınma(k). ~**er**, ara/art ısıtıcı. ~**ing**, tekrar ısıtma(lı).
rehouse [rī'hauz]. Yıkılmış/yıkılacak evden gelen insan yeni eve yerleştirmek.
reify ['rīifay]. Maddeleştirmek.
reign [reyn] *f.* Hüküm sürmek; saltanat sürmek. *i.* Saltanat devri; hükümdarlık; devir.
reimburse [rīim'bəs]. Masraf/gideri karşılamak/kapatmak; parasını geri vermek. ~**ment**, ramburs-man, karşıla(n)ma; geri verme.
reimport [rīim'pōt]. Yeniden ithal etme(k); (*ç.*) yeniden ithal edilen mallar.
rein [reyn]. Dizgin. ~ **in**, dizgin sıkmak, yavaş gitmek: **draw** ~, durmak: **drop the** ~**s**, dizgin salıvermek; vazgeçmek: **give a horse the** ~, dizginleri gevşetmek; başı boş salıvermek: **give** ~ **to one's imagination, etc.**, kendini hayallere kaptırmak: **keep a tight** ~ **over**, dizginini kısmak.
reincarnat·e [rīin'kāneyt] *f.* Yeniden tecessüm ettirmek/doğurmak. [-nit] *s.* Yeniden doğmuş. ~**ion** [-'neyşn], bir ölünün ruhunun başka bir vücude girmesi.
reindeer ['reyndiə(r)]. Ren geyiği.
reinforce [rīin'fōs]. Takviye etm.; kuvvetlendirmek, desteklemek, sağlamlaştırmak. ~**d**, takviyeli, desteklenmiş: ~ **concrete**, betonarme. ~**ment**, takviye etme, kuvvetlendirme: ~**s**, takviye kıtası; yardımcı kuvvetler.
reinstate [rī·in'steyt]. Eski durumuna koymak; memuriyet/görev/haklarını iade etm.
reinsur·ance [rī·in'suərəns] (*mal.*) Reasürans, mükerrer sigorta, ikili/yineli güvence. ~**e**, yeniden sigortalamak/güvencelendirmek.
reissue [rī'işū] *f.* Yeniden çıkarmak/yaymak. *i.* Aynen yeniden basma.
reiterat·e [rī'itəreyt]. Tekrarlamak, yeniden yapmak/söylemek; tekit etm., kuvvetlendirmek. ~**ion** [-'reyşn], tekrarla(n)ma. ~**ive** [-'itərətiv] *s.* tekrarlayıcı: *i.* (*dil.*) ikileme.
reject [ri'cekt] *f.* Reddetmek; istememek; tanımamak, kabul etmemek; bir tarafa atıvermek; ıskartaya çıkarmak. ['rīcekt] *i.* Bir eksiklikten dolayı ıskartaya çıkarılan şey. ~**ion** [ri'cekşn], ret, kabul etmeme; ıskartaya çıkarma.
rejoic·e [ri'coys]. Sevinmek; haz duymak, neşelenmek; sevindirmek: ~ **the heart of**, yüzünü güldürmek, ferahlatmak: ~ **in stg.**, bir şeyden haz duymak. ~**ing**, sevinç, neşe; haz duyan; neşeli; şenlik yapan: **public** ~**s**, şenlik, şehrayin.
re-join[1] [rī'coyn]. Tekrar birleştirmek.
rejoin[2] [ri'coyn]. Kavuşmak, yetişmek, iltihak etm.; sert cevap/karşılık vermek, mukabelede bulunmak. ~**der**, yerinde cevap, sert cevap/karşılık.
rejuven·ate [rī'cūvəneyt]. Gençleştirmek; tazeleştirmek. ~**esce** [-'nes], gençleşmek; yeniden teşkil etm.
rekindle ['rīkindl]. Yeniden yakmak; şiddetlen(dir)mek.
rel. = RELATIVE; RELIGION.
-rel [-rl] *son.* (*köt.*) -cik [COCKEREL].
relapse [ri'laps] *i.* Nüks; yeniden sap(ıt)ma/kötü yola düşme. *f.* Hastalığı nüksetmek; yeniden sap(ıt)mak/kötü yola düşmek; suçu yenilemek.
relat·e [ri'leyt]. Hikâye etm., anlatmak, nakletmek; bağlamak, raptetmek. ~ **to**, ait ve ilgili olm., -e raci olm. ~**ed**, müteallik, ilişkin, ilgili; bağlantılı: ~ **to**, -e ait, ilgisi olan; merbut, bağlı; hısım. ~**ing to**, -e ilişkin; -le merci.
relation [ri'leyşn]. Münasebet, ilişki; alâka, ilgi; izafet, bağıntı; nispet, oran; hısım, akraba; hikâye etme, nakil, anlatış. **in** ~ **to**, husus/konusunda; nispet/oranla: ~ **by marriage**, evlenme dolayısıyle akraba: **what** ~ **is he to you?**, sizin nenizdir? ~**s**, akrabalar; ilişkiler: **public** ~ **(officer)**, halkla ilişkiler (görevli/danışmanı): **break off** ~ **with s.o.**, birisiyle ilişkiyi kesmek. ~**ship**, akrabalık, hısımlık, bağıntı.
relativ·al [relə'tayvl] (*dil.*) Bağlaçlı, ilgili. ~**e** ['relətiv] *i.* akraba, hısım: *s.* ait; ilgili; (*fiz.*) nispî, bağıl, oranlı, göreli; (*dil.*) izafî, bağıntılı, bağlaçlı, ilgi+: **he lives in** ~ **luxury**, başkalarına oranla/göre lüks yaşıyor: ~ **to . . .**, -e dair, münasebetle. ~**ely**, nispeten, göre, yanında, oldukça. ~**ism**, bağıntıcılık, relativizm. ~**ity** [-'tiviti], izafiyet, görelik, bağıntılılık.
relator [ri'leytə(r)]. Hikâye anlatan; (*huk.*) muhbir.
relax [ri'laks]. Gevşe(t)mek, hafifle(t)mek; dinlen(dir)mek; yumuşa(t)mak; yorgunluğunu gidermek. ~ **the bowels**, yumuşaklık verdirmek: ~**ed throat**, hafif gırtlak iltihabı. ~**ation** [-'seyşn], gevşe(t)me; yumuşa(t)ma; dinlenme, istirahat: ~ **of restrictions**, sıkıyönetim vb.nin hafifletilmesi. ~**ing** [-'laksin(g)], yumuşaklık veren (ilâç); gevşeklik veren (iklim/hava).
re-lay[1] [rī'ley] *f.* Yeniden döşemek, sermek, kurmak vb.
relay[2] ['rī-] *i.* Konak beygiri; nöbet; yedek at; nöbetle çalışan işçiler; (telgrafçılıkta) yardımcı batarya; (*rad.*) alınan sesleri yeniden yayma(k); (konakta) hayvan değiştirme(k); (*elek.*) düzenleyici, ayarlayıcı, röle, değiştirgeç. ~**-race**, bayrak koşusu. ~**-station**, röle/yardımcı yayım istasyonu.
release [ri'līs] *i.* Salıverme; kurtuluş, halâs; serbest/özgür bırakma; tahliye; gevşetme; tahlis, azad etme; (yeni tip otomobili) pazara çıkarma; (yeni filmi) piyasaya çıkarma; ayırma mekanizması. *f.* Serbest/özgür bırakmak; tahliye etm.; terhis etm.; ibra etm.; salıvermek, salmak; pazara çıkarmak. **general** ~, (*sin.*) genel oynatım: ~ **one's hold**, elindekini bırakmak, salıvermek.
relegat·e ['religeyt]. Aşağı bir mevki/hale düşürmek. ~ **a matter to s.o.**, bir meseleyi birine havale etm. ~**ion** [-'geyşn], aşağı bir mevkie düşür(ül)me.
relent [ri'lent]. Yumuşamak; merhamete gelmek; şiddetini kesmek. ~**less**, amansız; yumuşamak bilmez; fasılasız, arasız.
relevan·ce/~**cy** ['relivəns(i)]. İlgi, alâka, münasebet, uygunluk. ~**t**, alâkalı, ilgili, ilişkili, uygun: ~**ly**, alâkalı vb. olarak.
reliab·ility [rilayə'biliti]. İtimada şayanlık; güvenilir olma; güvene değerlik. ~**le** [-'layəbl], güve-

nilebilir; itimat edilebilir; emniyetli; inanılabilir ~**ly**, güvenilir bir şekilde.
relian·ce [ri'layəns]. İtimat; güven, inan: **place ~ on**, -e güvenmek, bel bağlamak. ~**t**, itimat edilen, güvenen.
relic ['relik]. Bakiye, artık; yadigâr, armağan; kutsal emanet. ~**s of the past**, eski eserler, harabeler; geçmişin kalıntıları. ~**t**, (*mer.*) dul.
relief[1] [ri'līf]. Yardım, imdat; kurtarma; hafifletme; ferahlık, içi ferahlama; nöbet değiştirme. **go to the ~ of**, yardımına gitmek: **outdoor ~**, evlere yapılan toplumsal yardım: **poor ~**; fakirlere yardım (teşkilâtı). ~**-valve**, emniyet supabı. ~**-party**, kurtarma ekipi. ~**-road**, geçit yolu.
relief[2] (*san.*) Kabartma; yerşekli, engebelik. **low ~**, hafif kabartma.
relieve[1] [ri'līv]. Hafifletmek; acısını dindirmek; teskin etm.; ferahlatmak; kurtarmak; kuşatmadan kurtarmak; serbest bırakmak; nöbetini değiştirmek; yerine nöbete girmek. **~ s.o. of stg.**, birinden taşıdığı şeyi almak: **~ s.o. of his duties**, birini görevinden çıkarmak; azletmek: **~ s.o. of his purse**, birinin kesesini aşırmak: **~ the watch**, nöbetçiyi değiştirmek: **~ congestion**, (i) gidiş-gelişi kolaylaştırmak; (ii) iltihabı gidermek: **~ one's feelings**, içini boşaltmak, ferahlamak: **feel ~d**, ferahlamak: **~ nature**, defi hacet etm.
relieve[2]. Kabartma şekline koymak; şekli/rengini belli etm.
relig·ion [ri'licn]. Din, mezhep; iman; dindarlık. **get ~**, (*kon.*) birdenbire dindar olm.: **make a ~ of doing stg.**, bir şeyi kutsal bir görev bilmek. ~**iosity** [-ci'ositi], yalancı/aşırı dindarlık. ~**ious**[1] [-'licəs] *s.* dindar; sofu; dine ait, dinî, dinsel: **~ affairs**, diyanet işleri. ~**ious**[2], *i.* rahip, rahibe. ~**iously**, dinî bir şekilde; (*mec.*) kesinlikle.
re-line [rī'layn]. Astarını değiştirmek; eski bir tablonun bezlerini yenilemek.
relinquish [ri'lin(g)kwiş]. Vazgeçmek; terketmek, bırakmak.
reliquary ['relikwəri]. (Hıristiyanlıkta) kutsal eşyanın mahfazası.
relish ['reliş] *i.* Tat, lezzet, çeşni; çerez, katık; cazibe; iştah; istek; ağız tadı. *f.* Lezzet almak; tadını tatmak; hoşlanmak; ağız tadıyle yemek/yapmak. **I do not ~ the job**, bu iş hoşuma gitmiyor.
relive [rī'liv]. Yeniden canlanmak; geçmiş hadiseleri yeniden göz önüne getirmek.
relocate [rīlə'keyt]. Yeni bir iş/eve taşı(n)mak.
relucent [ri'lūsənt]. Parlak.
reluctan·ce [ri'lʌktəns]. İsteksizlik; çekingenlik: **with ~**, istemiyerek: **affect ~**, nazlanmak, (istemem yan cebime koy). ~**t**, istemiyerek; isteksiz; gönülsüz; muhteriz.
rely [ri'lay]. **~ (up)on**, -e güvenmek, inanmak, emniyet etm., bel bağlamak.
rem [rem] (*tıp.*) Rem.
REM = RAPID EYE MOVEMENT.
remain [ri'meyn]. Kalmak; baki kalmak; durmak; hâlâ var olm. **the fact ~s that...**, bununla beraber şu var ki...: **it ~s to be seen whether...**, bakalım ...-acak mı? ~**s**, bakiye; izler; harabe: **mortal ~**, cenaze. ~**der**, artık; bakiye, kalan: **the ~**, ötekiler: ~**s**, satılmamış (iade edilen) nüshalar. ~**ing**, geri kalan: **the ~**, öteki.
re-make ['rīmeyk] (*sin.*) Yeni çevirim.
reman [rī'man]. Yeni tayfa koymak.
remand [ri'mānd]. Muhakemesini ertelemek; talik etme(k). **on ~**, tutuklu: **he was ~ed for a week**, muhakemesi gelecek haftaya bırakıldı. ~**-home**, genç suçlular için muvakkat hapishane.
remark [ri'māk] *i.* Söz, mülâhaza; hatırlatma, uyarma; ihtar; dikkat. *f.* Farketmek, sezmek; dikkat etm.; söylemek; sözlü/yazılı mütalaa beyan etm. **worthy of ~**, dikkate değer: **make a ~**, bir ihtarda bulunmak, söylemek: **it may be ~ed that ...**, dikkate değer ki; şurasını kaydedelim ki: **pass ~s upon s.o.**, birisi hakkında bir şeyler söylemek: **may I venture to ~ that ...**, müsaadenizle şu noktaya dokunabilir miyim ki. ~**able**, dikkate değer, şayanı dikkat; göze çarpan; müstesna, görülmemiş, acayip. ~**ably**, dikkate değer olarak; çok.
remblai ['rā(n)bley]. Seddelerin teşkil edilmesi için getirilen toprak.
REME = ROYAL ELECTRICAL & MECHANICAL ENGINEERS.
remed·ial [ri'mīdiəl]. Şifa verici, iyileştirici; ilâç gibi; çare nevinden. ~**iless** ['remidilis], tedavi edilmez; çare/umutsuz. ~**y**, *i.* çare; deva, ilâç: *f.* tedavi etm., iyileştirmek; şifa vermek; çaresini bulmak; tamir etm., onarmak: **you have no ~ at law**, bu iş için dava açamazsın.
remember [ri'membə(r)]. Hatırlamak; unutmamak; hatıra getirmek; anmak: **~ me (kindly) to them**, onlara benden selâm söyle: **~ oneself**, kendini toplamak; terbiyesini unutmamak: **it will be ~ed that...**, hatırlardadır ki: **he ~ed me in his will**, vasiyetnamesinde beni unutmamış.
remembrance [ri'membrəns]. Hatırlama; hatıra; anmalık; tezkâr, yadigâr. ~**s**, selâmlar. **to the best of my ~**, hatırladığıma göre: **call to/put in ~**, hatıra getirmek: **have/bear/keep in ~**, hatırada tutmak: **I have no ~ of it**, onu hiç hatırlamıyorum: **in ~ of...**, -in hatırasına. ~**-Day**, iki dünya savaşında ölenleri anma günü (11 kasım). ~**r**, (*tar.*) Kral(içen)in tahsildarı.
rem·ex, *ç.* ~**iges** ['rīmeks, 'remicīz]. El/kol uçma tüyü.
remind [ri'maynd]. Hatırlatmak, hatırına getirmek. **that ~s me!**, hah!, iyi ki aklıma geldi!: **he ~s one of his father**, babasını andırıyor. ~**er**, hatırlatıcı söz/mektup/işaret vb.; hatırlatma: **I'll send him a ~**, unutmasın diye bir daha yazarım.
reminiscen·ce [remi'nisəns]. Hatırlama, anımsama, anma; hatırlanan şey: **write one's ~s**, hatıralarını yazmak. ~**t**, hatırlayan: **~ of**, -i hatırlatan, andıran.
remiss [ri'mis]. İhmalci, savsak; taksirli. **it was very ~ of me not to have written**, yazmamakla kabahat ettim. ~**ly**, ihmal ederek. ~**ness**, ihmal, savsaklık, kusur.
remission [ri'mişn]. Affetme; (günah) çıkarma; hafifle(t)me; bağışlama.
remit [ri'mit]. Affetmek; bağışlamak; (günah) çıkarmak; havale etm.; göndermek; bir mahkemeden diğerine almak. ~**tance**, gönderme; gönderilen para; para havalesi; karşılık; römiz: ~**-man**, (müstemlekelerde) işsiz güçsüz ve ikide bir ailesinden aldığı para ile geçinen kimse. ~**tent**, (*tıp.*) artıp azalan ateş. ~**ter**, affeden; gönderen vb.

remnant ['remnənt]. Artık parça, kalıntı, bakiye; kumaş parçası, kupon.
remodel [rī'modl]. Yeni şekle koymak; tadil etm.
remonetize [rī'mʌnitayz]. (Maden/para) yeniden tedavüle koymak.
remonstra·nce [ri'monstrəns]. Protesto, karşı koyma, itiraz; tekdir; azarlama, paylama. ~**te** ['remənstreyt], ~ **stg.**, bir şeyi protesto etm., itirazda bulunmak: ~ **with s.o.**, birini tekdir etm./azarlamak/paylamak. ~**tive** [ri'mon-], protesto edici, vb. ~**tor** ['remən-], protesto eden, şikâyetçi.
remontant [ri'montənt]. Bir mevsimde ikinci defa çiçeklenen (bitki).
remora ['remərə]. Yapışkan balığı.
remorse [ri'mōs]. Nedamet; vicdan azabı. **without** ~, vicdansız; amansız. ~**ful**, vicdan azabı çeken; nadim. ~**less**, amansız, vicdansız: ~**ly**, amansızca.
remote [ri'mout]. Uzak; ıssız; hücra, dağbaşı olan. ~ **ancestors**, eski atalar: ~ **prospect**, pek zayıf bir ihtimal: **a** ~ **resemblance**, pek az bir benzeyiş. ~**-control**, uzaktan kumanda/çalıştırma/denetleme. ~**ly**, uzaktan. ~**ness**, uzaklık; ıssızlık.
remount [rī'maunt] *f.* Tekrar binmek; birine yeni at vermek; tekrar yukarı çıkmak. ['rī-] *i.* Yedek binek atı, taze at: ~**s**, yedek savaş atları dairesi.
remov·able [ri'mūvəbl]. Kaldırılır, nakledilir; çıkarılabilir, görevden alınabilir. ~**al**, nakil, taşıma, kaldırma; yer değiştirme; taşınma; ilga; görevden alınma; giderme: ~**-firm**/**-van**, (ev mobilyası) nakliyat müteahhit/kamyonu.
remove [ri'mūv] *f.* Kaldırmak, gidermek, sökmek, yoketmek; yerini değiştirmek; silmek; izale etm.; uzaklaştırmak, defetmek; azletmek; nakletmek; taşınmak. *i.* Yer değiştirme; mertebe, derece. **it is but one** ~ **from . . .**, -e pek yakındır: -den hemen farksızdır. ~**d**, uzak: **first cousin once**/**twice** ~, amca/dayızadenin çocuk/torunu.
remunerat·e [ri'myūnəreyt]. Mükâfatlandırmak; hakkını ödemek; hizmetinin karşılığını vermek. ~**ion** [-'reyşn], mükâfat; bedel, ücret, hizmet karşılığı. ~**ive** [-'myū-], kârlı, kazançlı.
Ren. = **Renaissance** [ri'neysəns] (*tar.*) Rönesans; uyanış (çağı); yeniden doğma; canlan(dır)ma.
renal ['rīnəl]. Böbreklere ait.
renascen·ce [ri'neysəns]. Canlan(dır)ma; = RENAISSANCE. ~**t**, canlanan; taze hayat bulan.
rencontre [rā(n)'kō(n)tr] (*Fr.*) Çarpışma, düello; rast gelme.
rend (*g.z.(o.)* **rent**) [rend, rent]. Yırtmak, yarmak; çekip koparmak; paralamak. ~ **asunder**, yırtıp iki parçaya bölmek: ~ **the garments**/**hair**, dövünmek, saçını başını yolmak: ~ **the heart**, canını yakmak; yüreğini parçalamak: **turn and** ~ **s.o.**, birdenbire birine sövüp saymak.
render ['rendə(r)]. Karşılık olarak vermek; vermek; yapmak; . . . haline koymak, -laştırmak; ifa etm.; çevirmek; tercüme etm.; sıvanın birinci katını sıvamak; (iç yağını) eritip tasfiye etm.: ~**beautiful**, güzelleştirmek: ~ **dangerous**, tehlikeli bir duruma koymak: ~ **into Turkish**, Türkçeye çevirmek: ~ **safe**, sağlamlamak, temin etm.: zararsız hale getirmek: ~ **up**, teslim etm.: **to account** ~**ed**, *önceden gönderilen bir faturayı hatırlatan bir deyim.* ~**ing**, tercüme, çeviri; ödeme, tefsir, yorum; (*tiy.*) temsil, oynama; (*müz.*) çalma; sıvama; tasfiye etme.
rendezvous ['rondivū]. Randevu; buluşma.
rendition [ren'dişn]. Teslim; tercüme; yorum; tefsir; (*müz*) çalma.
renegade ['renigeyd]. Mürtet, dönme; dininden dönmüş.
reneg(u)e [ri'nīg]. Geri almak; vazgeçmek; tanımamak.
renew [ri'nyū]. Yenilemek, tecdit etm.; eskisinin yerine yenisini koymak; yeniden başlamak; tekrarlamak; artırmak. ~ **a bill**, senedin süresini yenilemek. ~**able**, yenilenir. ~**al**, yenile(n)me; yenileştirme; yeniden yapma; süresi uzatılması; artma.
Renf(rewshire) ['renfrūşə]. Brit.'nın bir kontluğu.
R Eng. = ROYAL ENGINEERS.
reniform ['rīnifōm]. Böbrek şeklinde.
renitent ['renitənt]. Güç/zora dayanıklı.
rennet ['renit]. Peynir/yoğurt mayası.
renounce [ri'nauns]. Vazgeçmek; feragat etm.; el çekmek; reddetmek. ~ **one's faith**, dininden dönmek: ~ **a treaty**, bir antlaşmayı bozmak: ~ **the world**, manastıra girmek.
renovat·e ['renəveyt]. Yenilemek, yenileştirmek; tamir etm. ~**ion** [-'veyşn], yenile(n)me. ~**or** ['ren-], yenileştiren.
renown [ri'naun]. Şöhret, ün; nam; şan. ~**ed**, meşhur, şöhretli, ünlü; maruf.
rent[1] [rent] *g.z.(o.)* = REND. *s.* Yırtık; yarık, rahne. *i.* Gedik, yara.
rent[2] *i.* Kira. *f.* Kira ile tutmak; kirala(n)mak. ~**able**, kiralanır; kiralık. ~**-a-(crowd)**, (kalabalık, göstericiler) kiralanma servisi. ~**al**, alınan/verilen kira. ~**-day**, kira ödeme günü. ~**er**, kiracı. ~**-free**, kirasız. ~***ier*** ['rā(n)tiey] (*Fr.*) gelirci, rantiye. ~**-roll**, büyük bir malikâneden toplanan kira bedelleri. ~**-strike**, kiracıların toplu olarak protesto maksadıyle kiralarını ödememesi.
renumber [rī'nʌmbə(r)]. Yeniden numara koymak; numaralarını değiştirmek.
renunciation [rinʌnsi'eyşn]. Feragat; el çekme; terk, bırakma; vazgeçme.
reopen [rī'oupən]. Yeniden açmak/başlamak.
reorganiz·ation [rī·ōgənay'zeyşn]. Yeniden organize etme, reorganizasyon. ~**e** [-'ōgənayz], tensik etm.; yeniden teşkilâtlandırmak/organize etm.
rep[1] [rep]. İplik/yünden kalın kumaş; reps.
rep[2] = (*tiy.*) REPERTORY; (*mal.*) REPRESENTATIVE.
***Rep.** = REPRESENTATIVE; REPUBLIC(AN).
repaid [rī'peyd] *g.z.(o.)* = REPAY.
repair [ri'peə(r)] *i.* Tamir, onarım. *f.* Tamir etm., onarmak; iyi bir duruma getirmek; gitmek; müracaat etm., başvurmak. **in good** ~, iyi durumda: **in bad** ~, kötü durumda; onarılmak istiyor: ~ **one's fortunes**, servetini yeniden kurmak: **beyond**/**past** ~, tamir edilmez, onarılmaz: **be under** ~, tamirde olm.: ~ **a wrong**, bir zarar/kötülüğü ödemek/onarmak. ~**able**, tamir edilebilir, onarılabilir. ~**er**, tamirci.
repaper [rī'peypə(r)]. Duvarları yeni kâğıtla kaplamak.
repara·ble ['repərəbl]. Tamir edilir; telâfisi mümkün olan. ~**tion** [-'reyşn], tamir(at), onarım;

tazmin(at), tarziye, telâfi, ödeme, karşılama: ~**s**, savaş tazminatı.
repartee [repā'tī]. Anî cevap; ansızın karşılık verme; hazırcevaplık: **be quick at** ~, hazırcevap olm.
repast [ri'pāst]. Yemek, taam.
repatriat·e [rī'patrieyt]. (Birini) kendi vatanına geri göndermek. ~**ion** [-'eyşn], kendi vatanına geri gönder(il)me.
repay (*g.z.(o.)* **repaid**) [rī'pey(d)]. Borç ödemek; karşılığını vermek; telâfi etm. ~ **an injury**, bir zararın acısını çıkarmak: ~ **an obligation**, görülen bir iyiliğe karşılık vermek: **a book that** ~**s reading**, okumak zahmetine değer bir kitap. ~**able**, ödenmesi gerek. ~**ment**, tediye, ödeme; karşılık.
repeal [ri'pīl] *i.* Fesih; ilga, kaldırma. *f.* Feshetmek; lağvetmek, kaldırmak.
repeat [ri'pīt] *f.* Tekrarlamak; tekrar söylemek; boşboğazlık ederek söylemek; ezberden söylemek. *i.* Tekrarlama; (*müz.*) nakarat. ~ **order**, (*mal.*) aynı şey/miktarı yeniden ısmarlama. ~**ed**, mükerrer; tekrar tekrar yapılmış/vuku bulmuş. ~**edly**, tekrar tekrar, çok defa. ~**er**, tekrarlayıcı (ateşli silâh); çalar cep saati. ~**ing**, *s.* = ~ER.
repel [ri'pel]. Defetmek, savmak; püskürtmek; geri çevirmek, reddetmek; iğrendirmek. ~**ling**/~**lent**, savar, defedici, uzaklaştırıcı; iğrenç.
repent[1] ['rīpənt] (*bot.*) Sürünen.
repent[2] [ri'pent]. Nedamet etm., pişman olm.; istiğfar etm., tövbe etm. ~**ance**, nedamet, pişmanlık; tövbe. ~**ant**, tövbekâr; nadim; pişman.
repercussion [rīpə'kʌşn]. İnikâs, yansıma; serpinti; geri tepme.
repert·oire ['repətwā(r)] (*tiy.*) Repertuvar. ~**ory** [-təri], = ~TOIRE; mahzen, depo; fihrist; mecmua, dergi; oyun çizelgesi: ~**-theatre**/**-company**, her hafta yeni oyun oynayan tiyatro (kurulu).
repetend ['repitend]. Tekrarlanan adet/kelime vb.
repetit·ion [repi'tişn]. Tekrarlama; yenileme; yeni baştan yapma; ezberden öğrenilecek şey: ~**al**, yenilemeye ait. ~**ious**/~**ive** [-'tişəs, ri'petitiv], tekrarlayan.
repine [ri'payn]. Durumundan yakınmak/şikâyet etm.; küsmek; mırıldanmak.
replace [ri'pleys]. Tekrar yerine koymak; başkasının yerine geçmek; yerine başkasını tayin etm./koymak; telâfi etm. ~**able**, yerine konulabilir; yerine geçilir. ~**ment**, yerine koyma/geçme; değiştirme, yenileme; yerine geçen/konulan kimse/şey.
replant [rī'plānt]. Yeniden dikmek/ekmek; (ağaç vb.) ikinci defa/başka bir yere dikmek; başka ağaçlar dikmek.
replay [rī'pley] *f.* Berabere biten maçı yeniden oynamak. ['rīpley] *i.* Böylece oynanan maç.
replenish [ri'pleniş]. Yeniden doldurmak. ~**ed** [-işt], doldurulmuş; dolu. ~**ment**, yeniden doldur(ul)ma.
replet·e [ri'plīt]. Dopdolu; tıka basa doymuş. ~**ion** [-'plīşn], doyma; dolgunluk.
replevin [ri'plevin] (*huk.*) Gasbolunmuş eşyayı geri almak için dava.
replica ['replikə]. Aynen taklit; kopya, suret. ~**te** [-keyt], katlamak; tekrarlamak; kopya etm. ~**tion** [-'keyşn] (*huk.*) cevap; (*bot.*) katlanma; kopya.
reply [ri'play] *i.* Cevap; mukabele, karşılık. *f.* Cevap vermek; mukabele etm. ~**-coupon**, her ülkede posta pulları için değiştirilebilen bono. ~**-paid**, (telgraf) cevap ödenmiş.
repopulate [rī'popyuleyt]. Tahrip edilmiş bir yeri yeniden iskân ettirmek.
report[1] [ri'pōt] *i.* Takrir, anlatış, önerge, rapor, fezleke; tebliğ, bildiri; şayia, söylenti; şöhret, ün; patlama sesi; öğrencinin not karnesi. **by general** ~, genellikle söylenti olarak: **a man of good** ~, iyi şöhret sahibi adam: **know of stg. by** ~ **only**, bir şeyi kulaktan/duyarak bilmek: **there is a** ~ **that ...**, ... söyleniyor, rivayet ediliyor: **law-**~**s**, önemli dava dosyalarından meydana gelen dergi.
report[2] *f.* Rapor etm.; izahat vermek; haber vermek; anlatmak, nakletmek; birinin aleyhinde beyanatta bulunmak. ~ **(oneself)**, hazır bulunmak: **it is** ~**ed that ...**, ... söyleniyor/rivayet ediliyor: ~ **progress**, bir işin ilerleyişi hakkında bilgi vermek: **move to** ~ **progress**, Parlamentoda müzakerenin yeterliği hakkında takrir vermek: ~ **sick**, kendinin hastalığını haber vermek: ~ **s.o. sick**, birinin hastalığını haber vermek: ~ **(up)on stg.**, bir şey hakkında rapor vermek: **he is well** ~**ed on**, hakkında söylenenler ve alınan raporlar iyidir.
report·able [ri'pōtəbl]. Rapor edilebilir, vb. ~**age** [repō'taj], röportaj. ~**er** [ri'pōtə(r)], haberci; gazeteci; zabıt kâtibi: **cub** ~, acemi/genç gazeteci. ~**orial** [-'tōriəl], gazetecilere ait.
repose [ri'pouz]. İstirahat (etmek), dinlenme(k); sükûnet; uyumak; yaslanmak, dayanmak; dinlendirmek; yatırmak. ~ **confidence in s.o.**, birine güvenmek. ~**ful**, dinlendirici; sakin.
repository [ri'pozitəri]. Depo, mahzen, ambar; kendisine tevdi edilen kimse.
repossess [rīpə'zes]. ~ **s.o. of stg.**, birine yeniden bir şeyi elde ettirmek: ~ **oneself of stg.**, bir şeyi yeniden elde etm.
repoussé [rə'pūsey] (*san.*) Kakma işi.
reprehen·d [repri'hend]. Azarlamak. ~**sible**, azara değer, ayıplanacak. ~**sion** [-'henşn], azarlama.
represent [repri'zent]. Temsil etm., adına davranmak; göstermek; arz ve ibraz etm.; tarif etm., tanımlamak; andırmak; tasvir etm., betimlemek; ihtar etm.; vekili olm., naibi olm., yerini tutmak. **he** ~**s himself as/to be ...**, kendini ... gibi gösteriyor, ... kendini satıyor: **exactly as** ~**ed**, tarife tamamen uygun. ~**ation** [-'teyşn], tasvir, tarif, betimleme; temsil(cilik); vekillik; ibraz, gösterme; incelikle yapılan uyarma: **make false** ~**s to s.o.**, birine gerçeği değiştirerek söylemek: **the British Government have made** ~**s to Russia about the matter**, İngiliz hükümeti bu konuda Rusya'ya protestoda bulunmuştur: ~**al**, temsil/tasvir vb.ne ait. ~**ative** [-'zentətiv] *i.* mümessil, temsilci, murahhas; vekil; *mebus, saylav; bakan; örnek, tip: *s.* temsil eden; örnek gibi olan; tipik: ***House of** ~**s**, Temsilciler Meclisi.
repress [ri'pres]. Bastırmak; tenkil etm.; zaptetmek. ~**ion** [-'preşn], bastırma; tenkil; zaptetme; ihtibas. ~**ive**, bastırıcı; ağır; zorlayıcı; tenkil edici.
reprieve [ri'prīv] *i.* Ölüm cezasının affı/başka cezaya çevrilmesi; (cezasını) erteleme, geciktirme. *f.* Ölüm cezasını affetmek/değiştirmek; ertelemek.
reprimand [repri'mānd]. Takbih (etm.); kınama(k); azarlama(k); serzeniş; açıkça ayıplama(k).
reprint ['rīprint] *i.* Bir kitabın ikinci vb. baskısı; ayrı

basım. [-'print] *f.* Yeniden ve aynen basmak/tabetmek.
reprisal [ri'prayzl]. Mukabelebilmisil, dengiyle karşılık; öç alma.
reproach [ri'proùç] *i.* Serzeniş, tekdir, azarlama, paylama; itap; ayıp, utanacak şey. *f.* İtap etm., ayıplamak, azarlamak, paylamak. **beyond** ~, eksiksiz, kusursuz, lekesiz: ~ **oneself**, kendini kabahatli bulmak; pişman olm.: ~ **s.o. with stg.**, bir şey hakkında birine serzenişte bulunmak: **a term of** ~, takbih/kınama gibilerden söz. ~**ful**/~**ing**, sitemli, serzenişli: ~**ly**, sitemli olarak.
reprobate ['reprəbeyt] *f.* Takdir etmemek; kınamak, takbih ve tamamen reddetmek. *i.* Habis, şerir; serseri, başıboş.
reproduc·e [rīprə'dyūs]. Aynen taklit ve kopya etm.; tekrar basmak; benzetmek; çoğal(t)mak; üre(t)mek. ~**er**, kopya/ses çıkaran cihaz. ~**ible**, kopya edilir. ~**tion** [-'dʌkşn], aynen taklit, kopya, örnek, nüsha; yeniden basma; çoğal(t)ma; tenasül; üre(t)me. ~**tive**, çoğaltan, üretken: ~ **capacity**, üreme yeteneği: ~ **organ**, üretim organı.
reprography [rī'progrəfi]. Resimli/basılmış/yazılmış eserlerin çoğaltılması.
reproof[1] [ri'prūf] *i.* Hafifçe tekdir/azarlama; sitem, serzeniş.
reproof[2] [rī'prūf]. Yeniden su vb. geçirmez hale koymak.
reprove [ri'prūv]. Hafifçe tekdir etm./azarlamak; serzeniş etm.
reptil·e ['reptayl]. Yılan/kertenkele gibi sürüngenlerden hayvan; (*mec.*) alçak adam. ~**ian** [-'tiliən], yılan gibi, sürüngen.
republic [ri'pʌblik]. Cumhuriyet. ~**an**, cumhuriyete ait; cumhuriyetçi: ~**ism**, cumhuriyetçilik: ~**ize**, cumhuriyetleştirmek.
repudiat·e [ri'pyūdieyt]. Reddetmek, geri çevirmek; inkâr etm.; tanımamak; benimsememek; boşanmak. ~**ion** [-'eyşn], reddetme; tanımama; boşama. ~**or**, reddeden, vb.
repugn [ri'pyūn] (*mer.*) Muhalefet etm.; -le uğraşmak; tiksindirmek. ~**ance** [-'pʌgnəns], hoşlanmayış; tiksinme; kerahat; terslik, karşıtlık, uyuşmazlık, zıddiyet. ~**ant**, tiksindirici, iğrenç; uygun olmıyan, ters, zıt.
repuls·e [ri'pʌls] *i.* Muvaffakıyetsizlik, başarısızlık; ret; uzaklaştırma; defolunma, kovulma. *f.* Kovmak; uzaklaştırmak; püskürtmek. ~**ion** [-'pʌlşn], tiksinme, iğrenme; birbirini uzaklaştırma güç/kuvveti. ~**ive** [-siv], iğrenç, tiksindirici; soğuk; defedici.
reput·able ['repyutəbl]. Muteber, namuslu. ~**ation** [-'teyşn], şöhret, ün, ad, nam; tezkiye: **get/have the** ~ **of...**, adı -e çıkmak: **with/of a bad** ~, tezkiyesi bozuk, doğruluğuna güvenmez.
repute [ri'pyūt]. Şöhret, ün, ad, nam. **a doctor of** ~, tanınmış doktor: **be held in** ~, sayılmak, şöhreti olm.: **of ill** ~, dile düşmüş: **know s.o. by** ~, birini adıyle tanımak: **of no** ~, adı sanı belirsiz olan. ~**d**, sözde olan; farzolunan, mefruz: **be** ~ **wealthy**, zengin sanılmak.
request [ri'kwest] *i.* Rica, istek, talep, dilek. *f.* Rica etm., istemek, dilemek, talep etm. **at the** ~ **of s.o.**, birinin isteği üzerine: **be in** ~, aranılmak; revacı olm., rağbet görmek: **the public are** ~**ed to keep off the grass**, çimene basılmaması rica olunur. ~**-stop**, ihtiyarî durak.
requiem ['rekwiəm]. Ölünün ruhu icin okunan dua; fatiha; mersiye (*müz.*) bu duaya mahsus ilâhi.
require [ri'kwayə(r)]. İstemek; talep etm., dilemek; emretmek; gereksinmek; gerekmek, icabetmek. **as** ~**d**, istenildiği gibi: **if** ~**d**, icabederse, gerekirse: **when** ~**d**, icabında, gereğinde. ~**d**, *s.* lâzım, gerek; icabeden, gereken. ~**ment**, gereksinme; ihtiyaç; icap, gerek; şart, koşul.
requisite ['rekwizit] *s.* Lâzım gelen, icabeden, gereken; matlup; zarurî, zorunlu. *i.* Gerekli olan şey; icap. ~**s**, gereçler; takım, alât ve edevat.
requisition [rekwi'zişn] *f.* El koymak; zorla almak; müsadere etm.; hizmetini talep etm./istemek. *i.* Resmî talep/dilek; elkoyma. **be in constant** ~, daima talep edilmek: **call into** ~, müracaat etm., başvurmak; kullanmak.
requit·al [ri'kwaytəl]. Ödül; karşılık, mukabele (-bilmisil). ~**e**, mukabele etm., karşılığını vermek; mislini ödemek; ödül/ceza vermek.
reredos ['riədos]. Kiliselerde süslü mihrap arkalığı.
resale ['rīseyl]. Yeniden satış.
resci·nd [ri'sind]. Feshetmek, iptal etm., yürürlükten kaldırmak; bozmak. ~**ssion** [-'sijn], fesih, yürürlükten kaldır(ıl)ma.
rescript ['rīskript]. İrade, ferman, yarlığ.
rescue ['reskyū] *f.* Kurtarmak; imdadına yetişmek, yardımına koşmak. *i.* Kurtarma; imdat, yardım. **to the** ~!, imdat!, yardım edin!: ~**-party**, kurtarma ekibi. ~**r** [-kyuə(r)], kurtarıcı.
research [ri'sə̄ç] *i.* Derin ve dikkatli tetkik/inceleme/etüt; araştırma; taharri. *f.* İncelemek, araştırmak. ~**er**/~**-worker**, inceleyen/araştıran kimse.
reseat [rī'sīt]. Bir sandalye/pantolon vb.nin oturacak yerini yenilemek. ~ **oneself**, tekrar oturmak: ~ **a valve**, bir supabın yatağını alıştırmak.
resect [ri'sekt] (*tıp.*) (Kemik vb.) kesip parçasını çıkarmak.
resembl·ance [ri'zembləns]. Benzeyiş; benzerlik. ~**e**, benzemek; andırmak.
resent [ri'zent]. (Bir şey) gücüne gitmek; -e içerlemek; -den alınmak. ~**ful**, küskün, dargın; kindar, kinci. ~**ment**, küskünlük; gücenme; kin.
reservation [rezə'veyşn]. Bazı hakları kullanabilme koşulu; istisna, ayrıcalık; tren vb.de tutulmuş yer, rezervasyon; yer tutma/ayırtma. **make a** ~, haklarına ait koşulu ileri sürmek: **game** ~, içinde yabanî hayvanların avlanması yasak olan bölge: ***Indian** ~, Kızılderililere ayrılmış bölge: **mental** ~, içten pazarlık; içinden karar verme.
reserve[1] [ri'zə̄v] *i.* İhtiyat; yedek akçe/güç/koşul; kayıt, şart, koşul; belirli bir maksat/amaç için ayrılmış bölge; koruma bölgesi; çekingenlik. *s.* Yedek, ihtiyat. **the** ~, (*ask.*) silâh altında olmıyan yedekler: **the** ~**s**, bir ordunun yedeğe ayrılmış güçleri: **accept with** ~, doğruluğundan emin olmıyarak kabul etm.: **accept without** ~, olduğu gibi kabul etm.: **break through s.o.'s** ~, birinin çekingenliğini yenmek: **cast off** ~, açılmak, çekingenliği kalmamak: **in** ~, yedek/ihtiyat olarak: ~ **price**, son fiyat: **be sold without** ~,

kayıtsız şartsız satılacak: **without** ~, uluorta; kayıtsız şartsız.
reserve[2] *f.* İhtiyat/yedek olarak saklamak; saklı tut(ul)mak; muhafaza etm.; tahsis etm. ~ **a seat for s.o.**, birine bir yer tutmak/ayırtmak, rezervasyon almak.
reserved [ri'zə̄vd]. Ketum; saklı, mahfuz; muhteriz, çekingen; sokulunamaz; yalnızlıktan hoşlanan: ~**seat/place**, tren/tiyatro vb.de önceden tutulmuş yer: **all rights** ~, her hakkı korunmuştur: ~ **list**, yedek/ihtiyat kadrosu.
reservist [ri'zə̄vist] (*ask.*) Yedek, ihtiyat.
reservoir ['rezəvu̯a(r)]. Su haznesi, bent; biriktirici; (*mec.*) yedek depo; hazne.
reset [rī'set]. Yeniden yerine koymak/takmak/geçirmek; (saati) doğrultmak.
reshuffle [rī'şʌfl]. Oyun kâğıtlarını karıştırma(k); (bir dairede) bir kısım memurları değiştirmek.
reside [ri'zayd]. İkamet etm., oturmak, kalmak. ~**nce** ['rezidəns], ikametgâh, ev, konut; ikamet etme, oturma. ~**ncy**, sömürgelerde genel valinin resmî konağı. ~**nt**, *i.* yerli; sakin; (sömürgelerde) genel vali: *s.* ikamet eden, oturan; yerli: ~ **master/physician**, bir okul/hastanede yatıp kalkan ve hep orada çalışan öğretmen/doktor. ~**ntial** [-'denşl], ikamete ait: ~**-building**, konut inşaatı: ~**-district/-estate**, bir şehirde iş bölgelerinden ayrı ve özel evlerin bulunduğu semt.
residu·al [rə'zidyu̯əl]. Artık, geriye kalan; fazla ve arta kalan; sürekli. ~**ary** [-yu̯əri], artık kalan: ~ **legatee**, vasiyetnameye göre mirasın paylaştırılmasından sonra kalan malı alacak olan vâris. ~**e** ['rezidyü], tortu; bakiye; kalıntı.
resign [ri'zayn]. İstifa etm., çekilmek, ayrılmak; vazgeçmek; feragat etm.; el çekmek; teslim etm., vermek. ~ **oneself (to)**, işi Tanrıya bırakmak/güvenmek; kapılmak; kendini bir şeye bırakmak: ~ **oneself to sleep**, uykuya dalmak. ~**ation** [rezig'neyşn], istifa, ayrılma; el çekme, bırakma; işi Tanrıya bırakma/güvenme. ~**ed** [ri'zaynd], işi Tanrıya bırakan/güvenen: **become** ~ **to stg.**, istemiyerek razı olm.; mecbur olarak alışmak.
resil·e [ri'zayl]. Geri fırlamak; önceki boyunu toplamak. ~**ience**/~**iency** [-'zili̯əns(i)], geri fırlama; elastikiyet, esneme; (insan) bir felâketten sonra kendini çabuk toplama. ~**ient**, geri fırlayan; elastikî, esneyen; (insan) kendini çabuk toplayan.
resin ['rezin]. Çam sakızı; reçine, akındırık. ~**ic**, (*kim.*) reçineden hâsıl olan. ~**iferous** [-'nifərəs], sakız hâsıl eden. ~**ify** [-'zinifay], reçineleş(tir)mek. ~**ous** ['rezinəs], sakızlı; reçineli.
resist [ri'zist] *f.* Dayanmak; mukavemet etm.; karşı koymak, muhalefet etm. *i.* (*kim.*) bazı tesirlere karşı gelen madde. **I could not** ~ **telling him**, ona söylemekten kendimi alamadım: **he could not** ~ **drink**, içkiye hiç yüzü yoktu. ~**ance**, mukavemet, direnç; sertlik; karşı koyma/gelme; dayanma; dayanıklılık; (*elek.*) direnme, rezistans; (*id.*) (gizli) muhalefet: **passive** ~, eylemsiz mukavemet/karşı durma: **take the line of least** ~, en kolay yolu tutmak, en kolayına gitmek. ~**ant**, *s.* dayanıklı; mukavim; dirençli. -~**ant**, *son.* -e dayanır; geçirmez. ~**ibility**, mukavemet gücü. ~**ible**, dayanılır, vb. ~**ivity**, öz direnç. ~**less**, dayanılamaz; kaçınılamaz. ~**or**, (*elek.*) rezistans, rezistör.
resit [rī'sit]. Bir imtihana yeniden girmek.
resole [rī'so̯ul]. (Ayakkabıya) yeni taban koymak. ~**d**, pençeli.
resoluble[1] [ri'solyūbl]. Çözülebilir.
re-soluble [rī'solyubl]. Yeniden eritilir.
resolut·e ['rezəlyūt]. Azimli; dayanıklı, metin, sebatlı; cesur, yürekli. ~**ion** [-'lyūşn], azimlilik, metanet; karar; teklif, önerge; (*kim.*) inhilâl, çözülme, erime, dağılma: **good** ~**s**, iyi dilek/niyetler: **put a** ~ **to the meeting**, bir önergeyi oya koymak.
resolve [ri'zolv] *i.* Karar, niyet. *f.* Karar vermek, niyetinde olm.; tasmim etm.; halletmek; inhilâl et(tir)mek, ayrış(tır)mak, çöz(ül)mek. **I am** ~**d not to go there again**, bir daha oraya gitmemeğe karar verdim. ~**d**, azimli, metin; karar ver(il)miş. ~**nt**, çözücü (madde); halleden.
resona·nce ['rezənəns]. Tınlama, uğultu, rezonans, seselim, titreşim. ~**nt**, tınlayan, çınlayan, uğuldayıcı, tannan. ~**te**, tınlamak vb. ~**tor** [-'neytə(r)], tınlatıcı, çınlatıcı, rezonatör.
resor·b [ri'sōb]. Yeniden emmek/massetmek: ~**ence**, yeniden emici olma: ~**ent**, yeniden emici. ~**ption** [-'sōpşn], yeniden em(il)me.
resort [ri'zōt] *i.* Merci; baş vurulacak yer; çare; çok gidilen yer. *f.* Müracaat etm., başvurmak; kullanmak; gitmek. **as a/in the last** ~, başka çare yoksa; en sonunda: **without** ~ **to force**, kuvvet kullanmadan; zora başvurmadan: **place of great** ~, çok ziyaret edilen yer: **health** ~, dinlenme yeri: **seaside** ~, deniz kenarında sayfiye yeri; plaj(lı köy/şehir).
resound [ri'za̯und]. Tannan olm., tınlamak; her taraftan duyulmak; (ün) yayılmak; (ses) yankılanmak; (haber/olayı) ulaştırmak, duyurmak; aksettirmek. ~**ing**, tannan, işitilen; gürliyen: **a** ~ **success**, dillerde destan olan başarı: **a** ~ **blow**, gürliyen darbe/vuruş.
resource [ri'sōs]. Çare, başvurulacak şey. ~**s**, imkânlar, olanaklar; varlıklar: **his** ~**s are limited**, imkânları sınırlıdır. ~**ful**, işin içinden çıkar, becerikli, cerbezeli. ~**less**, beceriksiz; varlıksız.
respect [ri'spekt] *i.* Saygı, hürmet; riayet; itibar, saygınlık; münasebet, bakım, ilişki. *f.* Hürmet etm., saygı göstermek; hatırını saymak; riayet etm. **as** ~**s . . .**, itibarıyle; -e gelince: **have** ~ **for s.o.**, birinin hatırını saymak, birine hürmet etm.: **in every** ~, tamamen, her hususta: **in many** ~**s**, birçok bakımdan: **in some** ~**s**, bazı yönlerden, bazı konularda: **in this** ~, bu bakımdan, bu konuda: **out of** ~ **for**, -in hatırı için, -e hürmeten: **present one's** ~**s**, saygılarını sunmak, selâm söylemek: **with** ~ **to**, -e gelince; hususunda, münasebetiyle: **with all due** ~ **(to you)**, hatırınız kalmasın: **without** ~ **of persons**, hatır gönül dinlemeden: hem nalına hem mıhına.
respect·able [ri'spektəbl]. Hatırı şayılır; temiz, namuslu; kılığı kıyafeti düzgün, hali tavrı mazbut; (*kon.*) şöyle böyle, oldukça iyi. ~**ed**, saygı gören, muteber, hatırı sayılır; muhterem. ~**er**, hürmet eden, saygı gösteren: **no** ~ **of persons**, hatır gönül bilmez. ~**ful**, saygılı: **keep at a** ~ **distance**, saygılıca geri durmak; ihtiyatlı olup da yaklaşmamak: **I remain yours** ~**ly**, saygılarımı sunarım. ~**ing**, -e dair, hususunda. ~**ive**, kendi, herkes kendi . . .; mahsus; sıraya göre; biri . . . öteki: **the brothers are 12 and 10** ~**ly**, iki kardeşten biri 12 öteki 10 yaşındadır.

respell [rī'spel]. Yeniden/başka bir şekille hecelemek.
respir·able ['respirəbl]. Nefes alınmasına uygun (gaz). **~ation** [-'reyşn], nefes/soluk alma; solunum. **~ator** ['respireytə(r)], solunum aygıtını koruyan maske; gaz/toz maskesi. **~atory** [-'reytəri], solunuma ait. **~e** [ris'payə(r)], nefes/soluk almak.
respite ['respit, -payt] *i.* Mühlet, süre; muvakkat tehir, geçici erteleme; dinlenme; nefes/soluk alma. *f.* Süre vermek. **without ~**, aralıksız, dinlenmiyerek: **give no ~**, soluk aldırmamak.
resplenden·ce/**~cy** [ri'splendəns(i)]. Parlaklık, şaşaa. **~t**, parlak, şaşaalı, debdebeli.
respond [ri'spond]. Cevap vermek; karşılık/yanıt vermek; uymak. **~ to the controls**, (*hav.*) direksiyona uymak. **~ence**, cevap verme. **~ent**, cevap/yanıt veren; (*huk.*) dava edilen.
response [ri'spons]. Cevap; karşılık; yanıt; (*ast.*) duyarlık; (*elek.*) karakteristik.
responsib·ility [risponsi'biliti]. Mesuliyet, sorumluluk: **do stg. on one's own ~**, bir şeyi kendiliğinden/sorumluluğu üzerine alarak yapmak. **~le** [-'sponsibl], mesul(iyetli), sorumlu; ciddî; muktedir; sadık: **~ for . . .**, -la yükümlü. **~ly**, sorumlu bir surette. **~ory** [-səri] (*din.*) bir nevi ilâhi.
respons·ions [ris'ponşnz]. Oxford üniversitesinde bir imtihan. **~ive** [-siv], cevap veren; hassas, etkilenen, hevesli.
rest[1] [rest] *i.* Dinlenme, istirahat, rahatlama; rahat, huzur; durak; mola, vakfe; melce, istirahat yeri; sehpa, mesnet; (bilardo) ıstaka dayanağı; (*müz.*) es. **be at ~**, hareketsiz olm.; rahat olm.; ölmüş olm.: **come to ~**, hareketsizleşmek; sonunda durmak: **lay to ~**, gömmek, defnetmek: **set s.o.'s mind at ~**, birini ferahlatmak, huzur vermek, yüreğine su serpmek: **set a question at ~**, bir meseleyi halletmek/kesip atmak: **take a/one's ~**, bir az dinlenmek, istirahat etm.
rest[2] *f.* Dinlen(dir)mek; istirahat et(tir)mek; sakin durmak; yaslanmak; daya(n)mak; istinat ettirmek. **~ assured that . . .**, emin olunuz ki: **it ~s with you to . . .**, . . . sizin elinizdedir, size kalmıştır: **it does not ~ with me to . . .**, . . . benim elimde değil, bana ait değil: **his glance ~ed upon**, bakışları -in üzerinde durdu: **the matter cannot ~ here**, mesele burada bırakılamaz.
rest[3] *i.* Artık şey, bakiye, kalan; ötesi, üst tarafı. **the ~**, diğerleri; öte tarafı; kalıntı: **all the ~**, mütebakisi; sairleri; geri kalanlar: **for the ~**, ötesine gelince.
restart [rī'stāt]. Yeniden başlamak, yeniden hareket et(tir)mek.
restaur·ant ['restərā(n)]. Lokanta: **licensed ~**, içkili lokanta: **self-service ~**, garsonsuz lokanta: **~-car**, (*dem.*) yemek vagonu. **~ateur** [-rə'tə̄(r)], lokantacı.
rest·-cure ['restkyuə(r)]. Dinlenme tedavisi. **~-day**, ara günü, paydos, tatil. **~ed**, dinlenmiş. **~ful**, huzur/rahat verici; dinlendirici; asude. **~-harrow**, kayışkıran. **~-house**, misafirhane, konukevi; menzilhane. **~ing**, (*tiy.*) geçici olarak işsiz: **~-place**, dinlenme yeri; mezar, gömüt.
restitution [resti'tyūşn]. Geri verme; tazmin, tamir; (*bot.*) onulma; (*din.*) ilk durumuna getirme.
rest·ive ['restiv]. (At) yürümek istemiyen; inatçı; aksi; yerinde durmayan. **~less** [-lis], rahatsız, huzursuz; rahat durmaz; tezcanlı; uykusuz.
restor·ation [restə'reyşn]. Geri verme; yeniden kurma; onarım, tamir ederek eski durumuna koyma; (hanedan/hükümdar) yeniden tahtına geç(iril)me. **~ative** [ri'stōrətiv], güç/kuvvet veren (ilâç); tamir eden. **~e** [-'stō(r)], geri vermek, iade etm.; tamir etm., onarmak; eski durum/yerine getirmek; yeniden kurmak. **~er**, kuvvet ilâcı; tamirci, onarcı.
restrain [ri'streyn]. Alıkoymak; gem vurmak; tutmak, engellemek, menetmek; zaptetmek; frenlemek. **a ~ing influence**, ayak bağı. **~ed**, zaptedilmiş; ölçülü, mutedil; (*tiy.*) dar.
restraint [ri'streynt]. Zapt, ele geçirme; cebir, tutma; tazyik, baskı; men, engel(leme); inzibat; itidal, ölçülülük. **fling aside all ~**, işi azıtmak; aklına geleni yapmak: **keep s.o. under ~**, birini hapisane/tımarhanede tutmak: **lack of ~**, ölçüsüzlük; düzensizlik; çekinmemezlik; inzibatsızlık: **speak without ~**, hiç çekinmeden/serbestçe söylemek: **be under no ~**, istediği gibi harekette serbest/özgür olm.
restrict [ri'strıkt]. Hasretmek; yalnız bir kimse/şeye ayırmak/vermek/bağlamak; daraltmak, sınırlamak, tahdit etm., kısmak. **~ed**, sınırlı, dar; bağlanmış, ayrılmış; (*id.*) gizli. **~ion** [-kşn], sınırlama, ayırma, kısıntı, daral(t)ma, bağlama; tekel. **~ive**, sınırlayıcı.
rest-room ['restrūm]. Dinlenme yer/odası; helâ.
result [ri'zʌlt] *i.* Netice, sonuç; son; akibet, ürün. *f.* Neticelenmek, sonuçlanmak; ortaya çıkmak, meydana gelmek, hâsıl olm. **~ant**, meydana gelen/olan, hâsıl olan; muhassala, bileşke.
resume [ri'zyūm]. Bırakılmış bir işe yeniden başlamak; kesilmiş söze devam etm. **~ one's seat**, yeniden yerine oturmak.
résumé [ri'zyūmey]. Hulâsa, özet.
resumption [ri'zʌmşn]. Yeniden başlama.
resurge [ri'sə̄c]. Yeniden çıkmak/dirilmek. **~ence**, yeniden dirilme. **~ent**, yeniden çıkan/dirilen.
resurrect [rezə'rekt]. Diriltmek; mezardan çıkarmak; hortlatmak; yeniden değer kazandırmak. **~ion** [-'rekşn], diril(t)me; yeniden doğma; Hazreti İsa'nın mezardan çıkması; kıyamet.
resuscitat·e [ri'sʌsiteyt]. Canlandırmak, diriltmek; hortlatmak. **~ion** [-'teyşn], canlandır(ıl)ma.
ret [ret]. (Keneviri) suya daldırıp yumuşatmak.
ret. = RETIRED; RETURN(ED).
retail ['rīteyl] *i.* Perakende satış; perakendelik. *f.* Perakende sat(ıl)mak; ayrıntılı anlatmak. **~er**, perakendeci, dağınıkçı: **~ of news**, havadis yayıcı, dedikoducu. **~-price**, perakende fiyatı.
retain [ri'teyn]. Alıkoymak; kendi elinde tutmak; elinden kaçırmamak; muhafaza etm.; pey vererek hizmetine almak; hatırında tutmak. **~er**, (i) uşak; (ii) hizmetini temin etmek için verilen pey akçesi; (*huk.*) yetkileme ücreti: **~s**, buyruk altındaki bireyler. **~ing**, tespit/tutma + : **~-fee** = ~ER (ii): **~-wall**, dayanak duvarı, set.
re-take [rī'teyk] (*sin.*) Yeni çekim.

Aranan kelime bu sayfada bulunmazsa, ilk olarak* RE- *notlarına bakınız.

retaliat·e [ri'talieyt]. Mukabelebilmisil etm., karşılık yapmak. ~**ion** [-'eyşn], mukabelebilmisil; öç: **in** ~, buna karşılık: **the law of** ~, kısas. ~**ory** [-'taliətəri], karşılık olarak.
retard [ri'tād]. Hızını kesmek, geciktirmek, yavaşlatmak; ağırlaştırmak. *~**ate**, gecikmiş kimse. ~**ation** [-'deyşn], hızını kesme, yavaşlatma, gecik(tir)me. ~**ed**, gecik(tiril)miş. yavaşlaşmış; gecikmeli. ~**ing**, geciktirme+.
retch [reç]. Kusmağa çalışmak; öğürmek.
retd. = RETIRED; RETURNED.
re·tell (*g.z.(o.)* ~**told**) [rī'tel, -'to͡uld]. Yeniden/başka bir şekille anlatmak.
retent·ion [ri'tenşn]. Alıkoyma; kendi elinde tutma; muhafaza; (*tıp.*) sidik tutulması. ~**ive**, bırakmaz, salıvermez: ~ **memory**, kuvvetli hafıza, güçlü bellek: ~ **soil**, nemini kaybetmiyen toprak.
re·think (*g.z.(o.)* ~**thought**) [rī'θin(g)k, -'θōt]. (Değişiklikler etmek için) yeniden düşünüp taşınmak. **have a** ~ **about stg.**, bütün hususları yeniden incelemek.
reticen·ce ['retisəns]. Ketumluk, gizlilik; ağzı sıkılık. ~**t**, bildiğini söylemez; ketum, ağzı sıkı; mümsik; çekingen.
retic·le ['retikl]. Dürbün ağı. ~**ular**/~**ulated** [-'tikyūlə(r), -leytid], ağ gibi, ağsı, şebekî, retiküler, gözenekli. ~**ule** [-kyūl], = RETICLE; küçük el çantası. ~**ulum** [ri'tikyūləm] (*biy.*) ağcık; ağ şekli.
retina ['retinə]. Ağtabaka; sinir tabakası. ~**l**, ağtabakaya ait.
retinue ['retinyū]. Maiyet, el/buyruk altı, bilelik; görevli.
retir·e [ri'tayə(r)]. Çekilmek, ricat etm.; hizmetten çekilmek, tekaüt olm., emekliye ayrılmak; yatmağa gitmek; geri çekmek; tekaüt etm.: ~ **into oneself**, kabuğuna çekilmek: ~ **for the night**, yatmağa gitmek. ~**ed**, mütekait, emekli. ~**ement**, ricat; inziva; tekaüt, emeklilik. ~**ing**, mahcup, çekingen.
retool [rī'tūl]. (Fabrika) yeni makine/aletlerle donatmak.
retort[1] [ri'tōt] *i., f.* Sert cevap (vermek); karşılık (yapmak).
retort[2] *i.* İmbik şişesi.
retortion [ri'tōşn]. Arkaya doğru bük(ül)me; (*huk.*) karşıtlama gümrük vergileri.
retouch [rī'tʌç]. Retuş (yapmak); bazı yerlerini düzeltme(k); çekidüzen verme(k).
retrace [rī'treys]. Kaynağına gitmek; geçmişi yeniden teşkil etm. ~ **one's steps**, izini takiben geriye gitmek; geldiği yoldan geri gitmek.
retract [ri'trakt]. Geriye çekmek; içeriye çekmek; geri almak; sözünü geri almak; sözünden dönmek. ~**able**/~**ile**, içeriye çekilebilir, gizlenebilen. ~**ion** [-kşn], içeriye alma/çekilme; sözünden dönme. ~**or**, (*tıp.*) bir yaranın ağzını açık tutan alet.
retral ['rītrəl] (*biy.*) Arka/kıça ait.
retread [rī'tred] *f.* (*oto.*) Lastiğin dış tabakasını yenilemek. ['rī-] *i.* Böyle yenilenmiş lastik.
retreat [ri'trīt] *i.* Ricat, geri çekilme; melce, sığınma. *f.* Ricat etm., geri çekilmek; geri(ye) çekmek. **beat a** ~, geri çekilmek, kaçmak: **beat the** ~, (*ask.*) çekilme emrini çalmak.
retrench [ri'trenç]. Kısmak; tasarruf etm. ~**ment**, tasarruf.
retrial [rī'trayəl]. Yeni yargılama.
retribut·ion [retri'byūşn]. Ceza; mücazat; öç, intikam. ~**ive** [-'tribyutiv], cezalandırıcı; intikamcı, öçgüder.
retriev·able [ri'trīvəbl]. Yeniden elde edilir. ~**al**, geri alma; yeniden ele geçirme. ~**e**, istirdat etm., yeniden elde etm.; telâfi etm.; kurtarmak; (köpek) avı getirmek. ~**er**, geri alan, vb.; vurulan avı bulup getiren köpek.
retro- [retro͡u] *ön.* Tersyön/geriye doğru; arkasında bulunan; geçmişe bakan. ~**action** [-'akşn] (*huk.*) geriye yürüme. ~**active**, makabline şamil, önceyi kapsayan; (*mal.*) geriye dönük. ~**cede** [-'sīd], iade etm., geri vermek; geri gitmek. ~**cession** [-'seşn], iade; ilk sahibine terketme. ~**flex**, geriye doğru bükülmüş. ~**fit**, (*hav.*) sonraki geç(ir)me. ~**grade** ['retrəgreyd], geriye doğru giden; ilerlemeye karşı olan, mürteci, gerici. ~**gress** [rī-], geriye gitmek; kötüleşmek; zeval bulmak: ~**ion** [-şn], geriye gitme; kötüleşme. ~**ject**, geriye atmak. ~**rocket**, fren/geciktirme roketi. ~**spect** ['re-], geriye bakma; geçmiş şeyleri düşünme: **in** ~, geçmişi düşünerek: ~ **ive**, önceyi kapsayan.
return[1] [ri'tən] *i.* Dönüş, avdet; iade; mukabele, karşılık, bedel; (*mal.*) gelir, kazanç; (*id.*) resmî rapor; bildirim, beyanname; istatistik; bir mebusun seçilmesi; (*sp.*) karşılama, döndürüş. ~**s**, kâr, kazanç; gelir; raporlar; rapor vb. neticeleri: **in** ~, karşılık olarak, mukabilinde: **in** ~ **for**, -e mukabil; . . . yerine: ~ **of income**, gelir beyannamesi: **many happy** ~**s of the day!**, nice yıllara! (*birinin yaş gününde söylenir*): **by** ~ **of post**, (mektubu alır almaz) ilk posta ile: **point of no** ~, oradan dönülmez.
return[2] *f.* İade etm., geri vermek/göndermek; seçmek; karşılık yapmak; avdet etm., dönmek, geri gelmek/gitmek: **be** ~**ed for (such-and-such a district)**, filan yerden mebus çıkmak: **the prisoner was** ~**ed guilty**, sanığın suçlu olduğuna karar verildi: ~ **one's income at £10,000**, gelirinin on bin lira olduğunu beyan etm.: ~ **like for like**, katıyle karşılık vermek: ~ **thanks**, bir nutukla teşekkür etm. ~**able**, iade edilir; geri alınır/verilir. ~**-bend**, (*müh.*) çift dirsek. ~**ing-officer**, seçim memuru. ~**-match**, öç alma/revanş maçı. ~**-ticket**, gidip gelme bileti.
retsina [ret'sīnə] (*Yun.*) Reçineli şarap.
retuse [ri'tyūs] (*bot.*) Çökük.
reuni·on [rī'yūnyən]. Kavuşma; birleşme; cemiyet, toplantı; bir memleket/şehrin başka bir memlekete tekrar birleşmesi. ~**ite** [-'nayt], yeniden birleş(tir)mek, kavuş(tur)mak; barış(tır)mak.
rev [rev] (*kon.*) = REVOLUTION; devir, dönem. ~ **up the engine**, motoru hızlatmak.
rev. = REVENUE; REVERSE; REVISE(D); REVOLUTION.
Rev(d) = REVEREND.
reval·orize [rī'valərayz]. Yeni değer(ler)i kurmak. ~**uation** [-yu'eyşn], değer yükseltimi. ~**ue** [-'valyu], değerini değiştirmek/yükseltmek.
revamp [rī'vamp]. Yeniden tamir etm./yamamak; yenile(ştir)mek.
reveal [ri'vīl] *f.* İfşa etm., açıklamak, meydana çıkarmak; ortaya sermek; ilham etm., vahyetmek. *i.* (*mim.*) Kapı/pencerenin iç yan yüzü.
reveille [re'veli] (*ask.*) Kalk borusu.
revel ['revl] *i.* Cümbüş, eğlenti, curcuna, âlem;

ahenk. *f.* Cümbüş/eğlenti yapmak. ~ **in stg.**, bir şeye pek düşkün olm.; bir şeyden çok neşe duymak. ~**ler**, cümbüş/eğlenti/âlem yapan. ~**ry**, cümbüş, eğlenti, içki âlemi.
revelation [revə'leyşn]. İfşa, açıklama, ortaya serme, meydana çıkarma; vahiy.
revenge [ri'venc] *i.* İntikam, öç; karşılık; (*sp.*) revanş. *f.* İntikam/öç almak; hıncını çıkarmak. ~ **oneself/be ~d on s.o.**, birisinden intikam almak: **out of** ~, intikam yüzünden, öç almak için. ~**ful**, kin tutan, kinci; öçgüder, intikamcı.
revenue ['revənyū]. Gelir, kâr, kazanç, varidat, irat. **the public** ~, devlet geliri. ~**-cutter**, gümrük muhafız gemisi. ~**-officer**, maliye/gümrük memuru. ~**-stamp**, damga pulu.
reverber·ant [ri'vəbərənt] (*şiir.*) Aksettirici, yankılayan. ~**ate** [-reyt], akset(tir)mek, yansımak; yankılamak, çınlayan olm.; savmak. ~**ating**, aksettirici, vb. ~**ation** [-'reyşn], akis, akset(tir)me, yansıma. ~**ator** [-'reytə(r)], aksettirici cihaz; yansıyan lamba. ~**atory**, yansımalı: ~**-furnace**, yansımalı/alevli fırın.
revere [ri'viə(r)]. Hürmet etm., saymak; saygı göstermek; ululamak; takdis etm., kutsamak. ~**nce** ['revərəns] *i.* tazim, hürmet, saygı; takdis, kutsama; huşu: *f.* tazim/hürmet etm., saymak; kutsamak: **hold s.o. in** ~, birine saygı göstermek: **pay** ~ **to s.o.**, birini ululamak, yüceltmek: **his** ~, *papaz hakkında kullanılan unvan.* ~**nd**, muhterem, değerli, saygın (*rahipler için*). ~**nt**, hürmetkâr, saygılı. ~**ntial** [-'renşl], hürmet/saygıdan gelen, saygı dolu.
reverie ['revəri]. Tahayyül: dalgınlık.
revers·al [ri'vəsl]. Taklip, devirme; terslik; fesih, iptal, yürürlükten kaldırma. ~**e** [-'vəs] *s.* ters; aksi, zıt, karşı: *i.* ters/yazı tarafı; zıddı; aksi; başarısızlık, mağlubiyet, yenilgi: *f.* tersine çevirmek/dönmek; içini dışına çevirmek; geriye çevirmek; iptal etm., yürürlükten kaldırmak; belirli bir şeyin tersini yapmak: ~ **arms**, (*ask.*) tüfekleri başaşağı etm.: ~ **a car**, otomobili geri yürütmek: ~ **the charges**, telefon ücretini alıcıya ödetmek: **go into** ~, (*oto.*) geriye almak: **be quite the** ~ **of stg.**, bir şeyin taban tabana zıddı olm.: **take a position in** ~, (*ask.*) bir yeri arkasından ele geçirmek: **suffer a** ~, bir yenilgiye uğramak; muvaffak olmamak. ~**ed** [-st], ters.
revers·ibility [rivəsi'biliti]. Devredebilme; çevrilebilme. ~**ible** [-'vəsibl], devredebilir; tersine çevrilebilir; (*kim.*) tersinir; (*fiz.*) ters yönelir: ~ **propeller**, tornistanlı pervane. ~**ing**, ters çevirme, geri gitme; tersine çeviren. ~**ion** [-'vəşn], eski durumuna dönme; ilk sahibine dönme; veraset hakkı: ~ **to form/type**, (*biy.*) esas tipe dönüş.
revert [ri'vət]. Eski durumuna dönmek; eski sahibinin eline gelmek; verasetle gelmek.
revet [rī'vet]. Kaplamak; eğimli duvar yapmak. ~**ment**, (istihkâmlar vb.) dış kaplama/duvarı; (kıyı) revetman.
revictual [rī'vitl]. Yeniden erzak tedarik etm., iaşe etm.
review [ri'vyū] *i.* Geçit resmi; muayene; bir daha tetkik, teftiş; kitap tenkit/eleştirmesi; mecmua, dergi. *f.* Yeniden gözden geçirmek; teftiş etm.; askerler/savaş gemilerini teftiş etm.; bir kitabın tenkidini yapmak. ~**er**, kitap eleştirmeni.
revil·e [ri'vayl]. Sövmek; küfretmek, tahkir etm. ~**ing**, *i.* sövme, küfürler.
revis·e [ri'vayz]. Yeniden gözden geçirmek; tashih/ıslah etm., düzeltmek; münderecatını değiştirmek. ~**ion** [-'vijn], yeniden gözden geçirme; yeniden tetkik etme; tashih, ıslah: ~**ism**, saptırımcılık: ~**ist**, saptırımcı.
reviv·al [ri'vayvl]. Canlan(dır)ma; unutulmuş bir şeyin yeniden revaç bulması; ayılma. ~**e**, canlan(dır)mak; ihya etm.; ayıl(t)mak; yeniden revaç bul(dur)mak; kurcalamak. ~**er**, canlandıran kimse; (*kon.*) ispirtolu içecek. ~**ify** [-'vivifay], yeniden kuvvetlendirmek.
revo·cable ['revəkəbl]. Yürürlükten kaldırılabilir; geri alınabilir. ~**cation** [-'keyşn], yürürlükten kaldırma; ilga, geri alınma. ~**ke** [ri'vouk], feshetmek, iptal etm., yürürlükten kaldırmak; geri almak; (iskambil) oynanması mümkün olan kâğıdı oynamamak; rönons yapmak.
revolt [ri'voult]. İsyan (etm.), başkaldırma(k), ayaklanma(k); iğrendirmek. ~**ing**, iğrenç, menfur: ~**ly**, iğrenç bir şekilde; (*kon.*) çok.
revolution [revə'lūşn]. Devir, devrî hareket, deveran, dönme; (*ast.*) dolanma; (*id.*) inkilâp, ihtilâl, devrim. ~**s per minute**, dakikada . . . devir. ~**ary** [-şənəri] *s.* inkilâp/devrimlere ait; inkilâbı andırır; bütünlükle değiştiren: *i.* devrimci, inkilâpçı. ~**-counter**, devir saati, dönme sayacı. ~**ize** [-nayz], bütünlükle değiştirmek, taklip etm.
revolv·e [ri'volv]. Dön(dür)mek, devret(tir)mek. ~ **stg. in one's mind**, bir meseleyi zihninde evirip çevirmek/düşünüp taşınmak. ~**er**, altıpatlar, revolver. ~**ing**, dönen; devvar: ~ **chair**, döner iskemle: ~ **credit**, yenilenen akreditif: ~ **door**, döner kapı: ~ **light**, yanar söner fener.
revue [ri'vyū] (*tiy.*) Rövü.
revulsion [ri'vʌlşn]. Anî ve kuvvetli değişiklik; reaksiyon, tepki; iğrenme, tiksinti.
reward [ri'wōd]. Mükâfat/ödül(ünü vermek); ücret; bahşiş. ~**ing**, kârlı; çok hoş. ~**less**, ödül/kârsız.
re·word [rī'wəd]. Başka kelimelerle ifade etm./tekrarlamak. ~**write** [-'rayt], yeniden yazmak; kopya etm.; başka deyimlerle yazmak; tashih etm.
Rex [reks] (*Lat.*) Kral. ~ ***v.*** **Jones**, (İng. hukukunda) devletin vatandaş Jones'a karşı açtığı dava.
rexine ['reksīn] (*M.*) Sunî deri.
Reynard ['renād]. (Edebiyatta) tilki.
r.f. = RADIO FREQUENCY; RANGE-FINDER; RAPID FIRE.
RFC = ROYAL FLYING CORPS (*şimdi* RAF); RUGBY FOOTBALL CLUB.
RGS = ROYAL GEOGRAPHICAL SOCIETY.
Rh. = (*tıp.*) RHESUS; (*kim.s.*) RHODIUM.
RH = RELATIVE HUMIDITY; RIGHT HAND. ~**A** = ROYAL HORSE ARTILLERY.
rhapsod·ic [rap'sodik]. Rapsodiye ait. ~**ist** ['rapsədist], rapsodi yazarı. ~**ize** [-dayz], ~ **over stg.**, bir şeyi pek abartarak övmek; bir şeye pek heyecanlanmak. ~**y**, epik şiirin bir parçası, rapsodi; heyecanlı yazı/müzik.
rhea ['rīə]. Amerika devekuşu.

Aranan kelime bu sayfada bulunmazsa, ilk olarak RE- ***notlarına bakınız.***

Rhenish ['reniş] *s.* Ren ırmak/havalisine ait. *i.* Ren şarabı.
rhenium ['rīniəm]. Renyum.
rheo- [riə-] *ön.* Akıma ait. ~**stat**, reosta(t), ayarlanabilir direnç.
rhesus ['rīsəs]. Al-yanaklı maymun. ~ **factor**, kanda bulunan pıhtılaştırıcı bir madde.
rhetoric ['retərik]. Belâgat; güzel ve tesirli söz/yazı, dil uzluğu; etkili söylevcilik. ~**al** [ri'torikl], belâgata ait; güzel konuşma/yazmaya ait; tumturaklı: **a** ~ **question**, yalnız tesir için ve cevabı beklenmeyen bir soru. ~**ian** [-'rişn], hatip, söylevci.
rheumat·ic(al) [rū'matik(l)]. Romatizmaya ait; romatizmalı. ~**icky** [-tiki] (*kon.*) romatizmalı. ~**ics**/~**ism** [-tiks, 'rūmətizm], romatizma. ~**oid** [-toyd], romatizma gibi. ~**ology** [-'toləci], romatizma bilgisi.
rheumy ['rūmi]. ~ **eyes**, kızarmış ve sulu gözler.
RHG = ROYAL HORSE GUARDS.
rhinal ['raynəl]. Buruna ait.
rhine[1] [rayn]. Geniş açık hendek.
Rhine[2]. Ren ırmağı. ~**stone**, elmas taklidi.
rhinitis [ray'naytis]. Burun iltihabı.
rhino[1] ['raynou] (*arg.*) Para.
rhino[2] = RHINOCEROS.
rhino- [rayno-] *ön.* Burun+; rino-. ~**ceros** [-'nosərəs], gergedan: **one-horned** ~, Hint gergedanı: ~**-bird**, kurtkıyan. ~**logy** [-'noləci] (*tıp.*) burun (hastalıkları) bilimi, rinoloji.
R Hist.S = ROYAL HISTORICAL SOCIETY.
rhizo- ['rayzou-] *ön.* Kök+, rizo-. ~**me** [-zoum], rizom, köksap. ~**pod**, kökayaklı.
rho [rou]. Yunancanın on yedinci harfi (P, ρ).
Rhod·e Island [roud'aylənd]. ABD'nden biri: ~ **red**, rodayland tavuğu. ~**es** [roudz], Rodos (Adası). ~**esia** [-'dīzyə], Rhodesia: ~**n**, Rhodesialı. ~**ian** [-diən] *i.* Rodoslu: *s.* Rodos+.
rhodium ['roudiəm]. Rodyum.
rhodo- [roudə] *ön.* Güle ait; gül rengi, pembemsi. ~**dendron** [-'dendrən], rododendron. ~**us** [-dəs], rodyumlu.
rhomb [rom(b)]. Eşkenar dörtgen, main. ~**oid** [-boyd], main/baklava şeklinde. ~**us** = ~.
RHS = ROYAL HISTORICAL/HORTICULTURAL/HUMANE SOCIETY.
rhubarb ['rūbāb]. Ravent; (*tiy.*) arka konuşması, mırıldanma; (*arg.*) saçma.
rhumb [rʌm]. Kerte. ~**-line**, kerte hattı.
rhym·e [raym] *i.* Kafiye, uyak; kısa şiir. *f.* Kafiyeli olm.; kafiye itibarıyle birbirine uymak: **without** ~ **or reason**, ipsiz sapsız; durup dururken: **nursery** ~, çocuklar için tekerleme. ~**ed**/~**ing**, kafiyeli. ~**eless**, kafiyesiz. ~**e(ste)r**, şair taslağı.
rhythm [riðm]. Vezin, ritim; ahenk, uyum; uygunluk; uyumlu hareket; düzün. ~**ic(al)** [-mik(l)], uyumlu, ölçülü; düzünlü.
RI = (*Lat.*) *Regina (et) Imperatrix* QUEEN (&) EMPRESS; (*Lat.*) *Rex (et) Imperator,* KING (&) EMPEROR; RHODE ISLAND; ROTARY INTERNATIONAL; ROYAL INSTITUT·E/-ION.
rib [rib]. Kaburga kemiği; yaprak damarı; (*hav.*) nervür; (*mim.*) kaburga; şemsiye teli; kumaşta çıkıntılı yol. **poke s.o. in the** ~**s**, birini şaka ile dürtmek: **smite s.o. under the fifth** ~, birini kalbinden hançerlemek.
RIBA = ROYAL INSTITUTE OF BRITISH ARCHITECTS.
ribald ['ribōld]. Alay eden; küstah/soğuk şakacı; açık saçık. ~**ry**, soğuk şaka; küstahça alay etme.
riband ['ribənd] = RIBBON.
ribb·ed ['ribd]. Yivli; düzenli girintili çıkıntılı. ~**ing**, kaburgalar (şeklinde); (*mec.*) azarlama.
ribbon, riband ['ribən(d)]. Kurdele, şerit, bant. **blue** ~, dizbağı nişanı; herhangi alanda üstünlük işareti; içki aleyhtarı olan kurumun işareti (yeşil ay): **cut to** ~**s**, lime lime kesmek. ~**-development**, ana yollar boyunca evler inşa edilmesi. ~**s**, (*ask.*) = MEDALS.
ribes ['raybīz]. Kuşüzümü fidanı.
ribonucleic [rībounyū'kleik]. Ribonukleik.
RICA = RESEARCH INSTITUTE OF CONSUMER AFFAIRS.
rice [rays]. Pirinç. ~**-field**/**-swamp**, çeltik tarlası. ~**-paper**, çok ince kâğıt. ~**-pudding**, sütlaç: **he couldn't knock the skin off a** ~, (*arg.*) çok korkak/çekingendir.
rich [riç]. Zengin; bereketli, bol; mükellef; (yemek) çok tatlı, yağlı, baharlı vb.; ağır. **he** ~**ly deserved his fate**, başına geleni bütünlükle hak etti: **grow** ~, zengin olm.: **the newly** ~, sonradan görmeler: **that's** ~**!**, ama laf! ~**es**, zenginlik, servet, varlık. ~**ness**, zenginlik; bolluk; mükelleflik; (yemek) yağlılık, ağırlık; (renk) parlaklık; (ses) gürlük.
rick[1] [rik]. Ot/saman/ekin yığını; tınaz.
rick[2] *bk.* WRICK.
ricket·s ['rikits]. Çocukların kemik hastalığı; raşitizm; kırba illeti. ~**y**, raşitik, kırbalı; sıska, ineze; sarsak, sallanan, sağlam olmıyan.
rickshaw ['rikşō]. Uzak Doğuda bir kişi tarafından çekilen araba; puspus.
ricochet ['rikəşey, -şet] *i.* Taş ve kurşun gibi atılan bir şeyin su/toprağa vurarak sekmesi. *f.* Böyle sek(tir)mek.
RICS = ROYAL INSTITUTE OF CHARTERED SURVEYORS.
rictus ['riktʌs]. Ağız/gaga açıklığı; bunun açılış miktarı, riktüs.
rid[1] (*g.z.(o.)* ~**(ded)**) ['rid(id)]. *f.* Kurtarmak. *s.* Kurtulmuş. ~ **the house of rats**, evi farelerden temizlemek: **get** ~/~ **oneself of**, başından atmak/savmak.
rid[2] *g.z.(o.)* (*mer.*) = RIDE.
ridable ['raydəbl]. Binilir.
riddance ['ridəns]. Başından atma, kurtulma: **a good** ~, isabet oldu da ondan kurtulduk: **a good** ~ **to bad rubbish**, Allaha şükür musibetten kurtulduk.
ridden ['ridn] *g.z.o.* = RIDE. -den mazlum; -in el altında bulunan. **a priest-**~ **country**, papaz akınına uğramış bir memleket: **a rat-**~ **house**, fareler bürümüş ev.
riddle[1] ['ridl]. Muamma; bilmece.
riddle[2] *i.* Kalbur, elek. *f.* Kalburdan geçirmek, kalburlamak; delik deşik etm.
ride (*g.z.* **rode**, *g.z.o.* **ridden**) [rayd, roud, ridn] *f.* (Ata) binmek. *i.* At/bisiklet vb. üzerinde gezinti; ormanda binicilik/avcılık için açılmış yol. **he** ~**s well**, iyi binicidir: ~ **at anchor**, (gemi) demirli yatmak: ~ **an idea, etc., to death**, bir fikir vb.ni aşırılığa vardırmak: ~ **down**, atla giderek çiğnemek: ~ **for a fall**, dikkatsizce binmek; körü körüne bir yıkıma doğru gitmek: ~ **one's horse at a fence**, atını bir engele sürmek: **go for a** ~,

at vb.ne binerek gezinti yapmak: ~ **hard**, (i) at vb.yle alabildiğine gitmek; (ii) gözü pek binici olm.: **it's a penny ~ on a bus**, otobüs ile bir penilik uzaklıktır: ~ **a race**, at yarışına girmek: ~ **(out) the storm**, (gemi) fırtınayı selâmetle atlatmak; (*mec.*) dayanıp kötü bir durumdan kurtulmak: ***take s.o. for a** ~, (*arg.*) birisini öldürmek amacıyle otomobile bindirip götürmek.

rider[1] ['raydə(r)]. Binici; süvari, atlı.

rider[2]. Eklenmiş madde; ilâve, ek.

ridge [ric]. Sırt; dağ silsilesi; dam tepesi; resif. ~ **and furrow**, sabanın yaptığı sırt ve oluk. ~**-beam**, çatı kirişi. ~**-pole**, çadır direği. ~**-way**, tepeler boyu yol.

ridicul·e ['ridikyūl] *i.* Alay; hiciv, taşlama, yergi; gülünçleştirme. *f.* Alay etm.; gülünçleştirmek. ~**ous** [-'dikyuləs], gülünç: **make oneself** ~, âleme gülünç olm.

riding[1] [raydin(g)]. Brit.'nın büyük bir kontluğunun bir idarî kısmı.

riding[2]. Binicilik; binme; süvarilik. ~**-habit**, binici elbisesi. ~**-horse**, binek atı. ~**-lights**, demirli geminin fenerleri. ~**-school**, manej.

rife [rayf]. Çok bulunan; müstevli, salgın. **be** ~, hüküm sürmek; her yana yayılmak.

riffle [rifl]. Ayırma ızgarası.

riff-raff ['rifraf]. Ayaktakımı; abur cubur kimseler.

rifle[1] ['rayfl]. Ceplerini araştırıp soymak; soyup soğana çevirmek.

rifl·e[2] *i.* Yivli tüfek. *f.* Tüfek/top namlusuna yiv açmak: ~**d**, şişaneli, yivli: ~**man**, silâhşor: ~**-range**, atış meydanı. ~**ing**, yivli tüfeğin helezonu, şişane.

rift [rift]. Yarık; rahne. **a** ~ **in the clouds**, bulutlar arasında açık bir yer: **'a** ~ **in the lute'**, iki dost arasında ufak bir nifak: **create a** ~ **between . . .**, aralarını açmak. ~**-valley**, oluşum çöküntü koyağı.

rig[1] [rig] *f.* Düzmece/hileli bir tarzda kurmak. **a** ~**ged court**, yalancıktan yapılan yargılama: ~ **the market**, piyasada fiyatları hile ile yükseltmek/alçaltmak.

rig[2] *i.* (*den.*) Armanın tarz ve üslubu; donanım; (*kon.*) kılık kıyafet. *f.* Donatmak; giydirmek. ~**ger**, armador. ~**ging**, gemi arması; geminin muhtelif çarmıklar/halatları; (*hav.*) reglaj: **running** ~, selviçe: **standing** ~, sabit arma.

right[1] [rayt] *s.* Doğru, sahih; haklı, insaflı; elverişli, uytun, münasip; sağ (yan); (*mat.*) dik. *zf.* Doğru olarak; sağ yana; tam, tamamıyle; ta . . . (beri/kadar). **all** ~, pek iyi, hay hay: **he's all** ~, (i) bir şeyi yok, sıhhatte, iyileşti: (ii) kötü adam değildir: **it's all** ~ **for you to laugh**, senin için gülmek kolay: ~ **angle**, dik açı: **at** ~ **angles**, dik(gen): ~ **away**, fayrap!: **do stg.** ~ **away**, bir şeyi hemen/derhal yapmak: **be** ~, haklı olm.: ~ **centre**, (*tiy.*) sağ orta: **things will come** ~, sonu iyi olacak: **down** ~, (*tiy.*) sağ ön: **that was him,** ~ **enough!**, hiç şüphe yok oydu: **am I** ~ **for London?**, bu Londra tren/yol/uçağı mı?: **he's not** ~ **in the head**, aklından zoru var: ~ **ho!**, hay hay! ~ **and left**, sağda solda, her tarafta: **hit out** ~ **and left**, hem nalına hem mıhına vurmak: **be in one's** ~ **mind**, aklı başında olm.: **go** ~ **on**, dosdoğru gitmek: **put** ~, yoluna koymak, düzeltmek: **serves him** ~!, oh olsun!, müstahaktır!: ~ **side up**, doğru (ters değil): **get on the** ~ **side of s.o.**, birinin göz/damarına girmek: **he is on the** ~ **side of fifty**, yaşı elli yoktur: **that's** ~!, tamam!, ha şöyle!, doğru!: **do the** ~ **thing by s.o.**, birine karşı insaflı davranmak: **he always says the** ~ **thing**, her zaman uygun/isabetli şey söyler: **up** ~, (*tiy.*) sağ arka.

right[2] *i.* Hak; adalet, insaf; hakikat, gerçeklik, doğruluk; sıhhat; yetki, salâhiyet; sağ el, sağ taraf. **be in the** ~, haklı olm.: **by** ~**s**, usulen, kanunen: **keep to the** ~!, sağdan gidiniz!: **on the** ~, sağ tarafta: **possess stg. in one's own** ~, re'sen hak sahibi olm.: **set to** ~**s**, yoluna koymak; düzeltmek: ~ **of way**, mürur hakkı: **be within one's** ~**s**, (bir şeyi yapmak için) hak ve yetkisi içinde olm.: **I don't know the** ~**s and wrongs of it**, kimin haklı olduğunu/doğru olup olmadığını bilmiyorum: **all** ~**s reserved**, her hakkı saklı/mahfuzdur: **exclusive** ~**s**, (*tiy.*) öncelik hakkı: **performing** ~**s**, (*tiy.*) oyun hakkı: ~**s and obligations**, hak ve görevler: ~**s issue**, (*mal.*) tutulan hisseler miktarına göre alınabilen yeni çıkarılan hisseler: **women's** ~**s**, kadın hakları.

right[3] *f.* Düzeltmek; doğrultmak; hakkını ihkak etm.; tashih etm.

right-[4] *ön.* ~**able**, düzeltilir. ~**-about**, sağdan geri: **send to the** ~, defetmek. ~**-angled**, dik açılı. ~**-down**, (*kon.*) tam; iyice; sapına kadar. ~**en**, düzeltmek.

righteous ['rayçəs]. Dürüst, doğru, müstakim; dindar; haklı. ~ **indignation**, yerinde/haklı hiddet (*bazan* ikiyüzlü bir infial *anlamına da gelir*). ~**ly**, dürüst/dindar vb. olarak. ~**ness**, dürüstlük; dindarlık.

right·ful ['raytfəl]. Haklı; hakikî; meşru; munsifane; hak sahibi; haklı olan: ~**-hand**, sağdaki: **s.o.'s** ~ **man**, birinin sağ eli (yerindeki adam). ~**-handed**, sağ eliyle iş gören; sağ ele uygun. ~**-hander**, sağ el ile vurulan darbe. ~**less**, haksız. ~**ly**, haklı/doğru olarak. ~**-minded/-thinking**, doğru düşünceli; insaflı. ~**ness**, doğruluk, dürüstlük, haklı olma. ~**o** [-tou], hay hay, elbet! ~**-of-way**, mürur/geçme hakkı. ~**ward(s)**, sağa doğru. ~**-wing**, sağ taraf: ~**er**, (*sp.*) sağ açık; (*id.*) sağcı.

rigid ['ricid]. Eğilmez, esnemez, bükülmez; iskeletli; sert; katı. ~**ity** [-'ciditi], eğilmezlik vb.; sertlik; katılık. ~**ly** ['ri-], eğilmiyerek; dimdik.

rigmarole ['rigmərọul]. Abuk sabuk laflar; uzun ve karışık hikâye.

rigor ['rigə(r)] (*Lat.*) Titreme. ~***mortis***, hemen ölümden sonra vücudun katılaşması.

rigo·rous ['rigərəs]. Sert, mutaassıp; şiddetli, haşin. ~**ur**, sertlik, şiddet, huşunet.

RIIA = ROYAL INSTITUTE OF INTERNATIONAL AFFAIRS.

rile [rayl]. Asabileştirmek; sinirine dokunmak.

rill [ril]. Derecik; çırçır. ~**e**, (*ast.*) oluk.

rim [rim]. Kenar; kasnak; çerçeve; çevre; jant; çıkıntı.

rime[1] [raym] = RHYME.

rime[2]. Kırağı.

rim·er ['raymə(r)] = REAMER. ~**less** ['rimlis], çevre/kasnaksız. ~**med** [rimd], çevre/kenar/kasnaklı. ~**ose**/~**ous** ['raymọus, -məs], yarıklarla dolu. ~**y**, kırağılı.

rind [raynd]. Kabuk; deri.

rinderpest ['rindəpest]. Sığır vebası.

ring[1] [rin(g)] *i.* Halka; çerçeve; daire; yüzük; (*mal.*)

şebeke; (*zoo.*) çember; (*müh.*) bilezik, segman; (*sp.*) ring, minder, alan. *f.* Etrafına halka çevirmek; etrafını kuşatmak; boğa/domuzun burnuna halka takmak. **the** ~, (i) boksörlük; (ii) (at yarışlarında) yarıştan önce atların dolaştırıldığı yer; bahis defteri tutan adamlar: **keep/hold the** ~, bir mücadelede dışardan müdahaleyi önlemek: **make ~s round s.o.**, birisinden çok daha çabuk koşmak; birine taş çıkartmak: **annual** ~, (*bot.*) yılhalkası: **crown** ~, diş çevresi: **split** ~, anahtar halkası.

ring[2] (*g.z.* **rang**, *g.z.o.* **rung** [ran(g), rʌn(g)]) *f.* Çan çalmak; çalınmak; çınla(t)mak; tınlamak; (kuşlara) şifreli yüzük takmak. *i.* Çan/çıngarak sesi; çıngırtı, tıngırtı. **there's a ~ at the door**, kapının zili çalınıyor: **there's a ~ on the telephone**, telefon çalıyor: **give me a** ~, bana telefon ediniz: ~ **true/have a true** ~, gerçeğe benzemek. ~ **down**, ~ **down the curtain**, (*tiy.*) perdeyi indirtmek için zil çalmak; (*mec.*) bir şeye son vermek. ~ **off**, telefonu kapatmak; (*den.*) 'makinenin işi bitti' işareti vermek. ~ **up**, telefon etm.

ring-[3] *ön.* **~-bark**, ağacın büyümesini sınırlamak için kabuğunda halka kesmek. **~-bolt**, halkalı cıvata. **~-dove** [-dʌv], tahtalı. **~ed**, halka/kemer/bilezikli. **~er**, kilise çancısı; (*mal.*) şebeke üyesi. **~-fence**, araziyi çeviren çit vb. **~-finger**, adsız parmak, yüzük parmağı. **~ing**, *s.* yüksek/tannan (ses). **~leader** [-līdə(r)], elebaşı. **~let**, kâkül; halkacık. **~-mail**, halkalı zırh elbise. **~man** = BOOKMAKER. **~-master**, pist eğitmeni, sirk müdürü. **~-necked**, halkalı (kuş). **~-ouzel**, kolyeli ardıç kuşu. **~road/way**, (*oto.*) çevre yolu. **~worm**, saçkıran, kelek.

rink [rin(g)k]. Patinaj yeri.

rinse [rins]. Çalkama(k), durulama(k).

Rio de Janeiro ['rīoudəcə'niərou]. Rio de Janeiro.

riot ['rayət] *i.* Kargaşalık; hengâme; ayaklanma, fesat. *f.* Halk sokaklara üşüşüp gürültülü kargaşalık yapmak. **read the ~ Act**, fesatçılara karşı ateş açmadan önce ihtarda bulunmak; (*mec.*) şiddetle azarlamak ve ihtarda bulunmak: **run** ~, başıboş hareket etm.; ele avuca sığmamak. **~er**, ihtilâlcı, nümayişçi. **~-gun/-shield**, nümayişçilere karşı kullanılan tabanca/kalkan. **~ous**, gürültülü; kargaşalık çıkarıcı: ~ **living**, hovardalık.

rip[1] [rip] *i.* Yarık, yırtık. *f.* Yarmak, yırtmak; dikişini sökmek; yarılmak; (*kon.*) ~ **(along)**, alabildiğine koş(tur)mak. ~ **open**, yırtıp açmak; karnını delmek.

rip[2]. Uçarı çapkın.

RIP (*Lat.*) Allah rahmet etsin.

riparian [ray'peərian]. Nehir kenarlarına ait.

ripcord ['ripkōd] (*hav.*) Açma tel/ipi.

ripe [rayp]. Kemale ermiş; olgun. **a plan ~ for execution**, tatbika hazır proje. **~n**, olgunlaş(tır)mak; kemale er(dir)mek. **~ness**, kemal; olgunluk, erginlik.

riposte [rı'post] *i.* Hemen verilen cevap; karşılık hamle. *f.* Nükteli/sert cevap vermek; mukabele etm.

ripp·er ['ripə(r)]. Yırtıcı, kesici; (*dok.*) dikişleri söken alet; (*arg.*) mükemmel bir adam. **~ing**, yırtan, kesen, söken; (*arg.*) mükemmel; âlâ, nefis.

ripple ['ripl] *i.* Dalgacık. *f.* Çağlamak; hafifçe dalgalan(dır)mak. **~-mark**, kumda dalgacık gibi iz.

ripsaw ['ripsō]. Kaba dişli testere.

rise[1] [rayz] *i.* Yükselme, yükseliş; terfi; çıkış, zuhur; yokuş; çıkıntı; artma; doğuş, tulu. **ask for a** ~, maaşının artmasını istemek: **be on the** ~, (i) artmakta olm.; (ii) (balık) sinek yutmak için su yüzüne çıkmak: **get a** ~, terfi etm., maaşını artırılmak: **have a** ~, (balık avında) oltaya bağlı yapma sinekle balığı kandırıp su yüzüne cıkarmak, *ve bundan* **get/take a ~ out of s.o.**, birini hassas bir noktasına basıp tahrik ederek kızdırmak: **give ~ to**, sebep olm., tevlit etm.: **take its** ~; (nehir) kaynağından çıkmak: ~ **and fall**, iniş çıkış; met ve cezir.

rise[2] (*g.z.* **rose**, *g.z.o.* **~n**) [rayz, rouz, rizn] *f.* Kalkmak; çıkmak; yükselmek, terfi etm.; kaldırılmak; artmak; erişmek, yetişmek; (güneş) doğmak; zuhur etm.; ayaklanmak; (meclis vb.) tatil edilmek; (balık) sinek/oltadaki yapma sineği tutmak için su yüzüne çıkmak, *ve bundan* ~ **to a remark**, tahrık amacıyle söylenen bir söze kapılarak kızmak: ~ **from the dead**, (ölü) dirilmek: **my hair rose**, saçlarım dimdik oldu: **my whole soul ~s against it**, bütün ruhum buna karşı isyan ediyor: ~ **to power**, iktidara geçmek.

riser ['rayzə(r)]. Kalkan/çıkan kimse/şey; (*müh.*) kolon; (*ev.*) merdiven basamağının dik yüzü: **early** ~, sabahçı.

risible ['rizibl]. Güldürücü.

rising ['rayzin(g)] *s.* Yükselen; artan; doğan. *i.* Kalkış; doğuş; artma; yükseliş; isyan, ayaklanma, kargaşalık. **be ~ four**, dört yaşına yaklaşmak: **the ~ generation**, yeni kuşak: **a ~ man**, istikbali parlak/sivrilecek adam.

risk [risk] *i.* Tehlike; dokunca, baht, risk, riziko, şans. *f.* Tehlikeye atmak; göze almak; riske etm. **at** ~, tehlikede: **run a** ~, tehlikeye girmek/sokmak, riske etm.: **take a** ~, tehlikeyi göze almak: ~ **one's own skin**, dayak yemeği/yaralanmağı göze almak. **~y**, tehlikeli; dokunca/rizikolu; zarar vermesi muhtemel; şanslı: **a ~ story**, açık saçık hikâye.

risqué ['rīskey] (*Fr.*) Açık saçık.

rissole ['risoul]. Ekmek kırıntısıyle karışık kıyma kızartması; köfte.

rit·e [rayt]. Ayin, dinî tören. **~ual** ['rityuəl], dinî tören(e ait); örf, usul: **~ism**, törene çok önem verme: **~ist**, törene önem veren; törenle tapan.

ritzy ['ritsi] (*kon.*) Lüks hayatına ait.

rival ['rayvl] *i.* Rakip. *f.* Rekabet etm.; eşit olm. **without** ~, emsal/eşsiz: **nobody can ~ him in eloquence**, hitabette kimse ona çıkışamaz. **~ry**, rekabet; gıpta.

rive [*g.z.* **~d**, *g.z.o.* **~d/~n**) [rayv(d), rivn]. Yar(ıl)mak, parçala(n)mak.

rivel ['rivəl]. Buruş(tur)mak.

riven ['rivn] *g.z.o.* = RIVE.

river ['rivə(r)]. Irmak, nehir; çay, (tatlı) su. **~ain** [-reyn], ırmak kenarın·a ait/-da yaşıyan. **~-bank**, ırmak kıyı/kenarı. **~-basin**, ırmak havza/bölgesi. **~-bed**, ırmak yatağı. **~-front**, (şehirde) ırmak kenarı. **~head**, pınarbaşı, ırmak kaynağı. **~-horse**, su aygırı. **~-meadow**, su basan çayır. **~-rat**, ırmak hırsızı. **~side**, ırmak kenarı(na ait/-nda bulunan).

rivet ['rivit] *i.* Perçin çivisi. *f.* Perçinlemek. ~ **one's attention**, dikkatini bir noktaya çivilemek. **~ting**, percinle(n)me; (*mec.*) hayran bırakan.

riviera [rivi'erə]. G.Fransa bölgesi.

rivière ['rivier]. Mücevher gerdanlık.
rivulet ['rivyulit]. Derecik; çırçır.
rkt. = ROCKET: ~**l.** = ROCKET-LAUNCHER.
RL = RUGBY LEAGUE. ~**S** = ROBERT LOUIS STEVENSON.
rly. = RAILWAY.
rm. = ROOM.
RM = RESIDENT MAGISTRATE; ROYAL MAIL; ROYAL MARINES. ~**A/C** = ROYAL MILITARY ACADEMY/COLLEGE. ~**S** = ROYAL MAIL STEAMER.
r.m.s. = ROOT-MEAN-SQUARE.
Rn. (*kim.s.*) = RADON.
RN = REGISTERED NURSE; ROYAL NAVY. ~**A** = RIBONUCLEIC ACID. ~**AS** = ROYAL NAVAL AIR SERVICE/STATION. ~**B/C** = ROYAL NAVAL BARRACKS/COLLEGE. ~**LI** = ROYAL NATIONAL LIFEBOAT INSTITUTION. ~**(V)R** = ROYAL NAVAL (VOLUNTEER) RESERVE. ~**Z·AF/N** = ROYAL NEW ZEALAND AIR FORCE/NAVY.
roach [rouç]. Çamçak, kızılgöz.
road [roud]. Yol, şose, cadde. ~**s**, gemilerin demir yeri: **a car that holds the ~ well**, yolda sıçramıyan otomobil: **the rule of the ~**, araba vb.nin yolun hangi tarafından gideceğini tayin eden nizam: **hit/take the ~**, yola çıkmak: **dirt/earth ~**, toprak yol. ~**book**, yol rehber/kılavuzu. ~**block**, yolda tanksavar engel; yolda (*mes.* polisçe) kurulan engel. ~**craft**, (*oto.*) kullanma ustalığı. ~**-fund (licence)**, vasıtalar vergisi (makbuzu). ~**-hog**, başkalarını hiç düşünmiyen şoför. ~**holding**, sıçramama niteliği. ~**-house**, konak, motel. ~**-junction**, yol ağzı, dörtyol. ~**man**/~**mender**, yol işçi/tamircisi. ~**map**, yol haritası. ~**metal**, (yol için) kırma taş. ~**show**, (*tiy.*) gezici topluluğun temsili. ~**side**, yol kenarı(nda bulunan). ~**sign**, yol işareti. ~**stead** [-sted] (*den.*) liman açıkları, demir yeri, uğrak. ~**ster**, (uzun yol için) beygir/bisiklet/otomobil vb. ~**way**, yol kışmı, şoşe. ~**works**, yol inşa/tamiri. ~**worthy** [-wə̄ði], yola elverişli.
roam [roum] *f.* Amaçsız dolaşmak, gezmek, başıboş gezmek. *i.* Gezinti.
roan[1] [roun]. Demir/mercan kırı (at). **red ~**, kula.
roan[2]. Meşin.
roar [rō(r)] *i.* Aslan sesi; gürleme. *f.* Aslan gibi bağırmak; gürlemek, kükremek; bar bar bağırmak; (at) hırıltılı solumak. ~**s of laughter**, gürültülü kahkahalar: **set the table in a ~**, sofrada herkesi gülmekten katıltmak. ~**er**, soluğan at. ~**ing**, gürleyen; solugan (at); çayır çayır yanan (ateş): **the ~ forties**, 40°–50° güney paralel dairesinde bulunan deniz bölgesi: **in this heat the ice-cream sellers are doing a ~ trade**, bu sıcakta dondurma kapışılıyor.
roast [roust] *i.* Kızartma, rosto. *f.* Kızartmak; kavurmak. *s.* Kızartmış. **rule the ~**, sözü geçmek; dediği dedik olmak. ~**er**, kızartmaya uygun piliç vb.
rob [rob]. Çalmak, hırsızlık etm.; soymak. **~ s.o. of stg.**, birinin bir şeyini çalmak. ~**ber**, hırsız; haydut: ~**-fly**, avcı sinek. ~**bery**, hırsızlık: **highway ~**, haydutluk.
robe [roub] *i.* Rop; elbise; cüppe, fistan; kaftan. *f.* Giydirmek. **~ of honour**, kaftan, hil'at.
robin ['robin]. **~ (redbreast)**, Kızılgerdan, nar bülbülü, mehmetçik: **round ~**, çok imzalı bir dilekçe: **rufous bush ~**, Suriye pas rengi çalı bülbülü. **~ Hood** [-'hud], zenginleri soyup fakirlere yardım eden meşhur İng. haydudu.
roborant ['roubərənt]. Kuvvetlendirici (ilâç).
robot ['roubot] *i.* Makine adam; robot. *s.* Otomatik: **~ bomb**, uçan bomba.
roburite ['roubərayt]. Alevsiz patlayıcı madde.
robust [rou'bʌst]. Gürbüz, dinç; kuvvetli. ~**ious**, gürültülü; kabadayı. ~**ly**, gürbüz olarak. ~**ness**, gürbüzlük.
roc [rok] (*mit.*) Anka/ruh kuşu.
ROC = ROYAL OBSERVER CORPS.
rochet ['roçit]. Piskoposun beyaz cüppesi.
rock[1] [rok] *f.* Salla(n)mak, sars(ıl)mak; ırgalamak. **~ to sleep**, beşiği sallayarak bebeği uyutmak.
rock[2] *i.* Kaya(ç), külte; kayalık; taş. **the R~**, Cebelitarik: ~**s**, (*kon.*) elmaslar: **(Blackpool) ~**, herhangi bir sayfiye şehrine mahsus şekerleme çubuğu: **on the ~s**, (içki) buz ile: **be on the ~s**, kayalıkta oturmak; kötü bir durumda bulunmak: **see ~s ahead**, önünde tehlike/engel görmek: **run upon the ~s**, (gemi) kayalığa çarpmak. ~**-bottom**, en alçak nokta: **~ price**, en aşağı fiyat. ~**-bound**, kayalarla kuşatılmış. ~**-bun/-cake**, dışı pürüzlü küçük kek. ~**-cedar**, karaardıç. ~**-crystal**, neceftaşı. ~**-dove/-pigeon**, kaya güvercini.
rocker ['rokə(r)]. Beşik ayağı; makinelerde sallama cihazı. **off his ~**, (*arg.*) bir tahtası eksik. ~**-arm**, külbütör.
rockery ['rokəri]. Kayalıklarda yetişen çiçekler için taş ve çakıldan yapılan küçük bahçe.
rocket[1] ['rokit]. Roka (salatası).
rocket[2] *i.* Havaî fişek; roket; füze; tepkili mermi. *f.* Havaî fisek gibi uçmak. **prices are ~ing**, fiyatlar anî olarak yükseliyor: **give s.o. a ~**, (*mec.*) birini şiddetle azarlamak. ~**-bomb**, roket/tepkili bomba. ~**-propelled**, roketle işler.
rock·-face ['rokfeys]. Kayaç yüzeyi: ~**d**, (*mec.*) kaba/sert yüzlü. ~**-fall**, kaya uçması. ~**-garden** = ~ERY. ~**-goat**, Alp dağ keçisi. ~**-hewn** [-hyūn], kayaya oyulmuş. ~**-hopper**, altın penguen. ~**ies** = ~Y. ~**ing**, sallanır: ~**-chair/-horse**, salıncaklı sandalye/oyuncak at. ~**like** [-layk], kaya gibi; sert; kımıldanamaz. ~**-limpet**, koni kabuklu salyangoz. ~**ling**, gelincik balığı. ~**-'n'-roll**, 'sallan-yuvarlan' dans müziği. ~**-oil**, taş/maden yağı, petrol. ~**-plant**, dağ çiçeği. ~**-salmon** = DOGFISH. ~**salt**, kaya tuzu. ~**wool**, asbest. ~**y**, kayalık; kaya gibi; salıntılı: **~ Mountains/Rockies**, Kayalık Dağlar.
rococo [rou'koukou] (*san.*) Rokoko.
rod [rod]. Çubuk; değnek, baston; sırık; asa; bir kaç ince daldan ibaret dayak aleti; bir İng. uzunluk ölçüsü (*ortalama 5 metre*); (*biy.*) çomak gözesi; *(*arg.*) revolver; (*müh.*) kol: **~ and line**, sırıklı balık oltası: **make a ~ for one's own back**, belâyı başına satın almak: **have a ~ in pickle for s.o.**, birisi için kızılcık sopası saklamak: **rule with a ~ of iron**, çok sıkı bir disiplinle idare etm.: **spare the ~ and spoil the child**, kızını dövmiyen dizini döver *gibilerden*: **con(necting) ~**, piston kolu, biyel: **levelling ~**, mira: **tie ~**, gergi çubuğu.
rode[1] [roud] *g.z.* = RIDE.
rode[2]. (Kuşlar) geceleyin karaya uçmak.
rodent [roudənt]. Kemir·gen/-ici (hayvan). ~**-officer**, resmî RATCATCHER.
rodeo [rou'deyou]. Kovboy eğlentisi.
rodomontade [rodəmon'teyd]. Övüngen (söz).

Rodosto [ro'dostou]. Tekirdağ.
roe[1] [rou]. **hard** ~, balık yumurtası: **soft** ~, balık nefsi.
roe[2]. ~ **(-deer)**, Karaca. ~**buck**, erkek karaca.
roentgen ['rəntgen]. Işınma birimi. ~**ography** [-'ogrəfi], röntgenografi. ~**ology**, röntgen/ışın bilgisi.
rogation [rou'geyşn] (*din.*) Niyaz, yalvarma.
Roger ['rocə(r)] *i.* Erkek ismi; (*rad.*) 'anladım!' işareti; (*arg.*) = COPULATION. **Jolly** ~, korsan bayrağı.
rogu·e [roug]. Çapkın; yaramaz; dolandırıcı; serseri. **a** ~ **elephant**, sürüden ayrılmış ve ekseriya pek tehlikeli olan fil: ~**s' gallery**, sabıkalıların resimlerini ihtiva eden ve polisçe maznunların teşhisinde kullanılan albüm. ~**ery**, dolandırıcılık; yaramazlık. ~**ish**, çapkınca; kurnaz, şeytan.
roil [royl]. Bulandırmak; (*mec.*) sinirlendirmek.
roister ['roystə(r)]. Cümbüş/gürültü etm. ~**er**, gürültücü, şamatacı; âlem yapan kimse.
Roland ['rouland]. Erkek ismi. **give s.o. a** ~ **for his Oliver**, taşı gediğine koymak.
role [roul] (*tiy.*) Rol.
roll[1] [roul] *i.* Tomar; (kumaş) top; üstüvane; top francala; sicil, defter, liste; (*ev.*) sarma; (*müh.*) hadde; (*hav.*) tono; (*sp.*) takla. **a** ~ **of butter**, yağ topağı: **call the** ~, yoklama yapmak: **strike s.o. off the** ~**s**, (bir avukatı) barodan çıkarmak: **flick-**~, (*hav.*) seri tono.
roll[2] *f.* (Top; trampete vb.) gürleme(k).
roll[3] *f.* Yuvarla(n)mak; tomar yapmak; (sigara) sarmak; loğ/silindirle tesviye etm.; haddeden geçirmek; yalpa vurmak; salınmak. *i.* Yuvarlanma; yalpa; dalgalanma. ~ **into a ball**, top etm.: ~ **oneself into a ball**, tortop olm.: ~ **one's eyes**, gözlerini devirmek: **he is** ~**ing in money/wealth**, denizde kum onda para: ~ **(out) paste**, hamuru oklava ile açmak: ~ **one's r's**, r harfini keskin telaffuz etm., gılamak: **walk with a** ~, salınarak gezmek. ~ **by**, yuvarlanarak geçmek; (vakit) geçmek. ~ **in**, (araba, otomobil) gürüldiyerek girmek. ~ **on**, yuvarlanmağa devam etm.; geçmek. ~ **out**, silindir ile yaprak haline getirmek. ~ **over**, çevirmek; bir taraftan öbür tarafa yuvarlanmak: ~ **over and over**, teker meker yuvarlanmak. ~ **up**, tomar yapmak, sarmak: ~ **up one's sleeves**, kollarını sıvamak: ~ **oneself up in a blanket**, bir yorgana sarılmak: **the guests were beginning to** ~ **up**, misafirler sökün etmeğe başladı.
roll-[4] *ön.* ~**able**, yuvarlanır; haddeden geçirilir; sarılır. ~**-call**, yoklama. ~**-collar/-neck**, (*mod.*) geniş ve sarılmış yaka. ~**ed**, yuvarlanmış; haddelenmiş; çekme; tomar halinde: ~ **iron**, haddeden geçirilmiş demir: ~ **gold**, altın kaplama.
roller ['roulə(r)]. Loğ; silindir; üstüvane; merdane; makara; hadde; tekerleme (dalga); (*zoo.*) gök kuzgun, yeşil/bakır karga. ~**-bearing**, merdane şeklinde bilye, makaralı yatak. ~**-blind**, istor. ~**-skate**, tekerlekli ayak kızağı. ~**-top**, istorlu kapak: ~ **desk**, istorlu yazıhane. ~**-towel**, iki ucu tutturulmuş ve bir sopaya geçirilmiş havlu.
rollick ['rolik]. Cümbüş yapmak, âlem yapmak. **a** ~**ing life**, içkiyle eğlentiyle geçirilen ömür: **a** ~**ing time**, pek neşeli ve canlı bir âlem.
rolling ['roulin(g)]. Yalpa; haddeleme; sallanma; (*sin.*) döner. ~**-mill**, haddehane. ~**-pin**, (*ev.*) çırçır, oklava. ~**-press**, hadde tezgâhı. ~**-stock**, (*dem.*) taşıt. ~**-stone**, (*mec.*) mütereddit/kararsız bir kimse: **a** ~ **gathers no moss**, yuvarlanan taş yosun tutmaz.
roll·-neck = ~-COLLAR. ~**-on**, (*mod.*) kolay giyilen bir çeşit korsa. ~**-on-**~**-off**, kıçtan girilip pruvadan bırakılan feribot.
roly-poly [rouli'pouli] *i.* Bir çeşit reçelli sarma börek. *s.* Tombul, şişman.
Rom [rom]. Erkek çingene/kıptî.
Rom. = ROMAN; ROMANCE[1].
Rom·aic [rou'meyik]. Şimdiki Yunanca/Rumca(ya ait). ~**an** ['roumən] *i.* Romalı (*ç.* ~**s**): *s.* Roma+; Romen: ~ **candle**, maytap: ~ **Catholic**, katolik: ~ **nosed**, koç burunlu: ~ **numerals**, harfle yazılan Romen rakamları.
romance[1] [rou'mans]. Latinceden çıkan diller.
romance[2] *i.* Masal, hikâye; hayal; dokunaklı ve roman gibi bir sergüzeşt/aşk macerası. *f.* Masal/abartmalı hikâyeler söylemek. ~**r**, hikâyeci; yalancı.
Romanesque [roumə'nesk] (*mim.*) Roman üslubu.
Romania/Rumania [rou'meyniə, rū-]. Romanya. ~**n**, *i.* Romanyalı, Rumen; Rumence: *s.* Romanya+.
Roman·ish ['roumənış] (*köt.*) Katoliklere ait. ~**ism**, katolik mezhebi. ~**ist**, katolik. ~**ize** [-nayz], (*tar.*) Roma / (*din.*) katolik kilisesine çevir(il)mek. ~**o-** [-'meynou-], *ön.* Roma+; Roma İmparatorluğuna ait. ~**sh** [-'manş], bir İsviçre lehçesi.
romantic [rou'mantik] *s.* Roman tarzında; hayalî; masalımsı; şairane; içli; romantik. *i.* Romantik bir yazar. ~**ally**, romantik bir şekilde. ~**ism** [-tisizm], romantizm, romantik akım. ~**ist** [-sist], romantizm taraftarı. ~**ize** [-sayz], romantik üslupla yazmak.
Romany ['roməni]. Kıptı, çingene; çingenece.
Rom·e [roum]. Roma. **when in** ~ **do as the Romans do**, çevreye uymak gerek: ~ **was not built in a day**, büyük işler zaman ister, aceleye gelmez. ~**ish**, (*köt.*) katolik.
romp [romp]. Hoyratça oyun (oynamak), zıplama(k) ve sıçrama(k); hoyrat ve gürültücü çocuk. ~ **home**, bir yarışı kolayca kazanmak. ~**er(s)**, (*çoc.*) askılı pantolon.
rond·eau/~**el** ['rondou, -dəl] (*edeb.*) On/on üç mısralı ve iki kafiyeli şiir. ~**o**, (*müz.*) ilk nağmesini ötekileriyle tekrarlayan bir piyes.
Röntgen ['rəntyen]. ~ **rays**, röntgen ışınları: = ROENTGEN.
roo [rū] (*Avus., kon.*) = KANGAROO.
rood[1] [rūd]. İng. arsa ölçüsü = 10 ar.
rood[2]. Haç. ~**-screen**, kilisede cemaat yeriyle koro mahfili arasındaki bölme. ~**-loft**, bu bölme üzerindeki mahfil.
roof [rūf] *i.* Dam; çatı. *f.* Ev üzerine dam koymak. **the** ~ **of the mouth**, damak eteği: **have a** ~ **over one's head**, başını sokacak bir yeri olm.: **flat** ~, düz dam. ~**age** [-fic], çatı madde/yüzeyi. ~**ed** [-ft], dam/çatılı. ~**er**, dam/çatı tamircisi. ~**-floor**, çatı (katı). ~**-garden**, dam/çatı bahçesi. ~**ing**, çatı (levazımatı); dam örtüsü. ~**less**, damsız; evsiz. ~**-rack**, (*oto.*) üstteki bagaj rafı. ~**-top**, damın dış yüzeyi. ~**-tree**, çatı kirişi. ~**-truss**, çatı makası.

roinek ['rūinek] (*G.Afr.*) Yeni gelen, (*bilh.*) İng. muhaciri.
rook[1] [ruk]. Ekin kargası.
rook[2]. Satranç oyununda ruh.
rook[3] *i.* Hilekâr adam. *f.* Hile ile parasını almak; sızdırmak. **be ~ed**, aldanmak; fahiş bir fiyatla almak.
rookery ['rukəri]. Ekin kargalarının yuvalarını bir arada yaptıkları yer; karga derneği. **seal ~**, ayı balıklarının toplandıkları yer.
rookie ['ruki] (*arg.*) Acemi asker/*oyuncu.
room [rūm, rum] *i.* Oda; yer. *f.* *Apartman tutmak. **ball-~**, balo salonlu: **bed-~**, yatak odası: **dining-~**, yemek odası: **double-~**, iki kişilik/çift yataklı oda: **drawing-~**, misafir salonu: **single-~**, tek kişilik/yataklı oda: **sitting-~**, oturma odası, salon: **state-~**, resmî salon: **waiting-~**, bekleme salonu: **~s**, apartman; pansiyon: **in s.o.'s ~/in the ~ of s.o.**, birinin yerine: **be ~ for . . .**, -e saha bulunmak: **find ~ for . . .**, -e saha bulmak: **be cramped for ~**, yerin darlığından sıkışık olm.: **there is no ~ for doubt**, şüpheye yer yoktur: **there is ~ for improvement**, ıslah/düzelmeğe muhtaçtır: **live in ~s**, bir evde oda tutup oturmak: **make ~ for s.o.**, birine yer vermek/açmak: **his ~ is preferable to his company**, yokluğu hissedilmez: **take up a great deal of ~**, çok yer tutmak. **~-divider**, odayı ikiye bölen mobilya. **-~ed**, (*son.*) . . . odalı. **~ful**, oda dolusu. **~iness**, ferahlık, genişlik. **~-mate**, oda arkadaşı. **~-service**, (otelde) yemeklerin oda servisi. **~-temperature**, normal oda sıcaklık derecesi (20°C). **~y**, ferah; geniş; bol.
roost [rūst] *i.* Tünek; tavukların gece vakti tünedikleri yer. *f.* Geceleyin tünemek. **at ~**, tünemiş: **go to ~**, (kuşlar) geceleyin tüneklerine konmak: **evil deeds come home to ~**, insan ettiğini bulur: **rule the ~**, = ROAST. **~er**, horoz.
root [rūt] *i.* Kök; asıl, menşe; mastar; gövde; cezir. *f.* Köklemek; eşelemek. **cube ~**, küpkök: **square ~**, karekök: **tap ~**, (*bot.*) kazıkkök: **at the ~ of the matter**, meselenin esasında: **get to the ~ of the matter**, esas anlamını kavramak: **~ up/out**, söküp çıkarmak; kökünden koparmak; yok etmek. **~ and branch**, usul ve füru: **destroy ~ and branch**, kökünü kurutmak: **be ~ed to the spot**, olduğu yere mıhlanmak: **take ~**, kök bağlamak. **~age** [-tic], kökleme; köklü olma; kökler sistemi. **~-circle**, (*müh.*) taban dairesi. **~-crops**, yenilir köklü bitkiler. **~ed**, köklü; kökleşmiş; sabit; esaslı. **~less**, köksüz; (*mec.*) asılsız. **~let**, küçük kök. **~-stock**, rizom; (*mec.*) menşe. **~y**, (bol) köklü; kök gibi.
rope [roup] *i.* İp; halat. *f.* İp ile bağlamak. **~ of pearls**, inci gerdanlık: **know the ~s**, (bir işin) yolunu yordamını bilmek: **put s.o. up to the ~s**, birine bir şeyin yolunu göstermek: **give him enough ~ and he'll hang himself**, sen hiç karışma o belâsını bulur. **~ in**, etrafını iple çevirmek: **~ s.o. in**, (*kon.*) birinin yardımını sağlamak. **~ off**, bir yerin bir kısmını iple ayırmak. **~-climbing**, halata tırmanma; (dağcılık) halatla tırmanma. **~-dancer**, ip cambazı. **~-ladder**, ip merdiven. **~'s-end**, (*den.*) çıma; dayak atmak için kullanılan ip parçası: **get the ~**, dayak yemek. **~-walk**, halat bükme yeri: **~er**, ip cambazı.
ropy ['roupi]. Halat biçimli; yapışkan; bozulmuş (bira, şarap).
RORC = ROYAL OCEAN RACING CLUB.
rorqual ['rōkwəl]. Fin balinası. **~s**, çatal-kuyruklu balinagiller.
ros·ace ['rouzeys] (*mim.*) Gül şeklinde (pencere). **~aceous** [-'zeyşəs], güllere ait. **~arian** [-'zeəriən], gül yetiştiricisi. **~arium/~ary**[1], gül bahçesi. **~ary**[2], tespih.
rose[1] [rouz] *i.* Gül; gül şeklinde şey; bahçe sulama kovası için süzgeçli ağızlık; pembe renk. *s.* Pembe. **life is no bed of ~s**, bu dünya her zaman güllük gülistanlık değildir: **no ~ without its thorn**, dikensiz gül olmaz: **under the ~**, sır olarak; mahrem surette: **brier/dog ~**, yabanî gül: **cabbage ~**, Vangülü: **Christmas ~**, kışta çiçeklenen bir çöpleme: **damask ~**, Şam gülü: **floribunda ~**, bütün mevsim bol çiçekli olan gül cinsi: **(hybrid) tea ~**, (melez) çay gülü.
rose[2] *g.z.* = RISE[2].
rosé [rou'zey] (*Fr.*) Pembe şarap.
rose·ate ['rouziət]. Gül renkli; pembemsi. **~-bay** = OLEANDER. **~-bed**, gül tarhı. **~bud** [-bʌd], gül koncası. **~bush**, gül ağacı. **~-chafer**, altın böcek. **~-coloured**, pembe renkli; güllük gülistanlık: **see the world through ~ spectacles**, her şeyi pembe görmek, iyimser olm. **~-(cut) diamond**, Felemenk taşı. **~-lipped** [-lipt], pembe dudaklı. **~mary** [-məri], biberiye. **~o-**, *ön.* (*kim.*) pembemsi. **~ola** [-'ziələ], kızamıkçık. **~-pink**, pembemsi. **~-red**, gül gibi kırmızı. **~-tree**, gül ağacı. **~tte** [-'zet], rozet. **~-water**, gülsuyu. **~-window**, gülbezek, gül/tekerlek şeklinde pencere. **~wood**, gülağacı; pelesenk/kralağacı gibi güzel kokulu odun.
rosin ['rozin]. Reçine; kolofan.
Rosinante [rozi'nanti]. Pek yorgun bir at.
ROSPA = ROYAL SOCIETY FOR THE PREVENTION OF ACCIDENTS.
Ross (& Cromarty) ['rosʌnd kroməti]. Brit.'nın bir kontluğu.
roster ['rostə(r)]. Görev nöbetlerini gösteren cetvel.
rostrum ['rostrəm]. Hitabet kürsüsü; (*müz.*) şef kürsüsü; kerevet; (*zoo.*) gaga gibi çıkıntı.
rosy ['rouzi]. Gül gibi; pembemsi. **the prospect is not ~**, ilerisi pek parlak görünmiyor.
rot [rot] *f.* Çürü(t)mek. *i.* Çürüklük, çürüme; maneviyatını kırma; boş lakırdı. **stop the ~**, maneviyatı düzeltmek; (*mec.*) yangın saçağı sarmadan bastırmak: **what ~!**, saçma!
rota ['routə] = ROSTER. **~rian** [-'teəriən], 'Rotary Club' üyesi. **~ry** [-təri], dönerek işliyen; fırıldak, dönen, döner(başlı); rotatif: **~ engine**, döner makine: **~ press**, (*bas.*) rotatif.
rotat·e [rou'teyt]. Bir mihver/merkez etrafında dön(dür)mek; devret(tir)mek; (ziraatte) ekilen şeyi yıldan yıla değiştirmek. **~ion** [-'teyşn], dönme, dönüş; deveran; nöbetleşe yapma: **by/in ~**, nöbetle; sırayla; nöbetleşe: **~ of crops**, ekin münavebesi: **four-course ~**, dörtlü münavebe: **~al**, dönüşlü, dönel. **~or** [-'teytə(r)], döndürücü, çevirici (kas). **~ory** ['routətəri], devvar; çark gibi dönen.
***ROTC** = RESERVE OFFICERS' TRAINING CORPS.
rote [rout]. **say/learn stg. by ~**, bir şeyi makine gibi/anlamıyarak, söylemek/ezberlemek: **do stg. by ~**, kör değneğini bellemiş gibi yapmak.
rot-gut ['rotgʌt] (*arg.*) Kötü ve zararlı içki.
rotifer ['routifə(r)] (*zoo.*) Rotatorlar.

rotisserie [rə'tisəri]. Kızartılmış et satan ahçı evi; döner kızartma şişi.
roto·chute [routə'şut]. Rotor-paraşüt. ~**dyne** [-'dayn], hem pervaneli hem de rotorlu uçak. ~**gravure** [-gra'vyū(r)], rotogravür. ~**r** ['rou-], rotor, döneç: ~**craft**, döner kanatlı uçak. ~**vate** [-veyt], (bostan vb.) sürmek. ~**vator**, küçük kültivatör/çapa makinesi.
rotten ['rotn]. Çürük; kokmuş; cılk; sağlam olmıyan; değersiz. **I am feeling** ~, çok fenayım, keyfim bozuk: ~ **luck!**, aksilik, talihsizlik: **turn out** ~, çürük çıkmak. ~**ly**, çürük/kötü bir şekilde. ~**ness**, çürüklük.
rotter ['rotə(r)]. Soysuz, yaramaz; adam olmaz; kabasoğan.
rotund [rou'tʌnd]. Toparlak, değirmi; şişman; tumturaklı, tantanalı (nutuk). ~**a**, kubbeli değirmi bina, yuvarlak yapı. ~**ity**, toparlaklık; şişmanlık.
rouble ['rūbl]. Ruble.
roué ['rūey]. (Yaşlı) çapkın adam.
rouge [rūj]. Allık (sürmek), ruj.
rough[1] [rʌf] *s.* Pürüzlü; düzgün olmıyan; arızalı; tüylü, kaba dokunmuş; sert, şiddetli; fırtınalı, dalgalı (deniz); kötü/rüzgârlı (hava); kaba, hoyrat, kaba saba; tahminî, takribî; taslak, müsvedde. *i.* Taslak, tamamlanmamış hal; külhanbeyi, kabadayı, baldırı çıplak. **cut up** ~ **about stg.**, (*kon.*) bir şeyi mesele yapmak, bir şeye çok kızmak: **at a** ~ **guess**, tahminen, aşağı yukarı: ~ **house**, gürültülü ve kavgalı kargaşalık: ~ **justice**, resmî makamlara baş vurmadan mahallinde yerine getirilen adalet: **it's** ~ **(luck) on him!**, ona yazık oldu: **sleep** ~, yataksız/açıkta/nerede olursa olsun yatmak: ~**ly speaking**, tahminen, aşağı yukarı: **take the** ~ **with the smooth**, bir şeyin zevkiyle beraber sıkıntısına da katlanmak, her nimetin bir külfeti var *gibilerden*: **have a** ~ **time of it**, çile/eziyet çekmek: **give s.o. the** ~ **side of one's tongue**, birini haşlamak.
rough[2] *f.* Pürüzlendirmek; cilâsını gidermek: ~ **it**, (*kon.*) meşakkata katlanmak: ~ **up the hair**, saçları karmakarışık etm.: ~ **out**, taslağını yapmak.
rough-[3] *ön.* ~**age** ['rʌfic], ot/saman gibi gıdası az hacmi büyük yem. ~**-and-ready**, işe yarar derecede; emek sarfetmeden hazırlanmış; yasak savar; tahminî. ~**-and-tumble**, itip kakma: **the** ~ **of life**, hayatın acısı tatlısı. ~**-cast**, kaba sıva(lı); kum ve çakılla karışık kaba bir sıva ile örtmek; taslağını yapmak. ~**-coated**, uzun tüylü, sert tüylü. ~**en**, pürüzlen(dir)mek; cilâsını gidermek; kabalaşmak; (deniz) dalgalı olm. ~**-hew** [-'hyū], kabaca yontmak; kabasını almak: ~**n**, baltamalı. ~**ish**, oldukça kaba. ~**ly**, kaba bir şekilde. ~**neck**, (*arg.*) külhanbeyi. ~**ness**, huşunet; hoyratlık; sertlik; şiddet; kabalık; tüylülük; pürüzlülük; arızalılık; dalgalanma. ~**-rider**, (yabanî) at terbiyecisi; başıbozuk süvari. ~**shod**, buz çivileriyle nallanmış: **ride** ~ **over s.o./stg.**, birini hiçe sayarak kötü davranmak; -i ayaklarının altına almak, çiğneyip geçmek. ~**-spoken**, kaba/sert sözlü.
roulette [rū'let]. Rulet oyunu.
Roum·ania [rū'meyniə] = ROMANIA. ~**elia** [-'mīliə] = RUMELIA.
round[1] [raund] *s.* Yuvarlak; değirmi; daire/küre şeklinde; toparlak; kesirsiz. **a** ~ **dozen**, en aşağı bir düzine: **eyes** ~ **with surprise**, faltaşı gibi gözler: ~ **number**, kesirsiz adet: ~ **oath**, okkalı küfür: **go at a good** ~ **pace**, hızlıca gitmek: **with** ~ **shoulders**, omuzları kamburlaşmış: ~ **style**, akıcı üslup: ~ **sum**, yuvarlak meblağ/rakam: ~ **towel** = ROLLER-TOWEL: ~ **trip**, başladığı yerde biten seyahat; yöre gezisi.
round[2] *i.* Değirmi; yuvarlak şey; daire; top, küre; devir; grubun beraber/sıra ile ettiği hareket; (*müz.*) bir kaç sesle ve sıra ile söylenen şarkı; (*sp.*) ravnt, dönem, döngü; (*ask.*) bir adet fişek, atım. ~**(s)**, kol, devriye: **there was a** ~ **of applause**, genel bir alkış koptu: ~ **of beef**, sığır budundan kesilen büyük değirmi et parçası: **a continual** ~ **of gaiety**, birbiri arkasına bitmez tükenmez eğlenceler: **the daily** ~, her günkü iş/görev: **go to the** ~**s**, kol gezmek: **(doctor) go on/make his** ~, (doktor) vizitelerine gitmek: **the story went the** ~, hikâye ağızdan ağza dolaştı: ~ **of a ladder**, el merdiveninin basamağı: **out of the** ~, tamamen yuvarlak değil: **stand a** ~ **of drinks**, grupta bulunan herkese içki ısmarlamak: = ~s.
round[3] *f.* Yuvarlak bir hale getirmek; (köşeyi vb.) dönmek. ~ **down/up**, (*mal.*) (bir hesabı) en yakın yuvarlak sayıya indirip/yükseltip getirmek. ~ **off**, tamamlamak, ikmal etm.; düzeltmek; yuvarlak hale getirmek; yuvarlanmak; çevrelemek. ~ **on**, ~ **on one's heel**, ökçesi üzerinde dönmek: ~ **on s.o.**, (i) birdenbire birine saldırmak; (ii) birini kov(la)mak. ~ **up**, (hayvanları) toplamak; (haydutları) sararak yakalamak.
round[4] *zf. & e.* Etrafında; her tarafında; devren; takriben; (*fiillerle olduğu zaman o fiile bakınız*). ~ **about here**, bu çevrede: ~ **about thirty**, aşağı yukarı otuz: **all the year** ~, bütün yıl: **taken all** ~, genel olarak, umumiyet itibarıyle: **argue** ~ **and** ~ **a subject**, sadede bir türlü girmeyip bir konu üzerinde durmadan münakaşa edip durmak: **ask s.o.** ~, (yakında oturan) kimseyi davet etm.: **summer will soon come** ~, yaz yakında tekrar gelecek: **there is not enough to go** ~, bu hepsine/herkese yetişmez: **order the carriage** ~, hizmetçiye arabayı getirtmesini söylemek: **it's a long way** ~, o yol çok dolaşır/uzaktır.
round-[5] *ön.* ~**about**, *i.* atlıkarınca: *s.* dolambaçlı; dolaşık yol. ~**ed**, *s.* yuvarlak. ~**el**, küçük disk, madalyon; (*hav.*) yuvarlak remiz. ~**elay** [-diley], nakaratlı şarkı; kuşların ötüşmesi. ~**ers**, (*çoc.*) bir nevi top oyunu. ~**head**, 17ci asırda İng. iç savaşındaki Parlamento taraftarı. ~**house**, (*dem.*) lokomotif deposu. ~**ing**, yuvarlaklaş(tır)ma. ~**ish**, oldukça yuvarlak. ~**ly**, faal/kesin olarak. ~**ness**, yuvarlak(lık). ~**-shouldered**, biraz kamburca. ~**s**, kol, devriye: ~**man**, devriye: **milk**~, muntazaman eve uğrıyan sütçü. ~**-table conference**, kimseye kıdem verilmemek için yuvarlak bir masa etrafında toplanan konferans: ~**-up**, hayvanları toplama; haydutları vb. yakalama. ~**-the-world**, devriâlem, dünya turu, dünyayı dolaşma.
roup [rūp]. Tavuk difterisi.
rous·e [rauz]. Yatağından çıkarmak; uyandırmak; kaldırmak; canlandırmak; tahrik etm., ayaklandırmak; ikaz etm.; öfkelendirmek: ~ **oneself**, silkinmek; uyuşukluktan çıkmak: = CAROUSE. ~**ing**, canlandıran, tahrik eden.
roustabout ['raustəbaut]. *Rıhtım/gemi ame-

lesi; (*Avus.*) öteberi işlerde çalışan işçi.
rout[1] [raut] *i.* Hezimet, bozgunluk; gürültülü kalabalık. **(put to)** ~, bozguna uğratmak; tarumar etm.: **an utter** ~, kahkari bir hezimet.
rout[2] *f.* ~ **about/up**, eşelemek; araştırarak karıştırmak: ~ **out**, yatağından çıkarmak; çekildiği/saklandığı yerden çıkarmak.
route [rūt]. Takip edilecek yol; güzergâh; yol; hat, rota. **en** ~ **for**, -e gitmek üzere. *~**-man** = ROUNDSMAN. ~**-march**, (*ask.*) idman yürüyüşü.
routine [rū'tīn]. Usul; âdet; bir şeyin usulü dairesi. **the daily** ~, her günkü işin gidişi: ~ **work**, her günkü iş: **do stg. as a matter of** ~, bir şeyi alışkanlık dolayısıyle yapmak; her günkü iş diye yapmak.
rove[1] [rouv] *g.z.* = REEVE[2].
rov·e[2] (*dok.*) *i.* Az bükülmüş iplik. *f.* Hafifçe bükmek. ~**ing**[1], (fitil) büküm(ü).
rov·e[3] *f.* ~ **(about)**, ötedeberide dolaşmak; serserilik etm.: **his eyes** ~**d over the pictures**, gözlerini resimler üzerinde gezdirdi: ~ **the seas**, korsanlık etm. ~**er**, başıboş gezinen; serseri; korsan; ergin izci. ~**ing**[2], *i.* serserilik; başıboş gezinme, avarelik: *s.* serseri, avare; göçebe.
row[1] [rou] *i.* Sıra, dizi, saf. **hard** ~ **to hoe**, güçlüklü iş: **in a** ~, sırasında, üst üste.
row[2] *f.* Kürek çekmek; kürekle yürütmek: **go for a** ~, kürekli kayıkla gezmek.
row[3] [rau] *i.* Gürültü, şamata, velvele; kavga. **get into a** ~, esmayı üstüne şıçratmak; başını belâya sokmak: **have a** ~ **with s.o.**, biriyle atışmak, kavga etm.: **hold your** ~!, sus!, dilini tut!: **make/kick up a** ~, çok gürültü yapmak; kıyamet koparmak.
rowan ['rouən]. Üvez ağacı.
rowd·ily ['raudili]. Gürültülü olarak. ~**iness**, gürültü(cülük), şamata; yaramazlık. ~**y**, *i.* külhanbeyi; baldırıçıplak: *s.* gürültücü: ~**ism** = ~INESS.
rowel ['rauəl]. Mahmuz fırıldağı.
row·er ['rouə(r)]. Kürekçi. ~**ing**, kürek çekmesi; kürek sporu: ~**-boat**, kayık, sandal: ~**-machine**, idman için kürekler gibi bir makine. ~**lock**, ıskarmoz.
royal ['royəl]. Kral(içey)e ait; şahane; mükemmel, en âlâ; kral(içe) himayesinde olan. ~ **family**, hanedan: **His/Her** ~ **Highness**, prens(es)lere verilen unvan, altes: **have a (right)** ~ **time**, son derece eğlenmek: **there is no** ~ **road to success**, başarıya kolay erişilmez. ~**ism**, kral taraftarlığı, kralcılık. ~**ist**, kral taraftarı. ~**ly**, kral gibi; şahane bir şekilde. ~**ty**, krallık; hanedandan kimse; hükümdar malikâne/hissesi; (*huk.*) (madencilik) arazi sahibine verilen hisse; imtiyaz karşılığı; telif/yapıt ücreti.
rozzer ['rozə(r)] (*arg.*) Polis.
RP·C = ROYAL PIONEER CORPS. ~**DI** = REAL PERSONAL DISPOSABLE INCOME. ~**I** = RETAIL PRICE INDEX.
r.p.m. = RESALE PRICE MAINTENANCE; REVOLUTIONS/ROUNDS PER MINUTE.
RPS = ROYAL PHOTOGRAPHIC SOCIETY.
-rrhachis [-rakis] *son.* (*tıp.*) -omurilik.
-rrhag·e/- ~**ia** [-reyc, -raciə] *son.* (*tıp.*) Hadden aşırı akış [HAEMORRHAGE].
-rrhea [-riə] *son.* (*tıp.*) Bol akış [DIARRHEA].
RRP = RECOMMENDED RETAIL PRICE.
RS = ROYAL SCOTS; ROYAL SOCIETY. ~**A** = ROYAL SOCIETY OF ARTS. ~**A/J** = ROLLED STEEL ANGLE-BAR/JOIST. ~**igs** = ROYAL CORPS OF SIGNALS. ~**M** = REGIMENTAL SERGEANT-MAJOR. ~**PCA** = ROYAL SOCIETY FOR THE PREVENTION OF CRUELTY TO ANIMALS. ~**VP** (*Fr.*) = PLEASE REPLY.
R/T = RADIO-TELE·GRAPHY/-PHONY.
Rt. Hon./Rev. = RIGHT HONOURABLE/REVEREND.
RTO (*ask.*) = RAILWAY TRANSPORT OFFICER.
Ru. (*kim.s.*) = RUTHENIUM.
RU = RUGBY UNION.
rub [rʌb] *i.* Ovma; sürtünme, sürtüşme. *f.* Sürt(ün)mek; ov(uştur)mak; ovalamak; aşın(dır)mak; temas etm., bağıntı kurmak. **give stg. a** ~ **up**, bir şeyi parlatmak/cilâlamak: **there's the** ~!, asıl güçlük budur!: ~ **shoulders with**, -le haşır neşir olm.: ~ **s.o. (up) the wrong way**, birinin damarına basmak. ~ **along, we manage to** ~ **along (somehow)**, geçinip gidiyoruz. ~ **down**, silmek; hafifçe tımar etm., gebrelemek; ovmak; silip aşındırmak/düz etmek. ~ **in**, (bir ilâç/melhemi) sürerek yedirmek: **don't** ~ **it in!**, (*kon.*) haksız olduğumu biliyorum, tekrar edip durma! ~ **off**, silmek; silip temizlemek. ~ **out**, yazı vb.ni silmek. ~ **up**, silerek parlatmak; hafızasını tazelemek: ~ **up against**, temas ederek aşınmak: ~ **up against other people**, başka kimselerle temas etm.
rub-a-dub ['rʌbədʌb] (*yan.*) Çabuk çalınan trampete sesi.
rubber[1] ['rʌbə(r)]. Silgi; tellak.
rubber[2] *i.* Kauçuk, lastik; lastik silgi. *s.* Kauçuk/lastikten yapılmış. ~**s**, galoş.
rubber[3] (*sp. vb.*) Üç oyundan iki/beşten üç (kazanılması).
rubber·ize ['rʌbərayz]. Kauçuk/lastik ile kaplamak/işba etm. *~**neck**, (*arg.*) etrafında her şeye merakla bakan kimse, turist. ~**-plant/-tree**, lastik/kauçuk ağacı. ~**-stamp**, lastik damga (ile damgalamak); (*mec.*) (bir meseleyi) tetkik etmeden tasdik etm., incelemeden onaylamak. ~**y**, kauçuk/lastik gibi.
rubbing ['rʌbın(g)]. Sürt(ün)me, aşın(dır)ma; (*san.*) kabartma süsü üzerinde konmuş kâğıdı kara kalemle sürterek suretini alma.
rubbish ['rʌbiş]. Süprüntü; çörçöp; hırtı pırtı; değersiz şey; boş lakırdı, saçma. ~**-bin**, çöp kutusu. ~**-cart**, çöp arabası. ~**-heap**, çöplük. ~**y**, değersiz; mezat malı.
rubble ['rʌbl]. Moloz, taşdolgu, süprüntü.
***rube** [rūb] (*kon.*) Köylü, taşralı.
rube·facient [rūbi'feyşənt]. Yakıcı/kızartıcı (ilâç). ~**fy** [-fay], kızartmak. ~**lla** [-'belə], kızamıkçık. ~**ola** [-'beələ], kızamık.
Rubicon ['rūbikən]. **cross the** ~, (bir işte) kesin bir adım atmak, dönülmez bir harekette bulunmak.
rubi·cund ['rūbikʌnd]. Kızıl çehreli; yanağından kan damlıyan. ~**dium** [-'bidiəm], rubidyum. ~**fy** = RUBEFY. ~**ginous** [-'bicinəs], pas rengi. ~**ous** [-biəs], yakut rengi.
rubric ['rūbrik]. Eski kitaplarda kırmızı renkli başlık; genel başlık; fasıl başı. ~**ate**, kırmızı renkle basmak/yazmak.
ruby ['rūbi]. Lâl yakut; yakut rengi; yakut renkli: **priced above rubies**, değeri biçilmez; çok değerli.
RUC = ROYAL ULSTER CONSTABULARY.
ruche [rūş] (*mod.*) Dantel süsü.
ruck [rʌk]. Yarışta geri kalan atlar takımı. **the**

(common) ~, insanların çoğu; ayaktakımı: **get out of the ~**, alelâdenin üstüne çıkmak.
ruck(le) ['rʌk(l)]. Buruşturmak.
rucksack ['ruksak]. Arka/sırt çantası.
ruction ['rʌkşn]. Gürültü, karışıklık. **if you get drunk again, there'll be ~s**, bir daha sarhoş olursan kıyamet kopar.
rudd [rʌd] (*zoo.*) Kızılkanat.
rudder ['rʌdə(r)]. Dümen; (*hav.*) istikamet dümeni. **~-bar**, direksiyon çubuğu.
ruddy ['rʌdi]. Kızıl, yanağından kan damlıyan.
rude [rūd]. Edepsiz, nezaketsiz, terbiyesiz, kaba; haşin; iptidaî, ilkel, basit; şiddetli, sert. **would it be ~ to ask?**, (müsaadenizle) sorabilir miyim?: **in ~ health**, tendürüst, gürbüz, sapsağlam: **a ~ shock**, şiddetli bir darbe, hayal kırıklığı. **~ly**, edepsiz vb. olarak. **~ness**, terbiyesizlik, nezaketsizlik, kabalık; iptidaî olma.
rudiment ['rūdimənt]. Büyüyüp olgunlaşamamış/eksik kalmış organ: **~s**, bir şeyin elifbesi. **~al/~ary** [-'mentl, -təri], iptidaî; ilkel; kemale ermemiş, olgunlaşamamış.
rue[1] [rū]. Sedefotu.
rue[2]. (Bir şeye) pişman olm. **you'll ~ the day you ever went there**, ne diye oraya gittim diye dövüneceksin. **~ful**, kederli, mağmum: **~ly**, kederle, acınarak: **~ness**, pişmanlık.
rufescen·ce [rūfesəns] (*zoo.*) Kırmızımsı olma. **~t**, kırmızımsı.
ruff[1] [rʌf] *i.* (*mod.*) Kırmalı yakalık.
ruff[2] *f.* İskambilde koz kırıp almak.
ruff[3] *i.* Dövüşken kuş.
ruffian ['rʌfyən]. Külhanbeyi; apaş, zorba. **you little ~!**, seni gidi çapkın seni! **~ly**, habis, zorba; haydut gibi.
ruffle ['rʌfl] *i.* Kırmalı yen/yaka; trampetenin ihtizazlı çalınması; suların üzerindeki kırışıklık. *f.* Düzgünlüğünü bozmak; suyun yüzünü azıcık buruşturmak. **~ s.o.'s feelings**, birini kırmak, hislerini yaralamak: **nothing ever ~s him**, hiç bir şeyden kılı kıpırdamaz.
ruf·i- ['rūfi-] *ön.* (*kim.*) Kırmızı. **~ous** [-fəs] (*zoo.*) kırmızımsı kahverengi.
rug [rʌg]. Kilim, keçe, küçük halı; yol battaniyesi; atkı. **pull the ~ from under s.o.**, birinin desteğini kaldırmak.
Rugby ['rʌgbi]. Hem el hem ayakla oynanan bir nevi futbol, rugbi.
rugged ['rʌgid]. Yalçın; pürüzlü; arızalı; kayalık; sert, haşin. **~ly**, yalçın olarak. **~ness**, yalçınlık vb.
rugger ['rʌgə(r)] (*kon.*) = RUGBY FOOTBALL.
rugose ['rūgous] (*biy.*) Buruşuk.
ruin ['rūin] *i.* Harabe, ören, kalıntı, virane; enkaz; yıkılma, inkiraz; iflâs. *f.* Harap etm.; yıkmak; berbat etm., bozmak; iflâs ettirmek; batırmak. **be ~ed**, mahvolmak, iflâs etm.: **be/prove the ~ of s.o.**, birinin mahvına sebep olmak. **~ation** [-'neyşn], tahrip etme; tamamen bozma; haraplık/sukut sebebi: **it will be the ~ of him**, bu onu mahveder, işini bitirir. **~ous** ['rūinəs], harap edici, iflâs edici; batırıcı; harabe halinde, yıkılmış.
rule[1] [rūl] *i.* Kaide, kural, usul, âdet, yol, yöntem, erkân, nizam, kanun, prensip; hükümet, hüküm, hâkimiyet; karar; cetvel; (*bas.*) çizgi. **~s**, talimat, yönetmelik, tüzük, nizamname, kurallar: GOLDEN ~: **that is against the ~s**, o yasaktır; yönetmelik/usule aykırıdır: **as a (general) ~**, ekseriyetle, umumiyetle, çoğunlukla, genellikle: **bear ~**, hâkim olm.: **the exception proves the ~**, istisnalar kaideyi teyit eder: **large families were the ~ in Victorian days**, Victoria zamanında aileler umumiyetle kalabalıktı: **make it a ~ to**, -i kural saymak: **~ of three**, üçlü kaidesi: **~ of the road**, trafik kaidesi: **work to ~**, (işçiler) yavaş ve titizce iş sendikasınca kabul edilmiş iş kurallarına göre çalışmak.
rule[2] *f.* Saltanat sürmek, -e hâkim olm.; idare etm.; zaptetmek; hükmetmek; müstakim hatlar çizmek; hüküm sürmek. **~ off**, hesabın altını çizmek. **~ out**, bertaraf etm., ortadan kaldırmak; çizgi çizerek iptal etm./hazfetmek.
rule-[3] *ön.* **~-book**, iş sendikasınca kabul edilmiş iş kuralları. **~d**, (kâğıt vb.) çizgili. **~less**, **kural vb.**/hükümdarsız. **~r**, hükümdar; mıstar; cetvel.
ruling ['rūlin(g)] *i.* Hüküm, karar. *s.* Hükümran olan, hâkim. **the ~ classes**, devlet idare eden sınıflar: **~ passion**, hâkim ihtiras, başlıca merak: **give a ~**, hüküm vermek.
rum[1] [rʌm]. Rom.
rum[2] (*arg.*) Tuhaf, acayip. **a ~ customer**, acayip bir adam: **a ~ go**, tuhaf bir iş.
Rumania(n) [rū'meyniə(n)] = ROMANIA(N).
rumba ['rʌmbə]. Rumba dansı.
rumble[1] ['rʌmbl] (*yan.*) *i.* Gümbürtü, gurultu, gürleme. *f.* Gurlamak, gümbürdemek, gürlemek; guruldamak.
rumble[2]. Tamamen anlamak; birinin dolaplarına kanmamak.
rumbustious [rʌm'bʌsçəs] (*kon.*) Gürültülü; taşkın.
Rumeli·a [rū'mīliə]. Rumeli. **~ote** [-liot], Rumelili.
rumen ['rūmen]. İşkembe.
rumin·ant ['rūminənt]. Gevişgetiren (hayvan). **~ate**, gevişgetirmek; (*mec.*) zihninde evirip çevirmek. **~ation** [-'neyşn], gevişgetirme; düşünme, dalgınlık.
rumly ['rʌmli] (*arg.*) Acayip bir şekilde.
rummage ['rʌmic] *f.* Altüst ederek aramak, araştırmak; kolaçan etmek. *i.* Yoklama, araştırma; pılı pırtı, eski püskü şeyler. **~ sale**, bir hayır kurumu için çeşitli eski şeylerin satışı.
rummer ['rʌmə(r)]. Büyük bardak.
rummy[1] ['rʌmi] *s.* (*arg.*) Acayip, tuhaf.
rummy[2] *i.* Basit bir iskambil oyunu.
rumour ['rūmə(r)]. Rivayet, şayia, söylenti, tevatür. **it is ~ed/~ has it that ...**, rivayet/dolaşan söylentiye göre ....
rump [rʌmp]. Sağrı; kıç; (*mec.*) bakiye. **~-fed**, en iyi gıda ile beslenmiş. **~less**, kuyruksuz (kuş). **~-steak**, sığırın but etinden kesilen en iyi parçası.
rumple ['rʌmpl]. Buruşturmak; bozmak.
rumpus ['rʌmpəs]. Velvele, patırtı, şamata. **kick up a ~**, kıyamet koparmak.
***rum·-runner** ['rʌm'ʌnə(r)]. İçki kaçakçılığı eden kimse/gemi. **~-shop**, meyhane.
run[1] (*g.z.* **ran**, *g.z.o.* **~**) [rʌn, ran] *f.* Koşmak; seğirtmek; kaçmak; akmak; dönmek; işlemek; baliğ olm.; varmak; (piyes) oynamak; geçmek: işletmek; çekip çevirmek; (atı) yarışta koşturmak. **a train ~ning at 50 miles an hour**, saatte 50 mil giden tren: **~ aground**, (*den.*) karaya otur(t)mak: **~ before the sea**, (gemi) dalgaların önünde gitmek: **~ before the wind**, (gemi) pupa yelken gitmek: **trains ~ning between London and Bristol**, Londra

ile Bristol arasında işliyen trenler: **apples ~ big this year**, bu yıl elmalar genellikle çok iridir: **~ s.o. as candidate**, birini aday koymak: **~ s.o. close/hard**, (*mec.*) birini pek yakından takip etm.: **I can't afford to ~ a car**, otomobil kullanacak kadar param yok: **there is nothing to do but to ~ for it**, kaçmaktan başka çare yok: * **~ for Congress/office/President**, mebusluk/bir mevki/Cumhurbaskanlığı için adayliğını koymak: **the thought keeps ~ning through my head**, bu düşünce aklımdan çıkmıyor: **~ s.o. off his legs**, birini takatsız kalıncaya kadar koşturmak: **the letter ran like this**, mektup şöyle diyordu: **our stores are ~ning low**, stoklarımız azalıyor: **his nose was ~ning/he was ~ning at the nose**, burnu akıyordu: **~ on the rocks**, (gemi) kayalığa oturmak: **prices ~ very high**, fiyatlar genellikle çok yüksektir: **'he who ~s may read'**, *kolayca anlaşılır şeyler hakkında söylenir*: **a wall ~s all round the garden**, bir duvar bahçenin etrafını çeviriyor: **a heavy sea was ~ning**, deniz pek dalgalı idi: **~ a ship ashore**, bir gemiyi karaya oturtmak: **so the story ~s**, hikâye edildiğine göre: **the talk ran on this subject**, konuşma bu konuda devam etti: **the time is ~ning short**, vakit daralıyor: **I can't ~ to more than £100**, yüz liradan fazla veremem: **the money won't ~ to a car**, para otomobil almağa yetişmez. **~ about**, öteye beriye koşmak. **~ across**, bir taraftan öbür tarafa koşmak; rast gelmek. **~ after**, peşinden koşmak. **~ against**, çarpmak, çatmak, müsademe etm.; aksine gitmek. **~ along**, boyunca gitmek/uzanmak; **~ along now!**, (bir çocuğa) haydi koş! **~ at**, -e saldırmak. **~ away**, kaçmak, firar etm.; (at) gemi azıya almak: **~ away with...**, -le beraber kaçmak; alıp götürmek: **don't ~ away with the idea that...**, fikrine kapılma, zahip olma!: **that ~s away with a lot of money**, bu çok paraya patlar. **~ down**, *f.* aşağıya koşmak; aşağıya akmak; (saat) kurulmadığı için durmak; (akümülatör) boşalmak: (gemi) başka gemi ile çarpışarak batırmak: *s.* kurulmamış (saat); boşalmış (akümülatör); (adam) hastalık/çok çalışmaktan halsiz/kuvvetsiz/yorgun/bitkin: **~ s.o. down**, (i) (oto. vb. ile) birini çiğnemek; (ii) birini kötülemek/yermek; (iii) araştırıp keşfetmek, yakalamak. **~ in**, içeriye koşmak; (polis) karakola getirmek, mahkemeye vermek: **be/get ~ in**, mahkemeye verilmek: **~ in an engine**, yeni makineyi sürtünme ile alıştırmak. **~ into**, çarpmak, müsademe etm.; yüz yüze gelmek, rast gelmek: **~ into debt**, borçlanmak: **his income ~s into thousands**, geliri binlerce lirayı bulur. **~ off**, sıvışmak, kaçmak: **~ off with stg.**, bir şeyi aşırmak: **~ off water from a tank**, bir sarnıcı boşaltmak: **~ off a letter on the typewriter**, bir mektubu makinede çabucak yazıvermek/çırpıştırmak. **~ on**, yoluna devam etmek: **he ran on and on**, (i) hiç durmıyarak koştu; (ii) uzun uzadıya konuştu: **the ship ran on the rocks**, gemi kayalara oturdu. **~ out**, dışarı koşmak; akmak, sızmak; uzanmak; sona ermek; bitmek, tükenmek, suyunu çekmek: dışarıya salıvermek; uzatmak, atmak: **the tide is ~ning out**, (cezir zamanı) denizin suyu çekiliyor: **we ran out of provisions**, erzakımız tükendi: **our lease has ~ out**, kira mukavelemiz bitti. **~ over**, koşup karşıya geçmek; çiğnemek; göz gezdirmek, gözden geçirmek; yoklamak; taşmak: **he has been ~ over**, (otomobil vb.nin) altında kaldı/çiğnendi. **~ through**, koşarak geçmek; göz gezdirmek; **~ through a fortune**, bir servetin altından girip üstünden çıkmak, har vurup harman savurmak: **~ one's pen through a word**, kalemiyle bir kelimeyi çizmek: **~ s.o. through with a sword**, birinden kılıç geçirmek. **~ up**, koşarak yukarı çıkmak; koşarak varmak: (fiyat) yüksel(t)mek; (sancağı) çekmek: **~ up debts**, borçlarını çoğaltmak: **~ up a house**, bir evi alelacele inşa ettirmek: **~ up against s.o.**, tesadüfen yüz yüze gelmek, rastlamak: **I shouldn't ~ up against him if I were you**, bana kalırsa sen ona zıt gitmesen iyi olur: **~ up a dress, etc.**, prova için/alelacele bir elbise vb. dikmek.

run[2] *i.* Koşma, koşu, seğirtme; işleme; sefer, çıkış; akış, cereyan; müddet, mesafe; (*yer.*) damar; (*hav.*) rule; (*müh.*) uzunluk; (*dok.*) çorap kaçığı; (*zir.*) otlak, mera; (*sp.*) sayı; (*müz.*) bir seri nota. **the common ~**, alelade/alışılmış kimse/şeyler: **in the long ~**, zamanla, en sonunda: **in the short ~**, bu zaman için: **get/have the ~ of**, her tarafı(na) dolaşabilmek; işletmesini anlamak/öğrenmek: **on the ~**, acele ederek; hiç durmadan hareket ederek; kaçak olan: **have a ~ for one's money**, küçük olsa da bir şeyi elde etm.; yarışıma girişmek: **have a ~ of luck**, seri halinde bir kaç defa şanslı olm.: **~ on the bank**, herkisen birden bankadan parasını istemesi: **~ on the shops for sugar**, herkesin bir arada mağazalardan şeker arayıp satın alması.

run[3] *g.z.o.* = RUN[1]. *s.* Kaçak (mal). **~ butter**, eritilmiş tereyağı: **~ honey**, süzme bal: **price per foot ~**, kesilmis kerestenin kadem başına fiyatı.

run-[4] *ön.* **~about** [-əbaut], avare dolaşan kimse; hafif otomobil. **~agate** [-ə'geyt] (*mer.*) serseri, külhanbeyi. **~away** [-əwey], kaçak (esir/köle vb.); gemi azıya almış (at); (*dem.*) kurtulmuş vagon: **a ~ match**, kızın âşıkıyle kaçarak evlenmesi: **a ~ victory**, kolayca kazanılmış zafer: **~ inflation**, tehlikeli/dokuncalı enflasyon. **~-down**, (*elek.*) boşalmış, deşarj olmuş; (*mal.*) (hesapların) analizi.

runcinate ['rʌnsineyt] (*bot.*) Testere dişi gibi.

rune [rūn]. En eski Cermen ve İskandinav harfleri; rünik yazı.

rung[1] [rʌn(g)]. El merdiveninin basamağı; iskemlenin yatay değneği.

rung[2] *g.z.o.* = RING[2].

runic ['rūnik]. RUNE harfleriyle yazılmıs, rünik.

runlet ['rʌnlit]. Şarap fıçısı; küçük çay.

runnable ['rʌnəbl]. Ava uygun (geyik).

runnel ['rʌnl]. Oluk; ark.

runner ['rʌnə(r)]. Koşucu; yarışçı; ulak; haberci; kızak ayağı; kızak; sabit makara; kök filizi. **~-bean**, çalı fasulyesi. **~-up**, bir müsabakada kazanana en yakın gelen, ikinci kazanan.

running ['rʌnin(g)] *s.* Koşan, akan, işliyen; devamlı; müteharrik; cerahatli. *i.* Koşuş, koşma; işleme, işleyiş; idare; cerahat akması. **be in the ~**, kazanması mümkün olm.: **be out of the ~**, kazanması mümkün olmamak: **three days ~**, üç gün üstüste; arka arkaya üç gün: **make/take up the ~**, (yarışta) hızı ayarlamakta örnek olm.; (*mec.*) misal teşkil etm., seviye tayin etm.: **in ~ order**, kullanılmağa elverişli. **~-board**, (*oto.*) basamak. **~-bowsprit**, içeriye çekilebilen cıvadra. **~-costs**, işletme gider/masrafı. **~-expenses**, genel masraflar. **~-jump**, koşarak atlama. **~-mate**, (*id.*) seçime giren yardımcı aday. ~**-time**, (*müh.*) çalışma müddeti; (*tiy.*) oyun süresi.

runny ['rʌni]. Akıcı; fazla sulu.

runt [rʌnt]. Ufak soysuz hayvan, kavruk adam/hayvan; bir cins güvercin.

run·-through ['rʌnθrū] (*tiy.*) Prova. ~**-up**, yanaşma, girişme; asıl hadiseye başlangıç olma. ~**way**, (*hav.*) iniş/kalkış pisti.

rupee [rū'pī]. Bir Hint parası, rupya.

rupture ['rʌpçə(r)] *i.* Kırılma, kopma; münasebetlerin kesilmesi, bozuşma; inkıta; fıtık. *f.* Kırmak, koparmak. **be** ~**d**, göbeği düşmek, fıtıklı olm.: ~ **oneself**, kasığı çatlamak, fıtığı olm. ~**d**, fıtıklı.

rural ['rūrəl]. Kır ve köye ait. kırsal. ~**ize** [-layz], köy haline getirmek; köy hayatına alış(tır)mak.

Ruritania [rūri'teyniə] (*edeb.*) Hayalî Orta Avrupa memleketi.

ruse[1] [rūz]. Hile, dolap, desise, oyun.

rusé[2] ['rūzey]. Hilekâr, kurnaz.

rush[1] [rʌş]. Saz, hasırotu.

rush[2] *i.* Hamle; hücum; üşüşme; saldırış; acele; itip kakma; furya. **we had a** ~ **to get the job done**, işi bitirmek için çok acele etmek lâzım geldi: **there was a** ~ **to read this paper**, bu gazete kapışa kapışa okunuyordu: **the** ~ **of modern life**, modern hayatın humması: ~**es**, (*sin.*) günlük çekimler.

rush[3] *f.* Atılmak, saldırmak; fırlamak; hamle yapmak; acele etm.; seğirtmek: acele yaptırmak, acele koşturmak; iki ayağını bir pabuca sokmak. ~ **a position**, (*ask.*) ansızın hücum ederek bir mevkii zaptetmek: ~ **s.o. for stg.**, (*arg.*) birinden bir şey için çok fazla para almak, dolandırmak: ~ **s.o. (into doing stg.)**, birini dara getirmek, sıkboğaz etm.: **I won't be** ~**ed**, dara gelemem, sıkboğaz edilmeğe gelemem: ~ **into print**, hiç düşünmeden gazeteye yazmak/kitabı yaymak.

rush-[4] *ön.* ~**-bed**, sazlık. ~**-bottomed**, oturacak yeri saz örgülü (iskemle vb.). ~**-candle**/**-light**, saz mumu. ~**-hour**, (demiryol/otobüs vb. hakkında) kalabalık zamanları; (dairelerde) işlerin baştan aşkın olduğu zamanlar. ~**-job**, acele edilen iş.

rusk [rʌsk]. Gevrek peksimet.

Russ [rʌs] = Russia(n).

russet ['rʌsit]. Kuru yaprak rengi, azıcık kırmızıya çalan kahverengi; bir nevi elma.

Russ·ia ['rʌşə]. Rusya: ~ **(leather)**, Rus meşini, sahtiyan. ~**ian**, *i.* Rus(yalı); Rusça: *s.* Rus(ya) + : ~**-boot**, bol çizme. ~**-roulette**, tek kurşunlu altıpatlarla başına ateş etm. ~**-salad**, Rus salatası. ~**ification** [-sifi'keyşn], ruslaştır(ıl)ma. ~**ify** [-fay], rusyalaştırmak. ~**ki**, (*köt.*) Rusyalı. ~**o-**, *ön.* Rusya-: ~**phil** [-soufil], Rus dostu: ~**phobe** [-foub], Rus düşmanı.

rust [rʌst] *i.* Pas; (*bot.*) ekinpası, kınacık. *f.* Paslan(dır)mak, pas tutmak; (*mec.*) ustalık/maharet/bilgisini kaybetmek/yitirmek.

rustic ['rʌstik] *s.* Köye ait; köylü gibi; köysü; kırsal. *i.* Köylü; çoban; kaba. ~**ate**, köy hayatı geçirmek; köyde yaşamak; (öğrenci) bir süre üniversiteden uzaklaştırmak. ~**ity** [-'tisiti], rustayilik, köylülük.

rust·ily ['rʌstili]. Paslı olarak. ~**iness**, paslılık.

rustl·e ['rʌsl] (*yan.*) *i.* Hışırtı. *f.* Hışırdamak. ~**ing**, *i.* hışırtı: *s.* hışırdayan.

rust·less ['rʌstlis]. Passız; paslanmaz; tahammuz etmez. ~**proof**, paslanmaz. ~**-remover**, pas giderici. ~**y**, paslı; pas renginde; kınacıklı; (domuz eti pastırması) kokmuş; (at) huylu: **cut up** ~, darılmak, küsmek.

rut[1] [rʌt]. Tekerlek izi. **be**/**get**/**settle**/**sink into a** ~, her günkü işin vb. alışkanlıklarına saplanmak: **get out of the** ~, gündelik alışkanlıklardan kurtulmak.

rut[2] *i.* Geyiklerin azgınlık devri, kösnüme. *f.* Kösnümek.

Rutl(andshire) ['rʌtləndşə]. Brit.'nın bir kontluğu.

ruth [rūθ] (*mer.*) Merhamet.

ruthenium [rū'θīniəm]. Rutenyum.

ruthless ['rūθlis]. Merhametsiz; pek sert. ~**ly**, merhametsizce. ~**ness**, merhametsizlik.

rutting ['rʌtin(g)]. Kösnüme, çiftleşme.

rutty ['rʌti]. Üzerinde tekerlek izi olan; çukurlu.

RV = Revised Version. ~**O** = Royal Victorian Order.

Ry. = railway.

-ry [-ri] *son.* -lık [pedantry].

rye [ray]. Çavdar. ~**-grass**, kara çayır, çim.

ryot ['rayot]. (Hindistanda) köylü.

RYS = Royal Yacht Squadron.

S

S [es]. S harfi; S şekli.
-s [-s, -z] *son.* 1. *çoğul eki* [EVENINGS]; *zf.* [EVENINGS = IN THE ~]. 2. *şim. 3cü. tek* [COMES]. 3. *zf.* [BESIDES]; *zm.* [OURS]. 4. *lakap* [CARROTS].
's [-s, -z] *son.* 1. *Tamlayan durumu, tek* [BOY'S] 2. *Harf/remiz çoğulu* [S'S]. 3. (*kon.*) = IS, HAS [IT'S]. 4. (*kon.*) = US [LET'S]. 5. (*kon.*) = DOES [WHAT'S HE SAY?].
S, s. = SAINT; SATURDAY; SECOND²; SENIOR; SHILLING; SINGULAR; SOCIETY; SOUTH(ERN); STATE; SUBSTANTIVE; (*kim.s.*) SULPHUR; (*den.*) SUMMER LOADLINE; SUNDAY.
SA = SAFE ARRIVAL; SALVATION ARMY; (*kon.*) SEX APPEAL; SOUTH AFRICA(N)/AMERICA(N)/ AUSTRALIA(N). **~A** = SMALL ARMS AMMUNITION.
sabbat·arian [sabə'teəriən] *s.* ~H'a ait. *i.* Haftanın yedinci günü kutsal tutan kimse. **~h** [-bəθ], (Yahudiler) cumartesi/(Hıristiyanlar) pazar günü; tatil günü; sihirbaz kadınların geceyarısındaki toplantısı: **keep/break the ~**, dinî tatil gününün kurallarına uy(ma)mak: **~ day's journey**, çok kısa yolculuk. **~ic(al)** [sə'batik(l)], ~H gününe ait: **~ leave/year**, (*eğit.*) tatil olan (her) yedinci yıl. **~ize** [-tayz], ~H-günü kutsal tutmak.
SABC = SOUTH AFRICAN BROADCASTING CORPORATION.
***saber** ['seybə(r)] = SABRE.
sable ['seybl] *i.* Samur (kürkü). *s.* Siyah; kapanık.
sabot ['sabou]. Takunya; (*hav.*) sabo.
sabot·age ['sabətāj]. Baltalama(k); kundaklama(k); sabotaj. **~eur** [-tə(r)], kundakçı.
sabre ['seybə(r)]. Süvari kılıcı (ile vurmak). **~-rattling**, savaş tehditleri. **~-toothed**, kılıç dişli.
sabulous ['sabyuləs] (*tıp.*) Kumlu.
sac [sak] (*biy.*) Kese(cik).
SAC = †SENIOR AIRCRAFTMAN; *STRATEGIC AIR COMMAND; SUPREME ALLIED COMMANDER.
sacca·de [sa'kād] (*tıp.*) Gözün kısa ve hızlı hareketi. **~te** ['sakeyt], (*bot.*) kese şeklinde.
sacchar- [sakər-] *ön.* Şeker-; sakar-. **~iferous** [-'rifərəs], şeker hâsıl eden. **~ify** [-'karifay], şekerlendirmek. **~in** ['sakərin], sakarin: **~e** [-rīn], pek şekerli; şeker gibi. **~ose** [-rous], sakaroz.
sacc·iform ['saksifōm]. Kese şeklinde. **~ule** [-kyūl], kesecik.
sacerdotal [sasə'doutl]. Rahip·lik/-lere ait. **~ism**, rahiplik (sistem/tesiri).
sachet ['saşey]. Küçük torba, kesecik; lavanta çiçeği kesesi.
sack¹ [sak] *i.* Çuval, torba, harar. *f.* Çuval doldurmak. **~ s.o./give s.o. the ~**, (*kon.*) birini işinden çıkarmak/kovmak, tezkeresini eline vermek: **get the ~**, işinden çıkarılmak.
sack². Eski İspanya/Kanarya adaları şarabı.
sack³. Yağma. **(put to the) ~**, yağma etm., soyup soğana çevirmek.
sackbut ['sakbʌt] (*mer.*) TROMBONE gibi bir çalgı.
sack·cloth ['sakkloθ]. Çuval bezi; ambalaj bezi; tövbe elbisesi: **in ~ and ashes**, keder ve nedamet içinde, pişman ve tövbekâr. **~ing**, çuvallık bez; ambalaj bezi.
sacral ['seykrəl]. Sağrı kemiğine ait.
sacrament ['sakrəmənt]. Hıristiyanların dinî ayini *bilh.* şarapla ekmek yeme ayini; mukaddes ve mistik şey. **~al** [-'mentl], dinî ayine ait.
sacred ['seykrid]. Mukaddes, kutsal; dinî; vacip. **~ duty**, vecibe: **~ to the memory of**, -in hatırasına tahsis edilmiş: **nothing was ~ to him**, hiç bir şeye hürmet etmiyordu. **~-cow**, (*kon.*) eleştirilemez fikir/müessese. **~-fish**, Nil turna balığı. **~ly**, kutsal olarak. **~ness**, kutsallık.
sacrific·e ['sakrifays] *i.* Kurban; feda(kârlık); feragat. *f.* Kurban etm.; kesmek; feda etm. **he succeeded at the ~ of his health**, sıhhati pahasına başardı: **sell at a ~**, mecburen ziyanına satmak. **~ial** [-'fişəl], kurbana ait; kurban gibi.
sacrileg·e ['sakrilic]. Kutsal bir binadan çalma; dinî şeylere saygısızlık etme. **~ious** [-'licəs], dinî şeylere saygısızlık edici.
sacrist·an ['sakristən]. Kilise kayyumu. **~y**, kilisede ayin elbiselerinin ve kutsal şeylerin saklandığı oda.
sacro- [sakrou-] *ön.* (*tıp.*) SACRUM'a ait.
sacrosanct ['sakrousan(g)kt]. Pek mukaddes/ kutsal; taarruzdan masun; harim.
sacrum ['seykrʌm]. Kuyruk sokumu kemiği.
SACW = SENIOR AIRCRAFTWOMAN.
sad [sad]. Kederli, mahzun; acıklı; gam verici, acınacak; hüzünlü; koyu/dönük (renk). **a ~der and a wiser man**, hayal kırıklığına uğramış ve akıllanmış. **~den**, hüzün vermek, kederlendirmek. **~-dog**, hovarda. *** ~-sack**, ahmak.
saddle ['sadl] *i.* Eyer, semer, sele; dağ sırtı; eyer şeklinde her hangi bir şey. *f.* Eyerlemek, semer vurmak; üstüne atmak; yüklemek. **be in the ~**, (*mec.*) dizginler elinde olm.: **keep the ~**, at üzerinde durabilmek: **put the ~ on the wrong horse**, bir şeyi yanlış yere birine atfetmek: **I am ~d with too big a house**, başımda çok büyük bir ev var: **~ gall**, yağır (yara). **~back**, balık sırtı; eyere benziyen işaretleri olan bazı hayvan ve kuşlara verilen ad. **~backed**, beli çökük. **~-bag**, heybe, terki heybesi, hurç. **~-cloth**, çaprak. **~r**, saraç. **~ry**, saraçlık; eyer ve koşum takımı. **~-tree**, eyer kaltağı.
sad·ism ['seydizm]. Sadizm. **~ist**, sadist. **~o-** [-dou-] *ön.* sadizm +.
sad·ly ['sadli]. Hüzünlü bir tavırla; (*kon.*) çok, pek, enikonu: **you are ~ly mistaken**, çok yanılıyorsunuz: **I am ~ly in need of a change**, bir değişikliği çok ihtiyacım var. **~ness**, mahzunluk, gam, melâl, keder.

SAE = SOCIETY OF AUTOMOTIVE ENGINEERS; STAMPED ADDRESSED ENVELOPE.
safari [sə'fâri]. Afrika'da av için yapılan sefer. **~-park**, büyük hayvanat bahçesi.
safe[1] [seyf] *i.* Demir kasa.
safe[2] *s.* Salim, sağlam; emniyette, selâmette; tehlikesiz; emniyetli, emin, güvenilir; kurtulmuş, selâmete çıkmış. **it's a ~ bet that...**,... elde bir: **it is not ~ to go out alone**, sokağa yalnız çıkmak tehlikelidir: **it is ~ to say that...**,... demek yerinde/haklıdır: **be on the ~ side**, ne olur ne olmaz; ihtiyatlı davranmak: **~ and sound**, sağ ve salim: **he is ~ to win**, kazanacağı muhakkaktır: **gun at ~**, (tüfek) emniyette.
safe-[3] *ön.* **~-breaker/-cracker**, demir kasalar açan hırsız. **~-conduct**, mürur/geçiş tezkeresi, yol belgesi. **~-deposit**, çelik/kiralık kasa. **~guard**, *i.* himaye; muhafaza vasıtası; teminat, garanti; ihtiyat: *f.* korumak, himaye etm.; temin etmek. **~-keeping**, emniyetle koru(n)ma: **it is in ~**, emniyettedir. **~ly**, emniyetle. **~ness**, emniyet(li olma).
safety ['seyfti]. Emniyet; güvenlik; selâmet; kurtuluş. **~ first**, her şeyin başı ihtiyat, evvelâ emniyet: **~-first policy**, ihtiyat politikası: **play for ~**, (kumar ve *mec.*) ihtiyatla oynamak. **~-**, *ön.* emniyet +, korunma +; yanmaz. **~-belt**, korunma kemeri. **~-catch**, emniyet kanadı, susta. **~-curtain**, (*tiy.*) demir perde. **~-device**, emniyet tertibatı, güvenlik düzeni. **~-film**, yanmaz filim. **~-fuse**, emniyet tıpası; sigorta. **~-glass**, dağılmaz cam. **~-lamp**, madenci lambası. **~-match**, emniyet kibriti. **~-pin**, çengelli iğne. **~-rail**, korkuluk. **~-razor**, jilet. **~valve**, emniyet supabı, güvenlik vanası; (*mec.*) heyecanların hafifletilmesi. ***~-zone**, yaya bekleme yeri.
saffian ['safian]. Sahtiyan.
saffron ['safrən]. Safran; safran renkli. **meadow ~**, itboğan, (acı) çiğdem.
S Afr. = SOUTH AFRICA(N).
sag [sag]. Bel verme(k); çökme(k); sarkma(k); (fiyatların) düşüklüğü; bükülmek; inhina etm.; değerden düşmek; rüzgâr altına düşmek.
saga ['sāgə]. (Eski İskandinav hükümdarları) destan; romantik hikâye. **~-novel**, birkaç kuşak kapsayan uzun roman.
sagaci·ous [sə'geyşəş]. Ferasetli, dirayetli; müdebbir; zeki, anlayışlı. **~ty** [-'gasiti], feraset, dirayet, anlayış.
sage[1] [seyc]. Adaçayı. **~ green**, kimyonî.
sage[2] *s.* Hakim, hikmetli; akıllı; ağırbaşlı, vakur. *i.* Hakim, belge, pir. **~ly**, hakimane. **~ness**, hikmetlilik.
saggar ['sagə(r)]. Ateş toprağından yapılan çini pişirme sandığı.
sagitt·al ['sacitəl]. Oka ait; ok şeklinde. **~arius** [-'teəriəs] (*ast.*) Nişancı, Kavis, Yay; Yay burcu. **~ate** [-teyt], ok şeklinde, oksu.
sago ['seygou]. Hint irmiği, sago.
Sahara [sə'hārə]. **the ~**, Büyük Sahra.
sahib ['sā(hi)b]. (*Hint.*) Avrupalı; centilmen. **pukka ~**, hakikî bir centilmen.
said [sed] *g.z.(o.)* = SAY. *s.* Mezkûr, adı geçen.
saiga ['seygə]. Bozkır antilopu, sayga.
sail [seyl] *i.* Yelken; yeldeğirmeninin kanadı; bir adet yelkenli gemi; yelkenli gemide gezinti. *f.* Yelkenli ile gitmek; gemi ile gitmek; (gemi) sefere çıkmak; gemi ile sefere çıkmak; gemi gibi ağır ve vakurane ilerlemek; yelkenle yürütmek; bir yelkenliyi idare etm. **a fleet of fifty ~**, elli yelkenliden mürekkep bir filo: **go for/take a ~**, yelkenli ile gezintiye çıkmak: **it is a month's ~ from America**, Amerika'dan yelkenli ile bir ayda gidilir: **~ before the wind**, pupa yelken gitmek: **~ near/close to the wind**, orsa gitmek; (*mec.*) (hikâye) biraz yakası açık olm.; (hareket) sahtekârlık vb.ne yakın olm.: **furl ~s**, yelkenleri sarmak: **set ~**, sefere çıkmak; yelken açmak, fora etm.; **set the ~s**, (rüzgâra göre) yelkenleri düzeltmek: **strike ~**, yelkenleri mayna etm.: **shorten ~**, yelkenleri azaltmak/camadana vurmak: **vessel under ~**, yelkenle yürüyen gemi. **~boat**, yelkenli kayık. **~cloth**, yelken bezi. **-~ed**, *son.* -yelkenli. **~er, good/bad ~**, (yelkenli gemi) iyi/kötü giden. **~-fish**, sırt yüzgeci büyük olan birkaç balık. **~ing**, yelkenliyi kullanma; geminin yürümesi; geminin limandan hareketi; yelkenli: **port of ~**, geminin çıktığı liman: **it's all plain/smooth ~**, bundan ötesi kolaydır: **~-boat/ship**, yelkenli kayık/gemi. **~-maker**, yelkenci. **~or**, gemici; bahriyeli; yelkenci: **he is a good ~**, onu deniz tutmaz: **I am a bad ~**, beni deniz tutar: **~-hat**, kadın kanotiyesi: **~ing**, gemicilik; gemici hayatı: **~like**, gemici gibi, gemiciye yakışır: **~-suit**, (çocuk için) bahriyeli elbisesi.
sainfoin ['sanfoyn]. Korunga, evliya/eşek otu.
saint [seynt]. Aziz, veli, evliya; Aya, Sen. **enough to try the patience of a ~**, insanı çileden çıkarır, 'Hazreti Eyüb'ün sabrını taşırır' *gibilerden.* (*Unvan olarak ismin başına gelirse* **St.** *yazılır:*) **St. Andrew's cross**, 'X' şeklinde haç. **St. Anthony's fire**, (*tıp.*) yılancık. **St. Bernard (dog)**, Senbernar. **~dom/~hood**, azizlik. **~ed**, aziz; kutsal. **St. Elmo** = FIRE. **St. James** = COURT. **~like/~ly**, evliya gibi; kutsal. **St. Luke/Martin** = SUMMER. **St. Sophia**, Aya Sofya. **St. Vitus's dance** = CHOREA.
saith [seθ] (*mer.*) = SAYS.
saithe [seyθ]. Mezgitgillerin biri.
sake[1] [seyk]. *Yal.* FOR *ile kullanılır.* **for the ~ of**, hatırı için, ... için: **for my ~**, hatırım için: **for God's ~**, Allah aşkına: **for the ~ of one's country**, vatan uğrunda: **for old time's ~**, geçmişin hatırı için: **talk for the ~ of talking**, konuşma zevki için konuşmak.
sake[2] ['saki] (*Japon.*) Pirinç likörü.
saker [seykə(r)]. Büyük bir doğan.
saki ['saki]. Şeytan maymun.
sal [sal] (*Lat.*) Tuz.
salaam [sə'lām]. Selâm.
salab·ility [seylə'biliti]. Satılabilme. **~le** ['seyləbl], satılabilir.
salaci·ous [sə'leyşəs]. Şehvanî. **~ty** [-'lasiti], şehvet.
salad ['saləd]. Salata. **~ days**, gençlik ve tecrübesizlik çağı. **~-dressing**, zeytinyağı, sirke ve hardal ile yapılmış terbiye. **~-oil**, zeytinyağı.
salamander ['saləmandə(r)]. Semender; salamandra. **slimy ~**, akciğersiz semender.
sal-ammoniac [salə'mouniak]. Nışadır.
salar·ied ['salərid]. Maaşlı. **~y**, *i.* aylık, maaş, ücret, ödemelik: *f.* aylık vermek.
sale [seyl]. Satış; sürüm; mezat; tenzilât/indirimli satış. **for ~**, satılık: **on ~**, satılıyor: **the ~s were enormous**, fevkalâde çok satıldı: **forced ~**, cebrî

satış. ~**able**, satılır. ~**-price**, satış fiyatı; tenzilâtlı fiyat.
salep ['salep]. Salep.
sales- [seylz] *ön.* ~**-engineer**, satış mühendisi. ~**-girl/-lady/-woman**, kadın satıcı. ~**man**, *ç.* ~**men**, satış memuru; tezgâhtar, satıcı: ~**ship**, satıcılık, satma sanatı. ~**-outlet**, bayilik. ~**-promotion**, satışı genişletme. ~**-resistance**, müşterilerin satışlardan alâkasızlığı. ~**-room**, satış salonu; mezat yeri. ~**-talk**, satış propagandası. ~**-tax**, satış değerinde vergi.
salicyl ['salisil]. Salisil. ~**ate** [-'sileyt], salisilat. ~**ic**, salisilata ait.
salien·ce/-cy ['seyliəns(i)]. Çıkıntı(lı şey); şöhret, önem; göze çarpma. ~**t**, *s.* çıkıntılı; cumbalı; haricî, dış; bariz, göze çarpan; belli başlı: *i.* çıkıntı; cumba; dış açı.
sali·ferous [sa'lifərəs]. Tuzlu; tuz hâsıl eden. ~**fication** [-fi'keyşn], tuzla(n)ma. ~**fy** [-fay], tuzla(n)mak. ~**na** [sə'līnə], tuzlu göl. ~**ne** ['seylayn], tuzlu; (*tıp.*) müshil: ~ **marshes**, sahilde tuzlu toprak. ~**nity** [sə'liniti], tuzluluk.
saliva [sə'layvə]. Salya, tükürük. ~**ry**, salyaya ait; tukürük getiren. ~**te** ['saliveyt], fazla tükürük getirmek.
sallee ['salı] (*Avus.*) Akasya.
sallow[1] ['salou]. Bodur söğüt.
sallow[2]. (Fıtraten) soluk benizli; renksiz.
sally ['sali]. Çıkış hareketi; huruç; alaylı ve beklenmedik nükte. ~ **out/forth**, çıkış hareketi yapmak; çıkmak. ~**-port**, (istihkâmda) huruç kapısı.
salmi ['salmi]. Şarap ve baharat ile pişirilmiş av kuşu.
salmon ['samən] *i.* Som balığı. *s.* Pembemsi. ~**-trout**, alabalık.
salon ['salō(n)]. Salon; (*san.*) sergi.
Salonica [sə'lonikə]. Selânik.
saloon [sə'lūn]. Büyük salon; dans/berber vb. salonu; gemide birinci sınıf yolculara mahsus salon; *içki barı. ~**-cabin**, birinci sınıf kamara. ~**-car**, dört/altı kışilik kapalı otomobil. ~**-keeper**, bar patron/garsonu.
Salop. = SHROPSHIRE.
salsify ['salsifi]. Teke sakalı çiçeği.
salt [solt] *i.* Tuz. *s.* Tuzlu. *f.* Tuzlamak. **the ~ of the earth**, en mükemmel sınıf; lüp: **take stg. with a grain of ~**, bir haber vb.ni ihtiyatla karşılamak: **in ~**, tuzlanmış; salamuraya konulmuş: ~**s of lemon**, limon tuzu: ~ **a mine**, değersiz bir madeni satabilmek için müşterileri aldatmak maksadıyle hariçten getirilen maden filizlerini maden ocağında yerleştirmek: **an old ~**, ihtiyar gemici: **spirits of ~**, asit kloridik: ~ **water**, tuzlu su, *bilh.* deniz suyu: **weep/shed ~ tears**, acı gözyaşları dökmek: **he is not worth his ~**, ekmeğini hak etmiyor.
SALT = STRATEGIC ARMS LIMITATIONS TALKS.
saltat·ion [sal'teyşn]. Fırlayış, sıçrama; anî bir değişiklik/hareket. ~**ory** [-'teytəri], sıçrayan; anî olarak değişen.
salt·-cellar ['soltselə(r)]. Tuzluk. ~**ed**, tuzlu. ~**er**, tuzcu; tuzlayıcı. ~**ern**, tuzla. ~**iness**, tuzluluk; tuz tadı. ~**ing**, tuzlama. ~**less**, tuzsuz; tatsız; (*mec.*) nüktesiz. ~**-lick**, hayvanların gidip tuz yaladıkları toprak. ~**-marsh/-pan**, tuzla. ~**-mine**, kaya tuzu ocağı. ~**petre** [-'pītə(r)], güherçile. ~**spoon**, pek küçük kaşık. ~**-water**, tuzlu su, deniz (suyu). ~**-well**, tuz kuyusu. ~**works**, tuz fabrikası. ~**y**, tuzlu; tuz tadı ile.
salubri·ous [sə'lyūbriəs]. Sağlığa yararlı; salim. ~**ty**, sağlık, sağlamlık.
saluki [sə'lūki]. Ceylan avı için kullanılan köpek.
salutary ['salyutəri]. Sağlık verici; faydalı; ibret verici.
salut·ation [salyu'teyşn]. Selâm(lama). ~**atory**, selâm veren. ~**e** [sə'lyūt] *f.* selâmlamak; selâm durmak/vermek; tazim göstermek; göze çarpmak: *i.* selâm (verme): **fire a ~**, topla selâmlamak: **take the ~**, (bir kimse) geçit resminde askerin selâmını almak.
salvable ['salvəbl]. Kurtarılabilir (eşya).
Salvador ['salvədo(r)]. Salvador.
salvage ['salvic]. (Batmış bir gemiyi) yüzdürme(k); kazaya uğrıyan gemiyi kurtarma(k); yangından/kazaya uğramış bir gemiden eşyayı kurtarma(k); kurtarma ücreti; kurtarılmış eşya, limbo; (*huk.*) kurtarma ve yardım: ~ **archaeology**, yok edilecek (harabe) yerlerde acele arkeolojik kazı.
salvarsan ['salvəsan]. Frengi için bir ilâç.
salvation [sal'veyşn]. Kurtuluş, necat; selâmet; kurtar(ıl)ma. ~ **Army**, fakirler arasında çalışmak için askerî tarzda kurulmuş dinî teşkilât; selâmet ordusu: **work out one's own ~**, kurtuluşunu kendi kendine hazırlamak.
salve[1] [salv]. Merhem (sürmek, teskin etm.). ~ **one's conscience**, vicdanını müsterih kılmak.
salve[2] *f.* = SALVAGE.
salver ['salvə(r)]. (Gümüş) tepsi.
salvia ['salviə]. Ateş çiçeği.
salvo ['salvou]. Selâm toplarının atılması; alkış tufanı; borda/yaylım ateşi.
sal-volatile [salvə'latili]. Nışadır ruhu.
Sam [sam] (*kis.*) = **Samuel**, erkek adı: **Uncle ~**, Birleşik Amerika Devletleri: ~ **Browne belt**, İng. subaylarının kılıç kemeri.
SAM, Sam [sam] = SURFACE-TO-AIR MISSILE.
S Am. = SOUTH AMERICA(N).
samara [sə'mārə]. Akçaağaçların tohumu.
Samaritan [sə'maritən]. **a good ~**, şefkatli ve mürüvvetli adam.
samarium [sə'meəriəm]. Samaryum.
samba ['sambə] (*müz.*) Samba (dansı).
***Sambo** ['sambou]. Zencilere verilen lakap.
same [seym]. *Hemen daima* THE *ile kullanılır.* Aynı, tıpkısı, farksız; bir; mezkûr, o; gene o. **all the ~**, yine de, buna rağmen, olsa bile: **it's all the ~ to me**, bana göre hava hoş: **he said the ~ as you**, sizin söylediğinizin aynını söyledi: **he likes a holiday the ~ as you**, sen nasıl tatil istersen o da ister: **he left the ~ day he came**, geldiği gün gitti: ~ **here!**, (*kon.*) benden de al o kadar!: **he is just the ~ as ever**, tamamen eskisi gibi, hiç değişmemiş: **one and the ~**, tamamen aynı, tıpkı: **at the ~ time**, (i) aynı zamanda; (ii) bununla beraber: **'Happy New Year to you!' 'The ~ to you!'**, 'Yeni yılınız kutlu olsun!' 'Sizin de!'. ~**ness**, ayniyet, benzerlik; yeknesaklık.
Sam·ian ['seymiən]. Sisam Adasına ait. ~**os** ['samos], Sisam Adası. ~**othrace** [-məθreys], Samothraki, Semendirek Adası.
samite ['samayt] (*mer.*) Kalın bir ipek kumaş.
samlet ['samlit]. Genç som balığı.
samovar ['samouvā(r)]. Semaver.
sample ['sampl] *i.* Mostra; numune; örnek(lik),

eşantiyon. *f.* Numune almak; çeşnisine bakmak; denemek. **up to ~**, örneğine uygun. **~r**, kız çocukların maharet göstermek için işledikleri nakış; örneklik kitabı.
san. = SANATORIUM; SANITARY.
sanat·ive/~ory ['sanətiv, -təri]. Şifa verici; sağlığa faydalı. **~orium** [-'tōriəm], sanatoryum, prevantoryum, sağlık evi.
sancti·fication [san(g)ktifi'keyşn]. Takdis. **~fy** [-tifay], takdis etm.: **a custom ~fied by time**, zamanla kutsal bir hale gelmiş âdet. **~monious** [-'mounyəs], sahte sofu, veli taslağı. **~ty**, kutsallık, mukaddeslik, mübareklik.
sanction ['san(g)kşən] *i.* Tasvip, tasdik, onaylama; ceza; müeyyide, yaptırım. *f.* Uygun görmek, tasvip etm., mesağ vermek. **~ed by usage**, âdetle caiz sayılan: **apply ~s**, yaptırımlar uygulamak.
sanctu·ary ['san(g)kçuəri]. Bir tapınağın en kutsal yeri; harim; melce; taarruzdan masuniyet temin eden yer: **take ~**, böyle bir yere iltica etm.; sığınmak: **bird ~**, kuşların korunduğu yer. **~m** [-təm], kutsal yer; özel oda; inziva yeri. **~s**, kutsal.
sand [sand]. Kum (döşemek/serpmek). **build on ~**, çürük temel üzerine kurmak, buz üstüne yazmak.
sandal ['sandl]. Çarık; sandal.
sandalwood ['sandlwud]. Sandal ağacı.
sand·bag ['sandbag]. Kum torbası; kum dolu uzun bir torba ile birinin başına vurmak; bir yeri kum torbalarıyle muhafaza etm. **~-bank**, kumsal sığlık; kayır; topuk. **~-bar**, kıyı dili, sığlık. **~-blasting**, kum püskürtme. **~-box**, kumluk. **~-boy**, **as jolly as a ~**, kanarya gibi neşeli. **~-eel**, kum yılan balığı. **~erling**, bir nevi kum kuşu. **~fly**, tatarcık. **~grouse**, bağırtlak, istep/çöl tavuğu. **~hill**, kum tepeciği. **~iness**, kumlu olma. **~ing-machine**, (disk) zımpara makinesi. **~-man**, (*çoc.*) gözlerine kum serperek çocukları uyutan peri. **~-martin**, kum kırlangıcı. **~-natter**, kum yılanı. **~paper**, zımpara kâğıdı (ile cilâlamak). **~piper**, çullukgiller; kum çulluğu, kalinis, düdükçin, kızılbacak. **~-pit**, kum ocağı; (*çoc.*) kumlu oyun sahası. **~shoes** = PLIMSOLLS. **~-smelt**, çamuka(?), gümüş balığı. **~stone**, kumtaşı, kefeki taşı, gre. **~storm**, kum fırtınası; sam yeli. **~wich** [-wic], sandviç: **~ stg. between two other things**, bir şeyi iki başka şey arasına sıkıştırmak: **~-bar**, yalnız sandviçler satan küçük lokanta: **~-(board)-man**, sırt ve göğsünde reklam yaftaları dolaştıran adam. **~y**, kumlu; kumsal: **~-haired**, sarımtrak kızıl saçlı. **~-yacht** [-yot], sahillerde yelkenle seyreden tekerlekli taşıt.
S&·H = SUNDAYS AND HOLIDAYS. **~SC** = SALVAGE AND SALVAGE CHARGES.
sane [seyn]. Aklı başında; salim fikirli; insaflı, makul. **~ly**, insaflı vb. olarak.
sanforize ['sanfərayz] (*M.*) (Kumaş) çekmez hale getirmek.
sang [san(g)] *g.z.* = SING.
sang-froid ['sā(n)fruə]. Soğukkanlılık, ölçülülük.
sangui·fication [san(g)gwifi'keyşn]. Kan hâsıl edilmesi. **~nary** ['san(g)gwinəri], kanlı, kana susamış; zalim. **~ne** [-win], umut besleyici, nikbin; demevî: **~ly**, nikbin olarak.
sanies ['seyniz]. Yara/ülser irini.
sani·fy ['sanifay]. Sağlılaş(tır)mak. ***~tarium** [-'teəriəm] = SANATORIUM. **~tary** [-təri], sıhhî; sağlık+; sağlığın korunmasına ait: **~-*napkin/-†towel**, aybaşı için özel havlu/bez. **~-ware**, helâ/tuvalet için porselen takım. **~tation** [-'teyşn], sağlık koruma, hıfzıssıhha: **the ~ of the house is poor**, evin sağlık düzeni iyi değildir. **~tize** [-tayz], sağlığı korumak.
sanity ['saniti]. Akıl sağlığı; aklıselim; fikir selâmeti; muhakeme.
sanjak ['sancak] (*Tk.*) Sancak.
sank [san(g)k] *g.z.* = SINK[2].
sans [sanz] *e.* (*mer.*); [sā(n)-] *ön.* -siz.
sanserif [san'serif] (*bas.*) Süssüz bir harf.
Santa Claus [santə'klōz] (*kon.*) Noel baba.
santon ['santən]. Derviş.
sap[1] [sap]. Besisuyu, özsu, bitki özü, usare.
sap[2] *i.* Duvar yıkmak için açılan hendek. *f.* Temelinden çürütmek, baltalamak.
***sap**[3]. Ahmak.
sapele [sə'pīli]. Sapeli maun.
sapid ['sapid]. Tatlı; alâkalı. **~ity**, tatlılık.
sapien·ce ['seypiəns]. Akıl, dirayet; ukalâlık. **~t**, dirayetli; ukalâ: **~ly**, ukalâ olarak.
sap·less ['saplis] (*bot.*) Özsüz; kuru; (*mec.*) hayat/zevksiz. **~ling**, fidan; (*mec.*) delikanlı.
sapon·aceous [sapə'neyşəs]. Sabun gibi, sabunumsu. **~ification** [-ponifi'keyşn], sabunlaşma. **~ify** [-'ponifay], sabunlaş(tır)mak.
sapper ['sapə(r)]. İstihkâm askeri; lağımcı.
sapphire ['safayə(r)]. Gök yakut, safir.
sapp·iness ['sapinis]. Özlülük. **~y**, usareli, özlü; yaş (odun).
sapro- ['sapro-] *ön.* Çürük, sapro-. **~phyte** [-fayt], saprofit, çürükçül.
sapwood ['sapwud]. Dış odun; yalancı odun.
sar [sā(r)]. Karagöz balığı; sarıgöz.
SAR = SEARCH AND RESCUE.
Saracen ['sarəsen]. Haçlı seferleri zamanında Müslümanlara verilen ad.
sarcas·m ['sākazm]. İstihza; dokunaklı alay. **~tic** ['kastik], müstehzi, dokunaklı: **~ally** [-kəli], müstehzi olarak.
sarco- ['sākou-] *ön.* Sarko-; et+. **~carp**, meyva eti. **~ma** [-'koumə], lahim, sarkom. **~phagus** [-'kofəgəs], lahit, sanduka. **~us** [-kəs], etli.
sardine [sā'dīn]. **fresh ~**, ateşbalığı: **tinned ~s**, sardalya: **packed like ~s**, balık istifi.
Sardinia [sā'diniə]. Sardunya. **~n**, Sardunyalı.
Sardis ['sādis] (*tar.*) Sart.
sardonic [sā'donik]. Müstehzi, şeytanî, istihfafkâr; acı. **~ally**, müstehzi olarak.
sardonyx [sā'doniks]. Kırmızı/sarı akik.
sargasso [sā'gasou]. Esmer deniz yosunu.
sarge [sāc] (*arg.*) = SERGEANT.
sargo ['sāgou] = SAR.
sar·i/~ee ['sāri] (*Hint.*) Kadın elbisesi, sari.
sark [sāk] (*İsk.*) Gömlek.
sarmentose ['sāməntous] (*bot.*) Sürünen filizli.
sarong ['saron(g)]. (Malaya) bir nevi peştemal.
sarsaparilla [sāsəpa'rila]. Saparna.
sarsen ['sāsən] (*yer.*) Büyük yekpare taş. **~et** [-nit] (*mod.*) ince ipek astar kumaşı.
sartori·al [sā'tōriəl]. Terziliğe ait. **~us**, terzi kası.
sash[1] [saş]. Kuşak; hamail.
sash[2]. Pencere kanat/çerçevesi. **~ window**, sürme pencere.
Sask(atchewan) [səs'kaçiwən]. Kanada'nın bir ili.
***sass** [sas] = SAUCE. ***~y** = SAUCY.

Sassenach ['sasənak] (*İsk.*) İngiliz.
sat [sat] *g.z.(o.)* = SIT.
sat. = SATISFACTORY; SATURATED.
Sat. = SATURDAY.
SAT = SOUTH AUSTRALIAN TIME.
Satan ['seytn]. Şeytan; iblis. '~ **reproving sin'**, her kötülükten sorumlu olduğu halde başkasını ayıplayan. ~**ic** [sə'tanik], şeytanî, melûn. ~**ism** ['sey-], şeytana tapınma. ~**ist**, şeytana tapınan.
SATB (*müz.*) = SOPRANO, ALTO, TENOR, BASS.
satchel ['saçl]. Omuza asılan okul çantası.
sate [seyt]. Doyurmak.
sateen [sə'tīn]. Pamuklu atlas.
satellite ['satəlayt]. Peyk, uydu. ~**-communications**, uyduyla haberleşme. ~**-state/-town**, uydu devlet/yeni şehir.
sati·able ['seyşəbl]. Doyurulabilir. ~**ate** [-şieyt] *s.* doymuş, tok: *f.* doyurmak: ~**d**, karnı tok. ~**ety** [sə'tayəti], doymuşluk, tokluk.
satin ['satin] *i., s.* Saten(+), atlas(+). *f.* Perdahlamak, parlatmak. ~**-bird**, ipekli çardak kuşu. ~**et(te)**, satinet. ~**-finish**, atlas perdahı. ~**-paper**, parlak atlas kâğıdı. ~**wood**, ipek/saten/paşa ağacı (kerestesi). ~**y**, saten gibi; perdahlı.
satir·e ['satayə(r)]. Hiciv, hicviye, yergi. ~**ic(al)** [sə'tirik(l)], hicivli. ~**ist** ['satirist], hicivci. ~**ize** [-rayz], hicvetmek.
satisfact·ion [satis'fakşn]. Hoşnutluk, memnuniyet; kanaat; ikna; tarziye; tazmin; borç ödeme. **give s.o.** ~, (i) birini ikna etm., sevindirmek; (ii) birine tarziye vermek: **make full ~ to s.o.**, birinin zararını tamamen tazmin ve telâfi etm. ~**orily**, memnun edici bir şekilde. ~**ory**, tatminkâr; sadra şifa verir; ikna edici; memnuniyet verici.
satisf·ied ['satisfayd] *s.* Kani; razı, hoşnut; doymuş. **I am ~ that**, ... kanaatindeyim: **self-~**, kendini beğenmış. ~**y**, ikna etm.; hoşnut etm.; tazmin etm.; (borcu) ödemek; kâfi gelmek; yerine getirmek: ~ **a condition**, bir şartı yerine getirmek: ~ **a longing**, bir hasreti gidermek: ~**ing**, ikna edici; tatminkâr; doyuran, gıdalı.
satrap ['satrap] (*tar.*) Eski İran valisi; (*köt.*) küçük prens; müstebit bir vali.
Satsuma ['satsūmə]. Japonya çanak-çömleği; bir nevi mandalina.
satura·nt ['saçərənt]. Doyurucu; tarafsızlaştırıcı. ~**te** [-reyt], doyurmak, işba etm.; çiğlendirmek: ~**d**, dolgun, doymuş, meşbu, tok; çiğlenmiş. ~**tion** [-'reyşn], doyma; işba; çiğlen(dir)me.
Saturday ['satədi]. Cumartesi.
Saturn ['satən] (*mit., ast.*) Satürn, Zühal, Sekendiz; kurşun. ~**alia** [-'neyliə] (*mit.*) Satürn bayramı; (*mec.*) sefahat âlemi; cümbüş; açık saçık eğlenti/şenlikler. ~**ian** [-'tōniən], Satürne ait. ~**ic** [-nik] (*tıp.*) kurşun zehirlenmesine ait. ~**ine** [-tənayn], gülmez, abus; soğuk.
satyr ['satə(r)] (*mit.*) Kırların yarımtanrısı; satir; şehvete düşkün adam. ~**iasis** [-ti'rayəsis], (adam) şehvete düşkünlük. ~**ic**, satire ait.
sauce [sōs]. Salça, sos; lezzet; (*arg.*) yüzsüzlük, şımarıklık. **none of your ~!**, yüzsüzlüğün lüzumu yok!: **what ~!**, ne yüzsüzlük!, ne pişkinlik! ~**-boat**, salça kabı. ~**pan** [-pən], kulplu tencere: **double ~**, çift tencere, benmari. ~**r**, fincan tabağı: **flying ~**, uzaydan gelen meçhul bir şey, uçandaire: ~**-eyed**, büyük ve yuvarlak gözlü.
sauc·ily ['sōsili]. Utanmaz/şımarık olarak. ~**iness**, utanmaz/şımarıklık. ~**y**, utanmaz; şımarık; işvebaz, şuh; zarif.
Saudi ['saudi]. Saudî Arabistanlı. ~ **Arabia**, Saudî Arabistan.
sauerkraut ['sauəkraut] (*Alm.*) Lahana turşusu.
sauna ['sōnə]. ~ **(bath)**, (Finlandiya) buharlı hamam, sauna.
saunter ['sōntə(r)]. Tembel tembel gezinme(k), sallana sallana yürümek.
saur·ia ['sōriə]. Kertenkeleler: ~**n**, keler sınıfına ait, *gen. timsah/soyu tükenmiş büyük kelerlere denir.* -~**us**, *son. büyük kelerlerin isimlerini teşkil eder* [BRONTOSAURUS]. ~**y**, uskumru turnası.
S Aus. = SOUTH AUSTRALIA.
sausage ['sosic] *i.* Sucuk; sosis. *s.* Sosis şeklinde. ~ **meat**, sucukluk et: ~ **roll**, sucuklu börek. ~**-machine**, sucuk/sosis makinesi: **like a ~**, makine gibi işleyen.
sauté ['soutey] (*Fr.*) (*ev.*) Sote.
savage ['savic] *i., s.* Vahşî; yabanî; barbar; yırtıcı; gaddar, merhametsiz. *f.* (*Yal.* at/köpek hakkında) ısırmak. ~**ly**, vahşî bir şekilde. ~**ry**, vahşîlik; gaddarlık; barbarlık.
savanna(h) [sə'vanə]. Ağaçsız büyük ova, savan.
savant ['savənt]. Âlim, bilgin.
save[1] [seyv] *f.* Kurtarmak; tahlis etm.; korumak; önüne geçmek; tasarruf etm., biriktirmek, artırmak. **God ~ the Queen!**, Allah Kraliçeyi korusun (İng. millî marşı): ~ **time**, vakit kazanmak: ~ **s.o. the trouble of doing stg.**, birini bir zahmetten kurtarmak: **this has ~d me much work**, bu işimi çok hafifletti: **to ~ the train fare he walked**, tren parası yanıma kalsın diye yayan gitti. ~ **up**, para biriktirmek. ~**-as-you-earn**, gelirden devlete doğru yapılan yatırım (usulü).
save[2] *e., b., zf.* Ancak, yalnız; -den maada, -den başka. **I am well ~ that I have a cold**, iyiyim, yalnız nezlem var.
saver ['seyvə(r)]. Kurtarıcı; hesabî, muktesit; *bileşik kelimelerde* 'kurtaran', 'kazandıran' *anlamlarına gelir.*
savin ['savin]. Karaardıç.
saving[1] ['seyvin(g)] *e., b.* Maada, başka; ancak, fakat.
saving[2] *i.* Tutum, tasarruf. ~**s**, birikim, tasarruflar; biriktirilmiş para: ~**-bank**, yatırım/tasarruf banka/sandığı. ~**-certificate**, devlete yapılan yatırım makbuzu.
saviour ['seyvyə(r)]. Kurtarıcı; halâskâr, münci. **Our ~**, Hazreti İsa.
***savor·y** ['seyvər(i)] = SAVOUR(Y). ~**y**, geyik/kekik otu.
savour ['seyvə(r)] *i.* Tat, lezzet; çeşni; (*mec.*) şemme, koku. *f.* Tadını alarak yavaş yavaş yemek/içmek. ~ **of stg.**, tadı olm.; kokmak: **that ~s of treason**, bu ihaneti andırıyor. ~**y**, *s.* lezzetli, tatlı; tadı iyi; iştah açıcı: *i.* yemek sonunda yenen çerez kabilinden tuzlu şey: ~ **herbs**, kokulu otlar: ~ **omelette**, mantar/kokulu otlarla yapılan omlet.
savoy [sə'voy]. Kıvırcık lahana.
savvy ['savi] (*arg.*) *f.* Bilmek, anlamak. *i.* Bilgi, anlayış.
saw[1] [sō] *i.* Testere, bıçkı. *f.* (*g.z.* ~**ed**, *g.z.o.* ~**n** [sōd, sōn]) Testere ile kesmek, biçmek; ileri geri hareket etm.: ~ **a horse's mouth**, atın gemini sert

bir şekilde sağa sola çekmek: **set a ~**, testere dişleri arasındaki açıları düzeltmek: **~ off**, testere ile kesip ayırmak: **~ up wood**, odunu testere ile parça parça kesmek: **circular ~**, daire testere: **fret-~**, kıltesteresi: **keyhole ~**, farekuyruğu testeresi.
saw[2] *i.* Atasözü.
saw[3] *g.z.* = SEE[2]. **~n**, *g.z.o.* = SAW[1].
saw-[4] *ön.* **~bench**, tezgâh üzerine kurulmuş makineli testere. **~-blade**, testere ağzı. **~bones**, (*alay.*) cerrah. **~dust**, testere/bıçkı tozu, talaş. **~fish**, testere balığı. **~fly**, yaprakarısı. **~ing**, bıçkı: **~-horse**, bıçkı sehpası. **~-mill**, kereste fabrikası; bıçkıhane. **~-tooth**, testere dişi (gibi): **~ed**, testere dişiyle; testere gibi dişli. **~yer**, bıçkıcı.
sax [saks] (*kon.*) = SAXOPHONE.
saxatile ['saksətayl]. Kayacıl.
saxe [saks]. **~ blue**, açık mavi.
saxhorn ['sakshōn]. Sakshorn.
saxi·coline/**~colous** [sak'sikəlīn, -ləs] = SAXATILE. **~frage** [-sifreyc], taşkıran otu.
Saxon ['saksən] *i.* Sakson (dili). *s.* Sakson+. **~y**, ince yün (kumaş).
saxophone ['saksəfo̱un]. Saksofon.
say (*g.z.(o.)* **said**) [sey, sed] *f.* Söylemek; demek. *i.* Söz; söz sırası. **I ~!**, *bir cümle başında dikkati çekmek için kullanılan tabir*: **I cannot ~ when he will come**, (i) ne vakit geleceğini bilmiyorum; (ii) . . . söylemeğe mezun değilim: **when all is said and done**, en sonunda, sonuç olarak: **you don't ~ so!**, acayip!, amma yaptın ha!: **it goes without ~ing that . . .**, . . . bedihîdir; elbette . . .: **give me a few, ~ five**, bir kaç tane, meselâ beş tane, ver: **have one's ~**, bir meselede söyliyeceğini söylemek: **have a ~ in a matter**, bir meselede söz sahibi olm.: **there is much to be said for this proposal**, bu teklifin lehinde çok şey söylenebilir: **there is no ~ing what will happen**, ne olacağını kimse bilmez: **to ~ nothing of . . .**, . . . de (üste) caba: **so to ~**, deyim yerindeyse: **that is to ~**, yani: **'though I ~ it who shouldn't'**, bunu söylemek bana düşmez amma . . ., (kendini methederken vb.); **what do you ~ to a drink?**, ne derseniz?, biraz içelim mi?: **well, ~ he does come, what then?**, peki, diyelim geldi, ya sonra?
SAYE = SAVE-AS-YOU-EARN.
saying ['seyin(g)] *i.* Söz; atasözü; vecize. **common ~**, meşhur deyim: **as the ~ goes**, meşhur deyimle/dedikleri gibi. **it goes without ~**, aşikârdır: **there is no ~**, hiç belli değil.
Sb. (*kim.s.*) = ANTIMONY.
SB = SAVINGS BANK; (*hav.*) SERVICE BULLETIN; SICK-BAY. **~M** = SINGLE BUOY MOORING. **~N** = STANDARD BOOK NUMBER.
S by E/W = SOUTH BY EAST/WEST.
Sc. = (*kim.s.*) SCANDIUM; SCIEN·CE/TIFIC; SCOT(LAND).
SC = SALVAGE CHARGES; (*bas.*) SMALL CAPITALS; SOUTH CAROLINA; SPECIAL CONSTABLE; STAFF COLLEGE; SUPREME COMMANDER/COURT.
scab [skab]. Yara kabuğu, nedbe; uyuz; (*arg.*) greve iştirak etmiyen/grevciler yerine çalışan amele. **~ labour**, grevciler yerine çalışan işçiler: **~ over**, (yara) kabuk bağlamak.
scabbard ['skabəd]. Kın.
scabb·ed [skabd]. (Yara) kabuklu; uyuz. **~iness**, kabukluluk; uyuz. **~y**, uyuz; (*arg.*) alçak; cimri.
scabi·es ['skeybīz]. Uyuz. **~ous**, uyuz (otu).
scabrous ['skeybrəs]. Pürüzlü; kepekli; açıkça, yakası açık.
scaffold ['skafo̱uld] *i.* Yapı iskelesi; darağacı, sehpa. *f.* Etrafında yapı iskelesi kurmak. **go to/mount the ~**, darağacına gitmek. **~ing**, yapı iskele/iskeleti.
scal·able ['skeyləbl]. Tırmanılır; artırılıp indirilir. **~ar**, (*mat.*) basamak·lı/-sı: **~iform** [skə'larifōm] (*biy.*) merdiven şeklinde.
scald[1] [skōld] *f.* Haşlamak; kaynar suda yıkamak; kaynar su ile yakmak/yaralamak. *i.* Kaynar su ile haşlanmadan hâsıl olan yara, yanık.
scald[2] (*edeb.*) SAGA yazarı, ozan.
scale[1] [skeyl] *i.* Terazi gözü; mikyas, ölçü, ölçek; ıskala, gam; ayıraç, miyar. **(pair of) ~s**, bakkal terazisi: **large/small ~**, büyük/küçük çaplı: **sliding ~**, oynak ölçü: **Centigrade/Fahrenheit ~**, C./F. derecesi: **on a large ~**, geniş çapta: **~ of prices**, fiyat cetveli: **~ of wages/salaries**, barem: **to ~**, ölçekli: **draw to ~**, ölçüye göre çizmek/büyültmek/küçültmek: **turn the ~**, ağır basarak duruma etki etm.: **turn the ~s at 70 kg**, 70 kg. tartılmak: **turn the ~s on s.o.**, durumu birinin aleyhine çevirmek.

scale[2] *i.* Bağa/balık vb. pulu; harşef; deriden ayrılan pul; diş kiri; kazan taşı, kabuk. *f.* Pullarını ayıklamak; kabuklanmak; tortusunu gidermek. **~ off**, (deri) pul pul dökülmek. **~-insect**, kabuklu bit, koşnil.
scale[3] *f.* Tırmanarak/el merdiveniyle kadem kadem çıkmak; terazi ile tartmak; ölçü ile resmetmek: **~ wages up/down**, bütün ücretleri aynı oran içinde artırmak/indirmek.
scale-[4] *ön.* **~d**, ölçekli, ölçülü; pullu. **~ne** ['skeylīn] (*mat.*) çeşitkenar(lı): **~-muscle/~nus**, skalen kası. **~r**, kantarcı; tırmanan; kazıyıcı.
scall [skōl]. Deri üzerinde hâsıl edilen pul/kepek. **dry ~**, uyuz: **moist ~**, egzama.
scallop ['skaləp] *i.* Tarak denilen deniz böceği; kap olarak kullanılan tarak kabuğu; tarak kabuğu şeklinde oya. *f.* Tarak kabuğu içinde pişirmek; (*mod.*) tarak kabuğu şeklinde oyalamak.
scallywag ['skaliwag]. Yaramaz, çapkın.
scalp [skalp] *i.* Başın üst kısmı; başın saçlı olan derisi; Kızılderililerin öldürdükleri düşmanlarının başlarından kesip zafer işareti olarak sakladıkları saçlı deri parçası. *f.* Başının derisini yüzmek.
scalpe·l ['skalpl]. Teşrih bıçağı. **~r**, oluklu kalem; soyucu, yüzücü.
scaly ['skeyli]. Pullu; pulsu, kabuksu.
scammony ['skaməni]. Mahmude ot/zamkı.
scamp[1] [skamp] *i.* Yaramaz (*gen. çocuklar hakkında ve kısmen sevgi ifade eder şekilde kullanılır*).
scamp[2] *f.* (Bir işi) yarım yamalak yapmak.
scamper ['skampə(r)]. Çocuklar/hayvan yavruları gibi neşe içinde koşma(k).
scampi ['skampi] (*ev.*) Büyük karides.
scan[1] [skan] *f.* Gözle iyice tetkik etm./incelemek, süzmek; göz gezdirmek; inceden inceye araştırmak; taramak.
scan[2] *f.* Şiirin hecelerini saymak, takti etm.; vezne uygun olm.
Scand. = SCANDINAVIA(N).
scandal ['skandl]. Rezalet; utanca; iftira; kovculuk; dedikodu. **~ize** [-dəlayz], (uygunsuz bir söz/hareketle) utandırıp nefret ve infial uyandırmak.

~**monger**, dedikoducu. ~**ous**, rezil, kepaze; iftiralı (söz vb.).
Scandinavia [skandi'neyviə]. İskandinavya. ~**n**, *i.* İskandinavyalı; İskandinav dil(ler)i: *s.* İskandinavya+.
scandium ['skandiəm]. Skandiyum.
scann·er ['skanə(r)] (*rad.*) Tarama cihazı, tarayıcı. ~**ing**, tarama.
scansion ['skanşən]. Şiir taktii.
scansorial [skan'sōriəl] (*zoo.*) Tırmaşık-kuşugillere ait; tırmanmaya uygun.
scant/~**y** [skant(i)]. Kıt, az; kifayetsiz, dar, yetersiz. ~**ily clad**, yarı çıplak. ~**ies**, (*kon.*) mini külot. ~**iness**, kıtlık, kifayetsizlik, yetersizlik.
scantling ['skantlin(g)]. Küçük kereste; gemi yapımında aynı ölçüde olan keresteler.
scape[1] [skeyp] (*mer.*) = ESCAPE.
scape[2] (*biy.*) Doğru kökten gelen uzun çiçek sapı; anten/duyarga kökü.
-scape [-skeyp] *son.* -manzarası; -resmi [SEASCAPE].
scape·goat ['skeypgout]. Herkesin kabahati kendisine yükletilen adam; başkasının günahı yükletilen kimse. ~**grace** [-greys], yaramaz; ele avuca sığmaz çocuk.
scaphoid ['skafoyd] (*tıp.*) Kayık şeklinde.
s.caps = (*bas.*) SMALL CAPITALS.
scapula ['skapyulə]. Omuz küreği. ~**r**, omuza ait; papaz omuzluğu.
scar[1] [skā(r)]. Yara izi (bırakmak). ~ **over**, kabuk bağlamak.
scar[2]. Yalçın kaya.
scarab ['skarəb]. Eski Mısırlıların kutsal böceği, bokböceği; bu böcek şeklinde değerli taştan muska.
scaramouch ['skarəmuç] (*mer.*) Kendini öven/korkak adam.
scarce [skeəs]. Nadir, az bulunur; kıt; kâfi değil. **make oneself** ~, sıvışmak.
scarcely ['skeəsli]. Henüz; ancak; hemen hemen; hemen hiç. ~ **any**, yok denecek kadar: ~ **ever**, hemen hiç bir zaman: **he can** ~ **speak**, hemen hiç konuşamaz: **he is** ~ **ten years old**, on yaşında ya var ya yok: **I** ~ **know what to say**, ne söyliyeceğimi bilemiyorum (şaşırıp kaldım): **he can** ~ **have said so**, bunu söylemiş olmasına ihtimal veremem: **I** ~ **know him**, onu hemen hiç tanımıyorum.
scarc·eness/~**ity** ['skeəsnis, -siti], Nadirlik; kıtlık, azlık.
scare [skeə(r)] *i.* Anî korku; esassız korku; endişe. *f.* Ürkütmek; korkutmak. ~ **away**, korkutup kaçırmak: **be** ~**d to death/stiff/out of one's wits**, ödü patlamak: **give s.o. a** ~, birini ansızın ürkütmek: **raise a** ~, ortalığı telaşa vermek, korku salmak. ~**crow**, bostan korkuluğu. ~**d**, korkmuş; endişeli. ~**-headline**, (*bas.*) heyecan verici başlık. ~**monger**, telaşçı.
scarf[1] [skāf]. (Marangozluk) göğüslü bindirme, aşoz, palya.
scarf[2]. Boyun atkısı; eşarp; kaşkol; hamail. ~**-pin**/**-ring**, atkı iğne/halkası.
scarif·ication [skarifi'keyşn]. Hacamat; kazıma. ~**icator**, hacamat makinesi. ~**ier**, büyük tırmık; kazıcı, hacamat makinesi. ~**y** ['skarifay], deriyi kazımak ve yer yer hafifçe kesmek; hacamat etm.; toprağı sürgü ile eşmek; (*mec.*) canını yakmak.
scarious ['skeəriəs] (*bot.*) İnce, kuru.
scarlatina [skālə'tīnə]. Kızıl hastalığı.
scarlet ['skālit]. Al (renkli). ~ **hat**, kardinal şapkası: ~ **fever**, kızıl hastalığı: ~ **runner** = BEAN: ~ **woman**, fahişe.
scarp [skāp] (*yer.*) Bayır; (*ask.*) hendeğin iç şevi.
scarper ['skāpə(r)] (*arg.*) Kaçmak, kurtulmak.
scarred [skād]. Yara izi olan.
scary ['skeəri]. Korkutan; korkak.
scat [skat] (*kon.*) Acele olarak gitmek.
scath·e [skeyð]. Zarar (vermek); yara(lamak): ~**less**, sağlam; zarara uğramamış. ~**ing**, pek dokunaklı/iğneli/zehirli (söz/yazı).
scato·logical [skatə'locikl]. Kazurattan bahseden (mizahî/edebî yazı). ~**logy** [-'toləci], taşıllaşmış gübreyi inceleme bilimi; açık saçık edebiyat. ~**phagous** [-'tofəgəs] (*zoo.*) bokçıl.
scatter ['skatə(r)]. Saçmak, serpmek, dağıtmak: dağılmak, yayılmak. ~**-brained**, sersem; alık. ~**ed**, seyrek; bir arada olmıyan, aralıklı; dağınık. ~**ing**, *i.* dağılma. ~**-rugs, etc.**, şuraya buraya bir odanın içinde konan halılar vb.
scatty ['skati] (*arg.*) Alık; sersem, çılgın.
scaveng·e ['skavinc]. Süprüntüyü temizlemek/kaldırmak: ~ **pump**, (*hav.*) emiş pompası. ~**er**, çöpçü; sokak süpürücü; leş/süprüntü yiyen hayvan/kuş. ~**ing**, (*oto.*) çürük gaz çıkarılması.
Sc.D = DOCTOR OF SCIENCE.
SCE = SCOTTISH CERTIFICATE OF EDUCATION.
scenario [sī'nāriou] (*tiy.*) Senaryo; (*ask.*) tasarlanmış plan/proje.
scene [sīn]. Sahne; (perde içinde) meclis; tiyatro sahnesi dekoru; vaka mahalli; manzara; gürültü, rezalet. **behind the** ~**s**, perde arkasında; işin içyüzü, gizli kapaklı tarafı: **make a** ~, rezalet çıkarmak. ~**-change**, dekor değişimi. ~**-dock**, sahneye yakın dekor yeri. ~**-painter**, sahne dekorları ressamı. ~**ry**, doğal şekillerle gösterilen güzel manzara; (*tiy.*) sahne dekoru. ~**-shifter**, (*tiy.*) dekorları değiştiren adam, makinist.
scenic ['sīnik]. Sahne/tiyatroya ait; manzaraya ait; temaşa nevinden: ~ **beauty**, doğa güzelliği: ~ **railway**, mini demiryolu. ~**ally**, bir seri sahneler ile; manzara bakımından.
scent [sent] *i.* Koku; koklama duygusu; güzel koku, parfüm. *f.* Kokusunu almak; koklamak; koku yaymak; koku sermek. **get/pick up the** ~, kokuyu almak: **be on the right** ~, iz/kozu üzerinde olm.: **put/throw off the** ~, sahte iz/koku ile aldatmak. ~**-bottle**, lavanta vb. şişesi. ~**ed**, güzel kokulu; koku sürünmüş: **keen-**~ **dog**, burnu keskin köpek. ~**-gland/-organ**, koku organı.
scepsis ['skepsis]. Felsefî şüphe; şüpheci felsefe.
sceptic ['skeptik] *i.* Şüpheci, kuşkucu; hiç bir şeye inanmaz kimse. ~**al**, kuşkulu, şüpheci; hiç bir şeye inanmaz. ~**ism** [-sizm], şüphecilik, kuşkuculuk, septisizm; şüphe, kuşku.
sceptre ['septə(r)]. Saltanat asası.
SCF = SAVE THE CHILDREN FUND.
sch. = SCHOLAR; SCHOOL; SCHOONER.
schedule ['şedyūl, *'sked-] *i.* Cetvel, liste, bordro, tarife; çizelge, tablo, zeyil; program. *f.* Listesini yapmak, listeye kaydetmek; program yapmak. **according to** ~, programa göre: **six hours behind** ~, tarifeye göre altı saat gecikmeli: **the train is** ~**d to arrive at 10 o'clock**, tarifeye göre tren saat onda gelecektir. ~**d**, *s.* zaman/programa bağlı: ~**-flight**,

programa göre/resmî uçuş: ~-**territories** = STERLING AREA.
schema ['skīmə]. Şema, tasarı. ~**tic** [-'matik], şematik; şemaya göre. ~**tism** ['skī-], şematik tertip/tatbikat. ~**tize** [-tayz], şema ile göstermek; şemaya göre düzeltmek.
scheme [skīm] *i.* Plan, proje; tedbir, taslak; entrika, desise. *f.* Planını kurmak, projesi olm.; kumpas kurmak. **colour** ~, renklerin düzen/ahenk/uyumu. ~**r**, plancı; entrikacı, dolapçı.
scherzo ['skeətsou] (*müz.*) Hafif/canlı hava.
schism ['sizəm]. İtizal. ~**atic** [-'matik], mutezil.
schist [şist]. Yaprak·kayaç/-taş, şist.
schistosome [şistəsoum]. Şiştozom(a).
schizo ['skitsou] (*kon.*) = ~PHRENIC. ~-*ön.* ayırma, bölme, şizo. ~**id** [-zoyd], şizoid. ~**mycete** [-'maysīt], bölünen mantar, bakteri. ~**phrenia** [skizə-/skitsə'frīniə], şizofreni. ~**phrenic** [-'frenik], şizofrenik. ~**phyte**, (*bot.*) bölünenler.
schnapps [şnaps] (*Alm.*) Kuvvetli bir cin (içki).
schnitzel [şnitsəl] (*Alm.*) Şnitzel.
schnorkel ['şnōkəl] (*Alm.*) (Denizaltı) hava alma borusu; (dalgıç) nefes alma borusu; snorkel.
scholar ['skolə(r)]. Talebe, öğrenci, mektepli; okumuş; alim, allâme, edip; burslu öğrenci. **a fine** ~, çok alim bir adam: **he is no** ~, öğrenimi az. ~**ly**, alimane, bilgince. ~**ship**, ilim, bilginlik, öğrenim(lik); bilimsel düşünce/usul; tahsisat, burs, öğrenmelik.
scholastic [sko'lastik]. Okul/üniversitelere ait; skolastik; ukalâca.
school [skūl] *i.* Mektep, okul; fakülte; balık sürüsü; kumarbaz grubu. *f.* Talim/terbiye etm., eğitmek; okula göndermek; alıştırmak. **boarding** ~, yatılı okul: **business** ~, ticaret okulu: **coeducational/mixed** ~, karma okul: **comprehensive** ~, öğrenim yeteneğine bakmadan bütün öğrencileri kapsayan ortaokul: **day** ~, yatısız okul: **free** ~, parasız okul: **graduate** ~, üniversite mezunları için yüksek öğrenim fakültesi: **grammar/high** ~, lise: **infants'** ~, ana okulu: **primary** ~, ilkokul: **public** ~ = PUBLIC: **secondary** ~, ortaokul: **state** ~, devlet okulu: **upper/middle/lower** ~, bir okulun büyük/orta/küçük sınıfları: **one of the old** ~, eski zaman adamı: **what** ~ **were you at?**, hangi okulda okudunuz? ~-**board**, okul idare kurulu. ~**book**, ders kitabı. ~**boy/girl**, okullu (erkek/kız) çocuk. ~**fellow/mate**, sınıftaş, okul arkadaşı. ~**ing**, öğrenim. ~-**leaver**, okul mezunu. ~**master**, muallim, öğretmen. ~**mistress**, kadın öğretmen. ~**room**, sınıf, dershane. ~**treat**, fakir okullular için tertip edilen yemekli müsamere/gezinti.
schooner ['skūnə(r)]. Uskuna; büyük bardak/kadeh.
schottische [şo'tīş]. Bir İskoç dansı.
sci. = SCIEN·CE/-TIFIC.
sc·iagraphy [say'agrəfi]. Gölge ile resim yapma; = SK~.
sciatic [say'atik]. Siyatik/kalça sinirine ait. ~**a**, siyatik.
scien·ce ['sayəns]. İlim; bilgi; fen: **natural** ~, doğa/fizik bilimleri, tabiiye: **study** ~, fen öğrenimi yapmak: ~-**fiction**, kurgubilim filim/romanı: ~-**student**, fen öğrencisi. ~**tific**, [-'tifik], ilmî, fennî, bilimsel. ~**tist** ['say-], fen adamı, bilgin. ~**tology** [-'toləci], bilime bağlı bir mezhep.
sci-fi ['sayfay] (*kon.*) = SCIENCE-FICTION.
scimitar ['simitə(r)]. Eğri kılıç, pala.
schmaltz [şmōlts] (*Alm., san.*) Fazla hassaslık.
schwa [şwā] (*dil.*) Belli olmıyan ünlü sesi.
scilla ['silə]. Mavi çiçekli bir soğan.
Scill·y Isles ['sili aylz]. Scilly Adaları. ~**onian** [-'louniən], Scilly adalı.
scintilla [sin'tilə]. Kıvılcım; zerre. ~**te** ['sintileyt], parıldamak; kıvılcım saçmak. ~**tion** [-'leyşn], parıldama; ışık titremesi; kıvılcım saçma; nükteli sözlerle konuşma.
sciolis·m ['sayoulizm]. Sathî bilgi, şarlatanlık. ~**t**, şarlatan.
scion ['sayən]. Ağac piçi; aşılık filiz, çelik; evlât: **the** ~ **of a noble house**, soylu bir aileye mensup.
sciss·el ['sisəl] (*müh.*) Kalıp ışı kalıntısı. ~**ile** [-sayl], kesilir; yarılır. ~**ion** [sijn], kesme, yarma; bir meclis/fırkadan ayrılma; ihtilâf. ~**or** ['sizə(z)], **(pair of)** ~**s**, makas. ~**ure** ['sişə(r)], yarık.
scler- [skliər-] *ön.* Sert, katı. ~**a** [-rə], göz akı. ~**iasis**/~**osis** [-'rayəsis, 'rousis], dokuların katılaşması, skleroz. ~**otic** [-'rotik] *s.* sert, katı: *i.* gözakı.
SCM = STATE CERTIFIED MIDWIFE; STUDENT CHRISTIAN MOVEMENT.
scoff[1] [skof] *f.* Alay etm., eğlenmek. *i.* İstihza, alay. ~ **at s.o.**, birini maskara etm.; biriyle alay etm.: ~ **at stg.**, istihfaf etm., dudak bükmek. ~**ing**, alay edici: ~**ly**, alay ederek.
scoff[2] *f.* (*arg.*) Oburca yemek. *i.* Yemek.
scold [skould] *f.* Azarlamak, patlamak, çıkışmak; zırlayıp durmak. *i.* Titiz hırçın kadın. ~**ing**, *n.* azar, tekdir.
scollop = SCALLOP.
sconce[1] [skons]. Duvar şamdanı; (*mim.*) bingi.
sconce[2]. (Oxford Üniversitesinde) ceza(landırmak).
scone [skon, skoun]. Bir nevi sütlü börek.
scoop [skūp]. Kepçe; çamçak; oyuk bir alet; tarak dubası kovası; bir anda boşaltılan miktar; vurgun; (*bas.*) atlatma haber. ~ **out**, bir kepçe vb. ile boşaltmak: ~ **up**, kürek ile kaldırmak: ~ **a large profit**, büyük bir kâr vurmak: **at one** ~, bir hamlede.
scoot [skūt]. Acele kaçış. ~ **off/away/do a** ~, tabanları yağlamak. ~**er**, çocuk için tekerlekli kızak; (*oto.*) skuter, küçük motosiklet.
scope [skoup]. Saha; fırsat; faaliyet alanı; hedef, gaye; konu, mevzu. **give free/full** ~ **to one's imagination**, muhayyilesini dolu dizgin koşturmak.
-scop·e [-skoup] *son.* Görme/cerrah aleti, -skop [MICROSCOPE]. -~**ic** [-skopik] *son.* görme aletine ait, -skopik. -~**y**, *son.* görme aletiyle inceleme.
scorbutic [skō'byūtik]. İskorpit hastalığına ait.
scorch [skōç]. Kavurmak; hafifçe yakmak; dağlamak; hafifçe yanmak, kavrulmak; pek sıcak olm.; (*arg.*) rüzgâr gibi gitmek/uçmak: ~**ed earth policy**, geri çekilen kıtalarca/istilâ eden düşmanın önünden her şeyin yıkılması. ~**er**, (*kon.*) pek sıcak gün; (*kon.*) çok acı bir tenkit; (*kon.*) pek hızlı giden kimse.
score[1] [skō(r)] *i.* Sıyrık; kertik, çizgi; çetele; (*sp.*) hesap, skor, sayılar, kazanılan puvan; (*müz.*) bir bestenin notası; cihet, sebep; yirmi, yirmi tane, yirmi librelik. **a** ~ **of people**, yirmi kişi: ~**s of people**, pek çok kimse: **a cheap** ~, zayıf bir nükte/cevap: **have no fear on that** ~**!**, o yönden korkma!: **on the** ~ **of ill-health**, sağlığının bozukluğu

sebebiyle: **pay off old ~s**, bir kuyruk acısını çıkarmak, öcünü almak: **what's the ~?**, (oyunda) kaça kaçsınız?, kim kazanıyor?
score[2] *f.* Sıyırmak, çizmek, dişlemek, yivlemek; (*müz.*) notaya geçirmek; hesap etm., çetelesini tutmak; (*sp.*) puvan kazanmak, puvanları yazmak; (başarı) kazanmak. **~ a goal**, gol yapmak: **that's where he ~s**, işte üstünlüğü burada: **~ off s.o.**, bir münakaşada karşısındakini nükteli bir cevapla susturmak. **~-board**, sayı tahtası. **~r**, (*sp.*) sayıcı.
scori·a ['skōriə]. Mucur; cüruf: **~e** [-riī] *ç.* (*yer.*) cüruf, dışık. **~ated**, cüruflu. **~fy**, cüruftan maden çıkarmak; ayarını tayin etm.
scorn [skōn] *i.* Hor görme, istihfaf, istihkar; istiğna. *f.* Hor görmek, istihfaf etm.; tepmek; tenezzül etmemek. **~ s.o.'s advice**, birinin öğütünü tepmek: **laugh s.o. to ~**, biriyle alay ede ede onu gülünç bir hale getirmek. **~ful**, istihfafkâr(ane); müstağni.
scorpio(n) ['skōpioụ, -piən] (*ast., biy.*) Akrep. **~-fish**, iskorpit.
Scot[1] [skot] *i.* İskoçyalı; (*kıs.*) = ~LAND/~TISH.
scot[2] (*huk., mer.*) Vergi; para cezası.
Scotch[1] [skoç] *s.* İskoç. *i.* İskoç(yalı); İskoçya lehçesi. **~ fir**, çam: **~ hands**, tereyağı yapmakta kullanılan yassı bir tahta alet: **~man**, *ç.* **~men**, İskoçyalı: **~ tape**, (*M.*) seloteyp: **~ (whisky)**, viski.
scotch[2] *f.* Bir tekerlek vb. önüne takoz (koymak).
scotch[3] *f.* Kertiklemek; hafifçe yaralamak; sakatlamak; baltalamak.
scoter ['skoutə(r)]. Kara ördek.
scot-free ['skot'frī]. Sağ ve salim; masrafsız.
Scot·land ['skotlənd]. İskoçya: **~ Yard**, Londra emniyet müdürlüğü. **~s**, İskoçya+; İskoçya lehçesi: **~man**, İskoçyalı. **~ticism** [-sizm], İskoçyaya mahsus deyim/telaffuz. **~ticize** [-sayz], iskoçyalaştırmak. **~tie**, (*kon.*) İşkoçyalı; İskoç köpeği. **~tish**, İskoçya(lı)ya ait.
scoundrel ['skaụndrəl] *i.* Habis, şerir, köpoğlu, hain. **~ly**, *s.* habis, şerir; hainane.
scour[1] [skaụə(r)]. Silerek temizleme(k); sudan aşınma; (nehir/deniz) aşındırmak; şiddetli amel vermek; (*müh.*) dekape etm.
scour[2] Her tarafa hızlı hızlı gezmek; baştan başa dolaşmak; araştırmak, taramak.
scourge [skə̄c] *i.* Kamçı, kırbaç; afet, musibet. *f.* Kamçılamak; gadretmek, zulmetmek; (halka vb.) afet olm.
scouse [skaụs]. Liverpool şehirli/lehçesi.
scout[1] [skaụt] *i.* Keşfe çıkan asker; gözcü; izci; Oxford Üniversitesinde kolej hademesi. *f.* Keşfe çıkmak. **~er**, gözcü; izci. **~master**, izci oymak beyi.
scout[2] *f.* İstihfaf ile reddetmek, tepmek.
scow [skaụ]. Salapurya.
scowl [skaụl]. Kaş çatma(k), dargın bakış; surat asmak: **~ at s.o.**, birine yan bakmak.
scr. = SCRUPLE.
SCR = SENIOR COMBINATION/COMMON ROOM.
scrabble ['skrabl] *f.* Kargacık burgacık yazmak. **~ about**, eşeleyip araştırmak. *i.* (*M.*) kelimeri teşkil etmek oyunu.
scrag [skrag] *i.* Sıska adam/hayvan. *f.* (*kon.*) Birinin boynunu koltuk altına alarak sıkmak. **~ end of mutton**, koyun gerdanının zayıf ve kemikli ucu. **~gy**, zayıf, sıska; pürüzlü.
scram [skram] (*arg.*) Sıvışma(k): **~!**, haydi git!
scramble ['skrambl] *i.* Engelli bir yerde güçlükle ilerleme; tırmanış; bir şeyi elde etmek için çabalama; kapışma. *f.* Tırmanarak/sürünerek ilerlemek; karma karışık etm. **~!**, (*hav.*) (savaşlarda) uçaklarınıza binin!: **~ for stg.**, kapışmak: **~ eggs**, yumurtayı çalkayarak pişirmek: **a general ~**, itişip kakışma; kapan kapana. **~r/~-telephone**, sesleri karmakarışık ederek konuşmaların dinlenmesini önleyen özel telefon.
scran [skran] (*arg.*) Yiyecek, yemek.
scrap[1] [skrap] *i.* Parça; kırıntı, döküntü; kırık dökük, hurda; artık; zerre. *f.* (Faydası yok diye) atmak; ıskartaya ayırmak; (gemi) feshetmek; çürüğe çıkarmak. **a ~ of comfort**, en küçük bir teselli: **catch ~s of a conversation**, bir konuşmanın bazı parçaları kulağına çalınmak: **~s of news**, kırık dökük haberler.
scrap[2] *i.* (*kon.*) Kavga, dövüş. *f.* Dövüşmek.
scrapbook ['skrapbuk]. Gazeteden kesilmiş paraçalar/toplanmış resimler yapıştırılan defter; el defteri.
scrape[1] [skreyp] *i.* Sıyırma, kazıma, kaşıntı; çizgi; gıcırtı; (*arg.*) başını belâya sokma. **a ~ of butter**, ince bir tabaka tereyağı: **get into a ~**, başını belâya sokmak: **get out of a ~**, işin içinden sıyrılmak, yakasını kurtarmak: **we're in a nice ~**, ayıkla şimdi pirincin taşını!
scrape[2] *f.* Kazımak, sıyırmak, tırmalamak; sistirelemek, raspa etm.; hafifçe dokunmak; gıcırdamak. **~ acquaintance with s.o.**, tanışmak için birine yanaşmak: **~ along**, iyi kötü geçinip gitmek: **bow and ~**, yerlere kadar eğilmek: **~ one's plate**, tabağını sıyırmak/temizlemek: **~ through**, yakayı kurtarmak: **~ through an examination**, sınavda güç belâ geçmek: **~ together/up some money**, dişinden tırnağından artırmak. **~r**, raspa; sistire; (ev kapısında) demir çamurluk.
scrap·-heap ['skraphīp]. Döküntü/enkaz yığını: **be thrown on the ~**, ıskartaya çıkarılmak. **~ie** ['skreypi], (koyunlar) uyuz hastalığı. **~ing**, sıyırma: **~s**, sıyrıntı. **~-iron** ['skrapay(r)ən], hurda demir. **~pily** [-pili], yarım yamalak olarak. **~py**, bölük pürçük; yarım yamalak: **a ~ dinner**, artıklardan ibaret yemek. **~-value**, kırık dökük değeri.
scratch[1] [skraç] *i.* Tırnak/diken vb. yarası; çizik; sıyrık; kaşınma sesi; yarışa başlama yeri. **come up to ~**, bir işte kendini göstermek; beklenildiği gibi çıkmak: **start from ~**, (i) bir yarışta avantajsız olarak hareket çizgisinden koşuya başlamak; (ii) bir işe avantajsız olarak en başından başlamak: **he came through the war without a ~**, burnu bile kanamadan savaştan döndü.
scratch[2] *f.* Tırmalamak; kaşımak; kurcalamak; çizmek, kazmak; eşelemek; gıcırdamak; yarışa girecek atın adını listeden çıkarmak; maçtan vazgeçmek. **'~ my back and I'll ~ yours'**, karşılıklı piyaz *veya* birbirini övmek *anlamında kullanılır*: **tomorrow's match has been ~ed**, yarınki maç yapılmıyacak: **~ the surface**, üstünü kazımak; satıhda kalmak, içine nüfüz etmemek. **~ out**, silmek, hazfetmek: **~ s.o.'s eyes out**, birinin gözlerini çıkarmak. **~ up**, **~ up a bone**, (köpek vb.) yeri kazıp bir kemik çıkarmak.

scratch[3] *s.* **a ~ meal**, derme çatma yemek: **~ team**, derme çatma takım: **~ player**, birinci sınıf oyuncu.
scratch·er ['skraçə(r)]. Tırmalayan; çizen; gıcırdayan. **~ily**, yarım yamalak olarak. **~iness**, gıcırtılılık. **~-man**, (*sp.*) avantajsız koşucu vb. ***~-pad**, bloknot. **~-race**, avantaj/handikapsız yarış. **~y**, gıcırtılı; kaşındıran; yarım yamalak, üstünkörü.
scrawl [skrōl] *i.* Kargacık burgacık. *f.* Cızıktırmak; çiziştirmek; okunmaz yazı yazmak.
scrawny ['skrōni]. Zayıf, sıska.
scream [skrīm] (*yan.*) *i.* Feryat, çığlık. *f.* Acı acı haykırmak; çığlık koparmak; bar bar bağırmak. **~ oneself hoarse**, sesi kısılıncaya kadar bağırmak: **~s of laughter**, kahkaha, haykırarak gülüş: **it was a perfect ~**, (*kon.*) aman ne komik şeydi!, hiç bu kadar gülmemiştim! **~er**, çığlık koparan; bağıran; (*kon.*) komik bir şey; inanılmaz bir hikâye; (*zoo.*) kariyama. **~ing**, feryat eden, haykıran; (*kon.*) pek komik: **~ly**, pek komik olarak.
scree [skrī] (*yer.*) Döküntü, kayşat.
screech [skrīç] (*yan.*) *i.* Keskin feryat, acı haykırış. *f.* Keskin feryat koparmak, acı acı haykırmak. ~-OWL.
screed [skrīd]. Pek uzun ve usandırıcı söylev/mektup.
screen [skrīn] *i.* Perde, kafes; paravana; bölme; siper, engel; elek, kalbur; ekran; (*bas.*) klişe; (*elek.*) blendaj. *f.* Gizlemek; siper etm.; korumak, muhafaza etm.; kalburdan geçirmek; (kitap vb.ni) filme almak. **small/TV ~**, TV göstergeci: **~ off**, paravana ile gizlemek. **~ed**, korunmuş; blendajlı; krible. **~ing**, bölme, ayırma. **~-play**, (*sin.*) senaryo. **~-time**, oynayış süresi. **~-washer**, (*oto.*) ön cam yıkama cihazı.
screw[1] [skrū] *i.* Vida; uskur, pervane; (*arg.*) cimri adam; (*arg.*) maaş; (*arg.*) hastalıklı at/inek; (*arg.*) zindancı. **endless ~**, sonsuz vida: **female ~**, iç/dişi vida: **set ~**, sıkıştırma/tespit vidası: **have a ~ loose**, (*kon.*) bir tahtası eksik olm.: **there'a a ~ loose somewhere**, bir yerde bir bozukluk var: **put the ~ on**, sıkıştırmak: **put a ~ on the ball**, özel bir hareketle topun gidiş yönünü değiştirmek: **give another turn to the ~**, bir daha sıkıştırmak.
screw[2] *f.* Vidalamak; (vidalı bir şey) dönmek; (*kon.*) dişinden tırnağından artırmak. **~ down**, vidalamak, vida ile sıkmak. **~ in**, vidayı çevirmek; vida sıkıştırmak; çevirerek içine sokmak. **~ on**, vidalamak. **~ out, ~ the truth out of s.o.**, birisinden gerçeği güç belâ öğrenmek: **~ money out of s.o.**, birisinden domuzdan kıl çeker gibi para koparmak. **~ up**, vidalamak: **~ up the eyes**, gözlerini kısmak: **~ up one's courage**, cesaretini toplamak: **~ up one's face**, yüzünü buruşturmak: **~ up one's lips**, dudaklarını bükmek: **~ oneself up to do stg.**, kendini zorlamak: **~ stg. up in a piece of paper**, bir şeyi kâğıda sarıp bükmek.
screw-[3] *ön.* **~ball**, garip kimse. **~bolt**, vidalı cıvata. **~cap**, (kavanoz vb.) vidalı kapak. **~-coupling**, (borular vb.) vidalı başlık. **~-driver**, tornavida: **Phillips ~**, yıldız tornavidası: **ratchet ~**, cırcırlı tornavida. **~-driven**, uskurlu. **~ed**, vidalanmış; (*arg.*) çakırkeyf. **~-jack**, vidalı kriko. **~-propeller**, pervane. **~worm**, vidalıkurt. **~-wrench**, İngiliz anahtarı. **~y**, kıvrık, dolambaçlı; (*arg.*) deli.
scribal ['skraybl]. Yazı(cı)ya ait.
scribble ['skribl] *i.* Karışık ve okunmaz yazı; acele yazılmış mektup vb. *f.* Acele/dikkatsiz yazmak, çırpıştırmak; çarçabuk kötü bir eser yazmak; cızıktırmak. **~r**, kötü yazıcı; karalamacı.
scrib·e [skrayb] *i.* Din ilmi yorumcusu; yazıcı. *f.* Çizecek ile çizmek. **~er**, çizecek. **~ing-block**, mafsallı mihengir.
scrim [skrim]. İnce bir kanaviçe.
scrimmage ['skrimic]. Göğüs göğse kavga; itip kakma.
scrimp [skrimp] = SKIMP.
scrimshank ['skrimşan(g)k]. Yan çizmek; vazifesinden kaçmak. **~er**, vazifesinden kaçan.
scrimshaw ['skrimşō] (*den.*) Süs(lemek).
scrip[1] [skrip]. Dilenci torbası.
scrip[2]. Geçici senet.
script [skript]. El yazısı, hat; el yazısına benziyen matbaa harfleri; senaryo. **~orium** [-'toriəm], manastır yazıhanesi. **~-writer**, senaryocu, diyalog yazarı.
scriptur·al ['skripçərəl]. Kutsal kitaba ait. **~e(s), Holy ~**, kutsal kitap.
scrivener ['skrivənə(r)]. Yazıcı.
scroful·a ['skrofyulə]. Sıraca. **~ous**, sıracalı.
scroll [skroul]. Tomar; tomar şeklinde ziynet; kıvrım. **~-work**, kıvrıkdal.
Scrooge [skrūc]. Hasis, cimri.
scrotum ['skroutəm]. Erbeziler torbası.
scrounge [skraunc]. (*ask., arg.*) Aşırmak; otlakçılık etm. **~ around**, aşıracak şey var mı diye kolaçan etm. **~r**, otlakçı.
scrub [skrʌb] *i.* Çalılık, fundalık; aşınmış fırça; fırça gibi bıyık. *f.* Fırçalayarak yıkamak, ovmak, silmek. **~ber**, ovucu, fırçalayıcı; gaz yıkama makinesi. **~bing**, ovma, fırçalama: **~-board**, çamaşır tahtası: **~-brush**, çamaşır/tahta fırçası. **~by**, çalılık; cılız, yetişmemiş (ağaç); tıraşı uzamış; miskin.
scruff [skrʌf]. Ense. **by the ~ of the neck**, ense kökünden. **~y**, (*arg.*) pis, dökük saçık.
scrum(mage) ['skrʌm(ic)] = SCRIMMAGE.
scrump [skrʌmp]. Meyva (*bilh.*) elma ağacından aşırmak. **~y**, bir çeşit elma şırası.
scrumptious ['skrʌmpşəs] (*kon.*) Enfes.
scrunch [skrʌnç] = CRUNCH.
scrup·le ['skrūpl] (*tıp.*) 20 buğdaylık bir ağırlık ölçüsü; ufacık parça; kuruntu, vesvese; vicdan üzüntüsü, endişe. **~/have ~s**, tereddüt etm., vicdanı üzülmek: **have/make no ~s about doing stg.**, vicdanen hiç tereddüt etmemek, hiç çekinmeden yapmak. **~ulosity** [-pyu'lositi], vicdanlılık; titizlik. **~ulous** [-pyuləs], ihtimamkâr, dikkatli, titiz; dürüst; vesveseli: **not over-~ in his dealings**, hareketlerinde pek dürüst/vicdanlı değil: **~ly**, vicdanla, dürüst olarak: **~ness** = ~ULOSITY.
scrutin·eer [skrūti'niə(r)]. Oy tasnif memuru. **~ize** [-nayz], tetkik etm.; ince araştırmak; dikkatle muayene etm.; gözden geçirmek; alıcı gözüyle bakmak; (*mec.*) elekten geçirmek. **~y**, tetkik, inceleme, ayıklama, dikkatli muayene; oyların tasnifini tasdik: **demand a ~**, oyların yeniden incelenmesini istemek.
scrying ['skrayin(g)]. Billûra bakarak falcılık.
scuba = SELF-CONTAINED UNDERWATER BREATHING APPARATUS.
scud [skʌd] *i.* Hızlı gitme; hızlı uçan alçak bulut. *f.*

Hızla koşmak/uçmak. ~ **before the wind**, fırtınalı havada az yelkenle rüzgârın önüne katılıp gitmek.
scuff [skʌf]. Ayağını sürtme(k).
scuffle ['skʌfl] *i.* Önemsiz dövüş; itişme. *f.* Hafif tertip kavga etm.; itip kakmak; ayaklarını yere sürmek.
scull [skʌl] *i.* Çifte küreklerin biri; boyna; pala. *f.* (Nehir) sandalı çifte kürekle yürütmek; (deniz) sandalı boyna ile yürütmek.
scull·ery ['skʌləri]. Bulaşıkhane: ~**-maid**, bulaşıkçı kız. ~**ion** [-yən], aşçı yamağı.
sculp(t) [skʌlp(t)] (*kon.*) Heykeltraşlık (etm.). ~**tor** [-tə(r)], heykeltraş, heykelci. ~**tress**, kadın heykeltraş. ~**tural** [-çərəl], heykeltraşlığa ait. ~**ture** [-çə(r)], *i.* heykel(traşlık): *f.* heykelini yapmak; heykeltraşlık etm.
scum [skʌm] *i.* Su yüzüne çıkan pislik; köpüz; köpük; cüruf. *f.* Köpüğünü almak. **the ~ of the earth**, halkın en alçak tabakası, erazil.
scunner ['skʌnə(r)]. Sert beğenmeme; beğenilmiyen şey.
scupper ['skʌpə(r)] *i.* Frengi deliği. *f.* (*arg.*) Gemiyi delerek batırmak; baskın yaparak öldürmek; baltalamak.
scurf [skə̄f]. Baş kepeği, konak. ~**y**, kepekli.
scurril·ity [skʌ'riliti]. Kaba küfür; ağız bozukluğu. ~**ous** ['skʌriləs], kaba küfürlü; pis iftiralı.
scurry ['skʌri] *i.* Acele kaçış; anî ve şiddetli fakat kısa süren kar vb. fırtınası. *f.* Acele etm.; küçük hayvanlar gibi koşmak.
scurv·ily ['skə̄vili]. Alçak/adi olarak. ~**y**, *i.* tuzlubalgam, iskorbüt: *s.* tuzlubalgamlı; (*mec.*) alçak, adi, aşağılık.
scut [skʌt]. (Tavşan vb.) küçük kuyruk.
scut·age ['skyūtic] (*tar.*) Askerî hizmet yerine bedel. ~**ate** [-teyt] (*biy.*) kalkan şeklinde.
Scutari ['skyūtəri]. Üsküdar; İşkodra.
scutch [skʌç]. (Keten vb.) didiklemek.
scutcheon ['skʌçən] = ESCUTCHEON.
scuttle[1] ['skʌtl] *i.* Kömür kovası, soba kömürlüğü.
scuttle[2] *i.* Lombar ağız/kapağı; lomboz. *f.* Gemiyi delerek/gemi altındaki muslukları açarak batırmak.
scuttle[3]. Sıvışma(k); tabanları yağlama(k); korkakça kaçmak; bir görev/güçlükten kaçmak.
Scylla ['silə]. **be between ~ and Charybdis**, iki tehlike arasında kalmak.
scythe [sayð]. Tırpan(lamak).
SD = SHORT DELIVERY; *SOUTH DAKOTA; *STATE DEPARTMENT. ~**R** = SPECIAL DRAWING RIGHTS (FROM IMF).
Se. (*kim.s.*) = SELENIUM.
SE = SOUTH-EAST(ERN); STOCK EXCHANGE.
sea [sī] *i.* Deniz. *s.* Denize ait; deniz+. **arm of the ~**, koldeniz: **be at ~**, (i) deniz üzerinde olm., gemide bulunmak; (ii) (*mec.*) şaşırmak: **beam ~**, yandan gelen dalgalar: **by the ~**, deniz kenarında: **following ~**, arkadan gelen dalgalar: **go by ~**, deniz yolu ile gitmek, gemi ile gitmek: **go/take to/follow the ~**, gemici olm.: **half ~s over**, (*arg.*) sarhoş olan: **head ~**, önden gelen dalgalar: **the high/open ~(s)**, açık deniz, engin denizler: **inland ~**, iç deniz: **get one's ~ legs**, geminin hareketine alışıp ayakta durabilmek: **put to ~**, denize açılmak, alarga etm.: **the seven ~s**, bütün denizler: **ship a (green) ~**, dalga gemiye girmek: **a ~ of faces**, insan kalabalığı. ~**-anchor**, açık denizde kullanılan bez çapa. ~**-anemone** [-ə'nemənı], denizşakayıkı. ~**-birds**, martıgiller. ~**-blue**, lâcivert. ~**board**, denize bitişik arazi, deniz kıyısı. ~**-boat**, **a good ~**, (denize elverişli) iyi kayık. ~**-borne**, deniz yoluyle gönderilen. ~**-bream**, izmarit. ~**-breeze**, denizde(n) esen rüzgâr. ~**-calf**, ayıbalığı. ~**-captain**, gemi kaptanı; deniz albayı; (*mec.*) büyük komutan. ~**-chest**, gemici sandığı. ~**-chestnut** = ~-URCHIN. ~**-cliff**, yalıyar. ~**-coast**, sahil, kıyı. ~**-cock**, deniz suyu musluğu. ~**-cow**, dugong, denizgüzeli. ~**-dog**, eski gemici, deniz kurdu, kalyoncu. ~**-dragon**, yırtmaçlı balık. ~**-eagle** = ERNE. ~**-elephant**, büyük fok. ~**farer** [-fe̜ərə(r)], deniz yolcusu; gemici. ~**faring**, *i.* deniz yolculuğu; gemicilik: *s.* gemiciliğe alışık. ~**-foam**, lületaşı. ~**food**, deniz mahsulleri. ~**-front**, bir şehrin denize bakan kısmı; rıhtım. ~**-going**, açık denizlere giden. ~**-green**, açık mavimsi yeşil. ~**gull**, martı. ~**-horse**, deniz aygırı; (*mit.*) yarı at yarı balık olan hayvan. ~**-kale**, deniz lahanası.
seal[1] [sīl]. Ayıbalığı, fok. **hooded ~**, balonlu fok.
seal[2] *i.* Mühür; damga; manalı işaret; gaz/sıvı sızıntısını önleyen bir araç, conta. *f.* Mühürlemek; kurşun mühür takmak; tasdik etm., teyit etm., doğrulamak, onaylamak; kapamak, tıkamak. **it is a ~ed book to me**, buna aklım ermez, bunun hakkında tamamen cahilim: **the book bears the ~ of genius**, kitapta dehanın damgası var: **his fate is ~ed**, geleceği belirmiştir: †**the Great ~**, hükümetin resmî mühürü: **keeper of the ~**, mühürdar: †**Privy ~**, mührü has: **lift the ~s**, mühürleri açmak: **my lips are ~ed**, bu sırrı kimseye söyleyemem: **set one's ~**, mühürünü basmak: **set the ~ on stg.**, bir meseleyi kökünden halletmek: **under the ~ of secrecy**, gizli kalmak şartıyle.
sea·-lab(oratory) ['sīlab, -lə'borətri]. Deniz dibinde laboratuvar. ~**-lawyer**, safsatacı ve daima kusur bulan gemici.
sealed [sīld]. Mühürlenmiş; gizli; deliksiz, tecritli. ~ **orders**, mühürlenmiş ve gizli emirler.
sea-legs ['sīlegs]. **find/get one's ~**, gemi hareketlerine alışmak; deniz hayatına alışmak.
seal·er ['sīlə(r)]. Ayıbalığı avcısı; ayıbalığı avına mahsus gemi. ~**ery**, ayıbalıklarının toplu yaşadığı yer.
sea·-level [sī'levl]. Deniz seviyesi: **mean ~**, orta deniz seviyesi. ~**-lift**, deniz nakliyatı.
sealing[1] ['sīlin(g)]. Ayıbalığı avı.
sealing[2]. Damgalama; mühürle(n)me; conta.
sea·-lion ['sīlayən]. Büyük ayıbalığı. ~**-lord**, Amirallik Dairesinin subay üyesi.
seal-ring ['sīlrin(g)]. Şövalye yüzük.
sealskin ['sīlskin]. Ayıbalığı kürkü.
seam [sīm] *i.* Dikiş yeri; maden damarı; (*müh.*) kenet; armoz; yüz kırışığı; ek yeri. *f.* Dikiş/yara gibi işaret bırakmak. **care had ~ed his face**, üzüntü yüzünü kırışıklarla kaplamıştı.
seaman, *ç.* **-men** ['sīmən]. Gemici. **able (-bodied) ~**, bahriye onbaşısı: **a good ~**, iyi/maharetli bir denizci: **leading ~**, bahriye çavuşu: **merchant ~**, (ticaret gemisinde) gemici: **ordinary ~**, bahriye neferi. ~**like**, bir denizciye yakışır surette. ~**ship**, gemi idare etme; denizcilik.
sea·-mark ['sīmāk]. Denizdeki gemilere yarıyan sahil işareti. ~**mew** [-myū], martı. ~**-mile**, deniz mili (1,85 km).

seam·ing ['sīmin(g)]. Dikiş; kaynak. ~**less**, dikişsiz; kaynaksız, lehimsiz. ~**stress**, dikişçi kadın; kadın terzi. ~**y**, dikişli; biçimsiz: **the** ~ **side of stg.**, bir şeyin kötü tarafı, bityeniği.

séance ['seyā(n)s]. Toplantı *bilh.* ispritizma toplantısı.

sea·-otter [sī'otə(r)]. Deniz samuru. ~**-piece**, deniz/gemi resmi. ~**plane**, deniz uçağı. ~**port**, liman, iskele. ~**-power**, deniz kuvveti (olan devlet). ~**quake** [-kweyk], deniz depremi.

sear [siə(r)] *f.* Kurutmak; soldurmak; dağlamak; katılaştırmak; nasırlandırmak. *s.* Kurumuş (yaprak); kavruk; solmuş.

search [sə̄ç]. Arama(k), araştırma(k); yoklama(k); tetkik (etm.), inceleme(k). **in** ~ **of . . .**, -i bulmak için, -i arayarak: ~ **into stg.**, bir şeyi incelemek: ~ **for stg.**, bir şeyi araştırmak: ~ **high and low**, fellek fellek aramak: **right of** ~, (bir evi vb.) arama hakkı. ~**-and-rescue**, (*hav.*) arama ve kurtarma. ~**ing, a** ~ **examination**, derin tetkik ve muayene; çok sıkı bir imtihan: ~ **of the heart**, vicdanını yoklama: **a** ~ **regard/look**, nüfuz eden nazar: ~ **questions**, inceden inceye sorular. ~**light**, ışıldak, projektör. ~**-party**, arama grubu. ~**-warrant**, arama emri.

sea·-room ['sīrūm]. Denizde gemiyi manevra ettirmek için açık alan. ~**-route**, deniz yolu. ~**-rover**, korsan. ~**scape** [-skeyp], deniz manzarası(nı gösteren resim). ~**-scout**, deniz izcisi. ~**-serpent**, okyanus dibinde yaşadığı varsayılan ejder. ~**-shell**, deniz kabuğu. ~**shore**, sahil, kıyı; (*huk.*) med ve cezir arasındaki sahil. ~**-sick**, **be/feel** ~, deniz tutmak: ~**ness**, deniz tutması. ~**side**, deniz kıyısı; yalı: ~ **resort**, plaj.

season[1] ['sīzn] *i.* Mevsim; vakit; sürem; (*tiy.*) dönem. **in** ~, mevsiminde: **in due** ~, uygun bir zamanda, sırasına göre: **in and out of** ~, olur olmaz zaman: **the dull/dead/off** ~, mevsimi olmadığı zaman: **last for a** ~, bir mevsimlik ömrü olm.: **out of** ~, mevsimsiz, vakitsiz; yersiz: **the London** ~, kibar ailelerin Londra'da kaldığı mevsim, sezon: **the** SILLY ~: **a word in** ~, yerinde bir söz. ~**(-ticket)**, abonman kartı.

season[2] *f.* Çeşnilendirmek, terbiye etm.; olgunlaş(tır)mak; kurutmak. ~ **justice with mercy**, adaleti merhametle uzlaştırmak.

season·able ['sīzənəbl]. Mevsime uygun; tam vaktinde olan, muvafık, müsait, uygun. ~**al**, belirli mevsime mahsus, mevsimlik.

season·ed ['sīzənd]. Olgun; kurutulmuş; çeşnili, terbiyeli: **a** ~ **soldier**, savaş görmüş asker. ~**ing**, terbiye, çeşni.

seat [sīt] *i.* Oturulacak şey/yer; banket; peyke; mevki; üyelik; mebusluk; konak, makar; (*müh.*) oturma, yuva; kıç, kaba et; pantolonun kıçı. *f.* Oturtmak. **ask s.o. to be** ~**ed**, birine 'oturunuz' demek: **a car with four** ~**s/to** ~ **four**, dört kişilik otomobil: **a good** ~ **(on a horse)**, (atın üzerinde) iyi oturma: **keep one's** ~, (i) oturduğu yerde durmak; (ii) atın üzerinde durmak; (iii) tekrar mebus seçilmek: **lose one's** ~, (i) attan düşmek; (ii) tekrar mebus seçilmemek: **marginal** ~, seçim neticesi belli olmıyan bir mebusluk: ~ **oneself**, oturmak: **take a** ~, oturmak: **take a back** ~, bir kenara çekilmek; önemini kaybetmek. ~**er**, **single-**~, bir kişilik (uçak vb.): **two-**~, iki kişilik. ~**ing**, oturacak yerler; (makinenin) yatağı; temel, oturtma: ~ **capacity**, oturacak yerlerin miktarı. ~**less**, oturulacak yer yok.

SEATO/Seato ['sītou̯]. SOUTH-EAST ASIA TREATY ORGANIZATION.

sea·-trout ['sītrau̯t]. Deniz alası. ~**-urchin**, deniz kestanesi, derisidikenli. ~**-wall**, kıyı rıhtımı. ~**ward(s)** [-wə̄d(z)], denize doğru. ~**-water**, tuzlu deniz suyu. ~**-way**, geminin denizden ilerlemesi. ~**weed**, deniz/su yosunu, alg. ~**-wolf**, korsan. ~**worthy** [-wə̄ði], denize çıkmağa elverişli. ~**-wrack** [-rak], yüzen su yosunu.

sebaceous [si'beyşəs]. Et yağına ait.

sec [sek] (*Fr.*) Kuru; sek.

sec.[1] = SECOND[2]: **just a** ~!, bir dakika!, şimdi gelirim!

sec.[2] = SECANT; SECOND[1](ARY); SECRETARY.

SEC = †STOCK EXCHANGE COMMISSION; *SECURITIES AND EXCHANGE COMMISSION.

secant ['sekənt] (*mat.*) Kesen; bir daireyi iki noktadan kesen çizgi; sekant.

secateurs ['sekətəz]. Budama makası.

seccotine ['sekətīn] (*M.*) Bir nevi kuvvetli tutkal.

sece·de [si'sīd]. Ayrılmak, çekilmek; itizal etm.: ~**r**, ayrılan. ~**ssion** [-'seşn], ayrılma, iftirak; itizal.

seclu·de [si'klūd]. Başkalarıyle görüşmekten menetmek: ~ **oneself**, karışıp görüşmemek; inzivaya çekilmek. ~**ded**, münzevi; mahrem; içerlek. ~**sion** [-'klūjn], inziva, uzlet.

second[1] ['sekənd] *s.* İkinci: **the** ~ **of January**, iki ocak: **every** ~ **day**, gün aşırı: **be** ~ **to none**, hiç kimseden geri kalmamak; hepsinden iyi olm.

second[2] *i.* Saniye, an, lahza. **I'll come in a** ~, şimdi gelirim: **in a split** ~, bir anda.

second[3] *f.* Yardım etm. ~ **a motion**, bir teklifi desteklemek: [si'kond] ~ **an officer/official for other service**, bir subay/memuru başka bir görev için ayırmak.

second-[4] *ön.* ~**ary**, fer'î, tali; ikinci derecede; ikinci olan, ikincil, sekonder; önemsiz; yedek, yardımcı: ~ **school**, ortaokul, lise. ~**-best**, **it's a** ~, istediğimiz gibi değil fakat olur: **come off** ~, altta kalmak, yenilmek: **my** ~ **suit**, en iyi elbisemden sonra gelen elbisem. ~**-childhood**, bunaklık, bunama. ~**-class**, ikinci derecede; ikinci mevki. ~**er**, (bir teklif/adayı) destekliyen. ~**-hand**[1], kullanılmış, ikinci el; elden düşme: ~ **dealer**, eskici, koltukçu: **hear/learn stg.** ~, bir şeyi başkasından duymak/öğrenmek. ~**-hand**[2], saniye ibresi. ~**-lieutenant**, (*ask.*) asteğmen. ~**ly**, ikinci olarak. ~**-nature**, alışkanlık, âdet. ~**-rate**, ikinci derecede; silik; kötü. ~**-sight**, gaipten haber verme.

secrecy ['sīkrəsi]. Ketumluk; sır olma; mahrem olma; gizlilik. **under pledge of** ~, mahrem olarak.

secret ['sīkrit] *i.* Sır; gizli şey. *s.* Gizli; mektum; saklı, hafi. **in** ~, gizli olarak; el altından: **let s.o. into the** ~, bir sırrı birine söylemek: **an open** ~, herkesin bildiği sır: **the** ~ **Service**, gizli haber alma teşkilâtı: **tell stg. as a** ~, bir şeyi mahrem olarak söylemek. ~**-agent**, ajan, casus.

secretar·ial [sekrə'teəriəl]. Kâtip(liğ)e ait; yazı işlerine ait; bakan(lığ)a ait. ~**iat**, kâtipler heyeti; kalem odası, sekreterlik. ~**y** ['sekrət(ə)ri], kâtip, yazman; daktilo, sekreter: †**Colonial/Foreign/Home** ~, Sömürgeler/Dış/İç İşleri Bakanı: **honorary** ~, fahrî kâtip: **Parliamentary** ~, bakanın

meclisteki muavini: **permanent** ~, bakanlık müsteşarı: **private** ~, özel kâtip/yardımcı: **under** ~, bakan muavini: ~ **of State**, Bakan; *Dış İşleri Bakanı. ~**-bird**, yılan akbabası, sekreter kuşu.
secret·e [si'krīt]. Saklamak, gizlemek; ifraz etm. ~**ion** [-'krīşn], ifraz etme, ifrazat, salgı. ~**ive** ['sīkrətiv], ketum; gizli kapaklı; fazla kapalı. ~**ory** [si'krī-], ifraz edici.
sect [sekt]. Tarikat; meslek, cemaat. ~**arian** [-'teəriən], tarikatçı; mutaassıp taraftar. ~**ary** ['sektəri], tarikatçı.
sect. = SECTION.
section ['sekşn] *i.* Kesme, kesilmiş şey; dilim; kesit, makta; profil, yanay; parça, kısım; fasıl; bölge; bölüm, şube; (*ask.*) manga, takım; *arazi. *f.* Kısımlara ayırmak; kesmek. **all** ~**s of the population**, halkın bütün sınıfları: **made in** ~**s**, sökülüp takılır: **microscopic** ~, mikroskopla inceleme için kesilen çok ince dilim, safiha: **partial/scrap** ~, kısmî kesit. ~**al**, makta halinde; belirli bir kısım/bölgeye ait; birbirlerine geçen ayrı kısımlardan yapılmış, sökülüp takılır: ~ **iron**, profilli demir.
sector ['sektə(r)]. Daire dilimi; kıta, bölge, mıntaka; açı ölçmeğe mahsus alet; (*elek.*) bölge; (*id.*) kesim, sektör: **private/public** ~, (*mal.*) özel/kamu sektör(ü). ~**-switch**, seksiyonör.
secular ['sekyulə(r)]. Dünyevî; cismanî; lâyik, dinî olmıyan; asırda bir; asırlarca süren. ~**ize**, cismanîleştirmek; lâyikleştirmek.
secund ['sīkʌnd] (*biy.*) Tek yanlı.
secur·e [si'kyuə(r)] *s.* Emin; korkusu yok; tehlikede olmıyan; sağlam, metin. *f.* Temin etm.; sağlamlamak; sağlamak; sağlam kazığa bağlamak; elde etm. ~**ed**, teminatlı. ~**ely**, emniyetle. ~**ities**, değerli belgeler, kıymetli evrak, taşınır değerler, tahvilat, esham. ~**ity**, emniyet, güvenlik; inanca, teminat; kefalet, kefil, rehin, kaparo: **lend money on** ~, rehine karşı ödünç para vermek: **stand** ~ **for s.o.**, birine kefil olm.: ~**-council**, güvenlik konseyi.
sedan [si'dan]. ~**(-chair)**, sedye.
sedate[1] [si'deyt] *s.* Temkinli; sakin; ağırbaşlı.
sedat·e[2] *f.* (*tıp.*) Yatıştırmak. ~**ion** [-'deyşn], (ilâçla) yatıştırma. ~**ive** ['sedətiv], yatıştırıcı (ilâç), müsekkin.
sedentary ['sedntəri]. Oturmuş, yerleşmiş; yerinden kımıldamıyan; vaktini hep evde geçiren. **a** ~ **occupation**, oturduğu yerde yapılan iş.
sedge [sec]. Bataklık yerlerde yetişen otlar; saz. ~**-warbler**, çilardıcı.
sediment ['sedimənt]. Tortu, rüsup, çökelek. ~**ary** [-'mentəri], rüsubî, tortul. ~**ation** [-'teyşn], tortulaşma.
sedit·ion [si'dişn]. İsyan, ayaklanma. ~**ious** [-şəs], asi; müfsit; dokunaklı.
seduc·e [si'dyūs]. Baştan çıkarmak, iğfal etm., ayartmak; iffetini bozmak. ~**er**, iğfal eden; iffeti bozan. ~**tion** [-'dʌkşn], baştan çıkarma, iğfal, ayartma. ~**tive**, cazibeli, çekici, büyüleyici, füsunkâr; şuh: ~**ly**, cazibeli bir şekilde. ~**tress**, *diş.* = ~ER.
sedulous ['sedyuləs]. Çalışkan; ihtimamlı; devamlı.
sedum ['sīdʌm]. Damkoruğu.
see[1] [sī] *i.* Bir piskoposun ruhanî dairesi, piskoposluk: **the Holy** ~, Papalık.
see[2] *f.* (*g.z.* **saw**, *g.z.o.* **seen** [sō, sīn]). Görmek, bakmak; görüşmek; anlamak. **you** ~, . . ., *söz arasında kullanılan ve yerine göre* şimdi, efendim, anlatabildim mi? *vb. anlamlarına gelen bir deyim*: **as far as I can** ~, görebildiğim kadar; bana sorarsanız: ~ **s.o. to the door**, bir misafiri kapıya kadar geçirmek: ~ **s.o. home**, birine evine kadar eşlik etm.: **he can't** ~ **a joke**, şaka/nükteden anlamaz: **let me** ~!, bakayım!; dur bakayım!; (söz arasında) efendime söyleyim: **we** ~ **a lot of each other**, birbirimizi sık sık görüyoruz: **he will never** ~ **fifty again**, elliyi çoktan aştı: **nothing could be** ~**n of him**, hiç görünürlerde yoktu: **one can't** ~ **to read**, çok karanlık, okunmuyor: ~**ing that**. . ., -e göre, -e bakarsanız. ~ **after** = ~ TO. ~ **in, just** ~ **him in, will you?**, onu içeri alır mısınız? ~ **in the New Year**, yeni yılı törenle kutlamak. ~ **into**, tetkik etm., incelemek. ~ **off**, ~ **s.o. off**, (i) birini geçirmek; (ii) birini kapı dışarı etm. ~ **out**, ~ **s.o. out**, (i) birini geçirmek; (ii) birini kapı dışarı etm.: ~ **stg. out**, bir şeyi sonuna kadar görmek. ~ **through**, ~ **stg. through**, bir şeyi sonuna kadar götürmek; bir şeyin sonuna kadar dayanmak: ~ **s.o. through**, birine güç bir zamanını atlatıncaya kadar yardım etm.: ~ **through s.o.**, birinin içini okumak: ~ **through s.o.'s plan**, birinin dolaplarına kanamak; birinin maksadının arkasındakini sezmek: **a ton of coal will** ~ **us through the winter**, bir ton kömür kışı çıkarır/bizi yaza çıkarır. ~ **to, I will** ~ **to it**, ben bu işe bakarım; ben bununla meşgul olurum: **this stove must be** ~**n to**, bu sobaya baktırmak lâzım.
seed [sīd] *i.* Tohum, tane, çekirdek. *f.* Tohum vermek; tohum ekmek; (*sp.*) en iyi oyuncular seçmek. **go/run to** ~, tohuma kaçmak: ~ **a cloud**, sunî bulutla yağmur yağdırmak. ~**-bed**, yastık, fidelik. ~**-cake**, keraviye keki. ~**-corn**, tohumluk buğday/arpa vb. ~**-drill**, ekim makinesi. ~**ed**, ~ **player**, (*sp.*) turnuvanın çeyrek sonlarında bulunsun diye seçilen en iyi oyuncu. ~**ily**, keyifsiz/köhne olarak. ~**less**, çekirdeksiz. ~**ling**, fide. ~**-pearl**, ufak taneli inci. ~**sman**, tohumcu; tohum satıcısı. ~**-time**, ekim zamanı, ilkbahar. ~**-vessel**, tohum kabı. ~**y**, keyifsiz, hastalıklı; köhne, pejmürde: **a** ~**-looking individual**, pejmürde/kılıksız bir herif.
seeing ['sī·in(g)] *i.* Görme, bakma. *s.* Gören. ~ **is believing**, insan görünce inanır: ~ **that**. . ., -e göre, -e bakarsanız: **within** ~ **distance**, göz görebildiği kadar.
seek (*g.z.(o.)* **sought**) [sīk, sōt]. Aramak; dilemek. ~ **after stg.**, bir şeyin peşinde koşmak: ~ **for**, aramak: ~ **out**, arayıp bulmak, yerinden çıkarmak: **the reason is not far to** ~, sebep meydanda. ~**er**, arayıcı, arayan: **a** ~ **after knowledge**, bilgi arayan: **pleasure** ~, zevkine düşkün.
seel [sīl] (*mer.*) (Gözlerini) kapatmak.
seem [sīm]. Görünmek; . . . gibi gelmek. **it** ~**s that**, öyle geliyor ki . . .: **it** ~**s as though/if**. . ., . . . gibi görünüyor: **I** ~ **to have heard his name**, ismini duydum gibime geliyor: **it** ~**s not**, böyle olmadığı anlaşılıyor: **so it** ~**s**, öyle gibi, öyle görünüyor: **there** ~**s to be some difficulty**, bu işin içinde bazı güçlükler var gibi görünüyor. ~**ing**, görünen; zahir; sureta: **in spite of his** ~ **indifference**, dışardan kayıtsız görünmesine rağmen: ~**ly**, görünüşte, görünüşe göre. ~**liness**, edep ve terbiye gerekleri; yakışıklık; münasiplik, uygunluk. ~**ly**, terbiyeli; yakışır; münasip, uygun.

seen [sīn] *g.z.o.* = SEE[2].
seep [sīp]. Sızmak; süzmek. ~**age** [-pic], sızıntı.
seer [siə(r)]. Kâhin.
seersucker ['siəsʌkə(r)]. Kıvırcık çubuklu kumaş.
see-saw ['sīsō] *i.* Tahterevalli; mütenavip/nöbetleşe hareket; inip çıkma. *f.* Kâh öyle kâh böyle olm.
seeth·e [sīð]. Haşlamak; kaynaşmak. **be ~ing with anger**, hiddetten köpürmek.
see-through ['sīθrū]. Çok ince ve şeffaf (elbise).
segment ['segmənt]. Daire dilimi; parça; bölüt; segman; halka. ~**al**/~**ary** [-'men-], dilim vb.ne ait; dilimli. ~**ation** [-'teyşn], ayrı parçalara bölünme; bölünerek üreme. ~**ed**, dilimli; (*biy.*) halkalı.
segregat·e ['segrigeyt] *f.* Ayırmak; tecrit etm.; büyük bir cisimden ayrılmak: *s.* ayrılmış, birikmiş. ~**ion** [-'geyşn], (iç) ayrılma; birikme; segregasyon.
seigneur ['seynyə(r)]. Derebeyi; büyük rütbeli asilzade. **grand** ~ [grā(n)], yüksek bir aileden çok kibar tavırlı bir efendi.
Seignior ['seynyə(r)]. **Grand** ~, Osmanlı padişahı.
Seine [seyn]. Sen nehri: ~**-net**, ığrıp.
seisin ['sīzin] (*huk.*) Temellük.
seism- ['sayzm-] *ön.* Deprem/zelzeleye ait, sismik. ~**ic**, deprem+, depremsel, zelzeleye ait, sismik. ~**ogram** [-məgram], deprem çizgisi. ~**ograph** [-məgrāf], depremçizer, sismograf. ~**ology** [-'moləci], deprembilim, zelzele bilgisi. ~**ometer**, depremölçer. ~**oscope** [-məskoup], deprem gösterici, sismoskop.
seize [sīz]. Kapmak; yakalamak; gasbetmek; kabullenmek; kavramak; haczetmek; el koymak; (*den.*) piyan etm. ~ **(up)** (makine) sıkılık/sıcaklık/yağsızlıktan dolayı yapışmak: **be ~d with a desire to do stg.**, bir şey yapmak isteğine kapılmak: **be ~d with fear**, korkuya kapılmak: ~ **hold of**, yakalamak, eline geçirmek: ~ **the opportunity**, fırsatı ganimet bilmek.
seizure ['sījə(r)]. Yakalama, gasbetme, elkoyma, haciz; zoralım, müsadere; (*müh.*) yapışma; (*tıp.*) inme, felç. **have/suffer a** ~, felce uğramak.
seldom ['seldəm]. Nadir olarak. **he** ~ **if ever answers a letter**, kırk yılda bir bir mektuba cevap verir.
select [si'lekt] *f.* Seçmek, ayıklamak. *s.* Seçme, güzide, seçkin, mutena. ~**ed**, seçme(li). ~**ion** [-'lekşn], seç(il)me; seçim; tenevvü, çeşit: **natural** ~, ıstıfa, ayıklanma: ~**s from Shakespeare**, S.'den seçme parçalar. ~**ive**, seçici; seçilmiş, seçilen. ~**ivity** [-'tiviti] (*rad.*) her dalgayı açık olarak alma kabiliyeti; seçicilik. ~**or** [si'lek-], seçici, selektör, seçme makinesi.
selen- [se'līn-] *ön.* Selenyuma ait. ~**ium** [-iəm], selenyum. ~**o-**, *ön.* aya ait: ~**graphy** [-'nogrəfi], ay coğrafyası: ~**logy**, ay bilgisi.
self *ç.* **selves** [self, selvz] *i.* Kendi (kendine); kişi(lik); nefis: **all by one's very** ~, tek başına: **all by himself**, (i) yapayalnız; (ii) tek başına: **your own dear** ~, 'sen' *anlamına sevgi ifade eden deyim*: ~ **is his god**, kendine tapar: **your good selves**, siz (*ticaret mektuplarında nezaketen kullanılan deyim*): **he is quite his old** ~ **again**, tamamen eskisi gibidir; artık iyileşti: **one's second** ~, "içtikleri su ayrı gitmez": **ticket admitting** ~ **and friend**, kendiniz ve bir arkadaşınız için bilet.
-self *son.* -kendi(m, -n) [MYSELF].
self- *ön.* SELF *ile yapılan bileşik kelimelerde* SELF kendi kendine/otomatik/oto-/öz-/self- *vb. anlamlarını kapsar.* ~**-acting**, otomatik. ~**-apparent**, besbelli. ~**-assert·ion**, kendini beğenme; yüzsüzce girişkenlik: ~**ive**, yüzsüzce girişken; kendini beğenmiş. ~**-centred**, daima kendini düşünen; hodbin. ~**-closing**, otomatik olarak kapanan. ~**-colour(ed)**, düz renkli; boyanmamış, tabiî renkte. ~**-command**, kendini tutma; nefsine hâkim olma. ~**-communion**, kendi kendine düşünme. ~**-confidence**, kendine (fazla) güvenme. ~**-conscious**, sıkılgan, utangaç. ~**-contained**, (i) kendi kendine yetişir; ilişiksiz; (ii) çekingen, az konuşur: ~ **flat**, müstakil apartman dairesi. ~**-control**, kendine hâkim olma; soğukkanlılık: **lose one's** ~, iradesini kaybetmek. ~**-defence**, kendini müdafaa, nefsini koruma: **the noble art of** ~, boks. ~**-denial**, nefsinden feragat; riyazet. ~**-destruct**, intihar etm.; (*ask.*) (bir cihaz) otomatik olarak kendini imha etm.: ~**ion**, intihar. ~**-determination**, bir ulusun kendi geleceğine kendisinin karar vermesi. ~**-educated**, kendi kendini yetiştirmiş. ~**-employ·ed**, serbest meslek sahibi: ~**ment**, şahsî istihdam; serbest meslek. ~**-esteem**, kendini beğenme; nefsine hürmet. ~**-evident**, besbelli, aşikâr. ~**-examination**, kendi vicdanını inceleme. ~**-government**, muhtariyet, bağımsızlık, özerklilik. ~**-help**, başkasından yardım beklemeden şahsî gayret. ~**-important**, kibirli. ~**-indulgent**, rahatına ve zevkine düşkün. ~**-interest**, bencillik. ~**-invited**, davetsiz gelen.
selfish ['selfış]. Hodbin, hodkâm, benci(l), egoist. ~**ly**, hodbin olarak. ~**ness**, hodbinlik, benci(l)lik.
selfless ['selflis]. Kendini düşünmiyen; cömert.
self·-made ['selfmeyd]. Kendi kendini yetiştirmiş (adam). ~**-mastery** = ~-CONTROL. ~**-moving**, otomatik. ~**-neglect**, kendi fayda/sağlığına bakmama. ~**-opinionated**, inatçı. ~**-pity**, kendine fazla acınma. ~**-portrait**, (ressam/yazar) kendi resmi. ~**-possessed**, soğukkanlı, temkinli. ~**-preservation**, nefsini koruma. ~**-raising**, (un) kendinden mayalanan. ~**-respect**, onur, öz saygısı; haysiyet: ~**ing**, onurlu sahibi. ~**-restraint**, kendini tutma; itidal, ölçülülük. ~**-righteous**, mürai, ikiyüzlü. ~**-sacrifice**, fedakârlık; feragat. ~**-same**, aynı, tıpkı. ~**-satisfied**, kendini beğenmiş. ~**-sealing**, kendinden kapanan. ~**-seeking**, hodbin, menfaatperest. ~**-service (restaurant/shop, etc.)**, garson/tezgâhtarsız (lokanta, mağaza vb.). ~**-starter**, (*oto.*) işletme anahtarı. ~**-styled**, sözde, kendi verdiği adla. ~**-sufficient**, kendini beğenmiş; müstağni; kendi kendini idare eden. ~**-sufficing**, kendi kendini idare eden. ~**-supporting**, ekmeğini kendi kazanan; (başka yerden yardım görmeden) kendi kendini idare eden. ~**-taught**, kendi kendine öğrenmiş. ~**-willed**, inatçı. ~**-winding**, kendiliğinden kurulan (saat vb.).
Seljuk ['selcūk] (*Tk.*) Selçuk.
Selk(irk) ['selkək]. Brit.'nın bir kontluğu.
sell (*g.z.(o.)* **sold**) [sel, sould] *f.* Sat(ıl)mak. *i.* (*arg.*) Dalavere. **be sold**, (*arg.*) kafese konmak: **what a** ~**!**, ne oyun!, ne dalavere!; hay aksi şeytan!: **sold again!**, (i) yine yutturdular!; (ii) yağma yok!, kapan da kaçan mı!: **(house, etc.) 'to** ~**'/'to be sold'**, satılık (ev vb.): **this book** ~**s well**, bu kitap iyi satılıyor: ~ **s.o. for a slave**, birini köle olarak satmak. ~ **off**, ~ **off one's belongings**, bütün eşyasını satıp savmak. ~ **out**, bütün mevcut/stoku

satmak; ihanet etm.: **we are sold out of that book,** o kitap tamamen satıldı/bitti. ~ **up,** müflisin malına el koyup satmak.
sell·er ['selə(r)]. Satıcı, bayi: **this book is a good** ~, bu kitap iyi satılıyor: **best** ~, çok satılan/sürümlü kitap. ~**ing,** satış.
sellotape ['seləteyp] (*M.*) Seloteyp.
seltzer-water ['seltsəwōtə(r)]. Köpürücü bir maden suyu.
selv·age/~edge ['selvic]. Kumaş kenarı.
selves [selvz] *ç.* = SELF.
Sem. = SEMITIC.
semantic [si'mantik]. Anlama ait. ~**s,** kelimelerin anlam değiştirmelerini inceleyen ilim, anlambilim.
semaphore ['seməfō(r)]. Semafor(la haberleşmek).
sema·siology [simeysi'oləci] = SEMANTICS. ~**tic,** (*zoo.*) anlamlı (renk/işaretler).
semblance ['sembləns]. Benzeyiş. **bear the** ~ **of,** benzemek: **put on a** ~ **of gaiety,** yalancıktan neşeli görünmek.
semeio·logy/~tics = SEMIOLOGY.
sememe ['semīm] (*dil.*) Anlam birimi.
semen ['sīmən]. Meni, sperma, belsuyu.
semester [si'mestə(r)]. Sömestr.
semi ['semi] (*kon.*) = ~-DETACHED HOUSE.
semi- ['semi-] *ön.* Yarı . . ., semi-. ~**-annual,** yılda iki (defa), her altı ayda. ~**breve** [brīv] (*müz.*) rond. ~**circ·le** [-sōkl], yarım daire: ~**ular** [-'sōkyulə(r)], yarım daire şeklinde. ~**colon** [-'koulən], noktalı virgül (;). ~**-detached (house),** yalnız bir taraftan bitişik müstakil ev. ~**-final,** dömifinal, yarı son. ~**-literate,** yarı okur-yazar/cahil.
seminal ['seminl]. Meni/spermaya ait.
seminar ['seminā(r)]. Seminer, toplu çalışma. ~**ist,** öğrenci hatip. ~**y** [-nəri] (*mer.*) okul; (*şim.*) hatip okulu.
semin·ation [semi'neyşn]. Tohum ekme/verme, tohumlama. ~**iferous** [-'nifərəs] tohumlu.
semio·logy/~tics [sīmi'oləci, -'otiks]. İşaretler; işaret bilimi; işaretlerle bağlantı bilimi; (*tıp.*) araz bilimi, semiyoloji.
semi·-official [semi·ə'fişəl]. Yarı resmî. ~**-precious,** ~ **stones,** ikinci derecede değerli taşlar. ~**quaver,** (*müz.*) onaltılık nota.
Semit·e ['sīmayt] *i., s.* Samî; Yahudi. ~**ic** [se'mitik] *s.* Samî; Yahudi +.
semi·tone ['semitoun]. Yarım ses. ~**-trailer,** yarı-römork. ~**-tropical,** yarı tropikal.
semolina [semə'līnə]. İrmik.
semone [sī'moun]. Asıl anlam.
sempiternal [sempi'tōnl]. Ebedî, sonsuz.
sempstress ['sempstris]. Dikişçi kadın.
Sen. = SENAT·E/OR; SENIOR.
SEN = STATE ENROLLED NURSE.
senary ['senəri]. Altıya ait; altışar.
senat·e ['senit]. Senato; ayan meclisi; üniversite idare heyeti. ~**or,** senato/ayan meclisinin üyesi, senatör: ~**ial** [-'tōriəl], senato/senatöre ait: ~**ship,** senatör makamı. ~**us** = ~E.
send (*g.z.(o.)* **sent**) [send, sent] *f.* Göndermek. ~ **for s.o.,** birini getirtmek, istetmek, çağırmak: ~ **s.o. for stg.,** birini bir şey için göndermek: **God** ~ **that . . .,** Allah vere de . . .: **(God)** ~ **him victorious,** Allah onu muzaffer eylesin!: **the blow sent him sprawling,** darbeyi yiyince yere yuvarlandı: **it sent a shiver down my spine,** bu bütün vücudumu ürpertti. ~ **away,** uzaklaştırmak, göndermek: ~ **away for stg.,** bir şeyi başka yerden göndertmek. ~ **down,** aşağıya göndermek; üniversiteden tardetmek, ~ **forth,** dışarıya göndermek; salmak. ~ **in,** içeriye göndermek: ~ **in a bill,** fatura/hesap göndermek: ~ **in one's name,** adını içeriye haber vermek: ~ **in one's resignation,** istifasını vermek. ~ **off,** yola vurmak; geçirmek: ~ **off a letter,** mektubu postaya vermek. ~ **on,** gelen bir şeyi başka bir yere göndermek; (bir emri) başkasına tebliğ etm. ~ **out,** dışarıya göndermek; atmak; çıkarmak; fışkırtmak; her tarafa göndermek, neşretmek. ~ **up,** yukarıya göndermek; artırmak; yükseltmek.
send·er ['sendə(r)]. Gönderen: **'return to sender',** gönderene iade. ~**-off,** veda. ~**-up,** (*kon.*) bir şeyin gülünç şekilde taklidi.
senescen·ce [si'nesəns]. İhtiyarlık. ~**t,** ihtiyarlayan, yaşlanan.
seneschal ['seneşəl] (*tar.*) Kâhya.
senil·e ['sīnayl]. Bunak, geçkin; ihtiyarlığa ait; (ihtiyarlıktan) halsiz. ~**ity** [si'niliti], bunaklık, geçkinlik; (ihtiyarlıktan) halsizlik.
senior ['sīniə(r)]. Daha yaşlı; kıdemli; baş-. **I am three years** ~ **to you/your** ~, sizden üç sene büyüğüm: **Smith** ~, S. kardeşlerinin en yaşlısı: **John Smith** ~, J. S. baba. ~**-citizen,** yaşlı emekli. ~**ity** [-'oriti], daha yaşlılık; kıdem(lilik). ~**-partner,** baş/kıdemli ortak.
senna ['senə]. Sinameki.
sennet ['senit] (*mer.*) Boru sesi.
se(')nnight ['senayt] (*mer.*) Haftalık.
Senr. = SENIOR.
sensation [sen'seyşn]. His, duygu; duyma; ihtisas; heyecan. **the news caused a great** ~, haber büyük bir heyecan uyandırdı. ~**al,** heyecan verici, sansasyonel: ~**ism,** halkı heyecanlandıracak şeylere düşkünlük: ~**ist,** heyecanlı haber veren (yazar vb.): ~**ly,** heyecanlı olarak.
sense[1] [sens] *i.* Beş duyunun her biri; his, duygu; akıl, zekâ; mana, anlam, meal, delâlet. **the** ~ **of sight/hearing, etc.,** görme/işitme vb. duyusu: **common** ~, aklıselim, sağduyu: **be in one's** ~**s,** aklı başında olm.: **be out of one's** ~**s,** deli olm., çıldırmak: **come to one's** ~**s,** kendine gelmek; aklı başına gelmek: **talk** ~, (i) söylediğinde anlam olm.; (ii) saçmalamamak: **take the** ~ **of the meeting,** bir toplantı vb.de halkın fikrini yoklamak: **take a word in the wrong** ~, kelimeyi yanlış anlama çekmek.
sense[2] *f.* Farkında olm., hissetmek.
senseless ['senslis]. Bayılmış, kendinden geçmiş; akılsız, abes. **fall** ~, kendinden geçerek düşmek: **knock s.o.** ~, birini vurup bayıltmak. ~**ly,** akılsızca. ~**ness,** akılsızlık.
sensib·ility [sensi'biliti]. Duyarlık, duygululuk, hassasiyet; içlilik. ~**le** ['sensibl], makul; akıllı, dirayetli; akla yakın; duyar, sezer; hissedilebilir, mahsus: **be** ~**!,** makul ol!: ~ **clothing,** uygun/münasip elbise: **be** ~ **of one's danger,** tehlikeyi sezmek: ~**ness,** makullük. ~**ly,** makulce.
sensit·ive ['sensitiv]. İçli; alıngan; kıldan nem kapan; hassas, duyar, oynak: **very** ~ **to criticism,** tenkide gelmez, tenkitten alınır. ~**iveness/~ivity** [-'tivity], hassaslık, duyarlık. ~**ize,** sansibilize etm.
sensor ['sensə(r)]. Bir fizikî hassaya ait haber veren cihaz. ~**ial/~y** [-'soriəl, -səri], his/duyulara ait. ~**ium** [-'soriəm], duyu merkezi, beyin.

sensual ['sensyu̯əl]. Şehvete düşkün, kösnül. **the ~ pleasures**, nefsanî zevkler. **~ist**, şehvet düşkünü, zevkine düşkün; (*fel.*) duyumcu. **~ity** [-'aliti], şehvet; duyumculuk. **~ly**, kösnül olarak.
sensuous ['sensyu̯əs]. His/duyulara ait.
sent [sent] *g.z.(o.)* = SEND.
senten·ce ['sentəns] *i.* Cümle; mahkeme kararı; ilâm; hüküm, yargı. *f.* (Cezaya) mahkûm etm. **pass ~ on s.o.**, (mahkeme) birini mahkûm etm.: **undergo one's ~**, mahkûmiyet süresini (hapiste vb.) geçirmek: **he is under ~ of death**, ölüme mahkûm olmuştur: **suspended ~**, cezanın ertelenmesi. **~tial** [-tenşl], cümleye ait.
sententious [sen'tenşəs]. Mütehakkimane konuşan/öğüt veren; fetva verir gibi söz söyliyen.
sentient ['senti̯ənt]. Hissedebilir.
sentiment ['sentimənt]. Fikir, düşünce; duygu, his; hassaslık, içlilik. **~al** [-'mentl], fazla hassas, içli, duygulu: **~ist** [-təlist], hislerine fazla kapılır, içli: **~ity** [-'taliti], içlilik, fazla hassaslık.
sentinel ['sentinl]. Nöbetçi. **stand ~ (over)**, nöbet beklemek; gözetlemek.
sentry ['sentri]. Nöbetçi. **stand ~/be on ~ go**, nöbet beklemek: **relieve a ~**, nöbetçiyi değiştirmek. **~-box**, nöbetçi kulübesi. **~-go**, nöbet(çilik).
sepal ['sepəl]. Çanakyaprağı. **-~ous** [-ləs] *son.* -yapraklı.
separab·ility [sepərə'biliti]. Ayrılabilme. **~le** ['sepərəbl], ayrılabilir, tefriki mümkün.
separat·e ['seprit] *s.* Ayrı, ayrılmış; müstakil, mücerret; müfrez. ['sepəreyt] *f.* Ayırmak, ayrılmak; ayırt etm., tefrik etm.: **~ milk**, sütün kaymağını almak: **~s**, (*mod.*) birbirine uymıyan fakat beraber giyilen elbiseler. **~ion** [-'reyşn], ayır(t)ma; ayrılma; ayrılık; hicran; uzaklık; (*rad.*) separasyon: **~ allowance**, asker ailelerine verilen ödenek: **judicial ~**, mahkeme kararıyle ayrılık: **~ order**, ayrılık hükmü. **~ist** ['seprətist], muhtariyetçi. **~or** [-reytə(r)], sütün kaymağını/petekten balı almağa mahsus makine; santrifüjör; ayırma cihazı; ayırıcı.
sepia ['sīpi̯ə]. Sepya, koyu kahverengi.
sepoy ['sīpoy]. Eskiden Hindistan ordusunun Hintli askeri.
sepsis ['sepsis]. Kan zehirlenmesi; septisemi.
Sep(t). = SEPTEMBER.
sept [sept] *i.* Oymak.
sept·a ['septə] *ç.* = ~UM. **~al**, oymağa ait; bölüme ait. **~ate** [-teyt] (*biy.*) bölümlü.
sept- *ön.* Yedi. **~ember** [-'tembə(r)], eylül. **~enary** [-'tīnəri], yediye ait; yedişer. **~ennial** [-'teni̯əl], yedi yılda bir (olan); yedi yıl süren. **~et**, (*müz.*) yedi ses/çalgı (için beste).
septic ['septik]. Çürütücü; müteaffin; mikroplu. **~ tank**, çürütme çukuru. **~aemia** [-'sīmi̯ə], septisemi.
septuag·enarian [septyu̯əci'ne̯əri̯ən]. Yetmişlik şahıs. **~int** [-cint], Ahdi atikin yunancası.
septum ['septʌm] (*biy.*) Burun direği; bölüm.
septuple [sep'tyūpl] *s.* Yedi kat. *f.* Yediyle çarpmak. **~ts** [-lit], bir batında doğmuş yedi çocuk.
sepul·chral [si'pʌlkrəl]. Mezara ait; ölümsü: **a ~ voice**, mezardan gelir gibi bir ses. **~chre** ['sepəlkə(r)], mezar; kabir, türbe: **a whited ~**, müraî; uzaktan gördüm bir yeşil türbe, içine girdim neuzübillah. **~ture** [-çə(r)], gömme, defin.
seq(q). (*Lat.*) = THE FOLLOWING.
sequacious [si'kweyşəs] (*mer.*) Bağlı, tabi.
sequel ['sīkwəl]. Bir şeyin mabadı, üst tarafı, arkası; akibet, netice, sonuç.
sequen·ce ['sīkwəns]. Tevali, art arda gelme; sıra, silsile; kâğıt sırası; zincirlenme; (*sin.*) ayrım; sonuç. **~t**, takip eden, sonra gelen: **~ial** [si'kwenşl], takip eden; belli bir sırada olan/edilen.
sequest·er [si'kwestə(r)]. Haczetmek, el koymak: **~ oneself**, (inzivaya) çekilmek. **~ered**, münzevi, hücre; haczedilmiş. **~rate** ['sīkwestreyt], haczetmek, el koymak; tevkif etm. **~ration** [-'treyşn], haciz, el koyma; inziva. **~rator**, yed-i adil, güvenilir kişi. **~rum**, (*tıp.*) ayrılmış ölü doku/kemik.
sequin ['sīkwin]. Eski Venedik altını; süs için elbiseye takılan madenî pul.
sequoia [si'kwoyə]. Sekoya.
sera ['sīrə] *ç.* = SERUM.
serac ['serak]. Buz bacası.
seraglio [se'rālyo̯u]. Saray; harem.
sera·i/~y [se'ray]. (Kervan)saray.
seraph, *ç.* **-s, -im** ['serəf, -s, -im] (*din.*) En yüksek sınıf meleklerden biri. **~ic** [-'rafik], melek gibi.
seraskier [seras'kī(r)] (*Tk.*) Serasker.
Serb [sə̄b]. Sırp(lı). **~ia**, Sırbistan. **~ian**, *i.* Sırpça: *s.* Sırbistan +; Sırp +. **~o-**, *ön.* Sırp-.
serenade [serə'neyd] *i.* Sevgilinin penceresi altında söylenen şarkı/çalınan hava, serenat. *f.* 'Serenade' yapmak.
sere [si̯ə(r)] = SEAR.
serendipity [seren'dipiti]. İlginç/değerli şeyleri rasgele bulma kabiliyeti.
seren·e [si'rīn]. Sakin, asude; huzur içinde; durgun/açık (hava): **His ~ Highness**, *bazı prenslere verilen unvan*: **all ~!**, (*kon.*) işler tıkırında: **~ly**, sükûnetle. **~ity** [-'reniti], sükûnet, dinme, durgunluk; huzur.
serf [sə̄f]. Derebeylik devrinde demirbaş köle; serf. **~dom**, serflik; kölelik.
serge [sə̄c] (*dok.*) Şayak.
sergeant/serjeant ['sācənt] (*ask.*) Çavuş, gedikli erbaş: **police ~**, polis komiseri muavini: **Common ~**, Londra Belediyesinin bir memuru. **-at-arms**, Saray/Parlamento memurlarına verilen unvan. **~-at-law**, (*tar.*) kıdemli bir BARRISTER. **~-major**, baş·çavuş/gedikli: **regimental ~**, alayın en kıdemli başçavuşu.
Sergt. = SERGEANT.
serial [si̯əri̯əl] *s.* Sıraya dahil; sıra ile devam eden; tefrika/seri halinde. *i.* Tefrika, bölüntü; seri; (*sin.*) bölüklü filim, serial. **~ production**, seri halinde/toptan üretim: **~ rights**, bölüntülü satış hakları. **~ize**, tefrika etm. **~ly**, tefrika/seri halinde.
seriat·e ['seri̯ət] *s.* Seri halinde. [-rieyt] *f.* Seri haline düzenlemek. **~im** [-'eytim], sırasiyle. **~ion** [-ri'eyşn], seri haline düzenle(n)me.
Seric ['sīrik]. Çine ait.
seri·ceous [se'rīşəs]. İpek/atlas gibi; tüylü. **~(ci-)cultur·e** [-ri(si)'kʌlçə(r)], ipekböcekçiliği: **~ist**, ipek böceklerini besliyen kimse, ham ipek üreticisi.
series ['si̯ərīz]. Sıra, silsile, manzume; seri, dizi; (*yer.*) soy; (*mal.*) tranş: **in ~**, seri halinde, arka arkaya.
serif ['serif] (*bas.*) Bir nevi harf süsü.
serigraphy [sə'rigrəfi]. Serigrafi baskı.
serin ['serin]. Sarı bir ispinoz, kanarya.
serio-comic [si̯əri̯o̯u'komik]. Yari ciddî yarı komik.

serious ['si̯əri̯əs]. Ciddî; vahim; vakur, temkinli. **~ly**, ciddî olarak: **take stg. ~ly**, ciddiye almak.
seriph ['serif] = SERIF.
serjeant ['sācənt] = SERGEANT.
sermon ['sōmən]. Vaız. **~ize**, uzun uzadıya öğüt vermek, va'za başlamak.
sero- ['sīro] *ön.* Sero-, serom +. **~logy** [-'roləci], seromlar bilgisi. **~sa** [sə'rou̯sə], sulu/salgılı zar. **~sity** [-'rositi], sululuk, serom gibi olma.
serotine ['serətin]. Geç uçan yarasa.
sero·us ['sīrəs]. Serom gibi, sulu, salgılı.
serp·ent ['sōpənt]. Yılan: **~ine** [-'tayn] *s.* yılankavî, hilekâr: *i.* yılantaşı. **~iginous** [-'picinəs], yayılan/sürüngen (cilt hastalığı).
serrat·e(d) [se'reyt(id)]. Testere gibi dişli; girintili çıkıntılı. **~ion** [-'reyşn], testere gibi dişlilik.
serried ['serid]. Sıkışık.
serrulate ['seruleyt]. İnce dişli.
ser·um, *ç.* **~a**, **~ums** ['sīrəm(z), 'sīrə]. Serom; sulu sıvı, salgı: **~ therapy**, serom zerk edilmesiyle tedavi, seroterapi.
servant ['sōvənt]. Hizmetçi, uşak; kul, bende; memur. **general ~**, her işe bakan hizmetçi: **your humble ~**, hakir kulunuz (*üste yazılan bir resmî mektubun sonunda kullanılan deyim*): **your obedient ~**, itaatli bendeniz (*resmî veya ticarî bir mektubun sonunda kullanılan deyim*): **civil ~**, devlet memuru. **~-girl/-maid**, kız hizmetçi. **~s'-hall**, hizmetçiler odası.
serve [sōv]. Hizmet etm., hizmetini görmek; hizmetçilik/uşaklık etm.; yemeği sofraya koymak; misafire yemek vermek; işe yaramak; (tenis) servis yapmak, atmak; (aygır) kısrak ile çiftleşmek. **~ one's apprenticeship**, çıraklık etm.: **~ in the army/navy**, askerlik görevini ordu/bahriyede yapmak: **asparagus ~d with butter**, üzerine tereyağı gezdirilen kuşkonmaz: **dinner is ~d!**, yemeğe buyurun!: **when occasion ~s**, icabında; fırsat düşünce: **~ as a pretext**, bahane yerine geçmek, vesile olm.: **~ out**, dağıtmak: **~ s.o. out**, birinden öç almak: **nothing will ~ but the best**, en iyisi olmazsa olmaz: **it ~s the purpose**, işe yarar; yasak savar: **the new railway will ~ a large area**, yeni demiryolu büyük bir bölgenin ihtiyacını karşılayacak: **it ~s him right!**, belâsını buldu; oh olsun!; meheldir: **if my memory ~s me right**, hafızam beni aldatmıyorsa: **~ a rope**, halatı façuna etm.: **~ one's sentence**, mahkûmiyetini geçirmek: **he ~d me shamefully**, bana çok kötü davrandı: **~ one's time**, (i) çıraklık etm.; (ii) askerlik görevini yapmak; (iii) mahkûmiyetini geçirmek: **~ up food**, kotarmak. **~r**, hizmetçi; (*sp.*) atan.
Servian ['sōvi̯ən] = SERBIAN.
service[1] ['sōvis] *i.* Hizmet(çilik); vazife; iş; yardım; idare; ibadet, ayin; takım; (*sp.*) servis, atış, başlama; (otel vb.) servis. *s.* (Orduya ait) beylik. **active ~**, savaşma hizmeti: **on active ~**, cephede: **civil ~**, devlet/amme hizmeti: **diplomatic ~**, elçi ve konsoloslar: **foreign ~**, yurtdışı hizmet, dış işleri hizmeti: **military/national ~**, askerlik hizmeti: **public ~**, halk hizmeti: **secret ~**, gizli hizmet (teşkilâtı): **voluntary ~**, gönüllü hizmet: **I am at your ~**, emrinize amadeyim: **be of ~ to s.o.**, birine yardım etm.: **dinner ~**, sofra takımı: **will you do me a ~?**, size bir ricam var!: **the fighting ~s**, kara/deniz/hava kuvvetleri: **go out (in) to ~**, evlerde hizmetçilik etm.: **On Her Majesty's ~ (OHMS)**, devlet görevinde: **see ~**, (asker) muharebe görmek: **this hat has seen much ~**, bu şapka çok görmüş geçirmiştir: **the Senior ~**, Bahriye: **take ~ with s.o.**, birinin evine hizmetçi girmek.
service[2] *f.* (*oto.*, *hav.*) Bakmak; tamir etm.
service[3]. **~ (tree)**, üvez ağacı.
service-[4] *ön.* **~able**, işe yarar; faydalı; (*oto.*) tamir edilir. **~-area**, (otomobil yolunda) servis yeri; (*rad.*) yayım sahası. **~-book**, askerlik cüzdanı; (*din.*) ayin kitabı. **~-change**, (*sp.*) başlama değişimi. **~-charge**, servis ücreti. **~-door**, servis/hizmetçi kapısı, arka kapı. **~-dress**, (*ask.*) iş/savaşma elbisesi. **~-flat** = FLAT. **~-hatch**, servis penceresi. **~ industry**, hizmetler sağlıyan endüstri. **~-line**, (*sp.*) başlama çizgisi. **~-pipe**, (su/gaz vb.) şube borusu. **~-road**, servis/hizmet yolu. **~-station**, (*oto.*) garaj ve bakım atelyesi. **~-tree** = **~**[3].
servicing ['sōvisin(g)] (*oto.*) Bakım.
serviette [sōvi'et]. Peçete, peşkir.
servil·e ['sōvayl]. Köle gibi; süflî; zelil; körükörüne. **~ity** [-'viliti], zillet; aşağılık; huluskârlık.
serving ['sōvin(g)] *i.* (*den.*) Façuna. *s.* Hizmette olan (asker). **~-man**, hizmetçi, uşak.
servit·or ['sōvitə(r)]. Hizmetçi; uşak. **~ude** [-tyūd], kulluk, kölelik: **penal ~**, kürek cezası.
servo- [sōvou̯-] *ön.* Servo-, otomatik. **~(-assisted) brake**, servo freni. **~-motor**, servo/denetim motoru.
sesam·e ['sesəmi]. Susam; tahin: **open ~!**, açıl susam açıl! **~oid** [-moyd], susamsı (kemik).
sesqui- [seskwi-] *ön.* Bir buçuk.
sessile ['sesayl]. (Bitki) sapsız; sabit.
session ['seşn]. Celse, oturum; içtima; oturuş. **the House is now in ~**, Parlamento toplantı halindedir: **petty ~s**, sulh mahkemesi.
sestet [ses'tet] = SEXTET.
set[1] [set] *i.* Takım, araç; koleksiyon, seri; muhit, grup, zümre, klik; vaziyet, durum, tavır; (*Avus.*) kin, garaz; (*sp.*) dönem, set; (*sin., tiy.*) dekor; fidan; kaldırım taşı; (av köpeği) ferma. **dinner-/tea-~**, (yemek/çay) sofra takımı: **fast ~**, sefahat/uçarılık takımı: **radio/TV ~**, radyo/TV alıcı cihazı: **in ~s of four**, dört taneli gruplarda: **~ of apartments**, apartman dairesi: **~ of a coat**, ceketin sırta oturuşu: **~ of the current**, akıntının istikameti: **~ of the head**, başın duruşu: **make a ~**, (av köpeği) ferma etm.: **make a (dead) ~ at s.o.**, birine diş geçirmek, kancayı takmak; (kadın) bir erkeği avlamağa çalışmak: **we don't move in the same ~**, aynı çevreye devam etmiyoruz: **~ of the sails**, yelkenlerin durumu: **~ of a saw**, testerenin sağa ve sola dönük dişleri arasındaki açı.
set[2] *s.* Sabit, değişmez, kımıldamaz; muayyen, kesin. **be all ~**, başlamağa hazır olm.: **~ fair**, (barometre) devlamlı açık hava: **the fruit is ~**, meyvalar tuttu: **hard ~**, (çimento vb.) donmuş: **~ phrase**, klişe: **~ purpose**, kesin maksat: **of ~ purpose**, taammüden, bile bile: **a ~ smile**, daimî tebessüm: **a ~ speech**, klişe nutuk: **~ subject/book**, imtihan için belirli konu/kitap.
set[3] *f.* (Güneş/ay) batmak; (çimento) donmak, katılaşmak, koyulaşmak, ağdalanmak; meyletmek; (av köpeği) ferma etm.; (testere) çaprazlamak; koymak, yerleştirmek, dikmek, kurmak; başlatmak; tanzim etm., tayin etm.; vermek; (yazı)

dizmek; (değerli taş) oturtmak. ~ **a book for an exam.**, imtihan için bir kitap tespit etm.: **(of a broken leg) to** ~, kırık kemik kaynamak: ~ **a broken leg**, kırık kemiği yerine koyarak sarmak: ~ **s.o. doing/to do stg.**, birine (boş durmamak için) bir iş vermek: ~ **the dog barking**, köpeği havlatmak: **(of a dress)** ~ **well/badly**, elbise iyi/kötü oturmak: ~ **a hen**, bir tavuğu kuluçkaya yatırmak: ~ **one's hopes/mind/heart on doing stg.**, bir şeyi candan istemek: **opinion is** ~**ting that way**, kamu oyu o tarafa eğiliyor: ~ **right**, düzeltmek; yoluna koymak: ~ **s.o. on his way**, birine yol göstermek: ~ **words to music**, bir güfteyi bestelemek. ~ **about**, ~ **about doing stg.**, bir işe girişmek/başlamak: **I don't know how to** ~ **about it**, bu işe nasıl girişeceğimi bilmiyorum: ~ **a rumour about**, bir söylentiyi yaymak: ~ **about s.o.**, (*kon.*) birine hücum etm. ~ **against**, -e dayamak: ~ **one person against another**, birini başkası aleyhine çevirmek: ~ **one thing against another**, bir şeyin değerini başka bir şeyinki ile ölçmek. ~ **apart**, tecerrüt etm., ayırmak; bir tarafa koymak; tahsis etm. ~ **aside**, bir tarafa koymak; atmak; biriktirmek; iptal etm.; ifraz etm.: ~ **a will aside**, bir vasiyetnameyi iptal etm. ~ **back**, ~ **a house back from the road**, bir evi yoldan içeri/geri almak: **(horse)** ~ **back its ears**, (at) kulaklarını yatırmak: ~ **back a clock**, saati geri almak. ~ **before**, önüne koymak: ~ **Shakespeare before Dante**, Shakespeare'i Dante'ye tercih etm. ~ **down**, yere koymak; (yolcu vb.ni) çıkarmak; yazmak. ~ **forth**, yola çıkmak/düşmek; ileri sürmek. ~ **in**, (kış vb.) gelip çatmak; (karanlık) basmak; meydana gelmek, peyda olmak. ~ **off**, yola çıkmak; boylamak; tebarüz ettirmek; güzelleştirmek; meydana çıkarmak; karşılık olarak koymak; takas yapmak: **this answer** ~ **them off laughing**, bu cevap onları güldürdü. ~ **on**, ~ **a dog on to s.o.**, bir köpeği birine saldırtmak: **I was** ~ **on by a dog**, bir köpek bana saldırdı: **be** ~ **on stg.**, bir şeyi aklına koymak, canı çok istemek. ~ **out**, yola çıkmak: izah etm.; şerhetmek; teşhir etm.: ~ **out to . . .**, -e koyulmak: **he** ~ **out to reform the world**, dünyayı ıslah etmeğe kalkıştı. ~ **to**, koyulmak; işe koyulmak. ~ **up**, dikmek, rekzetmek; kurmak; mucip olm.; ileri sürmek: ~ **up house**, ev kurmak: ~ **s.o. up**, birine tuzak kurmak: ~ **s.o. up in business**, birini bir işe yerleştirmek (başlatmak): ~ **up a shout**, feryat koparmak, haykırmak: **he** ~**s up to be a poet**, şairlik davasına düştü; şairlik taslıyor: ~ **up a manuscript**, (matbaa) bir yazıyı dizmek: **this medicine** ~ **me up**, bu ilâç beni diriltti, kendime getirdi: **a well-**~**-up youth**, boylu boslu genç. ~ **upon**, hücum etm., çullanmak.

set·a, *ç.* ~**ae** ['sītə, -tī] (*biy.*) Ufak ve dik bir kıl. ~**aceous** [-'teyşəs], böyle kıllı; kıl gibi. ~**iferous**/~**ose** [si'tifərəs, 'sītous], kıllı.

set·-back ['setbak]. Gerileme, kötüleşme; geçici başarısızlık. ~**-off**, süs; (*mal.*) karşılık.

seton ['sītn] (*tıp.*) Fitil.

set-square ['setskweə(r)]. Gönye.

sett [set] = SET².

settee [se'tī]. Kanape, şezlong.

setter ['setə(r)]. Ferma köpeği, setter; tertip eden/düzenleyen kimse.

setting ['setin(g)]. (Güneş) batma; vaziyet, durum, ayar; (*tiy.*) dekor; (testere) çapraz(lama); (beton) priz; (değerli taş) oturt(ul)ma.

settle ['setl]. Yerleştirmek; iskân etm.; tespit etm., tayin etm.; kesip atmak, kararlaştırmak; teskin etm.; halletmek; düzeltmek, tanzim etm.; ödemek; yerleşmek; sabit bir hale gelmek; konmak; bir işe koyulmak; durulmak; dibe çökmek/durulmak; (bina) biraz yere çökmek. ~ **an account**, bir hesabı ödemek: ~ **an account with s.o.**, biriyle kozunu paylaşmak: ~ **s.o.('s account)**, birinin icabına bakmak, hesabını görmek: ~ **an annuity on s.o.**, birine yıllık gelir bağlamak: ~ **definitely/once and for all**, kesip atmak: ~ **s.o.'s doubts**, birinin şüphesini gidermek: **it's as good as** ~**d**, oldu bitti sayılır: **(of a ship)** ~, yavaş yavaş dibe batmak: **the snow is settling**, kar tutuyor: **that** ~**s it!**, münakaşaya lüzum kalmadı; mesele kendiliğinden halledildi. ~ **down**, sükûnet bulmak; durulmak; bir yerde yerleşmek; oturmak; yeni bir çevreye alışmak; uslan(dır)mak. ~ **upon**, karar vermek; seçmek; (birine) bağlamak; üzerine konmak.

settle·d ['setld]. Sabit; devamlı; kararlaştırılmış; muayyen; değişmez; meskûn; ödenmiş: ~ **in life**, ev bark ve iş güç sahibi; (kız) evlenmiş: **with a** ~ **job**, devamlı bir iş sahibi. ~**ment**, yerleştirme, iskân etme; tanzim, tesviye; ödeme; birine bağlanan gelir; yeni imar ve iskân olunan yer: **marriage** ~, evlenme mukavelesiyle zevceye bağlanan gelir. ~**r**, yeni bir memlekette yerleşen adam: ~ **tank**, çöktürme havuzu.

set·-to [set'tū]. Dövüş. ~**-up**, yerleştirme; tertibat, düzen; durum, vaziyet.

seven [sevn]. Yedi. ~ **league boots**, (masalda) kim giyerse ona her adımda yedi fersah yol aldıran ayakkabı. ~**fold**, yedi kat, yedi misli. ~**teen**, on yedi: ~**th** [-θ], on yedinci. ~**th**, yedinci: ~ **day**, yedinci gün, cumartesi; (*din.*) = SABBATH: ~ **heaven**, cennet, en mesut yer: ~**ly**, yedinci olarak. ~**ties** [-tiz], 1870–79; 1970–79; **in his** ~, yetmişini geçti. ~**tieth** [-tiəθ], yetmişinci. ~**ty**, yetmiş.

sever ['sevə(r)]. Ayırmak; kesmek; yarmak.

several ['sevrəl]. Birçok; birkaç; müteaddit; muhtelif; ayrı ayrı. ~**ly**, birer birer/ayrı ayrı/ferdî olarak. ~**ty**, ayrı ayrı olma; ferdî mülkiyet.

severance ['sevərəns]. Ayırma, ayrılma; inkıta; kesilme. ~ **pay**, işten çıkarma tazminat/ödencesi.

sever·e [si'viə(r)]. Şiddetli; vahim; sert: ~**ly**, şiddetli/sert olarak; (*kon.*) çok. ~**ity** [-'veriti], şiddet; sertlik; huşunet; etkinlik.

seville ['sevil] = ORANGE.

sew (*g.z.* ~**ed**, *g.z.o.* ~**ed**/~**n**) [sou(d/n)]. Dikmek. ~ **on**, dikerek takmak: ~ **up**, dikip kapatmak.

sewage ['syūic]. Lağım pisliği, pissu. ~**-farm**, lağım pislikleri ile gübreleme tertibatını havi çiftlik.

sewer¹ ['souə(r)]. Dikişçi.

sewer² ['syūə(r)]. Ana lağım; geriz. ~**age** [-ric], lağım tertibatı; lağım pisliği. ~**man**, lağımcı. ~**-rat**, göçmen keme.

sew·ing ['souin(g)]. Dikim, dikiş: ~**-machine**, dikiş makinesi: ~**-silk**, ibrişim. ~**n**, *g.z.o.* = SEW.

sex [seks]. Cins(iyet), eşey(lik); = ~UAL RELATIONS. ~ **appeal**, cinsî cazibe, albeni, seksapel: **fair** ~, cinsi latif, kadınlar: **sterner** ~, erkekler.

sex(i)- [seks(i)-] *ön.* Altı. ~**agenarian** [-sacə-'neəriən], altmışlık, altmış yaşında olan. ~**ennial** [-'seniəl], altı yılda bir olan; altı yıl süren.

sex·ed [sekst]. Cinsiyet/eşeyli: **over-~**, aşırı derecede cinsiyete düşkün. **~less(ness)**, cinsiyet/eşeysiz(lik). **~-limited**, (*biy.*) yalnız bir cinste bulunan. **~-linked**, cins kromozomuna bağlı. **~-maniac**, deli derecede cinsiyete düşkün. **~-starved**, cinsî münasebetlerden yoksun. **~ology**, seksoloji, cinslik bilimi.

sex·partite [seks'pātayt]. Altı kısımlı. **~tan** [-tən], altı günde bir gelen (kriz vb.). **~tant**, sekstant, altılık. **~tet(te)** [-'tet], altı ses/çalgılık hava. **~tillion** [-'tiliən], sekstilyon (†10^{36}; *10^{21}). **~to(decimo)** [-tou('desimou)] (*bas.*) (**6to, 16mo** *yazılır*), (on) altı yapraklı olup 12/32 sayfalı forma. **~tuple** [-'tyūpl], altı misli: **~ts**, bir batında doğmuş altı çocuk.

sexton ['sekstən]. Kilise kayyumu; zangoç; mezarcı.

sexual ['sekşuəl]. Cinsiyet/eşeyliğe ait; cinsî, eşeyli; tenasülî; (*biy.*) cinsiyeti olan: **~ intercourse/relations**, cinsel ilişki: **~ organs**, tenasül/üreme uzuvları. **~ity** [-şu'aliti], cinsiyet, eşeylik. **~ly**, cinsî olarak.

sexy ['seksi] (*arg.*) Aşırı derecede cinsiyete düşkün; (genç kadın) cazibeli.

sez [sez] (*arg.*) = SAYS.

SF = SCIENCE FICTION; SWISS FRANC.

SFA = SCOTTISH FOOTBALL ASSOCIATION.

SG = SOLICITOR-GENERAL; SPECIFIC GRAVITY.

sgd. = SIGNED.

Sgt (-Maj.) = SERGEANT (-MAJOR).

sh *ünl.* = HUSH.

sh. = SHILLING.

shabby ['şabi]. Kılıksız; babayani; pejmürde; külüstür; süflî; alçak, miskin; cimri. **~-genteel**, fakirliğine rağmen görünüşü kurtarmağa çalışan düşkün kibar.

shack [şak]. Kulübe. **~ up with**, (*arg.*) ile karı koca gibi yaşamak.

shackle ['şakl] *i.* Ayak zinciri, köstek; asma kilit köprüsü; iki zinciri birleştiren bakla: **~s**, köstek; pranga; mani, engel. *f.* Prangaya kurmak; zincirle bağlamak; kolunu ayağını bağlamak, engel olm., menetmek.

shad [şad]. Tirsi balığı.

shaddock ['şadək] = GRAPE-FRUIT.

shade [şeyd] *i.* Gölge; saye; renk derecesi; anat, ince fark; nüans, ayırtı, ayrıntı; abajur. *f.* Gölge vermek, gölgelendirmek; muhafaza etm.; örtmek. **half-~**, ararenk: **~s of meaning**, anat, ince mana farkları: **~s of difference**, incelikler: **green shading into blue**, maviye çalan yeşil: **the ~s of night**, karanlık: **put s.o. in the ~**, birini gölgede bırakmak. **~less**, gölgesiz.

shadi·ly ['şeydili]. Gölgeli olarak; şüpheli olarak. **~ness**, gölgelik; şüpheli/müphem olma. **~ng**, gölgelen(dir)me; (*san.*) tarama, gölge yapma.

shadoof [şə'dūf]. (Mısır'da) kova ile ağırşaklı sırıktan ibaret su çekme cihazı, seren.

shadow ['şadou] *i.* Gölge; saye; hayal; zerre; güzey. *f.* Gölgelendirmek; müphem bir şekilde ima etm., tarif etm.; gizlice takip etm. **cast a ~**, gölge yapmak; (*mec.*) karartmak, keder vermek: **coming events cast their ~s before them**, olacak şey kendini belli eder: **there is not the ~ of a doubt that . . .**, zerre kadar şüphe yok ki: **a ~ of fear crossed his face**, yüzünde bir korku rüzgârı dolaştı: **may your ~ never grow less!**, (*alay.*) Allah feyzini daim etsin! **he is (reduced to) a mere ~ of his former self**, nerede şimdi o eski hali?: **quarrel with one's own ~**, beyhude yere üzülmek; kendine zarar vermek: **under the ~ of this disaster**, bu felâket havası içinde: **he is under a ~**, lekeli/şüphelidir: **wear oneself to a ~**, uğraşa uğraşa hayalifenere dönmek. **~-boxing**, gölge çalışması. **~-Cabinet/-Minister etc.**, (*id.*) muhalif partinin liderleri. **~-factory**, savaş icapları tazmin etm. için tasarlanmış fabrika. **~y**, hayal meyal; gölgeli; gölge gibi; güzey.

shady ['şeydi]. Gölgeli; şüpheli. **he is a ~ character**, sağlam ayakkabı değil: **be on the ~ side of fifty**, ellisini aşmış olm.: **the ~ side**, güzey: **the ~ side of politics**, politikanın çirkin tarafı.

SHAEF = SUPREME HEADQUARTERS ALLIED EXPEDITIONARY FORCE.

shaft ['şāft]. Ok/mızrak vb.nin sapı; ok; şua; sütun; tüy sapı; şaft, dingil, mil; maden kuyusu, kuyu bacası; hava cereyanı borusu; çifte oku. **~ing**, şaft donanımı.

shag[1] [şag] *i.* Tel tel kıyılmış sert tütün.

shag[2] *i.* Sorguçlu karabatak.

shag[3] *f.* (*arg.*) Cinsî münasebette bulunmak. **~ged**, *s.* bitkin, yorgun.

shaggy ['şagi]. Kaba saçlı; çok kıllı; pürüzlü. **~ dog story**, uzun uzadıya anlatılan ve münasebetsiz hikâye.

shagreen [şa'grīn]. Sağrı; köpekbalığı derisi; kelerderisi.

shah [şā]. Şah.

shakable ['şeykəbl]. Sallanır; sarsılır vb.

shake[1] (*g.z.* **shook**, *g.z.o.* **shaken**) [şeyk(n), şuk] *f.* Silkmek, sallamak; sarsmak; çalkalamak; sarsılmak; titremek. **~ all over**, tir tir titremek: **~ oneself free from stg.**, silkip kendini kurtarmak: **~ s.o.'s hand/s.o. by the hand**, birinin elini sıkmak: **~ hands on it**, bir meselede uzlaşıp el sıkışmak: **he shook his head (to say no)**, hayır anlamında başını salladı: **~ in one's shoes**, korkudan titremek. **~ down**, sarsa sarsa yere düşürmek; (*kon.*) arkadaşları/çevresine alışmak. **~ off**, silkip atmak: **~ off a cold**, bir nezleyi savmak: **~ the dust off one's feet**, nefretle uzaklaşmak: **~ off a person**, sırnaşık birisinden yakasını kurtarmak. **~ out**, silkip tozunu vb. çıkarmak; silkip boşaltmak. **~ up**, çalkalamak; silkmek; (*kon.*) uyandırmak, gayrete getirmek; gözünü açmak: **that's given him a bit of a ~ up**, bu onun aklını başına getirir, onu bir az silker.

shake[2] *i.* Sallanma; sarsıntı; çalkama; titreme; *zelzele. **milk ~**, çikolata/şuruplu süt: **in a brace of ~s**, (*arg.*) hemencecik: **no great ~s**, (*kon.*) adi: **the ~s**, sıtma nöbeti. **~down**, (yerde) geçici yatak. **~n**, *g.z.o.* = SHAKE[1]. **~r**, çalkalayıcı. **~-up**, ihtilâl; karışıklık; (*id.*) değişiklik.

Shakespearian [şeyk'spīriən]. Shakespeare/onun eserlerine ait; onun üslubunda.

shak·ily ['şeykili]. Zayıf/titrek bir halde. **~iness**, zayıflık, titreklik. **~ing**, silkme, sallama; sarsıntı; titreme. **~y**, sallanan; sarsılmış; sağlam değil; kuvvetsiz, keyifsiz: **his English is ~**, İngilizcesi zayıftır.

shako [şə'kou]. Sorguçlu asker kasketi.

shale [şeyl]. Şist, killi yapraktaşı. **~-oil**, şistten hâsıl olan neft.

shall [şal]. *Gelecek zaman kipini yapmak için kullanılan yardımcı fiil; vurgulu olarak söylenirse* *gereklilik kipi anlamını ifade eder*; **shall not** *gen.* **shan't** [şānt] *okunur ve bazan böyle yazılır.* **I ~ go,** gideceğim: **~ we go to the cinema?**, sinemaya gidelim mi?: **~ I tell him?**, bunu ona söyleyeyim mi?: **you ~ tell me tomorrow**, onu yarın bana söyleyeceksin: **you *shall* tell me**, mutlaka söylemelisiniz.

shallop ['şaləp] = SLOOP.

shallot [şa'lot]. Soğancık.

shallow ['şalou] *s.* Sığ; sathî. *i.* Sığlık. **~-brained**, kuş beyinli. **~ness**, sığlık, sığ olma.

shalom [şa'loum]. (*İbranice*) Selâm.

shalt [şalt] *2ci, tek (mer.)* = SHALL.

shalwar ['şulvə(r)]. Şalvar.

sham [şam] *i.* Taklit; düzme; iğreti, yapma. *s.* Yalan; gözboyası; sahtekâr. *f.* Yalandan yapmak. **~ sleep**, uyur gibi yapmak: **he is only ~ming**, aslı yok, mahsus yapıyor: **~ death/dead**, ölü gibi yapmak.

shaman ['şamən]. Şaman. **~ism**, şamanizm.

shamateur ['şamətə(r)] (*sp.*) = SHAM + AMATEUR; yalan amatör.

shamble ['şambl] *i.* Şapşal yürüyüş; ayak sürtme. *f.* Şapşal şapşal ve ayağını sürterek yürümek.

shambles ['şamblz]. Mezbaha. **the place was a ~**, kan gövdeyi götürüyordu.

shame [şeym] *i.* Utanç; haya; mahcubiyet; ayıp, rezalet; günah; yazık. *f.* Utandırmak, mahcup etm. **for ~!**, ne ayıp!: **it's a ~ to laugh at him**, onunla alay etmek doğru değil: **~ s.o. into doing stg.**, birini utandırarak bir şeyi yaptırmak: **put to ~**, utandırmak: **~ upon you!**, ayıp, olur şey değil!: **without ~**, arsız, hayasız. **~faced**, utanmış; mahcup; süklüm püklüm. **~ful**, utandırıcı; utanacak; ayıp, rezil; yüz kızartıcı. **~less**, arsız, hayasız, utanmaz.

shammer ['şamə(r)]. Yalandan yapan; sahtekâr.

shammy ['şami] = CHAMOIS. **~-leather**, güderi.

shampoo [şam'pū]. Başını sabunlayıp yıkama(k), şampuan (yapmak).

shamrock ['şamrok]. İrl.'nın millî remzi olan bir nevi yonca.

shandy(gaff) ['şandi(gaf)]. Zencefilli gazoz ile karıştırılmış bira.

shanghai [şan(g)'hay]. Afyonla sersemletip tayfa olarak gemiye alıp götürmek.

Shangri-La ['şan(g)grilā]. Hayalî bir cennet.

shank [şan(g)k]. İncik; olta iğnesinin sapı; gemi demiri bedeni; prazvana. **go on ~'s mare/pony**, tabanvayla gitmek.

shan't [şānt] = SHALL NOT.

shantung [şan'tʌn(g)]. Kaba ipek kumaş.

shanty[1] ['şanti]. Kulübe; derme çatma bina; gecekondu. **~town**, teneke mahallesi.

shanty[2]. Gemici/heyamola şarkısı.

SHAPE/Shape [şēyp]. SUPREME HEADQUARTERS ALLIED POWERS IN EUROPE.

shape [şeyp] *i.* Şekil; biçim; endam; kalıp; hal. *f.* Şekil/biçim vermek; şekil-/biçimlendirmek; tertip etm.; yontmak; uydurmak; gelişmek; inkişaf etm. **~ a course**, (gemi) filan yöne yol tutmak: **~ up**, (*sp.*) hazırlanmak: **~ well**, umut verici olm.: **knock stg. into ~**, kabaca yontmak: **take ~**, biçim-/şekillenmek: **the ~ of things to come**, gelecek. **-~d/-~n**, (*son.*) . . . şekilli, biçimli, endamlı. **~less**, biçimsiz; çirkin. **~ly**, endamlı, yakışıklı; güzel biçimli. **~r**, vargel tezgâhı.

shard [şād] (*ark.*) Küçük çömlek parçası; (*zoo.*) kanat zarfı.

share[1] [şeə(r)]. Saban demiri.

share[2] *i.* Pay, hisse; sehim; pay belgiti, hisse senedi, aksiyon. *f.* Paylaşmak; hisse/payını almak; iştirak etm., katılmak. **~ and ~ alike**, eşit paylar almak: **you are not doing your ~**, payına düşeni yapmıyorsun; ötekiler kadar çalışmıyorsunuz: **he came in for his full ~ of misfortune/good fortune**, lâyık olduğu felâket/saadete fazlasıyle uğradı/nail oldu: **go ~s**, paylaşmak: **(take a) ~ in**, -e iştirak etm., katılmak: **take/have ~s in a company**, hissedar olm.: **~ out**, paylaştırmak, taksim etm.: **ordinary/preferential ~**, adi/imtiyazlı hisse senedi. **~-capital**, hisselere bölünmüş sermaye. **~-certificate**, hisse/pay senedi. **~-cropper**, kira olarak ürünlerinin bir kısmını veren çiftçi. **~-holder**, hissedar, aksiyoner, ortak. **~-pusher**, değersiz hisse senetleri satan ruhsatsız simsar. **~r**, paylaşan/iştirak eden kimse; ortak.

shark [şāk]. Köpek balığı, harhariyas(giller); (*mec.*) dolandırıcı: **blue ~**, pamuk balığı. **~-skin** = SHAGREEN; ağır ve düz bir kumaş.

sharp [şāp]. Keskin; sivri; had; köşeli, çıkıntılı; açıkgöz, zeki, kurnaz; acı, ekşi, mayhoş; şiddetli, haşin, sert; açık, vazıh, bariz; pek meşru olmıyan, meşkûk; (*müz.*) diyez, yarım ton tiz. **at two o'clock ~**, tam saat ikide: **G ~**, sol diyez: **look ~!**, haydi çabuk!: **~ practice**, pek meşru olmıyan iş: **turn ~ left!**, tam sola dön!: **'~'s the word!'**, haydi çabuk!: **that was ~ work!**, (i) maşallah ne çabuk bitti!; (ii) (*bazan*) bu iş biraz şüpheli.

sharp·-edged [şāp'ecd]. Keskin, bilenmiş. **~en** [-pən], bilemek, sivriltmek; şiddetlen(dir)mek: **~ one's wits**, zekâsını parlatmak, gözünü açmak. **~ener**, bileyici, keskinleştirici; sivriltici; kalemtıraş. **~er**, *i.* dolandırıcı, hilekâr, zarfçı: *s.* daha keskin vb. **~-eyed**, keskin gözlü. **~-featured**, yüzünün hatları keskin.

sharpie ['şāpi] (*den.*) Şarpi.

sharp·ish ['şāpiş] (*kon.*) Oldukça keskin (olarak). **~ly**, keskin vb. olarak. **~ness**, keskinlik; açıkgözlülük; şiddet, sertlik; ekşilik. **~-set**, iyi bilenmiş: **be ~**, karnı zil çalmak. **~-shooter**, keskin nişancı. **~-sighted**, keskin gözlü. **~-witted**, zeki.

shatter ['şatə(r)] *i.* Çatırdatarak kırmak; parça parça etm., hurdahaş etm.; yok etm.; gürültü ile kırılmak. **~ing**, ezici, yıkıcı; çatırdıyan. **~-proof**, parçalanmaz, dağılmaz.

shav·e [şeyv] *i.* Tıraş etme/olma; dar kurtuluş. *f.* Tıraş etm./olm.; rendelemek; hafifçe dokunmak, sıyırarak geçmek: **a close ~**, sinek kaydı tıraş; dar kurtulma: **have a close/narrow ~**, dar kurtulmak, ramak kalmak. **~en**, tıraş olmuş. **~er**, tıraş eden/olan; tıraş makinesi; (*kon.*) erkek çocuk. **~ing**, tıraş olma/etme; pek ince parça, yonga: **~s**, rende talaşı: **~-brush/-soap**, tıraş fırça/sabunu.

Shavian ['şeyviən] (*edeb.*) G.B. Shaw/onun eserlerine ait.

shawl [şōl]. Şal.

she [şi] *zm.* O (kadın için). *i.* Kadın. **~-**, *ön.* dişi-.

shea·f, *ç.* **~ves** [şīf, şīvz]. Demet.

shear (*g.z.* **~ed**, *mer.* **shore**; *g.z.o.* **~ed/shorn**) [şiə(r)·(d), şō(r)·(n)] *f.* Kırkmak, kırpmak; demirci makası ile kesmek; (*fiz.*) makaslamak. *i.* Kırkma; kesme; biçme, makaslama. **be shorn**, kırkılmak,

saçı kesilmiş olm.: **be shorn of**, -den mahrum olm.: **(pair of) ~s**, büyük makas, terzi makası; kırkı. **~er**, kırkımcı, kırpıcı; kırpma makinesi. **~ing**, kesme; makaslama; kırpma, kırkım. **~legs** = SHEER-. **~ling**, ilk defa kırkılmış koyun. **~-load**, makaslama yükü. **~-pin**, emniyet pimi. **~water**, yelkovan(giller): **Cory's/Manx ~**, sarı/kara gagalı yelkovan.
sheat-fish ['şītfiş]. Yayın.
sheath [şīθ]. Kın; kılıf; zarf; mahfaza. **~e** [şīð], kınına koymak; kaplamak: **~ the sword**, barış yapmak: **copper ~d** [-θt], bakır kaplamalı. **~ing**, kaplama; zırh. **~-knife**, kınlı bıçak.
sheave[1] [şīv] *i.* Makara dili, çıkrık.
sheave[2] *f.* (Buğday vb.) demetlemek.
sheaves [şīvz] *ç.* = SHEAF; SHEAVE.
***shebang** [şi'ban(g)]. Ev, kulübe; konu, mesele.
shebeen [şi'bīn] (*İrl.*) Meyhane.
she·-bear ['şībeə(r)]. Dişi ayı. **~-cat/-devil**, habis/nispetçi kadın.
she'd [şīd] = SHE HAD/WOULD.
shed[1] [şed] *i.* Baraka; sundurma; kulübe.
shed[2] (*g.z.(o.)* **~**; *hal.o.* **~ding**) *f.* Dökmek; akıtmak; etrafa yaymak. **~ tears**, ağlamak; **~ light on a matter**, bir konuyu aydınlatmak.
sheen [şīn]. Parlaklık, parıltı; perdah. **~y**[1], parlak.
sheeny[2] [şīni] (*köt.*) Yahudi.
sheep, *ç.* **~** [şīp]. Koyun. **barbary ~**, yeleli koyun: **bighorn ~**, Kanada koyunu: **the black ~ of the family**, bir ailenin işe yaramaz ve serseri ferdi: **make/cast ~'s eyes at s.o.**, birine mahcubane ve hasretle bakmak: **follow like ~**, hiç düşünmeden liderini takip etm.: **separate the ~ from the goats**, iyileri kötülerden ayırmak: **like ~ without a shepherd**, lidersiz bir halk. **~-dip/-wash**, koyun parazitlerini öldüren bir ilâç; koyunları bu ilâçla yıkamağa mahsus havuz. **~dog**, çoban köpeği. **~-farmer**, koyun yetiştirici. **~fold**, *i.* koyun ağılı: *f.* koyun yatırmak. **~ish**, süklüm püklüm, mahcup: **~ly**, mahcubane. **~-pen** = **~**FOLD. **~-run/-walk**, koyun otlağı. **~-shearer**, koyun kırpıcısı. **~skin**, koyun pösteki, gocuk. **~-tick**, koyun kenesi.
sheer[1] [şiə(r)] *s.* Halis, saf, hakikî; (*dok.*) ince ve şeffaf; dimdik, sarp, dikey. **it is ~ robbery**, bu düpedüz soygunculuk: **a ~ waste of time**, bu vakit kaybetmekten başka bir şey değil.
sheer[2] *f.* Birdenbire yoldan sapmak. **~ off**, (*kon.*) savuşmak.
sheer[3] *i.* Borda kavsi. **~-hulk**, algarina. **~-legs**, iki direkli maçuna, darağacı.
sheet [şīt] *i.* Yatak çarşafı; maden levhası, saç; (*yer.*) tabaka, örtü; kâğıt yaprağı; gazete; geniş satıh/yüzey; (*mal.*) cetvel, çizelge, bordro; (*den.*) ıskota, lısa. *f.* Çarşaf vb. ile örtmek. **~-anchor**, ocaklık demiri; (*mec.*) en çok güvenilen kimse/şey. **~-bend**, ıskota bağı. **~-glass**, levha cam. **~ing**, örtme; kaplama, perde. **~-lighting**, bütün gökyüzüne saçılan şimşek.
Sheffield ['şefīld] (*İng.'de*) bir sanayi şehri: **~ plate**, gümüş kaplı bakır.
sheikh [şeyk, şīk]. Şeyh.
sheila [şīlə] (*Avus.*) Genç kadın.
shekel ['şekəl]. Miskal. **the ~s**, (*kon.*) para.
shel·drake, *diş.* **~duck** ['şeldreyk, -dʌk]. Kuşaklı ördek, suna, hanımördeği. **ruddy ~**, angıt.
shel·f, *ç.* **~ves** [şel·f, -vz]. Raf, etajer; kaya tabakası, şelf; sığlık: **on the ~**, bir tarafa atılmış; ıskarta edilmiş; (kadın) bundan sonra evlenmiyecek. **~ful**, raf dolusu. **~-life**, (makine/gıda vb.) depoda dayanma süresi. **~-mark**, (kütüphanede) raf işareti. **~-room**, raftaki mevcut yer.
shell [şel]. Kabuk, kavkı, bağa; gemi/bina vb. kafes/iskeleti, tekne; iç tabut; gülle, obüs, kovan; *fişek. *f.* Kabuğunu kırmak, kabuğundan çıkarmak; bombardıman etm. **come out of one's ~**, açılmak, sıkılganlığını bırakmak: **retire into one's ~**, kapanmak, susmak: **~ out**, (*arg.*) hesabı ödemek, paraları sökülmek.
shellac [şe'lak]. Gomalaka, şellak.
shell·-back ['şelbak] (*arg.*) Deniz kurdu; tecrübeli denizci. **~-case**, kovan. **-~ed**, *son.* -kabuklu. **~-fire**, top ateşi: **come under ~**, bombardımana tutulmak. **~fish**, kabuklu deniz hayvanları, yumuşakçalar. **~-hole**, mermi tarafından toprakta açıldığı çukur. **~less**, kabuksuz. **~-pink**, açık pembe. **~-proof**, top işlemez (sığınak vb.). **~-shock**, bombardımanın sinirler üzerindeki etkisi. **~y** [-li], kabuklu.
Shelta ['şeltə] (*İrl.*) Çingenece.
shelter [şeltə(r)] *i.* Sığınak; melce, korunma, barınacak yer. *f.* Barın(dır)mak, sığınmak; himaye etm. **under ~**, emniyetli, mahfuz, barınmış: **take/seek ~**, sığınmak, barınmak. **~-belt**, rüzgârdan koruyan bir sıra ağaçlar. **~ed**, mahfuz; barınacak: **~ industry**, yabancı rekabetine karşı korunan sanayi: **a ~ life**, mahfuz ve rahat hayat.
shelv·e [şelv]. Raflar yapmak; rafa koymak; hasıraltı etm.; ıskarta etm.; şevlenmek. **~ed**, raflı; ıskarta edilmiş. **~es**, *i. ç.* = SHELF. **~ing**[1], *i.* raflar. **~ing**[2], *s.* şevlenen.
shemozzle [şi'mozl] (*arg.*) Gürültülü kavga; karışıklık.
***shenanigan** [şi'nanıgən] (*kon.*) Saçma; hilekârlık.
she·-oak ['şīouk] (*Avus.*) 'Casuarina' ağacı. **~-pine** [-payn] (*Avus.*) yaprak dökmez bir ağaç.
shepherd ['sepə̄d] *i.* Çoban. *f.* Koyunlara bakmak. **~ children across the street**, çocukları koruyarak caddenin karşı tarafına geçirmek: **the Good ~**, Hazreti İsa. **~ess**, kadın çoban. **~'s crook**, çoban değneği. **~'s pie**, (musakka gibi) patatesli kıyma. **~'s purse**, (*bot.*) çobançantası.
sherardize ['şerədayz]. Toz çinko ile galvanizlemek/kaplamak.
sherbet ['şə̄bət] (*Tk.*) Şerbet; bir nevi tozdan yapılmış köpürücü bir içecek; meyvalı dondurma.
sherd [şə̄d] = SHARD.
Sher·eef/~if [şe'rīf]. Şerif.
sheriff ['şerif]. †Kontluklarda kraliçeyi temsil eden fahrî memur; *bir nevi polis müdürü; (*İsk.*) bir nevi hâkim. **~dom**, '~' makamı.
sherry ['şeri]. Beyaz İspanyol şarabı. **~-glass**, şarap kadehi.
she's [şīz] = SHE IS/HAS.
Shet(land) ['şetlənd]. Brit.nın bir kontluğu; bir grup adalar. **~ pony/wool**, bu adalardan gelen uzun tüylü küçük at/yumuşak yün.
shew(n) [şou(n)] (*mer.*) = SHOW(N).
Shiah [şīə]. Şiî.
shibboleth ['şibəleθ]. Rağbetten düşmüş fikir/nazariye; bir fırka/zümrenin şiar/parolası.
shield [şiəld] *i.* Kalkan; müdafi; siper; kılıf. *f.*

Korumak, siper olmak; himaye etm. **the other side of the ~**, bir meselenin öbür tarafı, gizli tarafı, madalyonun ters tarafı. **~ed**, siper/korumalıklı. **~ing**, korumalık; blendaj.
shieling ['şīlin(g)] (*İsk.*) Otlak; kulübe.
shie·r, ~st ['şayə(r), -ist] *krş.d., üst.* = SHY.
shift [şift] *i.* Değiş(tir)me; taşınma; kayma; mübadele; işçi takımı, ekip; iş nöbeti, vardiya, posta; tedbir, çare; hile; kadın iç gömleği. *f.* Yerini değiş(tir)mek, taşınmak; (rüzgâr) dönmek, çevrilmek. **~ of the cargo**, gemi ambarındaki yük istifinin bozulması: **~ one's ground**, yeni bir bahane ileri sürmek; yeni bir iddiada bulunmak: **an eight-hour ~**, sekiz saatte bir değişen iş nöbeti: **be at one's last ~**, çaresiz kalmak: **make a ~**, taşınmak: **make (a) ~ to do stg.**, bir şeyi yapmanın yolunu bulmak, ne yapıp yapıp yapmak: **make (a) ~ with what one has**, mevcutla idare etm.: **~ for oneself**, kendi başının çaresine bakmak, kendi yağıyle kavrulmak: **~ one's quarters**, taşınmak: **~ the responsibility of stg. on to s.o.**, bir şeyin sorumluluğunu başkasının üzerine atmak: **work in ~s**, bir işte sırayla çalışmak. **~ing**, (*yer.*) göçmen.
shift·ily ['şiftili]. Hilekâr bir surette; tilki gibi. **~less**, haylaz; çul tutmaz. **~y**, hilekâr; tilki gibi; alacası içinde: **~ look/eyes**, güvenilmez bakış.
Shiite ['şīayt]. Şiî.
shikar [şi'kā(r)] (*Hint.*) Av. **~i**, avcı.
shillelagh [şi'leylə] (*İrl.*) Sopa.
shilling ['şilin(g)]. Şilin. **cut s.o. off with a ~**, mirastan mahrum etm.: **take the King's ~**, (*mer.*) İng. ordusuna gönüllü yazılmak.
shilly-shally ['şilişali] *i.* Kararsızlık; mızmızlanma; tereddüt. *f.* Ne yapacağını bilmemek; tereddüt etm.; mızmızlanmak.
shily ['şayli] = SHYLY.
shim [şim] (*müh.*) Kama, ara sacı.
shimmer ['şimə(r)] *i.* Parıltı; hafif ışık. *f.* Pırıl pırıl olm., balkımak. **~ing**, yanardöner.
shimmy[1] [şimi] (*çoc.*) Gömlek.
***shimmy**[2]. Şimi dansı (yapmak); (*oto.*) şimi (etm.), esneme(k), titreme(k).
shin [şin] *i.* İncik, kaval. *f.* **~ up a tree**, (*kon.*) bir ağaca tırmanmak. **~-bone**, incik/kaval kemiği.
shindig ['şindig] (*kon.*) Cümbüş.
shindy ['şindi]. Patırtı, şamata. **kick up a ~**, (*arg.*) gürültü etm., ortalığı karıştırmak; kıyamet koparmak.
shine (*g.z.(o.)* **shone**) [şayn, şon] *f.* Parla(t)mak; parıldamak; ışıldamak. *i.* Parıltı; cilâ. **rain or ~**, hava nasıl olursa olsun. **~r**, (*arg.*) morartılmış göz; *ç.* para.
shiralee [şi'reyli] (*Avus.*) Serserinin bohçası.
shingle[1] [şin(g)gl]. Dam kaplamak için padavra, sendere.
shingle[2]. Kadın saçını erkek çocuğunki gibi kesme(k), alagarson kesmek.
shingl·e[3]. Sahil çakılı. **~y**, çakıllı.
shingles ['şin(g)glz] (*tıp.*) Zona.
shin·guard/**~pad** ['şingard] (*sp.*) İncik koruması.
shin·ing ['şaynin(g)]. Parlak. **~y**, parlak, cilâlı; (elbise) havsız.
shinty ['şinti] (*İrl.*) Hokey gibi bir oyun.
ship[1] [şip] *i.* Gemi. *f.* Gemi ile göndermek; gemiye yüklemek. **~'s boy**, miço: **'when my ~ comes home'**, farzımuhal zengin olursam: **~ oars!**, fora kürek!: **~ a sea**, geminin içine dalga girmek: **take ~ for . . .**, -e gitmek üzere gemiye binmek: **ex ~** gemiden teslim.
-ship[2] *son.* -lik [FRIENDSHIP].
ship·board ['şipbōd]. **on ~**, gemi içinde. **~-breaker**, gemi enkazcısı. **~-broker**, gemi simsarı. **~build·er** [-bildə(r)], gemi inşaatçısı: **~ing**, gemi inşaatı. **~-canal**, gemi kanalı. **~-chandler**, gemi levazımı satan adam. **~-fever**, (*mer.*) tifüs. **~load** bir geminin yükliyebildiği eşya/yolcu vb. **~man**, *ç.* **~men**, gemici. **~master**, ticaret gemisinin kaptanı **~mate** [-meyt], aynı gemide hizmet eden gemici **~ment**, gemiye yükletme; yüklenen eşya; gemi ile gönderme. **~owner**, gemi sahip/iye/işleticisi donatıcı, teçhizatçı, armatör.
shippen ['şipən]. Ahır, ineklik.
ship·per ['şipə(r)]. Eşyayı gemi ile sevkeden tüccar yükleten. **~ping**, *i.* gemiye yükletme; gemiler; bir ulusun gemiler/ticarî filosu: *s.* gemiler/denizciliğe ait: **the harbour was full of ~**, liman gemi ile dolu idi: **~ charges**, navlun, nakliye ücreti: **~ documents**, gönderme belgesi. **~'s-boy**, miço. **~'s-company**, gemi tayfası. **~shape**, muntazam, tertipli, düzgün, düzenli. **~'s-papers**, gemi belgeleri. **~-to-shore**, gemiden karaya. **~way** = SLIPWAY. **~wreck** [-rek] *i.* geminin batma/karaya oturma/kazaya uğraması: *f.* gemiyi batırmak/karaya oturtmak: **be ~ed**, kazaya uğramak; kazazede olm.: **~ a plan/undertaking**, bir plan/teşebbüsü suya düşürmek. **~wright** [-rayt], gemi inşaatında çalışan marangoz/demirci vb. **~yard**, gemi tezgâhı; tersane, şantiye.
shire ['şayə(r)]. İng.'nin idarî taksimatı, kontluk. **-~**, *son.* -kontluğu. **~-horse**, bir cins İng. kadanası. **~reeve** = SHERIFF.
shirk [şə̄k]. (-den) yan çizmek. **~er**, işten yan çizen; haylaz; görevini ihmal eden.
shir(r) [şə̄(r)]. Lastikli şerit (ile büzmek).
shirt [şə̄t]. Gömlek. **dress/starched**/(*kon.*) **boiled ~**, kolalı suvare gömleği: **in ~ sleeves**, ceketsiz: **put one's ~ on a horse**, at yarışlarda varını yoğunu bir at üzerine koyarak bahse girmek. **~-blouse**, şömiziye. **~-front**, kolalı gömlek göğüslüğü. **~ing**, gömleklik. **~less**, gömleksiz; (*mec.*) pek fakir. **~y**, (*arg.*) çabuk kızar, öfkeli.
shish-kebab ['şişkəbab] (*Tk.*) Şişkebap.
shit [şit] (*kaba.*) Dışkı/bok (atmak); saçma; rezil bir kimse.
shiver[1] ['şivə(r)]. Soğuk/korkudan titreme(k); çok üşümek; (yelken) geminin başının rüzgâra fazla yaklaştırılması neticesinde yelken hafifçe sallanmak. **send cold ~s down one's back**, tüylerini ürpertmek. **~y**, titreyen; soğuk.
shiver[2] *i.* Ufak parça, kıymık. *f.* Parala(n)mak. **~ my timbers**, *denizcilerin lâneti.*
shoal[1] [şo̱ul] *i.* Sığlık; sığ. *f.* Sığlaşmak.
shoal[2] *i.* Balık sürüsü. *f.* Sürü halinde toplanmak. **~s of**, pek çok.
shoat [şo̱ut]. Küçük domuz; domuz ile koyun melezi.
shock[1] [şok] *i.* Demet yığını. *f.* Buğday vb. demetlerini yığmak.
shock[2]. Bol ve karışık saç.
shock[3] *i.* Sadme; sarsıntı; çarpışma; şiddetli tesir, manevî darbe; ağır bir yara/bir ameliyatın vücuttaki etkisi, tromatizm, travma; şok. *f.* Hayret ve

nefret uyandırmak, müteessir etm.; sarsmak; çarpıntıya uğratmak; şaşır(t)mak: **easily ~ed**, çabuk utanır; her şeyi ayıplar: **I was ~ed to hear of his death**, ölümü haberi beni çok sarstı.

shock-[4] *ön.* **~-absorber**, amortisör, tampon, yatıştırıcı. **~er**, hayret uyandıran/şaşırtan kimse/şey: **shilling ~**, (*kon.*) fevkalâde macera romanı. **~-headed**, kaba ve karmakarışık saçlı. **~ing**, utandırıcı, nefret verici; müthiş; berbat: **~ly**, müthiş olarak; çok. **~proof**, çarpışmaya dayanır. **~-therapy/-treatment**, (*tıp.*) şok tedavisi. **~-troops**, hücum kıtaları. **~-wave**, (*hav., yer.*) şok dalgası.

shod [şod] *g.z.(o.)* = SHOE.

shoddy ['şodi] *i.* Kaba ve adi kumaş. *s.* Adi, bayağı; mezat malı.

shoe [şū] *i.* Kundura; ayakkabı; at nalı; (*müh.*) pabuç, sabo. *f.* (*g.z.(o.)* **shod** [şod]). Nallamak. **that's another pair of ~s**, o mesele başka: **cast a ~**, (at) nalını düşürmek: **waiting for dead men's ~s**, mirasına konmak/yerine geçmek için birinin ölümünü bekleme: **die in one's ~s**, gayritabiî şekilde ölmek, *bilh.* asılmak: **you are not fit to black his ~s**, sen onun ayağının pabucu olamazsın: **I should not like to be in his ~s**, onun yerinde olmak istemem: **everyone knows where his own ~ pinches**, herkes kendi derdini kendi bilir: **put the ~ on the right foot**, kabahat kiminse onu itham etm.: **step into another's ~s**, birinin yerini almak. **~bill**, pabuç gagalı. **~black**, kundura boyacısı, lostracı. **~-cream**, kundura cilâsı. **~horn**, ayakkabı çekeceği. **~ing-smith**, nalbant. **~lace**, ayakkabı bağı. **~less**, yalınayak. **~maker**, kunduracı. **~-string**, ayakkabı bağı: **do stg. on a ~**, kıt para ile bir şey yapmak.

shone [şon] *g.z.(o.)* = SHINE.

shoo [şū]. *Kovma nidası.* **~ away**, hışt! diye kovmak.

shook [şuk] *g.z.* = SHAKE[1].

shoot[1] [şūt] *i.* Sürgün, filiz, fışkın; eğik düzlem, geçit; av partisi; hususî av yeri; top atma, şut.

shoot[2] (*g.z.(o.)* **shot** [şot]) *f.* Fışkırmak, filiz sürmek; top/tüfek atmak; tüfek ile avcılık etm.; atılmak, hızlı hareket etm.; zonklamak; (futbol) şut çekmek; atmak, fırlatmak; kurşun vb. ile vurmak; akıntılı bir yer/bir köprüden kayıkla hızlı geçmek. **the car shot past**, otomobil uçar gibi geçti: **I'll be shot if I...**, -sem öleyim. **~ at**, hedefe silâh atmak. **~ away**, **~ away all one's ammunition**, bütün mühimmatını sarfetmek: **he had one arm shot away**, bir kolunu gülle götürdü. **~ down**, top/tüfek ateşiyle vurup düşürmek. **~ off**, ok gibi fırlamak; vurup ayırtmak: **~ off for a prize**, bir atış müsabakasında finale girmek. **~ out**, dışarıya fırlamak; birdenbire görünmek; (filiz) sürmek; fırlatmak, sürmek. **~ over**, -i dolaşıp avlanmak. **~ straight**, tam isabetle vurmak. **~ up**, yukarıya fırlamak; pek çabuk yükselmek; (çocuk) birdenbire boy atmak; ateş altına almak. **~er**, avcı; atıcı.

shooting ['şūtin(g)]. Atış; avcılık; (*sin.*) çevirim. **~-box**, av köşkü. **~-brake**, avcı cipi. **~-gallery**, nişan atmağa mahsus kapalı yer. **~-star**, şahap, akanyıldız. **~-stick**, açılır kapanır oturacak yeri olan baston.

shop [şop] *i.* Dükkân, mağaza; atelye. *f.* Çarşı/alışverişe çıkmak; dükkânları gezmek; (*arg.*) suç ortağı hakkında curnalcılık etm. **closed ~**, yalnız (bir) iş sendikasının üyelerini kabul eden fabrika: **controlled-price ~**, tanzim satış mağazası: **~ around for stg.**, dükkânları gezip bir şeyi aramak: **all over the ~**, (*kon.*) karmakarışık; allak bullak: **talk ~**, işten bahsetmek: **go through the ~s**, ağır sanayiin bir şubesinde muhtelif atelyelerde çalışarak ihtisas yapmak: **you have come to the wrong ~**, yanlış kapıyı çaldınız: **set up ~**, mağaza açmak; yeni bir işe başlamak. **~-assistant**, tezgâhtar, satıcı. **~-case/-front**, dükkânın cam dolap/ön camekânı. **~-floor**, atelye/fabrika yeri; (*mec.*) (idarecilere muhalif olan) işçiler; işçiler+. **~-girl**, satıcı kız. **~-hours**, açılma süresi. **~keep·er**, dükkâncı: **~ing**, dükkâncılık. **~lift·er**, dükkân hırsızı: **~ing**, dükkândan aşırma. **~man**, dükkâncı; satıcı. **~per**, satın alan, dükkân müşterisi. **~ping**, çarşıya çıkma, alışveriş etme.: **go ~**, çarşıya çıkmak, alışveriş etm., dükkânları gezmek: **~ arcade**, küçük kapalı çarşı, dükkânlı pasaj: **~-district**, çarşı mahallesi: **~-list**, satın alınacak şeylerin listesi: **~-precinct**, taşıtlara yasak çarşı meydanı. **~-soiled/-worn**, uzun süre dükkânda kalarak tazeliğini kaybetmiş. **~-steward**, işçilerin temsilcisi, sendika (baş) sözcüsü. **~-walker**, büyük mağazalarda müşterilere rehberlik eden memur. **~-window**, camekân, vitrin.

shoran ['şorən] = SHORT RANGE NAVIGATION.

shore[1] [şō(r)] *i.* Sahil, deniz kenarı, yalı; kara. **along the ~**, yalı boyu: **in ~**, karaya yakın: **off ~**, (gemi) açılmış; (rüzgâr) karadan esen: **on ~**, karada: **one's native ~**, vatan.

shore[2] *i.* Destek; payanda. **~ up**, desteklemek, dayaklamak.

shore[3] *g.z.* = SHEAR.

shore-[4] *ön.* **~-based**, kara üssüne bağlı. **~-job**, **take a ~**, denizci karada çalışmak. **~-lark**, kulaklı tarla kuşu. **~-leave**, karaya çıkmak izni. **~less**, (*şiir.*) sonsuz (deniz). **~-line**, sahil hattı. **~ward**, sahile doğru.

shoring ['şōrin(g)]. Payanda sistemi.

shorn [şōn] *g.z.o.* = SHEAR; kırkılmış.

short[1] [şōt]. Kısa; kısa boylu; az (zaman); eksik, noksan; gevrek. **cut stg. ~**, kısa kesmek; birdenbire sona erdirmek: **cut s.o. ~**, birinin sözünü birdenbire kesmek: **a ~ drink**, viski/cin vb. gibi az miktarda içilen içki: **fall ~ of**, -e erişmemek: **fall ~ of the mark**, istenilen dereceye erişmemek: **give ~ weight**, eksik tartmak: **go ~ of stg.**, bir şeyden mahrum kalmak: **in ~**, hulâsa/özet olarak, kısaca: **the official was £100 ~ in his accounts**, memurun yüz lira açığı çıktı: **have a ~ memory**, çabuk unutmak; hafızası zayıf olm.: **a ~ ten miles**, pek on mil yok: **we are ~ of sugar**, şekerimiz azaldı: **be ~ of breath**, nefesi daralmak: **it is nothing/little ~ of madness to do this**, bunu yapmak delilikten aşağı değil: **I would do anything ~ of murder to get some money**, para bulmak için her şeyi göze alırım (adam öldürmek müstesna): **time is running ~**, vakit gecikiyor; pek az vakit kaldı: **we are running ~ of coal/our coal is running ~**, kömürümüz azalıyor: **sell ~**, açığa satış yapmak: **~ sight**, miyopluk: **stop ~**, birdenbire durmak: **he stops ~ of nothing to achieve his ends**, maksadına erişmek isterse hiç bir şey ona engel olamaz: **be in ~ supply**, kıtlığına kıran girmek: **be taken ~**, (aptesi) sıkışmak: **he has a ~ temper**, çabuk parlar, sabırsızdır: **he was very ~ with me**, bana ters muamele etti, çok kısa cevap verdi: **make ~ work of stg.**, belini bükmek, çabucak bitirmek.

short[2] (*elek.*) Kontakt (yapmak).

short-[3] *ön.* **~age** [-tic], kıtlık; eksiklik; (*mal.*) açıklık: **housing ~**, konut sıkıntısı. **~bread/~cake**, kurabiye. **~-change**, dolandırmak. **~-circuit** [-'sɜkit] *i.* kontakt; kısa devre: *f.* kontakt yapmak; (*mec.*) kestirme yol bulmak. **~coming**, kusur; noksan. **~cut**, kestirme yol. **~-dated**, (*mal.*) kısa süre/vadeli. **~-drink**, kokteyl vb. **~en**, kısaltmak, kısmak; darlaşmak. **~fall**, açıklık; eksiklik. **~hand**, stenografi. **~-handed**, işçi/yardımcısı az. **~hand-typist/-writer**, stenograf. **~horn**, kısa boynuzlu bir cins inek. **~ish**, oldukça kısa. **~-list**, bir mevki için seçilecek adayların son listesi. **~-lived**, kısa ömürlü; geçici, çok sürmiyen. **~ly**, hulâsa/özet olarak; yakında; soğuk bir şekilde, sertçe: **~ afterwards**, biraz sonra. **~ness**, kısalık; eksiklik, noksan, kıtlık, darlık; sertlik. **~s**, kısa don/pantolon, şort; kokteyl vb. **~-sighted** [-'saytid], miyop, uzak görmez; basiretsiz, ihtiyatsız. **~-staffed**, kadro/işçisi az olan. **~-tempered**, çabuk öfkelenir. **~-term**, kısa süre/vadeli. **~-time**, kısaltılmış iş saatleri. **~-wave**, (*rad.*) kısa dalga(+). **~-weight**, farzedilen ağırlığından az (vermek). **~-winded**, tıknefes. **~y**, (*kon.*) kısa boylu.

shot[1] [şot] *s.* Güvercin gerdanı gibi değişen renkli, yanar döner, hareli.

shot[2] *i.* Top/tüfek vb.nin bir atışı; saçma; gülle; vuruş; iyi/kötü nişancı; (futbol) şut; tecrübe, hamle; (*kon.*) enjeksiyon; (*sin.*) çekim. **close ~**, omuz çekimi: **long ~**, genel çekim: **that was a bad ~!**, hiç tutmadı; amma yaptın ha!: **at the first ~**, ilk ağızda; ilk hamlede: **he is a good ~**, iyi avcıdır; iyi atıcıdır: **have a ~ at stg.**, (*mec.*) bir şeyi bir kere tecrübe etm., talihini denemek: **several ~s were heard**, birkaç silâh sesi işitildi: **he accepted like a ~**, derhal kabul etti: **he would accept like a ~**, o buna dünden hazır: **make a good ~ at stg.**, başarmak için iyi bir teşebbüs yapmak; boş atıp dolu tutmak: **be off like a ~**, ok gibi fırlayıp gitmek: **without firing a ~**, kurşun atmadan.

shot[3] *g.z.(o.)* = SHOOT[2].

shot-[4] *ön.* **~-blasting**, aşındırıcı bilyelerle püskürtme. **~-drilling**, fişekle sondaj. **~gun**, av tüfek/çiftesi: **~ marriage**, cebrî evlenme. **~-peening**, bilyelerle sertleştirme. **~proof**, mermi geçmez. **~-silk**, yanardöner ipek kumaş. **~-tower**, saçma kulesi.

should [şud]. *Yardımcı fiildir. Çoğunlukla ya manevî bir zorunluluk yahut farazî bir anlam ifade eder, mes.* **you ~ go there**, oraya gitseniz iyi olur, gitmelisiniz; **~ you go there**, oraya giderseniz. **as it ~ be**, haklı olarak, lâyıkıyle: **all is as it ~ be**, her şey yolundadır: **he ~ have arrived by this time**, şimdiye kadar gelmeliydi/gelmesi gerekirdi: **this ~ have been done yesterday**, bu dün yapılmalıydı: **'will he be at the party?' 'I ~ think so'**, 'Toplantıya gelecek mi?' 'Zannederim, her halde': **'he is very sorry for what he did.' 'I ~ think so!'**, 'Yaptığı şeye çok üzgündür.' 'Elbette, bir de üzgün olmıyacak mıydı?': **why ~n't she ride a bicycle (if she wants to)?**, niçin bisiklete binmesin?, varsın bisiklete binsin!: **whom ~ I meet but Ahmet?**, kime rastlasam beğenirsin?, Ahmede.

shoulder[1] ['şouldə(r)] *f.* Omuzlamak; sallasırt etm. omuzla itmek; omuza vurmak; omuzda taşımak **~ arms**, tüfeği omuza almak: **~ (a responsibility, etc.)**, (bir sorumluluk vb.) üzerine almak.

shoulder[2] *i.* Omuz; dağ kolu. **~ to ~**, omuz omuza, tam işbirliğiyle: **his ~s are broad**, (*mec.*) c dayanıklıdır, o çok kaldırır: **cold ~ s.o./give s.o. the cold ~**, istiskal etm., dolayısıyle kovmak: **hard ~**, banket: **have a head upon one's ~s**, zeki/akıllı olm.: **an old head on young ~s**, yaşına göre tecrübeli: **stand head and ~s above the rest**, başkalarından kat kat üstün olm.: **I let him have it straight from the ~**, ona bütün kuvvetimle yumruğu yapıştırdım; (*mec.*) açtım ağzımı yumdum gözümü. **~-belt**, hamail. **~-blade**, kürek kemiği.

shouldn't ['şudnt] = SHOULD NOT.

shout [şaut] *f.* Bağırmak. *i.* Bağırma, nida, sayha. **my ~**, (*kon.*) içkileri bu sefer ben ödeyeceğim: **~s of applause**, şiddetli alkışlar: **~s of laughter**, gürültülü kahkahalar: **~ out stg.**, . . . diye bağırmak: **~ s.o.**, (*Avus.*, *kon*) birinin içkisini ödemek: **~ s.o. down**, birini yuhalamak; bağırarak söyletmemek. **~er**, bağıran kimse. **~ing**, bağırma.

shove [şʌv]. İtme(k); itip kakma(k); dürtme(k), dürtüş; omuz vurmak. **~ stg. into a drawer**, bir şeyi çekmeceye sokmak: **~ off**, (*den.*) bir kayığı avara etm.: **~ one's way through**, ite kaka kendine yol açmak. **~-halfpenny** [-heypni], çizgili bir tahta üzerinde para itilmekten ibaret olan oyun.

shovel [şʌvl] *i.* Kürek, kepçe. *f.* Küremek, kürekle atmak. **~board**, (*den.*) kepçe ve disklerle güvertede oynanan oyun. **~-hat**, papazlara mahsus bir şapka. **~ler**, kaşık·çın/gaga (ördeği).

show[1] (*g.z.* **-ed**, *g.z.o.* **-ed/~n**) [şou(d)/(n)] *f.* Göstermek; izhar etm.; ibraz etm.; teşhir etm.; ispat etm.; anlatmak; seyrettirmek; öğretmek; belirtmek; görülmek, görünmek; belirmek. **~ one's cards/hand**, kâğıt oyununda elini göstermek; maksadını belli etm.: **~ s.o. the door**, birini kapı dışarı etm.: **~ itself**, görünmek, peyda olm.: **~ oneself**, kendini göstermek, ispatı vücut etm.: **he has nothing to ~ for all his work**, bütün çalışmasına rağmen ortada bir şey yok: **on your own ~ing**, kendiniz itiraf ettiğiniz gibi: **~ s.o. to his room**, birini odasına götürmek: **what can I ~ you, sir?**, (dükkânda), ne istiyorsunuz, efendim? **~ in**, (bir misafiri vb.) içeri almak, yol göstermek. **~ off**, güzel göstermek; teşhir etm.; gösteriş yapmak; fiyaka satmak, çalım yapmak. **~ out**, birini kapıya kadar uğurlamak; birini kapı dışarı etm. **~ through**, . . . arkasından/arasından görünmek; sırıtmak. **~ up**, teşhir etm.; foyasını meydana çıkarmak; (renk vb.) belirmek; (imtihanda) kopya vermek; ispatı vücut etm.: **be ~n up**, foyası meydana çıkmak; teşhir edilmek.

show[2] *i.* Gösteriş, alâyiş; nümayiş; manzara; sergi, teşhir, temaşa; (*kon.*) fırsat, şans; (*kon.*) iş, mesele: (*sin.*, *tiy.*) gosteri(m), oynatma: **press/trade ~**, basın/alıcılara oynatma/gösterme: **~ of hands**, el kaldırarak oy vermesi: **give s.o. a fair ~**, (*kon.*) birine kendini göstermek için lâyık olduğu fırsatı vermek: **give the ~ away**, (*kon.*) ağzından baklayı çıkarmak; ihanet ederek ifşa etm.; foyasını meydana çıkarmak: **make a good ~**, (*kon.*) kendini göstermek; iyi bir tesir bırakmak: **the ~ pupil of the**

school, okulun örnek/en seçkin öğrencisi: **he claims, with some ~ of reason . . .**, oldukça haklı olarak iddia ettiğine göre . . .: **run the ~**, (*kon.*) bir iş idare etm.; bir yerde hakikî patron olm.: **steal the ~**, (*tiy., sin.*) oyunu çalmak. **~-biz** [=BUSINESS] (*kon.*) tiyatro ile sinema oyuncularının hayatı. * **~boat**, yüzen tiyatro. **~-case**, dükkân camekânı. **~-down**, planlarının ortaya konması; (*id.*) güç/iktidarın gerçekten kimin olduğunu gösteren bir deneme.

shower ['şauə(r)] *i.* Geçici hafif yağmur, yaz yağmuru; duş. *f.* Yağdırmak. **heavy ~**, sağanak. **~-bath**, duş. **~y**, ara sıra yağmur yağan.

show·ily ['şouili]. Gösterişli olarak. **~iness**, gösteriş, nümayiş, debdebe. **~ing-off**, çalım, fiyaka; gösteriş. **~-jumping**, binicilik denemesi. **~man**, *ç.* **~men**, sirk vb. müdür/memuru: **~ship**, teşhir sanatı. **~n**, *g.z.o.* = SHOW[1]. **~-place**, görmeğe değer muhteşem bir ev vb. **~room**, sergi salonu. **~-trial**, (*id.*) etkisi için yapılan bir yargılama. **~-window**, camekân, vitrin. **~y**, gösterişli, nümayişçi; göz alıcı; tantanalı.

s.h.p. = SHAFT HORSE-POWER.

shrank [şran(g)k] *g.z.* = SHRINK[2].

shrapnel ['şrapnl]. Şarapnel, misket.

shred [şred] *f.* Dilim dilim kesmek; ditmek; lime lime etm. *i.* Küçük parça, dilim; paçavra. **not a ~ of evidence**, en küçük bir delil yok: **tear to ~s**, doğramak, parça parça etm. **~der**/**~ding machine**, gizli evrakı okunmaz şekilde doğrayan makine.

shrew [şrū]. Kır faresi, soreks(giller); (*mec.*) (kadın) cırlak, şirret, titiz. **~ish**, cırlak; hırçın, bağırtkan.

shrewd [şrūd]. Zeki, cinfikirli; (hüküm vb.) isabetli. **~ly**, kurnazca. **~ness**, zekâ; kurnazlık.

shriek [şrīk] (*yan.*) Acı acı bağırma(k), feryat (etm.); yaygara (koparmak); çığlık. **~ with laughter**, gülmekten katılmak.

shrift [şrift]. **give s.o. short ~**, derhal cezasını vermek; işini bitirmek.

shrike [şrayk]. Çekirge/örümcek kuşu.

shrill [şril] *s.* Tiz sesli, keskin sesli. *f.* Tiz sesle bağırmak. **~ness**, tiz sesli olma. **~y** ['şril·li], tiz sesli olarak.

shrimp [şrimp]. Karides (avlamak); (*mec.*) bodur boylu adam.

shrine [şrayn] *i.* Kutsal yer; türbe; kutsal eşya mahfazası. *f.* = EN~.

***shrink**[1] [şrin(g)k] *i.* (*arg.*) Psikiyatr.

shrink[2] *f.* (*g.z.* **shrank**, *g.z.o.* **shrunk**) [şrin(g)k, şran(g)k, şrʌn(g)k]. Çekinmek; büzülmek, ürkmek; sinmek; takallüs etm., kısalmak, çekilmek: daraltmak, kısaltmak, çek(tir)mek. **~age** [-kic], daraltma; takallüs; fire; çek(il)me, büz(ül)me; (odun) çap-/ençekme; (maden) atıklık: **~-crack**, çatlama. **~ing**, *i.* = ~AGE: *s.* çekingen, ürkek; büzülür. **~-fit**, sıkma geçme. **~proof**, çekmez, büzülmez. **~-wrapping**, eşyanın etrafına çekilen plastik ambalaj.

shrive (*g.z.* **shrove**, *g.z.o.* **~n**) [şrayv, şrouv, şrivn]. Günahını çıkarmak.

shrivel ['şrivl]. **~ (up)**, pörsü(t)mek; kuru(t)mak; büz(ül)mek. **~led**, pörsük; kartalmış; kuruyup büzülmüş.

Shropshire ['şropşə]. Brit.'nın bir kontluğu.

shroud[1] [şraud] *i.* Kefen; örtü. *f.* Kefenlemek; sarmak; örtmek; gizlemek.

shroud[2] *i.* (*den.*) Çarmık, sartiye.

shrove [şrouv] *g.z.* = SHRIVE. **~tide**, apukurya. **~-Tuesday**, Hıristiyanların büyük perhizinin başlangıcı olan salı günü.

shrub[1] [şrʌb]. İçkili şurup.

shrub[2]. Çalı; funda; küçük ağaç. **~bery** [-bəri], ufak koru; çalılık; fundalık. **~by**, ağaçsı; çalı gibi.

shrug [şrʌg]. Omuzlarını silkme(k).

shrunk [şrʌn(g)k] *g.z.o.* = SHRINK. **~en**, çekmiş; daralmış, kısalmış, mütekallis.

shuck [şʌk] *i.* Kabuk, kılıf, zarf. *f.* Kabuğunu soymak. **~s!**, saçma!

shudder ['şʌdə(r)]. Ürperme(k), hafifçe titreme(k); raşe.

shuffl·e ['şʌfl]. Ayak sürüme(k); iskambil kâğıtlarını karma(k); karıştırmak; kemküm etm.; becayiş: **~ out of doing stg.**, estek etmek köstek etmek. **~er**, ayak sürüyen; kâğıtları karan. **~ing**, kaçamaklı; hilekâr. **~e-board** = SHOVELBOARD.

'shun [şʌn] = ATTENTION. **~!** (*ask.*) hazırol!

shunt [şʌnt] *i.* Trenin yolunu değiştirme, manevra; (*elek.*) şönt, paralel bağlanmış. *f.* Treni yan yola geçirmek/yolunu değiştirmek, manevra etm.; şönt etm. **~er**, manevra işçisi. **~ing**, trenin manevrası; yan yola geçirme: **~ engine**, manevra lokomotifi.

shush [şʌş] (*ünl.*) = HUSH.

shut (*g.z.(o.)* **shut**) [şʌt] *f.* Kapatmak; kapanmak; kapamak. *s.* Kapanmış. **~ one's eyes**, gözünü yummak: **~ one's eyes to stg.**, bir şeye göz yummak: **~ one's finger in the door**, parmağını kapıya kıstırmak. **~ down**, kapağını indirip kapatmak; bir fabrikayı kapatmak. **~ in**, içeri kapamak; kuşatmak. **~ off**, kesmek; su/havagazı vb.ni kesmek. **~ out**, içeri bırakmamak: **~ out a view**, bir manzarayı kapatmak. **~ to**, (kapıyı vb.) kapatmak. **~ up**, kapamak; hapsetmek; sus(tur)mak: **he ought to be ~ up**, Toptaşı/Bakırköye gönderilmeli: **~ a house up**, bir evi kapayıp kullanmamak: **~ up shop**, dükkânını kapatmak; işten vazgeçmek. **~-down**, (*müh.*) durdurma; (*mal.*) bakım ve tamir tatili; kapat(ıl)ma. **~-eye**, (*arg.*) uyku.

shutter ['şʌtə(r)]. Kepenk; (*sin.*) kapak, örtücü, optüratör. **put up one's ~s**, dükkânı kapatmak; bir teşebbüsten vazgeçmek.

shuttle ['şʌtl]. Mekik. **~ service**, gidiş geliş karşılıklı sefer. **~cock**, BADMINTON oyununda kullanılan ucu tüylü mantar bir oyuncak.

shy[1] [şay] *s.* Çekingen, muhteriz, sıkılgan; ürkek. *f.* (At) birdenbire bir yana atılmak; ürkmek. **~ at stg.**, bir şeyden ürküp atlamak: **fight ~ of stg.**, bir şeyden kuşkulanmak: **fight ~ of a job**, bir işten çekinmek.

shy[2] *f.* (*arg.*) Taş/top vb. atma(k).

Shylock ['şaylok]. (*Shakespeare'in Venedik Taciri'ndeki bir Yahudi'nin adı*) Hasis; tefeci; amansız alacaklı.

shy·ly ['şayli]. Çekingen vb. olarak. **~ness**, çekingenlik.

***shyster** ['şaystə(r)] (*arg.*) Rezil ve prensipsiz meslekî adam (*bilh.* avukat).

si [sī] (*müz.*) Si notası.

Aranan* SI- *ile başlayan kelime bulunmazsa,* SY-*'e bakınız.

Si. (*kim.s.*) = SILICON.

SI = (ORDER OF THE) STAR OF INDIA; SYSTÈME INTERNATIONAL: ~ **unit**, uluslararası ölçü sisteminin birimi.

sial ['sayəl] (*yer.*) Sial.

sialagogue ['sayələgog]. Salyayı akıtan (ilâç).

Siam ['sayam]. Siyam; = THAILAND. ~**ese** [-əmīz] *i.* Siyamlı; Siyamca: *s.* Siyam+: ~**(-cat)**, Siyam kedisi: ~ **twins**, Siyamlı/bitişik ikizler.

sib [sib] *s.* Akraba olan. *i.* (Kız) kardeş.

Siberia [say'biəriə]. Sibirya. ~**n**, *i.* Sibiryalı: *s.* Sibirya+.

sibila·nce ['sibiləns]. Islıklı olma. ~**nt**, ıslıklı (ses/ünsüz). ~**te** [-leyt], ıslıklı olarak telaffuz etm.

sib·ling(s) ['siblin(g)(z)] (*biy.*) Döl döş, soydaşlar. ~**ship**, döl döş grubu.

sibyl ['sibil]. Kâhin kadın, falcı kadın. ~**line** [-layn], ~'e ait.

sic [sik] (*Lat.*) Böyle (metinde aynen).

siccative ['sikətiv]. Kurutucu, sikatif.

sice[1] [says]. (Zarda) şeş.

sice[2]. Seyis.

Sicily ['sisili]. Sicilya. ~**n**, *i.* Sicilyalı: *s.* Sicilya+.

sick [sik]. Hasta; kusacak gibi. **be** ~, hasta olm.; kusmak: **be** ~ **of stg.**, bir şeyden tiksinmek, bıkmak, bezmek: **be** ~ **of life**, dünyaya küsmek: **I'm** ~ **of you!**, senden illâllah!: **feel** ~, midesi bulanmak, kusacağı gelmek: ~ **at heart**, meyus, mustarip. ~**-allowance/-benefit**, hastalık ödencesi, işgöremememezlik yardımı. ~**-bay/-berth**, (gemi/okul) revir, hastane. ~**-bed**, hasta yatağı. ~**en**, hastalanmak: tiksindirmek, bıktırmak; mide bulandırmak: ~**ing**, tiksindirici, mide bulandırıcı, iğrendirici. ~**-headache**, yarım başağrısı; migren. ~**ish**, oldukça hasta.

sickle ['sikl]. Orak.

sick·-leave ['siklīv]. Hastalıktan dolayı izin. ~**liness**, hastalık; kusma; sağlam olmama. ~**-list**, (*ask.*) hastalar listesi. ~**ly**, hastalıklı, ineze, cılız; insanın içini bayıltıcı; (ışık, renk) sönük, solmuş; (iklim) sıhhate muzır; (tebessüm) zoraki. ~**ness**, hastalık; mide bulantısı, kusma: **in** ~ **and in health**, (evlenirken) 'hayatım boyunca'. ~**-room**, hasta odası; revir.

sid. = SIDEREAL.

side [sayd] *i.* Yan; taraf, cihet; (*den.*) borda; böğür; kenar; (*arg.*) kurum, caka. *s.* Asıl olmıyan, tali. ~ **with**, tarafını tutmak: **he is on our** ~, o bizim taraftar/bizdendir: **the other** ~ **of the picture**, madalyonun ters tarafı: **you have the law on your** ~, kanun sizin tarafınızdadır: **this country's climate is on the cool** ~, bu memleketin iklimi soğuğa kaçar: **these boots are on the heavy** ~, bu ayakkabılar biraz ağırdır: **be on the wrong/right** ~ **of forty**, kırk yaşından yukarı/aşağı olm.: **get on the soft** ~ **of s.o.**, birini zayıf tarafından yakalamak: **wrong** ~ **out**, (elbise vb.) ters. ~**-arms**, (*ask.*) hafif silâhlar. ~**board**, büfe; musandıra. ~**-burns**, kısa favori. ~**-car**, (motosiklet) yan araba, sepet, saydkar. ~**-cut**, (*sp.*) çengel vuruş. -~**d**, *son.* . . . yan/taraflı [ONE-SIDED]. ~**-dish**, meze. ~**-effect**, (*tıp.*) tali etki. ~**-glance**, yan bakış. ~**-issue**, tali mesele. *~**-kick**, ortak. ~**-lamps**, (*oto.*) küçük lambalar. ~**light**, (*den.*) borda feneri; yan feneri: **throw a** ~ **on a subject**, bir meseleyi yeni bir tarafından aydınlatmak. ~**-line**, (*dem.*) tali hat; (*mal.*) asıl üretim dışında yapılan şey; tali iş; (*sp.*) yan çizgı. ~**long**, yan taraftan; yan.

sidereal [say'diəriəl]. Yıldızlara ait; yıldız+.

sidero- ['saydəro-] *ön.* Demir+.

side·-road ['saydroud]. Sapa/yan yol. ~**-saddle**, kadınların ata yan binmesine mahsus eyer. ~**-show**, tali mesele/sergi. ~**-slip**, (*oto.*) yan savurma, kayış. ~**-step**, *i.* yan adım; yana atılan adım; (*sp.*) koruma adım, saydstep: *f.* bir yana adım atmak; bir güçlük/engelden kaçınmak. ~**-street**, sapa yol. ~**-stroke**, (yüzmede) yandan kulaç atma(k). ~**-track**, *i.* (*dem.*) yan yol: *f.* bir treni yan yola geçirmek; yana kaydırmak; bir işi bir tarafa koymak/ertelemek. ~**-view**, yan bakış, profil. ~**-walk**, kaldırım. ~**ward(s)**, yan; yana doğru. ~**wash**, yana akış. ~**ways**/~**wise** [-weyz, -wayz], yandan: **walk** ~, yan yan yürümek. ~**-whiskers**, favori.

siding ['saydin(g)] (*dem.*) Manevra için kullanılan yan hat.

sidle ['saydl]. ~ **along**, yan yan gitmek: ~ **up to s.o.**, birine sokulmak.

siege [sīc]. Muhasara, kuşatma. **lay** ~ **to**, muhasara etm., kuşatmak: **raise a** ~, (i) muhasara eden düşmanı çekilmeğe mecbur etm.; (ii) muhasarayı kaldırmak. ~**-artillery/-train**, ağır toplar. ~**-works**, hendekler vb.

siemens ['sīmənz] (*elek.*) İletkenlik birimi.

sienna [si'ena]. Koyu kahverengi.

sierra [si'era] (*İsp.*) Dişli doruk.

siesta [si'esta]. Öğle uykusu.

sieve [siv] *i.* Kalbur, elek. *f.* Elemek, kalburdan geçirmek. **he has a head like a** ~, hiç bir şey hatırlamaz.

sift [sift]. Kalbur/elekten geçirmek. ~ **the evidence**, şehadetin delillerinden gerçeğini yalanından ayırmak: ~**ed coal**, krible. ~**er**, (şeker vb.) elek (makinesi).

sig. = SIGNAL(LER); SIGNATURE.

sigh [say]. İç çekme(k), ah etme(k). ~ **for stg.**, bir şeyin hasretini çekmek, bir şey gözünde tütmek: **a** ~ **of relief**, ferahlanmadan iç çekme.

sight [sayt] *i.* Görme kuvveti; görme; nazar; müşahede; manzara, bakış, temaşa; rasat. *f.* Görmek; nişangâhını tanzim etm. ~**s**, tüfeğin gezle arpacığı; (şehir vb.nin) görülecek yerleri. **at/on** ~, görür görmez; görmece; (*mal.*) gösteril-/görül-/ibraz edil·diğinde: **come into** ~, gözükmek; ortaya çıkıvermek: **his face was a** ~**!**, yüzünü görmeliydin!: **find favour in s.o.'s** ~, birinin gözüne girmek: **at first** ~, ilk görüşte: **get a** ~ **of**, bir kere görmek: **I hate/can't bear the** ~ **of him**, onu görmeğe tahammül edemem: **have good/bad** ~, gözleri iyi/kötü olm.: **in** ~, görünürde: **in the** ~ **of**, gözü önünde, gözünde: **be in** ~ **of**, görebilmek: **keep in** ~**/not let out of one's** ~, gözden kaçırmamak: **know s.o. by** ~, birisiyle göz aşınalığı olm.: **long** ~, presbitlik: **lose one's** ~, kör olm.: **lose** ~ **of**, gözden kaybetmek, unutmak: **I've quite lost** ~ **of him**, ondan hiç haberim yok, onu gözden kaybettim: **out of** ~, görünmez: **out of** ~**, out of mind**, gözden uzak olan gönülden de uzak olur: **out of my** ~**!**, defol!: **put out of** ~, gizlemek: **short** ~, miyopluk: **a** ~ **for sore eyes**, (i) bir içim su; (ii) *uzun zaman görülmiyen bir dosta rastlayınca söylenir*: **take a** ~ **at the sun**, güneşi gözlemek: **what a** ~ **you**

are!, bu ne hal!; bu ne kıyafet!: ~ **unseen**, görmeden (satın almak).
sight·ed ['saytid] *s.* Kör olmıyan; (tüfek) gezli. -~**ed**, *son.* -gözlü: **far-**~, uzağı gören, presbit; basiretli: **near/short-**~, yakını gören, miyop; basiretsiz: **weak-**~, gözü zayıf. ~**ing**, *i.* **the** ~ **of this rifle is all wrong**, bu tüfeğin nişangâhı bozuktur: ~**-shot**, deneme atışı. ~**less**, kör: ~**ness**, körlük. ~**ly**, yakışıklı; hoş görünüşlü. ~**-reading**, görür görmez okuma/çalma. ~**-see·ing, go** ~, seyredecek yerleri görmeğe gitmek, seyre çıkmak: ~**r**, seyyah, seyirci, turist.
sigillate ['sicileyt] (*bot.*) Mühür gibi işaretlerle; (*san.*) (derin) izlerle süslenmiş.
sigm·a ['sigmə] (*dil.*) Yunancanın on sekizinci harfi (Σ, σ, ς). ~**oid(al)**, 'S' şeklinde.
sign [sayn] *i.* İşaret, im; emare; iz, eser; alâmet; levha; tabela; delil; belirti. *f.* İmzalamak; işaret etm. ~ **away**, bir mülkü vb. senetle başkasına terketmek. ~ **off**, memur vb. işten çıkarken defteri imzalamak; yazılı olduğu bir şeyden vazgeçmek; (*rad.*) haber/programı bitirmek. ~ **on**, memur vb. işe başlarken defteri imzalamak; (*bilh.* işsiz olunca) yazılmak. ~**able**, imzalanır.
signal[1] ['signəl] *s.* Göze çarpan, parlak.
signal[2] *i.* İşaret; (*den.*) haber; emir; sinyal; bildirim. *f.* İşaret etm.; (*den.*) işaretle haber/emir vermek. ~**-box/-cabin**, (*dem.*) işaret/manevra kulesi. ~**-cord**, (*dem.*) imdat işareti. ~**ize** [-nəlayz], işaretle bildirmek; şöhret vermek; dikkatle göstermek. ~**-lamp**, işaret lambası. ~**ler**, (*ask.*) işaretçi. ~**ly**, dikkate değer derecede; göze çarparak; tamamen. ~**man**, *ç.* ~**men**, (*dem.*) işaret memuru; (*den.*) işaretçi. ~**-station**, (gemilerle haberleşmek için kıyılarda kurulan) semafor/telsiz istasyonu.
signat·ory ['signət(ə)ri]. İmza sahibi; muahit. ~**ure** [-nəçə(r)], imza: ~**-tune**, (*rad.*) bir grup/programın özel havası.
sign·board ['saynbōd]. Tabela. ~**ed**, imzalı.
signet ['signit]. Mühür. **writer to the** ~, (*İsk.*) avukat. ~**-ring**, mühür yüzüğü.
signif·icance [sig'nifikəns]. Anlam, mana; önem, ehemmiyet. ~**icant**, anlamlı, manidar; önem/ehemmiyetli. ~**ication** [-'keyşn], mefhum, kavram, anlam; ifade, delâlet. ~**icative** [-kətiv], anlamlı. ~**y** [-fay], delâlet etm.; beyan etm.; tebliğ etm.; anlamı olm.: **it does not** ~, önemi yok; zararı yok.
sign·-manual [sayn'manyuəl]. Elyazısı imza. ~**-painter**, tabela ressamı. ~**post** [-poust], (yol gösteren) işaret direği. ~**-writer**, tabela yazıcısı.
Sikh [sīk] (*Hint.*) Tektanrıcı olan bir tarikat.
silage ['saylic]. Siloda ambarlanmış hayvan yemi, yeşillik.
silen·ce ['sayləns] *i.* Sükût, sessizlik; susma. *f.* Susturmak; ateş kesmeğe mecbur etm. ~ **gives consent**, sükût ikrardan gelir: **dead** ~, ölüm sessizliği, tam sükût: **pass stg. over in** ~, bir şeyi sükûtla geçiştirmek. ~**cer**, seskesici, susturucu. ~**t**, sessiz; sâkin, sâkit: **keep** ~, susmak: **the** ~ **Service**, Deniz Kuvvetleri: ~**ly**, sessizce.
silesia [si'līşə]. İnce pamuk/keten kumaş.
silex ['sayleks]. Çakmaktaşı.
silhouette [silu'et]. Siluet(ini yapmak).
silic·a ['silikə]. Silis, çakmaktaşı. ~**ate** [-keyt], silikat. ~**eous** [-'lişəs], silise ait, silisli. ~**ic** [-'lisik], silis+. ~**ify** [-fay], silise çevirmek. ~**o-** [-ko-], *ön.* silis+, silisli, siliko. ~**on** [-kən], silisyum; silis+. ~**one** [-koun], silikon. ~**osis**, (*tıp.*) silis tozundan hâsıl edilen akciğer hastalığı, silikoz.
silk [silk]. İpek. ~ **thread**, ibrişim: **take** ~, avukatların en yüksek rütbesi olan QUEEN'S COUNSEL tayin olunmak: **shot** ~, yanardöner ipek kumaş: **watered** ~, dalgalı ipek. ~**en**, ipekli; ipek gibi. ~**-hat**, silindir şapka. ~**-screen printing**, (*bas.*) serigrafi. ~**worm**, ipek böceği. ~**y**, ipek gibi; (ses) yapmacıklı ve fazla tatlı.
sill [sil]. Eşik, denizlik, dayanmalık; (*yer.*) damar katman.
sillabub ['siləbʌb]. Kaymakla şaraptan yapılmış bir yemek.
siller ['silə(r)] (*İsk.*) Gümüş; para.
sill·iness ['silinis]. Ahmaklık, aptallık, zevzeklik. ~**y**, ahmak, aptal, budala; zevzek; gülünç; salak; abes, vahi: **knock someone** ~, sersemletmek: **the** ~ **season**, havadissizlikten gazetelerin saçma sapan yayın yaptıkları devir.
silo ['saylou]. Silo; yeraltındaki güdümlü misil anbarı.
silt [silt]. Suyun bıraktığı kum ve çamur, mil. ~ **up**, (liman vb.) bir nehir/denizin bıraktığı kum ve çamur ile dol(dur)mak.
Silurian [say'lyuəriən] (*yer.*) Silur.
silvan ['silvən]. Ormanlara ait; ormanlı.
silver ['silvə(r)] *i.* Gümüş; gümüşten yapılmış eşya/takım; gümüş para. *s.* Gümüşten yapılmış; gümüş gibi. *f.* Gümüş kaplamak; gümüş gibi parlamak; sırlamak. **German** ~, nikel gümüşü: **sterling** ~, isterlin gümüşü: **be born with a** ~ **spoon in one's mouth**, (i) büyük ve zengin bir ailede doğmak; (ii) yıldızı parlak olm. ~**-fish**, gümüşçün. ~**-foil** = ~-PAPER. ~**-gilt**, altın yaldızlı gümüş. ~**-grey**, gümüşî. ~**-haired**, beyaz/gri saçlı. ~**-headed**, beyaz saçlı; gümüş başlı (baston). ~**iness**, gümüş gibi olma. ~**ing**, sim; sır; gümüşleme. ~**-jubilee**, hükümdar cülusunun 25ci yıldönümü. ~**-leaf**, erik ağacının bir hastalığı; gümüş renkli yaprak. ~(-MEDAL). ~**-paper**, yaldız/gümüşlü kâğıt. ~**-plate**, gümüş kaplamak; gümüş kaplama işi; gümüş takımları. ~**-point**, gümüş ressam kalemi. ~**-sand**, ince beyaz kum. ~**-screen**, (*kon.*) sinema. ~**-side**, sığır budunun dış parçası. ~**smith**, gümüş kuyumcusu. ~**-standard**, (*mal.*) gümüş külçe kuralı. ~**-stick**, İng. Sarayının bir memuru. ~**-tongued** [-'tʌn(g)d], talâkatlı. ~**-ware**, gümüş eşya. ~**-wedding**, evlenmenin 25ci yıldönümü. ~**y**, gümüş gibi; gümüşî; gümüşlü.
silvi- [silvi-] *ön.* Orman+. ~**culture** [-kʌlçə(r)], ormancılık, orman bilimi; ağaçlandırma.
sima ['saymə] (*yer.*) Sima.
simian ['simiən] *i.* Maymun. *s.* Maymuna ait; maymun gibi.
simil·ar ['similə(r)]. Misilli; benzer; müşabih: ~**ity** [-'lariti], benzerlik, benzeşim: ~**ly**, bunun gibi, aynı, keza. ~**e** [-li], teşbih. ~**itude** [-'milityūd], benzerlik; teşbih.
simmer ['simə(r)]. Yavaş yavaş kayna(t)mak; (isyan vb.) patlamak üzere olm. ~ **down**, yatışmak, azalmak.

Aranan* SI- *ile başlayan kelime bulunmazsa,* SY-*'e bakınız.

Simon ['saymən]. Erkek ismi. **Simple ~**, safdil.
simony ['saymənі]. Mübarek eşya/dinî memuriyetleri satma.
simoon [si'mūn]. Sam yeli.
simper ['simpə(r)]. Nazlı/yapmacıklı gülümseme(k).
simple[1] [simpl] *i.* Kocakarı ilâcı.
simpl·e[2] *s.* Basit, sade; düz; kolay; kolayca anlaşılır; yalın; saf, sadedil; safyürekli; tabiî; tek-: **it's a ~ matter**, işten bile değil: **~ folk**, kendi halinde kimseler: **~-hearted**, saf yürekli: **~-minded**, sadedil; safderun: **~ton**, bön, safdil adam: **~x**, basit (şey/kelime). **~icity** [-'plisiti], basitlik, sadelik; kolaylık; şatafatsızlık; safderunluk, bönlük. **~ification** [-fi'keyşn], basit-/sadeleş(tir)me. **~ify** [-fay], basit-/kolay·laştırmak. **~ism**, fazla basitleştirilme. **~y**, basit vb. olarak; ancak, sadece; budalaca; (*kon.*) tamamen, fevkalâde: **you ~ must come**, muhakkak gelmelisiniz: **I was ~ delighted**, bilseniz ne kadar memnun oldum: **it's ~ ridiculous**, bu âdeta gülünç: **I ~ said that...**, yalnız/sade... dedim.
simulacrum [simyu'leykrʌm]. Hayal; gölge; hayal meyal benzerlik; sahte gösteriş; taklit.
simulat·e ['simyuleyt]. Yalandan yapmak; taklidini yapmak;... gibi yapmak; benzemek. **~ed**, taklit, eşdeğer; farazî. **~ion** [-'leyşn], yalandan yapma, vb. **~ive** ['sim-], yapmacık. **~or**, benzetici; (*hav.*) simülatör.
simulcast ['simʌlkāst]. Aynı zamanda hem radyo hem de TV'de bir yayın.
simultaneous [simʌl'teynyəs]. Aynı zamanda olan/yapılan/vukubulan; eş-/hemzaman. **~ly (with)**, birlikte, aynı zamanda; hep beraber.
sin [sin]. Günah (işlemek). **for my ~s**, hangi günahım içinse: **like ~**, (*arg.*) şiddetle, alabildiğine: **more ~ned against than ~ning**, kabahat yalnız onun değil: **mortal ~**, Allahın affetmiyeceği günah; kebire: **original ~**, (Hıristiyanlarca) insanların yaratılışında olan günah işleme eğilimi.
sin. (*kıs.*) = SINE.
sinanthropus [si'nanθrəpəs] (*zoo.*) Pekin insanı.
sinapism ['sinəpizm] (*tıp.*) Hardal lapası.
since [sins]. -den beri; -den sonra; madem ki;... için. **ever ~ (then)**, o zamandan beri: **it is three years (ago) ~ I saw him**, onu göreli üç yıl oldu, onu üç yıldan beri görmedim: **we have been here ~ March**, Marttan beri buradayız: **many years/long ~**, bundan çok yıllar önce: **~ you say so, it must be true**, mademki siz söylüyorsunuz, doğrudur: **a more dangerous, ~ unknown, foe**, bilinmediği için daha tehlikeli bir düşman.
sincer·e [sin'siə(r)]. Samimî; içten; huluskâr; riyasız; candan; halis, muhlis: **yours ~ly**, savgı/hürmet/selâmlarımı sunarım. **~ity** [-'seriti], samimiyet, içtenlik; riyasızlık; hulus: **in all ~**, tam bir iyi niyetle, halisane.
sine[1] [sayn] (*mat.*) Sinüs.
sine[2] ['sayni] (*Lat.*) -siz; **~ *die*** [-dayi], gün tayin etmeksizin, süresiz (erteleme): **~ *qua non*** [-kweynon], onsuz olmaz, zarurî şey.
sinecure ['saynikyuə(r)]. Hizmetsiz maaşlı memuriyet; arpalık.
sinew ['sinyu]. Veter; kas teli. **the ~s of war**, para. **~y**, adaleli, kuvvetli; (et) sert, sinirli.
sinful ['sinfəl]. Günahkâr.
sinfoni·a [sinfə'niə] (*müz.*) Senfoni; uvertür. **~etta** [-ni'etə], küçük senfoni.
sing (*g.z.* **sang**, *g.z.o.* **sung**) [sin(g), san(g), sʌn(g)]. Şarkı söylemek, teganni etm.; ötmek; (kurşun) vızıldamak; (kulak) çınlamak, uğuldamak. **~ out**, bağırmak: **~ small**, yelkenleri suya indirmek, kuyruğu kısmak.
sing. = SINGULAR.
Singapore [sin(g)gə'pō(r)]. Singapur.
singe [sinc]. Azıcık yakmak; alevden geçirmek; saçların ucunu yakma(k). **~ one's wings**, maceralı bir işte zarar görmek: **~ the King of Spain's beard**, (16'ıncı asırda İng. gemicileri hakkında) İspanya sahillerini yağma etm.
sing·er ['sin(g)gə(r)]. Şarkıcı, muganni, hanende; (*tiy.*) şantör, şantöz; ötücü kuş. **~ing**, şarkı söyleme; şarkıcı sanatı.
single ['sin(g)gl] *s.* Tek; basit; yegâne; bekâr; biri(ci)k; (*biy.*) bir sıralı. *i.* (*sp.*) Tek puvan; iki kişi arasında oyun: **~s**, tekler. **~ out**, seçip bir tanesini almak: **~ out s.o.**, bir çok kimse arasından birini seçip ayırmak: **~ bed(room)**, bir kişilik yatak/oda: **~ combat**, iki adam arasında mücadele: **every ~ day**, Tanrının günü: **not a ~ one**, bir tek bile yok; hiç mi hiç: **the ~ state**, bekârlık. **~-barrel**, tek namlulu (tüfek). **~-breasted**, (*mod.*) tek sıra düğmeli (ceket). **~-entry**, (*mal.*) deftere bir kere kaydetme usulü. **~-eyed**, tek gözlü; (*mec.*) tek maksatlı; dürüst. **~-handed**, tek elli; (*mec.*) tek başına; yardımcısı olmadan. **~-hearted**, samimî, dürüst. **~-minded**, doğru fikirli; garazsız. **~ness**, bekârlık: **~ of heart**, samimiyet: **~ of purpose**, garazsızlık; teklik; bir tek maksat/gayesi olma. **~-phase** [-feyz] (*elek.*) tek fazlı. **~-screw**, tek uskur/pervaneli (gemi). **~-seater**, tek kişilik (uçak vb.). **~t**, iç gömleği, atlet fanilası. **~ton**, (iskambil) bir takımın tek kâğıdı.
singly ['sin(g)gli]. Yalnız, tek başına olarak.
sing-song [sin(g)-son(g)] *s.* Düzenli ve cansıkıcı sesle söylenen/okunan. *i.* Hep beraber şarkı şöylemek için yapılan toplantı.
singular ['sin(g)yulə(r)] (*dil.*) *i.* Müfret, tekil. *s.* Müfret, münferit, tekil; acayip; özel; dikkate değer. **~ity** [-'lariti], garabet; hususiyet, özellik; tuhaflık. **~ly** ['sin-], müstesna olarak; fevkalâde şekilde.
Sinhalese ['sinhəlīz]. Seylanlı; Seylanca.
sinist·er ['sinistə(r)]. Uğursuz, meşum; netameli: **bend ~**, birinin armasının sol tarafında, soyunun gayri meşru olduğunu gösteren işaret: **~ly**, uğursuz/netameli olarak. **~ral**, sola ait/eğimli: **~ly**, sola doğru. **~ro-**, *ön.* sol. **~rorse** [-trōs], sola bükülen.
sink[1] [sin(g)k] *i.* Bulaşık teknesi, eviye; pisliğin biriktiği yer; (*yer.*) dolin.
sink[2] (*g.z.* **sank**; *g.z.o.* **sunk**) [sin(g)k, san(g)k, sʌn(g)k] *f.* Batmak; dalmak; düşmek; alçalmak; çökmek; batırmak; indirmek. **~ by the bow/stern**, (gemi) pruva/kıçtan batmak: **the building is ~ing**, bina çöküyor: **they sank their differences**, ihtilâflarını bertaraf ettiler: **that ~ing feeling**, insanın içine çöken o korku/baygınlık: **with ~ing heart**, gittikçe kasvete dalarak; kalbi burkularak: **~ money in an enterprise**, bir işe parasını bağlamak/yatırmak: **the patient is ~ing**, hasta fenalaşıyor

(ölmek üzere): **my spirits sank**, içime kasvet çöktü: **here goes, ~ or swim!**, haydi bakalım, ya batarız ya çıkarız!; ister yarar ister zarar!: **he was left to ~ or swim**, yüzüstü bırakıldı, kendi mukadderatına terk edildi: **~ a well**, kuyu kazmak. **~ in(to)**, işlemek, nüfuz etm.; tesir/etki etm.; göm(ül)mek.

sink-[3] *ön.* **~able**, batırılır. **~er**, olta/ağ kurşunu: **well-~**, kuyucu. **~-hole**, dolin. **~ing**, batırılma; alçalma, vb.: **~-fund**, değerden düşme karşılığı, itfa fonu, amortisman sandığı.

sin·less ['sinlis]. Günahsız; masum. **~ner**, günahkâr.

sinolog·ist/~ue [si'noləcist, 'sinəlog], Çin dil/sanatı vb. bilgini. **~y** [-'noləci], Çin dili vb. bilgisi.

sinter ['sintə(r)] (*yer.*) (Membada) kireçli çökel(ti); (*müh.*) *i.* toplak, sinter; *f.* toplaştırmak. **~ed**, toplaşık.

sinu·ate ['sinyueyt] (*bot.*) Dalgalı kenarlı. **~osity** [-'ositi], dolambaç; yılankavilik. **~ous** ['sinyuəs], dolambaçlı; yılankavî.

sinus ['saynʌs]. Boşluk; burun arkasındaki boşluklar; fistül; sinüs. **~oidal** [-'soydl], sinüsoidal.

sip [sip] *f.* Azar azar içmek, yudumlamak. *i.* Azıcık içme, tadım, yudum(luk).

sipe [sayp] (*oto.*) Tekerlek lastiğindeki yivlerin biri.

siphon ['sayfn] *i.* Sifon; cam tüplü soda şişesi. *f.* Sifonla akıtmak.

sippet ['sipit]. Kızarmış ekmek parçası.

sir [sə̄(r)] *i.* Efendim!; BARONET/KNIGHT'*ların unvanı ki daima kişi adıyla kullanılır, mes.* **Sir George (Smith), Sir Peter (Jones)**: (**Sir Smith/Jones** *denmez*). *f.* **Sir** ile hitap etm.

sirdar ['sə̄dā(r)]. Serdar.

sire ['sayə(r)] *i.* Baba; erkek hayvan *ve bilh.* aygır. *f.* (Hayvan) babası olm. (*Bir Krala hitap ederken* SIR *yerinde* SIRE *kullanılır*).

siren ['sayrən]. Cazibeli ve büyüleyici kadın; fettan; canavar düdüğü; (*biy.*) deniz kızı. **~-suit**, (*mod.*) çekme, tulum.

Sirius ['siriəs]. Şi'râ-yı Yemâni, Akyıldız.

sirloin ['sə̄loyn]. Sığır filetosu.

sirocco [si'rokou]. Akdenizin sıcak rüzgârı, siroko.

sirrah ['sirə] (*mer.*/*köt.*) = SIR(E).

sis [sis] (*kon.*) = SISTER.

-sis [-sis] *son.* (*tıp.*) -hali [HALITOSIS].

SIS = SECRET INTELLIGENCE SERVICE.

sisal ['saysl]. **~-grass**, Am. sabır ağacı lifi, sisal.

siskin ['siskin]. Karabaşlı iskete.

sismo- ['sayzmo-] *ön.* = SEISMO-.

sissy ['sisi] (*arg.*) Hanım evlâdı.

sister ['sistə(r)]. Kızkardeş, hemşire; (baş) hemşire/hastabakıcı. **~ of mercy**, fukara ve hastalara bakan rahibe: **~ ships**, aynı tipte gemiler. **~hood**, kızkardeşlik; sörler birliği. **~-in-law**, görümce; baldız; yenge; elti. **~ly**, kızkardeş gibi.

sit (*g.z.(o.)* **sat**) [sit, sat]. Otur(t)mak. **~ for a borough, etc.**, bir şehir vb.nin mebusu olm.: **~ on a committee, etc.**, bir komite vb.ne dahil olm.: **~ for an examination**, bir sınava girmek: **~ a horse well/badly**, ata iyi/kötü binmek: **~ oneself down**, oturmak: **~ on s.o.**, (*kon.*) birini ezmek; haddini bildirmek: **I won't be sat upon**, kendimi ezdirmem: **~ over a book**, bir kitaba kapanmak: **~ in Parliament**, Parlamento üyesi olm.: **shoot a pheasant ~ting**, yere konmuş bir sülünü vurmak: **~ tight**, yerinden kımıldamamak; dediğinden vb. vazgeçmemek. **~ down**, oturmak: **~ down to table**, sofraya oturmak: **not ~ down under an insult**, bir hakaretin altında kalmamak. **~ in**, **~ in at...**, -e katılmak: **~ in with...**, -le beraber bulunmak. **~ out**, (bir oyuna) katılmamak: **~ out a dance with s.o.**, (bir dansta) birisiyle dans etmeyip konuşmak: **~ a lecture out**, bir dersi sabrederek sonuna kadar dinlemek. **~ up**, doğru oturmak: **~ up in bed**, yatakta doğrulup oturmak: **~ up late**, geç vakte kadar (yatmayıp) oturmak: **~ up for s.o.**, birini bekliyerek yatmamak: **make s.o. ~ up**, (*kon.*) birini şaşırtmak; şiddetle azarlamak: **~ up to the table**, iskemlesini masaya yaklaştırmak.

sitcom ['sitkom] (*tiy.*) = SITUATION COMEDY.

sit-down ['sitdaun]. **~ strike**, kolları kavuşturma grevi.

site [sayt]. Mevki; (bir şeyin) bulunduğu/olduğu/vukubulduğu yer; konum; (*ark.*) buluntu yeri. **on ~**, yerinde.

sith [siθ] (*mer.*) = SINCE.

sit-in ['sitin]. İştirak etme, katılma. **~ (strike)**, oturma grevi.

sito- [say'to-] *ön.* Gıda. **~logy**, yemek/gıda rejimi bilgisi. **~phobia** [-'foubiə], yemekten korkma hastalığı.

sitrep ['sitrep] (*ask.*) = SITUATION REPORT.

sitter ['sitə(r)]. Ressam/fotoğrafçı için poz alan kimse; kuluçka; (avcılıkta) kımıldanmıyan kuş/hayvan; vurması kolay av: **I missed a ~**, vurması pek kolayken vuramadım: **bed-~** = SITTING.

sitting ['sitin(g)] *i.* Celse, oturum; oturuş; ressam için poz alma; kuluçkalık. *s.* Oturan; kuluçka yatan; kımıldanmıyan (av). **a ~ shot**, vurması pek kolay bir av. **~-box**, folluk. **~-room**, oturma odası: **bed ~**, hem yatak hem oturma odası. **~-tenant**, evde oturan kiracı.

situat·e(d) ['sityueyt(id)]. Yerleşmiş, olan: **that is how I am ~**, işte durumum budur: **a pleasantly ~ house**, yeri çok hoş bir ev. **~ion** [-'eyşn], mevki; bulunduğu yer; hal, durum, vaziyet; kapı, iş, görev: **~-comedy**, (*tiy.*) anlaşmazlıklardan ibaret komedi: **~-report**, askerî duruma ait en son rapor. **~s-vacant/-wanted**, (*bas.*) istenilen işçiler/işler ilânları.

six [siks]. Altı. **coach and ~**, altı atlı araba: **two and ~**, (*mer.*) iki şilin altı pens, iki buçuk şilin (2/6): **at ~es and sevens**, akordu bozuk orkestra gibi: **it's ~ of one and half a dozen of the other**, ha o ha bu; ikisi de aynı şey; al birini vur ötekine. **~er**, (*sp.*) altı puvan. **~fold**, altı kat/misli. **~-foot**, altı kadem uzunluğu: **~er**, altı kadem boyunda; çok uzun boylu. **~pence**, altı peni(lik). **~penny(-worth)**, altı penilik. **~-score**, 120. **~-shooter**, altıpatlar. **~teen**, on altı: **~th**, on altıncı. **~th**, altıncı; altıda bir: **~ly**, altıncı(sı) olarak. **~ties**, 1860 = 69, 1960–69: **in his ~**, altmışını geçti. **~tieth**, altmışıncı; altmışta bir. **~ty**, altmış: **the ~-four dollar question**, en önemli/ciddî mesele/soru.

sizar ['sayzə(r)]. Üniversitede bir nevi burs öğrencisi.

size[1] [sayz] *i.* Büyüklük; hacim; ölçü; numara; boy;

Aranan SI- ***ile başlayan kelime bulunmazsa,*** SY-***'e bakınız.***

ebat; çap. *f.* Büyüklüğüne göre tasnıf etm. **all of a ~**, hepsi aynı büyüklükte: **full ~**, tabiî büyüklük: **take the ~ of stg.**, bir şeyi ölçmek/ölçüsünü almak: **~ up**, takdir etm., ölçmek: **~ s.o. up**, birini tartmak.
size[2] *i.* Çiriş; ahar; tutkal. *f.* Çirişlemek; aharlamak; aprelemek.
sizeable ['sayzəbl]. Büyücek; oldukça büyük.
sizing ['sayzin(g)] (*bas.*) Ahar; (*dok.*) haşıl.
sizzl·e [sizl] (*yan.*) *i.* Cızırtı. *f.* Cızırdamak. **~ing**, cızbız: **~ hot**, gayet sıcak.
SJ = SOCIETY OF JESUS. **~A** = ST. JOHN'S AMBULANCE.
sjambok ['şambok] (*G.Afr.*) Ağır bir kırbaç (ile kamçılamak).
skald [skōld] = SCALD[2].
skate[1] [skeyt]. Çemçe balığı, tırpana.
skat·e[2] [skeyt] *i.* Kızak, paten. *f.* Paten/patinaj yapmak, kızakla kaymak: **~ over thin ice**, pek nazik bir konuya dokunmak. **~e-board**, yolda kullanılan tekerlekli küçük dalga kayağı, skeytbord. **~er**, patinajcı, buz kayıcısı. **~ing**, patinaj: **~-rink**, buz alanı, patinaj yeri.
skean [skiən] (*İsk.*) Süslü bir hançer.
skedaddle [ski'dadl] *i.* Acele kaçış. *f.* Tabanı kaldırmak.
skeet [skīt] = CLAY-PIGEON.
skein [skeyn]. Çile, kangal, yumak. **tangled ~**, arapsaçı.
skelet·al ['skelitəl]. İskelete ait; iskelet gibi. **~o-**, *ön.* iskelet+. **~on**, iskelet; çatı; kuru kemik: **~ crew**, çekirdek tayfa; dar kadrolu tayfa: **the ~ at the feast**, bir toplantı vb.de neşe kaçıran şey: **family ~/a ~ in the cupboard**, bir ailenin utanılacak/keder verici sırrı: **~-key**, maymuncuk.
skep [skep]. Sepet; samandan yapılmış arı kovanı.
***skeptic** ['skeptic] = SCEPTIC.
skerry ['skeri] (*İsk.*) Resif; kayaçlı ada.
sketch [skeç] *i.* Kabataslak resim; kroki; taslak; küçük piyes, skeç. *f.* Kroki yapmak; taslağını yapmak; kısaca tarif etm. **rough ~**, ilk taslak. **~-book**, kroki defteri. **~er**, krokici, taslakçı. **~ily**, taslaklık olarak. **~ing**, kroki/taslağını yapma. **~-map**, harita krokisi. **~y**, taslaklık; baştan savma: **~ knowledge**, derme çatma/üstünkörü bilgi.
skew [skyū] *i.* Eğri, eğrilik; çarpık; mail. *f.* Çarpıtmak, eğriltmek. **~bald** [-bōld], beyaz ile başka renkte benekli (at). **~ed**, çarpık. **~-eyed**, şaşı. **~-whiff**, (*kon.*) çarpık, eğri.
skewer ['skyuə(r)] *i.* Kebap şişi. *f.* Şişlemek.
ski [skī]. Kayak (yapmak).
sk·iagraphy [skay'agrəfi]. Röntgen şualarıyle fotoğrafçılık; = SC~.
skid [skid]. Takoz; tekerlek çarığı; (oto. vb.) kızak yapma(k); yana doğru kayma(k), yan savurma. **~-pan**, (*oto.*) alışmak için kızak yapma alanı.
skier ['skiə(r)]. Kayakçı.
skies [skayz] *ç.* = SKY.
skiff [skif]. İskif; kik.
skiffle [skifl]. Bir nevi folk müziği.
ski·ing ['skīing]. Kayakçılık. **~-jump**, (kayakla) atlama pisti. **~-lift**, kayakçılar için teleferik.
skil·ful ['skilfəl]. Maharetli, hünerli, becerikli: **~ly**, becerikli vb. olarak. **~l**, maharet; ustalık; hazakat; hüner; becerik. **~led**, maharetli, hünerli; hazakatlı: **~ artisan/workman**, yetenekli/usta işçi. **~less**, beceriksiz vb.
skilly ['skili]. Sade suya benzer yavan çorba.
skim [skim]. Köpüğünü almak; (sütten) kaymağını almak; sıyırmak. **~ along**, kayar gibi ilerlemek: **~ the cream off stg.**, (*mec.*) bir şeyin en iyi kısmını almak: **~ over/through a book**, bir kitaba şöyle bir göz gezdirmek. **~mer**, kevgir, kaymakçı kaşığı. **~-milk**, kaymaksız süt.
skimp [skimp]. Hasislik etm., kıt vermek. **~ one's work**, işini baştan savma görmek, yarım yamalak yapmak. **~y**, dar, kıt; elverişli olmıyan; üstünkörü.
skin [skin] *i.* Deri, cilt, ten; pösteki; post; kabuk; tulum; (*hav.*) kaplama. *f.* Derisini yüzmek; kabuğunu soymak; sıyırmak; soymak. **mere ~ and bone**, bir deri bir kemik: **keep one's eyes ~ned**, göz kulak olm.: **next to one's ~**, tenine: **come off with a whole ~/save one's ~**, sağ kurtulmak, postu kurtarmak: **by the ~ of one's teeth**, dardarına, güçbelâ. **~-bottle**, tulum. **~-deep**, sathî, yüzden. **~-diver**, çıplak/elbisesiz dalgıç. **~flint**, cimri. **~food**, deri için makyaj/krema. **~ful**, **have a ~**, (*arg.*) kafayı iyice çekmek. * **~-game**, (*arg.*) hilelik. **~-graft**, doku aşısı. **~-head**, (*arg.*) saçları tamamen tıraş olmuş külhanbeyi.
skink [skin(g)k]. Skink, kum kertenkelesi.
skinn·ed [skind] *s.* Soyulmuş. **-~ed**, *son.* . . . derili: **thick-~**, vurdumduymaz: **thin-~**, alıngan. **~er**, deri yüzücü; kürkçü. **~y**, deri+, deri gibi; (*mec.*) çok zayıf, çiroz gibi, kuru sıska.
skint [skint] (*arg.*) Cebi delik, meteliksiz.
skip[1] [skip] (*mad.*) Kovan, kafes, asansör.
skip[2] Zıplama(k); sekme(k); ip atlama(k). **~ (over)**, atlamak. **~per**[1], ip atlayan.
skip(per)[2] ['skipə(r)]. Kaptan, reis.
skipper[3]. Uskumru turnası.
skipping ['skipin(g)]. İp atlama. **~-rope**, atlama/sıçrama ipi.
skirl [skəl]. Gayda sesi.
skirmish ['skəmiş] *i.* Hafif çarpışma; önemsiz kavga. *f.* Karakol musademeleri yapmak. **~er**, (*ask.*) avcı.
skirt [skət] *i.* Etek, fistan; (*kon.*) eksik etek: **~s**, civar, kenar, kıyı. *f.* Kıyısından geçmek. **~ing(-board)**, oda duvarının dip pervazı, süpürgelik.
ski-scooter ['skīskūtə(r)]. Motorlu kızak.
skit [skit]. Mizahî ve hicivli yazı; karikatür.
skitter ['skitə(r)]. (Kuş/balık) suyun yüzünü sıçratarak gitmek; ok gibi fırlamak.
skittish ['skitiş]. Oynak; cilveli; (at) ürkek. **~ly**, oynakça. **~ness**, oynaklık, cilvelilik.
skittles ['skitlz] = NINEPINS. **life is not all beer and ~**, hayat eğlenceden ibaret değildir.
skive [skayv]. Köseleyi ince tabakalar halinde yontmak. **~ off**, (*arg.*) ders/işi asmak. **~r**, köseleyi yontmağa mahsus bıçak; köseleden yarılmış ince sahtıyan; (*arg.*) işini asan, haylaz.
skivvy ['skivi] (*arg.*) Ev hizmetçisi (gibi çalışmak).
skiwear ['skīweə(r)]. Kayakçı elbiseleri.
skua ['skyuə]. Yırtıcı martı(giller).
skulduggery [skʌl'dʌgəri] (*alay.*) Hilekârlık.
skulk [skʌlk] *f.* Korkudan/kötü niyetle gizlenmek; hırsızlama dolaşmak; yan çizmek. *i.* Yan çizen; tilki grubu. **~er**, yan çizen. **~ing**, korkak.

skull [skʌl]. Kafatası. ~ **and crossbones**, kafatası ve ince kemikler (korsan bayraklarında). ~**-cap**, tepe takkesi. -~**ed**, *son*.... kafataslı.
skunk [skʌn(g)k]. G.Am.'da bulunan bir nevi kokarca; bunun kürkü; (*mec*.) alçak ve pis herif.
sky, *ç*. **skies** [skay(z)] *i*. Gök, sema. *f*. (Topu) havaya çelmek; bir resmi sergide üst sıraya asmak. **laud to the skies**, göklere çıkarmak: **out of a clear** ~, birdenbire, hiç umulmadık: **under the open** ~, açık havada: **twilight** ~, alaca gök. ~**-blue**, gök mavisi. ~**diving** [-'dayvin(g)] (*sp*.) uzun bir müddet paraşütü açmıyarak uçaktan dalma. ~**er**, (*sp*.) çok yüksek atılan top. ~**-high**, çok yüksek. ~**jack**, (*hav*.) = HIJACK. ~**lab**, (*hav*.) gök laboratuvarı. ~**lark**, *i*. tarla kuşu: *f*. (çocuk gibi) gürültü ile oynamak, muziplik etm. ~**less**, kapanmış/bulutlu (gök). ~**light**, çatı/tavan penceresi, üstaydınlık; (*den*.) kaporta. ~**line**, şehir vb. silueti; ufuk. ~**-pilot**, (*arg*.) (deniz/hava kuvvetlerinde) papaz. ~**sail**, kontrata yelkeni. ~**scape**, gök manzara/resmi. ~**scraper**, gökdelen, gratsiyel. ~**train**, çok ucuz ve yerleri tutulamaz uçak servisi. ~**ward(s)** [-wəd(z)], göğe doğru. ~**way**, hava yolu. ~**-writing**, (uçak) dumanla havada yazı yaz(ıl)ma.
sl. = SLANG; SLOW.
SL = SALVAGE LOSS; SEA LEVEL; SOURCE LANGUAGE.
slab [slab]. Büyük yassı parça/kütük; levha; kalın dilim.
slack [slak] *s*. Gevşek; tembel; mıymıntı; durgun. *i*. Laçka; (*den*.) kaloma; ince taneli kömür. *f*. Gevşetmek; tembel olm.; yangelmek. **have a** ~, mola vermek: ~ **off**, laçka etm., kaloma etm.: **take up the** ~, boşunu almak. ~**en**, yavaşla(t)mak; gevşe(t)mek; tavsa(t)mak; laçka etm. ~**er**, tembel, haylaz; aylakçı. ~**ly**, gevşek vb. olarak.
slag [slag]. Cüruf, dışık; mucur. ~**gy**, cüruf gibi. ~**-heap**, (*mad*.) cüruf yığını.
slain [sleyn] *g.z.o*. = SLAY.
slake [sleyk]. ~ **one's thirst**, susuzluğunu gidermek: ~ **lime**, kireci söndürmek.
slalom ['sleyləm]. Engelli ve zikzak pistli bir kayak yarışı.
slam[1] [slam] (*yan*.) Şiddetle ve gürültü ile kapanma(k)/kapatma(k).
slam[2]. (İskambilde) mars, şelem. **grand/little** ~, 13/12 leve kazanılması.
slander ['slāndə(r)] *i*. İftira; zem ve kadih; uydurma. *f*. İftira etm.; zemmetmek; kirletmek. ~**er**, iftira eden. ~**ous**, iftira nevinden.
slang [slan(g)] *i*. Argo. *f*. (*kon*.) Küfretmek; azarlamak. ~**y**, argo nevinden.
slant [slānt] *i*. Meyil, inhiraf; eğrilik; uygun rüzgâr. *f*. Meyillenmek; meyilleştirmek, inhiraf etm., sapmak. **on the** ~, verevlemesine. ~**ing**, eğri, çalık. meyilli, verev: ~ **eyes**, çekik göz. ~**ways**/~**wise**, eğri bir halde, çapraz; verev.
slap [slap] (*yan*.) Avuçla vurma(k). ~ **s.o. on the back**, şaka için birinin sırtına vurmak: **a** ~ **in the face**, şamar; şamar gibi ters bir cevap; beklenmedik başarısızlık: **run** ~ **into s.o.**, pat diye karşısına çıkmak: ~ **on the spot**, şıp diye yapıştırma. ~**-bang**, şıp diye, pat diye, hızla; beklenmedik şekilde. ~**-dash**, acele ile; düşünmiyerek; ihtiyatsızca. ~**-happy**, neşeli; kararsız. ~**stick**, şakşak; (*sin*.) sopalama. ~**-up**, (*arg*.) 1ci derece/mevki, mükemmel.
slash [slaş]. Uzun bir yara (açmak); rasgele kesmek; kırbaç/kılıç ile vurmak; şiddetle eleştirmek. ~ **about one**, sağa sola etrafa kılıç vb. vurmak: ~ **prices**, fiyatları büyük tenzilâtla indirmek. ~**ing**, sert ve dokunaklı (tenkit); kamçılayan (yağmur).
slat [slat]. Tiriz; lata; çıta; pancur tahtası. ~**ted**, pancur gibi çıtalı.
slate[1] [sleyt] (*kon*.) Azarlamak.
slate[2] *i*. Arduvaz, damtaşı; kayağantaş; yazı taşı, yazboz tahtası. *f*. Arduvaz kaplamak. **clean the** ~, geçmişi unutmak: **start with a clean** ~, geçmişi unutarak yeni bir hayata başlamak. ~**-club**, gayri resmî tasarruf derneği. ~**-coloured/grey**, barudî. ~**-pencil**, taş kalem. ~**r**, arduvaz döşeyicisi. ~**y** = SLATY.
slather ['slaðə(r)] (*kon*.) *Büyük bir miktar; (*Avus. arg*.) tahdit olunmamış hareket alanı.
slating[1] ['sleytin(g)]. Azarla(n)ma.
slat·ing[2]. Arduvaz/damtaşıyle çatı döşemesi. ~**y**, arduvaz gibi; barudî.
slattern ['slatən]. Hırpani kadın. ~**ly**, hırpani, şapşal, besleme kılıklı.
slaughter ['slōtə(r)]. Boğazlama(k); kesme(k); katliam. **like a sheep to the** ~, kasaplık koyun gibi. ~**er**/~**man**, mezbahacı. ~**house**, mezbaha.
Slav [slav]. İslav.
slave [sleyv] *i*. Esir, kul, köle; cariye. *f*. Köle gibi çalışmak; didinmek. ~ **away at stg.**, bir işe dinlenmeden çalışmak. ~**-driver**, köleci(başı); (*mec*.) köle gibi çalıştıran kimse. ~**r**[1], köleci; köle gemisi. ~**ry**, esirlik, kulluk, kölelik: **reduce to** ~, boyunduruk altına almak. ~**-ship**, köle gemisi. ~**-trade**, köle ticareti: ~**r**, köle taciri. ~**y**, (*kon*.) genç hizmetçi.
slaver[2] ['slavə(r)]. Salya (akıtmak).
Slavic ['slavik]. İslav dillerine ait.
slavish ['sleyviş]. Köle gibi; aşağılık. ~ **imitation**, körü körüne taklit.
Slavon·ian [slə'vouniən]. İslovenlere ait. ~**ic** [-'vonik], İslavlara ait; İslav dilleri.
slaw [slō]. Lahana salatası.
slay (*g.z*. **slew**, *g.z.o*. **slain**) [sley(n), slū]. Öldürmek. ~**er**, katil.
SLBM = SUBMARINE-LAUNCHED BALLISTIC MISSILE.
sld. = SAILED.
sleazy ['slīzi]. Hırpani, şapşal.
sled(ge) [sled, slec]. Kızak (ile gitmek). ~**-hammer**, balyoz: ~ **blow/style, etc.**, pek şiddetli vuruş/üslup vb.
sleek [slīk]. (At vb.) tavlı, besili, tüyleri parlak; (saç) düz ve perdahlı; (söz, tavır) yüze gülücü.
sleep (*g.z.(o.)* **slept**) [slīp, slept] *f*. Uyumak. *i*. Uyku. **drop off to** ~, içi geçmek: **go to** ~, uyumak; (ayak vb.) uyuşmak: **put to** ~, yatırmak; (hayvanı) canını yakmadan öldürmek; (*kon*.) uyuşturmak: ~ **like a log/top**, ölü gibi uyumak: **send to** ~, uyutmak: **talk in one's** ~, sayıklamak: **walk in one's** ~, uykuda gezmek; ~ **away the time**, vakti uykuda geçirmek: ~ **in**, (hizmetçi) evde yatmak: ~ **off the effects of stg.**, bir şeyi uyuyarak gidermek: ~ **out**, açıkta yatmak; (hizmetçi) hizmet ettiği evde yatmamak: ~**over/upon stg.**, bir mesele üzerinde bir gece düşünmek: ~ **rough**, yataksız yerde uyumak. ~**er**, uyuyan adam; travers; (*kon*.) yataklı vagon; (*id*.) gizli ve pusuda yatan ajan: **a good/bad** ~, uykusu iyi/fena kimse. ~**ily**, uykusu

gelmiş gibi. ~**-in**, bir grubun protesto olarak bir binanın içinde uyuması. ~**iness**, uykululuk. ~**ing**, uyuma; uyuyan: **let ~ dogs lie!**, uyuyan yılanın kuyruğuna basma!: ~ **accommodation**, yatacak yer: ~**-bag**, uyku tulumu: ~**-car**, (*dem.*) yataklı vagon; vagon-li: ~**-draught**, uyku ilâcı: ~**-partner**, komanditer: ~**-sickness**, uyku/çeçe hastalığı. ~**less**, uykusuz; (*mec.*) daima hareket/nöbette: ~**ness**, uykusuzluk. ~**-walker**, uyurgezer. ~**y**, uykusu gelmiş, uykulu; uyuşuk; çürümeğe yüz tutmuş (armut): ~**head**, (*kon.*) uykulu çocuk.

sleet [slīt]. Sulu sepken (yağmak).

sleeve [slīv]. Yen; elbise kolu; manşon; kitap/plak gömleği. **laugh in one's ~**, bıyık altından gülmek: **roll up one's ~s**, paçaları sıvamak: **have stg. up one's ~**, kozunu saklamak: **wear one's heart on one's ~**, duygularını herkese göstermek. ~**d**, yen/manşonlu. ~**less**, yen/manşonsuz. ~**-valve**, delikli gömlek (supap).

sleigh [sley]. Kızak(la gitmek).

sleight [slayt]. ~ **of hand**, elçabukluğu.

slender ['slendə(r)]. İnce belli; narin; ufak yapılı, fidan gibi; az, dar. **of ~ intelligence**, aklı kıt: **of ~ means**, dar gelirli. ~**ize**, incel(t)mek, zayıfla(t)mak.

slept [slept] *g.z.(o.)* = SLEEP.

sleuth [slūθ]. ~ **(hound)**, gayet keskin koku alan ve takipte kullanılan bir cins köpek; polis hafiyesi.

slew[1] [slū] *g.z.* = SLAY.

slew[2]. Sap(tır)mak; dön(dür)mek.

slice [slays] *i.* Dilim; parça, hisse. *f.* Dilimlemek; kesip biçme hareketi yapmak. ~**d-bread**, satılmadan önce dilimlenip kâğıda sarılmış ekmek. ~**r**, dilim kesici (makinesi).

slick[1] [slik] *s.* (*kon.*) Düz, muntazam; fazla cerbezeli; kurnaz. **be ~ about it!**, elini çabuk tut: ~ **in the eye**, tam gözüne.

slick[2] *i.* **oil ~**, deniz yüzünde duran dökülmüş petrol.

***slicker** ['slikə(r)]. Yağmurluk; dolandırıcı.

slid [slid] *g.z.(o.)* = SLIDE.

slide (*g.z.(o.)* **slid**) [slayd, slid] *f.* Kaymak; kızak yapmak; sıyırılmak, sıvışmak; kaydırıvermek; sokuşturmak. *i.* Kayma; çocukların kaydıkları buzlu yol; sürme; slayd, diyapozitif; bir aletin kayan parçası. **let things ~**, ihmal etm., umursamamak: ~ **over stg.**, (*mec.*) üstünde durmamak; sükûtla geçiştirmek. *~**-fastener** = ZIP-FASTENER. ~**-gauge** [-geyc], sürmeli kumpas. ~**r**, kayan kimse/parça. ~**-rest**, (torna) araba, sürgü dayağı. ~**-rule**, (sürme) hesap cetveli. ~**-valve**, sürgülü vana. ~**-way**, kaydırma oluğu, şüt.

sliding ['slaydin(g)]. Kayar, kayıcı; sürme, sürgülü. ~**-door**, sürme kapı. ~**-roof**, (*oto.*) üstü açılır. ~**-scale**, değişir fiyat/ücret mikyası. ~**-seat**, (futa) kayar oturak.

slight[1] [slayt] *s.* İnce; ince belli; pek az, cüzî; yeğni, zayıf; hafif; önemsiz, belirsiz. **there is not the ~est doubt**, zerre kadar şüphe yok. ~**ly**, pek az olarak.

slight[2] *i.* Hatır kıracak söz/hareket; tahkir; saygısızlık. *f.* Hatırını kıracak harekette bulunmak; -e saygısızlık göstermek, önem vermemek. **put/pass a ~ on s.o.**, bir söz/hareketle birinin hatırını kırmak; hor görmek. ~**ing**, hatır kırıcı, hor görücü.

slily ['slayli]. Kurnazca; el altından.

slim [slim] *s.* İnce belli; fidan gibi; narin; (*arg.*) kurnaz. *f.* Kasten kendini zayıflatmak.

slim·e [slaym]. Balçık; sulu çamur; sümük. ~**ily**, sümüklü olarak; yaltak bir şekilde. ~**iness**, sulu çamur hali; sümüklülük; riyakârlık, iki yüzlülük.

slim·ly ['slimli]. Fidan gibi olarak. ~**ming**, kasten kendini zayıflatma. ~**ness**, ince bellilik, narinlik; (*kon.*) kurnazlık, cin fikirlilik.

slimy ['slaymi]. Sümüklü; sulu çamurlu; yaltak ve riyakâr, iki yüzlü.

sling[1] (*g.z.(o.)* **slung**) [slin(g), slʌn(g)] *f.* Sapan ile atmak; fırlatmak; asmak; palanga ile kaldırmak için bir şeyi bocurgat halatı ile sarmak. *i.* Sapan; askı; kol bağı; bocurgat halatı; izbiro.

sling[2] *i.* Cinli bir içki.

slink[1] (*g.z.(o.)* **slunk**) [slin(g)k, slʌn(g)k]. Gizlice ve sinsi sinsi yürümek. ~ **away/off**, sıvışmak. ~**ing**, sinsi; hırsızlama.

slink[2] *f.* (Hayvan) vaktinden önce doğurmak. *i.* Böyle doğmuş hayvan.

slip[1] [slip] *i.* Kayma; ayak kayması; sürçme; sehiv; ufak hata, yanlışlık; (tekerlek) patinaj; yastık kılıfı; kombinezon, içeteklik; ufak deniz donu, slip; gemi kızağı; daldırmalık çelik; av köpeğini kolay salıvermeğe mahsus bir nevi kayış; fiş; uzun bir parça kâğıt/tahta: **a ~ of a boy**, fidan gibi çocuk: **give s.o. the ~**, birinin elinden sıvışarak kurtulmak: **there's many a ~ 'twixt the cup and the lip**, çayı görmeden paçaları sıvama *kabilinden*.

slip[2] *f.* Kaymak; sürçmek; sehvetmek; yanlışlık yapmak; salıvermek; gidivermek, gelivermek; (yavrusunu) vakitsiz düşürmek; (eline vb. bir şeyi) sokuşturmak; sıkıştırmak; kaçırmak. ~ **the cable/anchor**, (gemi) demiri kaldıramayıp zincirini salıvererek gitmek; (*mec.*) ölmek; ~ **home a bolt**, sürmeyi sürmelemek: **his name has ~ped my memory**, ismi hatırıma gelmiyor: ~ **one's moorings**, (gemi) şamandıradan ayrılmak: ~ **one's notice/attention**, (bir şey) gözünden kaçmak: **let ~ an opportunity**, fırsat kaçırmak: **I'll just ~ over to my mother's**, anneme şöyle bir uğrayacağım: **he ~ped the papers into his pocket**, kâğıtları cebine koyuverdi; **let ~ a remark**, ağzından bir söz kaçırmak. ~ **along**, süzülerek geçmek. ~ **away**, sıvışmak, gözden kaybolmak; (vakit) çabuk geçmek. ~ **by**, çabuk geçmek. ~ **down**, kayıp düşmek. ~ **off**, sıyrılmak; (elbise) sıyırmak. ~ **on**, giyivermek, geçirivermek. ~ **out**, dışarı sıvışmak, sıyrılmak; ağzından kaçmak: **the secret ~ped out**, sır meydana çıkıverdi. ~ **up**, kayıp düşerek ayakları havaya kalkmak; yanılmak; sürçmek. ~**-carriage**/~**-coach**, hareket halinde olan bir ekspres treninden bir istasyonda bırakılan vagon. ~**-case**, kitap zarfı. ~**-knot**, ilmek, hareketli düğüm, fiyonga. ~**-on**, kolay giyilen elbise/ayakkabı.

slipper ['slipə(r)]. Terlik. ~**-bath**, küçük bir nevi banyo. ~**ed**, terlikli.

slip·pery ['slipəri]. Kaypak, kaygan; nazik, tehlikeli (mevzu); kaçamaklı, hilekâr. ~**ping**, kayar. ~**road**, (asfaltta) aktarma yolu. ~**shod**, yarım yamalak; dikkatsizce yapılmış. ~**stream**, pervane su/rüzgârı. ~**way**, (*den.*) yapı kızağı, tezgâh.

slit [slit] *i.* Dar kesik; yarık, yırtık; dar aralık. *f.* Yarmak; uzunluğuna kesmek; uzunluğuna açılmak, yarılmak. ~**-trench**, (*ask.*) dar siper.

slither ['sliðə(r)]. Kayarak gitmek; yılan gibi sürünerek ilerlemek. **~y**, kaygan; sümüklü.
sliver ['slivə(r)] *i.* Kıymık, uzun ince parça. *f.* Uzun ince parçalara yarmak.
slob [slob]. Ahmak; dikkatsiz.
slobber ['slobə(r)]. Salya(sı akmak). **~ over s.o.**, (*mec.*) ağlamalı surette sevgi göstermek.
sloe [slou̯]. Yabanî erik, çakaleriği, algoncar. **~-eyed**, mavimsi siyah gözlü.
slog [slog] (*arg.*) *i.* Şiddetli vuruş. *f.* Şiddetle vurmak, çelmek. **~ along**, ağır ağır ve sebatla yürümek: **~ away at stg.**, bir şeye çok fazla çalışmak. **~ger**, şiddetle vuran; çok çalışkan.
slogan ['slou̯gən]. Düstur; şiar; harp nidası, gülbank; (*bas.*) slogan.
sloop [slūp] (*mer.*) Sübye armalı küçük savaş gemisi; (*şim.*) ronda flok yelkenli; (*den.*) gambot.
slop [slop] *f.* Döküp saçmak; taşmak. **~ about in the mud**, çamurda yürüyerek ıslanmak: **~ over stg.**, (gülünç bir şekilde) coşmak, taşmak. *i. ç.* **~s**, pis su, çirkef; sulu yemek: **live on ~**, çorba etsuyu vb. gibi sulu yiyeceklerle beslenmek.
slop·e [slou̯p] *i.* Bayır, yokuş, yamaç; şev; eğim, meyil. *f.* Şevlen(dir)mek; meyilli olm., meyil verdirmek: **~ arms!**, tüfek as!: **~ about**, (*kon.*) sallana sallana ve işsiz güçsüz gezmek: **~ down**, iniş teşkil etm.: **~ off**, (*arg.*) sıvışmak: **~ up**, yokuş teşkil etm. **~ing**, meyilli; şevli; eğik.
slop·-pail ['slop·peyl]. Bulaşık suyu vb. kovası. **~py**, ıslak ve kirli su dökülmüş, yaş, çirkefli, çamurlu: (insan) şapşal, perişan; gülünç şekilde hassas; yarım yamalak, dikkatsiz, müphem. **~-shop**, (*köt.*) hazır elbise mağazası.
slosh [sloş] = SLUSH. **~ed** [-şt], (*arg.*) sarhoş.
slot[1] [slot]. Geyik ayağı izi.
slot[2] *i.* Mustatil delik, kertik; yiv; (*rad.*) programlarda düzenli bir vakit; (*hav.*) yarık, slot. *f.* Delik/yiv açmak. **~-machine**, para atınca bilet vb. veren makine. **~ted**, yarıklı vb.
sloth [slou̯θ]. Tembellik; (yakalı) tembel hayvan. **~-bear**, dudaklı ayı. **~ful**, tembel.
slouch [slau̯ç]. Kamburunu çıkararak yürümek; kendini bırakmak, hımbıl gibi durmak, hımbıl hımbıl yürümek. **~-hat**, kenarları sarkık yumuşak şapka. **~ing**, hımbıl, sünepe, kamburu çıkmış; saloz.
slough[1] [slau̯]. Bataklık. **~ of Despond**, umutsuzluk.
slough[2] [slʌf] *i.* Yılan gömleği; böceklerin soyulan derisi; ölmüş doku, yara kabuğu. *f.* (Yılan vb.) deri değiştirmek; ölmüş dokuyu atmak; (yara) kabuk bağlamak. **~ off/away**, düşmek, atılmak; atmak, atıp kurtulmak.
Slovak ['slou̯vak] *i.* İslovak(yalı); İslovakça. *s.* İslovak +. **~ia**, İslovakya.
sloven ['slʌvn]. Şapşal ve pasaklı kimse. **~ly**, şapşal, hırpani, pasaklı; savsak; (iş) fena yapılmış, yarım yamalak, baştan savma.
Sloven·e [slou̯'vīn] *i.* İsloven(yalı); İsloven dili. *s.* İsloven +. **~ia** [-niə̯], İslovenya.
slow [slou̯]. Ağır, bati, yavaş hareket eden; uzun süren; geri kalmış, gecikmiş; güç anlar; cansıkıcı. **~ up/down**, ağırlaş(tır)mak; yavaşla(t)mak, hızını almak: **~ to anger**, kolayca hiddetlenmez: **go ~**, acele etmemek; işi kasten yavaşlatmak: **go ~ with one's provisions**, erzakını idare ile kullanmak: **he was not ~ to...**, -de gecikmedi: **cook in a ~ oven**, ağır ateşte pişirmek: **~ but sure**, yavaş fakat emin. **~-coach**, (*kon.*) ağır yürüyen/çalışan kimse; mankafa. **~down**, işi kasten yavaşlatma. **~ly**, yavaş yavaş, ağır ağır. **~-march**, (*ask.*) cenaze yürüyüşü. **~-match**, barutlu fitil. **~-motion**, yavaşlatılmış hareket; (*sin.*) yavaş çevrilen (filim). **~ness**, yavaşlık, ağırlık; kalınkafalık. **~-train**, her istasyona uğrıyan tren. **~-worm**, kör yılan.
SLR (*sin.*) = SINGLE LENS REFLEX.
slub [slʌb] (*dok.*) *i.* Az bükülmüş eğirmek için hazır yün vb. *f.* Az bükmek.
sludge [slʌc]. Yapışkan çamur; rüsup; lağım pisliği.
slue [slū] = SLEW[2].
slug [slʌg]. Çıplak sümüklü böcek; tembel ve yavaş yürüyen insan/at; tüfek kurşunu; (*bas.*) dökülmüş satır. **~gard**, tembel/miskin/uykucu adam. **~gish**, tembel, miskin, uyuşuk, cansız; ağır; iyi işlemiyen (mide, ciğer).
sluice [slūs] *i.* Bent kapağı, savak. *f.* Su bentlerine kapak koymak; savağı açıp su akıtmak (akmak); etrafa çok su dökerek temizlemek. **~-gate/-valve**, savak kapak/vanası.
slum [slʌm] *i.* Bir şehrin pis ve fakir mahallesi; teneke mahallesi. *f.* **~/go ~ming**, hayır maksadıyle fakirleri ziyaret etm.
slumber ['slʌmbə(r)] *f.* Uyuklamak, pineklemek, uyumak. *i.* Uyku, pinekleme.
slump [slʌmp] (*yan.*) Çamur/suya düşmek; birdenbire ve şiddetle düşme(k); yığılmak; (fiyat vb.) ansızın düşme(k).
slung [slʌn(g)] *g.z.(o.)* = SLING[1].
slunk [slʌn(g)k] *g.z.(o.)* = SLINK[1].
slur [slə̄(r)]. Leke, tahkir; heceleri karıştırarak fena telaffuz etme(k); (*müz.*) (⌒‿) işaretiyle gösterilen iki nota arasındaki bağ; iki notayı birleştirmek. **cast a ~ on s.o.'s reputation**, birinin şerefini lekelemek: **~ over a word**, bir kelimenin hecelerini ayırt etmemek: **~ over a matter, etc.**, bir mesele vb. üzerinden hafifçe geçivermek; gizlemek; müsamaha etm.
slurry ['slʌri] (*müh.*) Bulamaç.
slush [slʌş]. Eriyen kar; sulu çamur; sahte teessür, fazla hassasiyet. **~-fund**, bahşis fonu. **~y**, eriyen kar gibi sulu ve çamurlu; yavan ve mübalağalı (his).
slut [slʌt]. Pasaklı kadın. **~tish**, pasaklı, şapşal.
sly [slay]. Sinsi, şeytan, tilki gibi, kurnaz. **on the ~**, el altından: **a ~ dog**, cin gibi herif.
Sm. (*kim.s.*) = SAMARIUM.
SM = SCREW MOTORSHIP; SERGEANT-MAJOR; (*hav.*) SERVICE MODULE.
smack[1] [smak] (*ech.*) *f.* Şaplamak, sille atmak. *i.* Şamar, sille, şaplak; az çeşni. *ünl.* Şap diye. **a ~ in the eye**, pek ters bir ret; umulmıyan bir aksilik: **~ the lips**, dudaklarını şapırdatmak: **a ~ing noise**, şapırtı: **~ of stg.**, bir şey kokmak; çeşnisi olm.
smack[2]. **(fishing-)~**, tek direkli balıkçı gemisi.
smacker ['smakə(r)] (*arg.*) Sesli bir öpücük/vuruş; †£1; *$1.
small [smōl]. Küçük, ufak; az; cüce; aşağılık. **the ~ of the back**, boş böğür, bel: **cry/sing ~**, aşağıdan almak, yelkenleri suya indirmek: **make s.o. cry ~**, pes dedirtmek, burnunu kırmak: **he is a ~ eater**, boğazlı değildir: **look/feel ~**, küçük düşmek: **make s.o. look ~**, birini küçük düşürmek: **make oneself ~**, kendini büzerek vücudunu küçültmek; göze

görünmemek: **it is ~ wonder that...**, hiç şaşılacak şey değil, tevekkeli değil. **~s**, (*kon.*) iç etekler; (*kon.*) küçük ilânlar. **~-arms**, hafif silâhlar. **~-beer**, (*kon.*) önemsiz şey; dedikodu. **~-capital**, (*bas.*) küçük puntolu büyük harf. **~-change**, bozuk para; (*mec.*) önemsiz sözler. **~-craft**, sandal/kayık vb. **~-fry**, küçük balık; önemsiz kimse. **~-goods**, (*Avus.*) şarküteri. **~-gross**, on düzine. **~-hold·er**, küçük bir çiftlik sahibi: **~ing**, küçük çiftlik. **~-hours**, gece yarısından sonraki saatler. **~ish**, oldukça küçük, küçücük. **~-minded**, dar, darkafalı, küçük. **~ness**, küçüklük. **~pox**, çiçek hastalığı. **~-talk**, havadan sudan konuşma. **~-time**, (*kon.*) önemsiz. **~-toothed**, sık dişli (tarak). **~-wares**, tuhafiye.

smalt [smōlt]. Kobalt mavi/camı.

smarmy ['smāmi] (*kon.*) Mütebasbıs, yaltak.

smart[1] [smāt] *s.* Şık, yakışıklı, zarif; açıkgöz, becerikli; kurnaz, cinfikirli; atik, çabuk; çabuk ve iyi yapılmış. **a ~ blow**, sert bir darbe: **a ~ fellow**, yaman adam: **look ~ about it!**, haydi, çabuk ol!: **make oneself ~**, giyinip kuşanmak: **a ~ reply**, parlak/yerinde bir cevap: **~ society/the ~ set**, yüksek sosyete: **he thinks it ~ to...**, -yi marifet zannediyor.

smart[2] *i.* Acı, sızı. *f.* Sızlamak, acımak, yanmak. **you shall ~ for this!**, sen bunun cezasını çekersin: **~ under an injustice**, bir haksızlık vb. içinde ukde olm.

smart·en ['smātn]. **~ up**, canlandırmak; üstünü başını düzeltmek: **~ oneself up**, süslenmek, şıklaşmak. **~ish**, oldukça şık/kurnaz vb. **~ly**, şık/kurnaz vb. olarak. **~ness**, şıklık; açıkgözlülük, uyanıklık; hazırcevaplık.

smash [smaş] (*yan.*) *i.* Çatır çatır parçalanma; çarpma, çarpışma, kaza; iflâs; (*sp.*) çivi. *f.* Çatır çatır parçala(n)mak; ezici bir darbe vurmak; tamamıyle bozguna uğratmak; iflâs etm. **~ the door open**, kapıyı zorlayıp kırmak: **~/run ~ into stg.**, bir şeye şiddetle çarpmak: **~ up**, parça parça etm. **~-and-grab raid**, camekânı kırıp (mücevher vb.ni) çalma. **~er**, ezici bir darbe; (*kon.*) mükemmel bir kimse/şey. **~ing**, ezici, yıkıcı; (*kon.*) fevkalâde. **~-up**, büyük kaza; (*oto.*) şiddetli çarpışma.

smattering ['smatərin(g)]. Bir parça bilme; az buçuk bilme. **have a ~ of French**, çatpat Fransızca bilmek.

smear [smiə(r)]. Bulama(k); leke(lemek): hafifçe sürüş; sürmek, sıvamak; bulaştırmak. **~-campaign**, birinin şöhretinin devamlı lekelenmesi. **~-sheet**, rezalet/dedikodu yayan gazete.

smegma ['smegmə] (*tıp.*) Yağlı salgılar.

smell (*g.z.(o.)* **smelt**) [smel(t)] *f.* Koklamak; kokmak; kokusunu almak. *i.* Koku; koklama duyusu; fena koku. **~ out**, (köpek) koklıyarak bulmak; (*mec.*) sır vb. keşfetmek: **sense of ~**, koklama duyusu. **~ing**, **sweet-/evil-~**, iyi/kötü kokulu: **~-bottle**, amonyak şişesi: **~-salts**, uçucu tuz(lar). **~less**, kokusuz. **~y**, (kötü) kokulu.

smelt[1] [smelt] *g.z.(o.)* = SMELL.

smelt[2] *i.* Çamuka gibi bir balık. **sand ~**, gümüşbalığı.

smelt[3] *f.* İzabe etm.; filizi eritip maden çıkarmak. **~er**, kalcı. **~ing furnace**, yüksek fırın.

smew [smyū]. Sütlabî, beyaz tarak-dişli ördek.

smilax ['smaylaks] (*bot.*) Saparna.

smil·e [smayl]. Gülümseme(k), tebessüm (etm.), yüzü gülmek. **he always comes up ~ing**, başına ne gelirse gelsin güler yüzle çıkar: **keep ~ing**, ye'se kapılmamak.

smirch [smə̄ç] (*mec.*) Leke(lemek).

smirk [smə̄k]. Sırıtmak, budalaca gülümseme(k).

smite (*g.z.* **smote**, *g.z.o.* **smitten**) [smayt, smo͡ut, smitn]. Vurmak; çarpmak; şiddetli bir darbe indirmek. **be smitten with the plague**, vebaya tutulmak: **be smitten with s.o.**, birine abayı yakmak: **his conscience smote him**, vicdan azabı hissetti, pişman oldu.

smith [smiθ]. Demirci, nalbant.

smithereens [smiðə'rīnz]. **knock/smash to ~**, tuzla buz etm., parça parça etm.: **break to ~**, paramparça olm.

smith·ery ['smiðəri]. Nalbant/demirci işi; (*den.*) ~Y. **~y**, nalbant/demirci dükkânı.

smitten [smitn] *g.z.o.* = SMITE.

SMO = SENIOR MEDICAL OFFICER.

smock [smok] *i.* (*mer.*) (Köylüler) kırmalı gömlek; (*şim.*) arkadan ilikli çocuk göğüslüğü; (kadın) iş elbisesi. *f.* Elbiseyi kırmalı dikmek. **~ing**, kırma işi.

smog [smog] = SMOKE + FOG; şehirleri kapayan dumanlı sis. **~bound**, bu sisle kaplı.

smokable ['smo͡ukəbl]. İçilir; tütsülenir.

smoke [smo͡uk]. Duman (salıvermek); pipo/sigara içme(k); tütmek; tütün içmek; tütsülemek; islemek. **~ out**, duman ile öldürmek/kaçırmak: **end in ~**, suya düşmek: **like ~**, (*arg.*) bal gibi, alabildiğine: **there's no ~ without fire**, ateş olmayan yerden duman çıkmaz. **~-bomb**, duman bombası. **~d/~-dried**, tütsülenmiş. **~-ho** = SMOKO. **~-house**, tütsüleme yeri. **~less**, dumansız; duman hâsıl etmez. **~r**, tütün içen; (*dem.*) sigara içilen vagon: **he is a great ~**, çok tütün içer: **~'s cough/heart, etc.**, fazla tütün içmeden gelen hastalıklar. **~-screen**, (savaşlarda) duman perdesi; (*mec.*) gizleme hareketi. **~-stack**, baca.

smok·ily ['smo͡ukili]. Dumanlı olarak; duman tüterek. **~iness**, dumanlılık. **~ing**, tüten; tütün içme; tutsüleme: **~ hot**, pek sıcak: **no ~!**, sigara içilmez!: **~-carriage/-concert/-room**, sigara içilebilen vagon/konser/salon: **~-jacket**, (*mer.*; *şim.* DINNER-JACKET *denir*) smokin. **~o**, (*Avus.*) (işçiler) dinlenme/çay içilme vakti. **~y**, dumanlı; duman tüten.

***smolder** ['smo͡uldə(r)] = SMOULDER.

smolt [smo͡ult]. Som balığı yavrusu.

smooch [smūç] (*kon.*) Okşayıp öpüşmek.

smooth [smūð] *s.* Düz, yassı; durgun; pürüzsüz; cilâlı; tüysüz; buruşuksuz; tatlı, halim; muntazam; sarsıntısız. *f.* Düzlemek; arızasını gidermek; teskin etm., yatıştırmak; tesviye etm.; okşamak. **~ away (difficulty/obstacle)**, (güçlük/engel) ortadan kaldırmak, düzeltmek: **~ over a matter/~ things out**, meseleyi tatlıya bağlamak: **we are now in ~ water**, (*mec.*) güçlükleri atlattık: **~ out**, yatıştırmak. **~-bore**, yivsiz (tüfek). **~er**, perdah rendesi. **~-faced**, sakalı tıraşlı; (*mec.*) iki yüzlü. **~ing-iron**, terzi ütüsü. **~ing-plane** = ~ER. **~ly**, düzgünce, pürüzsüzce. **~ness**, düzlük, pürüzsüzlük. **~-shaven**, sakalı tıraşlı. **~-spoken**, tatlı dilli; müraî.

smörgåsbord [smə̄gʌs'bōd]. İskandinav mezesi.

smote [smo͡ut] *g.z.* = SMITE.

smother ['smʌðə(r)]. Boğmak; bastırmak; örtmek. **~y**, boğacak gibi.
smoulder ['smo̯uldə(r)]. İçin için yanmak, alevsiz yanmak; gizli olarak var olm. **a ~ing fire**, küllenmiş ateş.
smudg·e [smʌc] *i.* Siyah leke; bulaşık/sıvanmış leke; sivrisinekleri kaçırmak için yakılan ateş. *f.* Bulaştırmak, sıvaştırmak. **~y**, lekeli.
smug [smʌg]. Kendinden memnun.
smuggl·e ['smʌgl]. Kaçakçılık yapmak, kaçırmak. **~er**, kaçakçı (gemisi). **~ing**, kaçakçılık.
smut [smʌt]. Kurum tanesi; (buğday hastalığı) sürme, rastık, şarbon, yanık; müstehcen/açık saçık konuşma. **~ty**, sürmeli (buğday); müstehcen, açık saçık (hikâye vb.).
Smyrn·a ['smə̄nə]. İzmir. **~iot** [-niot], İzmirli.
Sn. (*kim.s.*) = TIN.
S/N = SHIPPING NOTE; SIGNAL-TO-NOISE (RATIO).
snack [snak]. Meze, çerez, hafif yemek. **have a ~**, safra bastırmak: **just a ~**, bir lokma. **~-bar**, hafif yemek ve meze veren birahane, snakbar.
snaffle ['snafl] *i.* Çok hafif gem. *f.* (*arg.*) Kapmak, aşırmak.
***snafu** [sna'fū] (*arg.*) Karmakarışık (durum).
snag [snag]. Bir şeyin çıkık pürüzlü ucu (*mes.* kırık dal); kırık diş kökü; bir ucu nehir dibine saplı ağaç gövdesi; engel, mahzur. **strike a ~**, bir engele rastlamak: **there's a ~ somewhere**, altından çapanoğlu çıkabilir; görünmiyen bir illeti olmalı.
snail [sneyl]. Salyangoz, karından ayaklı. **at a ~'s pace**, kaplumbağa yürüyüşüyle.
snak·e [sneyk]. Yılan: **~-bite**, yılan sokması: **~-charmer**, yılan oynatıcısı, yılancı: **~-fish**, kurdele balığı: **~-like**, yılansı. **~ing**, (*hav.*) yılanlama. **~y**, yılan gibi; yılankavî; çok yılanı olan (yer).
snap [snap] (*yan.*) *i.* Koparma sesi; ısırmak istiyen köpeğin dişlerinin sesi; (çanta vb.) yaylı raptiye; (*kon.*) gayret, enerji; fotoğraf. *f.* Isırmağa çalışmak; çatırdayıp kır(ıl)mak, birdenbire kopmak. **a cold ~**, kısa süren şiddetli soğuk: **~ one's fingers**, parmaklarını şıkırdatmak: **~ one's fingers at**, hiçe saymak; bir şey birine vızgelmek: **~ s.o.'s head off**, birini şiddetle terslemek: **(make a) ~ at**, ısırmağa çalışmak: **put some ~ into it!**, haydi biraz gayret!: **~ out an order**, keskin ve şiddetli emir vermek: **the box shut with a ~**, kutu şırak diye kapandı: **take a ~ of**, fotoğrafını çekmek: **~ up**, kapışmak: **~ out of it**, birdenbire tavrını değiştirmek; kendine gelmek. **~dragon**, aslanağzı. **~-fastener**, çıtçıt; yaylı raptiye. **~per**, ısıran hayvan; = TURTLE. **~pily**, ters bir surette. **~pish**, ters huylu (köpek); ters, öfkeli. **~py**, (*kon.*) canlı; çevik; yerinde (cevap): **make it ~!**, çabuk ol!, sallanma! **~shot**, enstantane fotoğraf.
snare [sne̯ə(r)] *i.* Tuzak; kapan; dolap, hile. *f.* Tuzak ile tutmak. **be caught in the ~**, tuzağa düşmek. **~-drum**, trampete. **~r**, tuzağa düşüren.
snarl[1] [snāl] (*yan.*) Hırlama(k), gırgır (etm.).
snarl[2] *i.* Karışıklık; arapsaçı. *f.* Karmakarışık etm. **~-up**, (*oto.*) yol tıkanıklığı.
snatch [snaç] *f.* Kapmak; kavramak; yakalamak. *i.* Kapış; kısa süre; parça. **make a ~ at stg.**, bir şeyi kapmağa çalışmak: **~ a meal**, çabucak iki lokma bir şey yemek: **get a ~ of sleep**, biraz kestirmek (uyumak): **work in ~es**, düzensiz çalışmak. **~-block**, bastika. **~-squad**, elebaşılarını yakalayıp bir ihtilâl/nümayiş bastıran müfreze. **~y**, düzensiz, devamsız.
snazz·y ['snazi] (*arg.*) Yakışıklı; cazip; mükemmel. **~ily**, cazip vb. olarak: **~ dressed**, şık giyinmiş.
sneak [snīk] *i.* Müzevvir, gammaz; sinsi ve korkak kimse. *f.* Gammazlık etm., kovulamak, müzevvir yapmak; sinsi sinsi dolaşmak. **~ away**, sıvışmak. **~ing**, hırsızlama, sinsi; kovuculuk: **have a ~ affection for s.o.**, birine karşı (kusurlarına rağmen) gizlice/itiraf edilmez bir sevgi beslemek. **~-thief**, kolay çalınan/değersiz eşya çalan hırsız.
sneer [sni̯ə(r)] *i.* Alaycı bir tavırla gülme; hor görme. *f.* İstihfafla gülmek. **~ at**, hor görmek: **~ at wealth**, zenginliğe dudak bükmek.
sneeze [snīz]. Aksırma(k). **an offer not to be ~ed at**, yabana atılmaz bir teklif.
snick [snik] (*yan.*) *i.* Hafifçe kesik, çentik. *f.* Hafifçe dokunmak.
snicker ['snikə(r)]. Kişneme(k); = SNIGGER.
snide [snayd]. Sahte, taklit. **~ remark**, kötüleyici bir söz.
sniff [snif] (*yan.*) Koklamak için burnuna hava çekmek; burnunu çekmek; kokusunu almak. **have a ~ at stg.**, bir şeyi koklamak: **not to be ~ed at**, yabana atılmaz, küçümsenemez. **~le** = SNUFFLE. **~y**, küçük gören.
snifter ['sniftə(r)] (*arg.*) Ufak bir içki.
snigger ['snigə(r)] *f.* Gülmesini tutamamak; alayca/bıyık altından gülmek. *i.* Böyle bir gülümseme.
snip [snip] (*yan.*) *f.* Makasla kesmek; çırpmak. *i.* Makasla kesilmiş parça. **it's a ~!**, (*arg.*) o elde bir!; kelepir!
snipe[1] [snayp] *i.* Bekasin, bataklık çulluğu.
snipe[2] *f.* Gizli bir yer/pusudan ateş etm. **~r**, gizli bir yerden ateş eden keskin nişancı.
snip·pet ['snipit]. (Makasla kesilmiş) ufak parça; bir havadis. **~-snap**, (*yan.*) makas sesi.
snitch [sniç (*arg.*) Curnal etm.; aşırmak.
snivel ['snivl]. Burnunu çekerek ağlamak; yalancıktan ağlamak. **~ler**, böyle ağlayan çocuk. **~ling**, ağlamalı; burnu akarak.
SNO = SENIOR NAVAL OFFICER.
snob [snob]. Asalet/servete fazla önem veren züppe; snop. **~bery**, snopluk. **~bish**, snop gibi.
snog [snog] (*arg.*) Okşayıp öpüşmek.
snoek [snuk] (*zoo.*) Iskarmoz.
snood [snūd] (*mod.*) Saç kurdelesi.
snook[1] [snūk]. Nanik. **cock a ~ at s.o.**, birine nanik yapmak.
snook[2]. Zargana gibi bir balık.
snooker ['snūkə(r)]. Bir nevi bilardo oyunu. **~ s.o.**, (*arg.*) birini güç bir duruma sokmak.
snoop [snūp]. Hafiye gibi başkasının işlerine burnunu sokmak. **~er**, böyle bir kimse: ***~scope** [-sko̯up], geceleyin şeylerin görülebilmesini sağlayan cihaz.
snoot [snūt] (*arg.*) Burun; = SNOUT. **~y**, küçük gören, kibirli.
snooze [snūz]. Kestirme(k), gündüz uyuyuverme(k).
snore [snō(r)] (*yan.*) Horlama(k).
snorkel ['snōkəl] = SCHNORKEL.
snort [snōt] (*yan.*) Ürkmüş/öfkeli bir at gibi kuvvetle burnundan nefes çıkarma(k). **~er**, böyle nefes çıkaran hayvan/adam; (*arg.*) sert; tok sözlü; (*arg.*) mükemmel. **~y**, küçük gören.

snot [snot]. Sümük. ~**ty**, sümüklü; (*arg.*) öfkeli; (*den., arg.*) asteğmen.
snout [snaut]. Hayvan burnu. -~**ed**, *son.* -burunlu.
snow [snou]. Kar (yağmak). **be** ~**ed in/up**, tamamen karla örtülü olm./kapanmak; kardan dolayı dışarı çıkamamak: **be** ~**ed under with work**, işten baş kaldıramamak: **the** ~ **is lying**, kar tutuyor: **perennial** ~, kalıcı kar. ~**ball**, kar topu (atmak/gibi büyümek); (*bot.*) kartopu; = ROUND ROBIN. ~**-blind**, karık. ~**-blink**, kar ılgım/serabı. ~**-bound**, kardan dolayı yola çıkamıyan; karla kapanmış. ~**-break**, kar yığıntısına engel olan set. ~**-cap**, (dağ tepesinde) kar tacı. ~**-chains**, (*oto.*) kar zinciri. ~**-drift**, kar yığıntısı. ~**drop**, kardelen. ~**fall**, kar yağması. ~**field**, kar sahası. ~**flake**, kuşbaşı kar. ~**-goose**, kar kazı. ~**ily**, karlı olarak. ~**iness**, karlı olma. ~**-leopard** = OUNCE². ~**less**, karsız. ~**-line**, bir dağ vb. üzerindeki daimî karın sınırı. ~**man**, kardan adam: **abominable** ~, YETI. ~**mobile**, kar üzerinden giden motorlu taşıt. ~**-plough**, kar temizleme makinesi. ~**shoes**, karda yürüyebilmek için ayak raketi, kar ayakkabısı. ~**storm**, kar fırtınası, tipi. ~**-white**, bembeyaz. ~**y**, karlı; kar gibi.
SNP = SCOTTISH NATIONAL PARTY.
Snr. = SENIOR.
snub¹ [snʌb] *f.* Terslemek; haddini bildirmek. *i.* İstihfaflı söz/hareket.
snub² *s.* Kısa ve ucu kalkık (burun).
snuff [snʌf] *i.* Enfiye, burun otu. *f.* Yanmış mum fitilini kesmek; = SNIFF. ~ **it**, (*arg.*) ölmek: ~ **out**, söndürmek. ~**er**, enfiye kullanan; *ç.* mum makası. ~**y**, enfiye gibi; enfiyeli; (*kon.*) tertipsiz; ters huylu.
snuffle ['snʌfl] (*yan.*) Burnunu çekmek: **have the** ~**s**, nezleden burnu akmak.
snug [snʌg]. Rahat, kuytu ve sıcak; mahfuz; konforlu. **make all** ~, (*den.*) fırtınaya karşı her şeyi bağlayıp mahfuz kılmak. ~**gery**, rahat bir oda; özel çalışma odası. ~**ly**, rahat olarak.
snuggle ['snʌgl]. ~ **up to s.o.**, ısınmak için yanına sokulmak: ~ **down in bed**, yatakta tortop olm., rahatça yerleşmek.
so [sou]. Öyle; böyle, şöyle; şu kadar. **and** ~, nitekim; keza: ~ **far**, şimdiye kadar; o kadar uzak: ~ **long!**, (*kon.*) şimdilik Allaha ısmarladık: **he didn't** ~ **much as ask me to sit down**, bana otur bile demedi: ~ **much** ~ **that...**, o dereceye kadar ki; hattâ öyle ki: ~ **much for that!**, bunun için bu kadar yeter; vesselâm!: ~ **much for his French!**, onun Fransızcası da işte bu kadar!: **I regard it as** ~ **much lost time**, ben bunu kaybolmuş vakit sayıyorum: ~ **many men,** ~ **many minds**, ne kadar insan varsa o kadar fikir var: **and** ~ **on/forth**, ve daha bilmem ne: **I told you** ~**!**, ben sana demedim mi?: **you don't say** ~**!**, yok canım!, Allah! Allah!: **quite** ~**!**, elbette!, tamam!: **'you told me you knew French.'** '~ **I do!**', 'Bana Fransızca biliyorum demiştiniz.' 'Biliyorum ya!': ~ **help me God!**, (i) (yemin) Allah şahittir; (ii) Allah yardımcım olsun!: **I know English and** ~ **does my brother**, ben İngilizce bilirim kardeşim de bilir: **it** ~ **happened that...**, tesadüfen...; öyle oldu ki...: ~ **that...**, ... için: **in a week or** ~, bir haftaya kadar filan: ~ ~, şöyle böyle: ~ **to speak/say**, tabir caizse; âdeta: ~ **you are not going to London?**, demek ki Londra'ya gitmiyorsun? ~**-and-**~, filan, filanca. ~**-called**, sözde, sözüm ona; adlı.
SO = SCOTTISH OFFICE; STAFF OFFICER; STANDING ORDER; STATIONERY OFFICE; SYMPHONY ORCHESTRA; SUB-OFFICE.
soak [souk]. Suya batırıp ıslatmak; sırsıklam etm., sırsıklam olm.; çok içmek. **give stg. a good** ~, bir şeyi suda bırakıp ıslatmak; (bir bitkiye) çok su vermek: **an old** ~, ayyaş, bekrî: ~ **the rich**, zenginlere vergi yükleyerek servetlerini almak.
soap [soup]. Sabun(lamak). **cake of** ~, sabun kalıbı: **soft** ~, arapsabunu; (*mec.*) dalkavukluk: **toilet** ~, kokulu sabun. ~**-box**, sabun sandığı: ~ **orator**, sokak hatibi. ~**-bubble**, sabun kabarcığı. ~**-flakes**, (çamaşır için) pulcuklu sabun. ~**ily**, sabunlu olarak. ~**-opera**, (*rad., köt.*) tefrikalı bir opera/oyun. ~**-powder**, sabun tozu. ~**stone**, sabun taşı. ~**-suds**, köpüklü sabunlu su. ~**wort**, çöven. ~**y**, sabunlu; sabun gibi; fazla nazik, göze girmeğe çalışan (kimse).
soar [sō(r)]. Yükseklerde uçmak; havalanmak; kanatlarını açıp kımıldatmadan uçmak; (fiyat) çok yükselmek. ~**ing**, yelken uçuşu: ~ **ambition**, sonsuz ihtiras.
sob [sob]. Hıçkırık(la ağlamak). ~**bing**, hıçkırıklar (sesi).
sober ['soubə(r)] *s.* Ayık; çok içmemiş; az içki kullanan; mutedil; ciddî, makul, vakur; gösterişsiz; (renk) donuk. *f.* Ayıltmak; aklını başına getirmek. **in** ~ **fact**, hakikatte: **in** ~ **earnest**, pek ciddî olarak: ~ **down**, ayıl(t)mak; uslan(dır)mak. ~**sides**, (*kon.*) pek ciddî, ağırbaşlı kimse.
sobriety [sou'brayəti]. İmsak, perhiz; itidal, ölçülülük.
sobriquet ['soubrikey]. Lakap.
Soc. = SOCIAL·ISM/-IST; SOCIETY.
soccer [sokə(r)] *kıs.* (*kon.*) = ASSOCIATION FOOTBALL.
sociab·ility [souşə'biliti]. Ünsiyet, muaşeret kabiliyeti. ~**le** ['sou-], cemiyet/topluluk halinde yaşıyan; munis; sokulgan. ~**ly**, munis/sokulgan bir şekilde.
social ['souşl]. İçtimaî, sosyal, toplumsal. ~ **climber**, sosyeteye girmeğe çalışan kimse. ~ **(gathering)**, eş dost toplantısı, dernek: ~ **insurance**, sosyal sigorta: ~ **intercourse**, muaşeret, görgü, sohbet: ~ **science**, sosyoloji, toplumbilim: ~ **worker**, toplumsal yardım işlerinde çalışan kimse. ~**ism**, sosyalizm, toplumculuk. ~**ist**, sosyalist, toplumcu. ~**ite**, (*köt.*) sosyete üyesi. ~**ization** [-lay'zeyşn], ulus-/devletleştir(il)me. ~**ize** [-layz], ulus-/kamu-/devletleştirmek; sohbet etm.; sohbetten hoşlanmak.
society [sou'sayəti]. Cemiyet; toplum, topluluk; dernek; içtimaî heyet; şirket; sosyete. **he is fond of** ~, arkadaşlık/sohbetten hoşlanır: **go into/move in** ~, sosyete/kibar âlemine girmek: **avoid the** ~ **of s.o.**, birinden kaçınmak. ~**-life**, cemiyet hayatı; zenginler/sosyetenin eğlence hayatı. ~**-page**, (*bas.*) toplantı haberleri.
socio- [sousi'o-] *ön.* İçtimaî, toplum-. ~**logist**, toplumbilgin, sosyolog. ~**logy**, içtimaiyat, toplumbilim, sosyoloji. ~**path** [-'paθ], topluma uyamıyan kimse.
sock [sok] *i.* Kısa çorap; (ayakkabının içine konan) taban. *f.* (*arg.*) (Darbe) indirmek. **pull up one's** ~**s**, (*arg.*) kendini toplayıp çalışmağa başlamak.

socket ['sokit]. Sap deliği; içine sokulan oyuk; yuva; (*elek.*) dişi fiş, duy, priz; (*tıp.*) çukur. **eye-~**, göz evi.
Socratic [sou'kratik]. Sokrat(ın felsefesin)e ait.
sod[1] [sod]. Çim parçası, kesek. **under the ~**, mezarda.
sod[2] = SODOMITE; (*kab.*) herif.
soda ['soudə]. Soda. **caustic ~**, sodyum hidroksit. **~-water**, soda, gazoz.
sodality [sou'daliti]. Kardeşlik, cemiyet.
sodden ['sodn]. Su ile doyurulmuş; sırsıklam. **~ with drink**, ayyaşlıktan aptallaşmış.
sodium ['soudiəm]. Sodyum.
sodom·ite ['sodəmayt]. Kulampara, oğlancı. **~y**, oğlancılık.
SO(E)D = SHORTER OXFORD (ENGLISH) DICTIONARY.
soever [sou'evə(r)]. **in any way ~**, nasıl olursa olsun: **how~ great it may be**, ne kadar büyük olursa olsun.
sofa ['soufə]. Kanape; sedir.
soffit ['sofit] (*mim.*) Kemer karnı.
soft [soft]. Yumuşak; müşfik; mülâyim; tenperver, çıtkırıldım; (*dil.*) sürekli. **~ drink**, alkolsuz içecek: **~ drug**, alıştırıcı olmıyan uyuşturucu ilâç: **~ fruits**, çilek/kiraz vb.: **~ goods**, mensucat: **~ job**, (*kon.*) kolay ve paralı iş: **~ landing**, (*hav.*) yavaş ve zararsız iniş: **~ line**, (*id.*) oranlı ve uysal politika: **have a ~ place in one's heart for . . .**, -e karşı za'fı olm.: **~ water**, kireçsiz su. **~-boiled**, rafadan (yumurta). **~en**, yumuşa(t)mak: **~er**, yumuşatıcı madde; (su) tatlılaştırıcı madde: **~ing**, yumuşa(t)ma: **~ing of the brain**, beyin sulanması. **~-headed**, aptal. **~-hearted**, merhametli. **~ish**, oldukça yumuşak/mülâyim. **~-land**, (*hav.*) yavaş ve zararsızca inmek. **~-liner**, (*id.*) uysal politika taraftarı. **~ly**, yavaş yavaş, tatlılıkla; alçak sesle. **~ness**, yumuşaklık, gevşeklik. **~-pedal**, (*kon.*) hareket/etkilerini yumuşatmak. **~-shelled**, (*biy.*) yumuşak kabuklu. **~-spoken**, tatlı dilli; mürai. **~ware**, bilgisayar için talimat/malumat vb. **~-witted**, aptal. **~-wood**, yumuşak (kozalaklı) ağaç. **~y**, ahmak, aptal.
softa ['softə] (*Tk.*) Softa.
SOGAT = SOCIETY OF GRAPHICAL AND ALLIED TRADES.
soggy ['sogi]. Batak gibi; pek sulu (toprak).
so(h) [sou] (*müz.*) Sol notası.
soil [soyl] *i.* Toprak, yer; pissu. *f.* Kirletmek; lekelemek. **one's native ~**, vatan: **son of the ~**, köylü, çiftçi: **night-~**, insan gübresi. **~-borne**, (*tıp.*) toprakta(n) taşınmış virüs vb. **~-pipe**, pissu borusu.
soirée ['suarey] (*Fr.*) Gece oyun/gösterisi, suare.
sojourn ['socən] *i.* Geçici oturma. *f.* Geçici olarak oturmak; muvakkaten ikamet etm.
soke [souk] (*id.*) Bölge.
sol [sol] = SO(H).
sol. = SOLICITOR; SOLU·BLE/-TION.
SOL = SHIPOWNER'S LIABILITY.
sola ['soulə]. **~ topi**, kolonyal şapka.
solace ['soləs]. Teselli (etm.).
solan-goose ['souləngūs] = GANNET.
solar ['soulə(r)]. Güneşe ait; güneş +; şemsî. **~-cell/-panel**, güneş kudretini elektriğe çeviren pil(ler). **~ium** [sə'leəriəm], büyük pencereli güneş banyosu yeri, solaryum. **~-plexus**, (*tıp.*) karındaki sinirdüğümü. **~-system**, güneş dizgesi.
SOLAS = SAFETY OF LIFE AT SEA.
sold [sould] *g.z.(o.)* = SELL. **be ~ on stg.**, (*kon.*) bir şeyi şevk ile kabul etm.
solder ['so(l)də(r)]. Lehim(lemek). **~ing**, lehimleme: **~-bit/-iron**, havya.
soldier ['soulcə(r)]. Asker(lik etm.). **armchair ~**, salon subayı: **private ~**, nefer, er: **~ of fortune**, rasgele herhangi bir memleketin hizmetinde askerlik eden kimse: **~'s wind**, uygun rüzgâr. **~ly**, askerce. **~y**, askerler; asker takımı.
sole[1] [soul] *i.* Ayak tabanı; ayakkabı pençesi. *f.* Kunduraya pençe vurmak.
sole[2] *i.* Dil balığı. **lemon ~**, kızıldil.
sole[3] *s.* Yegâne, biricik, tek. **~ heir**, genel mirasçı. **~ly**, yeknesak, münhasıran.
solecism ['solisizm]. Söz dizimi/şive hatası; görgü kurallarını bozma.
solemn ['soləm]. Merasimli; muhteşem; vakarlı, temkinli, ciddî. **this is the ~ truth/fact**, yemin ederim ki bu böyledir: **~ duty**, kutsal görev: **keep a ~ face**, gülmemek için kendini tutmak. **~ity** [-'lemniti], temkin ve azamet ile icra olunan merasim/ayin; temkinlilik, vakar, ciddiyet. **~ize** ['soləmnayz], törenle kutlulamak. **~ly**, ciddî olarak.
solen ['soulən]. Ustura midyesi.
solenoid ['solənoyd]. Solenoit, sarmal bobin.
solfatara [solfa'tārə]. Kükürtlü tütenler.
Sol.-Gen. = SOLICITOR-GENERAL.
solicit [sə'lisit]. (Israrla) rica etm., yalvarmak; (fahişe/dilenci) taciz etm. **~ation** [solisi'teyşn], ısrarla isteme, yalvarma; (fahişe vb. hakkında) taciz etme. **~or**, mahkeme huzuruna çıkmıyan avukat; müşavir avukat: **~-General**, başsavcı yardımcısı.
solicit·ous [sə'lisitəs]. İhtimamlı; endişeli: **~ about stg.**, bir şey hakkında endişeli: **be ~ for stg.**, bir şeyi istemek: **be ~ for s.o.'s comfort**, birinin rahatına ihtimam göstermek. **~ude**, ihtimam; endişe.
solid ['solid] *s.* Sulp; katı, camit, masif, som; metin, sağlam, muhkem, kunt. *i.* Sulp/geometrik cisim; mücessem şekil. **~ tyre**, dolma lastik: **~ vote**, elbirliğiyle verilen oy: **sleep for ten ~ hours**, tam on saat uyumak. **~arity** [-'dariti], tesanüt, dayanışma. **~ify** [-'lidifay], katılaş(tır)mak; tasallüp et(tir)mek. **~ity**, kuntluk, katılık, somluk; metanet, sağlamlık. **~-state (physics)**, katı cisimlerin özelliklerine ait (fizik).
solidus ['solidʌs] (*tar.*) (Roma) altın sikke; (*bas.*) eğri çizgi (/).
solifluction [soli'flʌkşn] (*yer.*) Toprak akması.
solilo·quize [sə'liləkwayz]. Kendi kendine konuşmak. **~quy** [-kwi], kendi kendine konuşma; iç monolog.
solipsism ['soulipsizm]. Solipsizm, tekbencilik.
solitaire [soli'teə(r)]. Yüzükte tek taş; tek başına oynanan bir dama oyunu.
solit·arily ['solitərili]. Yalnız olarak. **~ariness**, yalnızlık. **~ary**, tenha, ıssız; yalnız yaşıyan; tek, münferit. **~ude** [-tyūd], tenhalık, ıssızlık; yalnızlık; uzlet, inziva.
solo ['soulou]. Tek bir sanatkârın okuduğu/çaldığı hava, solo. **go ~**, (*hav.*) 1ci defa olarak tek başına uçmak. **~-flight**, tek başına uçuş.

Solomon ['soləmən]. Süleyman peygamber. **~'s seal**, mührüsüleyman.
Solon ['soulən]. Hakîm, vazıikanun.
so-long [sou'lon(g)] *ünl.* Güle güle!
solsti·ce ['solstis]. Gündönümü: **summer ~**, 21 haziran: **winter ~**, 22 aralık. **~tial** [-stişl], gündönümüne ait.
solu·bility [solyu'biliti]. Erirlik, çözünürlük. **~ble** ['solyubl], erir, eriyen; eritilebilir; çözünür, çözülebilir. **~te** [-yūt], eritilmiş madde. **~tion** [sə'lūşn], erime, eriyik, inhilâl; çözüm, çözelti; hal; çare: **the final ~**, ölüm; yok etme.
solv·able ['solvəbl]. Çözülebilir, halledilebilir. **~ate**, eriten sıvı ile birleş(tir)mek. **~e**, halletmek, çözmek, erimek. **~ency**, ödeme gücü, tediye kabiliyeti. **~ent**, eriten/çözücü (sıvı), çözümleyen; borçlarını ödeyebilen.
Som. = SOMERSET.
soma- [souma-] *ön.* Soma-; vücut +, beden +. **~tic** [-'matik], tensel, bedenî. **~tology** [-'toləci], vücut/beden bilimi.
sombre ['sombə(r)]. Karanlık, loş; muzlim, kara; koyu (renk); endişeli. **~ro** [-'breərou], (güneşe karşı) geniş kenarlı şapka.
some [sʌm]. Biraz, bir miktar, bir kısım; bazı, bazısı; kimi; birçok, birkaç. **give me ~ bread**, bana ekmek ver: **~ came, ~ went**, kimi geldi kimi gitti: **in ~ degree/to ~ extent**, bir dereceye kadar: **~ sort of . . .**, herhangi, şöyle bir: **in ~ way or another**, şu veya bu şekilde, herhangi bir şekilde; nasılsa: **ask ~ clever person!**, Akıllının birine sor!: **'Do you want ~ money?' 'No, I have ~'**, 'Para ister misin?' 'Hayır, bende var': **I read it in ~ book or other**, bilmem hangi kitapta okudum: **I have been waiting ~ time**, bir hayli bekledim: **I will go there ~ time**, oraya uygun bir zamanda giderim: **~ sixty years ago**, altmış yıl kadar önce: **he's ~ doctor!**, (*kon.*) yaman doktor!: **'I hope we shall win.' '~ hope!'**, 'inşallah yeneriz.' 'Bekle, yenersiniz!: **he earns fifty pounds a week and then ~**, (*kon.*) haftada su içinde elli lira kazanıyor.
-some[1] [-sʌm] *son.* Gibi, -e meyleden [QUARRELSOME]; -lik [FOURSOME].
-some[2] [-soum] *son.* (*biy.*) -zom [CHROMOSOME].
some·body ['sʌmbodi]. Bir kimse, birisi: **he is (a) ~**, o önemli bir kişidir: **he thinks he's (a) ~**, kendini bir şey zannediyor. **~how** [-hau], **~ (or other)**, her nasılsa; her nedense. **~one** [-wʌn] = **~**BODY. ***~place** = **~**WHERE.
somersault ['sʌməsōlt]. Taklak, salto; perende. **turn a ~**, taklak atmak.
Somerset ['sʌməsit]. Brit.'nın bir kontluğu.
something ['sʌmθin(g)]. Bir şey. **~ (or other)**, bilmem ne: **the two ~ train**, ikiyi bilmem kaç geçe treni: **there is ~ in what you say**, söylediğinizde bir gerçek payı/doğru bir taraf var: **he is ~ under fifty**, o elliden biraz aşağıdır: **that's ~ like a horse!**, işte at diye buna derler.
sometime ['sʌmtaym]. Bir zaman. **~ last year**, geçen sene içinde: **~ or other**, ileride bir gün: **~ soon**, yakında: **Mr. A., ~ mayor of B.**, eski B. belediye reisi Mr. A. **~s**, bazan, bazı defa; arasıra.
some·way ['sʌmwey]. Her halde, ne yapıp yapıp. **~what** [-wot], biraz, bir dereceye kadar. **~where** [-weə(r)], bir yerde; herhangi bir yerde: **~ about 15 lira**, 15 lira filan: **~ else**, başka bir yerde: **I'll see him ~ first**, (*kon.* bir talep/teklife karşı) (i) haddiyse yapsın bakalım!; (ii) avucunu yalasın!; (iii) cehennemin dibine!
somn·ambulism [son'nambyūlizm]. Uyurgezerlik/alışkanlığı. **~ambulist**, uyurgezer. **~iferous** [-'nifərəs], uyuşturucu. **~olent** [-nələnt], uyku basmış; uyuşuk; uyuklıyan.
son [sʌn]. Oğul. **~ and heir**, varis olan oğul; Mahdum beyefendi *gibilerden*: **~ of the soil**, yerli, köylü, çiftçi.
sonant ['sounənt] (*dil.*) Sürekli.
sonar ['sounā(r)] = SOUND NAVIGATION AND RANGING; sonar, denizaltı detektörü.
sonat·a [sə'nātə] (*müz.*) Sonat. **~ina** [sonə'tīnə], kısa/basit sonat.
sonde [sond] (*hav.*) Radyolu sondaj balonu.
sone [soun]. Ses yüksekliği birimi.
son et lumière [sō(n)e'lümyer] (*tiy.*) Ses ile ışık, 'sonelümyer'.
song [son(g)]. Şarkı, türkü, nağme, şanson. **make a ~ (and dance) about stg.**, fazla önem vermek, mesele yapmak: **for a mere ~**, yok pahasına. **~-bird**, ötücü kuş. **~ster**, hanende; ötücü kuş.
sonic ['sonik]. Sese ait; ses +. **~ barrier**, (*hav.*) ses duvarı: **~ boom**, (*hav.*) ses patlaması: **~ mine**, gemi sesiyle patlatılan mayın. **~ation** [-'keyşn] (*fiz.*) sesaşırı/ültrasonik titretme.
son·-in-law ['sʌninlō]. Damat. **~less**, oğulsuz. **~ny**, (*kon.*) evlâdım, oğulcuğum.
sonnet ['sonit]. On dört mısralı şiir, sonnet.
sono- [sono-] *ön.* Ses +. **~buoy** ['sounəboy], denizaltı radyolu şamandıra. **~meter** [-'nomitə(r)], sonometre, sesölçer. **~rescent** [-'resənt], ışık/ısı ışınlarını sese değiştirebilen. **~rity** [-'noriti], tannanlık. **~rous** ['sonərəs], tannan, sadalı.
sonsy ['sonsi] (*İsk.*) Tombul, neşeli.
sool [sūl] (*Avus.*) Köpeği saldirtmak; (köpek) ısırıp sarsmak.
soon [sūn]. Yakında; neredeyse; biraz sonra. **as ~ as he came**, gelir gelmez: **as ~ as possible/at your ~est**, mümkün olduğu kadar çabuk, bir an önce: **the ~er the better**, şimdiden tezi yok, ne kadar çabuk olursa o kadar iyi: **~er or later**, eninde sonunda, ergeç: **he no ~er came than he went**, gelmesiyle gitmesi bir oldu: **no ~er said than done**, demesiyle yapması bir oldu: **too ~**, pek fazla erken, zamanından önce: **I would ~er not go**, ben gitmesem daha iyi; gitmemeği tercih ederim: **I would ~er die**, ölürüm de bunu yapmam.
soot [sut]. İs; kurum. **~ up**, islenmek. **black as ~**, simsiyah.
sooth [sūθ]. **in (very) ~**, hakikaten: **~ to say**, doğrusu.
sooth·e [sūð]. Teskin etm., dindirmek: **~ s.o.'s feelings**, birinin gönlünü almak. **~ing**, dindirici, teskin edici, hafifletici.
soothsay·er ['sūθseyə(r)]. Kâhin, gaipten haber veren. **~ing**, kâhinlik; gaipten haber verme.
sooty ['suti]. İsli, kurumlu.
sop [sop] *i.* Tirit; gönül almak için verilen/yapılan şey. *f.* Et suyu vb. içinde yumuşatmak. **~ up**, sünger gibi emmek: **a ~ to Cerberus**, def'i belâ kabilinden verilen hediye vb.: **throw/give a ~ to**, önüne bir kemik atmak.
sop. = SOPRANO.
***soph.** = SOPHOMORE.

Sophia ['soufyə]. Sofya. **S(ain)t ~** [seynt sə'fayə/ -'fiə], Aya Sofya.
sophis·m ['sofizm]. Safsata, mugalata, bilgicilik. **~t**, sofist, safsatacı, mugalatacı. **~ticated** [-'fistikeytid], saflığını ve masumluğunu kaybetmiş; hayata alışmış; pişkin; olgun. **~tication** [-'keyşn], pişkinlik, çokbilmişlik. **~try** ['sof-], muğalata, safsata.
***sophomore** ['sofəmō(r)]. (Kolej/üniversite) 2ci yıl öğrencisi.
Sophy ['soufi] (*tar.*) İran hükümdarı.
soporific [soupə'rifik]. Uyutucu (ilâç).
sopp·ing ['sopin(g)]. **~ (wet)**, sırsıklam. **~y**, ıslak; yağmurlu.
soprano [sə'prānou]. Tiz kadın sesi, soprano.
sorbet ['sōbit] (*Tk.*) Şerbet.
sorbo ['sōbou]. **~ rubber**, süngersi kauçuk.
sorcer·er ['sōsərə(r)]. Sihirbaz, büyücü. **~ess**, kadın büyücü. **~y**, sihirbazlık, büyücülük.
sordid ['sōdid]. Alçak, sefil; alçakça menfaatperest. **~ly**, alçakça vb. **~ness**, alçaklık.
sordino [sō'dīnou] (*müz.*) Sesi boğma cihazı.
sore [sō(r)] *s.* Dokunuldukça acıyan, ağrılı; yaralı; hassas; kırgın, küskün; şiddetli, ağır. *i.* Yalama, sıyrık, yara. **~ly wounded**, kötü surette yaralı: **be ~ all over**, vücudunun her tarafı ağrımak: **~ at heart**, mahzun, kırgın: **a running ~**, irinli yara, yalama; devamlı ıstırap: **touch s.o. on his ~ spot**, birinin bamteline basmak: **~ throat**, boğaz ağrısı.
sorghum ['sōgʌm]. Süpürge darısı.
soricine ['sorisayn]. Soreksgillere ait.
soro·ptimist [sə'roptimist]. Uluslararası kadın derneklerinin üyesi. **~ricide** [-'rorisayd], kızkardeşini öldürme; kızkardeş katili. ***~rity**, kadınlar derneği.
sorosis [so'rousis]. Ananas/dut gibi birleşik meyva.
sorption ['sōpşn]. *Hem* AB**~** *hem de* AD**~**.
sorrel[1] ['sorəl]. Kuzukulağı.
sorrel[2]. Al donlu (at).
sorri·ly ['sorili]. Pişman/müteessir/miskin vb. bir şekilde. **~ness**, pişmanlık; kederlilik vb.
sorrow ['sorou] *i.* Keder, gam; ıstırap. *f.* Kederlenmek. **I saw to my ~**, teessürle gördüm ki. **~er**, kederli bir kimse. **~ful**, kederli, mustarip.
sorry ['sori]. Pişman; müteessir, müteessif; mahzun; acınacak; miskin. **be ~**, teessüf etm.; pişman olm.; üzülmek: **be ~ about stg.**, bir şeye acınmak: **(I'm) ~!**, affedersiniz!: **you'll be ~ for this**, bunun acısını çekeceksin; pişman olacaksın: **a ~ excuse**, saçma mazeret, sudan bahane: **cut a ~ figure**, rezil olm.; yüzüne gözüne bulaştırmak: **he's very ~ for himself**, halinden şikâyetçi; süngüsü düşük.
sort [sōt] *i.* Türlü; nevi, cins, çeşit; makule. *f.* **~ (out)**, tasnif etm.; seçip ayırmak, ayıklamak. **an army of a ~/after a ~/of ~s**, sözüm ona/iyi kötü bir ordu: **he's a very good ~**, (*kon.*) çok iyi bir adamdır: **it is nothing of the ~**, hiç de öyle değil: **I ~ of expected it**, böyle bir şeyi âdeta bekledim (diyebilirim): **out of ~s**, keyifsiz, rahatsız: **these ~ of people**, bu gibi adamlar: **in some ~**, bir bakımdan, bir dereceye kadar: **that's the ~ of thing I mean**, böyle bir şey kastediyorum. **~able**, tasnif edilir; ayıklanır. **~er**, tasnif edici; ayıklayıcı. **~ing**, ayıklama, çeşitleme.
sortie ['sōti] (*ask.*) Çıkış hareketi.
SOS [esou'es]=SAVE OUR SOULS!, *imdat işareti*; *SECRETARY OF STATE.
so-so ['sousou] (*kon.*) Şöyle böyle; pek iyi değil.
sot [sot]. Ayyaş, bekrî. **~tish**, ayyaş; içkiden aptallaşmış.
sotto voce ['sotou'vouçi] (*İt.*) Alçak sesle, pesten.
sou [sū]. Beş santimlik Fr. parası. **not worth a ~**, metelik etmez: **without a ~**, cebi delik, meteliksiz.
soubrette [sū'bret] (*tiy.*) Nazlı/şımarık kız hızmetcisi.
soufflé ['sūfley] (*Fr.*) Sufle.
sough [sau] (*yan.*) (Ağaçlarda) rüzgâr hışıltısı.
sought [sōt] *g.z.(o.)*=SEEK: **much ~ after**, çok rağbette olan.
souk [sūk] (*Ar.*) Çarşı.
soul [soul]. Can, ruh; adam, kişi. **he has a ~ above moneymaking**, para düşünecek adam değildir: **with all my ~**, candan: **the ship was lost with all ~s**, gemi içindekilerle beraber battı: **enough to keep body and ~ together**, bir lokma bir hırka: **I cannot call my ~ my own**, elim kolum bağlı; başımı kaşıyacak vaktim yok; dur yok otur yok: **departed ~s**, ölüler, ölülerin ruhu: **God rest his ~**, nur içinde yatsın: **he's a good ~**, çok iyi adamdır: **he is the ~ of honour**, o mücessem namustur: **be the life and ~ of a party**, toplantının ruhu olm.: **a lost ~**, dalâlete düşmüş: **not a ~**, kimsecikler yok: **there was not a ~ to be seen**, in cin yoktu: **poor ~!**, zavallı!: **upon my ~!**, vallahi, Allah bilir!; olur mu hiç? **~-destroying**, hayvanlaştırıcı. **~ful**, içli, pek hassas. **~less**, ruhsuz, cansız. **~-stirring**, müheyyiç, coşturucu.
sound[1] [saund] *i.* Ses; selen; sada; gürültü. *f.* Ses çıkartmak, çalmak; sesi gelmek. **~ the alarm**, imdat/tehlike düdüğünü vb. çalmak: **it ~s bad to me**, bu bana fena görünüyor; bunu iyiye yormam: **~ the charge**, hücum borusu çalmak: **I don't like the ~ of it**, pek aklım yatmıyor, gözüm tutmuyor: **not a ~ was heard**, ses sada yok: **within ~ of**, sesi işitilecek mesafede.
sound[2] *s.* Sağlam; zinde, sıhhatte; durağan, sabit; kusursuz; doğru, gerçeğe dayanan; sadık, güvenilir. **as ~ as a bell**, sapsağlam: **~ sleep**, deliksiz uyku: **a ~ thrashing**, temiz bir dayak.
sound[3] *f.* İskandil etm.; sonda salmak. **~ s.o.**, birinin ağzını aramak.
sound[4] *i.* Deniz geçidi, boğaz.
sound-[5] *ön.* Ses+. **~-barrier**, (*hav.*) ses duvarı. **~-box**, tınlama hücresi. **~-broadcasting**, sesli yayım. **~-deadening**, ses yutan. **~-effect**, ses etkisi: **~s**, (*tiy.*) gürültüler. **~er**, ses veren cihaz; gramofon mikrofonu; sonda(jcı); iskandil makinesi. **~-film**, sesli filim. **~-head**, (*sin.*) ses alma cihazı. **~ing**, iskandil, sondaj, yoklama: **take ~s**, kulaç/iskandil atmak: **~-lead**, sonda (kurşunu). **~less**, sessiz; gürültüsüz. **~ly**, adamakıllı; selâmetle; doğruca: **~ asleep**, mışıl mışıl uyuyan. **~ness**, sağlamlık; sıhhat; iyi halde olma; metanet; doğruluk. **~proof(ing)**, ses geçirmez(leme). **~-recording**, ses alma/kaydetme. **~-track**, ses çizgi/kuşağı. **~-wave**, ses dalgası.
soup [sūp]. Çorba; etsuyu; (*kim.*) elemanlar karışımı; (*kim.*) işleme ıskartası. **clear ~**, süzme etsuyu: **thick ~**, ezme çorbası: **vegetable ~**, sebze çorbası: **we're in the ~**, (*arg.*) hapı yuttuk: **~ up**, (*oto.*) gücünü artırmak. **~-kitchen**, imarethane.

~**-plate**, çorba tabağı. ~**-ticket**, parasız çorba/yemek için vesika. ~**y**, çorba gibi, sulu.
soupçon ['süpsōn] (*Fr.*) Azıcık bir miktar, katılan bir damla.
sour ['sauə(r)] *s.* Ekşi; mayhoş; kekre; ekşimiş, bozulmuş: hırçın, titiz, abus, yüzü gülmez. *f.* Ekşi(t)mek. ~ **grapes!**, kedi uzanamadığı ciğere pis der: **poverty has** ~**ed him**, fakirlik onu ters ve huysuz yaptı, dünyaya küstürdü.
source [sōs]. Kaynak; pınar; memba, menşe; mehaz; esas. ~**-book**, kaynak kitap. ~**-language**, çevrilen dil.
sour·-faced ['sauə(r)feyst]. Abus, suratsız. ~**ish**, oldukça ekşi. ~**ly**, ekşi/mayhoş vb. olarak. ~**ness**, ekşilik; abusluk. ~**puss**, abus. ~**-tempered/-top**, küskün.
sous·e [saus] *i.* Salamura. *f.* Salamuraya yatırmak; suya daldırmak; sırsıklam etm.; üzerine su atmak. ~**ed**, (*kon.*) ayyaş: **get a good** ~**ing**, sırsıklam olm.
sous-entendu ['süzā(n)tā(n)dü] (*Fr.*) Üstü kapalı; üstü kapalı ifade edilen şey.
souslik ['süslik]. Tarla sincabı.
souterrain ['sütəreyn] (*ark.*) Yeraltındaki oda.
south [sauθ] *i.* Güney, cenup; (*den.*) kıble. *s.* Güneye ait, cenubî. **the** ~, İng.'nin güneyi. ~**ampton** [-'amptən], İng.'de büyük bir liman. ~**-by-east/-west**, kıble kerte keşişleme/lodos. ~**-east**, güney-doğu; (*den.*) keşişleme: ~**-by-east/-south**, keşişleme kerte doğu/kıble: ~**er**, keşişleme rüzgârı: ~**erly**/~**ern**, güney-doğuya ait: ~**ward(s)**, güney-doğuya doğru. ~**erly** ['sʌðəli], güneye ait; güneyden gelen (rüzgâr): ~ **course**, güneye doğru rota. ~**ern** ['sʌðən], güneye ait: ~**er**, güneyli: ~**most**, en güneydeki: ~**wood**, (*bot.*) karapelin. ~**ing** ['sauθ-], güneye doğru uzaklık; (*ast.*) öğlen geçmesi zamanı. *~**-paw**, (*sp.*) solak. ~**-pol·ar**, güney kutbuna ait: ~**e**, güney kutbu. ~**-**~**-east/-west**, kıble keşişleme/lodos. ~**ward(s)** [-wəd(z)], güneye doğru. ~**-west**, güney-batı; (*den.*) lodos: ~**-by-south/-west**, lodos kerte kıble/-batı: ~**er** [sau'westə(r)], lodos rüzgârı; muşamba gemici şapkası: ~**erly**/~**ern** [sauθ-], güney-batıya ait: ~**ward(s)** ['sauθ-], güney-batıya doğru.
souvenir ['süvəniə(r)]. Hatıra, yadigâr. ~**-hunting**, yolculuk vb.ne ait hatıra aranması.
sou'wester [sau'westə(r)] (*kon.*) = SOUTHWESTER.
sov. = SOVEREIGN.
sovereign ['sovrin] *i.* Hükümdar, egemen; padişah, kral(içe), imparator; altın İng. lirası. *s.* Müstakil, bağımsız; metbu; hâkim: **Our** ~ **Lady/Lord**, İng. Kraliçesi/Kralı: **a** ~ **remedy**, birebir ilâç. ~**ty**, hâkimiyet, hükümranlık, saltanat, egemenlik; istiklâl; metbuiyet.
soviet ['sovyet]. Sovyet. **Union of** ~ **Socialist Republics**, Sovyet Sosyalist Cumhuriyetler Birliği. ~**ology** [-'toləci], Rusya politikasına ait bilgi.
sov'ran ['sovrən] (*şiir.*) = SOVEREIGN.
sow[1] [sau] *i.* Dişi domuz; büyük maden külçesi. **get the wrong** ~ **by the ear**, bir kimse/şey hakkında yanılmak, hata etm.: **you can't make a silk purse out of a** ~**'s ear**, kötülükten iyilik gelemez.
sow[2] (*g.z.* ~**ed**, *g.z.o.* ~**ed**/~**n**) [sou(d/n)] *f.* Ekmek; (*mec.*) yaymak: **as you** ~**, so will you reap**, insan ektiğini biçer. ~**er**, ekici. ~**ing**, ekim, ekme, tohum dağılması: ~**-machine**, ekim makinesi.
soya ['soyə]. ~ **(bean)**, soya fasulyesi.
sozzled ['sozld] (*arg.*) Pek sarhoş.
Sp. = SPAIN; SPANISH; SPORT.
SP = SHORE PATROL; STARTING-PRICE.
spa [spā]. Kaplıca (şehri), kaynarca.
SPA = SUBJECT TO PARTICULAR AVERAGE.
space [speys]. Feza, uzay; boşluk, yer; genişlik, saha; alan, meydan; fasıla; müddet; ara(lık); mesafe, espas, uzaklık; (*bas.*) ara (bosluğu). ~ **out/off**, aralıklı dizmek; fasıla vermek; satırları açmak, aralamak: **for a** ~, bir müddet zarfında: **deep** ~, uzayın uzak yerleri. ~**-bar**, (*bas.*) aralık tuşu. ~**craft**, uzay gemisi. ~**d-out**, aralıklı. ~**flight**, uzay uçuşu. ~**-heater**, bağımsız oda ısıtıcısı. ~**-line**, (*bas.*) anterlin, antenin. ~**man**, uzaycı. ~**r**, yeredici, ara. ~**ship/-vehicle**, uzay gemisi. ~**station**, sunî uydu üssü. ~**-time**, (*fiz.*) dört boyutlu sistemi, uzay-zamanı. ~**-walking**, uzay gemisinin dışında yürüme.
spac·ial ['speyşl] = SPATIAL. ~**ing**, aralık, fasıla. ~**ious** [-şəs], geniş, vasi; ferah: ~**ness**, ferahlık.
spade[1] [speyd]. Bahçıvan beli; (iskambil) maça. **call a** ~ **a** ~, kör kadıya körsün demek. ~**ful**, bir bellik toprak. ~**-work**, bel işi; çok dikkatli ve zahmetli hazırlık çalışması.
spade[2] (*zir.*) Burulmuş/iğdiş hayvan.
***spade**[3] (*arg.*) Zenci.
spadix ['speydiks] (*bot.*) Koçan, salkım sapı.
spado ['speydou]. Hadım, cinsî iktidarı olmayan.
spaghetti [spə'geti]. İnce makarna. *~ **western**, (*arg.*) İt. yapımevinin çevirdiği kovboy filmi.
spahi ['spāhi]. Sipahi.
Spain [speyn]. İspanya.
spake [speyk] *g.z.* (*mer.*) = SPEAK.
spall [spōl] *i.* Ufak taş parçası. *f.* Parçala(n)mak.
spalpeen ['spōlpīn] (*İrl.*) Alçak herif.
spam [spam] (*M.*) Konserve jambon; = SPICED HAM.
span[1] [span] *i.* Karış; mesafe, uzunluk; fasıla; bir köprünün boyu. *f.* ~ **a river/valley with a bridge**, bir köprüyü bir nehir/vadinin bir tarafından öbür tarafına uzatmak.
span[2] (*G.Afr.*) Çift koşulmuş öküz.
span[3] *g.z.* = SPIN.
spandrel ['spandrəl] (*mim.*) Köşelik.
spangle ['span(g)gl] (*mod.*) *i.* Maden pul. *f.* Pullarla süslemek.
Span·iard ['spanyəd]. İspanyalı, İspanyol. ~**iel**, epanyöl. ~**nish**, *i.* İspanyalı; İspanyolca: *s.* İspanyol+: ~ **America**, Amerikanın İspanyolca konuşan kısmı.
spank [span(g)k] (*yan.*) Kıçına şaplak (vurmak). ~ **along**, (*kon.*) çabuk gitmek. ~**er**, bocrum/randa yelkeni. ~**ing**, kıçına şaplak vur(ul)ma; çabuk koşan/giden; (*mec.*) fevkalâde; iri.
span·less ['spanlis] (*şiir.*) Ölçülemez. ~**ner**, somun anahtarı, kol: **box-**~, kovan/yuvalı anahtar: **flat-**~, yassı anahtar: **throw a** ~ **into the works**, (*mec.*) işleri altüst etm. ~**-roof**, balıksırtı dam.
spar[1] [spā(r)] *i.* Seren; direk; direklik ağaç; kiriş. ~**-deck**, kontra güverte.
spar[2] *i.* (*yer.*) Billur.
spar[3] *i.* Dostane boks maçı. *f.* Dostane boks etm.; boks hareketleri yapmak; münakaşa etm.
sparable ['sparəbl]. Başsız çivi.
spare[1] [speə(r)] *f.* Esirgemek; kıyamamak; artırıp verebilmek. **can you** ~ **it?**, bunu verebilir misiniz, size lâzım değil mi?: **there's enough and to** ~, yeter

de artar: ~ **no expense**, masrafı esirgememek, diriğ etmemek: ~ **s.o.'s feelings**, birini kırmamak, duygularına saygı göstermek: ~ **the life of**, kıyamamak: **have nothing to** ~, ancak yetecek (parası vb.) olm.: ~ **the rod and spoil the child**, kızını dövmeyen dizini döver *gibilerinden*: **I cannot** ~ **the time**, vaktim yok.
spare[2] *s.* İnce yapılı, şişman olmıyan; dar, bol olmıyan; fazla olarak; yedek. *i.* Yedek parça. ~ **diet**, bol olmıyan yemek. ~**ly**, zayıf, ince; kıt olarak. ~**ness**, kıtlık; zayıflık. ~**-part**, yedek parça: ~ **surgery**, (*kon.*) yaralanmış (böbrek vb.) uzvun yerine başkası/sunî birini koyma cerrahlığı. ~**-rib**, (domuz) az etli kaburga. ~**-room**, misafir yatak odası. ~**-time**, boş vakit. ~**-tyre**, (*oto.*) yedek lastik; (*kon.*) şişmanlık.
sparge [spāc]. Serpmek. ~**r**, serpme cihazı.
sparing ['speərin(g)]. İdareli; az kullanan. **be** ~ **with the butter**, yağı idare etm./idareli kullanmak: **he is** ~ **of praise**, kolay kolay övmez. ~**ly**, idareli bir şekilde.
spark [spāk] *i.* Kıvılcım, şerare; zerre; canlı ve yakışıklı delikanlı. *f.* Kıvılcım saçmak. **advance/retard the** ~, alümaj avansını artırmak/azaltmak: **not a** ~ **of life remained**, hayattan eser kalmadı: ~ **off**, alevlendirmek, başlatmak. ~**-arrester**, kıvılcım kesici. ~**-control**, (*oto.*) ateşleme kontrolu. ~**-gap**, eklatör. ~**-ignition**, kıvılcımla ateşleme. ~**(ing)-plug**, buji.
sparkl·e ['spākl] *f.* Parlamak, parıldamak; (şarap) köpüklenmek. *i.* Parlayış, parıltı, revnak. ~**er**, küçük bir donanma fişeği; (*arg.*) elmas. ~**ing**, parlayan; parlak; pırıl pırıl: ~ **wine**, köpüklü şarap.
sparring ['spārin(g)]. (İdman için) boks maçı. ~**-partner**, (idman için) yardımcı boksör.
sparrow ['sparou]. Serçe(giller). **hedge-**~, çit serçesi: **house-**~, (evcil) serçe: **Spanish** ~, bataklık/söğüt serçesi: **tree-**~, dağ serçesi. ~**-hawk**, atmaca.
sparry ['spāri]. Billurlu; billur gibi.
spars·e [spās]. Kıt; seyrek. ~**ely**, kıt olarak. ~**eness**/~**ity**, kıtlık.
Spartan ['spātn]. Sparta'ya ait; meşakkate dayanıklı; sert ve her türlü lüksten mahrum.
spasm ['spazm]. Ispazmoz, kasınma; çırpınma, titreme. ~**odic** [-'modik], kasınma/ıspazmoz nevinden; gayri muttarit, devamsız, arada sırada: ~**ally**, devamsız olarak.
spastic ['spastik]. Spastik.
spat[1] [spat] (*mod.*) Kısa tozluk, yarım getr; (*oto.*) kuyruklu çamurluk.
spat[2]. İstridye yumurtası.
spat[3] *g.z.(o.)* = SPIT[2].
spatchcock ['spaçkok] *i.* Derhal kesilip kızartılan tavuk. *f.* Tavuğu kesilir kesilmez kızartmak.
spate [speyt]. Şiddetli sel, taşma. **the river is in** ~, nehir yükselmiş: **a** ~ **of words**, ağızkalabalığı: **a** ~ **of oaths**, ağız dolusu.
spathe [speyð] (*bot.*) Yen.
spatial ['speyşl]. Mesafe/saha/uzaya ait. ~**ly**, mesafe vb.ne ait olarak.
spatter ['spatə(r)] *i.* Zifos. *f.* Birine çamur sıçratmak; zifos atmak; sıçramak, zifoslamak. **a** ~ **of rain**, serpinti.
spatula ['spatyulə]. Mablak; spatula, boya bıçağı. ~**r**, mablağa ait. ~**te** [-leyt], mablak şeklinde.
spavin ['spavin]. Atın art diz kemiğinin şişmesi.
spawn [spōn] *i.* Balık/kurbağa yumurtası; (*istihfaf*) zürriyet. *f.* (Balık/kurbağa) yumurtlamak. **mushroom** ~, mantar filiz/emeci.
spay [spey]. (Dişi hayvan) yumurtalıkları çıkarmak.
SP·CC = SOCIETY FOR THE PREVENTION OF CRUELTY TO CHILDREN. ~**CK** = SOCIETY FOR PROMOTING CHRISTIAN KNOWLEDGE. ~**D** = SHIP PAYS DUES.
speak (*g.z.* **spoke**, *g.z.o.* **spoken**) [spīk, spouk(n)]. Söz söylemek, konuşmak; nutuk vermek. **do you** ~ **English?**, İngilizce bilir misiniz?: **English spoken here**, burada İngilizce bilen var: **I know him to** ~ **to**, onunla aşinalığım var: ~ **one's mind**, lafını sakınmamak: **roughly** ~**ing**, aşağı yukarı: **so to** ~, tabir caizse, deyim yerindeyse, söz temsili. ~ **for**, ~ **for s.o.**, birinin adına konuşmak; birinin lehinde konuşmak: ~**ing for myself**, bana sorarsanız, bence: **the facts** ~ **for themselves**, durum ortada, besbellidir: **that** ~**s well for his perseverance**, bu onun sebatını ispat eder: **that** ~**s ill for his education**, bu onun öğrenimin ne derece olduğunu gösterir. ~ **of**, ~**ing of . . .**, -e gelince: **we were** ~**ing of you**, sizden bahsediyorduk: ~ **well/highly of s.o.**, birini övmek: **he has no money to** ~ **of**, parası var denmez: **his sunken cheeks spoke of his sufferings**, çökük yanakları çektiklerinin deliliydi. ~ **out**, yüksek sesle konuşmak; âleme söylemek. ~ **to, I can** ~ **to his having been there**, kendisinin orada bulunduğuna şahidim: ~ **to the point**, öz konuşmak. ~ **up**, yüksek sesle konuşmak, sesini yükseltmek: ~ **up for s.o.**, birinin lehinde konuşmak.
speak·-easy ['spīkīzi] (*arg.*) *Gizli meyhane. ~**er**, hatip, sözcü; (*rad.*) spiker, konuşmacı: **the** ~ **(of the House of Commons)**, Avam Kamarası Başkanı: **catch the** ~**'s eye**, İng. Parlamentosunda Başkandan söz almak. ~**ing**, *i.* konuşma; konuşan: **a** ~ **likeness**, canlı/yaşıyan bir resim: **not to be on** ~ **terms with . . .**, -le dargın olmak, konuşmamak: ~**-clock**, saati söyleyen telefon servisi: ~**-trumpet**, megafon: ~**-tube**, konuşma borusu; kumanda borusu.
spear [spiə(r)]. Mızrak(la vurmak). ~**head**, mızrakbaşı; (*mec.*) bir hücumun başı/hareketin lideri (olm.). ~**man**, mızrakçı. ~**mint**, bahçe nanesi. ~**-side**, ailenin erkekleri.
spec. = SPECIAL(LY); SPECIFICATION; SPECIMEN; SPECULATION: **on** ~, kumar nevinden olarak.
special [speşl] *s.* Mahsus; özel, hususî; has, özgü; fevkalade. *i.* Özel tren; yardımcı polis; (*bas.*) özel nüsha. ~ **area**, durgunluk vb.den dolayı özel kanunla idare edilen bölge: †~ **Branch**, siyasî emniyet şubesi: ~ **constable**, yardımcı polis: ~ **correspondent**, özel muhabir: ~ **delivery**, (mektup) önce teslim: ~ **drawing rights**, IMF'ten döviz alınma özel hakları: ~ **friend**, en yakın dost, mahrem: ~ **licence**, özel vakit/yerde evlenme müsaadesi. ~**ist**, mütehassıs, uzman. ~**ity** [-şi'aliti], hususiyet, özellik; uzmanlık (alanı); özel mamul, spesiyalite: **make a** ~ **of stg.**, bir şeyi kendine ihtisas yapmak. ~**ization** [-lay'zeyşn], ihtisas yapma; uzmanlaşma. ~**ize**, ihtisas yapmak; tahsis etm. ~**ly**, özel vb. olarak. ~**-purpose**, özel bir maksat için.
speciat·e ['spīşieyt]. Çeşit/türlere ayırmak; yeni bir

tür yaratmak. ~**ion** [-'eyşn], yeni bir türün yaratılması.

specie ['spīşi·ī]. Madenî para.

species ['spīşīz]. Nevi, cins, tür.

specific [spi'sifik] *s.* Has; özel; bir nevi/cinse ait; izafî, özgül; sarih, vazıh, belirli, katî, kesin. *i.* Bir hastalığa mahsus ilâç. ~ **aim**, belirli maksat: ~ **gravity/weight**, özgül ağırlık: ~ **heat**, özgül sıcaklık, özısı. ~**ally**, özel olarak, özellikle. ~**ation** [spesifi'keyşn], tasrih; belirtme; bir madde/cihaz hakkında tafsilât veren takrir, karakteristikler, teknik şartname; (*huk.*) mukavele şartnamesi.

specif·ied ['spesifayd]. Belirtilmiş, tayin ve tespit edilmiş: **unless otherwise** ~, hilâfı bildirilmedikçe. ~**y**, tasrih etm., belirtmek; açıkça izah etm.; tavsif ve tayin etm., bildirmek.

specimen ['spesimin]. Numune; örnek(lik), göstermelik; mostra. **a queer** ~, (*kon.*) antika bir âlem.

specious ['spīşəs]. Görünüşte doğru fakat gerçekte yanlış; aldatıcı; makul görünür. ~**ly**, aldatıcı olarak.

speck [spek] *i.* Nokta; ufacık leke; zerre; ben, benek; azıcık şey. *f.* Beneklendirmek; (*kon.*) belli belirsiz yağmur yağmak.

speckle ['spekl] *i.* Benek; ufacık nokta. *f.* Beneklendirmek. ~**d**, benekli, çil; abraş; karyağdılı; alacalı. ~**ss**, beneksiz.

specs [speks] = SPECIFICATIONS; (*kon.*) SPECTACLES.

specta·cle ['spektəkl]. Manzara; temaşa, temsil; görmelik, büyük gösteri: ~**d**, gözlüklü: ~**s**, gözlük. ~**cular** [-'takyulə(r)], pek gösterişli; hayret verici; fevkalâde. ~**tor** [-'teytə(r)], seyirci.

spectr·a ['spektra] *ç.* = ~UM. ~**al**, heyulâ gibi; tayfî. ~**e** [-tə(r)], heyulâ, hayalet. ~**o-**, *ön.* spektro-, tayf+: ~**graph**, tayfçeker: ~**meter** [-'tromitə(r)], tayfölçer, spektrometre: ~**scope** ['spek-], tayf gösterici, spektroskop: ~**scopy** [-'troskopi], ışık tahlili bahsi, spektroskopi. ~**um**, *ç.* ~**a** [-trʌm, -tra], tayf.

speculat·e ['spekuleyt]. Borsada hava oyunları yapmak: ~ **about/on**, nazarî olarak düşünmek, nazariye kurmak; mütalaa etm., tahmin etm. ~**ion** [-'leyşn], kurgu, nazariye(cilik); tahmin etme; hava oyunu, vurgunculuk, spekülasyon, acyoculuk: **there is** ~ **about stg.**, bir şey hakkında şüpheleniyor. ~**ive** ['spek-], kurgul, nazariye şeklinde; kumar nevinden, spekülatif. ~ **or**, acyocu, vurguncu, alavereci, spekülatör, (borsada) muameleci.

speculum ['spekyuləm] (*tıp.*) Spekulum; (*ast.*) madenî ayna; (kuş kanadında) renkli leke.

sped [sped] *g.z.(o.)* = SPEED.

speech [spīç]. Konuşma kabiliyeti, natıka; nutuk, konuşma, söz, söylev, demeç; dil, lisan; telaffuz. **direct/indirect** ~, vasıta·lı/-sız ifade: **figure of** ~, timsal, mecaz: **free** ~, söz hürriyeti: **parts of** ~, kelime türleri, sözbölüğü: **be slow of** ~, ağır konuşmak. ~**-day**, (okullarda) ödül dağıtma günü. ~**ify**, nutuk paralamak. ~**less**, lâl ve epkem, dili tutulmuş.

speed (*g.z.(o.)* **sped**) [spīd, sped] *f.* Çabuk gitmek; hızlan(dır)mak. *i.* Sürat, ivinti, hız, çabukluk. **ground** ~, (*hav.*) yere nazaran sürat, yer hızı: **terminal** ~, gaye sürat: **3-/4-**~ **gear**, 3/4 vitesli değiştirgeç: **at** ~, hızlı giderek: **at full/at the top of one's** ~, alabildiğine koşarak vb.: ~ **the parting guest**, giden misafiri uğurlamak: **put on** ~, hızını arttırmak: ~ **up the work**, işe hız vermek. ~**boat**, hızlı giden/yarış motorbot(u). ~**-cop**, (*arg.*) trafik polisi. ~**ily**, hızlı/çabuk olarak. ~**iness**, çabukluk. ~**-limit**, (*oto.*) (nizamî) hız sınırı. ~**ometer** [-'domitə(r)], sürat ölçen alet, hızölçer; kilometre sayacı. ~**ster**, çok/fazla hızlı giden (şoför). ~**way**, motosiklet yarışları pisti. ~**well**, (*bot.*) yavşanotu. ~**y**, çabuk; tez, seri.

speleology [spili'oləci]. İn/mağarabilim.

spell[1] (*g.z.(o.)* **spelt**) [spel(t)] *f.* Kelimelerin imlâlarını doğru yazmak. ~ **out**, hecelemek: ~ **out one's intentions**, maksadını açıkça anlatmak: **how is it spelt?**, nasıl yazılır?: **this move** ~**s disaster**, bu hareketin sonu felâkettir. ~**ing**, imlâ, yazım.

spell[2] *i.* Tılsım; büyü; afsun. **the** ~ **is broken**, tılsım bozuldu: **cast a** ~ **over s.o./lay s.o. under a** ~, birini büyülemek: **be under a** ~, afsunlu olm. ~**binder** [-bayndə(r)], sihirli hatip. ~**bound**, sihirlenmiş, büyülü.

spell[3] *i.* Nöbet vakti; müddet, süre. **four hours at a** ~, arka arkaya dört saat: **take** ~**s at a job**, bir işte sıra ile/nöbetleşe çalışmak; münavebe ile yapmak.

spelt[1] *g.z.(o.)* = SPELL[1].

spelt[2]. Kılçıksız buğday.

spelter ['speltə(r)]. Tutya, çinko.

spencer ['spensə(r)]. Kısa palto; kısa yün ceket.

spend (*g.z.(o.)* **spent**) [spend, spent]. Sarfetmek; harcamak; hasretmek; (vakit) geçirmek. ~ **money on s.o.**, birisi için para sarfetmek: ~ **money on stg.**, bir şeye para sarfetmek: **well spent**, yerinde harcanmış: ~ **oneself in a vain endeavour**, boş yere kendini yormak: **the bullet had spent its force**, kurşun hızını kaybetmişti: ~ **a penny**, (*kon.*) helâya gitmek. ~**ing**, sarfetme: ~ **power**, satın alma gücü. ~**thrift**, mirasyedi; müsrif, çul tutmaz.

spent *g.z.(o.)* = SPEND. *s.* Tükenmiş sönmüş: ~ **cartridge**, boş fişek: **the day was far** ~, akşam yaklaşıyordu.

sperm [spəm]. Meni, sperma, bel/ersuyu. ~**aceti** [-mə'sīti], ispermeçet. ~**atic** [-'matik], meniye ait. ~**ato-**, *ön.* spermato-, spermaya ait: ~**zoon**, *ç.* ~**zoa**, ersuyu hayvancığı, spermatozoit. ~**icide** [-misayd], spermatozoit öldürücüsü. ~**-whale**, kaşalot, ispermeçet balinası: ~**-oil**, ispermeçet yağı.

spew [spyū]. Kus(tur)mak.

sp. gr. = SPECIFIC GRAVITY.

sphacelate ['sfasileyt] *f.* Çürümek, gangrenleşmek. *s.* Gangrenli.

sphaero- [sfero-] *ön.* Küre+, kürevî.

sphagnum ['sfagnəm]. Bataklık yosunu, sfagnum.

spheno- ['sfeno-] *ön.* Kama+. ~**id** [-noyd], kama şekli(nde).

spher·e [sfiə(r)]. Küre, yuvar(lık); (*mec.*) saha. ~**ical** ['sferikl], kürevî, küresel, yuvarsı. ~**o-**, küre+. ~**oid** [-royd], küremsi: ~**al** [sfe'roydl], soğansı. ~**ometer** [sfiə'romitə(r)], küreölçer. ~**ule** ['sferūl], ufak küre.

sphincter ['sfin(g)ktə(r)]. Gövde mahreçlerini kapatan kas; sfenkter, büzgen(kas).

sphinx [sfin(g)ks]. Ebülhevl; isfenks; esrarengiz adam.

sphygm·o- ['sfigmə-] *ön.* Nabız+, nabza ait. ~**us** [-məs], nabız.

spica ['spaykə] (*bot.*) Sivri uç. ~**te** [-keyt], sivri uçlu.

spic·e [spays] *i.* Bahar. *f.* Bahar katmak; (*mec.*)

tuzunu biberini ilâve etm.: **a ~ of irony**, bir istihza kokusu. **~ily**, çeşnili/nükteli olarak.
spick [spik]. **~ and span**, taptaze; yepyeni; iki dirhem bir çekirdek.
spicule ['spaykyūl] (*biy.*) İğne, boyuncuk, başakçık.
spicy ['spaysi]. Baharlı; çeşnili; nükteli; biraz açık saçık, dokunaklı.
spider ['spaydə(r)]. Örümcek. **~-man**, yüksekte çalışan insaatçı. **~y**, örümcek gibi; pek ince ve uzun: **~ handwriting**, örümcek ayağı gibi/eğri büğrü yazı.
***spiel** [spīl] (*arg.*) Nutuk, hikâye; çığırtkanın palavrası. **~er**, (*Avus.*) kumarbaz, dolandırıcı.
spiff·ing/~y ['spifin(g), -i] (*arg.*) Güzel, mükemmel.
spigot ['spigət]. Fıçı tapası; ağaç musluk.
***spik** [spik] (*köt.*) Meksikalı.
spike [spayk] *i.* Sivri uçlu demir/tahta; ekser; başağa benzer çiçek başı. *f.* Sivri uçlu bir demir/tahta ile delmek. **~ a gun**, topun falya deliğini tıkamak: **~ s.o.'s guns**, planını bozmak: **~ a drink**, (*kon.*) bir içeceğe alkol katmak. **~d**, sivri uçlu.
spikenard ['spayknād]. Hint sümbülü.
spiky ['spayki]. Diken diken; sivri uçlu.
spill[1] (*g.z.(o.)* **~ed/spilt**) [spil(d/t)]. (İstemiyerek) dökmek; boşaltmak; saç(ıl)mak; dökülmek. **~ blood**, kan dökmek: **have a ~**, düşmek, yuvarlanmak. **~age** [-ic], (sarnıçlı gemiden) döküntü, saçılma. **~way**, taşma savağı.
spill[2] *i.* Lamba/pipo/soba vb.ni yakmağa mahsus kâğıt/tahta parçası. **~ikins**, ufak ağaç/kemik değnekler(le oynanan çocuk oyunu).
spilt [spilt] *g.z.(o.)* = SPILL[1]. **~h** [spilθ], dök(ül)me, dökülmüş madde.
spin (*g.z.* **span**, *g.z.o.* **spun**) [spin, span, spʌn] *f.* Eğirmek; bükmek; dön(dür)mek; fırıldatmak, fırıldanmak. *i.* Dönme, deveran; kriket vb.de özel bir hareketle topun yönünü değiştirme; (*hav.*) viril, dönerek: **flat ~**, (*hav.*) yaprak viril: **be in a flat ~**, (*mec.*) müşkülâttan dolayı şaşırmak/tereddüt etm.: **~ for fish**, dönen yem/zoka ile balık avlamak: **go for a ~**, bisiklet vb. ile kısa bir gezinti yapmak: **get into a ~**, (uçak) döne döne inmek: **send s.o. ~ning**, birini yere yuvarlamak. **~ along**, hızlı gitmek. **~ out**, uzunuzadıya anlatmak: **~ out one's money**, parayı yetiştirmek. **~ round**, mihver etrafında dönmek; birdenbire dönmek.
spinach ['spinic]. Ispanak.
spina·bifida [spaynə'bifidə]. Fıtrî olan bir belkemiği hastalığı. **~l** ['spaynl], belkemiğine ait, omurga+; omur-: **~ column**, omurga, belkemiği: **~ cord**, omurilik, murdar ilik: **~ curvature**, kamburluk.
spindl·e [spindl]. İğ; mil; mihver; dingil; (torna) fener mili: **~-legs/-shanks**, leylek bacaklı: **~-tree**, iğ ağacı. **~y**, zayıf ve uzun boylu (kimse); fazla serpilen (bitki).
spin·-drier ['spindrayə(r)] (*ev.*) Çamaşır kurutma makinesi. **~drift**, dalga serpintisi.
spine [spayn]. Belkemiği, omurga; şevk; diken, iğne. **fish's ~**, kılçık. **~-chilling**, korkutan. **~d**, kılçıklı, dikenli. **~less**, kılçıksız, dikensiz; (*mec.*) gevşek, iradesiz, karaktersiz.
spinel ['spinəl]. Spinel. **~-ruby**, koyu kırmızı spinel.
spinet [spi'net]. Eski usul piyano, çimbalo.
spini- ['spayni-] *ön.* Diken+, dikenli-.
spinnaker ['spinəkə(r)]. Yarış kotralarında pupa yelken gitmek için kullanılan büyük bir yelken.
spinner ['spinə(r)]. Eğirici; fırıldanan balık yemi; (*hav.*) abak. **master ~**, iplik fabrikatörü. **~et**, (örümcek) iplik memeciği.
spinney ['spini]. Koru; çalılık.
spinning ['spinin(g)] *s.* Fırıldak gibi dönen. *i.* Dönme; iplik imali. **~-mill**, iplikhane. **~-top**, topaç. **~-wheel**, çıkrık.
spin-off ['spinof] (*mal.*) Tali mahsul, ikincil etki.
spino·se/~us ['spaynous, -nəs]. Dikenli.
spinster ['spinstə(r)]. Evlenmemiş kadın; geçkin/ihtiyar kız.
spiny ['spayni]. Dikenli, kılçıklı; (*mec.*) şaşırtıcı, çatallı (mesele). **~-lobster**, langust.
spiral ['spayrəl] *i.* Helezon; helis, ispiral. *s.* Helezonlu; burmalı. *f.* Helezon şekline getirmek. **~-balance**, yaylı kantar. **~ling costs**, durmadan artırılan fiyatlar. **~-staircase**, dönen merdiven.
spirant ['spayərənt] (*dil.*) Sızıcı.
spire[1] ['spayə(r)]. Çankulesi tepesi; kule/minare külâhı.
spire[2]. Burma, helezon.
spiri- ['spayri-] *ön.* Helezonlu, helezon gibi.
spirit[1] ['spirit] *i.* Ruh, can; maneviyat; şevk, cesaret; melek, peri, cin; ispirto. **~s**, ispirtolu içkiler; ervah, iyi saatte olsunlar: **high ~s**, keyif, sevinç: **be in high ~s**, keyfi yerinde olm., neşeli olm.: **low ~s**, keder, gam: **be in low ~s**, süngüsü düşük olm., kederli olm.: **keep up one's ~s**, cesaretini kaybetmemek; neşesini kaybetmemek: **enter into the ~ of stg.**, bir şeyin ruhuna nüfuz etm., ruhunu anlamak: **in a ~ of mischief**, muziplikle: **take stg. in a wrong ~**, bir şeyi kötüye çekmek.
spirit[2] *f.* **~ s.o./stg. away**, kayıplara karıştırmak.
spirit-[3] *ön.* **~ed**, canlı, heyecanlı, cesur. **~ism** = ~UALISM. **~-lamp**, ispirto lambası. **~less**, cansız; korkak; pısırık; donuk. **~-level**, düzeç, tesviye ruhu. **~-rapper**, bir nevi medyum.
spiritual ['spiriçuəl]. Ruhanî; tinsel, manevî; dinî. **~ism**, ispritizma. **~ist**, ispritizmacı. **~ity** [-'aliti], ruhaniyet, tinselcilik.
spirituel(le) [spirityū'el]. (Akıl) civelek, nükteli.
spirituous ['spirityuəs]. İspirtolu, alkollu.
spiro- ['spayərou-] *ön.* Nefes+, soluk+.
spirt [spə̄t]. Fışkır(t)ma(k); SPURT.
spit[1] [spit] *i.* Kebap şişi. *f.* Şişe saplamak. **a ~ of land**, dil, burun, sığlık.
spit[2] (*g.z.(o.)* **spat**) [spit, spat] *f.* Tükürmek; (kedi gibi) tıslamak; yağmur çiselemek. *i.* Tükrük, salya. **~ stg. out**, bir şeyi tükürmek: **he is the very ~ of him**, hık demiş burnundan düşmüş.
spit[3]. Bir bel boyu derinlik (toprak).
spite [spayt]. Kin, garaz; nispet. **~ s.o.**, ona nispet olsun diye bir şeyi yapmak: **in ~ of**, -e rağmen: **out of ~**, nispet için, inadına. **~ful**, nispetçi, garazkâr; nispet olsun diye.
spitfire ['spitfayə]. (Öfkeli kedi gibi) ateş püsküren.
spitt·le [spitl]. Salya; tükürük. **~oon** [-'tūn], tükürük hokkası.
spiv [spiv] (*arg.*) Gayri meşru kazançlarla yaşıyan bir adam, beleşçi, otlakçı.
splanchno- ['splan(g)kno-] *ön.* Bağırsaklar+.
splash [splaş] (*yan.*) *i.* Suya çarpma sesi; su/çamur şıçraması; zifos. *f.* Su vb. sıçra(t)mak. **make a ~**, fiyaka yapmak. **~back**, banyo vb. etrafındaki

duvar koruyan levha. ~**board**, çamurluk. ~**down**, (*hav.*) (uzay gemisi) denize iniş.
splat [splat]. İskemle arkalığındaki kuşak.
splatter ['splatə(r)]. Su/çamur sıçra(t)mak.
splay [spley]. İçeriden dışarıya doğru tedricen genişletmek, şev vermek. ~**-footed**, ayakları dışarıya dönük ve düztaban.
spleen [splīn]. Dalak; kara sevda, melâl. **vent one's ~ on s.o.**, hıncını birisinden çıkarmak. ~**ful**, kara sevdalı. ~**less**, dalaksız; (*mec.*) iyi huy/niyetli. ~**wort**, baldırıkara.
splen- [splen-] *ön.* Dalak+.
splend·ent/~**id** ['splendənt, -did]. Debdebeli, parlak; mükemmel, âlâ: **that's** ~!, ha şöyle!, aşk olsun!: ~**ly**, mükemmel olarak. ~**iferous** [-'difərəs] (*alay.*) mükemmel. ~**our** [-də(r)], parlaklık, debdebe, tantana, ihtişam.
splen·etic [spli'netik]. Huysuz, titiz, öfkeli. ~**ic** ['splinik], dalağa ait. ~**o-**, *ön.* dalak+.
splice [splays] *f.* İki ip ucunu birbirine örerek bağlamak, dikiş yapmak, kol yürütmek; iki tahtayı birbirine eklemek; (*sin.*) yapıştırmak. *i.* Dikiş, geçme. **get** ~**d**, (*kon.*) evlenmek: **eye** ~, dikişli kasa: **long** ~, matiz: ~ **the main brace**, (*den.*) bir donanmada bir şeyi tesit etmek için rom dağıtmak; içki içmek. ~**r**, ekleyici; yapıştırıcı.
spline [splayn] (*müh.*) Şaft çıkıntısı, kama; (*yanlış*) yıv, oluk.
splint [splint]. Cebire, kırık tahtası.
splinter ['splintə(r)] *i.* Kıymık; kırık. *f.* Yarıp uzun parçalarını ayırmak; kırılıp uzun sivri parçalara ayrılmak; dağılmak. ~**-group**, (*id.*) partisinden ayrılan bir grup. ~**-proof**, (bomba parçaları) delinmez; (cam) dağılmaz, parçalanmaz.
split[1] (*g.z.(o.)* **split**) [split] *f.* Uzunluğuna yar(ıl)mak; kır(ıl)mak; yırt(ıl)mak; taksim etm. *i.* Yar(ıl)ma; çatlak; ayrılma, ihtilâf, ayrık; yarım şişe gazoz. ~ **the atom**, atomu parçalamak: ~ **hairs**, kılı kırk yarmak: ~ **on s.o.**, (*kon.*) birini ele vermek, ihbar etm.: ~ **one's sides with laughter**, katılırcasına gülmek: ~ **up**, bölünmek; taksim etm./edilmek.
split[2] *s.* Yarılmış; yarık, çatlak. ~ **level**, iki seviyede olan (oda/apartman vb.): ~ **mind** = SCHIZOPHRENIA: ~ **pea**, kırık bezelye: ~ **personality**, (psikoloji) ikiz şahsiyet: ~ **pin**, gupilya, emniyet maşası: ~ **ring**, (anahtar vb. için) yarık halka: ~ **second**, saniyenin kesri, an.
splodge [sploc]. Leke; zifos vb.
splosh [sploş] *yan.* = SPLASH.
splotch [sploç]. Büyük ve şekilsiz boya lekesi (yapmak).
splutter ['splʌtə(r)] = SPUTTER.
spoil (*g.z.(o.)* ~**ed**/~**t**) [spoyl(d/t)] *f.* Bozmak; bozulmak; ihlâl etm., zarar vermek; şımartmak; yağma etm. *i.* Yağma malı, ganimet; (*müh.*) kazılmış döküntü, kaytaş. ~ **the Egyptians**, düşmanından mümkün olan her menfaati çıkarmak: **be** ~**ing for a fight**, kavgaya susamak. ~**age** [-ic], bozulma, bozulmuş madde. ~**er**, (*hav.*) bozucu. ~**-heap**, döküntü yelpazesi. ~**-sport**, alay-/oyunbozan, bozguncu. ~**t**, *g.z.(o.)*: *s.* bozulmuş; şımarık, nazlı, nazenin.
spoke[1] [spo͜uk] *i.* Tekerlek parmaklığı; tel, cağ. **put a ~ in s.o.'s wheel**, birinin tekerine çomak sokmak.
spoke[2] *g.z.* = SPEAK. ~**n**, *g.z.o.* = SPEAK: *s.* **pleasant-**~, tatlı dilli: **plain-**~, dobra dobra söyliyen: **he is very well** ~ **of**, onu çok övüyorlar.
spokeshave ['spo͜ukşeyv]. Kürekçi/parmaklık rendesi.
spokesman ['spo͜uksmən]. Başkaların (baş)sözcü/temsilcisi.
spoliation [spo͜uli'eyşn]. Yağma etme, soyma; gasp.
spond·aic [spon'deyik]. ~EE'li. ~**ee** ['spondī], iki uzun heceli kelime (––).
***spondulicks** ['spondyuliks] (*arg.*) Para.
spondyl·e ['spondil]. Omur. ~**(o)-**, *ön.* omur+.
spong·e ['spʌnc] *i.* Sünger; (top için) uskunca. *f.* Sünger ile silmek. ~ **a meal**, anafordan yemek yemek: ~ **on another**, otlakçılık etm.: ~ **down**, sünger ile silmek, temizlemek: ~ **off/out**, üzerinden sünger geçirerek silmek: **throw in/up the** ~, yenildiğini itiraf etm., işten vazgeçmek: ~**-cake**, pandispanya: ~**-diver/-fisherman**, süngerci: ~**-fishing**, süngercilik: ~**-rubber**, süngersi lastik. ~**er**, silici; süngerci kayığı; (*mec.*) otlakçı, beleşçi; dalkavuk. ~**ing**, süngerle silme; (*mec.*) otlakçı(lık). ~**o-**, *ön.* sünger+. ~**y**, sünger gibi, süngersi; yumuşak; gevşek.
sponsion ['sponşən] (*huk.*) Kefil olma.
sponson ['sponsən] (*den.*) Çıkıntı, top yeri; çark yeri; (*hav.*) sponson.
sponsor ['sponsə(r)] *i.* Kefil; müzahir; vaftiz babası. *f.* Kefil olm.; müzaheret etm. ~**ship**, kefalet; müzaheret.
spontane·ous [spon'teyni͜əs]. Kendiliğinden olan; dış etkilere bağlı olmıyarak vukua gelen; ihtiyarî; içten doğan: ~ **combustion**, içten yanma: ~**ly**, kendiliğinden. ~**ity** [-'ni͜əti], kendiliğinden yapma/söyleme vb., içinden gelme.
spoof [spūf] (*arg.*) *i.* Hile, aldanma. *f.* Kafese koymak.
spook [spūk]. Hayal, hortlak, ahubaba. ~**ish**/~**y**, hayala ait, hayal gibi.
spool [spūl]. Makara(ya sarmak); masura(lamak).
spoon [spūn] *i.* Kaşık; kaşık şeklinde balık yemi, zoka. *f.* Kaşıkla almak; (*arg.*) flört yapmak. ~**bill**, spatül kuşu; kaşıklı balıkçıl. ~**-fed**, kaşıkla yedirilen (çocuk); devlet tarafından sunî bir şekilde teşvik edilen (sanayi). ~**ful**, kaşık dolusu. ~**-meat**, (bebek için) sıvı yemek. ~**y**, zevzek; hassas.
spoonerism ['spūnərizm]. Bir kelimenin harfleri/heceleri arasında yanlışlıkla/şaka için yapılan yer değiştirmesi (*mes.* 'sesini kes' *yerine* 'kesini ses' *demek*).
spoor [spō(r)] *i.* Hayvanın ayak izi. *f.* Vahşi hayvan izini takip etm.
sporadic [spo'radik]. Münferit; müstevli olmıyan; tek tük; arada sırada vuku bulan.
spor·e [spō(r)] (*bot.*) Spor. ~**o-**, *ön.* spor+.
sporran ['sporən] (*İsk.*) Eteklik önüne asılan kürk kaplı torba.
sport [spōt] *i.* Avcılık; spor; eğlence; maskara: ~**s**, *gen.* atletik sporlar (avcılık, balıkçılık vb.ne **field** ~**s**, denir, ve futbol vb.ne **games** denir). *f.* Oynamak; (*istihfaf*) giymek. **in** ~, şaka yollu: **make** ~ **of**, maskara etm.: **be the** ~ **of fortune**, kaderin cilvesine bağlı olm.: **have good** ~, (avda) işi iyi gitmek: **be a** ~, oyun/teşkilât vb.ne başkalarının hatırı için katılmak. ~**ing**, avcılığa ait; sportmene yaraşan. ~**ive**, oyunbaz, şen lâtifeci. ~**sman**, *ç.* ~**men**, avcılığa düşkün; sporcu, sportmen.

~**smanlike**, sportmenliğe yaraşan. ~**smanship**, sportmenlik. ~**y**, spor seven; çapkınca.
sporule ['spō(r)yul] (*bot.*) Sporcuk.
spot [spot] *i.* Benek; nokta; ufacık leke; damla; yer; (*rad.*) ilân. *f.* Beneklemek; lekelemek; (*kon.*) farketmek, görmek: çizelemek. ~ **on!**, tam isabetli: **on the** ~, tam yerinde; oracıkta; derhal, çarçabuk/ şıpşak olarak: **s.o.'s weak** ~, birinin zayıf damarı: **put s.o. in a** ~, birini müşkül bir duruma sokmak: **put s.o. on the** ~, (*arg.*) öldürmek: **the weak** ~ **of stg.**, bir işin püf noktası: **knock** ~**s off s.o.**, (*arg.*) birini adamakıllı yenmek. ~**-check**, rasgele yapılan soruşturma/tahkikat. ~**less**, lekesiz, tertemiz: ~**ness**, tertemizlik. ~**light**, toplayıcı ışıldak: **put a** ~ **on . . .**, -i aydınlatmak/izah etm.: **in the** ~, herkesin ağzında; meşhur. ~**-price**, peşin fiyat. ~**ted**, benekli, lekeli, alaca: ~**-dog**, kuru üzümlü bir puding: ~**-fever**, lekeli humma. ~**tiness**, benek-/lekelilik. ~**ting**, hedef tespiti. ~**ty**, benekli, lekeli; ergenlikle kaplı.
spouse [spauz]. Koca *veya* karı.
spout [spaut] *i.* Oluk ağzı; emzik; suyun dışarıya aktığı boru; fışkırma. *f.* Fışkır(t)mak; püskürmek; (*arg.*) yüksek sesle aktör gibi söylemek.
sprain [spreyn] *i.* Burkulma. *f.* Burkmak.
SPQR (*Lat.*) = Roma Senatosu ile halkı.
Spr. = SAPPER; SPRING¹.
sprag [sprag]. (Araba) fren takozu.
sprang *g.z.* = SPRING⁴.
sprat [sprat]. Hamsi gibi bir balık, çaçabalığı. **throw a** ~ **to catch a mackerel**, büyük bir istifade için küçük bir şey vermek (kaz gelen yerden tavuk esirgenmez).
sprawl [sprōl]. Yerde uzanıp kollarını ayaklarını yayma(k); yere serpilme(k). **send s.o.** ~**ing**, birini yere yuvarlamak: ~**ing handwriting**, iri ve biçimsiz yazı.
spray¹ [sprey] *i.* Çiçekli dal. **diamond** ~, elmas dal.
spray² *i.* Serpinti; toz halinde serpilen ilâç/sıvı; dalga serpintisi; püskürtme aleti; duş; vaporizatör. *f.* Su serpmek; püskürtmek. ~ **a tree**, ağaca pülverizatörle ilâç püskürtmek. ~**-dry**, püskürterek kurutmak. ~**er**, püskürtücü, pülverizatör, vaporizatör. ~**-gun**, püskürteç, boya tabancası. ~**ing**, püskürt(ül)me; sulama.
spread (*g.z.(o.)* **spread**) [spred] *f.* Yaymak, neşretmek; sermek; sürmek; genişletmek: yayılmak, serilmek; sirayet etm.; genişlemek. *i.* Yayılma, dağılma, intişar; kuş/uçak kanatlarının açıklık derecesi; (*arg.*) ziyafet. ~ **out**, germek; teşhir etm.: ~ **the table**, sofra kurmak. ~**-eagle**, armalardaki gergin kanatlı kartal; kollarını ayaklarını gerip bağlamak. ~**er**, yayıcı, dağıtıcı, gergi; (gübre) serpme makinesi; anten gergisi. ~**ing**, yayma, serpme; germe; aç(ıl)ma.
spree [sprī] (*kon.*) Cümbüş. **go on the** ~, âlem yapmak, eğlenmek, felekten bir gün çalmak: **shopping/spending** ~, mağazalarda bol para sarfetmek.
sprig [sprig]. İnce dal; başsız çivi; meşhur bir ailenin soyundan kimse. ~**ged**, dallı.
sprightly ['spraytli]. Şetaretli, şen, şakrak, canlı, civelek.
spring¹ [sprin(g)] *i.* İlkbahar.
spring². Pınar, kaynak, memba, çırçır: **hot** ~**(s)**, kaplıca: **sacred** ~, ayazma.
spring³ *i.* Sıçrama, fırlama, zemberek; yay (kuvveti), susta; (*den.*) lentiye.
spring⁴ (*g.z.* **sprang**, *g.z.o.* **sprung**) [sprin(g), spran(g), sprʌn(g)] *f.* Yay gibi fırlamak; şıçramak; çıkmak, neşet etm., doğmak; çıkıvermek: (tuzak) kapatmak; (raket, kürek) çatlamak; patlatmak. ~ **at s.o.**, birine saldırmak: ~ **from . . .**, -den neşet etm.: ~ **to one's feet**, yerinden fırlayıp kalkmak: ~ **a leak**, (gemi) su almağa başlamak: ~ **a surprise on s.o.**, birine bir sürpriz yapmak: ~ **up**, birdenbire kalkmak; çıkmak, türemek; baş göstermek, başlamak.
spring-⁵ *ön.* Yaylı, sustalı; ilkbahar+; pınar+. ~**-balance**, yaylı kantar. ~**-beam**, atlama kirişi. ~**-bed**, yaylı somye. ~**-board**, sıçrama tahtası; tramplen. ~**bok**, (*G.Afr.*) keseli antilop. ~**-bows/ -calipers**, yaylı pergel. ~**-cart**, yaylı araba. ~**-clean**, evde büyük temizlik yapmak. ~**-drive**, (*müh.*) kurgulu. ~**e** [-nc], ilmikli tuzak. ~**er** [-gə(r)], atlıyan kimse/şey; küçük epanyöl; (*mim.*) yastıkbaşı. ~**head**, pınarbaşı. ~**iness**, elastikiyet, esneklik. ~**ing**, sıçrama, atlama, esneme. ~**like**, ilkbahar gibi. ~**-mattress**, yaylı somye. ~**-tide**¹, aybaşındakı gitgel. ~**tide**²/~**time**, ilkbahar mevsimi. ~**-washer**, yaylı pul/rondela. ~**-water**, pınar suyu. ~**-wheat**, baharda yetişen buğday. ~**y**, yaylı; elastikî, esnek.
sprinkl·e ['sprin(g)kl] *f.* Serpmek; püskürtmek. *i.* Azıcık bir serpinti. ~**er**, pülverizatör, serpici; bahçe musluğu; püskürtme düzeni, arozöz, yağmur yağdırıcı. ~**ing**, azıcık bir serpinti: **a** ~ **of knowledge**, biraz bilgi, bilgi kırıntısı: **there was a** ~ **of Englishmen at the meeting**, toplantıda tek tük İngilizler vardı.
sprint [sprint] *i.* Hızlı kısa koşu; sürat koşusu. *f.* Tam hızlı koşmak. ~**er**, süratçı, hızcı. ~**-race**, 400 metreye kadar yarış.
sprit [sprit] (*den.*) Açavele, gönder, seren. ~**sail**, yan yelkeni.
sprite [sprayt]. Peri; şakacı cin.
sprocket ['sprokit]. Zincir dişlisi. ~ **hole**, diş deliği: ~ **wheel**, dişli zincir çarkı.
sprout [spraut] *f.* Filiz sürmek, filizlenmek; uç vermek; tomurcuklanmak. *i.* Tomurcuk; filiz. **(Brussels)** ~**s**, frenk lahanası.
spruce¹ [sprūs] *i.* Ladinağacı.
spruce² *s.* Şık; kendine çekidüzen vermiş. ~ **oneself up**, kendine çekidüzen vermek.
sprue¹ [sprū] (*mad.*) Döküm deliği; döküm cürufu.
sprue² (*tıp.*) (Tropiklerde) boğaz/bağırsak iltihabını veren hastalık.
sprung [sprʌng] *g.z.o.* = SPRING⁴.
spry [spray]. Faal; açıkgöz; çevik; cerbezeli.
spud [spʌd]. Zararlı otları sökmeğe mahsus küçük bir bahçe aleti; (*arg.*) patates.
spue [spyū] = SPEW.
spum·e [spyūm]. Deniz üzerinde köpük. ~**escent**/ ~**ous**/~**y** [-'mesənt, -məs, -mi], köpük gibi; köpüklü.
spun [spʌn] *g.z.o.* = SPIN. *s.* ~ **glass**, cam ipliği: ~ **silk**, ipek döküntüsünden dokunmuş kaba bir nevi ipekli kumaş: ~ **yarn**, eski halat parçalarından yapılmış bir sicim.
spunk [spʌn(g)] (*kon.*) Cesaret, ataklık; öfke. ~**y**, (*kon.*) atak, cesur; öfkeli.
spur [spə̄(r)] *i.* Mahmuz; dağ kolu; saika, teşvik. *f.* Mahmuzlamak; teşvik etm. ~ **s.o. on**, teşvik ve

tahrik etm.: **on the ~ of the moment**, boş bulunarak; sümmettedarik: **one can't find it on the ~ of the moment**, ha deyince bulunmaz: **win one's ~s**, liyakatını ispat etm.

spurge [spə̄c]. Sütleğen.

spurious ['spyuriəs]. Kalp, yapma, sahte; mevsuk olmıyan.

spurn [spə̄n]. Tepmek; istihfaf ile reddetmek.

spurrier ['spʌriə(r)]. Mahmuzcu.

spurr(e)y ['spʌri]. Karanfilgillerden biri.

spurt [spə̄t]=SPIRT. *i.* Yarışta anî hamle. *f.* Yarışta kısa süre için fevkalâde gayret etm.

spur·-wheel ['spə̄(r)wīl]. Düz dişli çark. **~-winged**, (*bot.*) diken kanatlı.

sputnik ['spʌtnik]. Sputnik.

sputter ['spʌtə(r)] (*yan.*) Tükürür gibi konuşma(k); öfkeli ve bağlantısız tarzda söyleme(k); (kalem) mürekkep saçmak; (mum) çıtırdayarak yağ saçmak.

sputum ['spyūtəm]. Balgam.

spy [spay] *i.* Casus, hafiye. *f.* Casusluk etm.; gözetlemek: görmek, farketmek. **~ on s.o.**, birini gizlice gözetlemek: **~ out the ground**, etrafını iyice keşfetmek. **~-glass**, eski usul dürbün. **~-hole**, gözetleme deliği.

sq. = SQUARE; SQUADRON.

Sq(d)n-Ldr = SQUADRON LEADER.

squab [skwob]. Güvercin yavrusu; minder. **~by**, bodur. **~-chick**, kuş yavrusu. **~-pie**, birkaç nevi kıymalı börek.

squabble ['skwobl] *i.* Ağız kavgası, dırıltı; hırgür. *f.* Ağız kavgasına tutuşmak, atışmak, dalaşmak.

squad [skwod]. Takım, manga, müfreze. **the awkward ~**, acemi takımı: **the Flying ~**, İng. polisinin çevik kolu: **firing ~**, idam mangası.

squadron ['skwodrən]. Süvari taburu, müfreze, bölük; küçük filo; uçak filosu. **~-Leader**, H.K. binbaşısı.

squalid ['skwolid]. Pis, sefil, miskin. **~ly**, pis vb. olarak. **~ness**, sefalet vb.

squall [skwōl] *i.* Bora; sağanak; kundaktaki çocuğun yaygarası. *f.* Yaygara koparmak. **look out for ~s**, (*mec.*) tehlikelere dikkat etm. **~ing**, yaygaracı; cırlak. **~y**, boralı.

squaloid ['skweyloyd]. Köpekbalığı gibi.

squalor ['skwolə(r)]. Fakirlikten gelen sefalet ve pislik.

squam·a ['skweymə]. Deri pulu. **~ous**, derisi pullu.

squander ['skwondə(r)]. İsraf etm.; heba etm.; çarçur etm. **~er**, mirasyedi, müsrif. **~mania** [-'meyniə], harcama hastalığı.

square[1] [skweə(r)] *i.* Murabba; kare, dördül; meydan; gönye, zivoma; dama tahtasının hanesi; (*köt.*) muhafazakâr, eski kafalı. *s.* Dört köşeli, dörtlü; amut; doğru, dürüst. **back to ~ one!**, ta başlangıca geldik/dönmeliyiz!: **be all ~**, ödeşmek, müsavi/eşit olm.: **a ~ deal**, dürüst bir muamele: **a ~ meal**, doyurucu bir yemek: **beat s.o. fairly and ~ly**, birini adamakıllı ve haklı olarak yenmek: **get things ~**, işleri yoluna koymak: **on the ~**, dik açılı: **act on the ~**, dürüst hareket etm.: **out of ~**, dik açılı olmıyan: **two metres etc. ~**, her yanı iki metre vb. olan bir kare [=4m^2]: **two ~ metres etc.**, iki metre kare [=2m^2].

square[2] *f.* Kareye yükseltmek; dört köşe yapmak; düzenlemek; (hesabı) ödemek; rüşvet yedirmek; ikna etm. **~ the circle**, imkânsız bir şeyi yapmağa çalışmak: **~ off**, cumbalamak: **~ up to s.o.**, birine karşı kavga durumu almak: **~ up with s.o.**, hesaplaşmak.

square-[3] *ön.* **~-bashing**, (*ask.*, *arg.*) talim. **~-brackets**, köşeli parantezler []. **~-built**, dörtköşe yapılı; geniş omuzlu. **~-dance**, dört çiftin beraber oynadıkları bir dans. **~ly**, tam karşısında; açıkça, şüphesizce; dürüst olarak. **~-measure**, yüzey/satıh ölçüsü. **~ness**, kare olma; dürüstlük. **~-rigged**, kabasorta donanımlı. **~-root**, kare-kök. **~-section**, başkesit. **~-shouldered**, geniş omuzlu.

squarish ['skweəriş]. Kare şekline yakın.

squarson ['skwāsən]=SQUIRE + PARSON; hem arazi sahibi hem de papaz.

squash [skwoş] *f.* Ezmek; pelte haline getirmek. *i.* Pelte haline getirilmiş şey; izdiham, kalabalık; balkabağı. **~(-rackets)**, özel bir odada oynanan bir nevi top oyunu: **~ s.o.**, (*kon.*) birine haddini bildirmek/ezmek. **~y**, yumuşak ve sulu.

squat [skwot] *s.* Yerden yapma, bacaksız, bastıbacak; güdük. *f.* Çömelmek; (*arg.*) oturmak. **~ upon a piece of land**, bir arsada oturup ona tasarruf iddia etm. **~ter**, *boş topraklara yerleşen göçmen; (*Avus.*) devlet otlağını kiralıyan koyun sürüsü sahibi; †haksız olarak bir eve yerleşen/bir evi yapan kimse; bir çeşit gecekonducu.

squaw [skwō]. Kızılderili kadın.

squawk [skwōk] (*yan.*) Cıyak(lamak). **~-box**, (*kon.*) hoparlör.

squeak [skwīk] (*yan.*) *f.* Fare/yağsız tekerlek gibi ince ses çıkarmak. *i.* İnce keskin ve kısa ses, cıkcık. **a narrow ~**, (*kon.*) dar kurtuluş, kılpayı. **~er**, ince ses çıkaran kimse; (*arg.*) curnalcı; yavru kuş. **~y**, cıkcık/ince ses çıkaran.

squeal [skwīl] (*yan.*) Yaralanmış/aç domuz gibi uzun ve ince bir ses ile bağırma(k); (*kon.*) protesto etm., şikâyet etm.; (*arg.*) suç ortaklarını ele vermek. **~er**, böyle bağıran; (*arg.*) hafiye, curnalcı.

squeamish ['skwīmiş]. Hemen midesi bulanır; yufka yürekli; fazla titiz.

squeegee [skwī'cī]. Islak döşeme tahtası kurutmağa mahsus lastik süpürge; (*sin.*) lastik silindirli alet.

squeeze [skwīz] *f.* Sıkmak; sıkıştırmak; sıkarak sokmak; sıkıp suyunu çıkarmak; ite kaka araya sokulmak. *i.* Sıkma; izdiham. **give s.o. a ~**, birini kolları arasında sıkmak: **it was a tight ~**, çok sıkışıktı: **a ~ of lemon**, bir kaç damla limon suyu: **~ money out of s.o.**, birisinden para sızdırmak: **~ into a small place**, dar bir yere sıkışmak. **~-box**, (*kon.*) akordeon. **~r**, (*ev.*) sıkıcı.

squelch [skwelç] (*yan.*) *i.* Sulu çamurda yürürken çıkan ses. *f.* Böyle bir ses vermek; böyle bir ses ile bir şeyi ezmek; çiğnemek.

squib [skwib]. Kestane fişeği; hiciv. **a damp ~**, başarısız teşebbüs.

squid [skwid] *i.* Mürekkep balığı, kalamar. *f.* (*hav.*) Pörsümek.

squiffy ['skwifi] (*arg.*) Biraz sarhoş, çakırkeyf.

squiggl·e [skwigl]. Kısa ve kıvırcık bir çizgi. **~y**, kısa ve kıvırcık.

squill [skwil]. Adasoğanı.

squinch [skwinç] (*mim.*) Köşe bingisi.

squint [skwint] *i.* Şaşılık. *f.* Şaşı olm.; şaşı gibi

bakmak. **have a ~ at stg.**, (*arg.*) bir şeye bakıvermek. **~ing**/**~-eyed**, şaşı.
squire ['skwayə(r)]. Bir köyün bellibaşlı emlâk sahibi; kadına kavalyelik eden erkek; (*esk.*) şövalyeye refakat eden genç asilzade. **~archy** [-rāki], arazi sahipleri grubu. **~ly**, asilzadeye lâyik.
squirm [skwə̄m]. Kıvranmak; solucan gibi kıvrılmak; (*kon.*) kötü halde bozulmak.
squirrel ['skwirəl]. Sincap. **~-cage**, (*elek.*) kafes sargısı.
squirt [skwə̄t] *i.* Çocuk fıskıyesi; şırınga; nanemolla. *f.* Dar bir delikten fışkır(t)mak.
squish [skwiş]. SQUELCH gibi bir ses.
squit [skwit]. Kısa boylu ve önemsiz bir kişi.
Sr. = SENIOR; SEÑOR; (*kim.s.*) STRONTIUM.
Sri Lanka [şri'lankə] (*şim.*) = CEYLON.
SR·C = SCIENCE RESEARCH COUNCIL. **~N** = STATE REGISTERED NURSE. **~O** = STANDING ROOM ONLY; STATUTORY RULES AND ORDERS.
SS = SAINTS; SCREW-STEAMER; STEAMSHIP; (*tar.*) NAZI SPECIAL POLICE. **~AFA** = SOLDIERS', SAILORS' & AIRMEN'S FAMILIES ASSOCIATION. **~E** = SOUTH-SOUTH-EAST. **~M** = SURFACE-TO-SURFACE MISSILE. **~O** = *SPECIAL SERVICE OFFICER. **~T** = SUPERSONIC TRANSPORT. **~W** = SOUTH-SOUTH-WEST.
St/st = SAINT; STOKES; STONE; STRAIT; STREET.
s.t. = SHORT TON.
Sta. = STATION.
stab [stab] *f.* Hançerlemek, bıçaklamak; bıçak vb. saplamak. *i.* Bıçak yarası, sivri bir silâhla vurma. **~ at s.o.**, birine bıçak savurmak: **a ~ in the back**, arkadan vurma; kancıkça hücum: **make a ~ at stg.**, bir şeyi yapmağa çalışmak. **~ber**, hançerliyen kimse; delgi, matkap. **~-culture**, iğne ile aşılanan bakteriler yetiştirmesi.
stabil·e ['steybayl] (*san.*) Tel vb.den teşkil edilen soyut heykel. **~ity** [stə'biliti], muvazene, denge; istikrar, kararlılık, stabilite; tevazün, dengelik, denkleşme. **~ization** [steybilay'zeyşn], istikrar, durulma, tespit; dengeleştirme, durağanlaştırma. **~ize** ['stey-], tespit etm.; tevzin etm., tevazün ettirmek, dengelemek, denkleştirmek, durağanlaştırmak: **~d**, stabilize: **~r**, dengeleyici; (*den.*) stabilizatör. **~izing**, dengeleme, vb.
stable[1] ['steybl] *s.* Sabit; yıkılmaz; muhkem; metin; kararlı; dengeli. **~ness** = STABILITY.
stable[2] *i.* Ahır; bir ahırdaki atlar. *f.* Ahıra koymak, ahırlamak. **he has a fine ~**, pek güzel atları vardır: **~ companion**, aynı ahırdan gelen at. **~man**, at uşağı, seyis. **~-boy**, seyis yamağı. **~-fly**, karasinek.
stabling ['steyblin(g)]. Ahırlar; atlar yeri.
stabl·ish ['stabliş] = ESTABLISH. **~y** ['steybli], sabit bir şekilde.
staccato [stə'kātou̯] (*müz.*) Kesik kesik.
stack [stak] *i.* Tınaz, dokurcun; kolon; yığın, küme; baca, kısa boru. *f.* Tınaz haline koymak; üst üste dizmek; yığmak. **~ arms**, silâh çatmak. **~ing**, yığma. **~-yard**, tınaz yeri.
stactometer [stak'tomitə(r)]. Damlalık, damlaölçer.
stadium ['steydi̯əm]. Spor meydanı, stad(yum).
staff[1], *ç.* **~s**, (*mer., müz.*) **staves** [stāf(s), steyvz] *i.* Uzun ve ince değnek; direk, gönder; (*müz.*) porte.
staff[2] *i.* Erkânı harp, kurmay; kadro; maiyet; bir evin hizmetçileri; eleman. *f.* (Bir daire vb.ne) eleman tedarik etm. **General ~**, Genel Kurmay: **Chief of the General ~**, Genel Kurmay Başkanı: **lack of ~**, adamsızlık: **be over-/under-~ed**, kadrosu fazla dolu/eksik olm. **~-college**, harp akademisi. **~-officer**, kurmay subay.
Staff·ordshire ['stafədşə]. Brit.'nın bir kontluğu. **~s**, *bunun kıs.*
stag [stag]. Erkek geyik; (*mal.*) piyasaya yeni çıkan hisse senetleri üzerinde hava oyunculuğu yapan kimse. **~-beetle**, geyikböceği.
stage [steyc] *i.* Konak, menzil, aşama, etap, durak yeri; merhale, radde, derece; devre, evre, çağ; iş sahası; sahne, tiyatro; yapı iskelesi; iskele; kat, bölüm, kademe; (mikroskop) tablet. *f.* Sahneye koymak; meydana getirmek. **the ~**, tiyatro: **down/off/up ~**, sahne önü/dışı/gerisi: **in ~s**, tedricen; konaklayarak: **go on the ~**, aktör olm.: **at this ~ an interruption occurred**, tam o safhada (muhabere vb.) kesildi: **he is still in the schoolboy ~**, o henüz çocukluk çağındadır: **travel by easy ~s**, sık sık mola vererek seyahat etm. **~-coach**, menzil arabası. **~-craft**, sahne/tiyatro tekniği. **~-direction**, sahne izahatı, düzen açıklaması. **~-door**, (tiyatro) arka kapısı. **~-fever**, aktör olmak isteğiyle yanma. **~-fright**, bir artistin sahneye (ilk defa) çıkarken hissettiği korku/heyecan, trak. **~-manager**, rejisör. **~r, old ~**, eski kurt; kaçın kurası, gedikli. **~-secret**, (herkesin bildiği) giz. **~-struck**, aktörlük hevesine kapılmış. **~-whisper**, seyircilerce işitilen aktörün fısıltısı.
stagflation [stag'fleyşn] (*mal.*) = STAGNATION + INFLATION.
stagger ['stagə(r)]. Sendelemek; sersem olup düşecek gibi olm.: sersemletmek, afallaştırmak; sersem etm.; zikzakvari koymak; mütenaviben tanzim etm. **~ to one's feet**, sendeleye sendeleye ayağa kalkmak. **~ed**, zikzakvarî; (*sp.*) kayıklık; münavebeli, sıra ile. **~ing**, sendeliyen; sersemletici, afallaştıran. **~s**, (at ve sığırlarda) bir beyin hastalığı, delibaş, kelebek.
stag·hound ['staghau̯nd]. Geyik avında kullanılan bir cins zağar. **~-hunt(ing)**, geyik avı.
staging ['steycin(g)]. Geçici bir yapı iskelesi; bir piyesin sahneye konması (sanatı). **~-post**, konak, menzil; (*ask.*) savaştan önce askerlerin toplandığı yer; (*ask.*) (uzun bir uçuşta) iniş ve konak yeri.
stagna·ncy ['stagnənsi]. Durgunluk; irkintilik. **~nt**, durgun (su); irkinti; rakit; atıl. **~te** [-'neyt], durgunlaşmak; atalet kesbetmek; rakit hale gelmek. **~ation** [-'neyşn], durgunlaşma.
stag·-party ['stagpāti]. Genç bekârlar toplantısı. **~-turkey**, babahindi.
stagy ['steyci]. Tiyatroculuğa çalan.
staid [steyd]. Ağırbaşlı, vakur, ciddî.
stain [steyn]. Leke(lemek); boya(mak). **without a ~ on his character**, alnının akıyle. **~less**, lekesiz, tertemiz; afif: **~ steel**, paslanmaz çelik.
stair [stę̄ə(r)]. Merdiven basamaklarından biri. **~s**, merdiven: **below ~s**, alt katta; hizmetçilerin arasında. **~-carpet**, merdiven için dar bir halı. **~-case/-way**, merdiven. **~-rod**, merdiven halısını tutan çubuk.
stake [steyk] *i.* Kazık; bitki desteği, herek, kelpe; dayak; bahsolunan şey/para, miz. *f.* Desteklemek; bahse koymak; rest çekmek. **~ out/off**, kazıklar ile taksim etm./çerçevelemek: **~ one's all**, (bir amaç için) her şeyini tehlikeye koymak: **his life is at ~**,

hayatı bahis konusudur/tehlikededir: **have a ~ in stg.**, bir işte çıkarı olm.: **hold the ~s**, kumarda ortaya konan parayı muhafaza etm.: **~ one's hopes on**, -e umudunu bağlamak: **lay the ~s**, kumarda para koymak: **perish at the ~**, diri diri yakılmak. **~-holder**, bir bahis için ortaya konan parayı muhafaza eden kimse.

Stakhanovite [sta'kānəvayt] (*Rus.*) Mükemmel şekilde çalışan işçi.

stala·ctite ['staləktayt]. İstalaktit, damla taşı, sarkıt. **~gmite** [-gmayt], istalagmit, dikit.

stale[1] [steyl] *s.* Bayat; kurumuş; küflü, ekşimiş; hayide, basmakalıp; (çek) zaman aşımına uğramış; (atlet) fazla idmandan yorulmuş. *f.* Ekşimek; bayatlamak. **a pleasure that never ~s**, doyulmaz bir zevk.

stale[2]. (At) kaşanmak.

stalemate ['steylmeyt] *i.* Satrançta şahın mat olmadan hareket edemiyeceği ve hareket ettirilecek başka taş da olmadığı vaziyet; pata; çıkmaz. *f.* Pata etm.; (*mec.*) birini eli böğründe bırakmak, çıkmaza sokmak.

stalk[1] [stōk]. Sap; sak. **~ed**, saplı. **~y**, (fazla) saplı.

stalk[2]. Avı gizlice takip etme(k); sinsi sinsi izleme(k): **~ along**, azametli adımlarla yürümek. **~er**, avı takip eden avcı. **~ing-horse**, avcının siper olarak kullanılan atı; (*mec.*) gizleme, maske.

stall[1] [stōl] *f.* (*oto.*) Makineyi istemiyerek durdurma(k); (*hav.*) hızı keserek düşecek hale getirme(k); (makine) birdenbire durma(k); (*hav.*) hızı kesilerek düşme(k), hızsız kalma(k).

stall[2] *i.* Satış sergisi; ahırın bölmesi; (*tiy.*) koltuk; (kilisede) özel koltuk. **newspaper ~**, gazete kulübesi: **thumb-/finger-~**, parmak kılıfı. **~age** [-ic], (pazarda) sergi ücreti. **~-fed**, ahırda besili (sığır).

stallion ['stalyən]. Damızlık; aygır.

stalwart ['stōlwət] *s.* Gürbüz, kuvvetli, güçlü, yapılı. *i.* Cesur ve güçlü adam.

stam·en ['steymen] (*bot.*) Etamin, erkeklik organı, ercik. **~inal**/**~inate** ['staminəl, -neyt], erciğe ait, ercikli.

stamina ['staminə]. Dayanıklılık.

stammer ['stamə(r)]. Pepeleme(k), kekeleme(k); rekâket. **~ingly**, kekeliyerek.

stamp [stamp]. Posta pulu; damga; zımba; ıstampa; ayağını yere vurma(k); tepinme(k); damgalamak; pul yapıştırmak; darbetmek, basmak. **~ about**, tepinmek: **~ on**, çiğnemek: **~ stg. on the mind**, bir şeyi aklına kazımak: **that ~s him as a fool**, deli olduğunu bu gösteriyor: **~ out**, ayaklarla söndürmek; ezmek; yok etmek; bastırmak; ayağını yere vurup çıkmak: **men of that ~**, bu karakterde/çeşit adamlar. **~-album**, posta pulu albümü. **~-collector**, pul koleksiyoncusu. **~-duty**, pul vergisi. **~ed** [stampt], pullu, damgalı.

stampede [stam'pīd] *i.* Panik; hezimet; darmadağınık kaçış. *f.* Paniğe uğratmak; karmakarışık bir halde kaçmak; paniğe kapılmak.

stamp·er ['stampə(r)]. Damgalıyan kimse/cihaz; damga makinesi. **~ing**, basma; ezme; preslenmiş parça; damga(lama). **~-machine**, damgalama/basma makinesi; pulları satan otomatik makine. **~-office**, pul müdürlüğü; harç dairesi. **~-tax**, damga resmi.

stance [stāns]. (Bazı oyunlarda) vücudün durumu, duruş.

stanch [stānç]. Akan kanı durdurmak.

stanchion ['stānşən]. Puntal; ahırda hayvan bağlanacak direk; destek, payanda.

stand[1] [stand] *i.* Duruş, vaziyet; durma; mukavemet; destek, ayak(lık); sehpa; sergi; tribün; şapka vb. askısı. **come to a ~**, duraklamak: **make a ~ (against)**, (-e karşı) kafa tutmak, mukavemet etm.: **take a firm ~**, ayakta sımsıkı durmak; kıpırdamamak: **I take my ~ on the principle that . . .**, ben şu prensipe dayanırım . . .: **take up one's ~ near the door**, kapının yanına gidip durmak.

stand[2] (*g.z.*(*o.*) **stood**) [stand, stud] *f.* Ayakta durmak; durmak; bulunmak; dayamak; koymak; tahammül etm., dayanmak. **buy stg. as it ~s**, bir şeyi olduğu gibi satın almak: **~ and deliver!**, ya keseni, ya canını!: **~ s.o. a drink, etc.**, birine içki vb. ikram etm.: **~ six feet high**, boyunun uzunluğu altı kadem olm.: **how do we ~ in the matter of horses?**, at durumuz nasıl?: **let ~**, bırakmak: **let the tea ~**, çayı demlenmek için bırakmak: **I ~ to lose £100 in this matter**, bu iş bana yüz liraya patlıyabilir: **he ~s to lose nothing**, bu işte onun kaybedecek bir şeyi yoktur: **as matters ~**, şimdiki halde: **the house ~s in my name**, ev benim üstümedir: **the thermometer stood at 20**, termometre 20 dereceyi gösteriyordu: **~ to the south**, (gemi) güneye yönelmek: **~ well with s.o.**, birinin nazarında itibarı olm. **~ aside**, bir tarafa çekilip durmak: **~ aside in favour of s.o.**, birinin lehine çekilmek; başkası lehine bir şeyden feragat etm. **~ back**, geriye çekilmek: **the house ~s back from the road**, ev içerlektir/yol üzerinde değildir. **~ by**, hazır olm.; alesta durmak; yanında durmak; bırakmamak, yardım etm.: **~ by one's word**, sözünden dönmemek: **I ~ by what I said**, söylediğimden şaşmam. **~ down**, (mahkemede bir tanık) tanıklığını bitirip çekilmek: **~ down in favour of s.o.**, başkasının lehine adaylığını geri almak. **~ for**, temsil etm.; demek, anlamı olm.; bir yere aday olm.; tahammül etm.; tarafını tutmak: **MS. ~s for manuscript**, MS. kısaltması MANUSCRIPT kelimesini gösterir. **~ in**, içinde durmak; bulunmak; mal olmak: **~ in with others**, ortak masrafa katılmak: **~ in to land**, (*den.*) gemiyi karaya doğru yürütmek. **~ off**, uzak durmak; (*den.*) açılmak; (bir işçiye) iş olmadığı için yol vermek. **~ out**, çıkıntı teşkil etm., fırlamak; göze çarpmak; sivrilmek, belirmek, tebarüz etm.: **~ out to sea**, engine çıkmak: **~ out against**, -e kafa tutmak, karşı durmak; tebarüz etm., belirmek, sivrilmek. **~ over**, yanında durmak; ertelenmek, tehir edilmek, muallakta kalmak: **he does no work unless one ~s over him**, başında durmadıkça iş yapmaz. **~ up**, ayağa kalkmak: **~ up and be counted**, (*id.*) durum/kanaatini açıkça belirtmek: **~ up for**, iltizam etm., tarafını tutmak, kayırmak: **~ up for your rights!**, hakkını ara/müdafaa et!: **~ up to/against**, -e kafa tutmak, karşı durmak.

-stand[3] *son.* -lik [HATSTAND].

standard ['standəd] *i.* Bayrak, fors; mikyas, miyar, derece, ölçek; model, tip; kural, sistem; ayar; düzey; ölçün, standart, norm, örnek. *s.* Standart, miyar olarak; orta, umumî; ölçünlü, tekbiçim; olağan, normal, klasik, tipik. **the ~ answer**, basmakalıp/her zamanki cevap: **~ of living**, hayat düzeyi, yaşam ölçünü: **not up to ~**, istenene uygun/istenilen seviyede olmıyan. ~**-bearer**, bayraktar. ~**ization** [-day'zeyşn], ayar(lama); standardize etme; ölçünleme. ~**ize**, standartlaştırmak, standardize etm., standart hale getirmek; ölçünlemek; ayarlamak; (sanayide) bütün iş aletlerini bir modele uydurmak. ~**-lamp**, ayaklı lamba. ~**-time**, (bir ulus/bölgede) normal saat ayarı.

stand·-by ['standbay]. Baş vurulacak şey/kimse; yedek; yardımcı: ~ **force**, (*ask.*) hazır kıta. ~**-in**, (*sin.*) dublör, yedek, benzer.

standing[1] ['standin(g)] *s.* Ayakta; sabit. *i.* Durak yeri. **be brought up all** ~, birdenbire ve tamamen durdurulmak: **leave s.o.** ~, birini fersah fersah geçmek: **be left** ~, (yarışta) kala kalmak; (*mec.*) bir işte yaya kalmak: ~ **army**, hazarî ordu: ~ **back**, (ev) içerlek: ~ **crops**, biçilmemiş ürün: ~ **joke**, beylik şaka, genel alay konusu: ~ **order**, (*mal.*) devamlı sipariş; (*id.*) yönetmelik: ~ **ovation**, ayakta alkışlama: ~ **rigging**, ana/sabit donanım: ~ **room only!**, yalnız ayakta duracak yer: ~ **rule**, daimî yönetmelik, esaslı kural: ~ **start**, (*sp.*) durmalı çıkış: ~ **stone**, (*ark.*) dikey tektaş: ~ **type**, (*bas.*) kullanılmış fakat tevzi edilmemiş harfler. ~ **water**, durgun su.

standing[2] *i.* Kıdem, rütbe, aşama; mevki; şöhret. **an officer of six months'** ~, altı ay görev yapmış subay: **of long** ~, eski: **men of high** ~, yüksek kişiler: **man of no** ~, önemsiz bir adam: **a firm of recognized** ~, tanınmış bir firma.

stand·-offish [stand'ofiş] (*kon.*) Burnundan kıl aldırmaz; mağrur. ~**-pipe**, dikey ve sabit boru. ~**point**, görüş noktası: **from the** ~ **of...,...** açı/bakım/yönünden. ~**still**, tevakkuf, duraklama, sekte: **at a** ~, durgun; işlemez: **bring to a** ~, durdurmak; sekteye uğratmak: **come to a** ~, duraklamak, sekteye uğramak. ~**-up**, dikey, dimdik; ayakta olarak.

stanhope ['stanəp]. Hafif ve tek kişilik araba.

staniel ['stanyəl] (*zoo.*) Kerkenez.

stank [stan(g)k] *g.z.* = STINK.

stann- [stan-] *ön.* Kalay+. ~**ary**, kalay ocağı. ~**ic**/~**ous**, kalaya ait. ~**aries**, Devon/Cornwall'daki kalay ocakları bölgesi.

stanza ['stanzə]. Şiir kıtası.

stapes ['steypīz] (*tıp.*) Üzengi kemiği.

staphylo- ['stafilo-] *ön.* Üzüm+. ~**coccus** [-'kokʌs], stafilokok.

staple[1] ['steypl] *i.* Kapı sürgüsü köprüsü; iki uçlu çivi.

staple[2] *i.* Bir memleketin başlıca mahsul/eşyası; ham madde. *s.* Başlıca, esaslı.

staple[3]. (Pamuk ve yün) lif, tel.

star [stā(r)] *i.* (*ast.*) Yıldız, gökcismi; (*zoo.*) sakar; (*sin.*) yıldız; baht, talih. *f.* Yıldızlarla süslemek; yıldız işareti (*) koyarak markalamak; (aktör vb.) 1ci rolü oynamak. **day** ~, sabah yıldızı: **double** ~, çifyıldız: **fixed** ~, duran yıldız: **shell** ~, kabuklu yıldız: **shooting** ~, akan yıldız, ağma, şahap: **1–5** ~ **hotel**, otellerin sınıf derecesini gösteren sistem: **1–5** ~ **petrol**, benzin için basitlenmiş oktan sistemi: ~ **player**, meşhur sporcu: ~ **system**, (*sin.*) yıldızcılık: **his** ~ **is in the ascendant**, yıldızı parlak: ~ **of Bethlehem**, tükürükotu: **be born under a lucky** ~, talihi yaver olm.: **see** ~**s**, şeşi beş görmek: gözleri kararmak: **the** ~**s and Stripes/the** ~**-spangled Banner**, ABD'nin bayrağı: **I thank my** ~**s that...**, çok şükür ki.... ~**-blind**, yarı kör.

starboard ['stābəd] (*den.*) Sancak. **hard to** ~, alabanda sancak: ~ **helm**, dümeni sancağa basmak.

starch [stāç] *i.* Nişasta, kola. *f.* Kolalamak. ~**ed** [-çt], kolalı; (*mec.*) fazla ağır başlı. ~**y**, nişastalı; kolalı; (*mec.*) fazla ağır başlı.

star·e [steə(r)]. Israrla bakma(k); dik dik bakma(k). ~ **at**, -e çok dikkatle bakmak, dik dik bakmak: ~ **s.o. out (of countenance)**, dik dik bakarak birini utandırmak/şaşırtmak: **it's** ~**ing you in the face**, kör kör parmağım gözüne.

star·finch ['stāfınç]. Kızıl kuyruk. ~**fish**, deniz yıldızı, beşpençe. ~**-gazer** [-geyzə(r)] (*alay.*) astronom; müneccim. ~**-gazing**, (*alay.*) gökbilim; müneccimlik; dalgınlık.

staring ['steərin(g)]. Israrla/dik dik bakan. ~ **coat**, hastalıklı hayvanın pürüzlü derisi: ~ **colour**, çiğ renk: ~ **eyes**, faltaşı gibi gözler; pırtlak gözler.

stark [stāk]. Katı; tamam, büsbütün. ~ **(naked)**, çırçıplak: ~ **(staring) mad**, zırdeli: ~ **nonsense**, saçma sapan: **the** ~ **truth**, olduğu gibi gerçek. ~**ers**, (*arg.*) çırçıplak; zırdeli.

star·less ['stālis]. Yıldızsız; karanlık. ~**let**, yıldızcık. ~**light**, yıldız ışığı. ~**-like**, yıldız gibi.

starling ['stālin(g)]. Sığırcık(giller), çekirge kuşu; (*mim.*) köprü ayağını muhafaza eden kazıklar.

star·lit ['stālit]. Yıldızlarla aydınlanmış. ~**red** [stād], yıldız(lar)la işaretlenmiş; (*bas.*) yıldız işaretiyle: **ill-**~, bahtsız. ~**ry** ['stārı], yıldızlarla aydınlanmış; yıldızlı: ~**-eyed**, parlak gözlü; (*mec.*) masum ve umutlu. ~**-sapphire**, yıldızlı gök yakut. ~**-shell**, aydınlatma fişeği. ~**-spangled**, yıldızlarla süslü: ~**-banner**, ABD'nin bayrağı.

start[1] [stāt] *i.* Ürkem, irkilme; anî hareket; ürküp sıçrama; hareket etme, seyahate çıkış; başlangıç; (yarış) çıkış, start: **at the** ~, başlangıçta: **false** ~, çıkış hatası: **flying/standing** ~, atılımlı/durmalı çıkış: **from** ~ **to finish**, çıkıştan bitişe kadar: **get the** ~ **of s.o.**, birinden daha önce başlamak: **give a** ~, ürküp sıçramak: **give s.o. a** ~, (i) birdenbire çıkıverip birini ürkütmek: (ii) bir iş/meslekte birini ortaya çıkarmak, ona yardım etm.; (iii) bir yarışta birine avans vermek: **make a** ~, başlamak.

start[2] *f.* Ürkmek, irkilmek; ürküp sıçramak; silkinmek; anî bir hareket yapmak; fırlamak; yola çıkmak; başlamak; kalkmak; (perçin) gevşemek, laçka olm.: (gemi armozları) açılmak: başlatmak; yürütmek, harekete getirmek. ~ **away/off/out/on one's way**, yola çıkmak, hareket etm.: **his eyes were** ~**ing from his head**, gözleri fırlamıştı: ~ **a fire**, yangın çıkarmak, yangına sebep olm.: **once you** ~ **him talking he never stops**, bu adamı konuşmağa başlatırsan susmak bilmez: ~ **out to do stg.**, önce ... yapmak niyetiyle işe başlamak: **tears** ~**ed from his eyes**, gözleri yaşardı: **new factories** ~**ed up everywhere**, her yerde yeni fabrikalar belirdi: ~ **up the engine!**, makineyi harekete geçir!: **to** ~ **with we must find the money**, ilkönce para bulmak lazımdır: **to** ~ **with we were only six**, başlangıçta yalnız altı kişi idik.

start·er ['stātə(r)] (*sp.*) Çıkış yargıcı, starter; (*oto.*) hareket edici cihaz, çalıştırma tertibatı, demarör; marş motörü: **you are an early** ~, erken çıkıyorsunuz/başlıyorsunuz: **there were only three** ~**s**, yarışa yalnız üç at/kişi katılmıştır: **for ~s**, (*ev.*) yemeğin ilk tabağı olarak; (*mec.*) başlangıç için: **hand-~**, (*oto.*) kollu demarör. **~ing**, ilk hareket/ çalıştırma, başlama: **~-gate**, (at yarışında) çıkış kapısı: **~-gun**, yarış tabancası: **~-handle**, ilk hareket kolu: **~-line**, çıkış çizgisi: **~-point**, başlangıç noktası: **~-post**, çıkış direği: **~-price**, (yarışta) yarış başlamadan önceki son bahis. **~-up**, çalıştır(ıl)ma.

startl·e [stätl]. Ürkütmek; korkutmak; şaşırtmak. **~ing**, hayret verici, şaşırtıcı, heyecanlı; ürkütücü: **~ly**, hayret verici bir şekilde.

starv·ation [stā'veyşn]. Şiddetli açlık; ölüm derecesi açlık: **~ wages**, açlıktan ölecek derecede ücret. **~e**, açlıktan ölecek hale gelmek; çok acıkmak; yiyeceksiz bırakmak; mahrum etm.: **~ to death**, açlıktan öl(dür)mek: **~ out a town**, bir şehri aç bırakarak zaptetmek. **~eling**, açlıktan perişan olan (çocuk/hayvan).

stash [staş] (*arg.*) (Kıymetli şeyler) emniyette saklamak.

stasis ['steysis] (*tıp.*) (Sıvı) durdurulma.

-sta·sis [-'stasis] *son.* -durgunluğu [HAEMOSTASIS]. **-~t**, durgun/sabit olan [THERMOSTAT].

statal ['steytəl]. Devlet(ler)e ait.

state[1] [steyt] *i.* Hal, vaziyet, halet, durum; mevki, mertebe; debdebe, ihtişam, alay, tören, merasim; devlet, hükümet. *s.* Devlete ait, resmî. **affairs of ~**, devlet işleri: **~ apartments**, bir saray/muhteşem bir konakta mükellef daire: **~ ball**, sarayda verilen balo: **~ carriage/coach**, büyük tören arabası: **dine in ~**, mükellef bir ziyafette bulunmak: **head of ~**, devlet başkan/reisi: **keep great/live in ~**, ihtişam içinde yaşamak, debdebeli bir hayat sürmek: **lie in ~**, (büyük bir adamın cenaze töreninde) tabut teşhir edilmek: **sit in ~**, kurulup oturmak: **~ of the art**, (bir sanat/teknoloji) gelişme seviyesi: **~ of life**, toplumsal durum, içtimaî mevki: **~ of mind**, ruh haleti: **be in a great ~ (of mind)**, etekleri tutuşmak: **what a ~ you are in!**, bu halin nedir!: **here's a pretty ~ (of affairs)!**, gel ayıkla pirincin taşını!: **~ robes**, tören elbisesi: **Secretary of ~**, †bazı bakanlara verilen resmî unvan; *Dışişleri Bakanı: **the United ~s (of America)/USA**, Amerika Birleşik Devletleri.

state[2] *f.* Beyan etm., ifade etm., söylemek, bildirmek, ilân etm.; tayin etm.

state-[3] *ön.* **~-bank**, devlet bankası. **~craft**, siyasî ustalık. **~d**, beyan edilmiş; kesin, sabit. **~less**, uyruklu olmıyan; hiç bir devletin tabiiyetinde olmıyan. **~liness**, ihtişam, görkem, heybet. **~ly**, muhteşem, debdebeli, heybetli: **~ home**, büyük arazi sahibinin özel sarayı. **~ment**, ifa(de), beyan, açıklama; demeç; çizelge, rapor, cetvel; takrir, söz; tebliğ; hesap (hulâsası): **~ of affairs**, durum; iflâs bilançosu. **~-room**, merasim odası; (*den.*) lüks özel kamara. ***~-side**, (*ask.*) ABD'nde(ki). **~sman**, *ç.* **~smen**, devlet adamı: **elder ~**, çok tecrübeli (emekli) devlet adamı: **~like**, mahir bir devlet adamına lâyık; tedbirli, dirayetli: **~ship**, siyaset; devlet idaresi sanatı; müdebbirlik.

static(al) ['statik(l)]. Durgun, değişmez, denk(li), sükûnette, devimsiz, statik; (*rad.*) parazitlere ait. **~s**, denklilik/durgunluk/statik bilgisi; (*rad.*) parazit(ler).

station ['steyşn] *i.* Durak yeri; konak; istasyon, gar; mevki, durum; merkez; karakol; (*ask.*) üs; (*rad.*) posta; (*Avus.*) büyük hayvan çiftliği. *f.* Yerleştirmek; bir yere tayin etm. **~ in life**, içtimaî mevki, toplumdaki yer: **marry below/beneath one's ~**, küfvü olmıyanla evlenmek. **~ary**, hareket etmiyen, yerinde duran, sabit, yerli, durağan.

stationer ['steyşənə(r)]. Kâğıtçı; kırtasiyeci: **†~'s Hall**, bir kitabın telif hakkını temin etmek için kaydedildiği daire. **~y**, kırtasiye, yazı eşyası; kâğıtçı eşyası: **H.M. ~ Office**, Devlet Yayın Müdürlüğü.

station·-house ['steyşnhaus]. İstasyon/karakol binası. **~-master**, istasyon/gar müdürü. **~-selector**, (*rad.*) posta bulucusu. **~-wagon**, (*oto.*) pikap.

statis·m ['steyizm]. Devletçilik. **~t** ['statist], **~M** taraftarı; = **~**TICIAN.

statistic·al [stə'tistikl]. İstatistiğe ait, istatistikî, sayılamsal. **~ian** [statis'tişn], istatistikçi; sayman. **~s** [stə'tistiks], istatistik, sayılama: **vital ~**, (*id.*) doğum/ölüm vb.ne ait istatistik; (*kon.*) (kadın) göğüs/bel/kalça ölçüleri.

stato·lith ['statouliθ]. Denge taşı. **~r** ['steytə(r)], sabit bobin, stator, duruk. **~scope** ['statəskoup], statoskop, hassas barometre.

statu·ary ['statyuəri]. Heykeller; heykeltraşlık. **~e** [-yū], heykel. **~esque** [-yu'esk], heykel gibi. **~ette** [-'et], heykelcik.

stature ['staçə(r)]. Boy; kamet; endam. **-~d**, *son.* -boylu.

status ['steytəs]. Hal, durum, vaziyet; toplumsal/ hukukî durum; sıfat; salâhiyet, yetki. ***~-quo*** [-kwou] (*Lat.*) şimdiki durum; statüko. **~-symbol**, bir kişinin toplumsal durumunun sembolü.

statut·e ['statyūt]. Kanun, yasa; tüzük, nizamname: **~-book**, kanunname: **~-law**, yazılı hukuk. **~ory**, kanunî, hukukî, yasal.

staunch[1] [stōnç]. Samimî, sadık, emin; muhkem, su sızmaz. **~ly**, sadık olarak.

staunch[2] = STANCH.

stauroscope ['stōrəskoup]. Storoskop, (kristallerde) polarize ışığı inceleme cihazı.

stave[1] [steyv] *i.* Fıçı tahtası, şendere; değnek; şiir kıtası; (*müz.*) nota çizgisi.

stave[2] (*g.z.(o.)* **stove** [stouv]) *f.* **~ in**, üzerine vurarak kırmak, çöktürmek, delmek: **~ off**, savmak, defetmek, önüne gelmek; -den geçici olarak kurtulmak.

staves [steyvz] *ç.* = STAFF[1].

stay[1] [stey] *i.* Istralya; destek, payanda: **~s**, korse. *f.* Istralya ile takviye etm.; desteklemek. **be in ~s**, (gemi) orsa alabanda etmekte olm.: **be slow in ~s**, kolay orsaya gelmemek.

stay[2] *f.* Kalmak; oturmak, ikamet etm.; durmak; misafir olm.; dayanmak; durdurmak, ertelemek. *i.* İkamet; bir yerde geçici oturma. **~ to dinner**, akşam yemeğine kalmak: **~ the night**, gecelemek, yatmak: **~ one's hand**, harekete geçmemek, kendini tutmak: **~ of proceedings**, (*huk.*) ertelenme: **this horse cannot ~ three miles**, bu at üç mil dayanamaz. **~ away**, gelmemek; başka bir yerde kalmak. **~ in**, evde kalmak, sokağa çıkmamak; izinsiz olm. **~ on**, biraz daha kalmak. **~ out**, içeri girmemek: **~ out all night**, geceleyin kendi evinde bulunmamak. **~ up**, yatmamak: **~ up late**, geç vakte kadar yatmamak.

stay-[3] *ön.* **~-at-home**, hep evde oturan, sokağa

çıkmaz. ~-**bar**/-**rod**, gergi çubuğu. ~**er, this horse is a good** ~, bu at dayanıklıdır. ~-**in**, ~ **strike**, oturma grevi. ~**ing**, ~ **power**, dayanıklılık. ~**sail**, velena/flok yelkeni.

stbd = STARBOARD.

ST·C = SHORT TITLE CATALOGUE. ~**D** = (*telefon*) SUBSCRIBER TRUNK DIALLING.

Std = STANDARD.

stead [sted]. Yer: **in s.o.'s** ~, birinin yerine: **stand s.o. in good** ~, birine pek yararlı olm., birinin işine yararmak. ~**fast** [-fəst], metin, sarsılmaz, sebatkâr: ~**ly**, metin olarak: ~**ness**, sebat. ~**ily**, metin olarak; gittikçe: **his health gets** ~ **worse**, sağlığı gittikçe fenalaşıyor. ~**iness**, sebat, metanet, devam. ~**ing**, çiftlik.

steady[1] ['stedi] *s.* Devamlı; sebatkâr, metin, sallanmaz, sarsılmaz; muntazam; mazbut; ağırbaşlı; durmuş oturmuş. ~!, yavaş!; kımıldanma!: ~ **on**!, yavaş!: **keep** ~, (i) kımıldamamak; (ii) *veya* **lead a** ~ **life**, çapkınlıktan ve hovardalıktan sakınarak namuslu ve düzenli bir tarzda yaşamak: ~ **state**, (*elek.*) normal akım: ~ **weather**, kararlı/sabit hava.

steady[2] *f.* Metanet vermek; kımıldamasını menetmek; teskin etm., yatıştırmak. ~ **(down)**, sakin olm., yatışmak: ~ **oneself against stg.**, bir şeye tutunmak/dayanmak: **marriage will** ~ **him down**, evlenince yatışır.

steak [steyk]. Kalın bir dilim et; biftek.

steal (*g.z.* **stole**, *g.z.o.* **stolen**) [stīl, stoul(n)]. Çalmak, aşırmak; hırsız olm.; hırsızlama yürümek. ~ **away**, sıvışmak: ~ **a glance at s.o.**, göz ucuyle bakmak, gizlice bakmak: ~ **a march on s.o.**, başkasından önce davranmak: ~ **the show**, (*tiy.*) beklenilmiyerek öteki aktörleri gölgede bırakmak.

stealth [stelθ]. Gizli teşebbüs. **by** ~, usullacık, gizlice; el altından. ~**ily**, gizlice. ~**iness**, gizlilik. ~**y**, sinsi, gizli; usullacık yapılan; hırsızlama.

steam [stīm] *i.* İstim; buhar; buğu. *f.* Buhar salıvermek, dumanlamak; (vapur/tren) gitmek; buğuda pişirmek; buğulamak. **at full** ~, bütün hızıyle: **full** ~ **ahead**, tam hızla ileri: **get up/raise** ~, istim getirmek: **head of** ~, istim basıncı: ~**ing hot**, çok sıcak: **let/blow off** ~, (i) kazandan istimi salıvermek; (ii) istim boşaltmak; (iii) (*mec.*) ağzını açıp gözünü yumarak hiddetini hafifletmek: ~ **open an envelope**, zarfın zamkını buğu ile eriterek açmak: **proceed under its own** ~, (gemi) kendi makinesiyle yürümek. ~**boat**, vapur; istimbot. ~-**coal**, dumanlı kömür. ~-**engine**, buğu/buhar makinesi; lokomotif. ~**er**, vapur; buhar tenceresi. ~**iness**, buharlı olma. ~**ing**, buharlama. ~-**radio**, (*kon.*) (TV'ye nazaran modası geçmiş) radyo. ~-**roller**, yol silindiri. ~**ship**, vapur. ~-**treat**, buharlamak. ~-**turbine**, buhar türbini. ~**y**, buharlı; buğulu. ~-**train**, (dizel-elektrikliye nazaran modası geçmiş) istimli tren.

stea·ric [sti'arik]. Stearinli, stearik. ~**rin** ['stīərin], stearin, donyağı. ~**tite** [-tayt], sabun taşı.

steed [stīd]. At.

steel [stīl] *i.* Çelik; çakmak; masat. *f.* Çelik gibi yapmak, katılaştırmak. **cold** ~, kesici silâhlar: **stainless** ~, paslanmaz çelik: **tempered** ~, menevişli çelik: ~ **oneself/one's heart**, kalbini katılaştırmak. ~-**clad**, (çelik) zırhlı. ~-**engraving**, çelik oymabaskı. ~**iness**, çelik gibi olma, sertlik. ~-**plated**, çelik zırhlı (gemi). ~-**wool**, çelik pamuğu. ~**work**, çelik işi. ~-**works**, çelik fabrikası. ~**y**, çelik kadar katı, sert. ~**yard**, kantar.

steep[1] [stīp] *f.* Suya batırıp bırakmak; işba etm.; (çay) demlemek; suda çok durmak; meşbu olm.; demlenmek.

steep[2] *s.* Sarp, dik, yalçın. **a** ~ **climb**, pek güç bir çıkış/tırmanış: ~ **story**, inanılmaz hikâye: ~ **price**, fahiş fiyat: **that's a bit** ~!, (*kon.*) bu kadarı da biraz fazla! ~**en**, daha sarp olm., dikleşmek. ~**ly**, sarp olarak. ~**ness**, sarplık, diklik.

steeple ['stīpl]. Dam üzerinde yüksek yapı; çan kulesi. ~**chase**, engelli yarış. ~**jack**, kule/baca tamircisi.

steer[1] [stiə(r)] *i.* Kasaplık öküz.

steer[2] *f.* Dümenle idare etm., rota vermek; dümeni kırmak; dümen dinlemek. ~ **clear of**, kaçınmak; -den sakınmak. ~**age**, dümen tesiri; üçüncü mevki güvertesi: **travel** ~, üçüncü mevkide seyahat etm.: ~-**way**, geminin dümene yeterli hızı. ~**ing**, (gemi) dümen tutma; dümen cihazı: ~-**column**, direksiyon mili: ~-**committee**, gündemi hazırlayan heyet: ~-**gear**, dümen donanımı; direksiyon cihazı: ~-**wheel**, (*den.*) dümen dolabı; (*oto.*) direksiyon (çarkı). ~**sman**, serdümen.

steeve[1] [stīv] (*den.*) (Cıvadıra) belli bir meyil açısı(nda bulunmak).

steeve[2] (*den.*) *i.* Dikme. *f.* Dikme ile yük yerleştirmek.

steganopod [ste'ganəpod]. Kürekayaklı kuş.

stela ['stīlə] (*ark.*) Yazıt/kitabeli dikili taş.

stele ['stīli] (*bot.*) Kök/sapın orta silindiri; (*ark.*) = STELA.

stell·ar ['stelə(r)]. Yıldız(lar)a ait. ~**ate(d)**, yıldız şeklinde. ~**ular** [-yūlə(r)], yıldızcıklarla süslenmiş.

stem[1] [stem] *i.* Sap, sak; ağaç gövdesi; şarap kadehinin sapı; piponun borusu; kelimenin kökü; ailenin silsilesi; (gemi) baş bodoslama; pruva. *f.* Saplarını koparmak. **from** ~ **to stern**, (*den.*) baştan kıça kadar. ~**less**, sapsız. ~**med**, saplı.

stem[2] *f.* Set çekmek; önlemek. ~ **the current**, akıntıya karşı ilerlemek.

stemma ['stemə]. Şecere; (*zoo.*) sadegöz.

sten [sten] (*M.*) ~-**gun**, hafif mitralyöz.

stench [stenç]. Pis koku; taaffün.

stencil ['stens(i)l] *i.* Delikli karton/madenden resim/marka kalıbı; şablon, dişimastar. *f.* Delikli kalıp vasıtasıyle harf/şekil vb. çizmek.

steno- ['stenə] *ön.* Steno-; dar, kısa. ~**graph** [-graf], stenografi yazısı; stenotip: ~**er**/~**ist** [-'nogrəfə(r), -fist], stenograf: ~**y**, steno(grafi). ~**haline**/~**phagous**/~**thermous**, (*zoo.*) steno·halin/-fag/-term. ~**type**, cümlecik için tek stenografi işareti.

stentorian [stən'tōriən]. (İnsan sesi) gök gürültüsü gibi.

step[1] [step] *i.* Adım; kısa mesafe; basamak; ıskaça; kapı eşiği; kademe, derece; ayak sesi; tedbir, teşebbüş, hareket. ~**s**, evin taş merdiveni: **(pair of)** ~**s**, ayaklı merdiven: ~ **by** ~, adım adım: **be in** ~/**keep** ~, adım uydurmak: **be out of** ~, bozuk adım atmak: **the first** ~ **will be to . . .**, yapılacak ilk şey . . .: **flight of** ~**s**, merdiven: **follow in s.o.'s** ~**s**, birinin eserini takip etm., birinin yolundan gitmek: **it's a good** ~ **to . . .**, . . . epeyce uzaktır: **a short** ~, kısa adım; yakın mesafe: **take** ~**s to**, . . . için tedbir

almak, teşebbüse girişmek: **watch your ~!**, (*kon.*) ayağını denk al!
step[2] *f.* Adım atmak; yürümek, gitmek; adımlamak; adımlar ile ölçmek. ~ **a mast**, geminin direğini ıskaçaya oturtmak: ~ **this way!**, bu tarafa gel! ~ **down**, aşağıya gelmek, inmek; çekilmek; (voltaj vb.) azaltmak. ~ **in**, içeriye girmek; müdahele etm. ~ **into**, ~ **into s.o.'s shoes**, (*kon.*) birinin yer/görevine geçmek. ~ **off**, (araba vb.)den inmek. ~ **on**, üzerine adım atmak, ayak bastırmak; çiğnemek: *~ **on the gas**, (*arg.*) otomobili hızlandırmak, gaza başmak. ~ **out**, adımlarını açmak; çıkmak; adımlarla ölçmek. ~ **over**, üzerinden geçmek: ~ **over the line**, haddi geçmek: ~ **over to the opposite house**, karşıki eve geçivermek. ~ **up**, yukarıya çıkmak: yükseltmek, artırmak, çoğaltmak.
step-[3] *ön.* Üvey; basamaklı, ayaklı. ~**brother/child/daughter/father**, üvey birader/çocuk/kız/baba. ~**-ladder**, ayaklı merdiven. ~**mother**, üvey ana: ~**ly**, üvey ana gibi; (*köt.*) merhamet/hissiz. ~**parents**, üvey ana baba.
steppe [step]. Bozkır, istep.
step·ped [stept]. Basamaklı; dereceli, kademeli. ~**ping-stone**, atlama taşı; (*mec.*) vasıta. ~**sister/son**, üvey kızkardeş/oğul.
-ster [-stə(r)] *son.* -ci [SONGSTER]; . . . olan [YOUNGSTER].
steradian [stə'reydiən] (*mat.*) = STEREO + RADIAN; steradyan.
stereo- [steriə-] *ön.* Katı; stereo-; üçboyutlu. ~**phonic** [-'fonik], üçboyutlu (ses). ~**scop·e** [-'skoup], stereoskop: ~**ic** [-'skopik], üçboyutlu (filim). ~**type** [-tayp] *i.* klişe, kalıpla basılmış (eser): *f.* stereotıpı basmak; tespit etm.: ~**d**, beylik: ~**d remark**, basmakalıp.
steril·e ['sterayl]. Kısır; akim, semeresiz; verimsiz; aseptik. ~**ity** [stə'riliti], kısırlık; akamet. ~**ize** ['sterilayz], takim etm.; sterilize etm., kısırlaştırmak. ~**izer**, sterilizatör; buğuhane.
sterlet ['stəlit]. Çığa/çoka balığı.
sterling ['stəlin(g)]. İng. lirası, sterlin; (*mec.*) halis, hakikî; değerli; tam ayar. ~**-area**, paraları İng. lirasına bağlı olup yedek paraları sterlin olan memleketler. ~**-balance**, İng. lirasıyle ödenmesi gereken denge.
stern[1] [stən] *s.* Sert; ciddî; merhametsiz; yavuz.
stern[2] *i.* (*den.*) Kıç tarafı, pupa; (*hav.*) kuyruk, kıç; (*zoo.*) kuyruk; (*kon.*) kıç. **anchor by the** ~, kıçtan demirlemek: ~ **chase**, arkadan gelen bir gemi tarafından takip: **be down by the** ~, kıçı iyice suya batmak: **sink** ~ **foremost**, (gemi) kıçtan batmak.
sternal ['stənəl]. Göğüs kemiğine ait.
stern- *ön.* ~**-chaser**, kıç topu. ~**-drive**, kıçtan takma transmisyonlu iç motor. -~**ed** [-nd] *son.* -kıçlı. ~**-fast**, kıçtan demirlenmiş. ~**-gallery**, kanaryalık.
stern·ly ['stənli]. Sert sert. ~**ness**, sertlik.
sternmost ['stənmoust]. Kıça doğru/en yakın olan.
sterno- [stənou-] *ön.* Göğüs kemiğine ait.
stern- *ön.* ~**-painter**, panya. ~**-post**, kıç bodoslaması. ~**-sheets**, (sandalye) içerisinin kıç tarafı. ~**ward(s)**, kıça doğru. ~**way**, tornistan (etme): **have** ~, tornistan etm., kıçın kıçın gitmek. ~**wheel**, kıç çarkı.
sternum ['stənʌm]. Göğüs kemiği, sternum.
sternutat·ion [stənyu'teyşn]. Aksırma. ~**or**, aksırtıcı madde: ~**y**, aksırtıcı.
steroid ['stīroyd] (*kim.*) Steroit.
stertorous ['stətərəs]. Horultulu.
stet [stet] (*bas.*) Kalsın! (*Yapılan düzeltme iptal etmek için kullanılan tabir.*)
stethoscope ['steθəskoup]. Dinleme aleti; stetoskop.
***stetson** ['stetsən]. Geniş kenarlı Teksas şapkası.
stevedore ['stīvədō(r)]. İstifçi, tahliyeci.
stew [styū] *i.* Yahni; bastı; (*mer.*) genelev. *f.* Kapanmış bir kap içinde ağır ağır pişirmek, yavaş yavaş kaynatmak; (*arg.*) sıcaklıktan boğulmak. **be in a** ~, (*arg.*) etekleri tutuşmak: ~**ed apples, etc.**, elma vb. kompostosu: ~**ed tea**, fazla demlenmiş çay: **let him** ~ **in his own juice**, bırak ne hali varsa görsün. ~**pan**/~**pot**, güveç; tencere.
steward ['styūəd]. Vekilharç; kâhya, sofracı; idare memuru; metrdotel; (*den.*) kamarot: **shop** ~, bir fabrikada sendika memuru. ~**ess**, kadın kamarot. ~**ship**, kâhyalık, vekilharçlık: **give an account of one's** ~, idaresinin hesabını vermek.
St.Ex. = STOCK EXCHANGE.
stg = STERLING; SOMETHING.
Sth. = SOUTH.
sthenic ['sθenik] (*tıp.*) Olağanüstü olarak güçlü/faal.
stibium ['stibiəm]. Antimon.
stick[1] [stik] *i.* Değnek, çubuk, baston; sırık; dal, sap. *f.* Hereklemek; sırık ile desteklemek. **the big** ~, kuvvet kullanma, zora başvurma: **any** ~ **to beat a dog**, sevmediği bir adamı küçük düşürmek için her şeyine kulp takmak caizdir: **get the** ~, dayak yemek: **gather** ~**s**, kuru dal toplamak: **not a** ~ **was saved**, bir çöp bile kurtulmadı: **walking-**~, baston: **have hold of the wrong end of the** ~, bir şeyi ters anlamak, yanlış mana vermek: **without a** ~ **of furniture**, döşeme namına hiç bir şey yok: ~ **of candy**, bir parça şekerleme: = JOYSTICK.
stick[2] (*g.z.(o.)* **stuck** [stʌk]) *f.* Yapıştırmak; sokmak, saplamak; hançerlemek; koymak; atıvermek; tahammül etmek; yapışmak, yapışık kalmak; kalmak, gitmemek; vazgeçmemek; saplanmak. ~ **it**, dayanmak: **I can't** ~ **him**, ona tahammül edemem: **here I am and here I** ~**!**, buradayım ve buradan kımıldanmam: **be stuck**, saplanmak; kımıldanamamak; işin içinden çıkamamak; anlıyamamak: **I lent Ali my dictionary, but he's stuck to it**, Aliye sözlüğümü ödünç verdim, üstüne oturdu: **some of the money stuck to his fingers**, paranın bir kısmını ziftlendi/deve yaptı: ~ **by/to a friend**, bir dosta sadık kalmak, yardım etm.: ~ **to one's guns**, sebat etm., bildiğinden şaşmamak: **the lift has stuck**, asansör sıkışıp kaldı, işlemiyor: ~ **to one's post**, yerini terketmemek; görevinden ayrılmamak: **it** ~**s in my throat**, ben bunu hazmedemiyorum: ~ **no bills!**, ilân yapıştırmak yasaktır!: ~ **together**, (i) birbirinden ayrılmamak; 'anca beraber kanca beraber' olm.: (ii) (iki şeyi) birbirine yapıştırmak: ~ **to one's word**, sözünden şaşmamak. ~ **at**, ~ **at a job**, bir işe durmadan devam etm.: **he** ~**s at nothing**, hiç bir şeyden çekinmez: **I rather** ~ **at doing that**, doğrusu, bunu yapmağa düşünürüm. ~ **down**, ~ **it down anywhere!**, nereye olursa olsun koyuver!: ~ **down an envelope**, zarfı yapıştırmak: ~ **down in a notebook**,

not defterine yazıvermek. ~ **on**, üzerine yapıştırmak; üzerinde yapışık kalmak: ~ **it on**, (*arg.*) çok pahalıya satmak; hesaba ilâveler yapmak. ~ **out**, çıkıntılı olm.; kaba durmak, kabarmak: dayanmak; kabartmak: ~ **it out**, dayanmak: ~ **out one's chest**, göğsünü şişirmek: ~ **out one's hand before stopping**, (otomobilde) duracağını göstermek için elini uzatmak: ~ **out for higher wages**, ısrarla fazla ücret istemek. ~ **up**, (ilânı vb.) duvara vb.ne yapıştırmak; dikmek; dik durmak: ~ **up for s.o.**, birini savunmak, tarafını tutmak.

stick-[3] *ön.* ~**er**, yapıştırıcı; etiket, ilân; (*mec.*) dayanıklı bir kimse. ~**ful**, (*bas.*) kumpas dolusu. ~**ily**, yapışkan olarak. ~**iness**, yapışkanlık. ~**ing**, yapışma: ~**-place**/**-point**, (*mec.*) duracak yer/nokta: ~**-plaster**, İng. yakısı. ~**-insect**, sopa çekirgesi. ~**-in-the-mud**, pısırık; eski kafalı; uyuşuk. ~**jaw**, (*arg.*) yapışık ve çiğnenmez bir şekerleme vb.

stickleback ['stiklbak]. Dikence, dikenlibalık.

stickler ['stiklə(r)]. **a** ~ **for stg.**, (bir konuda) mutaassıp, titiz: **a** ~ **for discipline**, disiplin meraklısı: **a** ~ **for ceremony**, merasimperest.

sticky ['stiki]. Yapışkan; sıvışık; geçimsiz, aksi. **he will come to a** ~ **end**, (*arg.*) akibeti fena olacak. ~**-beak**, (*Avus., arg.*) burnu sokan. ~**-patch**, müşkül fakat geçici bir durum. ~**-weather**, sıcak ve rutubetli hava.

stiff [stif] *s.* Eğilmez, bükülmez; katı, sert; nezaketsiz, resmî; güç, zor: (içki) kuvvetli: (fiyat) fahiş; (gemi) rüzgârdan kolayca yana yatmaz. *i.* (*arg.*) Ceset. **be** ~ **(from sitting still)**, her tarafı tutulmak; **(from great exertion)**, her tarafı ağrımak: **be** ~ **with** . . ., (*arg.*) -le dolu olm.: **have a** ~ **neck**, boyunu tutulmak: **offer** ~ **resistance**, şiddetli mukavemet göstermek: **that's a bit** ~!, (*kon.*) bu kadarı da bir az fazla! ~**en** [-fn], katılaş(tır)mak; pekiş(tir)mek; koyulaş(tır)mak; sertleş(tir)mek; takviye etm., takviyelendirmek: ~**er**, takviye (parçası); pekiştirme; (*mod.*) tela: ~**ing**, takviye, tela. ~**ish**, oldukça sert/güç. ~**ly**, eğilmez bir şekilde. ~**-necked**, bağ eğmez, inat(çı). ~**ness**, bükülmezlik; sertlik; rijitlik.

stifl·e[1] ['stayfl] *f.* Boğmak; nefesini tıkamak; bastırmak. ~**ing**, boğucu.

stifle[2] *i.* Atın arka bacağındaki diz yeri.

stigma[1], *ç.* ~**ta** ['stigmə(tə)] (*bot.*) Tepecik, dişicik başı.

stigma[2] (*tar.*) Canilere kızgın demirle vurulan damga; (*şim.*) namus lekesi; rezalet. ~**tize**, damgalamak; terzil etm., takbih etm.; kötü bir isnatta bulunmak.

stile [stayl]. Çitten asmak için basamak. **help a lame dog over a** ~, yardıma muhtaç olana yardım etm.

stiletto [sti'letou]. Sivri kama.

still[1] [stil] *s.* Hareketsiz; rahat, sakin, durgun; sessiz. *i.* Sükûnet; (*sin.*) fotoğraf. *f.* Teskin etm.; gidermek. **stand**/**lie**/**keep** ~, kımıldanmamak: ~ **wines**, köpüklü olmıyan şaraplar: **the** ~ **small voice**, vicdan: ~ **waters run deep**, (i) yumuşak huylu atın çiftesi pektir; (ii) yere bakar yürek yakar.

still[2] *zf.* Hâlâ; bununla beraber; ne de olsa; maamafih; daha; yine.

still[3] *i.* İmbik; distilasyon cihazı, damıtma aygıtı: **illicit** ~, caiz olmıyan viski vb. fabrikası.

still-[4] *ön.* ~**-birth**/**-born**, ölü doğma/doğmuş: ~ **plan**, geleceği olmıyan bir proje. ~**ing**, fıçı sehpası. ~**-life**, (*san.*) natürmort, cansız/ölü doğa. ~**ness**, sükûn, sükût; durgunluk. ~**-room**, içki/konserve kileri. ~**y** ['stil·li] *zf.* sakin/durgun/sessiz olarak: ['stili] *s.* (*şiir.*) durgun, sessiz.

stilt [stilt]. Yerden yüksekte yürümek için ayaklıkları bulunan uzun koltuk değnekleri. ~**(-bird)**, kıyı koşarı. ~**ed**, (üslup) tumturaklı, yapmacıklı.

Stilton ['stiltən]. Bir İng. damarlı peyniri.

stimul·ant ['stimyulənt]. Münebbih, uyarıcı; tahrik edici; alkollu içki. ~**ate** [-leyt], tahrik ve teşvik etm., uyarmak; gayrete getirmek, canlandırmak. ~**ation** [-'leyşn], uyarma vb. ~**ator**/~**us** ['stim-], münebbih, uyarıcı, uyartı; müşevvik, ayartan, kışkırtan; canlandırıcı şey: **give a** ~ **to**, teşvik etm., canlandırmak.

stimy ['staymi] = STYMIE.

sting (*g.z.*(*o.*) **stung**) [stin(g), stʌn(g)] *f.* (Arı/akrep vb.) sokmak, geğelemek; haşlamak; yakmak; yanmak; acıtmak, ıstırap vermek. *i.* (Arı vb.) iğne, ibre; (*bot.*) ısırgan tüyü; sokma; içi kıvranma, ıstırap. **that cane** ~**s**, o değnek insanın canını yakar: **his conscience stung him**, vicdan azabı duydu: **the remark stung him (to the quick)**, bu söz (zehir gibi) içine işledi: **his speech had no** ~ **in it**, nutku çok cansız/ruhsuzdu: **with a** ~ **in the tail**, söz/hareketin sonu iğneli/kötü etkili. ~**aree** [-gəri] = ~**-ray**. ~**er**, iğne, diken; yakıcı bir darbe.

sting·ily ['stincili]. Cimri olarak. ~**iness**, cimrilik, nekeslik. ~**y**, cimri, mümsik, eli sıkı, çingene gibi.

sting·ing ['stin(g)gin(g)]. Sokucu; yakıcı: ~**ly**, iğneli/yakıcı olarak: ~**-nettle**, ısırgan otu. ~**less**, iğne/dikensiz; etkisiz. ~**o**, (*mer.*) kuvvetli bira. ~**-ray**, dikenli uyuşturan balık.

stink (*g.z.* **stank**/**stunk**, *g.z.o.* **stunk**) [stin(g)k, stan(g)k, stʌn(g)k] *f.* Pis kokmak. *i.* Pis koku; taaffün. ~ **out**, fena koku/duman ile kaçırmak: **cry** ~**ing fish**, kendi malını kötülemek (yoğurtçunun yoğurdum karadır demesi gibi): **it** ~**s in the nostrils**, koklayanın burnu düşer. ~**ard** [-kəd], pis kokan adam/hayvan. ~**-ball**/**-bomb**, pis koku yayan gaz bombası. ~**bug**, pis kokulu bir böcek. ~**er**, (*arg.*) alçak, pis herif: **write s.o. a** ~, birine pek şiddetli bir mektup yazmak: **the exam-paper was a** ~, sınav soruları berbattı. ~**ing**, pis kokan; pek kötü. ~**o**, (*arg.*) sarhoş. ~**-trap**, pis kokuların yayılmasını önleyen sifon.

stint[1] [stint] *i.* Had, sınır; muayyen bir iş/görev. *f.* Kısmak, sınırla(ndır)mak; esirgemek. ~ **oneself**, kendini bir şeyden mahrum etm.: **without** ~, bol bol, esirgemiyerek: **give without** ~, ibzal etm., esirgemeden/bol bol vermek. ~**ed**, sınırlan(dırıl)mış. ~**ing**, cimri. ~**less**, hadsiz.

stint[2]. **little** ~, küçük kum kuşu.

stipe [stayp] (*bot.*) Ana sap. ~**l**, tali STIPULE.

stipend ['staypend]. Maaş (*bilh.* papazlarınki). ~**iary** [-'pendiəri], belirli maaş alan: ~ **magistrate**, Londra ve büyük şehirlerde maaşlı sulh hâkimi.

stippl·e ['stipl]. Ufak noktalarla resim yapma(k). ~**er**, böyle yapan ressam; onun fırçası. ~**ing**, noktalı işi.

stipulat·e ['stipyuleyt]. Şart koşmak; şartları tayin etm. ~**ion** [-'leyşn], şart. ~**or**, şart koşan kimse.

stipule ['stipyūl]. Ana sapın dibindeki yaprakçık.

stir [stə̄(r)] *i.* Kımılda(t)ma; hareket; karıştırma;

heyecan, patırdı, telâş; (*arg.*) cezaevi. *f.* Kımıldatmak; karıştırmak; faaliyete geçirmek; heyecanlandırmak; tahrik etm.; kımıldanmak. **there is not a ~**, ortalıkta çıt yok: **there is not a breath of air ~ing**, yaprak kımıldamıyor: **~ one's blood**, kanını tutuşturmak: **he is not ~ring yet**, hâlâ (leş gibi) yatıyor: **make/create a ~**, heyecan uyandırmak: **a place full of ~**, çok canlı bir yer: **~ s.o. to pity**, birinin merhametini tahrik etm.: **if you ~, I shoot!**, davranma, yakarım!: **~ s.o.'s wrath**, birini gazaba getirmek: **do ~**, (*arg.*) hapsedilmek. **~ up**, karıştırmak; canlandırmak; teşvik etm., kışkırtmak. **~about** [-rəbaut], faal; hareketli. **~less**, hareketsiz.

stirk [stɜ̄k]. Düve; genç öküz.

stirp·iculture ['stɜ̄pikʌlçə(r)]. Özel hayvanların yetiştir(il)mesi. **~s**, (*huk.*) ata; grup ceddi; (*zoo.*) soy.

stirr·er ['stɜ̄rə(r)]. Karıştırıcı, karmaç. **~ing**, karıştırma: *s.* heyecanlandırıcı, kımıldayan: **~ times**, heyecanlı günler.

stirrup ['stirəp]. Üzengi. **~-bone**, üzengi kemiği. **~-cup**, ayrılma anında biniciye verilen içki. **~-leather**, üzengi kayışı. **~-pump**, hafif portatif tulumba.

stitch [stiç]. Dikiş (dikmek); örgülerde ilmik; geğrek batması. **~ up**, yırtığı dikmek; yarayı dikmek: **a ~ in time saves nine**, zamanında onarılan küçük bir hata büyük kötülüklerin önüne geçer: **without a ~ of clothing**, çırılçıplak: **with every ~ of canvas set**, (*den.*) bütün yelkenleri fora.

stiver ['stayvə(r)]. Değersiz bir şey.

STO = SEA TRANSPORT OFFICER.

stoa ['stouə] (*ark.*) Kemeraltı, revak.

stoat [stout]. Kakım, as.

stochastic [stə'kastik]. İhtimal kaidelerine bağlı.

stock[1] [stok] *i.* Şebboy.

stock[2] *s.* Beylik, basmakalıp.

stock[3] *i.* Mevcut; birikim, demirbaş, stok, eldeki mal; sermaye, varlık; pay belgiti, hisse senedi, devlet eshamı; (*bas.*) eldeki nüsha/sayılar; döl soy; kütük; pafta kolu; dipçik; kundak; et suyu; büyük boyunbağı; çiftlik hayvanları: **~s**, (*den.*) tezgâh, kızak; (*mal.*) esham ve tahvilat; (*tar.*) suçlunun ayakları geçirilerek teşhir edildiği tahta kanape: **take ~**, envanter yapmak: **take ~ of**, sezmek.

stock[4] *f.* Bir dükkân/çiftlik/kiler vb.ne lâzım olan şeyleri/hayvanları alıp saklamak; stok yapmak; sermayesini tedarik etm.; mağazada satılacak şey tutmak; ambara yığmak; tüfeğe kundak takmak.

stockade [sto'keyd]. Şarampol; kazıklarla yapılmış set.

stock·book ['stokbuk]. Stok/eşya/mal defteri. **~-breeder**, hayvan yetiştiricisi. **~-broker**, borsa acente/temsilcisi: **~ belt**, (Londra civarında) zenginler bölgesi. **~-car**, (*dem.*) hayvan/sığır vagonu; (*oto.*) (yarışlara katılan) seri otomobil. **~-company**, anamal payları olan ortaklık. **~-dove** [-dʌv], gök güvercin. **~-exchange**, borsa, taşınır değerler borsası. **~-farm(er)**, hayvan yetiştiren çiftlik (çiftçi). **~-holder**, hissedar, pay sahibi, ortak.

Stockholm ['stokhoum]. Stockholm: **~ tar**, İsveç katranı.

stocki·ly ['stokili]. Bodur olarak. **~ness**, bodurluk.

stockin·ette [stoki'net]. İç çamaşırı için kullanılan ince örgülü bir kumaş. **~g** ['stokin(g)], çorap: **white ~**, atın sekisi: **~ed**, çoraplı: **in ~ed feet**, ayakkabı giymeden: **~-frame/-loom**, çorap tezgâh/makinesi: **~-mask**, kimliğini gizlemek için başına giyilen naylon çorap.

stock·ist ['stokist]. Eşya stokunu tutan adam, stokçu. **~-in-trade**, mağaza mevcudu; stok; fon dö komers; temcit pilavı, klişe. **~-jobber**, borsa aracı/simsarı. **~less**, dipçiksiz. **~-list**, (borsa) fiyat listesi. **~-man/-rider**, (*Avus.*) sığırtmaç. **~-market**, borsa. **~pile**, gelecek bir talebe karşı stok (yapmak). **~-raising**, hayvan yetiştirmesi. **~-still**, tamamen hareketsiz. **~-taking**, envanter. **~yard**, (satılmadan önce) hayvanlar yeri.

stocky ['stoki]. Kısa boylu fakat sağlam yapılı.

stodgy ['stoci]. Ağır, sıkıcı (kitap vb.); doyurucu (yemek).

stoic ['stouik]. Stoacı; metin. **~al**, stoacılara mensup; metin. **~ism** ['stouisizm], stoacılık; metanet.

stoichiometry [stīki'ometri] (*kim.*) Karma/unsur birleşme bilgisi.

stoke ['stouk]. İstim makinesi/ocak/kalorifer kazanına kömür atmak, karıştırmak vb. **~ up**, ocak vb.nin ateşini artırmak; (*arg.*) karnını doyurmak. **~hold**, (*den.*) ocak dairesi. **~-hole**, ocak dairesi; külhan (kapağı); kalorifer kazanının yeri. **~r**, ocakçı; vapur ateşçisi.

stokes [stouks] (*fiz.*) Kinematik koyuluk birimi, stokes.

STOL = SHORT TAKE-OFF AND LANDING. **~port** = STOL AIRPORT.

stole[1] [stoul] *i.* Rahibin ayinlerde giydiği boyun atkısı; (kadın) kürk atkı.

stole[2] *g.z.* = STEAL. **~n**, *g.z.o.* = STEAL: *s.* çalınmış: **~ glance**, kaçamak bakış.

stolid ['stolid]. Teessürsüz; duygusuz; görünüşte aptal. **~ity** [-'liditi], duygusuzluk; soğukluk; teessür duymamazlık. **~ly**, duygusuz olarak.

stolon ['stoulən] (*bot.*) Yeraltı filizi.

stoma ['stoumə] (*biy.*) Ağızcık.

stomach ['stʌmək] *i.* Mide, karın. *f.* (*Gen. olumsuz ve mecazî anlamda*) hazmetmek; tahammül etmek. **on an empty ~**, açkarnına: **on a full ~**, yemek üstüne: **he has no ~ for adventure**, sergüzeştlere hevesi yok: **it makes my ~ rise**, midemi bulandırıyor: **turn one's ~**, mide bulandırmak. **~-ache** [-eyk], mide ağrısı. **~al**, mideye ait. **~er**, (*mer.*) korsaj. **~ful**, karın/mide dolusu. **~less**, midesiz; iştahsız. **~-pump**, mide yıkamak için kullanılan tulumba.

stom·atitis [stoumə'taytis] (*tıp.*) Ağız iltihabı. **~ato-**, *ön.* agız+. **-~y**, *son.* bir deliğin açılması.

stomp [stomp]. Yere ağırca vurup dans etm.

s. ton = SHORT TON.

stone [stoun] *i.* Taş; kıymetli taş; (meyva) çekirdek; 14 librelik (6,35 kg) İng. ölçüsü; (mesane/böbrek) kum hastalığı. *s.* Taştan yapılmış; taş+. *f.* Taşlamak. **~ the crows!**, (*arg.*) *hayret/nefret ifade eden nida*: **a rolling ~ gathers no moss**, yuvarlanan taş yosun tutmaz: **leave no ~ unturned**, çalmadık kapı bırakmamak, başvurmadığı çare kalmamak: **not to leave a ~ standing**, yerle yeksan etm.: **a ~'s throw**, yirmi otuz adım, taş atımlığı: **cast ~s at**, birine taş atmak; (*mec.*) eleştirmek. **~ Age**, Taş Çağı. **~-blind**, tamamen kör, gözü hiç görmez. **~-breaker/-crusher**, taş kırma makinesi. **~chat**, taş kuşu, takırdayan kuyrukkakan. **~-circle**, (*ark.*)

megalit dairesi. ~**-coal**, taş kömür. ~**-cold**, çok soğuk. ~**crop**, (*bot.*) kaya koruğu. ~**-curlew**, kalınbacaklı kuş. ~**d**, (meyva) çekirdekleri çıkarılmış; (*arg.*) sarhoş. ~**-dead**, taş gibi ölü. ~**-deaf**, hiç işitmez, sağır. ~**-dresser**, taşçı. ~**-fruit**, çekirdekli meyva. ~**-ground**, değirmentaşlarıyle öğütülmüş. ~**less**, çekirdeksiz; taşsız. ~**-mason**, taşçı. ~**-pine**, fıstıkçamı. ~**-pit**/**-quarry**, taş ocağı. ~**-still**, hiç kımıldamıyarak. ~**-wall**, taş/kârgir duvar; (*sp.*) ihtiyatla vurmak; (*id.*) engellemecilik yapmak. ~**ware**, çömlekçi işi. ~**work**, duvar işi.

ston·ily ['stounili]. Soğuk bir şekilde. ~**iness**, taş gibi olma; soğukluk. ~**y**, taşlık; taşımsı, taş gibi: **a** ~ **look**, soğuk bakış: ~ **politeness**, buz gibi nezaket: ~**-broke**, (*kon.*) tırıl, dımdızlak: ~**-hearted**, taş yürekli.

stonker ['ston(g)kə(r)] (*Avus.*) Şaşırtmak, yormak, yenmek.

stood [stud] *g.z.(o.)* =STAND².

stooge [stūc] *i.* Başkasının aleti olan insan; yardakçı; acemi. *f.* Acemi olm.: ~ **around**, (*arg.*) boş gezmek; (*hav.*) (uçak) iniş izni bekleyip havada dolaşmak.

stook [stūk] *i.* Ekin demetleri yığını, dokurcun. *f.* Ekin demetlerini dokurcunlara koymak.

stool [stūl]. Arkalıksız küçük iskemle, tabure; (*tıp.*) büyük aptes. **fall between two** ~**s**, iki cami arasında beynamaz: **go to** ~, defi hacet etm. ~**ie**/~**-pigeon**, çığırtkan güvercin; (*mec.*) polis hafiyesi.

stoop¹ [stūp] *f.* Öne doğru eğilmek; azıcık kambur olm.; alçalmak, tezellül etm.; (doğan) havadan inip avına vurmak. **I wouldn't** ~ **to such a thing**, böyle şeye tenezzül etmem: ~ **to conquer**, gayesine erişmek için alçalmak. ~**ing**, hafifçe kamburlaşmış.

stoop² (*mim.*) Evin önündeki saçaklık/taraça.

stop¹ [stop] *i.* Durma; durdurma; stop; duraklama; durak; sekte; tutma/durdurma vasıtası; org düğmesi; flüt anahtarı, kle; mercek perdesi; nokta. **compulsory**/**emergency**/**request** ~, mecburî/acele/ihtiyarî durak: **bring to a** ~, durdurmak; sekteye uğratmak: **come to a** ~, bir durağa gelmek; durmak; kesilmek; dinmek; sekteye uğramak: **make a** ~, durmak; mola vermek; bir yerde geçici olarak kalmak: **put a** ~ **to**, -e son vermek.

stop² *f.* Durmak, duraklamak; kesilmek; misafir kalmak; durdurmak, alıkoymak; stop et(tir)mek; kesmek; tıkamak; (diş) doldurmak; tatil etm.; menetmek, yaptırmamak. ~ **it!**, artık yeter!: ~ **at nothing**, hiç bir şeyden çekinmemek; her şeyı göze almak: **he did not** ~ **at that**, bunun ile yetinmedi, bununla kalmadı: ~ **away**, gelmemek; bir süre için evden başka bir yerde kalmak: ~ **(payment of) a cheque**, bir çekin ödemesini durdurmak: ~ **dead**/**short**, birdenbire durmak: ~ **down a lens**, mercek perdesini küçültmek: ~ **for s.o.**, birini beklemek; birini almak için araba vb.ni durdurmak: ~ **a gap**, delik/gedik tıkamak; bir eksikliği tamamlamak: **he never** ~**s talking**, o susmak bilmez: ~ **up**, tıkamak.

stop-³ *ön.* ~**-cock**, kapama musluk/supabı. ~**-gap**, geçici çare; iğreti olarak kullanılan şey, yasak savma. ~**-go**, (*mal.*) daraltma ile genişletmeyi nöbetleşe değiştiren (politika). ~**-lamp**, stop lambası. ~**-light**, stop feneri. ~**page** [-pic], durdurma; tatil; alıkoyma; maaştan kesilen miktar, kesinti, tevkifat; tıkanma. ~**per**, tapa, tıkaç. ~**ping**, *s.* (*dem.*) her istasyonda duran (tren): *i.* (diş) dolgu. ~**-plate**, (*müh.*) uç/sınır levhası. ~**-press**, makineye verilirken/son dakika (haberler). ~**-valve**, kesme valfı, durdurma musluğu. ~**-watch**, saniye kesirine kadar ölçen ve duğme ile işletilen hassas saat; (*sp.*) stopvaç, anölçer.

stor·able ['stōrəbl]. Depo/buzdolabında tutulur. ~**age** [-ric], biriktirme; iddihar; bekletme; dinlendirme; depoya koyma; depo, ambar, ardiye; ardiye/koruncak ücreti: **cold** ~, buz(dolabın)da muhafaza: ~**-battery**, akümülatör: ~**-capacity**, depo(lama) hacmi: **(night)** ~**-heater**, (geceleyin işletilen) toplayıcı elektrik sobası.

storax ['stōraks]. Buhur/günlük ağacı.

store¹ [stō(r)] *f.* Bir şeyi sonradan kullanmak üzere saklamak; depo/ardiyeye koymak; erzak/levazım ile doldurmak: ~ **up**, biriktirip saklamak; istif etm., yığmak, toplamak.

store² *i.* Depo, ambar, koruncak, ardiye; sundurma, hangar; mağaza; *dükkân; biriktirilmiş şeyler; stok; bolluk: ~**s**, kumanya, erzak; levazımat; çeşitli eşya satan büyük mağaza. **this book is a** ~ **of information**, bu kitap bilgi hazinesidir: ~ **cattle**, besili olmıyan sığırlar: **department(al)** ~**s**, her türlü eşya satan büyük mağazalar; bonmarşe: **hold**/**keep in** ~, ileride kullanmak için saklamak: **we do not know what the future has in** ~ **for us**, geleceğin bize ne hazırladığını bilmiyoruz: **I have a great surprise in** ~ **for you**, size büyük bir sürprizim var: **lay in a** ~ **of stg.**, bir şeyi depo edip iddihar etm.: **set great** ~ **by stg.**, bir şeye çok önem vermek: **set little** ~ **by stg.**, bir şeyi hiçe saymak, ona önem vermemek: **war** ~**s**, savaş mühimmat ve levazımı. ~**house**, antrepo, ardiye: **he is a** ~ **of information**, havadis/bilgi kumkumasıdır. ~**keeper**, ambar memuru; kumanya memuru; kilerci; *dükkâncı. ~**-room**, kiler. ~**-ship**, donanma/garnizon için levazımat nakleden gemi.

storey ['stōri]. Kat. **upper** ~, (*arg.*) beyin, kafa. -~**ed**, *son.* . . . katlı (ev).

storied ['stōrid]. Tarihî; tarih/bir hikâyeye ait resimlerle süslenmiş.

-storied *son.* . . . katlı (ev).

stork [stōk]. Leylek.

storm [stōm] *i.* Fırtına, bora; (alkış vb.) tufan; hücum; kıyamet; telâş. *f.* Kıyamet koparmak; çok hiddetlenmek; (bir şehir/mevkii) hücumla zaptetmek. **bring a** ~ **about one's ears**, başına belâ çıkarmak: ~ **centre**, kasırga merkezi; kargaşalık nüvesi: **stir up a** ~, kıyamet kopartmak: **take by** ~, şiddetle hücum ederek ele geçirmek: **take the audience by** ~, dinleyicileri büyülemek: **a** ~ **in a teacup**, bir bardak suda fırtına. ~**-belt**, (*coğ.*) kasırga bölgesi. ~**-bound**, (gemi) fırtına sebebiyle bir yerde durmuş. ~**-centre**, kasırga merkezi. ~**-cloud**, fırtına bulutu; (*mec.*) tehlike işareti. ~**-cock** = MISSEL-THRUSH. ~**-cone**/**-drum**, gemilere haber veren koni/silindir şeklinde fırtına işareti. ~**-door**, fırtınaya karşı eklenti olan dış kapı. ~**-drain**, yağmur ana borusu. ~**ily**, fırtınalı/gürültülü olarak. ~**ing-party**, hücum kıtası. ~**-proof**, fırtınalara dayanır. ~**-sail**, küçük ve çok dayanıklı yelken. ~**-signal**, (*den.*) fırtına işareti. ~**-tossed** [-tost], (gemi) dalgalar üzerinde sallanan. ~**-troop·er**, hücum askeri: ~**s**, hücum kıtaları. ~**-window**, eklenti olan dış pencere. ~**y**, fırtınalı; heyecanlı, gürültülü.

story[1] ['stōri] *i.* Hikâye, masal; rivayet; martaval; (*bas.*) röportaj. **short** ~, öykü: **build up a** ~, bir haberi büyütmek: **cover a** ~, (*bas.*) bir habere bakmak: **but that's another** ~, onu başka bir zaman anlatırım: **that's quite another** ~, o büsbütün başka; o ayrı bir şey: **it's quite another** ~ **now**, eski çamlar bardak oldu: **make a long** ~ **short**, sözü uzatmamak: **the same old** ~, eski hamam eski tas: **tell stories**, gammazlık etm.; yalan söylemek: **these empty bottles tell their own** ~, (başka söze hacet yok) bu boş şişeler kâfi derecede izah ediyor. ~**-book**, öyküler koleksiyonu; hikâye kitabı; roman. ~**-teller**, hikâyecı; (*kon.*) martavalcı. ~**-writer**, hikâyeci, romancı.

story[2] = STOREY.

stout[1] [staut] *i.* Siyah bira.

stout[2] *s.* Şişman; sağlam, metin; cesur, yiğit. **a** ~ **fellow**, yaman bir adam. ~**-hearted**, cesur, yiğit. ~**ish**, oldukça şişman. ~**ly**, sağlam olarak; yiğitçe. ~**ness**, şişmanlık; sağlamlık; yiğitlik.

stove[1] [stouv] *i.* Soba; fırın; etüv. *f.* Sobada kurutmak. ~**-pipe**, soba borusu: * ~ **hat**, (*kon.*) silindir şapka.

stove[2] *g.z.(o.)* = STAVE[2].

stow [stou]. İstif etm., istiflemek; yerine koymak, düzeltmek: ~ **away**, bir yerde saklamak; (*den.*) neta etm.; kaçak yolculuk etm.: ~ **it!**, (*arg.*) sus!; yapma! ~**age** [-ic], istif (yer/ücreti). ~**away**, kaçak yolcu.

STP = STANDARD TEMPERATURE AND PRESSURE.

strab·ismus [strə'bizməs] (*tıp.*) Şaşılık. ~**otomy** [-'botəmi], şaşılığı düzeltmek için yapılan ameliyat.

straddle ['stradl]. Apış(tır)mak; apışarak bir şeyin üzerinde oturmak; (topculuk) hedefin bir ilerisine bir gerisine ateş ederek mesafeyi ayarlamak.

strafe [streyf]. Bombardıman (etm.); (*mec.*) ceza(-landırmak).

straggl·e ['stragl]. Sürüden ayrılmak; dağılarak gitmek. ~**er**, geri kalan adam/asker; sürüden ayrılmış hayvan. ~**ing**/~**y**, dağınık; seyrek.

straight [streyt] *s.* Doğru; müstakim; dik; dümdüz; dürüst, namuslu; açık; alelâde, normal, beylik. *i.* Düz hat şeklinde olan kısım. *zf.* Açıkça; hemen; sapmadan; tam; doğrudan doğruya. **act on the** ~, dürüst hareket etm.: **be** ~ **with s.o.**, birine gerçeği söylemek; birine karşı dürüst hareket etm.: **drink** ~ **from the bottle**, bardak kullanmadan şişeden içmek; şişeyi dikmek: **look s.o.** ~ **in the face**, birinin gözüne bakmak: **he hit me** ~ **in the face**, tam yüzüme vurdu: **a** ~ **fight**, iki kişi arasında kavga; (seçimde) yalnız iki aday arasında mücadele: ~ **off**, tereddüt etmeden; derhal: ~ **out**, dobra dobra, açıkça: **out of the** ~, eğri: **perfectly** ~, dosdoğru: **put** ~, yoluna koymak, düzeltmek: **I tell you** ~, size açıkça söyliyorum: **read a book** ~ **through**, bir kitabı baştan başa okumak: **this train goes** ~ **through to London**, bu tren aktarmasız Londraya kadar gider. ~**(a)way**, derhal, hemen; tezelden. ~**-edge**, bir kenarı düz olan cetvel. ~**en**, dogrul(t)mak; düzel(t)mek; düzletmek: ~ **out**, doğrultmak; ayırmak, çözmek: ~ **up**, doğrul(t)-mak; kalkmak; karışmış bir şeyi açmak: ~**er**, doğrultucu: ~**ing**, düzleme. ~**forward** [-'fōwəd], dürüst, hilesiz; müstakim; açık. ~**-man**, (*tiy.*) komik'in pek basit yardımcısı. ~**ness**, doğruluk; istikamet; dürüstlük. ~**-razor**, ustura.

strain[1] [streyn] *f.* Germek; kasmak; zorlıyarak zayıflatmak, zarar vermek; zorlamak; zora getirmek; burkulmak, incitmek; süzmek; elemek; kendini zorlamak; olanca kuvvetini sarfetmek; sıkınmak. ~ **at/after stg.**, bir şeyi elde etmek için kendini zorlıyarak çabalamak: ~ **one's back**, belini incitmek/burkutmak: ~ **the law**, bir kanunun izin verdiği sınırı zorlamak: ~ **stg. out of a liquid**, bir sıvıyı süzerek içindeki şeyi elde etm.: ~ **every nerve**, bütün gayretini sarfetmek: ~ **oneself**, kendini zora getirmek, kendini fazla yormak; vücudun bir kısmı burkulmak: ~ **a point**, bir fikri vb.ni aşırılığa götürmek/zorlamak: ~ **off the vegetables**, zerzevatın suyunu süzmek/kevgirden geçirmek.

strain[2] *i.* Germe, gerilme, gerinim; gerginlik; kuvvet, zor, zorluk; tazyik, basınç; burkulma; tavır, tarz, meal; nağme. **bending** ~, bükülme dayanıklılığı: **breaking** ~, çekme dayanıklılığı: **the martial** ~**s of the band**, bandonun askerî havaları: **the** ~ **of modern life**, modern hayatın sinirleri geren faaliyeti: **mental** ~, zihnî yorgunluk: **the** ~ **on the rope was tremendous**, ip çok fazla gerilmişti: **the education of my boy is/puts a great** ~ **on my resources**, çocuğumun eğitim masrafı omuzumda ağır bir yüktür: **all his senses were on the** ~, bütün melekeleri gerilmişti: **he said a lot more in the same** ~, bu mealde daha çok söyledi: **stand the** ~, zora dayanmak: **their friendship stood the** ~, her şeye rağmen dost kaldılar: **parts under** ~, basınç altında olan kısımlar.

strain[3] *i.* Fıtrî/irsî bir özellik; damar. **he has a** ~ **of German blood**, onda biraz Alman kanı var.

strain-[4] *ön.* ~**ed**, gerilmiş; gergin; burkulmuş; kasılmış; zoraki, sunî. ~**er**, süzgeç; filtre; gergi, kevgir. ~**-gauge**, gerilimölçer.

strait [streyt] *i.* Boğaz. *s.* Sıkı, dar. ~**s**, sıkıntı, müzayaka, berzah: **the** ~**s**, Boğazlar: **be in great/dire** ~**s**, sıkıntı içinde olm., darda kalmak. ~**en**, daraltmak, sıkıştırmak: **be in** ~**ed circumstances**, darlık içinde olm. ~**-jacket**, deli gömleği. ~**-laced**, ahlâk konusunda pek titiz ve mutaassıp.

strake [streyk] (*den.*) Borda kaplamasının bir sırası.

stramonium [strə'mouniəm]. Tatula.

strand[1] [strand] *i.* Sahil, kumsal. *f.* Karaya otur(t)mak. **be** ~**ed**, kötü durumda bulunmak; yüzüstü kalmak; yaya kalmak: **leave s.o.** ~**ed**, birini yüzüstü bırakmak. ~**ing**, otur(t)ma.

strand[2]. Halat kolu; ipin elyafından biri; kordon. **three-**~**ed rope**, üç kollu halat.

strange [streync]. Garip, tuhaf, acayip, yabancı, tanınmıyan; yeni. **I am** ~ **to the work**, bu işe alışık değilim: **find/feel** ~, yadırgamak, garipsemek. ~**-looking**, görünüşü garip. ~**ly**, garip şekilde, tuhaf olarak; şaşılacak kadar. ~**ness**, tuhaflık; gariplik; yabancılık. ~**r**, *i.* yabancı; tanınmıyan kimse; eloğlu: *s.* daha garip/acayip vb.: **I am a** ~ **to these parts**, buranın yabancısıyım: **you're quite a** ~**!**, seni gören hacı olur.

strangle ['stran(g)gl]. Boğmak, boğazını sıkmak. ~**hold**, **have a** ~ **on s.o.**, birini boğazından yakalamak. ~**s**, atın boğazında ur hâsıl eden bulaşık bir hastalık.

strangulat·e ['stran(g)gyuleyt]. Damar/bağırsak vb.ni sıkıp boğmak: **~ed hernia**, düğümlü fıtık. **~ion** [-'leyşn], boğazın sıkılması, boğulma.

strap [strap] *i.* Kayış; kolan; sargı. *f.* Kayışla bağlamak. **give s.o. the ~**, (*kon.*) kayışla dayak atmak: **~ up**, kayışla bağlamak; (*tıp.*) (burkulmuş bir uzuv) yapışkan yakı ile sarmak. **~hanger**, otobüste ayakta kalan yolcu. **~-on**, kayışla bağlanan (eklenti). **~ping**[1], *i.* kayışlar.

strapping[2] ['strapin(g)] *s.* İri yarı ve dinç (insan).

strata ['strātə] *ç.* = STRATUM.

strat·agem ['stratəcem]. Savaş hilesi; desise. **~egic(al)** [strə'tīcik(l)], savaş bilgi/hilesine ait; sevkulceyş/savunmaya ait, stratejik: **~ly**, stratejik bir şekilde. **~ist** ['straticist], sevkülceyş/strateji uzmanı. **~y**, sevkulceyş, strateji; savaş bilgisi.

strath [straθ] (*İsk.*) Geniş bir dere. **~spey**, İsk. dansı.

strat·iculate [strə'tikyuleyt]. Katmanlı, katmanlar halinde. **~ification** [stratifi'keyşn], katmanlaşma; tabakaların tertibi ve şekli. **~ified** ['stratifayd], katmanlı, çok sıralı. **~iform**, katman/tabaka şeklinde. **~ify**, katmanlaşmak, üst üste tabakalar şeklinde tertip etm. **~igraphic**, katman+. **~igraphy** [-'tigrəfi], katman bilgisi. **~o-**, *ön.*, kat+, strato-: **~cracy** [-'tokrəsi], askerî hükümet: **~-cruiser**, stratosferde uçan yolcu uçağı: **~cumulus** [-'kyūmyuləs], yığınbulut: **~pause** [-pōz], stratosfer ile iyonosfer arasındaki arayüzey: **~sphere**, üst havayuvarı, stratosfer. **~um**, *ç.* **~a** ['strātə(m)], kat(man); tabaka. **~us** [strātəs], stratüs, katmanbulut.

straw [strō]. Saman, ekin sapı; saman/hasırdan yapılmış. **~ down**, (ahir vb.de) saman sermek: **one can't make bricks without ~**, samansız kerpiç yapılmaz; gereken malzeme/araç olmadıkça yapılamaz: **I don't care a ~**, bu bana vızgelir: **the ~ that breaks the camel's back**, bardağı taşıran damla: **draw ~s**, çöple kura çekmek: **a drowning man will clutch at a ~**, denize düşen yılana sarılır *ve bundan* **clutch at a ~**, zor bir durumda her çareye başvurmak: **that's the last ~!**, bir bu eksikti!; bu hepsine tüy dikti: **a man of ~**, uydurma adam, manken, gösterişli fakat varlıksız adam: **~ mattress**, samanla doldurulmuş minder: **a ~ shows which way the wind blows**, küçük bir işaret/alâmet vaziyetin değiştiğini gösterir: **not worth a ~**, metelik etmez. **~berry** [-bəri], çilek: **wood ~**, orman çileği: **~ mark**, yüzdeki kırmızı leke: **~-tree**, kocayemiş ağacı. **~-board**, kaba mukavva. **~-bottomed**, oturacak yeri hasırlı (iskemle). **~-colour(ed)**, saman rengi, açık sarı. **~-hat**, kanotiye. **~-poll/-vote**, halkın fikrini anlamak için deneme oylama. **~y**, saman gibi; samanlı.

stray [strey] *s.* Başıboş; avare; serseri; şaşkın; rasgele; tek tük. *i.* Başıboş gezen hayvan. *f.* Yoldan sapmak; başıboş/avare gezmek; sürüden ayrılmak. **waifs and ~s**, kimsesiz çocuklar: **let one's thoughts ~**, dalmak.

streak [strīk] *i.* İntizamsız boyalı çizgi; damar; çubuk; şua, ışın. *f.* Şekilsiz çizgilerle boyamak; pek hızlı gitmek. **the first ~ of dawn**, sabahın ilk ışığı: **like a ~ of lightning**, şimşek gibi: **there is a ~ of humour in him**, onun mizahtan anlıyan bir tarafı var. **~ed**, çizgili; damarlı. **~er**, kalabalık yerlerden çırılçıplak geçen adam. **~y**, intizamsız çizgilerle boyanmış; çubuklu; yol yol: **~ bacon**, yağlı ve yağsız karışık domuz pastırması.

stream [strīm] *i.* Çay, dere; su; akım; akıntı; sel; akan su gibi hareket. (*eğit.*) bilgilerine göre ayrılmış sınıf. *f.* Akmak; tevali etm.; dalgalanmak: suya atmak; bilgilerine göre öğrencileri ayırmak. **a ~ of abuse**, küfür yağmuru: **a ~ of cars**, sel halinde otomobiller: **down ~**, akıntı ile/aşağı: **~ forth/out**, sel gibi çıkmak: **~ the log**, parakete atmak: **up ~**, akıntıya karşı: **with the ~**, akıntı ile. **~er**, flama, bandırol; kâğıt şeridi. **~ing**, akan; ağlayan: **~ with sweat**, ter içinde. **~less**, deresiz. **~let**, derecik. **~-line**, akım/akıntı çizgisi; damla şekli(ni vermek): **~d**, aerodinamik.

street [strīt]. Sokak, cadde. **†high/*main ~**, (şehir) anacadde(de bulunan mağaza vb.). **you are ~s better than him**, onu kat kat geçersiniz: **~ level**, sokak hizası: **the man in the ~**, alelade insan, halk: **~ musician**, sokak çalgıcısı: **not in the same ~ with ...**, (*kon.*) -le aynı seviyede değil; -le yarışa çıkamaz: **turn s.o. into the ~**, birini sokağa atmak, açıkta bırakmak. **~-arab**, afacan; serseri çocuk. ***~-car**, tramvay. **~-corner**, köşebaşı. **~-door**, (ev) sokak kapısı. **~-player**, (*san.*) sokak oyuncusu. **~-sweeper**, sokak süpürücü kimse/makine. **~-walker**, fahişe. **~ward**, sokağa doğru/yakın.

strength [stren(g)θ]. Kuvvet, kudret; güç; dayangaç dayanıklık, yeğinlik, mukavemet; kadro, mevcut. **bring a battalion up to ~**, bir taburun mevcudunu tamamlamak: **on the ~**, kadroya dahil; yoklama defterinde bulunan: **on the ~ of**, -e binaen, -e mebni, mucibince, -e güvenerek: **strike s.o. off the ~**, birini kadrodan çıkarmak: **tensile ~**, kopma dayanıklığı. **~en**, kuvvetlendirmek; sağlamlaştırmak; teyit etm., takviye etm., doğrulamak.

strenuous ['strenyuəs]. Gayretli, faal; şiddetli; güç, çetin, yorucu. **~ly**, şiddetli vb. olarak.

strepto- [streptou-] *ön.* Strepto-. **~-coccus** [-'kokəs], streptokok. **~-mycine** [-'maysin], streptomisin.

stress [stres] *i.* Tatbik olunan kuvvet; zorlama, gerilim, esneme; tazyik, basınç; zor; ıstırap; (*dil.*) vurgu, aksan. *f.* Tazyik etm.; önem vermek; germek; basmak; (*dil.*) üzerine aksan koymak: **(lay) ~ (on) the importance of a matter**, bir meseleyi tebarüz ettirmek, ona çok önem vermek. **~-disease**, iş baskısının doğurduğu idareci hastalığı. **~ed** [-st], gerilimli; gerilmiş; vurgulu: **~-skin**, (*hav.*) çalışan kaplama. **~less**, gerilimsiz; vurgusuz.

stretch[1] [streç] *i.* Germe, gerilme; uzatma; saha, alan; süre, müddet. **at a ~**, fasılasız, ara/mola vermeden: **at full ~**, tamamen uzanmış bir halde; alabildiğine: **do a ~**, hapis yatmak: **give a ~**, gerinmek: **go for a ~**, bacakların uyuşukluğunu gidermek için biraz gezinmek: **home ~**, (*sp.*) bir yarışın son kısmı: **a ~ of country**, geniş bir arazi: **by a ~ of the imagination**, hayali zorlıyarak: **~ of wing**, açık kanatlar arasındaki mesafe.

stretch[2] *f.* Ger(il)mek; uza(t)mak; kasmak; çekmek; büyütmek; sermek; esnemek; yayılmak; gevşemek. **~ oneself**, gerinmek: **~ one's legs**, uyuşukluğunu gidermek, biraz gezinmek: **~ a privilege**, bir imtiyazı biraz suiistimal etm.: **~ a point**, bir noktayı zorlamak. **~ out**, uzatmak; elini uzatmak; yayılmak, serilmek.

stretch·er ['streçə(r)]. Gergi; teskere, sedye;

(kayıkta) yarım oturak, oturak kuşağı: **~-bearer**, teskereci: **~-case**, sedyelik: **~-party**, teskereciler ekipi. **~ing**, ger(il)me; esnetme.

strew (*g.z.* **~ed**, *g.z.o.* **~n**) [strū(d/n)]. Serpmek; dağıtmak.

stria ['strayə]. Yiv, çizgi. **~te(d)** ['strayeyt, -'eytid], yivli, oyuklu; çizik, çizgili.

stricken ['strikn] *g.z.o.* = STRIKE. *s.* Tutulmuş; felâkete uğramış. **~ in age/years**, pek yaşlı.

strickle ['strikl]. Ölçek sileceği; bileği taşı.

strict [strikt]. Sert; sıkı; şiddetli; müsamahasız; koyu; tam. **he is a ~ Moslem**, koyu bir müslümandır: **in the ~est sense of the word**, kelimenin tam anlamıyle: **~ly speaking**, doğrusunu söylemek lâzım gelirse: **smoking is ~ly prohibited**, sigara içmek kesinlikle yasaktır. **~ly**, sert vb. olarak; şiddetle; kesinlikle. **~ness**, sertlik vb.

stricture ['strikçə(r)]. Kınama, ayıplama; tenkit: vücudun bir geçidinin daralması, (*gen.*) idrar yolunun tıkanması. **pass ~s on s.o.**, birini yermek, kınamak.

stridden [stridn] *g.z.o.* = STRIDE.

stride (*g.z.* **strode**, *g.z.o.* **stridden**) [strayd, stroud, stridn] *f.* Uzun adımlarla yürümek. *i.* Uzun adım; bir adımlık mesafe. **at one ~**, bir adımla: **get into one's ~**, tam yoluna girmek: **make great ~s in stg.**, bir şeyde çok ilerlemek: **take stg. in one's ~**, bir şeyi kolayca yapıvermek: **~ over**, bir adımda aşmak; uzun adımlarla geçmek.

strid·ent ['straydənt]. Keskin, tiz, acı (ses): **~ly**, keskin sesle. **~ulat·e** ['stridyuleyt], (ağustosböcegi gibi) çınlamak: **~ion** [-'leyşn], çınlama.

strife [strayf]. Kavga, nifak, bozuşma.

strig·il ['stricil]. Hamam kaşağısı. **~ose** ['straygous], sert kıllı.

strike[1] (*g.z.* **struck**, *g.z.o.* **struck**/(*mer.*) **stricken**) [strayk, strʌk, strikn] *f.* Vurmak; çalmak; çatmak; çarpmak. **~ against stg.**, bir şeye çarpmak: **be struck on s.o.**, (*kon.*) birine abayı yakmak: **it ~s me that . . .**, bana öyle geliyor ki . . .: **how did he ~ you?**, onu nasıl buldun?: **he struck me as (being) rather conceited**, o bana biraz kibirli gibi geldi: **~ the eye**, göze çarpmak: **~ his flag**, (amiral) forsunu indirmek (kumandasını terk etm.): **~ its flag/colours**, (gemi) bayrağını indirmek, teslim olm.: **~ the hour**, saati çalmak: **it has just struck ten**, saat şimdi onu çaldı: **the hour has struck**, önemli an geldi çattı: **his hour has struck**, sonu yaklaştı; *bazan* hayatının en önemli zamanı geldi: **~ a match**, kibrit çakmak: **~ oil/gold, etc.**, (maden arayıcı) petrol/altın vb.ne rastlamak: **the plant has struck (root)**, dikilen bitki tuttu: **the road now ~s north**, yol burada kuzeye sapıyor: **the thought struck him that . . .**, birdenbire aklına geldi ki . . .: **I've struck upon an idea**, aklıma bir fikir geldi: **we've struck (upon) just the right man**, tam adamına çattık: **~ s.o. with wonder**, birini hayrete düşürmek: **~ terror into s.o.**, birinin içine dehşet salmak. **~ down**, vurup yere düşürmek; yere sermek. **~ in**, vurup saplamak: **he struck in with a new proposal**, yeni bir teklifle lafa karıştı. **~ off**, vurup koparmak: **~ a name off a list**, bir ismi listeden çıkarmak; **~ off 100 copies**, 100 nüsha basmak. **~ out**, çizmek, hazfetmek: **~ out right and left**, sağa sola vurmak: **~ out for oneself**, kendi açtığı çığırda ilerlemek: **~ out for the shore**, kıyıya doğru yüzmek. **~ up**, **~ up a tune**, bir makam tutturmak: **the band struck up**, mızıka çalmağa başladı.

strike[2] *i.* Vuruş, darbe. **first/second ~**, (*ask.*) ilk/ikinci olarak kullanılan (uçaklar/roketler).

strike[3] *i.* Grev. işbırakım. *f.* Grev yapmak, iş bırakmak. **general ~**, genel grev: **lightning ~**, haber vermeden yapılan grev: SIT-DOWN/-IN **~**: **sympathy ~**, başka grevcilere yardım olsun diye yapılan grev: **wildcat ~**, sendika izin vermeden yapılan grev: **be on ~**, grev halinde olm.: **come out on ~**, grev yapmak.

strike[4] *i.* Maden filizini bulma. **a lucky ~**, turnayı gözünden vurma.

strike-[5] *ön.* **~-breaker**, grevci yerine çalış(tırıl)an işçi: **~-breaking**, grev kırıcılığı: **~-pay**, sendikadan grevcilere verilen tahsisat: **~-picket**, grev gözcüsü. **~r**, grevci, işbırakımcı; (*sp.*) (gol) vurucu; (saat) tokmak; (tüfek) horoz. **~-measure**, silme ölçü.

striking ['straykin(g)] *s.* Göze çarpan; göz alıcı; dikkate değer. **a ~ clock**, çalar saat: **~ly beautiful**, göz alacak derecede güzel: **a ~ likeness**, şaşılacak benzerlik: **within ~ distance**, vuracak mesafede.

Strine [strayn]. Avustralya İngilizcesi.

string[1] [strin(g)] *i.* Sicim, kınnap, ip; kiriş; tel; dizi; sıra. **~ of horses**, bir sıra atlar: **~ of pearls**, inci gerdanlığı: **the ~s**, (*müz.*) telli çalgılar: **have two ~s to one's bow**, umudunu yalnız bir yere bağlamamak; başvuracak iki çaresi olm.: **harp on one ~**, aynı konuyu diline dolamak: **Oxford's first ~**, (yarışta) Oxford'un birinci temsilcisi: **pull ~s**, iltimas yaptırmak: **he can pull ~s**, dümende dayısı var, arkası var: **play second ~ to s.o.**, aynı işte birine nazaran ikinci derece/geride bırakılmak: **offer with no ~s attached**, hiç sınırlanmamış bir teklif: **on a ~**, baskı/kontrol altında.

string[2] (*g.z.(o.)* **strung** [strʌn(g)]) *f.* Dizmek; kirişlemek; tel takmak; (fasulye) kılçıklarını ayıklamak. **~ s.o. up**, (*arg.*) birini asmak: **be all strung up**, asabileşmek; heyecan içinde olm. **~-band**, telli çalgılar orkestrası. **~-course**, (*mim.*) kordon. **~ed**, *s.* ipli; telli: **~ instruments**, telli çalgılar.

stringen·cy ['strincənsi]. Sertlik; şiddet; (piyasa) kesat. **~t**, sert, şiddetli; katî; müşkül.

string·er ['strin(g)ə(r)]. Kirişleyen/tel takan kimse; çatı kuşağı; takviye şerit/kirişi. **~iness**, sicim gibi olma; (et) sinirlilik. **~less**, ip/telsiz. **~-orchestra**, telli çalgılar orkestrası. **~-quartet/-quintet**, telli çalgı kuartet/kuinteti(nin çaldığı parça). **~y**, sicim gibi; lifli; sinirli/sert (et): **~-bark**, (*Avus.*) sert kabuklu ökaliptüs.

strip[1] [strip] *f.* Soymak; sıyırmak; soyup soğana çevirmek; soyunmak. **~ a cow**, ineği son damlasına kadar sağmak: **~ a screw**, vidanın dişlerini sıyırıp kırmak: **~ to the skin**, tamamen soyunmak: **~ off**, elinden almak; soyunmak.

strip[2] *i.* Uzun ve dar parça; şerit; bant; dil; lime. **landing ~**, (*hav.*) iniş şeridi. **~-cartoon**, (*bas.*) 4–5 resimli karikatür. **~-development**, (şehir dışı) yollar boyunca ve dar bir şerit şeklinde inşa edilen evler.

stripe [strayp]. Kumaş yolu; çubuk; darbe; çizgi; çavuş ve onbaşının kol işareti. **lose one's ~s**, çavuş vb. rütbesi elinden alınmak. **~d**, yollu, çubuklu; çizgili, çizik.

stripling ['striplin(g)]. Genç, delikanlı.

strip·ped [stript]. Sıyrık. **~per**, (boya) çıkarıcı; (*kon.*) soyuncu. **~ping**, sıyırma; soy(un)ma. **~-tease** [-tīz] (*tiy.*) striptiz.
strive (*g.z.* **strove**, *g.z.o.* **striven**) [strayv, strouv, strivn]. Çabalamak, uğraşmak. **~ for/after stg.**, bir şeyi elde etmeğe çalışmak, bir şeye erişmeğe çabalamak: **~ with/against ...**, -le uğraşmak, çekişmek.
strobil·e/~us ['stroubayl, -biləs]. Kozalak.
stroboscope ['stroubəskoup]. Stroboskop.
strode [stroud] *g.z.* = STRIDE.
stroke[1] [strouk] *i.* Vuruş, vurma, darbe; hareket; çizgi, hat; felç, inme; hamlacı; yüzme tarzı. **a good ~ of business**, kârlı bir iş; 'turnayı gözünden vurdu' *gibilerden*: **finishing ~**, işini bitiren darbe: **a ~ of genius**, dahiyane bir hareket vb.: **he had a ~**, ona inme indi: **be killed by a ~ of lightning**, yıldırım çarparak ölmek: **on the ~ of nine**, saat tam dokuzda: **piston ~**, pistonun seyrinin uzunluğu: **row a fast/slow ~**, hızlı/ağır kürek darbeleriyle kürek çekmek: **he has not done a ~ of work**, elini hiç bir işe sürmedi: **two-/four-~**, iki/dört zamanlı (motor).
stroke[2] *f.* Sıvazlamak; okşamak. **~ a boat**, kürek sandalının hamlacısı olm.: **~ s.o. the wrong way**, birinin damarına basmak.
stroll [stroul] *f.* Gezinmek; ağır ağır dolaşmak. *i.* Gezinti. **take a ~**, kısa bir mesafe içinde gezmek/dolaşmak. **~er**, gezinen.
stroma ['stroumə] (*tıp.*) Stroma, ana doku.
strong [stron(g)]. Kuvvetli, yeğin; sağlam; metin; iradeli; dokunaklı, sert. **~ language**, sert sözler; küfürbazlık: **patience is not his ~ point**, hiç sabırlı değildir. **~-arm**, kuvvet, zor. **~-box**, çelik kasa. **~-drink**, alkol, içki. **~hold**, müstahkem mevki; kale. **~ish**, oldukça kuvvetli. **~ly**, kuvvetli bir şekilde. **~-man**, pehlivan. **~-minded**, azimli, iradeli. **~-point**, takviyeli nokta. **~room**, kasa/değerli eşyanın muhafaza edildiği muhkem oda.
strontium ['stronşəm]. Stronsiyum. **~ 90**, zararlı ve radyoaktif bir stronsiyum izotopu.
strop [strop] *i.* Ustura kayışı; (*den.*) direk sapanı. *f.* Usturayı kayışa çekmek.
strophe ['stroufi]. Manzume kıtası.
stroppy ['stropi] (*arg.*) Huysuz, aksi.
strove [strouv] *g.z.* = STRIVE.
strow [strou] (*mer.*) = STREW.
struck [strʌk] *g.z.(o.)* = STRIKE[1].
structur·al ['strʌkçərəl]. Bünyevî; yapıya ait, yapı+, yapısal: **~ly**, yapı bakımından. **~e**, yapı, bina; bünye; yapılış tarzı: **~d**, yapılı: **~less**, yapısız. **~ize**, (*mal.*) (bir müessese) teşkilâtlandırmak.
struggl·e ['strʌgl] *i.* Savaş; çabalama; cidal; mücadele. *f.* Çabalamak, uğraşmak; mücadele etm.; çırpınmak, çabalanmak: **life and death ~**, ölüm kalım savaşı: **~ to one's feet**, zahmetle ayağa kalkmak: **we ~d through**, düşe kalka çıktık; uğraşa uğraşa bütün müşkülleri yendik. **~ing**, çırpınan: **a ~ artist**, geçinebilmek için çabalıyan sanatkâr.
strum [strʌm]. Piyano/telli çalgıyı gelişigüzel/acemice çalmak.
strum·a ['strūmə]. Sıraca; cedre, guatr; (*bot.*) şiş. **~ose/~ous** [-mous, -məs], buna ait.
strumpet ['strʌmpit]. Fahişe, kaltak.
strung *g.z.(o.)* = STRING[2]. *s.* **highly ~**, sinirli; çok hassas.
strut[1] [strʌt] *i.* Demir/tahta kuşak; (*hav.*) dikme; (*mim.*) duvar direği; payanda; istinat kemeri; kulak. *f.* Desteklemek; kuşaklamak.
strut[2] *i.* Cakalı/kurumlu yürüyüş. *f.* Kurum satarak yürümek; babahindi gibi gezmek.
strychnin(e) ['striknīn]. Striknin. **~ism**, striknin zehirle(n)mesi.
Sts. = SAINTS.
stub [stʌb]. Kesilmiş ağacın yerde kalan kütüğü; kütük; küçük kurşun kalem parçası; izmarit. **~ up a root**, bir kökü sökmek: **~ one's toe against stg.**, ayağı bir şeye çarpmak: **~ out a cigarette**, bir sigara/izmarit (tablada) söndürmek.
stubbl·e ['stʌbl]. Anız; hasattan sonra yerde kalan saman kökleri; pek kısa kesilmiş saç; uzun tıraş. **~y**, anızlı (tarla); tıraşlı; kıllı; pek kısa kesilmiş (saç).
stubborn ['stʌbən]. İnatçı, anut, katır. **~ly**, inatla, katır gibi. **~ness**, inatçılık.
stubb·y ['stʌbi]. Küt; bodur; kütük gibi; = ~LY.
stucco ['stʌkou] *i.* Sıva, yalancımermer. *f.* Sıvamak.
stuck [stʌk] *g.z.(o.)* = STICK[2]. **~-up**, kibirli; şımarık.
stud[1] [stʌd]. Bir şahsın beslediği atlar. **be at ~**, (aygır) damızlık olm. **~-book**, cins atların şecere defteri. **~-farm**, hara. **~-horse**, damızlık.
stud[2] *i.* Yaka düğmesi; büyük başlı çivi; (*müh.*) saplama. *f.* İri başlı çivilerle donatmak. **~ded**, iri başlı çiviler vb.yle süslenmiş: **the sky was ~ with stars**, gökyüzü yıldızlarla serpili idi. **~ding-sail**, cunda yelkeni.
student ['styūdənt]. Talebe, öğrenci; araştırıcı. **~-power**, bir kolej vb.'nin öğrenciler tarafından idare edilmesi. **~ship**, öğrenciye verilen burs.
studied ['stʌdid] *g.z.(o.)* = STUDY. *s.* Kasdî, maksatla; pek dikkatli; sahte, zoraki. **~ly**, kasten.
studio ['styūdiou]. Atelye, stüdyo, işlik; salon.
studious ['styūdiəs]. Çalışkan; dikkatli; ihtimamlı; istekli. **he ~ly avoided me**, bilhassa/kasten bana görünmek istemedi.
study ['stʌdi] *i.* Mütalaa, okuma, tahsil; araştırma, etüt, inceleme; ihtimam; çalışma odası; küçük kitaplık; resim taslağı; dalgınlık. *f.* Mütalaa etm., araştırmak; okumak; tahsil etm.; çalışmak; tetkik etm., dikkatle incelemek; ihtimam etm. **~ for the bar**, hukuk tahsil etm.: **brown ~**, dalgınlık: **finish one's studies**, öğrenimini bitirmek: **~ one's health**, sağlığına özen göstermek: **make a ~ of stg.**, bir şeyi özellikle incelemek: **his face was a ~!**, süratı görülmeğe değerdi! **~-group**, inceleme grubu.
stuff[1] [stʌf] *i.* Madde; şey; kumaş; yave. **garden ~**, sebze: **there's good ~ in him**, bu adamda cevher var: **this book is sorry ~**, bu kitap pek yavan, allahlık: **how are we to get the ~ home?**, bu eşyayı eve nasıl taşıyacağız?: **he is the ~ heroes are made of**, bu adam kahramanların yoğrulduğu hamurdan: **~ and nonsense!**, saçma sapan!: **he's hot ~**, (*arg.*) yamandır: **that's the ~ to give them!**, (*arg.*) ha şöyle!
stuff[2] *f.* Doldurmak; tıkamak; istif etm.; çok yedirmek; dolma doldurmak; ölü hayvanın derisini saman ile doldurmak, tahnit etm.; çok yemek, tıkınmak. **~ up**, tıkamak: **my nose is ~ed up**, burnum tıkandı. **~ed**, dolma: **~ ...**, ...

dolması. ~**iness**, havasızlık; küf kokma; burnun tıkanıklığı. ~**ing**, dolma; yastık vb. içine doldurulan şey: **knock the ~ out of s.o.**, birinin pestilini çıkarmak; (*mec.*) birinin burnunu kırmak: ~**-box**, sızma ipi/salmastra kutusu. ~**y**, havasız; küf kokulu; kasvetli; (*kon.*) eski kafalı; *dargın, küs.

stultify ['stʌltifay]. İptal etm.; etki/tesirini azaltmak; cerhetmek, çürütmek.

stum [stʌm] *s.* Mayalanmamış üzüm suyu. *f.* Mayalanmasını önlemek/durdurmak.

stumbl·e ['stʌmbl] *i.* Sürçme; sürç. *f.* Sürçmek; tökezlemek; yanılmak: ~ **across/upon**, -e rast gelmek: ~ **over stg.**, ayağı bir şeye çarparak sekmek: ~ **in one's speech**, söz söylerken duralamak; kekelemek. ~**ing-block**, mania, engel; zorluk/tereddüde sebep. ~**ingly**, sürçerek.

stumer ['styūmə(r)] (*arg.*) Değersiz çek; sahte para, hile.

stump [stʌmp] *i.* Kesilmiş/kırılmış şeyin geri kalan kısmı; kütük; koçan; izmarit; gölge kalemi, estomp; tahta ayak; kriket oyununda kullanılan kazık: ~**s**, (*arg.*) bacaklar. *f.* Saşırtmak; cevap veremez bir hale getirmek. ~ **along/about**, tahta ayaklı gibi gürültü yaparak gezmek: ~ **up**, (*arg.*) ödemek: **be on the** ~, seçimlerde nutuk söylemek üzere gezmek: **draw** ~**s**, kriket oyununu bitirmek: ~ **orator**, sokak hatibi: **stir one's** ~**s**, (*arg.*) yürümek, kımıldanmak. ~**er**, (*kon.*) şaşırtıcı bir konu/problem. ~**y**, bodur; küt; güdük.

stun [stʌn]. Sersemletmek; afallatmak. ~**ning**, sersemletici; (*arg.*) mükemmel.

stung [stʌn(g)] *g.z.o.* = STING.

stunk [stʌn(g)k] *g.z.(o.)* = STINK.

stuns(ai)l ['stʌnsl] = STUDDING-SAIL.

stunt[1] [stʌnt]. Büyüme/yetişmesine engel olm.; bodur bırakmak. ~**ed**, bodur; kavruk; cılız; büyümemiş.

stunt[2] (*kon.*) *i.* Göze çarpmak/reklam yapmak için gösterilen marifet/hüner. *f.* (Uçak) havada akrobatik hareketler yapmak. ~**-flying**, usta uçuşu, maharetli uçuş. ~**-man**, (*sin.*) cambaz.

stupef·action [styūpi'fakşn]. Şaşkınlık, sersemlik; uyuşukluk. ~**ied** ['styūpifayd], şaşkın; alık; aptallaşmış; uyuşturulmuş. ~**y**, uyuşturmak; şaşkına çevirmek; bunaltmak, sersemletmek.

stupendous [styu'pendəs]. Hayret verici; harikulade; mucize kabilinden.

stupid ['styūpid]. Akılsız, beyinsiz; ahmak; alık. **drink oneself** ~, aptallaşacak kadar içmek. ~**ity** [-'piditi], akılsızlık, beyinsizlik; hamakat. ~**ly**, akılsızca.

stupor ['styūpə(r)]. Uyuşukluk; sersemlik.

sturd·ily ['stədili]. Gürbüz olarak. ~**iness**, gürbüzlük; metanet; celâdet. ~**y**[1], gürbüz; güçlü kuvvetli; metin.

sturdy[2]. Koyunlara mahsus sersemlik illeti.

sturgeon ['stəcən]. Mersin balığı.

stutter ['stʌtə(r)] (*yan.*) Keke(lemek), pepe(lemek). ~**ing**, kekeleme: ~**ly**, kekeleyerek.

sty[1] [stay]. Domuz ahırı; pis yer.

sty[2]/~**e.** Arpacık, itdirseği.

Stygian ['sticiən]. Cehennemdeki Styx nehrine ait; karanlık, muzlim.

style [stayl] *i.* Üslup, biçim, stil; tarz; nevi; zevk, moda; düzen; unvan, tecim adı, firma; mil. *f.* İsim/unvan vermek; tarif etm.; yeni modayı göstermek. **in the ~ of Shakespeare/Raphael/Chopin etc.**, S. / R. / C. vb.'nin eserlerindeki niteliklerine benzeyen: **Norman / early English / decorated / perpendicular** ~, (*mim.*) İng.'de 1066–1189 / 1189–1272/1272–1377/1350–1600 yıllarda üstün olan üslup: **Old/New** ~, Jülyen/Gregoriyen takvimi: **do stg. in** ~, bir şeyi mükellef bir şekilde yapmak; adamakıllı yapmak: **in (fine)** ~, adamakıllı/mükemmel bir şekilde: **in the latest** ~, son modaya göre: **live in great** ~, saltanatla yaşamak, şatafat yapmak: **she has no** ~, onda bir kibarlık yok.

styl·ish ['stayliş]. Şık, zarif, gösterişli. ~**ist**, üslupçu; iyi üslup sahibi yazar: ~**ic**, edebî üsluba ait. ~**ization**, üsluplaştırma. ~**ize**, üsluplaştırmak.

stylite ['staylayt] (*din.*) Sütun tepesinde yaşıyan zahit.

stylo- ['staylou-] *ön.* ~**bate** [-əbeyt] (*mim.*) bir sıra sütunların tek tabanı. ~**(graph)**, sivri uçlu dolma kalem/stilo. ~**id** [-loyd] (*tıp.*) stiloit.

stylus ['stayləs]. Kaydedici uç; gramofon iğnesi.

stymie ['staymi] *i.* (Golf) bir topun başka bir top ile çukur arasında bulunması. *f.* Top(u) böyle bulun(dur)mak; (*mec.*) birini hareket edemiyecek bir yerde bırakmak. ~**d**, şaşırtılmış; hareket edemiyecek bir halde.

styptic ['stiptik]. Kan durdurucu (ilâç). ~**-pencil**, kalem şeklinde bu ilâç.

Styx [stiks] (*mit.*) Cehennemi saran nehir. **cross the** ~, ölmek.

suable ['syūəbl]. Aleyhine dava açılabilir.

suasion ['sweyjn]. İkna; gönlünü yapma; tatlılıkla kandırma; = PER~.

suav·e [swāv]. Tatlı, hoş, nazik; (*bazan*) kuşkulandıracak derecede tatlı dilli. ~**ity** ['swāviti], söz/davranışta tatlılık; fazla nezaket.

sub- [sʌb-] *ön.* Alt; altı(nda); aşağıda; tahtel ...; ikinci derece(de); yarı, yardımcı; as-; ast; tali.

sub. = SUBALTERN; SUBJECT; SUBJUNCTIVE; SUBMARINE; SUBSCRIPTION; SUBSTITUTE.

sub·acid [sʌb'asid]. Biraz acı/ekşi. ~**acute** [-ə'kyūt], normalden daha az keskin/şiddetli. ~**aerial** [-'eəriəl], yer yüzünde. ~**-agent**, acenta muavini. ~**-alpine, etc.**, (Alp dağları vb.) doruk ile orman sınırı arasındaki bölge. ~**altern** [-əltən] *i.* teğmen: *s.* dun; madun. ~**aqua(tic)**/~**aqueous** [-'akwə, -ə'kwatik, -'akwiəs], su altında bulunan/olan/kullanılan. ~**arctic**, K. kutbu bölgesine yakın. ~**-astral** [-'astrəl], dünyaya ait, yersel. ~**-atomic** [ə'tomik], atom içinde bulunan; atomdan daha küçük. ~**-audition** [-ō'dişn], ifade edilmemiş şeyi anlama; üstü kapalısını kavrama.

sub·caudal [sʌb'kōdəl]. Kuyruğun altında. ~**central**, merkezin altında. ~**class**, (*biy.*) alt-sınıf. ~**-committee**, genel heyetin küçük heyeti. ~**conscious**, *s.* bilinçaltı; *i.* altbilinç: ~**ly**, bilinçaltı olarak. ~**continent**, yarı kıta. ~**contract** [-'kontrakt] *i.* esas müteahhit tarafından başkasıyle ve işin bir kısmı için yapılan kontrat: [-'trakt] *f.* böyle bir kontrat yapmak: ~**or**, tali müteahhit, ikincil üstenci, taşeron. ~**critical**, (*müh.*) alt dönüşlü. ~**cutaneous** [-kyu'teyniəs], deri altı(nda bulunan).

Aranan kelime bu sayfada bulunmazsa ilk olarak SUB- ***notlarına bakınız.***

sub·divide [sʌbdi'vayd]. Tekrar bölmek. **~division** [-'vijn], tekrar bölünmüş parça. **~due** [-'dyū], ram etm.; boyun eğdirmek; zaptetmek; hafifletmek. **~dued** [-'dyūd], mağlup; sakin; donuk; uslu: **~ conversation**, pesten konuşma: **he seems rather ~ today**, bugün biraz neşesiz/keyifsiz.
sub-edit [sʌb'edit]. (Bir yazıyı) düzeltip kısaltarak vb. gazeteye uygun bir şekle koymak. **~or**, yazı işleri müdürü.
suber·eous/~ic [sū'bīriəs, -'berik] (*bot.*) (Ağaç) mantarlı; mantar gibi.
sub·family [sʌb'famili] (*biy.*) Alt-familya. **~fusc(ous)** [-'fʌsk(əs)], donuk/koyu (renkli). **~genus** [-'cīnəs], alt-cins.
sub·heading [sʌb'hedin(g)] (*bas.*) Alt-başlık. **~-human** [-'hyūmən], yarı insan; tam beşeri olmıyan. **~jacent** [-'ceysənt], altta bulunan.
subject[1] ['sʌbcekt] *i.* Mevzu, konu; bahis konusu; (*dil.*) özne, fail; tebaa; sebep; sadet. **change the ~**, lakırdıyı değiştirmek: **a gouty ~**, damlaya müptelâ: **the pupil must pass in five ~s**, öğrencinin beş dersten başarı göstermesi gereklidir: **the ~ of much ridicule**, bir hayli alay konusu.
subject[2] *s.* Tabi; maruz; arasıra tutkun olan; bir şarta bağlı. **~ to correction**, yanlış olabilir: **be ~ to**, maruz kalmak; -e tabi/bağlı olm.
subject[3] [-'cekt] *f.* İnkıyat ettirmek; boyun eğdirmek; itaat altına almak; maruz bırakmak; uğratmak; duçar etm.
subject-[4] *ön.* **~-heading**, (katalog/indeks vb.de) konu başlığı. **~ion** [-'cekşn], tabi olma, itaat, inkıyat, hüküm altına getir(il)me. **~ive**, enfüsî, öznel, zatî, sübjektif: **~ case**, yalın durum/hal: **~ly**, öznel olarak: **speaking ~ly**, bence: **~ness**, öznellik. **~iv·ism**, öznelcilik: **~ist**, öznelci: **~ity** [-'tiviti], öznellik, öznel nitelik/durumu. **~less**, konu/öznesiz. **~-matter**, konu, mesele.
sub·join [sʌb'coyn]. Katmak; ek/zeyil olarak yazmak. **~-*judice*** [-'cūdisi] (*Lat.*) davada muallak. **~jugat·e** [-cugeyt], inkıyat ettirmek; ram etm.; zaptetmek; boyun eğdirmek: **~ion** [-'geyşn], inkıyat et(tir)me; boyun eğ(dir)me. **~junctive** [-'cʌn(g)ktiv], **~ (mood)**, istek/dilek kipi. **~-kingdom**, (*biy.*) alt-âlem.
sub·lease/~let [sʌb'līs]. Devren kiraya verme(k). **~lessee** [-le'sī], tali kiracı. **~lessor**, tali olarak kiraya veren. **~-librarian**, yardımcı kütüphaneci. **~-Lieutenant** [†-lə'tenənt, *-lū-] (*den.*) teğmen. **~limate** [-limeyt] *f.* tasfiye etm., uçundurmak; ulvileştirmek, yüceltmek: [-mət] *s.* **corrosive ~**, aksülümen, süblime. **~limation**, tasfiye etmesi; uçun(dur)ma, süblimleş(tir)me.
sublim·e [sʌ'blaym]. Ulvî; âli; son derece; yüce, yüksek: **the ~**, ulviyet, ululuk, yücelik: **~ impudence**, inanılmaz hayasızlık: **the ~ Porte**, Babıâli: **~ly unconscious of**, -den baştanbaşa habersiz. **~ity** [-'bli-], ulviyet, ululuk, yücelik.
sub·liminal [sʌb'liminəl]. Şuur/bilinçaltı. **~lingual** [-'lin(g)gwəl], dil altında. **~littoral** [-'litərəl], sahile yakın(da bulunan). **~-Lt.** = **~**-LIEUTENANT. **~lunar** [-lūnə(r)], ay altında/bu dünyada bulunan. **~-machine-gun**, hafif mitralyöz. **~-man**, *ç.* **~-men**, pek madun/gaddar/ahmak bir adam.
submarine ['sʌbmərīn] *s.* Deniz altı·na ait/-nda bulunan. *i.* Denizaltı (gemisi). **~-armour**, dalgıç giyisi. **~-cable**, denizaltı (telefon) kablosu. **~-chaser**, denizaltı muhrip/avcısı. **~r** [-'marinə(r)], denizaltı gemicisi.
submerge [sʌb'mə̄c]. Suya bat(ır)mak; dalmak. **~d**, suya batmış; su altında; batık: **the ~ (tenth)**, düşkünler, en fakirler. **~nce**, bat(ırıl)ma.
submers·ible [sʌb'mə̄sibl]. *s.* Suya batırılabilir. *i.* Denizaltı. **~ion** [-'mə̄şn], suya dalma/batma.
sub·microscopic [sʌbmaykrə'skopik]. Normal mikroskop ile görünmeyecek kadar küçük. **~-miniature**, pek küçük (fotoğraf makinesi).
submiss·ion [sʌb'mişn]. Boyun eğme, inkıyat, teslim; tevazu; arz. **my ~ is that ...**, ... arz ediyorum, ileri sürüyorum: **starve into ~**, aç bırakarak boyun eğdirmek. **~ive**, itaatli, muti; eslek.
submit [sʌb'mit]. Arz etm., ileri sürmek; teslim etm.; tevdi etm.; ram olm., inkıyat etm., boyun eğmek; yola gelmek.
sub·montane [sʌb'monteyn]. Dağ eteğinde. **~multiple**, askat. **~normal**, normalaltı. **~nuclear**, atom çekirdeğinden küçük.
sub·order [sʌb'ōdə(r)] (*biy.*) Alt-takım. **~ordinat·e** [-'ōdinit] *s.* & *i.* madun, ast; tabi; tali, ikincil; önemsiz; (*dil.*) yan/bağımlı (cümle): [-neyt] *f.* tabi etm.; daha az önemli saymak; tali bir hale koymak: **~ion** [-'neyşn], madunluk, inkıyat, itaat. **~orn** [-'bōn], (birini) rüşvet/vaitlerle teşvik etm.; ayartmak: **~ation** [-'neyşn], yedirim, rüşvet.
sub·poena [sʌb'pīnə] (*huk.*) *i.* Davetiye, celbname, getirtme belgesi: *f.* mahkemeye resmen celbetmek. **~polar** [-'poulə(r)], kutup bölgelerine yakın. **~-prefect**, vali yardımcısı.
sub·region ['sʌbrīciən]. Yöre. **~rogation** [-rə'geyşn] (*huk.*) bir alacaklının yerine başkasının getirilmesi. **~-*rosa***, (*Lat.*) gizlice. **~-routine** [-rūtīn], (bilgisayılar) tali program.
subscri·be [sʌb'skrayb]. Abone olm./yazılmak; iane vermek; imza etm.: **I cannot ~ to that**, bunu kabul edemem. **~ber**, abone; imza eden. **~pt** [-skript], altında yazılan remiz/işaret. **~ption** [-'skripşn], abone, abonman, aidat; iane; imza: **open a ~ list**, defter açmak: **~ to a loan**, bir istikraza iştirak: **raise ~s**, iane toplamak: **take out a ~**, abone yazılmak.
sub·section [sʌb'sekşn]. Tali kısım, altbölüm. **~sequent** [-sikwənt], sonraki, müteakıp, sonra gelen: **~ly**, sonradan, müteakıben: **~ to**, -den sonra. **~serve**, tamamlamak; geliştirmek.
subservien·ce [sʌb'sə̄viəns]. Uşak ruhluluk; yaranma; mizaçgirlik: **~ to fashion**, modaya esir olma. **~t**, vasıta olarak faydalı; tali; mizaçgir, uşak ruhlu; zelil: **be ~**, yaranmak.
subside [sʌb'sayd]. Teressüp etm.; çökmek, yığılmak; inmek; alçalmak; yatışmak; durmak. **~nce** [-sidəns], çökme, ağır ağır inme; azalma.
subsid·iary [sʌb'sidiəri] *s.* Tali, ikincil; yardımcı: *i.* şube, tali şirket, bağımlı ortaklık. **~ize** [-sidayz], -e ödenek bağlamak; para ile yardım etm.; iane vermek. **~y**, bir kimse/kuruma ayrılan meblağ; prim; iane; yardım (ödeneği).
subsist [sʌb'sist]. Yaşamak; geçinmek; mevcut olm.; devam etm. **~ence**, yaşama; geçim(lik); nafaka: **means of ~**, maişet.
sub·soil ['sʌbsoyl]. Toprakaltı. **~sonic** [-'sonik], sesaltı. **~stage** [-steyc], mikroskobun alt kısmı.
substance ['sʌbstəns]. Madde; cevher; cisim; öz;

hulâsa; katılık; varlık, servet. **a man of ~**, varlıklı adam.
substandard [sʌb'standəd]. Normalden aşağı; dar.
substantial [sʌb'stanşəl]. Cismanî; mevcut; sağlam, metin, katı; mühim, ciddî, ana, esaslı; varlıklı; gidalı. **~ly the same**, esas itibarıyle aynı.
substantiat·e [sʌb'stanşieyt]. Doğruluğunu ispat etm., tasdik etm., tahkik etm. **~ion** [-şi'eyşn], ispat/tasdik etme/edilme.
substantive ['sʌbstəntiv]. İsim; mevsuf. **~ rank**, (*ask.*) aslî rütbe.
substation ['sʌbsteyşn]. Tali istasyon; (*elek.*) trafo merkezi.
substitut·e ['sʌbstityūt] *i.* Vekil, naip; bedel; taviz; ikame maddesi. *f.* Başkasının yerine koymak: **~ margarine for butter**, tereyağı yerine margarin koymak: **~ for s.o.**, birinin yerini tutmak. **~ion** [-'tyūşn], yerine geçme; karşılanma; değiştirim, değiş tokuş; (*sp.*) değişme.
sub·stratum [sʌb'streytəm]. Alt tabaka: **there is a ~ of truth in the story**, hikâye tamamen esassız değil. **~structure** [-'strʌkçə(r)], temel; yeraltı yapısı. **~sume** [-syūm], altına geçirmek; kapsamak.
sub·tenancy [sʌb'tenənsi]. Kiracının kiralaması. **~tenant**, kiracının kiracısı. **~tend**, veteri olm. **~ter-**, *ön.* altında: **~fuge** [-fyūc], kaçamak; hile. **~terminal**, sonuna yakın/yaklaşan. **~terr·anean/-estrial** [-tə'reyniən, -'restriəl], yer/toprakaltı; (*mec.*) gizli. **~-title** [-'taytl], (kitap) ikincil ismi; (*sin.*) altyazı (yazmak).
subt·ilize ['sʌtilayz]. İnceltmek; ince farklarını gözetmek. **~le** ['sʌtl], ince; incelmiş; rakik; kolayca farkedilmez; nafiz; ince fikirli; mahir, kurnaz: **~ty**, incelik; rikkat; ince fikirlilik; kurnazlık. **~ly**, incelikle; kurnazca.
sub·topia [sʌb'toupiə] (*köt.*) Çirkin binalar/kötü planlama ile bozulan banliyö/varoş. **~total** [-'toutl], kısmî yekûn/toplam.
sub·tract [sʌb'trakt]. Tarh etm., tenzil etm.; çıkarmak: **~ion** [-kşn], tarh; çıkarma: **~or**, çıkarılan sayı. **~trahend** [-trəhend] = **~**TRACTOR. **~tribe**, kabile kısmı. **~tropical**, astropikal.
subulate ['syūbyulət] (*biy.*) Sivri uçlu.
suburb ['sʌbəb]. Varoş, kenar mahalle, dolay; *ç.* banliyö, çevre, civar, yörekent. **~an** [-'bəbən], civar/banliyöde bulunan; banliyöye giden (tren vb.): **~ite** [-'bəbənayt] (*köt.*) civar mahalleli. **~ia** [-'bəbiə] (*köt.*) büyük bir şehrin dolayı.
sub·vention [sʌb'venşn]. Yardım parası; ödenek; iane: **~ed**, para ile yardım edilen. **~versive** [-'vəsiv], müfsit; yıkıcı, altüst eden. **~vert**, altüst etm.; yıkmak; bozmak. **~way**, yeraltı geçit/yolu; tünel; *yeraltı elektrikli treni. **~zero**, sıfıraltı (sıcaklık).
suc- [sʌk-] *ön.* = SUB + C.
succade [sʌ'keyd]. Şekerlenmiş meyva.
succedaneum [sʌksi'deyniəm]. Bir kimse/şeyin yerini tutan kimse/şey.
succeed [sʌk'sīd]. Yerini almak; yerine geçmek; halef olm.; takip etm.; vâris olm.; muvaffak olm., başarmak. **~ in**, başarmak: **~ to the throne**, tahta geçmek: **~ to an estate**, bir mülke vâris olmak. **~ing**, takip eden; sonra gelen, müteakıp.
success [sʌk'ses]. Muvaffakıyet, başarı; iyi netice/sonuç. **make a ~ of stg.**, bir işi başarmak; bir işte muvaffak olarak kazanç elde etm.: **meet with ~**, muvaffak olm., başarmak. **~ful**, başarılı; muvaffak olmuş: **~ly**, başarılı olarak.
success·ion [sʌk'seşn]. Tevali; yerini alma; miras alma; silsile: **after a ~ of defeats**, üst üste yenilgilerden sonra: **~ duty**, veraset vergisi: **in ~**, birbiri arkasına, üst üste, zincirleme olarak; sıra ile: **for three years in ~**, üst üste üç sene: **in rapid ~**, süratle birbiri arkasında. **~ive**, art arda gelen; birbirini takip eden; ardıl: **~ly**, sıra ile. **~or**, halef; vâris.
succinct [sʌk'sin(g)kt]. Veciz, kısa, mücmel, muhtasar. **~ly**, veciz olarak, kısaca. **~ness**, ihtisar, kısalık.
succour ['sʌkə(r)]. Yardım (etm.); imdat; imdadına yetişmek. **~less**, yardımsız.
succub·a/-us ['sʌkyubə(s)] (*mit.*) Uykuda bir erkekle cinsî münasebette bulunan dişi ifrit.
succulen·ce ['sʌkyuləns]. Körpe/sulu olma; özlülük. **~t**, körpe, sulu, özlü, usareli; etenli (bitki); lezzetli (yemek).
succumb [sʌ'kʌm]. Yenilmek; çökmek; dayanamamak; kapılmak. **~ to one's injuries**, aldığı yaralardan ölmek.
such [sʌç]. Öyle, böyle, şöyle; bu gibi; bunun gibi; o kadar, bu kadar; gibi. **~ and ~**, filan ve filan: **the food, ~ as it is, is abundant**, yiyecek pek iyi değilse de boldur: **Latin, as ~, is not very useful, but as one of the sources of English it is important**, Latince haddi zatında o kadar faydalı değildir, fakat İngilizcenin esaslarından biri olarak mühimdir: **I am a doctor and, as ~, must refuse to do this**, ben doktorum ve bu sıfatla bunu yapamam: **until ~ time as...**, -inceye kadar: **all ~ as are of my opinion**, benim fikrimde olanlar: **we know of no ~**, böyle bir şey bilmiyoruz: **there are no ~ things as fairies**, peri diye bir şey yoktur: **~ people/people ~ as these**, bu gibiler: **in Bristol or some ~ place**, Bristol'da veya bunun gibi bir yerde. **~like**, bu gibi, bu misilli.
suck [sʌk] *f.* Emmek, massetmek. *i.* Emme; emzirme. **~ at stg.**, emmek; (pipo vb.) çekmek: **~ down**, yutmak: **~ dry**, emerek suyunu kurutmak; (birini) sızdırmak: **~ in**, emmek, yutmak, çekmek: **~ up**, massetmek, emmek, çekmek: **~ up to s.o.**, (*arg.*) birine çanak yalayıcılık etm.: **what a ~!**, (*arg.*) bozum!; yutturdular! **~er**, emici uzuv, çekmen; tulumba pistonu; (*zoo.*) vantuz; (*bot.*) piç, fışkın; (*arg.*) safdil, kolayca aldanır. **~ing-pig**, süt domuzu. **~le**, emzirmek. **~ling**, memeden kesilmemiş.
sucrose ['syūkrous]. Sakaroz; şeker.
suction ['sʌkşn]. Emme; massetme. **adhere by ~**, emerek (havayı çekerek) yapışmak. **~-dredger**, emici tarak. **~-fan**, emici vantilatör. **~-lift**, emerek yükseltme (gücü). **~-sweeper**, emici süpürge.
Sudan [sū'dan]. Sudan. **~ese** [-də'nīz] *i.* Sudanlı: *s.* Sudan+.
sudat·ion [syū'deyşn]. Ter(leme). **~orium** [-də'tōriəm], (hamam) terletici oda. **~ory** [-'deytəri], terletici (ilâç).
sudd [sʌd]. Beyaz Nil'de seyrüsefere engel olan yüzer bitkiler/ağaç vb. kümesi.

Aranan kelime bu sayfada bulunmazsa ilk olarak SUB- ***notlarına bakınız.***

sudden ['sʌdn]. Anî; birden; umulmadık. **all of a** ~, ansızın, birdenbire. ~**ly**, anî olarak. ~**ness**, anî olma.
sudorific [syūdə'rifik]. Terletici (ilâç).
suds [sʌdz] *ç.* **(soap-)**~, sabun köpüğü.
sue [syū, sū]. Dava etm. ~ **s.o. for damages**, birinin aleyhine zarar ve ziyan davası açmak: ~ **for peace**, barış istemek.
suède [sweyd]. Podösüet, süet.
suet ['syuit]. İç/böbrekyağı. ~**y**, yağlı.
Suez ['süiz/'syüiz]. Süveyş.
suf- [sʌf] *ön.* = SUB- + F.
suff. = SUFFIX; SUFFOLK.
suffer ['sʌfə(r)]. Tahammül etm.; katlanmak, çekmek; müsaade etm.; cefa çekmek; acı duymak; zarar görmek. **the battalion** ~**ed heavy losses**, tabur ağır zayiat verdi: ~ **for one's misdeeds**, yaptığı fenalıkların acısını çekmek: ~ **from a weak heart**, kalbi zayıf olm. ~**able**, tahammül edilir. ~**ance**, müsamaha, hoşgörü, göz yumma: **on** ~, müsamaha yüzünden/dolayısıyle. ~**er**, acı/zarar çeken kimse; kazazede. ~**ing**, *i.* acı, ıstırap (çekenler).
suffic·e [sʌ'fays]. Kâfi gelmek; elvermek, yetişmek: ~ **it to say that...**, yalnız şu kadarını şöyliyeyim ki. ~**iency** [-'fişənsi], kifayet; yeterlik; kâfi miktar; geçinecek kadar gelir. ~**ient** [-'fişənt], kâfi, yeter; elverir; kâfi miktarda: ~ **unto the day is the evil thereof**, bugünün derdi yeter (yarın Allah kerim): ~**ly**, kâfi gelerek.
suffix ['sʌfiks] (*dil.*) Sonek (eklemek).
suffocat·e ['sʌfəkeyt]. Boğ(ul)mak; tıka(n)mak. ~**ing**, boğucu. ~**ion** [-'keyşn], boğ(ul)ma.
Suffolk ['sʌfək]. Brit.'nın bir kontluğu; bir cins kara yüzlü koyun. ~**-punch**, İng. bodur atı.
suffragan ['sʌfrəgən]. Piskopos muavini.
suffrage ['sʌfric]. Rey, oy; seçimde oy verme hakkı. **universal** ~, genel seçim hakkı: **women's** ~, kadınların seçim hakkı. ~**tte** [-rə'cet], süfrajet.
suffus·e [sʌ'fyūz]. Yayılıp boyamak; üzerinde yayılmak. ~**ion** [-'fyūjn], yay(ıl)ma.
Sufi [sūfi]. Mutasavvıf. ~**sm**, tasavvuf.
sugar ['şugə(r)]. Şeker(lemek). **beet** ~, pancar şekeri: **brown** ~, esmer/ham şeker: **burnt** ~, karamela: **cane** ~, kamış şekeri: **castor** ~, toz şeker: **cube** ~, küp şeker: **granulated** ~, kristal şeker: **icing** ~, pasta kaplanması için pudra/un şeker: **loaf** ~, kelle şekeri: **lump** ~, kesme şeker: **maple** ~, akçaağaç şekeri: **moist** ~, ham/sarı şeker: **refined** ~, saf şeker: **white** ~, beyaz/saf şeker: ~ **the pill**, (*mec.*) hapı yaldızlamak: ~ **s.o. up**, birini tatlı sözlerle yumuşatmak. ~**-beet**, şeker pancarı. ~**-candy**, nöbet şekeri, akide, şekerleme. ~**-cane**, şeker kamışı. ~**-daddy**, (*arg.*) genç metresini lüks hayatta geçindiren yaşlı adam. ~**-gum**, ökaliptüs ağacı. ~**-house**, şeker fabrikası. ~**less**, şekersiz. ~**-icing**, (pasta) şeker kabuğu. ~**-loaf**, şeker kellesi (şeklinde dağ). ~**-maple**, akçaağaç. ~**-molasses**, şeker melası. ~**-plant·ation**, şeker kamışı tarlası: ~**er**, bunun sahibi. ~**-plum**, şekerleme, bonbon. ~**-refinery**, şeker (tasfiye) fabrikası. ~**-tongs**, şeker maşası. ~**y**, şekerli; şeker gibi; pek tatlı.
suggest [sʌ'cest]. Teklif etm.; telkin etm.; ilham etm.; ima etm.; fikir vermek; hatıra getirmek. **I** ~ **that...**, (avukat)... ileri sürüyorum. ~**ible**, teklif/telkin edilir. ~**ion** [-'cesçən], teklif; telkin, ilham; ima; fikir: **he speaks with just the** ~ **of a foreign accent**, pek az hissedilir bir yabancı şivesiyle konuşuyor. ~**ive**, telkin edici; fikir verici; hatırlatıcı; yakası açık.
suicid·al [syūi'saydl]. İntihara ait; intihar sayılacak: ~ **tendencies**, intihar eğilimi: **it would be** ~ **to**, ... yapmak intihardır: ~**ly**, intihar sayılacak şekilde. ~**e**, intihar; kendini öldüren kimse: **commit** ~, intihar etm.: **it would be business/social** ~, bütün ticarî/toplumsal münasebetler yıkılacak: ~**-seat**, (*oto., kon.*) şoförün yanındaki yolcu yeri: ~**-squad**, fedaî müfrezesi.
sui generis [syuay'cenəris] (*Lat.*) Nev'i şahsına münhasır, kendine özgü.
suit[1] [syūt] *i.* (Elbise, yelken vb.) takım, giysi, kostüm, tayyör, kat; (iskambil) takım; dava; kur; evlenme isteği. **follow** ~, (iskambil) aynı renkten oynamak; (*mec.*) aynı şeyi yapmak; taklit etm.: **generosity is not his strong** ~, onda pek cömertlik arama: ~ **for damages**, ödence/tazminat davası.
suit[2] *f.* Uy(dur)mak; uygun gelmek; işine gelmek; yakışmak; mutabık gelmek; münasip olm. **it** ~**s my book to put up with him**, ona tahammül etmek işime geliyor: **that hat does not** ~ **you**, o şapka size yakışmıyor. ~**ability** [-ə'biliti], uygunluk, yakışık. ~**able** [-əbl], uygun; yakışır; münasip; elverişli. ~**ably**, uygun vb. bir şekilde. ~**-case**, valiz.
suite [swīt]. Maiyet. ~ **of rooms**, daire, apartman: ~ **of furniture**, aynı desende mobilya: **bathroom** ~, aynı renkli banyo/lavabo vb.: **with bathroom en** ~, (yatak odası) ile özel banyosu: **orchestral** ~, orkestra süiti.
suit·ed ['syūtid]. -e uygun. ~**ing**, kostüm kumaşı. ~**-length**, kupon. ~**or**, bir kıza talip; davacı.
sulc·ate ['sʌlkeyt] (*biy.*) Yivli, oluklu. ~**us** *ç.* ~**i** [-kəs, -sī], yiv, oluk.
sulf·a ['sʌlfə]. ~ **drug**, sulfanilamid ilâcı. *~**ur** = SULPHUR.
sulk [sʌlk]. Somurtma(k); dudak sarkıtma(k); küsmek; küskünlük. **be in/have (a fit of) the** ~**s**, somurtmak. ~**y**[1], somurtkan, sarkık dudaklı; asık yüzlü; küskün.
sulky[2]. Tek kişilik iki tekerlekli araba.
sullage ['sʌlic] = SEWAGE.
sullen ['sʌlən]. Asık suratlı, gülmez; küskün, somurtkan; kapanık. **do stg.** ~**ly**, bir şeyi surat asarak ve istemiyerek yapmak.
sully ['sʌli]. Lekelemek, kirletmek.
sulph·ate ['sʌlfeyt]. Kibritiyet, sulfat; sulfatlanmak. ~**ide** [-fayd], sülfür. ~**ite**, sülfit. ~**ur** [-fə(r)], kükürt: **roll** ~, çubuk kükürt: **flowers of** ~, kükürt çiçeği: ~**ate**, kükürtle birleştirmek; kükürtle beyazlatmak: ~**ation** [-'reyşn], kükürtle beyazlanma: ~**eous** [-'fyūriəs], kükürtlü, kükürt gibi: ~**etted** [-fyu'retid], kükürtlenmiş: ~**ic** [-'fyūrik], kükürtlü: ~**ic acid**, asit sülfürik: ~**ous**, kükürtlü, sülfüroz: ~**-spring**, kükürtlü memba: ~**y**, kükürt gibi; kükürte ait.
sultan ['sʌltən]. Padişah; sultan. ~**a** [-'tānə], Padişahın karı/kızı; kuru çekirdeksiz İzmir üzümü. ~**ate**, saltanat. ~**ess** = ~A.
sultry ['sʌltri]. Sıcak ve sıkıntılı, boğucu sıcak.
sum [sʌm]. Yekûn, toplam, mecmu; meblağ, tutar, akçe; (*mat.*) mesele, hesap; hulâsa. ~ **up**, icmal etm.; toplamak, yekûn yapmak; hulâsa etm.: **a** ~ **of money**, bir miktar para: **lump** ~, toparlak hesap: **I can't do this** ~, bu hesabı yapamıyorum:

he is very bad at his ~s, hesabı çok fenadır: **in ~**, hulâsa: **~ s.o. up**, birisi hakkında hüküm vermek, birinin numarasını vermek: **~ up the situation at a glance**, vaziyeti bir bakışla takdir etm.

sumac(h) ['şūmak]. Somak.

Sumeria [syū'miəriə]. Sümer. **~n**, *i.* Sümerli: *s.* Sümer+.

summa·rily ['sʌmərili]. Kısaca; acele ile; (*huk.*) resmî yöntem izlenmiyerek. **~rist**, telhisçi. **~rize** [-rayz], hulâsa etm., özetlemek. **~(ry)**, *i.* hulâsa, öz(et), kısaltma, telhis, icmal: *s.* kısa, mücmel; kestirme. **~tion** [-'meyşn] (*mat.*) toplam.

summer ['sʌmə(r)] *i.* Yaz. *s.* Yaz+, yazlık, sayfî. *f.* Yazı geçirmek; yazın sığır vb.ni otlatmak. **Indian/St. Martin's/St. Luke's ~**, pastırma yazı. **~-house**, çardak, kameriye; sayfiye, yazlık ev. **~-lightning**, gök gürlemesi olmadan şimşek. **~like**, yaz gibi. **~-resort**, sayfiye. **~-school**, yaz tatilinde açılan okul. **~-time**, yaz mevsimi; yaz saati. **~y**, yaz gibi, yaza mahsus/uygun.

summing-up ['sʌmin(g)ʌp] (*huk.*) Dava sonunda hâkimin jüriye yaptığı özet.

summit ['sʌmit]. Zirve; şahika; doruk. **~-level**, (*dem.*) en yüksek nokta. **~-meeting**, (*id.*) zirve toplantısı.

summon ['sʌmən]. Çağırmak, celbetmek. **~ a town to surrender**, bir şehri teslim olmağa davet etm.: **~ up one's courage**, cesaretini toplamak. **~s**, celpname, getirtme belgesi; ihzar müzekkeresi; resmî davet: mahkemeye celbetmek: **take out a ~ against s.o.**, birini mahkemeye vermek: **serve a ~ on s.o.**, birine celpname tebliğ etm.

sump [sʌmp]. Çirkef çukuru; yağ haznesi, alt karter, karter kuyusu.

sumpter ['sʌmptə(r)]. **~ horse**, yük beygiri.

sumptu·ary ['sʌmptyuəri]. Sarfiyata ait: **~ laws**, (*tar.*) sarfiyatı kısıtlama. **~ous**, mükellef, tantanalı, debdebeli, lüks: **~ness**, lüks.

sun [sʌn] *i.* Güneş, şems. *f.* Güneşletmek. **~ oneself/sit/bask in the ~**, güneşlenmek: **against the ~**, (i) güneş karşısında olarak; (ii) sağdan sola: **with the ~**, (i) güneş arkasında olarak; (ii) soldan sağa: **demand a place in the ~**, (bir millet) yeryüzünde muhtaç olduğu alanı istemek: **his ~ is set**, yıldızı söndü: **he had a touch of the ~**, onu güneş çarptı.

Sun. = SUNDAY.

sun- *ön.* **~-and-planet**, (*müh.*) merkez ve yıldız dişlileri. **~bath** [-bāθ], güneşlenme: **~e** [-beyð], güneşlenmek: **~ing**, güneşlenme âdeti. **~beam**, güneş ışını. **~-bird**, nektar/Filistin güneş kuşu. **~-blind**, güneşlik. **~burn**, güneşten yanma: **~t**, güneşten yanmış, esmerleşmiş.

sundae ['sʌndi]. Meyvalı bir cins dondurma.

Sunday ['sʌndi]. Pazar günü. **a month of ~s**, uzun bir müddet: **one's ~ best**, bayramlık/yabanlık elbise. **~-painter**, sırf zevki için çalışan ressam. **~-school**, dinî derslere mahsus 'Pazar okulu'.

sunder ['sʌndə(r)]. Ayırmak; yarmak. **~ance**, ayırma; ayrılma.

sun·dew ['sʌndyū] (*bot.*) Böcekyiyen, güneşgülü. **~dial** [-dayəl], güneş saati. **~down**, güneşin batması, gurup: **~er**, (*kon.*) akşam içkisi; (*Avus.*) serseri. **~-dried**, güneşte kurutulmuş.

sundry ['sʌndri]. Öteberi; sair, diğer, muhtelif, çeşitli. **all and ~**, cümle âlem, herkes: *ç.* müteferrika, ufak tefek şeyler.

sun·fast ['sʌnfāst]. Güneşte solmıyan (renk). **~fish**, ay/güneş balığı. **~flower**, ay çiçeği.

SUNFED = SPECIAL UNITED NATIONS FUND FOR ECONOMIC DEVELOPMENT.

sung [sʌn(g)] *g.z.o.* = SING.

sun·-glasses ['sʌnglasiz]. Güneş gözlüğü. **~-god**, (*mit.*) güneş mabudu. **~-hat**, güneşten koruyan geniş kenarlı şapka. **~-helmet**, kolonyal şapka.

sunk [sʌn(g)k] *g.z.o.* = SINK[2]. **~en**, batık, batırılmış; su altında; (yer) münhat: **~ cheeks**, çökük yanaklar: **~ eyes**, çukura kaçmış gözler.

sun·less ['sʌnlis]. Güneşsiz. **~light**, güneş ışığı. **~lit**, güneşle aydınlanan. **~-lounge** [-launc], pek güneşli bir salon.

Sunn·a(h) ['sʌnə] (*din.*) Sünnet. **~i(te)** [-ni, -nayt], Sünnî.

sun·nily ['sʌnili]. Güneşli bir şekilde. **~niness**, güneşlilik. **~ny**, güneşli; güneş gibi parlak; neşeli: **the ~ side of the picture**, meselenin hoş tarafı. **~-parlour**, pek güneşli bir salon. **~proof**, güneş geçmez, güneşe dayanır. **~rise**, güneş/gün doğması. **~seeker**, tatil için güneşli yerlere giden kimse. **~set**, gurup, güneş batması: **~-glow**, akşam kızıllığı: **~-years**, yaşlıların son yılları. **~shade**, yazlık şemsiye. **~shine**, güneş ışığı; (*mec.*) neşe: **~-roof**, (*oto.*) açılır-kapanır dam. **~-spot**, güneş lekesi. **~stroke**, güneş çarpması. **~-tanned**, bronzlaşmış. **~-trap**, pek güneşli bir yer/oda vb. ***~-up** = **~**RISE. **~-visor**, güneş siperi. **~ward(s)**, güneşe karşı/doğru. **~-wheel**, (*müh.*) merkez dişlisi. **~wise**, güneş hareketine göre. **~worship**, güneşe tapma.

sup [sʌp] *i.* Yudum. *f.* Yudum yudum/kaşıkla içmek; akşam yemeği yemek. **~ off/on stg.**, akşam yemek olarak bir şeyi yemek.

sup. = SUPERLATIVE; SUPPLY.

super[1] ['syūpə(r)] (*kon.*) Mükemmel; olağanüstü (iyi/zeki vb.); (*tiy.*) = ~NUMERARY.

super-[2] *ön.* Üzerinde, fevkında; fazla, ziyade; aşırı; üstün(de); süper; tam. **super-** *öneki hemen hemen her kelimenin başına konarak yeni bir kelime türetilebilir; sözlükte bulunmıyan kelimeleri asıl kelimede arayıp* SUPER- *ile aldıkları yeni anlamı yukarıdaki açıklamadan çıkarmak mümkündür.*

super·able ['syūpərəbl]. Yenilir; atlatılır. **~abound**, pek çok/fazla miktarda bulunmak. **~abundan·ce** [-a'bʌndəns], çok bolluk: **~t**, pek bol; lüzumundan fazla. **~annuat·e** [-'anyueyt], yaşlılık sebebiyle işten çıkarmak; emekliye ayırmak: **~ion** [-'eyşn], yaşlılık sebebiyle emeklilik; emekli ödencesi/tekaüt tazminatı: **~ fund**, emekli sandığı.

superb [syu'pōb]. Muhteşem; âlâ; enfes. **~ly**, çok güzel, fevkalâde.

super·cargo ['syūpəkāgou]. Geminin yük memuru/armatör vekili. **~charge·d**, kompresörlü: **~r**, kompresör. **~cilious** [-'siliəs], müstağni, kibirli; tepeden bakan. **~class**, (*biy.*) üst-sınıf. **~cooled**, aşırı soğu(tul)muş. **~-dreadnought**, drednottan daha güçlü gemi. **~eminen·ce**, faikıyet, üstünlük: **~t**, pek önemli, çok üstün. **~erogation**, (*din.*) görevinden fazla yapılan (hayır) işler(i).

super·family ['syūpəfamili] (*biy.*) Üst-familya

~fatted, çok yağlı (sabun). **~fetation**, gebe hayvanın yine gebe kalması. **~fici·al** [-'fişəl], sathî, yüzey(sel); yarım yamalak; üstünkörü: **~es** [-'fisi·īz], satıh, yüzey. **~fine** [-fayn], en âlâ; pek ince. **~flu·ity** [-'flūiti], lüzumundan fazla miktar; lüzumsuz/gereksiz şey: **~ous** [-'pəfluəs], lüzumsuz, yersiz, gereksiz; fazla; fuzulî; nafile.

super·giant [-cayənt] (*ast.*) Üstdev. **~heat** [-hīt] (*müh.*) kız(dır)mak; kızgınlık, fazla ısınma: **~ed**, aşırı ısıtılmış: **~er**, kızdırıcı: **~ing**, fazla ısıt(ıl)ma. **~human** [-'hyūmən], insanüstü; insanın kuvvet ve takati dışında.

super·impose [-im'pouz]. Bir şeyin üzerine koymak. **~intend**, murakabe etm., nezaret etm., denetlemek, kontrol etm.: **~ent**, mubassır; müfettiş; kontrol memuru, denetçi. **~ior** [-'piəriə(r)] *s.* üstün, faik, daha iyi; müstağni, yukarıdan: *i.* amir, reis: **~ity** [-ri'oriti], üstünlük, faikıyet. **~lative** [-'pələtiv] *s.* eşsiz, son derece iyi: *i.* (*dil.*) üstünlük derecesi, tafdil sıygası: **talk in ~s**, mübalağa etm.: **~ly**, fevkalâde.

super·man *ç.* **~men** ['syūpəman]. Üstinsan. **~market**, büyük SELF-SERVICE mağazası.

super·nal [syū'pənəl] (*şiir.*) Semavî, ilahî. **~natural** [-'naçərəl], doğa/tabiatüstü; mucizevî. **~nova**, (*ast.*) üstnova. **~numerary** [-'nyūmərəri], belirli/gerekli sayıdan fazla olan; (*tiy.*) figüran. **~order**, (*biy.*) üst-takım. **~parasite** [-'parəsayt], asalakta yaşıyan asalak. **~phosphate** [-'fosfeyt], süperfosfat. **~physical**, doğaüstü. **~pose** = **~**IMPOSE.

super·saturate [-'saçəreyt]. Fazla doyurmak/emdirmek/ıslatmak: **~d**, aşırı doy(ur)muş, fazla dolgun. **~scri·be**, bir şeyin üstüne/dışına yazmak: **~ption**, böyle bir yazı; kitabe; unvan; adres. **~sede** [-'sīd], azledip yerine başkasını koymak; başkasının yerine geçmek: **this method has now been ~d**, bu usulün yerini şimdi başkası tutmuştur. **~sensitive**, pek fazla hassas/duygulu. **~session** [-'seşn], yerine başkasını koyma: **the ~ of oil-lamps by electric lighting**, gaz lambalarının yerine elektrik kullanılması. **~sonic**, sesüstü (frekans/dalgalar); sesten daha hızlı. **~stit·ion** [-'stişn], boş inanç; hurafe; hurafelere inanma: **~ious** [-'stişəs], batıl inançlara inanan; hurafatçı; hurafeperest. **~structure** [-'strʌkçə(r)], bir yapının üst kısmı, üstyapı; gemi teknesinin üzerindeki kısım.

super·-tanker [-'tan(g)kə(r)]. Pek büyük sarnıç gemisi. **~-tax** [-taks], fazla gelir vergisi; = SURTAX. **~vene** [-'vīn], zuhur edivermek. **~vis·e** [-vayz], gözetmek, nezaret etm., murakabe etm.; bakmak; idare etm.: **~ion** [-'vijn], nezaret, murakabe, teftiş, gözetim: **~or**, müfettiş; müdür; murakıp, denetçi; amir; nezaretçi, gözetmen.

supine [syū'payn]. Sırtüstü yatan; gevşek; rehavetli.

supper ['sʌpə(r)]. Hafif akşam yemeği. **the Last ~**, Hazreti İsa'nın havarileriyle son yemeği: **the Lord's ~**, (Hıristiyanlıkta) şarapla ekmek yeme ayini. **~less**, yemeksiz; yemek yemeden.

supplant [sʌ'plānt]. Bir kimsenin yerini/işini almak: ayağını kaydırıp yerine geçmek. **~er**, böyle yeri alan/yere geçen.

supple ['sʌpl] *s.* Kolayca eğilir; eğilir bükülür; uysal; esnek. *f.* Böyle bir hale getirmek.

supplement ['sʌplimənt] *i.* Zeyil, ilâve, artırım, ek, zam. [-'ment] *f.* -e ilâve etm.; zammederek tamamlamak, eklemek. **~ary**, zeyil/ilâve/ek şeklinde; munzam; katma, tamamlayıcı; yedek. **~ation** [-'teyşn], ilâve etme/edilme; tamamla(n)ma.

supplet·ion [sʌ'plīşn] (*dil.*) Ek şekli. **~ive**, ek şeklinde.

suppli·ant ['sʌpliənt]. Yalvaran, istirham eden; niyazkâr. **~cate** [-keyt], yalvarmak, niyaz etm. **~cation** [-'keyşn], yalvarma, yalvarış. **~catory**, yalvarış gibi.

suppl·ier [sʌ'playə(r)]. Tedarik eden; lâzım olan şeyleri veren kimse; satıcı. **~ies** [-'playz], levazım, erzak, donatım; tahsisat: **England has large ~ of coal**, İng.'nin büyük miktarda kömürü var: **vote ~**, (*id.*) tahsisat kabul etm. **~y**[1], *i.* bir maddenin mevcudu; stok; miktar; donanım; levazımı tedarik etme; besle(n)me; (*elek.*) cereyan: **~ column**, iaşe ağırlığı: **~ and demand**, arz ve talep: **~ ship**, erzak ve mühimmat gemisi: **be in short ~**, kıt olm. **~y**[2], *f.* tedarik etm., bulmak; sağlamak, temin etm.; arzetmek; lâzım olan şeyleri vermek; bir eksiğini doldurmak: **~ s.o. with stg.**/**~ stg. to s.o.**, birine bir şeyi tedarik etm./temin etm./bulmak/sağlamak.

supply[3] ['sʌpli]. Uysal/esnek olarak.

support[1] [sʌ'pōt] *i.* Destek, dayanık, sehpa, payanda; istinat; yardım, arka, piston. **documents in ~ of a claim**, bir iddiayı doğrulayan vesikalar: **speak in ~ of s.o.**, birini desteklemek için nutuk söylemek, birinin lehinde söz söylemek: **the sole ~ of his old age**, ihtiyarlığında yegâne dayandığı kimse.

support[2] *f.* Desteklemek; istinat etm.; teyit etm.; yardım etm.; arka olm.: beslemek, geçindirmek; kaldırmak; çekmek, tahammül etm.; düşürmemek, batırmamak. **~ oneself**, (i) geçinmek; (ii) dayanmak: **be ~ed by a life-buoy**, batmamak için bir cankurtarana sarılmak. **~able**, tahammül edilir. **~er**, taraftar; arka; yardımcı. **~ing**, destekleyici: **~ part**, (*tiy.*) ikinci rol. **~less**, desteksiz.

suppos·e [sʌ'pouz]. Farzetmek, varsaymak, zannetmek, inanmak. **creation ~s a creator**, hilkatin varlığı halikın varlığını gösterir/farzettirir: **~/~ing that you are right**, farzedelim ki haklısınız: **I don't ~ he will come**, geleceğini zannetmiyorum: **'Will you go there?' 'I ~ so'**, 'Oraya gidecek misin?' 'Her halde/zannederim': **~ we change the subject**, konuyu değiştirsek nasıl olur?: **he is ~ed to be very rich**, pek zengin olduğunu söylüyorlar: **I am not ~ed to know**, (i) onu benim bilmemem mefruz/lâzım; (ii) onu benim bilmediğimi zannediyorlar. **~ed**, mefruz; farazî; zannedilen: **~ly**, guya. **~ing**, **~ (that)** . . ., . . . takdirde; eğer . . .. **~ition** [-'zişn], farz; zan; faraziye. **~ititious** [-pozi'tişəs], sahte, kalp.

suppository [sʌ'pozitəri]. Makat/mehbile konulan katı ilâç; süpozituvar.

suppress [sʌ'pres]. Bastırmak; kaldırmak; (*bas.*) kapatmak; lağvetmek; örtbas etm., (yazıyı) hasır altı etm.; tenkil etm.; zaptetmek. **~ant**, etkiyi yatıştıran (ilâç vb.). **~ion** [-'preşn], tenkil, bastırma; ilga; örtbas etme. **~or**, (*müh.*) giderici, süpresör; (*elek.*) antiparazit.

suppurat·e ['sʌpyureyt]. Cerahat-/irinlenmek. **~ion** [-'reyşn], cerahat/irin(lenme).

supra ['syuprə] (*Lat.*) Yukarıda (zikredilen). ***vide* ~**, yukarıya bakınız.

supra- [syūprə-] *ön.* Üstünde, fevkında; önünde, dışında; -den daha çok. **~conductivity**, (*elek.*) pek

soğuk olduğundan artırılmış iletkenlik. ~**glacial** [-gleyşəl], buzulüstü+. ~**liminal**, bilinç eşiğini aşmış. ~**molecular**, birleşik moleküllere ait. ~**national**, ulusal sınır/teşkilâtların üstünde. ~**protest**, (*mal.*) senet/belgiti protesto ettikten sonra kabul etme. ~**renal** [-'rīnəl], böbreküstü.
suprem·acy [syū'preməsi]. Üstünlük, faikıyet; hâkimiyet: ~ **over**, -e üstünlük. ~**e** [-'prīm], en yüksek; en önemli; üstün, faik: **reign** ~, salt bir şekilde hâkim olm.: ~ **authority**, en üst makam: ~ **Being**, Allah: ~ **command**, başkumandanlık: ~ **commander**, başkumandan: **hold s.o. in** ~ **contempt**, birini şiddetle küçümsemek: ~ **Court**, temyiz mahkemesi, yargıtay: ~ **happiness**, tam bahtiyarlık: ~ **sacrifice**, canını feda etme, ölüm: ~ **test**, en büyük tecrübe: ~**ly**, üstün olarak. ~**o** [mou], baş lider/hükümdar/*kumandan.
Supt = SUPERINTENDENT.
sur-[1] [sə(r)] *ön.* = SUB- + R [SURROGATE].
sur-[2] *ön.* = SUPER- [~CHARGE; ~REALIST].
sura(h) ['sūrə]. Kur'an suresi.
sural ['syuərəl]. Baldıra ait.
surcease [sə̄'sīs] (*mer.*) Bitme(k); ardı kesilme(k).
surcharge ['sə̄çāc] *i.* Zammedilmiş vergi/resim; posta pulu üzerine basılmış yeni değer, sürşarj; artırım, zam. *f.* Fazla yükletmek; fazla resim/vergi tarhetmek; posta pulu üzerine başka değer basmak.
sur·cingle ['sə̄sin(g)gl]. At örtüsünü tutturmağa mahsus kolan. ~**coat**, (zırh üstüne giyilen) cüppe.
surd [sə̄d] (*mat.*) Asam; (*dil.*) süreksiz ünsüz.
sure [şuə(r)]. Emin; şüphesi olmıyan; muhakkak, şüphesiz; müspet, güvenilir, sağlam; muhkem; *elbette, hay hay! **be** ~ **of stg.**, bir şeyden emin olm.: **I'm** ~ **I don't know!**, vallahi bilmem: **be** ~ **not to forget!**, sakın unutma!: **well I'm** ~**!**/ **well to be** ~**!**, Allah! Allah!; çok şey!: **to be** ~**!**, elbette!, hakkınız var: **she's not very pretty to be** ~**, but...**, güzel olmadığı muhakkak, fakat...: **he is** ~ **to come**, muhakkak gelir: **I said it would rain and** ~ **enough it did**, yağmur yağacak dedim, bak işte yağdı: **he will come** ~ **enough**, korkma, gelir: **and** ~ **enough he died next week**, gerçekten de ertesi hafta öldü: **I don't know for** ~, katî olarak bilmiyorum: **make** ~ **of**, -i temin etm., sağlama bağlamak: **make** ~ **of a fact**, bir vakayı tahkik etm.: **slow but** ~, ağır fakat esaslı: **a** ~ **thing**, elde bir. ~**footed** [-'futid], düşmez; ayağı hiç kaymaz; sürçmez. ~**ly**, elbette, muhakkak, gerçekte: **you** ~ **don't believe that!**, ama yaptın ha!, buna nasıl inanırsın? ~**ty**, kefil, borçlancı, zamin; borçlancılık, kefalet; emniyet, teminat: **go/stand** ~ **for s.o.**, birine kefalet etm.
surf [sə̄f]. Kıyıdaki dalga çatlaması; köpüklü/çatlak dalgalar.
surface ['sə̄fis] *i.* Satıh; yüz(ey); alan; yeryüzü; bir şeyin üst kısmı; zevahir, görünüş. *s.* Sathî, suüstü+, yüz(den), yüzeysel. *f.* Üzerine yüz kaplamak; düzletmek; (denizaltı) suyun üstüne çıkmak. **one never gets below the** ~ **with him**, bu adamın içine nüfuz edilemez. ~**-current**, yüz akıntısı. * ~**-effect ship** = HOVERCRAFT. ~**-mail**, adi posta. ~**-ship**, suüstü gemisi. ~**-tension**, yüz gerilmesi. ~**-to-air/ -surface missile**, yerden hava/yere füze. ~**-water**, toprаküstü suyu.
surfacing ['sə̄fisin(g)]. Üstünü kaplama; perdahlama. ~**-machine**, yol kaplama makinesi.
surf·-board ['sə̄fbōd]. Dalga kayağı. ~**-boat**, çatlak dalgalarından geçebilen dayanıklı tekne. ~**-(rid)ing**, (*sp.*) dalga kayağıyle geçme.
surfeit ['sə̄fit] *i.* Yemekte aşırılık; tokluk; usanç; fazla bolluk. *f.* Fazla ye(dir)mek. ~ **oneself with stg.**, bir şeyden midesi bulanacak kadar yemek (*ve mec.*).
surficial [sə̄'fişl] (*yer.*) Yeryüzüne ait.
Surg. = SURGE·ON/-RY.
surge [sə̄c]. Büyük dalga; dalga gibi kabarma(k); dalgalanma(k).
surg·eon ['sə̄cən]. Cerrah, operatör; (*den.*) doktor: ~**-General**, (*ask.*) ordu vb.nin başdoktoru. ~**ery**, cerrahlık (bilimi), operatörlük; ameliyat(lar); ameliyathane, doktor muayenehanesi; çalışma odası; (*id.*) mebusun bölgesindeki seçmenleriyle muntazam görüşmeleri: **cosmetic/vanity** ~, estetik ameliyat: **plastic** ~, plastik ameliyat. ~**ical** [-cikl], cerrahlık/ameliyata ait: ~ **fever**, ameliyattan sonra gelen ateş: ~ **instrument**, ameliyat aleti: ~ **operation**, ameliyat: ~ **ward**, ameliyat koğuşu.
surl·ily ['sə̄lili]. Abus/hırçın, bir şekilde. ~**iness**, hırçınlık vb. ~**y**, abus, hırçın, gülmez, çatıkkaşlı.
surmise [sə̄'mayz] *i.* Zan, tahmin; şüphe. *f.* Tahmin etm., farzetmek; delil olmadığı halde inanmak.
surmount [sə̄'maunt]. Üstünden gelmek/geçmek; hakkından gelmek, aşmak, yenmek. ~**able**, üstünden geçilir.
surname ['sə̄neym]. Soyadı (takmak).
surpass [sə'pās]. Üstün gelmek; üstün çıkmak; geçmek. ~**ing**, eşsiz; üstün: ~**ly**, son derece, gayet.
surplice ['sə̄plis]. Papazın kilisede giydiği beyaz cüppe.
surplus ['sə̄plʌs]. Artık; fazla; ziyade; arta kalan, bakiye.
surpris·e [sə'prayz] *i.* Umulmadık şey; sürpriz; hayret, taaccüp. *f.* Hayret vermek; şaşırtmak: **be** ~**ed at stg.**, bir şeye şaşmak: **take s.o. by** ~, birini gafil avlamak; birine baskın yapmak. ~**ing**, hayret verici, hayreti mucip; acayip.
surrealis·m [sʌ'riəlizm]. Gerçeküstücülük, sürrealizm. ~**t**, gerçeküstü(cü).
surrender [sə'rendə(r)] *i.* Teslim; terk; feragat. *f.* Teslim etm., terk etm.; teslim olm. **unconditional** ~, kayıtsız şartsız teslim. ~**-value**, (poliçe) iptal edildiği halde geri alınabilecek değer.
surreptitious [sʌrep'tişəs]. El altından; gizli; hırsızlama. ~**ly**, gizlice, uğrun.
Surrey ['sʌri]. Brit.'nın bir kontluğu; *hafif iki kişilik araba.
surrogate ['sʌrəgeyt] (*din.*) Vekil; *aile işlerine bakan hâkim.
surround [sʌ'raund] *i.* Çerçeve. *f.* Çevirmek, kuşatmak, ihata etm., etrafını almak; sarmak. ~**ing**, etrafında olan; mücavir; muhit. ~**ings**, muhit, etraf; çevre(ler).
surtax ['sə̄taks] *i.* Katma/munzam vergi. *f.* Belirli bir hadden sonra vergiyi artırmak.
surveillance [sə̄'veyləns]. Gözetme; nezaret, denetleme, teftiş. **under** ~, nezaret altında: ~ **radar**, tarama radarı.
survey ['sə̄vey] *i.* Muayene, teftiş; tetkik, yoklama, anket; bilirkişi incelemesi, ekspertiz; mesaha, yer ölçme, kadastro; mütalaa; göz gezdirme; hulâsa. [-'vey] *f.* (Bir şeyin bütününe) göz gezdirmek; muayene/teftiş etm.; yoklamak; bakmak; mütalaa

etm.; mesaha etm., haritasını çıkarmak. **~ing**, mesaha bilimi, ölçme, haritacılık: **aerial ~**, hava/uçaktan haritacılık: **hydrographic/land ~**, karasu/arazi haritacılığı: **photographic ~**, fotogrametri. **~or**, arazi ölçme/mesaha memuru; müfettiş, muayene memuru: **~'s level/rod**, ölçü nivo/latası: **~ship**, mesaha memurluğu. **~-ship**, deniz haritacılığı için kullanılan gemi.

surviv·al [sə'vayvl]. Beka; kalım, artakalma; hayatta kalma: **~ of the fittest**, (*biy.*) en uygunların kalımı. **~or**, sağ/hayatta kalan; kazadan kurtulan: **~ship**, sağ kalma; (*huk.*) ölenin mal hissesini alma hakkı.

sus(s) [sʌs] (*arg.*) Şüphe(li). **~ out**, keşif yapmak.

sus- *ön.* = SUB- + C/P/T/.

suscepti·bility [səsepti'biliti]. Hassaslık; alınganlık; istidat, anıklık. **~ble** [-'septibl], hassas, alıngan; müstait; çabuk müteessir olan, şıpsevdi: **~ of proof**, ispat edilebilir: **~ to a disease**, bir hastalığa istidadı olan. **~bly**, fark-/hissedilir derecede. **~ve**, hassas; çok müteessir olan.

suspect ['sʌspekt] *i., s.* Şüpheli; maznun; bulaşık. [-'pekt] *f.* Şüphelenmek; hakkında şüphe etm.; kuşkulanmak; hakkında suizanda bulunmak. **~ s.o. of a crime**, birinin bir cinayeti işlediğinden şüphe etm.: **I ~ed as much**, ben de bundan şüphe ediyordum.

suspend [sʌs'pend]. Asmak; talik etm. tehir etm., ertelemek; geçici olarak tatil etm./kapatmak; geçici olarak işten el çektirmek. **~ed**, muallak; asılı; geçici olarak tatil edilmiş: **~ animation**, (boğulmak tehlikesi geçiren bir adamda olduğu gibi) yaşama cihazlarının geçici olarak durması. **~er(s)**, †çorap askısı; *pantolon askısı [†BRACES].

suspens·e [sʌs'pens]. Muallaklık; merak, heyecan; geciktirim: **be in ~**, askıda kalmak; (insan) merakta kalmak: **keep s.o. in ~**, birini merakta bırakmak: **matters in ~**, muallakta kalan meseleler: **~ account**, muallaktaki/temelsiz/süspans hesap. **~ible**, asılır. **~ion** [-'penşn], as(ıl)ma; talik, durdurma; kesilme; geçici olarak tatil olunma/kapanma; geçici olarak işten el çektirme, azil; (*huk.*) erteleme, ceza tecili; (*kim.*) asıltı, süspansiyon: **~ of payment**, ödemenin kesilme/durdurulması: **~-bridge**, asma köprü. **~ive**, tehir edici; heyecana ait. **~ory**, askılık eden.

suspic·ion [sʌs'pişn]. Kötü sanı, kuşku, şüphe; kuşkulanma; vesvese: **above ~**, şüphe edilemez. **~ious** [-'pişəs], vesveseli; kuşkulu; şüpheli; şüphe verici: **be ~ about**, -den kuşkulanmak: **it looks to me ~ly like measles**, bence kızamık olması pek muhtemeldir.

suspir·ation [sʌspi'reyşn]. Nefes alma; iç çekme. **~e** [-'payə(r)], nefes almak; iç çekmek.

Sussex ['sʌsiks]. Brit.'nın bir kontluğu; bir nevi benekli/kırmızı tavuk.

sustain [sʌs'teyn]. Ağırlığını taşımak/çekmek; kuvvet ve umut vermek; beslemek; katlanmak; teyit etm.; tutmak, iddia etm. **~ a defeat**, yenilmek, hezimete uğramak: **~ an injury**, yaralanmak, zarar görmek: **~ an objection**, (*huk.*) bir itirazı kabul etm. **~ed**, devamlı. **~ing**, destekleyen, besleyen: **~ food**, kuvvet veren gıda: **~ member**, dernek fonlarına para veren üye.

susten·ance ['sʌstinəns]. Gıda; besleme; geçin(dir)me. **~tation** [-'teyşn], geçindirme.

susurration [sūsə'reyşn]. Fısıltı.

Suth(erland) ['sʌðələnd]. Brit.'nın bir kontluğu.

sutler ['sʌtlə(r)] (*tar.*) Bir ordunun arkasından gidip öteberi satan kimse.

suttee [sʌ'tī]. Dul kadının ölen kocası ile birlikte yakılmasından ibaret Hint âdeti.

sutur·al ['sūçərəl]. Dikiş yerine ait. **~e**, *i.* yara dikme; dikiş(le kapatma); (kemikler) ek yeri; derz; (*biy.*) dikiş: *f.* yara dikmek, dikişle birleştirmek/kapatmak.

Suvla ['sūvlə]. Anafartalar.

suzerain ['sūzəreyn]. Metbu, hükümdar, kendisine uyruk olunan. **~ty**, metbuiyet, hükümdarlık.

svelte [svelt] (*Fr.*) İnce yapılı, elif/fidan gibi.

Sw. = SWEDISH.

SW = SEA-WATER; SHORT WAVE; SOUTH WALES; SOUTH-WEST(ERN).

swab [swob]. İp süpürge; bulaşık bezi; palasturpa; (*tıp.*) boğaza ilâç sürmek vb. için kullanılan eczalı pamuk parçası; (*arg.*) yaramaz; alçak herif. **~ down**, ip süpürge ve su ile temizlemek: **take a ~ of s.o.'s throat**, mikrop bulunup bulunmadığını anlamak için birinin boğazını pamuk parçasıyla silmek. **~ber**, temizleyici; (*arg.*) hantal herif.

swaddl·e ['swodl]. Kundaklamak; sıkı sarmak. **~ing-clothes**, kundak.

swag[1] [swag] (*arg.*) Hırsızlıkla elde edilen şey; yağma; (*Avus.*) bohça. **~man**, serseri.

swag[2] (*mim.*) Çelenk/bezek gibi bir süs.

swag·e [sweyc]. Tokaç(lamak); kalıpta dövmek. **~ing**, tokaçla(n)ma.

swagger ['swagə(r)] *i.* Çalım, kurum, caka. *f.* Caka satmak; kabadayılık etm. *s.* (*kon.*) Pek şık; gösterişli. **~-stick**, askerlerin görev dışında taşıdıkları kısa baston.

swain [sweyn] (*şiir.*) Çoban; âşık.

swallow[1] ['swolou]. Yutma(k); yudum. **drink stg. at one ~**, (bir içki vb.ni) dikmek: **~ an insult**, hakareti sineye çekmek: **~ one's pride**, gururunu bir tarafa bırakmak: **~ one's words**, tükürdüğünü yalamak: **~ up**, yutmak; mahvetmek.

swallow[2] *i.* Kır kırlangıcı. **one ~ does not make a summer**, bir çiçekle bahar olmaz. **~-hole**, (*yer.*) düden, obruk. **~-tail**, çatal kuyruklu kelebek: **~ed**, kırlangıç kuyruğuyle: **~ed coat**, frak.

swam [swam] *g.z.* = SWIM.

swamp [swomp] *i.* Bataklık. *f.* Dalga içine girip batırmak; bir toprağa su bas(tır)mak; garketmek. **~y**, batak·lı/-sal.

swan [swon]. Kuğu. **mute ~**, sessiz kuğu: **whooper ~**, ötücü kuğu: **the ~ of Avon**, Shakespeare. **~-herd**, krala ait kuğular memuru. **~like**, kuğu gibi beyaz/zarif. **~-neck**, deveboynu boru: **~ed**, deve/kuğu boynu şeklinde. **~nery**, kuğuların yetiştirildiği yer. **~'s-down**, kuğunun en ince tüyü; buna benzer bir kumaş. **~song**, bir şair vb.nin son eseri. **~-upping**, kuğuların sahipliğini saptayan yıllık damgalama.

swank [swan(g)k] (*kon.*) Çalım (satmak); gösteriş. **~pot**, zartçı. **~y**, çalımlı.

swap [swop] = SWOP.

swaraj [swar'rac]. (Hindistan) millî istiklâl.

sward [swōd]. Çimenli yer.

swarf [swōf]. Talaş.

swarm[1] [swōm] *i.* Arı kümesi, oğul; kalabalık. *f.* (Oğul arıları) kovandan çıkıp başka bir yere

toplanmak, oğul vermek; kaynamak; küme teşkil etm. **~s of**, pek çok: **this place ~s with foreigners**, bu yerde yabancılar kum gibi kaynıyor.
swarm[2] *f.* **~ up a tree**, bir ağaca tırmanmak.
swart(hy) [swōt, 'swōði]. Koyu esmer, yağız.
swash [swoş] *f.* Çalkala(n)mak. *i.* Çalkantı (sesi). **~buckl·er** [-bʌklə(r)], kabadayı; palavracı; kahraman taslağı: **~ing**, kabadayılık; farfaralık, palavra. **~-plate**, (*hav.*) rotor başı tabağı.
swastika ['swostikə]. Gamalı haç.
swat [swot] (*kon.*) Vurmak; ezmek.
swatch [swoç]. Kumaş örnek(ler).
swath [swōθ]. Tırpancının arkasında bırakılan biçilmiş ot; orak makinesi ile bir çırpıda biçilen yer.
swathe [sweyð]. Kundaklamak; sarmak.
sway[1] [swey] *f.* Sallanmak, salınmak; yalpalamak; sallamak; sarsmak.
sway[2] *i.* Hüküm; nüfuz; hâkimiyet. *f.* Bir tarafa meylettirmek; nüfuzu altında bulundurmak, fikrini çelmek. **hold ~ over**, -e hâkim olm.: **bring a people under one's ~**, bir milleti hâkimiyeti altına almak.
swbd = SWITCHBOARD.
swear (*g.z.* **swore**, *g.z.o.* **sworn**) [sweə(r), swō(r), swōn]. Yemin etm., ant içmek; küfür etm. **~ at s.o.**, birine küfür etm.: **~ away s.o.'s life**, yalan yere yemin ederek birinin idamına sebep olm.: **~ by stg.**, bir şey üzerine yemin etm.; (*kon.*) bir şeye çok güvenmek, bir şeyi çok methetmek: **~ stg. on the Bible**, İncil üzerine yemin etm.: **~ s.o. in**, bir göreve tayin edilen birine yemin ettirmek/ant içirmek: **~ off stg.**, bir şeye tövbe etm.: **~ s.o. to secrecy**, kimseye söylemiyeceğini yemin ettirmek. **~ing**, ant içme; küfür, sövüp sayma. **~-word**, küfür.
sweat [swet] *i.* Ter(leme); (*arg.*) angarya. *f.* Terlemek; (*arg.*) çok çalışmak; terletmek; az ücret ile çalıştırmak, çabalatmak; (maden) eritmek, kaynak yapmak: **he shall ~ for it**, pişman olacak: **be in a ~**, terlemek; (*arg.*) etekleri tutuşmak: **by the ~ of one's brow**, alın teriyle. **~-band**, şapka iç kayışı. **~-box**, (*müh.*) buğu dolabı; (*den., arg.*) gemide ufak ve sıcak ceza odası. **~ed, ~ labour**, az ücretli iş. **~er**, çok terleyen; ağır çalıştıran; (*mod.*) süveter, kazak, triko. **~-gland**, ter bez/guddesi. **~ily**, terli bir halde. **~iness**, terli olma. **~ing**, terle(t)me: **~-sickness**, terletici bulaşık humma. **~less**, tersiz. **~shop**, çalışma/ücret şartları kötü olan iş yeri. **~-suit**, (*sp.*) idman elbisesi. **~y**, terli, terlemiş, ter gibi; terletici/ağır (iş).
swede[1] [swīd]. Sarı şalgam.
Swed·e[2]. İsveçli. **~en**, İsveç. **~ish**, *i.* İsveçli; İsveççe: *s.* İsveç+
sweep[1] [swīp] *i.* Süpürme; baca temizleyicisi, ocakçı; akış, savruluş; kavis; alan, saha; bir şeyin faaliyet ve etki alanı; büyük kürek; (*hav.*) inhina, ok şekli; (*arg.*) pis adam; kirli çocuk. **make a clean ~ of**, silip süpürmek, temizlemek: **with a wide ~ of the arm**, geniş bir kol hareketiyle.
sweep[2] (*g.z.(o.)* **swept** [swept]) *f.* Süpürmek; taramak; hızla ve mağrurane ilerlemek; kavis yaparak dönmek. **~ all before one**, devamlı bir şekilde başarılı olm.: **~ away**, silip süpürmek: **~ the board**, (i) kumarda masadaki bütün parayı kazanmak; (ii) mümkün olan her şeyi kazanmak: **pirates swept down on the town**, korsanlar şehre çullandılar: **~ the horizon with a telescope**, ufku bir dürbünle bir baştan bir başa incelemek: **be swept off one's feet**, dalga vb. ile sürüklenmek; (*mec.*) heyecana kapılmak: **the maid swept out the room**, hizmetçi odayı baştan başa süpürdü: **the lady swept out of the room**, hanım vardakosta bir edasıyle odadan çıktı: **~ the seas of one'e enemies**, denizleri düşmandan temizlemek: **the shore ~s to the south in a wide curve**, kıyı büyük bir yay çizerek güneye doğru kıvrılıyor. **~er**, sokak süpürücüsü; süpürücü makinesi. **~ing**, *s.* şümullü, geniş, umumî, genel. **~ings**, süprüntü. **~-net**, büyük balık ağı. **~-second-hand**, öbür ibreler ile dönen saniye ibresi. **~(stake)**, (*bilh.* at yarışlarına mahsus) piyango.
sweet [swīt] *s.* Tatlı; şekerli; lezzetli; mis gibi; hoş, latif; taze. *i.* Şekerleme; tatlı (yemek). **be ~ on s.o.**, (*arg.*) birine düşkün olm.: **say ~ nothings to s.o.**, (meselâ iki sevgili gibi) havadan sudan güzel sözler söylemek: **have a ~ tooth**, tatlı şeylere düşkün olm.: **at one's own ~ will**, keyfine göre. **~bread, (neck)~**, özden; **(stomach) ~**, uykuluk. **~en**, şekerlen(dir)mek; tatlılaş(tır)mak. **~ening**, şekerlendirici şey. **~heart**, dilber, sevgili; canan; yavuklu. **~ie**, (*çoc.*) = ~HEART/MEAT. **~ish**, oldukça tatlı. **~ly**, tatlı/nazik bir şekilde. **~meat**, şekerleme, bonbon. **~ness**, tatlılık; halâvet. **~-oil**, zeytinyağı. **~-pea**, ıtırşahı. **~-potato**, tatlı patates. **~-scented**, güzel kokulu. **~-tempered**, yumuşak huylu. **~-william**, hüsnüyusuf, gugu çiçeği.
swell (*g.z.* **~ed**, *g.z.o.* **swollen**) [swel(d), swouln] *f.* Şiş(ir)mek; kabar(t)mak; art(ır)mak; büyü(t)mek. *i.* Kabarma; artma; salıntı, ölü dalga/deniz; org sesinin artıp eksilmesi ve bunu idare eden cihaz; (*kon.*) (i) züppe, iki dirhem bir çekirdek; (ii) önemli bir kimse. *s.* Pek şık, gösterişli; parlak. **~ing**, şiş(me), kabarma; yumru.
swelter ['sweltə(r)]. Sıcaktan bayılma(k); çok terleme(k). **~ing heat**, bayıltıcı sıcaklık.
swept [swept] *g.z.(o.)* = SWEEP[2]. **~-back**, (*oto.*) aerodinamik şekilde; (*hav.*) geriye ok şeklinde. **~-wing**, ok kanat.
swerve [swə̄v]. Sapma(k); doğru yoldan çıkma(k); cayma(k).
SWG = STANDARD WIRE GAUGE.
swift[1] [swift]. Kara sağan, ebabil kuşu. **alpine ~**, beyaz karınlı sağan: **pallid ~**, külrengi sağan: **~s**, sağangiller.
swift[2]. Süratli, hızlı, tez. **~ of foot/~ footed**, çabuk koşan/yürüyen. **~-handed**, tezel. **~ly**, hızlı olarak, süratle, çabucak. **~ness**, çabukluk, sürat, hız. **~-winged**, çabuk uçan.
swig [swig] *f.* Bir yudumda içmek. *i.* İçme; bir yudum.
swill [swil] *f.* Bol su ile yıkamak; çalkalamak; (*arg.*) iştahla içmek. *i.* Çalkalama; yıkama; içme; sulu domuz yemi, mutfak döküntüsü.
swim (*g.z.* **swam**, *g.z.o.* **swum**) [swim, swam, swʌm] *f.* Yüzmek. *i.* Yüzme; nehirde balığı çok olan yer. **eyes ~ming with tears**, gözünden yaşlar boşanarak: **my head is ~ming**, başım dönüyor: **be in the ~**, (*kon.*) gidişatta bulunmak: **~ overarm**, kulaç yüzmek. **~mer**, yüzücü; (*zoo.*) yüzgeç. **~ming**, yüzme: **~-bath/-pool**, yüzme havuzu: **~-gala**, yüzme müsabakası: **~ly**, (*arg.*) gül gibi. **~-suit** [-syūt], mayo.
swindle ['swindl] *f.* Dolandırmak; kafese koymak; vurgunculuk etm. *i.* Hile, madrabazlık, dalavere,

katakulli. ~r, dolandırıcı, madrabaz, dalavereci, zarfçı. ~-sheet, (*arg.*) = EXPENSE ACCOUNT.
swine [swayn] (*t., ç.*) Domuz, domuzlar; hınzır. ~**-fever**, pek bulaşık bir domuz hastalığı. ~**herd**, domuz çobanı. ~**-plague** [-pleyg], bulaşık domuz akciğeri hastalığı.
swing[1] (*g.z.(o.)* **swung**) [swin(g), swʌn(g)] *f.* Salla(n)-mak; salınmak; (*kon.*) canlı/neşeli olm.; asılmak; asmak; bir mihver etrafında hareket etm.; rakkas gibi hareket etm. ~ **backwards and forwards**, sarkaçlamak: **the car swung round**, otomobil tekerlekleri kayıp geri döndü: **the car swung round the corner**, otomobil köşeyi dönüverdi: **the boats were swung out**, denize indirilecek filikalar dışarı uzatıldı: ~ **oneself into the saddle**, eyerin üzerine sıçramak: ~ **for...**, ... için darağacına asılmak.
swing[2] *i.* Sallanma, sallama; sallantı; salıncak; (*hav.*) kaçış. **the** ~ **of the pendulum**, rakkasın hareketi; (*mec.*) münavebeye meyletme, bilhassa seçimlerde partilerin münavebe ile seçilmesi temayülü: **be in the** ~, (*kon.*) son modaya göre davranmak: **be in full** ~, tam faaliyette olm.: **everything went with a** ~, her şey tam yolunda gitti: **walk with a** ~, hızla ve düzenle yürümek. ~**-boat**, kayık şeklinde salıncak. ~**-bridge**, döner köprü.
swinge [swinc]. Vurmak, ağır bir darbe savurmak. ~**ing**, (*kon.*) ağır (darbe/vergi vb.).
swing·er ['swin(g)gə(r)] (*sp.*) Savurarak vuruş; (*kon.*) en son modaya göre davranan. ~**ing**, sallanan: **catch s.o. a** ~ **blow**, birine şiddetli bir yumruk savurmak.
swingle ['swin(g)gl] *i.* Keten tokmağı. *f.* (Keten) tokmakla dövmek. ~**-tree**, (araba) falaka.
swing-, *ön.* ~**(-music)**, bir nevi caz. ~**-plough** [-plau], saban. ~**-ticket**, sicimli etiket. ~**-wing**, (*hav.*) ayrı hızlarda uçak gövdesiyle açısını değiştirebilen kanat; kanatları böyle olan bir uçak.
swinish ['swayniş]. Hınzırcasına; pek alçak.
swipe [swayp] *i.* Hızlı vuruş. *f.* Var kuvvetiyle vurmak; (*arg.*) çalmak, aşırmak.
swipes [swayps] (*arg.*) Kötü bir bira.
swirl [swəl]. Girdap gibi hareket (etm.); anafor.
swish [swiş] (*yan.*) *i.* Hışırtı, fışırtı. *f.* Şaklamak; hışırdamak; (*kon.*) huş dalı ile dövmek.
Swiss [swis] *i.* İsviçreli; İsviçre'de konuşulan lehçe(ler). *s.* İsviçreye ait, İsviçre+. ~**-guard**, Papa'nın özel muhafız askeri. ~**-roll**, içi reçelli dürülmüş pasta.
switch [swiç] *i.* İnce dal/değnek; (*elek.*) şalter, kesici, düğme, anahtar, komütatör, çevirgeç; (*dem.*) makas. *f.* İnce değnek ile vurmak; (treni) bir yoldan diğerine geçirmek; başka cihete çevirmek. ~ **the tail**, (hayvan) kuyruğunu savurmak: ~ **off**, elektriği söndürmek/kapamak: ~ **on**, elektriği yakmak/açmak: ~ **over**, başka cihete çevirmek. ~**back**, inişli yokuşlu (yol). ~**board**, (*elek.*) tevzi/dağıtma tablosu. ~**ed-on**, (*arg.*) son modaya göre davranan. ~**-gear**, (*dem.*) makaslar. ~**-girl**, telefon memuresi, santralcı kız. ~**-man**, (*dem.*) makasçı. ~**-selling**, müşterinin istediği ucuz malın yerine ona çok pahalı bir malı satmak.
Switzer ['switsə(r)] (*mer.*) İsviçreli. ~**land**, İsviçre.
swivel ['swivl] *i.* Fırdöndü; fırdöndülü zincir halkası. *f.* Mil/mihver etrafında dönmek.
swizz [swiz] (*arg.*) Hile.
swizzle [swizl] (*kon.*) Köpüklü bir kokteyl.
SWL = SAFE WORKING LOAD.
swob [swob] = SWAB.
swollen ['swouln] *g.z.o.* = SWELL. *s.* Şişmiş, şişkin, kabarık, kabarmış. **suffer from a** ~ **head**, küçük dağları ben yarattım demek.
swoon [swūn]. Bayılma(k); kendinden geçme(k). ~**ingly**, bayılmış gibi.
swoop [swūp]. Doğan gibi av vb.nin üzerine saldırma(k); üzerine atılma(k). ~ **down upon stg.**, bir şeyin üzerine saldırmak; şiddetle hücum etm.: **at one fell** ~, müthiş anî bir darbe ile.
swop [swop]. Trampa (etm.). ~ **stg. for stg.**, bir şeyi bir şeyle trampa etm.: ~ **places with s.o.**, biriyle yer değiştirmek: **don't** ~ **horses in midstream**, sıkı bir zamanda idare edenleri değiştirme.
sword [sōd]. Kılıç. **at** ~**'s point**, düşmanlık içinde: **cross** ~**s with s.o.**, düello etm.; kavga etm.; biriyle boy ölçüşmek: **draw the** ~, kılıç çekmek; mücadeleye girmek: **put to the** ~, kılıçtan geçirmek: ~ **of Damocles**, daima tehdit eden bir tehlike: ~ **of State**, sembolik resmî kılıç. ~**-arm/-hand**, sağ kol/el. ~**-bearer**, (resmî törenlerde) silâhtar. ~**-blade**, kılıç namlusu. ~**-dance**, çapraz olarak yerde tutulan kılıçlar üzerinde edilen raks. ~**fish**, kılıç balığı. ~**-grass**, sivri yapraklı bir saz. ~**like**, kılıç gibi; keskin. ~**play**, eskrim: **verbal** ~, söz düellosu. ~**proof**, kılıç delmez. ~**sman**, iyi kılıç kullanan kimse: ~**ship**, kılıç kullanma hüneri. ~**stick**, içinde kılıç gizlenmiş kof baston. ~**tail**, kılıçkuyruk balığı.
swor·e [swō(r)] *g.z.* = SWEAR. ~**n**, *g.z.o.* = SWEAR: *s.* yeminli, antlı.
swot [swot] (*arg.*) *i.* Ağır iş; çok çalışan öğrenci. *f.* Durmadan çalışmak.
swum *g.z.o.* = SWIM.
swung *g.z.(o.)* = SWING[1].
swy [sway] (*Avus.*) = TWO-UP.
SY = STEAM YACHT.
sybarit·e ['sibərayt]. Tenperver kimse. ~**ic** [-'ritik], tenperver(ane).
sycam·ine ['sikəmīn]. Kara dut ağacı. ~**ore** [-mō(r)], ~ **(fig)**, Firavun inciri: ~ **(maple)**, yalancı/çınar yapraklı akçaağaç; *çınar.
syce [says]. Seyis.
syconium [si'kouniəm]. İncir gibi meyva.
sycophan·cy ['sikəfənsi]. Dalkavukluk. ~**t**, dalkavuk: ~**ic**, dalkavuk gibi.
sycosis [sikousis]. (Saç/sakalda) sikoz hastalığı.
syl- [sil-] *ön.* = SYN- + L.
syllab·ary ['siləbəri]. (Çince vb.de) hece işaretlerinin listesi. ~**ic** [-'labik], heceye ait; heceli; hece+. ~**icate**/~**ify**/~**ize** [-bikeyt, -bifay, -ləbayz], hecelere ayırmak; heceleri tane tane telaffuz etm. ~**i(fi)cation** [-labi(fi)'keyşn], hecelere ayırma/ayrılma. ~**le** ['siləbl], hece; (*meç.*) bir (kaç) kelime: **he never uttered a** ~, ağzını hiç açmadı: **I didn't understand a** ~ **of what he said**, dediğinden hiç bir şey anlamadım: ~**d**, heceli.
syllabus ['siləbəs]. Hulâsa, özet; cetvel; liste; müfredat/ders programı.
syllepsis [si'lepsis]. Bir kelimenin bir cümlede çift anlamlı olarak kullanılması.

Aranan* SY- *ile başlayan kelime bulunmazsa,* SI-*'e bakınız.

syllog·ism ['siləcizm]. Mantıkî kıyas, tasım. **~ize** [-cayz] (*fel.*) kıyas usulünü kullanmak.
sylph [silf]. Hava perisi; güzel kız. **~-like**, ince belli, zarif.
sylv·an ['silvən]. Ormana ait. **~iculture** [-vi'kʌlçə(r)], ormancılık; ağaç yetiştiriciliği.
sym- [sim-] *ön.* = SYN- + B/M/P.
sym. = SYMBOL; SYMPHONY.
symbio·nt ['simbiənt] (*zoo.*) Ortak yaşar. **~sis** [-bay'ousis], ortak yaşama, müşterek hayat. **~tic** [-bi'otik], ortak yaşamaya ait.
symbol ['simbəl]. Remiz, simge, im, temsil, alâmet; sembol. **~ic(al)** [-'bolik(l)], temsilî, timsal şeklinde; remzî, simgesel. **~ism** [-bəlizm], simge(ci)lik, sembolizm. **~ist**, simgeci. **~ize** [-layz], temsil etm.; remiz/simge teşkil etm.; simgele(ş)mek.
symmetr·ic(al) [si'metrik(l)]. Mütenasıp, mütenazır, bakışımlı, bakışık, simetrik: **~ally**, bakışımlı olarak. **~y** ['simitri], tenasüp, tenazur, bakışım, simetri.
sympath·etic [simpə'θetik]. Başkasının duygularına katılan, duygudaşlı; acıyan, sempatik; sevimli, sıcak: **~ ink**, gizli mürekkep: **~ nerve**, sempatik sinir: **~ally**, duygudaşlı/sempatik olarak. **~ize** ['simpəθayz], başkasının duygularına katılmak; başsağlığı dilemek, taziye etm.: **~r**, başkasının duygularına katılan kimse; seven, yakınlık duyan; (*id.*) taraftar, -i tutan. **~y**, başkasının duygularına katılma; duygudaşlık, cana yakınlık; ortak his, alâka, temayül; sempati; şefkat; taziye: **be in/out of ~ with s.o.'s ideas**, birinin fikirlerine katıl(ma)mak: **feel ~**, yakın/sevimli bulmak: **I have no ~ for him**, ona hiç acımam: **popular ~ies are on his side**, kamu oyu ondan yanadır.
symphon·ic [sim'fonik]. Senfonik; senfoniye ait. **~y** ['simfəni], senfoni.
symphysis ['simfisis] (*tıp.*) Bitiştir(il)me.
sympiesometer [simpi·i'zomitə(r)]. Akış basıncı ölçeri; gazlı barometre.
symposium [sim'pouziəm] (*tar.*) İçki âlemi; (*şim.*) çeşitli yazarlar tarafından aynı konuda yazılmış makalelerden mürekkep kitap.
symptom ['simptəm]. Hastalık belirtisi, araz; emare, tezahür. **~atic** [-'matik], belirtisi olan; delâlet eden; araz kabilinden olan. **~atology** [-'toləci], belirtiler bilgisi.
symptosis [simp'tousis] (*tıp.*) Bir uzuv/bedenin tedricen zayıflaması.
syn- [sin-] *ön.* Eş; ortak; birleşmiş; ile (beraber); aynı zamanda.
syn. = SYNONYM.
synaeresis [si'nīrisis] (*dil.*) İki ünlünün ikili/tek ünlüye kısalması.
synagogue ['sinəgog]. Havra, sinagog.
syn·allagmatic [sinəlag'matik] (*huk.*) Karşılıklı yükümlülüğe ait. **~anthous** [-'nanθəs], (bitki) çiçekler/yaprakları aynı zamanda çıkan. **~apsis** [-'napsis] (*tıp.*) (kromozomlar) çiftleşip birleşme. **~arthrosis** [-nā'θrousis], oynamaz eklem.
sync(h) [sin(g)k] (*kon.*) = SYNCHRONIZ·ATION/-E.
syncarp ['sinkāp]. (Dut gibi) birleştirilmiş meyva.
synchro- ['sinkro-] *ön.* Senkro-; aynı zamanda. **~-mesh**, (*oto.*) sessiz kavramalı, senkronize. **~nism**, aynı zamana tesadüf etme. **~nization** [-krənay'zeyşn], eşleme, eşzamanlılık; senkronizasyon; ayarla(n)ma. **~nize** [-'nayz], aynı zamana tesadüf et(tir)mek; eşlemek; eş-/hemzamanlamak: **~r**, eşleyici; senkronizör. **~nous** [-nəs], eş-/hemzamanlı; (*hav.*) aynı hızla; (*müh.*) senkronize. **~ny**, eşzamanlı olma. **~tron**, sinkrotron.
syncline ['sinklayn] (*yer.*) Senklin, ineç, tekne.
syncop·ate ['sin(g)kəpeyt] (*dil.*) (Orta) heceyi yutmak/çıkartmak; (*müz.*) ritmi birden değiştirmek. **~ation** [-'peyşn], (orta) hece yutumu, içses düşmesi; ritmin birden değiştir(il)mesi. **~e** [-kəpi], = **~pation**; (*tıp.*) senkop, kalp sektesi.
syncretism ['sin(g)kritizm]. Zıt fikir/prensip/partilerin birleştir(il)mesi (gayreti); ikili çatı.
syndactylous [sin'daktiləs] (*zoo.*) Kürek-ayaklı.
syndic ['sindik]. Bazı meclislerin üyelerine verilen unvan; sendik, batkın bakıcısı. **~alism**, sendika/heyet idaresi; sanayilerin iş sendikaları tarafından idare edilmesi. **~ate** [-kət] *i.* ticarî firmalar birliği; sendika, birlik: [-keyt] *f.* birlik/sendika kurmak; (*bas.*) haber/makaleler aynı zamanda birkaç gazetede yayımlamak.
syndrome ['sindroum] (*tıp.*) Sendrom.
syne [sayn] (*İsk.*) = SINCE; -denberi: **for auld lang ~**, geçmiş zamanlardan dolayı.
synechdoche [si'nekdəki]. Dar anlamlı bir kelimenin geniş anlamla kullanılması (SAIL = SHIP), *ve aksi* [ENGLAND = ENG. TEAM].
synergistic [sinə'cistik]. Karşılıklı etkili olan; birbirine bağlı.
synesis ['sinisis]. Nahiv/sözdizimi hatası.
synod[1] ['sinod] (*din.*) Meclis. **~al**, bu meclise ait.
synod[2] (*ast.*) Kavuşma. **~ic**, kavuşum.
synonym ['sinənim]. Müteradif, anlamdaş, eşanlamlı. **~ous** [-'nomiməs], **~ (with)**, (ile) müteradif; eşanlamlı.
synop·sis [si'nopsis]. Hulâsa, özet, kısaltma. **~tic**, (*din.*) sinoptik.
synovi·a [si'nouviə] (*tıp.*) Sinovya. **~tis** [-nə'vaytis], sinovit.
synta·ctical [sin'taktikl]. Nahiv/sözdizimine ait. **~x** [-taks], nahiv, sözdizimi, sentaks.
synthe·sis ['sinθisis]. Terkip; sentez, bireşim. **~tic** [-'θetik], terkibî; sunî, yapma; bireşim·li/-sel; sentetik; kimyevî. **~tize** [-θətayz], terkip etm., birleştirmek.
syphili·s ['sifilis] (*tıp.*) Frengi: **horse ~**, at frengisi, alayık. **~tic** [-'litik], frengi +; frengiye ait; frengili.
Syria ['siriə]. Suriye. **~c** [-riak], Süryanîce. **~n**, *i.* Suriyeli: *s.* Suriye +.
syringa [si'rin(g)gə]. Leylak ağacı; (*gen. fakat yanlış olarak*) beyaz yasemin, ful.
syrin·ge ['sirinc]. Şırınga (etm./ile yıkamak): **hypodermic ~**, iğne(li şırınga). **~geal** [-ciəl], göğüs gırtlağına ait. **~geful**, şırınga dolusu. **~x**, göğüs gırtlağı, östaki borusu.
Syro- [sirou-] *ön.* Suriye +.
syrup ['sirəp]. Şurup. **golden ~**, (*M.*) şeker pekmezi. **~y**, şuruplu; şurup kıvamından.
syssarcosis [sisā'kousis]. Kemiklerin kaslarıyle birleş(tiril)mesi.
systaltic [sis'taltik] (*tıp.*) Nöbetleşe kasılıp uzanan (adale).

Aranan SY- ***ile başlayan kelime bulunmazsa,*** SI-***'e bakınız.***

system ['sistim]. Usul, kaide, kural, yöntem, dizge, sistem; metot; manzume; takım; (*fel.*) öğreti; (*id.*) rejim; (*yer.*) dönem, devir, devre. **the** ~, vücut, uzviyet; (*id.*) hükümet ve onun yöntemi: **the solar** ~, güneş dizgesi: **lack** ~, sistemsiz olm. ~**atic** [-'matik], sistemli, sistematik, dizgesel: ~**ally**, sistemli bir şekilde, muntazaman. ~**atize** [-mətayz], sistem-/dizgeleştirmek. ~**ic** [-'temik], vücuda ait: ~ **insecticide**, bitkilerin içinden işleyen böcek öldürücü ilâç.

systole ['sistəli]. Yürek kasıntısı.

syzygy ['sizici] (*ast.*) Karşı/kavuşma konum(u).

T

T [tī]. T harfi; T şeklinde. **to a T**, tıpkısı; tamamiyle; tıpatıp: **cross the t's**, (*mec.*) çok titiz olm.
't (*kıs.*) *zm.* = IT ['TIS].
-t *son.* = -ED [CREPT].
T, t. = TEASPOON; TEMPERATURE; TENOR; TENSE; TERA-; TERRITORY; TESLA; TESTAMENT; TIME; TON(NE); TOWN; TRANSITIVE; (*kim.s.*) TRITIUM; TROPICAL; TUESDAY; TURK·EY/-ISH.
ta [tā] (*çoc.*) Teşekkür ederim.
Ta. (*kim.s.*) = TANTALUM.
TA = TECHNICAL ADVISER; TELEGRAPHIC ADDRESS; TERRITORIAL ARMY.
taal [tāl]. G. Afrika Felemenkçesi.
tab [tab]. Flapa, uç, dil; (*elek.*) pabuç; (*hav.*) fletner. **a red ~**, (*ask., arg.*) kurmay subay: **keep ~s on s.o.**, birini takip etm., göz altında bulundurmak: **pick up the ~**, hesabı ödemek.
TAB = (*Avus.*) TOTALIZATOR AGENCY BOARD; TYPHOID-PARATYPHOID A AND B (VACCINE).
tabard ['tabəd] (*tar.*) Cüppe.
tabasco [tə'baskou] (*ev.*) Bir çeşit biber.
tabby ['tabi] (*dok.*) Çubuklu kumaş. **~ (-cat)**, siyah çizgili tekir kedi; acuze, cadaloz.
tabernacle ['tabənakl]. Çadır, çardak; kutsal/değerli bir şeyin muhafazası; (*den.*) indirilen direğin ıskaçası. **Feast of ~s**, kamış/gül bayramı.
tabes ['teybīz] (*tıp.*) Zayıflama.
table [teybl] *i.* Masa; sofra; cetvel, çizelge, liste. *f.* Masaya koymak; listeye geçirmek. **chronological ~**, zaman/takvim cetveli: **extending ~**, açılır masa: **round ~**, yuvarlak masa(da oturan heyet/kongre/toplantı): **at ~**, sofra başında, yemekte: **~ a bill**, (*id.*) bir tasarıyı Parlamentoya sunmak; *bir tasarıyı ertelemek: **clear the ~**, sofrayı kaldırmak: **keep the ~ amused**, sofrada herkesi eğlendirmek: **he keeps a good ~**, sofrası zengindir: **lay/set the ~**, sofra kurmak: **sit down to ~**, sofraya oturmak: **turn the ~s on s.o.**, durumu tamamen birinin aleyhine çevirmek; birini kazdığı kuyuya düşürmek.
tableau, *ç.* **~x** ['tablou(z)] (*Fr.*) Tablo; resim.
table- [teybl-] *ön.* **~-cloth**, sofra bez/örtüsü. **~-cut**, üstü düz olan (elmas vb.). **~-*d'hôte*** [tābl'dout] (*Fr.*) tabldot. **~-flap/-leaf**, masanın menteşeli kısmı. **~-fork/-knife**, sofra için büyük çatal/bıçak. **~ful**, masayı tamamen örtmek için gereken şeyler; sofraya oturabilen kişiler (sayısı). **~land**, yayla; yüksek ova. **~-linen**, sofra örtüsü/peçeteler vb. **~-mat**, tabak altı. **~-money**, (*ask.*) ziyafet tahsisatı. **~-spoon(ful)**, büyük kaşık (dolusu).
tablet ['tablit]. Levha; kitabe; yassı hap, sıkıt, komprime; küçük kalıp (sabun); (*ark.*) tablet. **~te** [-let], küçük hap vb.; (*mim.*) yassı kapak taşı.
table- [teybl-] *ön.* **~-talk**, sofra sohbeti. **~-turning**, ispritizmada masayı oynatma. **~ware**, sofra takımı. **~-water**, maden suyu, kapalı su.
tabloid ['tabloyd]. Komprime. **in ~ form**, özet şeklinde. **~-press**, (*bas., köt.*) küçük forma gazete tabloit.
taboo [ta'bū] *i.* Tabu; menfur; yasak; tekin değil. *f.* Tabu yapmak; yasak etm.; kullanılmasını menetmek. **the subject is ~ here**, bu konu burada konuşulmaz.
ta·bor ['teybə(r)]. Dümbelek (çalmak). **~bo(u)ret** ['taboret], arkasız iskemle.
tabu [ta'bū] = TABOO.
tabula ['tabyulə] (*Lat.*) Ufak masa/levha; (*zoo.*) yassı bir kemik: **~ rasa** ['razə], silinmiş/üzerine yazılmamış levha; bebeğin daha etkilenmemiş beyni.
tabul·ar ['tabyulə(r)]. Masa gibi düz; cetvel halinde düzenlenmiş. **~ate** [-eyt], cetvele geçirmek; tasnif etm. **~ation** [-'leyşn], sıralama, cetvele geçir(il)me. **~ator** [-leytə(r)], sıralayıcı, cetvel düzeni, tabülatör.
TAC = TACTICAL AIR COMMAND/CONTROL. **~AN** = TACTICAL AIR NAVIGATION.
tacamahac ['takəməhak]. Bir nevi pelesenk ağacı(ndan alınan reçine); tütsü/ilâç için kullanılan bu reçine.
tace ['teysi] (*Lat.*) Sus! ***~t*** [-set] (*müz.*) susma.
tach·ism ['taşizm] (*san.*) Lekecilik. **~o** ['takou] (*kon.*) = ~OMETER. **~ograph** [-kəgrāf], kaydedici hızölçer. **~ometer** [-'komitə(r)], hızölçer, takometre, devir saati. **~ymeter** [-'kimitə(r)], çabuk arazi ölçer.
tacit ['tasit]. Sakıt, sessiz; zımnî, kapalı; hal ile/sözsüz ifade olunan. **~ly**, sessizce; sözsüzce anlaşılan.
taciturn ['tasitən]. Az konuşur; suskun. **~ly**, suskunca. **~ity** [-'təniti], az konuşma.
tack[1] [tak] i. İri başlı çivi; koşum takımı; teyel(lemek). **~ down**, bu çivilerle çivilemek: **get down to brass ~s**, asıl konuya gelmek: **~ oneself on to s.o.**, birine takılmak. **~ing**, teyel.
tack[2] *i.* Bir yelkenin alt ve ön köşesi, karola yakası; kontra ıskota; bir yelkenlinin rüzgârın yönü ve yelkenlerin düzenine göre seyrettiği yol; tiramola etme. *f.* Tiramola etm. **~ about**, volta etm.: **~ and veer**, orsa boca etm.: **be on the right ~**, doğru yolda olm.: **try another ~**, başka bir tedbire başvurmak: **be/sail on the starboard/port ~**, kotralar sancak/iskeleden seyretmek.
tack[3] *i.* Gıda. **hard ~**, eskiden gemilerde ekmek yerine kullanılan katı bisküvit; peksimet.
tackiness ['takinis]. Lüzucetli-/yapışkanlık.
tackle[1] ['takl] *i.* Takım, cihaz; (*den.*) palanga.
tackle[2] *f.* (Futbol vb.de) topu karşışındakinin ayağından alma(k); (*mec.*) uğraşmak; önünü almak; yakalamak; girişmek.
tacky ['taki]. Lüzucetli, yapışkan.
tact [takt]. Dokunma (duygusu); incelik, zarafet;

denlilik; (muaşerette) muamele ve usul. **without** ~, patavatsız. ~**ful**, anlayışlı, denli, muamele bilir: **handle s.o.** ~**ly**, birini incelikle idare etm.; nabzına göre şerbet vermek.

tactic·al ['taktikl] (*ask.*) Tabiye/taktiğe ait. ~**ian** [-'tişn], tabiyeci, manevra uzmanı. ~**s** [-tiks], tabiye, taktik; davranış, hattıhareket; (*sp.*) düzen verme.

tactil·e ['taktayl]. Dokunsal, dokunma duygusuna ait; dokunulur. ~**ity** [-'tiliti], dokunulma.

tactless ['taktlis]. Zarifliksiz, patavatsız. ~**ly**, patavatsızca. ~**ness**, patavatsızlık.

tactual ['takçuəl] = TACTILE.

tadpole ['tadpoul]. Ayaksız kurbağa yavrusu, iribaş, tetari.

taenia ['teniə] (*zoo.*) Şerit, tenya, bağırsak kurdu; (*mim.*) pervaz. ~**fuge** [-fyûc], bağırsak kurdunu düşüren ilâç.

taffeta ['tafitə]. Tafta; canfes.

taffrail ['tafreyl] (*den.*) Kıç vardavelası; kıç küpeştesinin üstü.

Taffy[1] ['tafi] (*kon.*) Gal'li.

***taffy**[2]. = TOFFEE.

tag [tag]. Küçük etiket; kundura kulağı; şerit vb. ucuna takılan demir; bir şeyin sarkan ucu; meşhur bir mesel/söz; bir çocuk oyunu. ~-**end**, son/artık parça. ~**ger**, etiket koyan kimse; ince demir levha.

taiga ['taygə] (*coğ.*) Tayga.

tail[1] [teyl] *i.* Kuyruk; arka; son. *f.* Kuyruğu ile tutmak; (bazı yemişlerin) sapını ayıklamak. ~ **behind s.o.**, birinin peşinden gitmek: ~ **off**, gittikçe incelmek/azalmak: **turn** ~, gerisin geriye kaçmak: **with his** ~ **between his legs**, kuyruğunu kısmış (köpek); (insan) süklüm püklüm: **the sting is in the** ~, (eşek arısının) iğnesi kuyruğundadır; *bir mektup vb.nin dokunaklı kısmı en sonunda olduğu zaman söylenir*: **wear** ~**s**, (*kon.*) frak giymek.

tail[2] (*huk.*) Sınırlanmış sahiplik; yalnız bir aileden gelenlere sınırlanmış arazi/mülk. **in** ~, böyle sınırlanmış.

tail-[3] *ön.* ~-**back**, (*oto.*) yol tıkanıklığının gelişmesi. ~-**board**/-**gate**, bir araba arkasındaki sürme-/menteşeli kapak. ~-**coat**, frak. -~**ed**, (*son.*) kuyruklu. ~-**end**, en son kısım: **come in at the** ~, sonuna doğru gelmek. ~**ing**, takip ederek; peşinden gitme: ~**s**, cüruf; çöp. ~-**lamp**/-**light**, (*oto.*) arka lambası. ~**less**, kuyruksuz.

tailor ['teylə(r)] *i.* Terzi. *f.* Elbiseyi dikmek. ~-**bird**, terzi kuşu. ~**ess**, kadın terzi. ~**ing**, terzilik. ~-**made**, terzi işi.

tail- *ön.* ~-**piece**, son kısım. ~-**plane**, uçağın kuyruk sathı. ~-**race**, art suyolu. ~-**skid**, (*hav.*) kuyruk mahmuzu. ~-**spin**, kuyruğu daire çizerek başaşağı düşen uçağın hareketi. ~-**stock**, (torna) gezer punta gövdesi. ~-**wind**, kuyruk rüzgârı.

taint [teynt] *i.* Kötü koku; leke; kusur; ayıp. *f.* Lekelemek; kötü koku vermek. **free from** ~, kusursuz; taptaze. ~**ed**, kokmuş; lekelenmiş. ~**less**, kusur/lekesiz.

taipan[1] ['taypan]. (Çin'de) yabancı şirket müdürü.

taipan[2] (*Avus.*) Ülkenin en büyük zehirli yılanı.

take[1] (*g.z.* **took**, *g.z.o.* **taken**) [teyk(n), tuk] *f.* Almak; kapmak; kabul etm.; zaptetmek; götürmek, tutmak; saymak, telakki etm.; içine almak, istemek; kazanmak; icap etm.; (*sin.*) çevirmek; kira ile tutmak. **you must** ~ **us as you find us**, bizi olduğumuz gibi kabul etmelisiniz: **it** ~**s a strong man to do that**, bunu ancak kuvvetli bir adam yapabilir: ~ **s.o. for another**, birini başka birine benzetmek: ~ **s.o. for a fool**, birini aptal yerine koymak: **what do you** ~ **me for?**, beni ne zannettiniz?: **you can** ~ **it from me**, inan olsun: ~ **it into one's head to do stg.**, bir şey aklına esmek: **this journey** ~**s two hours**, bu yol iki saat sürer: **it won't** ~ **long**, uzun sürmez: **be** ~**n ill**, hastalanmak: ~ **it or leave it!**, ister beğen ister beğenme!: ~ **a matter seriously**, bir işi ciddîye almak: ~ **part in...**, -e katılmak, iştirak etm.: ~ **s.o. over a house**, birine bir evi gezdirmek: **I** ~ **it that ...**, ... farzediyorum: **the vaccination did not** ~, aşı tutmadı: **what took him there?**, ne diye oraya gitti?: **he does not** ~ **well (photo)**, (*sin.*) onun resmi hiç iyi çıkmaz: ~ **things as they come**, vaziyeti olduğu gibi kabul etm.; aza çoğa bakmamak: **be** ~**n with an idea**, bir fikirden hoşlanmak; bir şey aklına esmek: **I was not** ~**n with him**, o beni sarmadı. ~ **about**, gezdirmek. ~ **after**, benzemek: **he** ~**s after his father**, babasına çekmiş. ~ **away**, götürmek; kaldırmak; çıkarmak: ~ **away a knife from a child**, çocuğun elinden bıçağı almak. ~ **back**, geri almak; geldiği yere geri götürmek. ~ **down**, indirmek; aşağıya götürmek; (makineyi) sökmek: ~ **down in writing**, yazmak. ~ **in**, içeriye götürmek; içine almak; kavramak, anlamak; aldatmak; inanmak, yutmak; ihata etm.; dahil etm.; barındırmak; (gazeteye) abone olm.: ~ **in at a glance**, bir bakışta görüp kavramak: ~ **in lodgers**, kiracı almak: **be** ~**n in**, aldanmak, kapılmak. ~ **off**, kaldırmak; götürmek; taklit etm.; hareket etm.; (*hav.*) havalanmak, kalkmak: ~ **s.o.'s attention off stg.**, birinin dikkatini bir şeyden çelmek: ~ **off one's clothes**, soyunmak: ~ **oneself off**, çekilmek, savuşmak: ~ **so much off the price**, fiyattan şu kadar indirmek: **I'll** ~ **a morning off today**, bugün öğleden önce çalışmıyacağım: ~ **s.o. off**, birinin taklidini yaparak alay etm. ~ **on**, üstüne almak; hizmetini almak; (*kon.*) alınmak, müteessir olm.; alıp yürümek: **(train)** ~ **on passengers**, (tren) yolcu almak: ~ **s.o. on at tennis, etc.**, bir oyunda birinin meydan okumasını kabul etm.: **don't** ~ **on so!**, kızma! ~ **out**, çıkarmak: ~ **s.o. out to dinner**, birini yemeğe lokantaya götürmek: ~ **out an insurance policy**, bir şeyi sigorta ettirmek: **this work** ~**s it out of one**, bu iş pek yorucudur: **I'll** ~ **it out of him!**, ben ona gösteririm! ~ **over**, teslim almak: ~ **over the liabilities**, borçları kendi üzerine almak: ~ **s.o. over a ship/house, etc.**, birine bir gemi/ev vb.ni gezdirmek/göstermek: ~ **over a company**, bir şirketin bütün hisselerini satınalıp idaresini ele geçirmek. ~ **round**, dolaştırmak; gezdirmek. ~ **to**, ~ **to s.o.**, birini gözü tutmak, birine ısınmak: ~ **to one's bed**, hasta yatmak: ~ **to drink**, içkiye alışmak: ~ **to writing poetry**, şiir yazmağa başlamak. ~ **up**, kaldırmak, yerden almak; tevkif etm., posta etm.; başlamak, girişmek; kısaltmak; emmek, massetmek: ~ **up all one's attention**, tamamen meşgul etm.: **be** ~**n up with stg.**, bir şeyle bozmak: **if you do that you will be** ~**n up**, bunu yaparsan tevkif edilirsin: ~ **up a bill**, bir poliçeyi kabul etm.: ~ **up one's duties again**, görevine tekrar başlamak: ~ **up an idea**, bir fikri kabul edip tatbik etm.: ~ **a matter up**, bir işi ele almak: ~ **up one's pen**, kalemini almak, kaleme sarılmak: ~ **up a profession**, bir mesleğe girmek: ~ **up a lot of room**, çok yer kaplamak: ~ **up shares**, bir şirketin yeni çıkarılan hisse senetlerini satın alma hakkını kullanmak: ~ **s.o. up shortly**, birini terslemek: **chess** ~**s up a lot of time**, satranç çok vakit alır: ~ **up with s.o.**, birisiyle düşüp kalkmak. ~ **upon**, ~ **upon oneself**, üstenmek, üzerine almak.

take[2] *i.* Avlanmış hayvanlar miktarı; kazanılmış/ödenmiş para yekûnu; (*sin.*) çevirim.

take-[3] *ön.* ~**-away**: ~ **food/meal**, eve götürülen pişirilmiş yemek(ler): ~ **restaurant**, eve götürülen yemekler satan aşevi. ~**-home**: ~ **drinks**, evde içilecek (yani birahane vb.de içilmiyen) içkiler: ~ **pay**, vergiler vb. kesildikten sonra net kalan ücret. ~**-in**, faka basma. ~**n**, *g.z.o.* = TAKE[1]. ~**-off**, taklit; (*hav.*) havalanma, kalkış; baslangıç noktası; ilk sıçrayış: **(short/vertical)** ~ **and landing**, (kısa/dikine) kalkış ve iniş. * ~**-out** = ~-AWAY. ~**-over**, hisselerini satın alıp bir şirketin idaresini ele geçirme: ~ **bid**, bir şirketin bütün hisselerini satın alma teklifi. ~**r** ['teykə(r)], alıcı; bahse girişen kimse; kabul eden kimse; müşteri. ~**-up**, germe, boşunu alma.

taking ['teykin(g)] *s.* Can alıcı; cazibeli. *i.* Alıcı; çekim. ~**ly**, cazibeli olarak. ~**s**, (gayri safi) gelir/kazanç; alınmış para.

talaria [tə'leəriə] (*mit.*) (Mabudun) kanatlı kundura.

talc [talk]. Talk (sürmek). ~**um (powder)**, talk pudrası.

tale [teyl]. Masal, hikâye; dedikodu; adet, sayı. **tell** ~**s (out of school)**, kovuculuk etm.: **let me tell my own** ~, bir de ben anlatayım: **that tells its own** ~, bu yeter, başka bir şey söylemeğe gerek yok: **don't tell such** ~**s to me!**, (i) atma Recep!; (ii) yalan istemem: **old wives'** ~**s**, kocakarı lakırdısı. ~**-bear·er**, gammaz, kovucu: ~**ing**, kovuculuk. ~**-teller**, kovucu.

talent ['talənt]. İstidat; hüner; kabiliyet; anıklık; eski Yunanistan vb.nin para ve tartısı. **he has a** ~ **for languages**, dile kabiliyeti var. ~**ed**, hünerli; istidatlı. ~**-scout/-spotter**, (*sin., sp.*) yıldız avcısı.

tales ['teylīz] (*Lat.*) İlâve olunan jüri üyelerinin davet/listesi.

talion ['taliən] (*huk.*) Kısas.

talipe·d ['taliped]. Yumru ayaklı (hayvan/kimse). ~**s** [-pīz], yumru ayak.

talipot ['talipot]. Yelpaze şeklinde yapraklı hurma ağacı.

talisman ['talizmən]. Tılsım. ~**ic**, tılsım gibi.

talk [tōk] *f.* Konuşmak. *i.* Konuşma, sohbet; söz, lakırdı; dedikodu. ~ **big**, (yüksekten) atıp tutmak; dem vurmak: ~ **of doing stg.**, bir şey yapacağından bahsetmek: **get oneself** ~**ed about**, kendini dile düşürmek: ~ **oneself hoarse**, sesi kısılıncaya kadar konuşmak/dilinde tüy bitmek: ~ **s.o. into doing stg.**, dil dökerek birini kandırmak: **I know what I am** ~**ing about**, bu iş hakkında bilerek konuşuyorum: **he knows what he is** ~**ing about**, o bu işin ehlidir: **now you're** ~**ing!**, (*arg.*), ha şöyle!: ~ **(severely) to s.o./give s.o. a good** ~**ing to**, birini azarlamak: ~**ing of that...**, bu münasebetle...: **who do you think you are** ~**ing to?**, karşındakinin kim olduğunu zannediyorsun? ~ **at**, birine taş atmak, (kızım sana söylüyorum gelinim sen anla!). ~ **away**, durmadan söylemek: ~ **away the time**, konuşarak vakit geçirmek. ~ **back**, karşılık vermek; sert bir cevap vermek. ~ **down**, (*hav.*) uçağın inişini yerden konuşarak idare etm.: ~ **down to one's audience**, dinleyicilerin seviyesine hitap etm.: ~ **s.o. down**, birini susturuncaya kadar konuşmak. ~ **over**, (bir konuyu) görüşmek; (bir kimseyi) dil dökerek ikna etm. ~ **round**, (bir meselenin) etrafında dönüp dolaşmak, sadede gelmemek; (bir kimseyi) dil dökerek ikna etm. ~ **through**, bir meselenin bütün ayrıntılarını görüşmek: ~ **through s.o.**, birine kulak asmamak. ~**ative** [-kətiv], geveze; dedikoducu, çeneli, boşboğaz. ~**-back**, (*rad.*) iki yollu konuşma. ~**-down**, (*hav.*) konuşarak uçağın inişini yerden kontrol. ~**ee-**~**ee**, çok gevezelik. ~**er**, konuşkan: **a great** ~, hoşsohbet. ~**ies**, sözlü filimler. ~**-in**, (*kon.*) konuşarak protesto etme; teklifsiz bir konferans. ~**ing**, konuşa(bile)n: ~**-doll**, ses çıkarabilen kukla: ~**-film**, sözlü filim: ~**-point**, bahis konusu olan mesele: **give s.o. a good** ~**-to**, birini tekdir etm./azarlamak: ~**-shop**, (*köt.*) Parlamento.

tall [tōl]. Uzun boylu; yüksek; (*mec.*) inanılmaz. **that's a** ~ **order!**, (*arg.*) artık bu kadarı da fazla!: **that's a** ~ **story!**, buna kim inanır?: **talk** ~, övünmek: **walk** ~, gururlu olm. ~**boy**, (*ev.*) yüksek çekmeceli dolap. ~**-hat**, silindir. ~**ness**, uzun boyluluk, yükseklik.

tallow ['talou]. Donyağı. ~**-chandler**, mumcu. ~**-faced** [-feyst], soluk yüzlü. ~**y**, donyağ·lı/-ına ait.

tally ['tali] *i.* Çetele, kertik; çetele hesabı; etiket, fiş. *f.* Çetele tutmak; birer birer kaydetmek; mutabık olm., uymak. **these accounts do not** ~ **(with each other)**, bu hesaplar birbirini tutmuyor.

tally-ho [tali'hou]. *Avcıların avı görünce bağırdıkları kelime.*

tally·-clerk ['taliklāk]. Puantör. ~**-man**, puantör; kredi/taksitli satış tüccarı. ~**-sheet**, hesap/puantaj cetveli. ~**-system**, kredi/taksitli satış.

Talmud ['talmʌd]. Yahuderilerin kanun kitabı.

talon ['talən]. Yırtıcı kuş pençesi; *ç.* (*mec.*) pençe.

talus ['teyləs] (*tıp.*) Aşık kemiği; (*yer.*) birikinti; (*ask.*) istihkâmın eğik yüzeyi.

TAM = TELEVISION AUDIENCE MEASUREMENT.

tamable ['teyməbl]. Evcilleştirilir.

tamarack ['tamərak] (*bot.*) K.Am.'nın bazı çeşit şimal çamı.

tamarin ['tamərin]. Pembe maymun.

tamarind ['tamərind]. Demirhindi (ağacı).

tamarisk ['tamərisk]. Ilgın.

Tam(b)erlane ['tam(b)əleyn]. Timurlenk.

tambour ['tambuə(r)]. Davul; kasnak. ~**ine** [-bə'rīn], tef.

tame [teym] *s.* Ehlî, evcil, munis; uysal; yavan. *f.* Evcilleştirmek; uslandırmak. ~ **down**, uslandırmak, hafifleştirmek; uslu olm. ~**able**, evcilleştirilir. ~**ly**, sükûnetle: **submit** ~**ly**, karşı koymadan boyun eğmek/yola gelmek. ~**ness**, ehlîlik, uysallık. ~**r**, **lion-**~, aslan mürebbisi.

tam·my/-o'shanter ['tami, -mə'şantə(r)] (*İsk.*) Bere.

tamp [tamp]. Barut ve fitil yerleştirilen yerin deliğini katı çamurla tıkamak; bastırıp sıkıştırmak.

tamper ['tampə(r)]. ~ **with**, (makine vb.ni) kurcalamak, baltalamak; (defter vb.ni) tahrif etm.,

değiştirmek; (şahidi) ayartmak, rüşvetle kandırmak. ~**proof**, kurcalanamaz.
tamping ['tampin(g)]. Bastırıp sıkıştırma.
tampion ['tampiən]. Top ağzı tapası.
tampon ['tampən] (*tıp.*) Tıkaç/tampon (ile kan durdurmak/tıkamak). ~**age** [-nic], tampon kullanılması.
tan [tan] *i.* Debagatte kullanılan meşe kabuğu; güneş yanığı. *s.* Koyu sarı renkli. *f.* Tabaklamak; sepilemek; (rüzgâr/güneş) yakmak; (*arg.*) dayak atmak.
tan. = TANGENT.
tanager ['tanəcə(r)]. Bir çeşit ispinoz.
†T & AVR = TERRITORIAL AND ARMY VOLUNTEER RESERVE.
tandem ['tandəm]. Birbiri ardında koşulmuş iki at; iki kişilik bisiklet, tandem.
tang[1] [tan(g)] *i.* Prazvana.
tang[2] *i.* Kuvvetli çeşni/koku.
tang[3] (*yan.*) *i.* Çıngırtı. *f.* Çıngırda(t)mak.
tangent ['tancənt]. Mümas, teğet. **go/fly off at a** ~, bir fikir silsilesinden birdenbire başkasına geçmek. ~**ial** [-'cenşl], mümas halinde, teğetsel, sıyır(t)ma.
tangerine[1] [tancə'rīn]. Mandalina.
Tangerine[2] *i.* Tancalı. *s.* Tancaya ait.
tangib·ility [tanci'biliti]. Elle tutulabilme. ~**le** [-cibl], elle tutulur; dokunulabilir; maddî; mevcut; hakikî. ~**ly**, dokunulur halde.
Tangier(s) [tan'ciəz]. Tanca.
tangle[1] ['tan(g)gl] *i.* Karışıklık; arapsaçı. *f.* Teşviş etm., karıştırmak; arapsaçı yapmak. ~**some**, karıştırılmış.
tangle[2]. Kösele gibi bir deniz yosunu.
tango ['tan(g)gou]. Tango dansı (dans etm.).
tangy ['tan(g)gi]. Çeşnili; keskin kokulu.
tanh. = HYPERBOLIC TANGENT.
tank [tan(g)k]. Sarnıç, tank; kap; depo, hazne, havuz; kazan; savaş tankı; (*dem.*) su deposu; (*sin.*) banyo: **flush** ~, rezervuar: **septic** ~, çirkef tankı: **blow** ~**s**, (denizaltı) sarnıçları boşaltmak, çıkış yapmak. ~**age**, depo kullanılması (ücreti); sarnıç dolusu; depo tortusu.
tankard ['tan(g)kəd]. Büyük bira bardağı; şop.
tank·er ['tan(g)kə(r)]. Tanker, petrol/gaz gemisi; sarnıçlı gemi/kamyon/uçak. ~**-car**, (*dem.*) sarnıçlı vagon. ~**-farm**, tank parkı: ~**ing**, topraksız olan su sarnıcı içinde bitki yetiştirilmesi. ~**-locomotive**, (*dem.*) tenderli lokomotif. ~**-ship**, sarnıçlı gemi. ~**-top**, (*mod.*) kısa kolsuz bluz/gömlek. ~**-transporter**, (*ask.*) tank taşıyıcısı. ~**-trap**, (*ask.*) tanksavar engel. ~**-wagon**, sarnıçlı vagon.
tanner[1] ['tanə(r)] (*arg.*) Altı peni.
tann·er[2]. Debbağ, tabak, sepici: ~**y**, tabakhane. ~**ic**, tanenli: ~ **acid**, palamut özeti. ~**in**, tanen. ~**ing**, tabaklama, sepileme; (*arg.*) dayak atma.
tannoy ['tanoy] (*M.*) Özel bir PUBLIC ADDRESS sistemi.
tansy ['tanzi]. Solucan otu.
tantaliz·e ['tantəlayz]. İstenilen bir şeyi verir gibi uzatıp geri çekmek suretiyle kızdırmak/eziyet vermek. ~**ing**, böyle kızdıran.
tantalum ['tantələm]. Tantal.
Tantalus ['tantalʌs] (*mit.*) Tantal; (*ev.*) içinde içki olan kilitlenmiş şişe.
tantamount ['tantəmaunt]. **be** ~ **to**, -e eşit olm.; sayılmak.
tantivy [tan'tivi]. *Avcıların bağırdıkları kelime*; boru sesi; dörtnala koşma.
tap[1] [tap] *i.* Musluk; fıçı tapası; iyi cinsten içki; vida kılavuzu. *f.* Fıçı delip içindekini akıtmak; bir şeyden mayi çıkarmak; vida deliği açmak. ~ **a new country**, yeni bir memleketı ticarete açmak/mahsullerini keşfetmek: ~ **a lung**, akciğeri delmek: ~ **a telegraph wire/telephone**, telgraf teli/telefondan muhabereyi kapmak: ~ **a tree**, bir ağaçtan reçine vb.ni çıkarmak: **beer, etc., on** ~, (bira vb.) fıçıdan: ~ **s.o. for a fiver**, (*arg.*) birisinden beş lira sızdırmak.
tap[2] (*yan.*) *i.* Pek hafif darbe. *f.* Hafifçe vurmak. ~ **at/on the door**, kapıyı hafifçe çalmak. ~**-dancing**, yere vurup dans etme.
tape [teyp] *i.* (Keten vb.) şerit; kurdele; ses teyp/bandı; kuşak. *f.* Şerit ile bağlamak/ölçmek; şeride kaydetmek. **adhesive** ~, yapıştırıcı şerit: **insulating** ~, tecrit şeridi: **perforated** ~, delikli şerit: **red** ~, kırmızı kurdele; kırtasiyecilik. ~**-deck/-player**, (*elek.*) ses şeridi/kaseti tekrarlıyan cihaz. ~**-machine**, telgraf yazıcı cihazı. ~**-measure**, mesaha/ölçme şeridi, şerit metre. ~**-record·er**, teyp/ses alma cihazı: ~**ing**, şeride kaydetme.
taper[1] ['teypə(r)] *i.* Şamalı fitil.
taper[2] *i.* Mahrutîlik, koniklik; eğik; inceleme; koniklik derecesi. *f.* Bir uca doğru incel(t)mek/sivrileş(tir)mek. ~ **away**, sivrileşmek. ~**ed**/~**ing**, gittikçe incelip sivrileşen; daralan; konik.
tapestry ['tapistri]. Duvara örtülü kaneviçe ve gergef işi.
tapeworm ['teypwə̄m]. Şerit (solucan), tenya.
tapioca [tapi'oukə]. Tapyoka.
tapir ['teypir]. Tapir.
tapp·ed [tapt] (*elek.*) Dağılmış; (*müh.*) diş çekilmiş. ~**et** [-pit], itici supap; dirsek, mil. ~**ing**, hafifçe vurma; dağılma; vida dişi çekme; ayar kademesi.
tap·-room ['taprūm]. Otel/handa içki odası. ~**-root**, kazık kök. ~**ster**, meyhanede bira dağıtan adam. ~**-water**, Terkos/musluk suyu.
tar [tā(r)] *i.* Katran; (*kon.*) bahriye neferi. *f.* Katranlamak. **Stockholm/wood** ~, bitkisel katran: **they are both** ~**red with the same brush**, ikisinin de kusuru aynı; 'al birini vur ötekine': ~ **and feather s.o.**, birini, ceza olarak, önce katrana sonra tüye bulamak: **spoil the ship for a ha'porth of** ~, az bir masraftan kaçınıp büyük bir zarara girmek. ~ **macadam** = ~MAC. ~**-brush**, katranlama fırçası: **have a touch of the** ~, damarlarında biraz zenci kanı bulunmak.
tarantara [tərantə'rā]. Boru sesi.
tarantula [tə'rantyulə]. İtalyan örümceği, tarantel.
taraxacum [tə'raksəkəm]. Kara hindiba.
tarboosh ['tābūş]. Fes.
tantrum ['tantrəm]. Öfke nöbeti. **get into a** ~, hiddetten ter ter tepinmek.
tanyard ['tanyād]. Tabakhane.
tard·igrade ['tādigreyd] (*zoo.*) Tardigradlar. ~**ily**, ağırca, yavaşça. ~**iness**, bataet; gecikmiş olma. ~**y**, ağır, yavaş, bati; gecikmiş.
tare[1] [teə(r)] (*bot.*) Burçak.
tare[2]. Dara (ağırlığı). **allow for/deduct** ~, darasını çıkarmak/düşmek.
targe [tāc] (*mer.*) Küçük kalkan.
target ['tāgit]. Hedef; atış nişanı; amaç, istenen/arzulanan şey. **on** ~, hedefe doğru. ~-LANGUAGE. ~**-practice**, hedefe atış.

-tarian [-teərian] *son.* -taraftarı [VEGETARIAN].
tariff ['tarif]. Tarife, bildirmelik, fiyat listesi; ihracat/ithalât vergisi. ~**-war**, gümrük/bildirmelik savaşı.
tarmac ['tā'mak] *i.* Asfalt (yol); makadam yolu; (*hav.*) pist. *f.* Asfaltlamak.
tarn [tān]. Küçük dağ gölü.
tarnish [tāniş] *i.* Donukluk; leke. *f.* Donuklaş(tır)mak; lekele(n)mek; kirletmek.
tarot ['tarou] (*Fr.*) Eski bir cins iskambil kâğıt/oyunu; bu kâğıtlarla açılan fal.
tarpan ['tāpan]. Avrupa yaban atı, tarpan.
tarpaulin [tā'pōlin]. Katranlı muşamba (tente).
tarpon ['tāpən]. Pek iri bir cins ringa balığı.
tar(r)adiddle ['tarədidl]. Kaçamaklı söz, yalan.
tarragon ['taragən]. Tarhun.
tarry[1] ['tāri]. Katranlı.
tarry[2] ['tari]. Geride kalmak; durmak; beklemek.
tarsal ['tāsəl]. Ayak bileğine ait.
tar-seal ['tāsīl] (*Avus.*) *i.* Asfalt yolu. *f.* Asfaltlamak.
tarsier ['tāsiə(r)]. Cadı maki.
tarsus ['tāsʌs]. Ayaktarağının üst tarafındaki kemik; ayak bileği.
tart[1] [tāt] *s.* Ekşi, mayhoş; keskin.
tart[2] *i.* Meyvalı börek; reçelli pasta; turta.
tart[3] (*arg.*) Sokak kadını. ~ **up**, zevksizce süslemek/giy(in)mek; (*mec.*) şıklaş(tır)mak.
tartan[1] ['tātən]. Kareli İskoçya yünlüsü.
tartan[2]. Tek direkli latin yelkenli gemi.
tartar[1] ['tātə(r)]. Şarap tortusu; (*tıp.*) kefeki, pesek. ~**ic**/~**ous** [-'tarik, -tərəs], tartarik; kefekiye ait: ~ **acid**, tartarik asit.
Ta(r)tar[2]. Tatar; şirret. **catch a** ~, zorlu adama çatmak. ~**y**, orta Asya'nın eski ismi.
tart·ly ['tātli]. Mayhoşça; keskin olarak. ~**ness**, mayhoşluk; keskinlik; ekşilik.
tartrate ['tātreyt]. Tartarik asit tozu.
Tartuffe [tā'tūf] (*edeb.*) İkiyüzlü dindar.
Tas. = TASMANIA.
TAS = TRUE AIR SPEED.
task [tāsk] *i.* Götürü iş; vazife, görev. *f.* Çalıştırmak; yormak. **take s.o. to** ~ **for stg.**, birini bir şeyden dolayı azarlamak. ~**-force**, özel görevi olan hücum kıtası. ~**master**, iş veren kimse: **a hard** ~, çok çalıştıran patron. ~**-work**, götürü iş.
Tasmania [taz'mēyniə]. Tasmanya. ~**n devil**, (*zoo.*) keseli şeytan.
tass[1] [tas] (*İsk.*) Bir yudum (içki).
Tass[2] = Rus Haberler Ajansı.
tassel ['tasl]. Püskül. ~**led**, püsküllü.
taste [teyst] *i.* Tat; lezzet; çeşni; azıcık parça yemek; zevk; meyil. *f.* Tatmak; tat almak; çeşnisine bakmak; tadı olm. ~ **of stg.**, bir şeye çalmak; tadı bir şeye benzemek: **bad** ~, zevksizlik, midesizlik: **find stg. to one's** ~, bir şeyi zevkine uygun bulmak, ondan hoşlanmak: **have a** ~ **for stg.**, bir şeyden zevk almak: **have no** ~ **for music, etc.**, musiki vb.den zevk almamak/anlamamak: **everyone to his** ~, herkesin zevkine karışılmaz; bu zevk meselesidir: **I've** ~**d nothing for two days**, iki günden beri ağzıma bir lokma koymadım: **take/have just a** ~ **of stg.**, bir lokmacık yemek. ~**-bud**, tadım cisimciği. ~**ful**, lezzetli; zarif; zevkli. ~**less**, lezzetsiz, tatsız; yavan; zevksiz. ~**r**, çeşnici.
tast·ily ['teystili]. Zevkle; lezzetli olarak. ~**iness**, lezzet. ~**y**, lezzetli; tatlı, tadı iyi.

ta-ta [ta'tā] (*çoc.*) Allaha ısmarladık; 'attâ'.
Tatar ['tatā(r)] = TARTAR.
tater ['teytə(r)] (*kab.*) = POTATO.
tatter ['tatə(r)]. Paçavra. **in** ~**s**, lime lime: **tear to** ~**s**, parça parça etm. ~**demalion** [-di'meyliən], çapaçul; afacan. ~**ed**, partal; eski püskü; lime lime: ~ **and torn**, paramparça.
tatting ['tatin(g)]. Düğümlü dantel.
tattle ['tatl] *i.* Dedikodu; gevezelik. *f.* Dedikodu yapmak; çene çalmak. ~**r**, dedikoducu.
tattoo[1] [ta'tū]. Askerin koğuş trampetesi; bando ve meşalelerle askerî tezahürat; parmaklarını masanın üzerinde tıkırdatma.
tattoo[2]. Ten üzerine dövme (yapmak).
tatty ['tati]. Kılıksız, pejmürde, zevksiz.
tau [tō] (*dil.*) Yunancanın on dokuzuncu harfi (T, τ): ~**-shaped**, T şeklinde.
taught [tōt] *g.z.(o.)* = TEACH.
taunt [tōnt] *i.* Yüzüne vurma; başa kakma; hakaret; istihza. *f.* İğnelemek; sataşmak: ~ **with**, -i yüzüne vurmak; -i başına kakmak.
Taurus ['tōrəs]. Toros (Dağları); (*ast.*) Boğa, Öküz.
taut [tōt]. Gergin, gerili, sıkı. **pull** ~, kasa etm. ~**en**, germek için çekmek; gerginleştirmek; pekiştirmek; kasmak. ~**ly**, gergin/sıkı olarak. ~**ness**, gerginlik.
tautology [tō'toləci]. Aynı şeyi muhtelif kelimelerle tekrarlama.
tavern ['tavən]. Meyhane, birahane.
taw[1] [tō]. Postu işleyip kösele yapmak.
taw[2]. Çizgili bilye (oyunu); oyunun başlama çizgisi.
tawdr·ily ['tōdrili]. Bayağı/zevksiz olarak. ~**iness**, bayağılık, zevksizlik; zevksiz gösteriş. ~**y**, bayağı; mezat malı; zevksiz.
tawny ['tōni]. Sarımtrak kahve renginde, esmer.
taws(e) [tōz] (*İsk.*) Kırbaç.
tax [taks] *i.* Vergi, resim, harç; mahkeme masrafı. *f.* Vergi tarhetmek, vergilendirmek; mahkeme masrafını tayin etm. **company** ~, kurumlar vergisi: **direct** ~, vasıta/dolaysız vergi: **gift** ~, hibe vergisi: **income** ~, gelir vergisi: **indirect** ~, vasıta/dolaylı vergi: ~ **receivable**, tahsil edilecek vergi: **be a** ~ **on s.o.**, birine yük olm.: ~ **the patience/courage of s.o.**, birinden çok sabır/cesaret istemek: ~ **s.o. with doing stg.**, birini bir şeyle suçlamak. ~**able**, vergiye tabi tutulabilir; mükellef. ~**-assessment**, matrah. ~**ation** [-'seyşn], vergi tarhı, vergilendir(il)me; mahkeme masrafını tayin etme. ~**-avoidance**, kanunen vergiye tabi olmama. ~**-collector**/**-gatherer**, tahsildar. ~**-deductible**, vergisi ödenmeden önce gelirden ödenen (masraflar). ~**-dodg·er**, (*kon.*) vergi kaçakçısı: ~**ing**/~**-evasion**, vergi kaçakçılığı. ~**-exemption**, vergi muafiyet/bağışıklığı. ~**-exile**, ~-HAVEN'e sığınmış zengin bir yabancı. ~**-farmer**, kesimci. ~**-free**, resim/vergiden muaf/bağışık. ~**-haven**, alınan vergiler çok az olan (başka) bir memleket.
taxi ['taksi] *i.* ~**(-cab)**, kira otomobili, taksi. *f.* Taksi ile gitmek; (*oto.*) makineyi durdurarak ilerlemek; (*hav.*) rule yapmak. ~**-dancer**, kabare müşterileriyle ücretle dans eden kız.
taxiderm·ist ['taksidəmist]. Hayvan/kuşların derisini dolduran kimse. ~**y**, bu sanat.
taxi- ['taksi-] *ön.* ~**-driver**/**-man**, taksi şoförü, taksici. ~**meter**, taksi saati. ~**-rank**/**-stand**, taksi durağı. ~**-track**, taksi rutu.
taxis ['taksis] (*tıp.*) Yerinden çıkmış uzvu el ile

tekrar yerine koyma; (*biy.*) bir organizmanın dış teşvikle hareketi.
tax- ['taks-] *ön.* ~**less**, vergisiz; vergiden muaf. ~**-liability**, vergi mükellefiyeti. ~**-loss**, vergi kaybı.
taxonomy [tak'sonəmi] (*biy.*) Taksonomi, sınıflandırma bilgisi.
tax- ['taks-] *ön.* ~**-payer**, vergi mükellef/sorumlu/yükümlüsü. ~**-point**, vergilendirme tarih/yeri. ~**-return**, vergi beyanname/bildirimi.
t.b. (*bas.*) = TURN BACK.
Tb. (*kim.s.*) = TERBIUM.
TB = TORPEDO-BOAT; TRUSTEE BANK; TUBERCLE BACILLUS; (*kon.*) TUBERCULOSIS. ~**A** = TO BE AGREED.
T-bone ['tībo͜un]. T-şeklinde kemik(li biftek).
tbsp. = TABLESPOON.
Tc. (*kim.s.*) = TECHNETIUM.
TC = TECHNICAL COLLEGE/COMMITTEE; TENNIS CLUB. ~**D** = TRINITY COLLEGE, DUBLIN. ~**V** = TROOP-CARRYING VEHICLE.
TD = TERRITORIAL (OFFICER'S) DECORATION.
te/ti [tī] (*müz.*) = SI.
Te. (*kim.s.*) = TELLURIUM.
TE (*hav.*) = TRAILING EDGE.
tea [tī]. Çay (fidan/yaprağı); çay gibi içilen şey; çay parti/yemeği. **(afternoon)** ~, (ikindi) çay ziyafeti: **early morning** ~, yataktan kalkmadan önce içilen çay: **high** ~, çay ile yenilen akşam yemeği. ~**-bag**, bir fincanlık kuru çay saşesi. ~**-caddy**, çay kutusu. ~**-cake**, bir nevi tatlı çörek.
teach (*g.z.(o.)* **taught**) [tīç, tōt]. Öğretmek; tahsil ettirmek; okutmak; öğretmenlik etm., ders vermek. **that will** ~ **him (a lesson)!**, o ona Hanya'yı Konya'yı gösterir; bu ona ders olur: ~ **s.o. a thing or two**, birinin gözünü açmak: **I'll** ~ **you to speak to me like that!**, bana böyle konuşmayı sana gösteririm. ~**able**, öğretilir. ~**er**, öğretmen, muallim, hoca. ~**-in**, (üniversiteliler) protesto mitingi; seminer. ~**ing**, öğretmenlik; ders verme; öğretme; ders.
tea- ['tī-] *ön.* ~**-chest**, çay sandığı. ~**-cloth**, küçük masa örtüsü; yıkanmış bulaşık sileceği. ~**-cosy**, çaydanlık külâhı. ~**cup**, çay fincanı: ~**ful**, fincan dolusu. ~**-dance**, danslı çay. ~**-drinker**, çay tiryakisi. ~**-garden**, (i) çay çiftliği; (ii) çay/kahve/hafif yemekler satılan bahçe. ~**-house**, (Çin'de) çayhane.
teak [tīk]. Hint meşesi, tik ağacı.
tea- ['tī] *ön.* ~**-kettle**, çay ibriği, çaydanlık. ~**-leaf**, çay yaprağı.
teal [tīl]. Çamurcun, cüce ördek.
team [tīm]. Birlikte koşulmuş iki/daha çok at/öküz vb.; takım; ekip; tim. **be in the** ~, ekip üyesi olm.: ~ **up with s.o.**, birisiyle birleşmek, beraber çalışmak/oynamak: ~ **games**, futbol gibi takım ile oynanan oyunlar. ~**-mate**, ekip/takımdaş. ~**-spirit**, müşterek ve ekip halinde çalışma ruhu. ~**ster**, koşulmuş hayvanlar sürücüsü. ~**-wise**, takım vb. şeklinde. ~**-work**, takım halinde çalışma.
tea- ['tī-] *ön.* ~**-party**, çay davet/partisi. ~**-plantation**, çay çiftliği. ~**pot**, çaydanlık, demlik.
tear[1] (*g.z.* **tore**, *g.z.o.* **torn**) [te͜ə(r), tō(r)(n)] *f.* Yırt(ıl)mak, yar(ıl)mak; pek hızlı gitmek. *i.* Yırtık, yarık, rahne. **be torn by conflicting emotions**, birbirine zıt duygularla kıvranmak: **the country was torn by faction**, memleket baştan başa parçalanmıştı: ~ **one's hair**, saçını başını yolmak: ~ **stg. open**, bir şeyi yırtıp açmak: ~ **stg. from s.o.**, birisinden bir şeyi zorla kapmak. ~ **away**, koparmak; çabuk ayrılmak: **I could not** ~ **myself away from this lovely spot**, bu güzel yerden bir türlü ayrılmak istemedim. ~ **down**, yırtıp koparmak; (*kon.*) alabildiğine aşağıya/boyunca koşmak. ~ **off**, yırtıp koparmak; koşarak gitmek. ~ **out**, yırtıp çıkarmak, koparmak, sökmek, dışarıya fırlamak. ~ **up**, parça parça etm.; kökünden koparmak, sökmek; yukarıya fırlamak. ~**-away**, *s.* coşkun: *i.* külhanbeyi. ~**-off**, yırtıp koparılır. ~**-sheet** [-şīt], yırtıp koparılan sayfa.
tear[2] [ti͜ə(r)]. Göz yaşı. **burst into** ~**s**, gözlerinden yaş boşanmak: **move s.o. to** ~**s/draw** ~**s from s.o.**, gözünü yaşartmak: **shed** ~**s**, gözyaşı dökmek: **shed crocodile** ~**s**, yalancıktan ağlamak. ~**-drop**, tek bir göz yaşı. ~**ful**, gözleri yaşlı; ağlamalı (ses): ~**ly**, ağlıyarak. ~**-gas**, göz yaşartıcı gaz. ~**-jerker**, (*kon.*) ağlatacak kadar dokunaklı filim/şarkı vb. ~**less**, ağlamıyan.
tearing ['te͜ərin(g)] *i.* Yırt(ıl)ma, kopma. *s.* Aceleden. **be in a** ~ **hurry**, (telâştan) aceleden etrafını görememek: ~ **rage**, kudurmuş bir hiddet: ~ **wind**, insanı uçuracak gibi rüzgâr.
tea- ['tī-] *ön.* ~**-room**, çay salonu. ~**-rose**, çay gibi kokan gül.
tease [tīz]. Taciz etm., rahat bırakmamak; takılmak; azizlik etm.; (*dok.*) ditmek, didiklemek, mıncıklamak. ~**l**, çobantarağı, tarak otu. ~**r**, taciz eden kimse; (*kon.*) çetin bir soru; zor bir mesele.
tea- ['tī-] *ön.* ~**-service/-set**, çay takımı. ~**-shop**, çayhane. ~**spoon**, çay kaşığı: ~**ful**, kaşık dolusu.
teat [tīt]. Meme başı; emcik.
tea- [tī-] *ön.* ~**-table**, küçük çay masası. ~**-things**, çay takımı. ~**-tray**, küçük bir tepsi. ~**-trolley/-wagon**, çay arabası. ~**-urn**, semaver.
teazel ['tīzl] = TEASEL.
tec [tek] (*kon.*) = DETECTIVE.
tec(h). = TECHNICAL; (*kon.*) TECHNICAL COLLEGE.
techn·ical ['teknikl]. Fennî, ilmî, bilimsel, sinaî; teknik; usule göre. **a** ~ **offence**, (gerçekte önemli değil) yalnız kanun nazarında suç: ~ **school**, sanat okulu: **judgement quashed on a** ~ **point**, şekil/muameleye ait bir hata yüzünden bozulan karar. ~**icality** [-'kaliti], teknik teferrüat. ~**ically** [-kəli], teknik bakımdan. ~**ician** [-'nişn], teknisyen, teknikçı, teknik eleman. ~**icolor**, (*M.*) bir renkli filim sistemi: **in** ~, (*kon.*) parlak renkli. ~**ique** [-'nīk], teknik; bir şeyi yapma usulü; yöntem, uygulayım. ~**ocracy** [-'nokrəsi], kamu yararı için bir ülkenin sınaî imkânları teknisyenlerce idare edilmesi. ~**ocrat** [-nəkrat], böyle düzenden yana olan; bu teknisyenlerden her biri. ~**ology** [-'noləci], teknoloji; sanayi bilgisi; fennî terimler.
techy ['teçi] = TESTY.
tectonic [tek'tonik]. Tektonik, oluşumlu, yapısal. ~**s**, tektonik; yapı/inşaat sanatı.
tec·torial [tek'tōri͜əl] (*biy.*) Örtü/zarf teşkil eden. ~**trix** ['tektriks] = COVERT[2].
ted[1] [ted]. Kesilmiş çayır otlarını evirip çevirerek kurutmak. ~**der**, bunu yapan makine.
Ted[2] = TEDDY-BOY.
Teddy ['tedi]. EDWARD'*in kıs.* ~**-bear**, pelüşten

yapılmış oyuncak ayı. ~**-boy**, (*kon.*) kral VII Edward zamanına ait elbiseleri giyen genc, külhanbeyi.
tedi·ous ['tīdiəs]. Cansıkıcı; usandırıcı, bıktırıcı: ~**ly**, cansıkıcı vb. olarak. ~**um** [-iəm], can sıkıntısı; melâl.
tee [tī] *i.* T harfi (şeklinde olan şey); (golfta) ilk topun vurulduğu saha. *f.* ~ **(off)**, ilk topu vurmak.
teem [tīm]. Kaynamak; bol olm.; (*müh.*) boşaltmak. **the river is** ~**ing with fish**, nehirde balık kum gibi kaynıyor.
teen [tīn] (*mer.*) Üzüntü, sıkıntı.
-teen [-tīn] *son.* On . . . [SIXTEEN].
teen·age ['tīneyc]. 13'ten 19'a kadar yaş: ~**r**, bu yaşta olan genç. ~**s** = ~AGE: **be in one's** ~, bu yaşta olm.: **be out of one's** ~, yaşı 19'dan fazla olm.
teeny ['tīni]. ~**(-weeny)**, minimini. *~**-bopper**, (*kon.*) son modaya göre giyinmiş TEENAGE kız.
teeter ['tītə(r)]. Sendelemek.
teeth [tīθ] *ç.* = TOOTH. ~**e** [tīð], (çocuk) diş çıkarmak. ~**ing**, diş çıkarma: ~**-ring**, diş çıkaran bebeğe verilen halka. ~**-troubles**, (*mec.*) bir teşebbüsün başlangıçtaki karşılaşılan sıkıntıları.
teetotal [tī'toutl]. İçki içmiyen; alkolsüz (içecek). ~**ism**, içkilere tövbe etme. ~**ler**, içkilere tövbe eden kimse.
teetotum [tī'toutəm]. Parmaklarla çevrilen topaç.
TEFL = TEACHER OF ENGLISH AS A FOREIGN LANGUAGE.
teg(g) [teg]. İki yıllık kuzu.
tegu·lar ['tegyulə(r)]. Tuğla gibi/şeklinde. ~**lated** [-leytid] (*zoo.*) (tuğla gibi) kemik tabakalı. ~**ment**, zar, dericik; tohum zarı.
tehee [tī'hī] *i.* Küçümseyerek gülme. *f.* Böyle/kıskıs gülmek.
Teheran [tiə'rān]. Tahran.
teind [tīnd] (*İsk.*) = TITHE.
teknonymy [tek'nonimi] (*sos.*) Çocuğun ismini babasına verme usulü.
tel. = TELE·GRAM/-GRAPH/-PHONE.
tela ['telə]. Ağ gibi bir zar.
telaesthesia [telis'θīziə]. Şey/hadiseleri uzaktan sezebilme.
telamon ['teləmən] (*mim.*) Erkek şeklinde heykelsütun.
telary ['teləri] *s.* Ağa ait; ağlar kuran.
tele- [teli-] *ön.* Uzakta(n)/uzağa işliyen. ~**cast**, TV'la yayım(lamak). ~**communications**, telekomünikasyon, haberleşme. ~**con** = TELEPHONE CONVERSATION. ~**film**, TV için hazırlanmış filim. ~**genic** [-'cenik], TV yayımlara uygun. ~**gony** [-gəni], (atlar) sonraki aygırın dölüne öncekinin farzedilen etkisi.
telegr·am ['teligram]. Telgraf(name). ~**aph**, telgraf (çekmek); telgrafla bildirmek: ~**-board**, yarışa katılan atlar listesini gösteren tahta: ~**er**/~**ist** [ti'leg-], telgrafçı: ~**ic** [teli-], telgrafa ait; telgrafla gönderilen: ~**ic address**, telgraf adresi: ~**-key**/**-line**, telgraf anahtar/hattı: ~**-money-order**, telegrafla gönderilen posta havalesi: ~**-pole**/**-post**, telgraf direği: ~**-wire**, telgraf teli: ~**y** [-'legrəfi], telgrafçılık.
tele·kinesis [telikī'nīsis]. Telekinezi, uzadevim. ~**lectric** [-'lektrik], uzaktan elektrikle idare eden. ~**mechanics**, uzaktan çalıştırma/oynatma bilgisi. ~**meter** [-limītə(r)], uzaktan ölçme cihazı. ~**metry** [-'lemitri], telemetri. ~**ology** [-li'oləci] (*din.*) teleoloji. ~**pathy** [-'lepəθi], telepati, uzaduyum.
telephon·e ['telifoun] *i.* Telefon. *f.* Telefonda görüşmek/bildirmek, telefonlaşmak: **the** ~ **is dead/out of order**, telefon çalışmıyor: **the** ~ **went dead**, telefon hattı kesilmiştir: ~**-book**/**-directory**, telefon rehberi: ~**-booth**/**-box**/**-kiosk**, telefon kulübesi: ~**-call**, telefon çağırma/görüşmesi: ~**-exchange**, telefon santralı: ~**-network**, telefon şebekesi: ~**-number**, tek bir aboneye verilen telefon numarası: ~**-operator**, telefon memuru, santralcı. ~**ic** [-'fonik], telefona ait; telefonla gönderilen. ~**ist** [ti'lefənist], telefon memuru. ~**y**, telefonculuk, telefon işi.
tele·photo [teli'foutou]. ~**(graph)**, (*elek.*) uzağa iletilen fotoğraf; (*sin.*) uzaktan çekilen fotoğraf: ~**graphy** [-'togrəfi], telefotoğrafi: ~**-lens**, teleobjektif. ~**-play**, TV için yazılmış oyun. ~**printer**, telemprimör. ~**prompter**, (*M.*) TV spikerleri için suflör cihazı. ~**recording**, televizyonu bant/şeride alış.
telescop·e ['teliskoup] *i.* Teleskop; dürbün, ırakgörür. *f.* Teleskop kısımları gibi iç içe geçmek. ~**ic** ['skopik], teleskopa ait; teleskopla görünen; teleskop gibi iç içe geçen, teleskopik: ~**-sight**, dürbünlü nişangâh. ~**ing**, iç içe geçen/geçme.
tele·type ['telitayp]. ~**type(writer)** = ~PRINTER. ~**view** [-vyū], TV'la görmek: ~**er**, TV seyircisi. ~**vise** [-vayz], TV'la göstermek. ~**vision** [-vijn], televizyon, uzagörüm: ~**-receiver**/**-set**, TV alıcısı: ~**-transmitter**, TV vericisi. ~**x** ['teleks] *i.* teleks (şebeke/makinesi): *f.* teleksle (haber) göndermek/görüşmek.
tell[1] [tel] (*ark.*) Höyük, tel.
tell[2] (*g.z.(o.)* **told**) [tel, tould]. Anlatmak, nakletmek, söylemek, demek; bildirmek, haber vermek; ifşa etm.; bilmek, farketmek; saymak, hesap etm.; etki etm. ~ **me another!**, (*arg.*) külâhıma anlat!: **blood will** ~, kan (asalet) belli olur: **his modesty** ~**s in his favour**, tevazuu onun lehinedir: **I have heard** ~ **that. . .**, kulağıma çalındığına göre . . .; eski bir masalda anlatıldığı gibi . . .: **how do you** ~ **which button to press?**, hangi düğmeye basılacağını nasıl biliyorsunuz?: **I never can** ~ **those two apart**, bunların ikisini hiç birbirinden ayırt edemem: **he looks honest but you never can** ~, namuslu görünüyor fakat belli olmaz: **his age is beginning to** ~ **on him**, yaş onun üzerinde etkisini gösteriyor: **I told you so!**, ben sana demedim mi?: ~ **off**, (bir adama) belirli bir iş vermek; (*kon.*) azarlamak. ~**able**, anlatılabilir. ~**er**, anlatıcı; (*id.*) oyları sayan memur; (*mal.*) veznedar. ~**ing**, *i.* anlatış, nakil; ifşa etme: *s.* müessir, etken: **there's no** ~ **what he will do**, onun ne yapacağı bilinmez. ~**-tale**, kovucu, müzevvir; gammaz: ~ **signs**, haber veren işaretler: **a** ~ **blush**, kabahat vb.ne delâlet eden yüz kızarması: ~ **compass**, asma pusula: ~ **lamp**, işaret lambası.
tellur·al ['telyūrəl]. Yersel. ~**ate** [-reyt], tellürat. ~**ian**, yersel; yerküresinde yaşıyan kimse. ~**ic**, tellüre ait. ~**ium**, tellür.
telly ['teli] (*kon.*) Televizyon.
telson ['telsən] (*biy.*) Telzon.
telstar ['telstā(r)] (*rad.*) Haberleşme peyk/uydusu.
temerity [ti'meriti]. Cüret; yüzsüzlük. **he had the** ~ **to say . . .**, -i söylemek küstahlığını gösterdi.

temp. = TEMPERANCE; TEMPERATURE; TEMPORARY (EMPLOYEE).

temper[1] ['tempə(r)] *i.* Huy, tabiat; huysuzluk, öfke. **be in a** ~, hiddetli olm.: **be out of** ~, öfkeli olm.: **have a bad** ~, huysuz olm.: **have a good** ~, iyi huylu olm.: **keep one's** ~, öfkesini tutmak: **lose one's** ~, hiddetlenmek: **show** ~, hiddetini belli etm.; hiddet göstermek.

temper[2] *i.* Çeliğe verilen su, meneviş; kıvam. *f.* (Çeliğe) su vermek; menevişlemek; tadil etm.; hafifletmek. **(steel) lose its** ~, (çelik) suyunu kaybetmek: **draw/let down the** ~ **of a tool**, bir aletin suyunu gidermek, yumuşatmak.

tempera ['tempərə]. Sulu/zamklı boya.

temperament ['temprəmənt]. Mizaç; tabiat; hilkat; huy. **of even/equable** ~, temkinli, kolayca bozulmaz. ~**al** [-'mentl], mizaca ait; sebatsız, mütelevvin; çabuk kızan: ~**ly**, mizaç itibarıyle.

temperance ['tempərəns]. İtidal; ölçülülük; ılım; imsak; az içki kullanma. ~ **hotel**, içkisiz otel: ~ **society**, içki aleyhtarları kurumu.

temperate ['tempərit]. Mutedil, mülâyim, ılıman; orta; imsaklı; az içki kullanan; perhizkâr.

temperature ['tempriçə(r)]. Hararet derecesi; sıcaklık, sühunet; ateş; sıtma. **absolute/ambient/critical** ~, salt/çevre/kritik sıcaklık: **run a** ~, ateşi olm.: **take s.o.'s** ~, derecesini almak.

tempered ['tempə̄d] (*müh.*) Tavlı, tavlanmış: (*son.*) -huylu.

tempest ['tempist]. Şiddetli fırtına; bora. ~**uous** [-'pestyuəs], pek fırtınalı; boralı; gürültülü.

Templar ['templə(r)]. Haçlılardan 'Temple' tarikatına mensup şövalye; şimdi bazı içki aleyhtarı kurumların üyeleri.

template ['templit] = TEMPLET.

temple[1] ['templ]. Mabet; ibadethane; tapınak; *bilh.* eski Kudüste Yahudilerin baştapınağı, Süleyman mabedi.

temple[2] (*tıp.*) Şakak.

templet ['templit]. İnce maden/tahtadan kalıp; gabari, şablon, mastar.

tempo ['tempou] (*İt., müz.*) Tempo, vuruş.

temporal[1] ['tempərəl]. Şakak kemiği(ne ait).

tempor·al[2]. Fani, geçici; dünyevî (ruhanî mukabili): **the** ~ **power**, cismanî kuvvet. ~**arily** [-rəli], geçici olarak. ~**ary**, muvakkat; geçici; eğreti. ~**ize** [-rayz], vakit kazanmağa çalışmak; savsaklamak; oyalamak.

tempsec. = TEMPORARY SECRETARY.

tempt [tempt]. Baştan çıkarmağa çalışmak; iğva etm.; günaha teşvik etm.; imrendirmek: **I am** ~**ed to ...**, şeytan diyor ki ...: **I am strongly** ~**ed to accept**, kabul etmeğe kuvvetle mütemayilim: ~ **God/Providence**, gücünün çok üstünde bir teşebbüse girişmek: **it is** ~**ing Providence to go out in that old boat**, o eski kayıkla çıkmak tehlike/ölüme susamaktır. ~**ation** [-'teyşn], iğva; günaha teşvik/davet; şeytanın iğvası: **it's a great** ~ **to ...**, şeytan diyor ki ...: **yield to** ~, iğvaya kapılmak. ~**er**, baştan çıkarıcı; iğvacı; kötü yola saptırıcı; şeytan. ~**ress** [-tris], kadın iğvacı.

ten [ten]. On(luk). **count in** ~**s**, onar onar saymak: ~ **to one he'll forget**, yüzde yüz unutur: ~**s**, onluklar.

tenable ['tenəbl]. Tutulabilir; muhafazası mümkün; teyidi mümkün; kabul edilebilir.

tenac·ious [te'neyşəs]. Bırakmaz; vazgeçmez; inatçı; yapışkan. ~**ity** [-'nasiti], azimlilik; inat; yapışkanlık.

tenaculum [ti'nakyūləm]. Kancalı cerrah aleti.

tenan·cy ['tenənsi]. Kiracılık; kira müddeti: **hold a life** ~ **of a house**, bir eve kaydıhayat şartıyle tasarruf etm. ~**t**, *i.* kiracı; müstecir; mutasarrıf: *f.* kiracı sıfatıyle tutmak: **life** ~, kaydıhayat şartıyle kiracı: ~ **right**, kiracının kanunî hakları: ~ **at will**, kiralıyanın keyfine tabi olan kiracı, ~**try**, bir malikânenin bütün ev ve çiftliklerinin kiracıları.

tench ['tenç]. Tatlısu kayası, yeşilsazan.

tend[1] [tend]. Bakmak; hizmetini görmek; gözetmek.

tend[2]. Meyletmek; yüz tutmak; temayül etm.; kaçmak. **blue** ~**ing to green**, yeşile çalan mavi. ~**ency** [-dənsi], meyil, temayül, eğilim; kapılma; yüz tutma; istidat.

tendentious [ten'denşəs]. Bir maksada dayanan; tarafsız olmıyan.

tender[1] ['tendə(r)] *s.* Nahif, yumuşak; nazik; zayıf; hassas; müşfik; taze. **of** ~ **years**, pek genç: **touch s.o. on his** ~ **spot**, yarasına dokunmak, bamteline basmak.

tender[2] *i.* Bakıcı; lokomotifin arkasına bağlı su ve kömür vagonu; tender; maiyet gemisi.

tender[3] *f.* Arzetmek; teklif mektubu vermek; sunmak. *i.* Teklif (mektubu). **by** ~, artırma/eksiltme usulüyle: **call for** ~**s**, eksiltmeye koyma: **invitation to** ~, münakasaya konma: **legal** ~, yasal/kanunî para: **put to** ~, münakasaya koymak: **sealed** ~, kapalı zarf usulüyle eksiltme: ~ **for stg.**, artırma/eksiltmede teklif mektubu vermek: ~ **one's resignation**, istifasını vermek: ~ **thanks**, teşekkürlerini sunmak.

tender-[4] *ön.* ~**er**, teklif sahibi. ~**foot**, acemi. ~**-hearted**, müşfik, şefkatli. ~**ly**, müşfik olarak, şefkatle. ~**-mouthed**, (at) geme alışmamış. ~**ness**, şefkat; hassaslık; narinlik.

tendon ['tendən]. Veter; sinir, kiriş.

tendril ['tendril]. İnce filiz, bıyık, sülükdal.

tenebrous ['tenibrəs]. Gölgeli; karanlık; kasvetli.

Tenedos ['tenidos]. Bozcaada.

tenement ['tenimənt]. Kira evi; akaret; bir aile tarafından işgal edilen apartman (*gen. sade işçi evlerine denir*); (*huk.*) mülk. ~**-house**, akaret.

tenesmus [ti'nezməs] (*tıp.*) Bağırsakların boşaltılması ihtiyacını fasılasızca hissettiren hastalık.

tenet ['tenit]. Akide; kesin inanış/düşünce.

ten·fold ['tenfould]. On kat; on misli. ~**ner**, (*kon.*) onluk; on lira(lık).

Tenn(essee) [tene'sī]. ABD'nden biri.

tennis ['tenis]. Tenis, alantopu. ~**-ball**, alantopu. ~**-court**, tenis alanı. ~**-elbow**, fazla tenis oynamaktan dirsek sinirlerinin burkulması. ~**-player**, tenisçi.

tenon ['tenən] *i.* (Doğramacılıkta) geçme erkeği, zırvana. *f.* Geçme işiyle katmak.

tenor[1] ['tenə(r)]. Meal; mana, anlam; temayül, eğilim.

tenor[2] (*müz.*) Tenor sesi.

tenotomy [tə'notəmi] (*tıp.*) Veter kesilmesi.

tense[1] [tens] *i.* Fiil kipi; zaman.

tense[2] *s.* Gergin, gerili; meraklı, heyecan verici. *f.* Germek, çekmek.

tens·ile ['tensayl]. Gerilip uzayabilir, çekme: ~ **strength**, gerilme kuvveti. ~**imeter** [-'simi-], gaz basınçölçeri. ~**ion** [-şən], gerginlik; (*elek.*) gerilim, tansiyon, voltaj, tevettür; (*fiz.*) ger(il)me kuvveti: **high/low** ~, yüksek/alçak tansiyon. ~**or**, (*zoo.*) ger(dir)ici, açan.
tent[1] [tent]. Çadır.
tent[2] (*tıp.*) Yara fitil/mili.
tentac·ular/~**ulate** [ten'takyū·lə(r), -leyt]. Dokunaçlı; dokunaç gibi. ~**le** [-təkl], ince uzun bir organ; tentakül, dokunaç.
tentative ['tentətiv] *s.* Deneme ve tecrübe nevinden. *i.* Deneme; tecrübe.
tenter ['tentə(r)] *f.* Kumaşı gergefe germek. *i.* Gergef; kumaş gergisi. ~**-hook**, gergef çengeli, çengel çivisi: **be on** ~**s**, son derece şüphe ve merak içinde olm.
tenth [tenθ]. Onuncu; onda biri.
tent·maker ['tentmeykə(r)]. Çadırcı. ~**-peg**, çadır kazığı: ~**ging**, at dört nalla koşarken süvarisi tarafından mızrakla çadır kazıklarını sökme sporu. ~**-pole**, çadır direği.
tenu·is ['tenyūis] (*dil.*) Süreksiz ünsüz (k/p/t gibi). ~**ity** [ti'nyūiti], incelik; seyreklik. ~**ous** ['tenyuəs], ince; seyrek; zayıf, önemsiz.
tenure ['tenyuə(r)]. Tasarruf şartı; gedik; memuriyet süresi.
tepee ['tīpī]. (Kızılderililer) çadır.
tepid ['tepid]. Ilık, hararetsiz, gayretsiz. ~**ity**, ılıklık.
ter- [tə(r)-] *ön.* Üç defa; üç misli.
Ter. = TERRACE; TERRITORY.
tera- ['terə-] *ön.* (*mat.*) 10^{12}.
terato- [terəto-] *ön.* Canavar+, tayf+, ucube.
terbium ['təbiəm]. Terbiyum.
tercel ['təsəl]. Erkek doğan.
tercenten·ary [təsən'tīnəri]. Üçyüzüncü yıldönümü. ~**nial** [-'teniəl], üçyüz yıl süren/yılda bir vukubulan.
terebinth ['teribinθ]. Sakız ağacı. ~**ine** [-'binθīn], bu ağaç/terementiye ait.
teredo [tə'rīdou]. İskele/gemi kurdu.
terete [tə'rīt] (*biy.*) Düz ve yuvarlak.
tergal ['təgəl]. Arkaya ait.
tergiversat·e ['təcivəseyt]. Kaçamaklı söz söylemek; (*din.*) dönme olm. ~**ion** [-'seyşn], (sözü vb.) dönüp dolaştırma.
term[1] [təm] *f.* İsim/ad vermek; demek; tabir etm.
term[2] *i.* Müddet, süre, vade, devre; trimestr; (*huk.*) içtima devresi; had, sınır, son; tabir, deyim, ıstılah; terim, üye. ~**s**, şartlar; ilişkiler, münasebetler; meal: **easy** ~**s**, ödeme kolaylığı: **long-/short-**~, uzun/kısa vadeli: **single** ~, bir üyeli: ~**s of trade**, ihracat-ithalat oranı: **they are on bad/good** ~**s**, araları bozuk/iyi: **be on the best of** ~**s with s.o.**, birisiyle arası fevkalâde olm.: **not to be on speaking** ~**s**, araları bozuk olduğu için birbiriyle konuşmamak: **not on any** ~**s**, hangi şartla olursa olsun olmaz, hiç bir şekilde: **come to/make** ~**s**, şartlar üzerinde uyuşmak: **make/name your own** ~**s**, şartlarınızı kendiniz tayin ediniz: **put/set a** ~ **to stg.**, bir şeye had tayin etm., son vermek: **his** ~**s are two pounds a lesson**, ders başına iki lira ücret istiyor: **the** ~**s of his letter**, mektubunun anlamı, (*bazan*) metni: **by the** ~**s of the treaty**, antlaşma gereğince: **one cannot reckon happiness in** ~**s of worldly success**, mutluluk maddî başarıyle ölçülemez.
termagant ['təməgənt]. Cadaloz, acuze, dirliksiz kadın, şirret.
term·er ['təmə(r)] (*huk.*) Belli bir süre zarfında/kaydıhayatla olan mülk sahibi. ~**inable** [-minəbl], bitirilebilir; belli süresi olan.
terminal ['təminl] *s.* Uçta bulunan; ucunu teşkil eden; son; (üniversite) iki aylık döneme ait. *i.* Son durak/istasyon; (*hav.*) terminal; (*müh.*) ağızlık, başlık; (*elek.*) uç, bağlama vidası, kablo pabucu; sınır. ~ **illness**, öldürücü/son hastalık: ~**-velocity**, (*fiz.*) son hız: ~ **ward**, ölenler koğuşu.
terminat·e ['təmineyt]. Son vermek, sona erdirmek, bitirmek; katetmek; sona ermek, bitmek. ~**ion** [-'neyşn], son, bitiş, netice; daraltma; bozma, fesih; (*dil.*) sonek, çekim eki. ~**or**, araçizgi.
terminolog·ical [təminə'locikl]. Terimlere ait. ~**y** [-'noləci], bir ilim/sanatın terimleri; terimler dizgisi.
terminus ['təminʌs]. Bir tramvay/demiryolunun son durak/istasyonu.
termite ['təmayt]. Divik; termit, beyaz karınca.
tern[1] [tən]. Deniz kırlangıcı(giller). **Arctic/common/gull-billed** ~, büyük kuyruklu/adi/gülen deniz kırlangıcı: **little/sandwich/whiskered** ~, beyaz alınlı/sandviç/beyaz bıyıklı deniz kırlangıcı.
tern[2]. Üç şeyin grubu; üç rakamlı takım. ~**ary**, üç misli; üçe ait; üçer üçer. ~**ate**, (*bot.*) üçer üçer olan (yapraklar).
terne [tən]. Çinkolu kurşun alaşımı.
terotechnology [tīroutek'noləci]. Tertibat/cihazların montaj ile bakımına ait teknoloji.
Terpsichorean [təpsikə'rīən]. Dansa ait.
terrace ['teris] *i.* Doğal/sunî yüksek düz yer; seki; teras, taraça; tahtaboş; bir set üzerinde bir sıra evler. *f.* Bir tepe/yokuşta bir sıra sahanlık yapmak. ~**(d)-house**, bir sıra evlerin biri. ~**d roof**, taraça gibi düz dam.
terra·-cotta [terə'kotə] (*İt.*) Pişmiş lüleci çamuru; bunun rengi (koyu turuncu). ~***-firma*** [-'fəmə] (*Lat.*) yeryüzünün kara kısmı; kara.
terra·in ['tereyn]. Yer(ey), arazi. ~**mare** [-rə'meəri], (höyükte bulunan) gübreli toprak. ~**neous** [-'reyniəs], toprağa ait; toprakta yetişen. ~**pin**, tatlısu kaplumbağası. ~**queous** [-'rakwiəs], hem kara hem de suya ait. ~**rium** [-'reəriəm], kara hayvanlar vivaryumu, hayvanat koru/parkı. ~**zzo** [-'ratsou], çimento mozaiki döşeme.
terre·ne [te'rīn]. Topraktan, topraklı; ~STRIAL. ~**plein** ['teə(r)pleyn] (*ask.*) topların konulduğu düz alan; (*müh.*) hazırlanmış düz alan. ~**strial** [tə'restriəl], yeryüzü/arz/dünyaya ait; arzî, yer(sel), karasal: ~ **globe**, dünya(yı temsil eden küre).
terribl·e ['teribl]. Müthiş, korkunç, dehşetli. ~**y**, (*kon.*) ziyadesiyle.
terricolous [te'rikəlʌs]. Yeryüzünde yaşıyan.
terrier ['teriə(r)]. Bazı ufak av köpeklerine verilen ad; (*kon.*) TERRITORIAL asker.
terrif·ic [tə'rifik]. Korkunç, müthiş; son derece: ~ **pace**, başdöndürücü hız: ~**ally**, (*kon.*) çok. ~**y** ['terifay], tedhiş etm., çok korkutmak: **be** ~**ied**, dehşet duymak.
terri·genous [te'ricinəs]. Kara/topraktan hâsıl olan. ~**ne** [-'rīn], (et macunlari için) toprak kavanoz.

territor·ial [teri'tōriəl] *s.* Araziye ait; belirli bir bölgeye ait: *i.* İng.de bir nevi gönüllü askerî teşkilâtına mensup kimse: ~ **army**, bu gönüllü askerî teşkilât: ~ **integrity**, toprak bütünlüğü: ~ **waters**, kara suları. ~**y**, ülke; arazi; mıntıka, bölge.

terror ['terə(r)]. Dehşet; gözyılgınlığı; yılgı; dehşet verici şey/kimse. ~**ism**, tedhiş siyaseti. ~**ist**, tedhişçi, tedhiş taraftarı, yıldırgan. ~**ize** [-rayz], tedhiş etm., yıldırmak, korkutmak. ~**-stricken**/**-struck**, çok korkmuş, dehşete düşmüş.

terse [tə̄s]. Veciz; keskin ve kısa.

tertia·n ['tə̄şən]. Üç günlü; üç günde bir (olan nöbet/sıtma). ~**ry** [-şəri] (*yer.*) üçüncü devreye ait, tersiyer; (*kim.*) üçüncülü; üçüncü derece(de).

terylene ['terilīn] (*M.*) Terilen.

tesla ['teslə] (*elek.*) Tesla.

tesse·late ['tesileyt]. Mozaikle süslemek: ~**d**, mozaik halinde süslenmiş. ~**lation** [-'leyşn], mozaik (işi). ~**ra** [-sərə], mozaik işi.

test [test] *i.* Tecrübe, deney, test, deneme; imtihan, muayene, prova. *f.* Denemek, tecrübe etm., prova etm.; mihenge vurmak; muayeneye tabi tutmak; tahlil etm.; tasdik etm. ~ **case**, (i) emsal teşkil eden dava; (ii) tecrübe için yapılan şey: **intelligence** ~, zekâ testi: **driving** ~, şoförlük imtihanı.

testacean [tes'teyşn]. Zırhlı (hayvan); kaplumbağalara ait.

testa·cy ['testəsi]. Geçerli vasiyetname bırakma. ~**ment**, vasiyetname, tutsuluk; ahit: **New** ~, Ahdicedit: **Old** ~, Ahdiatik: ~**al**/~**ary**, vasiyete ait; vasiyetnamede bulunan. ~**te** [-teyt], geçerli vasiyetname bırakarak ölen. ~**tor**/~**trix** [-'teytə(r), -triks], vasiyet eden adam/kadın.

test- *ön.* ~**-bed**, tecrübe sehpası. ~**-bench**, deneme tezgâhı. ~**ee** [-'tī], denenen kimse. ~**er**[1], muayene memuru; prova eden kimse: **battery** ~, akümülatör kontrol aleti. ~**-flight**, (*hav.*) deneme uçuşu.

tester[2]. ~**-bed**, tenteli yatak.

tester[3] (*tar.*) (Yarim) SHILLING'in eski ismi.

test·es ['testīz] *ç.* Taşaklar. ~**icle** [-tikl], erbezi, husye, taşak. ~**icular**/**-iculate** [-'tikyulə(r), -leyt], taşak şeklinde.

testif·ication [testifi'keyşn]. Şahadet; teyit; tasdik. ~**y** [-fay], tanıklık/şahadet etm., şahidi olm.; doğrulamak, teyit etm., ispat etm., izhar etm.: ~ **to a fact**, bir olaya tanıklık etm., teyidetmek.

testily ['testili], Haşin/ters olarak.

testimon·ial [testi'mouniəl]. Bonservis, referans; takdirname; ödül olarak/teşekkür için verilen hediye. ~**y** [-timəni] (*huk.*) tanıklık, şahadet; beyan; delil.

test- *ön.* ~**-indicator**, komparatör. ~**ing**, tecrübe, deney, deneme.

testiness ['testinis]. Çabuk öfkelenme; terslik, alınganlık.

test·is, *ç.* ~**es** ['testis, -tīz]. Taşak.

test- *ön.* ~**-match**, uluslararası kriket maçı. ~**-paper**, turnusol kâğıdı; sınav soruları. ~**-pattern**/**-picture**, TV alıcısının ayarlanması için gösterilen geometrik resim. ~**-piece**/**-specimen**, deney örneği. ~**-pilot**, deneme/tecrübe pilotu. ~**-run**, (*oto.*) tecrübe için kullanma. ~**-tank**, deneme havuzu. ~**-tube**, deneykabı.

testud·inal [tes'tyūdinəl]. Bağa şeklinde. ~**o**, (*ask.*) kalkanlar siperi; (*zoo.*) bir çeşit kaplumbağa.

testy ['testi]. Çabuk öfkelenen; haşin, ters, alıngan.

tetan·ic [ti'tanik]. Tetanosa ait. ~**us** ['tetənʌs], tetanos; kazıklı humma. ~**y**, kusurlu kalkanbezlerinden oluşan bir kas hastalığı, tetani.

tetchy ['teçi] = TESTY.

tête-à-tête [teyta'teyt] (*Fr.*) Başbaşa görüşme; iki kişilik kanape.

tether ['teðə(r)] *i.* Köstek, tavla halatı. *f.* (Hayvanı) kösteklemek. **be at the end of one's** ~, sabır/tahammül/imkânları tükenmek.

tetra- ['tetra-] *ön.* Dörtlü, dörtten mürekkep . . ., tetra-. ~**d**, dört rakamı; dört şeyin grubu. ~**gon**, dört açılı şekil. ~**gram**, dört harfli kelime. ~**hedron** [-'hīdrən], dört yüzlü şekil. ~**logy** [-'traləci] (*tiy.*) dört oyunluk seri. ~**meter** [-mitə(r)], dört vezinli mısra. ~**pod**, sahil koruması için kullanılan dört 'ayaklı' beton şekil. ~**rch** [-'trāk] (*tar.*) bir ilin dörtte birinin yönetmeni; önemsiz kral. ~**stich** [-stik], dört mısralı şiir.

tetter ['tetə(r)]. Birkaç çeşit cilt hastalığı.

Teuton ['tyūtən]. Cermen; Alman. ~**ic** [-'tonik] *i.* Cermence: *s.* Cermenlere ait.

Tex·(as) ['teksəs]. ABD'nden biri. ~**an**, Teksas'lı.

text [tekst]. Metin; İncilden kısa bir parça; konu, mevzu. **stick to one's** ~, sadetten ayrılmamak. ~**-book**, (i) elkitabı; ders kitabı; (ii) bir imtihan için tayin edilen kitap.

text. = TEXTILE(S).

textile ['tekstayl] *i.* Dokunmuş kumaş. *s.* Dokuma işine ait. ~ **industry**, dokumacılık: ~**s**, mensucat, manifatura.

textual ['tekstyuəl]. Metne ait; metinde bulunan.

texture ['teks(t)çə(r)]. Bir nescin yapısı; doku(ma); örgü.

TF = TASK FORCE.

TGWU = TRANSPORT AND GENERAL WORKERS' UNION.

-th[1] [-θ] *son. i.* -lik; -me [HEALTH; GROWTH].

-th[2] *son., s.* -inci [FIFTH].

Th. = THEATRE; (*kim.s.*) THORIUM; THURSDAY.

thalamus ['θaləməs] (*zoo.*) Talamus; (*mim.*) iç oda.

thalass·ic [θə'lasik]. Denize ait. ~**o-**, *ön.* deniz +.

thaler ['tālə(r)] (*tar.*) Taler.

thalidomide [θə'lidəmayd]. Uyuşturucu bir ilâç. ~**-baby**, annesi tarafından alınmış bu ilâç dolayısıyle çarpık doğmuş bebek.

thall·ic/~**ous** ['θalik, -əs]. Talyuma ait. ~**ium**, talyum.

thallus ['θaləs] (*bot.*) Tal.

Thames [temz]. Taymis nehri. **set the** ~ **on fire**, önemli bir şey yapmak; meşhur olm.

than [ðan]. *Karşılaştırma için kullanılan edat.* -den. **he is stronger** ~ **you**, o sizden daha kuvvetlidir: **more** ~ **once**, bir çok defa: **I would rather go by ship** ~ **fly**, uçak ile gitmektense vapurla gitmeği tercih ederim: **he is no more an American** ~ **I am**, ne münasebet! o Amerikalı değildir.

thanato- ['θanəto-] *ön.* Ölüm + ~**id** [-toyd], ölüm gibi; öldürücü.

thane [θeyn] (*tar.*) (İng.'de) toprak karşılığında kral için askerî hizmet gören 'bey'; (İsk.da) kabile reisi.

thank [θan(g)k]. Şükretmek; teşekkür etm. ~ **s.o. for stg.**, birine bir şey için teşekkür etm.: ~ **you!**, teşekkür ederim: ~ **God/heaven/goodness**, çok şükür, elhamdülillah!: **you have your friends to** ~ **for this**, bunu dostlarınıza borçlusunuz: **you have**

only yourself to ~ for this, kabahati başkasında arama, kabahat sende!: **I'll ~ you to mind your own business**, siz kendi işinize baksanız daha iyi olur: **~ your lucky stars!**, talihine şükret! **~ful**, müteşekkir, minnettar. **~less**, nankör; yararsız (iş vb.). **~-offering**, bir nimete şükretmek için verilen para/adak (kurbanı). **~s**, teşekkür, şükür: **~!**, teşekkür ederim: **~ to . . .**, -in sayesinde: **that's all the ~ I get!**, işte bana böyle teşekkür ediyorlar!: **give ~ to s.o. for stg.**, birine bir şey için teşekkür etm. **~sgiving**, teşekkür; şükran duası: ***~ Day**, Kasımın son perşembe gününde kutlanan şükran yortusu.

Thasos ['θasos]. Taşoz adası.

that[1] *ç.* **those** [ðat, ðo̱uz] *gösterme s./zm.* O, şu; o şey. **~ book is mine**, o kitap benimdir: **English soil is more fertile than ~ of Germany**, İng.'nın toprağı Alm.'nınkinden daha bitek/verimli dir.

that[2] *bağlaç zm., zf.* WHO(M)/WHEN/WHICH *yerine kullanılır.* **the child ~ I saw**, gördüğüm çocuk: **the letter ~ I sent you**, size gönderdiğim mektup: **the day ~ he came**, geldiği gün.

that[3] *b.* Ki. **he said ~ . . .**, dedi ki . . .: **he said ~ he would come**, geleceğini söyledi: **he was so ill ~ he could not speak**, konuşamıyacak kadar hasta idi: **oh ~ I could be in England now!**, şimdi İng.'de olabilsem!: **if I reprove you it is ~ I love you**, seni azarlıy orsam bu seni sevdiğimdendir.

thatch [θaç] *i.* Saman/kamıştan dam örtüsü. *f.* Dam üzerini saman/kamış ile kaplamak: **~ed roof**, kamışçatı.

thaumaturg·e ['θōmətəc]. Sihirbaz, büyücü. **~y**, sihirbazlık.

thaw [θō] *f.* Kar/buzu eritmek; (don) erimek, çözülmek; (insan) açılmak. *i.* Buz/karın erimesi. **the conversation began to ~ a little**, buzlar çözülmeğe başladı.

the [ðī, ðə]. *Belirli harfi tarif.* **I saw a man**, bir adam gördüm, *fakat* **I saw ~ man**, adamı gördüm: **I went to a house**, bir eve gittim, *fakat* **I went to ~ house**, o eve gittim. *Hem de yalnız bir tane olan şeylerin başına konur, mes.* **~ sun**, güneş; **~ moon**, ay; **~ year 1950**, 1950 senesi.

thea·nthropic [θīən'θropik]. Hem ilahî hem de insanî. **~rchy** ['θīāki], ilâh(lar) hükümeti; ilâhlar heyeti.

theat·re/*~er ['θi̱ətə(r)]. Tiyatro; meydan, sahne; bir yazar/devrenin oyunları; ameliyathane: **~ in the round**, çevre tiyatrosu: **~ of war**, savaş alanı, darülharp: **~goer**, sık sık tiyatroya giden kimse. **~rical** [-'atrikl], tiyatro/sahneye ait; dramatik; gösterişli, nümayişçi: **~-agent**, oyuncular için iş bulan kimse: **~ity**, gösterişlilik; dramatik olma: **~s**, amatörler tarafından oynanan piyesler.

Thebes [θībz] (*tar.*) Yunanistan/Mısırdaki Teb şehri.

theca ['θīkə] (*biy.*) Zarf.

thé dansant [teydā(n)'sā(n)] (*Fr.*) Danslı çay.

thee [ðī] (*mer.*) Seni. **from/of ~**, senden: **to ~**, sana.

theft [θeft]. Hırsızlık, çalma. **petty ~**, aşırma.

thegn [θeyn] = THANE.

theine ['θīin]. Çaydaki bitkisel alkaloit.

their [ðe̱ə(r)]. Onların. **~s**, onlarınki: **this house is ~s**, bu ev onlara ait: **this is a house of ~s**, bu onların evlerinden biridir.

theis·m ['θīizm]. Tanrıcılık. **~t**, tanrıcı.

them [ðem]. Onları. **from ~**, onlardan: **of ~**, onların: **to ~**, onlara. **~selves**, kendiler(i).

them·atic [θi'matik]. Tema/konuya ait. **~e** ['θīm], mevzu, konu, tema; öğrenci için ödev, temrin, alıştırma; (*müz.*) makam.

then [ðen]. O zaman; ondan sonra; şu halde; hem de. **now and ~**, arasıra, arada sırada, vakit vakit: **~ and there**, hemen, oracıkta: **I haven't the time and ~ it is not my business**, vaktim yok, zaten görevim de değil: **by ~**, o zaman, o zamana kadar: **now one boy does best, ~ another**, kâh bir çocuk iyi yapar kâh başkası: **the ~ Vali**, o zamanki Vali: **suppose he refuses, what ~?**, ya reddederse ne olacak?: **you knew all the while ~**, demek şimdiye kadar bunu sen hep biliyordun.

thenar ['θenə(r)]. El/ayak ayası.

thence [ðens]. Oradan; o sebepten dolayı. **~forth/~forward**, o zamandan beri; ondan sonra.

theo- [θio-] *ön.* Din+; tanrı+. **~cracy** [-'okrəsi], ruhanî idare/hükümet, teokrasi. dincierki. **~cratic** [-ə'kratik], ruhanî idareye ait, dinci.

theodolite [θi'odəlayt]. Teodolit.

theolog·ian/~ist [θī̱ə'lo̱uci̱ən, θi'oləcist]. İlâhiyatçı, ilâhiyat uzmanı. **~ical** [-'locikl], ilâhiyata ait. **~y** [-'oləci], ilâhiyat, tanrıbilim.

theor·em ['θi̱ərəm] (*mat.*) Mesele, teorem, dava. **~etical** [-'retikl], teorik, nazarî, kuramsal. **~etician/~ist** [-'tişn, 'θi̱ərist], nazariyatçı, kuramcı. **~etics**, nazariyat. **~ize** [-rayz], teori yapmak. **~y**, nazariye, kuram, teori.

theosophy [θi'osəfi] (*fel.*) Teosofi.

therap·eutic [θerə'pyūtik]. Tedaviye ait, sağaltıcı, şafi: **~s**, tedavi fenni. **~y** ['θe-], terapi, tedavi.

there [ðe̱ə(r)]. Ora, orası; orada; oraya; şurada; haydi haydi; işte! **~ is**, var: **~ is not**, yok: **~ was**, vardı: **~ will be**, olacak: **he's all ~**, çok açıkgözdür: **he is not all ~**, bir tahtası eksik: **it is ten miles ~ and back**, oraya gidip gelme on mildir: **hurry up, ~!**, (*işaret ederek*) haydi bakalım, çabuk olalım!: **'where's your father?' '~ he is!'** 'Babanız nerede?' (*göstererek*) 'İşte şurada!': **~ you have me!** (*arg.*) vallahi bilmem, buna cevap veremem: **~, ~,! never mind!**, (*çocuğa*) haydi haydi, zarar yok, üzülme!: **~ you are!**, (i) ben demedim mi?; (ii) demek geldin ha!; (iii) buyurun! **~abouts** [-ə'ba̱uts], oraya yakın; oralarda; raddelerinde: **at two o'clock or ~**, saat iki sularında. **~after** [-'āftə(r)], ondan sonra. **~at**, o zamanda; orada; ondan dolayı. **~by** [-'bay], o münasebetle; o veçhile. **~fore** [-fō(r)], binaenaleyh; bu sebepten; o halde. **~from** [-'from], oradan. **~in** [-'in], onun içinde; orada; bununla: **~ you are mistaken**, burada yanılıyorsunuz. **~of** [-'ov], ondan; onunki. **~on** [-'on], bunun üzerine; bunun akabinde. **~to** [-'tū], oraya; buna, ona. **~upon** [-rə'pon], onun üzerinde; bunun üzerine. **~with** [-'wiθ], onunla; hemen, derhal: **~al** [-wi'ðōl] (*mer.*) bundan başka.

theria·c ['θīriak] (*mer.*) Yılan zehrine karşı ilâç. **~nthropic** [-rian'θropik], kısmen hayvan kısmen insan şeklinde olanlara ait/tapan.

therm [θəm]. Isı birimi. **~ae** [-mī] *ç.* kaplıcalar. **~al**, *i.* termik rüzgâr. **~al/~ic**, *s.* termal, termik, ısıl, sıcak, ısıya ait: **~-barrier**, (*hav.*) ısı duvarı: **~ spring**, kaplıca. **~ion(ic)** [-i̱ən, -'onik], termiyon(+). **~istor**, termistor.

thermo- ['θəmo̱u-] *ön.* Isı+, sıcaklık+; termo-; ısıl,

sıcak. **~-couple**, ısılçift, sıcaklık pili, termokupl. **~duric** [-'dyūrik], ısıya dayanır. **~genic** [-'cenik], ısı hâsıl eden. **~graph**, kaydedici termometre. **~meter** [-'momitə(r)], ısıölçer, termometre. **~nuclear**, termonükleer. **~pile** [-'payl], sıcaklık pili. **~plastic**, sıcakla şekillendirilir. **~setting**, ısılsertleşme(li). **~s(-flask)** ['θəmos-], termos. **~stat**, ısıdenetir, termostat: **~ics**, termostatik.

thesaurus [θī'sōrʌs]. Büyük sözlük; kelime hazinesi.

these [ðīz] *ç.* = THIS; bu(nlar).

thes·is, *ç.* **~es** ['θīsis, -sīz]. Dava; tez.

Thespian ['θespiən]. Dram/tiyatroya ait.

Thessaloni·an [θesə'lounien]. Selânikli. **~ca** [-'lonikə], Selânik.

theta ['θītə] (*dil.*) Yunancanın sekizinci harfi (Θ, *θ*).

theurgy ['θīəci]. Büyü(cülük).

thews [θyūz]. Sinirler, adaleler; (*mec.*) kuvvet.

they [ðey]. Onlar. **~ say that . . .**, diyorlar ki . . ., denildiğine göre . . .: **they'd** = **~** HAD/WOULD: **~'ll** = **~** WILL: **~'re** = **~** ARE.

thick [θik]. Kalın, kesif; sık; sıkışık; koyu; kalın kafalı; (hava) sisli; (ses) boğuk. **be very ~ with s.o.**, birisiyle senli benli olm.: **they are as ~ as thieves**, aralarından su sızmaz: **that's a bit ~!**, (*arg.*) bu ne pişkinlik, bu kadarı da fazla!: **in the ~ of the fight**, çarpışmanın en civcivli zamanında: **stick to s.o. through ~ and thin**, birine hem iyi hem fena günlerinde sadık kalmak.

thicken ['θikn]. Kalınlaş(tır)mak; koyulaş(tır)mak; kesif olm./yapmak; koyultmak. **the plot ~s**, (bir roman vb.de) vakalar karışıyor/çatallaşıyor. **~er**, koyultma maddesi. **~ing**, kalınlaş(tır)ma; koyulaş(tır)ma; koyulaştırıcı şey.

thicket ['θikit]. Çalılık; koru; bokluca.

thick-, *ön.* **~head(ed)**, (*arg.*) kalın kafa(lı). **~ish**, oldukça kalın. **~-knee**, (*zoo.*) kalın bacaklı kuş. **~ly**, kalın bir şekilde. **~ness**, kalınlık; kesafet; tabaka, kat. **~set**, kısa boylu fakat sağlam yapılı. **~-skinned**, aldırmaz; vurdumduymaz. **~-skulled** [-skʌld], kalın kafalı.

thief, *ç.* **thieves** [θīf, θīvz]. Hırsız. **honour among thieves**, hırsızlar arasında bile bir namus telakkisi vardir; mertlik mertliktir: **set a ~ to catch a ~**, çivi çiviyi söker.

thiev·e [θīv]. Hırsızlık yapmak; çalmak. **~ish**/**~ing**, hırsız gibi; hırsızlık yapan. **~ing**, hırsızlık.

thigh [θay]. But; uyluk; kalça. **~-bone**, uyluk/kalça kemiği. **~-boots**, kalça boyu çizme.

thimble ['θimbl]. Yüksük; (*den.*) radansa. **~ful**, yüksük dolusu; az bir miktar. **~rig**, dolandırıcı bir oyun: **~ging**, dolandırıcılık.

thin [θin] *s.* İnce; seyrek; zayıf, eti yağı az; lağar; sulu, sade suya. *f.* Seyrekleş(tir)mek; inceltmek; zayıfla(t)mak; seyrelmek. **as ~ as a lath**, bir deri bir kemik: **that's a bit ~**, (mazeret/delil) ikna etmez: **~ly clad**, ince giyinmiş; fakir kıyafetli: **have a ~ time of it**, (*kon.*) çok eziyet çekmek: **a ~ly veiled threat**, pek kapalı olmıyan tehdit. **~ down**, (tahta vb.) inceltmek; (boya vb.) hafifleştirmek, sulandırmak. **~ out**, seyrekleştirmek; seyrelmek.

thine [ðayn] (*mer.*) Seninki; senin.

thing [θin(g)]. Şey, nesne; mesele; mahluk. **~s**, eşya, pılı pırtı; ahval, ortalık, iş: **~s are looking pretty bad**, ortalık çok fena, ahval kötü: **be all ~s to all men**, herkesle iyi geçinmek, herkesin nabzına göre şerbet vermek: **do one's ~**, kendi isteğine göre hareket etm.: **talk of one ~ and another**, şundan bundan bahsetmek: **clear away the ~s**, sofrayı toplamak: **a dear old ~**, sevimli bir ihtiyar kadıncağız/adamcağız: **dumb ~s**, hayvanlar: **I'm not feeling at all the ~**, biraz keyifsizim: **that's the ~ for me!**, işte tam istediğim!: **how are ~s?**, ne var ne yok?, işler nasıl?: **he knows a ~ or two**, çok bilmiştir, şeytandır: **the latest ~ in hats**, en son şapka modası: **make a good ~ (out) of stg.**, bir şeyden kâr çıkarmak: **make a mess of ~s**, işi berbat etm.: **it's not the ~ (to do)**, bu yapılmaz; bunu yapmak mutat değil: **for one ~ . . .**, bir kere . . ., evvelâ . . .: **pack up one's ~s**, pılısını pırtısını toplamak: **she is very ill, poor ~!**, zavallı, çok hastadır: **take off one's ~s**, şapka ve paltosunu çıkarmak: **take ~s too seriously**, olayları fazla ciddîye almak: **go the way of all ~s**, her şey gibi sona ermek (*gen.* ölmek). **~amy**/**~ummy**/**~umajig**/**~umibob** [-əmi, -əməcig, -əmibob] (*kon.*) şey; hani, ne derler.

think (*g.z.(o.)* **thought**) [θin(g)k, θōt]. Düşünmek, zannetmek, sanmak; addetmek, saymak; hükmetmek; farzetmek; tasavvur etm.; ummak. **I don't ~!**, (*arg.*) ne münasebet!: **I should hardly ~ so**, pek zannetmem: **let me ~!**, dur bakayım: **I thought as much**, zaten bunu bekliyordum: **I don't ~ much of that**, ondan hiç bir şey anlamıyorum; hoşuma hiç gitmez: **I couldn't ~ of it!**, dünyada böyle bir şey yapamam!: **I ~ very highly of him**, benim nazarımda onun değeri büyüktür: **I would never have thought that of you**, senin böyle bir şey yapacağın hiç aklıma gelmezdi: **~ too much of oneself**, (i) kendini beğenmek; (ii) hep kendini düşünmek: **he is well thought of**, itibarı yüksektir: **I told him what I thought of him**, açtım ağzımı yumdum gözümü; ona haddini bildirdim: **~ing to please me, he said . . .**, gözüme girmek maksadıyle . . . dedi: **to ~ that he was once rich!**, şimdiki halini görüp de onun vaktiyle zengin olduğuna kim inanır?: **while I ~ of it**, hatıramdayken: **who'd have thought it!**/**well, ~ of that!**, acayip!, kimin aklına gelirdi?: **what am I ~ing about!**, na kafa! **~ out**, tasarlamak; düşünüp taşınarak halletmek. **~ over**, düşünüp taşınmak.

think·able ['θin(g)kəbl]. Tasavvur edilebilir; kabul edilebilir. **~er**, mütefekkir; düşünen; filozof. **~ing**, düşünceli; aklı başında; düşünme, fikir: **that's my way of ~**, ben böyle zannediyorum: **to my way of ~**, bana göre: **put on one's ~ cap**, düşünüp taşınmak. **~-piece**, (*bas.*) haberleri inceleyen/anlatan yazı. **~-tank**, (*kon.*) teorik araştırmalar merkez/enstitüsü.

thin·ly ['θinli]. İnce/zayıf olarak. **~ner**, *s.* daha ince: *i.* inceltici/sulandırıcı madde. **~ness**, incelik, zayıflık.

thio- [θayo-] *ön.* Kükürt +.

third [θəd] *s.* Üçüncü(l). *i.* Üçte bir; (*müz.*) üç perde aralığı, tiyers. **~-class**, (*dem. vb.*) üçüncü mevki; (*kon.*) adi, bayağı. **~-degree**, üçüncü derece: **~ burn**, (*tıp.*) çok ağır bir yanık: **~ torture**, bir sanığı şiddet kullanarak sorguya çekme. **~-hand**, üçüncü el/kaynaktan alınan (haber vb.). **~ly**, üçüncü olarak. **~-party**, (*huk.*) üçüncü/hariçten bir şahıs/kişi. **~-person**, (*dil.*) üçüncü kişi/şahıs. **~-rate**, adi, bayağı, değersiz. **~-World**, ne Batılılar ne Komünistlere bağlı Afrika/Asya/G.Amerika memleketleri grubu, üçüncü dünya.

thirst [θə̄st]. Susama(k); susuzluk. ~ **for/after**, -e susamak, teşne olm. ~**ily**, susamış/susuz olarak. ~**iness**, susuzluk. ~**y**, susamış; susuz; kurak (toprak); susatıcı.

thirt·een [θə̄'tīn]. On üç: ~**th**, on üçüncü; on üçte bir. ~**ies**, otuzlar: **in his** ~, otuz yaşını geçmiş: **in the** ~, 1930–39'da. ~**ieth**, otuzuncu; otuzda bir. ~**y** ['θə̄ti], otuz: ~-**first**, otuz birinci.

this, *ç.* **these** [ðis, ðīz]. Bu; şu. ~ **day fortnight**, iki hafta sonra bu gün: ~ **far**, şuraya kadar: ~ **high**, şu boyda: **it's Ahmed** ~ **and Ahmed that**, Ahmed aşağı Ahmed yukarı: **put** ~ **and that together**, vakaları yanyana koymak: **it was like** ~, (i) buna benzerdi; (ii) şöyle oldu . . .: ~ **is where he lives**, burada oturuyor.

thistl·e ['θisl]. Devedikeni ve buna benzer dikenli otlar: ~**down**, şeytan arabası. ~**y**, devedikeni gibi.

thither ['ðiðə(r)]. Oraya.

thixotropy [θik'sotrəpi]. Silkilince geçici olarak sıvı olan bir peltenin niteliği.

tho' [ðou] = THOUGH.

thole[1] [θoul] (*mer.*) Dayanmak; kabul etm.

thole[2]. ~-**pin**, ıskarmoz.

tholos ['θouləs] (*ark.*) Kubbe (şeklinde mezar).

thong [θon(g)]. Dar kösele sırım, kamçı sırımı, kayış.

thora·cic [θō'rasik]. Göğse ait; sadrî. ~**co**- [-ko-] *ön.* göğüs+. ~**x** [-raks], göğüs (kafesi); sadır.

thorium ['θōriəm]. Toryum.

thorn [θōn]. Diken(li çalı). **be a** ~ **in s.o.'s side**, başına dert olm. ~-**apple**, tatula. ~-**bush**, karadiken ağacı. ~-**hedge**, ak-/karadikenden yapılmış çit. ~**less**, dikensiz. ~**y**, dikenli: **a** ~ **question**, çatallı bir mesele.

thorough ['θʌrə]. Tam; mükemmel; bütün bütün; baştan başa; su katılmadık; koyu, yaman. ~**bred**, cins; cins at, safkan, halisüddem. ~**fare**, genel geçit, büyük cadde; işlek cadde: **no** ~, çıkmaz sokak. ~**going**, tam, son derece, yaman; müthiş; vicdanlı, itinalı. ~**ly**, adamakıllı, enikonu, tam. ~**ness**, tamlık; mükemmellik. ~-**paced**, yaman, müthiş.

thorp(e) [θōp]. Köy(cük).

those [ðouz] *ç.* = THAT. O/şu (adam)lar; onlar, şunlar.

thou[1] [ðau] (*mer., şiir.*) Sen.

thou[2] [θau] (*kon.*) = THOUSAND(TH).

though [ðou]. -diği halde; her ne kadar; gerçi; öyle de olsa; bununla beraber. ~ **I am poor I am honest**, fakir de olsam namusluyum: **he acts as** ~ **he were mad**, deli imiş gibi hareket ediyor: **you shouldn't walk so far; it isn't as** ~ **you were a young man**, bu kadar uzağa yürümemeliydin, genç değilsin ki!: **strange** ~ **it may seem**, garip görünüyor ama; garip görünse bile: **what** ~ **the way be long**, yol uzun olsa da: **I wish you had told me,** ~, öyle amma keşke bana söyleseydiniz: **'he said you were mad'. 'Did he,** ~**?'**, 'Senin için "delidir" dedi.' 'Bak yediği naneye!'

thought[1] [θōt] *g.z.(o.)* = THINK.

thought[2] *i.* Düşünce; düşünme; tefekkür; fikir. **he is a** ~ **too self-confident**, kendine bir parçacık fazla güveniyor: **the mere** ~ **of it infuriates me**, bunun tasavvuru bile beni deli ediyor: **he has no** ~ **for others**, başkalarını hiç düşünmez: **I had no** ~ **of offending him**, hiç onu kırmak istemedim: **second** ~**s are best**, acele etmeden, düşüne taşına verilen kararlar en iyisidir: **on second** ~**s I decided not to go**, sonradan düşününce gitmemeğe karar verdim. ~**ful**, düşünceli; dalgın; nazik, ihtimamlı: **a** ~ **book**, derin bir kitap; üzerinde çok düşünülmüş bir kitap: **be** ~ **of others**, başkalarını düşünmek: ~**ly**, düşünceli/dalgın/nazik olarak: ~**ness**, dalgınlık; nezaket. ~**less**, düşüncesiz; basiretsiz; ihtimamsız: ~**ly**, basiretsizce: ~**ness**, ihtimamsızlık.

thousand ['θauzənd]. Bin. **one in a** ~, (*mec.*) fevkalade bir kimse/şey: **a** ~ **and one**, (*mec.*) sayısız hesapsız. ~**th**, bininci; binde bir.

t.h.p. = THRUST HORSE-POWER.

Thrac·e [θreys]. Trakya. ~**ian** [-şn], *i.* Trakyalı: *s.* Trakya+.

thral·dom ['θrōldəm]. Kölelik. ~**l**, köle(lik).

thrash [θraş]. Dövmek; şiddetli dayak atmak; mağlup etm., yenmek; = THRESH. ~ **out**, derinleştirmek; inceden inceye tetkik etm.; münakaşa ile halletmek. ~ **over**, birçok defa tekrarlamak. ~**ing**, dayak, dövme; mağlubiyet, yen(il)me.

thrawn [θrōn] (*İsk.*) Huysuz; biçimsiz.

thread [θred] *i.* İplik; tel; vida dişi; file. *f.* Dizmek, geçirmek. ~ **a needle**, ipliği iğnenin gözünden geçirmek: ~ **beads, etc.**, boncuk vb.ni ipliğe dizmek: ~ **one's way**, kalabalık vb. içinden sıyrılarak ilerlemek: **hang by a** ~, kıl üstünde olm.: **lose the** ~ **of one's argument**, fikir silsilesini kaybetmek; ipin ucunu kaçırmak. ~**bare**, havı dökülmüş, eskimiş; beylik, basmakalıp. ~-**cutter**/~**er**, diş açma makinesi. ~**like**, iplik gibi. ~**worm**, iplikkurdu.

threat [θret]. Tehdit; tehlike. ~**en** ['θretn], tehdit etm.; . . . tehlikesi olm. ~ **s.o. with stg.**, birini bir şeyle tehdit etm.: **the sky** ~**s rain**, gökte yağmur tehlikesi var: **a storm is** ~**ing**, bir fırtına tehlikesi var. ~**ing**, tehditkâr; . . . tehlikesine işaret olan.

three [θrī]. Üç. **rule of** ~, üçlü kuralı. ~-**colour process** (*bas.*) üç renkli basma. ~-**cornered**, üç köşeli; üçgen gibi. ~-**decker**, üç güverteli gemi. ~-**dimensional**, üç boyutlu. ~**fold**, üç katlı/misli. ~-**halfpence** [-'heypəns], bir buçuk peni. ~-**laned**, üç geçitli (yol). ~-**legged** [-'leg(i)d], üç bacaklı. ~-**master**, üç direkli gemi. ~-**mile limit**, (*huk.*) üç millik karasuları sınırı. ~**pence** ['θrepəns; 'θri-], üç peni. ~**penny** ['θrepəni], üç penilik. ~-**ply**, üç katlı. ~-**point landing**, (*hav.*) üç nokta inişi. ~-**quarter** ['kwōtə(r)] (*mod.*) dörtte üç büyüklükte. ~**score**, altmış. ~**some** [-səm], üç kişilik oyun. ~-**stroke**, (*oto.*) üç zamanlı. ~-**way**, üç yollu.

threnod·e/~**y** ['θrinoud(i)]. Cenaze şarkısı.

thresh [θreş]. Harman dövmek; (geminin uskuru) suyu dövmek. ~**er**, harmancı; döven makinesi; bir nevi köpek balığı, sapan balığı. ~**ing**, harman etme: ~-**floor**, harman yeri: ~-**machine**, döven makinesi.

threshold ['θreşould]. Eşik; başlangıç; (*hav.*) pist başı; (*mal.*) sınır.

threw [θrū] *g.z.* = THROW[2].

thrice [θrays] (*mer.*) Üç defa; üç misli.

thrift[1] [θrift]. İdare, iktisat, tasarruf, tutum. ~**ily**, tutumlu olarak. ~**iness**, tutum(luluk). ~**less**, idaresiz, müsrif, çul tutmaz. ~**y**, muktesit, tutumlu, idareli.

thrift[2] *i.* (*bot.*) Deniz lavantası.

thrill [θril] *i.* Teessür/heyecandan titreme; raşe. *f.* Titretici bir tesir yapmak; heyecanlandırmak; heyecanla titremek; çok heyecanlanmak/sevinmek. ~**er**, (*kon.*) pek heyecanlı roman/piyes. ~**ing**, heyecan verici, coşturucu, heyecanlı.
thrips [θrips]. Trips, kirpikkanatlılar.
thriv·e (*g.z.* **throve**, *g.z.o.* **thriven**) [θrayv, θrouv, θrivn]. (İş) iyi gitmek; (çocuk, hayvan, bitki) iyi gelişmek, uygun şartlar içinde büyümek; başarılı olm. ~**ing**, müreffeh, mamur; sağlam, kuvvetli; muvaffak, başarılı.
-thrix [-θriks] *son.* -saçı.
thro' [θrū] = THROUGH.
throat [θrout]. Boğaz; gırtlak, gerdan. **clear one's** ~, boğazını temizlemek: **cut one's (own)** ~, (i) boğazını keserek intihar etm.; (ii) bindiği dalı kesmek: **cut one another's** ~**s**, birbirinin iflâsına sebep olacak derecede rekabete girişmek: **have a sore** ~, boğaz olm.: **thrust/ram/cram stg. down s.o.'s** ~, bir fikir vb.ni ileri sürmekte ısrar etm. -~**ed**, *son.* -gerdanlı. ~**y**, gırtlakta hâsıl olan (ses).
throb [θrob] *f.* (Kalp) çarpmak; zonklamak; titremek. ~**(bing)**, *i.* çarpıntı, zonklama, vuru.
throes [θrouz]. Istırap, ağrı; çocuk doğurma sancısı. **be in the** ~ **of death**, can çekişmek.
thromb·in ['θrombin]. Kan pıhtılaştıran madde, trombin. ~**o-**, *ön.* pıhtı +; trombo-: ~**sis** [-'bousis], kalp ve kan damarlarında kan pıhtılaşması, tromboz. ~**us**, kan pıhtısı.
throne [θroun]. Taht. **come to the** ~, tahta çıkmak, cülus etm. ~**less**, tahtsız; tahttan atılmış.
throng [θron(g)] *i.* Kalabalık. *f.* Kalabalık etm., tehacüm etm., üşüşmek. **be** ~**ed with . . .**, . . . dolup dolup taşmak: **join the** ~, kervana katılmak.
throstle [θrosl] = THRUSH; (*müh.*) iplik makinesi.
throttle [θrotl] *f.* Boğazını sıkmak; boğmak; (*müh.*) istim/gaz kesmek/kısmak. *i.* Gırtlak; trotil, kısma/azaltma cihazı, gaz kol/kelebeği. ~ **down**, istim/gaz kısmak: **at full** ~, tam istim/gazla: **open the** ~, fazla istim/gaz vermek.
through [θrū] *e.* Bir yandan öbür yana; içinden; arasından; uçtan uca; yüzünden, -den dolayı; delâletiyle. *s.* Uçtan uca giden; doğrudan doğruya giden. **all** ~ **my life**, hayatım boyunca: **it was all** ~ **you that we got in such a mess**, başımıza bu işler sizin yüzünüzden geldi: **it was** ~ **you that I got this post**, bu memuriyeti sizin sayenizde elde ettim: **you are** ~, (telefonda) bağlantı kurulmuştur: **be** ~, bitirmek: **be** ~ **with stg.**, bir işi bitirmek; bir şeyden vazgeçmek: **have been** ~ **stg.**, bir şeyi çekmek, bir şeye katlanmak: **nobody knows what I've been** ~, başımdan neler geçtiğini kimse bilmez; benim başıma gelenler pişmiş tavuğun başına gelmemiştir: **he only did it** ~ **ignorance**, bunu sırf cahillikten yaptı: **let s.o.** ~, birini geçirmek, içeri almak: **he looked me** ~ **and** ~, içimi okur gibi baktı: **look** ~ **a telescope**, teleskopla bakmak: **send stg.** ~ **the post**, bir şeyi posta ile göndermek: **he put his hand** ~ **the window**, kazara eliyle pencereyi kırdı: **I have read the book right** ~, kitabı baştan başa okudum: **I've read it** ~ **and** ~, başından sonuna kadar okudum: **I'm** ~ **with you!**, senden illallah; aramızda her şey bitti.
through·out [θrū'aut]. Baştan başa; her kısmında; tamamıyle: ~ **the year**, bütün sene. ~**put**, ürün, hâsılat; akım. ~**-train**, (*dem.*) aktarmaz, doğru posta. ~**way**, (*oto.*) çevre yolu, asfalt.
throve [θrouv] *g.z.* = THRIVE.
throw[1] [θrou] *i.* Atma, fırlatma, atış; (güreşte) yere serme. **a stone's** ~, bir taş atımı mesafe, pek yakın.
throw[2] (*g.z.* **threw**, *g.z.o.* **thrown**) [θrou(n), θrū] *f.* Atmak; fırlatmak; yere atmak. **be** ~**n upon one's own resources**, kendi yağı ile kavrulmağa mecbur olm.: ~ **open the door**, kapıyı birdenbire ardına kadar açmak: ~ **two rooms into one**, iki odayı birleştirip bir oda yapmak: ~ **s.o. out of work**, birinin açıkta kalmasına sebep olm., birini işinden etm. ~ **about**, etrafa saçmak; öteye beriye atmak: ~ **oneself about**, kendini yerden yere atmak; çırpınmak. ~ **away**, istenilmiyen şeyi atmak; ıskarta etm.; israf etm.; sepete atmak; heba etm.: **(of a girl)** ~ **herself away**, (kız) kendini ziyan etm.: ~ **away an opportunity**, bir fırsatı elinden kaçırmak. ~ **back**, geri atmak; aksettirmek; aksatmak; geciktirmek; ataya çekmek: **be** ~**n back upon . . .**, -e baş vurmağa mecbur olm. ~ **in**, içeri atmak; caba vermek: ~ **in a word**, söze karışıp bir şey söylemek. ~ **off**, çıkarıp atmak, çıkarmak; üstünden atmak. ~ **out**, dışarı atmak; kovmak; neşretmek, yaymak; reddetmek; ıskarta etm.; savurmak; ileri sürmek; ortaya atmak; şaşırtmak; (bitki vb.) sürmek: ~ **out one's chest**, göğsünü şişirmek: ~ **out a speaker**, bir hatibi (i) kapı dışarı etm.; (ii) bozmak. ~ **over**, öbür tarafa atmak; terketmek. ~ **together**, derme çatma kurmak; rasgele birleştirmek. ~ **up**, yukarı atmak; kusmak; -den vazgeçmek; acele kurmak: ~ **up one's job**, işini bırakmak, istifa etm.
throw·away ['θrouəwey] *s.* (Şişe/kutu vb.) atılır, geri verilmez; (davranış) kayıtsız. ~**-back**, başarısızlık; gerileme; atalardan birine çekme. ~**er**, atan kimse. ~**n**, *g.z.o.* = ~[2]. ~**-out**, ıskarta edilen şey.
***thru** [θrū] = THROUGH.
thrum [θrʌm]. ~ **on the piano**, piyanoyu acemice çalmak: ~ **on the window-pane**, cam üzerinde trampete çalmak.
thrush[1] [θrʌş]. Ardıç kuşu(giller), karatavukgiller. **blue rock** ~, mavi kaya ardıcı: **missel** ~, ökse ardıç kuşu: **rock** ~, kaya ardıç kuşu: **song** ~, güzel sesli ardıç kuşu.
thrush[2] (*tıp.*) Pamukçuk, kula, apt; (at) taban iltihabı.
thrust [θrʌst] *f.* Şiddetle ve ansızın itmek, sürmek, sevketmek, sokmak, bindirmek. *i.* Ansızın itiş, sokuş; hamle; (*yer.*) it(il)me; (*hav.*) tepki kuvveti, itme gücü. ~ **at s.o.**, süngü/kılıç vb.yle birine hamle etm.: ~ **oneself upon s.o.**, kendini zorla birine kabul ettirmek; davetsiz misafir olm.: ~ **one's way through**, ite kaka yol açmak, sokuşmak. ~**-block**, tazyik yatağı. ~**er**, kendini zorla ileri atan kimse; dişli, girişken. ~**-horse-power**, çekiş/tepki (beygir) gücü. ~**-reverser**, tepki tornistan cihazı.
***thruway** ['θrūwey] = THROUGHWAY.
thud [θʌd] (*yan.*) *i.* Mat ses; tok ses. *f.* Mat bir sesle düşmek.
thug [θʌg] (*tar.*) Hindistan'da adam öldüren bir dinî teşkilât üyesi; katil; amansız haydut. ~**gee** [-gī], bu öldürme sistemi. ~**gery**, amansız haydutluk, eşkıyalık.
thuja [θūyə] = THUYA.
thulium ['θūliəm]. Tülyum.
thumb [θʌm] *i.* Başparmak. *f.* Bir kitabı çok

kullanarak parmaklarla kirletmek, aşındırmak; acemice kullanmak. **bite one's ~s**, hiddetten dudaklarını ısırmak: **his fingers are all ~s**, (el işlerinde) pek beceriksizdir: **~ a lift**, otostop yapmak: **~ one's nose at s.o.**, birine nanik yapmak: **~s up!**, kabul!, yaşasın!: **~s down!**, olmaz!, ölsün! **under the ~ of**, -in tahakkümü altında: **rule of ~**, kararlama. **~-index**, harf yerleri oyuk indeks. **~-knot**, ilmek. **~-nail**, başparmağın tırnağı: **~ sketch**, pek küçük kroki. **~-screw**, (i) başparmakları sıkmağa mahsus eski bir işkence aleti; (ii) kanatlı vida.

thump [θʌmp] (*yan.*) *i.* Yumruk darbesi ve onun sesi. *f.* Yumruklamak, muştalamak. **~er**, (*kon.*) büyük/tesir edici bir şey. **~ing**, (*arg.*) iri: **a ~ lie**, kuyruklu yalan.

thunder ['θʌndə(r)] *i.* Gök gürlemesi; gürleme. *f.* Gök gürlemek; gürlemek. **~ of applause**, alkış tufanı: **steal s.o.'s ~**, başkasından evvel davranarak onun usulünü vb. kullanmak. **~bolt**, yıldırım; ezici ve şaşırtıcı haber. **~-clap**, göğün bir kere gürlemesi. **~-cloud**, fırtına bulutu. **~er**, gürliyen kimse. **~-fish**, balçıkyiyen. **~ing**, *s.* (*arg.*) iri; besbelli. **~ous**, gürliyen. **~-storm**, gök gürültüsüyle fırtına. **~struck**, son derece şaşkın; yıldırım çarpmış gibi. **~y**, gök gürültülü.

thuri·ble ['θūribl] (*din.*) Buhurdan. **~fer**, buhurdan taşıyan.

Thurs(day) ['θə̄z(dey)]. Perşembe.

thus [ðʌs]. Böyle, böylece; şöyle ki, nitekim. **~ far**, buraya kadar. **~ness**, böyle olma.

thuya ['θūyə]. Mazı ağacı.

thwack [θwak] = WHACK.

thwart[1] [θwōt]. Sandalın oturak tahtası; (*mer.*) aykırı, çapraz.

thwart[2] *f.* İstediğini yaptırmamak; işini bozmak; önüne geçmek.

thy [ðay] (*mer.*) Senin.

Thyatyra [θayə'tayrə] (*tar.*) Akhisar.

thym·e [taym]. Kekik. **~ol** ['θay-], kekik yağından yapılmış bir desenfektan. **~y** ['taymi], kekikli.

thymus ['θayməs]. Boyunaltı bezi, timüs.

thyristor ['θayristə(r)] (*elek.*) Tiristor.

thyroid ['θayroyd]. Tiroit, kalkanbezi.

thyself [ðay'self] (*mer.*) Sen kendin.

Ti. (*kim.s.*) = TITANIUM.

tiara [ti'ārə]. Eski İran hükümdarlarının tacı; Papanın tacı; mücevherli süs tacı.

Tibet [ti'bet]. Tibet. **~an**, *i.* Tibetli: *s.* Tibet+.

tibia ['tibiə]. Kaval kemiği, tibya. **~l**, buna ait.

tic [tik]. Yüz sinirlerinin kendiliğinden ihtilacı, tik.

tick[1] [tik] *i.* Sakırga, kene; küçük işaret, mim. **he's a ~!**, mikrop gibidir: **~ off**, işaret etm.; mim koymak; (*arg.*) azarlamak.

tick[2] (*yan.*) *i.* Tıkırtı; (*arg.*) an. *f.* Tıkırdamak. **half a ~!**, bekle biraz!, yavaş!: **in a ~/in two ~s**, kaşla göz arasında; hemen: **on ~**, dakikası dakikasına: **what makes him ~?**, amaç/güdüsü ne dir?: **~ over**, (*oto.*) boşa çalışmak; (*mal.*) yavaş yavaş işlemek: **~ ~**, kol saati sesi: **~ tock**, büyük saat sesi.

tick[3] *i.* (*arg.*) Veresiye, veresi. **buy on ~**, veresiye almak.

tick[4] = ~ING.

ticker ['tikə(r)] (*kon.*) Telem(primör); (*arg.*) cep saati. **~-tape**, telem(primör) şeridi.

ticket ['tikit] *i.* Bilet; belge; yafta, etiket; *siyasî partinin programı. *f.* Üzerine yafta koymak. **complimentary ~**, (*tiy.*) serbest giriş/kayra bileti: **open ~**, uçuş/tarihi tespit edilmemiş bilet: **platform ~**, (*dem.*) peron/giriş bileti: **privilege ~**, (*dem.*) personeline verilen ucuz bilet: **return ~**, gidip gelme bileti: **single ~**, yalnız gitme bileti: **issue a ~**, bilet kesmek: **let out on ~-of-leave**, bir mahpusu bazı şartlarla serbest bırakmak: **not quite the ~**, tam istediğim şey değil; yapılmaz bir şey. **~-collector**, biletçi. **~-holder**, bileti olan kimse; abone. **~-inspector**, bilet kesicisi, kontrolör. **~-office/-window**, gişe. **~-seller**, biletçi.

ticking ['tikin(g)]. Minder/yastık yüzlüğü; kalınca bez.

tickl·e ['tikl]. Gıdıklama(k); gıdıklanmak: **be ~ed to death**, (*kon.*) (bir şeyi işitince vb.) son derece hoşlanmak/eğlenmek: **~ one's fancy**, garip bir şekilde hoşuna gitmek/eğlendirmek: **~ the palate**, (yeni bir yemek) tecessüsünü tahrik etm.: **~ a trout**, alabalığı el ile tutmak. **~er**, karbüratör düğmesi; (*mec.*) nazik mesele. **~ish/~y**, gıdıklanır; nazik.

tick-tack·-tock ['tiktaktok] (*yan.*) Tıkırtı. **~-man**, BOOKMAKER'ın yardımcısı.

tidal [taydl]. Met ve cezir/gelgite ait; (liman/nehir vb.) gelgite açık. **~-basin**, gelimle doldurulan havuz. **~-range**, gelgit genlığı. **~-river**, gelgite tabi ırmak. **~-wave**, met dalgası; deprem dalgası; (*mec.*) büyük heyecan.

tidbit ['tidbit] = TITBIT.

tiddler ['tidlə(r)]. Pek küçük balık.

tiddly ['tidli] (*arg.*) Oldukça sarhoş; (*den., arg.*) şık, zarif. **~winks**, (*çoc.*) ufak fişlerle oynanan oyun.

tide[1] [tayd] *i.* Met ve cezir, gelgit; (*mec.*) cereyan. *f.* (Gemi) gelgit yardımıyle ilerlemek. **ebb/falling ~**, gidim, inme, cezir: **flood/rising ~**, gelim, kabarma, met: **high ~**, gelim/met hali: **low ~**, gidim/cezir hali: **neap ~**, az olan gelgit: **spring ~**, çok olan gelgit: **the ~ is coming in**, deniz doluyor: **the ~ is going out**, deniz çekiliyor: **go against the ~**, akıntıya karşı gitmek: **go with the ~**, akıntı ile gitmek; herkesin davranışına katılmak: **ride on/with the ~**, (*mec.*) akıntı ile ilerlemek: **~ over stg.**, bir işin içinden çıkmak: **£1,000 will ~ us over the winter**, bin lira bize kışı çıkarır: **the ~ has turned**, akıntı değişti; (*mec.*) talih döndü: **time and ~ wait for no man**, zaman kimseyi beklemez.

tide[2] (*mer.*) Zaman; (*son.*) -zamanı, -mevsimi [CHRISTMAS~; SPRING~].

tide-[3] *ön.* **~-gate**, havuz kapısı. **~-gauge**, gelgit ölçeği. **~less**, gelgite tabi olmıyan. **~-land**, gelimle örtülmüş toprak. **~-mill**, gelim sularıyle işletilen değirmen. **~-race**, gelgitin çok hızlı olduğu yer. **~-rip**, iki gelim dalgası/bir gelim dalgasıyle karşılaşan ırmak akıntısından hâsıl olan su hareketi. **~-table**, gelgit cetveli. **~-waiter**, gemilere binen gümrükçü. **~-water**, gelgite tabi ırmak/karasuları.

tidiness ['taydinis]. İntizam, temizlik; çekidüzen.

tidings ['taydin(g)z]. Haber; havadis. **glad ~**, müjde.

tidy ['taydi] *s.* Muntazam, temiz; üstü başı temiz; toplu; (*arg.*) büyükçe, epeyi. *f.* İntizama koymak. **~ oneself**, kendine çekidüzen vermek; üstünü başını düzeltmek: **~ up**, derlemek, toplamak; dağınıklığı kaldırmak.

tie[1] [tay] *i.* Bağ, rabıta; düğüm; boyunbağı, kravat;

mani, engel; ağaç/demir kuşak; eşit/berabere kalma, fit olma. **the election ended in a ~**, seçimde iki aday eşit oy aldı: **children are a great ~**, çocuklar insanın ayağını bağlar.
tie[2] (*hal.o.* **tying**, *g.z.(o.)* **tied** ['tayin(g), tayd]) *f.* Bağlamak; raptetmek; birleştirmek; düğümlemek; berabere/eşit kalmak, fit olm. **be ~d**, bağlanmak; serbest olmamak: **~ with s.o.**, biriyle berabere kalmak, eşit gelmek. **~ down**, bir yere bağlamak. **~ on**, sicim ile bir yere bağlamak. **~ up**, sicim ile bağlamak: (yaralı bir uzvu) sarmak; (at vb.ni) bir direk vb.ne bağlamak: **~ up an estate**, bir mülkün satılmasını şartlara bağlamak.
tie-[3] *ön.* **~-beam**, ağaç kuşak/kiriş. **~-break(er)**, (*sp.*) eşit kaldıktan sonra kazananı anlamak için tekrar oynanan oyun. **~-clip**, boyunbağı raptiyesi. **~d**, bağlı; serbest olmıyan: **~ cottage**, bir çiftlikte çalışan işçiye mahsus ev: **~ (public-) house**, yalnız iyesi olan fabrikanın içkilerini satan birahane. **~-pin**, boyunbağı iğnesi. **~r**[1], bağ, kuşak. **~-rod**, çatı kuşağı; bağlama/gergi çubuğu.
tier[2] [tiə(r)]. Sıra, kat; dizi; üst üste konmuş diziler. **~ed**, dizili, sıralı.
tierce [tiəs]. Üç şeyli bir takım; (*din.*) sabah duası saati; 190 litrelik fıçı.
tiff [tif]. Atışma; güceniklik.
tiffany ['tifəni]. Bir nevi ince muslin.
tiffin ['tifin] (*Hint.*) Hafif öğle yemeği.
tige [tīj] (*Fr., bot.*) Sap; (*mim.*) sütun bedeni. **~*l(le)***, sapçık.
tiger ['taygə(r)]. Kaplan; (*mer.*) resmî elbiseli araba uşağı. **he's a ~ for work**, müthiş çalışkandır. **~ish**, vahşi, canavar gibi .... **~-lily**, pars zambağı. **~-moth**, benekli bir pervane.
tight [tayt]. Sıkı, gergin; dar; sızmaz, su geçirmez; eli sıkı; (*kon.*) sarhoş. **be in a ~ corner**, zor bir durumda bulunmak: **keep a ~ hold/hand over s.o.**, birini sıkı altında tutmak: **money is ~ just now**, bu günlerde para kıt.
-tight *son.* -sızmaz, -geçirmez [AIR-TIGHT].
tighten ['taytn]. Pekiş(tir)mek; sıkmak, sıkıştırmak; ger(in)mek; kısmak; kasmak; kasılmak. **~ one's belt**, kuşağını sıkmak; yiyeceğinden kısmak: **~ up**, sıkıştırmak; kuvvetlendirmek; şiddetlendirmek.
tight- *ön.* **~-fisted**, eli sıkı, cimri. **~-fitting**, (*mod.*) dar, sıkı. **~-laced**, sıkı bağlanmış; (*mec.*) sofu. **~-lipped**, ağzı sıkı/pek. **~ly**, sıkı olarak. **~ness**, gerginlik, sıkılık; su sızdırmayış; darlık; hasislik. **~-rope**, gerilmiş ip: **~ dancer/walker**, ip cambazı. **~s**, cambaz elbisesi; külotlu çorap.
tig·on ['taygən]. Kaplan ile dişi aslanın dölü. **~gress** [-gris], dişi kaplan.
Tigris ['taygris]. Dicle nehri.
tike/tyke [tayk] (*leh.*) Sokak köpeği; (*kon.*) yaramaz çocuk; kaba herif.
tilbury ['tilbəri]. İki tekerlekli araba.
tilde ['tilde]. (İspanyolca) (˜) işareti.
tile [tayl] *i.* Kiremit; çini. *f.* Kiremit/çinilerle kaplamak; tuğla/mermer ile döşemek. **have a ~ loose**, (*kon.*) bir tahtası eksik olm. **~d**, kiremit/çini ile kaplanmış; tuğla/mermer ile döşenmiş (avlu vb.). **~r**, kiremitçi. **~ry/~-works**, kiremit fabrikası. **~stone**, çatı taşı.
till[1] [til] *i.* Para çekmecesi.
till[2] *e., b.* -e kadar. **he will not come ~ eight**, saat sekizden evvel gelmiyecek: **I shan't go ~ I'm invited**, davet edilmedikçe gitmem: **laugh ~ one cries**, gözlerinden yaş gelinceye kadar gülmek.
till[3] *f.* Çift sürmek; (toprağı) işlemek. **~able**, işlenir. **~age**, toprağı sürme, belleme vb. **~er**[1], çiftçi.
tiller[2] ['tilə(r)]. Dümen yekesi. **put the ~ hard over**, yekeyi sonuna kadar bir tarafa çevirmek.
tiller[3] *i.* Kökten çıkan fışkın; kök filizi. *f.* Kökünden filiz sürmek.
tilt[1] [tilt] *i.* Meyil, eğilme. *f.* Hafifçe meylet(tir)mek; yatırmak; eğerek boşaltmak. **be on the ~**, biraz eğri olm.: **~ over**, eğilmek, devrilmek, devirmek: **~ up**, (eğilebilir bir şey) yukarı kalkmak/kaldırmak.
tilt[2]. At üzerinde mızrak oyunu oynatmak. **~ at**, üzerine hamle etm., hücum etm.: **~ at windmills**, (Don Kişot gibi) yel değirmenlerine saldırmak: **at full ~**, alabildiğine koşarak vb.: **run full ~ into s.o.**, rap diye karşısına çarpmak, hızla gelip çarpmak.
tilth [tilθ]. Toprağı sürme/işleme; sürülmüş toprağın durumu.
timber ['timbə(r)]. Kereste; kerestelik ağaç(lar); gemi kaburgası. **standing ~**, daha kesilmemiş kerestelik agaçlar. **~ed**, eski usul yarı kereste yarı kâgir (ev): **a well-~ estate**, çok ağaçları olan malikâne. **~-line**, dağdaki orman üst sınırı. **~-work**, bağdadî. **~-yard**, kereste mağazası.
timbre ['tambr] (*Fr., müz.*) Ses tonu, tını.
Timbuctoo [timbʌk'tū] (*mec.*) Ta uzakta bulunan bir yer.
time[1] [taym] *f.* (Yarış) zamanını hesaplamak. **well-~d**, tam yerinde/zamanında.
time[2] *i.* Vakit, zaman; müddet; mühlet, süre; devre, saat; kere, defa, sefer; tempo, usul. **the ~s**, devir, zaman: **three ~s four is twelve**, üç kere dört on iki: **ten ~s as big as...**, -den on defa daha büyük: **'and about ~ too!'**, (*kon.*) 'zamanı geldi de geçiyor bile' *gibilerden*: **~ and again/~ after ~**, tekrar tekrar: **it's a race against ~**, vakit pek dardır: **work against ~**, bir iş için çok sıkışmak, vakti dar olm.: **all the ~**, (i) mütemadiyen: (ii) bütün bu zaman zarfında: **any ~ you like**, ne zaman isterseniz: **he may turn up any ~**, (i) şimdi neredeyse gelir; (ii) herhangi bir zamanda gelebilir: **at ~s**, bazan: **three at a ~**, üç tane birden; üçer üçer: **do two things at a ~**, iki işi birden yapmak: **for weeks at a ~**, üst üste haftalarca: **at no ~**, hiç bir zaman: **at one ~ Governor of Smyrna**, sabık İzmir Valisi: **beat ~**, tempo tutmak: **be behind the ~s**, dünya/zamanın farkında olmamak; eski kafalı olm.: **it will be dark by the ~ we get there**, biz oraya vardığımız zaman karanlık olacaktır: **do ~**, hapis yatmak: **equal ~**, (*rad.*) seçimlerde her partiye aynı saatte verilen aynı yayım süresi: **Father ~**, *vaktin müşahhas timsali*: **for the ~ being**, şimdilik, muvakkaten: **full ~**, tümgün: **keep ~**, tempoya uymak: **I've no ~ for him**, (*arg.*) bu adama tahammül edemem: **from ~ to ~**, arada sırada: **give me ~ and I will pay**, bana mühlet ver, ödeyeyim: **have a good ~ (of it)**, eğlenceli vakit geçirmek: **have a rough ~ (of it)**, eziyet çekmek: **what a ~ I had getting here!**, buraya gelinceye kadar neler çektim!: **I had the ~ of my life**, ömrümde o kadar eğlenmedim: **in good ~**, vaktinde, erken: **all in good ~!**, acele etme, sırası gelecek: **in his own good**

~, ne zaman canı isterse: **you will learn in good ~**, zamanla öğrenirsiniz; sırası gelince öğrenirsiniz: **local ~**, mahallî saat: **I hope we shall arrive in ~**, inşallah geç kalmayız: **in no ~**, kısa bir zamanda, çabucak: **this watch keeps good ~**, bu saat doğru gidiyor: **this house will last our ~**, bu ev bizim ömrümüzün sonuna kadar dayanır: **look at the ~**, saate bakmak: **next ~**, gelecek sefer: **arrive on/up to ~**, tam vaktinde gelmek, gecikmemek: **out of ~**, (i) temposu bozuk; (ii) vakitsiz: **my ~ is my own**, serbestim (vaktimi istediğim gibi kullanırım): **pass the ~ of day**, hoşbeş etm.: **serve one's ~**, çıraklık etm.; askerlik etm.: **sing in ~**, tempo ile şarkı söylemek: **for some ~ past**, epeyi bir zamandan beri: **for some ~ to come**, daha uzun bir müddet: **take a long ~ over stg.**, bir işi fazla uzatmak: **take one's ~ over stg.**, bir işi yavaş yavaş ve itina ile yapmak (*bazan istihza ile soylenir*): **tell the ~**, saatin kaç olduğunu söylemek: **have you the ~ on you?**, saate bakar mısınız?: **this ~**, bu sefer/kez: **this ~ tomorrow**, yarın bu saatte: **~'s up!**, vakit geldi; bitti!: **in a week's ~**, bir hafta sonra, haftaya bugün: **what ~ is it?**, saat kaç?

time-[3] *ön.* **~-and-motion study**, (*mal.*) zaman ve hareket etüdü. **~-bargain**, (*mal.*) vadeli anlaşma. **~-bomb**, saatli bomba. **~-difference**, saat farkı. **~-expired**, askerlik hizmetini bitirmiş. **~-exposure**, (*sin.*) poz. **~-fuse**, tapa. **~-honoured**, eski ve geçerli. **~keeper**, (yarış vb.de) kontrol memuru, zaman hakemi, kronometreci: **my watch is a good ~**, saatim iyi işliyor. **~keeping**, zaman ölçmesi, süre ölçümü. **~-lag**, birbiriyle ilgili iki olay arasındaki süre. **~less**, ebedî, sonsuz. **~-limit**, termin. **~ly**, vaktinde, mevsiminde, yerinde. **~-out**, (*sp.*) mola, ara. **~piece** [-pīs], saat (alet). **~r**, saat, kronometre; vakit kaydedici. **~-saving**, *s.* zaman kazanan. **~-server**, zamane adamı. **~-sharing**, merkezî bir bilgisayarı saat hesabı ile kullanıp paylaşma. **~-sheet**, (işçi) saatler cetveli. **~-signal**, saat ayarı. **~-switch**, kontakt saati, minütöri. **~-table**, (*dem. vb.*) saat tarifesi; (*eğit.*) ders programı. **~-work**, ücreti iş saatine göre verilen iş. **~-worn**, zamanla aşınmış/eskimiş. **~-zone**, saat dilimi.

timid ['timid]. Çekingen; sıkılgan; ürkek. **~ity** [-'miditi], çekingenlik, ürkeklik. **~ly**, çekingen vb. olarak. **~ness** = ~ITY.

timing ['taymin(g)] (*oto.*) Ateşleme zaman ayarı; vakti/zamanı seçme, vaktini tayin etme.

timorous ['timərəs]. Ürkek.

timpan·o, *ç.* **~i** ['timpənou, -nī]. Dümbelek.

tin [tin] *i.* Kalay; teneke; teneke kutu; (*arg.*) para. *s.* Kalaydan yapılmış, teneke. *f.* Kalaylamak; teneke kaplara koymak.

tinamou ['tinəmū]. Tinamu.

tincture ['tin(g)kçə(r)] *i.* Tentür; alkollü mahlûl; boya; hafif tesir, hafif iz. *f.* Hafifçe boyamak; cüzî bir tesir yapmak.

tinder ['tində(r)]. Kav; kuru ve yanıcı şey: **dry as ~**, kupkuru. **~-box**, kav çakmak kutusu: **the house burnt like a ~**, ev kav gibi çabuk yandı.

tine [tayn]. Yaba/çatal/tırmık vb.nin dişi.

tinea ['tiniə] (*tıp.*) Kellik gibi bazı deri hastalıkları.

tinfoil ['tinfoyl]. Kurşun kâğıdı, levha kalay.

ting [tin(g)] (*yan.*) Çın(lamak). **~-a-ling**, ufak çıngırak sesi.

tinge [tinc] *i.* Hafif renk. *f.* Hafifçe boyamak; biraz renk vermek. **admiration ~d with envy**, biraz hasetle karışık bir hayranlık.

tingle ['tin(g)l]. (Tokat vb.den sonra hissedilen şekilde) sızlamak; karıncalanmak; yanmak. **his cheeks ~d with shame**, utancından başından aşağı kaynar sular döküldü.

tin- *ön.* **~-god**, önemli sayılan değersiz bir kimse. **~-hat**, (*kon.*) askerin çelik başlığı.

tini·ly ['taynili]. Ufacık bir şekilde. **~ness**, ufacıklık.

tinker ['tin(g)kə(r)]. Gezici tenekeci; fena ve kaba tamirci. **~ with/at**, kaba tamir yapmak; ufak tefek kusurları düzeltmek.

tinkle ['tin(g)kl] (*yan.*) Çınlama(k).

tin·man ['tinmən]. Tenekeci, kalaycı. **~ned**, kalaylı, kalaylanmış; kutuda, konserve, kutu+. **~ner** = ~MAN. **~ning**, kalaylama.

tinnitus [ti'naytəs] (*tıp.*) Daimî kulak çınlaması.

tin·ny ['tini]. Teneke gibi (ses çıkaran). **~-opener**, konserve açacağı. **~-plate**, kalaylı saç, teneke. **~-pot**, teneke kap; (*kon.*) değersiz/mezat malı. **~sel**, *i.* kılaptan; lame; madenî pul; (*mec.*) sahte parlaklık, gözboyası: *f.* kılaptan vb. ile süslemek. **~smith**, tenekeci.

tint [tint] *i.* Renk çeşidi; hafif renk. *f.* Hafif renk vermek, boyamak. **~ed**, renkli.

tintinnabulation [tintinabyū'leyşn]. Çan çalınması.

tintometer [tin'tomıtə(r)]. Renk ölçeri, tintometre.

tin- *ön.* **~tack**, iri başlı küçük çivi. **~-ware** [-weə(r)], tenekeli kaplar vb. **~-whistle** [-'wisl], çığırtma.

tiny ['tayni]. Minimini, ufacık.

-tion [-ş(ə)n] *son.* -lik; -me [FRACTION; TRACTION].

tip[1] [tip] *i.* Uç; bir şeyin ucuna takılan başlık. *f.* Uç geçirmek; ucunu teşkil etm. **on the ~ of my tongue**, dilimin ucunda.

tip[2] *i.* Meyil; hafif itme; **(rubbish-)~**, çöp dökülen yer. *f.* Eğ(il)mek; meylet(tir)mek; boşaltmak. **~ out**, eğip boşaltmak. **~ over**, devirmek, devrilmek. **~ up**, (devirerek) boşaltmak.

tip[3] *i.* Bahşiş, kahve parası; yarış vb. hakkında bilgi verme; bir hususta yararlı bir tavsiye. *f.* Kahve parası/bahşiş vermek. **if you take my ~ ...**, beni dinlerseniz ...: **~ s.o. off about stg.**, bir şey hakkında birine özel/gizli bilgi vermek.

tip-[4] *ön.* **~-and-run**, bir nevi kriket oyunu. **~-cart**, eğilerek boşaltılan araba. **~-cat**, çelik çomak oyunu. **~-off**, bir şey hakkında özel/gizli bir bilgi. **~per**[1], devirme tertibatı, damper, tiper. **~per**[2], bahşis veren kimse.

tippet ['tipit]. Omuz kürkü.

tipping ['tipin(g)] (i) Uç kılıfı. (ii) Bahşis verme usulü. (iii) Boşaltma: **~-wagon**, damperli vagon.

tipple [tipl]. İçki(ye düşkün olm.). **~r**, içkiye düşkün olan, ayyaş.

tipster ['tipstə(r)]. Yarışlarda hangi atların kazanacağı hakkında tahminlerde bulunarak para geçinen kimse.

tipsy ['tipsi]. Çakırkeyf; sendeliyerek. **~-cake**, şaraba batırılmış pandispanya.

tip·toe ['tiptou]. Ayaklarının ucuna basmak: **on ~**, ayaklarının ucuna basarak: **be on the ~ of expectation**, büyük bir merakla beklemek, bir şeyi iple çekmek. **~top**, *i.* en yüksek nokta: *s.* (*kon.*) en âlâ cinsten; son derece iyi.

TIR (*Fr.*) = INTERNATIONAL ROAD TRANSPORT.

tirade [tay'reyd]. Uzun ve şiddetli tenkit; hücum, tirad.
tire[1] ['tayə(r)] *i.* = TYRE.
tire[2] (*mer.*) = ATTIRE.
tir·e[3] *f.* Yormak; yorulmak; usan(dır)mak: **be ~d**, yorulmak; uykusu gelmek: **be ~d of stg.**, bir şeyden bıkmak, usanmak: **~ out**, takatını tüketmek: **be ~d out**, yorgunluktan bitkin olm. **~ed**, yorgun: **~ness**, yorgunluk. **~eless**, yorulmak bilmez. **~esome**, yorucu; usandırıcı; müziç: **how ~!**, Allah belâsını versin! **~ing**, yorucu: **~-room**, (*tiy.*) giyinme odası.
'tis [tiz] = IT IS.
tisane [ti'zan]. Ihlamur vb.nin suyu.
tissue ['tisyu, 'tişū]. Nesiç, doku; dokuma, mensucat; *kâğıt mendil. **a ~ of lies**, yalan dolan. **~-culture**, doku kültürü. **~-paper**, ipek kâğıdı, ince kâğıt.
tit[1] [tit] *i.* = TEAT.
tit[2]. **~ for tat**, misliye mukabele; alışına verişim.
tit[3] *i.* Baştankara. **bearded ~**, bıyıklı b.: **blue ~**, mavi/gök b.: **coal ~**, siyah b., çam b.sı: **great ~**, büyük b.: **long-tailed ~**, uzun kuyruklu b.: **marsh ~**, bataklık b.sı: **penduline ~**, çulha kuşu: **sombre ~**, mahzun/koyu renkli b.
Titan ['taytən]. Dev, titan. **~ic**[1] [-'tanik], dev gibi, muazzam. **~ic**[2], titana ait, titanlı. **~ium** [-'teyniəm], titan.
tit-bit ['titbit]. Küçük ve lezzetli lokma, çerez.
***titer** ['tītə(r)] = TITRE.
titfer ['titfə(r)] (*arg.*) Şapka.
tithe [tayð]. Aşar vergisi; ondalık, onda bir. **~-barn**, aşar vergisi olarak verilen hububat ambarı.
Titian ['tişn]. **~ red**, parlak kestane rengi (saçlar).
titillate ['titileyt]. Gıdıklamak; hoşa giden şekilde davranmak.
titivate ['titiveyt]. Süslemek; süsleyip püslemek.
titlark ['titlāk]. Çayır incir kuşu.
title ['taytl]. Unvan, ad; kitap ismi; (*bas.*) serlevha, başlık; (*huk.*) senet, hüccet; hak. **persons of ~**, asalet unvanı sahipleri. **~d**, asalet unvanı olan. **~-deed**, tapu belge/senedi. **~less**, haksız. **~-page**, baş/ön sayfa. **~-role**, (*tiy.*) Hamlet gibi, piyese ismini veren rol.
titling[1] ['taytlin(g)]. (Kitap/filim/yazı vb.) isim verme.
tit·ling[2]/**~mouse**, *ç.* **~mice** ['titlin(g), -maus, -mays]. Baştankara(giller).
titr·ate ['taytreyt]. Titre etm. **~ation** [-'treyşn], titrasyon. **~e** ['tītə(r)] (*kim.*) bir çözmenin kuvvet/yüzdeliği.
titter ['titə(r)] (*yan.*) Kıskıs gülme(k).
tittle ['titl]. Zerre; habbe. **~-tattle**, dedikodu; kilükal.
titubation [tityū'beyşn]. Sendeleme; kekeleme.
titular ['tityulə(r)]. Unvan sahibi olan; sırf unvanı olan (memur); itibarî; lafzî.
tizzy ['tizi] (*kon.*) Ürkeklik durumu.
T-junction ['tīcʌn(g)kşn]. (Yol) T-şeklinde kavşak.
TKO = (boks) TECHNICAL KNOCK-OUT.
Tl. (*kim.s.*) = THALLIUM.
TL·O = TOTAL LOSS ONLY. **~S** = TIMES LITERARY SUPPLEMENT.
Tm. (*kim.s.*) = THULIUM.
TM = TECHNICAL MANUAL. **~ & H** = TROPICAL MEDICINE AND HYGIENE.
tmesis ['tmīsis] (*dil.*) Mürekkep kelimenin içine başka bir kelimenin sokulması [WHAT (PLACE) SOEVER].
TMO = TELEGRAPH MONEY ORDER.
tn. = TON; TOWN.
TNT = TRINITROTOLUENE.
to [tū, tu]. *Fiillerin başına gelerek mastar yapan edat, mes.* **to go**, gitmek. -e; için: **~ London**, Londra'ya: **turn ~ the right**, sağa dönmek: **give it ~ him**, bunu ona ver: **three ~ ten**, (i) saat ona üç var; (ii) onda üç ihtimal; (iii) **three ~ ten cement**, üç ölçü çimento on ölçü kum vb.: **there is nothing ~ see**, görecek bir şey yok: **easy ~ understand**, anlaması kolay.
TO = TELEGRAPH OFFICE; TRANSPORT OFFICE(R); TURN OVER!
toad [toud]. Kara kurbağası; (*arg.*) iğrenç kimse. **midwife/spade-foot ~**, ebe/sarmısak kurbağa(sı): **natterjack ~**, haçlı kara kurbağası. **~flax**, nevruzotu. **~-in-the-hole**, hamur içinde pişirilmiş et. **~stool** [-stūl], zehirli mantar. **~y**, *i.* dalkavuk, mütebasbıs: *f.* dalkavukluk etm.
toast [toust] *i.* Kızarmış ekmek; kadeh kaldırma. *f.* Kızartmak; sağlık/şerefine içmek. **give/propose a ~**, kadeh kaldırmak: **have s.o. on ~**, (*arg.*) birinin yakası elinde olm. **~er**, (*elek.*) kızartma cihazı. **~ing-fork**, kızartılacak ekmeği tutmağa mahsus uzun çatal. **~-master**, ziyafetlerde şerefe kaldırılan kadehleri ilân eden memur. **~-rack**, kızarmış ekmek kabı. **~-water**, kızarmış ekmek batırılan su.
tobacco [tə'bakou]. Tütün. **~nist** [-kənist], tütüncü. **~-pipe**, pipo. **~-pouch**, tütün kesesi.
toboggan [tə'bogən]. Alçak bir nevi kızak (üzerinde kaymak).
Toby ['toubi]. **~mug**, insan şeklinde bir bardak.
toco-/toko- [toko(u)-] *ön.* Çocuk doğurmaya ait. **~logy** [-'koləci], ebelik.
tocsin ['toksin]. Tehlike çanı; onun sesi.
tod[1] [tod] (*mer.*) Çalı(lık).
tod[2] (*leh.*) Tilki.
tod[3] (*arg.*) **on one's ~**, yapyalnız.
today [tə'dey]. Bugün; bugünlerde; şimdi(ki zaman).
toddle ['todl]. Tıpış tıpış yürümek; sıralamak. **~r**, yürümeğe başlıyan çocuk.
toddy ['todi]. Bazı hurma ağaçlarının usaresinden yapılan bir içki; viski/konyak ile şeker ve sıcak sudan yapılmış içki.
to-do [tə'dū]. Karışıklık, curcuna. **make a ~**, iş çıkarmak: **make a ~ about stg.**, bir şeyi mesele yapmak.
toe [tou]. Ayak parmağı; kundura/çorabın burnu. **~ a boot**, ayakkabı pençesinin önünü yapmak/tamir etm.: **~ the line**, hizaya gelmek; yola gelmek: **~ a sock**, çorabın parmak tarafını örmek: **stand on the tip of one's ~s**, ayaklarının ucuna basıp yükselmek: **turn up one's ~s**, (*arg.*) nalları dikmek. **~-cap**, ayakkabı burnu. **~d**, (ayak) parmaklı. **~-nail**, (ayak) parmak tırnağı.
toff [tof] (*kon.*) Pek şık adam; (*alay.*) kibar adam.
toff·ee/~y ['tofi]. Kavrulmuş şeker ile tereyağından yapılmış şekerleme. **~-nosed**, (*arg.*) snop.
tog [tog] (*arg.*) *f.* Giyinmek, giydirmek. **~(s)**, elbise(ler).
toga ['tougə]. (Eski Roma'da) yün harmani.

together [tə'geðə(r)]. Beraber; birlikte. **come/meet** ~, bir araya gelmek: **for months** ~, aylarca hep beraber: **stand or fall** ~, 'anca beraber kanca beraber' olm.: **strike two things** ~, iki şeyi birbirine çatmak.
toggle ['togl]. Halat kasasından geçirilmiş çelik; saat kösteğine takılan kısa çubuk; mandal.
toil [toyl] *i.* Zahmet; pek zor iş; meşakkat; didinme. *f.* Çok çalışmak, zahmet çekmek, didinmek. ~ **up a hill**, ıkına sıkına bir tepeye çıkmak.
toile [twāl]. Kumaş; patron.
toilet ['toylit]. Tuvalet, kıyafet; çekidüzen; giyinme; apteshane, helâ (taşı). ~**-paper**, tuvalet/taharet kağıdı. ~**-roll**, tuvalet kâğıdı topu. ~**-room**, giyinme odası; helâ. ~**ry**, kozmetikler. ~**-seat**, helâ oturak tahtası. ~**-table**, tuvalet masası. ~**-soap/-water**, tuvalet sabun/suyu.
toils [toylz] *ç.* Ağ, tuzak.
toil·some ['toylsəm]. Yorucu; zahmetli. ~**-worn**, yorgun, bitkin; didinmiş.
toing ['tūin(g)]. ~ **and froing**, gidip gelme.
tokay [tou'key]. Macar şarabı.
token ['toukn]. Alâmet, işaret; remiz; yadigâr. **as a** ~**/in** ~ **of**, . . . işaret/belirtisi olarak: **book** ~, kitap bonosu: **by the same** ~, bundan başka, buna ilâveten: ~ **payment**, bir borcun/hakkın tanındığına işaret olarak ödenen para. ~**-money**, itibarî bir değer taşıyan para (*mes. nikel veya kâğıt*).
Tokyo ['toukyou]. Tokyo.
told [tould] *g.z.(o.)* = TELL².
toler·able ['tolərəbl]. Tahammül olunur; dayanılabilir; iyice. **it is tolerably certain that** ~, -diği aşağı yukarı kesindir. ~**ance** [-rəns], müsamaha, hoşgörü; mülâyemet; tecviz; (*tıp.*) tahammül; (*müh.*) ihtiyat payı, tolerans. ~**ant**, müsamahakâr, hoşgörücü. ~**ate** [-reyt], müsamaha ve tecviz etm.; tahammül etm.; hoşgörmek; dayanmak; müsaade etm. ~**ation** [-'reyşn], müsamaha, hoşgörme; tahammül etme.
toll¹ [toul] *f.* (Birinin ölümünü/cenaze alayını haber vermek için) bir çanı ağır ağır ve muntazaman çalmak.
toll². Mürüriye, geçmelik; yol/köprü parası. **the** ~ **of war**, savaşın ceremesi: **the** ~ **of the roads**, (*oto.*) kazada ölen/yaralananlar sayısı. ~**-bar/-gate**, geçiş parası alınan yer. * ~**-call**, yakın şehirler arasında telefonla konuşma.
Tom [tom]. THOMAS'*ın kıs.* ~**, Dick, or Harry**, Ali Veli.
tomahawk ['toməhōk]. Kızılderililerin savaş baltası; tomahok.
tomato [tou'mātou, *-'meytou]. Domates.
tomb [tūm]. Mezar, kabir; türbe. ~**stone**, mezartaşı.
tombola ['tombələ, -'boulə]. Tombola oyunu.
tom·boy ['tomboy]. Erkek tabiatli kız. ~**cat**, erkek kedi.
tome [toum]. Büyük kitap.
-tome [-toum] *son.* Dilim, parça; (*tıp.*) kesen cerrah aleti [MICROTOME].
toment·ous [tə'mentəs]. Kaba hav/saçlı. ~**um**, kaba hav/saç.
tomfool [tom'fūl] *i.* Ahmak. *f.* Aptalca davranmak, maskaralık etm. ~**ery**, maskaralık.
Tommy ['tomi]. THOMAS'*ın kıs.* Bir nefer, er. ~ **Atkins**, Mehmetçik. ~**-bar**, külünk; manivela gibi kullanılan ufak demir çubuk. ~**-gun**, küçük makineli tüfek. ~**-rot**, (*kon.*) saçma.
tomography [tə'mogrəfi] (*tıp.*) Röntgen/ültrasonik kesimleriyle muayene.
tomorrow [tə'morou]. Yarın. ~**'s**, yarınki: ~ **week**, haftaya yarın.
tomtit [tom'tit]. (Mavi) baştankara.
tomtom ['tomtom]. Darbuka, dümbelek.
-tomy [-təmi] *son.* -tomi; -kesmesi; -ameliyatı [ANATOMY].
ton¹ [tʌn]. Ton: **American/short** ~ = 907 kg.: **English/long** ~ = 1.016 kg.: **metric** ~/~**ne** = 1.000 kg.: **there's** ~**s of it**, ondan yığınlarcası var.
ton² (*arg.*) £100 sterlin; saatte 100 mil hızı.
tonal ['tounəl]. Tonuna ait. ~**ity** [-'naliti], tınım, tonunun özelliği; tonlar sistemi.
tone¹ [toun] *i.* (*müz.*) Perde; ton; ses ahengi; renklerde açıklık ve koyuluk derecelerinden her biri, nüans; vücudun hali; maneviyat. **half-**~, ararenk: **change one's** ~, ağız değiştirmek: **I don't like his** ~, ağzını beğenmiyorum: ~ **of voice**, sesin tonu: **the** ~ **of the school is excellent**, okulun maneviyatı yüksektir.
tone² *f.* Bir şeye tarz ve özellik vermek; renk vermek; ahenk vermek; (*sin.*) viraj yapmak. ~ **with**, renk/çeşit vb. yönüyle uygun düşmek: ~ **down**, hafifletmek, tadil etm.: ~ **up**, kuvvetlendirmek, takviye etm. ~**d, low/high** ~, alçak/yüksek perdeli: **low-**~ **picture**, yumuşak renkli tablo: **low-**~ **conversation**, alçak sesle konuşma. ~**less**, donuk; zayıf; renksiz. ~**me** ['tounīm] (*dil.*) yalnız tonuyle farkedilen fonem.
tong [ton(g)]. Çin gizli derneği.
tonga ['ton(g)ga] (*Hint.*) İki tekerlekli hafif araba.
tongs [ton(g)z] *ç.* Maşa, kıskaç.
tongue [tʌn(g)g]. Dil; lisan; çıngırak topuzu; ayakkabının dili; kopça/toka iğnesi; prazvana; geçme tahtalarda yuvalısına giren sivri kenar; (*dem.*) makas yerinde sivri hat. **dirty/furred** ~, paslı dil: **foreign** ~, yabancı dil: **mother/native** ~, anadili: **find one's** ~, dile gelmek, dillenmek: **give** ~, (köpek) havlamak, *bilh.* avını görünce/kokusunu alınca havlamak: **hold one's tongue**, çenesini tutmak: **keep a civil** ~ **in one's head**, terbiye dairesinde konuşmak: **lose one's** ~, dilini yutmak: **with one's** ~ **in one's cheek**, ciddî olmıyarak; yarım ağızla: **the gift of** ~**s**, dil öğrenme kabiliyeti: **put out the** ~, dilini çıkarmak. ~**-and-groove**, ~ **joint**, çıtalı geçme. ~**-tied**, dili tutuk. ~**-twister**, şaşırtmaca; yanıltmaç.
tonic ['tonik] *s.* Kuvvet verici; (*dil.*) vurgulu; (*müz.*) başnotaya ait. *i.* Kuvvet ilâcı. **act as a** ~, canlandırmak. ~**-sol-fa**, (*müz.*) hecelerle yazılan nota sistemi. ~**-water**, kaplıca suyu.
tonight [tə'nayt]. Bu gece.
toning ['tounin(g)] (*sin.*) Viraj, renklendirme.
tonish ['touniş]. Modaya uygun; şık.
tonn·age ['tʌnic]. Tonilato, tonaj, tonluk; geminin taşıma derecesi; bir liman vb.ne giren gemilerin yük miktarının toplamı: **gross/net/registered** ~, brüt/net/resmî tonilato. ~**e** = METRIC TON. **-**~**er**, *son.* . . . tonluk.
tonneau ['tonou] (*oto.*) Arka kısım.
tonometer [tə'nomitə(r)]. Diyapazon vb.
tonsil ['tons(i)l]. Bademcik. ~**itis** [-'laytis], badem-

cik iltihabı. ~**ectomy** [-'lektəmi], bademcik ameliyatı.

tons·orial [ton'sōriəl]. Berberliğe ait. ~**ure** ['tonşuə(r)], katolik papazlarının tepelerinin tıraş edilmesi/tıraş edilen yer: başın tepesini tıraş etm.

tontine ['tontīn]. Anamal aktarma sözleşmesi, tontin.

ton-up ['tʌnʌp] (*arg.*) (Motosikletle) saatte 100 mil hız. ~ **boys**, bu hızla giden motosikletçiler.

too [tū]. De, dahi; çok fazla, gereğinden fazla. **will you come** ~?, sen de gelecek misin?: **and very nice** ~!, hem de ne güzel! **it is** ~ **hot to work**, çalışamıyacak kadar sıcak: **this hat is** ~ **big for me**, bu şapka bana çok büyük geliyor: **he is just** ~ **lazy**, tahammül edilemez derecede tembel: **I shall be only** ~ **glad to help you**, size yardım etmek benim için bir zevktir.

t.o.o. = TIME OF ORIGIN.

took [tuk] *g.z.* = TAKE[1].

tool [tūl] *i.* Alet; araç; (torna) kalem; *ç.* takım; (*arg.*) erkeklik uzvu. *f.* Meşin *bilh.* kitap cildini süslemek; bir maddeyi aletle işlemek. **be the (mere)** ~ **of**, -in elinde oyuncak olm.: **down** ~**s**, (işçi) (hiddetten vb.) işi bırakmak; grev yapmak: **a bad workman blames his** ~**s**, kötü işçi aletlerine kabahat bulur: ~ **along**, (*oto., arg.*) yavaş yavaş gitmek: ~ **up**, aletlerle teçhiz etm. ~**-bag**, alet/avadan/takım çantası. ~**-box/-chest**, alet kutusu. ~**ing**, meşin süsü. ~**-kit**, alet takımı, avadanlık. ~**-post/-rest**, (torna) kalemlik. ~**-shed**, bahçıvan kulübesi.

toot [tūt] (*yan.*) Boru gibi ses (çıkarmak).

tooth, *ç.* **teeth** [tūθ, tīθ]. Diş. **canine/eye** ~, köpek dişi: **false** ~, takma diş: **milk** ~, kuzu/süt dişi: **molar** ~, azı dişi: **wisdom** ~, akıl dişi: **set of teeth**, takım diş: **armed to the teeth**, tepeden tırnağa kadar silâhlı: **cast stg. in s.o.'s teeth**, bir şeyi birinin yüzüne vurmak: **cut a** ~, (çocuk) diş çıkarmak: **escape by the skin of one's teeth**, daradar/zor kurtulmak: **extract a** ~, diş çekmek: **fill a** ~, diş doldurmak: **fight** ~ **and nail**, canını dişine takarak mücadele etm.: **in the teeth of...**, -e rağmen; -e mukabil, karşı: **be long in the** ~, yaşlı olm.: **have a** ~ **out**, bir dişini çektirmek: **set one's teeth**, dişini sıkmak: EDGE. ~**ache**, diş ağrısı. ~**brush**, diş fırçası. ~**-comb**, ince dişli tarak. ~**ed**, dişli: **gap-**~, dişlek. ~**less**, dişsiz. ~**-paste**, diş macunu. ~**-pick**, diş karıştırıcısı, kürdan. ~**-powder**, diş tozu. ~**-protector**, (*sp.*) dişlik. ~**some** [-sʌm], lezzetli; (*mec.*) cazibeli. ~**y**, çok/büyük/çıkık dişli.

tootle [tūtl] (*yan.*) ~ **on the flute**, flütü hafifçe ve devamlı çalmak.

tootsy ['tutsi] (*çoc.*) Ayak.

top[1] [top] *i.* Topaç. **sleep like a** ~, deliksiz bir uyku uyumak.

top[2] *f.* ~ **a tree**, bir ağacın tepesini kesmek: ~ **a class**, sınıfta birinci olm.: ~ **a hill**, tepenin üstüne çıkmak: **to** ~ **all**, üstelik, en fenası/iyisi: ~ **s.o. by a head**, birinden bir baş boyu daha uzun olm.: **a statue** ~**s the column**, sütunun üstünde bir heykel var: ~ **s.o.**, (*arg.*) idam etm. ~ **up**, doldurmak; ikmal etm.: ~ **up an accumulator**, bir akümülatöre taze su koymak.

top[3] *i.* Bir şeyin en yüksek yeri; tepe; üst; doruk, zirve; baş. *s.* Üst, en yukarı, başta olan. **the big** ~, cambazhanenin büyük çadırı: **be at the** ~ **of one's form**, (i) sınıfın başında olm.: (ii) (bir oyuncu vb.) tam kıvamında olm.: **at** ~ **speed**, azamî süratle, alabildiğine koşarak vb.: **at the** ~ **of the tree**, mesleğinde en yüksek derecede: **at the** ~ **of one's voice**, avazı çıktığı kadar: **blow one's** ~, (*arg.*) öfkelenmek: **come out on** ~, üst gelmek: **from** ~ **to bottom**, baştan aşağı, tamamen: **from** ~ **to toe**, tepeden tırnağa kadar; serapa: **the** ~ **of the morning to you!**, hayırlı sabahlar!: **on** ~, üstüne, üstelik: **one thing happens on** ~ **of another**, dokuz ayın çarşambası bir araya geldi: **go to bed on** ~ **of one's supper**, yemek üstüne yatmak: **feel on** ~ **of the world**, kendini çok mutlu hissetmek: **go over the** ~, siperden çıkıp hücum etm.

topaz ['toupaz]. Sarı yakut, topaz.

top- *ön.* ~**-boots**, (üst kısmı başka renkte olan) çizme. ~**-coat**, palto; son boya. ~**-copy**, (daktilo) üst nüsha. ~**-drawer**, üst çekmece: **out of the** ~, (*mec.*) kibar âleminden. ~**-dress**, (*zir.*) toprağın yüzüne gübre serpmek: ~**ing**, serpilen gübre.

tope[1] [toup] *i.* Camgöz balığı.

tope[2] *f.* Ayyaşlık etm. ~**r**, ayyaş.

topee ['toupi]. Kolonyal şapka.

top- *ön.* ~**-flight**, en iyi, fevkalade. ~**-gallant**, babafingo. ~**-hamper**, (gemide) yukarı kalabalığı, üst yapı; ağacın üst kısmı. ~**-hat**, silindir şapka: ~ **pension**, yönetmenler için özel bir emekli aylığı. ~**-heavy**, alt kısmına oranla üst kısmı ağır olan. ~**-hole**, (*arg.*) en âlâ, mükemmel.

tophus ['toufəs] (*tıp.*) Kireç toplanması; kefeki.

topi ['toupi] = TOPEE.

topiary ['toupiəri]. Ağaçları budama sanatı.

topic ['topik]. Bahis konusu; konu, mevzu; madde; mesele. ~**al**, belirli yere ait; günün meselelerine ait: ~**ity** [-'kaliti], günün meselelerine ait olma.

top- *ön.* ~**knot** [-not], başın tepesine takılan kurdele; küçük saç yumağı; sorguç. ~**less**, başsız, üstsüz; (*mod.*) göğsü gösteren (elbise/kadın). ~**mast**, gabya çubuğu. ~**most** [-moust], en yüksek, en üstteki. ~**-notch**, (*kon.*) mükemmel.

topo- ['topə-, tə'po-] *ön.* Yer +, topo-. ~**graph·er** [-'pogrəfə(r)], topografya uzmanı: ~**ic** [-pəgrafik], topografyaya ait: ~**y** [-'pogrəfi], topografya. ~**logy** [-'poləci], topoloji. ~**nomy** [-'ponəmi], yer-ler isimlerinin bilgisi. ~**nym** [-pənim], yer ismi.

topp·ed [topt] *son.* Üstü ... olan: **cloud-**~, tepeleri bulutla kapalı (dağlar): **ivory-**~, fildişi topuzlu (baston vb.). ~**per**, (*arg.*) silindir şapka; pek mükemmel şey/kimse. ~**ing**, (*arg.*) en âlâ, mükemmel: ~**-lift**, vento: ~**ly**, mükemmel bir şekilde.

topple ['topl]. Düşecek gibi olm., sendelemek. ~ **over**, yuvarlanmak; tekerlenmek; devirmek.

top- *ön.* ~**sail**, gabya. ~**-secret**, en gizli olan. ~**sides**, (gemi) bordalar, su üstü kısım. ~**-slide**, (torna) küçük araba, siper. ~**soil**, tarımlık toprak. ~**sy-turvy** [-'tāvi], baş aşağı, altüst; hercümerç: **turn** ~, altüst etm.

toque [touk] (*mod.*) Küçük kenarsız kadın şapkası.

tor [tō(r)]. Kayalık tepe.

torch [toç]. Meşale; (*müh.*) üfleç. **electric** ~, cep feneri. ~**-bearer**, meşale taşıyan. ~**-light**, meşale ışığı: ~ **procession**, fener alayı.

tore [tō(r)] *g.z.* = TEAR[1].

toreador [toriə'dō(r)] (*İsp.*) Toreador, boğa güreşçisi.

toreutics [tōr'yūtiks]. Maden oyma sanatı.

toric ['torik]. TORUS şeklinde.

torment ['tōmənt] *i.* Azap; eziyet, cefa; baş belâsı. [-'ment] *f.* Cefa etm., eziyet etm.; üzmek; başının etini yemek. **~or**, eziyet ve cefa veren kimse. **~ress**, cefa veren kadın.
torn [tōn] *g.z.o.* = TEAR[1].
tornado [tō'neydou]. Kasırga, tornado; şiddetli fırtına.
toro·id ['toroyd]. Yumru, silindir: **~al**, silindir şeklinde. **~se**/**~us** ['tōrous, -rəs] (*biy.*) yumrulu.
torpedo [tō'pīdou] *i.* Torpil, torpido. *f.* Torpido ile vurmak/batırmak, torpillemek. **aerial ~**, uçaktan atılan torpido. **~-boat**, torpidobot, muhrip. **~-net**, şıpka. **~-tube**, torpido kovanı.
torp·efy ['tōpifay]. Uyuşturmak. **~id**, uyuşuk; gevşek, tembel. **~idity**/**~or** [-'piditi, -pə(r)], uyuşukluk, cansızlık.
torqu·ate ['tōkweyt] (*zoo.*) Kolyeli. **~e** [tōk], burmalı gerdanlık; (*müh.*) döndürme/burma gücü: **~-wrench**, bu gücü ölçen anahtar.
torr [tō(r)]. Kısmî vakum birimi, tor.
torref·action [tori'fakşn]. Kavurma; kurutma. **~y** [-rifay], kavurmak; kurutmak.
torrent ['torənt]. Sel; şiddetli akış. **~ial** [tə'renşəl], sel gibi.
torrid ['torid]. Pek sıcak, kızgın. **~ zone**, sıcak bölge.
torsion ['tōşən]. Bükme, bükülme; burma, dönme, torsiyon; büküm. **~al**, büküme ait.
torsk [tōsk]. Bir çeşit morina balığı.
torso ['tōsou]. Başsız ve kolsuz beden heykeli; insanın gövdesi.
tort [tōt] (*huk.*) Haksızlık, zarar. **~ious** ['tōşəs], haksızlığa ait.
torti·collis [tōti'kolis]. Boyun tutulması. **~le** [-tayl], bükülmüş.
tortoise ['tōtəs]. Kara kaplumbağası, tosbağa. **~-shell**, bağa: **~cat**, bağa gibi renkli kedi.
tortu·osity [tōtyu'ositi]. Dolambaçlılık; ivicaç. **~ous** [-tyuəs], dolambaçlı, yılankavî; ivicaçlı.
torture ['tōçə(r)] *i.* İşkence; azap, eziyet; işkence cezası. *f.* İşkence etm. **put s.o. to the ~**, birini söyletmek için işkence etm. **~r**, işkenceci.
torus ['tōrəs] (*mim.*) Kabartma halka; (*biy.*) yumru.
†**Tory** ['tōri]. Muhafazakâr partisi·ne ait/-nin üyesi.
TOSG = TOUR OPERATORS' STUDY GROUP.
tosh [toş] (*arg.*) Saçma.
toss [tos]. Havaya fırlatmak; (boğa vb.) boynuzla adamı havaya atmak. **~ (up)**, yazı tura atma(k); havaya atma(k): **~ about**, (gemi) dalgalar üzerinde sallanmak, çalkanmak, yalpalanmak; (insan) yatakta dönüp durmak: **~ off**, (bir kadehi) yuvarlamak: **~ one's head**, başını arkaya doğru silkmek: **pitch and ~**, *i.* yazı tura oyunu: *f.* (gemi) hem yalpa etmek hem baş vurmak: **take a ~**, (at/bisikletten) düşmek. **~-up**, **it's a ~**, baht işidir, belli olmaz.
tot[1] [tot] *i.* Minimini çocuk; bir yudum.
tot[2] *f.* **~ up a column of figures**, bir sütundaki rakamları toplamak: **(of expenses) ~ up**, (masraf) artmak, baliğ olm.
tot[3]. Çöplükten alınan şey/şey almak.
TOT = TERMS OF TRADE.
total ['toutl] *i.* Yekûn, toplam, tutar, mecmu. *s.* Tamam, tam, bütün; tüm; ... yekûnu. *f.* -e baliğ olm. **sum ~**, toplamlar toplamı. **~itarian** [-tali'teəriən], totaliter, tek partili hükümete ait. **~ity** [-'taliti], yekûn, tamamlık; bütünlük. **~izator** [-layzeytə(r)], at yarışında müşterek bahislerin hesabını yapan makine. **~ly** ['toutəli], tamamen, tamamıyle, büsbütün.
tote[1] [tout] (*kon.*) = TOTALIZATOR.
***tote**[2] *f.* Taşımak, kaldırmak. **~-bag**, büyük çanta.
***totem** ['toutem] (*sos.*) Aile/kabile remzi, totem, ongun (heykeli). **~(ist)ic**, toteme ait. **~-pole**, totemli direk.
t'other ['tʌðə(r)] (*kon.*) = THE OTHER. **tell ~ from which**, ayırtmak.
totter[1] ['totə(r)]. Sendeleme(k). **~er**, sendeliyen kimse. **~ing**, sendeliyen; çökmeye mail; sarsılmış. **~y**, sarsak, mecalsiz.
tott·er[2]. Eskici, şişeci. **~ing**, çöp(lük)ten değerli eşya aranması.
toucan ['tūkən]. Tukan.
touch[1] [tʌç] *i.* Temas; telleme; dokunuş; el yordamı; boya vurma tarzı, tuş; rötuş; iz; (*sp.*) tuş, değme. **sense of ~**, dokunma duyusu: **a ~ of fever**, hafif bir sıtma nöbeti: **a ~ of salt/garlic, etc.**, bir parçacık tuz/sarmısak vb.: **a ~ of the sun**, biraz güneş çarpması: **get into ~ with s.o.**, birisiyle temasa girmek: **lose ~ with s.o.**, birinin izini kaybetmek: **it was ~ and go whether he would die of his illness**, hastalıktan ölmesine bıçak sırtı kalmıştı: **finishing ~es**, son (rö)tuş/düzeltmeler.
touch[2] *f.* Dokunmak; ellemek, değmek; -e el sürmek; temas etm.; müteessir etm. **be ~ed**, müteessir olm., etkilenmek: **he seems a little ~ed**, (i) biraz müteessir görünüyor; (ii) biraz oynatmışa benziyor: **he ~ed the bell**, zili hafifçe çaldı: **I can ~ the ceiling**, tavana yetişebilirim: **he ~ed me for a fiver**, (*kon.*) benden beş lira sızırdı: **no one can ~ him in teaching English**, İngilizce hocalığında hiç kimse ona yaklaşamaz: **(ship) ~ at a port**, (gemi) bir limana uğramak: **~ down at...**, (*hav.*) -e inmek: **~ off a mine**, lağım atmak: **~ on a subject**, bir konuya dokumak: **I couldn't ~ the algebra paper**, (*kon.*) cebir sorularının içinden çıkamadım: **~ up a picture**, bir resmi rötuş yapmak: **~ wood!**, nazar değmesin!; şeytan kulağına kurşun!: **~ s.o. for stg.**, (*arg.*) birinden borçlu olarak almak. **~able**, dokunulur. **~-and-go**, tehlikeli. **~-down**, (*sp.*) yere dokunma; (*hav.*) yere iniş. **~-hole**, falya deliği. **~ed**, müteessir; (*arg.*) bir tahtası eksik. **~ing**, dokunaklı, müessir, acıklı; bitişik; dair, hakkında. **~iness**, alınganlık; küseğenlik. **~-judge**, (RUGBY) yan hakemi. **~last**, kovalamaca. **~-line**, (*sp.*) yan çizgi. **~stone**, mihenk(taşı). **~-type**, makineye bakmadan yazmak. **~wood**, kav. **~y**, alıngan, küseğen, titiz: **he is rather ~ on that point**, bu konuya karşı hassastır.
tough [tʌf] *s.* Meşin gibi sağlam ve kırılmaz; kayış gibi sert; metin; dayanıklı; tok; kart; çiğnenmez; güç. *i.* Külhanbeyi, apaş, şirret adam. **a ~ customer/guy**, zorlu ve netameli adam; aksi ve inatçı adam: **a ~ proposition**, demir leblebi; güç bir iş. **~en**, meşin gibi sağlam ve kırılmaz bir hale sokmak; dayanıklı bir hale getirmek; kuvvetlendirmek; metanet vermek. **~ish**, oldukça dayanıklı/güç. **~ly**, tok/güç vb. olarak. **~ness**, dayanıklılık, tokluk vb.
toupee ['tūpey]. Kısmî peruka.
tour [tuə(r)] *i.* Gezi(nti), tur; turne, dolaşı; cevelân.

f. Seyahat/tur yapmak; gezintiye gitmek; gezmek, dolaşmak. **conducted** ~, rehberli gezi: **package** ~, toplu halde tur. ~**ing**, gezme, dolaşma: ~**-car**, seyahat otomobili. ~**ism**, turizm. ~**ist**, turist, gezgin, gezmen: ~**ic**, turizme ait; gezimsel, turistik: ~**-office**, turizm bürosu.

tourmaline ['tuəməlīn]. Turmalin.

tournament ['tuənəmənt]. Turnuva; mızrak oyunu; müsabaka, dönel.

tourniquet ['tuənike]. Damarları sıkıştırmağa mahsus bir cihaz, turnike.

tousle ['tauzl]. (Saçları) karmakarışık etm.

tout [taut]. Çığırtkan; müşteri toplayıcı; yarış taliminde atları gözetleyip kabiliyetlerini bildiren adam. ~ **for customers**, müşteri aramak.

tovarish [tə'vāriş] (*Rus.*) Yoldaş.

tow[1] [tou] *i.* Kıtık.

tow[2] *f.* Yedek(te)/römork(ör)le çekmek; römork yapmak. *i.* Cer; yedek çek(il)me; yedekte olan gemi. **take in** ~, yedeğe almak: ~ **away**, çekip kaldırmak. ~**age**, yedek çekme; yedek ücreti. ~**-away**, yasak yerde park edilmiş otomobilin polis tarafından kaldırılması.

toward(s) [tə'wōd(z)]. Cihetinde; -e doğru; için. ~ **morning**, sabaha karşı.

towel ['tauəl] *i.* Havlu; silecek. *f.* Havlu ile silmek. **throw in the** ~, (*sp., mec.*) yenildiğini kabul etm. ~**ling**, havluluk bez. ~**-rail**, havluluk.

tower ['tauə(r)] *i.* Kule; burç. *f.* Yükselmek. ~ **above stg.**, bir şeyden çok daha yüksek olm.: **a** ~ **of strength**, güvenilen ve dayanılan kimse. ~**-block**, yüksek apartman binası. ~**ing**, çok yüksek: ~ **ambition**, sınırsız ihtiras: **be in a** ~ **rage**, son derece öfkelenmek.

towing ['touin(g)]. Yedek(te) çekme, römork yapma.

town [taun]. Şehir, kent; kasaba. **a man about** ~, sosyete adamı: **country** ~, taşra kasabası: **live in** ~, Londra'da oturmak: **he is out of** ~, taşraya gitmiş: **it is the talk of the** ~, bütün şehrin ağzındadır: **go to** ~, (*kon.*) çok para sarfetmek; (*arg.*) kızmak. ~**-clerk**, belediye evrak müdürü. ~**-council**, belediye meclisi: ~**lor**, meclis üyesi. ~**-crier**, şehir tellalı. ~**ee** [-nī] (*köt.*) şehirli. ~**-gas**, havagazı. ~**-hall**, belediye daire/sarayı. ~**-house**, konak. *~**-meeting**, kamu işlerini görüşmek için seçmenlerin toplantısı. ~**-planning**, şehircilik, şehir planlanması, kentmimarlığı. ~**sfolk**, şehirliler. ~**ship**, nahiye, bucak (merkezi). ~**sman**, şehirli. ~**speople**, şehirliler, şehir ahalisi. ~**y** = ~EE.

tow·-path ['toupāθ]. Yedekçi yolu. ~**-rope**, permeçe, yedek halatı.

tox·aemia [tok'sīmiə]. Kan zehirlenmesi, toksemi. ~**ic** [-sik], ağılı, zehirli. ~**icity** [-'sisiti], ağılılık, zehirlilik. ~**icology** [-'koləci], zehirbilim. ~**in**, toksin.

toy [toy]. Oyuncak. ~ **with stg.**, bir şeyle oynamak; gayri ciddî bir tarzda bir şeyle meşgul olm.: ~ **with one's food**, yemeğini isteksizce yemek: ~ **with an idea**, zevk aldığı bir fikri zihninde evirip çevirmek: ~ **with s.o.**, birini okşamak: **a** ~ **army**, küçük ve gülünç bir ordu: ~ **dog**, küçücük fino.

T-pipe ['tīpayp]. Üç yollu boru.

Tpr. = TROOPER.

tr. = TRANSITIVE; TRANSLATION; TRUSTEE.

trabe·ation [treybi'eyşn] (*mim.*) Yatay kirişlerin kullanılması. ~**cula** [trə'bekyulə] (*biy.*) kiriş şeklinde doku.

tracasserie [trə'kasəri]. Üzülme; lüzumsuz telaş.

trace[1] [treys] *i.* İz; eser, alâmet; şemme. *f.* İzini takip etm.; şeklini çizmek; taslağını resmetmek; saman kâğıdıyle kopya etm.; sözle tasvir etm. ~ **out a scheme**, bir projeyi tasarlamak: **I cannot** ~ **any letter of that date**, bu tarihli bir mektup bulamadım: ~ **stg. back to its source**, bir şeyi kökenine indirgemek.

trace[2] *i.* Koşum kayışı. **kick over the** ~**s**, serkeşlik etm.

trace-[3] *ön.* ~**able** [-səbl], takip edilir; çizilir. ~**-element**, azrak eleman. ~**-horse**, arka arkaya koşulan atlardan öndekisi; yokuş çıkarken ilâve edilen at. ~**r**, izli (mermi vb.); resmi kopya eden; kopya makinesi; izleyici. ~**ry**, (*mim.*) ağ şeklinde taş süsü; (*bot.*) yaprak damarlarının şebekesi.

trache·a [tra'kīə]. Soluk borusu. ~**otomy** [-i'otəmi], soluk borusuna delik açma ameliyatı: ~**-tube**, sunî soluk borusu.

trachoma [trə'koumə]. Trahom. ~**tous** [-'komətəs], trahoma ait.

tracing ['treysin(g)]. Saman kâğıdı ile çıkarılmış ince resim kopyası. ~**-cloth**, ozalit bezi. ~**-paper**, ozalit/saman kâğıdı.

track [trak] *i.* Gelip geçmekle kendiliğinden hâsıl olan yol; keçiyolu; iz, eser; (*dem.*) hat, ray; (*den.*) dümen suyu; (*sp.*) yarışlık, pist; (*oto.*) en, tekerlek aralığı; (tank) palet, tırtıl. *f.* İzini takip etm.; kenardan halatla yedek çekmek. ~ **down**, izini takip ederek keşfetmek: **be on the** ~ **of...**, -in izi üzerine olm.: **be off the** ~, iz üzerinde olmamak; yoldan sapmış olm.: **out of** ~, (*oto.*) yol kaçıklığı: **the beaten** ~, herkesin yürüdüğü yol: **cover up one's** ~**s**, izini örtmek/gizlemek: **keep** ~ **of**, izini kaybetmemek: **make** ~**s**, (*kon.*) sıvışmak: **throw s.o. off the** ~, birine izini kaybettirmek: **double/single** ~, (*dem.*) çifte/tek hatlı: ***on the right/wrong side of the** ~**s**, (*sos.*) bir şehirde demiryolun zenginler/fakirlerin oturduğu taraf: ~ **in/out**, (*sin.*) öne/geriye kaydırmak. ~**age** [-kic] (*dem.*) hatlar (uzunluğu). ~**ed** [-kt]/~**-type**, tırtıl tekerlekli (taşıt). ~**er**, (avda) izci. ~**-events**, (*sp.*) koşma yarışları. ~**ing**, (*sin.*) kaydırma(lı). ~**-layer**, (*dem.*) hat döşeyicisi. ~**-laying**, hat/ray döşeme; tırtıllı vasıta. ~**less**, yolsuz; kuş uçmaz kervan geçmez *gibilerden*. ~**-record**, (*sp.*) (bir pist için) rekor; (*mec.*) bir kimsenin geçmiş başarıları. ~**-shoes**, (*sp.*) atlet/koşu ayakkabısı. ~**-suit**, (*sp.*) idman elbisesi. ~**-way**, yüzyıllarca kullanılan yol.

tract[1] [trakt]. Mıntıka, bölge, kıta; alan, saha; mesaha: **digestive/respiratory** ~, hazım/solunum sistemi.

tract[2]. Risale, *bilh.* dinî risale.

tract·able ['traktəbl]. Uslu, itaatli, mazlum; kolayca işlenir. ~**ate**, risale. ~**ion** ['trakşn], çekme, cer; çekici (vasıtalar): ~ **engine**, adi yollarda ağır yükleri çekmeğe mahsus lokomotif: ~ **wheels**, hareketli tekerlekler. ~**ive**, cer edici. ~**or**, traktör, çeker; (*oto.*) römorkör, çekici (vasıta).

trad. = TRADITION(AL).

trade [treyd] *i.* Ticaret, tecim, alışveriş; tüccarlık; iş, meslek, zanaat. *s.* Ticarî; tecim+. *f.* Alıp satmak; ticaret yapmak; değiş tokuş etm., trampa etm. **be in** ~, tüccarlık etm.: †**Board of** ~, Ticaret Bakanlığı:

free ~, serbest mübadele: **everyone to his** ~, herkes kendi işine bakmalı: ~ **in a car**, yeni otomobilin fiyatının bir kısmına bedel olarak eskisini satmak: ~ **in sugar, etc.**, şeker vb. ticaretini yapmak: ~ **on stg.**, bir şeyden faydalanmak, bir şeyi sömürmek. ~**-association**, lonca; ticaret birliği. ~**-board**, asgarî ücretler tayin eden heyet. ~**-deficit/gap**, ticaret açığı. ~**-directory**, ticaret yıllık/rehberi. ~**-in**, bedel olarak satılan eşya. ~**-mark**, alâmeti farika, (ticarî) marka, ayırmaç. ~**-name**, ticaret unvanı. ~**-plates**, hâlâ satılmamış otomobiller için kullanılan plaka. ~**-price**, imalât fiyatı, tüccarlar arasındaki satış fiyatı. ~**r**, tüccar, tecimen; ticaret gemisi. ~**-school**, sanat okulu. ~**-show**, (*sin.*) alıcılara oynatma; (*mal.*) tüccarlara mahsus sergi. ~**sman**, *ç.* ~**smen**, dükkâncı: ~**'s entrance**, servis kapısı. ~**speople**, dükkâncılar, esnaf sınıfı. ~**swoman**, kadın dükkâncı. ~**-union**, işçi birlik/dernek/sendikası: ~**ism**, sendikacılık: ~**ist**, sendikacı. ~**-wind**, alize.

trading ['treydin(g)] *i.* Alışveriş; ticaret. *s.* Ticarete ait. ~**-estate**, fabrika/ticarî firmalara ayrılmış özel bölge. ~**-post**, şehirlerden uzak ticarî yer. ~**-stamp**, alışlarla verilen prim pulu.

tradition [trə'dişn]. Anane, gelenek; atalardan naklolunan rivayet; hadis. ~**al**/~**ary** [-şənəl, -nəri], ananevî, geleneksel; menkul. ~**al·ism**, gelenekçilik: ~**ist**, gelenekçi; muhafazakâr: ~**ly**, gelenek olarak.

traditor ['traditə(r)] (*tar.*) Din haini.

traduce [trə'dyūs]. İftira etm., kara sürmek. ~**r**, iftiracı, karacı.

traffic ['trafik] *i.* Alışveriş, ticaret, trampa; trafik, taşınma, gidip gelme, seyrüsefer. *f.* Alışveriş etm., trampa etm. ~**ator**/~**-indicator**, (*oto.*) işaret kol/lambası. *~**-cop** = ~-POLICE. ~**-island**, orta kaldırım, emniyet adası, röfüj. ~**-jam**, trafik/taşınma tıkanıklığı. ~**ker**, (*köt.*) alışveriş eden kimse. ~**-lights/-signals**, işaret fenerleri, trafik lambaları. ~**-manager**, taşınma/işletme müdürü. ~**-police**, işaret memuru, seyrüsefer polisi. ~**-regulations**, taşınma/trafik yönetmeliği. ~**-warden**, park saatleri memuru.

tragacanth ['tragəkanθ]. Geven. **gum** ~, kitre.

trag·edian [trə'cīdiən]. Trajedi yazar/aktörü. ~**edienne** [-di'en], trajedi aktrisi. ~**edy** ['tracidi], facia; trajedi; haile; feci vaka. ~**ic(al)** [-cik(l)], facia nevinden, feci, acıklı, ağlatıcı, trajik. ~**i-comedy**, trajikomedya, gülünç olaylarla karışık facia.

trail [treyl] *i.* Hareket eden şey/kimsenin arkasında çekilen/bırakılan şey; iz, eser; kuyruk; orman vb.de çiğnenerek açılan yol. *f.* Peşinden sürükle(n)mek; izini takip etm.: ~ **stg. along**, bir şeyi sürüklemek: ~ **arms**, silâhı elde yatay durumda taşımak: ~ **one's coat**, kavgaya bahane aramak: **pick up the** ~, izi bulmak: **the car left a** ~ **of dust behind it**, otomobil arkasında bir toz bulutu bıraktı. ~**-blazer**, (*tar.*) yeni memlekette yol açan. ~**er**, (*oto.*) treyler, römork; (*sin.*) fragman, tanıtma filmi. ~**ing**, sürünen: ~ **edge**, (*hav.*) firar kenarı.

train[1] [treyn] *i.* Tren; katar; kafile; maiyet; yere sürünen uzun etek/kuyruk. **boat** ~, vapur ile aktarması olan tren: **excursion** ~, gezinti treni: **freight/goods** ~, yük katarı: **non-stop/through** ~, direkt tren: **slow/stopping** ~, her istasyona uğrayan tren, adi katar: ~ **of events**, olayların zinciri: **a** ~ **of powder**, barut serpintisi: ~ **of thought**, çağrışım, düşünce silsilesi: **war brings famine in its** ~, savaş arkasından açlık getirir.

train[2] *f.* Alıştırmak, yetiştirmek, talim ettirmek, eğitmek, terbiye etm.; idman ettirmek; (topu) dirisa etm.; idman etm., antrenman yapmak; alışmak, yetişmek. ~**band**, (*tar.*) bir nevi redif askeri alayı. ~**-bearer**, elbise kuyruğunu tutan genç. ~**ed**, talim edilmiş, terbiye edilmiş, yetiştirilmiş: ~ **nurse**, diplomalı hastabakıcı. ~**ee**, stajyer, öğrenci. ~**er**, eğitici; (*sp.*) çalıştırıcı, antrenör. ~**-ferry**, tren vapuru. ~**ing**, talim, terbiye; eğitim, öğretim, yetiştir(il)me; (*sp.*) idman, antrenman, hazırlık çalışması; (top) dirisa: **be in good** ~, idmanlı olm.: **go into** ~, idman yapmak: **be out of** ~, idmansız olm.: ~**-camp**, (*ask.*) talim kampı; (*sp.*) antrenman kampı: ~**-college**, öğretmen okulu: ~**-ship**, okul gemisi: ~**-stables**, yarış atlarını idman ettiren ahırlar. ~**-oil**, balina yağı.

traipse [treyps]. Gayesizce dolaşmak.

trait [trey(t)]. Hususiyet, özellik.

trait·or ['treytə(r)]. Vatan haini. **turn** ~, (vatanı) ihanet etm. ~**orous**, hain. ~**ress**, kadın hain.

trajectory [trə'cektəri]. Mahrek, yörünge.

Tralles ['trālis] (*tar.*) Aydın.

tram [tram]. Tramvay. ~**-car**, tramvay arabası. ~**-driver**, vatman. ~**line**, tramvay ray/hattı: ~**s**, (*sp.*) artık alan.

trammel ['traml] *i.* Mâni, engel; muhtelif şekilde balık ağı. *f.* Serbest hareket etmesine mâni olm.

tramontane [trə'monteyn]. Dağlar (*bil.* Alplar) ötesinde (yaşıyan kimse).

tramp [tramp] *i.* Ağır ayak sesi; yayan yolculuk; serseri. *f.* Lök gibi ağır adımlarla yürümek; yayan gitmek. ~ **(steamer)**, düzenli sefer yapmıyan yük gemisi, şilep: ~ **the country**, kırlarda gezip dolaşmak/sürtmek: **go for a long** ~, uzun bir yürüyüşe çıkmak.

trample ['trampl]. ~ **stg. under foot**/~ **on stg.**, bir şeyi ayak altında çiğnemek: ~ **on s.o.'s feelings**, birinin duygularını çiğnemek.

trampoline ['trampəlīn]. Tramplen, sıçrama ağı.

trance [trāns]. Vecit, kendinden geçme; hipnoz durumu, trans.

tranche [trānş] (*mal.*) (Gelir/hisseler vb.) kısım, pay.

tranquil ['trankwil]. Sâkin; asude, durgun, sessiz, dingin. ~**lity** [-'kwiliti], asudelik, sükûn, huzur, durgunluk, sessizlik. ~**lize** [-layz], teskin etm., yatıştırmak; tatmin etm.: ~**r**, teskin edici (ilâç).

trans. = TRANSITIVE; TRANSLATION; TRANSPORT.

trans- [tranz-, trānz-] *ön. Yer/hal/şart değişmesini ifade eder*; öte; mavera. *Mes.* **transatlantic**, Atlantiği aşan gemi; Atlantiğin ötesine ait: **transform**, şeklini değiştirmek.

transact [trān'zakt]. ~ **business with s.o.**, birisiyle muamele yapmak, iş yapmak. ~**ion** [-'zakşn], (işe ait) muamele, işlem; **the** ~**s of a society**, bir derneğin tutanak/raporları.

trans·alpine [tranz'alpayn]. Alp dağlarının kuzeyinde bulunan. ~**atlantic** [-ət'lantik]. Atlantiğin ötesin·e ait/-de bulunan; †Amerikan+; *Avrupa+: ~**-liner**, Atlantiği aşan yolcu vapuru. ~**caucasian** [-kō'keyjn], Kafkas dağlarının ötesinde bulunan.

transceiver [tran'sīvə(r)] (*rad.*) = TRANSMITTER + RECEIVER.

transcend [trān'send]. Sınırını geçmek, aşmak; üstün olm. **~ent**, üstün, faik; âlâ; mücerret. **~ental** [-'dentl], ulu; (*fel.*) deneyüstü, müteal.

transcontinental [trānzkonti'nentl]. Bir kıtanın ötesine geçen/ötesinde bulunan; kıta aşırı.

transcri·be [trān'skrayb]. Aynını kopya etm., istinsah etm. **~pt** ['transkript], bir metni özel harflerle istinsah; kopya. **~ption** [-'skripşn], çekme, istinsah; kopyasını çıkarma; çevriyazı.

transduc·er/**~tor** [tranz'dyūsə(r), -'dʌktə(r)]. Transdüktör.

transe·ct [trān'sekt]. Çapraz kesmek, kesit çıkarmak: **~ion** [-'sekşn], kesit. **~pt**, (*mim.*) çapraz sahın.

transfer ['trānzfə(r)] *i.* Nakil; havale, ciro; yer değiştirme; aktarma; geçirme; transfer, aktarım, ferağ. [-'fə̄(r)] *f.* Nakletmek; başka bir yere geçirmek; aktarmak, aktarma yapmak; ferağ etm., devretmek; havale etm.; intikal etm.; temlik etm. **~able** [-'fərəbl], intikal edebilir, devredilebilir: **not ~**, (bilet vb.) başkasına devredilemez: **~ vote**, bazı şartlarla başka adaya devredilebilen oy. **~-book**, (*mal.*) aktarma sicili. * **~-company**, taşıt/nakliyat ortaklığı. **~ee** [-fə'rī], kendisine devredilen. **~ence** [-fərəns], nakil/havale etme/edilme. **~-fee**, (*sp.*) transfer ücreti. **~-list**, (*sp.*) kulüpler arasında transfer edilecek oyuncular listesi. **~or** [-'rō(r)], devreden, vazgeçen, fariğ.

transfigur·ation [trānzfigə'reyşn]. Şekil ve suretin değiş(tiril)mesi. **~e** [-'figə(r)], şekil ve suretini değiştirmek; şaşılacak kadar güzelleştir(il)mek.

trans·finite [tranz'faynayt] (*mat.*) Belirli sayıların sınırını geçen, sonluötesi. **~fix** [-'fiks], bir yandan bir yana delmek; mıhlamak.

transform [tranz'fōm]. Şeklini değiştirmek; dönüş(tür)mek; tahvil etm., kalbetmek. **~ation** [-fə'meysn], şekildeğişimi, dönüş(tür)üm, transformasyon; (*dil.*) cümle geliştirilmesi; tahavvül; istihale, kalp. **~er**, transformatör, dönüştürgeç; muhavvile: **~-rectifier**, traforedresör.

transfus·e [trānz'fyūz]. (Sıvı) kaptan kaba nakletmek; kan nakletmek. **~ion** [-'fyūjn], kan nakletme/verme.

transgress [trānz'gres]. İhlâl etm.; günah işlemek; tecavüz etm. **~ion** [-'greşn], ihlâl; günah; tecavüz, saldırı; aykırılık. **~or** [-'gresə(r)], günah işleyen; tecavüz eden.

tranship [trān'şip]. Bir gemi vb.den diğerine aktarma etm. **~ment**, aktarma, mal aktarımı.

transhumance [trans'hyūməns]. Mevsimlere göre hayvanlar göçü.

transien·ce ['trānsiəns]. Geçici olma. **~t**, geçici, süreksiz; fani: **~ly**, geçici olarak.

transilluminate [tranzi'lūmineyt] (*tıp.*) Teşhis için ışık geçirmek.

transire [tran'sīri]. Mal geçirilmesi için gümrük müsaadesi.

transistor [trān'zistə(r)]. Transistor. **~ized**, transistorlu. **~-radio**, taşınır transistorlu radyo.

transit ['trānsit]. Yerden yere geçme; mürur; transit; (*ast.*) geçiş. **in ~**, transit olarak, nakil halinde; devinen: **~ duty**, transit eşya gümrük resmi: **~ permit/visa**, geçmelik, geçme tezkire/vizesi. **~ion** [-zişn], istihale; halden hale geçiş; intikal: **~al**, geçişli. **~ive**, müteaddi, geçişli (fiil). **~ory** [-təri], geçici, fani; süreksiz.

translat·e [trānz'leyt]. Tercüme etm.; başka dile çevirmek; tefsir etm.; (piskoposu) başka bir piskoposluğa nakletmek; (*gök.*) ötelemek. **Shakespeare does not ~ well**, Shakespeare'in eserleri tercümede çok kaybeder. **~ion** [-'leyşn], tercüme (etme), çevirme, çeviri; (*ast.*) ötele(n)me: **consecutive/simultaneous ~**, konsekütif/simültane tercüme (sistemi): **~al**, tercümeye ait. **~or**, tercüman, çevirmen, dilmaç, mütercim.

trans·literation [trānzlitə'reyşn]. Harf çevirisi. **~location**, (*bot.*) yerden yere geçiş. **~lucent** [-'lyūsənt], yarı saydam/şeffaf; yalnız ışığı geçiren. **~lunar(y)** ['lūnə(r), -ri], ay ötesinde bulunan/ötesine geçen.

trans·marine [trānzmə'rīn]. Deniz aşırı/ötesi(nde bulunan). **~migration** [-may'greyşn], hicret, göç; tenasüh.

trans·mission [trānz'mişn]. Nakil, irsal; sevk; hareket nakli; intikal; ulaştırma; (*oto.*) nakil cihazı, transmisyon; (*fiz.*) geçirgenlik; (*rad.*) neşir, yayım, yayın. **~mit**, göndermek; nakletmek; irsal etm.; geçirmek; intikal etm.; neşretmek, yaymak; sirayet ettirmek: **~ter**, gönderen; nakledici; (*rad.*) yayım cihazı, verici istasyon, mürsile: **~ting**, verici.

trans·mogrify [trānz'mogrifay] (*alay.*) Şeklini tamamen değiştirmek. **~mutable** [-'myūtəbl], şekli değiştirilir. **~mutation** [-'teysn], istihale, değiştirilme. **~mute** [-'myūt], istihale ettirmek; şeklini değiştirmek.

trans·national [tranz'naşnl]. Millî sınırların ötesine uzanan. **~oceanic** [-ouşi'anik], bir okyanusun ötesine geçen/ötesinde bulunan; okyanus aşırı.

transom ['transəm] (*den.*) Kıç aynalığı; (*mim.*) kapı/pencere üstünde yatay bent, yağmurluk. **~-stern**, ayna kıçlı. **~-window**, vasistas penceresi.

trans·onic [trān'sonik] (*hav.*) Ses hızına yakın hızlara ait. **~pacific** [-pə'sifik], Büyük Okyanusun ötesine geçen/ötesinde bulunan.

transparen·ce [trāns'peərəns]. Şeffaflık. **~cy** [-si], şeffaflık, berraklık, saydamlık; (*sin.*) diyapozitif; saydam resim. **~t**, şeffaf, berrak, saydam; vazih, aşikâr: **~ly**, saydam/vazih olarak.

transpir·ation [trāns'pireyşn]. Sızma; terleme: **~ loss**, terleme/sızma kaybı. **~e** [-'payə(r)], duman halinde salıvermek; ter gibi sız(dır)mak; ifşa edilmek; (*kon.*) vukubulmak.

transplant [trānz'plānt] *f.* (*zir.*) (Bitki vb.) yerini değistirmek; (*tıp.*) aktarmak. *i.* **~(ation)** [-'teyşn], yer değiştir(il)mesi; (*tıp.*) transplantasyon, aktarım, aşı.

transpon·der [trānz'pondə(r)] (*rad.*) Transponder. **~tine** [-tayn], köprü ötesinde; Taymis nehrinin güney kıyısında bulunan (tiyatrolar)/oynanan (piyesler).

transport ['trānspōt] *i.* Nakil; taşıtlar; (*ask.*) nakliye gemisi; nakliyat, taşıma işi, taşınım; (*gen.*) ulaştırma; vecit, istiğrak, taşkınlık. [-'pōt] *f.* Nakletmek; taşımak: **be ~ed with/in ~s of joy**, etekleri zil çalmak. **~able**, portatif, nakledilir,

Aranan kelime bu sayfada bulunmazsa, ilk olarak TRANS- ***notlarına bakınız.***

taşınır; tekerlekli. ~**ation** [-'teyşn], nakletme, nakliyat, taşıma işi; sürgün, nefi. ~**-café**, yol lokantası. ~**-company**, taşıt/nakliyat kurumu. ~**(ee)**, (*tar.*) müstemlekelere sürülen. ~**er**, iletici, taşıyıcı; taşıma düzeni; büyük ve düz yük kamyonu: ~**-bridge**, kablodan asılı gitgel platformu. ~**-plane/-ship**, yük uçak/gemisi.

transpos·e [trānz'pouz]. Yerini değiştirmek; geçirmek; (cebir) işaretini değiştirerek muadelenin bir tarafını diğer tarafına geçirmek; (*müz.*) bir havanın makamını değiştirmek. ~**ition** [-pə'zişn], geçirme, yerini değiştirme, transpozisyon.

transsexual [tranz'seksyūəl]. Bedenî bakımdan bir cinse ve psikolojik bakımdan öteki cinse ait olan (kimse).

trans-ship [trānz'şip] = TRANSHIP.

transubstantiation [trānsʌbstansi'eyşn] (*din.*) Ayinde kullanılan ekmek/şarabın Hazreti İsanın et/kanına dönüşmesi.

transud·ation [transyū'deyşn]. Sızma, terleme. ~**e** [-'syūd], sızmak, terlemek.

transuranic [tranzyū'ranik] (*kim.*) Uranyumsonrası (eleman).

Transvaal ['tranzvāl]. Güney Afrika Birliğinden bir devlet.

transvers·e/~**al** [trānz'vəs(l)] *s.* Enine, çapraz. *i.* Çapraz şey.

transvestite [trānz'vestayt]. Her zaman öteki cinsin elbiselerini giyen kimse.

trap [trap] *i.* Tuzak, kapanca; dolap; atlı hafif araba; aptesane sifonu; (*müh.*) tutucu, kapan, kuyu; havada vurulmak için kuş/başka bir şeyi havaya fırlatma tertibatı. *f.* Tuzağa düşürmek; tuzak/kapanca ile tutmak; süslemek. ~**s**, (*kon.*) pılı pırtı: ~**ped by the flames**, alevler tarafından hapsedilmiş: **set a** ~, tuzak kurmak. ~**-door**, ayak altında/tavanda kapan gibi kapı. ~**-shooting** = CLAY-PIGEON.

trapez·e [trə'pīz]. Trapez. ~**iform**, yamuk şeklinde. ~**ium**, yamuk. ~**oid** ['trapizoyd], yamuk (şeklinde), yamuksu.

trapp·er ['trapə(r)]. Kürk hayvanları tuzakçısı. ~**ings**, süslü koşum takımı; süs, debdebe. ~**ist**, esaslarından biri tam sessizlik olan çok sıkı bir katolik tarikatından rahip.

traps [traps] (*kon.*) Özel eşyalar; bagaj. ~**e** [treyps] = TRAIPSE.

trash [traş]. Değersiz şeyler, mezat malı; *çöp; kötü eser; saçma: ***white** ~, (*köt.*) G. Devletlerdeki beyaz ırktan fakirler. *~**-can**, çöp tenekesi. ~**y**, değersiz, pek bayağı.

trass [tras]. Tras, tuf.

trauma ['trōmə] (*tıp.*) Yara, travma. ~**tic** [-'matik], yaraya ait; (*kon.*) nahoş.

travail ['traveyl] *i.* Meşakkatli iş; doğum ağrıları. *f.* Meşakkat çekmek; doğum ağrılarını çekmek. **woman in** ~, doğurmakta olan kadın.

travel ['travl] *i.* Seyahat etme; gezme, yolculuk; makine pistonu vb.nin hareket mesafesi. *f.* Seyahat etm.; hareket etm.; katetmek. ~ **in wine/textiles, etc.**, bir şarap/mensucat vb. ticarethanesinin gezici memuru olm.: **all-in** ~, götürü yolculuk. ~**-agency/-agent**, seyahat acentası/acentesi. ~**-book**, yolcu defteri; yolculuk kitabı. ~**-courier**, gezi kuryesi. ~**-film**, gezi filmi. ~**led, much/well** ~, çok gezmiş/seyahat etmiş olan. ~**lator**, yatay hareketli merdiven. ~**ler**, gezmen, yolcu: **commercial** ~, gezici ticaret memuru, sürümcü, plasye: ~**'s cheque**, seyyah/seyahat/traveler çeki: ~**'s. joy**, akasma. ~**ling**, seyahat etme, yolculuk; seyahatte olan, seyyar, gezici; seyahate ait; taşınır; (*sin.*) kaydırma: ~**-allowance**, harcırah, yolluk: ~**-clock**, taşınır saat: ~**-expenses**, yolculuk masrafları: ~**-fellowship/-scholarship**, araştırmaları yapabilmek için verilen burs. ~**ogue** [-log], gezi filmi.

traverse ['travəs] *s.* Her şeyin çapraz kısmı; istihkâmın ara siperi; makine kısmının yana doğru hareket alanı; (*den.*) volta seyri. [-'vəs] *f.* Karşıdan karşıya geçmek; yandan yana hareket et(tir)mek; aşmak; (topu) dirisa etm.; (makineli tüfeği) bir yandan bir yana çevirmek; önlemek.

travesty ['travəsti] *i.* Gülünç bir taklit; travesti, ciddî bir şeyi gülünç yapma. *f.* Bir konuyu kasten/gayri kasdî olarak gülünç etm.; gülünç bir tarzda taklit etm.

trawl [trōl] *i.* Tarak ağı. *f.* Sürütme usulüyle balık avlamak. ~**er**, tarak ağı çeken balıkçı gemisi. ~**ing**, böyle balık avlaması. ~**-net**, tarak ağı, iğrip.

tray [trey]. Tepsi; (*sin.*) küvet; bir bavulun içindeki portatif kısım; mektup sepeti. **ash** ~, sigara tablası: **in-/out-/pending-**~, (*id.*) alınmış/gönderilecek/bekleyen mektuplar (sepeti).

Tr.Coll. = TRAINING/TRINITY COLLEGE.

treacher·ous ['treçərəs]. Hain; hilekâr; güvenilmez: ~**ly**, hain olarak: ~**ness**, hainlik. ~**y**, hainlik, ihanet.

treacl·e ['trīkl]. Şeker tortusu; melas. ~**y**, melas gibi.

tread[1] [tred] *i.* Ayak sesi; yürüyüş; merdiven basamağı; basamakların üzerine konulan lastik/maden parça; ayakkabının tabanı; (*oto.*) lastik tırnağı, oturtmaç; (*hav.*) tekerlek ağırlığı.

tread[2] (*g.z.* **trod**, *g.z.o.* **trodden**) [tred, trod(n)] *f.* Ayağını yere basmak; yürümek; ayakla basmak; (erkek kuş) dişisine binmek. ~ **under foot**, ayak altında çiğnemek: ~ **water**, ayaklarını vurarak su içinde dik durmak. ~ **down**, ayakla ezmek; zulmetmek. ~ **on**, üzerine yürümek; ayakla basmak. ~ **out**, (şaraplık üzüm) çiğnemek; (yanan bir şeyin) üzerine ayakla basıp söndürmek.

tread·le ['tredl]. Pedal, ayaklık. ~**mill/-wheel**, (*tar.*) ceza olarak suçlulara bastırıp işlettirilen ayak değirmeni; (*mec.*) her gün yapılması gereken meşakkatli iş.

Treas. = TREASUR·ER/-Y.

treason ['trīzən]. İhanet, hainlik. **high** ~, vatana ihanet. ~**able**, vatana hiyanet nevinden.

treasur·e ['trejə(r)] *i.* Hazine; define; pek değerli şey/şahıs. *f.* Pek değerli saymak. **buried** ~, define: **a real** ~ **of a (servant, etc.)**, bulunmaz (hizmetçi vb.): ~ **up**, değerli sayarak saklamak: ~ **up wealth**, para biriktirmek: ~**-house**, hazine: ~**-hunt**, define aranması; gizlenmiş şeylerin aranması oyunu: ~**-trove**, bulunan sahipsiz değerli şeyler. ~**er**, hazinedar; veznedar. ~**y**, hazine; devlet hazinesi; †Maliye Bakanlığı: †**First Lord of the** ~, Başbakanın resmî makamı: †~**-Bench**, Avam Kamarasında bakanlara ayrılan yer: †~**-bill**, hazine borç belgiti: †~**-note**, on şilin/bir liralık kâğıt para: ~ **of verse**, seçme şiirler kitabı.

treat[1] [trīt] *i.* Her zamankinden fazla bir zevk;

çocuklara vb. bilhassa verilen yemek. **it is a ~ to listen to him**, onu dinlemek bir zevktir: **give oneself a ~**, her zamankinden farklı bir şey yemek/başka bir şeyin zevkini sürmek: **stand ~**, başkalarına verilen içki vb.nin masrafını ödemek.

treat[2] *f.* Muamele etm.; idare etm.; hakkında davranmak; tedavi etm.; (*kim.*) işlem yapmak, ilâçlamak; başkasının içki/yemeğini ödemek. **~ s.o. like a child**, birine çocuk gibi muamele etm.: **I will ~ you to a drink**, size bir içki ikram edeceğim: **I shall ~ myself to a new hat**, paraya kıyıp kendime bir şapka alacağım: **~ stg. as a joke**, bir şeyi şaka saymak: **~ a metal with acid**, bir madeni asitle işlemek: **~ for peace**, barış müzakere etm.: **~ s.o. for rheumatism**, birinin romatizmasını tedavi etm.: **~ of a subject**, bir konudan bahsetmek: **~ with s.o.**, birisiyle müzakere etm.

treat·ise ['trītiz]. İlmî eser; risale. **~ment**, muamele, işlem; tretman, tedavi; ameliye: **his ~ of the subject is superficial**, konuyu yüzeysel bir şekilde ele almıştır: **give s.o. the (full) ~**, (*kon.*) birini tam makamına göre idare etm.

treaty ['trīti]. Muahede, antlaşma, ahitname; mukavele. **~ port**, bir antlaşmaya göre dış ticarete açılan liman: **be in ~ with s.o. for stg.**, bir şey hakkında biriyle müzakerede bulunmak.

Trebizond ['trebizond]. Trabzon.

treble[1] [trebl] *i.* Tiz sesli, soprano (*bilh.* erkek çocuğun sesi).

trebl·e[2] *s.* Üç kat, üç misli. *f.* Üç misli olm.; üç ile çarpmak. **~y**, üç katlı olarak.

tree [trī] *i.* Ağaç; şecere; eyer kaltağı; ayakkabı kalıbı. *f.* Bir ağaca sığınmağa mecbur etm. **be at the top of the ~**, mesleğinin en yüksek mevkiinde olm.: **grow on ~s**, (*mec.*) bol bol olm.: **up a ~**, müşkül bir durumda. **~-calf**, ağaç gibi desenli dana derisi. **~-creeper**, orman tırmaşık kuşu. **~less**, ağaçsız. **~-line** = TIMBER-LINE. **~-nail**, ağaç çivi. **~-of-life**, beyincik/hayat ağacı. **~**-SPARROW. **~-surgeon**, çürümüş ağaçları tedavi eden kimse. **~-top**, ağacın üst dallarında(ki).

treen [trīn] (*ev.*) (Antika) tahta eşya.

trefoil ['trīfoyl]. Tırfıl; sarı yonca; mimaride yonca şeklinde süs.

trehala [tri'halə] (*Tk.*) Tıgala.

trek [trek]. Öküz arabasında seyahat (etm.); (*kon.*) yol (etm.): göç(mek).

trellis ['trelis]. Kafes şeklinde bölme; parmaklık. **~-work**, kafes (işi).

trematode ['tremətoud]. Yapraksolucan.

trembl·e ['trembl]. Titreme(k). **be all of a ~**, tir tir titremek. **~er**, (*elek.*) devreyi açıp kapatan titreşim cihazı, tramblör. **~es**, (hayvanlar) titreme hastalığı. **~ing**, titreme; titrek: **in fear and ~**, korkudan titreyerek. **~y**, (*kon.*) tir tir titreyen.

tremendous [tri'mendəs]. Kocaman; hadsiz hesapsız; korkunç. **~ly**, (*kon.*) son derece, pek çok.

trem·olo ['treməlou] (*müz.*) Titreklik. **~or** [-mə(r)], titreme; raşe, lerze: **earth ~**, yer sarsıntısı: **without a ~**, kılı bile kıpırdamadan. **~ulous** [-myuləs], titrek, raşeli; hafifçe titriyen.

trench [trenç] *i.* Metris; hendek; siper. *f.* Kirizma yapmak; siperler ile muhafaza etm. **~ (up)on**, tecavüz etm.: **his speech ~ed closely on treason**, söylediği nutuk ihanete yakındı. **~-coat**, askerî muşamba, trençkot, yağmurluk.

trencher[1] ['trençə(r)]. Ekmek tahtası. **~man, a good/poor ~**, çok/az yemek yiyen kimse.

trench·er[2]. Kirizma/siper yapan. **~ing**, kirizma/hendek açma. **~-mortar**, siper havanı. **~-warfare**, siper harbi.

trend [trend] *i.* Yön, cihet; meyil; doğrultu; (*kon.*) moda. *f.* Yönelmek; teveccüh etm. **set the ~**, modayı çıkarmak. **~iness**, son modaya uygunluk. **~-setter**, modaya önder olan. **~y**, son modaya uygun.

trep·an [tri'pan] *i.* Çark gibi cerrah testeresi, trepan. *f.* Trepanla kafatasının bir parçasını çıkarmak: **~ation**/**~ning** [-'neyşn, -nin(g)], trepanasyon. **~hine** [-'fīn], TREPAN'dan daha iyi bir testere.

trepidation [trepi'deyşn]. Korku; heyecan, telâş.

trespass ['trespəs] *i.* Kanuna karşı gelme; günah; başkasının arazisine haksız yere ayak basma. *f.* Haksız yere başkasının sınırına tecavüz etm.; yasak bir yere ayak basmak. **~ against the law**, kanunu ihlâl etm.: **~ on s.o.'s preserves**, (*mec.*) başkasının faaliyet alanına tecavüz etm.: **I fear I am ~ing on your time**, korkarım vaktinizi alıyorum. **~er**, izin almaksızın başkasının arazisine giren kimse: **'~s will be prosecuted'**, 'girenler hakkında kanunî takibat yapılacaktır'; 'girmek yasaktır'.

tress [tres]. Bukle; belik; örgü.

trestle ['tresl]. Masa vb.nin ayaklığı; sehpa. **~-bridge**, ahşap ayaklı köprü. **~-table**, taşınır masa. **~-tree**, (*den.*) kurçata payandası.

tret [tret]. Fire payı.

trevally [tri'vali] (*Avus.*) Yenir bir balık.

trews [trūz] (*İsk.*) Askerlerin kareli pantolonu.

trey [trey]. (İskambil/zar) üçlü.

TRH = THEIR ROYAL HIGHNESSES.

tri- [tray-] *ön.* Üç-, tri-.

triable ['trayəbl] (*huk.*) Yargılanır; (*müh.*) tecrübe edilir.

tria·d ['trayad]. Üçüzlü grup/takım; (*kim.*) üç değerli unsur. **~ge** [-ic], niteliklerine göre ayrılması; (*tıp.*) yaralıların acelesine göre ayrılması.

trial ['trayəl] *i.* Muhakeme, yargılama, duruşma; deneme, tecrübe, prova; gaile. *s.* Tecrübe/deneme için yapılan. **~ balance**, zimmet ve matlubun geçici karşılaştırılması: **~ and error**, deneme yanılma usulü: **we will give it a ~**, onu bir deneyelim: **he is rather a ~ to me**, ona tahammül etmek kolay değildir: **on ~**, tecrübe için, tecrübe edilince; muhakeme edilmekte: **~ order**, tecrübe için sipariş: **~ run**, (*müh.*) deneme/tecrübe işletme/seferi: **~ trip**, (*den.*) seyir tecrübesi.

triang·le ['trayan(g)gl]. Müselles, üçgen: **the eternal ~**, iki erkekle bir kadın veya aksi: **~ of forces**, (*fiz.*) kuvvet üçgeni. **~ular** [-'an(g)gyūlə(r)], üç köşeli; üçgen şeklinde. **~ulate**, *f.* üçgenlere bölmek: *s.* (*zoo.*) üçgenlerle damgalı. **~ulation** [-'leyşn], nirengi, üçgenlere bölmek işi.

tri·antelope [tray'antiloup] (*Avus.*) Büyük yassı bir örümcek. **~assic** [-'asik] (*yer.*) Triyas devrine ait. **~atomic** [-ə'tomik], üç atomlu.

trib. = TRIBUNAL; TRIBUTARY.

trib·al ['traybl]. Bir kabileye ait: **~ism**, kabile teşkilât/sistemi. **~e** [trayb], kabile, oymak, aşiret; güruh: **~sman**, *ç.* **~men**, bir kabileye mensup kimse.

tribo·logy [tray'boləci]. Sürtünme bilgisi. **~meter**, sürtunme ölçer aleti, tribometre.
tribrach[1] ['traybrak] (*ark.*) Üç kollu alet vb.
tribrach[2] (*edeb.*) Üç kısa heceden oluşan vezin.
tribulation [tribyū'leyşn]. Keder; sıkıntı; idbar.
tribun·al [tray'byūnl]. Mahkeme; hâkim makamı. **~e** ['tribyūn] (*mim.*) hitabet kürsü/seti, tribün; (*id.*) (Eski Roma'da) büyük memur.
tribut·ary ['tribyutəri] *s.* Haraca bağlı; tabi. *i.* Akarsu, geleğen, kol. **~e** [-yūt], baç, haraç; hürmet/takdir nişanesi: **lay under ~/levy ~ on**, haraca kesmek: **pay a ~ to s.o.**, birine karşı hürmet/takdir nişanesi göstermek.
tricar ['traykā(r)]. Üç tekerlekli otomobil.
trice [trays]. **in a ~**, bir çırpıda, şıpınişi: **~ up**, (*den.*) yukarıya çekip bağlamak.
tri·centenary [traysən'tīnəri] = TERCENTENARY. **~ceps** [-seps], üç başlı kas. **~cerium** [-'siəriəm] (*din.*) üç kollu şamdan.
trich·ina [tri'kaynə]. Trişin. **~inosis** [-ki'nousis], trişinoz. **~o-** [tray'kou-] *ön.* saç+, triko-. **~ome** [-koum] (*bot.*) kıl, pul, diken.
tri·chotomy [tray'kotəmi]. Üç kısma ayrılma/bölünme. **~chromatic** [-krou'matik], üç renkli.
trick [trik] *i.* Hile, desise, kurnazca bir oyun/çare; işin sırrı; el çabukluğu; garip/gülünç/nahoş âdet; (iskambil) leve. *s.* Hileli. *f.* Aldatmak, kafese koymak. **the whole bag of ~s**, takım taklavat: **that'll do the ~**, (*kon.*) bu işimizi görür: **he knows a ~ or two/he's up to every ~**, o ne kurnazdır, o ne hinoğlu hindir: **I know a ~ worth two of that**, ben bundan âlâsını bilirim: **he has been up to his old ~s**, yine her zamanki marifetlerini yaptı: **~ out**, süslemek, bezemek: **play a ~ on s.o.**, birine azizlik etm., oyun oynamak. **~-cyclist**, cambaz bisikletçi; (*arg.*) psikiyatr. **~ery**, hilekârlık, desise. **~iness**, hilekârlık, kurnazlık.
trickle ['trikl]. Damla damla akma(k); cüzî bir miktar akmak/girmek; ağır ağır geçmek. **~-charger**, bir akümülatörü yavaş yavaş dolduran cihaz.
trick·ster ['trikstə(r)]. Dolandırıcı: **confidence ~**, defineci. **~sy**, şetaretli, oynak; kurnaz. **~y**, hilekâr, kurnaz; kullanması/idaresi nazik ve çok dikkat gerektiren.
tri·clinic [tray'klinik]. Üç ayrı mihverli (kristal). **~colour** [-'kʌlə(r)] *s.* üç renkli: ['trikələ(r)], üç renkli/Fransız bayrağı. **~corn(e)**, (*mit.*) üc boynuzlu hayvan; (*mod.*) üç köşeli şapka. **~cycle** [-sikl], üç tekerlekli bisiklet(le gitmek). **~dent** [-dənt], üç çatallı zıpkın; deniz tanrısı Neptün'un asâsı.
tried [trayd] *g.z.(o.)* = TRY[2]. *s.* Tecrübeli; güvenilir: **much ~**, çok zahmet görmüş: **well-~**, denenmiş.
triennial [tray'eniəl]. Üç yılda bir olan; üç yıl süren.
trier ['trayə(r)]. Denetçi. **he is a ~**, elinden geleni yapar.
trifid ['trayfid] (*biy.*) Üç parçaya kesilmiş.
trifle[1] [trayfl] *i.* Pandispanya, şarap ve kaymaktan yapılmış bir tatlı.
trifl·e[2] *i.* Değersiz önemsiz şey; cüzî şey. *f.* Gayri ciddî davranmak, oynamak: **~ away one's time**, vaktini önemsiz şeylerle geçirmek, oyalanmak: **a mere ~**, devede kulak: **~ with s.o.**, birini oynatmak. **~er**, işini ciddîye almıyan kimse; havaî hoppa adam. **~ing**, cüzî; naçiz; önemsiz.
tri·foliate [tray'foulieyt]. Üç yapraklı. **~folium** [-liəm], yonca(lar). **~forium** [-'fōriəm], üçüz kemer. **~furcate** [-'fəkeyt], üç dal/kol/yollu.
trig[1] [trig] *s.* Şık, temiz giyinmiş. **~ up/out**, bezeyip süslemek, süsleyip püslemek.
trig[2] *f.* Araba tekerleğinin yuvarlanmaması için altına taş vb. koymak.
trig. = TRIGONOMETRY.
trigam·ous ['trigəməs]. Üç defa evlenmiş; üç karı/kocası olan. **~y**, aynı zamanda üç karı/kocası olma.
trigger ['trigə(r)]. Tetik. **pull the ~/~ off**, işlemeyi başlatmak: **quick on the ~**, (*mec.*) çabuk cevap veren. **~-finger**, sağ elin şahadet parmağı. **~-fish**, çotıra balığı. **~-guard**, tetik köprüsü. **~-happy**, daima ateş etmeye hazır. **~-man**, (*arg.*) 'cellât' gangsteri.
tri·glot ['trayglot]. Üç dil bilen. **~glyph** [-glif] (*mim.*) üçüz yiv. **~gon**, üçgen: **~ometry** [trigə'nomitri], trigonometri, üçgenölçümü. **~graph** ['traygraf], tek sesli üç harf grubu.
tri·hedral [tray'hīdrəl]. Üç yüzlü. **~hydrate** [-'haydreyt], trihidrat.
trike [trayk] (*kon.*) = TRICYCLE.
trilateral [tray'latərəl]. Üç yanlı; üç kişi/partiye ait.
trilby [trilbi]. Erkek fötr şapkası.
tri·linear [tray'liniə(r)]. Üç hatlı. **~lingual** [-'lin(g)gwəl], üç dil konuşan/ile yazılan. **~literal**, üç harfli (kelime). **~lith** [-liθ] (*ark.*) üç taşlı anıt.
trill [tril] *i.* Ses titremesi; kuş ötmesi. *f.* Ses titremek; kuş gibi ötmek; 'r' harfini çatlatmak. **~ed**, (*dil.*) akıcı.
trilling ['trilin(g)]. Üçlü bileşik kristal.
trillion ['trilyən]. Trilyon: †10^{18}; *10^{12}.
tri·lobate [tray'loubeyt]. Üç loplu. **~logy** ['triləci] (*edeb.*) bir bütün teşkil eden üç ayrı piyes/roman, trilogya.
trim [trim] *s.* Muntazam; zarif, şık. *i.* Nizam; düzen; (*den.*) denge; (*hav.*) ayar. *f.* İntizama koymak; düzeltmek; süslemek; kesip düzeltmek; dengelemek; ayarlamak. **~ a boat**, bir kayığın dengesini sağlamak: **in fighting ~**, her şey çarpışma için hazır: **be in good ~**, iyi bir halde olm.: **~ the sails**, yelkenleri rüzgâra uydurmak: **~ one's sails**, (*mec.*) zamane adamı olm.
tri·maran [traymə'ran]. Üç tekneli kayık. **~mer** [-mə(r)] (*kim.*) trimer. **~mester** [-'mestə(r)], üç aylık süre. **~meter** ['trimitə(r)], üç cüzlü mısra.
trim·ly ['trimli]. Muntazaman; zarif olarak. **~mer**, düzelten/süsleyen kimse; (*mec.*) zamane adamı. **~ming**, süs(leme), garnitür; (*mim.*) donantı: **~ tanks**, (denizaltı) ayar sarnıçları. **~ness**, nizam; çekidüzen.
Trin. = TRINITY.
trine [trayn] *s.* Üç kat/misli. *i.* Üçlü grup.
tringle ['trin(g)gl]. Perde çubuğu.
trinitrotolu·ene/ol [traynaytrou'tolyūīn, -ol]. Üçlü nitrotoluol (patlayıcı madde).
Trinity ['triniti]. Üçlü bir: **the (Holy) ~**, teslis, ekanimi selâse: **†~ House**, kılavuzluk/fener kuleleri/şamandıra vb.ni idare eden heyet.
trinket ['trin(g)kit]. Cicibici; biblo; değersiz şahsî ziynet.
trinomi·al [tray'noumiəl] (*mat.*) Üçterimli; (*biy.*) üç isimli. **~nal** [-'nominl], üç isimli.
trio ['triou]. Üçlük takım; üç ses/çalgıya mahsus beste, triyo. **~de** ['trayoud] (*elek.*) triyot.
trip[1] [trip]. Kısa bir gezi(nti)/seyahat; tek rota; (*kon.*)

DRUG-ADDICT'in sanrıladığı hayal. **round ~**, bir yere gidip gelme: **single ~**, yalnız gidiş.
trip[2] *i.* Sürç; sürçme; birinin ayağını çelme; (*elek.*) tetik; falso. *f.* Sürçmek; çelme takmak; yanlışlık etm. **~ (up)**, ayağını çelmek; çelme atmak: **~ along**, hafifçe yürümek: **~ the anchor**, demiri dipten ayırmak: **catch s.o. ~ping**, birinin hatasını yakalamak. **~-wire**, birinin geçtiğini haber veren gerilmiş tel.
tripartite [tray'pātayt]. Üç parti tarafından yapılmış (antlaşma vb.); (*biy.*) üç kısımlı.
tripe [trayp]. İşkembe; (*arg.*) saçma; değersiz yazı.
tri·phibious [tray'fibiəs] (*ask.*) Hem kara, hem deniz, hem havada edilen (harekât). **~phthong** ['trifθon(g)] (*dil.*) üçlü ünlü. **~plane** ['traypleyn], üç kanatlı uçak. **~ple** [tripl] *s.* üç misli; üçlü: *f.* üç misli çıkarmak. **~plet** [-lit], üçüz; (*müz.*) iki nota süresinde çalınan üç nota. **~plex** [-pleks], üç tabakadan mürekkep; (*M.*) özel bir emniyet camı. **~plicate** [-plikeyt] *f.* üç kere artırmak; üç nüsha yapmak: [-kit] *s.* üçlü; üç nüshadan biri: **in ~**, üç nüshalı. **~pod** ['traypod], sehpa, üç ayak: **~ mast**, üç ayaklı direk. **~pos**, Cambridge Üniversitesinde bir imtihan.
Tripoli ['tripəli]. Şam Trablusu (Suriye); Batı Trablus (Libya).
tripp·er ['tripə(r)]. Seyahat/gezintiye çıkan kimse. **~ing**, *s.* hafif hafif yürüme: *i.* (*elek.*) röle.
tripty·ch ['triptik] (*san.*) Üç kanatlı tablo. **~que** [-tīk] (*oto.*) triptik, gir-çık belgesi.
-tripsy [-tripsi] *son.* (*tıp.*)... ezilmesi [LITHOTRIPSY].
trireme ['trayrīm]. Üst üste üç sıra kürekli kadırga.
trisect [tray'sekt]. Üçe bölmek.
trishaw ['trayşō]. Üç tekerlekli RICKSHAW.
trismus ['trizməs] (*tıp.*) Bir nevi tetanoz.
triste [trīst]. Kederli.
trisyllabic [traysi'labik]. Üç heceli.
trite [trayt]. Eskimiş, basmakalıp, hayide.
tritium ['tritiəm] (*kim.*) Tritium.
triton[1] ['traytən] (*mit.*) Başı ve gövdesi insan kuyruk tarafı balık gibi eski Yunan deniz ilâhı. **a ~ among minnows**, önemsiz adamlar arasında önemli görünen kimse.
triton[2] ['trayton] (*kim.*) Triton.
triturate ['trityureyt]. Ezip ince toz haline koymak; iyi çiğnemek.
triumph ['trayəmf] *i.* Eski Roma'da zafer alayı; zafer, parlak başarı; zafer şenliği. *f.* Muzaffer olm.; galip gelmek. **~ over s.o.**, birine galebe çalmak, hakkından gelmek. **~al** [-'ʌmfəl], zafere ait: **~ arch**, takızafer. **~ant** [-fənt], muzaffer(ane); sevinçli; gururlu.
triumvirate [tray'əmvirət]. Üç kişilik yönetim; üçler grubu.
trivet ['trivit]. Sacayak. **right as a ~**, mükemmel bir halde.
trivia ['triviə] *ç.* Önemsiz şeyler. **~l**, ehemmiyetsiz, önemsiz; cüzî; abes: **~ity** [-'aliti], önemsizlik; bayağılık.
-trix [-triks] *son.* ... eden kadın [EXECUTRIX].
tri-weekly [tray'wīkli]. Üç haftada bir olan; haftada üç kere olan.
troc(h)ar ['troukā(r)] (*tıp.*) Trokar.
troch·aic [trou'keyik] (*edeb.*) Bir **~**EE'e ait. **~ee** [~ki], bir vurgulu bir vurgusuz iki heceli vezin.
troch·al ['troukl] (*zoo.*) Tekerlek şekli. **~anter** [trə'kantə(r)] (*biy.*) trokanter. **~e** ['trouki, troş] (*tıp.*) yuvarlak hap.
trochilus ['trokiləs]. Bir çeşit çulluk kuşu/kolibri.
trochlea ['trokliə] (*biy.*) Makara gibi bir kıkırdak.
trocho·id ['trokoyd]. tekerlek gibi işleyen/şeklinde. **~meter** [-'omitə(r)], yolölçer.
trod(den) [trod(n)] *g.z.(o.)* = TREAD[2].
troglodyte ['trogləydayt]. Mağara adamı, troglodit.
trogon ['trougon]. Kemirgen-gagalı kuş.
troika ['troykə]. (Rusya'da) üç atlı kızak/araba; (*id.*) üç kişilik yönetim.
Trojan ['troucən] *i.* Truvalı. *s.* Truva+. **work like a ~**, domuz gibi/ağır ağır çalışmak. **~-horse**, (*id.*) düşman memleketinde gizlice çalışan baltalayıcılar.
troll[1] [troul]. İskandinav efsanesinde bir ifrit.
troll[2]. Serbestçe ve neşeli şarkı söylemek; hareket eden bir kayığın peşinde sürüklenen bir olta ile balık avlamak.
trolley ['troli]. El arabası; ağır yük arabası; tramvaylara cereyan veren temas cihazı. **~-bus**, troleybüs. ***~-car**, tramvay. **~-man**, vatman, biletçi.
trollius ['troliʌs]. Altıntopu.
trollop ['troləp]. Pasaklı kadın; sürtük; fahişe.
trombone [trom'boun] (*müz.*) Trombon.
trommel ['troml]. Dönen kalbur.
tromometer [trə'momitə(r)]. Tromometre, depremölçer.
trompe [tromp]. Ocak körüğü.
-tron [-tron] *son.* -cihazı, aleti [CYCLOTRON]. **~ic(s)**, *son.* -elektroniği.
troop [trūp]. Takım; sürü; güruh; oymak; süvari bölüğü. **~s**, askerler, kıta. **~ away/in/out**, sürü halinde gitmek/girmek/çıkmak: **~ together**, bir araya toplamak. **~er**, süvari asker: **swear like a ~**, Kasımpaşa ağzıyle küfretmek. **~ing**, **~ the colour**, geçit resmi yapan bir alayın ortasında sancak taşıma töreni. **~ship/-transport**, askerî nakliye gemisi. **~-train**, asker nakleden tren.
trope [troup] (*edeb.*) Mecaz.
-trope [-troup] *son.* Dönen [HELIOTROPE].
troph·ic ['trofik]. Yemek/gıdaya ait. **-~y**, *son.* -beslenme, gıda. [ATROPHY].
trophy ['troufi]. Ganimet; zafer hatırası.
tropic ['tropik]. Tropika, dönence. **the ~s**, sıcak memleketler, tropika: **~ of Cancer/Capricorn**, Yengeç/Oğlak dönencesi. **~al**, sıcak memleketler/tropikaya ait, tropikal, dönencel.
tropism ['troupizm] (*biy.*) Tropizm, yönelim.
trop·ist ['troupist]. Mecazcı. **~ology** [tro'poləci], mecaz kullanılması.
tropo·pause [tropə'pōz] (*coğ.*) Tropopoz. **~sphere** [-'sfiə(r)], troposfer, alt hava yuvarı.
troppo ['tropou] (*İt., müz.*) Çok, fazla.
trot [trot]. Tırıs (gitmek); (*kon.*) gitmek. **go at a ~**, link gitmek: **break into a ~**, link gitmeğe başlamak: **~ out**, linkini hızlandırmak: **~ out one's knowledge**, (*kon.*) malûmatfürûşluk etm., bilgi satmak: **he ~ted out the usual excuse**, her zamanki bahaneyi ileri sürdü.
troth [trouθ]. Sadakat. **plight one's ~**, sadakatini tasdik etm.; evlenme vadetmek.
trotter ['trotə(r)]. Link atı. **sheep's/pig's ~s**, koyun/domuz paçası.
troubadour ['trūbʌdū(r)] (*tar.*) Saz şairi.

trouble[1] ['trʌbl] *i.* Zahmet; dert; sıkıntı, eziyet, meşakkat; belâ, gaile; tasa; rahatsızlık; zorluk; bozukluk. **~s**, kargaşalık, fitne: **ask for ~**, belâyı satın almak: **be in ~**, başına iş açılmak, başı belâda olm.: **bring ~ upon oneself**, başına iş açmak: **engine ~**, makinede bozukluk: **get a girl into ~**, (*kon.*) bır kız gebe bırakmak: **get oneself into ~**, başını belâya sokmak; esmayı üzerine sıçratmak: **get s.o. into ~**, birinin başına iş açmak: **have heart ~**, kalbinden rahatsız olm.: **the ~ is that...**, işin kötüsü...: **he is looking for ~**, başının belâsını arıyor: **it's no ~ at all to...**, ... işten bile değil: **an omelette is no ~ to make**, omlet yapmak zor bir iş değil: **nothing is too much ~ for him**, hiç bir şeyden yüksünmez: **put s.o. to ~**, birini zahmete sokmak: **take ~ over stg.**, bir şeyi özenle yapmak: **what's the ~?**, ne var?, ne oldu?, derdin ne?

trouble[2] *f.* Zahmet vermek; tasdi etm.; rahatsız etm.; eziyet vermek. **~ oneself about stg.**, bir işte kendine zahmet vermek; bir şey hakkında merak etm.: **be ~d with rheumatism**, romatizmaya tutulmuş olm.: **may I ~ you to pass the water?**, suyu zahmet eder misiniz? **~d**, rahatsız, kederli, mustarip; bulanık: **fish in ~ waters**, bulanık suda balık avlamak. **~-maker**, fitneci, müfsit. **~r**, fitneci; rahat bozucu. **~-shooting**, (*müh.*) arıza bulma. **~some**, rahatsız edici; belâlı; güç, zahmetli; usandırıcı, yorucu.

troublous ['trʌbləs]. Karışık; fitne ve fesadı çok.

trough [trof]. Tekne; yalak; koyak; oluk; maslak; derin yer. **~ of the sea**, iki dalga arasındaki çukur.

trounce [trauns]. Dövmek, dayak atmak; yenmek; azarlamak.

troupe [trūp] (*tiy.*) Takım, trup.

trouser·ed ['trauzəd]. Pantolon giyinmiş. **~ing**, pantolonluk kumaş. **(pair of) ~s**, pantolon: **she wears the ~**, o kadın evde hâkimdir. **~-suit**, (kadın) pantolonlu kostüm.

trousseau ['trūsou]. Çeyiz.

trout [traut]. Alabalık: **rainbow ~**, gök-kuşaklı alabalık: **sea ~**, deniz alası.

trow [trou] (*mer.*) İnanmak, sanmak.

trowel ['trauəl]. Mala; çepin. **lay it on with a ~**, ballandıra ballandıra anlatmak/övmek.

Troy[1] [trōy]. Truva, Hisarlık.

troy[2]. **~ weight**, kuyumcu tartısı.

Tr.S(S) = TRIPLE-SCREW (STEAMER).

trs. = TRANSPOSE.

truan·cy ['trūənsi]. Dersi asma. **~t**, görev/okuluna mazeretsiz gitmiyen kimse: **play ~**, dersi asmak.

truc·e [trūs]. Mütareke; vazgeçme; muvakkat kurtuluş. **~ial** ['truşl], mütarekeye ait: **~-States**, (*tar.*) 1835'de İng. ile Umman Şeyhleri arasında yapılan mütarekeye bağlı devletler.

truck[1] [trʌk]. İki tekerlekli el arabası; demiryol yük vagonu; taşıma arabası; (*den.*) direk şapkası: **small ~**, kamyonet.

truck[2] *i.* Trampa, değiş tokuş, mübadele; ufak tefek, adi şeyler. *f.* Trampa etm. **have no ~, with s.o.**, birisinden elini ayağını kesmek.

truck-[3] *ön.* **~age** [-kic], taşıma (ücreti). ***~er**, bostancı; kamyon şoförü. ***~-farming**, çarşı için bostancılık. **~-system**, mal ücret yöntemi, trok sistemi.

truckle ['trʌkl]. **~ to s.o.**, birine yaranmak, suyunca gitmek. **~-bed**, tekerlekli alçak kerevet.

truculen·ce ['trʌkyuləns]. Kabadayılık; huşunet; serkeşlik. **~t**, kabadayı, farfara, haşin, serkeş.

trudge [trʌc]. Yorgun argın yürüme(k). **~n**, kulaçlama yüzüş.

true [trū] *s.* Doğru, gerçek, hakikî; sahih; halis; sadık, samimî; (*ast.*) gerçel. *f.* Doğrultmak; düzeltmek; tesviye etm. **breed ~**, aslına uygun olarak çoğalmak: **come ~**, doğru çıkmak: **this is also ~ for...**, bu... için de geçerlidir: **out of ~**, dikey/yatay değil; eğri; merkezine uygunsuz. **~-born**, **a ~ Turk**, su katılmamış Türk. **~-blue/-hearted**, sadık, samimî. **~ness**, doğruluk, gerçeklik, hakikat.

truffle ['trʌfl]. Yer mantarı; domalan.

trug [trʌg]. Ahşap süt kabı/bahçıvan sepeti.

truism [trūizm]. Malumu ilâm; mütearife; basmakalıp.

trull [trʌl] (*mer.*) Fahişe.

truly ['trūli]. Hakikaten, gerçekten; sadakatle. **I am, yours ~...**, (*mektubun sonunda*) saygılarımı sunarım: **yours ~**, (*alay.*) köleniz, bendeniz.

trump[1] [trʌmp]. Boru. **last ~/~ of doom**, İsrafilin suru.

trump[2] *i.* İskambil kozu; (*arg.*) mert adam, cömert kimse. *f.* Koz oynamak. **he always turns up ~s**, onun horozu bile yumurtlar: **~ up a charge**, birini uydurma suçla ittiham etm. **~-card**, koz. **~ed-up**, düzme, uydurma.

trumpery ['trʌmpəri]. İğreti; değersiz; mezat malı. **a ~ excuse**, sudan bir bahane.

trumpet ['trʌmpit] *i.* Boru, trompet; boru şeklinde şey. *f.* Boru gibi ses çıkarmak; boru çalarak ilân etm. **blow one's own ~**, kendini övmek: **a flourish of ~s**, borazanlar sesi. **~-call**, boru sesi; (*mec.*) çağırı. **~er**, borazan(cı); borazan kuşu. **~-fish**, çulluk balığı. **~-flower**, boru çiçeği. **~ing**, fil sesi. **~-major**, (*ask.*) süvari alayının borazancıbaşısı. **~-shaped**, boru şeklinde.

trunca·l ['trʌnkəl]. Gövde/bedene ait. **~te** [-keyt] *f.* uç/tepesini kesmek: **~(d)**, *s.* güdük, kesik. **~tion** [-'keyşn], uç/tepesini kesme.

truncheon ['trʌnçən]. Kısa sopa; polis sopası; çomak.

trundle ['trʌndl]. Yuvarlamak; (çocuk çemberi gibi) yürütmek.

trunk [trʌn(g)k] *i.* Gövde, beden; bavul; fil hortumu. *s.* Ana (yol/hat). **~-call**, şehirlerarası telefon konuşması. **~ed**, hortumlu. **~-fish**, sandık balığı. **~-hose**, (16 asırda) kısa ve bol pantolon. **~-line**, (*dem., hav.*) anahat/yol; şehirlerarası telefon hattı. **~-road**, anayol. **~s**, (*mod.*) kısa don, kispet.

trunnion ['trʌnyən]. Muylu; silindir yatağı.

truss [trʌs] *i.* Ot/saman demeti; çatı/köprü makası, payanda; kasık bağı; destek. *f.* Demet yapmak; bağlamak. **~ a fowl**, bir tavuğu pişirmeden evvel kanatlarını ve ayaklarını şiş/sicimle bağlamak.

trust [trʌst] *i.* Güven, itimat; emniyet; emanet; tevliyet; tröst; lonca. *f.* Güvenmek, itimat etm.; inanmak; emniyet etm.; tevdi etm.; umut etm. **~ s.o. to do stg.**, birinin bir şeyi yapacağına güvenmek: **~ s.o. with stg.**, bir şeyi birine bırakmak: **betray one's ~**, birinin güvenini suiistimal etm., birinin güvenini boşa çıkarmak: **I ~ you will soon be better**, inşallah yakında iyileşirsiniz: **~ him!**, (*istihza ile*) hiç korkma, yapar! ***~-buster**, tröstlerin gücünü kıran kanun. **~-company**, tröst ortaklığı. ~**-deed**, tesis/tevliyet senedi. ~**ee**, mütevelli, güvenli yönetici; emanetçi; mütemet; yediemin: †**Public** ~, mütevelli memuru: ~**s**, mütevelliler; tesis heyeti: ~**ship**, velâyet. ~**ful**/~**ing**, itimat/emniyet eden; çabuk inanır. ~**-fund**, tesis parası. ~**iness**, sadakat, itimada şayan olma. ~**less**, itimatsız; güvenilemez. ~**worthy**, güvenilebilir, itimada şayan; sadık; inanılabilir. ~**y**, *s.* sadık, itimada şayan: *i.* (*kon.*) güvenildiğinden dolayı özel muamele gören mahpus.

truth [trūθ]. Hakikat, doğruluk, gerçeklik. **in** ~/**of a** ~/~ **to say/tell**, doğrusu, hakikaten, doğrusunu isterseniz: ~ **will out**, gerçek bir gün ortaya çıkar; yanlış hesap Bağdattan döner. ~**ful**, doğru sözlü, gerçeği söyleyen; hakikate uygun: ~**ly**, doğru söyleyerek, gerçekten: ~**ness**, doğruluk, gerçeklik.

try[1] [tray] *i.* Deneme; tecrübe; teşebbüs. **have a** ~ **at doing stg.**, bir şeyi şöyle bir denemek.

try[2] (*g.z.(o.)* **tried** [trayd]) *f.* Denemek, tecrübe etm., sınamak; prova etm.; yargılamak, muhakeme etm.; acı ve ıstırap vermek; çalışmak; gayret etm. ~ **one's best**, elinden geleni yapmak: **his courage was severely tried**, onun cesareti için bu bir imtihan oldu: ~ **the door**, kapıyı yoklamak/kurcalamak: ~ **one's eyes**, gözlerini yormak: ~ **for stg.**, bir şeyi elde etmeğe çalışmak: **don't** ~ **my patience too far**, sabrımı tüketme. ~ **on**, elbiseyi prova etm.: **don't** ~ **that on with me!**, bu oyunu bana oynıyamazsın. ~ **out**, denemek. ~ **over**, bir besteyi tecrübe etm.

try·ing ['trayin(g)] *s.* Çetin, güç; üzücü; zahmetli. ~**-on**, blöf. ~**-out**, deneme, prova.

trypanosome [tri'panəsou̯m]. Tripanozoma, burgumsu kamçılı.

try·sail ['traysəl]. Fırtınalı havada kullanılan iğreti yelken. ~**square**, ayarlı gönye.

tryst [trist]. Buluşma vadi; randevu.

TS = TRAINING-SHIP; TWIN-SCREW.

tsar [zā(r), ça(r)] *etc.* = CZAR *etc.*

tsetse ['tsetsi]. ~ **(fly)**, çeçe sineği.

TSH = THEIR SERENE HIGHNESSES; THYROID-STIMULATING HORMONE.

T-shirt ['tīşət]. T şeklinde (iç) gömlek.

tsp = TEASPOON.

T-square ['tīskweə̯(r)]. T-gönye.

TSSA = TRANSPORT SALARIED STAFFS ASSOCIATION.

tsunami [tsu'nāmi]. Deniz dibindeki depremden oluşan büyük dalgalar serisi.

TT = TEETOTALLER; TOURIST TROPHY; TUBERCULIN-TESTED.

Tu. = TUESDAY.

TU = THERMAL UNIT; TRADE UNION.

tuan [tu'ān]. (Malezya'da) efendim, beyim.

tuatara [tuə̯'tarə] (*Avus.*) Noktalı kama-diş.

tub [tʌb] *i.* Badya; tekne; banyo; küçük fıçı; çamasır leğeni; biçimsiz gemi. *f.* Banyo vermek. ~**by**, fıçı gibi; bıdık.

tuba ['tyūbə]. Bir çeşit çalgı borusu. ~**l**, (*tıp.*) tüp/boruya ait.

tube [tyūb]. Enbube; tüp; boru; zıvana; yeraltı demiryolu; (*elek.*) lamba. ***the** ~ = TV: **Fallopian** ~, Fallop borusu: **inner** ~, (*oto.*) iç lastik. ~**ctomy** [-'bektəmi], Fallop borusu ameliyatı. ~**-holder**, tüplük.

tuber ['tyūbə]. Yumru kök.

tuberc·le ['tyūbəkl]. Küçük yumru kök; yumrucuk; şiş; verem şişi. ~**ular** [-'bəkyulə(r)], veremli; vereme ait. ~**ulin**, verem mikrobu, tüberkülin. ~**ulosis** [-'lou̯sis], verem, tüberküloz. ~**ulous** [-ləs], verem(li).

tubero·se/~**us** ['tyūbərou̯z, -rəs]. Yumru köklü; yumrulu.

tub·i- [tyūbi-] *ön.* Tüp+, boru+. ~**icolous** [-'bikələs] (*zoo.*) boru içinde yaşayan/inşaat eden. ~**ilingual** [-'lingwəl] (*zoo.*) boru şeklinde dilli. ~**ing** [-bin(g)], borular; boru sistem/uzunluk/malzemesi: **copper/rubber** ~, bakır/lastik boru. ~**o-**, *ön.* boru+, tüp+. ~**ular** [-yulə(r)], boru şeklinde; borulu; borumsu, embubî. ~**ule** [-yūl], küçük boru/tüp.

tub-thumper ['tʌbθʌmpə(r)] (*kon.*) Palavracı hatip.

TUC = TRADES UNION CONGRESS.

tuck [tʌk] *i.* Kırma, pli; (*arg.*) yemek; (*mer.*) vuruş. *f.* (Elbise) kasmak; kırma yapmak; sıkıştırmak; sokmak. ~ **a rug round s.o.**, birini bir battaniyeye sarmak: ~ **in**, içeri sokmak; (*arg.*) iştahla yemek: ~ **up one's sleeves**, (*mec.*) çemrenmek: ~ **a child up in bed**, çocuğu yatakta sarıp sarmalamak. ~**er**, (*mer.*) kadınların boyun atkısı, eşarp. ~**-box**, öğrencinin özel yemek/malları için kutusu. ~**-shop**, okullular için pastacı dükkânı.

-tude [-tyūd] *son.* -lik [MULTITUDE].

†**Tudor** ['tyūdə(r)]. 'Tudor' krallarına ait.

Tues(day) ['tyūzdey]. Salı günü.

tuf·a/~**f** ['tyūfə, tʌf]. Sünger taşı; tüf.

tuft [tʌft]. Perçem; püskül; tutam; demet. ~**ed**, püsküllü, sorguçlu. ~**-hunter**, kibar kimselerin meclisine sokulan kimse; dalkavuk.

tug [tʌg] *i.* Anî ve kuvvetli çekiş; (*den.*) römorkör. *f.* Şiddetle çekmek; yedeğe almak. ~ **at stg.**, tekrar tekrar ve şiddetle çekmek: ~ **stg. along**, bir şeyi sürüklemek. ~**-boat**, römorkör. ~**-of-war**, halat çekme; (*mec.*) mücadele.

tuition [tyū'işn]. Tedris; öğretme. **private** ~, özel dersler.

tulip ['tyūlip]. Lâle. ~**-tree**, lâle ağacı.

tulle [tul, tyūl]. Tül.

tum [tʌm]. Kitara vb. sesi; (*çoc.*) = STOMACH.

tumble ['tʌmbl] *i.* Düşme; takla; karışıklık. *f.* Birdenbire düşmek; yıkılmak; döndürmek, karıştırmak. ~ **in(to bed)**, (*kon.*) kendini yatağa atıvermek: ~ **into one's clothes**, acele giyinmek: ~ **to stg.**, (*kon.*) çakmak, kavramak: **toss and** ~ **in bed**, yatakta sağa sola dönmek: ~ **about**, öteye beriye yuvarlanmak: ~ **down/over**, yere düşmek; yıkılmak; çökmek; düşürmek, yuvarlatmak: ~ **on(to) stg.**, bir şeye rast gelmek, tesadüfen bulmak: ~ **out**, dışarı düşmek; (*kon.*) yataktan kalkmak: **people** ~**d over each other to buy the papers**, gazeteler kapışıldı. ~**-down**, yıkık, harap, viran, köhne, kûhi. ~**r**, bardak; perendebaz; taklakçı güvercin; mandal; hacıyatmaz: ~**-drier**, çamaşır kurutucu makine.

tumbril ['tʌmbril]. Hareketli sandıklı boşaltma arabası; Fransız ihtilâlinde mahkûmları idam yerine götüren araba.

tum·efacient [tyūmi'fasiə̯nt]. Şiş(ir)en. ~**efaction** [-'fakşn], şiş; şiş(ir)me. ~**efy** [-mifay], şiş(ir)mek; kabar(t)mak. ~**escent** [-'mesənt], şişen, kabaran. ~**id** [-mid], şişmiş, kabarık; tumturaklı.

tummy ['tʌmi] (*çoc.*) = STOMACH.

tumo(u)r ['tyūmə(r)]. Şiş, kabarcık, ur, tümör.
tumult ['tyūmʌlt]. Gürültülü kargaşalık; patırdı; dağdağa. ~**uary**/~**uous** [tyu'mʌltyuəri, -yuəs], gürültülü; dağdağalı; telâşlı.
tumulus ['tyūmyūləs] (*ark.*) (H)öyük.
tun [tʌn]. 1145 litrelik şarap fıçısı.
tuna ['tyūnə]. Ton balığı(nın eti).
tunable ['tyūnəbl]. Akort edilir.
tundra ['tʌndrə] (*coğ.*) Tundra.
tune [tyūn] *i.* Nağme, hava; akort, ahenk. *f.* Akort etm.; (makine vb.ni) iyi bir hale getirmek. **in** ~, akortlu; uygun: **out of** ~, akortsuz; uymıyan: **change one's** ~, nağmeyi değiştirmek; alçaktan almak (*bazan* sertleşmek): **to the** ~ **of £100**, yüz lira fiyatına: ~ **in to a station**, (*rad.*) bir istasyonu bulmak: ~ **up**, (*oto.* vb.) ayarlıyarak mükemmel bir hale getirmek; (orkestra) akort etmek. ~**ful**, akortlu. ~**less**, nağmesiz; akortsuz. ~**r**, akortçu.
tungsten ['tʌngstən]. Tungsten, volfram. ~ **lamp**, tungsten lambası: ~ **steel**, volfram çeliği.
tunic ['tyūnik]. Bir nevi kısa entari; kadın ceketi; asker/polis ceketi; tünik. ~**ate** [-keyt] (*biy.*) gömlekli. ~**le**, (*biy.*) zarfçık.
tuning ['tyūnin(g)]. Akort etme. ~**-fork**, diyapazon.
Tunis ['tyūnis]. Tunus. ~**ian** [-'niziən] *i.* Tunuslu: *s.* Tunus+.
tunnel ['tʌnl]. Tünel (açmak); delme(k). ~**-vision**, yanlarını görememe hastalığı.
tunny ['tʌni]. Orkinos, ton balığı; palamut, altıparmak. **pickled** ~, lakerda.
tup [tʌp] *i.* Koç. *f.* Çiftleşmek; tos vurmak.
tuppen·ce/~**ny** ['tʌpəns, -ni] (*kon.*) = TWOPENCE.
Turania [tyu'rēyniə]. Turan. ~**n**, *i.* Turanlı; Turanca: *s.* Turan+, Turanî.
turban ['tēbən]. Sarık; sarık şeklinde kadın başlığı.
turbid ['tēbid]. Bulanık; çamurlu. ~**ity**, bulanıklık.
turb·inal ['tēbinl] (*biy.*) Türbinal; topaç/mahrut şeklinde. ~**ine** [-bayn], türbin: ~**-driven**, türbinli. ~**o-**, *ön.* türbo-; türbin+: ~**-electric**, türboelektrik: ~**-jet**, tepkili türbin, türbojet: ~**-prop**, pervaneli türbin: ~**-supercharger**, türbokompresör.
turbot ['tēbʌt]. Kalkan (balığı). **smooth** ~, çivisiz kalkan.
turbulen·ce ['tēbyuləns]. Kargaşalık; gürültü; ters akıntı; girdap; (*hav.*) türbülans: **clear air** ~, açık hava türbulansı. ~**t**, şamatacı; müfsit; serkeş; anaforlu (su); (*hav.*) dalgalı, türbulanslı.
Turco- ['tēkou-] *ön.* Türk+. ~**logist** [-'koləcist], Türkolog. ~**logy**, Türkoloji. ~**man** [-koumən], Türkmen. ~**phil(e)** [-fil, -fayl], Türk dostu. ~**phobe** [-foub], Türk düşmanı.
turd [tē(r)d]. Tersi; tezek; (*mec.*) rezil, alçak.
tureen [tyū'rīn]. Çorba kâsesi.
turf, *ç.* **turves** [tēf, tēvz] *i.* Çimen(lik); kesek. *f.* Çimen döşemek. **the** ~, at yarışlarına ait her şey: ~ **s.o. out**, (*arg.*) birini kapı dışarı etm., kovmak. ~**-accountant**, bahis defteri tutan adam.
turg·escent [tē'cesənt]. Şişkin: tumturaklı. ~**id** [-cid], şiş kabarmış; tumturaklı, mübalağalı: ~**ity** [-'ciditi], şişme. ~**or** [-gə(r)] (*bot.*) emilmiş sudan gelen katılık.
Turin [tyu'rin]. Torino.
Turk[1] [tēk] *i.* Türk. **Young** ~, (*tar.*) İttihatçı: **he's a young** ~, haşarı çocuktur: ~**'s head**, Türk cevizi denilen düğüm. ~[2]. *kıs.* = TURK·EY/-ISH. ~**estan** [-kis'tan], Türkistan. ~**ey**[1], Türkiye: ~**-carpet**, halı: ~ **red**, parlak kırmızı (kumaş): ~ **stone**, yağlı bileğitaşı.
turkey[2] ['tēki]. Hindi. *~ **buzzard/vulture**, hindi akbabası. ~ **cock**, babahindi.
Turkish ['tēkiş] *i.* Türkçe. *s.* Türk(iye)+. ~**-bath**, hamam. ~**-delight**, lokum, lâtilokum. ~**-pound**, Türk lirası. ~**-towel**, havlu.
turmeric ['tēmərik]. Zerdeçal.
turmoil ['tēmoyl]. Hengâme; gürültü; cûşühuruş; hercümerç; keşakeş.
turn[1] [tēn] *i.* Nöbet, sıra; dönme, devir; dönemeç, köşe; gidiş, hal; biçim; istidat, mahiyet, meyil; (*elek.*) sarım; (*hav.*) tur, dönüş: kısa bir gezinti; (*tiy.*) numara. ~ **and** ~ **about**, sıra ile, nöbetleşe: **by** ~**s**, nöbetle: **done to a** ~, (yemek) tam kara pişmiş: **at every** ~, her anda; her yerde: **the sight gave me quite a** ~, (*kon.*) bu manzara beni adamakıllı sarstı: **do s.o. a good/bad** ~, birine iyilik/fenalık yapmak: **one good** ~ **deserves another**, iyiliğin karşılığı iyiliktir: **a car with a good** ~ **of speed**, çok hızlı bir otomobil: **in** ~, nöbetle, sıra ile: **he is of/has a mechanical** ~, makineye istidadı var: **the boy has a serious** ~ **of mind**, bu çocuk ciddî hallidir: **the milk is on the** ~, süt bozulmağa başladı: **this will serve my** ~, bu benim işimi görür: **take** ~**s at doing stg.**, işi sıra ile/nöbetleşe yapmak: **the matter has taken a political** ~, mesele siyasî bir mahiyet aldı: **the matter has taken a serious** ~, iş sarpa sardı: **things are taking a** ~ **for the better**, işler düzelmeğe başladı/iyiliğe yüz tuttu: **the** ~ **of the tide**, (i) gelimle gidim arası; (ii) işin dönüm noktası.
turn[2] *f.* Dönmek; devretmek; ekşimek, bozulmak; sapmak; müracaat etm.; değişmek; kesilmek, olmak; çevirmek; döndürmek; ekşitmek, bozmak; (mideyi) bulandırmak; aklı çelmek; torna ile şekil vermek; (elbiseyi) tornistan etmek: **about** ~!, (*ask.*) geriye dön!: ~ **a blow**, bir darbeyi savuşturmak: **he can** ~ **his hand to anything**, eli her işe yatar: ~ **s.o.'s head**, başını döndürmek, başına vurmak: **he has** ~**ed fifty**, ellisini aştı: **the leaves are beginning to** ~, yapraklar sararmağa başladı: **it's** ~**ed six**, saat altıyı geçti: **not to know where to** ~, nereye baş vuracağını bilmemek. ~ **aside**, bir tarafa çevirmek; dön(dür)mek; sapıtmak. ~ **away**, başka tarafa dönmek; kovmak, defetmek; bir yana çevirmek. ~ **back**, geri dönmek; geri çevirmek; (yakasını) indirmek; (*bas.*) bir/iki harf önceki sıranın sonuna çevirmek. ~ **down**, indirmek; (lambayı) kısmak; reddetmek, kabul etmemek; aşağıya sapmak. ~ **in**, kıvırmak; (*kon.*) yatmak: **his toes** ~ **in**, ayakları içeri dönük. ~ **into/be** ~**ed into**, -e dönüşmek; kesilmek: ~ **into**, dönüştürmek: **don't** ~ **the matter into a joke!**, işi alaya dökmeyiniz! ~ **off**, sapmak; başka tarafa saptırmak; (havagazı vb.ni) kesmek; (musluğu) kapamak; (hizmetçi vb.ne) yol vermek; (*kon.*) hevesini kaybettirmek. ~ **on**, (havagazı vb.ni) açmak; (*kon.*) canlandırmak: ~ **on s.o.**, birine saldırmak: **everything** ~**s on his answer**, her şey onun cevabına bağlıdır: ~ **s.o. on to do stg.**, birini bir işe koymak. ~ **out**, çıkmak; olmak; neticelenmek; yataktan kalkmak; kapı dışarı etm.; tardetmek, yol vermek, kovmak; (havagazı vb.ni) kesmek; imal etm.; (çekmece vb.ni) boşaltmak, yoklamak; yataktan kaldırmak: **as it** ~**ed out**,

halbuki neticede . . .: **it has ~ed out as you said,** dediğin çıktı; **it ~s out that . . .,** anlaşıldı ki, meydana çıktı ki . . .: **his son ~ed out badly,** oğlu kötü çıktı: **the dog ~ed out to be mine,** meğer o köpek benim köpekmiş: **everyone ~ed out to see the King,** herkes çıkıp kralı görmeğe geldi: **his feet ~ out,** ayakları dışarıya doğru çevrik: **this factory ~s out all sorts of goods,** bu fabrika her türlü şey imal ediyor: **~ out the government,** hükümeti düşürmek: **~ out the guard,** nöbetçileri çağırmak: **~ a horse out (to grass),** atı otlağa çıkarmak. **~ over,** yattığı yerde bir taraftan bir tarafa dönmek; (araba vb.) yana devrilmek; (kayık) alabora olm.; devirmek; altüst etm.; çevirmek; havale etm.; evirip çevirmek; (*bas.*) bir/iki harf sonraki sıranın önüne çevirmek: **the shop ~s over £5,000 a week,** bu dükkânda haftada 5.000 sterlin döner. **~ round,** dönmek; devretmek; fikrini değiştirmek; tersine çevirmek; döndürmek; çevirmek; devrettirmek. **~ to,** işe girişmek; gayret etm.: **the rain ~ed to snow,** yağmur kara çevrildi. **~ up,** çıkıvermek; gelmek; peyda olm.: yukarı çevirmek; kürek ile (toprağı) çevirmek: **~ up a lamp,** lambayı açmak: **~ up the nose,** burun kıvırmak: **~ up the nose at stg.,** bir şeye burun kıvırmak: **~ up a word in the dictionary,** bir kelimeyi sözlükte aramak: **the stink ~ed me up,** (*kon.*) fena koku beni kusturdu.

turn-[3] *ön.* **~-and-bank,** (*hav.*) dönüş ve yatış. **~buckle** [-bʌkl], germe somunu, liftinuskuru. **~coat,** parti/mesleğinden dönen adam. **~cock,** taksim musluğunu açan kimse. **~-down,** (*mod.*) devrik. **~ed,** tornistan; torna ile işlenmiş; (*bas.*) tersine çevrilmiş (harf). **~er,** tornacı. **~ery,** tornacılık; torna işi. **~ing** ['tənin(g)] *s.* devvar; dönen: *i.* tornacılık; köşe, dirsek, dönemeç; (*sin.*) çekim: **~-circle,** (*oto.*) dönüş dairesi: **~-point,** dönüm noktası.

turnip ['tənip]. Şalgam.

turn·key ['tənkī]. Zindancı: **~ job,** (*mal.*) işletilmeye hazır olarak inşa edilen fabrika vb. **~-out,** içtima, toplantı; gösterişli araba ile atları; kılık kıyafet, görünüş. **~over,** devir, dönüş(üm); bir işte belirli bir sürede dönen para: **~ tax,** gider/işletme vergisi. **~pike** [-payk], geçmelik alınan yol parası; parayla geçilen yol. **~screw** [-skrū], tornavida. **~sole** [-soul], ayçiçeği gibi bitkiler. **~spit,** kebapçı. **~stile** [-stayl], turnike, çevirgeç. **~stone,** (*zoo.*) taş çeviren (kuş). **~-table,** (*dem.*) döner platform/levha. **~-up,** (*mod.*) kıvrık, paça; ucu kalkık (burun).

turpentine ['təpəntayn]. Terementi, neftyağı.

turpitude ['təpityūd]. Denaet, alçaklık, habaset.

turps [təps] (*kon.*) = TURPENTINE.

turquoise ['təkwāz]. Firuze, türku(v)az. **~ blue,** firuze rengi.

turret ['tʌrit]. Küçük kule; taret; (*den.*) döner kule. **~ed,** küçük kulelerle süslenmiş (bina).

turtle [tətl]. Su kaplumbağası. **turn ~,** (gemi, kayık vb.) devrilerek ters dönmek, alabora olm. **~-back,** kemerli güverte. **~-dove,** kumru, üveyik, yusufçuk. **~-neck,** (*mod.*) yüksek yaka(lı kazak vb.).

tush [tʌş] *ünl. Sabırsızlık nidası.* Sus!

tusk [tʌsk]. Fil/yaban domuzunun büyük dişlerinden her biri. **~er,** büyük dişleri iyi gelişmiş fil/yaban domuzu.

tussive ['tʌsiv]. Öksürüğe ait.

tussle ['tʌsl]. Güreşme(k); uğraşma(k).

tussock ['tʌsək]. Topak şeklinde yetişen uzun çimen. **~-moth,** tombul güve. **~y,** topak gibi.

tussore ['tʌsō(r)]. Kaba ve kuvvetli bir ipek, tüsor.

tut [tʌt] (*yan.*) *Sabırsızlık/serzeniş nidası*; çıkçık.

tutel·age ['tyūtilic]. Vasilik; vesayet altında bulunma. **~ary,** hami, koruyucu; vesayete ait.

tutor ['tyūtə(r)]. Özel öğretmen, mürebbi, vasi. **~ess,** kadın özel öğretmen, mürebbiye. **~ial** [-'tōriəl], mürebbi/vasiye ait; özel ders. **~ship,** mürebbilik.

tutu ['tūtū]. Bale dansözünün eteği.

tu-whitt/-whoo [tū'wit, -'wū] (*yan.*) Baykuş sesi.

***tuxedo** [tʌk'sīdou]. Smokin.

TV = TELEVISION. **~A** = TENNESSEE VALLEY AUTHORITY. **~O** = TRACTOR VAPORIZING OIL.

TWA = TRANS-WORLD AIRLINES.

twaddle ['twodl]. Laklakıyat (söylemek/yazmak).

twain [tweyn] (*şiir.*) İki. **cleave in ~,** (kılıçla) ikiye bölmek.

twang [twan(g)] (*yan.*) *i. Gerilmiş kirişin sesi*; hımhım. *f.* (Gerilmiş kiriş) ses vermek; gitara/banjo çalmak; genizden konuşmak.

'twas [twoz] (*mer.*) = IT WAS.

tweak [twīk]. Çimdikler gibi tutup çekmek; bükmek.

twee [twī] (*kon.*) Fazla nazlı/tuhaf.

tweed [twīd]. İskoç kumaşı, tüvit. **~s,** bu kumaştan yapılan elbise.

'tween [twīn] = BETWEEN. **~y,** (*kon.*) hizmetçi kız.

tweet [twīt] (*yan.*) *i.* Küçük kuşların cıvıltısı. *f.* Cıvıldamak. **~er,** (*rad.*) yüksek frekanslı işaretler için hoparlör.

tweezers ['twīzəz]. Cımbız, tutaç, pens, kıskaç.

twel·fth [twelfθ]. On ikinci; on ikide bir: **the ~,** GROUSE avının başlangıcı (12 Ağustos): **~ Night,** Noelden sonra on ikinci gece. **~ve,** on iki: **~month,** bir yıl.

twent·ieth ['twentiəθ]. Yirminci; yirmide bir. **~y** [-ti], yirmi.

'twere [twə(r)] (*mer.*) = IT WERE.

twerp [twəp] (*arg.*) Ahmak; nahoş bir kimse.

twi- [tway-] *ön.* İki, çift.

twice [tways]. İki kere. **think ~ before doing stg.,** bir şeyi yapmağa çekinmek: **he did not have to be asked ~,** o bu işe dünden hazırdı. **~r,** (*arg.*) dolandırıcı. **~-told,** herkesçe bilinmiş.

twiddle ['twidl]. Çevirip oynamak.

twig[1] [twig] *i.* İnce dal.

twig[2] *f.* (*kon.*) Kavramak, 'çakmak'.

twilight ['twaylayt]. Alaca karanlık, tan, seher; (*mec.*) birinin son günleri. **~ sleep,** doğum ağrılarını hafifletmek için enjeksiyonla sağlanan yarı baygınlık: **~ world/zone,** hiç belli olmıyan bir durum.

twill [twil]. Kabartma çubuklu bir kumaş, tuval.

'twill (*mer.*) = IT WILL.

twin [twin] *i., s.* İkiz; ikili; eşit; çift (olan). *f.* İkiz doğurmak; ikiz olarak doğmak; sıkışık olarak birleş(tir)mek. **~s,** ikizler: **(Heavenly) ~,** (*ast.*) İkizler: **Siamese ~,** yapışık olarak doğmuş Siyamlı ikizler. **~-beds,** iki tek kişilik yatak. **~-born,** ikiz doğmuş. **~-brother,** ikiz kardeş. **~-engine(d),** çift motor/makine(li).

twine [twayn] *i.* Kınnap, ıspavlı, kalın sicim; büküm, kıvrım. *f.* Bük(ül)mek; sar(ıl)mak: ~

itself, kıvrılmak, çöreklenmek. ~r, kıvrılan (bitki).

twinge [twinc] *i.* Süreksiz ince acı; sancı. *f.* Sancımak. **a ~ of conscience**, anî vicdan azabı.

twinkl·e ['twin(g)kl]. Parıltı; yıldız gibi titreye titreye parıldama(k). **in the ~ing of an eye**, kaşla göz arasında.

twin·ned [twind]. İkiz düzenli; sıkışık olarak birleşmiş/eşitlenmiş. **~ning**, iki ayrı memlekette bulunan şehirler arasında sıkı münasebetler kurulması; ikiz kristallerin oluşması. **~-screw**, çift pervane/uskurlu. **~-set**, (*mod.*) tüvinset.

twirl [twə̄l] *i.* Kıvrım; helezonvarî kıvrılmış şey; fırıldak gibi dönüş. *f.* Fırıldatmak, fırıldanmak: **~ one's moustache**, bıyığını burmak.

twist[1] [twist] *i.* Bur(ul)ma, burulmuş şey; büküm, bükme; yılankavî şekil; (top) = SPIN: **a criminal ~**, bir şahısta beklenmedik şekilde suç işlemeğe eğilim: **a mental ~**, (zihniyet ve düşünüşte) gariplik, acayiplik: **the road takes a ~**, yol sapıyor, kıvrılıyor: **with a ~ of the wrist**, bileğini hafifçe bükerek.

twist[2] *f.* Burmak, bükmek, burkmak; kıvırmak; sarmak; ters mana vermek; dolambaçlı olm. **'~ s.o. round one's little finger'**, birini parmağında oynatmak: **~ s.o.'s arm**, birinin kolunu bükmek; (kolunu bükerek) zora getirmek: **~ s.o.'s words**, sözlerine yanlış anlam vermek: **the road ~s and turns**, yol sağa sola kıvrılıyor: **~ a rope round a post**, bir ipi bir direğe sarmak: **~ off**, büküp koparmak. **~ed**, bükülmüş; burkulmuş; burmalı: **give a ~ meaning to stg.**, bir şeye ters anlam vermek. **~er**, cevabı zor bir soru/bilmece; (*arg.*) hilekâr. **~ing**, *i.* burma, bükme: *s.* yılankavî (şekilde). **~y**, yılankavî; (*mec.*) hilekâr.

twit[1] [twit] *f.* İğnelemek, sataşmak, takılmak. **~ s.o. with stg.**, bir şeyi birinin başına kakmak.

twit[2] *i.* (*kon.*) Ahmak, budala.

twitch[1] [twiç] *i.* Ayrıkotu.

twitch[2]. Burunduruk; yavaşa.

twitch[3] *i.* Seğirme; anî ve asabî hareket; tik. *f.* Seğirmek; oynatmak.

twite [twayt]. Sarı gagalı keten kuşu.

twitter ['twitə(r)] *i.* Cıvıltı. *f.* Cıvıldamak.

'twixt [twikst] = BETWIXT.

two [tū]. İki. **~ by ~/in ~s**, ikişer ikişer: **put ~ and ~ together**, olanı biteni (sözleri) birbirine eklemek. **~-chamber (system)**, (*id.*) çift kamaralı meclis sistemi. **~-edged**, iki ağızlı (kılıç vb.): **~ sword**, Acem kılıcı. **~-faced**, iki yüzlü, sahtekâr. **~fold**, iki katlı/misli. **~-handed**, iki elli; iki el ile tutulur; (iskambil) iki kişilik oyun. **~-headed**, çifte başlı. **~-legged**, iki ayaklı. **~pence** ['tʌpəns], iki peni(lik). **~penny** [-pəni], iki penilik: **~-halfpenny** [-'heypəni], iki buçuk penilik; (*mec.*) değersiz. **~-piece**, (*mod.*) iki parçalı (kostüm, mayo vb.). **~-ply**, iki kat (ip). **~-point**, iki noktalı. **~-seater**, (*oto., hav.*) iki kişilik. **~-sided**, iki taraflı; (*mec.*) iki yüzlü. **~some**, (*sp.*) iki kişilik oyun. **~-speed**, iki vitesli. **~-step**, bir çeşit dans. **~-stroke**, (*oto.*) iki zamanlı. **~-up**, (*Avus.*) bir kumar oyunu. **~-way**, iki kol/taraf/yol/yönlü: **~-door/-hinge**, çarpma kapı/menteşe.

'twould [twud] (*mer.*) = IT WOULD.

-ty [-ti] *son.* -lik [BEAUTY]; onlar [TWENTY].

Tyburn ['taybən] (*tar.*) Londra'da bir idam alanı. **~-tree**, idam sehpası.

tychism ['taykizm]. Âlemin şansla idare edildiği teorisi.

tycoon [tay'kūn] (*mal.*) Pek zengin/önemli bir kimse.

tying ['tayin(g)] *hal.o.* = TIE[2].

tyke [tayk]. Adi köpek; YORKSHIRE'li; *küçük çocuk.

tylopod ['tayləpod] (*zoo.*) Topuktabanlı.

tympan ['timpən] (*bas.*) Baskı plakı. **~ic** [-'panik], timpana ait. **~ist** [-'pənist], davul/zil vb.ni çalan kimse. **~itis** [-'naytis], timpan zarının iltihabı. **~um** [-pənəm], timpan, kulak zarı; kulak oyuğu; (*mim.*) alınlık tablası.

type [tayp] *i.* Örnek, numune; çeşit, tür; tip; (*bas.*) harf(ler). *f.* Makine ile yazmak, daktilo etm.; (*biy.*) sınıflandırmak. **set ~**, yazı dizmek: **true to ~**, tipe uygun, aslına çekmiş. **~-bar**, satır çubuğu; harf kolu. **~-cast**, *f.* (*tiy.*) (aktör) uygun bir rolü oynatmak: *s.* daima aynı rolü oynayan (aktör): **~ing**, (*bas.*) harf dökümü. **~-founder**, hurufatçı. **~-metal**, hurufat alaşımı. **~script**, makine ile yazılmış yazı. **~sett·er**, mürettip, dizmen; dizgi makinesi: **~ing**, dizgi, tertip. **~-size**, harf büyüklüğü. **~-specimen**, (*biy.*) anaörnek. **~writ·e** [-rayt], yazı makinesiyle yazmak: **~er**, yazı makinesi; daktilo: **~ten** [-ritn], makine ile yazılmış.

typhl(o)- [tifl(o)-] *ön.* Körlüğe ait.

typhoid ['tayfoyd]. Tifo. **~al**, tifoya ait.

typhoon [tay'fūn]. Tayfun.

typhus ['tayfəs]. Tifüs, lekeli humma.

typi·cal ['tipikl]. Tipe uygun, örneksel, tipik; timsalî: **that is ~ of him**, tam ondan beklenecek bir şey. **~fy** [-fay], tip/sembol/remzi olm.; temsil etm.

typ·ing ['taypin(g)]. Daktilografi; (*tiy.*) tipleme; (*tıp.*) kan tiplerinin tayini. **~ist**, daktilo.

typograph·er [tay'pogrəfə(r)]. Mürettip, dizmen; matbaacı. **~ical** [-pə'grafikl], matbaacılığa ait, tipografik: **~ error**, tertip hatası. **~y** [-'pogrəfi], matbaacılık, tipografya.

tyran·nical [ti'ranikl]. Müstebitçe; zalimane; gaddarane. **~nicide** [-sayd], müstebidi öldürme; müstebit katili. **~nize** ['tirənayz], müstebitçe davranmak; zulmetmek: **~ over**, müstebitçe muamele etm., kasıp kavurmak. **~ny** [-ni], müstebit idare; gaddarlık, zulüm; şiddetli nüfuz. **~t** ['tayrənt], müstebit hükümdar; zalim hükümdar; gaddar: **~-bird**, tiran(giller).

tyre[1] ['tayə(r)]. Tekerlek çemberi; otomobil/bisiklet lastiği: **cross-ply ~**, çapraz örgülü lastik: **pneumatic ~**, şişirme/dolma lastiği: **radial ~**, radyal lastik: **rubber ~**, lastik: **solid ~**, som lastik.

Tyr·e[2]. (Lübnan'da) Sur şehri. **~ian** ['tirian], Sur'a ait: **~ dye/purple**, koyu mor bir boya.

tyro ['tayərou]. Acemi.

tzar [zā(r)] *etc.* = CZAR vb.

Tzigane [tsi'gān]. Macar Çingenesi(ne ait); onların müziği.

U

U [yū]. U harfi.
U, u. = UNCLE; UNION; UNIT; UNITED; UNIVERS·AL/-ITY; (*kon.*) UPPER CLASS; (*kim.s.*) URANIUM. **~A·E/R** = UNITED ARAB EMIRATES/REPUBLIC. **~AM** = UNDERWATER-TO-AIR MISSILE.
ubi·ety [yū'bayəti] (*fel.*) Yer/mevki(de bulunma). **~quitous** [-'bikwitəs], her yerde bulunan. **~quity**, her yerde bulunma.
-uble [-yūbl] *son.* = -ABLE [DISSOLUBLE].
U-boat ['yūbout]. Alman denizaltısı.
u.c. (*bas.*) = UPPER CASE.
UC = UNIVERSITY COLLEGE. **~CA** = UNIVERSITIES CENTRAL COUNCIL ON ADMISSIONS. **~L** = UNIVERSITY COLLEGE, LONDON. ***~LA** = UNIVERSITY OF CALIFORNIA, LOS ANGELES.
UDC = UNIVERSAL DECIMAL CLASSIFICATION; URBAN DISTRICT COUNCIL.
udder ['ʌdə(r)] (*zoo.*) Meme. **-~ed**, *son.* memeli. **~less**, memesiz; annesiz (hayvancık).
UDI = UNILATERAL DECLARATION OF INDEPENDENCE.
udo·graph ['yūdougrāf]. Kaydedici yağmurölçer. **~meter** [-'domitə(r)], yağmur ölçeği. **~metry**, yağmur ölçmesi.
UFO/Ufo ['yūfou] = UNIDENTIFIED FLYING OBJECT.
ugh [uh, əh] (*ünl.*) Öf!
ugli ['ʌgli] (*bot.*) Turunçgillerin (altıntop ile mandalına) bir melezi.
ugl·ify ['ʌglifay]. Çirkinleştirmek; güzelliğini bozmak. **~ily**, çirkin bir şekilde. **~iness**, çirkinlik; biçimsizlik. **~y**, çirkin; biçimsiz; sakil; (*den.*) fırtınalı (hava); (*mec.*) huysuz, ters: **an ~ customer**, zorlu ve tehlikeli adam; netameli kimse: **things are looking ~**, ortalık tehlikeli görünüyor.
Ugri·an/~c ['yūgriən, -ik]. Macarca ve ona yakın dillerin grubuna ait; bu dillerden biri.
UHF = ULTRA HIGH FREQUENCY.
uhlan [ūlān]. Alman mızraklı süvari askeri.
Uigur ['wīgu(r)]. Uygur(ca).
uitlander ['eytlondə(r)]. *G. Afr.'da yabancı ve bilh. İngilizlere* BOER*'ler tarafından verilen isim.*
UK = UNITED KINGDOM. **~AEA** = UNITED KINGDOM ATOMIC ENERGY AUTHORITY.
ukase [yū'keys]. Rus çarlarının iradesi; ferman; ukaz; keyfî emir.
UK·IAS = UNITED KINGDOM IMMIGRANT ADVISORY SERVICE. **~LF** = UNITED KINGDOM LAND FORCES.
Ukrain·e [yū'krēyn]. Ukrayna. **~ian**, Ukraynalı.
ukulele [yūkə'leyli]. Ukulele; Havayi kitarası.
-ular [-yūlə(r)] *son.* ... şeklinde [TUBULAR]. **-~ity**, ... şeklinde olma [ANGULARITY].
ulcer ['ʌlsə(r)]. Ülser, cerahatli yara; çıban; karha; (*mec.*) törel çürüklük. **~ate** [-reyt], cerahatlen(dir)mek, ülserleş(tir)mek; çıban çıkarmak. **~ation** [-'reyşn], ülserleşme. **~ous** [-sərəs], ülser/çıban gibi; ülserli.
-ule [-yūl] *son.* -cik [GLOBULE].
ulema ['ūlimə]. Ulema.
-ulen·ce [-yuləns] *son.* -lik; bolluk [FRAUDULENCE]. **-~t**, *son.* -li, ... olan [TURBULENT].
uliginose [yū'licinous] (*bot.*) Çamurlu (yerde büyüyen).
ullage ['ʌlic] (*mal.*) (Fıçı/çuvalda) boş kısım; fire.
ulmaceous [ʌl'meysiəs]. Karaağaçgillere ait.
ulna, *ç.* **~e** ['ʌlnə, -nī]. Dirsek kemiği. **~r**, bu kemiğe ait.
ulotrichous [yū'lotrikəs]. Yün gibi / kıvırcık saçlı (ırk).
Ulster ['ʌlstə(r)]. İrl.'nın bir ili; K. İrlanda; (*mod.*) uzun ve bol kemerli palto.
ult. = ULTIMO; ult.
ulterior [ʌl'tiəriə(r)]. Ötede olan; daha uzak; sonraki; gizli. **~ motive**, gizli amaç: **without ~ motive**, ivazsız, gizli bir amacı olmıyarak.
ultima[1] ['ʌltimə] (*dil.*) Kelimenin son hecesi.
Ultima[2]. **~ Thule** ['θūli], Bilinmiyen en uzak yeri; en son varılacak nokta.
ultim·ate ['ʌltimit]. Son; en sonraki; nihaî; azamî; asıl. **~atum** [-'meytʌm], ültimatom. **~o**, (*Lat.*) geçen ay, ultimo.
ultra[1] ['ʌltrə] *s., i.* Aşırı; son derece; müfrit: **~ vires** ['vayrīz] (*Lat.*) yetki dışında.
ultra-[2] *ön.* Öbür tarafta; ifrat/aşırı derecede; üstün(de); ültra-; ... ötesi; çok, en. **~-centrifuge**, yüksek vitesli santrifüj. **~-conservative**, son derecede muhafazakâr. **~-fashionable**, en son modaya uygun; aşırı moda düşkünü. **~-high frequency**, aşırı yüksek frekans(lı). **~ism**, ifrat prensipleri taraftarlığı. **~ist**, müfrit. **~marine**[1], deniz ötesine ait. **~marine**[2], lâcivert. **~microscop·e**, ültramikroskop: **~ic**, mikroskopla görülmiyecek kadar küçük. **~-modern**, ültramodern, çağüstü. **~montane** [-'monteyn], Alp dağları güneyinde bulunan; İtalyan; (*din.*) Papanın saltçılığına taraftar. **~-rapid**, üstün hız(lı). **~-red**, kızılötesi; (*id.*) aşırı solcu. **~-short wave**, aşırı kısa dalga(lı). **~sonic**, sesüstü: **~s**, sesüstübilim. **~-violet**, morötesi, ültraviyole.
ululat·e ['yūlyūleyt] (*yan.*) Baykuş gibi ötmek; ulumak. **~ion** [-'leyşn], uluma.
umbel ['ʌmbl]. Çiçek şemsiyesi; sayvan. **~liferous** [-'lifərəs], maydanoz gibi şemsiyeli(giller).
umber ['ʌmbə(r)]. Ombra boyası; koyu kahverengi.
umbili·cal [ʌm'bilikl]. Göbeğe ait: **~ cord**, göbek bağı; (*hav.*) astronotu gemisine bağlıyan halat. **~cate/~form**, göbek şeklinde. **~cus**, göbek.
umbo ['ʌmbou]. Kalkan ortasındaki yumru; (*biy.*) kabartma.
umbra ['ʌmbrə]. Husufla küsufta ayın/arzın gölgesi.
umbrage ['ʌmbric]. Küskünlük. **take ~ at stg.**, bir şeyden alınmak. **~ous**[1] [-'breycəs], alıngan, şüpheli.

umbra·geous[2]. Gölgelik; gölgeli. ~**l** [-brəl] (*ast.*) tam gölgeye ait.
umbrella [ʌm'brelə] *i.* Kış şemsiyesi; (*biy.*) şemsiye. *s.* (*id.*) Genel, şümullü, kapsar; (*biy.*) şemsiye şeklinde. ~**-stand**, şemsiyelik.
umlaut ['umlaut] (*dil.*) Ünlü harf üzerine konan çift nokta (ö, ü); bu işaretle gösterilen ses değişikliği.
umpire ['ʌmpayə(r)] *i.* (*sp.*) Hakem; (*huk.*) (üçüncü) yargıç/hakem. *f.* Hakem olm.
umpteen [ʌmp'tīn] (*arg.*) Birçok: **I've ~ things to do**, o kadar çok işim var: **for the ~th time**, sayısız defa/kırk kere olarak.
'un [ʌn] (*kon.*) = ONE; hikâye; herif.
un- [ʌn-] *ön. Olumsuzluk ifade eden önek; mes.* TRUE, gerçek: UNTRUE, *yalan. Bu ek hemen her sıfatın başına eklenerek kelimenin ters anlamını taşıdığından sözlükte yalnız çok kullanılan kelimelerle* **un-** *ekinin olumsuzluktan başka bir anlam taşıdığı kelimeler alınmıştır.* **Un-** *ile başlayıp sözlükte bulunmıyan kelimeler için asıl sıfata bakınız.*
UN(A) [yū'en, 'yūnə] = UNITED NATIONS (ASSOCIATION).
un·abashed [ʌnə'başt]. İstifini bozmadan; fütursuz. ~**abated** [-'beytid], azalmamış; hafiflenmemiş. ~**abbreviated** [-'brīvieytid]/~**abridged** [-'bricd], ihtisar edilmemiş; tam uzunluğunda.
unable [ʌn'əybl]. Elinden gelmez; iktidarsız. **be ~ to do**, yapamamak: **we were ~ to go**, gidemedik.
un·accent(uat)ed [ʌnak'sen(tyūey)tid]. Vurgu/aksansız; vurgulanmamış. ~**acceptable** [-'septibl], kabul olunamaz. ~**accompanied**, refakatsiz; yalnız. ~**accountable**, anlaşılamaz; garip; anlatılamaz. ~**accounted**, anlatılmamış; hesaba katılmamış. ~**accustomed**, hiç alış(tırıl)mamış; mutat olmıyan. ~**acknowledged** [-'nolicd], kabul edilmemiş; karşılanmamış; cevap verilmemiş; itiraf edilmemiş. ~**acquainted** [-'kweyntid], **be ~ with**, bilmemek; tanımamak. ~**actable** [-'aktəbl] (*tiy.*) temsil edilemez.
un·adaptable [ʌnə'daptəbl]. Uydurulamaz. ~**addicted**, düşkün olmıyan. ~**addressed** [-'drest], adressiz. ~**adopted**, evlât edinmemiş (çocuk): ~ **road**, belediyece tamir edilmiyecek hususî yol. ~**adorned** [-'dōnd], süssüz; sade. ~**adulterated** [-'dʌltəreytid], halis muhlis; su katılmadık, saf: ~ **nonsense**, deli saçması. ~**adventurous** [-'vençərəs], macera aramıyan; atılgan olmıyan; macerasız. ~**advisable** [-'vayzəbl], tavsiye edilmez. ~**advised**, boşboğaz; düşüncesiz; tavsiye edilmemiş.
un·affected [ʌnə'fektid]. Müteessir olmıyan; dokunulmaz; tabiî, sade, sadık. ~**affiliated**, bağlanmamış.
un·aided [ʌn'eydid]. Yardımsız; tek başına: **see with the ~ eye**, dürbün/mikroskop kullanmadan. ~**aired** [-'eəd], havalan(dırıl)mamış; nemli; (*mec.*) ortaya dökülmemiş.
un·allied [ʌnə'layd]. İlişki/münasebetsiz; müttefik olmıyan. ~**alloyed** [-'loyd], mağşuş/karışık olmıyan, safi: ~ **happiness**, tam saadet/mutluluk. ~**alterable** [-'ōltərəbl], değiş(tiril)emez; katî, kesin.
un·ambiguous [ʌnam'bigyuəs]. Müphem olmıyan; şüphesiz; kesin. ~**ambitious** [-'bişəs], müteşebbis olmıyan; mütevazı; ihtirası olmıyan. ~**amended** [-'mendid], tadil olunmamış; olduğu gibi.
un-American [ʌnə'merikən]. Amerikalı olmıyan; Amerika'ya ait olmıyan; Amerikalıların görenek/prensiplerine uygun olmıyan.
unanchor [ʌn'an(g)kə(r)]. Demiri vira etm.
unanim·ity [yūnə'nimiti]. Oy/söz birliği; fikir ittifakı. ~**ous** [-'nanimәs], aynı düşüncede, müttefik; müttehit: ~**ly**, oy birliğiyle.
un·announced [ʌnə'naunst]. Haber vermeden (gelen vb.). ~**answerable** [-'ansərəbl], cevap verilemez; cerh edilemez.
un·appealable [ʌnə'pīləbl] (*huk.*) Temyiz edilmez. ~**appeasable** [-'pīzəbl], teskin edilmez; yatıştırılmaz. ~**appetizing** [-'apitayzin(g)], iştah kapayan. ~**approachable**, yanaşılmaz. ~**appropriated** [-'proupriеytid], tahsis edilmemiş.
unapt [ʌn'apt]. Uygun olmıyan; beklenmez.
un·arm [ʌn'ām]. Silâhları kaldırmak: ~**ed**, silâhsız. ~**arranged** [-ə'reycnd], tasnif edilmemiş; tesadüfî.
unasked [ʌn'āskt]. İstenmemiş; sorulmamış; davetsiz. **do stg. ~**, istenilmeden/kendiliğinden yapmak.
un·assailable [ʌnə'seyləbl]. Hücum edilemez; itiraz edilemez; münakaşa götürmez. ~**assuming** [-'syūmin(g)], mütevazı, alçakgönüllü, iddiasız. ~**assured** [-'şōd], kendine güvenmiyen; sigortasız, sigorta etmemiş.
un·attached [ʌnə'taçt]. Bağlı olmıyan; başlı başına; evli olmıyan. ~**attainable**, erişilmez; ele geçirilmez. ~**attended**, yalnız, refakatsiz; maiyeti olmıyan: **a sport not ~ by danger**, tehlikesiz olmıyan bir spor. ~**attested**, tasdik edilmemiş. ~**attractive**, cazibeli/güzel olmıyan.
unauth·enticated [ʌnō'θentikeytid]. Tevsik edilmemiş. ~**orized** [-'ōθərayzd], izinsiz.
unavail·able [ʌnə'veyləbl]. Elde edilmez; muteber olmıyan. ~**ing**, nafile, faydasız; semeresiz.
unavoidabl·e [ʌnə'voydəbl]. İçtinap edilemez, kaçınılmaz; çaresiz; önüne geçilmez. ~**y absent**, elinde olmıyan sebeplerden dolayı hazır bulunmıyan.
unaware [ʌnə'weə(r)]. Habersiz. **be ~ of stg.**, bir şeyden haberi olmamak: **I am not ~ that . . .**, . . . bilmez değilim. ~**s**, bilmiyerek: **catch ~**, gafil avlamak.
un·backed [ʌn'bakt]. Arkasız; alıştırılmamış (at); taraftarsız; bahse girilmemiş. ~**baked** [-'beykt], pişirilmemiş; ham; acemi. ~**balance** [-'baləns], dengesini bozmak: ~**d** [-st], dengesiz. ~**bar**, sürgüsünü açmak. ~**barbered**, tıraş olmamış. ~**bathed** [-'beyðd], yıkanmamış; ıslatılmamış. ~**bearable** [-'beərəbl], tahammül edilmez, çekilmez, dayanılmaz. ~**bearded** [-'biədid], sakalsız; (*bot.*) başaksız. ~**beaten** [-'bītn], yenilmez: ~ **path**, çiğnenmemiş patika.
unbe·coming [ʌnbi'kʌmin(g)]. Uymaz, yakışmaz; açık saçık. ~**friended**, dostsuz, kimsesiz. ~**known** [-'noun], tanınmıyan; meçhul: **do stg. ~ to anyone**, bir şeyi kimsenin haberi olmadan yapmak.
unbegotten [ʌnbi'gotn]. Henüz doğmamış.
unbelie·f [ʌnbi'līf]. İmansızlık; inanmazlık. ~**vable** [-'līvəbl], inanılmaz, akla sığmaz. ~**ver**, dinsiz, imansız.
un·belt [ʌn'belt]. Kuşak/kemeri çıkarmak. ~**bend**, doğrultmak; çözmek; gevşetmek; açılmak; ciddiyetini biraz bırakmak: ~**ing**, eğilmez; sabit; sert; ciddî, çok resmî.
un·bias(s)ed [ʌn'bayəst]. Tarafsız, garazsız. ~**biblical**, Mukaddes Kitapta bulunmıyan; onun prensiplerine uygun olmıyan. ~**bidden**, davetsiz; emir

almadan; kendi başına. ~**bind** [-'baynd], çözmek; salıvermek.

un·bleached [ʌn'blīçt]. Ağartılmamış; doğal renkle. ~**blemished** [-şt], lekesiz. ~**blended**, harman edilmemiş; saf. ~**blessed** [-'blest], takdis edilmemiş; melun. ~**block**, yol açmak, engel kaldırmak; (*mal.*) debloke etm.: ~**ing**, deblokaj. ~**blooded** [-'blʌdid], cins olmıyan at. ~**blushing** [-'blʌşin(g)], yüsüz, utanmaz, arsız.

un·bolt [ʌn'boult]. Sürgüsünü açmak. ~**born** [-'bōn], henüz doğmamış: **generations yet** ~, gelecek nesiller. ~**bosom** [-'buzəm], ~ **oneself**, kalbini açmak; derdini dökmek. ~**bound** [-'baund], çözülmüş; ciltlenmemiş: ~**ed**, sınırsız; ölçüsüz; aşırı. ~**bowed** [-'baud], eğilmemiş; baş eğmemiş.

unbridle [ʌn'braydl]. (At) gemini çıkarmak. ~**d**, dizginsiz; azgın; müfrit.

unbroken [ʌn'broukn]. Daha kırılmamış; aralıksız; terbiye görmemiş (at); zaptedilmemiş; işlenmemiş (arazi). **an** ~ **custom**, ötedenberi devam eden âdet: ~ **horse**, hergele: **his record for 100 metres is still** ~, onun 100 metredeki rekoru henüz kırılmamıştır: **he has an** ~ **record of service**, o aralıksız hizmet görmüştür.

un·buckle [ʌn'bʌkl]. Çözmek, tokasını açmak. ~**build** [-'bild], yıkmak. ~**built**, inşa edilmemiş. ~**burden** [-'bədn], yükten kurtarmak: ~ **oneself/one's heart**, dert yanmak, içini dökmek: ~ **oneself of a secret**, bir sır ifşa ederek ferahlamak. ~**burn·ed**/~**t** [-'bənd, -t], yanmamış, yakılmamış: ~ **brick**, kerpiç. ~**button** [-'bʌtn], düğmelerini çözmek.

un·called [ʌn'kōld]. ~ **capital**, ödenmesi henüz istenmemiş sermaye: ~ **for**, yersiz, lüzumsuz; haksız. ~**canny**, esrarengiz; acayip; tekin değil. ~**cap**, şapkasını çıkarmak; kapağını açmak. ~**cared-for**, bakımsız.

un·ceasing [ʌn'sīsin(g)]. Durmıyan, aralıksız, mütemadi. ~**ceremonious** [-'serimouniəs], teklifsiz; lâubali. ~**certain** [-'sətin], gayri muayyen; kesin olmıyan; kararsız; şüpheli; belli olmıyan: **be** ~ **whether** ..., ... kesin olarak bilmemek: ~**ly**, kararsızca: ~**ty**, kararsızlık, tereddüt, şüphe.

UN·C/F = (*müh.*) UNIFIED COARSE/FINE. ~**CF** = UNITED NATIONS CHILDREN'S FUND.

un·chain [ʌn'çeyn]. Zincirini çözmek; salıvermek. ~**challenged** [-'çalincd], **his superiority is** ~, üstünlüğü su götürmez, itiraz kabul etmez: **let s.o. pass** ~, (nöbetçi vb.) kimlik sormadan geçmesine izin vermek: **let stg. pass** ~, bir şeyi sükûtla karşılamak; bir şeye göz yummak.

unchang·eable [ʌn'çeyncəbl]. Değişemez. ~**ed**, değişmemiş, eskisi gibi. ~**ing**, değişmez.

un·charged [ʌn'çācd]. Yüksüz; dol(durul)mamış; şarjsız. ~**charitable** [-'çaritəbl], merhametsiz; pahıl; kusurbulucu. ~**charted** [-'çātid], haritası yapılmamış; haritada gösterilmemiş; meçhul. ~**checked** [-'çekt], durdurulmamış; yasaklanmamış; serbest; kontrol edilmemiş. ~**christian** [-'kristiən], Hıristiyan olmıyan; Hıristiyan prensiplerine uygun olmıyan.

uncial ['ʌnsiəl] (*bas.*) Büyük majüskül; bu harflerle yazılmış bir yazma.

uncin·al/~**ate** ['ʌnsinəl, -neyt]. Çengel şeklinde; çengelli.

uncivil [ʌn'sivil]. Nezaketsiz. ~**ized** [-layzd], medenîleşmemiş, uygar olmıyan; barbarca.

un·clad [ʌn'klad]. Çıplak; elbisesiz. ~**claimed** [-'kleymd], sahibi çıkmamış; istenmemiş (eşya). ~**clasp** [-'klāsp], koyuvermek, çözmek, serbest bırakmak. ~**class·ed** [-'klāst], tasnif edilmemiş; bir müsabakanın ilk üç derecesinde yer almamış: ~**ified** [-sifayd], tasnif edilmemiş; (*id.*) gizli olmıyan.

uncle ['ʌn(g)kl]. **maternal** ~, dayı: **paternal** ~, amca: (*arg.*) rehinci: ~ **Sam**, ABD'nin somut ismi: * ~ **Tom**, (*köt.*) beyazlara hizmet eden bir zenci.

un·clean [ʌn'klīn]. Pis, murdar, kirli, napak. ~**clerical**, rahiplere ait/uygun olmıyan; layik. ~**cloak**, meydana çıkarmak. ~**clothe** [-'klouð], elbiselerini çıkarmak: ~**d**, çıplak. ~**clouded** [-'klaudid], bulutsuz; berrak.

unco' ['ʌnkou] (*İsk.*) *s.* Garip; fevkalade. *zf.* Çok; aşırı.

un·cocked [ʌn'kokt]. Tetiği boş bırakılmış; emniyette (tüfek). ~**coil** [-'koyl], kangalı açmak, sargıyı çözmek. ~**coined** [-'koynd], basılmamış (külçe). ~**coloured** [-'kʌləd], renksiz; doğal renkli; (*mec.*) mübalağasız, basit. ~**combed** [-'koumd], taranmamış; hırpani. ~**-come-at-able**, (*kon.*) yanaşılmaz. ~**comely** [-'kʌmli], güzel olmıyan; çirkin.

un·comfortable [ʌn'kʌmfətəbl]. Rahatsız; huzursuz: **be** ~ **about stg.**, bir şey hakkında endişe duymak; biraz vicdan azabı duymak. ~**committed** [-kə'mitid], etkilenmemiş; tarafsız. ~**common** [-'komən], nadir; az bulunan/kullanılan: ~**ly**, fevkalade: **not** ~, nadiren değil, çok defa. ~**communicative** [-kə'myūnikətiv], az konuşur; ketum; çekingen.

un·compensated [ʌn'kompenseytid]. Dengesiz. ~**complaining** [-kəm'pleynin(g)], şikâyet etmez; sabırlı; mütevekkil. ~**complimentary** [-'mentəri], pek takdir edici olmıyan; yermeli. ~**compromising** [-'komprəmayzin(g)], uzlaşmaz; anlaşmıya yanaşmaz; eğilmez; muannit; kesin.

unconcern [ʌnkən'sən]. Fütursuzluk; kayıtsızlık. ~**ed**, fütursuz, kayıtsız; vazifesiz; istifini bozmıyan.

uncondition·al [ʌnkən'dişnl]. Koşulsuz, şartsız; mutlak. ~**ed**, koşulsuz; insiyakî, içgüdülü.

un·confirmed [ʌnkən'fəmd]. Tasdik edilmemiş; teyit edilmemiş, doğrulanmamış. ~**conformity** [-'fōmiti], uyumsuzluk.

uncon·scionable [ʌn'konşənəbl]. Vicdansız; makul olmıyan; insafsız: **an** ~ **rogue**, yaman bir madrabaz. ~**scious** [-'konşəs], kendinden geçmiş; baygın bir halde; habersiz, oralı olmıyan; şuursuz, bilinçsiz.

un·considered [ʌnkən'sidəd]. Değersiz, önemsiz; düşüncesizce söylenmiş/yapılmış. ~**constitutional** [-konsti'tyūşənl]. anayasaya aykırı. ~**constrained** [-'streynd], serbest; açık; teklifsiz.

un·contaminated [ʌnkən'tamineytid]. Bulaştırılmamış; kirletilmemiş; saf. ~**contested**, (seçmede) tek aday olan. ~**controll·able** [-'trouləbl], tutulamaz, zaptedilemez; ele avuca sığmaz: ~**ed**, kontrolsuz; baskısız; dizginsiz; murakebesiz.

un·conventional [ʌnkən'venşənl]. Mutat hilâfına; kalender; teklifsiz. ~**convinc·ed** [-'vinst], kani olmıyan, şüpheli: ~**ing**, ikna etmiyen.

un·couple [ʌn'kʌpl]. (Birbirine bağlanmış iki şeyi) çözmek, koyuvermek. ~**couth** [-'kūθ], hoyrat, kaba, dağlı; çirkin; görgüsüz, yol bilmez. ~**covenanted**, ahde girmemiş.

uncover [ʌn'kʌvə(r)]. Örtüsünü kaldırmak; meydana çıkarmak; şapka çıkarmak. ~**ed**, örtüsüz, açık; sigortasız: **remain** ~, şapkasını elinde tutmak.

uncritical [ʌn'kritikl]. Eleştirici/tenkitçi olmıyan; eleştirme prensiplerine uygun olmıyan; tehlikesiz; (*kim.*) kritik olmıyan.

uncross [ʌn'kros]. Doğrultmak; (*mal.*) çekin çizgilerini iptal etm. ~**ed** [-st], çapraz halinde olmıyan; çizgisiz (çek).

uncrown [ʌn'kraun]. Taçtan mahrum etm.; tahttan indirmek. ~**ed**, henüz taç giymemiş; kral olmadığı halde kral kadar kudretli.

UNCTAD = UNITED NATIONS CONFERENCE ON TRADE AND DEVELOPMENT.

unct·ion ['ʌn(g)kşn]. Tedavi/takdis için yağ sürme: **extreme** ~, Katolik ayinine göre ölmekte olan birisine kutsal yağ sürme. ~**uous** [-tyuəs], nahoş bir şekilde fazla nazik ve samimiyetsiz.

un·cultivated [ʌn'kʌltiveytid] (*zir.*) İşlenmemiş; kullanılmamış (hüner/sanat); barbarca. ~**cultured** [-çə̄d], tahsil görmemiş; barbarca. ~**cured** ['kyūə̄d], ham (et/madde). ~**curl** [-'kə̄l], kangalını çözmek/açmak. ~**cut** [-'kʌt], kesilmemiş; kesip düzeltilmemiş (kitap); kısaltılmamış (filim/kitap); ham (elmas).

un·damaged [ʌn'damicd]. Hasar görmemiş. ~**damped**, sönümsüz. ~**date** = ~DULATED. ~**daunted** [-'dōntid], yılmaz, cesur. ~**decagon** [-'dekəgən], on bir açılı/kenarlı bir şekil.

undeceive [ʌndi'sīv]. Aldanmış bir kimsenin gözünü açmak: ~ **oneself**, gafletten uyanmak. ~**d**, (i) aldanmamış; (ii) aldanmış olduğunu anlıyan.

un·decided [ʌndi'saydid]. Mütereddit, kararsız; karar verilmemiş, mukarrer olmıyan; askıda olan. ~**decked** [-'dekt], (i) süssüz; (ii) güvertesiz. ~**declared** [-di'kleəd], beyan/ilân etmemiş. ~**defended**, müdafaasız; müdafi/avukatsız. ~**defin·able** [-di'faynəbl], tarifi zor; tarif edilemez: ~**ed**, belirtilmemiş, belli olmıyan; müphem.

un·delivered [ʌndi'livə̄d]. Kurtarılmamış; teslim edilmemiş (mektup); söylenmemiş (nutuk). ~**demonstrative** [-'monstrətiv], hislerini saklıyan; sakin, temkinli. ~**deniable** [-'nayəbl], inkâr olunamaz; su götürmez. ~**denominational** [-nomi'neyşnl], tek bir dinî zümreye ait olmıyan.

under ['ʌndə(r)]. Altında; -da; aşağı; mucibince. ~ **the table**, masanın altında: **be** ~ **discussion**, müzakere edilmekte olm.: ~ **one's eyes**, gözünün önünde: ~ **Queen Elizabeth**, Kraliçe Elizabeth'in saltanatı zamanında: ~ **repair**, tamirde: ~ **separate cover**, ayrı bir zarf içinde: **study** ~ **s.o.**, -den tahsil etm.: ~ **the terms of the treaty**, antlaşma şartları gereğince.

under- *ön. Bu ek çoğunlukla bitişik yazılır. Kelime başına gelerek*: altın(d)a, daha aşağıda, daha küçük, daha az, gereğinden daha az, normal/haddinden daha az, kâfi olmıyan *anlamlarını kapsar; mes.*: ~**fed**, kâfi gıda almıyan: ~**ground**, yeraltı: ~**sized**, normalden küçük. **Under-** *ile başlayıp sözlükte bulunmıyan kelimeler için asıl kelimeye bakınız.*

under·act [ʌndər'akt] (*tiy.*) Bir rolü cansızca oynamak. ~**-age** [-'eyc], belirli bir yaştan daha genç; küçük, fazla genç. ~**arm**, (*sp.*) topu aşağıdan atarak. ~**applied** [-ə'playd], düşük tatbik edilmiş.

under·belly [ʌndə'beli]. (Hayvan/uçak vb.) hücuma açık alt yüzeyi. ~**bid**, eksiltmek: ~**der**, daha/en aşağı fiyat teklif eden kimse. ~**body**, (*oto.*) alt kısım. ~**bred**, görgüsüz, kaba; terbiyesiz. ~**brush** [-'brʌş], ağaçların altındaki çalılık. ~**buy** [-'bay], bir şeyi gerçek değer/fiyatından daha az bir fiyatta satın almak.

under·carriage [ʌndə'karic] (*oto.*) Alt kısım, şasi; (*hav.*) (burun/esas/kuyruk) iniş tekerleği: **retractable** ~, içeriye çekilir iniş tekerleği. ~**-cart**, (*kon.*) = ~CARRIAGE.

under·charge [ʌndə'çāc] (*mal.*) Noksan fiyat istemek; az değer biçmek; (akü/top) noksan doldurmak. ~**-clerk**, küçük memur. ~**cliff**, yar altında olan kayalık. ~**cloth·ed** [-'klouðd], kâfi giyinmemiş: ~**es**/~**ing**, iç çamaşırı. ~**coat** [-'kout], astar boya; iç ceket. ~**-cover**, dam vb. altında; (*mec.*) gizli. ~**croft**, (*mim.*) mahzenmezar. ~**current** [-'kʌrənt], su yüzeyinin altından akan akıntı; dışardan görünmiyen fakat gerçekte var olan his vb. ~**cut** [-kʌt] *i.* sığır filetosu; (*sp.*) aşağıdan yukarıya vuruş; (*yer.*) dip oyulması: [-'kʌt] *f.* alt kısmını kesmek/oymak; birisinden daha ucuza satmak.

underdevelop [ʌndədi'veləp] (*sin.*) Az/noksan olarak yıkamak; (*id.*) az geliştirmek. ~**ed**, az yıkanmış; geri kalmış, az geliş(tiril)miş.

under·do (*g.z.* ~**did**, *g.z.o.* ~**done**) [ʌndə'dū, -'did, -'dʌn]. Az pişirmek; baştansavma yapmak. ~**dog**, baskı altında kimse/millet; mazlum. ~**done** [-'dʌn] *s.* az piş(iril)miş; kanlı (et). ~**dose** [-'dous]. gereğinden daha az bir doz (vermek). ~**dress**, gereğinden daha az giyinmek.

under·employed [ʌndərim'ployd]. Kâfi iş verilmemiş (işçi). ~**estimate** [-'restimət], düşük değer biçmek; az tahmin etm.; küçümsemek. ~**expose** [-eks'pouz] (*sin.*) eksik olarak ışıklamak.

under·feed (*g.z.(o.)* ~**fed**) [ʌndə'fīd, -'fed]. Kâfi yemek vermemek. ~**fed**, *s.* kâfi gıda almıyan; bakımsız. ~**felt**, halı astarı. ~**fill**, (*müh.*) alt oyuk. ~**fired** [-'fayəd], (çömlek) az pişirilmiş; (fırın vb.) alttan ateşlemeli. ~**floor** [-'flō(r)], döşeme altında(ki ısıtma sistemi). ~**flow** [-'flou] = ~CURRENT. ~**foot** [-'fut], ayak altında.

under·garment [ʌndə'gāmənt]. İç çamaşırı parçası. ~**gird**, alttan kuşaklamak; (*mec.*) kuvvetlendirmek, desteklemek. ~**glaze** [-'gleyz], alt sırlama.

under·go (*g.z.* ~**went**, *g.z.o.* ~**gone**) [ʌndə'gou, -'went, -'gon]. Çekmek, katlanmak; geçmek; duçar olm.; uğramak: ~ **an operation**, ameliyat olm.

undergrad(uate) [ʌndə'grad(yuit)]. Üniversite öğrencisi.

underground ['ʌndəgraund] *s.* Yer-/toprakaltı; gizli. **the** ~, (*dem.*) metro, tünel, yeraltı demiryolu; (*id.*) gizli muhalefet, rezistans: **go** ~, (*mec.*) polis

vb.den gizlenmek: ~ **press**, denemeli/teklifsiz basın; rezistans/yeraltı basını.
undergrow·n [ʌndə'groun]. Cılız, sıska; yaşına göre küçük. ~**th** [-grouθ], ormanda büyük ağaclar altında yetişen çalılar vb.
underhand ['ʌndəhand]. El altından, gizli; alçak; (oyunlarda) topa aşağıdan vurarak/topu aşağıdan atarak. ~**ed** [-'handid], gizli; hileli; işçisi az: ~**ly**, gizlice.
underhung ['ʌndəhʌn(g)]. Alt çenesi çıkık.
under·laid [ʌndə'leyd] *g.z.(o.)* = ~LAY[1]. ~**lain** [-'leyn] *g.z.o.* = ~LIE. ~**lay**[1] (*g.z.(o.)* ~**laid**) [-'ley(d)] *f.* altına koymak. ~**lay**[2] [-ley] *i.* altına konmuş şey, altlık. ~**lay**[3], *g.z.* = ~LIE.
underlet [ʌndə'let] *f.* Gerçek değerden daha az kiraya vermek; devren kiraya vermek. *s.* (Apartman) bütün mevcut daireleri kiraya verilmemiş.
under·lie (*hal.o.* ~**lying**, *g.z.* ~**lay**, *g.z.o.* ~**lain**) [ʌndə'lay(in(g)), -'ley(n)]. Altında bulunmak; temeli olm.
under·line [ʌndə'layn] *f.* Satırın altını çizmek; bir şey/kelimenin önemini belirtmek: [-layn] *i.* alt çizgi. ~**linen** [-linin], iç çamaşırı. ~**ling** [-lin(g)], madun; önemsiz memur/hizmetçi. ~**lying** [-'layin(g)] *hal.o.* = ~LIE: *s.* alttaki; esaslı, belli başlı.
under·man [ʌndə'man]. Gerekli olan işçi/memur/tayfayı vermemek: ~**ned**, gerekli olan işçi vb. eksik. ~**mentioned** [-'menşənd], aşağıda zikredilen. ~**mine** [-'mayn], temelini çürütmek; (su) oymak, çukur açmak; baltalamak; gizli entrikalarla zarar vermek: ~ **one's health**, sağlığını azar azar bozmak. ~**most** [-'moust], en aşağıdaki.
underneath [ʌndə'nīθ]. Aşağısında; aşağıdaki.
under·paid [ʌndə'peyd] *g.z.(o.)* = ~PAY: *s.* noksan ücret alan. ~**pants** [-pants] (*mod.*) don. ~**part** [-pāt], alt kısım; (*tiy.*) tali rol. ~**pass** [-pās], altgeçit. ~**pay** (*g.z.(o.)* ~**paid**) [-'pey(d)], hak ettiği ücretten daha az para vermek: ~**ment**, noksan ücret. ~**pin**, askıya almak, desteklemek: ~**ning**, destek(leme). ~**play** [-pley], (iskambil) bir leve kasten kaybetmek; (*tiy.*) bir rolü cansızca oynamak. ~**plot**, (*tiy.*) tali konu. ~**-populated** [-'popyuleytid], nüfusu az. ~**price** [-'prays], az değer biçmek. ~**-privileged** [-'privilicd], mümtaz olmıyan/az mümtaz (kimse/sınıf). ~**-production** [-prə'dʌkşn], az/düşük istihsal/imalat/yapım. ~**-proof** [-'prūf], normalden az alkollü. ~**prop** = ~PIN.
underquote [ʌndə'kwout]. Noksan/daha az bir fiyat tayin etm.
under·rate [ʌndə'reyt]. Değerinden az değer vermek; küçümsemek. ~**-ripe** [-'rayp], olgun olmıyan.
under·score [ʌndə'skō(r)] = ~LINE. ~**sea** [-sī], deniz altı(nda); deniz iç/dibi. ~**seal**, (*oto.*) alt kısmı rutubet geçmez şekilde kapatmak. ~**-secretary** [-'sekritri] (*id.*) müsteşar. ~**sell** (*g.z.(o.)* ~**sold**) [-'sel, -'sould], (birisinden) daha ucuz satmak. ~**-servant**, küçük hizmetçi. ~**set** = ~CURRENT. ~**sexed**, cinsiyete normalden az düşkün. ~**shoot** (*g.z.(o.)* ~**shot**[1]) [-'şūt, -'şot] (*hav.*) kısa kalmak. ~**shot**[2], *s.* altından geçen su ile döndürülen (su değirmeni). *~**shorts** [-sōts] = ~PANTS. ~**side** [-sayd], alt yüz/satıh/kenar. ~**signed** [-saynd], imzası aşağıda yazılı olan; imza sahibi. ~**sized** [-sayzd], normal hacimden aşağı; cılız. ~**skirt** = PETTICOAT. ~**slung** [-slʌn(g)], dingil altında asılı (şasi vb.). ~**staffed** [-'stāft], kadrodan az memur/işçileri olan.
under·stand (*g.z.(o.)* ~**stood**) [ʌndə'stand, -'stud]. Anlamak, idrak etm., kavramak; takdir etm.; bilmek. **give s.o. to** ~, birine uygun bir şekilde anlatmak, ima etm.: **I am given to ~ that...**, bildiğime göre...: ~ **horses**, attan anlamak: **'yes, so I ~'**, evet, ben de böyle işittim: **we ~ that...**, öğrendiğimize göre.... ~**able**, anlaşılabilir; tabiî. ~**ing**, anlayışlı, zeki, hassas; kavrayış, idrak, intikal; anlaşma, ittifak; şart: **come to an ~ with s.o.**, birisiyle anlaşmak: **on the ~ that...**, ... şartıyle.
understate [ʌndə'steyt]. Tefrit etm. **you ~ the case**, durumun önemini lâyıkı ile göstermiyorsunuz. ~**ment**, tefrit; bir şeyi olduğundan az gösterme.
understeer ['ʌndəstī(r)] (*oto.*) İstenilenden az dönmek.
under·stood [ʌndə'stud] *g.z.(o.)* = ~STAND. *s.* Anlaşılmış; kabul edilmiş; (*dil.*) söylenmemiş: **it is an ~ thing that...**, bilinen bir şeydir ki;... âdettir.
under·strapper ['ʌndəstrapə(r)] = ~LING. ~**study** [-stʌdi] *f.* gereğinde bir aktörün yerine oynamak için rolünü ezberlemek: *i.* yedek aktör, dublör. ~**-surface**, alt yüzey.
under·take (*g.z.* ~**took**, *g.z.o.* ~**taken**) [ʌndə'teyk(n), -'tuk]. Üzerine almak; üstlenmek; söz vermek, vadetmek; girişmek. ~**taker**, cenaze müteahhidi. ~**taking**, girişim, teşebbüs, iş, işletme; taahhüt, yüklenme, vait: **give an ~**, bir taahhüde girmek, vadetmek, söz vermek.
under·thrust ['ʌndəθrʌst] (*yer.*) Alttan bindirme. ~**tone** [-toun], pes ses, yavaş ses; tali renk: **there is an ~ of bitterness in all he writes**, bütün yazılarında bir acılık tadı var. ~**took** [-'tuk] *g.z.* = ~TAKE. ~**tow** [-tou], bir nehir/deniz yüzeyinin altında akıntı; sahile çarpan dalgaların geri gitmesi.
undervalue [ʌndə'valyu]. Kıymetinden az değer vermek; gerçek değerini takdir etmemek; küçümsemek.
under·water [ʌndə'wōtə(r)]. Su/deniz altı(nda); suyun iç/dibi. ~**wear** [-weə(r)], iç çamaşırı. ~**weight** [-weyt], düşük/eksik tartı. ~**went**, *g.z.* = ~GO. ~**wood** [-wud], çalılık. ~**work** [-'wək], az çalış(tır)mak/işle(t)mek. ~**world** [-wəld] (*mit.*) ahret; ruhlar diyarı; cehennem; (*sos.*) en aşağı tabaka; caniler âlemi.
underwrit·e [ʌndə'rayt]. Altına yazmak/imzalamak; sigorta poliçesini imzalamak; gemiyi vb. sigorta etm.: ~ **shares**, yeni kurulan bir şirketin satılmıyan senetlerini iskonto ile alacağını tekeffül etm. ~**er**, sigortacı. ~**ing**, sigortacılık.
undescended [ʌndi'sendid] (*tıp.*) Düşmemiş (taşak).
undeserved [ʌndi'zəvd]. Haksız olan; lâyık/uygun olmıyan.
undesirable [ʌndi'zayrəbl] *s.* İstenmiyen; hoşa gitmiyen. *i.* Bir memleket/şehre girmesi istenilmiyen kimse.
undeterred [ʌndi'təd]. Fütursuz; azminden dönmiyen. ~ **by his failure he tried again**, başaramadığı için yılmadı ve tekrar tecrübe etti.
undeveloped [ʌndi'veləpt]. Gelişmemiş; kemale

Aranan kelime bu sayfada bulunmazsa, ilk olarak UN- ***notlarına bakınız.***

ermemiş; işlenmemiş; henüz mamur bir hale gelmemiş; (*sin.*) daha develope edilmemiş.

undeviating [ʌn'dīvieytin(g)]. Hiç şaşmadan doğru giden.

un·did [ʌn'did] *g.z.* = ~DO. **~dies** [-diz] (*kon.*) kadın iç çamaşırı. **~digested** [-di'cestid], hazmedilmemiş; anlaşılmamış. **~diluted** [-day'lyūtid], su katılmadık; saf, sade. **~dine** [-dīn] (*mit.*) su perisi. **~diplomatic** [-diplə'matik], diplomatik olmıyan; lafını sakınmaz.

undis·cerning [ʌndi'zənin(g)]. Keskin olarak farketmiyen; anlayışlı olmıyan. **~charged** [-dis'çācd], dolu (top vb.); ödenmemiş (borç): ~ **bankrupt**, iflâsı kaldırılmamış olan kimse. **~ciplined** [-'disiplind], disiplin/terbiyesiz. **~closed** [-'klouzd], gizli, ifşa edilmemiş. **~guised** [-'gayzd], kılığını değiştirmemiş; açık, vazıh. **~mayed** [-'meyd], müşkülât/zorluk/tehlikeden yılmıyan. **~posed** [-'pouzd], bertaraf edilmemiş: ~ **to . . .**, -e mütemayil olmıyan. **~puted** [-'pyūtid], üzerınde çekişme edilmez; sarih; müsellem. **~tinguished** [-'tin(g)gwiştl, seçkin olmıyan; alelade; orta. **~tributed** [-'tribyutid], dağıtılmamış/tevzi edilmemiş (kazanç). **~turbed** [-'təbd], karıştırılmamış; rahat, sakin; istifi bozulmamış.

undivided [ʌndi'vaydid]. Taksim edilmemiş; tam, bütün; ayrılmamış.

un·do (*g.z.* **~did**, *g.z.o.* **~done**) [ʌn'dū, -'did, -'dʌn]. Çözmek; bozmak; ihlâl etm. ~ **the harm that has been done**, yapılan zararı telâfi etm.: bir şeyi olmamış saymak: **what's done can't be undone**, olan oldu; ok yaydan çıktı.

undock [ʌn'dok] (*den.*) Havuzdan çıkarmak; (*hav.*) iki uzay gemisini ayırmak.

undo·er [ʌn'dūə(r)]. Çözen/bozan kimse. **~ing**, inkıraz/yıkım sebebi: **drink was his** ~, içki onu mahvetti.

undomesticated [ʌndə'mestikeytid]. Ehlî olmıyan/insanlara alışmamış/vahşî (hayvan); evini sevmiyen/aile hayatına uymıyan (kimse).

undone [ʌn'dʌn] *g.z.o.* = UNDO. *s.* Yapılmamış; çözülmüş. **be** ~, çözülmek; yanmak, zarara uğramak: **we are** ~, hapı yuttuk, yandık: **leave nothing** ~, etmediğini bırakmamak.

undoubted [ʌn'dautid]. Şüpheli olmıyan; muhakkak; şüphesiz.

UNDP = UNITED NATIONS DEVELOPMENT PROGRAMME.

undream·ed/**~t** [ʌn'drīmd/-'dremt]. ~ **of**, hiç düşünülmemiş; tasavvur edilemez; akla hayale gelmez.

undress [ʌn'dres] *f.* Elbisesini çıkarmak; soyunmak. *i.* Ev kılığı, gündelik elbise: ~ **uniform**, gündelik üniforma. **~ed** [-st], elbisesini çıkarmış: **get** ~, soyunmak: ~ **leather**, terbiye edilmemiş deri.

UNDRO = UNITED NATIONS DISASTER RELIEF ORGANIZATION.

undue [ʌn'dyū]. Fazla; gereğinden fazla; yersiz; aşırı derecede; usul/âdet/akla uygun olmıyan.

undulat·e ['ʌndyuleyt]. Dalgalanmak; inip çıkmak. **~ed**/**~ing**, dalgalı; yokuşlu. **~ion** [-'leyşn], dalgalanma. **~ory** [-'leytəri], dalga gibi/şeklinde.

un·duly [ʌn'dyūli]. Lâyık olmıyan bir tarzda; gereğinden fazla. **~dying** [-'dayin(g)], ölümsüz, ölmez; sonsuz, nihayetsiz, zeval bulmaz.

un·earned [ʌn'ənd]. Çalışarak kazanılmamış; lâyık olunmamış: ~ **income**, çalışılmadan kazanılan gelir. **~earth** [-'əθ], toprağı kazarak keşfetmek; bulup meydana çıkarmak: **~ly**, dünyaya ait olmıyan; doğaüstü; meşum; müthiş. **~easy** [-īzi], rahatsız, vesveseli, huzursuz; kurtlu: **feel** ~, endişe etm., huzursuzluk duymak; pirelenmek: **make s.o.** ~, birinin huzurunu kaçırmak. **~eatable** [-'ītəbl], yenilmez. **~economic** [-īkə'nomik], iktisadî olmıyan; gelir getirmez: **~al**, idareli olmıyan. **~educated** [-'edyukeytid], tahsil görmemiş; cahil.

UNEF = UNITED NATIONS EXPEDITIONARY FORCE.

unemploy·able [ʌnim'ployəbl]. Ona iş verilemez; işletilemez, kullanılamaz. **~ed**, işsiz; boş, açıkta: **the** ~, işsizler. **~ment**, işsizlik: ~ **benefit**, (devlet/sendikadan) dağıtılan işsizlik yardımı.

un·ending [ʌn'endin(g)]. Sonsuz; bitmez tükenmez. **~endurable** [-in'dyūrəbl], tahammül edilmez. **~-English**, İngiliz olmıyan; İngilizlere yakışmaz/benzemez. **~enviable** [-'enviəbl], gıpta edilmiyecek; nahoş; üzüntülü.

une·qual [ʌn'īkwəl]. Eşit olmıyan: **be** ~ **to the task**, işe gücü yetmemek: **I feel** ~ **to going there today**, bugün oraya gidecek halim yok: **~led**, eşsiz, misli yok. **~quivocal** [-i'kwivəkl], anlamı açık; iltibassız.

unerring [ʌn'ərin(g)]. Hedefi şaşmıyan; şaşmaz, yanılmaz.

UNESCO/**Unesco** [yū'neskou] = UNITED NATIONS EDUCATIONAL, SCIENTIFIC AND CULTURAL ORGANIZATION.

unessential [ʌni'senşl]. Tali; esaslı/zarurî olmıyan; ehemmiyetsiz, önemsiz.

uneven [ʌn'īvn]. Arızalı, engebeli; engelli; muntazam/düzgün olmıyan; düz olmıyan; ittiratsız; tek (adet). ~ **temper**, mizacı belli olmaz. **~ly**, arızalı/ittiratsız olarak; düz(gün)/eşit olmıyarak. **~ness**, arıza, engebe. **~tful** [-i'ventful], macerasız; olaysız.

unex·ampled [ʌnig'zāmpld]. Emsalsiz, eşsiz. **~celled** [-ik'seld], emsalsiz; kimse tarafından geçilmemiş. **~ceptionable** [-'sepşənəbl], bir diyecek yok; itiraz edilmez; mahzursuz; tamamen uygun.

unex·pected [ʌnik'spektid]. Umulmadık; beklenilmiyen. **~pired**, sona ermemiş, hâlâ muteber. **~plored** [-'splōd], henüz keşfedilmemiş; ayak basılmamış; incelenmemiş. **~posed** [-'pouzd], boş (filim).

un·fading [ʌn'feydin(g)]. Solmaz; zevalsiz; ebedî. **~failing** [-'feylin(g)], şaşmaz; bitmez tükenmez; hiç eksik olmaz. **~fair** [-feə(r)], insafsız, haksız; tarafsız olmıyan; hileli: ~ **play**, mızıkçılık. **~faithful** [-'feyθful], sadakatsiz; hain, güvenilmez. **~faltering** [-'fōltərin(g)], şaşmaz; metin; tereddütsüz. **~familiar** [-fə'milyə(r)], garip; tanınmıyan, yabancı; alışılmamış; alışkın olmıyan.

un·fashionable [ʌn'faşənəbl]. Modası geçmiş; modaya uygun olmıyan. **~fasten** [-'fāsn], çözmek; açmak; koyuvermek. **~father·ed** [-'fāðəd], babasız; babası meçhul; (*mec.*) kökeni belli olmıyan: **~ly**, babaca olmıyan; babaya yakışmayan.

unfathom·able [ʌn'faðəməbl]. Dibi bulunmaz; sırrına erişilemez. **~ed**, iskandil edilmemiş; henüz keşfedilmemiş.

un·fed [ʌn'fed]. Gıda almamış, aç. **~feed** [-'fīd], ücret verilmemiş. **~feeling** [-'fīlin(g)], hissiz; merhametsiz; soğuk. **~feigned** [-'feynd], samimî;

yapma olmıyan. ~**filial** [-'filiəl], oğula yakışmaz; evlât görevlerine aykırı.

unfit [ʌn'fit] *s.* Uymaz, münasip olmıyan; ehliyetsiz, kifayetsiz, işe yaramaz, elverişsiz; çürük, sağlığı bozuk. *f.* Elverişsiz hale koymak. **be discharged as** ~, çürüğe çıkmak. ~**ted**, ~ **for/to do stg.**, bir şeye yaramıyan/istidadı olmıyan/yetersiz: ~ **with**, -le teçhiz olunmamış. ~**ting**, yakışmaz; uygun olmıyan.

unfix [ʌn'fiks]. Sökmek, çözmek, ayırmak: ~ **bayonets!**, süngü çıkar!

un·flagging [ʌn'flagin(g)]. Yorulmak bilmez; durmaz, devamlı. ~**flappable** [-'flapəbl] (*kon.*) hiç heyecanlı olmıyan; sakin, soğukkanlı. ~**flattering** [-'flatərin(g)], zemmedici, yerici, takbih edici; pek takdirkâr olmıyan. ~**fledged** [-'flecd], henüz tüylenmemiş; dünyayı bilmiyen. ~**flinching** [-'flinçin(g)], sakınmaz, çekinmez; ürkmez; yılmaz.

un·fold [ʌn'fould]. Katlanmış bir şeyi açmak; yaymak; inkişaf ettirmek; meydana koymak; anlatmak; açılmak; yayılmak. ~**foreseen** [-fō'sīn], beklenmedik, umulmadık; önceden düşünülmiyen. ~**forgettable** [-fə'getəbl], unutulmaz.

unforgiv·able [ʌnfə'givəbl]. Affedilmez. ~**ing**, affetmez, kindar.

un·formed [ʌn'fōmd]. Çelimsiz, şekilsiz; henüz teşkil olunmamış. ~**fortunate** [-'fōçənit], talihsiz, bedbaht; aksi: ~**ly**, ne yazık ki; aksi gibi; maalesef. ~**founded** [-'faundid], esassız; temelsiz; gayri mevsuk; sebepsiz; uluorta.

un·freeze (*g.z.(o.)* ~**froze(n)**) [ʌn'frīz, -'frouz(n)]. Eri(t)mek. ~**frequented** [-fri'kwentid], ıssız; işlek olmıyan; tenha; münzevi. ~**friendly** [-'frendli], dostane olmıyan; soğuk; hasmane: **meet with an** ~ **reception**, istiskale uğramak; soğuk karşılanmak. ~**frock** [-'frok], papazlıktan çıkarmak. ~**fruitful** [-'frūtful], meyvasız; verimsiz; kısır. ~**fulfilled** [-ful'fild], icra edilmemiş, yerine getirilmemiş; tatmin edilmemiş (istek). ~**furl** [-'fəl], (bayrağı) açmak; (yelkeni) fora etm. ~**furnished** [-'fənişt], mobilyasız (ev/oda).

ung. = UNGUENT.

un·gainly [ʌn'geynli]. Hantal, çolpa, biçimsiz. ~**gallant** [-'galənt], kadına karşı nezaketsiz. ~**gentlemanly** [-'centlmənli], centilmen gibi olmıyan. ~**-get-at-able** [-get'atəbl], erişilemez; varılamaz. ~**gloved** [-'glʌvd], eldivensiz.

un·godly [ʌn'godli]. Dinsiz; fasik; (*kon.*) Allahın belâsı. ~**governable** [-'gʌvənəbl], zaptolunmaz; taşkın.

un·gracious [ʌn'greyşəs]. Nezaketsiz; ince olmıyan; ters. ~**graded** [-'greydid], (çakıl vb.) tuvönan. ~**grammatical** [-grə'matikl], gramer kurallarına aykırı. ~**grateful** [-'greytful], nankör, değerbilmez. ~**gratified** [-'gratifayd], tatmin edilmemiş; yerine getirilmemiş. ~**grounded** [-'graundid], esassız. ~**grudging** [-'grʌcin(g)], esirgemiyen; gönülden; memnuniyetle verilen; cömert.

ungual [ʌn(g)gwəl] (*zoo.*) Tırnak/toynaklı; tırnak/toynak gibi.

unguarded [ʌn'gādid]. Muhafaza edilmemiş; dikkatsiz, gafil(ane); dikkatsizce yapılmış/söylenmiş.

unguent ['ʌn(g)gwənt]. Merhem.

ungu·iculate [ʌn(g)'gwikyūleyt] (*zoo.*) Tırnaklı. ~**is**, *ç.* ~**es** [-gwis, gwīz] (*bot.*) taç yaprağı dibi; (*zoo.*) tırnak. ~**la** [-gyūlə], tırnak, toynak: ~**te** [-leyt], toynaklı (hayvan).

un·hallowed [ʌn'haloud]. Takdis edilmemiş; dinsiz: ~ **joy**, şeytanî neşe. ~**hampered** [-'hampəd], serbest; engelsiz; menedilmemiş. ~**hand** [-'hand], üzerinden el kaldırmak; salıvermek: ~**y**, beceriksiz, çolpa; kullanışsız. ~**hanged** [-'han(g)d], ipten kazıktan kurtulmuş.

unhapp·ily [ʌn'hapili]. Mutlu olmıyarak; ne yazık ki, maalesef; aksi gibi: **that was rather** ~ **put**, ifade şekli uygun düşmedi. ~**iness**, mutsuzluk; keder; bedbahtlık. ~**y**, mahzun, kederli; bedbaht; mutlu olmıyan: **an** ~ **expression, etc.**, uygun olmıyan/yersiz bir deyim vb.: **in an** ~ **moment**, uğursuz bir dakikada: **make oneself** ~ **about stg.**, bir şeyi kendine tasa etm.

unharmed [ʌn'hāmd]. Sağ ve salim; zarara uğramamış.

UNHCR = UNITED NATIONS HIGH COMMISSIONER FOR REFUGEES.

unhealthy [ʌn'helθi]. Hastalıklı, alil; sağlığa zararlı: **an** ~ **curiosity**, marazî bir tecessüs.

unheard [ʌn'həd]. **condemn s.o.** ~, birini dinlemeden mahkûm etm.: ~ **of**, hiç işitilmemiş, hiç görülmemiş; şöhretsiz, tanınmamış.

un·heeded [ʌn'hīdid]. Kimse vazife etmiyerek; aldırış edilmiyen; ihmal olunmuş. ~**hinge** [-'hinc], menteşelerinden çıkarmak; aklını oynatmak: ~**d**, (akıl) oynatılmış. ~**historical** [-his'torikl], tarihî olmıyan; tarihe göre olmıyan. ~**hitch** [-'hiç], çözmek; (hayvanın) takımını çıkarmak.

un·holy [ʌn'houli]. Dine aykırı; habis: **an** ~ **mess/muddle**, müthiş karışıklık. ~**hook** [-'huk], çengelden çıkarmak; kopçalarını çözmek. ~**hoped** [-'houpt], ~ **for**, umulduğundan iyi; hiç beklenmiyen (iyilik). ~**horse** [-'hōs], attan düşürmek. ~**house** [-'hauz], evinden çıkarmak. ~**human** [-'hyūmən] = IN-/SUPERHUMAN. ~**hurt** [-'hət], zarar görmemiş; sağlam; incinmemiş.

uni- [yūni-] *ön.* Bir olan; bir -den yapılmış; tek....
Bu kısımda **un·i-** [ʌni-] *ile* **uni-** [yūni-] *öneklerini ayırt etmek gerektir; mes.*: UNI·FORMED, UN·INFORMED.

Uniat(e) ['yūniət]. Ortodoks ayinli fakat Papanın yetkisini tanıyan bazı Şark kiliselerinin üyesi.

unicameral [yūni'kamərəl]. Tek kamaralı (meclis).

UNICEF/Unicef ['yūnisef] (*mer.*) UNITED NATIONS INTERNATIONAL CHILDREN'S EMERGENCY FUND; = UNCF.

uni·cellular [yūni'selyulə]. Bir göze/hücreli. ~**coloured** [-'kʌləd], tek renkli. ~**corn** [-kōn] (*mit.*) tek boynuzlu at cinsinden hayvan.

unidentified [ʌnay'dentifayd]. Kimliği tespit edilmemiş.

uni·dimensional [yūniday'menşnl]. Tek boyutlu. ~**directional** [-'rekşnl], tek yönlü.

unidiomatic [ʌnidiou'matik]. Deyimlerle dolu olmıyan (dil); bir dilin deyimlerinden olmayan.

UNIDO = UNITED NATIONS INDUSTRIAL DEVELOPMENT ORGANIZATION.

unifi·able ['yūnifayəbl]. Birleştirilebilir. ~**cation** [-fi'keyşn], birleştir(il)me; bir yapma. ~**er** [-fayə(r)], birleştiren kimse.

Aranan kelime bu sayfada bulunmazsa, ilk olarak UN- ***notlarına bakınız.***

unifoliate [yūni'foulieyt] (*bot.*) Tek yapraklı.
uniform ['yūnifōm] *i.* Üniforma; resmî elbise. *s.* Yeknesak; birbirlerine benzer; birbiçimli; mütecanis; değişmiyen, muttarit; dümdüz, düzgün, muntazam. **full** ~, büyük üniforma. ~**ed**, üniformalı. ~**ity** [-'fōmiti], yeknesaklık; birbiçimlilik, biçimdeşlik; birbirine benzerlik; üniformite; tecanüs, ittirat. ~**ly**, düzgün olarak.
unify ['yūnifay]. Bir yapmak; birleştirmek.
uni·lateral [yūni'latərəl]. Tek taraflı. ~**literal** [-'litərəl], tek harfli.
unimagin·able [ʌni'macinəbl]. Tasavvur edilemez; akla sığmaz. ~**ative**, imgelemi dar.
unim·paired [ʌnim'peəd]. Hiç bozulmamış. ~**peachable** [-'pīçəbl], şüphe edilemez; cerh edilemez. ~**portant**, önemsiz: ~ **news**, ufak tefek haberler. ~**proved** [-'prūvd], sürülmemiş (toprak); iyileşmemiş; gelişmemiş.
unin·flammable [ʌnin'flaməbl]. (Kolay) tutuşmaz/ateş almaz. ~**formed** [-'fōmd], habersiz; malumatsız; cahil.
uninhabit·able [ʌnin'habitəbl]. Yaşanılamaz, oturulamaz. ~**ed**, meskûn olmıyan; boş.
uninspir·ed [ʌnin'spayəd]. İlhamsız; yavan. ~**ing**, teşvik etmiyen, umut vermiyen.
uninsur·able [ʌnin'şuərəbl]. Sigorta edilemez (riziko/kimse). ~**ed**, sigorta edilmemiş; sigortalı olmıyan.
unintelli·gent [ʌnin'telicənt]. Zeki/akıllı olmıyan; cahil. ~**gible** [-cəbl], anlaşılamaz.
uninterest·ed [ʌn'intristid]. Alâkasız; kayıtsız; bigâne. ~**ing**, ilginç olmıyan; yavan.
uninterrupted [ʌnintə'rʌptid]. Fasılasız. ~**ly**, ara vermeden; yeknesak olarak.
uninvit·ed [ʌnin'vaytid]. Davetsiz. ~**ing**, cazibesiz; iştah açmıyan.
union ['yūniən]. Birlik, birleşme; cemiyet, dernek; sendika; ittihat; darülaceze; (*müh.*) iltisak borusu; rakor; iki şeyin birleştiği yer. **the** ~ **Jack**, İngiliz bayrağı: **join a** ~, sendika/birliğe girmek. ~**ist**, ittihatçı; (*tar.*) muhafazakâr parti(nin üyesi); sendikacı. ~**ize**, sendika(lar) hâkimiyeti kurmak/yaymak; sendikalaş(tır)mak.
unique [yū'nīk]. Yegâne, biricik; eşsiz. ~**ly**, eşsiz bir şekilde. ~**ness**, eşsizlik.
unisex ['yūniseks] *s.* (*mod.*) Her iki cinse ait/uygun; (*sp., vb.*) kadınlar ile erkekler arasını ayırt etmiyen. *i.* İki cinsin farksızlığına meyil. ~**ual** [-'seksyuəl], bir cinse ait; (*bot.*) tek cinsli.
unison ['yūnizən]. Bir kaç sesin aynı notayı söylemesi. **all in** ~, hepsi aynı zamanda; hep beraber.
unissued [ʌn'işūd]. (Hisse) borsaya/(para/pul) tedavüle çıkarılmamış.
unit ['yūnit]. Bir(lik), tek(lik), vahdet; birim, ünite, fert, birey; blok; takım; hisse; bir bütün teşkil eden şeylerin her biri: **power** ~, güç takımı; makine. ~**arian** [-'teəriən], Tanrının birliği taraftarı olan hıristiyan mezhebine mensup. ~**ary**, birim(ler)e ait; tek.
unite [yū'nayt]. Birleş(tir)mek. ~**d**, birleşik, birleşmiş; müttehit, müttefik: **the** ~ **Kingdom**, Büyük Britanya ile K. İrlanda: **the** ~ **Nations**, Birleşmiş Milletler: **the** ~ **States**, Amerika Birleşik Devletleri: ~**ly**, birleşik olarak.
unit·holder ['yūnithouldə(r)]. ~-TRUST'a para yatıran kimse. ~**-price**, birim fiyatı. ~**-trust**, yatıranların parasını kullanıp onlara oranlı olarak kârdan hisse dağıtan yatırım şirketi.
unity ['yūniti]. Vahdet; teklik; ittihat; birlik; imtizaç; tesanüt, dayanışma.
univ. = UNIVERSAL; UNIVERSITY.
univers·al [yūni'vəsl] *s.* Küllî; âlemşümul, evrensel; genel, umumî. *i.* Külliyet: ~ **coupling/joint**, her yöne hareket ettirilebilen bir mafsal; kardan. ~**e** [-vəs], kâinat, evren; var olan şeyler; âlem; dünya.
university [yūni'vəsiti]. Üniversite: **open** ~/~ **of the air**, radyo/TV ile yayılan üniversite kursları: †**redbrick** ~, Oxford ve Cambridge dışında herhangi bir modern üniversite.
unjust [ʌn'cʌst]. Haksız, insafsız; adaletsiz; hakkaniyetsiz; adalete aykırı.
unkempt [ʌn'kempt]. Taranmamış; düzeltilmemiş; hırpani.
unkind(ly) [ʌn'kaynd(li)]. Dostane olmıyan; sert; hatır kıran; insafsız. **an** ~ **fate**, zalim bir talih: **don't take it** ~**ly**, hatırınız kırılmasın!
unknown [ʌn'noun]. Meçhul, bilinmiyen; tanınmıyan; malum olmıyan. **he did it** ~ **to me**, benim haberim olmadan yaptı. ~ **Soldier/Warrior**, Meçhul Asker.
un·lace [ʌn'leys]. Korse/kundura bağlarını çözmek. ~**ladylike** [-'leydilayk], bir hanıma yakışmaz. ~**latch** [-'laç], mandalını açmak. ~**lawful** [-'lōfəl], gayri kanunî; kanuna aykırı; gayri meşru; haram.
unlearn [ʌn'lən]. Öğrendiğini mahsus unutmak; alıştığından vazgeçmek. ~**ed** [-'lənd], öğrenilmemiş (ders); [-nid], malumatlı olmıyan, cahil.
un·leash [ʌn'līş]. (Bağlanmış köpeği) çözmek; salıvermek. ~**leavened** [-'levənd], maya/hamursuz.
unless [ʌn'les]. Meğerki; -mezse; -medikçe. **I shan't go** ~ **I hear from you**, sizden haber almazsam gitmeyeceğim: **I won't go with anyone** ~ **it be you**, sizden başka kimse ile gitmem.
un·lettered [ʌn'letəd]. Okumamış; ümmî. ~**licensed** [-'laysənst], vesikasız; ehliyetnamesiz; izin tezkeresi olmıyan; ruhsatsız. ~**licked** [-'likt], yontulmamış; hamhalat: **an** ~ **cub**, yontulmamış delikanlı.
unlike [ʌn'layk]. Benzemez; eşit olmıyan; . . . gibi olmıyan. **that was most** ~ **you!**, bunu size hiç yakıştıramadım: ~ **his father he dislikes music**, babasının tersine müziği sevmez. ~**lihood**, muhtemel olmayış. ~**ly**, muhtemel değil, umulmaz: **in the** ~ **event of . . .**, farzımuhal.
un·limber [ʌn'limbə(r)]. Topun toparlağını çıkarmak. ~**limited** [-'limitid], hadsiz hesapsız; sınırsız, hudutsuz; sınırlanmamış; pek çok. ~**listed**, listeye girmemiş. ~**lit**, aydınlatılmamış, karanlık; yakılmamış.
unload [ʌn'loud]. Yükünü boşaltmak, tahliye etm.; yükünü indirmek; yıkmak; (top/tüfek vb.ni) boşaltmak. ~ **one's mind of a secret**, bir sırrı ifşa edip ferahlamak. ~**ed**, boş, boşal(tıl)mış; tahliye edilmiş. ~**ing**, boşaltma, tahliye.
un·lock [ʌn'lok]. Kilidini açmak: ~**ed**, kilitlenmemiş. ~**looked** [-'lukt], ~ **for**, umulmadık; beklenmedik. ~**loose** [-'lūs], çözmek; serbest bırakmak; salıvermek: ~ **s.o.'s tongue**, birini söyletmek.
unlov·able/~**ely** [ʌn'lʌvəbl, -vli]. Cazibesiz, çekiciliği olmıyan, nahoş; çirkin. ~**ed**, sevilmeyen. ~**ing**, sevmiyen; soğuk, sert.

unluck·ily [ʌn'lʌkili]. Maalesef. ~**y**, bedbaht; talihsiz; uğursuz, meymenetsiz: **it's ~ that he saw you**, seni gördüğü aksilikti.

un·maidenly [ʌn'meydnli]. Kız/bakireye yakışmaz; iffetsiz. ~**make** [-'meyk], yaptığını bozmak. ~**man** [-'man], cesaretini kırmak; yumuşatmak, gevşetmek; erkeği kadın gibi ağlatmak. ~**manageable** [-'manicəbl], ele avuca sığmaz (çocuk); idare edilemez; zaptolunamaz. ~**manly**, erkeğe yakışmaz, korkak. ~**mannerly** [-'manə̄li], terbiyesiz, nezaketsiz; kaba. ~**marketable** [-'mākitəbl], piyasaya sürülemez.

unmask [ʌn'māsk]. Maskesini çıkarmak/indirmek; maskesini atmak; meydana çıkarmak; foyasını meydana çıkarmak. ~ **a battery**, toplarına ateş ettirerek bataryasının yerini meydana çıkarmak.

unmatched [ʌn'maçt]. Eşsiz, emsalsiz.

un·meaning [ʌn'mīnin(g)]. Anlamsız. ~**meant** [-'ment], kastedilmemiş.

unmeasur·able [ʌn'mejərəbl]. Ölçülemez; ayarlanamaz. ~**ed** [-jə̄d], ölçülmemiş; ölçüsüz; hadsiz.

un·mentionable [ʌn'menşənəbl]. Ağza alınmaz; iğrenç. ~**merciful** [-'mə̄sifl], amansız; gaddar. ~**methodical** [-mi'θodikl], yöntemsiz. ~**mindful** [-'mayndfl], ~ **of one's duty**, görevini unutarak. ~**mistakable** [-mis'teykəbl], hakkında yanılmaz; aşikâr. ~**mitigated** [-'mitigeytid], hafiflememiş; azalmamış: son derece, tam anlamıyle. ~**mixed** [-'mikst], karışık olmıyan; tam, halis: **it is not an ~ blessing**, mahzuru yok değil.

un·moor [ʌn'mō(r)]. Geminin palamarlarını çözmek. ~**moral** [-'morəl] = IMMORAL. ~**mounted** [-'mauntid], atlı olmıyan; yaya; yüzük vb.ne takılmamış (mücevher); kartonsuz (fotoğraf). ~**mourned** [-'mōnd], (ölümüne) ağlanmamış.

unmov·ed [ʌn'mūvd]. Kımıldanmamış; müteessir olmamış; niyetinden dönmemiş; istifini bozmıyan; bigâne. ~**ing**, oynamaz; işlemez; etkisiz.

un·muffle [ʌn'mʌfl]. Örtüsünü çıkarmak. ~**murmuring** [-'mə̄mərin(g)], mırıldanmıyan; şikâyet etmez, sabırlı. ~**musical** [-'myūzikl], müziği sevmez/anlamaz; ahenksiz. ~**muzzle**, burunsalığını çıkarmak; (*mec.*) sansür kaldırmak, söz hürriyetine izin vermek.

un·nail [ʌn'neyl]. Çivileri çıkarmak. ~**natural** [-'naçərəl], doğaya aykırı; doğal olmıyan; garip, tuhaf, anormal. ~**navigable** [-'navigəbl], seyrüsefere açık/müsait olmıyan (sular); denize dayanamaz, dümen dinlemez (gemi). ~**necessary** [-'nesəsəri], lüzumsuz, gereksiz; fuzulî. ~**negotiable** [-ni'gouşiəbl], havale ve ciro edilemez. ~**neighbourly** [-'neybəli], iyi komşu olmıyan; sokulgan olmıyan. ~**nerve** [-'nə̄v], cesaretini kırmak.

un·noticed [ʌn'noutist]. Göze görünmeden; gözden kaçmış: **leave ~**, (i) bir şeye göz yummak, aldırmamak; (ii) göze çarpmadan gitmek.

UNO/Uno ['yūnou] = UNITED NATIONS ORGANIZATION.

unnumbered [ʌn'nʌmbə̄d]. Sayısız; numarası konmamış.

unob·jectionable [ʌnəb'cekşənəbl]. Sakıncasız; aleyhine diyecek bir şey yok. ~**servant** [-'zə̄vənt], dikkatsiz; hiç bir şey görmiyen. ~**served** [-'zə̄vd], görülmemiş, farkedilmemiş. ~**tainable** [-'teynəbl], bulunmaz; elde edilemez. ~**trusive** [-'trūsiv], göze çarpmaz; mütevazı, kendi halinde.

unoccupied [ʌn'okyupayd]. İşgal edilmemiş/boş (ev vb.); meşgul olmıyan (kimse).

unof·fending [ʌnə'fendin(g)]. Zararsız; mazlum; dokunmaz. ~**ficial** [-'fişəl], gayri resmî.

un·opened [ʌn'oupənd]. Açılmamış; kapalı. ~**opposed** [-ə'pouzd], muhalefetsiz; muhalefet görmiyen.

un·pack [ʌn'pak]. Eşyasını bavulundan çıkarmak; sandık/bohça açmak. ~**paid** [-'peyd], ücret/maaşını almamış; ödenmemiş; maaşsız çalışan. ~**paired** [-'peə̄d] (*id.*) karşı taraf üyesiyle PAIRING yapmaksızın mecliste bulunmayan mebus. ~**palatable** [-'palətəbl], tatsız; hoşa gitmez; nahoş. ~**paralleled** [-'parəleld], emsalsiz, eşsiz; benzeri yok. ~**pardonable** [-'pād(ə)nəbl], affedilmez; mazur görülmez. ~**parliamentary** [-pālə'mentəri], Parlamento usullerine aykırı: ~ **language**, kaba/terbiyesiz sözler. ~**patriotic** [-patri'otik], vatan·perver/-seven olmıyan.

un·peg [ʌn'peg]. (Mandal vb.) çıkarmak; (kambiyo/fiyat vb.) serbest bırakmak. ~**pen**, (koyun vb.) ağıldan çıkarmak. ~**peopled** [-'pīpld], meskûn olmıyan.

unper·ceived [ʌnpə'sīvd]. Farkına varılmamış; görülmemiş olarak. ~**turbed** [-'tə̄bd], fütursuz, istifini bozmadan.

un·pick [ʌn'pik]. Çözmek; didiklemek; salıvermek: ~**ed**, çözülmüş; seçilmemiş; toplanmamış. ~**piloted** [-'paylətid], pilotsuz. ~**pin** [-'pin], toplu iğnelerini çıkararak çözmek.

un·placed [ʌn'pleyst]. Yarışta yer kazanmıyan; imtihanda derece almıyan. ~**playable** [-'pleyəbl] (*müz.*) çalınması mümkün olmıyan (parça); (*sp.*) vurulması mümkün olmıyan (top). ~**pleasant** [-'plezənt], nahoş; çirkin; iğrenç: ~**ly**, nahoş bir şekilde: ~**ness**, nahoşluk. ~**plumbed** [-'plʌmd], iskandil edilmemiş; henüz keşfedilmemiş.

un·pointed [ʌn'poyntid]. Uçsuz; (*dil.*) işaretsiz (harf); derz edilmemiş (duvar). ~**polished** [-'polişt], cilâsız; (elmas vb.) ham; kaba, zarafetsiz. ~**polluted** [-po'lyūtid], kirletilmemiş; temiz, saf. ~**popular** [-'popyulə(r)], halkın hoşuna gitmiyen; sevilmeyen: ~**ity** [-'lariti], gözden düşmüş olma. ~**populated** [-'popyuleytid], iskân edilmemiş, oturulmayan.

unpracti·cal [ʌn'praktikl]. Kullanışlı olmıyan; amelî olmıyan; iş adamı değil. ~**sed** [-tist], tatbik edilmemiş; tecrübesiz.

unpre·cedented [ʌn'presidentid]. Eşi görülmemiş. ~**dictable** [-pri'diktəbl], önceden bilinmez; ne yapacağı vb. belli olmaz. ~**judiced** [-'precədist], garazsız, tarafsız; munsif; bitaraf. ~**pared** [-pri'peə̄d], hazırlanmamış; pişirilmemiş; irticalen söylenmiş: **be caught ~**, gafil avlanmak. ~**possessing** [-prīpə'zesin(g)], alımsız; çirkin; kuşkulandırıcı. ~**sentable** [-pri'zentəbl], takdim edilemez; kaba; çirkin. ~**suming** [-'zyūmin(g)], mütevazı; alçak gönüllü. ~**tentious** [-'tenşəs], iddiasız; kendi halinde, mütevazı.

un·principled [ʌn'prinsipld]. Ahlâksız, seciyesiz: **an**

~ **scoundrel**, anasının ipliğini pazara çıkarmış. ~**printable** ['printəbl], tabedilemiyecek kadar (kaba/kötü deyim vb.).
unpro·curable [ʌnprə'kyūrəbl]. Elde edilemez; bulunmaz. ~**ductive** [-'dʌktiv], müsmir olmıyan, bereketsiz; kazançsız. ~**fessional** [-'feşənl], meslek/sanat usullerine aykırı. ~**fitable** [-'profitəbl], yararsız, faydasız; kazançsız. ~**mising** [-'promizin(g)], umut vermiyen; başarılı olmıyacak. ~**mpted** [-'promptid], kendiliğinden; istenilmeden. ~**nounceable** [-prə'naunsibl], telaffuz edilemez. ~**tected** [-'tektid], mahfuz olmıyan; muhafazasız, açık: ~ **industry**, himaye edilmiyen sanayi. ~**vided** [-'vaydid], ~ **with stg.**, bir şeyden mahrum: **his family was left** ~ **for**, ailesini geçindirecek bir şey bırakmadı. ~**voked** [-'voukt], sebepsiz; tahrik edilmemiş.
un·published [ʌn'pʌblişt]. Yayımlanmamış; açıklanmamış. ~**punctual** [-'pʌn(g)kçuəl], tayin olunan vakitte gelmiyen; geç kalan.
un·qualified [ʌn'kwolifayd]. İhtisassız; ehliyetsiz; diplomasız; tam, katî, şartsız: **an** ~ **success**, tam bir başarı. ~**quenchable** [-'kwençəbl], sönmez; kanmaz.
unquestion·able [ʌn'kwesçənəbl]. Su götürmez; şüphesiz; muhakkak. ~**ing**, ~ **obedience**, tam itaat.
unquiet [ʌn'kwayət]. Rahatsız, huzursuz, mustarip; meraklı.
unquot·able [ʌn'kwoutəbl]. İktibas edilemez; tekrarlanamaz. ~**e**, *aynen nakledilen bir sözün bittiğini ifade eder*. ~**ed**, ~ **securities**, Borsa cetvelinde fiyatları verilmiyen esham.
unravel [ʌn'ravl]. İpliklerini sökmek; dolaşığını açmak; halletmek, çözmek.
unread [ʌn'red]. Okunmamış (kitap vb.); tahsil görmemiş/okumamış (kimse). ~**able** [-'rīdəbl], okunmaz (yazı); ilginç olmıyan/can sıkıcı (kitap vb.).
unreal [ʌn'riəl]. Gerçek olmıyan; hayalî.
unreason·able [ʌn'rīznəbl]. İnsafsız; makul olmıyan; müfrit, aşırı. ~**ing**, akılsız; mantıksız; asılsız.
unrecogniz·able [ʌn'rekəgnayzəbl]. Tanınamaz. ~**ed**, tanınmamış; kabul olunmamış; kadri bilinmiyen.
unredeemed [ʌnri'dīmd]. Rehinden çıkarılmamış; tutulmamış (vait). **his vices were** ~ **by any virtue**, eksiklerini örtecek hiç bir meziyeti yoktu.
unre·fined [ʌnri'faynd]. Ham (madde); kaba (kimse). ~**flecting** [-'flektin(g)], ışığı aksettirmiyen; hiç düşünmiyen. ~**generate** [-'cenərit], ıslah olunmamış; tövbekâr olmamış; ıslah kabul etmez. ~**hearsed** [-'hə̄st] (*tiy.*) prova edilmemiş; (*mec.*) kendiliğinden.
unrein [ʌn'reyn]. Dizgin salıvermek; (*mec.*) salıvermek. ~**ed**, dizginleri sıkılmamış; tahdit olunmamış.
unre·lated [ʌnri'leytid]. Başka şey(ler)le ilgi/ilişkisi olmıyan; akraba olmıyan. ~**lenting** [-ri'lentin(g)], katı yürekli, amansız; gevşemiyen. ~**liable** [-'layəbl], güvenilemez; itimat edilemez; emniyetsiz. ~**lieved** [-'līvd], derdi hafiflememiş; eksilmemiş; yeknesak. ~**ligious** [-'licəs], dindar olmıyan; dinle ilişkisiz.
unre·mitting [ʌnri'mitin(g)]. Hiç durmıyan; fasılasız. ~**munerative** [-'myūnərətiv], kazançsız. ~**quited** [-'kwaytid], mükâfatı verilmemiş: ~ **love**, karşılık görmiyen aşk. ~**served** [-'zə̄vd], ketum olmıyan; kayıtsız şartsız; tutulmamış (yer/oda): ~**ly** [-vidli], kayıtsız şartsız; istisnasız; büsbütün, tamamen; açıkça.
unrest [ʌn'rest]. Huzursuzluk, rahatsızlık; kargaşalık.
unre·strained [ʌnri'streynd]. Zaptolunmamış; itidalsiz, ölçüsüz; aşırı, müfrit; pervasız. ~**stricted** [-'striktid], tahdit olunmamış; serbest; mutlak, salt.
un·riddle [ʌn'ridl]. (Meçhul şey vb.) çözmek, anlatmak. ~**righteous** [-'rayçəs], günahkâr; kötü; haksız. ~**rip**, yırtıp açmak. ~**rivalled** [-'rayvəld], rakipsiz; eşsiz. ~**roll** [-'roul], dürülmüş bir şeyi açmak; açılmak; gözlerinin önüne ser(il)mek. ~**romantic** [-rou'mantik], romantik olmıyan; bayağı, adi. ~**round(ed)** [-'raund(id)] (*dil.*) düz.
UNRRA/Unrra ['ʌnrā] = UNITED NATIONS RELIEF AND REHABILITATION ADMINISTRATION.
un·ruffled [ʌn'rʌfld]. İstifini bozmıyan; sarsılmaz; (deniz) limanlık. ~**ruly** [-'rūli], ele avuca sığmaz; azılı.
UNRWA = UNITED NATIONS RELIEF AND WORKS AGENCY.
un·saddle [ʌn'sadl]. Eyerini çıkarmak; attan düşürmek. ~**safe** [-'seyf], emin olmıyan; sağlam olmıyan; tehlikeli; güvenilmez; tehlikeye maruz. ~**said** [-'sed] *g.z.(o.)* = ~SAY: **leave** ~, söylemeden geçmek. ~**saleable** [-'seyləbl], satılamaz. ~**salaried** [-'salərid], maaşsız; fahrî.
unsatis·factory [ʌnsatis'faktəri]. Tatmin etmiyen; uygun olmıyan; kusurlu; memnun etmiyen. ~**fied** [-'satisfayd], doymamış; tatmin edilmemiş; gayri memnun; ikna edilmemiş.
un·saturated [ʌn'saçəreytid]. Doygun olmıyan; doymamış. ~**savoury** [-'seyvəri], kötü kokulu; tadı kötü; bayağı, kötü zevkli.
unsay (*g.z.(o.)* ~**said**) [ʌn'sey, -'sed]. Söylediğini geri almak. ~**able**, söylenmez.
un·scalable [ʌn'skeyləbl]. Tırmanılamaz. ~**scarred**/~**scathed** [-'skād, -'skeyðd], yararsız; yararlanmamış. ~**scented** [-'sentid], kokusuz. ~**schooled** [-'skūld], tahsil görmemiş; tecrübesiz. ~**scientific** [-sayən'tifik], ilmî/fennî olmıyan; fenle ilişkisi olmıyan. ~**scramble** [-'skrambl], SCRAMBLED telefon konuşmasını düzeltmek. ~**screw** [-'skrū], vidasını açmak; vidalarını sökmek. ~**scripted** [-'skriptid], önceden yazılmamış nutuk. ~**scrupulous** [-'skrūpyuləs], vicdansız; hiç bir şeyden çekinmiyen; saygısız.
un·seal [ʌn'sīl]. Mühürünü kırmak; açmak. ~**seasonable** [-'sīzənəbl], mevsimsiz; yersiz. ~**seat** [-'sīt], attan düşürmek; mebusluktan çıkarmak. ~**seaworthy** [-'sīwə̄ði], denize dayanıklı olmıyan. ~**seconded** [-'sekəndid], yardım görmiyen; desteklenmeyen (teklif vb.). ~**secured** [-si'kyuəd], iyi bağlanmamış; temin edilmemiş; kefaleti olmıyan. ~**seeded**, (*sp.*) seçilmemiş. ~**seeing** [-'sīin(g)], görmiyen; dikkatsiz; kör. ~**seemly** [-'sīmli], yakışmaz; yakışıksız: ~ **words**, ileri geri sözler. ~**seen** [-'sīn], görülmemiş; göze görünmiyen; gizli: **the** ~, öbür dünya; gaip; iyi saatte olsunlar: ~ **translation**, hazırlamadan yapılan tercüme. ~**selfish** [-'selfiş], bencil olmıyan; kendi

çıkarını gütmiyen; feragat sahibi; hasbî. ~**serviceable** [-'sāvisəbl], işletilemez; kullanılamaz.

unsettle [ʌn'setl]. Bulandırmak; sarsmak; karıştırmak; heyecanlandırmak. ~**d**, kararlaştırılmamış, tespit edilmemiş; (hava) değişik; (yer, memleket) gayri meskûn; karışıklık içinde; (insan) mütereddit; huzursuz; (hesap) ödenmemiş: ~ **estate**, kime intikal edeceği vasiyetle tespit edilmemiş servet.

unsex [ʌn'seks]. Cinsiyetten yoksun etm.; kadınlıktan çıkarmak.

unshake·able [ʌn'şeykəbl]. Sarsılmaz; metin. ~**n**, sarsılmamış, metin.

un·shapely [ʌn'şeypli]. Biçimsiz; çelimsiz. ~**shaven** [-'şeyvn], tıraşı uzamış. ~**sheathe** [-'şīð], kınından çıkarmak. ~**ship** [-'şip], gemiden kaldırmak; yerinden çıkarmak; sökmek: ~**ment**, boşaltma, tahliye. ~**shod** [-'şod], nalsız; ayakkabısız, yalınayak. ~**shrinkable** [-'şrinkəbl], çekmez, büzülmez. ~**shutter** [-'şʌtə(r)], kepenklerini kaldırmak/açmak.

unsight·ed [ʌn'saytid]. Görülmemiş; gözsüz; gezsiz. ~**ly**, göze batan; çirkin; yakışıksız.

un·signed [ʌn'saynd]. İmzasız; yazarı bilinmeyen. ~**sinkable** [-'sin(g)kəbl], (suya) batmaz. ~**sisterly** [-'sistəli], kız kardeşe yakışmaz.

unskil·ful [ʌn'skilfl]. Maharetsiz, beceriksiz, hünersiz. ~**led** [-ld], eli yatmamış; tecrübesiz; melekesiz: ~ **labour**, kaba iş; usta olmayan işçiler.

un·sling (*g.z.(o.)* ~**slung**) [ʌn'slin(g), -'slʌn(g)]. Askıdan indirmek.

unsoci·able [ʌn'soușəbl]. Uysal/sokulgan olmıyan. ~**al** [-şəl], sosyal olmıyan: ~ **hours**, geceleyin/pazar günü vb. gibi çalışılan saatler: ~ **work**, çok ağır/kötü/pis iş.

un·soiled [ʌn'soyld]. Lekelenmemiş; temiz. ~**sold** [-'sould], satılmamış; (*bas.*) iade edilecek. ~**solicited** [-sə'lisitid], istenilmemiş; talep edilmeden. ~**sophisticated** [-'fistikeytid], tabiî, saf, sadedil. ~**sought** [-'sōt], aranmamış, talep edilmeden. ~**sound** [-'saund], sağlam olmıyan; hastalıklı; çürük; bozuk; kusurlu; sakim: **of** ~ **mind**, şuuru bozuk.

un·sparing [ʌn'speərin(g)]. Esirgemiyen; bol: ~ **of others**, başkalarına karşı insafsız; başkalarına kıyar. ~**speakable** [-'spīkəbl], ağza alınmaz; iğrenç; tarif edilemez. ~**specified** [-'spesifayd], belirtilmemiş, gayri mezkûr. ~**spent**, sarf edilmemiş; yorulmamış. ~**splinterable** [-'splintərəbl], parçalanmadan kırılan (cam). ~**spoil·ed/-t** [-'spoyld, -lt], bozulmamış; şımarmamış. ~**spoken** [-'spoukn], söylenmemiş; zımnî. ~**sportsmanlike** [-'spōtsmənlayk], sportmenliğe yakışmaz. ~**spotted** [-'spotid], lekesiz; beneksiz; tertemiz; göze görünmeden.

un·stable [ʌn'steybl]. Sabit olmıyan, dengesiz, oynak; kararsız. ~**steady** [-'stedi], kararsız; sağlam olmıyan; sendeliyen; hoppa. ~**step**, (*den.*) (direği) çıkarmak. ~**stick** (*g.z.(o.)* ~**stuck**) [-'stik, -stʌk], (yapışık şeyler) ayırmak. ~**stinted** [-'stintid], bol; istenildiği kadar; esirgenmemiş. ~**stitch** [-'stiç], dikişini sökmek: **come** ~**ed**, dikişi sökülmek.

unstop [ʌn'stop]. Tıpasını çıkarmak. ~**ped**, durdurulmamış; tıpa/tıkacı çıkmış: **(tooth) come** ~, (dişin) dolgusu çıkmak.

un·stuck [ʌn'stʌk] *g.z.(o.)* = ~STICK: **come** ~, (yapışık bir şey) ayrılmak, çözülmek; (*arg.*) müşkülât çekmek. ~**studied** [-'stʌdid], tabiî, sunî değil; önceden hazırlanmamış.

unsuit·able [ʌn'syūtəbl]. Yaramaz; uygun olmıyan. ~**ed** [-tid], ~ **to/for**, -e uymaz, yakışmaz, münasip olmıyan.

un·sure [ʌn'şuə(r)]. Emin/muhakkak olmıyan; şüpheli; tehlikeli olabilir. ~**surpassed** [-sə'pāst], emsalsiz, eşsiz, benzersiz.

unsuspect·ed [ʌnsʌs'pektid]. Umulmadık; hakkında şüphe olmıyan. ~**ing**, şüphe etmiyen, gafil.

unswerving [ʌn'swāvin(g)]. Sapmaz; yolundan şaşmaz; metin, devamlı.

unsympathetic [ʌnsimpə'θetik]. Başkasının duygularına katılmıyan; soğuk; sevimli olmıyan; tasvip etmez.

un·tameable [ʌn'teyməbl]. Evcilleştirilemiyen; zaptolunmaz. ~**tapped** [-'tapt], tıpası çıkarılmamış; delinmemiş (fıçı): ~ **resources**, henüz kullanılmamış/gelişmemiş kaynaklar vb. ~**taught** [-'tōt], öğretilmemiş; cahil.

unthink·able [ʌn'θin(g)kəbl]. Düşünülmez, tasavvur edilmez, akla gelmez. ~**ing**, düşüncesiz; dalgın; düşünmeden/dikkatsizce yapılmış.

un·tie [ʌn'tay]. Çözmek; halletmek. ~**til** [-'til] = TILL; ta ki; -e kadar/değin; -inceye kadar. ~**tilled** [-'tild], işlenmemiş (toprak), sürülmemiş, ekilmemiş.

untimely [ʌn'taymli]. Vakitsiz; mevsimsiz; yersiz. **come to an** ~ **end**, vaktinden önce ölmek; başaramadan çabucak sona ermek.

un·tiring [ʌn'tayərin(g)]. Yorulmak bilmez. ~**titled** [-'taytld], unvansız (kimse); isimsiz (kitap vb.).

unto ['ʌntu]. TO*'un eski şekli.*

untold [ʌn'tould]. Nakledilmemiş; hesapsız, sayılmaz; sonsuz. **worth** ~ **gold**, dünya kadar altın değerinde.

untouch·able [ʌn'tʌçəbl]. El sürülemez; (*Hint.*) kastsız, en aşağı sınıfa mensup. ~**ed**, dokunulmamış; zarar görmemiş, sağ; el değmemiş, tamam; müteessir olmıyan: **he left his food** ~, yemeğine el sürmedi.

untoward [ʌn'touəd, -tə'wōd]. Talihsiz, uğursuz; aksi, ters; yersiz.

untrammelled [ʌn'traməld]. Serbest; engelsiz. ~ **by convention**, her türlü gösterişten uzak.

un·tried [ʌn'trayd]. Tecrübe edilmemiş; denenmemiş; muhakeme olunmamış. ~**trimmed** [-'trimd], tıraş edilmemiş; süslenmemiş.

untrodden [ʌn'trodn]. Ayak basılmamış; bakir (orman); kuş uçmaz kervan geçmez. ~ **path/road**, (*mec.*) yeni bir çığır.

untroubled [ʌn'trʌbld]. Rahat, ıstırapsız; sakin; kaygısız.

untru·e [ʌn'trū]. Yalan, doğru olmıyan; gayri sadık, vefasız. ~**th** [-'trūθ], yalan, uydurma: ~**ful**, yalan(cı).

un·tutored [ʌn'tyūtəd]. Öğretilmemiş; cahil; fıtrî. ~**twist** [-'twist], bükümünü açmak; çöz(ül)mek.

unus·able [ʌn'yūzəbl]. Kullanılamaz; faydasız. ~**ed** [-'yūzd], kullanılmamış; yepyeni; kullanılmıyan:

[-'yūst], alışmamış. ~**ual** [-'yūzyuəl], alışılmışın dışında; nadir; âdet/usule aykırı; müstesna, fevkalade.

unutterable [ʌn'ʌtrəbl]. Ağza alınmaz; tarif edilemez.

un·varied [ʌn'veərid]. Değişmez; yeknesak; hep bir. ~**varnished** [-'vāniʃt], verniklenmemiş; sade, saf; süssüz: **a plain ~ tale**, süssüz eklentisiz hikâye. ~**varying** [-'veəri·in(g)], değişmez; daima aynı olan.

un·veil [ʌn'veyl]. Peçesini kaldırmak, örtüsünü açmak: ~ **a statue, etc.**, bir heykel vb.ni törenle açmak. ~**versed** [-'vəst], ~ **in**, -in cahili; -i bilmez; -da acemi. ~**voiced** [-'voyst], sözle söylenmemiş; ifade edilmemiş; (*dil.*) süreksiz.

un·walled [ʌn'wōld]. Duvarsız; duvarların dışında. ~**warlike**, cengâver/savaşçı olmıyan; barışsever.

unwarrant·able [ʌn'worəntəbl]. Haklı telakki edilemez; mazur görülmez; caiz olmıyan. ~**ed**, mazur görülmez; haksız; yersiz; yakışmaz.

un·wary [ʌn'weəri]. Gafil; ihtiyatsız. ~**washed** [-'woʃt], yıkanmamış: **the Great ~**, ayaktakımı. ~**wavering** [-'weyvərin(g)], sabit, devamlı; tereddüt etmiyen; sarsılmaz.

unwear·ied [ʌn'wiərid]. Yorulmamış, yorulmaz. ~**ying**, yorulmak bilmez.

un·welcome [ʌn'welkəm]. Nahoş; istenilmiyen. ~**well** [-'wel], hafifçe hasta, keyifsiz, halsiz. ~**wept** [-'wept], ağlanmamış. ~**wholesome** [-'houlsəm], sağlığa zararlı; ağır (yemek); muzır, kötü; ahlâk bozucu.

un·wieldy [ʌn'wīldi]. Havaleli; kullanışsız; hantal. ~**willing** [-'wilin(g)], isteksiz, istemiyerek, gönülsüz. ~**wind** (*g.z.(o.)* ~**wound**) [-'waynd, -'waund], dolanmış/dürülmüş şeyi açmak; çöz(ül)mek. ~**wise** [-'wayz], akıllı olmıyan, makul olmıyan; akıllı iş değil. ~**wished-for** [-'wiʃtfə(r)], hiç istenmemiş. ~**wittingly** [-'witin(g)li], kasten olmamış; bilmiyerek.

un·womanly [ʌn'wumənli]. Kadına yakışmaz. ~**wonted** [-'wountid], alışılmamış, mutat olmıyan. ~**wooded** [-'wudid], ormansız; ağaç/ormanla örtülmemiş. ~**workable** [-'wəkəbl], işlenmez; yapılamaz; tatbik edilemez. ~**worldly** [-'wəldli], dünyevî olmıyan; maddî olmıyan; uhrevî; insanüstü. ~**worn** [-'wōn], hiç yıpranmamış; hiç giyinmemiş; az giyinen. ~**worthy** [-'wəði], lâyık olmıyan; yakışmaz; müstahak olmıyan. ~**wound**, *g.z.(o.)* = ~WIND: ~**ed** [-'wūndid], yaralanmamış. ~**wrap** [-'rap], açmak, çözmek; zarf/sargı/ambalajını çıkarmak. ~**wrinkled** [-'rin(g)kld], buruşuksuz; (*mec.*) genç. ~**written** [-'ritn], yazılmamış; sözlü: **the ~ law**, yapılagelişe dayanan kanun.

un·yielding [ʌn'yīldin(g)]. Boyun eğmez; teslim olmıyan; inatçı, sert. ~**yoke**, boyunduruğunu kaldırmak; salıvermek, ayırmak.

up [ʌp]. Yukarı, yukarıda, yukarıya; alttan; (fiyat) yükselmiş. [*Fiille birlikte*: (i) *yukarıya doğru hareket ifade eder, mes.* **go up**, yukarı çıkmak, yükselmek; **raise up**, yükseltmek; (ii) *sonuna kadar götürülen bir hareket ifade eder, mes.* **use up**, kullanıp bitirmek: **nail up**, bir şeyi çivileyerek kapatmak.] **be ~ and about**, (hasta) iyileşip gezip yürümek: **we're ~ against it!**, işte şimdi çattık!; işler sarpa sardı: **it's all ~ with us**, hapı yuttuk; yandık, mahvolduk: **his blood was ~**, coştu, öfkelendi: **we must be ~ and doing**, haydi iş başına: ~**s and downs**, değişiklik; iniş çıkış/yokuş; kâh düşme kâh kalkma: **the ~s and downs of life**, feleğin iyisi kötüsü: **curse s.o. ~ and down**, birini tepeden tırnağa donatmak: **walk ~ and down**, bir aşağı bir yukarı gezmek: **is he ~ (yet)?**, kalktı mı?: **it's not ~ to much**, pek bir şeye benzemiyor: **after his illness he is not ~ to much**, hastalığından beri pek işe yaramıyor: **Parliament is ~**, Parlamento kapalı: **there's something ~**, bir şey var, bir şeyler oluyor: **the ~ line/train**, Londra/büyük şehre giden hat/tren: ~ **to ...**, -e değin/kadar/düşer: **what are you ~ to?**, ne halt ediyorsunuz?: **he's ~ to something or other**, her halde bir dolap çeviriyor: **the next step is ~ to you/it is ~ to you to take the next step**, bundan sonraki teşebbüsü yapmak size aittir: **what's ~?**, ne var?, ne oluyor?: **what's ~ with you?**, ne oluyorsunuz?

UP = UNITED PRESS/PROVINCES; UTTAR PRADESH.

up-and·-coming [ʌpən'kəmin(g)] (*kon.*) Atılgan, girişken; uyanık; geleceği başarılı. ~**-down**, yukarı aşağı (hareket). ~**-over**, kaldırılıp yatık halinde açık kalan (kapı vb.). ~**-up**, **be on the ~**, (*arg.*) çok başarılı olm.; ilerlemek.

upas ['yūpəs]. ~ **tree**, Cava'da yetişir bir ağaç ki dallarının altına girmek uğursuz sayılır ve süte benzer özsuyu ok zehri olarak kullanılır.

up·beat ['ʌpbīt] (*kon.*) Nikbin, neşeli. ~**braid** [-'breyd], azarlamak. ~**bringing** [-'brin(g)gin(g)], çocuk terbiyesi: **what was his ~?**, nerede yetişmiş? ~**country** [-'kʌntri], bir memleketin içi, taşra; sahilden uzak (yer). ~**date** [-'deyt] (*müh.*) en son değişikleri bulundurmak. ~**-end**, dikine oturtmak; dikmek, kaldırmak. ~**grade**, *f.* rütbesini yükseltmek, terfi ettirmek: *i.* yokuş: **be on the ~**, ilerlemekte olm.; iyileşmekte olm.

upheav·al [ʌp'hīvl]. Yerkabuğunun kabarması, yükselme; anî ve büyük değişiklik; kıyamet; kargaşalık. ~**e**, yükseltmek; değiştirmek.

uphill ['ʌphil]. Yukarıya doğru giden; güç/çetin (bir iş).

up·hold (*g.z.(o.)* ~**held**) [ʌp'hould, -'held]. Tutmak; düşmesini önlemek; idame etm.; muhafaza etm.; iltizam etm.; tasdik etm.

upholster [ʌp'houlstə(r)]. Perde/halı/mefruşat ile döşemek; tefriş etm.; koltuk vb.ni doldurup kumaşla kaplamak. ~**er**, döşemeci. ~**y**, döşeme(cilik).

up·keep ['ʌpkīp]. İdame; bakım; idame masrafı. ~**land** [-lənd], yaylada bulunan: **the ~s**, yayla; yüksek bölge/arazi. ~**lift**, *i.* yükseltme; kalkınma; (*hav.*) yük: *f.* [-'lift], yükseltmek; kalkındırmak.

up·manship ['ʌpmənʃip] = ONE-~. ~**-market**, (*mal.*) şık; daha kibar müşterilerin hoşuna gideceği sanılan.

upon [ʌ'pon]. Üzerine, üzerinde; = ON. **winter is ~ us**, kış gelip çattı; kış neredeyse başlar.

upper ['ʌpə(r)]. Üst; üstteki; yukarıdaki. ~**s**, kunduranın yüzü: **be (down) on one's ~s**, zaruret içinde olm.: **the ~ classes/ten (thousand)**, kibar tabaka, havas: **get the ~ hand**, üst olm., üstün gelmek: **the ~ House**, Lordlar Kamarası. ~**most**, en üstteki; en yukarıdaki; birinci; ilk gelen.

uppi·sh ['ʌpiʃ] (*kon.*) Şımarık, yüzsüz, arsız. ~**ty**, (*kon.*) mağrurane, snop, haddini bilmez.

uprate [ʌp'reyt] (*müh.*) Gücünü yükseltmek.
upright ['ʌprayt] *s.* Dik; amudî, dikey; müstakim, namuslu. *i.* Dikey kısım, direk. **bolt** ~, dimdik: **out of the** ~, dikey olmıyan: ~ **piano**, dik piyano. ~**ness**, istikamet, doğruluk.
up·rising [ʌp'rayzin(g)]. Ayaklanma, isyan; kıyam; kalkış; güneşin doğması. ~**river** [-'rivə(r)], nehrin yukarı tarafın(d)a.
uproar ['ʌprō(r)]. Velvele, şamata; hengâme, kargaşalık. ~**ious** [-'rōriəs], şamatalı; curcunalı: **laugh** ~**ly**, kahkahalarla gülmek.
uproot [ʌp'rūt]. Kökünden söküp çıkarmak; kökünden koparmak.
upset (*g.z.(o.)* ~) [ʌp'set] *f.* Devirmek, altüst etm.; bozmak; üzmek, canını sıkmak; musallat olm.; dokunmak; tedirgin etm.; devrilmek; alabora olm. *s.* Devrilmiş; altüst; bozulmuş; müteessir; mustarip; keyfi kaçmış. *i.* Devrilme; karışıklık. **beer** ~**s me**, bira bana dokunur: **he is easily** ~, en küçük şeye üzülür: ~ **price**, satış/mezatta kabul edilecek en aşağı fiyat: **don't** ~ **yourself!**, üzülme!
upshot ['ʌpşot]. Netice, akibet; özet. **in the** ~, sonunda.
upside-down [ʌpsayd'daun]. Altüst; ters. **hold stg.** ~, bir şeyi baş aşağı tutmak: **turn** ~, altüst etm.
up·-stage [ʌp'steyc] (*kon.*) Müstağni, kibirli. ~**stair** [-'steə(r)], üstkata ait: ~**s**, üst katta; üst kata; (*kon.*) kafada. ~**standing** [-'standin(g)], boyu bosu yerinde; dik. ~**start** [-stāt], türedi; zıpçıktı. *~**state** [-steyt], devletin şehirlerden uzak olan kısmı, taşra. ~**stream** [-'strīm], akıntıya karşı; akış yukarı; nehrin yukarı tarafına.
up·take ['ʌpteyk]. Kavrayış, intikal; yukarıya çekme: **quick on the** ~, çabuk kavrar: **slow in the** ~, kalınkafalı. ~**thrust** [-θrʌst], çıkma, çıkık. *~**tight** [-tayt] (*kon.*) rahatsız, endişeli; öfkeli; nezaketsiz, resmî. ~**-to-date/-the-minute**, asrî, son moda, modern; aktüel, güncel. ~**town**, şehrin yüksek/*özel evli kısmı.
upturn [ʌp'tə̄n] *f.* (Toprağı) saban ile çevirmek. *i.* Yükselme. **prices are on the** ~, fiyatlar yükseliyor. ~**ed**, yukarıya çevrilmiş; yukarıya bakan; kalkık (burun).
UPU = UNIVERSAL POSTAL UNION.
upward ['ʌpwə̄d]. Yukarıya doğru giden. ~**s**, yukarıya doğru; ziyade: **five pounds and** ~, beş liradan itibaren: ~ **of 100 planes**, yüzden fazla uçak: **from ten years of age** ~, on yaşından itibaren.
upwind ['ʌpwind]. Rüzgâra karşı.
ur- [ur-] *ön.* Asıl, aslî; ilk: ~ **text**, asıl metin.
ur(a)emia [yū'rīmiə] (*tıp.*) Üremi.
Ural-Altaic [yurəlal'teyik]. Ural ile Atlay dağları ve orada oturanlara ait; (*dil.*) Moğol/Türk/Fin/Macar vb. dillerine ait; Ural-Altay +.
uran·ic [yū'reynik]. Uranyuma ait. ~**ium** [-niəm], uranyum. ~**us** [-nəs] (*ast.*) Uranus.
urban ['ə̄bən]. Şehre mensup/ait. ~ **guerilla**, şehir çete(ci)si: ~ **sprawl**, plan/dizginsiz şehir yayılması. ~**e** [ə̄'beyn], nazik, güleryüzlü, çelebi. ~**ism** ['ə̄bənizm], şehir niteliği; şehircilik. ~**ist**, şehirci. ~**ite** [-nayt], şehirli. ~**ity** [-'baniti], nezaket, çelebilik. ~**ization** [ə̄bənay'zeyşn], şehirleş(tir)me. ~**ize** ['ə̄bə-], şehirleştirmek. ~**ology** [-'noləci], şehirler ile problemlerine ait bilim. ~**-renewal**, bir şehrin köhne/fakir bölgelerinin yeniden inşa edilmesi.
urchin ['ə̄çin]. Küçük erkek çocuk, afacan; deniz kestanesi.
Urdu ['uədū]. Orduca.
-ure [-yuə(r)] *son.* -lik [FAILURE].
ure·a [yuə'riə]. Bevil cevheri; üre. ~**al** [-'riəl], üreye ait. ~**ter** [-'rītə(r)], hâlip, sidiksağan. ~**thra** [-'rīθrə], sidik boru/yolu, üretra. ~**tic**, sidiğe ait.
urge [ə̄c] *i.* Sevk, saik. *f.* Sevketmek, tahrik etm.; sürmek; ısrar etm.; sıkıştırmak; acele etm. **feel an** ~ **to do stg.**, içinden dürtüyorlar gibi bir şeyi yapmak istemek.
urgen·cy ['ə̄cənsi]. Acelelik, evginlik, ivedilik; önem. ~**t**, acele, evgin, ivedili, tez; önemli: ~**ly**, ivedili olarak.
URI (*tıp.*) = UPPER RESPIRATORY INFECTION.
uri·c ['yūrik]. İdrar/sidiğe ait; ürik. ~**nal** [-'rinəl], (küçük aptes için) helâ, pisuar; ördek; oturak. ~**nate** [-neyt], işemek, sidik çıkarmak. ~**ne** [-rin], sidik, idrar. ~**no-**, *ön.* sidik +.
urn [ə̄n]. Eskiden ölünün küllerinin saklandığı kap; ayaklı kap; semaver.
uro- [yūro-] *ön.* Sidik +, idrar +. ~**logy**, idrar uzuvları bilimi, üroloji.
ursine ['ə̄sayn]. Ayı gibi.
urtica·ceae [ə̄ti'keysi·ī] (*bot.*) Isırganlar. ~**ria** [-'keəriə], kurdeşen, ürtiker.
Uruguay ['urugwāy]. Urugvay. ~**an** [-'gwayən] *i.* Urugvaylı: *s.* Urugvay +.
urus ['yuərəs] = AUROCHS.
us [ʌs]. Bizi. **to** ~, bize: **from** ~, bizden.
US = UNDER-SECRETARY; UNITED STATES. ~**A** = UNITED STATES ARMY/OF AMERICA.
usable ['yūzəbl]. Kullanılabilir.
USA·EC = UNITED STATES ATOMIC ENERGY COMMISSION. ~**F** = UNITED STATES AIR FORCE.
usage ['yūsic]. Kullanış; muamele; teamül, âdet, örf. **English** ~, İng. göreneği; İngilizcenin kullanılımı: **local** ~, mahallî örf ve âdet: **rough** ~, kaba muamele.
usance ['yūsəns]. Yabancı poliçelerin ödenme vadesi.
use[1] [yūs] *i.* Fayda; kullan(ıl)ma; istimal; kullanış; âdet. **be in** ~, kullanılmak: **come into** ~, kullanılmağa başlamak: **a word in everyday** ~, her gün kullanılan bir kelime: **for the** ~ **of**, -in için, -in kullanılmasına mahsus olarak: **we will find a** ~ **for it**, belki bir gün bir şey için kullanırız: **have the** ~ **of**, kullanabilmek; kullanmağa hakkı ve yetkisi olm.: **he has lost the** ~ **of his right hand**, sağ elini kullanamıyor: **make** ~ **of stg.**, bir şeyden yararlanmak, bir şeyi kullanmak: **make good** ~ **of stg./put stg. to good** ~, bir şeyden yararlanmak, çok kullanmak: **make a good/bad** ~ **of stg.**, bir şeyi iyi/kötü bir amaç için kullanmak: **it's no** ~, faydası yok; beyhude, nafile: **of no** ~, faydasız: **of** ~, faydalı: **be of** ~ **for stg.**, bir şeye yaramak: **can I be of any** ~ **to you?**, size yardım edebilir miyim?: **out of** ~, kullanılmıyor; şimdi kullanılmaz: **go/fall out of** ~, artık kullanılmamak: **what's the** ~**?**, ne fayda?, bundan ne çıkar?
use[2] [yūz] *f.* Kullanmak, istimal etm.; yararlanmak, istifade etm.; işletmek; muamele etm. ~ **up**, kullanıp bitirmek; tüketmek; istihlâk etm.: **be** ~**d up**, tükenmek; suyunu çekmek.
use[3] *f. Yalnız g.z. kipinde* (**used** [yūst]) *kullanılır.* Âdeti olm., âdet edinmek. **be** ~**d to**, -e alışık olm.: **I**

~**d to go there every day**, ben oraya her gün giderdim: **I am not ~d to such treatment**, böyle muamele edilmeğe alışık değilim: **I ~d not to like whisky**, eskiden viskiden hoşlanmazdım: **things aren't what they ~d to be**, dünya eskisi gibi değil; eski çamlar bardak oldu.
used[1] [yūzd] *g.z.(o.)* = USE[2]; kullanılmış; yeni olmıyan.
used[2] [yūst] *g.z.* = USE[3].
useful ['yūsfl]. Faydalı; kullanışlı; yararlı, işe yarar. **make oneself ~**, yararlı bir iş görmek; yardım etmek. ~**ness**, fayda(lı olma); kullanışlılık.
use·less ['yūslis]. Faydasız; bir işe yaramaz; boş, beyhude. ~**r** ['yūzə(r)], kullanan.
usher ['ʌşə(r)]. Mubassır; mübaşir; teşrifatçı; (*tiy.*) yer gösterici: ~ **in**, salon vb.ne almak, yol göstermek: ~ **in a new epoch**, yeni bir devir açmak. ~**ette** [-ret] (*sin.*) yer gösterici (kız).
US·IA/IS = UNITED STATES INFORMATION AGENCY/SERVICE. ~**M** = UNITED STATES MAIL/MARINES. ~**N** = UNITED STATES NAVY. ~**O** = UNITED SERVICES ORGANIZATION. ~**S** = UNITED STATES SENATE/SHIP. ~**SR** = UNION OF SOVIET SOCIALIST REPUBLICS.
usual ['yūzyuəl]. Mutat; alışılmış; alelâde; olağan; âdet hükmünde; her zamanki. **as ~**, her zamanki gibi. ~**ly**, ekseriyetle, çoğunlukla
usufruct ['yūzyufrʌkt]. İntifa/yararlanma hakkı. ~**uary** [-'frʌktuəri], intifa hakkına ait; intifa hakkı olan kimse.
usur·er ['yūjərə(r)]. Mürabahacı; tefeci; faizci. ~**ious** [-'yūriəs], mürabahalı; fahiş faiz alan. ~**y** ['yūjəri], mürahabacılık, tefecilik; fahiş faiz.
usurp [yū'zə̄p]. Gasbetmek; zorla almak; kabullenmek; tecavüz etm. ~**ation** [-'peyşn], gasbetme, zorla alma. ~**er**, gasbedici; gayri meşru vasıtalarla saltanatı elde eden kimse.
UT = UNIVERSAL TIME.
Ut(ah) ['yūtō]. ABD'nin biri.
utensil [yu'tensl]. Kap; mutfak takımı; alet.
uter·ine ['yūtərayn]. Rahme ait. ~**us** [-rəs], rahim, dölyatağı, döllük, uterus.
utilit·arian(ism) [yūtili'teəriən(izm)]. Faydacı(lık), yararcı(lık). ~**y** [-'tiliti], faydalı olma; yarama: ~ **clothes/boots, etc.**, savaş zamanında hükümetçe tespit edilen kalite ve fiyatta elbise vb.: **general ~ wagon**, her işe yarıyan araba: **public ~ies**, kamu kuruluş/hizmetleri.
utiliz·able [yūti'layzəbl]. Kullanılabilir. ~**ation** [-'zeyşn], kullan(ıl)ma. ~**e** ['yūtılayz], kullanmak; istifade etm., yarar sağlamak.
utmost ['ʌtmoust]. Son derece; en uzak; en ziyade. **do one's ~**, elinden gelen her şeyi yapmak: **to the ~**, alabildiğine.
Utopia [yu'toupiə]. Muhayyel yeryüzü cenneti; utopya. ~**n**, hayalî; çok istenen fakat yapılamıyan; gerçekleş(tiril)miyen, utopyacı.
utter[1] ['ʌtə(r)] *f.* Ağza almak; seslenmek; ses çıkarmak; (kalp para vb.ni) sürmek. ~**ance**, ifade; ses çıkarma; söz: **give ~ to one's feelings**, hislerini sözle ifade etm.
utter[2] *s.* Bütün bütün; tam; sapına kadar. ~ **ass**, şeddeli eşek: ~ **rot**, deli saçması. ~**ly**, tamamen. ~**most** = UTMOST.
U-turn ['yūtə̄n]. 180°li bir dönüş. **do a ~**, (*oto.*) olduğu yerden geriye dönmek; (*id.*) siyaset/prensiplerini tamamen değiştirmek.
UV = ULTRA-VIOLET.
uvula ['yūvyulə]. Küçük dil. ~**r**, küçük dile ait.
UW = UNDER-WATER.
uxorious [ʌk'sōriəs]. Karısına son derece düşkün olan.
Uzbek ['uzbek]. Özbek(istan); Özbekçe.

V

V [vī]. V harfi. **~-1/2** = FLYING BOMB. **~-8,** (*oto.*) V-şeklinde sekiz silindirli motor.
V, v. = (*kim.s.*) VANADIUM; VECTOR; VELOCITY; VERB; VERSO; VERSUS; VERY; VICE-; VICTORY; VIDE; VOLT; VOLUME.
Va. = VIRGINIA.
VA = *VETERANS' ADMINISTRATION; VICE-ADMIRAL; (ORDER OF) VICTORIA AND ALBERT; VOLT-AMPERE.
vac. = VACANT; VACATION; VACUUM-CLEANER.
vacan·cy ['veykənsi]. Boşluk; münhal yer; bön bön bakma. **~t,** boş; açık, münhal; bön: **house to be sold with ~ possession,** derhal taşınılabilen satılık ev: **~ly,** boş/bön bir şekilde.
vacat·e [və'keyt]. Terketmek; boş bırakmak: **~ office,** istifa etm. **~ion** [-'keyşn], tatil (vakti): **the long ~,** üniversitenin uzun yaz tatili: **~ court,** tatilde nöbetçi mahkemesi.
vaccin·ate ['vaksineyt]. Aşılamak. **~ation** [-'neyşn], aşılama (*gen. yalnız çiçek aşısı için kullanılır*). **~e** [-sīn], aşı (madde): **the ~ didn't take,** aşı tutmadı.
vacillat·e ['vasileyt]. Sallanmak; iki şık arasında tereddüt etm.; bocalamak. **~ing,** tereddüt eden. **~ion** [-'leyşn], sallanma; tereddüt.
vacu·ity [və'kyūiti]. Boşluk; bön bön bakma. **~ole** ['vakyūoul] (*biy.*) koful. **~ous** [-yuəs], anlamsız, bön. **~um** [-yuəm], boşluk; halâ; vakum, alçakbasınç; emme: **~-cleaner,** elektrik süpürgesi: **~-flask,** termos: **~-pump,** vakum tulumbası, emici tulumba: **~-tube,** boşluk borusu.
VAD = VOLUNTARY AID DETACHMENT.
vade mecum ['veydi 'mīkəm] (*Lat.*) Her zaman birinin üzerinde taşınan faydalı bir şey, *bilh.* küçük rehber.
vae victis [vī'viktis] (*Lat.*) Veyl mağluba!; altta kalanın canı çıksın.
vagabond ['vagəbond]. Serseri, başıboş; derbeder, avare; külhanbeyi. **~age** [-dic], derbederlik.
vagary [və'geəri]. Kapris; akla esen şey.
vagin·a [və'caynə]. Mehbil, hazne, dölyolu. **~itis** [vaci'naytis], dölyolu iltihabı.
vagran·cy ['veygrənsi]. Serserilik, dilencilik. **~t,** serseri; dilenci; avare, derbeder.
vague [veyg]. Müphem; belli belirsiz; hayal meyal. **I haven't the ~st idea,** zerre kadar bilgim yok. **~ly,** müphem bir şekilde. **~ness,** müphemlik.
vail[1] [veyl] *i.* (*mer.*) Bahşiş.
vail[2] *f.* (*mer.*) Boyun eğmek; şapka vb. hürmetle çıkarmak.
vain [veyn]. Beyhude, boş, nafile; semeresiz; fodul, kendini beğenmiş. **in ~,** beyhude yere, nafile: **take God's name in ~,** Allahın adını saygısızca kullanmak. **~glorious** [-'glōriəs], mağrur; övüngen; kendini beğenen, fodul. **~glory,** övünme, gurur. **~ly** [-li], beyhude yere, boşuna, nafile; gururlu/fodul bir şekilde. **~ness,** gurur, fodulluk.
valance ['valəns]. Kısa perde; sayvan; karyola eteği.
vale[1] [veyl]. Dere, vadi. **this ~ of tears,** bu mihnet diyarı, bu dünya.
vale[2] ['veyli] (*Lat.*) Elveda. **~diction** [vali'dikşn], veda. **~dictory,** veda nevinden.
valen·ce/~cy ['veyləns(i)] (*kim.*) Birleşme değeri. **-~t,** *son.* -değerli.
valentine ['valəntayn]. (St. Valentine'in yortusu) 14 şubatta bir kimsenin sevgilisine gönderdiği resimli kart.
valerian [və'liəriən]. Kediotu.
valet ['valit, -ley] *i.* Erkek oda hizmetçisi, vale, şahsî uşak. *f.* Birine oda hizmetçisi olm.
valetudinarian [valityūdi'neəriən]. Hastalıklı; kendi sağlığına fazla düşkün.
valiant ['valyənt]. Cesur; yiğit. **~ly,** yiğitçe. **~ness,** cesaret, yiğitlik.
valid ['valid]. Mer'i; muteber, geçer, yürür; sayılır; hükmü cari olan. **~ate** [-deyt], tasdik etm., doğruluğunu kontrol etm. **~ation** [-'deyşn], tasdik. **~ity** [və'liditi], mer'iyet, yürürlük, geçerlik, muteberlik. **~ly,** muteber vb. olarak.
valise [və'līz]. Bavul; yol çantası; valiz.
vallecula [va'lekyulə] (*biy.*) Çukurcuk.
valley ['vali]. Vadi, koyak; tepeler arasındaki basık yer. **dead ~,** kuru koyak: **rift ~,** çöküntü koyağı.
vallum ['valəm] (*ark.*) Toprak siper.
val(l)onia [va'louniə]. (Tabaklıkta kullanılan) kuru meşe palamudu.
valoriz·ation [valəray'zeyşn] (*mal.*) Kıymet takdir etme, değerlendirme. **~e** ['val-], değerlendirmek.
valo·rous ['valərəs]. Yiğit, cesur, kahraman: **~ly,** yiğitçe. **~ur,** cesaret, şecaat.
valuable ['valyuəbl]. Değerli (şey). **~s,** küçük fakat değerli şeyler.
valuation [valyu'eyşn]. Kıymet takdiri, değerlendirme; tahmin, keşif. **make a ~ of the goods,** eşyayı bilirkişiye keşfettirmek: **take s.o. at his own ~,** birisi hakkında kendi anlattıklarına göre hüküm vermek, *krş.* şeyhin kerameti kendinden menkul.
value ['valyu] *i.* Kıymet, değer; karşılık; önem. *f.* Kıymetini takdir etm., değerlendirmek, keşfetmek; kıymet biçmek; takdir etm.; muteber saymak. **book ~,** defter değeri: **face ~,** nominal/yazılı değer: **fair ~,** haklı değer: **par ~,** nominal/başabaş değer: **be of ~,** kıymetli/değerli olm.: **be of no ~,** değersiz olm.: **don't do that if you ~ your life,** canının kıymetini biliyorsan bunu yapma: **get good ~ for one's money,** sarfettiği paranın tam karşılığını almak: **these things are very good ~,** bu eşya fiyatına göre ucuz sayılır: **set a high ~ on stg.,** bir şeyi pek fazla takdir etmek. **~-added-tax,** değer

katkı vergisi. **~d**, değerlendirilmiş; pek değerli. **~less**, değersiz. **~r**, muhammin, oranlayıcı.
valuta [və'lūtə] (*mal.*) (Başkasına kıyas ederek) bir paranın değeri.
valv·e [valv] (*müh.*) Supap, klape, valf, vana, ventil; musluk; (*rad.*) lamba, tüp; (*biy.*) kapakçık; (*bot.*) çenet. **~ular** [-vyūlə(r)], kapakçıklı, kapakçığa ait.
***vamoose** [və'mūs] (*arg.*) Sıvışmak.
vamp[1] [vamp] *i.* Kundura yüzü. *f.* Yeni yüz geçirmek; yenileştirmek, yamamak.
vamp[2] (*müz., tiy.*) Tuluat yapmak.
vamp[3] (*arg.*) Fındıkçı kadın; (*sin.*) vamp.
vampire ['vampayə(r)] (*mit.*) Geceleri mezarından çıkıp yaşıyanların kanını emdiğine inanılan hortlak, vampir; (*biy.*) kanemici yarasa; (*mec.*) başkalarının sırtından geçinen kimse.
van[1] [van] = ~GUARD.
van[2]. Üstü kapalı yük arabası; furgon; kamyonet.
van[3] (*sp., kon.*) = ADVANTAGE.
vanad·ic/ **~ous** [və'nadik, 'vanədəs]. Vanadyuma ait. **~ium** [-'neydiəm], vanadyum.
V & A = VICTORIA & ALBERT MUSEUM.
vandal ['vandl]. Sanat/ilim eserlerini tahrip eden kimse, vandal. **~ism**, güzel şeyleri yıkıp bozma meyli, vandalizm. **~ize** [-layz], tahrip etm.; bozmak, çirkinleştirmek.
vandyke [van'dayk]. Bir çeşit dantel. **~-beard**, sivri sakal. **~-brown**, koyu kahverengi.
vane [veyn]. Fırdöndü, yelkovan; yeldeğirmeni/uskuru vb.nin kanadı; palet; tüyün yumuşak kısmı; pusula vb.nin hedef aynası.
vanguard ['vangād]. Pişdar, öncü, önkol; muharebede ordunun ön safı. **be in the ~ of progress**, ilerlemeye önayak olm.
vanilla [və'nilə]. Vanilya.
vanish ['vaniş]. Gözden kaybolmak; sırrolmak; kırklara karışmak; yok olm. **~ing-point**, sona erme noktası. **~ing-cream**, kozmetik bir krema.
vanit·ies ['vanitiz]. Boş şeyler. **~ory** [-təri], (tuvalet için) geniş yanlı lavabo. **~y**, benlik davası; geçicilik; hiçlik, beyhudelik: **~-bag/case**, (kadınların) küçük el çantası: **~-unit** = ~ORY.
vanquish ['van(g)kwiş]. Yenmek, mağlup etm.
vantage ['vāntic]. Daha iyi durum; = ADVANTAGE. **point of ~**, düşman üstüne üstünlük sağlıyan/bir şeyi seyretmek için uygun olan bir yer.
vapid ['vapid]. Yavan, tatsız. **~ity** [-'piditi], yavanlık.
***vapo·r** ['veypə(r)] = ~UR. **~rization** [-ray'zeyşn], buğulaşma, buharlaşma. **~rize** ['vey-], buğulaş(tır)mak, buharlaş(tır)mak; püskürt(ül)mek: **~r**, buhar makinesi; püskürgeç, vaporizatör. **~rous** [-rəs], buharlı, buğulu. **~ur** [-pə(r)] *i.* buğu, buhar; ruh; kuruntu, herze: *f.* buhar çıkarmak; gevezelik etm.: **~ings**, boş laf, gevezelik: **~-trail** = CONTRAIL.
vaquero [və'keərou] (*İsp.*) Sığırtmaç, kovboy.
var. = VARIANT; VARIETY.
Varangian [və'ran(g)giən]. 9–10 yy.da Bizans'a gelip saray muhafızı olup Vlanga semtine ismini veren Norveç korsanı.
variab·ility [veəriə'biliti]. Değiş·ebilme/-kenlik. **~le** ['veəriəbl], değişir, değişken, değişimli; mütehavvil; kararsız; ayarlı: **~ geometry/sweep**, (*hav.*) = SWING-WING.
varian·ce ['veəriəns]. İhtilâf; uyuşmazlık; değişme: **be at ~ with s.o.**, birisiyle uyuşamamak: **set two people at ~**, iki kişinin arasını bozmak: **this theory is at ~ with the facts**, bu kuram vakıaya uymaz. **~t**, az farklı birkaç şeyin her biri.
vari·ate ['veəriət]. (İstatistik) değişen miktar. **~ation** [-ri'eyşn], değişme, değişim; tenevvü; tahavvül; fark; (*müz.*) ezginin başka tarzda tekrarı, çeşitleme. **~-coloured**, rengârenk.
varicella [vari'selə]. Suçiçeği hastalığı.
varicose ['varikous]. **~ veins**, damar şişmesi, varis; ordubozan.
varie·d ['veərid]. Çeşitli; türlü türlü, mütenevvi. **~gate** [-geyt], renk renk etm.; türlü türlü şekil vermek: **~d**, rengârenk; alacalı. **~ty** [və'rayəti], çeşitlilik, çeşitli olma, aykırılık; başka başka olma; nevi, cins, çeşit, varyete: **~ entertainment/show**, (*tiy.*) varyete.
variform ['veərifōm]. Türlü türlü şekilli.
variol·a [və'rayələ]. Çiçek hastalığı. **~ar**/ **~ous**, bu hastalığa ait.
vario·meter [veəri'omitə(r)] (*elek.*) Varyometre. **~rum** [-'ōrəm] (*edeb.*) birkaç şahsın notlarını kapsıyan (eser/tabı).
various ['veəriəs]. Muhtelif, çeşitli; türlü türlü; birkaç/çok. **for ~ reasons**, birçok sebeplerden dolayı: **at ~ times**, muhtelif zamanlarda. **~ly**, çeşitli/farklı olarak.
vari·x, *ç.* **~ces** ['veəriks, 'varisīz]. Şişlenmiş bir damar, varis.
var·let ['vālit] (*mer.*) Uşak; çapkın; herif. **~mint**, (*mer.*) yaramaz çocuk; = VERMIN.
varnish ['vāniş]. Vernik(lemek). **~ed** [-şt], vernikli. **~ing-day**, (*san.*) ağırlama günü.
varsity ['vāsiti] (*kon.*) Üniversite.
vary ['veəri]. Değiş(tir)mek; tenevvü et(tir)mek; başkalaş(tır)mak; çeşitle(n)mek. **~ing**, değişken.
vas, *ç.* **~a** [vas, 'veysə] (*tıp.*) Damar, kanal. **~ deferens**, meni kanalı. **~al** ['veysl], kanal/damara ait. **~cular** ['vaskyūlə(r)] (*biy.*) damarlı, kanallı; vasküler. **~culum**, bitki uzmanının koleksiyon kutusu.
vase [vāz]. Saksı; vazo.
vasectomy [və'sektəmi] (*tıp.*) Meni kanalı ameliyatı.
vaseline ['vasəlīn, -zilīn] (*M.*) Vazelin (sürmek).
vas·i- [vazi-] *ön.* Damar + : **~form**, damar şeklinde. **~o-** [-zou-], damarlara ait: **~motor**, vazomotor.
vassal ['vasl]. (Metbua nispetle) tabi; kul. **~age** ['vasəlic], tabilik, kulluk, ubudiyet.
vast [vāst]. Çok geniş/büyük; hadsiz hesapsız. **~ly**, pek çok. **~ness**, genişlik; büyüklük; çokluk.
vat [vat] *i.* Büyük fıçı; tekne; sarnıç. *f.* Böyle kaplara koymak.
Vat. = VATICAN.
VAT = VALUE-ADDED TAX.
Vatican ['vatikən]. Papalık makamı; Papalık idaresi.
vaticinate [va'tisineyt]. Kehanette bulunmak.
vaudeville ['voudəvil]. Vodvil.
vault[1] [vōlt] *i.* Sıçrama; atlayış. *f.* Atla(t)mak. **~ over a gate**, bir elle tutarak bir tahtaperdeden atlamak. **~ing-horse**, (*sp.*) beygir.
vault[2] *i.* Kubbe; tonoz; kemer; yeraltı tonozlu oda; depo. **family ~**, yeraltı aile türbesi: **safety ~**, çelik kasalar odası: **wine ~s**, yeraltı şarap deposu: **the ~ of heaven**, gök kubbesi. **~ing**, tonozlar.

vaunt [vōnt]. Övünme(k); övmek. **~ing**, övüngen.
vavasour ['vavəsūr] (*tar.*) Tımar.
V-belt ['vībelt]. V kayışı.
vb(l) = VERB(AL).
VC = VICE-CHANCELLOR/-CHAIRMAN/-CONSUL; VICTORIA CROSS.
VD = VENEREAL DISEASE; VOLUNTEER (OFFICERS') DECORATION.
've [-(ə)v] (*kıs.*) = HAVE.
VE = VICTORY IN EUROPE. **~ Day**, 8.5.1945.
veal [viəl]. Dana eti.
vector ['vektə(r)] *i.* (*mat.*) Vektör. *f.* Belli bir noktaya götürmek. **~ial** [-'tōriəl], vektöre ait.
vee [vī]. V şeklinde olan. **~-block**, V yatağı.
***Veep** [vīp] (*kon.*) = VICE-PRESIDENT.
veer ['viə(r)]. Dönmek; çevrilmek; yönü(nü) değiş(tir)mek; (rüzgâr) batıdan kuzeye ve doğuya dönmek; (gemi) bocalamak. **~ away/out**, halat vb.ni salıvermek/dışarı vermek.
veg. [vec] = VEGETA·BLE/~TION.
vegan ['vīgən]. Etyemez bir kimse.
veget·able ['vecitəbl] *i.* Sebze; nebat, bitki; (*kon.*) kaza/hastalıktan sonra bitki gibi yaşıyan kimse. *s.* Nebatî, bitkisel; bitkilere ait: **~ garden**, sebze bahçesi, bostan: **~-marrow**, kabak: **~s**, zerzevat. **~al**, bitki gibi. **~arian** [-'teəriən], etyemez. **~ate** [-iteyt], bitmek; (*mec.*) ot gibi yaşamak. **~ation** [-'teyşn], bitme; bitki topluluğu, otlar, çiçekler, ağaçlar. **~ative** [-itətiv], bitkiler gibi, bitkisel.
veh. = VEHICLE.
vehemen·ce/~cy ['vīəməns(i)]. Hiddet, şiddet, sertlik. **~t**, hiddetli, sert, ateşli, şiddetli: **~ly**, hiddetli vb. bir şekilde.
vehic·le ['vīəkl]. Taşıma aracı; taşıt; vasıta; araba. **~ular** [vi'hikyūlə(r)], taşıma araçlarına ait.
veil [veyl] *i.* Peçe; yüz örtüsü; bahane. *f.* Peçe ile örtmek; saklamak, gizlemek. **beyond the ~**, öbür dünyada: **draw/throw a ~ over**, bir şeyi örtmek, örtbas etm.; ötesini saklamak: **take the ~**, rahibe olm. **~ed**, peçeli; üstü örtülü. **~ing**, peçeler, peçelik.
vein [veyn] *i.* Damar; kara kan damarı, toplardamar; verit; özel hal/mizaç. *f.* Renkli çizgilerle boyamak; ebrulamak. **be in the ~ for doing stg.**, bir şey yapmağı canı istemek: **there is a ~ of humour in all he says**, her sözünde bir mizah kokusu var. **~ed**, damarlı; ebrulu. **~let**, damarcık.
vel. = VELOCITY.
velamen [vi'leymen] (*biy.*) Kapak; zar.
velar ['vīlə(r)] (*biy.*) Yumuşak damağa ait; (*dil.*) artdamak (ünsüz).
velcro ['velkrou] (*M.*) Havlı bir kumaşa kolayca yapışan bir naylon kumaş, ki düğmelerin yerine kullanılır.
veldt [velt]. G.Afr.'da bozkır. **~schoen** ['felskūn], sepilenmemiş deriyle yapılan ayakkabı.
veleta [və'lītə]. Üçlü zamanlı dans.
velleity [ve'līiti] (*fel.*) Çok hafif istek.
vellicat·e ['velikeyt]. İsteksizce seğirmek/oynamak. **~ion** [-'keyşn] (*tıp.*) ıspazmoz gibi bir seğirme.
vellum ['veləm]. Tirşe(den yapılmış).
veloci·meter [vi'losimītə(r)]. Velosimetre. **~pede** [-pīd], velosipet, bisiklet. **~ty**, çabukluk, hız, sürat; hız derecesi.
velour(s) [və'luə(r)(z)]. Yünlü kadife, velur (şapka).
velum ['vīləm] (*biy.*) Etek, zar; yumuşak damak.
velutinous [vi'lūtinəs] (*biy.*) Kadife gibi.
velvet ['velvit]. Kadife; kadifeden yapılmış; kadife gibi; pek yumuşak. **be on ~**, iyi bir durumda olm.: **an iron hand in a ~ glove**, aba altında değnek *kabilinden*. **~een** [-'tīn], pamuk kadife. **~y**, kadife gibi, yumuşak.
Ven. = VENERABLE; VENETIAN.
venal ['vīnl]. Para için her şey yapan; rüşvet yiyen. **~ity** [-'naliti], satılma; rüşvet alma.
venation [vi'neyşn] (*biy.*) Damar sistemi.
vend [vend]. Satmak.
vendace ['vendeys]. Lezzetli bir göl balığı.
vend·ee [ven'dī]. Satın alıcı. **~er/~or** ['vendə(r)], satıcı, bayi.
vendetta [ven'detə]. Kan davası, kan gütme.
vend·ible ['vendibl]. Satılır. **~ing-machine**, otomatik satış makinesi. **~or** = **~**ER. * **~ue** [-'dyū], mezat.
veneer [və'niə(r)] *f.* İnce ve iyi cins tahta ile kaplamak. *i.* Kaplamalık tahta; gösteriş; cilâ.
venepuncture ['venipʌn(g)kçə(r)] (*tıp.*) İğne ile damarı delip kan alma vb.
venera·ble ['venərəbl]. İhtiyar ve muhterem; saygıdeğer; mübarek. **~te** [-reyt], hürmet etm., saymak; tazim göstermek; ululamak; takdis etm. **~tion** [-'reyşn], ihtiram; derin saygı.
vener·eal [vi'niəriəl]. Cinsî münasebetlere ait; zühreví: **~ diseases**, zühreví hastalıklar. **~eology** [-ri'oləci], bu hastalıklar bilimi. **~y**[1] ['venəri], cinsî münasebetler.
venery[2] ['venəri] (*mer.*) Avcılık.
venesection [veni'sekşn] (*tıp.*) Damarı kesip kan alma.
Venetian [və'nīşən]. Venedikli. **~ blind**, pancur, jaluzi.
Venezuela [veni'zweylə]. Venezuela. **~n**, *i.* Venezuelalı: *s.* Venezuela +.
venge·ance ['vencəns]. İntikam, öç: **with a ~**, şiddetli bir halde; alabildiğine. **~ful**, öç alıcı; hınçli, kinci.
veni·al ['vīniəl]. Affedilebilir: **~ offence**, küçük günah. **~ality** [-'aliti], (bir suç) affedilebilme.
Venice ['venis]. Venedik.
veni- ['veni-] *ön.* = VENE-.
venison ['ven(i)zən]. Geyik ve karaca eti.
venom ['venəm]. Yılan vb.nin zehri; zehirli kin. **~ous**, zehirli; zehir saçan.
veno·se ['vīnous]. Damarlı. **~sity** [-'nositi], damarlı olma; toplardamara ait olma. **~us** [-nəs], toplardamara ait.
vent [vent] *i.* Delik; menfez; hava borusu, havalık; kuş/balık vb.nin kıçı. *f.* İzhar etm.; çıkarmak, göstermek. **~ one's anger on s.o.**, hiddetini birisinden çıkarmak: **give ~ to one's feelings**, ağzını açıp gözünü yummak; boşanmak. **~-hole**, menfez; nefeslik; hava deliği; fıçının tapa deliği; yanardağın ağzı. **~iduct**, (*mim.*) hava geçidi. **~ifact**, (*yer.*) rüzgâr/kum yonttuğu taş.
ventil ['ventil] (*müz.*) Hava supabı. **~ate** [-leyt], taze hava vermek; havalandırmak; serbestçe ifade etmek. **~ation** [-'leyşn], taze hava verme, havalandırma, vantilasyon. **~ator**, nefeslik; hava değiştirme cihazı; vantilatör; (*den.*) manika.
vent·less ['ventlis]. Delik/menfezsiz. **~-peg**, fıçı tapası. **~-pipe**, havalandırma borusu.
ventral ['ventrəl]. Karna ait; karın +.

ventric·le ['ventrikl]. Karıncık, vantrikül. ~**ular** [-'trikyūlə(r)], karıncığa ait.

ventriloqui·sm [vən'triləkwizm]. Karnından konuşma; vantriloklük. ~**st**, vantrilok. ~**ze** [-'kwayz], karnından konuşmak.

ventro- [ventro-] *ön.* Karın+.

ventur·e ['vençə(r)] *i.* Baht işi; tehlikeli iş. *f.* Baht işine atılmak; kalkışmak; dokuncayı göze almak, riske etm.; cüret etm. **at a** ~, rasgele: **draw a bow at a** ~, boş atıp dolu tutmağa çalışmak: (**'How much will it cost?'**) **'At a** ~, **£100'**, vallahi bilmem, belki yüz lira: **nothing** ~ **nothing win/have**, hiç bir riske girmezsen hiç bir şey kazanamazsın. ~**er**, baht işine atılan kimse; (*tar.*) riske eden tüccar. ~**esome**/~**ous**, gözü pek; cesur; maceraperest; tehlikeli/baht işi olan.

venturi [ven'tyuəri] (*fiz.*) Ventüri.

venue ['venyu]. Randevu; (*huk.*) mahkeme yeri.

venule ['venyūl] (*biy.*) Küçük damar.

Venus ['vīnʌs] (*mit.*) Zühre, Venüs; (*ast.*) Venüs, Zühre, Çulpan; (*mec.*) güzel kadın. ~**'s comb**, (*zoo.*) bir çeşit tarak. ~**'s flower-basket**, Venüssepeti. ~**'s fly-trap**, bir çeşit sinekkapan bitkisi. ~**'s slipper**, Venüsçarığı.

veraci·ous [və'reyşəs]. Doğru sözlü; hakikate uygun. ~**ty** [-'rasiti], doğru sözlülük; doğruluk.

veranda(h) [və'randə]. Bir evin önünde üstü örtülü taraça.

verb [vəb]. Fiil, eylem. ~**al**, şifahî, sözlü, lafzî; fiile ait: ~ **translation**, harfi harfine tercüme. ~**alism**, sözler(e fazla dikkat etme). ~**alize** [-bəlayz], kelimelerle ifade etm.; (isim vb.) fiile donüştürmek. ~**ally**, şifahî/sözlü olarak. ~**atim** [-'beytim], harf beharf, harfi harfine; aynen; lafzî.

verbena [və'bīnə]. Mine çiçeği. **lemon** ~, melisa ağacı.

verb·iage ['vəbi·ic]. Haşviyat; yave. ~**icide** [-bisayd], kelimenin anlam/değerini yok etme/eden kimse. ~**ose** [-'bous], çok sözlü, uzun, ıtnaplı. ~**osity** [-'bositi], ıtnap; sözçokluğu. ~. **sap.**, *ünl.* daha izah gerekmez; anlayana sivrisinek saz.

verdan·cy ['vədənsi]. Yeşillik; toyluk. ~**t**, yeşil; toy.

verderer ['vədərə(r)]. Orman memuru.

verdict ['vədikt]. Jüri heyetinin hükmü; karar, yargı; ilâm, belgem. **open** ~, bir suçun yapıldığını fakat suçlunun bilinmediği ifade eden hüküm.

verdigris ['vədigrīs]. Bakır pası.

verdure ['vədyuə(r)]. Yeşillik; yeşil renklilik; (*mec.*) tazelik.

verg·e [vəc] *i.* Kenar; hudut; (*mer.*) değnek, asa. *f.* Meyletmek, yaklaşmak. **be on the** ~ **of fifty**, ellisine yaklaşmak: **be on the** ~ **of war**, savaşa girmeğe kılpayı kalmak: **blue** ~**ing on green**, yeşile çalan mavi. ~**er**, kayyum; zangoç.

verglas ['veə(r)gla]. İnce buz/don kaplaması.

veridical [ve'ridikl]. Doğru sözlü; olaylara uygun.

veriest ['veri·ist] *üst.* = VERY[1].

verif·iable ['verifayəbl]. Denetlenebilir; kontrol edilir. ~**ication** [-fi'keyşn], doğruluğunu tahkik etme; gerçekleme. ~**y** ['verifay], tahkik etm.; tasdik etm.; gerçeklemek.

veri·ly ['verili]. Filhakika, gerçekten. ~**similitude** [-si'milityūd], gerçekliğe benzeyiş; ihtimal, olasılık. ~**sm(o)** ['viərizm, ve'rismou] (*san.*) gerçeklik, realizm. ~**table** [-ritəbl], gerçek, doğru. ~**tably**, gerçek bir şekilde, hakikaten. ~**ty**, gerçek(lik); doğru söz: **of a** ~, gerçekten.

verjuice ['vəcūs]. Koruk suyu; ekşilik.

vermi- ['vəmi] *ön.* Solucan+; solucan şeklinde. ~**celli** [-'seli], çok ince makarna; tel şehriye. ~**cide** [-sayd], solucan (öldüren) ilâcı. ~**cular**/~**form** [-'mikyulə(r), -fōm], solucana benzer; solucan/kurt şeklinde olan; solucansı: ~ **appendix**, körbağırsak. ~**culated** [-'mikyūleytid], kurt yenikli; (*mim.*) kurt yeniği/solucan gibi süslü olan. ~**culite** [-layt] (*M.*) vermikülit, bir tecrit maddesi. ~**fuge** [-fyūc], kurt düşüren/solucan ilâcı.

vermilion [və'milyən]. Zincifre boyası; al, parlak kırmızı, narçiçeği.

vermin ['vəmin]. Bit/pire gibi pis haşarat; sıçan/tilki/güvercin gibi zararlı hayvan/kuşlar; alçak ve muzır kimseler. ~**ate**, bitli olm. ~**ous**, bitli, pireli; muzır hayvanlarla dolu; pis, alçak.

Vermont [və'mont]. ABD'nden biri.

vermouth ['vəməθ]. Vermut.

vernacular [və'nakyulə(r)]. Yerli (dil/lehçe). **the** ~, yerli dil; halk dili; bir mesleğe mahsus deyimler. ~**ism**, yerli/halk/meslek diline ait bir deyim. ~**ize** [-rayz], bu dile çevirmek.

vernal ['vənəl]. İlkbahara ait; taze; toy. ~ **equinox**, ilkbahar gündönümü: ~ **grass**, kokulu çayırotu. ~**ization** [-lay'zeyşn] (*zir.*) dikilmeden önce tohumların soğutulması.

vernier ['vəniə(r)]. Verniye.

veronica [və'ronikə]. Yavşanotu, veronika.

verruc·a [ve'rūkə]. Siğil (gibi çıkıntı). ~**ose** [-kous], siğilli.

Versailles [ver'sāy]. Versay.

versatil·e ['vəsətayl]. Hezarfen, her şeye eli yatar; bir dalda durmaz. ~**ity** [-'tiliti], hezarfenlik, her şeye eli yatmağa kabiliyet.

verse [vəs]. Nazım; şiir; koşuk; ayet, mısra. **blank** ~, kafiyesiz şiir. **in** ~, manzum.

versed [vəst]. ~ **in . . .**, -i iyi bilen, -de üstat olan, tecrübeli, bilgili.

versi·cle ['vəsikl]. Kısa bir nazım. ~**coloured**, rengârenk. ~**fication** [-fi'keyşn], nazım yapma, nazım sanatı. ~**fier** [-fayə(r)], nazım yazarı. ~**fy**, nazım yapmak; nazma koymak.

version ['vəşn]. Tercüme; metin; muhtelif tercümelerin her biri; muhtelif rivayet/ifadelerin her biri. **according to his** ~, onun ifadesi/anlattığına göre.

verso ['vəsou]. Bir kitabın sol yaprağı; bir sikkenin tersi.

versus ['vəsəs]. -karşı. = REX.

vert. = VERTICAL.

vertebra, *ç.* ~**e** ['vətibrə, -rī]. Omurganın her faslı, omur. ~**l**, omurga+: ~ **column**, omurga, belkemiği. ~**te** [-brit], fıkralı (hayvan), omurgalı, kemikli.

vert·ex, *ç.* ~**ices** ['vəteks, -tisīz]. Zirve; doruk; tepe; başucu; bir açının ucu; başın tepesi.

vertical ['vətikl]. Şakulî, düşey, dikey, amudî; en tepede bulunan; başucunda bulunan. ~ **take-off and landing**, (*hav.*) dikine kalkış ve iniş.

verticil ['vətisil] (*biy.*) Yaprak/kıl halkası.

vertig·inous [və'ticinəs]. Baş döndürücü. ~**o** [-tigou], baş dönmesi.

vervain ['vəveyn]. Mine çiçeği.

verve [vəv]. Gayret, şevk.

very[1] ['veri] *s.* Hakikî; tam. **this** ~ **day**, bugünkü

gün: **to the ~ day**, günü gününe: **you're the ~ man I was looking for**, tam aradığım adamsın: **the ~ beggars despise it**, onu dilenciler bile hakir görür: **the ~ idea!**, daha neler!: **she wept for ~ joy**, sadece sevincinden ağladı: **soldiering is the ~ thing for you**, askerlik senin için biçilmiş kaftandır: **this is the ~ thing for a headache**, bu baş ağrısı için birebirdir: **the veriest fool knows that**, bunu bilmiyecek aptal yoktur.
very[2] *zf.* Pek, çok. ziyadesiyle: **the ~ best**, en iyisi/mükemmeli: **the ~ first**, tam ilki, en baştaki: **at the ~ most**, en fazla; olsa olsa: **at the ~ latest**, en geç: **not so ~ small**, pek de o kadar küçük değil: **my ~ own**, kendi öz malım.
Very[3] ['viəri]. **~ light**, işaret fişeği.
vesic·a ['vesikə] (*biy.*) (Sidik) torba; mesane; kesecik. **~al**, kabarcık/torbaya ait. **~ate** [-keyt], kabarcık hâsıl olm. **~le** [-sikl], kabarcık; kese(cik), vesikül; (*yer.*) boşluk. **~o-**, *ön.* torba+; kese(cik)+. **~ular** [-'sikyulə(r)], kabarcık gibi; vesiküllerle dolu: **~ disease**, öldürücü bir domuz hastalığı.
vespa ['vespə] (*İt., M.*) Vespa, hafif motosiklet.
vesper ['vespə(r)]. Akşam(a ait); akşam yıldızı. **~s**, akşam duası. **~tine** [-tayn], akşama ait; akşamleyin yapılan; (*biy.*) akşam üstü açan/çıkan.
vespi·ary ['vespiəri]. Eşekarıları yuvası. **~form**, eşekarısı gibi/şeklinde. **~ne** [-payn], eşekarılarına ait.
vessel ['vesl]. Gemi, tekne; çanak, kap; damar, boru.
vest[1] [vest] *i.* İç gömleği, fanila; (terzi deyimi) yelek.
vest[2] *f.* (Yetki/hak vb.ni) vermek; temlik etm. **Parliament is ~ed with the power to declare war**, savaş ilân etmek yetkisi Parlamentoya verilmiştir: **~ed interests**, kazanılmış haklar.
vesta ['vestə]. Şamalı kibrit.
vestal ['vestəl] (*mit.*) **~ virgin**, ateş ve ocak tanrıçası Vesta'nın hizmetine mahsus bakire.
vestiary ['vestiəri] *i.* VESTRY. *s.* Elbiselere ait.
vestibule ['vestibyūl]. Dehliz, hol, dalan, giriş; geçit; *(*dem.*) yolcu vagonunun kapalı girişi; (*biy.*) dalız.
vestig·e ['vestic]. İz, eser; zerre. **~ial** [-'ticiəl], kaybolan bir organ vb.nin artakalan izi olan; bakiye olan.
vest·ing ['vestin(g)]. Giy(dir)me; (*huk.*) malik/yetkili olma hakkının tasdiki. **~ment**, (*din.*) resmî elbise. **~ry**, (kilisede) papaz vb.nin giyinme odası; iş odası; (*mer.*) kilise işlerini müzakereye memur cemaat vekilleri. **~ure** ['vesçə(r)] *i.* elbise, kıyafet: *f.* giydirmek.
vet [vet] (*kon.*) *i.* ~ERINARY SURGEON, baytar. *f.* (Baytar) bir hayvanı muayene etm.; (doktor) birini muayene etm.; her hangi bir şeyi muayene ve teftiş etm.
Vet. = VETERAN; VETERINAR·IAN/-Y.
vetch [veç]. Burçak, karaburçak, küşne, fiğ.
veteran ['vetərən] *i.* Eski asker; bir meslek/sanatta ihtiyarlamış adam. *s.* Emektar; kıdemli ve tecrübeli; (*sp.*) emekli. **~ car**, 1905'ten önce yapılmış otomobil.
veterinar·ian [vetəri'neəriən]. Baytar(lığa ait). **~y** ['vetərinəri], baytarlığa ait: **~ surgeon**, veteriner, baytar.
veto ['vītou] *i.* Reddetme hakkı, veto, ret. *f.* Reddetmek; yasak etm.
vex [veks]. İncitmek, canını sıkmak, gücendirmek; taciz etm.; küstürmek. **be ~ed at stg.**, bir şeye küsmek: **be ~ed with s.o.**, birine gücenmek. **~ation** [-'seyşn], küskünlük; iğbirar; aksilik. **~atious** [-'seyşəs], gücendirici, cansıkıcı; aksi: **~ suit**, (*huk.*) yalnız gücendirmek için açılan dava. **~ed** [-st], gücenmiş; küskün: **a ~ question**, münakaşalı bir mesele. **~ing**, gücendirici, cansıkıcı.
vexill·ology [veksil'loləci]. Bayraklar bilimi. **~um** [-'siləm] (*tar.*) bayrak.
VFR = VISUAL FLIGHT RULES.
VG = VERY GOOD; VICAR-GENERAL.
VHF = VERY HIGH FREQUENCY.
***VI** = VIRGIN ISLANDS.
v.i. = VERB INTRANSITIVE.
via ['vayə] (*Lat.*) *e.* Yoluyle, -dan geçerek, tarikiyle. *i.* Yol; geçit: **~ *Lactea*,** (*ast.*) Samanyolu: **~ *media*,** aşırı uçların ortasındaki yol.
viab·ility [vayə'biliti]. Yaşamak/gelişmek kabiliyeti, yaşarlık. **~le**, yaşıyabilecek halde doğmuş (çocuk); yapılabilir: **a ~ project**, uygulanabilir bir proje.
viaduct ['vayədʌkt]. Bir sıra kemerli uzun yol/demiryolu köprüsü.
vial ['vayəl]. Küçük şişe. **pour out the ~s of one's wrath**, öfkesini meydana vurmak.
viands ['vayəndz]. Yiyecekler.
viaticum [vay'atikʌm] (*mer.*) Yol harçlığı/kumanyası; (*şim.*) ölen katoliklere verilen son şarapla ekmek.
vibra·culum [vay'brakyūləm] (*zoo.*) Kırbaç şeklinde bir uzuv. **~ncy** [-brənsi], ihtizaz, titreşme; tannan olma. **~nt**, ihtizaz eden; tannan, çınlayan. **~te** [-'breyt], ihtizaz etm., titremek; sallanmak; ihtizaz ettirmek; (rakkas) sallanmasıyle (saniyeleri) ölçmek; (ihtizaz eden şey) ses vermek. **~tion** [-'breyşn], ihtizaz, titreme, titreşim, vibrasyon. **~to** [vi'brātou] (*müz.*) titreşim. **~tor** [vay'breytə(r)], silkici; telegrafta titreşimleri nakleden cihaz, vibratör. **~tory**, ihtizaz eden/edici/ettirici, titreşimli.
vibrissae [vay'brisī] *ç.* (*zoo.*) Burun kılı, (kedi gibi) bıyık kılı.
viburnum [vay'bənəm]. Kartopu ve bu cinsten çiçekler.
vicar ['vikə(r)]. Mahalle/köye yaşadığı sürece tayin edilen papaz: **~ of Bray**, menfaat yüzünden sık sık mezhep değiştiren yarı tarihî bir rahip; zamane adamı: **the ~ of Christ**, Papa. **~age** [-ric], bir VICAR'ın resmî evi. **~-apostolic**, Papa'nın temsilcisi. **~ial** [vay'keəriəl], VICAR'e ait. **~ious**, başkası yerine/için yapılan: **~ly**, başkası için/vekil olarak.
vice[1] [vays]. Kusur; günah; kötü âdet; çapkınlık. **~ ring**, kumar/fuhuş vb. işleri yürüten örgüt. **~ squad**, bu işlere bakan polis kıtası.
vice[2]. Mengene.
vice[3] ['vaysi] *e.* Yerinde.
vice-[4] [vays-] *ön.* İkinci, as-, vis-; . . . muavin/yardımcısı. **~-admiral(ty)**, tüm-/visamiral(lik). **~-chairman(ship)**, (heyet) ikinci başkan(lık). **~-chancellor(ship)**, (üniversite) rektör(lük). **~-consul**, viskonsül, konsolos yardımcısı: **~ate**, viskon·süllük/soloshane: **~ship**, viskonsüllük. **~gerent** [-'cerənt], muavin; rektör vb.nin vekili. **~-marshal, Air ~**, H.K.'de tümgeneral.

vicennial [vay'seniəl]. Yirmi yıl süren; yirmi yılda bir olan.
vice- [vays-] *ön.* ~**-presiden·cy**, ikinci başkanlık: ~**t**, ikinci başkan; başkan muavini. ~**regal** [-'rīgəl], ~ROY'e ait. ~**reine** [-reyn], ~ROY'in karısı. ~**roy**, kralın naibi; genel vali: ~**alty**/~**ship**, genel valilik.
vice versa ['vaysi'vōsə]. Karşılıklı olarak; ve aksi.
vicin·age ['visineyc]. Civar, çevre; komşuluk. ~**al**, yakın, bitişik civara ait. ~**ity** [-'siniti], civar yerleri; yakınlık; havali, semt; etraf: **in the** ~ **of**, civarında.
vicious ['vişəs]. Fasit; kötü; kusurlu; hırçın. ~ **circle**, fasit daire, kısır döngü. ~**ly**, fasit/kötü/hırçın olarak. ~**ness**, fasit olma; kötülük.
vicissitud·e [vay'sisityūd]. Değişiklik; devrim: **the** ~**s of life**, hayatın tatlısı ve acısı. ~**inary**/~**inous** [-'tyūdinəri, -inəs], intizamsızca değişen.
victim ['viktim]. Kurban; kıygın, mağdur. **the** ~ **of an accident**, bir kazaya uğrayan: **make a** ~ **of oneself**, mağdur taslamak. ~**ization** [-may'zeyşn], mağduriyet; iğfal; zulüm; bir grevin sonunda elebaşıları kovma/cezalandırma. ~**ize** [-mayz], iğfal etm.; aldatmak; gadretmek; bir grev vb. nin sonunda elebaşıları cezalandırmak.
victor ['viktə(r)]. Galip; fatih. ~ **ludorum** [-lu'dōrəm], sporların en başarılı yarışçı/atleti.
Victoria [vik'tōriə]. Kadın ismi; Kraliçe Viktorya; Avus.'nın bir devleti; bir tip 4-tekerlekli araba. † ~ **Cross**, (*ask.*) en yüksek şecaat nişanı: ~ **lily**, pek büyük nilüfer cinsi. ~**n(a)** [-riən, -ri'ānə], Kraliçe Viktorya devrine ait (olan şeyler); ORDER.
victor·ious [vik'tōriəs]. Galip, muzaffer: ~**ly**, galip olarak/bir şekilde: ~**ness**, galip gelme, yenme. ~**y** [-təri], zafer, galebe, yengi.
victual ['vitəl]. Erzak vermek; erzak temin etmek. ~**ler**, erzak müteahhidi: **licensed** ~, ruhsatlı içki satıcısı, meyhaneci. ~**ling**, kumanya (ikmali). ~**s**, erzak; kumanya; yemek.
vicuna [vi'kūnya]. Vikunya; bunun yününden yapılmış kumaş.
vide ['vaydi] (*Lat.*) Bak. ~***licet*** [-'dīliset] (*gen. kısası* **viz.** *yazılır ve söylenir*); yani; demek ki.
video ['vidiou]. Televizyona ait; TV için. ~**phone** [-foun], hem telefon hem de TV cihazı. ~**tape** [-teyp], TV programlarını kaydeden mıknatıslı şerit.
vidua·l ['vidyuəl]. Dula ait. ~**te** [-yu·eyt], dulluk; dul olma.
vie [vay]. Rekabet etmek.
Vienn·a [vi'enə]. Viyana. ~**ese** [-'nīz] *i.* Viyanalı: *s.* Viyana+.
Vietnam [viet'nam]. Viet-Nam. ~**ese** [-nə'mīz] *i.* Viet-Namlı; Viet-Nam dili: *s.* Viet-Nam+.
view [vyū] *i.* Manzara; görünme, görünüş, bakış; nazar; görüş (tarzı), telakki, fikir, rey, noktai nazar; niyet, maksat. *f.* Bakmak, görmek; muayene etm.; seyretmek; telakki etm., addetmek. **back/front** ~, arka/önden görünüş: **bird's eye** ~, üstten görünüş, kuşbakışı: WORM'S EYE ~: **end/side** ~, uç/yandan görünüş: **plan** ~, tepeden bakış, yatay kesit: **front** ~ **of the house**, evin önden görünüşü: ~ **from the front of the house**, evin önündeki manzara: **hold extreme** ~**s**, fikirleri aşırı olm.: **in** ~, görünürde: **in** ~ **of...**, -den dolayı, yüzünden: **in** ~ **of everyone**, ele güne karşı: **we were in** ~ **of land**, kara görünüyordu: **have stg. in** ~, bir şey hakkında bir plan/niyeti olm.: **the town came into** ~, şehir göründü: **keep stg. in** ~, bir şeyi gözden kaybetmemek: **on** ~, teşhir edilen: **out of** ~, görünmiyen: **point of** ~, görüş noktası, bakım: **from the point of** ~ **of**,... -in açısından: **with a** ~ **to**,... maksadıyle/zımnında, ... niyetinde. ~**able**, bakılır; görünür. ~**er**, bakan, seyirci; (*sin.*) bakımlık. ~**finder**, bakaç, gözleme merceği, vizör. ~**-halloo**, avcının tilki görünce bağırışı. ~**ing**, seyretme. ~**less**, manzarasız. ~**point**, görüş noktası.
vigesimal [vi'cesiml]. Yirmiye ait.
vigil ['vicil]. Uyanık durma; gece ibadeti; bir yortunun arifesi. **keep** ~ **over s.o.**, gece uyumayıp birine bakmak. ~**ance**, uyanıklık, teyakkuz; gözaçıklığı; dikkat, ihtiyat. ~**ant**, uyanık; açıkgöz; ihtiyatlı: ~**e** [-'lanti], özel bekçi/polis.
vigneron ['vīnyərō(n)] (*Fr.*) Bağcı.
vignette [vi'nyet] (*bas.*) Boş yaprağa/fasıl başına vb. süs için konulan resim/nakış; (*fot.*) etrafı silinerek yalnız ortası bırakılmış resim; kısa tarif.
vigo·ur ['vigə(r)]. Kuvvet, şiddet; dinçlik; gayret, faaliyet. ~**rous**, dinç, kuvvetli; şiddetli; faal, gayretli: ~**ly**, dinç vb. olarak.
Viking ['vaykin(g)]. 8–10 yy.larda Norveçten çıkan korsan.
vile [vayl]. Kötü, deni, iğrenç; şeni, menfur; pis, süflî. ~**ly**, kötü vb. olarak. ~**ness**, kötülük, vb.
vilif·ication [vilifi'keyşn]. Zem, iftira, hakaret. ~**ier** [-fayə(r)], zemmeden. ~**y**, zemmetmek; kötülemek.
villa ['vilə]. Köşk, villa, sayfiye; varoş köşkü; bahçeli ev.
village ['vilic]. Köy. ~**r**, köylü.
villain ['vilən]. Cani, şerir, habis; külhanbeyi. **the** ~ **(of the piece)**, (*tiy.*) kötü adam: **you little** ~**!**, seni gidi! ~**ous**, habis, deni, rezil; pek kötü. ~**y**, habislik, denilik, rezalet; cürüm.
villeggiatura [vilecə'tūrə] (*İt.*) Sayfiyelik.
villein ['vilən] (*tar.*) Yarı hür yarı köle olan köylü.
villus ['vilʌs] (*biy.*) Kaba kıl.
vim [vim] (*kon.*) Kuvvet, faaliyet.
vim·en ['vaymen]. İnce ve bükülür bir dal. ~**inal** ['viminl], böyle bir dal gibi.
vinaceous [vay'neyşəs]. Asma/üzüme ait; şarap kırmızısı.
vincible ['vinsibl]. Yenilir.
vinculum ['vin(g)kyuləm] (*mat.*) Bağ, rabıta.
vindicat·e ['vindikeyt]. Hakkını korumak; doğruluğunu ispat etm.; müdafaa etm., savunmak, korumak. ~**ion** [-'keyşn], hakkını koruma; savunma; haklı çıkartma: **in** ~ **of his conduct**, hareketini mazur göstermek üzere. ~**ive** [-'dikətiv], ihkak edici. ~**ory** [-'keytəri], koruyan.
vindictive [vin'diktiv]. Öç alıcı; kinli. ~ **damages**, (*huk.*) karşılıktan fazla olan tazminat.
vine [vayn]. Asma; üzüm kütüğü. ~**gar** ['vinigə(r)], sirke: ~**ish**/~**y**, sirkeli, ekşi; (*mec.*) hırçın. ~**-grower**, bağcı. ~**-growing**, bağcılık. ~**ry** [-nəri], asmalara mahsus limonluk. ~**yard** ['vinyəd], üzüm bağı.
vingt-et-un [vantey'ʌn] (*Fr.*) İskambilde yirmi bir oyunu.
vin·ic ['vaynik]. Şaraba ait. ~**iculture** [vini'kʌlçə(r)], üzüm yetiştirme. ~**iferous** [vay'nifərəs], şarap hâsıl eden. ~**ification** [vinifi'keyşn], üzümden şarap hâsıl edilme. ~**ificator**, alkol kondansatörü. ~**ous** ['vaynəs], şarap

tadı/kokusu/renginde olan; şarabî; çok ispirtolu; şaraptan hâsıl olan.
vint·age ['vintic]. Bağbozumu; bağ mahsulü; filan bağ/yılın şarap mahsulü: ~ **wine**, iyi cins şarap: **a ~ year**, şarap mahsulü mükemmel olan bir yıl. **~ner**, şarapçı.
vinyl ['vaynil]. Vinil.
viol ['vayəl]. Eski usul keman. **~a**[1] [vi'oulə], viyola.
viola[2] ['vayələ]. Tek renkli bir hercaî menekşe.
violat·e ['vayəleyt]. İhlâl etm.; nakzetmek; bozmak; tecavüz etm.; ırzına geçmek. **~ion** [-'leyşn], ihlâl, bozma; ırza tecavüz.
violen·ce ['vayələns]. Zor, cebir, şiddet; zorbalık. **do ~ to**, zorlamak: **resort to ~**, cebre müracaat etm. **~t**, şiddetli, hiddetli şedit; azılı; zorlu; tahripkâr: **become ~**, hiddete kapılmak; zor kullanmak: **a ~ death**, cebirle ölüm; kaza ile ölüm.
violet ['vayəlit] *i.* Menekşe. *s.* Mor. **dog ~**, it menekşesi.
viol·in [vayə'lin]. Keman: **~ist**, kemancı. **~oncello** [-'çelou], viyolonsel.
VIP = VERY IMPORTANT PERSON: **~ treatment**, çok mühim şahıslara yapılan muamele.
viper ['vaypə(r)]. Engerek; yılan. **nourish a ~ in one's bosom**, besle kargayı oysun gözünü. **~ish**, yılan gibi; zehirli.
virago [vi'reygou]. Şirret kadın; cadaloz; (*mer.*) erkeksi kadın.
viral ['vayrəl]. Virüse ait.
virement ['vīrmā(n)] (*Fr., mal.*) Aktarma.
vires ['vayərīz] *ç.* = VIS.
virescence [vi'resəns] (*bot.*) Anormal yeşillik.
virgate ['vəgeyt] (*biy.*) Değnek/asa gibi; (*mer.*) bir arazi ölçüsü ($\frac{1}{4}$ ACRE).
virgin ['vəcin] *i.* Kız, bakire; = VIRGO. *s.* Kız, bakir, el değmemiş. **~ bush/forest**, balta görmemiş orman: **the Holy ~/~ Mary**, Meryemana: **the ~ Queen**, meşhur İng. kraliçesi I. Elizabeth. **~al**, bakireye ait, bakir; ilkel bir piyano. **~ia** [-'cinia], ABD'nden biri, Virjinya: **~ creeper**, frenksarmaşığı. **~ity**, bakirelik, iffet.
Virgo ['vəgou] (*ast.*) Başak, Bakire, Sünbüle, Azra.
virgul·ate ['vəgyūleyt]. Değnek/asa şeklinde. **~e** [-yūl], virgül işareti.
virid·escent [viri'desənt]. Yeşilimtrak. **~ity** [-'riditi], yeşillik.
viril·e ['virayl]. Erkeğe ait; kuvvetli; yiğit. **~ity** [-'riliti], erkeklik, erlik; kuvvet.
viro·logy [vay'roləci]. Virüs bilimi. **~se/~us** [-rous, -rəs], virüslü, zehirli; pis kokulu.
virtu ['vətu]. **articles/objects of ~**, nadir eski/güzel süs eşyası.
virtual ['vətyuəl]. Düşünce halinde var olan; gerçek kuvveti olan; gerçekte olan, hakikî; zımnî, kapalı, saklı. **~ity** [-yu'aliti], gerçekte olma; kapalı olma. **~ly**, gerçek olarak, gerçekte; âdeta.
virtue ['vətyū]. Meziyet; erdem, fazilet; doğruluk; hassa; iffet. **in/by ~ of**, -e binaen, -den dolayı: **make a ~ of necessity**, mecburî bir durumu erdem haline getirmek.
virtuos·o [vətyu'ousou]. Üstat, virtüoz; antika ve garip şeylerin meraklısı. **~ity** [-'ositi], ustalık, müzik vb.de büyük hüner sahibi olma.
virtuous ['vətyuəs]. Faziletli, erdemli; müstakim, dürüst; afif. **~ly**, erdemli/dürüst olarak. **~ness**, erdemli vb. olma.
virulenc·e ['viryūləns]. Şiddet; zehirlilik; keskinlik, sertlik. **~t**, şiddetli, keskin, sert; zehirli: **~ly**, şiddetli vb. olarak.
virus ['vayərəs]. Virüs; hastalıktan ileri gelen zehir; bazı hastalıkların sebebi olan bakteri/zehir; manevî zehir.
vi·s, *ç.* **~res** [vis, 'vayərīz] (*Lat.*) Kuvvet, kudret; yetki: ***ultra ~res***, yetki aşımı, yetkisizce.
Vis. = VISCOUNT.
visa ['vīzə]. Vize, çıkış/geçiş/giriş belgesi.
visage ['vizic]. Çehre, yüz. **~d**, çehreli.
vis-à-vis [vīzā'vī] (*Fr.*) Yüz yüze; karşı karşıya; karşısında. **my ~**, karşımdaki kimse.
Visc. = VISCOUNT.
viscacha [vis'kaçə]. Pampa tavşanı.
viscera ['visərə] *ç.* Bağır(sak)lar, içirikler. **~l**, bağır(sak)lara ait.
vis·cid ['visid]. Yapışkan; cıvık: **~ity** [-'siditi], yapışkanlık. **~cose** [-kous], viskoz. **~cosity** [-'kositi], viskozite; yapışkanlık. **~cous** [-kəs], yapışkan.
viscount ['vaykaunt]. Vikont. **~cy**, vikontluk. **~ess**, vikontes.
vise [vays] = VICE[2].
visib·ility [vizi'biliti]. Rüyet/görme imkânı; görünürlük. **~le** ['vizibl], gözle görülür; görünebilir; (*mal.*) geçerli.
vision ['vijn]. Görme duyu/hissi; görüş; rüya, hayal; muhayyile kuvveti, basiret. **beyond our ~**, görüş alanımız dışında: **field of ~**, görüş alanı: **a man of ~**, ileriyi gören adam. **~ary**, hayalperest; hayalî.
visit ['vizit] *i.* Ziyaret; (doktor) vizita, görüm. *f.* Ziyaret etm.; görmeğe gitmek; yoklamak; uğramak; musallat etm.: **~ the sins of the fathers upon the children**, babaların günahını çocuklara çektirmek. **~ant**, ziyaret eden; göçücü (kuş). **~ation** [-'teyşn], resmî teftiş ve muayene; hastayı yoklama; Allahtan gelen ceza/mükâfat; afet, felâket. **~ing**, ziyaret etme: **~-card**, kartvizit. **~or**, ziyaretçi, misafir; göçücü kuş; (*eğit.*) müfettiş: **~s' book**, misafirler defteri.
visor ['vayzə(r)]. Tulga/kasket siperliği.
vista ['vistə]. Açık alan; manzara.
visual ['vizyuəl]. Görmeğe ait; basarî, görsel, görerek, görülür. **~ aids**, öğretimde kullanilan filimler vb.: **~ nerve**, göz siniri: **~ signalling**, işaretle haberleşme. **~ize** [-layz], gözünün önüne getirmek; tasavvur etm. **~ly**, görerek.
vital ['vaytl]. Hayatî; hayata lâzım; esaslı, zarurî, elzem, can alıcı. **~s**, vücudün kalp, akciğer vb. gibi hayat için en gerekli organları, can evi: **a ~ blow**, öldürücü bir darbe: **~ capacity**, ciğerlere alınıp verilen en büyük hava hacmi: **~ point**, can alıcı yer, can alacak nokta: **~** STATISTICS. **~ity** [-'taliti], dirilik; hayatiyet; zindelik; can, canlılık. **~ize** [-təlayz], can vermek; diriltmek. **~ly**, hayatî/esaslı vb. olarak.
vitamin ['vaytəmin, 'vit-]. Vitamin.
vitellus [vi'teləs]. Yumurta sarısı, vitellüs.
viti- [viti-] *ön.* Asma + ; *krş.* VINI-.
vitiate ['vişieyt]. Bozmak; ifsat etm.
viticulure ['vitikʌlçə(r)]. Bağcılık.
vitr·eous ['vitriəs]. Cam gibi; camsı, cam halinde; camdan yapılmış; sırlı: **~ body/humour**, gözün camsı cismi: **~ electricity**, cam elektriği. **~escent**

[-'tresənt], cam haline değişe(bile)n. ~**ic** [-trik], cam gibi. ~**ification** [-trifi'keyşn], cam haline getirme, sırlama. ~**ified** [-fayd], cam haline gelmiş; camlı, sırlı, sırlanmış. ~**ify**, cam haline koymak; sırlamak.
vitriol['vitriəl]. Kibritiyet tuzu; zaç. **blue** ~, göztaşı. ~**ic** [-'olik], zaçyağlı; gayet acı, zehirli (söz vb.).
vitular ['viçulə(r)]. Danaya ait.
vituperat·e [vay'tyūpəreyt]. Hakaret etm.; küfretmek. ~**ion** [-'reyşn], hakaret (etme). ~**ive** [-'tyūpərətiv], tahkir edici; küfürbaz.
vitus ['vaytʌs]. **St** ~**' dance**, sarsaklık, kore.
viva[1] ['vīvə] (*ünl.*) (*İt.*) Yaşasın.
viva[2] ['vayvə]. ~ **(voce)** ['vousi], ağızdan, şifahî; sözlü imtihan.
vivaci·ous [vay'veyşəs]. Canlı, şetaretli, şuh, şakrak. ~**ty** [-'vasiti], canlılık, şetaret, neşelilik.
vivarium [vay'veəriəm]. Canlı (yabanî) hayvanlar saklanan yer; hayvanat korusu.
vivax ['vayvaks]. Sıtma asalağı.
viverrine [vi'verīn]. Mıskkedisigillere ait.
vivi- ['vivi-] *ön.* Canlı; hayat+; vivi-. ~**d**, canlı; keskin; parlak: ~**ly**, canlı vb. olarak. ~**fy** [-fay], canlandırmak. ~**parous** [vay'vipərəs], yavrularını canlı (yani yumurta halinde değil) doğuran (hayvan). ~**sect** ['vivisekt], canlı mahluk üzerine teşrih etmek: ~**ion** [-'sekşn], böyle teşrih etme.
vixen ['viksən]. Dişi tilki; şirret kadın. ~**ish**, şirret; cırlak.
viz. [viz]. Yani, demek ki; = VIDELICET.
vizier [vi'ziə(r)]. Vezir. **Grand** ~, sadrazam. ~**ate** [-reyt], vezirlik, sadaret.
VJ = VICTORY OVER JAPAN. ~ **day**, †15.8.1945, *2.9.1945.
Vlach [vlak]. Eflaklı.
VLCC = VERY LARGE CRUDE (OIL) CARRIER.
voice [voys] *i.* Ses; sada; söz; sıyga. *f.* İfade etm., söylemek. **active/passive** ~, ettirgen/edilgen çatı: **he has no** ~ **in the matter**, bu meselede fikrini söylemeğe hakkı yok: **with one** ~, hep bir ağızdan. ~**-box**, gırtlak. ~**d**, sesli, sürekli. ~**ful**, sürekli, sesli. ~**less**, sessiz, süreksiz: ~**ly**, sessizce. ~**print**, bir kimsenin özel ses izi.
v.n. = VERB NEUTER; VERBAL NOUN.
VO = VERY OLD; ROYAL VICTORIAN ORDER.
vocab·le ['voukəbl]. Kelime (şekli). ~**ulary** [və'kabyūləri], küçük sözlük kitabı, kısa sözlük; bir dilde bulunan kelimeler; bir kimsenin kullandığı kelimeler.
vocal ['voukl]. Sese ait; sesli; şifahî, sözlü; ses ile ifade olunan; his ve fikirlerini ifadeye hazır. ~ **cords**, ses kasları: ~ **music**, hanendelik: **he becomes very** ~ **on this subject**, bu konu açılınca bülbül kesilir. ~**ic** [-'kalik], ünlü harflere ait. ~**ist** [-kəlist], hanende. ~**ize** [-layz], ses ile ifade etm.; ünsüz harfi ünlü yapmak; harekelemek. ~**ly**, sesli/sözlü olarak.
vocation [vou'keyşn]. Meslek; istidat. ~**al**, mesleğe ait.
vocative ['vokətiv] (*dil.*) ~ **(case)**, seslenme durumu.
vocifer·ate [vou'sifəreyt]. Bar bar bağırmak. ~**ous**, bağırıp çağıran; şamatalı.
vodka ['vodkə]. Votka.
voe [vou] (*coğ.*) Dar bir koy.
vogue [voug]. Moda; rağbet. **become the** ~, alıp yürümek; rağbet kazanmak: ~ **phrase**, zaman zaman herkesin kullandığı deyim.
void [voyd] *s.* Boş, hali; açık; batıl, geçersiz; beyhude. *i.* Boşluk; boş yer; (*bot.*) koful. *f.* Boşaltmak; çıkarmak; (*huk.*) iptal etm. ~ **of**, -den ari, mahrum: **the death of his wife left an aching** ~ **in his heart**, karısının ölümü kalbinde sızlayan bir boşluk bıraktı. ~**able**, iptali mümkün. ~**ance**, boşluk; boş olma; iptal.
vol. = VOLUME; VOLUNT·ARY/-EER.
volant ['voulənt]. Uça(bile)n; (*mec.*) çevik.
volar ['voulə(r)] (*zoo.*) Avuç/tabana ait.
volatil·e ['volətayl]. Kolayca buharlaşan; uçucu, uçar, tayyar; hafifmeşrep, gelgeç. ~**ity** [-'tiliti], buharlaş(tır)ma; uçuculuk. ~**ize** [-'latilayz], buharlaş(tır)mak; uç(ur)mak.
volcan·ic [vol'kanik]. Yanardağa ait; yanardağ+; volkanik; (*mec.*) hiddetli, taşkın, coşkun. ~**ism** [-kənizm], yanardağ etkinliği. ~**ist**, yanardağ bilgini. ~**o** [-'keynou], yanardağ, volkan: ~**logist** [-'noləcist], yanardağ bilgini: ~**logy**, yanardağbilim.
vole [voul]. Tarla sıçanı. **water** ~, su sıçanı.
volet ['voley]. TRIPTYCH'in bir kanadı.
volitant ['volitənt] (*zoo.*) = VOLANT.
volition [vou'lişn]. İrade; ihtiyar, seçme (kuvveti). **of his own** ~, kendiliğinden. ~**al**, iradeye ait. ~**less**, iradesiz.
volley ['voli] *i.* Yaylım ateş; (taş vb.) yağmur; (tenis vb.de) top yere değmeden vurma, voley, uçara. *f.* Yaylım ateş etm.; bir topa daha yere değmeden vurmak. ~**-ball**, uçantop, voleybol.
volplane ['volpleyn]. (Uçak) motoru keserek dalma(k).
volt [voult]. Volt. ~**age** [-tic], voltaj, gerilim, tansiyon. ~**aic** [vol'teyik], voltaik. ~**ameter** [-'tamitə(r)], voltametre. ~**meter** [-mītə(r)], voltmetre, gerilimölçer.
volte-face [volt'fas]. Yüz geri; (*den.*) façа.
volub·ility [volyū'biliti]. Çabuk ve kolayca konuşma; cerbeze. ~**le** [-yūbl], çabuk ve çok konuşan; çenebaz; cerbezeli. ~**ly**, çenebaz olarak.
volum·e ['volyūm]. Cilt; hacim; bir yerden akan suyun miktarı; (*müz.*) seslerin kuvveti. ~**s of smoke**, yığın yığın çıkan duman: **it speaks** ~**s for him**, (*kon.*) bu onun çok lehine kaydedilecek bir şeydir. ~**etric** [-'metrik], hacimsel. ~**etry**, hacim ölçme. ~**inous** [-'yūminəs], bir çok ciltlerden oluşan; büyük hacimli; bol.
volunt·arily ['voləntərili]. Gönüllü olarak. ~**ary**, *s.* istiyerek, gönül rızasıyle yapılan, ihtiyarî; iradî; gönüllü: *i.* ayinden önce/sonra çalınan org solosu: ~ **worker**, (*sos.*) gönüllü işçi/yardımcı. ~**eer** [-'tiə(r)] *i.* gönüllü asker; bir işe kendi isteği ile giren kimse: *f.* gönüllü asker olm.; her hangi bir hizmete kendi şahsını teklif etm.: ~ **information**, kendiliğinden bilgi vermek: ~ **one's services**, hizmetini arzetmek.
voluptu·ary [və'lʌptuəri]. Zevkine tutkun bir kimse; şehvete düşkün; tenperver. ~**ous**, zevk/haz/şehvete düşkün; şehvetli.
volut·e [vo'lyūt]. Helezonî bir şekilde kıvrılmış (süs); kıvrım: ~**d**, helezonî, kıvrık, sarmal. ~**ion** [-'lyūşn], kıvrım, devrim. ~**oid** [-toyd], kıvrım şeklinde.
vomer ['voumə(r)] (*zoo.*) Saban kemiği.

vomit ['vomit] *f.* Kusmak. *i.* Kusmuk, kusuntu. ~**ing**, kusma. ~**ory**, kusturucu.
voodoo ['vūdū]. Amerika zencilerinin büyüsü. ~ **doctor**, zenci büyücü. ~**ism**, bu büyücülük.
VOR = VHF OMNI-RANGE.
-vora [-vōrə] *son., i., ç.* -çiller [CARNIVORA].
voraci·ous [və'reyşəs]. Doymak bilmez; oburcasına yiyen. ~**ty** [-'rasiti], doymamazlık; oburluk.
-vor·e [-vō(r)] *son., i.* -çil. ~**ous** [-vərəs] *son., s.* -çil. [CARNIVOR·E, -OUS].
vort·ex, *ç.* ~**ices** ['vōteks, -tisīz]. Girdap, burgaç; kasırga; (*mec.*) her şeyi kapsayan bir merkez. ~**ical**, girdap gibi. ~**icel** [-isel] (*zoo.*) çanhayvanı. ~**icose** [-kous], girdaplı. ~**iginous** [-'ticinəs], girdap gibi (dönen).
votary ['voutəri]. Perestişkâr; tapınan; taraftar; düşkün. **a** ~ **of the chase**, avcılık düşkünü.
vot·e [vout] *i.* Rey/oy (vermek hakkı). *f.* Oy vermek, oylamak: ~ **against/for ...**, aleyhine/lehine oy vermek; oyla kabul et(me)mek: **I** ~ **we go back**, (*kon.*) geri dönmemizi teklif ediyorum: ~ **of confidence**, (*id.*) güvenoyu: **floating** ~, hiç bir partiye bağlanmamış seçmenler: **free** ~, (mecliste) mebusların özel prensiplerine göre oy verilmesi. ~**eless**, oy veremiyen; oy hakkı olmıyan. ~**er**, oy veren; seçmen. ~**ing**, oy verme: ~ **machine**, oyları kaydeden cihaz: ~ **paper**, oy kâğıdı.
votive ['voutiv]. Nezir/adak olarak verilmiş.
vouch [vauç]. ~ **(for)**, tasdik etm., teyit etm.; kefil olm.; (yeminle) temin etm. ~**er**, kefil; delil; makbuz, alındı; fiş; senet; belgit.
vouchsafe [vauç'seyf]. İhsan etm.; lütfen tenezzül etm.; nasip etm. **be** ~**d**, nasip olm.
vow [vau] *i.* Adak, nezir; ahit; tövbe; yemin. *f.* Adamak, nezretmek; ahdetmek; yemin etm. ~ **not to**, tövbe etm.: **take** ~**s**, rahip/rahibe olm.
vowel ['vauəl]. Sesli/ünlü harf. ~**-harmony**, ünlü uyumu. ~**ize** [-layz], harekelerini koymak. ~**-point**, hareke.
vox [voks] (*müz.*) Ses.
voyage ['voyic] *i.* Deniz seyahati; sefer, yolculuk. *f.* Denizde seyahat etm. **on the** ~ **home**, memlekete dönerken: **on the** ~ **out**, dışarıya sefer sırasında.
voyeur [vwā'yə(r)]. Başkaların cinsî ilişkilerine bakarak zevk alan kimse, röntgenci.
VP = VICE-PRESIDENT/-PRINCIPAL.
VR, v.r. = VERB REFLEXIVE; VICTORIA REGINA; VOLUNTEER RESERVE. ~**D** = VOLUNTEER RESERVE DECORATION. ~**I** (*Lat.*) = VICTORIA QUEEN AND EMPRESS.
vroom ['v(ə)rūm] (*yan.*) Yarış otomobilinin sesi.
vs. = VERSUS.
V-shaped ['vīşeypt]. V şeklinde; kertik.
V-sign = VICTORY SIGN.
VS = VETERINARY SURGEON. ~**O** = VOLUNTARY SERVICE OVERSEAS. ~**OP** = VERY SPECIAL OLD PALE (kanyak).
V/STOL ['vīstol] = VERTICAL OR SHORT TAKE-OFF AND LANDING.
Vt. = VERMONT.
v.t. = VERB TRANSITIVE.
VTOL ['vītol] = VERTICAL TAKE-OFF AND LANDING. ~**-aircraft**, dikine kalkan uçak.
Vulcan ['vʌlkən] (*mit.*) Ateş ve madencilik tanrısı.
vulcan·ic/~**ology** = VOLCAN·IC/-OLOGY.
vulcan·ite ['vʌlkənayt]. Sert (siyah) kauçuk; ebonit. ~**ize**, vülkanize etm.; bir lastiği vülkanize ederek tamir etm.
vulgar ['vʌlgə(r)]. Pespaye; kaba, adi, bayağı; galiz; zevksiz; amiyane. ~ **fraction**, bayağı kesir: **the** ~ **herd**, ayaktakımı: **the** ~ **tongue**, halk dili. ~**ian** [-'geəriən], aşağı tabakadan kimse; görgüsüz ve zevksiz kimse. ~**ism** [-gərizm], halka mahsus söz/deyim; kaba söz; kabalık. ~**ity** [-'gariti], adilik, bayağılık; kabalık. ~**ize** [-gərayz], adileştirmek; bayağılığa düşürmek. ~**ly**, kaba/bayağı vb. bir şekilde.
Vulgate ['vʌlgeyt]. Kitabı Mukaddesin Latince tercümesi.
vulnera·bility [vʌlnərə'biliti]. Kolayca yaralanabilme. ~**ble** ['vʌl-], kolayca yaralanır; saldırılara açık; savunması zor. ~**bly**, kolayca yaralanarak; saldırılara açık olarak. ~**ry**, yaraları iyileştiren (ilâç).
vulpine ['vʌlpayn]. Tilki gibi; kurnaz.
vultur·e ['vʌlçə(r)]. Akbaba(giller); (*mec.*) haris/açgözlü kimse: **bearded** ~, sakallı akbaba, kuzu kartalı: **black** ~, esmer/rahip akbaba(sı): **Egyptian** ~, leş/Mısır akbabası: **griffon** ~, kızıl akbaba: **king** ~, akbaba kralı. ~**ine**/~**ous** [-rayn, -rəs], akbaba gibi; haris.
vulv·a ['vʌlvə]. Ferç, vulva. ~**ar**, ferce ait. ~**o-**, *ön.* ferç +.
vv. = VERSES; VOLUMES.
vying ['vayin(g)] *hal.o.* = VIE.

W

W ['dʌblyū]. W harfi.
W, w. = WALES; WATT; WEDNESDAY; WEIGHT; WELSH; WEST(ERN); WID·E/-TH; WIFE; WINTER LOADLINE; WITH; WOLFRAM/TUNGSTEN; WOMEN('S).
WA = WEST AFRICA(N); WESTERN APPROACHES/ AUSTRALIA; WITH AVERAGE. †~**AC/Waac** [wak] = WOMEN'S ARMY AUXILIARY CORPS. †~**AF/ Waaf** [waf] = WOMEN'S AUXILIARY AIR FORCE. *~**C** = WOMEN'S ARMY CORPS.
wacky ['waki] (*arg.*) Çılgın/kaçık (bir kimse).
wad [wod] *i.* Tıkaç; tapa; sıkı; kâğıt para destesi. *f.* (Yorgan vb.ni) pamuklamak.
wadable ['weydəbl]. Sığ yerinden yürüyerek geçilebilir (nehir).
wadd·ed ['wodid]. İçi pamuklu. ~**ing**, yorgan vb. doldurmağa mahsus yün, pamuk gibi yumuşak şey.
waddle ['wodl]. Badi badi yürümek/yürüyüş.
waddy ['wodi] (*Avus.*) Savaş değneği.
wade [weyd]. Su/kar/çamur vb. içinde yürümek. ~ **in**, (*kon.*) araya girmek; rakibine hücum etm. ~ **into**, (*kon.*) hücum etm.: ~ **through a book**, bir kitabı güç belâ sonuna kadar okumak. ~**r**, su/çamur içinde yürüyen; (*zoo.*) yağmurkuşu(giller): ~**s**, (balıkçı için) sugeçmez çizmeli pantolon.
wadi ['wodi]. Vadi, yağmursuz mevsimde kuruyan dere.
w.a.f. = WITH ALL FAULTS.
***WAF** = WOMEN'S AIR FORCE.
wafer ['weyfə(r)]. Pek ince bir bisküvit; kâğıt helvası; (*din.*) ince hamursuz ekmek; (*mer.*) zarf kapatmak için kullanılan pul; (*elek.*) pek ince silisyum levhası. ~**-thin**/~**y**, pek ince.
waffle[1] [wofl] *i.* Izgara pidesi. ~**-iron**, pide ızgarası.
waffle[2] *f.* (*arg.*) Akılsızca/uzun uzadıya konuşmak.
waft [wāft] *f.* Hava/suda ağır ağır taşımak/ götürmek. *i.* Hafif esinti; kuş kanadının hareketi; hafif koku.
wag[1] [wag] *i.* Nükteci; şakacı.
wag[2] *f.* Salla(n)mak. *i.* Sallanma. ~ **one's finger at s.o.**, parmağını sallayarak tehdit etm.: **the tail** ~**s the dog**, kuyruk köpeği sallıyor, *yani* çoğunluğun değil azınlığın sözü geçiyor: **set people's tongues** ~**ging**, dillere destan olm.: **how** ~**s the world?**, ne var ne yok: **so** ~**s the world**, işte dünya böyledir.
wage[1] [weyc] *f.* ~ **war (on s.o.)**, (birine karşı) savaşmak.
wage[2] *i.* (*gen.* ~**s**). Ücret (*haftalık ücrete* **wages** *denir, aylık ücrete* SALARY *denir*); gündelik, haftalık, yevmiye; mükâfat, ödül: **the** ~**s of sin is death**, günahın kefareti ölümdür. ~**-earner**, haftalık ücretli kimse; bir aileyi geçindiren kimse. ~**less**, ücret almıyan. ~**-sheet**, ücret/maaş çizelgesi.
wager ['weycə(r)] *i.* Bahis; bahse konulan şey. *f.* Bahis tutuşmak, bahse girmek.
wagg·ery ['wagəri]. Nükteli sözler; gariplik, tuhaflık. ~**ish** [-giş], nükteli, latifeci.
waggle ['wagl] = WAG[2].
wag(g)on ['wagən]. Dört tekerlekli yük arabası; (*dem.*) eşya vagonu, furgon. ***be on the water** ~, (*kon.*) içkiler içmemek. ~**er**, yük arabacısı; (*ast.*) Çoban. ~**ette**, altı/sekiz kişilik hafif gezinti arabası. ~**-lit** [vagō(n)'lī], vagonli, yataklı vagon.
wagtail ['wagteyl]. Kuyruksallayan, peygamber kuşu: **blueheaded/grey** ~, karabaş/dağ kuyruksallayanı: **yellow** ~, sarı çobanaldatan.
Wah(h)abi [wo'hābi] (*din.*) Vahhabi.
wahine [wā'hīni] (*Avus.*) Kadın, karı.
waif [weyf]. Kimsesiz çocuk/hayvan; sahibi belli olmıyan bulunmuş şey. ~**s and strays**, kimsesiz başıboş gezen çocuklar.
wail ['weyl] *i.* Ağlayış, figan. *f.* Figan etm.; yüksek sesle ağlamak. ~ **over stg.**, bir şeye hayıflanmak.
wain [weyn] (*mer.*) Büyük yük arabası. **Charles's** ~, (*ast.*) Büyükayı. ~**wright** [-rayt], araba marangozu.
wainscot ['weynskot] *f.* Oda duvarlarını tahta ile kaplamak. *i.* Duvar/tahta kaplaması. ~**ing**, kaplamalık tahta.
waist [weyst]. İnsanın beli; bir şeyin orta ve dar kısmı. ~**band**, bel kuşağı, kemer. ~**coat** [-kout, 'weskət], jile, yelek. ~**cloth**, peştamal. ~**-deep/ -high**, bele kadar derinlikte/varan. ~**ed** [-tid], belli; bel şeklinde. ~**line** [-layn], bel şekli; bel büyüklüğü.
wait[1] [weyt] (*gen.* ~**s**). Noel yortusunda geceleri sokakta ilâhi okuyanlar.
wait[2] *i.* Bekleme (müddeti); pusu. **lie in** ~ **(for s.o.)**, pusuya yatmak; (birine karşı) pusu kurmak.
wait[3] *f.* Beklemek. ~ **for**, -i beklemek: **everything comes to him who** ~**s**, bekliyen derviş muradına ermiş: ~ **for it!**, acele etmeyin!, bekleyin bir dakika!: **keep s.o.** ~**ing**, birini bekletmek: ~ **a meal for s.o.**, birini beklemek için yemeği geciktirmek: ~ **and see!**, beklersen görürsün: ~ **at table**, sofrada hizmet etm.: **he did not** ~ **to be told twice**, iki defa söyletmedi: ~ **on . . .**, -e hizmet etm.; maiyetinde bulunmak, peşinden gelmek: ~ **on s.o. hand and foot**, birine canla başla hizmet etm.; birinin etrafında dört dönmek: ~ **up for s.o.**, yatmayıp birini beklemek. ~**er**, garson. ~**ing**, bekleme: ~**-list**, (bir iş/boş ev/yer vb. için) bekleme listesi: ~**-maid**, hizmetçi kız: ~**-room**, bekleme salonu. ~**ress**, kadın garson.
waive [weyv]. -den vazgeçmek; feragat etm.; ısrar etmemek. ~**r**, (*huk.*) feragat; davadan vazgeçme.
wake[1] [weyk] *i.* (*den.*) Dümensuyu. **in the** ~ **of**, peşinde; izini takip ederek.
wake[2] *i.* (İrl.'da) ölünün gömülmezden önce dostları/akrabası tarafından bütün gece beklenmesi; bu merasimin dolayısıyle verilen ziyafet;

(*din.*) yortu arifesi; (K. İng.'de) işçilerin yıllık tatili.
wake[3] *f.* (*g.z.* **woke**, *g.z.o.* **woken**) [weyk, wo͜uk(n)]. **~ (up)**, uyan(dır)mak; canlan(dır)mak: **he badly wants waking up**, onu kendine getirmek lâzım: **he woke to find himself famous**, bir günde meşhur oldu: **~ up to what is happening/the truth**, ayağı suya ermek. **~ful**, uyanık; uykusuz; müteyakkız. **~n** = **~**.
Walach ['wolak] = WALLACH.
wale [weyl] = WEAL[1].
Wales [weylz]. Gal ülkesi. **the Prince of ~**, Gal Prensi (İng. veliahdının unvanı).
walk[1] [wōk] *i.* Yürüme, yürüyüş; gezinti, gezinme; gezinti yeri; bahçede yol; dar ağaçlı yol; kaldırım. *f.* Yürümek, yayan gitmek; yürütmek, gezdirmek; üzerinden gezmek. **fall into a ~**, (koşan at) yürümeğe başlamak: **go for a ~**, gezmek, gezinmek: **he ~ed me off my legs**, benim dayanamıyacağım kadar yürüdü: **~ in/of life**, meslek; toplumsal durum: **~ in one's sleep**, uykuda gezmek. **~ away**, uzaklaşmak, ayrılmak: **~ away from a competitor**, bir rakipten kat kat üstün olm. **~ in**, girmek. **~ into**, -e girmek; çatmak; burun burna gelmek; (*kon.*) saldırmak: **~ into one's food**, yemeğini iştahla yemek. **~ off**, gitmek, ayrılmak: **~ off a big meal/too much drink**, fazla yemek/içkinin tesirini gidermek için dolaşmak: **~ off with**, aşırmak, alıp götürmek. **~ out**, çıkıp gitmek: **~ out of**, -den çıkmak, -i terketmek: **~ out with a young man**, (kız) bir gençle dolaşmak. **~ over**, (bir yeri) yaya olarak dolaşmak; (bir müsabakada) (i) rakip bulunmadığı için kazanmak; (ii) kolayca kazanmak. **~ tall**, gururlu olm. **~ up (to)**, yaklaşmak.
walk·able ['wōkəbl]. Yürünür, yürünebilir. **~about** [-əba͜ut], **royal ~**, kraliçenin halkın arasında serbestçe dolaşması. **~er**, yürüyen; yaya. **~ie-talkie** [-i'tōki] (*kon.*) portatif iki yollu radyo telefonu. **~-in**, girilir. **~ing**, *s.* yayan, yürüyen: *i.* yayan gitme; yürüyüş, yürüme: **a ~ library**, ayaklı kitaplık: **~-papers**, (*arg.*) işten çıkarma kâğıdı: **~-stick**, baston: **~-tour**, uzun yaya gezintisi: **~-wounded**, (*ask.*) yürüyebilen yaralılar. **~-on**, (*sin., tiy.*) figüran. **~-out**, (*mal.*) grev. **~over**, (*sp.*) yargıyla/kolayca kazanma: **have a ~**, rakipsiz yenmek. **~-up**, asansörsüz (bina/daire vb.). **~way**, yatay ESCALATOR.
wall [wōl]. Duvar; sur; cidar. **~ in**, duvar ile kuşatmak: **~ up a door/window, etc.**, kapı/pencere vb.ni örerek kapatmak: **~s have ears**, yerin kulağı var: **with one's back to the ~**, mezbuhane, son umut ve güçle: **drive s.o. up the ~**, birini çıldırtmak. **go to the ~**, ezilmek, altta kalmak: **run one's head against a brick ~**, olmıyacak şeyi zorlamak.
wallaby ['wolәbi]. Küçük bir cins kanguru; *ç.* (*kon.*) Avustralyalılar. **on the ~ (track)**, (*Avus., arg.*) işsiz; serseri.
Wal(l)ach ['wolak]. Eflaklı, Ulah. **~ia** [-'leykiə], Eflak: **~n**, *i.* Eflaklı: *s.* Eflak'a ait.
walla(h) ['wolə]. (Hintli) memur, küçük uşak; -ci.
wallaroo [wolə'rū]. Büyük kanguru.
wall- ['wōl] *ön.* **~bars**, (*sp.*) parmaklık. **~-covering**, duvar kâğıdı vb. **~-creeper**, duvar tırmaşık kuşu. **~ed**, duvarla çevrilmiş (bahçe/şehir).
wallet ['wolit]. Cüzdan, portföy; dağarcık.
wall- ['wōl-] *ön.* **~-eyed**, gözlerinden biri ötekinden açık renkli olan. **~flower**, (sarı) şebboy; (*kon.*) baloda dansa kaldırılmayan kız.
Walloon [wo'lūn]. G. Belçikalı; Belçika'da konuşulan Fransızca.
wallop ['woləp] *f.* Şiddetli dayak atmak, pataklamak. *i.* Şiddetli vuruş. **~ing**, şiddetli dayak atma; iri yarı, hantal: **a ~ lie**, kuyruklu yalan.
wallow ['wolo͜u] *f.* Çamur vb.ne yatıp yuvarlanmak; ağır yüzmek. *i.* Çamurda yuvarlanma; hayvanların yuvarlandığı çamurlu çukur. **~ in blood**, kan içinde yüzmek.
wall- ['wōl-] *ön.* **~-painting**, duvar resmi. **~-paper**, duvar kâğıdı. * **~-Street**, malî bölge, borsa. **~-to-~**, bütün döşemeyi örten (halı).
walnut ['wōlnʌt]. Ceviz (ağacı); ceviz tahtası(ndan yapılmış).
walrus ['wolrʌs]. Denizayısı; mors.
waltz [woltz]. Vals (oynamak): **~ through stg.**, bir şeyi kolayca yapmak.
wampum ['wompʌm]. Kızılderililer tarafından para/süs olarak kullanılan kabuk boncuklar.
wan [won]. Solgun; uçuk benizli; soluk, donuk.
wand [wond]. İnce asa; sihirbaz değneği.
wander ['wondə(r)]. Başıboş gezme(k); maksatsız şurada burada gezinme(k); yoldan sapmak; sayıklamak. **let one's thoughts ~**, hayalata dalmak: **my thoughts were ~ing**, dalgındım: **~ in one's mind**, sayıklamak; sapıtmak. **~er**, başıboş gezen. **~ing**, *i.* başıboş gezinti; rasgele seyahat etme; dalgınlık, sayıklama: *s.* başıboş; seyyar; göçebe, göçmen; dalgın; (hasta) sayıklayan, hezeyan içinde. **~lust** [-lʌst], daimî gezme heves/içgüdüsü. **~-plug**, (*elek.*) bir cihazın bütün prizlerine sokulabilen fiş.
wandoo ['wondū] (*Avus.*) Bir çeşit ökaliptüs.
wane [weyn]. (Ay) küçülmek; azalmak, zeval bulmak. **on the ~**, küçülmekte olan, yokluğa yüz tutan: **his star is on the ~**, yıldızı sönüyor.
wangle ['wan(g)gl] (*arg.*) Hile ile/dil dökerek elde etme(k). **~ leave**, izin koparmak.
want[1] [wont] *i.* Yokluk; noksan, eksiklik; yoksulluk, sefalet, zaruret; hacet, ihtiyaç; istek. **~ of...**, -sizlik: **be in ~ of stg.**, bir şeye muhtaç olm.: **~ of courage**, cesaretsizlik: **for ~ of**, ... olmadığı/bulunmadığı için; -sizlikten dolayı: **for ~ of stg. better**, daha iyisi olmadığı için.
want[2] *f.* İstemek; muhtaç olm.; -den mahrum olm.; icap etm., gerekmek; eksik olm., noksan olm.; zaruret içinde olm. **be ~ed**, aranmak, istenilmek; -e ihtiyaç olm.: **you are ~ed**, sizi istiyorlar: **he is a little ~ing**, biraz kaçık: **I don't ~ it known**, onun bilinmesini istemiyorum: **~ for nothing**, hiç bir eksiği olmamak; dört başı mamur olm.: **he ~s patience**, bir kusuru varsa o da pek sabırsızdır: **it ~s a lot of patience**, çok sabır gerekir: **it ~ed but a few days to Christmas**, Noele ancak bir kaç gün kalmıştı: **what does he ~ with me?**, beni ne diye istiyor?: **you ~ to see a doctor at once**, hemen bir doktora gitmelisiniz: **you don't ~ to go there**, oraya gitmek istemiyorsunuz, *fakat bazan*, oraya gitmenize lüzum yok. **~ed**, lâzım; matlup; polis tarafından aranan (suçlu). **~ing**, eksik; bir tahtası eksik.
wanton ['wontən] *s.* Sebepsiz, maksatsız; düşüncesiz; oyunbaz, havaî; iffetsiz. *i.* Aşüfte. **~ly**, sebepsizce vb.; gereksizce. **~ness**, sebepsizlik vb.

wapentake ['wapənteyk] (*tar.*) Mahalle, bölge.
***wapiti** ['wopiti]. Kanada geyiği.
war [wō(r)] *i.* Harp, savaş; muharebe, çarpışma. *f.* Savaşmak. ~ **against**..., -e karşı muharebe etm., savaşmak: **be at** ~, savaş halinde olm.: **civil** ~, dahilî/iç savaş: **cold** ~, soğuk savaş: **declare** ~ **(on)**, (birine) savaş ilân etm.: **the dogs of** ~, (*şiir.*) savaş vahşeti: **go to** ~, harbe girişmek; savaş ilân etm.: **you look as though you had been in the** ~**s**, savaştan mı çıktın?: **on a** ~ **footing**, seferî durumda: **pre-/post-**~, savaştan önce/sonra: **private** ~, şahıslar arasındaki mücadele: **wage** ~, savaşmak: ~ **of nerves**, sinir savaşı: ~ **to the death**, sonuna kadar savaş/mücadele.
War. = WARWICKSHIRE.
war-baby ['wōbeybi]. Savaşta doğmuş çocuk (*bilh.* piç); savaşta doğduğundan zayıf olan çocuk.
warble[1] ['wōbl] *f.* (Kuş gibi) ötmek; şakımak; çağıldamak.
warble[2] *i.* Semer sürtmesinden hâsıl olan sert yumru; büvelek kurtçuğundan hâsıl olan kabarcık, nokra. ~**-fly**, büvelek.
warbl·er ['wōblə(r)]. Ötleğen(giller); bülbül, mukallit: **reed-**~, saz bülbülü: **willow-**~, söğüt ötleğeni. ~**ing**, (kuş gibi) ötme, ötüş.
war·-bride ['wōbrayd]. Savaşta gelin olan kadın. ~**-cloud**, savaş olabileceğine işaret. ~**-correspondent**, savaş muhabiri. ~**-crime**, savaş kanunlarına aykırı bir davranış. ~**-criminal**, böyle bir davranış işleyen kimse. ~**-cry**, savaş narası; gülbank.
ward [wōd] *i.* Gözetme; muhafaza; vesayet altında olan çocuk; şehrin daire/adası; (hastane vb.de) koğuş. *f.* Korumak. ~**s of a lock**, kilidin dilleri: ~ **in chancery**, mahkeme vesayetinde olan çocuk: ~ **off**, defetmek, savuşturmak, uzaklaştırmak; önüne geçmek.
-ward(s) [-wə̄d(z)] *son.* -e doğru;... cihetine [BACKWARD(S)].
war·-dance ['wōdans]. (Vahşîler) savaşa hazırlık olarak/zafer için yapılan dans. *~**-Department**/ †**-Office**, Harbiye Nezareti; Millî Savunma Bakanlığı.
ward·en ['wōdn]. Muhafız; kale dizdarı; (bazı kurumlarda) müdür, reis, başkan: ~**ship**, müdürlük, vb. ~**er**, zindancı; muhafız, nöbetçi. ~**-maid**, koğuş hizmetçisi. ~**ress**, kadın zindancı.
wardrobe ['wōdroub]. Portmanto; elbise dolabı; gardrop; (*tiy.*) giysilik. ~**-mistress**, giydirici.
wardroom ['wōdrūm]. Savaş gemisinde subaylar salonu.
-wards [-wə̄dz] = -WARD.
wardship ['wōdşip]. Vasilik; vasi himayesinde olma.
ware[1] [weə(r)] *i.* Mamul eşya; matah, mal; toprak işi; çini. ~**s**, satılık eşya, emtia.
ware[2] *f.* = BEWARE; dikkat!; sokulma!
warehouse ['weəhaus] *i.* Ambar, antrepo; umumî mağaza. *f.* Ambara koymak. **bonded** ~, gümrük antreposu. ~**man**, antrepocu; ambar bekçisi.
war·fare ['wōfeə(r)]. Savaş (hal/icrası). ~**fever** [-'fīvə(r)], savaş humması. ~**-game**, askerî tatbikat, savaş oyunu. ~**-god**, savaş tanrısı, Merih. ~**-grave**, savaşta ölenin mezarı. ~**-guilt** [-gilt], savaş suçu. ~**-head**, (torpido vb.) cephaneli savaş başlığı. ~**-horse**, muharebe atı: **an old** ~, tecrübeli asker/politikacı. †~**-house**, (*kon.*) = ~ OFFICE.

wari·ly ['weərili]. İhtiyatlı olarak. ~**ness**, ihtiyat, açıkgözlülük.
war·like ['wōlayk]. Cengâver; savaşçı, harbe mahsus; savaş olacak gibi. ~**-loan**, savaş borçlanması. ~**lock**, sihirbaz. ~**-lord**, (*ask.*) (baş) kumandan; (*mec.*) mahallî diktatör.
warm[1] [wōm] *s.* Biraz sıcak, ılık (*mes. su için 38–44 sant.*); (insan/hava hakkında) rahat derecede sıcak; hararetli (münakaşa vb.); (renkler hakkında) kırmızı/sarıya çalan. **you are getting** ~, *bazı çocuk oyunlarında aranılan şey/sorulan bir sorunun doğru cevabına yaklaşıldığı zaman söylenir*: **he has a** ~ **heart**, iyi kalplidir: **make it** ~ **for s.o.**, anasından emdiğini burnundan getirmek: **a** ~ **scent**, civardan henüz geçen avın taze kokusu: **it's** ~ **work!**, bu terletici iştir!
warm[2] *f.* Isıtmak; ısınmak, hararetlenmek. ~ **s.o.'s jacket**, (*arg.*) birini ıslatmak (dayak atmak): ~ **up**, yeniden ısıtmak; hararetlenmek, coşmak.
warm-[3] *ön.* ~**-blooded**, sıcak kanlı (hayvan). ~**er**, *i.* ısıtıcı: *s.* daha sıcak. ~**-hearted**, iyi kalpli; kanı sıcak. ~**ing**, ısıtma; ısınma; (*arg.*) dayak atma: ~**-pan**, yatak tandırı: ~**-up**, (*sp.*) ısınma (koşusu). ~**ly**, samimiyetle, hararetle. ~**ness**/~**th**, ılıklık, sıcaklık; ısı, hararet; samimiyet.
war·-monger ['wōmʌn(g)gə(r)]. Savaşa kışkırtan. ~**-Office** = ~-DEPARTMENT.
warn [wōn]. Tenbih etm.; ihtar etm., ikaz etm.; önceden haber vermek; uyarmak; ibret olm. ~ **s.o. off the course**, birini at yarışlarına katılmaktan menetmek. ~**ing**, tenbih, ihtar, ikaz, ihbar, uyarma; ibret; ihtar edici, tenbih edici, uyarıcı: ~**!**, dikkat!: **as a** ~ **to others**, ibret için, öğrenek olarak: **take** ~, ibret almak: ~**-light**, ikaz lambası.
warp[1] [wōp] *i.* Arış; palamar. *f.* Palamar vasıtasıyle gemiyi yürütmek.
warp[2] *f.* Biçimini değiştirmek, oynatmak, eğriltmek; eğrilmek; çarpılmak, çalışmak. *i.* Çarpıklık, çalışma, eğrilik. ~**ed**, çarpık; avruk. ~**ing**, çarpılma.
warp[3]. Toprağı su altında bırakıp kalan kil tabakası ile verimli bir hale getirmek.
war·paint ['wōpeynt]. Vahşîlerin savaşa girerken yüz ve vücutlarına sürdükleri boya: **in full** ~, iki dirhem bir çekirdek, giyinmiş kuşanmış. ~**path**, **be on the** ~, kana susamış bir halde olm.; kavgaya hazır olm. ~**plane**, savaş uçağı. ~**-profiteer**, savaş zengini.
warrant ['worənt] *i.* İzin/yetki/hak veren hal/senet; tut(ukla)ma yazısı; berat; gedik; kefalet; haklı sebep. *f.* Kefil olm.; izin/yetki/hak vermek; mazur görmek. **it won't happen again, I'll** ~ **you!**, bu bir daha tekerrür etmiyecek, emin olunuz!: **he had no** ~ **for his hopes**, umudunu destekleyecek hiç bir sebep yoktu: **nothing can** ~ **such rudeness**, hiç bir şey bu kabalığı mazur gösteremez. ~**able**, caiz, temin edilir; kefalet verilir. ~**-officer**, çavuşla subay arası bir aşama; assubay, gedikli. ~**or**, kefalet veren kimse. ~**y**, kefalet(name); yetki.
warren ['worən]. Aynı yerde bulunan bir çok ada tavşanı yuvaları; (*mec.*) şehrin çok kalabalık semti.
warrigal ['worigal] (*Avus.*) Yaban köpek/atı; vahşî yerli.
warrior ['woriə(r)]. Cengâver; muharip, savaşçı.
Warsaw ['wōsō]. Varşova.
warship ['wōşip]. Savaş gemisi.

wart [wōt]. Siğil, düğme; (*mec.*) kusur. **~s and all**, bütün kusurları ile. **~-disease**, patates kanseri. **~ed**/**~y**, siğilli. **~-hog**, düğmeli Afrika domuzu.

war·time ['wōtāym]. Savaş zamanı(na ait). **~-weary**, savaştan yorgun/bıkmış. **~-whoop**, vahşîlerin savaş narası. **~-widow**, savaşta dul kalmış kadın. **~-worn**, savaşta yıpranmış.

Warwickshire ['worikşə]. Brit.'nın bir kontluğu.

wary ['weəri]. Açıkgöz; uyanık; ihtiyatlı. **be ~ of**, -den sakınmak/kuşkulanmak.

was [woz] *tek., g.z.* = BE; idi(m); oldu(m).

wash[1] [woş] *i.* Yıka(n)ma; çamaşır; losyon; (*den.*) dümen/pervane suyu; (*hav.*) karışmış hava, pervane rüzgârı; akış; yalama; badana, boya; lapa; çırpıntı. **give stg. a ~**, bir şeyi yıkamak: **pig ~**, domuza yedirilen sulu yem: **the ~ of the waves**, dalgaların çağıltısı.

wash[2] *f.* Yıka(n)mak; su ile silmek; hafif boya ile kaplamak; badana etm.; losyon ile sürmek; dalga gibi çarpmak. **~ stg. ashore**, (deniz) bir şeyi kıyıya atmak: **~ one's hands of**, -le bütün ilgisini kesmek: **a sailor was ~ed overboard**, bir gemiciyi dalga alıp götürdü: **that story won't ~**, (*arg.*) bu masalı kimse yutmaz. **~ away**, (leke vb.ni) su ile temizlemek; (dalga/su vb.) alıp götürmek, kaldırmak; aşındırmak. **~ down**, çok su ile temizlemek; su bir şeyi alıp aşağıya götürmek: **~ down one's dinner with a glass of beer**, yemeğin sonunda bir bardak bira içmek. **~ off**, yıkayarak çıkarmak. **~ out**, (leke vb.ni) su ile kaldırmak; çalkalamak; (*kon.*) silmek, saymamak: **you can ~ that out**, bunu sil, bunu sayma: **~ed out**, soluk; halsiz, **~ up**, bulaşık yıkamak; (deniz) kıyıya atmak.

wash·able ['woşəbl]. Yıkanır; yıkanmaya elverişli. **~-and-wear** = DRIP-DRY. **~-basin**/**-bowl**, leğen, lavabo; kurna. **~-board**, çamaşır tahtası. **~-bottle**, (*kim.*) fışkırdak. **~-day**, çamaşır günü. **~-drawing**, sulu boya/yalama resim. **~er**, yıkayıcı; yıkama/çamaşır makinesi; (*müh.*) rondela, pul, conta: **~-up**, bulaşıkçı: **~-woman**, çamaşırcı kadın. **~eteria** [-şitə'riə] = LAUNDERETTE. **~-hand**, *ön.* lavaboya ait. **~-house**, yıkama yeri, çamaşırhane. **~ing**, yıka(n)ma: **the ~**, çamaşır: **~-day**/**machine**/**powder etc.**, çamaşır gün/makine/tozu vb.: **~-up**, bulaşık.

Washington ['woşin(g)tən]. 1. ABD'nden biri. 2. ABD'nin başkenti.

wash- ['woş-] *ön.* **~-leather**, güderi. **~-line**, çamaşır ipi. **~-out**, (toprak) su ile aşınması; (*arg.*) başarısız/etkisiz bir kimse/teşebbüs. **~-pot**, kalay(cı) kabı. ***~-room** = LAVATORY. **~-stand**, lavabo; musluk taşı. **~-tub**, çamaşır teknesi. **~y**, sulu; yavan.

wasn't ['woznt] = WAS NOT.

wasp [wosp]. Yaban arısı; (*yanlış*) eşek arısı.

***WASP/Wasp** [wosp] = WHITE ANGLO-SAXON PROTESTANT.

wasp·ish ['wospiş]. Yaban arısı gibi; (*mec.*) kinci, çabuk kızan, huysuz. **~-waisted**, incecik belli.

wassail ['wosl, 'waseyl]. Şerefe içme(k); içki cümbüşü. **go a-~ing**, (*mer.*) (Noelde) sokaklarda gezip şarkı söylemek.

Wasserman ['vāsəmən]. **~-test**, (*tıp.*) frengi testi.

wast [wost] *2ci, tek, g.z.* (*mer.*) = BE; idin.

wastage ['weystic]. Heder; israf; heder edilmiş miktar; fire.

waste[1] [weyst] *i.* İsraf; heder, heba ediş; boşu boşuna harcama; lüzumsuz ziyan; döküntü, kırpıntı; hurda; pis su; çöl, ıssız yer, beyaban. *s.* Metruk, viran; kullanılmış; ıskartaya çıkarılmış. **~ steam**, çürük buhar: **go to ~**, heder olm.; zayi olm.: **lay ~**, yıkıp yakmak, tahrip etm.

waste[2] *f.* Heder etm., heba etm.; telef etm.; israf etm.; yararsız ve boş yere harcamak; (vücudu) harap etm. **~ away**, zayıflıya zayıflıya eriyip gitmek: **don't ~ your breath!**, beyhude çeneni yorma!: **~ one's time**, vakti boşuna geçirmek; abesle uğraşmak. **~d**, harap, yıkılıp yanmış; zayıflamış; heder edilmiş; boş yere sarfedilmiş. **~ful**, müsrif; israflı; idareli olmıyan. **~land**, boş kalan arazi. **~-paper**, atılacak kâğıt: **~ basket**, kâğıt sepeti. **~-pipe**, pis su borusu. **~-product(s)**, döküntü, ıskarta. **~r**/**wastrel** ['weyst·ər, -rəl], değersiz/haylaz kimse; adam olmaz.

watch[1] [woç] *i.* Cep/kol saati; nöbet, nöbetçilik; (*den.*) vardiya; gözetleme; tarassut; nöbetçi, bekçi. **keep ~**, gözetlemek: **in the ~es of the night**, (*şiir.*) geceleyin: **officer of the ~**, vardıya/nöbetçı subayı: **be on the ~**, gözetlemek; göz kulak olm.: **be on the ~ for s.o.**, birinin yolunu beklemek.

watch[2] *f.* Seyretmek, bakmak; gözlemek; dikkat etm.; göz hapsine almak, göz önünde tutmak, gözetlemek; tarassut etm. **~ a case in s.o.'s interest**, bir dava görülürken üçüncü bir şahsın menfaatini gözetmek: **~ for s.o.**, birini beklemek; birinin yolunu beklemek: **~ one's opportunity**/**time**, fırsat gözlemek: **~ out**, göz kulak olm.: **~ out!**, dikkat!: **a ~ed pot never boils**, hiç bir şeyin üzerine düşmemeli: **~ by a sick person**, bir hastanın yanında beklemek: **~ over a flock**, bir sürüye bakmak.

watch-[3] *ön.* **~-bill**, (*den.*) vardiya/nöbetçi cetveli. **~-box**, (*ask.*) nöbetçi kulübesi. **~-case**, saat kılıfı. **~-chain**, saat kösteği. **~-Committee**, (*id.*) polis işlerine bakan heyet. **~-dog**, bekçi/bostan köpeği, çomar. **~er**, bekçi, gözcü; bakıcı, gözleyici; seyirci: **bird ~**, kuşları incelemeye meraklı olan kimse, ornitolog. **~-fire**, nötbetçilerin ateşi; işaret ateşi. **~ful**, uyanık; tedbirli. **~-glass**, saat camı. **~-keeper**, (*den.*) nöbetçi, vardiyacı. **~-key**, saat anahtarı. **~maker**, saatçi. **~man**, *ç.* **~men**, bekçi. **~-night**, yılbaşı arifesi. **~-spring**, saat zembereği. **~-strap**, kol saati kayışı. **~-tower**, gözcü kulesi. **~word**, parola; şiar.

water[1] ['wōtə(r)] *i.* Su. *s.* Su+; sucul; suda(n); suyla. *f.* Su vermek, sula(ndır)mak; (ağzı) sulanmak; (göz) yaşarmak. **bitter**/**brackish ~**, acı su: **cold ~**, soğuk su: **throw cold ~ on a scheme**, bir planı alaya almak, küçümsemek, -e itiraz etm.: **deep ~**, derin su: **be in deep ~(s)**, sıkıntı/başı belâda olm.: **drinking ~**, içilir su: **fresh ~**, tatlı su: **hard ~**, acı/kireçli su: **heavy ~**, (*kim.*) ağır su: **high ~**, (*den.*) met: **hot ~**, sıcak su: **be in**/**get into hot ~**, başı dertte olm./derde girmek: **low ~**, (*den.*) cezir, çekilme: **be in low ~**, kederli/neşesiz olm.; parasızlıktan sıkıntıda olm.: **running ~**, akarsu: **troubled ~(s)**, müşkül bir durum: **~ on the brain**, beyinde su toplanması, idrosefali: **by ~**, su yoluyle: **a diamond of the first ~**, en iyi cinsten elmas: **~ down**, -e su katmak; hafifletmek: **head of ~**, suyun enerji üretim gücü: **not hold ~**, sızmak, su almak; su götürmek: ~ **on the knee**, diz eklemi boşluğunda su dolması: **on land and** ~, hem karada hem denizde: **make** ~, (insan) su dökmek; (gemi) su almak: **take (to) the** ~, (yüzücü) suya girmek; (gemi) suya indirilmek: **take/drink the** ~**s**, içmelere gitmek: **be under** ~, su altında olm.; (araziyi) su basmış olmak.

water-[2] *ön.* ~**-bailiff**, balık avı bekçisi. ~**-bed**, (*tıp.*) su ile dolu sugeçmez şilte. ~**-borne**, su/gemi ile taşınan (eşya); sudan geçen (hastalık). ~**-bottle**, su şişe/sürahisi; matara. ~**-bowl**, suluk, leğen. ~**-buck**, bir cins büyük antilop. ~**-bus**, göl/kanal/nehirde yolcu motorbot. ~**-butt**, yağmur suyu fıçısı. ~**(ing)-can**, ibrik, güğüm; bahçe kovası. ~**-carriage**, deniz/nehir yolu ile taşıma (vasıtası). ~**(ing)-cart**, su(lama) arabası; arozöz. ~**-cistern**, su depo/sarnıcı. ~**-closet**, apteshane; oturma helâtaşı, ayakyolu; kabine, W.C. ~**colour**, sulu boya (resim), akvarel. ~**-column** [-'kolʌm], su sütunu. ~**-cooled**, su ile soğutulmuş. ~**-cooler**, su soğutucu. ~**course** [-kōs], su kanalı; dere; mecra; nehir yatağı. ~**cress**, su teresi. ~-DIVINER. ~**ed**, su katılmış; sulanmış; menevişli, hareli; (*mal.*) karşılıksız. ~**er**, sulayıcı; sulama cihazı. ~**fall** [-fōl], şelâle; çağlayan. ~**fowl**, su kuşlarının genel adı. ~**front**, yalı (boyu), göl/nehir kenarı. ~**-gate**, savak kapağı; (şehir/kale duvarlarında) deniz/nehire götüren kapı. ~**glass**, su bardağı; yumurta konserve etm./duvar suluboyası için sucamı. ~**guard** [-gād], gümrük koruma teşkilâtı: ~ **officer**, gümrük memuru. ~**-hammer**, (borularda) su çarpması. ~**-heater**, su ısıtıcısı, termosifon. ~**hole** [-houl], su birikintisi; (yabanî hayvanlar için) su çukuru; havuz. ~**-ice**, meyva dondurması. ~**ing**, sulama; (ipek vb.) dalga, hare: ~**-place**, su çukuru; kaplıca; plaj. ~**-jacket**, su mahfaza/gömleği. ~**-jump**, (at yarışlarında) hendek engeli. ~**less**, susuz; çorak; kuru. ~**-level**, su seviye/kesimi; su tesviyesi. ~**-lily**, nilüfer. ~**-line**, (*den.*) su kesimi. ~**-logged** [-logd], (gemi) içinde su dolmuş; taşma/fazla yağmurdan dolayı su ile dolmuş (arazi).

Waterloo [wōtə'lū]. Waterloo muharebesi; Londra'nın ana istasyonlarından biri. **meet one's** ~, son yenilgiye uğramak.

water- ['wōtə(r)-] *ön.* ~**-main** [-meyn], ana su borusu; terkos. ~**man**, *ç.* ~**men**, nehir/liman sandalcısı; iyi kürekçi: ~**ship**, uygunsuz şartlarda kayığı iyi idare etmek ustalığı. ~**mark**, sudan hâsıl olan nişan; filigran, suyolu: **high/low** ~, met/cezir işareti; (*mec.*) en yüksek/alt derece/nokta. ~**-meadow**, sulanabilir çayır. ~**-melon**, karpuz. ~**-nymph**, (*mit.*) göl/dere perisi. ~**-pipe** [-payp], su borusu, künk; nargile. ~**-pistol**, (oyuncak) su tabancası. ~**-plane**, su seviyesi; deniz uçağı. ~**-polo**, (*sp.*) su topu. ~**-power**, su gücü. ~**proof** [-prūf] *i.* yağmurluk, muşamba: *s.* su geç(ir)mez, empermeabl: *f.* su geçmez hale getirmek. ~**-rail**, su yelvesi. ~**-rate**, su tedariki için konulan vergi. ~**shed**, doruk çizgisi; iki nehir havzasının arasındaki hat; havza. ~**side**, deniz/nehir kenarı; su kenarında bulunan. ~**-ski**, su kayağı (yapmak). ~**skin**, tulum. ~**-softener**, suyun kirecini gideren ilâç. ~**spout**, hortum, kasırga; oluk ağzı. ~**-supply**, su tedarik/sağlaması. ~**-table**, yeraltı su/tabansuyu düzeyi. ~**-tank**, su deposu, sarnıç. ~**tight** [-tayt], su sız(dır)maz; su götürmez. ~**-tower**, su kulesi. ~**-vapour**, su buğusu. ~**-vole**, su sıçanı. ~**way**, seyre elverişli kanal/nehir vb.; (*den.*) güvertedeki suyu götüren oluk. ~**-wheel**, su dolabı; su değirmeninin çarkı. ~**-wings**, yüzme öğrenenin batmaması için iki koltuğuna takılan küçük balonlar. ~**works**, bir şehrin su tesisatı: **turn on the** ~, (*kon.*) ağlamak. ~**-worn**, su gücüyle aşınmış. ~**y**, sulu; yağmurlu; (renk) soluk: **go to a** ~ **grave**, denizde ölmek.

watt [wot]. Vat. ~**age**, vatlık. ~**meter**, vatmetre.

wattle[1] ['wotl] *i.* Hindi vb.nin çenesi altında sarkık et.

wattle[2] *i.* İnce çubuklardan sepet örgüsü; (*Avus.*) bir nevi akasya. *f.* Sepet gibi örmek. ~ **and daub**, sepet örgüsü ve çamur sıvalı duvar yapma usulü.

waul [wōl] = CATERWAUL.

wave [weyv] *i.* Dalga; dalgalan(dırıl)ma; el vb. sallama. *f.* Dalgalan(dır)mak, el/mendil vb.ni sallıyarak işaret etm. **long/medium/short** ~, (*rad.*) uzun/orta/kısa dalga(lı): ~ **s.o. aside**, birine el ile 'istemez' işareti yapmak: ~ **aside an objection**, bir itirazı kabul etmemek: **the enemy attacked in** ~**s**, düşman dalgalar halinde hücum ediyordu: ~ **the hair**, saçlara ondülasyon yapmak. ~ **off**, (*hav.*) inişten vaz geçirmek: ~ **s.o. off**, el/mendil vb.ni sallıyarak 'Allaha ısmarladık' demek. ~ **on**, işaretle ileri gelme/gitmesini söylemek. ~**-band**, frekans, dalga bandı. ~**d**, dalgalı; ondüle. ~**-length**, dalga uzunluğu. ~**-meter**, (*elek.*) dalgayı ölçen alet.

waver ['weyvə(r)]. Tereddüt etm.; kararsızlık göstermek; gevşemek; çırpınmak; (ışık) titremek. ~**ing**, mütereddit, kararsız; titriyen (alev): *i.* tereddüt.

wav·ily ['weyvili]. Dalgalı olarak. ~**iness**, dalgalılık. ~**y**[1], dalgalı; ondüleli; menevişli: ~ **Navy**, (*kon.*) = RNVR.

wavy[2] (*zoo.*) Kar kazı.

wax[1] [waks] *f.* (Ay) hacmi büyümek; artmak; olmak, kesilmek.

wax[2] (*arg.*) Öfke, hiddet.

wax[3] *i.* Balmumu; kulak kiri. *s.* Mumlu, mumdan yapılmış. *f.* Balmumu sürmek; mumlamak. **sealing-**~, mühür mumu. ~**-cloth**, linolyum. ~**-doll**, mum yüzlü kukla. ~**en**, balmumundan yapılmış; balmumu gibi. ~**-paper**, yağlı kâğıt. ~**wing**, ipekkuyruk kuşu. ~**work**, balmumundan şekil: ~**s**, balmumu şekiller sergisi. ~**y**[1], balmumu gibi.

waxy[2] ['waksi] (*arg.*) Öfkeli.

way [wey]. Yol, tarik; cihet, yön, taraf; usul, tarz; âdet; çare, vasıta; mesafe. **the** ~**s**, gemi kızağı, ızgara: **in a bad** ~, kötü biçimde; kötü durumda, hali harap: **by the** ~, yolda, giderken; hatırımda iken; istitraden söyleyeyim ki: **all this is by the** ~, bütün bunlar ayrıntılı (şimdi esas meseleye gelelim): **he nodded his head by** ~ **of confirmation**, tasdik makamına başını salladı: **give** ~ **to . . .**, -e kapılmak; -e yol vermek; -e teslim olm.; -in fikrini vb. kabul etm.: **get out of the** ~**!**, önümden çekil!: **get out of the** ~ **of doing stg.**, bir alışkanlığı kaybetmek; hamlamak: **get into the** ~ **of doing stg.**, bir şeye eli yatmak; alışkanlığını kazanmak; alışmak: **be/get in s.o.'s** ~, engel olm., önüne geçmek: **get/have one's** ~, istediğini yap(tır)mak: **go the** ~ **of all things**, eskiyip ortadan kalkmak; ölmek: **have** ~ **on**, (gemi) hareket halinde olm.:

have no ~ **on**, hareket etmemek, durmuş halinde olm.: ~ **in**, giriş: **be in the** ~, engel olm.: **he has nothing in the** ~ **of relations**, akraba namına kimsesi yok: **know one's** ~ **about a place**, bir yerin girdisini çıktısını bilmek: **a long** ~, uzak, uzun mesafe: **he is a long** ~ **the best**, bu çok büyük bir farkla en iyisidir: **lose the** ~, yolu şaşırmak: **make a penny go a long** ~, parasını iyi kullanmak, idareli olm.: **make** ~, ilerlemek; yol vermek: **there is no** ~ **out**, çıkar yol yok: **in the ordinary** ~, alelade, bayağı, umumiyetle: **on the** ~, yolda; giderken: **he is on the** ~ **to ruin**, mahva gidiyor: ~ **out**, çıkış: **the village is rather out of the** ~, köy biraz sapadır: **go out of one's** ~ **to do stg.**, bir şeyi yapmak için özellikle zahmete girmek: **he is nothing out of the** ~, hiç bir fevkaladeliği yok: **go one's own** ~, bildiğinden şaşmamak; bildiğini okumak: **all right, have it your own** ~!, siz bilirsiniz!; (fikrinize katılmıyorum fakat) haydi, sizin dediğiniz olsun!: **he lives in a small** ~, mütevazı bir şekilde yaşıyor: **in some** ~, bazı yönlerden: **come this** ~!, buradan!, bu taraftan!: **be under** ~, (gemi) hareket halinde olm.: **get under** ~, (gemi) hareket etm.; (*mec.*) işe başlamak.

'way = AWAY: ~ **back in 1900**, ta 1900'de.

way- *ön.* ~**-bill**, yolcu/eşya listesi, taşıma belgesi. ~**far·er** [-fẹərə(r)], yolcu: ~**ing**, *i.* yolculuk, seyahat: *s.* seyyah/yolcu+. ~**lay** (*g.z.(o.)* ~**laid**) [-'ley(d)], yolunu kesmek; pusuya yatıp beklemek. ~**-leave**, bir kumpanya tarafından kiralanan yol/geçit hakkı. ~**-out**, (*kon.*) garip, teklifsiz; mutat hilâfına. -~**s**, *son.* -luğuna, -varî; *krş.* -WISE [LENGTH~]. ~**side**, yol kenarı(nda bulunan). *~**-station**, (*dem.*) ara istasyon. ~**ward** [-wəd], nazlı, şımarık; ters; keyfine tabi. ~**-worn**, yolculuktan yorulmuş.

Wb = WEBER.

WC = WAR CABINET; WATCH COMMITTEE; WATER-CLOSET; WEST CENTRAL. ~**C** = WORLD COUNCIL OF CHURCHES.

W/Cdr = WING-COMMANDER.

WD = WAR/WORKS DEPARTMENT.

we [wī]. Biz. **editorial/royal** ~, tek kişi olarak başyazar/kral(içe) tarafından kullanılan 'biz'.

w.e. = WEEKEND.

WEA = WORKERS' EDUCATIONAL ASSOCIATION.

weak [wīk]. Kuvvetsiz, zayıf, mecalsiz, halsiz; iradesiz; âciz; metanetsiz; hafif (çay vb.). ~ **spot**, püf noktası. ~**en**, kuvvetten ve takattan düş(ür)mek, zayıfla(t)mak; gevşe(t)mek. ~**-kneed** [-nīd], irade/kararsız. ~**ling**, cılız/kuvvetsiz kimse; irade/karaktersiz kimse. ~**ly**, *zf.* zayıf/halsiz vb. olarak: *s.* hastalıklı, cılız. ~**-minded**, aklı zayıf. ~**ness**, kuvvetsizlik; halsizlik; zaaf: **have a** ~ **for** ..., -e düşkün olm., -e karşı za'fı olm. ~**-sighted**, gözü zayıf, iyi görmez.

weal[1] [wīl]. Et üzerinde halat/kırbaçla yapılan bere/iz.

weal[2]. Hayır, saadet; = ~TH. **the public** ~, genel menfaat: ~ **and woe**, iyi ve kötü zamanlar.

wealth [welθ]. Zenginlik, varlık, servet; bolluk. ~**-tax**, varlık vergisi. ~**y**, zengin, varlıklı.

wean [wīn]. Meme/sütten kesmek; (*mec.*) vazgeçirmek.

weapon ['wepən]. Silâh. ~**less**, silâhsız. ~**ry**, silâhlar.

wear[1] [wẹə(r)] *i.* Giyme, elbise; eski(t)me, kullanma; yıpranma, aşınma; dayanma. **children's** ~, çocuk elbiseleri: **stuff that will stand hard** ~, dayanıklı kumaş: **these shoes have still a lot of** ~ **in them**, bu ayakkabılar daha çok giyilir: ~ **and tear**, kullanılmakla tabiî olan eskime, yıpranma, aşınıp eskime; (*mal.*) amortisman: **the worse for** ~, eskimiş, yıpranmış.

wear[2] (*g.z.* **wore**, *g.z.o.* **worn**) [wẹə(r), wō(r), wōn] *f.* Giymek; giyip kullanmak; taşımak; takmak; eskitmek, aşındırmak; eskimek, yıpranmak, aşınmak; dayanmak. ~ **oneself to death**, kendini fazla yormak: ~ **the hair long**, saçlarını (kesmeyip) uzun bırakmak: **the day was** ~**ing to its close**, günün sonu yaklaşıyordu: ~ **stg. into holes**, bir şeyi çabuk eskitmek; delik deşik oluncaya kadar giymek: **be worn to a shadow (with care)**, üzüntüden iğne ipliğe dönmek: ~ **well**, (eşya) iyi dayanmak: ~ **(one's years) well**, (ihtiyar) dinç kalmak: **a well-worn joke**, bayat nükte. ~ **away**, aşın(dır)mak; yıpratmak. ~ **down**, aşındırmak, yıpratmak; yormak. ~ **off**, vakit geçtikçe zail olm.; yavaş yavaş azalmak. ~ **on, as the evening wore on**, gece ilerledikçe. ~ **out**, bütün bütün eski(t)mek; eskitip bitirmek; yıpratmak; yıpranmak; takatını tüketmek: ~ **oneself out**, bitkin bir hale gelmek, didinmek.

wear[3] (*g.z.(o.)* **wore**) *f.* Gemi(yi) rüzgârı arkaya alacak şekilde çev(i)r(il)mek, boca alabanda tiramola etm.

wear·able ['wẹərəbl]. Giyinebilir. ~**er**, giyen, takan.

weari·less ['wiərilis]. Yorulmak bilmez. ~**ly**, yorgun/bıkkın bir halde. ~**ness**, yorgunluk; bıkkınlık; melâl; halsizlik.

wearing ['wẹərin(g)]. Yorucu; bıktırıcı. ~**-apparel**, elbiseler.

wear·isome ['wiərisəm]. Usandırıcı, bıktırıcı; yorucu. ~**y**, *s.* yorgun; halsiz; bıkkın, bezgin; usandırıcı: *f.* yor(ul)mak; bez(dir)mek; usan(dır)mak: ~ **of s.o.**, birisinden bıkmak.

weasel ['wīzl] (*zoo.*) Gelincik. ~**-faced**, sansar yüzlü.

weather[1] ['weðə(r)] *i.* Hava. *s.* Rüzgâra açık olan (taraf, yön). **make heavy** ~, (gemi) fırtınada çalkalanmak: **make heavy** ~ **of stg.**, bir şeyi gereğinden fazla güç bulmak: **keep one's** ~ **eye open**, muhtemel tehlike/güçlüklere göz kulak olm.: **(wind and)** ~ **permitting**, hava uygun olduğu takdirde: **be under the** ~, keyifsiz olm.

weather[2] *f.* (Rüzgâr/güneş/yağmur) aşındırmak, rengini değiştirmek, çatlatmak; (fırtına/kötü havaya karşı) dayanıklılık göstermek; rüzgâr ters iken gemi bir burun vb.den geçmek; rüzgar vb.den aşınmak, solmak.

weather-[3] *ön.* ~**-beaten**, rüzgâr/yağmur vb.den hırpalanmış; yanık (çehre). ~**boarding**, bindirme kaplama. ~**bound**, kötü hava sebebiyle limandan çıkamıyan/gecikmiş. *~**-Bureau**, Meteoroloji Bürosu. ~**-chart/-map**, meteorolojik harita. ~**-cock/-vane**, fırıldak, yelkovan. ~**ed**, (rüzgâr/don vb.den) aşınmış/solmuş vb. ~**-eye, keep a** ~ **open**, hava değişikliklerine dikkat etm. ~**-fish**, balçıkyiyen. ~**-forecast**, hava raporu. ~**-glass**, barometre. ~**ing**, (yağmur/don/güneş vb.den) aşınma. ~**-man/-prophet**, (*kon.*) = METEOROLOGIST.

~-**proof**, havaya dayanır, havadan bozulmaz. ~-**station**, meteoroloji istasyonu. ~-**strip**, kapı/pencere vb. aralıklarına konulan fitil/kaplama. ~-**tight**, hava geçirmez/kaçırmaz. ~-**window**, (*den., hav.*) bir harekete uygun olan iyi hava süresi. ~-**wise**, havadan anlar. ~-**worn**, havadan yıpranmış.

weav·e (*g.z.(o.)* **wove(n)**) [wīv, wouv(n)] *f.* Dokumak; (*mec.*) terkip etm.; yılankavî bir şekilde ilerlemek; (*hav., arg.*) yılankavî bir manevra yapmak. *i.* Dokuma tarzı. **get ~ing**, (*arg.*) acele etm., harekete geçmek; sıvışmak. ~**er**, dokumacı, çulha: ~-**bird**, dokumacı kuşu. ~**ing**, dokuma(cılık).

web [web]. Nesiç, doku; ağ; yüzücü kuşların parmakları arasındaki perde; bir kuş tüyünün yumuşak parçası; bazı aletlerin kalın yerleri arasında bulunan ince perde gibi yeri. **a ~ of lies**, yalan dolan. ~**bed** [-bd], perdeli, zarlı (kuş ayağı). ~**bing**, kuvvetli dokunmuş şerit/kumaş, örgü, kolan; (yüzücü kuş) ayaklar arasındaki perde. ~-**footed**, perde/kürek ayaklı.

Weber ['veybə(r)] (*elek.*) Veber.

wed [wed]. Nikâhla almak; . . . evlenmek; evlendirmek; birleştirmek. **be ~ded to an opinion, etc.**, bir fikir vb.ne iyice bağlanmak: **newly-~s**, yeni evliler.

Wed. = WEDNESDAY.

wedd·ed ['wedid] *s.* Evlenmiş; evli: **his ~ wife**, nikâhlı karısı: ~ **life**, evlilik hayatı. ~**ing**, evlenme töreni; düğün: **silver/golden/diamond ~**, bir evlenmenin 25ci/50ci/60cı yıldönümü: ~-**breakfast**, (nikâhtan sonra) ziyafet/resepsiyon: ~-**cake**, düğün pastası: ~-**day**, evlenme gün/yıldönümü: ~-**dress**, gelinlik: ~-**march**, (*müz.*) düğün marşı: ~-**present**, düğün hediyesi: ~-**ring**, nikâh yüzüğü, alyans.

wedge [wec] *i.* Oduncu kaması; takoz; kama şeklinde bir şey. *f.* Kama ile tespit etmek/sıkmak; araya sokmak/sıkıştırmak. **the thin end of the ~**, gittikçe önemli olan bir hareketin ilk adımı. ~-**shaped**, kama biçimli.

wedlock ['wedlok]. Evlenme; evlilik. **child born in/out of ~**, meşru/gayri meşru çocuk.

Wednesday ['wenzdi]. Çarşamba. **Ash ~**, büyük perhizin ilk günü.

wee [wī]. Minimini, ufacık.

weed [wīd] *i.* Yaramaz ot; lağar at; yaprak sigara. *f.* Bahçedeki yaramaz otları ayıklamak. **the ~**, (*kon.*) tütün, marihuan: ~ **out**, yararsız kimse/şeyleri söküp atmak. ~-**killer**, yaramaz otları yokeden ilâç. ~**y**, yaramaz otlu; lağar (at); sırık gibi, çelimsiz (insan).

weeds [wīdz]. **widow's ~**, dul kadının matem elbisesi.

week [wīk]. Hafta; yedi gün. **this day ~/a ~ today/a ~ from now**, gelecek hafta bugün: **what day of the ~ is it?**, bugün ne? **twice a ~**, haftada iki kere: ~ **in ~ out**, ara vermeden, aralıksız: **knock s.o. into the middle of next ~**, (*kon.*) birine dehşetli bir yumruk indirmek: **be paid by the ~**, haftalık almak: **a ~ of Sundays**, çok uzun zaman: **tomorrow ~**, gelecek hafta yarınki gün: **it will be a ~ tomorrow that he died**, yarın öleli bir hafta olacak: **yesterday ~**, geçen hafta dünkü gün. ~**day**, adi gün, hafta günü (yani pazar günü değil). ~-**end**, hafta sonu (cumartesi ile pazar); hafta dinlenme/tatili: **a long ~**, perşembe akşamından salı sabahına kadar: **spend the ~**, hafta sonunu (bir yerde) geçirmek. ~-**long**, bir hafta süren. ~**ly**, haftalık; haftada bir olan: **twice ~**, haftada iki kere. ~-**night**, adi gün gecesi.

ween [wīn] (*mer., şiir.*) Zannetmek.

weeny ['wīni] (*çoc., kon.*) Küçücük, minimini.

weep [wīp]. Ağlamak; (duvar) buğulanma neticesinde sızmak; (yaradan) su sızmak. **have a good/hearty ~**, iyice ağlayıp içini boşaltmak: **that's nothing to ~ about/over**, ağlanacak bir şey değil, (*bazan*) daha iyi ya! ~**ie**, (*arg.*) fazla heyecanlı ve ağlatacak filim/roman vb. ~**ing**, ağlayış; ağlayan: ~ **willow**, salkımsöğüt. ~**y**, ağlayan.

weever ['wīvə(r)]. Çarpan balığı; varsam.

weevil ['wīvl]. Buğday biti gibi zararlı hortumlu böceklerin genel adı.

wee-wee ['wīwī] (*çoc.*) Çiş (etmek).

w.e.f. (*mal.*) = WITH EFFECT FROM.

weft [weft] (*dok.*) Atkı, argaç.

weigh[1] [wey] *i.* **under ~**, *yanlış olarak* **under way** *yerine kullanılır; buna bak.*

weigh[2] *f.* Tartmak; düşünüp taşınmak; hesap etm.; ağır gelmek; sıkleti olm. ~ **anchor**, demir almak: ~ **down**, -den daha ağır gelmek; (keder/endişe) bastırmak, ezmek: **branch ~ed down with fruit**, meyvalarla yüklenmiş dal: ~ **in**, (cokey) yarıştan önce tartılmak: ~ **out**, (şeker vb.ni) gereken miktarda tartmak. ~**bridge**, araba/vagon vb. tartmağa mahsus sabit baskül/tartı istasyonu. ~-**in**, (*sp.*) tartı. ~**ing**, tartı; tartma: ~-**machine**, kantar, baskül, terazi.

weight [weyt] *i.* Ağırlık; sıklet; tartı; kantar/terazi taşı; saat topu; (*sp.*) gülle; ağır yük/şey; ehemmiyet, önem; etki, tesir, nüfuz. *f.* -e ağır bir şey takmak; (*mal.*) aylıktan başka bir ek ödemek. **his word carries ~**, sözünün etkisi var: **worth its ~ in gold**, ağırlığınca altın eder: **lose ~**, kilo vermek: **that's a ~ off my mind**, bunun üzerine ferahladım: **of no ~**, önemsiz; nüfuzu az: **people of ~**, sözleri geçer, nüfuzlu insanlar: **pull one's ~**, payına düşen işi yapmak: **put the ~**, gülle atmak: **put on ~**, kilo almak: **sell by ~**, tartı ile satmak: **short ~**, eksik (dara/ölçü): **specific ~**, öz(gül) ağırlık: **throw one's ~ about**, (*kon.*) yüksekten atmak; azamet satmak. ~**ily**, ağır/önemli/etkili bir şekilde. ~**ing**, tazmin, karşılık: **London ~ allowance**, Londra'da oturan memurlara verilen ödence. ~**less**, ağırlıksız; hafif. ~-**lifter**, gülleci. ~-**watcher**, kilosuna dikkat eden kimse. ~**y**, ağır; mühim, önemli; ciddî; etkili, nüfuzlu.

weir [wiə(r)]. Nehrin suyunu kesen set; su bendi; havuz oluğu.

weird [wiəd]. Esrarengiz; tekin olmıyan; garip ve biraz korkutucu; acayip, tuhaf.

Welch [welş] = WELSH.

welcome ['welkəm] *ünl.* Hoş geldin!, safa geldiniz! *s.* Makbul; memnuniyetle kabul edilen; hoş. *i.* Karşılama; 'hoş geldin' deme; iyi kabul. *f.* Misafire 'hoş geldin' demek; iyi karşılamak; memnuniyetle kabul etm. **you're ~!**, bir şey değil: **you are ~ to it**, (i) buyurun, alın; (ii) gözüm yok, senin olsun, ziyade olsun: **you are ~ to try**, (*bazan istihzalı*) tecrübe edebilirsiniz; tecrübesi bedava!: **give s.o. a cold ~**, birini istiskal etm., soğuk karşılamak: **give s.o. a warm ~**, (i) birini hararetle karşılamak; (ii) birini geldiğine pişman etm.: **overstay one's ~**, iyi karşılanan bir yerde fazla kalmak, tadını kaçırmak.

weld [weld] *i.* Kaynak. *f.* Kaynak yapmak, kaynaklamak; sıkı birleştirmek; kaynak almak. ~**able**, kaynaklanabilir. ~**ed**, kaynaklanmış; kaynaklı. ~**er**, kaynakçı. ~**ing**, kaynak (yapma): **arc** ~, elektrik ark kaynağı: **butt/seam/spot** ~, alın/dikiş/nokta kaynağı. ~**less**, kaynaksız.

welfare ['welfeə(r)]. Saadet, mutluluk; refah; rahat; sağlık. **child** ~, çocuk bakımı ve terbiyesi: **the public** ~, amme menfaati, kamu çıkarı. ~**-officer**, (*id.*) sosyal yardım memuru. ~**-State**, resmî sosyal servislerle kamu çıkarını temin etmeğe çalışan devlet. ~**-work**, sosyal yardım: ~**er**, (gayri) resmî sosyal yardım eden kimse.

welkin ['welkin] (*şiir.*) Gök kubbe. **make the** ~ **ring**, kubbeleri çınlatmak.

well[1] [wel] *i.* Kuyu; (ufak gemide) kaporta ağzı; (büyük gemide) sintine; (evde) merdiven/asansör boşluğu; menba, pınar; (*müh.*) yuva: **artesian** ~, artezyen, burgu kuyusu.

well[2] *f.* ~ **forth/out/up**, fışkırmak.

well[3] *ünl.* İşte; imdi; şu halde. ~!, *hayret ifade eder*: ~ ~!/~ **I never!**/~ **really!**, Allah Allah!; fesübhanallah!: ~ **then**, şu halde.

well[4] *zf.* İyi, âlâ; tamamıyle; isabetli; münasip, uygun. *i.* İyilik, iyi hal. **as** ~, dahi, . . . de: **as** ~ **as**, kadar, kadar iyi: **he is learned as** ~ **as rich**, hem bilgili hem de zengindir: **one might as** ~ **say . . .**, (*mantıksız bir şeye cevap olarak*) aynı şekilde . . . denebilir de: **you may (just) as** ~ **go**, gitseniz de olur; ne olur gidin!: ~ **done**, iyi pişmiş: ~ **done!**, aferin!, aşk olsun!: ~ **and good**, ne âlâ: **it serves him jolly** ~ **right!**, oh olsun!: **let** ~ **alone**, işi tadında bırakmak; fazla kurcalamamak: ~ **off**, hali vakti yerinde: **you don't know when you are** ~ **off**, elindeki nimetin farkında değilsin: **we are very** ~ **off for potatoes this year**, bu yıl patatesimiz bol: ~ **on in years**, yaşı ilerlemiş: **it is** ~ **on midnight**, gece yarısı yaklaşıyor: **you are** ~ **out of it**, bundan kurtulduğuna şükret: **pretty** ~ **all**, hemen hemen hepsi: **be** ~ **up in a subject**, bir konuyu iyi bilmek: **that's all very** ~ **(and good) but . . .**, hepsi iyi hoş, amma . . .: **wish s.o.** ~, birinin iyiliğini istemek. ~**aday/away** [-ə'dey, -'wey], eyvah! ~**-advised**, ihtiyatlı, makul. ~**-appointed**, teçhizatlı. ~**-behaved**, terbiyeli, edepli. ~**-being**, saadet, mutluluk, refah, rahat. ~**-bred**, görgülü; terbiyeli; efendiden. ~**-built**, (insan) boyu bosu yerinde; (ev) sağlam, kunt. ~**-chosen**, iyi seçilmiş; münasip, uygun, pek yerinde olan. ~**-conducted**, terbiyeli, uslu; iyi idare edilen. ~**-connected**, iyi aileden. ~**-cooked**, iyi piş(iril)miş. ~**-doing**, hayırseverlik, hayırhahlık. ~**-earned**, müstahak; haklı olarak elde edilmiş. ~**-grown**, boyu bosu yerinde; yaşına göre büyük. ~**-informed**, bilgili; olup bitenlerden haberi olan; yetkili.

Wellington ['welin(g)tən]. Yeni Zelanda'nın başkenti. ~**ia** [-'touniə], Kaliforniya çamı. ~**s** [-təns], (lastik) çizme.

well- [wel-] *ön.* ~**-intentioned** = ~-MEANING. ~**-judged** = ~-CHOSEN. ~**-knit** [-'nit], sıkı yapılı. ~**-known** [-'noun], tanınmış, meşhur, namlı. ~**-made**, boyu bosu yerinde; iyi yapılmış. ~**-marked**, göze çarpan; aşikâr; belli; açık. ~**-meaning**, iyi kalpli; (aslında) iyi niyetli; (yanlış bir hareket yapsa bile) niyeti iyi. ~**-meant**, iyi niyetle yapılmış. ~**-nigh**, hemen hemen. ~**-off**, hali vakti yerinde olan, zengin. ~**-oiled**, (*arg.*) sarhoş. ~**-padded**, iyi doldurulmuş/yastıklı; (insan) semiz, tombul. ~**-read** [-'red], çok okumuş, bilgili. ~**-rounded**, (insan) semiz; (üslup) iyi, dengeli. ~**-said**, yerinde söylenmiş. ~**-set**, sıkı yapılı. ~**-spoken**, iyi/hoş konuşan. ~**-spring**, pınarbaşı; (*mec.*) kaynak. ~**-timed** [-taymd], tam vaktinde; pek yerinde olan. ~**-to-do**, hali vakti yerinde; refah içinde yaşıyan; zengin. ~**-tried**, denemelerden başarılı çıkan. ~**-wisher**, . . . taraftarı. ~**-worn**, eskimiş; çok kullanılmış; aşınmış.

welsh[1] [welş] *f.* (At yarışlarında bahis tutan adam) kaybettiği parayı ödemeden sıvışmak.

Welsh[2] *i.* Gal'li(ler); Gal dili. *s.* Gal+. ~**-dresser**, (*ev.*) üstü açık raflı dolap. ~**-rabbit/-rarebit**, kızarmış ekmek üzerinde kızartılan peynir. ~**man**, *ç.* ~**men**, Gal'li.

welt[1] [welt] = WEAL[1]. Dövmek.

welt[2] *i.* Zıh, kundura vardulası, kösele şeridi. *f.* Zıh vb.ni takmak.

welter ['weltə(r)] *f.* Çamur/kan vb. içinde yatıp yuvarlanmak. *i.* Karmakarışıklık: **in a** ~ **of blood**, kan revan içinde. ~**weight** [-weyt], (boks) yarı ortadan hafif ağırlık (63–67 kg); ağır binici; ağır biniciyi taşıyabilen at; at yarışlarında bazan konulan fazla ağırlık.

wen [wen]. Devamlı fakat zararsız ur. **the great** ~, Londra.

wench [wenç] *i.* Kız, genç kadın; haspa. *f.* Zamparalık etm.

wend [wend]. ~ **one's way**, yürümek, gitmek.

Wensleydale ['wenzlideyl] (*zir.*) Bir çeşit beyaz peynir; uzun yünlü koyun.

went [went] *g.z.* = GO.

wept [wept] *g.z.(o.)* = WEEP.

were [wə(r)] *g.z., ç.* = BE. ~**n't** = WERE NOT.

we're [wiə(r)] = WE ARE.

werewolf ['weəwulf]. Kurt şeklinde dolaştığına inanılan insan.

wert [wə̄t] (*mer.*) *2ci, tek. g.z.* = BE; oldun, idin.

Wesleyan ['wesliən]. John Wesley tarafından kurulan tarikata mensup, metodist.

west [west]. Garp, batı. **the W**~, ABD'nden batı devletleri: **the W**~ **country**, İng.'nin batı kısmı: **the W**~ **End**, Londra'nın kibar mahallelerinin ve büyük mağaza ve tiyatrolarının bulunduğu bölge: **go** ~, ölmek; mahvolmak. ~**bound**, batıya giden. ~**ering**, batıya dönen. ~**erly**, batıya doğru; (rüzgâr) batıdan esen. ~**ern**, batıya ait; batıda; (*sin.*) kovboy filmi: ~**er**, batılı. ~ **Indian**, *i.* Batı Hint Adaları yerlisi: *s.* Batı Hint Adalarına ait. ~ **Indies**, Batı Hint Adaları. ~**ing**, (*den.*) batıya doğru ilerleme.

Westm. = WESTMINSTER; WESTMOR(E)LAND.

Westminster ['wes(t)minstə(r)]. Londra'nın bir bölgesi olan bir şehir; Parlamento binası.

Westmor(e)land ['wes(t)mələnd]. Brit.'nın bir kontluğu.

west- ['west-] *ön.* ~**-north-west**, batı karayel. ~**-south-west**, batı lodos. ~**ward**, batı yönüne giden: ~**s**, batıya doğru.

wet [wet] *s.* Islak, rutubetli; yağmurlu; *içki yasak olmıyan. *i.* Islaklık; yağmur. *f.* Islatmak. ~ **behind the ears**, (*kon.*) pek masum; kemale ermemiş: ~ **to**

the skin/~ through/soaking ~, sırsıklam: ~ one's whistle, içki içmek. *~-back, (Meksikadan gelen) kaçak göçmen. ~-blanket, oyun bozan; neşe bozan şey. ~-dock, (*den.*) yüzer havuz. ~-dream, düş azması.

wether ['weðə(r)]. Enenmiş koç.

wet- ['wet-] *ön.* ~**lands**, bataklık. ~**-look**, (*mod.*) ıslak gibi parlak yüzeyli (kumaş, deri). ~**ness**, ıslaklık, rutubet. ~**-nurse**, sütnine. ~**-suit**, AQUANAUT'un giyisi. ~**ting**, ıslatma; ıslanma: ~**-agent**, su girme/yayılmasına yardım eden madde. ~**tish**, oldukça ıslak.

WEU = WESTERN EUROPEAN UNION.

w.f. = (*bas.*) WRONG FOUNT.

WFTU = WORLD FEDERATION OF TRADE UNIONS.

WG = WEST GERMANY.

Wg.Cdr. = WING COMMANDER.

wgt = WEIGHT.

wh- *ile başlıyan kelimeler bazan* [hw-] *telaffuz edilmekte ise genellikle yalnız* [w-] *telaffuz edilirler.*

whack [wak] (*yan.*) *f.* Dayak atmak, dövmek. *i.* (Kamış vb.) şaklama. **have a ~ at stg.**, (*arg.*) bir şeyi şöyle bir denemek. ~**er**, (*arg.*) kocaman kimse/şey. ~**ing**, dayak, kötek; (*arg.*) kocaman: **a ~ lie**, kuyruklu yalan. ~**o**, *ünl.* (*arg.*) *neşe ifade eden nida.*

whale [weyl] *i.* Balina; (*arg.*) dev gibi; pek kuvvetli (oyuncu vb.). *f.* Balina avlamak. **blue/bottle-nosed/right ~**, gök/gagalı/gerçek balina: **Fin ~** = RORQUAL: KILLER ~. ~**back**, balina sırtı gibi; bunun gibi ön güvertesi olan ticaret gemisi. ~**-boat**, iki ucu sivri uzun bir nevi kayık, kik. ~**-bone**, balina çubuk/dişi; korse balinası. ~**-calf**, balina yavrusu. ~**-fishery**, balina avcılığı. ~**r**, balina gemisi; balina avcısı; (*Avus.*) bir çeşit köpek-balığı.

whaling ['weylin(g)]. Balina avcılığı. ~**-gun**, balina zıpkın topu. ~**-master**, WHALER kaptanı.

wham [wam] *ünl.* (*yan.*) *Çarpışma sesi ifade eder.*

whang [wan(g)] (*yan., kon.*) *f.* Ağırca vurmak. *i.* Vuruşma sesi.

whare ['wori] (*Avus.*) Kulübe, ev.

wharf [wōf] *i.* Rıhtım, iskele. *f.* Rıhtıma yanaşmak; rıhtım üzerine yığmak. ~**age** [-fic], iskele ücreti. ~**inger** [-incə(r)], iskele memuru.

what [wot]. Ne(?); hangi (şey) (?). **tell me ~ you saw**, gördüğünüzü söyleyiniz: ~ **about a game of tennis?**, tenis oynıyalım mı?, ne dersiniz?: ~ **about the others?**, ya ötekiler?: **there wasn't a day but ~ it rained**, yağmur yağmadık gün olmadı: ~ **for?**, ne için, niçin?: ~ **did he do that for?**, ne diye bunu yaptı?: ~ **if he does not come?**, gelmezse ne olacak? ~ **if it *is* true?**, doğru olsa bile ne çıkar?: **I know ~!/ I'll tell you ~!**, buldum! (aklıma bir fikir geldi): **and ~'s more . . .**, hem de; üstelik: ~ **next?**, bundan sonra ne var?: ~ **next!**, daha neler!: **. . . and ~ not**, . . . ve benzerleri: **well, ~ of it?**, olsun, ne çıkar?: **I'll show you ~'s ~!**, ben sana dünyanın kaç bucak olduğunu gösteririm: ~ **though we are poor**, fakirsek ne çıkar? ~**-d'ye-call-'em/-him/-her/-it**, *adı hatıra gelmiyen bir şey/kimseyi anlatmakta kullanılır*: **I saw Mr. ~-him**, Şeyi gördüm. ~**-ho!**, merhaba!, yahu!, hey!, bana bak! ~**-not**, (*kon.*) etajer.

what(so)ever [wot(sou)'evə(r)]. Herhangi; her ne: **do ~ you like**, ne istersen yap: **I cannot see anyone ~**, (i) kim olursa olsun hiç kimseyi göremem; (ii) görünürde in cin yok: ~ **I have is yours**, nem varsa senindir: ~ **happens I will remain your friend**, ne olursa olsun size dost kalacağım: **he has no luck ~**, hiç mi hiç talihi yoktur: **or ~**, (*kon.*) ve benzeri.

wheat [wīt]. Buğday. ~**ear** [-i̯ə(r)] (*zoo.*) kuyrukkakan. ~**en**, buğdaydan yapılmış. ~**meal**, (elenmemiş) buğday unu. ~**-rust**, sürme hastalığı. ~**stone-bridge**, (*elek.*) vetston köprüsü.

whee [wī] *ünl. Neşe/heyecan nidası.*

wheedl·e ['wīdl]. Dil dökerek kandırmak. ~ **stg. out of s.o.**, tatlı sözle birisinden bir şey sızdırmak. ~**ing**, böyle kandıran.

wheel [wīl] *i.* Çark; tekerlek; (*oto.*) direksiyon volanı; (*den.*) dümen dolabı. *f.* (*ask.*) Çark etm.; tekerlekli bir şeyi el ile yürütmek; birini/bir şeyi el arabasıyle götürmek. **left/right ~!**, (*ask.*) sola/sağa çark!: **be at the ~**, (*mec.*) idare etm.: **crown ~**, ayna dişli: **the ~s of government**, idare makinesi: **he ~ed round**, birdenbire olduğu yerde geri döndü: **run on ~s**, tekerlekle hareket etm.: **take the ~**, otomobili idare etm.; geminin dümenini kullanmak: **there are ~s within ~s**, işin içinde iş var. ~**barrow**, tek tekerlekli el arabası. ~**-base**, (*oto.*) dingil mesafesi. ~**-chair**, tekerlekli hasta koltuğu, malul arabası. ~**ed**, tekerlekli. **-~er**, **two-/four-~**, iki/dört tekerlekli. *~**er-dealer**, (*arg.*) cinfikirli politikacı/maliyeci/tüccar. ~**-house**, (*den.*) dümen köşkü. ~**wright** [-rayt], tekerlekçi, araba marangozu.

wheez·e [wīz] *i.* (*yan.*) Hışıltı; (*arg.*) şaka, *f.* Hışıldamak, hırıltılı ses çıkarmak. ~**y**, hışıltılı; soluğan.

whelk [welk]. Şeytan minaresi; ergenlik.

whelm [welm] (*mer.*) = OVER~.

whelp [welp] *i.* Enik; edepsiz çocuk/delikanlı. *f.* Eniklemek.

when [wen]. Ne vakit? ne zaman?; ne zaman ki . . ., -diği zaman; iken. ~ **will you come?**, ne vakit geleceksiniz?: ~ **you come**, geldiğiniz zaman: ~ **a child I used to be afraid of the dark**, çocukken karanlıktan korkardım: ~ **ever/on earth will he come?**, ne halt etmeğe bu kadar gecikti; bu da ne zaman gelecek canım?: **why walk ~ you can ride?**, atla gitmek mümkün iken niçin yürüyeceksiniz?: **say 'when!'**, (içkiler vb. dağıtılırken) 'kâfi' demek: **tell me the ~ and the how of it**, bunun ne zaman ve nasıl olduğunu söyle.

whence [wens]. Nereden?; nasıl?; geldiği yerden. **let him return to the land ~ he came**, geldiği yere gitsin: ~ **we can understand that . . .**, işte bundan anlıyoruz ki . . .: **we know neither our ~ nor our whither**, nereden geldiğimizi ve nereye gideceğimizi bilmiyoruz.

when(so)ever [wen(so̯u)'evə(r)]. Her ne zaman. **I go ~ I can**, imkân olduğu zaman giderim: **you can come ~ you wish**, ne zaman isterseniz gelebilirsiniz.

where [we̯ə(r)]. Nerede?; nereye?; -diği yerde. ~ **from?**, nereden?: ~ **are you from?**, nerelisiniz?: ~ **do you come from?**, nereden geliyorsunuz?: **I shall stay ~ I am**, bulunduğum yerde kalacağım: **I don't know ~ I am**, nerede bulunduğumu bilmiyorum; durumu (ne yapacağımı) bilmiyorum: ~ **was I?**, nerede kalmıştım?: **that is ~ you are mistaken**, işte burada yanılıyorsunuz: **the when and the ~ of his birth are unknown**, doğduğu yer ve zaman belli değil.

where·abouts [we̯ərə'bauts] *zf.* Nerelerde?; takriben nerede? ['we̯ər-] *i.* Bir kimse/şeyin tahminî olarak bulunduğu yer; neresi. **nobody knows his ~**, nerede bulunduğunu kimse bilmiyor. **~as** [-'az], halbuki; mademki; oysaki. **~at** [-'at], ki ondan sonra, ondan dolayı: **I laughed, ~ he became very angry**, ben gülünce kızdı. **~by** [weə'bay], ki ondan; onun ile: **is there no way ~ we can learn the truth?**, gerçeği öğrenmenin bir yolu yok mu?: **he blushed, ~ I knew he was ashamed**, kızarması üzerine utandığını anladım. **~fore** [-'fō(r)], niçin; onun için, bu sebepten. **~from** [-'from] (*mer.*) = WHENCE. **~in** [-r'in], ne hususta?; ki içinde. **~of** [-'ov], neden?; ki ondan. **~on** [-'on], ki üzerinde: **the stone ~ he sat**, üzerinde oturduğu taş. **~soever** [-sou'evə(r)], nerede olursa. **~(un)to** [-r'(ʌn)tū], nereye; hangi yer/maksada; ki oraya. **~upon** [ʌ'pon], bunun üzerine, bundan sonra. **~ver** [-'revə(r)], nerede?; her nerede, nerede olursa. **~with** [-'wið], ki bunun ile: **~al**, gereken şey; vasıta; para.

wherry ['weri]. Hafif kürekli sandal.

whet [wet] *i.* İştah açan şey. *f.* Bilemek; keskinleştirmek; (iştahını) açmak.

whether ['weðə(r)]. . . . mi?; hangisi. **~ . . . or . . .**, . . . mi, . . . mi: **I don't know ~ we shall find him at home**, onu evde bulup bulamıyacağımızı bilmiyorum: **we will go ~ it rains or not**, yağmur yağsa da yağmasa da gideceğiz: **I wonder ~ he will come**, acaba gelir mi?: **you will have to do this ~ you like it or not**, isteseniz de istemeseniz de bunu yapmağa mecbursunuz: **~ or no**, her halde; ne olursa olsun: **he asked me ~ I liked his book**, kitabını sevip sevmediğimi sordu.

whetstone ['wetstoun]. Bileği taşı.

whew ['hwu, hiu] (*yan.*) *Yorgunluk/hayret nidasi.*

whey [wey]. Kesilmiş sütün suyu. **~-faced**, soluk yüzlü.

which [wiç]. Hangi?, hangisi: . . . -ki. **the book ~ is on the table**, masanın üstündeki kitap: **the house in ~ we live**, (içinde) oturduğumuz ev: **this is the house of ~ I was speaking**, kendisinden bahsettiğim ev budur: **~ way?**, ne tarafa?, hangi yoldan?; nasıl? **~(so)ever** [-(sou)'evə(r)], her hangisi: **take ~ you like best**, hangisinden en çok hoşlanırsanız onu alınız: **~ way he looked he saw nothing but smoke**, hangi tarafa baktı ise dumandan başka bir şey görmedi.

whidah ['wīdʌ]. Bir çeşit dokumacı kuşu.

whiff[1] [wif] *i.* Futa, fıta.

whiff[2] *i.* Püf; hava/duman vb. dalgası; hafif koku; küçük puro. *f.* Hafifçe püflemek. **I must get a ~ of fresh air**, bir parçacık hava almalıyım: **there wasn't a ~ of wind**, hiç rüzgâr yoktu, yaprak kımıldamıyordu.

whiffle [wifl]. (Rûzgâr) hafifçe esmek; değişmek; (alev) oynamak.

Whig [wig] (*tar.*) İng. liberal partisi(ne ait); bu partinin üyesi.

while[1] [wayl] *b.* İken; esnasında. **~ I live**, ömrüm oldukça: **~ admitting the thing is difficult, it is not impossible**, gerçi bunun güç olduğunu kabul ederim, imkânsız değildir.

while[2] *i.* Müddet, süre. **the ~**, bu sırada: **between ~s**, arada sırada: **after a ~**, biraz sonra: **once in a ~**, kırk yılda bir: **worth ~**, değer: **worth one's ~**, zahmete değer: **I'll make it worth your ~**, sizi memnun ederim (mükâfatını veririm).

while[3] *f.* **~ away the time**, vakti hoş geçirmek: **to ~ away the time**, vakit geçirmek için.

whilom ['wayləm]. Vaktiyle, daha önce olan.

whilst [waylst]. İken; = WHILE[1].

whim [wim]. Geçici arzu, istek, heves; birinin aklına esen şey, kapris.

whimbrel ['wimbrəl]. Yağmur kervan çulluğu.

whimper ['wimpə(r)] *i.* Ağlıyacak gibi ses çıkarma; sızlanma, inilti. *f.* Ağlayıp sızlamak, inlemek.

whims·ical ['wimzikl]. Gelgeç, maymun iştahlı, kaprisli; tuhaf, acayip. **~y** = WHIM.

whin [win] (*bot.*) Karaçalı. **~chat** [-çat], çayır taş kuşu.

whine [wayn] (*yan.*) Sızlanma(k), inleme(k); vınlama(k).

whinny ['wini] (*yan.*) Kişneme(k).

whip[1] [wip] *i.* Kamçı, kırbaç; arabacı; av köpeklerini idare eden atlı uşak; (parlamento) parti disiplinini koruyan üye, değnekçi; önemli ve acele bir mesele hakkında parti üyesine dağıtılan kısa genelge. **be a good/bad ~**, araba iyi/kötü kullanmak: **four-line ~**, altı dört kere çizilmiş genelge ('whip'): **crack a ~**, kamçı şaklatmak: **give s.o. a crack of the ~**, birini itaat ettirmek: **a fair crack of the ~**, dürüst hareket, insaflı bir pay.

whip[2] *f.* Kamçılamak, kırbaçla dövmek; dayak atmak; yumurta/krem vb.ni çalkayıp köpürtmek; yenmek; façuna etm., iple bağlamak; kenarını kıvırıp dikmek; ansızın bir hareket ile çıkarmak; çabuk bir hareket yapmak; seğirtmek. **~ round the corner**, köşeyi hızla dönmek: **~ a revolver out of one's pocket**, cebinden bir tabancayı hızla çekmek. **~ (away)**, anî olarak kaldırmak; (*arg.*) aşırmak. **~ back**, (fazla gerilen ip vb.) kopup geri sıçramak. **~ in**, (av köpeklerini) kamçı ile toplamak. **~ off**, ansızın kaldırmak, çıkarmak. **~ round**, birdenbire dönmek: **(have a) ~ round for subscriptions**, bir çok kimseye başvurup yardım toplamak. **~ up**, (*mec.*) kamçılamak; tahrik etm.

whip-[3], *ön.* **~-aerial**, kamçı şeklinde anten. **~cord**, kamçı için kullanılan pek sıkı ve kuvvetli bir nevi sicim; sık dokunmuş İng. kumaşı. **~-hand**, kamçı tutan el; (*mec.*) üstünlük, hâkimiyet: **get/have the ~ of s.o.**, birine karşı üstün bir durumda olm. **~-lash**, kamçı ipi; dayak.

whipper·-in [wipər'in]. Av köpeklerini idare eden atlı uşak. **~-snapper** [-'snapə(r)], afacan; kendini beğenmiş genç.

whippet ['wipit]. Bir nevi ufak tazı. **~ tank**, (*ask.*) ufak fakat pek hızlı bir tank.

whipping ['wipin(g)]. Kamçılama, kırbaç darbesi, dayak; façuna. **~-boy**, başkasının yaptığı kabahatin cezasını çeken kimse.

whipple-tree ['wipltrī]. Araba falakası.

whip·poorwill ['wippəwil]. Am. çobanaldatanı. **~py**, kolay bükülür, esnek. **~-saw**, tomruk testeresi.

whirl [wəl] *i.* Fırıldanma; hızla deveran. *f.* Fırıldanmak, fırıldatmak; savrulmak; kasırga gibi dönmek; pek hızlı hareket et(tir)mek. **my head is in a ~**, başım dönüyor: **a ~ of pleasures**, zevk ve eğlence fırtına/kasırgası. **~igig**, fırıldak; atlıkarınca: **~-beetle**, fırıldak gibi dönen bir su böceği. **~pool**, girdap, burgaç, su çevrisi. **~wind**, kasırga, hava çevrisi: **sow the wind and reap the ~**, rüzgâr ekip fırtına biçmek. **~ybird**, (*arg.*) helikopter.

whirr [wǝ̄(r)] (*yan.*) *i.* Kanat sesi; uğultu. *f.* Uğuldamak, pır pır etm.
whisk [wisk] (*yan.*) *i.* Hafif ve hızlı hareket; tüy süpürge; sineklik; yumurta çarpacağı. *f.* Hızla ve az fırla(t)mak; (at/inek vb.) kuyruğunu sallamak; yumurta çalkamak.
whisker(s) ['wiskǝ̄(r)(z)]. Favori; hayvan bıyığı. **~ed**, yan sakallı; (kedi vb.) bıyıklı.
whisk(e)y ['wiski]. Viski.
whisper ['wispǝ(r)] (*yan.*) *i.* Fısıltı. *f.* Fısıldamak. **it is ~ed that . . .**, kulaktan kulağa fısıldandığına göre. **~ing**, fısıltı: **~ gallery**, belirli yerdeki fısıltının uzak mesafeden duyulduğu tünel/mağara vb.; çok dedikodu yapılan yer.
whist [wist]. Vist oyunu. **~-drive**, hasımlar değişip toplu halde oynanan vist.
whistle ['wisl] *i.* Islık; düdük, çığırtma. *f.* Islık çalmak; düdük çalmak; ıslıkla hava çalmak. **~ for s.o.**, ıslık çalarak çağırmak: **he can ~ for his money**, o paranın üstüne bir bardak su içsin: **wet one's ~**, (*arg.*) içki içmek. **~-stop**, (*dem.*) küçük istasyon: * **~ tour**, (*id.*) parti liderinin her küçük semt/köyü ziyareti.
whit [wit]. Zerre. **not a ~**, katiyen, hiç: **every ~ as good as . . .**, tamamen aynı derecede iyi.
white [wayt] *s.* Beyaz, ak, ağarmış. *i.* Beyaz kısmı; beyaz renk, ak; beyaz adam. **go/turn ~**, (benzi) sararmak: **a ~ man**, beyaz adam; sadık/temiz yürekli adam: **in a ~ rage**, hiddetten kudurmuş bir halde. **~-alert**, (*ask.*) 'tehlike geçti' işareti. **~-alloy** = ~-METAL. **~-ant**, termit. **~bait** [-beyt], kızartılmış hamsi gibi küçük balıklar. **~beam**, (*bot.*) kuşüvezi. **~-caps**, köpüklü dalgalar. **~-cell**, akyuvar, lökosit. **~-coal**, (*kon.*) su gücü, elektrik. **~-coffee**, sütlü kahve. ~-COLLAR. ~-ELEPHANT. **~-fish**, beyaz etli ve yağlı olmıyan deniz balıkları. ~-FEATHER/-FLAG. **~-gold**, nikelli altın alaşımı. * **~-goods**, (*ev.*) beyaz ev kumaşları; (buz dolabı gibi) beyaz ev cihazları.
Whitehall ['waythōl]. Londra'da hükümet dairelerinin bulunduğu mahalle; (*mec.*) hükümet.
white- [wayt-] *ön.* **~-handed**, masum. **~-headed**, beyaz saçlı: **the ~ boy**, (*kon.*) baş tacı olan/şımartılmış çocuk. **~-heart**, pek makbul bir nevi beyaz kiraz. **~-heat**, nârıbeyza, akkor; (*mec.*) şiddetli öfke. ~-HORSES. **~-hot**, akkor. **~-House**, ABD'nde Beyaz Saray. **~-lead**, üstübeç. **~-lipped**, korkudan dudakları bembeyaz olmuş. **~livered**, korkak. **~-man**, beyaz ırktan birisi. **~-meat**, piliç/dana/tavşan/domuz eti. **~-metal**, gümüş taklidî maden; makine yatakları için kullanılan maden alaşımı.
whiten ['waytn]. Ağartmak; beyazlatmak; ağarmak; beyazlanmak; sararmak. **~er**, ağartan madde. **~ing**, ağartma; = WHITING².
white·ness ['waytnis]. Beyazlık, aklık. **~-night**, uykusuz gece. **~-noise**, (*rad.*) beyaz ses. **~-paper**, (*id.*) bir konu hakkında resmî rapor. **~-slave**, **~ trade**, kadın ticareti. **~smith**, tenekeci. **~thorn** [-θōn], akdiken. **~throat** [-θrou̯t], bir kaç çeşit ötleğen kuşu. **~-tie**, (*mod.*) beyaz papyon. **~-war**, malî savaş. **~wash** [-woş] *i.* badana; kireçsuyu; çarpı. *f.* badanalamak; (birini) temize çıkarmak; itibarını yeniden kazandırmak. **~y**, (*köt.*) beyaz ırktan birisi.
whither ['wiðǝ(r)]. Nereye. **~soever**, herhangi bir yere.
whiting¹ ['waytin(g)]. Mezitbalığı; merlanos.
whiting². İspanya beyazı; tebeşir tozu.
whitish ['waytiş]. Beyazımsı.
whitlow ['witlou̯]. Etyaran; dolama.
Whit·-Monday [wit'mʌndi]. ~-SUNDAY'den sonra gelen pazartesi; İng.'de genel tatil idi. **~-Sunday/-sun(tide)**, Paskalyadan yedi hafta sonra olan yortu.
whittle ['witl]. **~ down/away**, bıçakla yontup ufaltmak; kese kese miktarını azaltmak.
whizz [wiz] (*yan.*) *i.* Vızıltı. *f.* Vızıldamak; vızıldayarak fırlamak. **~-kid**, cinfikirli genç maliyeci/politikacı.
who [hū]. Kim; o ki; onlar ki. **the man ~ came**, gelen adam: **~ goes there?**, kimdir o?: **no matter ~**, kim olursa olsun: **Who's ~**, meşhur adamların isimler sözlüğü, Kim Kimdir.
WHO = WORLD HEALTH ORGANIZATION.
whoa [wou̯] *ünl.* Çüş!; dur!
who·dunnit [hū'dʌnit] (*kon.*) Kim yaptı filmi, polis filim/romanı. **~ever**, her kim; kim olursa olsun.
whole [hou̯l] *s.* Bütün, tam, tamam; kusursuz; sağlam. *i.* Tüm; tam şey; yekûn. **~ brother**, ana baba bir kardeş: **on the ~**, genellikle: **he swallowed it ~**, (i) çiğnemeden yuttu; (ii) hepsini yuttu (inandı): **taken as a ~**, bir bütün olarak: **the ~ (of the) world**, bütün dünya; herkes. **~-bound**, bütün meşin ciltli. **~-coloured**, tek renkli. **~-hearted** [-'hātid], candan; samimî: **~ly**, samimî bir şekilde. **~-holiday**, tam bir gün tatil. **~-length**, tam boy (resim). **~meal**, elenmemiş undan yapılmış (ekmek). **~ness**, tam olma. **~-number**, tam sayı. **~sale**, toptan; küme halinde; büyük çapta: **~r/-dealer/-trader**, toptancı, kabzımal. **~some**, sağlığa yararlı; sağlam; kolayca hazmedilir: **not a ~ book for the young**, çocuklar için uygun olmıyan kitap. **~-time**, **~ job/work**, insanın bütün vaktini alan iş. **~-wheat**, elenmemiş buğday.
wholly ['hou̯(l)li]. Tamamıyle, büsbütün.
whom [hūm]. WHO'*nun -e/-i hali.* Kime?; kimi?; ki ona/onu. **~ did you see?**, kimi gördün? **~ did you give it to?**, onu kime verdin? **of ~**, kimden, ki ondan: **the man ~ we met**, rastladığımız adam: **the person to ~ you sent the letter is dead**, kendisine mektup gönderdiğiniz şahıs ölmüştür. **~(so)ever** [-(sou̯)-'evǝ(r)], kim olursa olsun; her kim ise.
whoop [(h)wūp] (*yan.*) *i.* Nida; bağırma; haykırma. *f.* Bağırmak; boğmaca öksürüğüne tutulmuş gibi öksürmek. **he ~ed with joy**, sevincinden bağırdı. **~ee** ['wūpi] (*arg.*) coşkunluk. **~er** ['hūpǝ(r)] **(swan)**, ötücü kuğu kuşu. **~ing-cough**, boğmaca (öksürüğü).
whop [(h)wop] (*yan.*) Darbe/dayak atmak. **~ping**, dayak; pek büyük: **a ~ lie/a ~per**, kuyruklu yalan.
whore [hō(r)] *i.* Orospu. *f.* Zamparalık etm.
whorl [wōl]. Bir bitki sapının etrafında halka şeklinde yapraklar/çiçeklerin hepsi, çevrem; bir helezonun bir devrimi, sarım. **~ed**, halka/helezon şeklinde.
whortleberry ['wōtlberi] = BILBERRY.
whose [hūz]. WHO'*nun -in hali.* Kimin; ki onun: **~ is this?**, bu kimin?: **the man ~ house you saw**, evini gördüğünüz adam.
whosoever [hūsou̯'evǝ(r)]. Her kim olursa olsun.
why [(h)way]. Niçin?, neden?, ne diye?; tuhaf şey!

that is the reason ~ . . ., işte bundan dolayıdır ki. . ..
WI = West Indies; Women's Institute.
wick[1] [wik]. Fitil. **get on s.o.'s** ~, birini taciz etm.
wick[2]. Şehir, köy; (*leh.*) mandıra.
wicked ['wikid]. Habis, şerir, pek kötü, hain, günahkâr. ~**ly**, habis vb. olarak. ~**ness**, kötülük vb.
wicker ['wikə(r)]. Sepet işi; hasır, saz. ~**-work**, sepet işi, saz örgüsü.
wicket ['wikit]. Bahçe vb.nin küçük kapısı; büyük kapının içinde/yanında ufak kapı; (*sp.*) krikette kullanılan ve kaleyi teşkil eden üç kazık; kalelerin arasındaki yer. **be on a good/sticky** ~, (*mec.*) iyi/kötü durumda bulunmak. ~**-keeper**, bu kazıkların arkasında duran tutucu.
wide [wayd]. Geniş; vâsi; enli; açık; bol. ~ **awake**, tamamen uyanmış: ~ **of the mark**, hedeften uzak; çok yanlış: ~ **open**, ardına kadar açık: ~**ly read**, çok okunan; çok okumuş, bilgili: **the** ~ **world**, şu koca dünya. ~**-angle**, geniş açılı: ~ **lens**, (*sin.*) alan genişletici. ~**awake**, açıkgöz, uyanık; tetik: ~ **hat**, geniş kenarlı fötr şapka. ~**-eyed**, şaşmış, sadedil. ~**n**, genişle(t)mek; büyü(t)mek, bollaştırmak. ~**-ranging**, bir çok konu/geniş bir alan kapsayan. ~**spread** [-spred], yayılmış, yaygın; genel.
wi(d)geon ['wicən]. Fiyo, ıslık çalan ördek.
widget ['wicit]. Hünerli küçük bir alet.
widish ['waydiş]. Oldukça geniş.
widow ['widou] *i.* Dul kadın. *f.* Dul bırakmak. **grass** ~, kocası geçici olarak başka yerde bulunan kadın: **the** ~**'s mite**, çok veren maldan az veren candan *gibilerden* bir fakir tarafından verilen küçük iane. ~**ed**, dul. ~**er**, dul erkek. ~**hood**, dulluk.
width [widθ]. En; genişlik; vüsat.
wield [wīəld]. Elle tutup kullanmak; savurmak; pala çalmak. ~ **power**, tahakküm etm.: ~ **the sceptre**, saltanat etm.
wife, *ç.* **wives** [wayf, wayvz]. Karı, zevce, refika: **common-law** ~, evlenmemiş fakat kabul edilmiş karı: **the** ~, refikam: **take a** ~, evlenmek: **take s.o. to** ~, birisiyle evlenmek: **an old wives' tale**, tandırname. ~**less**, karısız. ~**like**/~**ly**, zevceliğe yakışır. ~**-swapping**, bir grup karıkocalar arasında cinsî ilişkiler; karakoca değiştokuşu.
wig[1] [wig] *i.* Takma saç; peruka. ~**ged** [-gd], perukalı.
wig[2] *f.* Azarlamak. ~**ging**, azarlama.
wiggle [wigl] *f.* Hafifçe sallan(dır)mak. *i.* Sallanma. ***get a** ~ **on**, (*arg.*) acele etm.: ~ **out of stg.**, işin içinden kurtarılmak.
wight [wayt] (*mer.*) İnsan; herif.
Wigto(w)n ['wigtən]. Brit.'nın bir kontluğu.
wigwag ['wigwag] (*kon.*) Hafifçe sallanmak.
wigwam ['wigwam]. K.Am. Kızılderililerinin kulübesi.
wilco ['wilkou] *ünl.* (*rad.*) = I will comply; hayhay!, baş üstüne!
wild [wayld]. Vahşî; yabanî; delişmen, zırzop; fırtınalı; haşarı, avare, havalanan; hedeften uzak. **the** ~**s**, bozkır; çöl: **be** ~ **to do stg.**, bir şeyi yapmak için yanıp tutuşmak: **be** ~ **with joy**, sevincinden çıldırmak: ~ **exaggeration**, pek fazla mübalağa: **lead a** ~ **life**, hovardalık etm.: **make s.o.** ~, birini çıldırtmak: **run** ~, (bitki) azmak; (çocuk) başıboş dolaşmak: ~ **talk**, palavra; dem vurma. ~**-boar**, yaban domuzu. ~**-cat**, yaban kedisi: ~ **scheme**, (*mal.*) olmıyacak tasavvur, çılgınca bir plan: ~ **strike**, haber vermeden yapılan grev. ~**-duck**, yaban ördeği. ~**ebeest** ['wildəbīst], gnu. ~**er** = bewilder. ~**erness**, beyaban; çöl; bir bahçenin bakımsız kısmı: **a voice in the** ~, çölde bir vaiz; beyhude tüketilen nefes. ~**fire** ['wayldfayə(r)], **spread like** ~, etrafı alev gibi sarmak. ~**fowl**, yabanî kuşlar *bilh.* av kuşları. ~**-goose**, yaban kazı: ~ **chase**, ahmakça ve sonsuz bir teşebbüs. ~ horse. ~**-life**, tabiî hayat; bir bölgenin hayvanları: ~**-park**, büyük ve tabiî hayvanat korusu. ~**ness**, vahşîlik, yabanîlik; şiddet; fırtınalılık; haşarılık, avarelik; delilik. ~**water**, hızlı akıntılı/anaforlu su. ~**-West**, kanunlar uygulanmadan önce batı ABD. ~**wood**, balta görmemiş orman.
wile [wayl] *i.* (*gen. ç.*) Hileler, desiseler; kurnazlık. *f.* Hile ile cezbetmek; ayartmak.
wilful ['wilfəl]. Söz anlamaz; hodgâm, bencil; inatçı, kasdî. ~**ly**, bencil/inatçı olarak. ~**ness**, inat(çılık) vb.
wili·ly ['waylili]. Kurnazca. ~**ness**, kurnazlık, şeytanlık.
will[1] [wil] *i.* İrade; meram, istek, arzu; keyif; vasiyet(name), tutsuluk. **at** ~, istediği zaman; keyfine göre; keyfi olarak: **with the best** ~ **in the world I can't do it**, bütün isteğime rağmen yapamam: **free** ~, iradei cüz'iye: **to do stg. of one's own free** ~, bir şeyi kendi isteğiyle yapmak: **good** ~, iyi niyet: **ill** ~, kötü niyet: **the last** ~ **and testament of . . .**, -in son vasiyetnamesi *ki vasiyetnameye başlarken kullanılması âdet olan cümledir*: **make one's** ~, vasiyetnamesini yazmak: **have a** ~ **of one's own**, inatçı olm.; aklına geleni yapmak istemek: **take the** ~ **for the deed**, bir iyilik yapma isteğini iyilik saymak: **where there's a** ~ **there's a way**, meramın elinden bir şey kurtulmaz: **work one's** ~ **upon s.o.**, bir kimseye istediğini yapmak.
will[2] *f.* İstemek, arzu etm.; razı olm.; azmetmek; ipnotize etm.; vasiyetname ile bırakmak. *Yardımcı fiil olarak gelecek zaman kipinin yapılmasına yarar, mes.*: **I** ~ **write**, yazacağım; *fakat bazan sadece bir rica ifade eder, mes.*: ~ **you close the window!**, pencereyi kapatır mısınız?: '~ **you be there?' 'I** ~', 'Siz orada bulunacak mısınız?' 'Bulunacağım': **as you** ~!, siz bilirsiniz!: **accidents *will* happen**, kazanın önüne geçilmez: **this car** ~ **do 40 miles to the gallon**, bu otomobil bir galon benzinle 40 mil gider: **this car** ~ **take five people easily**, bu otomobil ferah ferah beş kişi alır: **he *will* have it that . . .**, . . . diye inat ediyor: **he** ~ **have none of it**, (i) onun payına bundan hiç bir şey düşmiyecek; (ii) bunu hiç kabul etmiyor: ~ **s.o. into doing stg.**, birine bir şeyi irade gücüyle yaptırtmak; ipnotizma ile yaptırmak: **say what you** ~**, no one** ~ **believe you**, ne istersen söyle, kimse sana inanmaz: ~/**won't you sit down?**, oturmaz mısınız?: ***will* you sit down!**, (*hiddetle*) oturacak mısın?
-willed [wild] *son.* . . . iradeli [strong-~].
willet [willit]. Bataklık çulluğu gibi bir Am. kuşu.
***willful** ['wilfəl] = wilful.
willies ['wiliz] (*arg.*) Korku hissi.
willing ['wilin(g)]. Razı; istekli; candan. ~ **helpers**, candan yardım edenler. ~**ly**, istiyerek; memnuni-

, yetle. ~**ness**, isteklilik: **with the utmost** ~, canugönülden.

will-o'-the-wisp [wiləðə'wisp]. Boş gaye; zümrüdüanka.

willow ['wilou]. Söğüt (ağacı); (*arg.*) kriket çomağı. **weeping** ~, salkımsoğüt (ağacı). ~**herb**, yakıotu. ~**-pattern**, meşhur Çin porselenlerinde bulunan söğüt resmi. ~-WARBLER. ~**y**, fidan gibi; eğilir bükülür; söğütlerle dolu.

will-power ['wilpauə(r)]. İrade gücü.

willy·-nilly [wili'nili]. Çarnaçar, ister istemez. ~-~, (*Avus.*) kasırga, kum fırtınası.

wilt[1] [wilt] (*mer.*) *2ci, tek, şim.* = WILL[2].

wilt[2]. Tazeliğini kaybet(tir)mek; kuru(t)mak; solmak.

Wilt·on ['wiltən]. Kalın havlı bir çeşit halı. ~**s(hire)** [-şə(r)], Brit.'nın bir kontluğu.

wily ['wayli]. Cinfikirli; kurnaz.

wimple ['wimpl] (*mod.*) Atkı, baş örtüsü.

Wimpy ['wimpi] (*M., kon.*) Sandviç şeklinde HAMBURGER. ~**-bar** = SNACKBAR.

win [win] *f.* Kazanmak; kesbetmek; galebe çalmak, yenmek. *i.* Galebe, yenme, zafer. ~ **hands down**, pek kolayca kazanmak/yenmek: ~ **over/round**, gönül avlamak; kendi tarafına çekmek: ~ **through**, başarmak; zorluğun hakkından gelmek: ~ **the shore/summit, etc.**, sahil/zirve vb.ne varmak/ermek: ~ **the toss**, yazı/tuğra atımında kazanmak.

winc·e[1] [wins] *f.* Acıdan birdenbire ürkmek ve sakınmak. *i.* Ürkme; işmizaz. **without a** ~**e**/~**ing**, göz kırpmadan.

wince[2] (*dok.*) Boyama dolap/çıkrığı.

winch [winç]. Vinç; bocurgat.

wind[1] [wind] *i.* Rüzgâr, yel; hava; nefes; osuruk; hayvanların bulundukları yerde bıraktıkları koku. **the** ~, (*müz.*) bir orkestranın nefesli çalgılar: **sail/run before the** ~, pupa yelken gitmek: **between** ~ **and water**, su kesiminde: **break** ~, yellenmek, osurmak: **cast/fling prudence, etc., to the** ~**s**, ihtiyat vb.ne hiç aldırmamak: **get** ~ **of**, koklamak, kokusunu almak: **there's something in the** ~, ortada/havada bir şeyler var: **lose one's** ~, nefesi kesilmek: **off-/on-shore** ~, meltem/imbat: **prevailing** ~, hâkim rüzgâr: **recover one's** ~, nefes almak için dinlemek: **get one's second** ~, bir koşu vb.de bir kere nefesi kesildikten sonra tekrar nefes almak: **raise the** ~, (*kon.*) ne yapıp yapıp para elde etm.: **sound in** ~ **and limb**, (at) nefesi ve bacakları sağlam, sapasağlam: **have/get the** ~ **up**, (*arg.*) korku/telaşa düşmek: **put the** ~ **up s.o.**, birini korkutmak, telaşa düşürmek: **what's in the** ~?, gelecekte neler olacak? **see which way the** ~ **blows**, havayı koklamak.

wind[2] [wind] *f.* Kokusunu almak, koklamak; soluğunu kesmek; (*bazan at hakkında*) nefes aldırmak. ~ [waynd] **the horn**, av borusunu çalmak.

wind[3] (*g.z.(o.)* **wound**) [waynd, waund] *f.* Dolaşmak, dolaşık gitmek; dolaştırmak; çevirmek; sarmak; (saat vb.) kurmak. ~ **about**, dolaşmak; yılankavî olm.: ~ **wool into a ball**, ipliği yumak yapmak: **the plant** ~**s round the pole**, bitki sırığa sarılıyor. ~ **down**, çark ile indirmek; (*mec.*) tedricen azaltıp bitirmek. ~ **up**, çark ile kaldırmak; kangal etm.; kurmak; bitirmek, kapatmak; sona ermek: ~ **up a company**, bir şirketi tasfiye etm.: **how does the play** ~ **up?**, piyes nasıl bitiyor?/sonunda ne oluyor?

wind-[4] [wind-] *ön.* ~**age** [-dic], (mermi) yolundan kaçması; hava etkisi. ~**bag**, lakırdı kumkuması; farfara; lafazan. ~**-bound**, karşı rüzgârla seyri menedilen (gemi). ~**break**, rüzgârdan koruyan çit/bir sıra ağaç. ~**-cone**, rüzgâr mahrutu. ~**-down** ['waynd-], azaltıp bitirme. ~**ed** ['windid], soluğu kesilmiş. ~**er** ['wayndə(r)], (saat) anahtar; kurma düzeni; çıkrık(çı). ~**fall** ['windfōl], rüzgârın düşürdüğü şey, *bilh.* elma; (*mec.*) yağlı lokma; umulmadık miras. ~**-flower**, gelincik çiçeği. ~**-gauge**, rüzgâr/yel ölçeği, anemometre. ~**hover**, kerkenez. ~**iness**, rüzgârlı olma; (*arg.*) korkaklık.

winding ['wayndin(g)] *s.* Dolambaçlı; yılankavî. *i.* Dönemeç, dönüm; dolambaç; (*elek.*) sarma, sargı, sarım. ~**-gear/-plant**, (maden) asansör işleten makine. ~**-road**, (*oto.*) devamlı virajlar. ~**-shaft**, (maden) asansör kuyusu. ~**-sheet**, kefen. ~**-staircase**, helezon merdiven. ~**-up**, (*mal.*) tasfiye, bitirme, likidasyon.

wind- ['wind-] *ön.* ~**-instrument**, (*müz.*) nefesli çalgı. ~**-jammer** [-camə(r)] (*mer.*) büyük yelkenli ticaret gemisi. ~**lass** [-ləs] *i.* ırgat; çıkrık: *f.* ırgatla kaldırmak. ~**less**, rüzgârsız; sakin. ~**-loading**, (*mim.*) rüzgâr gerilmesi. ~**-mill**, yel değirmeni.

window ['windou]. Pencere; camekân; gişe. **bay** ~, cumba: **blind** ~, sağır pencere: **dormer** ~, çatı/tavan penceresi: **shop/show** ~, camekân, vitrin: **ticket** ~, gişe. ~**-blind**, ıstor. ~**-box**, pencere önünde çiçek kutusu. ~**-dressing**, satılacak eşyanın açılıp serilmesi; (*mec.*) gösteriş; gözboyası. **-**~**ed**, (*son.*) . . . pencereli. ~**-envelope**, pencereli zarf. ~**-frame**, pencere çerçevesi. ~**-ledge/-sill**, damlalık. ~**less**, penceresiz. ~**-pane**, pencere camı. ~**-sash**, pencere kasası. ~**-seat**, (*dem., vb.*) pencere yanındaki yer. ~**-shopping**, bir şey satın almadan vitrinlerdeki eşyalara bakma. ~**-shutter**, pancur.

wind- ['wind-] *ön.* **-pipe** [-payp], nefes/soluk borusu; gırtlak. ~**proof**, rüzgâr geçirmez. ~**-rose**, rüzgârlar dairesi. ~**-row** [-rou], orakçının bir çekmede kestiği ot sırası. ~**sail**, (*gem.*) bez manika. ~**screen/shield**, rüzgâr siperi; (*oto.*) ön cam, siper camı: ~**-washer/-wiper**, cam yıkayıcı/sileceği. ~**-sleeve/-sock**, (*hav.*) rüzgâr tulum/çorabı.

†**Windsor** ['win(d)zə(r)]. **House of** ~, (*şim.*) kral hanedanı. ~**-chair**, bir çeşit koltuklu sandalye. ~**-soap**, ucuz kahverengi tuvalet sabunu.

wind- ['wind-] *ön.* ~**spout**, rüzgâr girdabı. ~**-storm**, kasırga. ~**swept**, rüzgâra maruz, rüzgârlı. ~**-tunnel**, aerodinamik tünel, hava deneme tüneli. ~**ward** [-wəd], yel yanı, rüzgâr üstü: **work/ply to** ~, (gemi) rüzgâra karşı gitmek. ~**y**, rüzgârlı, rüzgâra maruz; şişkin, uzatıcı (nutuk vb.); (*arg.*) endişeli, korkak.

wine [wayn] *i.* Şarap. *f.* Şarap iç(ir)mek. ~ **and dine s.o.**, birine ziyafet vermek. ~**-bibber**, şarap ayyaşı. ~**-bin**, şarap şişeleri mahfazası. ~**-coloured**, şarap rengi. ~**-cooler**, şarabı buzda soğutmağa mahsus kap. ~**-glass**, şarap kadehi. ~**-grower**, şarap üzümü yetiştiren bağcı. ~**-press**, şıra teknesi; şarap baskısı. ~**ry**, şaraphane. ~**-skin**, şarap tulumu. ~**-taster**, şarap çeşnicisi. ~**-tasting**, şaraplar denemesi.

wing [win(g)] *i.* Kanat; cenah; kol; (*hav.*) filo; kulis; (*oto.*) çamurluk. *f.* Uç(ur)mak; kanat takmak; (*av*) bir kuşu kanadından yaralamak. **be on the ~**, uçmakta olm.: **take ~**, uçmak, kanatlamak: **take s.o. under one's ~**, birini himaye altına almak. **~s**, (*tiy.*) sahne yanları, kulis: **clip s.o.'s ~s**, ihtiras/hareketlerini tahdit etm.: **spread/stretch one's ~s**, (*mec.*) kuvvetlerini geliştirmek: **wait in the ~s**, (*mec.*) hazır bulunmak: **on the ~s of the wind**, çok hızlı. **~-beat**, kanat hareketi. **~-case**, kanat kını. **~-chair**, kanatlı sandalye. †**~-C(omman)d(e)r**, (H.K.'de) yarbay. **~-covert** [-'kʌvət], kanat örtü tüyleri. **~ed** [-gd], kanatlı. **~er**, (*sp.*) yan ilerisi. **~-footed**, (*mec.*) hızlı. **~less**, kanatsız. **~let**, kanatçık. **~-nut**, kelebekli somun. **~-quill**, el uçma tüyü. **~-span/-spread**, kanat açıklığı. **~-tip**, kanat ucu.

wink [win(g)k] *i.* Göz kırpma; gözle işmar. *f.* Göz kırpmak; gözle işaret etm.; (ışık) yanıp sönmek. **~ at stg.**, bir şeye göz yummak: **forty ~s**, şekerleme, kısa uyku: **I did not sleep a ~**, kirpiğimi kırpmadım. **~er**, (*oto.*) işaret lambası; (at) göz siperi.

winkle ['win(g)kl] *i.* Yenir bir kabuklu deniz böceği. *f.* **~ out**, (*kon.*) (sır vb.) meydana çıkarmak. **~-picker**, (*arg.*) uzun sivri uçlu ayakkabı.

winn·er ['winə(r)]. Kazanan kimse/at; isabetli/başarılı bir iş/hareket. **~ing**, kazanma; kazanan; cazip, çeken: **~-post**, yarışın sonunu gösteren kazık: **~s**, kazanç.

winnow ['winou̯]. Harman/tahıl savurmak; yabalamak. **~ out**, savurarak ayıklamak; (*mec.*) kötüden iyiyi/yanlıştan doğruyu ayırmak. **~ing-fork**, yaba.

wino ['waynou̯] (*arg.*) Ayyaş.

winsome ['winsəm]. Alımlı, çekici, cazibeli, sevimli.

wint·er ['wintə(r)] *i.* Kış. *s.* Kışlık. *f.* Kışla(t)mak: **in ~**, kışın: **the depth of ~**, karakış: **hard/mild ~**, şiddetli/hafif kış: **~-cherry**, güvey feneri: **~green**, keklik üzümü: **~ize**, kışlık işlere hazırlatmak: **~-quarters**, kışlak: **~-sports**, kış sporları. **~riness**, kış gibi olma. **~ry**, kış gibi; pek soğuk/fırtınalı.

wipe [wayp] *f.* Silmek; bez/sünger ile temizlemek. *i.* Silme. **~ away/off**, silip çıkarmak: **~ s.o.'s eye**, (*kon.*) başkasından önce davranmak, sırasını almak: **~ on**, sürmek: **~ out**, silip temizlemek; silip süpürmek: **~ out an insult**, bir hakareti temizlemek: **~ up**, silip temizlemek/kurutmak. **~r**, silici; silecek.

WIPO = WORLD INTELLECTUAL PROPERTY ORGANIZATION.

wire [wayə(r)] *i.* Tel; telgrafname. *f.* Tel takmak; tel ile bağlamak; (ev vb.de) elektrik tesisatı kurmak; telgraf çekmek. **barbed ~**, tel örgü: **bare ~**, parlak/çıplak tel: **dead ~**, cereyansız tel: **live ~**, cereyanlı tel; (*mec.*) pek faal adam: **~ in**, tel (örgü) ile çevrelemek: **get one's ~s crossed**, (iki kişi) anlaşamamak. **~-cutters**, tel kıskacı. **~d**, telli; tel ile çevrilmiş; elektrik telleri konmuş. **~-dancer**, ip cambazı. **~draw**, haddeden tel çekmek. **~-edge**, kılağı. **~-entanglement**, tel engel. **~-haired**, dik kıllı (fino). **~less**, telsiz; radyo (ile telgraf çekmek): **~-operator**, telsizci: **~-receiver**, telsiz alıcısı: **~-set**, radyo (cihazı): **~-telegraphy**, telsiz telgraf. **~-mesh/-netting**, tel kafes. **~-mill/-works**, tel fabrika/haddehanesi. **~-pull·er**, akıl hocası: **~ing**, akıl hocalığı, piston. **~-rope**, tel halat. **~scape**, manzarayı bozan teller. **~-tapp·er**, (telefon vb.) gizlice dinleyen/bilgiyi çalan: **~ing**, gizli dinleme. **~-wheel**, tel parmaklı tekerlek. **~-wool**, (*ev.*) ovma teli. **~-worm**, tel kurdu.

wiring ['wayərin(g)]. Tel takma; kablo; elektrik donanımı. **~-diagram**, tel/kablaj şeması.

wiry ['wayəri]. Tel gibi; ince fakat adaleli, sırım gibi.

Wis(consin) [wis'konsin]. ABD'nden biri.

wisdom ['wizdəm]. İrfan; akıl; hikmet, bilgelik: **~ tooth**, akıl/yirmiyaş dişi.

wise[1] [wayz] *i.* Tarz, suret. **in no ~**, hiç bir surette: **in some ~**, bir surette, bir dereceye kadar. **-~**, *son.* -varî, . . . gibi [LENGTHWISE]; *-ca [MONEYWISE].

wise[2] *s.* Arif; tecrübeli ve akıllı; hakim, bilge, ferasetli. **be ~ after the event**, iş işten geçtikten sonra akıllanmak: **look ~**, işten anlar gibi gözükmek: **I am none the ~r**, daha iyi öğrenmiş değilim: **no one will be any the ~r**, kim kime dum duma: ***put me ~ about it**, bana bu işi anlat. **~acre**, ukalâ dümbeleği. **~-crack**, nükte; (*bazan*) ukalâlık. **~ly**, akılâne.

wisent ['wīzənt]. Avrupa bizonu.

wish [wiş] *f.* İstemek, arzu etm.; temenni etm. *i.* Arzu, istek; temenni. **I ~ I were there**, keşki orada olsam: **don't you ~ you may get it!**, avucunu yala!: **what more can you ~?**, daha ne istersin?: **one would ~ that...**, gönül ister ki: **as/if you ~**, canın isterse. **~-bone**, lâdes kemiği. **-~er**, (*son.*) . . . arzu eden. **~ful**, istekli; hasretli: **~ thinking**, hüsnükuruntu. **~ing-well**, dilek kuyusu. **~-wash** [-woş] (*kon.*) tatsız. **~y-washy**, yavan, renksiz, değersiz.

wisp [wisp]. Demetçik; ince saç lülesi; serpinti.

wist [wist] (*mer.*) Bildim vb.; = WIT[1].

wist·aria/~eria [wis'teəri̯ə, -'tīri̯ə]. Mor salkım.

wistful ['wistfəl]. Hasretli; arzulu; müştak; özlemiş.

wit[1] [wit] *f.* (*mer. yal.* **I wot, thou wottest, he wot** *şekillerinde kullanılır*) bilmek. **to ~**, yani, demek ki: **God wot**, Allah, bilir, gerçekten.

wit[2] *i.* Akıl, intikal; nüktecilik; nükteci, nekre. **be at one's ~'s end**, artık hiç bir çare bulamamak, ne yapacağını bilmemek: **collect one's ~s**, aklını başına toplamak: **have/keep one's ~s about one**, uyanık olm.: **be out of one's ~s**, aklını oynatmak: **one who lives by his ~s**, kaparozcu: **nimble of ~**, cinfikirli.

witch [wiç] *i.* Büyücü kadın, cadı. *f.* Teshir etm. **~-craft**, büyücülük. **~-doctor**, vahşî kabilelerde büyücü hekim. **~ery**, büyücülük; sihir. **~-hazel**, güvercin otu. **~-hunt**, büyücü avı; (*id.*) solcu vb. avı. **~ingly**, büyüleyici (bir şekilde).

witchet(t)y ['wiçəti] (*Avus.*) Büyük yenilir sürfe.

witenagemot [witənage'mot] (*tar.*) ANGLO-SAXON millî meclisi.

with [wið]. İle; -le; -ce; -den; yanında, beraber, birlikte; arasında, nezdinde. **~ all his wealth he is not happy**, bütün servetine rağmen mutlu değildir: **the difficulty ~ him is that he is pig-headed**, bu adamın zor tarafı dikkafalı olmasıdır: **~ that he left the room**, bunun üzerine odadan çıktı: **be ~ it**, (*kon.*) modaya uygun/şık olm.: **I'm not ~ you**, sizi anlamıyorum: **she is ~ God**, öldü.

withal [wi'ðōl]. Dahi; bununla beraber.

with·draw (*g.z.* **~drew**, *g.z.o.* **~drawn**) [wið'drō(n), -'drū]. Geri çekmek, geri almak; feragat etm.; (bankadan para) çekmek; rücu etm.; çekilmek; (*ask.*) çözülmek; uzaklaşmak. **~drawal**, geri çek(il)me; rücu; geri alma; geri çağır(ıl)ma: **~**

of an order, bir emri geri alma: ~ **of a coin from circulation**, bir parayı sürümden kaldırma. ~**drawing-room**, (*mer.*) = DRAWING-ROOM.
withe [wiθ, wayð] = WITHY.
wither ['wiðə(r)]. Kuru(t)mak; tazeliğini kaybet(tir)mek; solmak. ~ **s.o. with a look**, birini bir bakışla yerin dibine geçirmek. ~**ed**, solmuş. ~**ing**, kurutan.
withers ['wiðə̄z]. Atın omuz başı, yağır.
withershins ['wiðəşinz] (*İsk.*) Saat yelkovanının tersine.
with·hold (*g.z.(o.)* ~**held**) [wið'hould, -'held]. Vermemek; esirgemek; tutmak; alıkomak; kesmek. ~ **the truth from s.o.**, birinden gerçeği gizlemek. ~**holding**, (*mal.*) stopaj, kesilme.
within [wi'ðin]. İçinde, içersinde, içeride; dairesinde. **live** ~ **one's income**, geliriyle uygun yaşamak: **they are** ~ **a few months of the same age**, bir kaç ay farkla aynı yaştadırlar: ~ **reason**, makulât dairesinde: ~ **two hours**, iki saat içinde: **well** ~ **the truth**, en aşağı deyimle.
with-it ['wiðit] *s.* (*arg.*) Son modaya uygun.
without [wi'ðaut] *e.* -siz; -sizin; bilâ . . .; . . . haricinde. *zf.* Dışarı. ~ **walls**, duvarsız: ~ **the walls**, surların dışında: **go** ~ **stg.**, kendini bir şeyden mahrum etm.; bir şeysiz olm.: **a child can't do** ~ **games**, çocuk oynamadan edemez: **that goes** ~ **saying**, bu apaçıktır: **not** ~ **difficulty**, oldukça güçlükle: **he passed** ~ **seeing us**, bizi görmeden geçti.
with·stand (*g.z.(o.)* ~**stood**) [wið'stand, -stud]. Karşı koymak; dayanmak; direnmek.
withy ['wiði]. Bodur söğüt; hasır işi için kullanılan ince söğüt dalı.
witless ['witlis]. Budala; akılsız. ~**ness**, akılsızlık.
witness' ['witnis] *i.* Şahit, tanık; delil, kanıt. *f.* Müşahede etm., görmek; tanıklık etm. ~ **a signature**, kendi imzasıyle başka bir imzayı tasdik etm. ~**-box**/***-stand**, mahkemelerde tanık yeri.
-witted ['witid] *son.* -kafalı; *mes.* **slow-**~, kalın kafalı.
witt·icism ['witisizm]. Nükteli söz. ~**ily**, nükteli olarak. ~**ingly**, kasten; bile bile. ~**y**, nükteli, nekre.
wives [wayvz] *ç.* = WIFE.
wizard ['wizə̄d] *i.* Sihirbaz; büyücü. *s.* (*arg.*) Hünerli; cazibeli. ~**ry**, sihirbazlık.
wizened ['wizənd]. Kart, kurumuş, buruşmuş, kartaloz.
wiz-kid ['wizkid] (*arg.*) = WHIZZ-KID.
wk. = WEAK; WEEK; WORK. ~**r** = WORKER.
WL = WATERLINE; WEST LOTHIAN; WOMEN'S LEGION. ~**A** = WOMEN'S LAND ARMY. ~**ong.** = WEST LONGITUDE.
WMO = WORLD METEOROLOGICAL ORGANIZATION.
WNW = WEST NORTH-WEST.
wo [wou] *ünl.* Dur!; yetişir!
w.o. = WALK-OVER.
WO = WAR OFFICE; WARRANT OFFICER; WIRELESS OPERATOR.
woad [woud]. Çivitotu (boyası).
wobbl·e ['wobl]. Sallanma(k); dingildemek, sendeleme(k); zikzak yapma(k); bocalamak; (ses) titreme(k). ~**y**, sallanan, sendeliyen; titrek.
woe [wou] *i.* Keder, hayıf, elem; dert. *ünl.* Vay!, hayıf! ~ **is me!**, vay bana!: ~ **be to . . .**, (*lânet*) -in Allah belâsını versin!: ~ **to the vanquished!**, altta kalanın canı çıksın!, veyl mağluba. ~**begone**, hazin, kederli, mağmum. ~**ful**, hazin, kederli; elim, hüzün verici: **he is** ~**ly weak in French**, Fransızcası fecidir.
wog [wog] (*köt.*) Orta Doğu yerlisi, yabancı.
woke(n) ['wouk(n)] *g.z.(o.)* = WAKE[3].
wold [would]. Yüksek engebeli çıplak kır. **the** ~**s**, Yorkshire'da çıplak ve yalçın tepeler.
wolf, *ç.* **wolves** [wulf, -vz]. Kurt. *f.* Yemeği aç kurt gibi yutmak. **grey** ~, bozkurt: **cry** ~, yalan yere tehlike ilân etm.: **have the** ~ **by the ears**, kurdu kulaklarından yakalamak (tehlikeli bir durum, hem tutması tehlikeli hem salıvermesi): **keep the** ~ **from the door**, (ailesini vb.) açlıktan korumak: **a** ~ **in sheep's clothing**, koyun postuna girmiş kurt. ~**-dog/-hound**, kurt köpeği. ~**ish**, kurt gibi; vahşî, yırtıcı; açgözlü.
wolfram ['wulfrəm]. Tungstenli cevher, volfram.
wolve·rine ['wulvərīn]. K.Am.'ya mahsus GLUTTON[2]; kutup porsuğu (?). ~**s**, *ç.* = WOLF.
wom·an *ç.* ~**en** ['wumən, 'wimin]. Kadın; dişi. ~ **of the streets/scarlet** ~, fahişe. ~**-hater**, kadın düşmanı. ~**hood**, kadınlık. ~**ish**, kadın gibi. ~**ize** [-ayz], zamparalık etm. ~**kind** [-kaynd], kadın kısmı. ~**less**, kadınsız. ~**like**, kadın gibi. ~**ly**, kadına yakışır, iyi kadın gibi.
womb [wūm]. Rahim, döl yatağı.
wombat ['wombat] (*Avus.*) Vombat.
women ['wimin] *ç.* = WOMAN. ~**folk**, kadınlar; kadın kısmı.
won [wʌn] *g.z.(o.)* = WIN.
wonder ['wʌndə(r)] *f.* Hayran olm.; şüphe/meraka düşmek. *i.* Hayret; taaccüp; harika, tansık; mucize, acibe. **I** ~ **whether . . .**, acaba . . .: **no** ~ **. . .**, hayret edilmez; pek tabiî: **I** ~ **he was there**, orada olmasına şaştım: **I** ~ **if he was there**, acaba orada mıydı: **a nine days'** ~, kısa bir zaman için herkese hayret veren bir şey: **it's a** ~ **he wasn't killed**, ölmemiş olması mucizedir: **I don't** ~ **you are annoyed**, ben de olsam kızarım: **I shouldn't** ~ **if he doesn't come**, gelmezse şaşmam: **'she'll soon find a husband.' 'I** ~**!'**, 'Yakında bir koca bulur.' 'Pek zannetmem': **one of the Seven** ~**s of the world**, dünyanın yedi harikasından biri: **a** ~ **of delicate workmanship**, ince işçilik harikası: **he wasn't late today, for a** ~, bugün mucize kabilinden vaktinde geldi: **a little praise works** ~**s**, azıcık övme mucize gibi etki ediyor. ~**-drug**, (penisilin gibi) fevkalade bir ilâç. ~**ful**, hayrete değer; şaşılacak; fevkalade: ~ **to relate**, şaşılacak şey şudur ki: ~**ly**, şaşılacak bir halde. ~**land**, harikalar diyarı; son derece verimli memleket. ~**struck** [-strʌk], şaşmış, hayrete düşmüş. ~**-worker**, harikalar yaratan/mucize yapan kimse.
wondrous ['wʌndrəs]. Hayret verici; acip, fevkalade.
wonga(-wonga) ['wongə(wongə)] (*Avus.*) Büyük güvercin.
wonky ['won(g)ki] (*arg.*) Sendeliyen; titrek, çelimsiz; güvenilemez.
wont [wount] *s.* Alışmış, âdet edinmiş. *i.* Âdet, itiyat, alışkanlık, mutat. **according to his** ~, alışkanlığına göre: **be** ~ **to do stg.**, bir şeyi yapmak alışkanlığında olm. ~**ed**, mutat.
won't = WILL[2] NOT.

woo [wū]. Kur yapmak; etrafında dönmek; celbetmeğe çalışmak; elde etmeğe çalışmak.
wood [wud]. Odun, tahta, kereste, ağaç, ahşap; koru, küçük orman. **green** ~, yaş ağaç: **hard/soft** ~, sert/yumuşak ağaç: **beer drawn from the** ~, fıçıdan çekilmiş bira: **wine in the** ~, fıçı şarabı: **touch** ~!, nazar değmesin; şeytan kulağına kurşun!: **be unable to see the** ~ **for the trees**, esas mesele ayrıntı içinde boğulmak: **we are not out of the** ~ **yet**, daha işin içinden çıkmadık. ~**-alcohol**, odun ispirto/alkolü. ~**-anemone**, Manisa lâlesi. ~**bine** [-bayn], yabanî hanımeli, kurtkulağı; (*M.*) ucuz bir sigara. ~**block**, kalıpla basma resim; kaldırım tahtası. ~**-carv·er**, tahta oymacısı: ~**ing**, oyma(cılık). ~**chuck**, Am.'ya mahsus dağ faresi. ~**cock**, çulluk. ~**craft**, orman hayatı, *bilh.* avcılık bilgisi; oymacılık: ~**sman**, K.Am.'da tuzak avcısı. ~**cut**, tahta kalıpla basılmış resim: ~**ter**, tahta kalıpla resim basan; oduncu: ~**ting**, odunculuk. ~**ed** [-did], ağaçlı; ormanlık. ~**en**, tahtadan yapılmış; ahşap; alık (yüz); kazık gibi (yürüyüş ve duruş); resmî: ~ **leg** = PEG-LEG: ~ **spoon**, (yarışta) en son gelenin ödülü: ~**ly**, kazık gibi. ~**-engraving** = ~CUT. ~**-house**, odunluk. ~**-ibis**, (*zoo.*) Am. doymazı. ~**land**, ağaçlık; ormanlık. ~**lark**, ağaççıl tarla kuşu. ~**louse**, *ç.* ~**lice**, ağaçbiti, tesbihböceği. ~**man**, *ç.* ~**men**, oduncu; ormancı. ~**-nymph**, orman perisi. ~**pecker**, ağaçkakan: **spotted** ~, alaca ağaçkakan. ~**-pigeon**, yabanî güvercin, tahtalı (güvercin). ~**-pile**, odun yığını; ağaç kazık. ~**-pulp**, tahta hamuru. ~**shed**, odunluk. ~**sman**, ormancı. ~**-sorrel**, ekşiyonca. ~**-wind**, tahtadan nefesli çalgı. ~**work**, bir binanın ahşap kısmı; ağaç işleri; marangozluk; dülgerlik: ~**er**, marangoz, dülger. ~**worm**, ağaç/tahta kurdu. ~**y**, odunlu; odun gibi; ormanlık.
wooer ['wūə(r)]. Âşık; talip, istekli.
woof[1] [wūf] (*dok.*) Atkı, argaç.
woof[2] (*yan.*) ~ ~, köpek sesi. ~**er**, (*rad.*) alçak frekanslar için hoparlör.
wooing ['wūin(g)]. Kur yapma.
wool [wul]. Yün. **dyed in the** ~, dokunmadan önce boyanmış: **dyed-in-the-**~ **communist**, koyu bir komünist: **steel** ~, çelik talaşı. ~**-bearing**, yün hâsıl eden (hayvan); yapağı olan. ~**-gathering**, dalgın(lık): **go/be** ~, dalıp gitmek; tonel geçmek. ~**len**, yünden yapılmış; yünlü: ~**s**, yünlü elbiseler. ~**liness**, yünlülük; kıvırcıklık; vuzuhsuzluk, belirsizlik, müphemlik. ~**ly**, yünlü kıvırcık, arapsaçı gibi; vuzuhsuz, belirsiz, müphem; keskin olmıyan: ~**-bear**, büyük kıllı tırtıl. ~**pack**, yün balyası; büyük beyaz bulut. ~**sack**, yün çuvalı: **the** ~, Lordlar Kamarasında LORD CHANCELLOR'un oturduğu yer: **be raised to the** ~, LORD CHANCELLOR olm. ~**work**, yün ile gergef işi.
woomera ['wumərə] (*Avus.*) Atılan değnek, mızrak.
***woozy** ['wūzi] (*kon.*) Başı dönen, baygın; belirsiz.
***Wop** [wop] (*arg., köt.*) İtalyan (muhaciri).
Worcester ['wustə(r)]. ~**(shire) sauce**, çeşnili bir salça. ~**shire** [-şə(r)], Brit.'nın bir kontluğu (*kıs.* **Worcs.**).
word [wəd] *i.* Kelime, söz. *f.* Kelime ile ifade etm. ~**s** (*müz.*) güfte. **bring** ~, haber vermek: **you give/say the** ~, siz emredin!, siz söyleyin!: **the** ~ **of God**, kutsal kitap: **be as good as one's** ~, dediğini yapmak, sözünü tutmak: ~ **for** ~, kelimesi kelimesine: **four-letter** ~, (*kon.*) küfür, kaba söz: **he never has a good** ~ **for anyone**, herkesi kötüler: **have a** ~ **with s.o.**, (i) birisiyle görüşmek; (ii) birine bir çift söz söylemek: **have** ~**s with s.o.**, birisiyle atışmak, çekişmek: **high** ~**s**, hiddetli sözler: **in a** ~, hulâsa, sözün kısası: **have the last** ~, (i) bir münakaşada son sözü söylemek istemek; (ii) son söz birinin olm.: **a man of his** ~, sözünün eri: **I am a man of my** ~, söz bir, Allah bir: **you have taken the** ~**s out of my mouth**, ben de tam bunu söyliyecektim: **my** ~!, maşallah!, aman ya rabbi!: **bad is not the** ~ **for it!**, buna fena demek azdır: **in other** ~**s**, başka deyimle: ~**s have passed between them**, atıştılar: **put in a good** ~ **for s.o.**, birinin lehinde bir şey söylemek: **may I put a** ~ **in?**, ben de bir şey söyliyebilir miyim?: **send** ~, haber yollamak: **sparing of** ~**s**, az konuşan: **he told me in so many** ~**s, to go to Hell**, bana aynen 'cehennem ol!' dedi: **he did not say it in so many** ~**s**, aynen böyle demedi (fakat böyle demeğe getirdi): **take my** ~ **for it!**, sözüme inan: **I took you at your** ~, ben sizin sözünüze inandım/güvendim de: **he is too stupid for** ~**s**, tarif edilmez derecede aptal: **upon my** ~!, vallahi!: **a** ~ **to the wise (is sufficient)**, anlayana sivrisinek saz ...; arife tarif ne hacet. ~**-blind/-deaf**, beyin hastalığından görülen/işitilen kelimelere anlam veremiyen. ~**-book**, sözlük. ~**-game**, kelimeleri bulma oyunu. ~**-formation**, türetme. ~**ily**, ıtnaplı olarak. ~**iness**, ıtnaplı olma. ~**ing**, bir mektup/nizamname vb.de kullanılan sözler: **we must be very careful about the** ~ **of the agreement**, anlaşmanın yazılış şekline çok dikkat etmeliyiz. ~**less**, kelimesiz; dili tutulmuş. ~**-order**, (cümlede) kelime düzeni. ~**-painting**, bir hareket/manzara vb.nin sözlerle canlandırılması. ~**-perfect**, rolünü tam bilen (aktör vb.). ~**-picture**, canlı bir tarif. ~**-play**, sözlü münakaşa. ~**y**, ıtnaplı; çok uzun (söz/yazı): ~ **warfare**, söz kavgası.
wore [wō(r)] *g.z.* = WEAR.
work[1] [wək] *i.* İş; vazife; iş güç, emek; çalışma; işle(n)me; faaliyet; el işi; eser, ürün, yapıt, kitap; (*ask.*) siper, istihkâm. **be at** ~, işbaşında olm.; çalışmakta olm.: **have one's** ~ **cut out for one**, başında çok güç bir iş olm.: **it's all in the day's** ~, ne yapalım?, iş böyledir: ~ **in progress**, tamamlanmamış is: **the poison had done its** ~, zehir tesir etmişti: **go the right way to** ~, bir işe uygun usulle girişmek: **the** ~**s of God**, kâinat, doğa, evren, tabiat: **make** ~ **(unnecessarily)**, (hiç yoktan) iş çıkarmak: **Public** ~**s**, bayındırlık işleri: **set/get to** ~, işe girişmek: **set s.o. to** ~, birini bir işe oturtmak.
work[2] (*g.z.(o.)* ~**ed** [-kt]; *bazı deyimlerde* **wrought** [rōt]) *f.* Çalışmak; iş görmek; işlemek; tesir yapmak; yavaşça hareket etm., oynamak; çalıştırmak; işletmek; meydana getirmek; şekil vermek. ~ **at history**, tarihe çalışmak: ~ **a district**, (bir şirket memuru vb.) bir bölgeden sorumlu olm.: **he** ~**ed himself into a rage**, üzerinde dura dura/kura kura gittikçe hiddetlendi: ~ **loose**, laçka olm., yerinden çıkmak: **we must have some more facts to** ~ **on**, üzerinde işlemek için daha fazla vakıalara ihtiyacımız var: ~ **one's passage**, yol ücretini gemide çalışarak ödemek: **my plan did not** ~, planım başarılı olmadı: ~ **to rule**, ağırca ve tam iş şartlarına göre çalışmak. ~ **in**, içine işlemek, nüfuz

etm. ~ **off**, gidermek; (somun vb.) oynıyarak yerinden çıkmak: ~ **off one's anger on s.o.**, öfkesini birinden almak: ~ **off one's fat**, çalışıp/idman edip zayıflamak. ~ **on**, etki/tesir etm. ~ **out**, yapıp bitirmek; halletmek; işliye işliye çıkarmak; hesap etm.: tedricen çıkmak, yerinden oynamak: **(apprentice)** ~ **out his time**, (çırak) belirli süreyi doldurmak: **it** ~**ed out very well for me**, sonunda benim çıkarıma uygun geldi: **how much does it** ~ **out at?**, kaça çıkar? ~ **up**, hazırlamak; kullanıp bir şeye yaratmak: **what are you** ~**ing up to?**, sözü nereye getirmek istiyorsun?: **get** ~**ed up**, heyecanlanmak: **he** ~**ed himself up into a temper**, konuştukça vb. hiddetlendi: **the symphony** ~**s up to a magnificent finale**, senfoni azar azar muhteşem bir finale doğru gelişiyor.

work-[3] *ön.* ~**ability**, işlenebilme. ~**able**, işlenir; kullanılır; tatbik edilir. ~**aday** [-kədey], adi günlerde kullanılan; bayağı: ~ **clothes**, gündelik elbise: **this** ~ **world**, bu tekdüzen cansıkıcı dünya. ~**-bag/-basket/-box**, el işi torbası vb. ~**-bench**, tezgâh. ~**day**, adi gün, iş günü. ~**ed**, işlenmiş. ~**er**, işçi, emekçi, eleman, amele: **he is a hard** ~, çok çalışkandır: **a** ~ **of miracles**, mucize yapan kimse: ~**-ant/-bee**, işçi karınca/arı. ~**-force**, işçiler grubu; mevcut işçiler. ~**-holder**, (*müh.*) merkezleyici. ~**house**, darülaceze; düşkünler evi: **bring s.o. to the** ~, birini yoksul etm., dilenciye çevirmek. ~**-in**, (işçiler vb.) işyerinden çıkmadan çalışıp protesto etme.

working ['wəkin(g)] *s.* İş gören; işliyen; işe ait; iş +. *i.* İşle(t)me, çalış(tır)ma. **not** ~, çalışmayan; işlemiyen, bozuk. ~**-agreement**, işbirliği anlaşması; geçici anlaşma şekli. ~**-capital**, döner sermaye. ~**-class**, işçi sınıfı(na ait). ~**-clothes**, iş elbisesi. ~**-conditions**, çalışma şartları. ~**-day**, iş günü, adi gün. ~**-drawing**, atelye resmi. ~**-expenses**, genel masraflar. ~**-hours**, iş saatleri, mesai müddeti. ~**-lunch/-dinner**, hem ziyafet hem ticaret. ~**-majority**, yeterli çoğunluk. ~**-man**, işçi (sınıfının üyesi). ~**-model**, işleyen maket. ~**-party**, ekip; (*id.*) özel tetkikler/hedef için çalışan bir grup. ~**-pressure, etc.**, işle(t)me basıncı vb.

work·less ['wəklis]. İşsiz. ~**man**, *ç.* ~**men**, işçi, amele, zanaatçı: ~**like**, iyi yapılmış, başarılı; uzman elinden çıkmış: ~**ship**, sanatkârlık, işçilik. ~**mate**, iş arkadaşı. ~**people**, işçiler. ~**-permit**, çalışma belge/karnesi. ~**-room**, iş odası, atelye. ~**s**, atelye, fabrika; (saat vb.nin) makinesi; (*edeb.*) külliyat, toplu eser/yapıtlar: **ex** ~, fabrika fiyatı. ~**-sheet**, analiz cetveli. ~**shop**, atelye, iş/yapım yeri, (*tiy.*) işlik, şantiye. ~**shy**, istemiyerek çalışan, çalışmayan. ~**site**, işyeri. ~**-table**, el işi masası. ~**-to-rule**, (işçiler) ağırca ve tam iş şartlarına göre çalışma. ~**-woman**, kadın işçi.

world [wəld]. Dünya; cihan; âlem; herkes. **New** ~, Amerika: **Old** ~, Avrupa, Afrika ile Asya: THIRD ~: **a** ~ **of...**, pek çok: **a** ~ **of money**, dünya kadar para: **all the** ~, herkes: **all the** ~ **and his wife were there**, bütün sosyete/belli başlı herkes orada idi: **for all the** ~ **like...**, tıpkı... gibi: **I would not do it for all the** ~, dünyayı verseler yapmam: **you have the** ~ **before you**, önünde koca bir hayat var: **go to a better** ~, bu dünyaya gözünü yummak: **all the difference in the** ~, dağlar kadar fark: **come down in the** ~, içtimaî mevkice vb. düşmek: ~ **without end**, ebediyen: **this** ~**'s goods**, dünyalık: **he is not long for this** ~, çok yaşamaz: **a man of the** ~, görmüş geçirmiş adam: **the next/other** ~**/the** ~ **to come**, ahret: **one who has seen the** ~, dünya görmüş adam; feleğin çemberinden geçmiş: **think the** ~ **of s.o.**, birini son derece sevmek/fevkalade takdir etm.: **what in the** ~ **are you doing?**, ne yapıyorsun, yahu? ~**-Bank**, (*kon.*) = IBRD. ~**-class**, dünya çapında tanınmış (sporcu vb.). ~**-famous**, dünyaca tanınmış. ~**liness**, dünyaperestlik. ~**ling**, dünyaperest. ~**ly**, dünyevî; dünyaperest; maddî: ~**-wise**, tecrübeli, pişkin. ~**-power**, büyük ve etkili devlet. ~**-première**, (*sin.*) dünyada ilk oynatım. ~**-weary**, hayatından bıkmış. ~**-wide**, âlemşümul, dünya çapında, evrensel.

worm[1] [wəm] *i.* Solucan; kurt; helezon. **have** ~**s**, karnında şerit/kurt bulunmak: **even a** ~ **will turn**, en pısırık adam bile ancak bir hadde kadar sabreder: **he's rather a** ~, miskin/pısırığın biridir.

worm[2] *f.* ~ **(oneself/one's way) through undergrowth, etc.**, çalılar vb. arasından kaymak: ~ **oneself into s.o.'s favour**, hile/dalkavukluk ile birine sokulmak: ~ **a secret out of s.o.**, hile ile sırrını ağzından kapmak.

worm-[3] *ön.* ~**-cast**, solucan gübresi yığını. ~**-eaten**, kurt yenikli. ~**-fishing**, solucan yemli balık avlanması. ~**-gear**, (*müh.*) salyangoz/sonsuz vida dişlisi. ~**-hole**, kurt yeniği: ~**d**, kurt yenikli. ~**'s-eye-view**, (*alay.*) alttan bakış. ~**wood**, pelin otu; acı/nahoş bir şey. ~**y**, solucan/kurtlu.

worn [wōn] *g.z.o.* = WEAR. *s.* Yıpranmış, aşınmış. ~ **out**, bitkin, pek yorgun; eskimiş, kurada, yıpranmış.

worri·ed ['wʌrid] *g.z.(o.)* = WORRY. *s.* Tasalı; efkârlı; kaygılı. ~**er**, daima tasa çeken; hırpalayan köpek. ~**ment**, üzüntü. ~**some**, üzüntü veren; can sıkıcı. ~**t**, (*kon.*) *f.* üzülmek vb.: *i.* tasa çeken.

worry ['wʌri] *i.* Tasa, kaygı, üzüntü, sıkıntı. *f.* Musallat olm.; üzmek, tasa etm.; üzülmek; efkârlı olm., endişeli olm.; tasa çekmek; (köpek koyunları) hırpalamak; (köpek sıçanı) ısırıp sarsmak. ~ **along (somehow)**, (*mec.*) yuvarlanıp gitmek: **please don't** ~**!**, merak etmeyin!: ~ **the life out of s.o.**, birinin başının etini yemek: ~ **oneself**, üzülmek; boş yere üzüntüye girmek: **don't** ~ **yourself!**, kendini üzme!: ***he* has nothing to** ~ **about**, onun tuzu kuru. ~**-beads**, tespih. ~**ing**, üzüntü/sıkıntı veren.

worse [wəs]. Daha fena/kötü. **go from bad to** ~, gittikçe fenalaşıyor: **to make matters** ~ **.../and what's** ~, üstelik, bu da yetmiyormuş gibi...: **he was none the** ~ **for his long journey**, umulanın tersine bu uzun yolculuk ona hiç tesir etmedi: **I think none the** ~ **of you for refusing**, bunu kabul etmediniz diye size karşı duygularım değişmedi (*bazan bu cümle takdir makamına kullanılır*): **he got off with nothing** ~ **than a wetting**, bir ıslanmakla kurtuldu: **he is** ~ **off now than he was ten years ago**, on yıl öncesine oranla maddî durumu daha kötüdür: **so much the** ~ **for him!**, yazıklar olsun ona!: **he is in a** ~ **way than you**, sizden daha kötü bir durumdadır: **the** ~ **for drink/wear**, oldukça sarhoş/yorgun. ~**n**, daha kötü hale koymak; fenalaşmak.

worship ['wəşip] *f.* Tapmak; perestiş etm.; tapınmak; ibadet etm. *i.* İbadet; tapınma: **His** ~,

belediye başkanına verilen unvan. ~**ful**, pek muhterem (*gen. müstehzi*); tapıcı. ~**per**, tapan; tapınan; ibadet eden; ... perest.
worst[1] [wəst] *s., zf.* En kötü/fena. *i.* En kötü şey/hal vb. **at the** ~, en kötü halde; en kötüsü: **the** ~ **of the winter is over**, kışın en şiddetli kısmı geçti: **if the** ~ **comes to the** ~, pek sıkışırsan; pek sıkıya gelirse: **get the** ~ **of it**, altta kalmak, alt olm.: **do your** ~!, elinden geleni arkana koyma!
worst[2] *f.* Yenmek, mağlup etm. **be** ~**ed**, altta kalmak.
worsted ['wustid]. Yün iplik(ten örülmüş).
wort [wət] (*bot.*) Kök; bitki.
worth [wəθ] *i.* Kıymet; değer; kadir. *s.* Değer, eder. **be** ~ ..., ... değmek: **he is** ~ **£10,000**, on bin liralık adamdır: **die** ~ **a million**, bir milyon bırakarak ölmek: **do stg. for all one is** ~, bir şeyi bütün gücüyle yapmak: **it would be as much as my life is** ~ **to do this**, bunu ancak hayatım pahasına yapabilirim: **it is** ~ **the money**, bu fiyata değer: **get one's money's** ~, sarfettiği paranın değerini çıkarmak: **give me a shilling's** ~ **of cheese**, bana bir şilinlik peynir veriniz: **I tell you this for what it is** ~, pek önemli değil (*bazan*, doğru olup olmadığını bilmiyorum) fakat size söyliyeyim: ~ **while**, değer, dişe dokunur: **it isn't** ~ **while**, değmez. ~**ily** [-ðili], lâyık/değerli olarak. ~**iness**, liyakat; değer. ~**less** [wəθ-], değersiz; beş para etmez: ~**ly**, değersizce: ~**ness**, değersizlik. ~**y** [wəði], müstahak; yakışır; şayan; lâyık; değerli: **be** ~ **of stg.**, bir şeye müstahak/lâyık olm.: **a** ~ **man**, değerli bir adam; kendi halinde bir adam: **that is not** ~ **of you**, o sana yakışmaz; bunu sana hiç yakıştırmam: ~ **of respect**, hürmete değer: **a** ~ **successor**, hayrülhalef: **the village worthies**, köyün ileri gelenleri, kodamanları.
wot [wot] = WIT[1].
would [wud]. **will** *fiilin geçmiş zaman kipi. 'Gecmiş geleceği' ifade etmek için* **will** *yerine kullanılır, mes.* **they said they** ~ **do it at once**, derhal yapacaklarını söylediler. *Şart cümlelerinde de kullanılır, mes.* **if you ate this you** ~ **die**, bunu yerseniz ölürsünüz: **if you had invited me I** ~ **have come**, beni davet etseydiniz gelirdim. *Bazan alışkanlık ifade edermes.* **he** ~ **come and see me every week**, her hafta beni görmeğe gelirdi. ~ **you kindly shut the door?**, lütfen kapıyı kapar mısınız?: ~ **(to heaven) it were not true**, keşki doğru olmasaydı: **it *would* rain today!**, aksi gibi bugün yağmur yağıyor: **the wound** ~ **not heal**, yara bir türlü iyi olmuyordu: **I** ~ **I were rich**, keşki zengin olsam. ~**-be**, ... taslağı; sözüm ona.
wound[1] [wūnd] *i.* Yara; yarık; acı. *f.* Yaralamak. ~ **s.o.'s feelings**, birinin kalp/hatırını kırmak.
wound[2] [waund] *g.z.(o.)* = WIND[3].
wove(n) [wouv(n)] *g.z.(o.)* = WEAVE. *s.* Dokuma.
***wow**[1] [wau] (*arg.*) *i.* Mükemmel bir şey. *ünl. Hayret/hayranlık nidası.*
wow[2] (*rad.*) Ses bozulması.
wowser ['wauzə(r)] (*Avus.*) Mutaassıp; oyunbozan; içkilere tövbe eden.
WP = WEATHER PERMITTING. ~**A** = WITH PARTICULAR AVERAGE. ~**B** = WASTE-PAPER-BASKET. ~**c** = WOMAN POLICE-CONSTABLE. ~**m** = WORDS PER MINUTE. ~**n** = WEAPON.
WR = WEST RIDING; WAR RESERVE. ~**AC** = WOMEN'S ROYAL ARMY CORPS.
wrack [rak]. (i) = RACK, harabiyet; (ii) dalga tarafından kıyıya atılan şeyler; deniz yosunu, ketencik.
WRAF = WOMEN'S ROYAL AIR FORCE.
wraith [reyθ]. Birisinin ölümünden önce/biraz sonra görülen hayali; hayalet.
wrangle [ran(g)gl] *i.* Münazaa, çekişme, kavga; ağız dalaşı. *f.* Münazaa etm., çekişmek. ~**r**, nizacı; Cambridge üniversitesinde matematik imtihanında birinci derece kazananlardan biri.
wrap [rap] *i.* Şal/atkı vb. gibi örtü. *f.* Sarmak; örtmek; ambalaj yapmak. ~ **stg. up in paper**, bir şeyi kâğıda sarmak: ~ **oneself up**, sarınmak; (soğuk havada) iyi giyinmek. ~**-around**, kuşatan; kapsayan. ~**ped** [-pt], **affair** ~ **in mystery**, esrara bürünmüş şey: ~ **in meditation**, tefekküre dalmış: ~ **up**, kâğıt/bez vb.ne sarılmış; şal, manto vb.yle örtülmüş. ~**per**, saran şey; örtü; (*mod.*) sabahlık; kitap gömleği. ~**ping**, sargı, ambalaj. ~**t** = ~PED.
wrass(e) [ras]. Lapina/çurçur balığı.
wrath [rōθ]. Öfke, hiddet. **the Day of** ~, kıyamet günü: **slow to** ~, kolayca öfkelenmiyen. ~**ful**, öfkeli, gazaplı.
wreak [rīk]. ~ **one's wrath on s.o.**, hiddetini birisinden çıkarmak: ~ **vengeance on s.o.**, birisinden öç almak.
wreath [rīθ] *i.* Çelenk. ~**e** [rīð] *f.* Çelenklerle bezemek; sarıp örtmek; (duman vb.) çelenk şeklinde olarak savrulmak: **his face was** ~**d in smiles**, yüzü tebessümlerle kaplı idi.
wreck[1] [rek] *f.* (Gemiyi) karaya oturtup kazaya uğratmak; (plan/proje/iş vb.ni) bozmak, baltalamak, suya düşürmek: **be** ~**ed**, kazazede olm.; karaya oturup tahrip olunmak; başarısızlığa uğramak.
wreck[2] *i.* Geminin kazası; kazazede gemi; gemi leşi; enkaz; harap olmuş kimse. **he is a perfect** ~, sağlığı mahvolmuştur: **be a nervous** ~, sinirleri harap olm. ~**age**, denizin kıyıya attığı enkaz; enkaz. ~**er**, soygunculuk için gemileri kazaya uğratan kimse; bir treni raydan çıkaran kimse; bir teşebbüsü baltalayan kimse; tarhripçi.
wren[1] [ren]. Çit kuşu.
†**Wren**[2] (*kon.*) = WRNS üyesi. ~**nery** [-nəri], WREN'lerin yurdu.
wrench [renç] *f.* Bur(k)mak, bükmek, çevirmek; zorla yerinden koparmak/ sökmek. *i.* Burkulma, burma, bükme, çevirme; vida anahtarı; (*mec.*) acıklı bir ayrılma. **adjustable/box** ~, ayarlı/yuvarlı anahtar: **monkey** ~, İngiliz anahtarı, kurbağacık: **socket** ~, lokma anahtarı.
wrest [rest] *f.* Bükmek, zorlamak; zorla çevirip sökmek; zaptetmek. *i.* (Piyano vb.) akort anahtarı. ~ **from its meaning**, -e ters anlam vermek.
wrestl·e ['resl]. Güreşmek; uğraşmak. ~ **with**, (bir müşkülü vb.) yenmeğe çalışmak. ~**er**, güreşçi, pehlivan. ~**ing**, güreş, pehlivanlık.
wretch [reç]. Biçare adam; habis herif, 'aynasız'. ~**ed** ['reçid], biçare, bedbaht; sefil; miskin; alçak; acınacak: **I'm feeling pretty** ~, hiç keyfim yok: **I can't find the** ~ **thing**, bu Allahın belâsını bulamıyorum: ~ **weather**, berbat hava: ~**ly**, biçare vb. bir şekilde: ~**ness**, biçarelik vb.
wrick [rik] *i.* Burkulma, bükülme. *f.* Burkmak.
wriggle ['rigl]. Solucan gibi kıvrılma(k); kıvrıla kıvrıla yürüme(k). ~ **into s.o.'s favour**, ustalıkla

birinin gözüne girmek: ~ **one's way out/through/into**, kıvrıla kıvrıla çıkmak/geçmek/sokulmak: ~ **out of a difficulty**, zor bir durumdan ustalıkla sıyrılıp çıkmak: **try to ~ out of it**, bir kaçamak yolu bulmak.

-wright [-rayt] *son.* Usta, yapıcı, inşaatçı, marangoz [SHIP-/PLAYWRIGHT].

wring (*g.z.(o.)* **wrung**) [rin(g), rʌn(g)]. Bükerek sıkma(k); bükerek kırma(k); sıkmak. ~ **a bird's neck**, bir kuşun boynunu büküp öldürmek: ~ **one's hands**, heyecanla ellerini sıkmak, ovuşturmak: ~ **stg. out of s.o.**, baskı/hile ile bir sır vb.ni söyletmek. ~**ing**, ~ **wet**, sırsıklam: ~ **machine**/~**er**, çamaşır mengenesi.

wrinkl·e ['rin(g)kl] *i.* Buruşuk, kırışık; pot. *f.* Buruşturmak, kırıştırmak; pörsütmek. **give s.o. a** ~, (bir iş hakkında) birine yararlı bir tavsiyede bulunmak. ~**ed**/~**y**, buruşuk; pörsük.

wrist [rist]. Bilek, el bileği. ~**band**, elbisenin bilek kısmı, yen. ~**let**, bilezik; bilek sargısı. ~**-watch**, kol saati.

writ [rit] *i.* Yazı; ferman, buyrultu; hukukî emir. *s.* Yazılmış. **Holy** ~, kutsal kitap: ~ **large**, büyük harflerle yazılmış; hakkında yanılınmaz: **his** ~ **does not run here**, onun emirleri burada geçmez: **serve a** ~ **on s.o.**, birine bir mahkeme emrini bildirmek.

write (*g.z.* **wrote**, *g.z.o.* **written**) [rayt, rout, ritn]. Yazmak; muharrirlik etm. ~ **for stg.**, bir şeyi mektupla ısmarlamak/gönderilmesini istemek: **guilt is written all over him**, suçluluk üstünden akıyor: **it's nothing to** ~ **home about**, (*kon.*) olağanüstü bir şey değil. ~ **back**, mektupla cevap vermek. ~ **down**, yazmak, kaydetmek, not etm.; yazı ile itibardan düşürmek; (*mal.*) değerlerini indirmek: **I wrote him down as a fool**, onun numarasını verdim, aptallığını anladım. ~ **in**, (bir yazıya bir kelimeyi) dercetmek. ~ **off**, yazıvermek, çızıktırmak; çizmek; iptal etm.: ~ **off a debt**, bir alacak hesabını silmek: ~ **off capital**, defterde gösterilen sermayeyi indirmek: ~ **off so much for wear and tear**, aşınma için şu kadar indirim yapmak: **you can** ~ **that off!**, bunun üstüne soğuk su iç!, bunu unut! ~ **out**, suretini çıkarmak: ~ **stg. out in full**, kısaltmasını yazmıyarak tamamını yazmak: ~ **out a prescription/cheque**, reçete/çek yazmak: ~ **oneself out**, yazma gücünü tüketmek. ~ **up**, (bir konuyu) kaleme almak; yazı ile övmek; (bir defter vb.ni) tamamlamak. ~**r**, muharrir, müellif, yazar, edebiyatçı; kâtip, yazman: **be a good** ~, iyi bir yazar olm.; iyi hattat olm.: ~**'s cramp**, fazla yazmaktan sinir büzülmesi: ~ **to the Signet**, (*İsk.*) avukat: ~**ship**, kâtiplik, yazmanlık.

writhe [rayð]. Ağrıdan kıvranmak, debelenmek.

writing ['raytin(g)]. El yazısı; yazma; eser. **answer in** ~, yazı ile cevap vermek. ~**-desk**, yazı masası, yazıhane. ~**-pad**, sumen; bloknot. ~**-paper**, yazı/mektup kâğıdı. ~**-table**, yazı masası.

written ['ritn] *g.z.o.* = WRITE. *s.* Yazılı.

WRNS/Wrens [renz] = WOMEN'S ROYAL NAVAL SERVICE.

wrong [ron(g)] *s.* Yanlış, hatalı, doğru olmıyan; ters; yanılmış; haksız, kötü; insafsız. *i.* Haksızlık; gadir; günah. *f.* Günahına girmek; hakkını yemek; -e haksız davranmak. **be** ~, yanılmak, hata etm.; haksız olm.: **be in the** ~, haksız tarafta olm.; kabahatli olm.: **do s.o. a** ~/**a** ~ **to s.o.**, birine bir haksızlık yapmak; birinin günahına girmek: **go** ~. (insan) yanılmak; baştan çıkmak; (şey) bozulmak; berbat olm., işlememek: **I hope there's nothing** ~, hayrola!; inşallah kötü bir havadis yok!: **be in the** ~ **place**, yanlış yerde olm.; yerinin adamı olmamak: **put s.o. in the** ~, (i) birini haksız çıkarmak; (ii) haksız bir yere koymak: **be on the** ~ **side of forty**, kırkını aşmış olm.: **the** ~ **side of a material**, bir kumaşın ters yüzü: **be** ~ **side up**, ters çevrilmek: **say the** ~ **thing**, pot kırmak: **take a** ~ **turning**, yanlış yola sapmak: **two** ~**s don't make a right**, haksızlığa haksızlıkla karşılık verme: **the** ~ **way round**, ters: **(food) go down the** ~ **way**, (yemek) genzine kaçmak: **what's** ~ **with you?**, size ne oldu?; neniz var?: **what's** ~ **with the bicycle?**, (i) bu bisikletin neresi bozuk?; (ii) bu bisikletin suyu mu çıktı?: **what's** ~ **with this place?**, bu yerin ne kusuru var?; bu yerin suyu mu çıktı?: **there's something** ~ **with him**, ona bir hal oldu; bu adamın şüpheli bir tarafı var.

wrongdo·er [ron(g)'dūə(r)]. Günahkâr; suçlu; kabahat yapan kimse, kanunu bozan kimse. ~**ing**, haksızlık; kabahat, günah; kanunu bozma.

wrong·ful ['ron(g)fəl]. Haksız, insafsız, kötü; hatalı: ~**ly**, haksız vb. olarak: ~**ness**, haksızlık vb. ~**-headed**, yanlış fikirli; inatçı, ters. ~**ly**, yanlış olarak.

wrote [rout] *g.z.* = WRITE.

wroth [rouθ]. Öfkeli.

wrought [rōt] *g.z.(o.)* = WORK². *s.* İşlenmiş. **be** ~ **up**, heyecanlanmış olm.: ~ **iron**, dövme demir.

wrung [rʌn(g)] *g.z.(o.)* = WRING.

WRVS = WOMEN'S ROYAL VOLUNTEER SERVICE.

wry [ray]. Çarpık, eğri. **make a** ~ **face**, yüzünü ekşitmek; dudak bükmek. ~**ly**, çarpık/eğri bir şekilde. ~**mouth(ed)**, eğri ağız(lı). ~**neck**, dönerboyun, boyun çeviren. ~**ness**, çarpıklık, eğrilik.

WS = WATER SUPPLY; WRITER TO THE SIGNET. ~**W** = WEST-SOUTH-WEST.

wt. = WEIGHT; WITHOUT.

WT = WAR TRANSPORT; WATER-TIGHT; WIRELESS TELEGRAPHY/-TELEPHONY.

WVa. = WEST VIRGINIA.

WW = WORLD WAR. ~**D** = (GOOD) WEATHER WORKING DAYS. ~**W** = WORLD WEATHER WATCH.

WX (*mod.*) = WOMEN'S EXTRA LARGE SIZE.

wyandotte ['wayəndot]. Bir cins kümes tavuğu.

wych-elm ['wiçelm]. Bir nevi karaağaç.

wynd [waynd] (*İsk.*) Dar yol, aralık.

Wyo(ming) [way'oumin(g)]. ABD'nden biri.

wyvern ['wayvən] (*mit.*) Bir çeşit ejder.

X

X [eks]. X harfi; (*mat.*) 1nci bilinmeyen nicelik; 1nci koordinat; bilinmeyen kişi; (*sin.*) 18 yaşından küçüklere uygun olmıyan (filim); haç şeklinde bir işaret; öpüş/oy/imza işareti.
-x [-z] *son.* -ler [BEAUX].
xanth- [zanθ-] *ön.* Sarı-.
Xanth·e ['(k)sanθi]. (Yun.'da) İskeçe. ~**ian**, XANTHUS'a ait.
xanth·ic ['zanθik]. Sarı(msı). ~**in**, (*bot.*) ksantin. ~**o-**, *ön.* sarı. ~**ophyl(l)**, ksantofil. ~**ous**, sarı ırka ait. ~**us**, (*tar.*) Günük.
Xant(h)ippe [zan'tipi]. Şirret kadın.
x-div. = WITHOUT DIVIDEND.
Xe. (*kim.s.*) = XENON.
xeno- ['zeno-] *ön.* Yabancı. ~**gamy** [-'nogəmi] (*bot.*) çapraztozlaşma. ~**n** ['zenon], ksenon. ~**phob·e** [-foub], yabancı düşmanı, ksenofob: ~**ia** [-biə], yabancı düşmanlığı, ksenofobi.
xero- ['zīro-, ze'ro-] *ön.* Kuru. ~**graphy** [-'rogrəfi], elektrostatik baskı. ~**phylous** [-filəs], kurakçıl. ~**phyte** ['zīrəfayt], kurakçıl bitki. ~**x**, (*M.*) kuru kopya çekme sistemi.
xi [ksi]. Yunancanın on dördüncü harfi (Ξ, ξ).
x.i. = EX INTEREST.
-xion [-kşən] *son.* -lik [INFLEXION].
xiphoid ['zifoyd]. Kılıç şeklinde.
Xmas = CHRISTMAS.
Xn(ty) = CHRISTIAN(ITY).
X-ray [eks'rey] *s.* Röntgen ışınına ait. *f.* Röntgenini almak. ~**s**, X-ışınları.
Xt(ian) = CHRIST(IAN).
XX = DOUBLE. ~**X** = TRIPLE.
xyle·m ['zaylem]. Odun dokusu. ~**ne** [-līn], iksilen.
xylo- ['zaylo-] *ön.* Tahta/oduna ait; tahta+. ~**graph(y)**, tahta kalıp(tan basma), ksilograf(i). ~**nite** [-lənayt], selüloit. ~**phagous** [-'lofəgəs], tahta yiyen. ~**phone** [-ləfoun] (*müz.*) ksilofon.
xystus ['zistəs] (*ark.*) Kapalı idman yeri; taraça.

Y

Y [way]. Y harfi; (*mat.*) 2nci bilinmeyen nicelik; 2nci koordinat.
-y [-i] *son., i.* -lik [FURY]; -cik [MUMMY]. *s.* -lu [ICY].
Y. = YEOMANRY; YEAR; YOUNG; (*kim.s.*) YTTRIUM.
yabby ['yabi] (*Avus.*) Küçük bir kerevides.
yacht [yot] *i.* Yat, gezinti gemisi. *f.* Yat ile seyahat yapmak. **~ing**, kotracılık. **~sman**, *ç.* **-men**, yat sahibi; yelkenli kayıkla spor yapan kimse.
yack(ety-yack) [yak(əti'yak)] (*arg., köt.*) Önemsiz ve sürekli sohbet.
yaffle ['yafl] (*leh.*) Yeşil ağaçkakan.
yah [yā]. *İstihza nidası.*
yahoo [yā'hū]. İnsan şeklinde hayvan; cahil/hantal/kaba kimse.
Yahveh [yā'vey] = JEHOVAH.
yak [yak]. Tibet sığırı, yak.
Yale [yeyl] (*M.*) Yale kilidi, silindir kilit.
yam [yam]. Hint yer elması; *tatlı patates.
yamen ['yamen]. Büyük Çin memurunun resmî dairesi.
yammer ['yamə(r)] (*kon.*). İnlemek, ağlamak.
yang [yan(g)]. (Çin fel.i) evrenin faal erkek ilkesi.
yank[1] [yan(g)k]. Hızlı çekmek.
Yank[2] (*arg.*) = **~ee**, Amerikalı.
yaourt ['yaū(r)t]. Yoğurt.
yap [yap] (*yan.*) Küçük bir köpek gibi havlama(k).
yapp [yap]. Sarkan yumuşak meşin cilt.
yarborough ['yābərə]. (Briçte) dokuzludan yüksek kâğıdı olmıyan el.
yard[1] [yād]. Yarda (3 kadem / 36 pusluk / 0,914 metre).
yard[2] (*den.*) Seren: **man the ~s**, selâmlık/geçit resmi için tayfayı serenlerde dur(dur)mak.
yard[3]. Avlu; tersane; saha; gereçlik, şantiye; açık havadaki depo. **back ~**, arka avlu: **coal ~**, kömür deposu: **goods ~**, (*dem.*) eşya deposu: **repair ~**, (*den.*) tamir tezgâhı, tersane: **stock ~**, kuşatılmış hayvan yeri.
yard-[4] *ön.* **~age** [-dic], yardalık. **~-arm**, seren ucu. **~-measure/-stick**, 1 yarda uzunluğunda ölçü; (*mec.*) ayar, miyar.
yarn[1] [yān]. Dokuma iplik; kınnap. **spun ~**, ısparçına.
yarn[2] *i.* Hikâye; maval. *f.* Masal söylemek. **have a ~**, hoşbeş etm.; yârenlık etm.: **spin a ~**, hikâye söylemek; maval okumak: **it's no good spinning those ~s to me!**, o numaralar bize geçmez; bana maval okuma!
yarrow ['yarou]. Civan perçemi, binyaprak otu, arapsaçı.
yashmak ['yaşmak] (*Tk.*) Yaşmak.
yataghan ['yatəgan] (*Tk.*) Yatağan.
yaw [yō] (*den., hav.*) Rotadan sapma(k).
yawl [yōl]. Yola.
yawn [yōn]. Esneme(k). **~ one's head off**, çenesi düşecekmiş gibi esnemek: **a precipice ~ed at his feet**, önünde bir uçurum açıldı. **~ing**, ağzı açık ve geniş; esneyiş.
yaws [yōz]. Piyan, verem dutu, ekvator frengisi.
Yb. (*kim.s.*) = YTTERBIUM.
Y-branch ['waybranç] (*müh.*) Tek çatal.
yclept [i'klept] (*mer., alay.*) Adlı, . . . isminde.
yd. = YARD.
ye[1] [yī] (*mer.*) Siz.
ye[2] (*mer.*) = THE.
yea [yey]. Evet; hem de.
yeah [yeə] (*kon.*) Evet. **oh ~!**, *inanmazlık nidası.*
year [yiə(r)]. Yıl, sene; yaş, **academic/school ~**, güzün başlıyan okul/üniversite yılı: **astronomical ~**, gökbilim yılı: **calendar/civil ~**, resmî yıl: **common/leap ~**, adi (365 gün)/artık (366 gün) yıl: **financial/fiscal/tax ~**, malî yıl: **light ~**, ışık yılı: **lunar/solar ~**, ay/güneş yılı: **~ after ~**, her yıl üst üste: **all the ~ round**, yaz-kış: **be getting on (in ~s)**, yaşlanmak: **~ in ~ out**, bütün yıl içinde: **he was in my ~**, (üniversite vb.nde) sınıfdaşım idi. **be 20 ~s old**, yirmi yaşında olm.: **he is old for his ~s**, (i) yaşlı gösteriyor; (ii) (çocuk) yaşına göre büyük: **a ~ and a day**, (*huk.*) tam bir yıl; (*mec.*) uzun bir müddet: **a ~ (from) today**, gelecek yıl bugün: **in the ~ dot/one**, eski zamanda: **... of the ~**, belli bir yılın temsili. **~book**, salname, yıllık. **~ling**, bir yaşında (hayvan); (*mal.*) bir yıl vadeli. **~-long**, bir yıl süren. **~ly**, yılda bir kere/her yıl vukubulan.
yearn [yən]. **~ for/after**, hasret çekmek, özlemek, çok arzu etm. **~ing**, hasret, arzu: **~ly**, hasret çekerek.
yeast [yīst]. Bira mayası; ekmek mayası. **~y**, köpüklü, maya gibi; maya gibi işliyen, heyecanlı; köpüklü, boş (söz vb.).
yell [yel] *f.* Avazı çıktığı kadar bağırmak; yırtınmak. *i.* Feryat, bağırma, çığlık.
yellow ['yelou]. Sarı (renk); (*arg.*) korkak. **go/turn ~**, sararmak. **~-fever**, sarı humma. **~-hammer**, sarı kiraz kuşu/yelve. **~ish**, sarımsı. **~-jack**, sarı humma; (*den.*) karantina flaması. **~-pages**, telefon rehberinin ticarî kısmı. **~-peril**, sarı ırktan gelen tehlike. **~-press**, paçavra. **~y**, sarımsı.
yelp [yelp] *i.* Vurulmuş köpeğin kısa ve keskin bağırması. *f.* Böyle bağırmak.
Yemen ['yemən]. Yemen. **~i**, *i.* Yemenli: *s.* Yemeni.
yen[1] [yen]. Japon parası.
***yen**[2] *arg.* Arzu, istek.
yeo·man, *ç.* **~men** ['youmən]. Küçük mülk sahibi/çiftci; (*den.*) levazıma bakan/işaretleri idare eden küçük zabit; (*ask.*) **~**RY'ye mensup asker. **~ service**, dürüst ve gayretli hizmet: **~ of the Guard** = BEEFEATER: **~ of signals**, (*den.*) işaretçi. **~ry**, çiftçi sınıfı; İng. ordusunda gönüllü süvari alayı.
***yep** [yep] (*kon.*) Evet.
-yer [-yə(r)] *son.* -ci [LAWYER].

yes [yes]. Evet; . . . değil mi? ~**-man**, evetefendimci.
yester·day ['yestədey]. Dün: **the day before** ~, önceki gün. ~**night**, dün akşam. ~**year**, (*mer.*) geçen yıl(lar).
yet [yet]. Daha; henüz; hâlâ; ancak; lâkin. **as** ~, şimdiye kadar: **it is strange** ~ **true**, gariptir fakat doğrudur.
yeti ['yeti]. Himalaya'da güya yaşıyan ayı/insansı (?) bir hayvan, kar adam.
yew [yū]. Porsuk ağacı.
YHA = YOUTH HOSTELS ASSOCIATION.
Yid [yid] (*arg., köt.*) Yahudi. ~**dish** [-diş], İbranice ile karışık bir Alman lehçesi.
yield[1] [yīld] *i.* Mahsul; ürün; ürünün miktarı; hâsılat, gelir, verim (gücü); irat; kazanç. *f.* Hâsıl etm.; mahsulü olm.; vermek.
yield[2] *f.* Teslim olm.; ram olm.; akmak, gevşemek, esnemek; kapılmak; teslim etm.; terk etm. ~ **to temptation**, iğvaya kapılmak: ~ **up the ghost**, ölmek: **I** ~ **to none in admiration of his work**, onun eserini takdirde kimseden geri kalmam. ~**ing**, yumuşak; gevşek; uysal. ~**-point**, akma sınırı.
yin [yin]. (Çin fel.i) evrenin muti dişi ilkesi.
***yip** [yip] = YELP.
yippee ['yipī] *ünl. Neşe/hayret nidası.*
YMCA = YOUNG MEN'S CHRISTIAN ASSOCIATION.
yob(bo) ['yob(ou)] (*arg.*) Serseri, avare.
yodel [youdl]. Tirol usulünce boğazdan çıkarılan seri seslerle şarkı söylemek.
yog·a ['yougə]. Bir Hint felsefe sistemi. ~**i**, YOGA sofusu.
yoghourt ['yogət] (*Tk.*) Yoğurt.
yoicks [yoyks] *ünl.* = TALLY-HO.
yoke [youk] *i.* Boyunduruk, hamut; sakaların omuz sırığı; bir gömlek/korsajın üst tarafına eklenen parçası; bir kayığın ip ile kullanılan dümen yekesi; iki kısım eklenen parça. *f.* Boyunduruğa koşmak. **cast/throw off the** ~, boyunduruktan kurtulmak: **a** ~ **of oxen**, bir çift öküz, koşaltı. ~**-fellow/-mate**, meslektaş vb.
yokel [youkl]. Köylü; hödük.
yolk [youk]. Yumurta sarısı. ~**bag/sac**, vitellüs kesesi.
yon(der) ['yon(də(r))]. Şurada(ki); ötede(ki); orada(ki).
yoo-hoo ['yūhū] *ünl. Dikkat çeken nida.*
yore [yō(r)]. Eski zaman. **of** ~, eskiden, eski zamanda.
Yorks(hire) ['yōkşə(r)]. Brit.'nın en büyük kontluğu. ~ **pudding**, kızarmış sığır etiyle yenilen bir nevi hamur işi.
you [yū]. Sen, siz; seni, sizi; sana, size. ~ **(there)!**, hey!, bana bak!: **if I were** ~, sizin yerinizde olsam.
young [yʌn(g)] *s.* Genç. *i.* Yavru. **the** ~, gençler: **Young England**, bugünkü İngiliz gençleri: ~ **Mr. Jones**, (i) genç Mr. J.; (ii) Mr. Jonesin oğlu; J. kardeşlerden küçüğü: ~ **man**, delikanlı: **my** ~ **man/woman**, sevgilim: ~ **Turks**, (*tar.*) İttihatçılar; (*id.*) bir partinin asi grubu: ~**'un** = ~STER: **the day/night/year is** ~ **yet**, daha günün vb. başındayız: **I am not as** ~ **as I was**, eskisi gibi genç değilim: **with** ~, gebe (hayvan). ~**er**, daha genç: ~ **son**, küçük oğul: **you are looking years** ~, maşallah çok gençleşmişsiniz!: **when I was forty years** ~, kırk yıl önce (gençliğimde). ~**ish**, oldukça genç. ~**ster**, çocuk; delikanlı.
your [yō(r)]. Senin; sizin. **you cannot alter** ~ **age**, kimse yaşını değiştiremez: ~ **true patriot will die for his country**, gerçek yurtsever yurdun uğrunda canını verir; (*bu gibi cümlelerde* **you** 'genellikle' *anlamına gelir*). ~**s**, seninki, sizinki: **is he a friend of** ~**?**, o sizin dostlarınızdan mı?: **that is a bad habit of** ~, bu sizin kötü bir âdetiniz: ~ **faithfully/sincerely**, (*mektubun sonunda*) saygılarımla. ~**self** [-'self], kendin, kendiniz (*bir kimse hakkında*). ~**selves**, kendiniz (*iki/fazla kimse hakkında*).
youth [yūθ]. Gençlik; genç bir adam, delikanlı; gençler. ~**-club**, gençler derneği. ~**ful**, genç; genç gibi: ~**ly**, genç olarak: ~**ness**, gençlik. ~ HOSTEL.
yowl [yaul] (*yan.*) Miyavlamak; ürümek.
yo-yo ['youyou] *i.* Yoyo. *s.* İnip kalkan, değişen. *f.* İnip kalkmak, değişmek.
yr(s). = YEAR(S); YOUR(S).
YRA = YACHT RACING ASSOCIATION.
ytterb·ic [i'təbik]. İterbiyuma ait. ~**ium** [-biəm], iterbiyum.
yttr·ic ['itrik]. İtriyuma ait. ~**ious** [-iəs], itriyum+. ~**ium**, itriyum. ~**o-**, *ön.* itriyum+.
yucca ['yʌkə]. Avizeağacı, yukka.
Yugoslav ['yūgouslāv]. Yugoslav(yalı). ~**ia**, Yugoslavya: ~**n**, *i.* Yugoslav(yalı): *s.* Yugoslavya+.
Yukon ['yūkon]. Kanada'nın bir ili.
Yule [yūl]. Noel. ~**-log**, Noel yortusunda yakılan kütük. ~**-tide**, Noel yortusu.
yum·my ['yʌmi] (*kon.*) Tatlı, lezzetli. ~**-**~, *ünl. yemekten hoşlanma nidası.*
***yup** [yʌp] = YEP.
yurt [yū(r)t] (*Tk.*) Türkmen çadırı.
YWCA = YOUNG WOMEN'S CHRISTIAN ASSOCIATION.

Z

Z [†zed, *zī]. Z harfi; (*mat.*) 3üncü bilinmeyen nicelik; 3üncü koordinat.
Z = ATOMIC NUMBER; AZIMUTH; IMPEDANCE; ZONE.
Zaire [zā'īr]. Zaire.
zag [zag]. Anî bir dönemeç; ZIG ~.
zany ['zeyni]. Soytarı; budala.
Zanzibar ['zanzibar]. Zengibar. ~**i**, Zengibarlı.
zap [zap] (*arg.*) Vurmak, hücum etm., öldürmek.
zaptieh ['zaptiey] (*Tk.*) Zaptiye.
Zarathustra [zara'θūstra]. Zerdüşt.
zeal [zīl]. Gayret, gayretkeşlik, himmet, can atma, tehalük, hamiyet. ~**ot** ['zelət], mutaassıp; bağnaz; fazla derecede gayretkeş. ~**ous** [-ləs], gayretkeş, hamiyetli.
zebr·a ['zebrə]. Zebra: ~**-crossing**, çizgili bir çeşit yaya geçidi. ~**ine** [-brayn], zebraya ait, zebra gibi.
zebu ['zībyū]. Hörgüçlü Hint öküzü.
†zed/***zee** [zed, zī]. Z harfi.
zeitgeist ['tsaytgayst] (*Alm.*) Zamanın ruhu, genel kanaat.
zemindar ['zeminda(r)] (*Hint.*) Mülk sahibi.
zenana [zi'nānə] (*Hint.*) Harem dairesi.
Zend [zend]. Zendî dili. ~**-Avesta**, Zerdüştîlerin kutsal kitapları.
zenith ['zeniθ]. Semtürreis, başucu, zenit; evç, doruk. **at the** ~ **of his career**, meslek hayatının zirvesinde. ~**al**, başucuna ait.
zeolite ['zīəlayt]. Zeolit.
zephyr ['zefə(r)]. Sabah rüzgârı, saba, pek hafif rüzgâr; pek ince spor gömleği; pek hafif kumaş.
zeppelin ['zepəlin]. Havagemisi, zeplin.
zero ['ziərou]. Sıfır, hiç; (*müh.*) başlangıç. **absolute** ~, mutlak sıfır (−273,15°C). ~**-hour**, (*ask.*) bir taarruz vb.nin başlayacağı saat. ~**-dimensional**, nokta gibi boyutsuz. ~**-in**, ~ **on . . .**, (*hav.*) hedefe doğru gitmek/düşmek/uçmak. ~**-population-growth**, nüfusun ne çoğalıp ne de azalması.
zest [zest]. Tat, lezzet; hoşnutluk; tehalük, can atma, şevk.
zeta ['zītə]. Yunancanın altıncı harfi (Z, ζ).
zeugma ['zyūgmə] (*edeb.*) Tek bir ismin anlamıyle ilişkisi olan bir fiilin iki isimle kullanılması [WITH WEEPING EYES AND (GRIEVING) HEARTS].
Zeus [zyūs] (*mit.*) Zefs, Jüpiter.
zibet(h) ['zibit]. Asya misk kedisi.
ziggurat ['zigurat] (*ark.*) Zig(g)urat.
zigzag ['zigzag] *s.* Zikzak, yılankavî, dolambaçlı. *i.* Zikzak yol(un bir dönemeci). *f.* Zikzak yapmak/gitmek. ~**(ing)**, zikzak olarak.
***zillion** ['zilyən]. Büyük fakat belli olmıyan sayı.
zinc [zin(g)k] *i.* Çinko, tutya. ~**(ify)** [-kifay], çinko ile kaplamak. ~**o-**, *ön.* çinko-. ~**ography** [-'kogrəfi], çinkografi. ~**ous**, çinkolu. ~**-plate/-sheet**, çinko levha/saç. ~**(k)y**, çinkolu, çinko gibi.
zing [zin(g)] (*kon.*) *i.* Güç, kuvvet. *f.* Mermi gibi gitmek.
Zingaro ['zin(g)gərou] (*İt.*) Çingene.
zink [zin(g)k] = ZINC.
zinnia ['ziniə]. Zinia çiçeği.
Zion ['zayən]. Eski Kudüste kutsal bir tepe; Kudüs; cennet. ~**ism**, Siyonizm. ~**ist**, Siyonist.
zip [zip] *i.* Vız sesi; (*kon.*) gayret. *f.* Vızıldamak. ~ **along**, vız diye geçip gitmek. *~**-code**, rakamlı posta kodu. ~**-fastener**/~**per**, fermuar, ekler.
zircon ['zəkon]. Zirkon. ~**ic**, zirkonyuma ait. ~**ium**, zirkonyum.
zither ['ziθə(r)]. 30–40 teli olan ve mızrapla çalınan çalgı. ~**ist**, bunu çalan kimse.
zizz [ziz] (*kon.*) Kestirme(k), uyuklama(k).
Zn. (*kim.s.*) = ZINC.
-zoa [-zouə] *son.* . . . hayvanlar [PROTOZOA].
zodiac ['zoudiak]. Burçlar bölgesi, burçkuşağı, zodyak. **sign of the** ~, burç. ~**al**, burçlara ait.
zoic ['zouik]. Hayvanlara ait; (*yer.*) taşıllı.
zollverein ['tsolfərayn] (*Alm.*) Gümrük birliği.
zomb·ie/~**y** ['zombi]. Büyücülükle canlandırılmış (!) ceset; (*kon.*) ceset gibi hissiz bir kimse.
zon·al ['zounəl]. Bir bölgeye ait; bölgelere ayrılan. ~**e**, *i.* mıntıka, bölge; kesim, kuşak, dilim: *f.* bölgelere ayırmak: **demilitarized** ~, askerlere yasak/askersizleştirilmiş bölge: **free** ~, (*id.*) açık/serbest/gümrüksüz bölge: **military** ~, (*ask.*) yasak/askerî bölge: ~**-time**, dilim saati.
zoo. [zū] = ZOOLOGICAL GARDEN; ZOOLOGY.
zoo- [zouo-] *ön.* Hayvan+; hayvanî; zoo-. ~**chemistry/geography**, hayvan kimya/coğrafyası. ~**graphy** [-'ogrəfi], zoografi. ~**latry** [-'olətri], hayvan tapınması. ~**lite** ['zouəlayt], hayvan taşılı.
zoolog·ical [zouə'locikl]. Hayvanlar bilimine ait: ~**-garden**, hayvanat bahçesi. ~**ist** [-'oləcist], hayvanat bilgini, zoolog. ~**y**, hayvanlar bilimi, zooloji.
zoom [zūm] *f.* (*hav.*) Birdenbire ve pek hızlı yukarıya çıkmak/tırmanmak; (*sin.*) optik kaydırmak. *i.* (*hav.*) Bu hareketin gümbürtüsü. ~**ing**, (*hav.*) şandelle tırmanış; (*sin.*) optik kaydırma. ~**-lens**, değişir odaklı mercek.
zoo·man ['zūman] (*kon.*) Hayvanat bilgini. ~**morphic** [zouə'mōfik], hayvan şeklinde. ~**phyte** [-'fayt], (deniz gülü vb.) bitkisel hayvan. ~**spore**, zoospor. ~**tomy** [-'otəmi], hayvan teşrihi.
zoot-suit ['zūtsyūt] (*arg.*) Pek gösterişli erkek kostümü, bopstil.
zoril ['zoril]. (Çizgili) zorilla.
Zoroastrian [zoro'astriən]. Zerdüştî.
Zouave ['zūāv]. Zuhaf askeri.
zounds [zaundz] (*mer.*) *Öfke/şaşkınlık ünlemi.*
ZPG = ZERO POPULATION GROWTH.
Zr. (*kim.s.*) = ZIRCONIUM.
ZS = ZOOLOGICAL SOCIETY.
ZT = ZONE TIME.

Zulu ['zūlū] (*Afr.*) Zulu kabilesi(nden birisi).
Zurich ['zyuərik]. Zürih şehri.
zyg(o)- [zaygo-] *ön.* Boyunduruk şeklinde; çifte olan. ~**ma** [-'gouma], elmacık kemiği. ~**sis**, birleşme. ~**te** [-gout], zigot, döllenmiş yumurta.
zym·osis [zay'mousis]. Mayalanma. ~**otic** [-'motik], mayalanmaya ait; bulaşıcı (hastalıklar). ~**urgy** [-'mə̄ci], mayalanma bilimi.